# GABLER
# WIRTSCHAFTS
# LEXIKON

# GABLER
# WIRTSCHAFTS
# LEXIKON

**12., vollständig neu bearbeitete
und erweiterte Auflage**

# G – K

**GABLER**

CIP-Kurztitelaufnahme der Deutschen Bibliothek

**Gabler Wirtschafts-Lexikon.** – Taschenbuch-Kassette
mit 6 Bd. – Wiesbaden: Gabler
   10. Aufl. u. d. T.: Gablers Wirtschafts-Lexikon
   ISBN 3-409-30384-7

Bd. 3. G – K – 12., vollst. neu bearb. u. erw. Aufl.,
ungekürzte Wiedergabe d. zweibd. Orig.-Ausg. – 1988
   ISBN 3-409-30345-6

Begründet und bis zur 10. Auflage herausgegeben
von Dr. Dr. h. c. Reinhold Sellien und Dr. Helmut Sellien

1. Auflage 1956
2. Auflage 1958
3. Auflage 1959
4. Auflage 1961
5. Auflage 1962
6. Auflage 1965
7. Auflage 1967
8. Auflage 1971
9. Auflage 1975
10. Auflage 1979
11. Auflage 1983
12. Auflage 1988

Ungekürzte Wiedergabe der zweibändigen Originalausgabe

Der Gabler Verlag ist ein Unternehmen der Verlagsgruppe Bertelsmann.

© Betriebswirtschaftlicher Verlag Dr. Th. Gabler GmbH, Wiesbaden 1988

Umschlaggestaltung: Schrimpf und Partner, Wiesbaden
Gesamtherstellung: Elsnerdruck, Berlin
Printed in Germany

3. Band · ISBN 3-409-30345-6
Taschenbuch-Kassette mit 6 Bänden · ISBN 3-409-30384-7

# G

**G. 1.** *Börsenwesen:* Ausdruck für kaufkräftige Nachfrage (Geld). Werden die Kaufaufträge nur z. T. ausgeführt, so wird verzeichnet: „bez. G." = „bezahlt Geld". – Vgl. →Notierungen an der Börse. – Im Börsenhandel bedeutet der *Ruf „Geld"* zugleich mit einem Kurs, daß der Rufer das genannte Papier zu diesem Kurs kaufen will. – **2.** *Meßwesen:* Abk. für →Giga.

**Gabelungsmethode,** →split ballot.

**Gabun,** Volksrepublik an der Niederguineaküste. Grenzt im N an Kamerun, im O und S an die Volksrepublik Kongo. – *Fläche:* 267 667 km². – *Einwohner* (E): (1985, geschätzt) 1,2 Mill. (4,5 E/km²); jährliches Bevölkerungswachstum: 2,7%. – *Hauptstadt:* Libreville (350 000 E); weitere wichtige Städte: Port Gentil (164 000 E), Franceville (75 000 E). – G. ist in neun Regionen *unterteilt,* die in 37 Präfekturen und 9 Subpräfekturen gegliedert sind (Städte haben Selbstverwaltung). – *Amtssprache:* Französisch.

W i r t s c h a f t : *Landwirtschaft:* Geographische und klimatische Faktoren erschweren die Entwicklung der Landwirtschaft, in der fast 80% (an anderer Stelle 55%) der Bevölkerung beschäftigt sind (Beitrag zum BSP: 4%; an anderer Stelle: 8%). Die *Forstwirtschaft* gehört zu den wichtigsten Wirtschaftssektoren. G. verfügt über 21,5 Mill. ha Regenwald mit wertvollen Edelhölzern (Okumé); Waldraubbauwirtschaft; plantagenmäßiger Anbau von Kakao in Küstennähe. – *Bodenschätze und Industrie:* Vorkommen von Erdöl (Port Gentil), Eisenerzen (Mekambo) und NE-Metallen (Mangan, Uran, Gold); Erdölverarbeitung. – *BSP:* (1985, geschätzt) 3330 Mill. US-$ (3340 US-$ je E); Export von Erdöl und Uranerz stellen 55% des BSP. – *Inflationsrate:* (1982) 16,7%. – *Export:* (1983) 1975 Mill. US-$, v. a. Erdöl (über 80%), Holz, Mangan- und Uranerze. – *Import:* (1983) 853 Mill. US-$. – *Handelspartner:* Frankreich (fast 50%), Bundesrep. D. u. a. EG-Länder.

V e r k e h r : Verkehrsmäßig noch wenig erschlossen; *Erzbahn;* ca. 506 km asphaltierte *Straßen.* Die für den Holztransport geeigneten *Flußläufe* sind 1700 km lang. Der Ogooué ist im Unterlauf ganzjährig schiffbar und stellt eine wichtige Verbindung zum Überseehafen Port Gentil dar. – Weitere *Häfen:* Libreville und Owendo.

M i t g l i e d s c h a f t e n : UNO, AKP, CCC, OAU, OIC, OPEC, UDEAC, UNCTAD u. a.; Französische Gemeinschaft.

W ä h r u n g : 1 CFA-Franc = 100 Centimes (c).

**Gage,** Bezeichnung des →Entgelts für Schauspieler, Opernsänger und Artisten.

**Gain-and-loss-Analyse,** Methode der Marktforschung, bei der Mitglieder eines →Panels auf →Käuferwanderung in bezug auf Marken und Einkaufsmengen untersucht werden. Ist die Stichprobe repräsentativ, können neben wertvolle Informationen über mengenmäßige Marktanteilsgewinne und -verluste einzelner Marken sowie über Marktanteilsschwankungen durch neue Käufer bzw. Abstinenz alter Käufer gewonnen werden.

**gal,** Abk. für →Gallon.

**Gallon (gal),** angelsächsische Volumeneinheit. – **1.** In *Großbritannien:* 1 gal (brit.) = 4,546091 l. – **2.** In den *USA:* 1 gal (US) = 3,785411 l.

**Galtonsches Brett,** ein nach dem Naturforscher F. Galton (1822–1911) benanntes Experimentiergerät, mit dem veranschaulicht werden kann, daß sich mit zunehmendem Wert des →Parameters n eine →Binomialverteilung an eine →Normalverteilung annähert.

**Gambia,** Republik in Westafrika, von Senegal begrenzt. – *Fläche:* 11 295 km². – *Einwohner* (E): (1985, geschätzt) 640 000 (56,7 E/km²). – *Hauptstadt:* Banjul (44 536 E); weitere Städte: Colombo St. Mary (102 858 E), Sere Kunda (16 000 E). – G. war bis 1966 britische Kronkolonie und Protektorat, seit 1966 unabhängiges Mitglied im →Commonwealth. – G. ist in fünf Verwaltungsbezirke *unterteilt.* – *Amtssprache:* Englisch.

W i r t s c h a f t : *Landwirtschaft:* G. gehört zu den am wenigsten entwickelten Ländern. Erdnußanbau und Viehzucht schwach entwickelt. An Bodenschätzen wird Ilmenit gewonnen. Für die wirtschaftliche Entwicklung könnte der Fremdenverkehr eine Rolle spielen (1983: 25 000 Touristen). – *BSP:* (1985, geschätzt) 170 Mill. US-$ (230 US-$ je E). – *Inflationsrate:* (1982) 10,9%. – *Export:* (1985) 43 Mill. US-$, v. a. Erdnüsse und Palmkerne (90%). – *Import:* (1985) 93 Mill. US-$, v. a. Textilien, Reis, Zucker, Gebrauchsgegenstände und

Maschinen. – *Handelspartner:* Großbritannien u.a. EG-Länder, Schweiz, Japan, VR China.

**Verkehr:** Der Gambia-Fluß ist fast ausschließlicher Verkehrsträger. – 1556 km *Straße,* nur ein geringer Teil davon asphaltiert. – Internationaler *Flughafen* in Yundum.

**Mitgliedschaften:** UNO, AKP, CEDEAO, OAU, OIC, UNCTAD u.a.; Commonwealth, Konförderation mit Senegal.

**Währung:** 1 Dalasi (D) = 100 Bututs (b).

**GAMM,** Abk. für →Gesellschaft für Angewandte Mathematik und Mechanik.

**Gancho,** Verrechnungseinheit im argentinisch-brasilianischen Handel (Kunstwährung). Gesetzliche Zahlungsmittel bleiben die eigentlichen Landeswährungen Austral und Cruzado. Vereinbart 1985 im Rahmen eines Kooperationsabkommens über eine wirtschaftliche Annäherung, auch von Uruguay unterzeichnet.

**ganze Zahlen,** sind $0, 1, -1, 2, -2, 3, -3, \dots$ Die →Menge aller g.Z. wird als $\mathbb{Z}$ bezeichnet. – Vgl. auch →natürliche Zahlen.

**Ganzheitspsychologie,** →Gestaltpsychologie.

**ganz-rationale Funktion,** eine →Funktion, deren Gleichung von der Form $y = a_0 + a_1 x + a_2 x^2 + \dots + a_n x^n$ ist, wobei n eine →natürliche Zahl ist. Die (festen) Zahlen $a_0, a_1, \dots, a_n$ heißen Koeffizienten. Der in der Funktionsgleichung rechts stehende →Term wird als Polynom bezeichnet (hier vom „n-ten Grad").

**Ganzstellen,** auf öffentlichem Grund befindliche Säulen und Tafeln für den Plakatanschlag, die zeitlich begrenzt nur von einem Werbetreibenden benutzt werden können. G. werden von (örtlichen) privaten Institutionen auf angestottem Grund errichtet und verwaltet. – *Gegensatz:* →Allgemeinstellen. – Vgl. auch →Großflächen, →Außenwerbung.

**ganzzahlige Optimierung,** Teilgebiet der →mathematischen Optimierung, das sich mit Optimierungsaufgaben befaßt, bei denen mindestens eine der Variablen nur ganzzahlige Werte annehmen darf (→ganzzahliges Optimierungsproblem).

**ganzzahliges Optmierungsproblem,** *ganzzahliges Programmierungsproblem.* I. **Charakterisierung:** →Mathematisches Optimierungsproblem, bei dem mindestens eine der →Strukturvariablen ganzzahlige Werte annehmen darf. – *Arten:* a) *Vollständig-g.O.:* Sämtliche Strukturvariablen müssen ganzzahlige Werte annehmen; *gemischt-g.O.:* Nur einige Strukturvariablen müssen ganzzahlige Werte annehmen. – b) *Ganzzahliglineares Optimierungsproblem:* G.O., in dem

ausschließlich →lineare Restriktionen (mit Ausnahme der →Ganzzahligkeitsrestriktionen) und eine →lineare Zielfunktion vorkommen; *ganzzahlig-nichtlineares Optimierungsproblem:* mindestens eine →nichtlineare Restriktion und/oder eine →nichtlineare Zielfunktion tritt auf. – c) →*Binäres Optimierungsproblem:* Variablen dürfen nur den Wert 0 oder 1 annehmen.

II. **Lösung:** 1. *Vorgehensweise:* Es kann zunächst ein entsprechendes →kontinuierliches Optimierungsproblem gelöst werden, um dann (sofern erforderlich) durch nachträgliches Runden eine Lösung des ursprünglichen Problems zu ermitteln. Der so gefundene Vektor der Variablenwerte kann aber von der gesuchten →optimalen Lösung verschieden oder sogar überhaupt keine →zulässige Lösung des betreffenden Restriktionssystems sein. – 2. *Methoden:* a) Für ganzzahlige →klassische Transportprobleme mit ganzzahligen Vorrats- und Bedarfsmengen, →lineare Zuordnungsprobleme und gewisse Flußprobleme in Netzwerken läßt sich zeigen, daß die Basislösungen der jeweiligen Optimierungssysteme stets ganzzahlig sind, und sie deshalb (zumindest theoretisch) mit den *Methoden der (kontinuierlichen)* →*linearen Optimierung* angegangen werden können. b) Sofern keine dieser speziellen Problemstrukturen vorliegt, werden in der Literatur →*Schnittebenenverfahren* zur Bestimmung optimaler, die Ganzzahligkeitsrestriktionen erfüllenden Lösungen vorgestellt. Numerische Stabilität und Rechenzeitverhalten dieser Verfahren befriedigen aber häufig selbst bei kleineren ganzzahlig-linearen Problemen nicht. – c) Tendenziell günstiger sind →*Branch-and-Bound-Verfahren,* die aber nicht in jedem Fall in akzeptabler Rechenzeit die gesuchte Lösung liefern. – d) Bei größeren Problemen ist man deshalb auf den Einsatz von *Heuristiken* angewiesen (z.B. →quadratisches Zuordnungsproblem). – 3. *Einsatz kommerzieller Software:* Branch-and-Bound-Verfahren bilden die Grundlage zur Lösung ganzzahliglinearer Optimierungsprobleme. Mit derartiger Software läßt sich eine Vielzahl von Problemen realer Größenordnungen innerhalb eines akzeptablen Zeitrahmens optimal lösen. Bei sehr großen Problemen ohne eine besonders ausgeprägte spezielle Struktur muß man sich auch hier häufig mit der besten ganzzahligen Lösung zufrieden geben, die bis zum Erreichen einer Zeitschranke gefunden wurde.

III. **Ökonomische Bedeutung:** Streng genommen ist viele Variablen ökonomischer Probleme ganzzahlig, v.a. läßt sich der Einsatz von Arbeitskräften und Maschinen nicht immer sinnvoll in reellwertigen Variablen ausdrücken. Ähnliches gilt häufig für den Einsatz von Vorprodukten bzw. den Ausstoß von Zwischen- und Endproduktion, v.a. wenn die betreffende Bezugsgröße ein Fertigungslos ist. Entsprechend entstehen g.O. schwerpunktmäßig bei der Investitionsprogrammplanung, der Personaleinsatzplanung, der Produktprogrammplanung sowie der Ablaufplanung. Außerdem können „Ja-Nein"-Entscheidungsprobleme als →binäre Optimierungsprobleme modelliert werden.

**ganzzahliges Programmierungsproblem,** →ganzzahliges Optimierungsproblem.

**Ganzzahligkeitsrestriktion,** Anforderung an eine Variable in mathematischen Restriktionsbzw. Optimierungssystemen, die besagt, daß die betreffende Variable nur ganzzahlige Werte annehmen darf.

**gap,** *Lücke.* 1. *Inflatorische/deflatorische Lücke:* Differenz zwischen beabsichtigter →Investition und beabsichtigtem Sparen (→Ersparnis) bzw. dem Unterschied zwischen Gesamtausgaben für Verbrauch und Investition (= monetäre Nachfrage) und Gesamteinkommen (= Geldwert des Angebot). Ist die geplante Investition größer als das geplante Sparen, d.h. die monetäre Nachfrage größer als das monetäre Angebot, so ergibt sich eine *inflatorische Lücke* (inflationary gap). Die Expansionstendenz des Einkommens bedeutet in diesem Fall eine Gefahr für die Geldwertstabilität (Inflationsgefahr), wenn die Entwicklung vom Zustand der →Vollbeschäftigung ausgeht. Die Gefahr entfällt weitgehend bei unterbeschäftigten Ressourcen. Ist das geplante Sparen größer als die geplante Investition, die monetäre Nachfrage also kleiner als das monetäre Angebot, so ergibt sich eine *deflatorische Lücke* (deflationary gap), d.h. die Tendenz zur Einkommenskontraktion. – Vgl. auch →Keynessche Lehre. – 2. *Technologische Lücke* (technological gap): Seit Servan-Schreiber (J. J. Servan-Schreiber: Le défi américain. Paris 1967; deutsche Übersetzung: Die amerikanische Herausforderung. Hamburg 1968) viel diskutierter Begriff für die Lücke im technologischen und organisatorischen Wissen und Können innerhalb der hochentwickelten Industrieländer (Beispiel: Elektronik). Dabei handelt es sich nicht so sehr um eine technologische Kluft als um eine Lücke im Management.

**GAP,** →EWG I2.

**Gap-Analyse,** *Lückenanalyse,* Instrument des →strategischen Managements. – 1. *Ziel:* Darstellung von Abweichungen zwischen auf unterschiedlichen Annahmen basierenden, zukünftigen Entwicklungsverläufen des Geschäfts (Gap, Lücke). Interpretation dieser Lücke; Vorschläge zu ihrer Schließung. – 2. *Darstellung der G.-A. in einem Koordinatensystem:* Auf der Ordinate steht der Lückenindikator (z.B. der Umsatz), auf der Abszisse die Zeit. Die unterste Kurve ist i.d.R. die Extrapolation des Basisgeschäfts. Die oberste

Kurve stellt die Entwicklung des Geschäfts unter der Annahme dar, daß alle Potentiale des Unternehmens genutzt werden, um zukünftige Gelegenheiten wahrzunehmen und Gefahren zu umgehen; es können zukünftig zu erwartende Veränderungen im Bestand der Potentiale des Unternehmens mit einbezogen werden (→Potentialanalyse). – 3. *Folgerungen:* Die Lücke zwischen den auf unterschiedlichen Annahmen zur Nutzung der Potentiale des Unternehmens basierenden Entwicklungslinien ist Anlaß zu Überlegungen hinsichtlich Veränderungen in den →Wertschöpfungsstrategien (z.B. Marktdurchdringung über neue Produkte), die die Lücke schließen könnten. – 4. *Differenzierung:* Die Gesamtlücke kann auch differenzierter betrachtet werden, z.B. über Unterteilung in operative und strategische Lücke. Ihre Trennungskurve ist die Entwicklungslinie des Geschäfts unter der Annahme der bestmöglichen Nutzung aller bestehenden Potentiale, während die Obergrenze der strategischen Lücke auch zukünftig zu erwartende Potentialveränderungen mit einschließt. – 5. *Beurteilung:* Die G.-A. ist ein eher grobes, wenig differenziertes und exploratives Instrument. Vertiefende Methoden der strategischen Analyse, z.B. →Produkt/ Markt-Matrix oder →Portfolio-Analyse, sollten sich deshalb der G.-A. anschließen.

**Garagen,** bauliche Anlagen oder Räume, die zum Einstellen von Kraftfahrzeugen bestimmt sind. Verpflichtung zur Beachtung besonderer Bauvorschriften für Heinzung, Lüftung, Entwässerung u.a.m. – Verpflichtung zur Miterrichtung von G. bei bestimmten Bauvorhaben oder Zahlung eines Ablösungsbetrages and die Gemeinde nach der Reichsgaragenordnung vom 17.2.1939 (RGBl I219). – *Steuerlich* gehört die Ablösungszahlung zu den →Herstellungskosten des Gebäudes und wird mit abgeschrieben.

**Garagenmiete,** Behandlung bei der →Umsatzsteuer: 1. *Umsatzsteuerfrei* ist die Vermietung von Einzelboxen und Hallenplätzen in Garagen, wenn der Vertrag als ein →Mietvertrag über einen bestimmten Teil des Grundstücks anzusehen und der Mietvertrag nicht nur für kurze Zeit (mindestens ein halbes Jahr) abgeschlossen ist (§4 Nr. 12a UStG). →Vermietung und Verpachtung. – 2. Liegt aber ein →Verwahrungsvertrag vor, wonach der Verwahrer die selbständige Obhut über den Gegenstand übernimmt, so ist das gesamte →Entgelt *umsatzsteuerpflichtig,* z.B. für die Benutzung eines Parkplatzes oder für das Recht, den Wagen in einer Großgarage oder im Parkhaus unterzustellen. Umsatzsteuerpflicht besteht auch bei reinen Mietverträgen, wenn sie für nur kurze Zeit abgeschlossen werden.

**Garantenstellung,** im Strafrecht bei unechten Unterlassungsdelikten Voraussetzung für ein strafbares Handeln. Besteht nach Gesetz, Vertrag oder aus einem anderen Grund eine Rechtspflicht zum Handeln, die der Verpflichtete unterläßt und dadurch einen anderen schädigt, so ist strafrechtliche Verantwortlichkeit gegeben.

**Garantie.** I. Allgemeines: Gesetzesfremder Begriff mit verschiedener Bedeutung. – 1. I.S. von →*Gewährleistung*, auch von →*Bürgschaft*. – 2. Abstraktes Zahlungsversprechen einer Bank (Garantiebank) für einen Garantieauftraggeber gegenüber dem Garantienehmer (Begünstigter). Im Falle der Nichterfüllung bzw. Teilerfüllung von vertraglichen Verpflichtungen (Nicht-, Teil- oder mangelhafte Erfüllung oder Verzug) seitens des Garantieauftraggebers leistet die Garantiebank einen Zahlungsausgleich für den entstandenen Schaden. Die vereinbarte Garantiesumme wird bei der ersten Anforderung ohne Prüfung auf Berechtigung des Anspruches an den Garantienehmer gezahlt. Zur Absicherung gegen ungerechtfertigte Forderungen des Garantienehmers werden i.d.R. konkrete Auszahlungsvoraussetzungen (Vorlage eines Schiedsurteils, Vorlage von Dokumenten, Frühesttermin der Auszahlung, Nachleistungsfristen u.a.m.) bestimmt. – 3. Die Vertragsinhalte werden im →Garantiebrief schriftlich fixiert. – 4. *Grundformen:* a) *Direkte G.:* G., bei der von der durch den Garantienehmer beauftragten Bank keine zweite Bank eingeschaltet wird; die Originalgarantie wird direkt herausgelegt. – b) *Indirekte G.:* G., bei der eine zweite Bank eingeschaltet wird, die die Herauslegung der Originalgarantie übernimmt. Beide Banken sind durch ein Auftragsverhältnis verbunden, gekoppelt mit einer abstrakten Schadloserklärung der Bank des Garantieauftraggebers für den Garantiefall. Die indirekte G. wird i.d.R. im Auslandsgeschäft angewandt; als zweite Bank wird i.d.R. eine Bank im Wirtschaftsgebiet des Garantienehmers gewählt, häufig durch staatliche oder halbstaatliche Stellen gesetzlich vorgeschrieben oder aus Risikogründen vom Garantienehmer gewünscht. – 5. *Formen:* →Anzahlungsgarantie, →Bietungsgarantie, →Gewährleistungsgarantie, →Konnossementgarantie, →Liefer- und Leistungsgarantie, →Transfergarantie, →Vertragserfüllungsgarantie, →Zahlungsgarantie.

II. Auslandsgeschäft: Es gibt *keine einheitlichen Regelungen* bezüglich G., sondern nur bestimmte internationale bzw. länder- und/oder branchenspezifische Usancen, die sich an der Art des Auslandsgeschäfts ausrichten. Bestrebungen der Internationalen Handelskammer Paris aufgrund der unterschiedlichen Interessenlagen und -schwerpunkte der Beteiligten (Liefer- und Käuferländer) bisher gescheitert. – *Angewandte Formen der G.:* 1. Bei *Exportgeschäften (Export-G.)* werden Anzahlungs-, Bietungs-, Gewährlei-

stungs-, Konnossements-, Liefer- und Leistungs- sowie Vertragserfüllungsgarantien bevorzugt. – 2. Im *Importgeschäft (Import-G.)* herrschen Transfer- und Zahlungsgarantie vor.

**Garantiebrief.** 1. Mitteilung der Garantiebank an den Garantienehmer über den Gegenstand der Garantie, Garantiefall, Garantiesumme, Auszahlungsvoraussetzungen und -modalitäten. Der G. begründet den Forderungsanspruch des Garantienehmers (Begünstigter) im Garantiefall. – 2. Verkaufsfördernde, werbewirksame, schriftlich zugesicherte Gewährleistung (Garantie) des Herstellers, für das mit dieser Bürgschaft ausgezeichnete Erzeugnis (Präzisionsuhr, Elektrogerät u.ä.) innerhalb einer festgelegten Frist bei vorkommendem Versagen des Mechanismus kostenlos Abhilfe zu leisten, sofern der Schaden nicht durch mutwilligen oder fahrlässigen Verstoß gegen die Gebrauchsanweisung entstand. – 3. *Rechtswirkungen:* Vgl. →Garantie.

**Garantiegeschäft,** Übernahme von →Bürgschaften, →Garantien und sonstigen Gewährleistungen für andere; →Bankgeschäft i.S. des KWG.

**Garantiekapital.** 1. *Eigenkapital der privaten Realkreditinstitute*, das in gesetzlich festgelegtem Verhältnis zu dem Betrag der ausstehenden →Pfandbriefe stehen muß; Garantie gegen eine übermäßige Pfandbriefemission. – 2. Eine der *wirtschaftlichen Zweckbestimmungen von* →*Eigenkapital* in einer Unternehmung: G. dient als Sicherheit für aufgenommene Kredite oder andere Verpflichtungen.

**Garantiekosten.** 1. Kosten aus werkseigenen Garantieverpflichtungen (→Gewährleistungswagnis) werden auch als →Sondereinzelkosten behandelt. – 2. Kosten für Inanspruchnahme staatlicher oder bankmäßiger Garantieleistung, die wie andere Finanzierungskosten zu verbuchen bzw. zu verrechnen sind.

**Garantielohn,** →garantierter Jahreslohn, →garantierter Mindestlohn.

**Garantien für Kapitalanlagen im Ausland,** Absicherung von →Direktinvestitionen gegen *politische Risiken* im Anlageland. Auch die Erträge können einbezogen werden. Annäherung durch nationale und internationale Institutionen; zu letzteren gehört die geplante →multilaterale Investitions-Garantie-Agentur für Direktinvestitionen in Entwicklungsländern.

**garantierter Jahreslohn,** hauptsächlich von den amerikanischen Gewerkschaften erhobene Forderung, den Stammbelegschaften derjenigen Werke, die besonders stark von Saison- und Konjunkturschwankungen abhängig sind, ein Recht auf Erhaltung ihres Lebensstandards zu sichern (Bestandssicherung). Diese Regelung ist bei verschiedenen amerikanischen Unternehmen der chemischen

Industrie und anderer Massenfertigung eingeführt und hat sich sozialpolitisch bewährt. –
*Gegensatz:* →Indexlohn.

**garantierter Mindestlohn,** Ergänzung des
reinen Akkordsystems (→Akkordlohn) durch
einen festen Mindestlohn, damit ein im
Akkord stehender Arbeitnehmer nicht
schlechter gestellt ist als ein Zeitlöhner. Ein
Stundenmindestlohn wird garantiert, der auch
dann gezahlt wird, wenn aufgrund der
Akkordberechnung kein Anspruch darauf besteht. G. M. wird z. B. beim →Halsey-Lohn
berücksichtigt.

**Garantierückstellung,** →Garantieverpflich-
tung.

**Garantieverpflichtung,** *Gewährleistungsverpflichtung.* I. I n h a l t : Verpflichtung des
Verkäufers einer Sache, innerhalb der gesetzlich bestimmten oder durch Vertrag vereinbarten Garantiefrist wegen mangelhafter Leistung entstandene Arbeits- oder Materialfeh-
ler auf eigene Kosten zu beheben. G. ergibt
sich besonders bei Fertigungsbetrieben für
bereits gelieferte Erzeugnisse a) durch kostenlose Ersatzlieferungen, b) durch Nacharbeiten
aufgrund des →Garantiebriefs, häufig bei
Bauausführungen, im Fahrzeugbau, bei fein-
mechanischen und optischen Geräten. –
*Rechtswirkungen:* Vgl. →Garantie.

II. B u c h u n g u n d B i l a n z i e r u n g : Die
erwarteten Aufwendungen werden als kalkulatorische →Wagnisse für das Jahr geschätzt
und mit Monatsbeträgen in die Kostenrechnung übernommen. – Eingetretene Ersatzlei-
stungen sind auf einem Konto der Finanzbuchhaltung zu buchen. Rückstellungen in der
Handelsbilanz notwendig, wenn Verbindlichkeiten aus G. am Bilanzstichtag dem
Grund nach entstanden sind. Seit Inkrafttreten des BiRiLiG besteht auch für Garantielei-
stungen ohne rechtliche Verpflichtung eine
*Bilanzierungspflicht* (§ 249 I Nr. 2 HGB). Ausweis unter „sonstige Rückstellungen".

III. K o s t e n r e c h n u n g : G. werden häufig
unabhängig von den tatsächlichen Aufwendungen kalkulatorisch mit einem Durch-
schnittssatz angesetzt, der aufgrund der Inanspruchnahme der G. im Verhältnis zum
Umsatz der letzten Jahre ermittelt wird.
Besondere Verhältnisse der jeweiligen Produktion sind dabei zu berücksichtigen.

IV. S t e u e r r e c h t : Die Bewertung von
→*Rückstellungen für G.* ist in der Steuerbilanz
und bei der Bewertung des →Betriebsvermö-
gens (nach den geltenden Grundsätzen des
→Bewertungsgesetzes) unterschiedlich. – 1.
*Steuerbilanz:* a) Zur *Bildung einer Rückstellung* für G. dem Grund nach genügt die am
Bilanzstichtag bestehende Gefahr (Wahrscheinlichkeit) einer Inanspruchnahme. Diese
kann sich ergeben aus den besonderen
Umständen des Falles, aus bereits erkannten,

aber noch nicht geltend gemachten Mängeln,
aus dem Erkennen und Geltendmachen eines
Mangels an einzelnen Produkten einer Serie
(bei serienmäßig hergestellten Gegenständen)
oder aus der regelmäßigen Wiederkehr eines
bestimmten Mangels. – b) *Der Höhe nach* sind
Rückstellungen für G. in sinngemäßer
Anwendung der §61 StG. entweder mit den
→Anschaffungskosten bzw. dem höheren
→Teilwert anzusetzen (§ 6 I Nr. 3 EStG). Dazu
ist i.d.R. eine Schätzung nötig. Die Ermittlung kann vorgenommen werden im Einzelverfahren und im Pauschalverfahren. – 2.
*Einheitsbewertung* (→Einheitswert II 2): G. als
→Betriebsschulden bei der Bestimmung des
→Betriebsvermögens nur insoweit abzugsfähig, als die Ansprüche bis zum →Abschluß-
zeitpunkt geltend gemacht sind. – *Ausnahmen:*
Bestimmter Mangel an allen Stücken einer
Serie, der bis zum Stichtag nur von einzelnen
Abnehmern geltend gemacht wurde; bestimmter Anhalt für die Berechtigung einer Rückstellung (→Bergschaden). – Die Abgrenzungs-
problematik bei der Bestimmung des Einheitswerts gewerblicher Betriebe resultiert aus der
bewertungsrechtlichen Behandlung *aufschiebend bedingter Lasten* (→Bedingung).

**Garantieversicherung,** →Maschinengaran-
tieversicherung, →Kautionsversicherung,
→Vertrauensschadenversicherung, →Monta-
gegarantieversicherung (→Montageversiche-
rung).

**Garantievertrag,** *Gewährvertrag,* gesetzlich
nicht geregelter →Vertrag, durch den jemand
einem anderen verspricht, für einen Erfolg
einzustehen, insbes. die Gefahr (das Risiko),
die dem anderen aus irgendeiner Unternehmung erwächst, zu übernehmen (Palandt).
Haftung des Garanten auch dann, wenn der
garantierte Erfolg ohne sein Verschulden aus-
bleibt. – Der G. bedarf keiner besonderen
*Form. – Besondere Art* des G. ist die →Forde-
rungsgarantie. – Eine Garantie kann auch *Teil*
eines →Kaufvertrages oder →Werkvertrages
sein (→Garantie).

**Garderobenversicherung,** von Theatern,
Kinos, Hotels, Gaststätten, Badeanstalten,
Museen usw. abzuschließende Versicherung
für die von den Gästen zur Aufbewahrung
abgegebenen Kleidungsstücke, Schirme,
Stöcke, Taschen u. dgl. Die G. umfaßt
Schäden durch Verlust, Verwechslung und
Beschädigung. – *Nicht versichert* sind Gegen-
stände, die sich in den Garderobestücken
befinden, sowie Geld und Wertsachen.

**Garn St. Germain Act,** 1982 verabschiedetes,
US-amerikanisches Bankengesetz, durch das
→commercial banks und →thrift institutions
weitgehende Freiräume in ihrer Zinsgestal-
tung gewährt wurden.

**Gasanlagen,** begründen eine besondere
Haftpflicht im Sinn der →Gefährdungshaf-

## Gastgewerbe

| Wirtschaftsgliederung | Unter-<br>nehmen | Beschäftigte | | Umsatz<br>1984 |
|---|---|---|---|---|
| | | am 31. 5. 1985 | | |
| | Anzahl | 1 000 | je Untern. | Mill. DM |
| Gastgewerbe insges. | 186 784 | 839,3 | 4,5 | 50 373 |
| davon: | | | | |
| Beherbergungsgewerbe | 38 099 | 254,8 | 6,7 | 16 635 |
| Gaststättengewerbe | 144 072 | 553,3 | 3,8 | 31 600 |
| Kantinen | 4 613 | 31,2 | 6,8 | 2 138 |

tung für ihren Inhaber. – 1. *Umfang:* Schadenersatzpflicht umfaßt gem. § 2 Haftpflichtgesetz
Unfall, Tod oder Körperverletzung eines
Menschen sowie Sachbeschädigung als Folge
der Wirkungen von Elektrizität oder Gas. – 2.
*Keine* Ersatzpflicht u. a. bei Schäden innerhalb
eines Gebäudes, bei Schäden, die durch oder
an Energieverbrauchsgeräten entstehen und
i. d. R. solchen, die durch →höhere Gewalt
herbeigeführt sind. – 3. *Einzelheiten* über die
Schadenberechnung, die Anrechnung von
Versicherungsleistungen und die Höchstgrenze des Schadenersatzes in §§ 5 ff. – 4.
*Ausschluß* der Haftung nicht möglich (§ 7). – 5.
*Verjährungsfrist:* drei Jahre.

**Gaskosten,** →Energiekosten.

**Gastarbeiter,** umgangssprachliche Bezeichnung für →ausländische Arbeitnehmer.

**Gastgewerbe,** zusammenfassende Bezeichnung für Beherbergungsgewerbe, Gaststättengewerbe und Kantinen. Teil des Dienstleistungsgewerbes. – *Bedeutung:* Vgl. obenstehende Tabelle. – Vgl. auch →Gastgewerbebesta-
tistik, →Gaststättengesetz, →Beherbergungs-
vertrag, →Tourismus.

**Gastgewerbestatistik,** *Gaststättenstatistik,*
Repräsentativstatistik im Rahmen jeder
→Handelsstatistik bei bis zu 8000 Unternehmen aus 20 Wirtschaftsklassen auf der Grundlage des →Handelszensus unter Berücksichtigung der Neugründungen. *Monatlich* Meßzahlen über die Entwicklung von Umsatz und
Beschäftigtenzahl; *zweijährlich* tätige Personen, Waren- und Materialeingang und -bes-
tand, Investitionen, Aufwendungen für gemietete und gepachtete Anlagegüter, Verkaufserlöse aus dem Abgang von Anlagegütern,
Bruttolohn- und -gehaltssumme, Umsatz nach
Arten der wirtschaftlichen Tätigkeiten, nach
Beherbergung, Verpflegung einschl. Getränke
und der sonstige Umsatz; *mehrjährlich* Zusammensetzung des Warensortiments.

**Gaststättengesetz,** Gesetz vom 5.5.1970
(BGBl I 465) mit späteren Änderungen. – 1.
Der *Betrieb* eines Gaststättengewerbes
(Schankwirtschaft, Speisewirtschaft und
Beherbergungsbetrieb) bedarf der behördlichen →Erlaubnis, die persönlich ist und nur
für bestimmte Räume und bestimmte Arten
von Getränken gilt. Die Erlaubnis kann auch
auf Zeit erteilt werden. – 2. *Einzelheiten* und

Erlaubniserteilung, -versagung, -zurück-
nahme und Umfang der Gewerbebefugnis
(z. B. Polizeistunde, Verbot der Abgabe von
Branntwein an Jugendliche). – 3. Bestimmungen bezüglich →*Ordnungswidrigkeiten* (§ 28),
die sich nicht nur gegen den Gewerbetreibenden, sondern teilweise auch gegen den Gast
richten (z. B. Nichteinhalten der Polizeistunde), sehen →Geldbußen bis zu 10 000 DM
vor. – 4. *Ausgenommen* vom G. sind weitgehend Bahnhofswirtschaften, Speisewagen,
Kantinen u. ä. Einrichtungen der Eisenbahn
(VO vom 7. 5. 1963, BGBl 1315).

**Gaststättenstatistik,** →Gastgewerbestatistik.

**Gastwirt.** 1. *Berufsstand* des Dienstleistungs-
gewerbes, von dem i. d. R. Verpflegung und
Getränke an Fremde verabreicht, z. T. auch
die Beherbergung von Gästen in sachgerecht
ausgestatteten Fremdenzimmern gewerbsmäßig betrieben werden. Erlaubnis zum Betrieb
einer Gaststätte: →Gaststättengesetz. – 2.
*Kaufmannseigenschaft:* Schank- und Speise-
wirte sind →Mußkaufmann (§ 1 II Nr. 1
HGB), nicht aber Herbergswirte (Hoteliers),
es sei denn, daß mit dem Herbergsbetrieb eine
Schank- und Speisewirtschaft verbunden
wäre, die nicht nur Hilfsmittel für die Beherbergung (z. B. Frühstückstisch), sondern auch
für andere Gäste bestimmt ist. Ein G., der nur
Erzeugnisse aus seiner Landwirtschaft verkauft und Gastwirtschaft als →Nebengewerbe
betreibt, ist u. U. →Kannkaufmann. – 3.
*Haftung des G.:* Vgl. →Gastwirtshaftung.

**Gastwirtshaftung,** Haftung des →Gastwirts,
der gewerbsmäßig Fremde zur Beherbergung
(nicht nur Bewirtung) aufnimmt, für die
Beschädigung oder den Verlust der eingebrachten Sachen der Gäste auch dann, wenn
ihn selbst kein Verschulden trifft. Gesetzlich
geregelt in §§ 701–703 BGB. – 1. *Umfang:*
Keine Haftung besteht für Fahrzeuge, für
Sachen, die in einem Fahrzeug belassen worden sind, und für lebende Tiere. – *Keine*
Ersatzpflicht, wenn der Schaden von dem
Gast, einem Begleiter des Gastes oder einer
Person, die er bei sich aufgenommen hat,
verursacht oder durch Beschaffenheit der
Sache oder →höhere Gewalt entstanden ist. –
2. *Haftungshöhe:* a) Begrenzung auf den hun-
dertfachen Betrag des Tagesbeherbergungs-
preises, mindestens aber 1000 und höchstens

6000 DM; für Geld usw. (vgl. 4) i. a. höchstens bis 1500 DM. b) Unbeschränkte Haftung, wenn Verlust, Zerstörung oder Beschädigung vom Gastwirt oder seinen Leuten verschuldet ist. – 3. *Haftungsausschluß:* G. kann nur ausnahmsweise im voraus erlassen werden: a) In Fällen der unbeschränkten Haftung (vgl. 2b) für eine Schadenshöhe, die die allgemeine Höchstgrenze übersteigt, jedoch nicht für den Fall, daß der Verlust usw. vom Gastwirt oder seinen Leuten durch →Vorsatz oder →grobe Fahrlässigkeit verursacht wird; b) die Erklärung des Gastwirts bedarf der →Schriftform und darf keine anderen Bestimmungen enthalten; ein Anschlag, durch den die Haftung abgelehnt wird, ist wirkungslos. – 4. *Sonderregelung* für Geld, Wertpapiere, Kostbarkeiten u. a. *Wertsachen:* a) Der Gastwirt ist verpflichtet, sie zur Aufbewahrung zu übernehmen, es sei denn, daß sie im Hinblick auf die Größe oder den Rang der Gastwirtschaft von übermäßigem Wert oder Umfang oder daß sie gefährlich sind; der Gastwirt kann verlangen, daß sie in einem verschlossenen oder versiegelten Behältnis übergeben werden. b) Allgemeiner Haftungshöchstbetrag 1500 DM. c) Unbeschränkte Haftung für Geld usw., das zur Aufbewahrung übernommen oder dessen Aufbewahrung entgegen a) abgelehnt wurde; für letzteren Fall kein Haftungserlaß.

**Gastwirtversicherung,** auf die gesetzliche Haftung des Wirtes abgestellte →Betriebshaftpflichtversicherung.

**gatekeeper,** Person, die über Informationsfilterungsaktivitäten den Informationsfluß in das und im →buying center steuert. – In der *wettbewerbspolitischen Diskussion* häufig gebrauchter Begriff, um die Machtposition von Handelsbetrieben bei der →Distribution von Waren zu beschreiben: Handelsbetrieben wird eine Schlüsselstellung im →Absatzkanal zuerkannt, die es ihnen ermöglicht, den Weg von Waren und Informationen entweder zu öffnen oder auch völlig zu verschließen. Nutzen Handelsbetriebe eine derartige G-Position in wettbewerbswidriger Weise, so kann dies ein Ausdruck unzulässiger →Nachfragemacht sein. Nicht selten wird diese Argumentation genutzt, um neue Formen des →Handelsmarketing als unzulässigen Nebenleistungswettbewerb einzustufen (→Sündenregister).

**gateway,** Anpassungsschaltung, die die Kopplung zweier verschiedenartiger →lokaler Netze und damit die Kommunikation eines Teilnehmers des einen Netzes mit Teilnehmern des anderen ermöglicht.

**GATT, General Agreement on Tariffs and Trade,** *Allgemeines Zoll- und Handelsabkommen.*

I. Entstehung: Das GATT geht zurück auf die Bemühungen um eine Liberalisierung des Welthandels, zunächst allgemein formuliert in der *Atlantic-Charta* (1941), dann in der *Charta der UN* (1945). Ende 1945 stellten die USA „Proposals for Expansion of World Trade and Employment" zur Diskussion, die die Gründung einer internationalen Handelsorganisation *(→ITO)* und die Kodifizierung einer Welthandels-Charta *( →Havanna-Charta)* vorsahen. Die handelspolitischen Abschnitte der Havanna-Charta wurden am 30.10.1947 als *GATT* von 23 Staaten angenommen, zugleich mit einem Vertragswerk über gegenseitige Zollherabsetzungen und Zollbindungen. Am 1.1.1948 trat das GATT in Kraft. Formal ist das GATT lediglich ein *multilaterales Handelsabkommen,* es hat jedoch den Rang einer *autonomen internationalen Organisation* gewonnen und gehört zu den →Sonderorganisationen der UN. *-Mitglieder* (offiziell: ,,*Vertragsparteien'*) 93 Vollmitglieder; weitere 28 Länder wenden das GATT de facto an (1986). – *Nichtmitglieder* sind u. a. DDR, UdSSR.

II. Ziele: Erhöhung des Lebensstandards sowie Förderung der Beschäftigung und des wirtschaftlichen Wachstums in den Mitgliedstaaten durch Intensivierung des internationalen Güteraustauschs. Die Vertragspartner tragen zur Verwirklichung dieser Zielsetzungen bei durch kollektiven Zollabbau, gesichert durch Zollbindungen auf der Grundlage der →Meistbegünstigung bzw. Vermeidung von →Diskriminierungen.

III. Organisation und Verfahren: 1. Die GATT-Regelungen basieren auf Entscheidungen der gleichberechtigten Mitgliedstaaten. Entscheidungsgremium ist die *Versammlung der Vertragsparteien,* die i. d. R. jährlich stattfindet. Beschlüsse werden i. d. R. mit einfacher Mehrheit gefaßt, nur in Ausnahmefällen mit qualifizierter Mehrheit. – 2. *Rat der Vertragsparteien,* dient der Unterstützung und Entlastung der Vollversammlung, hat aber keine Beschlußbefugnisse. – 3. Als autonome Organisation verfügt das GATT über einen eigenen Haushalt und eine eigene Verwaltung mit einem *Sekretariat* in Genf (Leitung: *Generaldirektor).*

IV. Bestimmungen: 1. *Zollpolitik:* Grundsatz ist das Prinzip der Meistbegünstigung (Ausnahme: bereits bestehende Präferenzsysteme, →Zollunion, →Freihandelszone). In der Erkenntnis, daß →Zölle den Handel behindern, fordert das GATT seine Mitglieder von Zeit zu Zeit auf, Verhandlungen über allgemeine Zollsenkungen zu führen. Bisher gab es acht abgeschlossene *Zollrunden:* 1947 in Genf; 1949 In Annecy (Frankreich); 1951 in Torbay (Großbritannien); 1956 in Genf; 1960/61 in Genf (Dillon-Runde); 1964–67 in Genf (→Kennedy-Runde); 1973–79 in Genf (→Tokio-Runde); seit 1986 →Uruguay-Runde. Ziel war neben einer weiteren Senkung der Zölle auch der Abbau der →nicht-tarifären Handelshemmnisse. – 2. *Abschaffung quantitativer Handelsbeschränkungen:* Nach dem GATT sind quantitative Handelsbeschränkungen im Prinzip unzulässig (Art. XI). Da zahlreiche Länder aber an →Kontingenten festhalten, werden im Artikel XIII nichtdiskriminierende Kontingente (Globalkontingente) zugelassen. Kontingentierungen sind danach v. a. auf dem Agrarsektor erlaubt und zum Schutz heimischer Industrien. Durch diese Ausnahmeregelungen wird Artikel XI praktisch paralysiert. – 3. *Devisenpolitik:* Abbau der →Devisenbewirtschaftung, den Partnern wird die Beachtung der Statuten des →IMF zur Pflicht gemacht. – 4. *Entwicklungspolitik:* Das GATT berücksichtigt in vielfältiger Weise die Belange von →Entwicklungsländern, was in den Übereinkommen der Tokio-Runde verstärkt zum Ausdruck kommt. Durch Hinzunahme von Teil IV zum GATT-Text (8. 2. 1965) wurden diesbezüglich besondere Regelungen getroffen. Abweichend von der Meistbegünstigungsklausel wird u. a. den Industrieländern aufgegeben, ihre Märkte durch einen weitgehenden Zollabbau den Einfuhren aus Entwicklungsländern zu öffnen. Diese *allgemeinen Zollpräferenzen* sind inzwischen von den wichtigsten Welthandelspartnern – allerdings zumeist auf Industrieerzeugnisse begrenzt – eingeräumt worden. Den beteiligten Industrieländern wurde 1971 eine entsprechende Ausnahmegenehmigung zur Abweichung vom Meistbegünstigungsgrundsatz erteilt. – *Besondere Einrichtung* für die Entwicklungsländer (seit 1968): *International Trade Center,* gemeinsam mit der UNCTAD tätig. *Aufgabe:* Die Entwicklungsländer beim Aufbau der institutionellen Infrastruktur des Handels und des Transportwesens zu unterstützen, Exportmärkte für Produkte aus Entwicklungsländern zu erschließen und Experten auf dem Gebiet des Handels für die Entwicklungsländer auszubilden. Zusammenarbeit mit FAO, UNIDO, ILO und den regionalen Wirtschaftskommissionen.

V. Wirksamkeit des GATT: 1. Das GATT *erreichte* eine gewisse Einschränkung der mengenmäßigen Handelsbeschränkungen, sieht sich aber ständig mit neuen quantitativen Restriktionen durch Mitgliedsländer konfrontiert. Auf dem Gebiet der Zollreduktion sind die größten Erfolge zu verzeichnen (Kennedy-Runde, Tokio-Runde). Wie die Maßnahmen der USA, Japans und der EG (z. B. Straf-Importzölle) zeigen, sind diese Erfolge in jünster Zeit stark gefährdet. – 2. *Besonders schwierig* gestalten sich der Abbau der nichttarifären Handelshemmnisse sowie die Liberalisierung des Agrarhandels. Eine große Gefahr für die allgemeine Meistbegünstigung, die das GATT sichern will, liegt in der wachsenden Bedeutung regionaler Freihandelsabkommen, die nach den GATT-Bestim-

mungen gestattet sind. Während es Ländergruppen, die eine politische Gemeinschaft anstreben (z. B. EG), sicher nicht verwehrt sein kann, einen →gemeinsamen Markt zu bilden, sind die umfangreichen Freihandelsverträge (z. B. die EG mit den Rest-EFTA-Staaten), die alle anderen Länder diskriminieren (Meistbegünstigung gilt nicht), vom GATT her gesehen bedenklich.

VI. Wichtige Veröffentlichungen: International Trade (jährlich); GATT-Activities (jährlich); Basic Instruments und Selected Documents Series; GATT Studies in International Trade.

**Gatter,** *Schaltglied,* eine im gegebenen Zusammenhang nicht weiter teilbare Funktionseinheit zur Speicherung (→Speicher) und/oder Verknüpfung von →Bits.

**Gattungsbezeichnung,** nach der Verkehrsanschauung als reine Beschaffenheitsangabe einer Ware zulässig. – Vgl. auch →irreführende Angaben.

**Gattungskauf,** Kauf einer nicht individuell, sondern nur der Gattung nach bestimmten Sache oder Warenmenge (z. B. Kauf einer bestimmten Menge Getreide, eines fabrikneuen Kraftwagens). – Der Verkäufer hat beim G., wenn nichts anderes vereinbart, eine Sache mittlerer Art und Güte zu liefern (§ 243 BGB); der →Kaufmann muß ein →Handelsgut mittlerer Art und Güte liefern (§ 360 HGB). Ist die gelieferte Sache *mangelhaft* (→Sachmängelhaftung), kann Käufer statt →Wandlung oder →Minderung Lieferung einer fehlerfreien neuen Sache verlangen (§ 480 BGB). – Vgl. auch →Gattungsschuld. – *Gegensatz:* →Stückkauf.

**Gattungsprodukte,** →No-names-Produkte.

**Gattungsschuld,** Schuld, die auf Leistung einer nur der Gattung nach (nach allgemeinen Merkmalen) bestimmten Sache gerichtet ist. I. d. R. hat der Schuldner eine Sache mittlerer Art und Güte zu liefern (§ 243 BGB). – Das Schuldverhältnis beschränkt sich bei der G. auf eine *bestimmte Sache* von dem Zeitpunkt an, in dem der Schuldner diese aus der Gattung ausgeschieden und dem Gläubiger ordnungsgemäß angeboten hat (*Konzentration* oder *konkretisierung,* vgl. § 243 II BGB). – Vgl. auch →Gattungskauf. – *Aufgabe einer Warengattung:* →Räumungsverkauf (§ 7 UWG). – *Gegensatz:* →Stückschuld. – Vgl. auch →Gattungsbezeichnung.

**Gauss-Algorithmus,** *Gaußscher Algorithmus, Eliminieren von Variablen.* 1. *Begriff:* Verfahren zur Bestimmung der Lösung eines eindeutig lösbaren →linearen Gleichungssystems; z. T. auch Synonym für →modifizierter Gauss-Algorithmus. – 2. *Vorgehensweise:* Das betrachtete lineare Gleichungssystem wird in ein äquivalentes Gleichungssystem der Form

$$\begin{cases} x_1 + a_{12}x_2 + \ldots + a_{1n}x_n = b_1 \\ \phantom{x_1 + } x_2 + \ldots + a_{2n}x_n = b_2 \\ \\ \phantom{x_1 + a_{12}x_2 + \ldots + a_{1n}} x_n = b_n \end{cases}$$

überführt bzw. ein System, das sich durch Vertauschen der Reihenfolge von Gleichungen und/oder durch Umnumerieren von Variablen auf diese Form bringen läßt. Durch sukzessives Einsetzen und Ausrechnen (beginnend mit $x_n$) lassen sich daraus die gesuchten Werte der Variablen bestimmen. – 3. *Ökonomische Bedeutung:* In der ökonomischen Praxis kommt dem G.-A. eine vergleichsweise geringe Bedeutung zu. Er bildet aber die Grundlage für den in der Praxis weitaus verbreiteteren modifizierten G.-A. für dessen Varianten.

**Gaußsche Normalverteilung,** →Normalverteilung.

**Gaußscher Algorithmus,** →Gauss-Algorithmus.

**Gb,** Abk. für →Gigabit.

**GB,** Abk. für →Gigabyte.

**GdB,** Abk. für →Grad der Behinderung.

**GDV,** Abk. für →Gesamtverband der Deutschen Versicherungswirtschaft e. V..

**GE,** Abk. für →Getreideeinheit.

**Gebäudeabschreibungen.** I. B i l a n z i e - r u n g : →Abschreibungen zur Aufwandsverteilung auf die Jahre der Nutzung zum Ausweis des richtigen Periodengewinns. In der Handelsbilanz vielfach G. bis auf 1 DM in übersteigerter Anwendung des Grundsatzes vorsichtiger Bilanzierung (Bildung →stiller Rücklagen). – In der *Steuerbilanz* kann beim →Absetzungen für Abnutzung allenfalls Herabgehen auf den niedrigeren →Teilwert möglich. – Vgl. auch →Afa-Tabellen, →Sonderabschreibungen.

II. K o s t e n r e c h n u n g : G. sind Teil der →Gebäudekosten, unabhängig von den Bilanzabschreibungen nach kalkulatorischen Gesichtspunkten festgelegt, und zwar ausschließlich für betrieblich genutzte Gebäude bzw. Gebäudeteile (Fabrikgebäude). Neben anderen Gebäudekosten werden G. häufig zunächst in der →Hilfskostenstelle Gebäude erfaßt, deren Kostensumme nach Maßgabe des beanspruchten Raumes auf die nutznießenden →Kostenstellen in der →innerbetrieblichen Leistungsverrechnung umgelegt werden. Bauweise und Art der Nutzung sind bei der Bemessung der Abschreibung zu berücksichtigen.

**Gebäudebesteuerung,** sämtliche Besteuerungsvorgänge, die sich auf ein Bauwerk auf eigenem oder fremdem Boden beziehen, sowohl nach dem Wert (→Gebäudewert) als auch nach dem Ertrag aus dem Gebäude (→Einheitswert, →Gebäudeabschreibungen). Zum Gesamtumfang der G. gehören Vorgänge, die unter die →Grundsteuer, die →Vermögensteuern, die →Einkommensteuer sowie bei Veräußerung unter die Grunderwerbsteuer fallen. – Vgl. auch →Grundbesitz.

**Gebäudekosten,** Summe aus kalkulatorischen →Gebäudeabschreibungen, Zinsen (→Miet- und Pachtzinsen) Aufwendungen für Reparaturen (→Gebäudereparaturen) sowie Steuern und sonstigen auf dem Gebäude liegenden Lasten (Kanalreinigung, Müllabfuhr usw.) sowie Aufwendungen für Reinigung, Heizung und Beleuchtung der Räume. G. werden für Fabrikgebäude, Lager-, Verwaltungs- und Wohngebäude zumeist auf einer besonderen →Hilfskostenstelle „Gebäude" gesammelt und auf die übrigen →Kostenstellen nach Maßgabe des benutzten Raumes verteilt (→innerbetriebliche Leistungsverrechnung).

**Gebäudelayoutplanung,** Teilplanungskomplex der →Layoutplanung. G. beinhaltet die Entscheidungsvorbereitung und -fällung über die räumliche Anordnung der einzelnen Betriebsbereiche und ggf. die Festlegung von Um- und/oder Neubauten.

**Gebäudenormalherstellungswert,** →Gebäudewert II.

**Gebäudereparaturen,** Wiederherstellungs- und Ausbesserungsarbeiten an Gebäuden. G. verursachen zumeist stufenweise anfallende →Gebäudekosten. Großreparaturen, die das Gebäude verändern und/oder im Wert wesentlich erhöhen (→Herstellungsaufwand), sind zu aktivieren; sie gehen dann den Weg über die höheren →Gebäudeabschreibungen in die Kostenrechnung ein.

**Gebäudesachwert,** →Gebäudewert II.

**Gebäudeversicherung,** *Immobiliarversicherung, Immobilienversicherung,* zusammenfassende Bezeichnung für die Versicherungen von Gebäuden in der →Feuerversicherung, →Sturmversicherung, →Hagelversicherung, →Leitungswasserversicherung und →Glasversicherung bzw. in der →verbundenen Wohngebäudeversicherung. G. dient wirtschaftlich der Erhaltung des Eigentums bzw. als Sicherheit bei Realkrediten; rechtlich ist die G. eine →Schadenversicherung, bei der →gleitende Neuwertversicherung bzw. →Wertzuschlagsklauseln vereinbart werden können.

**Gebäudewert.** I. U n t e r n e h m e n s b e - w e r t u n g : Wert von Baulichkeiten, der sich aus den Herstellungskosten (→Bauwert) einerseits und den Erträgen (→Ertragswert) andererseits unabhängig vom Wert des Grund und Bodens ergibt.

II. Steuerrecht: 1. *Begriff:* Bei der Bewertung nach dem →Sachwertverfahren ausdrücklich zu ermittelnder Wert für ein Gebäude. G. ist ein Element (neben →Bodenwert und Wert der →Außenanlagen) der →wirtschaftlichen Einheit, →Grundstück im →Grundvermögen, bzw. Untereinheit →Betriebsgrundstück im →Betriebsvermögen. (Vgl. auch →Ausgangswert, →Einheitswert.) – 2. *Ermittlung:* Es ist ein Wert für das Gebäude auf der Grundlage von durchschnittlichen Herstellungskosten nach den Baupreisen des Jahres 1958 zu errechnen, der nach den Baupreisverhältnissen im →Hauptfeststellungszeitpunkt umzurechnen ist *(Gebäudenormalherstellungswert).* Dieser mindert sich ggf. wegen des Alters des Gebäudes (im Hauptfeststellungszeitpunkt) und etwa vorhandener baulicher Schäden und Mängel *(Gebäudesachwert);* in besonderen Fällen kann dieser ermäßigt (z. B. wegen er Lage des Grundstücks, wirtschaftlicher Überalterung) oder erhöht (z. B. bei Nutzung des Grundstücks für Reklamezwecke) werden. – 3. Bei der Anwendung des →Ertragswertverfahrens (Regelfall) zur *Bewertung bebauter Grundstücke* wird der G. nicht getrennt ermittelt. Bedeutung erhält die Isolierung des G. von anderen Grundstücksbestandteilen insbes. bei den Sondervorschriften zur Einheitsbewertung der →Erbbaurechte und von Gebäuden auf fremdem Grund und Boden (→Einheitswert II 2 c).

**Gebietsansässige,** Begriff des Außenwirtschaftsrechts. G. sind natürliche Personen (ohne Rücksicht auf Staatsangehörigkeit) mit →Wohnsitz oder gewöhnlichem Aufenthalt im →Wirtschaftsgebiet sowie juristische Personen und Personenhandelsgesellschaften mit Sitz oder Ort der Leitung im Wirtschaftsgebiet. Zweigniederlassungen →Gebietsfremder im Wirtschaftsgebiet gelten als G., wenn sie hier ihre Leitung und Buchführung haben. Betriebsstätten Gebietsfremder im Wirtschaftsgebiet gelten als G., wenn sie hier ihre Verwaltung, namentlich eine etwa vorhandene Buchführung haben (§ 4 I und III AWG). – *Gegensatz:* →Gebietsfremde.

**Gebietsauswahl,** →Flächenstichprobenverfahren.

**Gebietsfremde,** Begriff des Außenwirtschaftsrechts. G. sind natürliche Personen mit →Wohnsitz oder gewöhnlichem Aufenthalt in →fremden Wirtschaftsgebieten sowie juristische Personen und Personenhandelsgesellschaften mit Sitz oder Ort der Leitung in fremden Wirtschaftsgebieten. Zweigniederlassungen Gebietsansässiger in fremden Wirtschaftsgebieten gelten als G., wenn sie dort ihre Verwaltung, namentlich eine etwa vorhandene Buchführung, haben (§ 4 I und IV AWG). – *Gegensatz:* →Gebietsansässige.

**Gebietskartell,** →Kartell, meist in Form einer befristeten Vereinbarung selbständiger Unternehmen über die Aufteilung ihrer Absatzgebiete im Interesse der Ersparung von Transport- und Werbungskosten.

**Gebietskörperschaft,** juristische Person des öffentlichen Rechts, die in ihrem Bestand von einem bestimmten territorialen Gebiet abhängig ist, z. B. Bund, Gemeinde, Gemeindeverbände, Länder. G. sind die staatsrechtliche (Art. 20 und 28 GG) und finanzwirtschaftliche (Art. 104 a–109 GG) Grundlage des →Förderalismus. Der Förderalismus in der Bundesrep. D. ist dreistufig: der Bund als Zentralgewalt und Zentralhaushalt, die Länder als nach GG zuständige Träger der Staatsaufgaben, die →Gemeinden sowie die →Gemeindeverbände als Träger der kommunalen →Selbstverwaltung.

**Gebietsreform,** →kommunale Gebietsreform.

**Gebietsschutz,** in einem System von →Vertriebsbindungen Zuweisung eines regional abgegrenzten Gebietes an einnen Abnehmer zur (exklusiven) Marktbearbeitung unter gleichzeitiger Garantie des Herstellers, daß die vertriebene Ware nicht über andere Glieder der Absatzkette in das geschützte Gebiet gelangt *(Gebietsschutzklausel).* G. häufig neben →Absatzbindung sowie für →Vertragshändler.

**Gebietsschutzklausel,** →Gebietsschutz.

**Gebietsverkaufstest,** Methode zur Messung des ökonomischen Werbeerfolgs oder des Erfolgs von Verkaufsförderungsaktionen (→Werbeerfolgskontrolle). G. beruht auf Absatzkontrollen bei repräsentativ ausgewählten Einzelhandelsunternehmen in regional begrenzten und gleichartig strukturierten Absatzmärkten (Experimental- und Kontrollgebiet), auf denen unterschiedlich geworben wurde. – Vgl. auch →Testmarkt.

**Gebot.** 1. Verbindliche Aufforderung einer *Behörde* an eine für einen bestimmten Zustand verantwortliche Person. Die Erfüllung eines G. kann erzwungen werden. Besonders häufig sind polizeiliche Gebote (→polizeiliche Ge- und Verbote). – 2. Im *Zwangsversteigerungsverfahren* der Betrag, den ein Bieter nennt, nachdem das zur Versteigerung gelangende Grundstück oder Schiff vom Gericht ausgeboten ist. – *Ausbieten* erfolgt durch Aufforderung des Gerichts zur Abgabe von G. im →Versteigerungstermin (§ 66 II ZVG). – Vgl. auch →Mindestgebot, →geringstes Gebot, →Bargebot, →Meistgebot, →Einzelausgebot.

**Gebrauchsgüter.** 1. Bei *produktionsorientierter Betrachtung:* Technische Potentiale, die in technologisch und arbeitswissenschaftlich bestimmten Kombinationen mit anderen G. und/oder Arbeitskräften Produktionsvorgänge bewirken können (z. B. Maschinen). – 2. Bei *konsumorientierter Betrachtung:* Dauerhafte Konsumgüter (z. B. Kraftfahrzeuge), die nach dem Kauf nicht konsumiert (einmalig gebraucht) werden, sondern dem mehrmaligen Gebrauch dienen. – *Gegensatz:* →Verbrauchsgüter, teils identisch mit den →shopping goods.

**Gebrauchsmuster,** Arbeitsgerätschaften, Gebrauchsgegenstände oder Teile davon, die eine neue Gestaltung, Anordnung, Vorrichtung oder Schaltung aufweisen und auf einer →Erfindung beruhen. G. können nach dem →Gebrauchsmusterrecht geschützt werden. – *Nicht* zu den G. gehören v. a. Programme für Datenverarbeitungsanlagen. – Neben dem →Patent von zunehmender Bedeutung.

**Gebrauchsmusteranmeldung,** →Gebrauchsmusterrecht 2 b).

**Gebrauchsmusterberühmung,** →Patentberühmung.

**Gebrauchsmustereintragung,** →Gebrauchsmusterrecht 2 b).

**Gebrauchsmusterrecht,** rechtliche Regelung des ausschließlichen Benutzungsrechts an bestimmten technischen Erfindungen (→Gebrauchsmuster). – 1. *Rechtsgrundlage:* Gebrauchsmustergesetz (GebrMG) i. d. F. vom 28. 8. 1986 (BGBl I 1455). Das G. wurde 1986 an das →Patentrecht angepaßt. – *Inhalt:* a) *Voraussetzung:* Ein Gebrauchsmuster ist schutzfähig, wenn es gewerblich anwendbar und neu ist sowie auf einem erfinderischen Schritt beruht. An die Erfindungshöhe werden im wesentlichen die gleichen, oftmals aber geringere Anforderungen wie beim →Patent gestellt. – b) *Gebrauchsmusteranmeldung* und *-eintragung:* Das Recht auf ein Gebrauchsmuster wird beim →Patentamt durch Anmeldung der Erfindung zur Eintragung in die →Gebrauchsmusterrolle geltend gemacht (§ 4). Der Anmelder kann für diese die Priorität des Anmeldetages einer früheren Patentanmeldung für dieselbe Erfindung in Anspruch nehmen (§ 5). Das Patentamt prüft den Gegenstand der Anmeldung nicht auf Neuheit, erfinderischen Schritt und gewerbliche Anwendbarkeit (§ 8). – c) *Wirkung:* Mit der Eintragung in die Gebrauchsmusterrolle entsteht das ausschließliche, übertragbare Recht des Inhabers, den Gegenstand des Gebrauchsmusters zu nutzen (§ 11; *Gebrauchsmusterschutz*). Er entsteht *nicht,* soweit für jedermann ein Anspruch auf Löschung besteht, z. B. wenn die Voraussetzungen des § 4 nicht erfüllt sind. Die maximale *Schutzfrist* beträgt acht Jahre (§ 23). Die Wirkung des Gebrauchsmusters erstreckt sich namentlich *nicht* auf Handlungen, die im privaten Bereich zu nicht gewerblichen Zwecken oder zu Versuchszwecken vorgenommen werden. – 3. *Rechtsfolgen:* Vorsätzliche Verstöße sind

strafbar (§ 25); zivilrechtlich bestehen Ansprüche auf Unterlassung und bei Verschulden auf Schadenersatz (§ 24). – Vgl. auch →Geschmackmusterrecht.

**Gebrauchsmusterrolle,** ein beim →Patentamt geführtes, öffentliches Register der →Gebrauchsmuster. – Vgl. auch →Gebrauchsmusterrecht 2 b).

**Gebrauchsmusterschutz,** →Gebrauchsmusterrecht 2 c).

**Gebrauchstarif,** *Konventionaltarif,* →Zolltarif, der im Gegensatz zum →Generaltarif ausschließlich gegenüber einzelnen Vertragspartnern angewandt wird. – Vgl. auch →Doppeltarif.

**Gebrauchsvermögen,** diejenigen Teile des →Volksvermögens, die nach den Konzepten der →Volkswirtschaftlichen Gesamtrechnungen nicht für Produktionszwecke eingesetzt werden und deren Anschaffung daher als Verbrauch und nicht als Anlageinvestition verbucht wird. G. umfaßt die dauerhaften Gebrauchsgüter privater Haushalte (z. B. Möbel, Kraftfahrzeuge, Haushaltsgeräte oder Schmuck) sowie den militärisch genutzten Ausrüstungen und Bauten.

**Gebrauchsverschleiß,** Teil des Gesamtverschleißes der →Gebrauchsgüter, der sich durch ihre Inanspruchnahme bei der Leistungserstellung ergibt. G. läßt sich meist nur schwer vom →Zeitverschleiß isolieren, da seine Höhe oft vom Ausmaß des Zeitverschleißes abhängt und umgekehrt. Außerdem wird er – wie auch der Zeitverschleiß – von dem Reparatur- und Instandhaltungsmaßnahmen beeinflußt. Die Unterscheidung der Verschleißarten ist für die planmäßige →Kostenauflösung in fixe und variable Bestandteile von Bedeutung. Wegen seiner Leistungsabhängigkeit führt der G. zu variablen Kosten. – Vgl. auch →gebrochene Abschreibung.

**Gebrauchswert,** Begriff der Wirtschaftstheorie für den subjektiven Nutzen eines Gutes, der jedoch keine Rolle bei der Preisbildung spielt. Zu unterscheiden: subjektiver und objektiver (technischer) G. – *Gegensatz:* →Tauschwert. – Das *klassische Wertparadoxon von A. Smith* – der Unterschied zwischen a) hohem (objektivem) Gebrauchswert und niedrigem Tauschwert (Preis), z. B. bei Wasser, b) niedrigem (objektivem) Gebrauchswert und hohem Tauschwert, z. B. bei Diamanten – wird gelöst bei Berücksichtigung des subjektiven Gebrauchswertes sowie der relativen Seltenheit eines Gutes.

**Gebrauchs-Zolltarif,** →Deutscher Gebrauchs-Zolltarif.

**Gebrauchtwaren,** *Altwaren,* Waren der zweiten Hand: Konsum- bzw. Produktionsgüter, die vom Ersterwerber nach mehr oder weniger langer Nutzung erneut zum Verkauf angeboten werden. – Vgl. auch →Altwarenhandel, →Secondhandshop.

**Gebrauchtwarenhandel,** →Altwarenhandel.

**Gebrechlichkeitspflegschaft,** →Pflegschaft.

**gebrochene Abschreibung,** Abschreibungsverfahren (→Abschreibung), das nach den Verschleißarten →Gebrauchsverschleiß und →Zeitverschleiß differenziert. Anwendung v. a. in der Grenzplankostenrechnung. Die g. A. nimmt eine Aufteilung der Gesamtabschreibungen vor in fixe Abschreibungen (→fixe Kosten), die dem Zeitverschließ, und in proportionale Abschreibungen, die dem Gebrauchsverschleiß entsprechen. Die proportionalen Abschreibungen werden jeweils entsprechend der Istbeschäftigung abgewandelt. – *Beispiel:* Aufteilung der Abschreibung eines Lkw in einen km-abhängigen und einen einsatzzeitabhängigen Bestandteil. – *Bedeutung:* Wegen der engen Interdependenzen zwischen Zeit- und Gebrauchsverschleiß erweist sich das Konzept der g. A. jedoch als sehr problematisch.

**gebrochener Verkehr,** Beförderung von Personen und/oder Gütern mit Wechsel der Transportmittel durch Umsteigen und/oder Umladen zwischen Abgangs- und Ankunftsort. – Vgl. auch →kombinierter Verkehr, →Transportkette.

**Gebühren.** I. F i n a n z w i s s e n s c h a f t e n : 1. *Begriff:* →Abgaben, die als Entgelt für eine spezielle Gegenleistung einer Behörde oder öffentlichen Anstalt erhoben werden (§ 1 AO). Im Gegensatz zu →Beiträgen belasten G. den einzelnen, der die öffentliche Leistung in Anspruch nimmt; das Einzelmitglied, nicht eine Gruppe als Ganzes gilt als Leistungsempfänger. Beabsichtigte *Nebenwirkung* kann sein, durch Erhebung von G., die unnötige oder unmäßige Benutzung öffentlicher Einrichtungen zu hemmen. – 2. *Höhe:* Möglich nach den der betreffenden öffentlichen Einrichtung erwachsenden Kosten bemessen (Kostendeckungsprinzip). – 3. *Einteilung:* a) Nach *Verwirklichung des Kostendeckungsprinzips:* (1) G. mit Kostenbeitragscharakter, z. B. Studiengebühren und (2) G. mit Gewinnergebnis, u. a. Einkünfte des Paßamtes, etwa nach Erleichterung des Auslandsreiseverkehrs. – b) Nach der *Leistungsart:* (1) →Benutzungsgebühr und (2) →Verwaltungsgebühr; nicht genügend trennscharf und ökonomisch nicht begründbar, da die Inanspruchnahme einer öffentlichen Einrichtung (Benutzungsgebühr) stets mit einer Amtshandlung (Verwaltungsgebühr) verknüpft ist. – c) Nach den *Verwaltungssektoren,* die die Leistungen erbringen: G. im bzw. für Gerichts- und Justizwesen, Fahrzeugkontrolle und Verkehrsüberwachung, Versorgungs- und Entsorgungsdienste, Verkehrs- und Transportleistungen, Erholung, Sport, Kultur und Informationen, Gesundheitswesen, Schulen, Bildung und Erziehung, öffentliche Verwaltung i. e. S. (z. B. Standesämter, Friedhöfe, Gewerbeaufsicht, Marktkontrolle, Bauämter, Feuerschutz, Paßämter) usw.

II. K o s t e n r e c h n u n g : Verrechnung der G. erfolgt je nach Entstehung: a) G. für Baupolizei, Müllabfuhr als →Gebäudekosten; b) G. für den Rechtsschutz eines Unternehmens als →Verwaltungskosten; c) Prüfungsgebühren für Steuererklärung (→Abschlußprüfung, technische Überprüfung) i. a. als Verwaltungskosten, evtl. auch als Beratungskosten; d) G. der Dampfkesselüberwachung z. B. als Kostenarten der →Hauptkostenstellen.

**Gebührenanzeiger,** im Fernsprechdienst Zähleinrichtung zur Feststellung der Gebühren für das einzelne Gespräch und das Gesamtaufkommen an Orts- und Selbstwählferngebühren je Sprechstelle gegen monatliche Gebühr.

**Gebührenhaushalt,** organisatorisch abgegrenzter Leistungsbereich der öffentlichen Verwaltung (→Regiebetrieb), bei dem die Kosten der Leistungserstellung vollständig oder teilweise durch →Gebühren abgedeckt werden. – Vgl. auch →kostenrechnende Einrichtung.

**Gebührenordnung,** im Bereich des Rechtsschutzes und der Rechtspflege, der Gesundheitspflege und bei sonstigen Dienstleistungen im öffentlichen Interesse, die durch staatliche Rechtssetzung bzw. durch die Selbstverwaltungskörperschaften der freiberuflich Tätigen (Ärzte, Rechtsanwälte, Wirtschaftsprüfer usw.) tabellarisch festgelegten Gebühren bzw. Gebührensätze. – *Beispiele:* →Gebührenordnung für Ärzte, →Gebührenordnung für Zahnärzte, G. für Rechtsanwälte (→Rechtsanwaltsgebührenordnung), G. für Steuerberater (→Steuerberatergebührenverordnung).

**Gebührenordnung für Ärzte,** VO vom 12.11.1982 (BGBl I 1522), mit späteren Änderungen regelt die Gebühren, Entschädigung und Auslagen der Ärzte. Innerhalb des vorgeschriebenen Rahmens Festsetzung unter Berücksichtigung des Einzelfalles, des Zeitaufwands, der Vermögens- und Einkommensverhältnisse des Zahlungspflichtigen und der örtlichen Verhältnisse nach billigem Ermessen.

**Gebührenordnung für Rechtsanwälte,** →Rechtsanwaltsgebührenordnung.

**Gebührenordnung für Steuerberater,** →Steuerberatergebührenverordnung.

**Gebührenordnung für Zahnärzte,** VO vom 22.10.1987 (BGBl I 2316), regelt die Entschädigung usw. der Zahnärzte, ähnlich wie die →Gebührenordnung für Ärzte.

**gebührenpflichtige Verwarnung,** →Verwarnung.

**Gebühren-Tableau,** *Preisaushang,* ein zwischen dem Bundeswirtschaftsministerium und der Kreditwirtschaft vereinbarter Gebührenaushang der Kreditinstitute. Das G.-T. enthält die wichtigsten Gebühren und Konditionen für bankübliche Leistungen, insbes. Zinsen für Kredite und Einlagen, Buchungsgebühren, Wertpapieran- und -verkaufskonditionen. Das G.-T. muß von den Instituten deutlich sichtbar in den Schalterräumen oder – soweit vorhanden – in Schaukästen vor dem Gebäude ausgehängt werden. – Seit 1. 10. 1982 wird das G.-T. durch ein →Preisverzeichnis ergänzt.

**Gebührentafel für Luftpostpakete,** Ergänzung zum →Postbuch, enthält Vorschriften über Versendungsbedingungen für →Luftpostsendungen sowie Angaben von Paketgebühr, Luftpostzuschlag und Leitweg nach den Bestimmungsländern.

**Gebührenüberhebung,** Erhebung von Gebühren oder anderen Vergütungen für amtliche Verrichtungen durch einen Beamten, Rechtsanwalt oder Rechtsbeistand zu seinem Vorteil, wenn er weiß, daß der Zahlende sie überhaupt nicht oder nur in geringerem Betrag schuldet (§ 352 StGB). – *Strafe:* Geldstrafe oder Freiheitsstrafe bis zu einem Jahr.

**gebündelte Versicherung,** aufgrund eines Antrags Deckung gegen verschiedene Gefahren in einem Versicherungsschein nach verschiedenen →Allgemeinen Versicherungsbedingungen, so daß es sich um rechtlich selbständige Verträge handelt, die ein rechtlich unterschiedliches Schicksal erleiden können. – *Anders:* →kombinierte Versicherung.

**gebundener Verwaltungsakt,** →Verwaltungsakt, den eine Behörde vornehmen muß, wenn die Voraussetzungen dafür erfüllt sind, z. B. Erteilung der Bauerlaubnis. – *Gegensatz:* →freier Verwaltungsakt.

**gebundener Zahlungsverkehr,** Zahlungsverkehr, dessen Abwicklung aufgrund des →Zahlungsabkommens zwischen zwei Ländern an die im Abkommen vereinbarte/n Währung/en gebunden ist.

**gebundene Variable,** →kanonisches lineares Gleichungssystem, →kanonisches lineares Optimierungssystem.

**gebundene Währung,** →Währungssystem II 1.

**Geburtenabstand,** Zeitraum zwischen dem Datum der Eheschließung und dem Geburtsdatum des ehelich geborenen ersten Kindes bzw. Zeitabstand zur Geburt des vorangegangenen Kindes bei weiteren Kindern. Allzu geringe oder lange G. werden unter gesundheitlichen und pädagogischen Gesichtspunkten als unerwünscht angesehen. – (Durch-

schnittlicher) G. in der *Bundesrep. D.* (1983): Erstes Kind zwei Jahre und sechs Monate nach der Eheschließung, zweites Kind drei Jahre und acht Monate nach dem ersten, drittes Kind vier Jahre und sechs Monate nach dem zweiten.

**Geburtenhäufigkeit,** →Geburtenziffer, →Fertilitätsmaße.

**Geburtenkontrolle,** Maßnahmen zur Beschränkung der Zahl der Geburten auf das individuell oder gesellschaftlich für richtig angesehene Maß, u. a. Schwangerschaftsverhütung und -abbruch. Der Staat kann G. durch Beratung und Bereitstellung von Mitteln und Einrichtungen fördern. – Vgl. auch →Familienplanung.

**Geburtenrate,** →Geburtenziffer.

**Geburtenrückgang,** →Bevölkerungsentwicklung.

**Geburtentafel,** →Fruchtbarkeitstafel.

**Geburtenüberschuß(rate),** Meßzahl der →Bevölkerungsstatistik für die →natürliche Bevölkerungsbewegung, gewonnen aus der Differenz zwischen der Zahl von Lebendgeborenen und der Zahl der Gestorbenen eines Jahres (bzw. im Monatsdurchschnitt eines Jahres), bezogen auf je 1000 Einwohner. Die Entwicklung verläuft uneinheitlich je nach →Altersaufbau der Bevölkerung und Wanderungssaldo. Ein Geburtenüberschuß kommt auch bei niedriger →Geburtenziffer zustande, sofern die Sterbeziffer (→Mortalitätsmaße 1 und 2) noch niedriger liegt. – *G. in der Bundesrep. D.:* Vgl. Tabelle Sp. 1977.

**Geburtenziffer,** *Geburtenrate, allgemeine Geburtenziffer, rohe Geburtenziffer,* das Verhältnis der Lebendgeborenen in einem Zeitraum (i. d. R. ein Jahr) zur Bevölkerung (i. d. R. 1000 Personen) des Beobachtungsgebiets. Die G. gibt korrekt den Beitrag der Geburten zur →Bevölkerungsentwicklung wieder. Da die G. auch Personen enthält, die keine Kinder bekommen können (z. B. ältere Leute und Kinder) ist sie kein zuverlässiges Maß für örtliche und zeitliche Vergleiche der Geburtenhäufigkeit. (*Anders:* →Fertilitätsmaße.) – G. (je 1000 Einwohner) im Deutschen Reich bzw. in der Bundesrep. D.: Vgl. Tabelle Sp. 1978.

**Geburtsbeihilfen,** Zuwendungen des Arbeitgebers an Arbeitnehmer beiderlei Geschlechts anläßlich der Geburt eines Kindes in Geld oder Sachwerten. – *Lohnsteuer:* G. sind nur steuerfrei, soweit sie als einmalige oder laufende Zuwendungen innerhalb von drei Monaten vor oder nach der Geburt eines Kindes bis zum Gesamtbetrag von 500 DM gegeben werden (§ 3 Nr. 15 EStG). Bei höheren G. unterliegt nur der 500 DM übersteigende Betrag der →Lohnsteuer. – Bezieht ein Arbeitnehmer aus →*mehreren Dienstverhältnissen* je eine G., so kann er den Freibetrag für

## Geburtenüberschußraten in der Bundesrep. D.

| Zeit | Lebend-geborene | Gestorbene (ohne Tot-geborene) | mehr (+) bzw. weniger (−) geboren als gestorben |
|---|---|---|---|
| | je 1000 Einwohner | | |
| 1933 | 19,8 | 11,4 | +8,4 |
| ... | | | |
| 1946 | 16,5 | 12,5 | +4,0 |
| 1947 | 16,7 | 11,8 | +5,0 |
| 1948 | 16,8 | 10,4 | +6,4 |
| 1949 | 17,1 | 10,3 | +6,8 |
| 1950 | 16,2 | 10,5 | +5,7 |
| 1951 | 16,0 | 10,7 | +5,4 |
| 1952 | 16,0 | 10,6 | +5,4 |
| 1953 | 15,8 | 11,2 | +4,7 |
| 1954 | 16,1 | 10,6 | +5,5 |
| 1955 | 15,7 | 11,1 | +4,5 |
| 1956 | 16,5 | 11,1 | +5,3 |
| 1957 | 17,0 | 11,3 | +5,7 |
| 1958 | 17,0 | 10,8 | +6,2 |
| 1959 | 17,7 | 10,8 | +6,8 |
| 1960 | 17,4 | 11,6 | +5,9 |
| 1961 | 18,0 | 11,2 | +6,9 |
| 1962 | 17,9 | 11,3 | +6,6 |
| 1963 | 18,3 | 11,7 | +6,6 |
| 1964 | 18,2 | 11,0 | +7,2 |
| 1965 | 17,7 | 11,5 | +6,2 |
| 1966 | 17,6 | 11,5 | +6,1 |
| 1967 | 17,0 | 11,5 | +5,5 |
| 1968 | 16,1 | 12,2 | +3,9 |
| 1969 | 14,8 | 12,2 | +2,6 |
| 1970 | 13,4 | 12,1 | +1,3 |
| 1971 | 12,7 | 11,9 | +0,8 |
| 1972 | 11,3 | 11,8 | −0,5 |
| 1973 | 10,3 | 11,8 | −1,5 |
| 1974 | 10,1 | 11,7 | −1,6 |
| 1975 | 9,7 | 12,1 | −2,4 |
| 1976 | 9,8 | 11,9 | −2,1 |
| 1977 | 9,5 | 11,5 | −2,0 |
| 1978 | 9,4 | 11,8 | −2,4 |
| 1979 | 9,5 | 11,6 | −2,1 |
| 1980 | 10,1 | 11,6 | −1,5 |
| 1981 | 10,1 | 11,7 | −1,6 |
| 1982 | 10,1 | 11,6 | −1,5 |
| 1983 | 9,7 | 11,7 | −2,0 |
| 1984 | 9,5 | 11,3 | −1,8 |
| 1985 | 9,6 | 11,5 | −1,9 |
| 1986 | 10,2 | 11,5 | −1,3 |

## Geburtenziffer im Deutschen Reich bzw. in der Bundesrep. D.

| Jahr | Grundzahlen in Tausend Deutsches Reich/ Bundesgebiet | je 1000 Einwohner Deutsches Reich/ Bundesgebiet |
|---|---|---|
| 1871 | 1 414 | 34,5 |
| 1900 | 1 996 | 35,6 |
| 1913 | 1 839 | 27,5 |
| 1914 | 1 819 | 26,8 |
| 1915 | 1 383 | 20,4 |
| 1916 | 1 029 | 15,2 |
| 1917 | 912 | 13,9 |
| 1918 | 927 | 14,3 |
| ... | | |
| 1930 | 1 144 | 17,6 |
| 1931 | 1 048 | 16,0 |
| 1932 | 993 | 15,1 |
| 1933 | 971 | 14,7 |
| ... | | |
| 1938 | 1 349 | 19,6 |
| 1939 | 1 413 | 20,4 |
| 1940 | 1 402 | 20,0 |
| 1941 | 1 308 | 18,6 |
| 1942 | 1 056 | 14,9 |
| 1943 | 1 125 | 16,0 |
| ... | | |
| 1947 | 781,4 | 16,4 |
| 1948 | 807,1 | 16,5 |
| 1949 | 832,8 | 16,8 |
| 1950 | 812,8 | 16,2 |
| 1951 | 795,6 | 15,7 |
| 1952 | 799,1 | 15,7 |
| 1953 | 796,1 | 15,5 |
| 1954 | 816,0 | 15,7 |
| 1955 | 820,1 | 15,7 |
| 1956 | 855,9 | 16,1 |
| 1957 | 892,2 | 16,6 |
| 1958 | 904,5 | 16,7 |
| 1959 | 951,9 | 17,3 |
| 1960 | 968,6 | 17,4 |
| 1961 | 1 012,7 | 18,0 |
| 1962 | 1 018,6 | 17,9 |
| 1963 | 1 054,1 | 18,3 |
| 1964 | 1 065,4 | 18,2 |
| 1965 | 1 044,0 | 17,7 |
| 1966 | 1 050,3 | 17,6 |
| 1967 | 1 019,5 | 17,0 |
| 1968 | 969,8 | 16,1 |
| 1969 | 903,5 | 14,8 |
| 1970 | 810,8 | 13,4 |
| 1971 | 778,5 | 12,7 |
| 1972 | 701,2 | 11,3 |
| 1973 | 635,6 | 10,3 |
| 1974 | 626,4 | 10,1 |
| 1975 | 600,5 | 9,7 |
| 1976 | 602,9 | 9,8 |
| 1977 | 582,3 | 9,5 |
| 1978 | 576,5 | 9,4 |
| 1979 | 582,0 | 9,5 |
| 1980 | 620,7 | 10,1 |
| 1981 | 624,6 | 10,1 |
| 1982 | 621,2 | 10,1 |
| 1983 | 594,2 | 9,7 |
| 1984 | 584,2 | 9,5 |
| 1985 | 586,2 | 9,6 |
| 1986 | 624,4 | 10,2 |

jede Beihilfe in Anspruch nehmen. – Erhalten *Ehegatten,* die beide Arbeitslohn beziehen, beide eine G., so steht der Freibetrag jedem Ehegatten zu, auch wenn sie bei demselben Arbeitgeber beschäftigt sind.

**Geburtsjahrgangskohorte,** →Generation.

**Geburtstagsverfahren,** Ersatzverfahren zur Gewinnung einer →Zufallsstichprobe (→Auswahlverfahren) aus einer Personengesamtheit. Stichprobe aus allen Personen, die an einem oder an mehreren bestimmten Tagen des Jahres Geburtstag haben. Für einen Tag also →Auswahlsatz von etwa 1/365. Gefahr einer unkorrekten Zufallsauswahl, wenn die Untersuchungsmerkmale mit den Geburtstagen der Personen zusammenhängen (praktisch sehr selten).

**Gedächtnis-Test,** →Recall-Test.

**Gedächtnistypen,** →Vorstellungstypen.

**GEDAN,** →Anrufweiterschaltung.

**gedeckter Kredit,** →Kredit, der besonders gesichert ist, und zwar durch Verpfändung

von Effekten oder Waren, durch Bürgschaft, Sicherungsübereignung, Grundschuld, Hypothek oder dgl. – *Gegensatz:* →Blanko-Kredit.

**GEFA,** Abk. für →Gesellschaft für Absatzfinanzierung mbH.

**Gefahr. 1.** *Begriff:* a) *versicherungswirtschaftlich:* Vgl. →Risiko; b) *versicherungsrechtlich:* Möglichkeit der Entstehung eines Bedarfs an Versicherungsleistungen. – 2. *Deckung:* Der Versicherungsvertrag verpflichtet den Versicherer zur Gefahrtragung gegen Entgelt für (→Prämie). In der →Transportversicherung Universalität der Gefahrtragung, in den meisten anderen Versicherungszweigen enumerative Bestimmung der vom Versicherer zu tragenden Gefahren.

**Gefährdung.** 1. *Allgemein:* Herbeiführung eines Zustandes, bei dem die Wahrscheinlichkeit und begründete Besorgnis des Eintritts einer Verletzung gegeben ist. – 2. *Straßenverkehr:* G. im Sinne des § 1 StVO liegt vor, wenn das Verhalten eines Verkehrsteilnehmers die an sich immer vorhandene Verkehrsgefahr über das nach der Verkehrsart normale Maß hinaus erhöht, sei es regelwidriges Verhalten den Eintritt einer besonderen Verkehrsgefahr nahelegt oder wahrscheinlich macht. – 3. *Abgabenordnung:* Vgl. →Gefährdung der Abzugsteuern, →Gefährdung der Eingangsabgaben.

**Gefährdung der Abzugsteuern,** →Steuerordnungswidrigkeit nach § 380 AO. Wer vorsätzlich oder leichtfertig seiner Verpflichtung, Steuerabzugsbeträge einzubehalten und abzuführen, nicht vollständig oder nicht rechtzeitig nachkommt, kann wegen Ordnungswidrigkeit mit einer Geldbuße bis zu 10 000 DM belegt werden (§ 380 II AO).

**Gefährdung der Eingangsabgaben,** →Steuerordnungswidrigkeit nach § 382 AO. Wer als Pflichtiger oder bei der Wahrnehmung der Angelegenheiten eines Pflichtigen vorsätzlich oder fahrlässig Vorschriften der Zollgesetze, der dazu erlassenen Rechtsverordnungen oder der einschlägigen Verordnungen des Rates oder der Kommission der Europäischen Gemeinschaften zuwiderhandelt, wird wegen Ordnungswidrigkeit mit Geldbuße bis zu 10 000 DM belegt, wenn die Zollgesetze oder Rechtsverordnungen für einen bestimmten Tatbestand auf § 382 AO verweisen. – Die *Verkürzung* von Eingangsabgaben ist als →Steuerstraftat (§§ 369, 370 AO) strafbar.

**Gefährdungshaftung.** 1. *Begriff:* Schadenersatzpflicht, die kein Verschulden voraussetzt, sondern darauf beruht, daß der Ersatzpflichtige bei einer erlaubten Tätigkeit unvermeidlich eine gewisse Gefährdung seiner Umgebung herbeiführt (z. B. durch Halten eines Tieres, eines Kraftwagens, Betrieb eines Eisenbahnunternehmens). – 2. Nach Gesetz folgende *Fälle:* a) G. des Halters eines Kraftfahrzeuges (§ 7 StVG; →Kraftfahrzeughaftung), wenn beim Betrieb eines Fahrzeugs ein Mensch getötet, verletzt oder eine Sache beschädigt wird. Anspruchsberechtigt sind die Verletzten, ggf. bestimmte Hinterbliebene; erstattet wird Vermögensschaden, nicht aber →Schmerzensgeld. Der Umfang der Ersatzpflicht ist gesetzlich begrenzt; vgl. auch →Ausschluß der Haftung. b) G. des Tierhalters (§ 833 BGB). c) G. von Eisenbahnunternehmern sowie eines Inhabers von Elektrizitäts-

und Gasanlagen (→Haftpflichtgesetz; vgl. auch →Gasanlagen, →gefährliche Betriebe). d) G. eines Flugzeughalters (gem. Luftverkehrsgesetz). e) G. des Inhabers einer Anlage zur Erzeugung oder Spaltung von Kernbrennstoffen und des sonstigen Bearbeiters oder Verwenders von Kernbrennstoffen (§§ 25 ff. Atomgesetz). f) G. des pharmazeutischen Unternehmers bei →Arzneimittelschäden (§ 84 ff. Arzneimittelgesetz). – 3. *Entlastung* nur in manchen Fällen durch den Nachweis, daß den Ersatzpflichtigen kein Verschulden trifft (so unter gewissen Voraussetzungen der Tierhalter), in manchen nur durch den Nachweis eines →unabwendbaren Ereignisses oder →höherer Gewalt.

**Gefahrengemeinschaft,** Grundgedanke und Ursprung der deutschen Auffassung von der Versicherung, zugleich auch einer der Grundsätze für die Anwendung des Versicherungsrechts. – Die G. *setzt voraus,* daß eine Mehrheit (Masse) von möglichst gleichartigen →Risiken versichert und die Gefahr vom Versicherer nach dem Prinzip der Gegenseitigkeit auf die Mitglieder der G. verteilt wird.

**Gefahrenschutz,** →Arbeitsschutz.

**Gefahrerhöhung,** nach Vertragsschluß eintretender Umstand, der eine erhöhte Gefährdung des versicherten Gegenstandes oder Erhöhung des Risikos herbeiführt. – 1. *Folgen für die private Versicherung:* a) G. ist durch einen Versicherungsnehmer dem Versicherer unverzüglich nach Kenntnisnahme anzuzeigen. b) Eine G., die der Versicherungsnehmer ohne Einwilligung des Versicherers vornimmt oder gestattet, berechtigt letzteren zur fristlosen Kündigung des Vertrages. c) Unter bestimmten Voraussetzungen ist der Versicherer gem. § 25 VVG von der Leistungspflicht frei, wenn der Schaden nach der G. eintritt. – 2. *Beispiele:* a) *Feuerversicherung:* Errichtung einer Schreinerei, Einführung der Verwendung von feuergefährlichen Stoffen, Errichtung eines feuergefährlichen Betriebes oder Lagers in der Nachbarschaft. b) *Einbruch-Diebstahl-Versicherung:* Ersatz vorhandener Alarmanlagen, Schlösser, Gitter oder sonstiger Sicherheitsvorkehrungen durch solche von geringerer Einbruchsicherheit, Wegfall oder Minderung der Bewachung. – Vgl. auch →Obliegenheit.

**gefahrgeneigte Arbeit,** *schadensgeneigte Arbeit.* 1. *Begriff:* G. A. liegt vor, wenn sich der Arbeitnehmer z. Z. des Schadensereignisses in einer Situation befindet, in der erfahrungsgemäß auch einem sorgfältig arbeitenden Arbeitnehmer Fehler unterlaufen können, die zwar vermeidbar sind, mit denen aber allgemein gerechnet werden muß. Entscheidend ist die Gefahrträchtigkeit der konkreten Situation. – 2. *Beispiele:* Die Tätigkeit eines Kraftfahrers gilt i. d. R. als gefahrgeneigt. Auch eine i. a. ungefährliche Tätigkeit kann im Einzelfall gefahrgeneigt sein, z. B. wegen Übermüdung des Arbeitnehmers. – 3. *Bedeutung:* Die Pflicht des Arbeitnehmers (und des Auszubildenden), dem Arbeitgeber den Schaden zu ersetzen (→Schadenersatz), den er in Ausführung seiner Dienste verschuldet hat, ist bei g. A. beschränkt (→Haftung I 2).

**Gefahrgut,** giftige, ätzende, entzündliche, explosive, radioaktive u. a. Stoffe oder Gegenstände, von denen bei Transport, Lagerung oder Umschlag Gefahren für Menschen, Tiere, andere Sachen oder Gemeingüter ausgehen können (Gesetz über die Beförderung gefährlicher Güter vom 6. 8. 1975, BGBl I 2121 mit späteren Änderungen). – Behandlung der G. *im Verkehr* unterliegt eingehenden nationalen und internationalen Regelungen und behördlicher Überwachung, Verstöße sind Straftat oder Ordnungswidrigkeit. – Vgl. auch →Gefahrstoffverordnung, →Gefahrgüter im Bahnverkehr, →Gefahrgüter im Binnenschiffsverkehr, →Gefahrgüter im Seeverkehr, →Gefahrgüter im Straßenverkehr.

**Gefahrgüter im Bahnverkehr,** die unter die Begriffe der Anlage zur VO über die Beförderung gefährlicher Güter (→Gefahrgut) mit der Eisenbahn (GefahrgutVO Eisenbahn) vom 22. 7. 1985 (BGBl I 1560) mit späteren Änderungen fallenden Stoffe und Gegenstände. G. i. B. sind nur bedingt zur Bahnbeförderung zugelassen und müssen die Anforderungen der Anlage erfüllen. Besondere Kennzeichnungspflichten. G. i. B. unterliegen der Überwachung. – *Ausnahmen* von der GefahrgutVO Eisenbahn enthält die Eisenbahn-GefahrgutausnahmeVO vom 12. 12. 1984 (BGBl I 1536). – *Verstöße* werden als Ordnungswidrigkeit mit Geldbuße geahndet.

**Gefahrgüter im Binnenschiffsverkehr,** unter die Begriffe der Anlage zur VO über die Beförderung gefährlicher Güter (→Gefahrgut) auf dem Rhein und über die Ausdehnung dieser VO auf die übrigen Bundeswasserstraßen i. d. F. vom 30. 6. 1977 (BGBl I 1119) mit späteren Änderungen fallenden Stoffe und Gegenstände. G. i. B. sind nur bedingt zur Beförderung mit Binnenschiffen zugelassen und müssen die Anforderungen der Anlage erfüllen. – *Verstöße* werden als Ordnungswidrigkeit mit Geldbuße geahndet.

**Gefahrgüter im Seeschiffsverkehr,** unter die Begriffe der Anlage zur VO über die Beförderung gefährlicher Güter (→Gefahrgut) von Seeschiffen (GefahrgutVOSee) vom i. d. F. vom 27. 6. 1986 (BGBl I 961) fallenden Stoffe und Gegenstände. G. i. S. sind nur bedingt zur Beförderung mit Seeschiffen zugelassen und müssen die Anforderungen der Anlage erfüllen. – *Verstöße* werden als Ordnungswidrigkeit mit Geldbuße geahndet.

**Gefahrgüter im Straßenverkehr,** die unter die Klassen I d bis IV a, V und VII der Anlage

A zum Europäischen Übereinkommen über die internationale Beförderung gefährlicher Güter (→Gefahrgut) auf der Straße (BGBl 1969 II 1489) fallenden Stoffe und Gegenstände sowie verflüssigte Metalle. – *Besondere Vorschriften:* Gem. VO über die innerstaatliche und grenzüberschreitende Beförderung gefährlicher Güter auf Straßen (Gefahrgut-VOStr) vom 22. 7. 1985 (BGBl I 1550) mit späteren Änderungen müssen die Transportfahrzeuge durch Warntafeln gekennzeichnet sein. Der Fahrzeugführer muß für den Fall von Unfällen und Zwischenfällen schriftliche Weisungen mitführen. Bei Freiwerden der Güter besteht Meldepflicht gegenüber der Polizei. Die Beförderung bestimmter gefährlicher Güter (Liste I und II der Anlage) bedarf der Erlaubnis der Straßenverkehrsbehörde. – *Verstöße* werden als Ordnungswidrigkeit mit Geldbuße geahndet. – *Ausnahmen* von GefahrgutVOStr enthalten die Straßen-GefahrgutausnahmeVO vom 25. 9. 1985 (BGBl I 1925) mit späteren Änderungen, vom 24. 8. 1981 (BGBl 1892), vom 18. 12. 1981 (BGBl I 1481) und vom 24. 2. 1982 (BGBl I 203) mit späteren Änderungen. – *Verschärfung der Vorschriften* ist in nächster Zeit aufgrund von Unglücken durch Gefahrguttransporte auf der Straße in der Bundesrep. D. und Europa zu erwarten (1988).

**gefährliche Arbeitsstoffe,** Arbeitsstoffe, die explosionsgefährlich, brandfördernd, leicht entzündlich, brennbar, giftig, gesundheitsschädlich, ätzend oder reizend sind. – *VO über g. A.* vom 11. 2. 1982 (BGBl I 144) am 30. 9. 1986 außer Kraft getreten; ersetzt durch →Gefahrstoffverordnung.

**gefährliche Betriebe,** unterliegen gem. §3 Haftpflichtgesetz einer besonderen Haftung. – 1. *Umfang:* Der Betriebsunternehmer haftet, wenn ein Bevollmächtigter oder ein Repräsentant oder eine zur Leitung oder Beaufsichtigung des Betriebes oder der Arbeiter angenommene Person durch ein →Verschulden in Ausführung der Dienstverrichtungen den Tod oder die Körperverletzung eines Menschen herbeigeführt hat, für den dadurch entstandenen Schaden. – 2. Einzelheiten über die *Schadenberechnung,* die Anrechnung von Versicherungsleistungen und die *Höchstgrenze* des Schadenersatzes in §§ 5 ff. Haftpflichtgesetz. – 3. Die Haftung kann nicht *ausgeschlossen* werden (§7 Haftpflichtgesetz); *Verjährungsfrist* drei Jahre.

**gefährliche Stoffe,** →Gefahrstoffverordnung.

**Gefahrminderung,** Vorkehrungen, um eine versicherte Gefahr zu mindern, z. B. bei der Feuerversicherung Anbringung eines Blitzableiters oder von Feuerlöschanlagen, bei der Einbruch-Diebstahl-Versicherung Einbau von Alarmanlagen oder anderen Schutzvorrichtungen. – *Maßnahmen* zur G. können dem

Versicherungsnehmer durch den Versicherungsvertrag auferlegt und, für den Fall ihrer Verletzung, bestimmte Rechtsfolgen vorgesehen werden. Bei schuldhafter Verletzung derartiger →Obliegenheiten ist, wenn der Schaden mit der Verletzung zusammenhängt, der Versicherer von der Leistungspflicht frei. – Vgl. auch →Schadenverhütung.

**Gefahrstoffverordnung,** VO über gefährliche Stoffe vom 26.8.1986 (BGBl I 1470), in Kraft getreten am 1.10.1986. Abgelöst wurden insgesamt 36 Rechtsvorschriften einschl. der bisherigen VO über gefährliche Arbeitsstoffe vom 11.2.1982 und der giftrechtlichen Vorschriften der Länder; 14 EG-Richtlinien sind durch die Verordnung in nationales Recht umgesetzt worden. – *Inhalt:* 1. *Inverkehrbringen von Stoffen und Zubereitungen:* Hersteller und Einführer sind verpflichtet, gefährliche Stoffe und Zubereitungen ordnungsgemäß zu verpacken und zu kennzeichnen. Zur Kennzeichnung gehören neben dem Aufdruck eines Gefahrensymbols Hinweise und Ratschläge über das eventuell entstehende Risiko sowie dem Verbraucher empfohlene Schutzmaßnahmen. – 2. *Umgang mit Stoffen und Zubereitungen:* Jeder Unternehmer ist verpflichtet, Maßnahmen zum Schutz der mit Gefahrstoffen umgehenden Beschäftigten zu treffen. Dazu gehören insbes. die Verpflichtungen, a) an gefährdeten Arbeitsplätzen die Konzentration gefährlicher Stoffe in der Luft und im Körper zu messen, b) bestimmte gefährliche Stoffe oder Zubereitungen nicht zu verwenden und grundsätzlich die am wenigsten gefährlichen Stoffe einzusetzen, c) die Betriebsanlagen technisch so zu gestalten, daß gefährliche Stoffe oder Zubereitungen möglichst wenig freigesetzt werden und erforderlichenfalls persönliche Schutzausrüstungen, z.B. Atemschutzmaske, zur Verfügung zu stellen, d) die Beschäftigten gesundheitlich zu überwachen, insbes. durch arbeitsmedizinische Vorsorgeuntersuchungen. – 3. Verstärkung der *Informationspflichten des Unternehmers:* Er hat den →Betriebsrat und die Beschäftigten über Risiken und Schutzmaßnahmen beim Umgang mit gefährlichen Stoffen und Zubereitungen zu unterrichten. – 4. Einsetzung eines *Ausschusses für Gefahrstoffe:* Dieser hat die Aufgabe, die zuständigen Bundesminister zu unterstützen und Vorschläge zur Weiterentwicklung der Vorschriften zu unterbreiten. – 5. *Ziel:* Verbesserung des Arbeitnehmerschutzes (→Arbeitsschutz) und des allgemeinen Gesundheits- und Verbraucherschutzes (→Verbraucherpolitik).

**Gefahrübergang.** 1. Beim →*Kaufvertrag* geht die Gefahr des zufälligen Untergangs und der zufälligen Verschlechterung der verkauften Sache auf den Käufer mit der Übergabe der Sache (auch bei →Eigentumsvorbehalt) über (§ 446 BGB). Geht die Sache vor G. durch einen von keiner Partei zu vertretenden

Umstand unter, braucht beim →Stückkauf der Verkäufer nicht zu liefern, der Käufer nicht zu zahlen. Ebenso beim →Gattungskauf, wenn der Käufer in →Annahmeverzug kommt, nachdem ihm eine bestimmte Sache angeboten ist. – Besonderheiten beim →*Versendungskauf.* – 2. Beim →*Werkvertrag* trägt i.d.R. der Unternehmer die Gefahr bis zur →Abnahme (§ 644 BGB). G. auch, wenn Besteller in →Annahmeverzug kommt. Für zufälligen Untergang oder zufällige Verschlechterung des vom Besteller gelieferten Stoffes ist der Unternehmer nicht verantwortlich. Bei Versendung gelten für G. die Regeln des →Versendungskauf.

**Gefälligkeitsfahrt,** Begriff des Straßenverkehrsrechts für die unentgeltliche Beförderung eines Dritten im Kraftfahrzeug aus Gefälligkeit. Vorführungs- und Probefahrten sind keine G., da hier ein besonderes wirtschaftliches Interesse gegeben ist. – *Haftung* für Verschulden ist bei G. nicht ausgeschlossen; regelt sich nach den Vorschriften über →unerlaubte Handlungen. →Haftungsausschluß, →Handeln auf eigene Gefahr.

**Gefangenen-Dilemma,** Beispiel für ein allgemeines Zweipersonenspiel (→Spieltheorie). Unter unvollkommener Information müssen zwei Personen ihre Entscheidungen treffen, wobei das Verhalten jedes Partners das des anderen bedingt und seinerseits vom dem anderen bedingt ist. – *Besonderheit:* Nicht das jeweilige individuelle Teilmaximum, sondern ein Gesamtoptimum stellt für beide Spieler die optimale Lösung dar.

**Gefängnis,** jetzt: →Freiheitsstrafe.

**GEFI,** Abk. für →Gesellschaft zur Finanzierung von Industrieanlagen mbH.

**Gefolgschaft,** arbeitsrechtliche Bezeichnung aus den Jahren 1933 bis 1945: Eine aus ideologischen Gründen eingeführte Verbrämung des Begriffs →Belegschaft durch Appell an ein in der Industriegesellschaft weder wirtschaftlich noch soziologisch mögliches germanisches Treueverhältnis zwischen →Angestellten, →Arbeitern und Betriebsführung. – Heute ist der Gedanke einer Partnerschaft (→Sozialpartner), wie er im →Arbeitsrecht der Bundesrep. D. verankert ist, für die Marktwirtschaft zentraler Grundsatz.

**gegabelte Befragung,** →split ballot.

**Gegenakkreditiv,** *secondary credit, back-to-back credit, countervailing credit,* Sonderform des →Akkreditivs, mittels der der Ausschluß der Übertragbarkeit eines Akkreditivs umgangen wird. Das ursprüngliche Akkreditiv dient zur Sicherstellung des G.

**Gegenbuchung,** die andere Buchung eines Buchungssatzes in der →doppelten Buchführung; vgl. im einzelnen →Buchungssatz. – *Anders:* →Stornobuchung.

**Gegendarstellung,** Begriff des Presserechts. Auf Verlangen der von einer Tatsachenbehauptung in einer periodischen Druckschrift betroffenen Privatperson oder Behörde von dem verantwortlichen Redakteur und Verleger – nach manchen Landespressegesetzen auch vom Drucker – abzudruckende Gegenäußerung.

**Gegenforderung,** eine zur →Aufrechnung gegen eine Forderung eines anderen geeignete →Forderung. – Vgl. auch →Zurückbehaltungsrecht.

**Gegengeschäft,** →Kompensationsgeschäft.

**gegengewichtige Marktmacht,** *countervailing power,* von J. K. Galbraith aufgestellte Hypothese, nach der die auf einer Marktseite etablierte wirtschaftliche Macht neutralisiert wird, wenn auf der anderen Marktseite eine entsprechende Gegenmacht entsteht, wobei sich die Gegenmachtbildung von selbst vollziehen oder etwa durch den Gesetzgeber geschaffen werden kann.

**gegenseitige Verträge,** *Austauschverträge,* jeden Vertragspartner zu einer Leistung (bzw. Gegenleistung) verpflichtende →Verträge, z. B. Kauf-, Miet-, Werkvertrag. – *Gesetzliche Sonderregelungen* in §§ 320–327 BGB.

I. Zurückbehaltungsrecht: 1. Die beiderseitigen Leistungen haben →Zug um Zug zu erfolgen. Jeder Verpflichtete kann, soweit er nicht nach Vertrag oder Gesetz (z. B. bei Miet- und Werkvertrag) vorleistungspflichtig ist, seine Leistung bis zur Bewirkung der Gegenleistung verweigern; →Sicherheitsleistung zur Abwendung dieses →Zurückbehaltungsrechtes ist nicht zugelassen (§ 320 I BGB; „Einrede des nicht erfüllten Vertrages"). Das Zurückbehaltungsrecht darf nicht ausgeübt werden, wenn eine Seite teilweise geleistet hat und die Verweigerung der Gegenleistung nach den Umständen (z. B. Geringfügigkeit des rückständigen Teils) gegen →Treu und Glauben verstoßen würde (§ 320 II BGB). – 2. Ist ein Teil *vorleistungspflichtig,* steht ihm ein außerordentliches Zurückbehaltungsrecht zu, wenn nach Vertragsschluß durch Verschlechterung der Vermögenslage des anderen Teils der Anspruch auf die Gegenleistung gefährdet wird; Abwendung dieses Zurückbehaltungsrechts durch Erbringung der Gegenleistung oder Sicherheitsleistung (§ 321 BGB). – 3. *Geltendmachung* der Zurückbehaltungsrechte *im Prozeß* führt zur Verurteilung Zug um Zug; klagt der Vorleistungspflichtige bei →Annahmeverzug des Gegners zur Verurteilung zur Leistung nach Empfang der Gegenleistung (§ 322 BGB).

II. Unmöglichkeit, Unvermögen, Annahme- und Schuldnerverzug: Leistungsstörungen, die eine Forderung beeinflussen. §§ 323 ff. BGB regeln den Einfluß derartiger Leistungsstörungen insbes. auf die

*Gegenleistung,* in teilweiser Ergänzung und Abänderung der allgemeinen dafür gegebenen Vorschriften. – 1. Ist die →*Unmöglichkeit von keinem Teil zu vertreten,* entfällt der Anspruch auf die Gegenleistung; bei teilweiser Unmöglichkeit findet →Minderung in entsprechender Anwendung der für den Kaufvertrag gegebenen Vorschriften statt, ebenso bei evtl. Minderwert der Herausgabe eines Ersatzes oder Abtretung eines Ersatzanspruchs gemäß § 281 BGB. Eine weitergehende, schon bewirkte Gegenleistung ist als →ungerechtfertigte Bereicherung herauszugeben (§ 323 BGB). – 2. Ist die *Unmöglichkeit von dem anderen Teil zu vertreten,* oder befindet er sich, während die Leistung aus einem vom Schuldner nicht zu vertretenden Grund unmöglich wird, *in Annahmeverzug,* behält der Schuldner den Anspruch auf die Gegenleistung, muß sich aber anrechnen lassen, was er infolge Wegfalls der von ihm zu erbringenden Leistung erspart, durch seine Arbeitskraft anderweitig erwirbt oder zu erwerben böswillig unterläßt (§ 324 BGB). – 3. Ist die *Unmöglichkeit vom Schuldner zu vertreten,* kann der andere Teil →Schadenersatz wegen Nichterfüllung des ganzen Vertrages verlangen oder den →Rücktritt (schließt Schadenersatzanspruch aus) erklären; ebenso bei teilweiser Unmöglichkeit hinsichtlich des ganzen Vertrages, wenn die teilweise Erfüllung für den anderen Teil kein Interesse hat, statt diese Rechte geltend zu machen, kann er auch wie zu II 1 verfahren (§ 325 BGB). – 4. Ist ein Vertragspartner mit seiner Leistung im →*Schuldnerverzug,* kann ihm der andere Teil zum Bewirken der Leistung eine angemessene Frist mit der Erklärung bestimmen, daß er die Annahme der Leistung nach Fristablauf ablehne. Wird dann nicht rechtzeitig geleistet, kann nicht mehr →Erfüllung, sondern nur Schadenersatz wegen Nichterfüllung verlangt oder der Rücktritt vom Vertrag erklärt werden; bei teilweiser Erfüllung gilt Entsprechendes wie zu II 3. Unwirksam ist in →Allgemeinen Geschäftsbedingungen eine Bestimmung, durch die der →Verwender von der gesetzlichen Obliegenheit freigestellt wird, dem anderen Vertragsteil eine Nachfrist zu setzen, sowie eine Bestimmung, durch die sich der Verwender für die von ihm zu bewirkende Leistung eine unangemessen lange oder nicht hinreichend bestimmte Nachfrist vorbehält. Keine Fristbestimmung nötig, wenn die Erfüllung des Vertrages infolge des Verzuges für den anderen Teil kein Interesse hat (§ 326 BGB).

III. Behandlung in Konkurs- und Vergleichsverfahren: 1. *Konkursverfahren:* Ist ein g. V. zur Zeit der →Konkurseröffnung weder von dem →Gemeinschuldner noch von dem Vertragspartner vollständig erfüllt (stets bei Eigentumsvorbehaltsgeschäften), so hat der →Konkursverwalter ein *Wahlrecht:* a) Er kann Erfüllung des Vertrages verlangen und muß dann auch den Partner voll als →Massegläubiger befriedigen. b) Er lehnt die Erfüllung ab, dann hat der Vertragspartner nur einen Schadenersatzanspruch als →Konkursgläubiger (eine schon erbrachte und in das Eigentum des Gemeinschuldners übergegangene Teilleistung kann er nicht aus der Masse zurückverlangen; §§ 17, 26 KO). – Wählt der Konkursverwalter bei →*Sukzessivlieferungsverträgen* Erfüllung, so muß er den ganzen Vertrag voll aus der Masse erfüllen, also auch die Leistungen, die schon vor Konkurseröffnung fällig geworden sind. Anders bei *Wiederkehrschuldverhältnissen*, die nicht zur Abnahme bestimmter Mengen verpflichten, z. B. Verträge über die Lieferung von Elektrizität, Gas und Wasser; hier sind Masseansprüche nur die nach Konkurseröffnung fällig werdenden Ansprüche. – 2. *Vergleichsverfahren:* Der Gläubiger aus einem noch von keiner Seite voll erfüllten g. V. nimmt nicht teil (§ 36 VerglO), kann also volle Befriedigung verlangen. – Der Schuldner kann jedoch die Erfüllung oder weitere Erfüllung mit *Ermächtigung* des *Vergleichsgerichts* ablehnen. Diese wird erteilt (Regelfall), wenn die Erfüllung im Vergleich gefährdet ist und die Ablehnung dem Vertragspartner keinen unverhältnismäßigen Schaden bringt (§ 50 VerglO). Das *Gesuch* für diese Ermächtigung muß binnen zwei Wochen nach der öffentlichen Bekanntmachung des Eröffnungsbeschlusses, kann aber schon mit dem Vergleichsantrag gestellt werden. – Der Vertragspartner kann seinen Schaden als *Vergleichsforderung* geltend machen (§ 52 VerglO). – *Sonderregelungen:* a) für Miet- und Pachtverträge (§§ 19–21 KO, § 51 VerglO) sowie b) für Dienstverträge (§§ 22 KO, § 51 VerglO).

**Gegenseitigkeitsgeschäft,** Außenhandelsgeschäft, bei dem eine zusätzliche Einfuhr mit dem Erlös aus einer zusätzlichen Ausfuhr bezahlt wird. Im Gegensatz zu dem →Kompensationsgeschäft (reines Tauschgeschäft ohne Zuahlungsverkehr) wird von jeder Seite Zahlung geleistet. Abnehmer und Lieferanten in jedem der beiden Länder müssen nicht identisch sein. Die Importeure sind an dem G. interessiert, weil sie ihnen Einfuhrmöglichkeiten außerhalb der Kontingente eröffnen.

**Gegenseitigkeitsgesellschaft,** →Gesellschaft des bürgerlichen Rechts ohne Kaufmannseigenschaft; am häufigsten im Versicherungswesen (→Versicherungsverein auf Gegenseitigkeit).

**Gegensprechanlage,** Sprechanlage mit gleichzeitiger Übertragung der Gespräche zwischen zwei oder mehreren Teilnehmern, angewandt z. B. bei →Konferenzgesprächen. – *Gegensatz:* →Wechselsprechanlage.

**Gegenstand der Lieferung,** →Lieferungen und sonstige Leistungen.

**Gegenstromverfahren,** Kombination des Top-down- und -Bottom-up-Ansatzes der →Unternehmensplanung (vgl. dort VII 3). Die Manager, die für die Umsetzung der Pläne einer Ebene verantwortlich sind, sollen diese Pläne auch erstellen. Im Rahmen eines Top-down-Vorlaufs erfolgt dann die Plankonkretisierung bis auf die untersten Ebenen der Hierarchie. Vor dem Hintergrund von Machbarkeitskriterien und eigener Gestaltungsvorschläge läuft dann der Bottom-up-Rücklauf ab, der zu einer Korrektur der übergeordneten Pläne sowie zu einer schrittweisen Konsensfindung der am Planungsprozeß Beteiligten führt. Das Problem, das man über untergeordnete Ziele nicht entscheiden kann, ohne die übergeordneten zu kennen und umgekehrt, entfällt.

**Gegenvormund,** →Vormundschaft III 2.

**Gegenwahrscheinlichkeit,** Differenz zwischen 1 und der Wahrscheinlichkeit W(A) eines zufälligen →Ereignisses A. Die G. 1-W(A) ist die Wahrscheinlichkeit des zu A komplementären Ereignisses Ā (Axiome der →Wahrscheinlichkeitsrechnung).

**Gegenwartspräferenz,** →Zeitpräferenz.

**Gegenwartspreise,** Preiskonzept der intertemporalen Gleichgewichtstheorie (→intertemporales Gleichgewicht). Es ermöglicht, Güter, die auf verschiedene Zeitpunkte datiert sind, wertmäßig intertemporal miteinander zu vergleichen. Der G. eines Gutes ist die Geldsumme (ausgedrückt in Einheiten des →Standardguts), die heute gezahlt werden muß, damit dieses in Zukunft geliefert wird. Er entspricht damit dem Preis eines Gutes auf dessen →Zukunftsmarkt.

**Gegenwartswert,** *Zeitwert.*

I. K a l k u l a t i o n: Auf den →Kalkulationszeitpunkt abgezinstes Endkapital (→Abzinsung).

II. B i l a n z i e r u n g: Der G. von Forderungen und Rentenverpflichtungen ist gleich dem →Barwert. Bei gegenseitigen Leistungen ist der G. gleich dem Barwert der Leistungen abzüglich des Barwerts der Gegenleistungen.

III. W i r t s c h a f t s t h e o r i e: Wert von Gütern, die auf verschiedene Zeitpunkte datiert und zu →Gegenwartspreisen bewertet sind.

**Gegenzeichnung. I. B e t r i e b s o r g a n i s a t i o n:** Kontrollmaßnahme, die überall da vorzuschreiben ist, wo Willensäußerungen untergeordneter Organe durch verantwortliche leitende Personen zu decken sind.

II. H a n d e l s r e c h t: Vgl. →Gesamthandlungsvollmacht, →Gesamtprokura.

**Gegnerfreiheit,** →Koalition I 4 d).

**Gehalt,** →Arbeitsentgelt (vgl. im einzelnen dort) für →Angestellte.

**Gehaltsfortzahlung,** →Lohnfortzahlung.

**Gehaltsklassen,** Abgrenzungen des →Arbeitsentgelts von Angestellten (Gehalt) für Zwecke der Tarif- und Versicherungspraxis nach Verdienstspannen.

**Gehaltskonto,** →Lohnkonto.

**Gehaltslieferung,** Tatbestand des Umsatzsteuerrechts, wenn eine Lieferung (→Lieferung und sonstige Leistungen) sich nur auf den Gehalt des Gegenstandes bezieht und der Abnehmer dem Lieferer die Nebenerzeugnisse oder Abfälle, die bei der Bearbeitung oder Verarbeitung entstehen, zurückgibt, z. B. auf den Fettgehalt der Milch bei Rückgabe der Magermilch, auf den Zuckergehalt der Rübe bei Rückgabe der Rübenschnitzel. Umsatzsteuerpflichtig sind nur die G., nicht die zurückgelieferten Bestandteile (§ 3 V UStG).

**Gehaltspfändung,** →Lohnpfändung.

**Gehaltstarifvertrag,** →Lohntarifvertrag.

**Gehaltsumwandlung,** →Direktversicherung.

**Gehalts- und Lohnstrukturerhebungen,** Teil der amtlichen →Lohnstatistik, in mehrjährigen Abständen, zuletzt 1978, repräsentativ bei ca. 27 000 Betrieben bzw. Unternehmen mit zusammen ca. 1,3 Mill. Arbeitnehmern aufgrund besonderer Rechtsgrundlage der EG durchgeführte Individualerhebung in der gewerblichen Wirtschaft und im Dienstleistungsgewerbe. Nachgewiesen werden für voll- und teilzeitbeschäftigte Arbeiter und Angestellte die Bruttostunden-, wochen-, -monats- und -jahresverdienste, Sonderzuwendungen, Wochenarbeitszeit, Mehrarbeitszeit in verschiedenen Kombinationen nach Wirtschaftszweigen, Geschlecht, Altersgruppen, Leistungsgruppen, Lohnformen (Arbeiter) und Beschäftigungsarten (Angestellte).

**Geheimbuchführung.** I. Begriff: Teile der →Buchführung, die vor Angestellten geheimgehalten werden sollen, z. B. über Eigenkapital, Darlehen, Entnahmen, Ertragslage und Kostenziffern Aufschluß gebendes Zahlenmaterial. Bei →Außenprüfung des Finanzamtes ist die G. vorzulegen.

II. Formen: 1. Der Unternehmer führt das *Hauptbuch selbst* und überläßt Angestellten die Eintragungen in die Grund- und Hilfsbücher. – 2. Der Unternehmer macht *selbst Inventur* und übernimmt Anfangs- und Endbestände in den Abschlußbut. Der Buchhalter hat die Umsätze aus den Betriebsbuchungen zu liefern. – 3. Der Unternehmer übernimmt in ein *Geheimbuch* die Konten, die Angestellten nicht zugänglich sein sollen, und bucht die die Hauptbuchhaltung betreffenden Geschäftsvorfälle auf ein Konto „Hauptbuch-

haltung"; die Hauptbuchhaltung bucht die die G. betreffenden Geschäftsvorfälle auf ein „Geheimbuchkonto". Am Ende der Rechnungsperiode wird für Haupt- und Geheimbuchhaltung je eine Schlußbilanz erstellt, durch deren Vereinigung – unter Wegfall der sich aufhebenden Gegenkonten „Geheimbuchkonto" und „Hauptbuchhaltung" – die Bilanz der Unternehmung gebildet wird. – G. ist in der Handhabung ähnlich wie →Filialbuchführung und verstößt nicht gegen die →Grundsätze ordnungsmäßiger Buchführung.

**geheime Wettbewerbsklausel,** Vereinbarung zwischen zwei Unternehmern über die Art der Beschäftigung oder über Nichtbeschäftigung eines früher oder derzeit bei den einen beschäftigten →Handlungsgehilfen (anders: →Wettbewerbsverbot). Jederzeit einseitig durch Rücktritt aufhebbar (§ 75 f. HGB). – Bei *Verstoß* gegen die g. W. entstehen keine Ersatzansprüche. – Der Handlungsgehilfe hat *keinen Unterlassungsanspruch* gegen g. W., jedoch kann er ggf. Schadenersatzansprüche geltend machen, wenn z. B. die Erfüllung der Klausel über die berechtigte Wahrung schutzwürdiger Belange der beteiligten Unternehmer hinausgeht und ihn sittenwidrig in der Suche nach einer neuen Stellung einengt.

**Geheimnisprinzip,** →information hiding.

**Geheimnisverrat,** →Betriebs- und Geschäftsgeheimnis III.

**Gehilfe,** →Erfüllungsgehilfe, →Handlungsgehilfe, →Gewerbegehilfe, →Verrichtungsgehilfe.

**Gehör,** →rechtliches Gehör.

**Gehorsamspflicht,** Pflicht des →Arbeitnehmers, den Weisungen des →Arbeitgebers Folge zu leisten. Für kaufmännische Angestellte (→Handlungsgehilfen) gesetzlich geregelt in § 121 I GewO. – Die G. ist nach überwiegender Auffassung das Gegenstück zum Weisungsrecht des Arbeitgebers (→Direktionsrecht). Dem wird entgegengehalten, daß das Weisungsrecht ein Gestaltungsrecht ist, das die Arbeitspflicht konkretisiert; mißachtet der Arbeitnehmer eine wirksame Weisung, verletzt er keine G., sondern erfüllt seine Arbeitspflicht schlecht (→Vertragsbruch II, →Arbeitsverweigerung).

**Gehweg,** →Bürgersteig.

**Geiselnahme,** Entführung oder Ergreifen und Festhalten eines anderen mit dem Ziel, einen Dritten durch Drohung mit dem Tod oder einer schweren Körperverletzung des Opfers zu einer Handlung, Duldung oder Unterlassung zu nötigen; oder Ausnutzung einer von einem anderen zuvor geschaffenen derartigen Lage des Opfers mit dem gleichen Ziel. →Verbrechen nach § 239 b StGB. –

*Strafe:* Freiheitsstrafe nicht unter drei Jahren; bei leichtfertiger Tötung des Opfers lebenslange oder mindestens zehnjährige Freiheitsstrafe.

**Geisteskrankheit,** →Entmündung.

**Geisteswissenschaft,** →Kulturwissenschaft.

**gekorene Orderpapiere,** →Orderpapiere.

**gekreuzter Scheck,** in Art. 37f. ScheckG vorgesehen, um das deutsche Scheckrecht dem internationalen anzupassen, doch sind die Bestimmungen noch nicht in Kraft gesetzt. Die Kreuzung soll (ähnlich wie der →Verrechnungsscheck) verhindern, daß der Scheckbetrag an Unbefugte ausgezahlt wird. – *Ausländische g. Sch.* gelten im deutschen Zahlungsverkehr als →Verrechnungsschecks (Art. 3 EGScheckG).

**Geld,** →Geldkurs, →monetäre Theorie und Politik II.

**Geldakkord,** →Stückgeldakkord.

**Geldangebotsmultiplikator,** →Geldmengenmultiplikator.

**Geldangebotstheorie,** →monetäre Theorie und Politik III.

**Geldausgabeautomat,** Einrichtung von Kreditinstituten zur automatischen Auszahlung von Bargeld auch außerhalb der Schalteröffnungszeiten. Bedienungsmedium für G. in der Bundesrep. D. sind primär→Eurocheque-Karten, die mit einem speziellen Magnetstreifen auf der Kartenrückseite versehen sein müssen. Pro Tag können i. d. R. 400 DM abgehoben werden. – Vgl. auch →kartengesteuerte Zahlungssysteme.

**Geldbasis,** →monetäre Basis.

**Geldbewegungsrechnung,** Verfahren, durch Gegenüberstellung von Mittelherkunft und Mittelverwendung die Vermögens- und Finanzentwicklung eines Unternehmens in einer bestimmten Periode darzustellen. – *Verfahren der G.:* →Kapitalflußrechnung, →finanzwirtschaftliche Bewegungsbilanz.

**Geldbörse,** frühere Bezeichnung: a) für die der Effektenbörse angegliederten Märkte für ausländische →Geldsorten; b) für den →Geldmarkt.

**Geldbuße.** I. Ordnungswidrigkeitengesetz: Mittel zur Ahndung von →Ordnungswidrigkeiten. – *Gesetzliche Regelung:* §§1, 17, 18 OWiG. – *Höhe:* Mindesthöhe 5 DM; Höchstbetrag, soweit nicht durch Gesetz anderes bestimmt, 1000 DM. Fahrlässige Handlung soll mit der Hälfte des Höchstbetrages geahndet werden. Grundlage der Zumessung sind die Bedeutung der Ordnungswidrigkeit und der Vorwurf gegenüber dem Täter. Die G. soll den wirtschaftlichen Vorteil, den der Täter aus der Ordnungswidrigkeit gezogen hat, übersteigen. Dazu kann das gesetzliche Höchstmaß überschritten werden. Bei Verstößen von Organen juristischer Personen ist G. bis zu 1000000 DM zulässig (§30 OWiG). – Vgl. auch →Bußgeldverfahren. – *Steuerliche Behandlung:* Vgl. →Geldstrafe.

II. Schwerbehindertengesetz: Ahndung von Ordnungswidrigkeiten durch das Landesarbeitsamt. Auferlegung von G. gegen Arbeitgeber, die ihrer Verpflichtung zur Einstellung einer bestimmten Anzahl →Schwerbehinderter, zur Erstattung von Anzeigen, Erteilung von Auskünften, Führen eines Verzeichnisses der beschäftigten Schwerbehinderten usw. nicht nachkommen. – *Höhe:* Für jeden nicht von einem Schwerbehinderten besetzten Platz muß der Arbeitgeber eine →Ausgleichsabgabe von 100 DM pro Monat an die zuständige Hauptfürsorgestelle zahlen (§8 (2) SchwbG). Mit Bußgeld bis zu 5000 DM können private Arbeitgeber belegt werden, wenn sie die Vorschriften des SchwbG nicht beachten. – *Verwendung:* Die G. ist nur für Zwecke der Arbeits- und Berufsförderung sowie zur Wiederherstellung und Erhaltung der Arbeitskraft von Schwerbehinderten und der diesen Gleichgestellten zu verwenden.

**Geldeingang,** Summe der →flüssigen Mittel, die einer Unternehmung innerhalb eines bestimmten Zeitraums als Erlös aus dem Verkauf ihrer Waren oder Dienstleistungen oder aus sonstigen Forderungen zufließen. Im Rahmen der →Finanzplanung bei der Ermittlung des Kapitalbedarfs nach Erfahrungswerten zu schätzende Größe.

**Geldeinzug,** →Inkasso.

**Geldentwertung,** →Inflation.

**Geldersatzmittel,** →Geldsurrogate.

**Geldfaktor,** Begriff der →Arbeitsbewertung. Mit dem G. ist die →Vorgabezeit zu multiplizieren, um den →Akkordlohn zu erhalten:

$$G. = \frac{Akkordrichtsatz}{60}$$

Dieser auf die Zeiteinheit Minute bezogene Akkordrichtsatz ist der spezifische Preis der Arbeitsmengeneinheit bei Zeitakkord. – *Anders:* →Steigerungsfaktor.

**Geldfunktionen,** →Rechenmittelfunktion des Geldes, →Tauschmittelfunktion des Geldes, →Wertaufbewahrungsfunktion des Geldes.

**Geldillusion.** I. Geldtheorie: Psychologisch begründete *Einstellung zum* →Geldwert mit besonderem Vertrauen in seine (scheinbar) objektive Gegebenheit und Stabilität, d. h.

Vertrauen der Wirtschaftssubjekte zum umlaufenden Geld. G. ist Voraussetzung für eine funktionierende Geldwirtschaft heutiger Prägung mit den multiplen Geldschöpfungsmechanismen (→Geldschöpfung, →multiple Geldschöpfung). Dahinter steht das Vertrauen der Bevölkerung in die durch den Staat geschaffene und durch seine Autorität (scheinbar) abgesicherte Geldordnung.

II. Haushaltstheorie: Konsumentenverhalten, das ausschließlich an absoluten Preisen und am Nominaleinkommen, nicht aber an den →Relativpreisen und Realeinkommen orientiert ist. Das bedeutet: Ein Haushalt mit G. wird bei Änderungen seines Nominaleinkommens, das keine Veränderung seines Realeinkommens einschließt, seine Ausgaben verändern. Fehlen von G. ist eine wesentliche Voraussetzung der Haushaltstheorie und allgemeinen Gleichgewichtstheorie bei der Ableitung von →Nachfragefunktionen und Gleichgewichten.

**Geldkurs,** →Kurs an der Börse, zu dem Nachfrage bestand, die nicht oder nicht voll befriedigt werden konnte. – *Notierung:* G. (→Notierungen an der Börse).

**Geldleihe.** 1. *Begriff:* Kreditgeschäft, bei dem die Bank dem Kunden Geld zur Verfügung stellt. – 2. *Arten:* a) *Tagesgelder:* Gelder mit befristeter Laufzeit von einem Tag; b) *tägliche Gelder:* Gelder mit Kündigungsfrist von einem Tag; c) *Termingelder:* Gelder mit festgelegtem Rückzahlungstermin (Laufzeiten von einem Tag bis zu einem Jahr). – *Gegensatz:* →Kreditleihe.

**Geldlohn,** *Barlohn,* in Geld bezahltes →Arbeitsentgelt; in der Industrie vorgeschriebene, heute überwiegende Entlohnungsform. Auch bargeldlose Lohn- und Gehaltszahlung ist G. In der Frühzeit des Kapitalismus mußte der G.anspruch des Arbeitnehmers in harten Kämpfen durchgesetzt werden, da die Betriebe besonders bei ungünstiger Marktlage versuchten, das Absatzproblem teilweise durch Entlohnung der Arbeiter mit Betriebsprodukten zu lösen (→Trucksystem). – Viele Unternehmen bieten ihren Mitarbeitern ihre Produkte oder Werkswohnungen zu besonders günstigen Konditionen an; dies darf nicht Teil des vereinbarten Entgelts sein (§§ 115 ff. GewO). – *Gegensatz:* →Naturallohn.

**Geldmarkt.** 1. *G. im makroökonomischen Sinn:* Das Zusammentreffen von Angebot und Nachfrage für oder nach Geld bzw. Zahlungsmittel. Dabei wird das Geldangebot als exogene (von der Zentralbank kontrollierte) Größe betrachtet. Die Geldnachfrage setzt sich zusammen aus der Nachfrage nach →Transaktionskasse und →Spekulationskasse. Durch das Geldmarktgleichgewicht wird der Zins bestimmt (→Liquiditätspräferenztheorie). – 2. *G. im institutionellen Sinn:*

Der Markt für den Austausch von Zentralbankgeld zwischen Geschäftsbanken durch Kreditvergabe (→Geldmarktkredite) oder durch An- und Verkauf von →Geldmarktpapieren. Geldmarktgeschäfte führen zur Veränderung der Liquiditätsreserven der einzelnen Geschäftsbanken: Der partielle Liquiditätsausgleich zwischen den Banken geschieht durch Mittelbereitstellung (Kredit) eines Kreditinstitutes an ein anderes oder durch Kauf eines Geldmarktpapiers bei einem anderen Kreditinstitut. Die Geldmarktpapiere ihrerseits sind sehr liquide und relativ kurssicher, sie können jederzeit bei der Zentralbank eingelöst werden. Die Deutsche Bundesbank nimmt Einfluß auf den Geldmarkt durch ihre →Offenmarktgeschäfte.

**Geldmarkteinlagekonten,** →Finanzinnovationen II 2.

**Geldmarktfonds,** überwiegend von international tätigen Banken gegründete Fonds. Das Fondsvermögen wird durch die Ausgabe von Fondsanteilen an institutionelle Anleger, auch Kleinanleger gebildet; es wird in →Geldmarktobjekte investiert. Die erwirtschafteten Erträge werden nach Abzug der Kosten für die Fondsverwaltung und der Provision anteilmäßig an die Fonds-Teilhaber ausgeschüttet. – *G. in Europa:* In Großbritannien, Luxemburg und der Schweiz. Gründung von G. in der *Bundesrep. D.* gem. § 8 KAGG nicht zulässig.

**Geldmarktfondsanteile,** →Finanzinnovationen II 1.

**Geldmarktkredite,** Kredite, die ausschließlich auf dem →Geldmarkt, im Verkehr zwischen den Geschäftsbanken (Interbankengeschäft), gewährt werden. – Zu *unterscheiden:* (1) *Tagesgeld:* Ist innerhalb von 24 Stunden ohne Kündigung fällig. (2) *Tägliches Geld:* Wird ohne Angabe einer Fristigkeit ausgeliehen, ist am Tag der Kündigung, die bis 11 Uhr erfolgen muß, fällig. (3) *Termingelder:* Werden zum vereinbarten Termin fällig, höherer Zinssatz als bei Tagesgeld und täglichem Geld: (4) *Ultimogelder:* Werden zur Überbrückung der am Monats- bzw. Jahresende auftretenden Liquiditätsengpässe aufgenommen, sind einige Tage nach Ultimo fällig. – I. d. R. werden G. ohne dingliche Sicherheiten vergeben.

**Geldmarktobjekte,** →Geldmarktkredite, →Geldmarktpapiere.

**Geldmarktpapiere,** *Geldmarkttitel.* 1. *Begriff:* Verbriefte Vermögensrechte, die mit dem primären Ziel der Liquiditätsversorgung am →Geldmarkt zwischen Institutionen (überwiegend Banken, Versicherungsgesellschaften, Industrieunternehmen) gehandelt werden. – 2. *Nationale G.:* a) →*Schatzwechsel* des Bundes, der Länder, der Bundesbahn und Bundespost; b) →*Schatzanweisungen* des Bundes, der Bundesbahn und Bundespost bis zu zwei Jahren

Laufzeit; c) →*Vorratsstellenwechsel;* d) *bankgirierte Warenwechsel;* e) →*Bankakzepte.* G. der Formen a) – c) werden auch als *Offenmarktpapiere* (→Offenmarktpolitik) bezeichnet. – 3. *Internationale G.:* a) →commercial papers; b) →banker's acceptances; c) →certificate of deposit; d) →Euronotes.

**Geldmarktsätze,** Zinssätze am →Geldmarkt. – 1. G. im *Direktverkehr zwischen den Kreditinstituten:* Der G. wird für jedes einzelne Geschäft je nach Angebot und Nachfrage ausgehandelt. Am *Tagesgeldmarkt* liegen die G. meist unter dem Diskontsatz, den sie gelegentlich bei Versteifung des Geldmarktes (kurz vor Ultimo, bei großen Steuerterminen) überschreiten. Die G. am *Termingeldmarkt* (Medio-, Ultimo-, Monats- und Dreimonatsgelder) liegen i. d. R. über dem G. des Tagesgeldmarktes. Die Bundesbank *veröffentlicht* in der Zinsstatistik ihrer Monatsberichte die G. für Tages-, Monats- und Dreimonatsgeld, die durch Rückfrage am Frankfurter Bankplatz ermittelt werden und als repräsentativ angesehen werden können. – 2. G. *der Deutschen Bundesbank für den Verkauf von Offenmarktpapieren* (Schatzwechsel, unverzinsliche Schatzanweisungen und Vorratsstellenwechsel): Abgabesätze, die von der Deutschen Bundesbank entsprechend ihrer →Offenmarktpolitik festgesetzt werden und meist für mehrere Tage, Wochen oder Monate konstant bleiben. Bei restriktiver →Kreditpolitik erhöht die Bundesbank die Abgabesätze, um die Banken zum Kauf der Papiere anzureizen und dadurch liquide Mittel an sich zu ziehen. – 3. *Privatdiskontsätze:* Der Handel mit →Privatdiskonten erfolgt an der Frankfurter Börse, die börsentäglich einen Geld-, Mittel- und Briefsatz jeweils für „kurze Sicht" (30–59 Tage) und für „lange Sicht" (60–90 Tage) notiert. Der Geldsatz liegt ⅛% höher als der Briefsatz.

**Geldmarkttitel,** →Geldmarktpapiere.

**Geldmenge,** Bestand an Zahlungsmitteln einer Volkswirtschaft. Der Begriff wird mit Blick auf seine Eignung als geldpolitische Steuer- und Zielgröße verschieden abgegrenzt. – *Abgrenzung der Deutschen Bundesbank:* (1) *Zentralbankgeldmenge:* Umfaßt Mindestreservesoll für Sicht-, Termin- und Spareinlagen von Inländern zu konstanten Reservesätzen sowie den Bargeldumlauf bei privaten Haushalten, Unternehmen und der öffentlichen Hand (also ohne Kassenbestände der Banken, die auf die Mindestreserven anrechenbar sind). (2) *Geldmenge(naggregat) M₁* (→Geldvolumen i. e. S.): Umfaßt das laufende Bargeld (ohne Kassenbestände der Banken) und die Sichteinlagen inländischer Nichtbanken bei den Kreditinstituten. (3) *Geldmenge(naggregat) M₂:* Beinhaltet M₁ und zusätzlich alle Termineinlagen inländischer Nichtbanken bei den Kreditinstituten mit Befristung bis zu vier

Jahren. (4) *Geldmenge(naggregat) M₃:* Beinhaltet M₂ und zusätzlich die Spareinlagen mit gesetzlicher Kündigungsfrist.

**Geldmengenaggregat,** →Geldmenge.

**Geldmengen-Einkommensmechanismus,** einer der Mechanismen der Selbstregulierung der Zahlungsbilanz (→Zahlungsbilanzausgleichsmechanismen). – *Ablauf:* In einem System →fester Wechselkurse sowie in einem System der →Goldwährung führt ein Überschuß (Defizit) der Zahlungsbilanz zu einem Zufluß (Abfluß) an Devisen bzw. Gold bei der Notenbank und zu einer entsprechenden Ausdehnung (Verringerung) des Geldvolumens im Inland mit der Folge tendenziell sinkender (steigender) Zinssätze. Bei zinsreagiblem Spar- und/oder Investitionsverhalten der Wirtschaftssubjekte resultiert daraus eine Nachfrageausdehnung (-einschränkung) an den Gütermärkten und entsprechende Produktions-, Beschäftigungs- und Einkommenssteigerungs (-senkungs)tendenzen. Einkommenserhöhungen (-verminderungen) führen dann i. d. R. zu einer Zunahme (Abnahme) der Importnachfrage und damit im Ergebnis zu einem tendenziellen Abbau des ursprünglichen Zahlungsbilanzungleichgewichts. – *Beurteilung:* Fraglich ist, ob die Politikträger eines Überschuß-(Defizit-)landes die Auswirkungen des G.-E. hinnehmen. befindet sich z. B. die betreffende Volkswirtschaft in einem Boom (einer Rezession), kann der G.-E. die konjunkturelle Lage verschärfen. – Vgl. auch →Zins-Kreditmechanismus, →Geldmengen-Preismechanismus.

**Geldmengenmultiplikator,** *Geldangebotsmultiplikator.* 1. *Charakterisierung:* Der G. m₁ bedeutet, daß die →Geldmenge (z. B. M₁) infolge der →multiplen Geldschöpfung das m₁-fache der →monetären Basis B beträgt:

$$M_1 = \frac{1+c}{c+r(1+t)+r_f} B = m_1 B$$

(mit   c = Kassenhaltungskoeffizient;   r = durchschnittlicher Mindestreservesatz auf Sicht- und Termineinlagen; t = Termindepositenkoeffizient; r_f = Koeffizient freier Liquiditätsreserven). Je größer der Wert von c, r, t und/oder r_f ist, um so kleiner ist m₁. Die Koeffizienten sind der Quotient aus den jeweiligen Größen (Kassenhaltung, Termineinlagen, freie Liquiditätsreserven) bezogen auf die Sichteinlagen. Der Wert eines Koeffizienten gibt die vom Publikum (c, t) oder den Geschäftsbanken (r_f) gewünschte Portfolio-Aufteilung an. – 2. *Erklärung:* Der G. wird in der Makroökonomik bzw. Geld- und Kredittheorie als Ausdruck jeweils einer Wahlhandlung in Abhängigkeit u. a. von Zinssätzen erklärt.

**Geldmengen-Preismechanismus,** einer der →Zahlungsbilanzausgleichsmechanismen, nach dem bei →festen Wechselkursen eine autonome Änderung der →Leistungsbilanz Variationen von Geldmenge und Preisniveau verursacht, die der ursprünglichen Bewegung entgegenwirken, d.h. auf Zahlungsbilanzausgleich hinwirken. Die Theorie des G.-P. wurde ursprünglich für das System des →internationalen Goldstandards entwickelt. Sie wird aber in gleicher Weise allgemein auf Systeme fester Wechselkurse bezogen (→Bretton-Woods-Abkommen). – *Ablauf:* Ergibt sich in einem Land ein Überschuß in der Leistungsbilanz, kommt es zum Goldimport bzw. zum Zufluß von Devisen, was (durch Umtausch in einheimische Währung) zur Ausdehnung der inländischen Geldmenge führt. Ausgehend von der zwischen Geldmenge und Preisniveau bestehenden Beziehung im Sinn der Quantitätstheorie, verursacht dies einen Anstieg des Preisniveaus im Inland. Im Ausland ergibt sich analog ein Rückgang des Preisniveaus, d.h., es entsteht ein Preisniveaugefälle zwischen In- und Ausland, das bei normaler Leistungsbilanzreaktion ein Sinken der Exporte und eine Zunahme der Importe des Inlands auslöst; der Leistungsbilanzüberschuß wird zumindest reduziert. – Vgl. auch →Geldmengen-Einkommensmechanismus, →Zins-Kreditmechanismus.

**Geldmengenregel,** *monetaristische Geldmengenregel,* ein auf M. Friedman zurückgehender Vorschlag zur Verstetigung der Geldpolitik. Danach sollte die Zuwachsrate der →Geldmenge an der langfristigen Wachstumsrate des realen Sozialprodukts ausgerichtet werden. Eine *Variante* dieser Regel orientiert das Geldmengenwachstum am →Produktionspotential. – Mit der G. soll verhindert werden, daß die Geldpolitik durch diskretionäre Maßnahmen Konjunkturschwankungen verstärkt oder diese gar erst verursacht. Kritisch anzumerken ist die Annahme der Stabilität des privaten Sektors und der Steuerbarkeit der Geldmenge über die →monetäre Basis durch den →Monetarismus. – Vgl. auch potentialorientierte →Kreditpolitik.

**Geldmengensteuerung,** →Geldmengenziel.

**Geldmengenziel,** kreditpolitisches Konzept; seit 1974 von der Deutschen Bundesbank angewandt. – 1. *Charakterisierung:* Anlaß war das über längere Zeit von der Deutschen Bundesbank beobachtete Verhalten der Kreditinstitute, →freie Liquiditätsreserven nicht mehr als notwendige Reserve, sondern als ungenutztes Potential für zusätzliche Kredite anzusehen. Mit Übergang zu freien Weselkursen gab sie die Steuerung der Bankenliquidiäts zugunsten einer Orientierung an der Zentralbankgeldmenge (Geldmengensteuerung) auf. Dem Konzept liegt die Vorstellung zugrunde, daß im Zuge der Kreditgewährung ein Bedarf an Zentralbankgeld (Bargeld und Mindestreserve) entsteht, das die Banken

selbst nicht schaffen können. Wird verstärkt unter dem Einfluß des →Monetarismus in westlichen Industriestaaten angewandt. – 2. *Bestimmung:* a) G. als *Punktziel:* Vorgabe einer Zuwachsrate der Zentralbankgeldmenge; diese wurde jährlich zum Jahresende von der Bundesbank für das darauffolgende Jahr formuliert. Damit sollte die Effizienz der Geldpolitik kontrolliert und die Öffentlichkeit über die Absichten der Bundesbank informiert werden (Kontroll- und Signalfunktion). Die Vorgaben des Geldmengenziels als Punktziel erwies sich bald als „ambitiöses Vabanque-Spiel" (O. Emminger). – b) G. als *Zielkorridor* (seit 1978 angewandte Formulierung). Zur Ableitung des G. geht die Bundesbank von vier Eckwerten aus: (1) Erwartetes Wachstum ($\hat{Y}_{pot}$), (2) erwarteter Auslastungsgrad des Produktionspotentials ($\hat{A}$), (3) unvermeidlicher Preisniveauanstieg ($\hat{P}_u$) und (4) erwartete Änderungsrate der Umlaufgeschwindigkeit des Geldes $\hat{U}$. Mit diesen Eckdaten wird die *im Jahresdurchschnitt anzustrebende Wachstumsrate* der Zentralbankgeldmenge Z bestimmt:

$$\hat{Z} = \hat{Y}_{pot} + \hat{A} + \hat{P}_u - \hat{U}$$

Das so ermittelte Durchschnittsziel wird in ein Verlaufsziel transformiert (Anstieg der Zentralbankgeldmenge vom IV. Quartal des laufenden Jahres zum IV. Quartal des kommenden Jahres), und unter Berücksichtigung eines Zu- und Abschlags ergibt sich dann der Zielkorridor, innerhalb dessen das Zentralbankgeldmengenwachstum verlaufen soll. – 3. *Begründung/Beurteilung:* Die Steuerung der Zentralbankgeldmenge wird damit begründet, daß sie gut kontrollierbar sei und die Basis für eine Geld- und Kreditausweitung darstelle. Das G. wurde bisher meist erheblich verfehlt. Seit Einführung des Zielkorridors sind die Zielverfehlungen nicht mehr so gravierend, was natürlich an dem Grundproblem kaum etwas ändert: Die Geldmenge ist wegen des Banken- und Nichtbankenverhaltens nicht direkt steuerbar.

**Geldmittelbewegung,** Aufstellung (i.d.R. für drei Monate) über die zu erwartende Bewegung der flüssigen Mittel in Form der Fortschreibung: Anfangsbestand + Eingänge (geschätzt) – Zahlungen (lt. Finanzplan) = Endbestand, je Monat. G. ist ein Kontrollinstrument bezüglich der →Finanzierung einer Unternehmung; dient zur Beobachtung der kurzfristigen →Liquidität, enthält außerdem Vergleichsangaben über freie Kreditlimite, diskontfähige Kundenwechsel sowie Debitoren und Warenumsätze der Vormonate.

**Geldnachfrage,** →monetäre Theorie und Politik IV.

**Geldnachfragetheorie,** →monetäre Theorie und Politik IV.

**Geldnutzen,** nicht-pekuniäre Erträge der Geldhaltung in Form von Sicherheit und

Bequemlichkeit beim Tausch. Aufgrund des G. ist die reale →Geldmenge ein Argument der →Nutzenfunktion und führt deshalb zum →Realkassenhaltungseffekt.

**Geldpolitik,** →monetäre Theorie und Politik VI–VIII.

**Geldpostbuch,** enthält die Bestimmungen für den Auslandspostdienst; im einzelnen für Postanweisungen und Zahlkarten nach dem Ausland, Briefsendungen mit Nachnahme, Postanweisungen aus dem Ausland, Sendungen mit Nachnahme aus dem Ausland, Nachforschungen.

**Geldrente,** Form des →Schadenersatzes für Verlust oder Beeinträchtigung der Erwerbsfähigkeit oder für Tötung des Unterhaltspflichtigen gem. §§ 843, 844 BGB. Bei →wichtigem Grund kann der Verletzte auch →Kapitalabfindung verlangen.

**Geldschöpfung. 1.** *Begriff:* Kauf eines Aktivums (Wechsel, Wertpapier, Aktie, Grundstück usw.), das kein Geld darstellt, durch eine Bank von einer Nicht-Bank. Die Bank zahlt mit einer Forderung auf sich selbst, d. h. sie räumt der Nicht-Bank ein entsprechendes Sichtguthaben ein. – *Gegensatz:* →Geldvernichtung. – **2.** *Arten:* Die Monetisierung eines Aktivums führt zu einer Bilanzverlängerung bei der Bank *(aktive G.)* und einer Erhöhung der →Geldmenge in Händen des Publikums. Eine *passive G.* liegt vor bei einem Passivtausch, d. h. bei einer Umwandlung von langfristigen →Termineinlagen in →Sichteinlagen. – **3.** Kauft die Zentralbank solche Aktiva und bezahlt etwa mit Banknoten, wird dies als *Zentralbankgeldschöpfung,* der sie sich z. B. durch Ankaufspflicht von Devisen nicht entziehen kann, bezeichnet. Vgl. näher →monetäre Theorie und Politik II 2 b). In einer geschlossenen Volkswirtschaft ist die G. einer Geschäftsbank sowie des Geschäftsbankensystems durch die Bankenliquidität begrenzt. – **4.** G. im Rahmen des *Geschäftsbankensystems:* Vgl. →multiple Geldschöpfung.

**Geldschöpfungsmultiplikator. 1.** Im *Konzept der →multiplen Geldschöpfung:* Vielfaches, um das die Geldmenge aufgrund eines exogen gegebenen Liquiditätszuflusses steigt. – **2.** Im *Konzept der →monetären Basis:* Vielfaches, das die →Geldmenge insgesamt bei einer gegebenen monetären Basis betragen kann (→Geldmengenmultiplikator); kann aufgrund von zunächst tautologischen Beziehungen/Koeffizienten angegeben werden.

**Geldschuld,** →*Erfüllung* durch Übermittlung des Betrages durch den Schuldner auf seine Gefahr und Kosten an den Gläubiger (§ 270 BGB). →*Erfüllungsort* bleibt aber mangels abweichender Vereinbarung Wohnsitz oder Geschäftslokal des Schuldners, deshalb genügt zur Wahrung einer Frist rechtzeitige

*Absendung* des Geldes (auch des Schecks). Bei *Überweisung* (Bank, Postscheck) Rechtsprechung uneinheitlich, daher zweckmäßig, für rechtzeitige Buchung auf dem Konto des Empfängers zu sorgen. – Vgl. auch →Geldsortenschuld, →Valutaschuld.

**Geldsorten,** *Sorten,* ausländische Banknoten. G. werden meist an der Börse gehandelt und sind Gegenstand des Geldwechselgeschäftes der Banken. Zu den G. gehören auch die *Münzen,* von denen die Goldmünzen international gehandelt werden.

**Geldsortenschuld,** nach Vereinbarung der Parteien nur durch Zahlung in einer bestimmten Geldsorte erfüllbare Schuld. Ist die Geldsorte zur Zeit der Zahlung *nicht mehr im Umlauf,* so ist Zahlung so zu leisten, wie wenn Geldsorte nicht bestimmt wäre (§ 245 BGB), d. h. mit im Zeitpunkt der Zahlung gültigen gesetzlichen Zahlungsmitteln.

**Geldstrafe,** aufgrund zahlreicher gesetzlicher Bestimmungen zulässige Strafe. G. wird in →Tagessätzen verhängt. – *Mindesthöhe* 5 Tagessätze; *Höchstsatz* 360 Tagessätze. Der Tagessatz wird auf mindestens 2 DM und höchstens 10 000 DM festgesetzt (§§ 40–43 StGB). – *Einkommen- und Lohnsteuer:* G. sind nicht als →Betriebsausgaben oder →Werbungskosten abzugsfähig. In Berufsausübung entstandene und unzulässigerweise vom Arbeitgeber übernommene G. sind bei →Arbeitnehmern steuerpflichtiger →Arbeitslohn. – Entsprechendes gilt für →Geldbußen.

**Geldstromanalyse,** statistische Erfassung und ökonomische Auswertung aller Zahlungs- und Kreditvorgänge in einer Volkswirtschaft. G. ist ein wichtiges Hilfsmittel der →Konjunkturtheorie. – Versteht man unter dem Geldvermögen eines Wirtschaftssubjekts die Summe seiner Zahlungsmittelbestände und den Saldo aus geldwerten Forderungen und Verpflichtigen, sind zu *unterscheiden:* a) *Reine Finanztransaktionen,* die lediglich den Liquiditätsstatus des Wirtschaftssubjekts verändern, die Höhe seines Geldvermögens aber unberührt lassen (z. B. Monetisierung von Forderungen, Aufnahme von Krediten); b) *Leistungstransaktionen,* die aus dem Umsätzen von Gütern und Diensten resultieren und das Geldvermögen verändern. Erzielt ein Wirtschaftssubjekt einen Einnahmeüberschuß (Ausgabenüberschuß), so vergrößert (verringert) sich sein Geldvermögen. Da Einnahmen des einen stets Ausgaben eines anderen Wirtschaftssubjekts sind, saldieren sich in einer geschlossenen Volkswirtschaft die Einnahme- und Ausgabenüberschüsse; wirtschaftliche Einnahme- bzw. Ausgabenüberschüsse können daher nur aus dem Verkehr mit dem Ausland resultieren (→Zahlungsbilanz).

**Geldsubstitute,** →Quasigeld.

**Geldsurrogate,** *Geldersatzmittel,* Geldformen, die an Stelle →gesetzlicher Zahlungsmittel treten, aber keinen Annahmezwang aufweisen. G. können Zahlungsverpflichtungen (→Wechsel) und Zahlungsanweisungen (→Scheck) sein.

**Geldtheorie,** →monetäre Theorie und Politik.

**Geldüberhang,** *Kaufkraftüberhang,* Überschuß der Geldmenge (bzw. des nominellen Volkseinkommens) über das Güterangebot (das reale Volkseinkommen) bei gestauter Inflation. Wird in einer vollbeschäftigten Wirtschaft die Geldmenge vermehrt (z. B. zur Kriegsfinanzierung) und das Preisniveau durch einen allgemeinen Preisstop konstant gehalten, so muß es zu einem solchen G. kommen, weil das Güterangebot in der vollbeschäftigten Wirtschaft nicht mehr vermehrt werden kann. Dabei wird angenommen, daß die vermehrte Geldmenge auch nachfragewirksam eingesetzt wird. Ein Preisniveauanstieg dagegen würde einen ursprünglichen G. sukzessive abbauen. – Ein klassisches Beispiel für einen G. bietet die Wirtschaftsgeschichte Deutschlands während des Zweiten Weltkriegs und der Zeit von 1945 bis 1948.

**Geldumlauf,** →Geldvolumen, →Zahlungsmittel, →Zahlungsmittelumlauf.

**Geldumlaufgeschwindigkeit,** Häufigkeit, mit der eine Geldeinheit in einer Periode für Umsätze verwendet wird. Steigerung der U. wirkt wie eine Vermehrung. Verminderung der U. wirkt wie eine Verminderung der Geldmenge. Dadurch große Bedeutung für den →Geldwert; wichtiger Faktor der →Preisbildung.

**Geldumsätze,** Behandlung bei der →Umsatzsteuer: Vgl. →Bankumsätze.

**Geld- und Wertzeichenfälschung.** I. Begriff/Rechtsgrundlage: 1. *Begriff:* Alle strafbaren Handlungen, die sich gegen das staatliche Münz- und Papiergeld, gegen Banknoten, gegen amtliche Wertzeichen, Inhaberschuldverschreibungen, Aktien, Interimsscheine, Zins-, Dividenden- und Erneuerungsscheine sowie Reiseschecks richten. – 2. *Rechtsgrundlage:* §§ 146 ff. StGB.

II. Arten: 1. *Fälschung:* a) das Nachahmen in- und ausländischen Geldes, Schuldverschreibungen, Aktien usw. in der Absicht, die nachgemachten Stücke als echte in den Verkehr zu bringen; b) Veränderung echten Geldes oder echter Wertpapiere in der Absicht, den Stücken einen höheren Wert oder außer Kurs gesetzten Stücken den Schein noch geltender Stücke zu geben; c) die Beschaffung von nachgemachten oder verfälschten Geldoder Wertpapierstücken, um sie in den Verkehr zu bringen. – Strafe: Freiheitsstrafe nicht unter zwei Jahren, in minder schweren Fällen

Freiheitsstrafe bis fünf Jahre oder Geldstrafe. – 2. *Inverkehrbringen von Falschgeld:* Wer außer in den Fällen unter 1. falsches Geld, Schuldverschreibungen usw. als echt in Verkehr bringt, wird mit Freiheitsstrafe bis zu fünf Jahren oder Geldstrafe bestraft. Der Versuch ist strafbar. – 3. *Vorbereitung der Fälschung von Geld:* Das Herstellen, Verschaffen, Feilhalten, Verwahren und Überlassen von Gegenständen (Platten, Formen u. a.) zur Anfertigung von Geld wird mit Freiheitsstrafe bis fünf Jahren oder Geldstrafe bestraft.

III. Behandlung von Falschgeld und Falschwerten: Banken, Sparkassen und öffentliche Kassen führen die bei ihnen einlaufenden Falschgeld- und Falschwertpapierstücke an die Behörden ab; Eingang wird nicht als Zahlung anerkannt.

**Geld- und Wertzeichenverkehrsgefährdung,** für gewisse Formen neben Strafe Geldbuße bis zu 10 000 DM (§§ 127 ff. OWiG): 1. Herstellen, Verschaffen, Feilhalten, Verwahren und Überlassen von Platten, Formen usw. zur Herstellung von Geld, Wertpapieren, öffentlichen Urkunden u. dgl., von Vordrucken für öffentliche Urkunden oder Beglaubigungszeichen oder von besonderen Papierarten ohne schriftliche Erlaubnis der zuständigen Stelle. – 2. Herstellen oder Verbreiten von Drucksachen oder Abbildungen, die ihrer Art nach geeignet sind, mit Papiergeld oder gleichstehenden Wertpapieren verwechselt zu werden. – 3. Feilhalten, Verwahren und Verschaffen von Platten, Formen, Drucksätzen usw., die ihrer Art nach zur Herstellung von unter 2. erwähnten Papiere geeignet sind.

**Geldverkehrsbilanz,** →funktionale Kontorechnung.

**Geldvermögen,** *Finanzvermögen,* Begriff der volkswirtschaftlichen Gesamtrechnungen für die Differenz zwischen →Forderungen und →Verbindlichkeiten einer Wirtschaftseinheit. Das G. einer *geschlossenen Volkswirtschaft* ist stets gleich Null, da sich gesamtwirtschaftliche Forderungen und Verbindlichkeiten aufheben; das G. einer *offenen Volkswirtschaft* entspricht der Nettoauslandsposition. – Vgl. auch →Vermögen.

**Geldvernichtung,** Verkauf eines Aktivums, das kein Geld darstellt, durch eine Bank an eine Nicht-Bank; einschl. der Wechseleinlösung oder Kredittilgung (Rückkauf des Kredittitels) durch Haushalte, Unternehmen. – *Gegensatz:* →Geldschöpfung.

**Geldvolumen,** Summe aller Forderungen der Nichtbanken gegenüber dem Bankensystem, die zu Zahlungen benutzt werden. Die Deutsche Bundesbank ermittelt das G. in den drei Abgrenzungen $M_1$, $M_2$, $M_3$ (→Geldmenge). – Vgl. auch →Zahlungsmittelumlauf.

**Geldwechselgeschäft,** Umtausch von inländischem Geld in ausländisches und umgekehrt. G. erstreckt sich auf Münzen und Noten.

**Geldwert,** *Kaufkraft des Geldes,* die für eine Geldeinheit käufliche Gütermenge („Güterpreis des Geldes", Preiser). – 1. *Binnenwert:* Entspricht dem inversen Wert des Preisniveaus; bei einem Steigen des Preisniveaus sinkt die mit einer Geldeinheit zu erwerbende Gütermenge und umgekehrt. – 2. *Außenwert:* Kaufkraft einer über den →Wechselkurs umgerechneten inländischen Währungs- bzw. Geldeinheit im Ausland; sie ist somit eine Funktion des Wechselkurses und des Preisniveaus im Ausland. Im Falle des →Freihandels besteht langfristig die Tendenz zur Angleichung von Außen- und Binnenwert; sie sind gleich, wenn Wechselkurs und →Kaufkraftparität identisch sind. Kurz und mittelfristig sind Abweichungen der Regelfall. – 3. *Stabilisierung des G. (Geldwertstabilität)* ist eine Maxime für die Wirtschaftspolitik eines Landes; sie soll insbes. mit Hilfe der Geldpolitik (→monetäre Theorie und Politik) erreicht werden. – Vgl. auch →Abwertung, →Aufwertung.

**geldwerter Vorteil,** alle Güter, die in Geld- oder Geldeswert bestehen, z. B. die verbilligte oder unentgeltliche Überlassung von Waren durch den Arbeitgeber an den Arbeitnehmer (vorausgesetzt, die Vorteilsgewährung beruht auf einem Dienstverhältnis). Nach § 2 I LStDV grundsätzlich →Arbeitslohn. – *Kein Arbeitslohn:* a) der verbilligte Bezug, wenn er nicht über Preisvorteile hinausgeht, die der Arbeitgeber auch außerhalb des Betriebes stehenden Personen und Unternehmen, insbes. Groß- und Dauerkunden, einräumt und sie allen Arbeitnehmern gewährt; b) der verbilligte Bezug von Waren, die Gegenstände des täglichen Bedarfs sind, wenn die Verbilligung allen Arbeitnehmern gewährt wird, die Selbstkosten des Arbeitgebers nicht überschreitet und die abgegebene Menge nach den betrieblichen und örtlichen Verhältnisse üblich ist.

**Geldwertsicherungsklausel,** →Wertsicherungsklausel.

**Geldwertstabilität,** →Geldwert 3.

**Geldwirtschaft,** Form der modernen Volkswirtschaft, in der jeder Tauschakt (Ware gegen Ware) in zwei unabhängige Kaufakte (Ware gegen Geld, Geld gegen Ware) zerlegt ist. Das fast ausschließlich →Kreditgeld in Umlauf ist, wird häufig auch von *Kreditwirtschaft* gesprochen. – *Gegensatz:* →Naturalwirtschaft.

**geldwirtschaftliches Denken,** ursprüngliches Erfolgsdenken der Betriebswirtschaftslehre, bei dem ein Gewinn bei Feststellung eines erhöhten Endkapitals gegenüber dem Anfangskapital angenommen wird (Nominalismus). Das g. D. wurde durch die wiederholten Inflationen erschüttert. – *Gegensatz:* →güterwirtschaftliches Denken.

**Geldzins,** *Nominalzins,* Erscheinungsform des →Zinses in der Geldwirtschaft. G. wird in den monetären →Zinstheorien als Erklärung für die Existenz des Zinses angeführt, z. B. in der →Liquiditätspräferenztheorie. – *Definition von Wicksell:* →Marktzins („natürlicher Zins"); G. und Marktzins stimmen überein, wenn die Banken von ihrer Geldschöpfungsmacht (→Geldschöpfung) keinen Gebrauch machen, also nur als „Geldvermittler" tätig sind; Abweichungen, die zum →Wicksellschen Prozeß führen, sind demnach auf die Eigenschaft der Banken als „Geldschöpfer" zurückzuführen. – *Gegensatz:* →Naturalzins.

**Gelegenheitsgeschäft,** *Partizipationsgeschäft,* Geschäft, an dessen Durchführung mehrere Personen bzw. Unternehmen teilnehmen (→Gelegenheitsgesellschaft). – *G. zwischen zwei Partnern:* Vgl. →Metageschäft.

**Gelegenheitsgesellschaft,** zeitlich begrenzter Zusammenschluß einzelner Personen oder Unternehmen zu einer →Gesellschaft des bürgerlichen Rechts, mit dem Zweck der Durchführung einzelner Geschäfte, wie Konsortialbildung, gemeinsame Bewirtschaftung, Verwaltung und Verwertung gleichartigen Besitzes. – Im *Gesellschaftsvertrag* (formlos) verpflichten sich die Gesellschafter, die Erreichung des gemeinsamen Zweckes in der vereinbarten Weise zu fördern. Bei Konsortialverträgen ist Aufnahme der Bestimmung erforderlich, daß kein Gemeinschaftsgut entsteht, sondern jedem Gesellschafter das Eingebrachte als Eigentum verbleibt und nur dessen Verwaltung nach vertraglichen Bestimmungen erfolgt (§§ 705–740 BGB). – G. sind *nicht gewerbesteuerpflichtig.*

**Gelegenheitskauf,** →Sonderverkauf.

**Gelegenheitsverkehr.** 1. *Allgemein:* a) *I. w. S.:* Verkehr mit fallweisem auftragsindividuellem Einsatz von Transportmitteln; b) *i. e. S.:* Begriff des Verkehrsrechts für eine nicht linienmäßige Beförderung von Personen und Gütern mit unterschiedlichen rechtlichen Regelungen in einzelnen Verkehrsbereichen. – *Gegensatz:* →Linienverkehr. – 2. *Personenbeförderungsgesetz:* Beförderung von Personen mit Kraftfahrzeugen, die nicht Linienverkehr nach den §§ 42, 43 ist (§ 46 I PBefG). Als Formen zulässig sind gem. § 46 II PBefG: a) Verkehr mit Kraftdroschken (Taxen, § 47 PBefG). b) Ausflugsfahrten und Fernziel-Reisen (§ 48 PBefG); darunter verstanden werden (1) alle Fahrten, die ein Verkehrsunternehmer nach einem bestimmten, von ihm aufgestellten Plan und zu einem für alle Teilnehmer gleichen und gemeinsam verfolgten Ausflugszweck anbietet oder ausführt sowie (2) Reisen zu Erholungsaufenthalten, die nach einem bestimmten, vom Unternehmen aufgestellten Plan zu einem Gesamtentgelt für Hin- und Rückfahrt sowie Unterkunft (mit oder ohne Verpflegung) durchgeführt werden. Charakteristisch für diese Verkehrsform ist die ,,Streckenfreiheit-Fahrgastbindung". c) Verkehr mit Mietomnibussen und Mietwagen (§ 49 PBefG); Mietomnibusverkehr ist die Beförderung von Personen mit Kraftomnibussen, die im ganzen zur Beförderung angemietet werden und mit denen der Unternehmer Fahrten durchführt, deren Zweck, Ziel und Ablauf der Mieter bestimmt. – Der G. mit Kraftfahrzeugen ist gem. § 2 I Nr. 4 PBefG *genehmigungspflichtig* (Erteilung der Genehmigung für höchstens vier Jahre). – Nach § 51 PBefG sind die Landesregierungen ermächtigt, Einzelheiten der Durchführung des G. mittels Rechtsverordnung zu regeln (z. B. Beförderungsbedingungen und -entgelte). – 3. *Luftverkehrsgesetz:* Gewerblicher Luftverkehr, der nicht Fluglinienverkehr ist (§ 22 LuftVG). Die Genehmigungsbehörde kann für den G. Bedingungen und Auflagen festsetzen und bei nachhaltiger Beeinträchtigung öffentlicher Verkehrsinteressen ganz untersagen. Formen des G.-Luftverkehrs sind der Ausflugs-, Tramp- und Anforderungsverkehr, Rundflüge, Luftbildflüge, Schädlingsbekämpfungsflüge und Reklameflüge. Zum G.-Luftverkehr zählt auch der Charter-Flugverkehr, wenngleich neuere Erscheinungsformen (z. B. öffentliche Bekanntgabe der Flugtage zu bestimmten Ferienzielen in Form von Flugprogrammen) eine gewisse Annäherung an den Fluglinienverkehr darstellen. Unternehmen des G.-Luftverkehrs unterliegen nicht der öffentlichrechtlichen →Betriebspflicht (d. h. nicht, daß sie sich privatrechtlich durch Charterverträge z. B. mit Reiseveranstaltern zur Durchführung bestimmter Flüge verpflichten). – 4. *Seeschiffahrt:* Häufigste Form des G. ist die Trampschiffahrt (unregelmäßiger Bedarfsverkehr für stapelfähige Massengüter).

**gelernter Arbeiter,** meist Bezeichnung für →Facharbeiter, der eine abgeschlossene →Berufsausbildung nachweisen kann. Vgl. im einzelnen →Berufsausbildungsverhältnis.

**Gelöbnis,** eine dem →Eid gleichstehende Beteuerung, die Pflichten eines Beamten oder eines Richters getreulich zu erfüllen.

**GEMA,** Abk. für →Gesellschaft für musikalische Aufführungsrechte und mechanische Vervielfältigungsrechte.

**Gemeinausgaben** (genauer: *echte Gemeinausgaben*), von Riebel geprägter Begriff für →Ausgaben, die unter den gegebenen Bedingungen nur für das betrachtete Bezugsobjekt und andere gemeinsam disponiert werden können. Sie lassen sich erst einem allgemeineren übergeordneten Bezugsobjekt logisch zwingend zuordnen (→Identitätsprinzip). Zu

den (echten) G. gehören auch Schein-Einzelausgaben. Schein-Einzelkosten (→Schein-Einzelkosten (-ausgaben, -einnahmen, -erlöse, -verbräuche)), wenn Erlösteile getrennt in Rechnung gestellt werden, aber das betreffende Gut nicht gesondert beschafft werden kann oder der betrachtete Ausgabenteil von der Höhe anderer Ausgaben abhängt. – *Anders:* Unechte Gemeinausgaben (→unechte Gemeinkosten (-ausgaben, -einnahmen, -erlöse, -verbräuche)). – *Gegensatz:* →Einzelausgaben.

**Gemeinbedürfnisse,** →Kollektivbedürfnisse.

**Gemeinde,** *Kommune,* Begriff des öfftlichen Rechts für den Zusammenschluß von Menschen, die innerhalb eines bestimmten Gebietes leben (→Gebietskörperschaft). – *Rechtsgrundlagen* sind die Gemeindeordnungen der Länder, die sich weitgehend an die Deutsche Gemeindeordnung vom 30. 1. 1935 anlehnen. – Jede G. hat ihre Angelegenheiten eigenverantwortlich im Rahmen der Gesetze zu regeln, dazu hat sie ihre eigene *G.-Verfassung.* Das wichtigste Organ ist die von den Bürgern gewählte *G.-Vertretung* (Gemeinderat oder Stadtrat), die grunsätzlich aus ehrenamtlich tätigen Mitgliedern besteht und das Recht hat, Satzungen zu erlassen und über alle G.-Angelegenheiten zu beschließen. Das ausführende Organ ist die *G.-Verwaltung* unter Vorsitz eines Stadt- oder Amtsdirektors (anders in Bayern, Baden-Württemberg, Rheinland-Pfalz und Hessen, wo die Bürgermeister- bzw. Magistratsverfassung gilt, bei der der Bürgermeister oder der Magistrat G.-Vorstand ist). – *Gemeindeaufsicht:* Vgl. →Kommunalaufsicht. – *Gewerbliche G.-Unternehmungen:* Vgl. →Kommunalbetrieb. – *G.-Kredit:* Vgl. →Kommunalkredit.

**Gemeindeanteil,** Anteil der Gemeinden an der Einkommensteuer (→Gemeinschaftsteuern) auf der Grundlage der Einkommensteuerleistungen ihrer Einwohner nach Maßgabe eines Bundesgesetzes (Art. 106 VGG). Die Gemeinden erhalten 15% des Aufkommens an Lohnsteuer und an veranlagter Einkommensteuer (§ 1 Gemeindefinanzreformgesetz).

**Gemeindeertragsteuern,** →Gemeindesteuern.

**Gemeindefinanzen,** Gesamtheit aller die Einnahmen der →Gemeinden ausmachenden Positionen des kommunalen Haushalts und wichtigster Teil der Kommunalwirtschaft. G. dienen der Finanzierung der kommunalen Aufgaben im Rahmen der →Selbstverwaltung. Die *Bedeutung* der G. ist daran zu erkennen, daß ca. zwei Drittel aller öffentlichen Investitionen von den Gemeinden getätigt werden. – *Steuerstruktur* (1986): Gemeindeanteil an der Einkommensteuer 43%,

Gewerbesteuer nach Ertrag und Kapital 43%, Grundsteuer 12%, Grunderwerbsteuer 1%, sonstige 1%. Die Steuern machen neben Zuweisungen und Gebühren und Beiträgen ca. ⅓ der G. aus. Damit ist kennzeichnend für die Struktur der G. der geringe Anteil steuerlicher, d. h. eigenbestimmter Einnahmen und die relativ große Abhängigkeit von den übergeordneten Haushalten der →Gebietskörperschaften. Die Entwicklung der G. gerät mehr und mehr in den Sog einer nachlassenden Selbstfinanzierungsquote für Investitionen und damit in einen zunehmenden Verschuldungsgrad. – Vgl. auch →Finanzausgleich, →Gewerbesteuerumlage.

**Gemeindefinanzmasse,** die den Gemeinden allein oder anteilsmäßig zustehende Ertragshoheit an bestimmten Steuern (→Steuerertragshoheit). – Vgl. auch →Gemeindesteuern, →Gemeindesteuersystem, →Steuerverbund.

**Gemeindesatzung,** autonome (selbst gegebene) →Satzung einer →Gemeinde zur Regelung aller eigenen Angelegenheiten, soweit keine gesetzlichen Vorschriften entgegenstehen. Die G. hat verbindliche Kraft für alle Gebiete, jedoch nicht für die →Auftragsverwaltung; *örtlich* ist die Wirksamkeit auf das Gemeindegebiet beschränkt.

**Gemeindesteuern,** *Kommunalsteuern.* 1. *G. i. e. S. (Gemeindeertragsteuern):* →Steuern, deren Aufkommen allein den Gemeinden zufließt (→Steuerertragshoheit). Wichtigste Arten: →Gewerbesteuer (Gemeinden haben Ertragshoheit, müssen aber einen Teil als →Gewerbesteuerumlage an Bund und Länder abführen), →Grundsteuer, Hundesteuer, Grunderwerbsteuerzuschlag, Vergnügungssteuer, Getränkesteuer, Schankerlaubnissteuer (in einigen Bundesländern nicht mehr erhoben). Diese stehen den Gemeinden gem. Art. 106 VI GG zu. – 2. *G. i. w. S.:* Gesamtheit der den Gemeinden zur Verfügung stehenden Steuereinnahmen, die aus den G. i. e. S. und dem →Gemeindeanteil an den →Gemeinschaftsteuern (vgl. auch →Steuerverbund) besteht. – 3. *Beschränkungen* und *Ordnungsprinzipien* der Erhebung von G., Kriterien einer *optimalen Ausgestaltung* der G.: Vgl. →Gemeindesteuersystem. – Vgl. auch →Bundessteuern, →Landessteuern, →Gemeinschaftsteuern.

· **Gemeindesteuersystem,** *Kommunalsteuersystem.* 1. *Begriff:* Die Gesamtheit der →Gemeindesteuern, die zu einem Zeitpunkt gelten und deren Ertragshoheit (→Steuerertragshoheit) den Gemeinden insgesamt zusteht; ein Teil des Gesamtsteuersystems (→Steuersystem), ein Teil der →Gemeindefinanzen (vgl. auch →Kommunalabgaben). – 2. Das G. hat eine besondere Bedeutung in der Steuerpolitik und -theorie wegen der kommunalen →*Selbstverwaltung* (Art. 28 GG) und der kommunalen *Finanzautonomie:* Die

Gemeinden sind wie Bund und Länder →Gebietskörperschaften, Körperschaften des öffentlichen Rechts, mit grundsätzlich ähnlichen Aufgaben für Wirtschaft und Bevölkerung ausgestattet. Das G. ist in seinen Hauptsteuerarten, den →*Realsteuern,* mit der „Hebesatzautonomie" (ein Teil der Finanzautonomie) verbunden. – 3. *Beschränkungen und Ordnungsprinzipien* für die Befugnis von Gemeinden, Steuern zu erheben, v. a. im Gemdineabgabenrecht (basierend auf den Kommunalabgabengesetzen der Bundesländer) und in den (nachrangigen) kommunalen Steuerordnungen (Satzungen i. S. des Gemeinderechts), (wobei die Erhebung teilweise auch obligatorisch ist) nicht ausreichen. – 4. *Kriterien eines „optimalen" G.:* a) *Autonomie.* – b) *Geringe Konjunkturempfindlichkeit* und *hohe Wachstumsreagibilität* der Gemeindesteuern, die damit begründet wird, daß aus Gründen einer über die Zeit gleichmäßigen Versorgung der Bevölkerung und der Wirtschaft (Strukturpolitik) v. a. die Investitionsausgaben (zwei Drittel aller öffentlichen Investitionen werden von den Gemeinden getätigt) gleichmäßig anfallen und konjunkturunabhängig finanziert werden müssen. – c) *Örtliche Radizierbarkeit* der Steuern (örtliche Verbrauch- und Aufwandsteuern gem. Art. 106 VI GG); von diesen Steuern sollen nur die in einer Gemeinde lebenden Bürger betroffen werden. – d) *Merklichkeit* der Steuer, um eine enge Bindung zwischen Bürger und Gemeinde deutlich zu machen. – e) *Finanzielle Ergiebigkeit* ist selbstverständlich angesichts der Versorgungsleistungen und Investitionsausgaben. – f) Um die einseitige Abhängigkeit bestimmter Gemeinden von großen Steuerzahlern zu mildern (z. B. ist die heutige Gewerbesteuer, aus der die meisten Gemeinden sich überwiegend finanzieren, eine „Großbetriebsteuer" geworden), sollen nach dem *Prinzip des „Interessenausgleichs"* zwischen den Bürgergruppen in einer Gemeinde alle Bürger an einer optimalen Gemeindesteuer beteiligt werden; von der zur Diskussion stehenden →Wertschöpfungsteuer verspricht man sich gerade diese Wirkung. – 5. In der *Reformdiskussion* wurden insbes. hervorgehoben: die Notwendigkeit einer Gewerbesteuerreform (→Gewerbesteuer); die Notwendigkeit einer Grundsteuerreform (→Grundsteuer); die Abschaffung der →Bagatellsteuern; die Einführung einer Wertschöpfungsteuer, die Gewerbe- und Grundsteuer ersetzen soll und deren Reformen überflüssig machen würde. – *Verwirklicht mit der* →*Finanzreform von 1969* wurde die Forderung nach einer Lösung aus der Abhängigkeit der Gemeinden von der Gewerbesteuer (sie ist stark konjunkturreagibel) und nach einer Beteiligung an der gleichmäßiger fließenden Lohn- und Einkommensteuer (Wachstumsreagibilität und fiskalische Ergiebigkeit) durch die Einrichtung einer Gewerbesteuerumlage und die Einrichtung des →Steuerverbunds.

**Gemeindeunfallversicherungsverband,** bezirklich zuständiger →Versicherungsträger der gesetzlichen →Unfallversicherung für Beschäftigte im Dienst oder in Betrieben mehrerer →Gemeinden von zusammen wenigsten 500 000 Einwohnern, falls dies durch RechtsVO der Landesregierung angeordnet wird (§ 656 RVO). Der G. ist zuständig für Personen, die bei bestimmten, im Interesse der Allgemeinheit liegenden Tätigkeiten Schaden erleiden, und für die in den Haushaltungen Beschäftigten. – *Ausgenommen* sind die gemeindlichen Bediensteten der Verkehrsbetriebe, Elektrizitäts-, Gas- und Wasserwerke und der landwirtschaftlichen Unternehmen (§ 657 RVO). (Für diese sind →Berufsgenossenschaften zuständig.) – Für Gemeinden von wenigstens 500 000 Einwohnern werden diese Aufgaben nach Anordnung der Landesregierung durch Einrichtungen der →*Eigenunfallversicherung* (§ 656 RVO) wahrgenommen.

**Gemeindeverband,** Zusammenschluß mehrerer →Gemeinden zu einer ihrerseits mit →Selbstverwaltung ausgestatteten →Gebietskörperschaft. G. dienen der Erfüllung überregionaler Aufgaben, z. B. Wasserversorgung, Energieversorgung, Straßenbau. G. sind auch →Landkreise und in Ländern mit dreistufigem Verwaltungsaufbau Bezirksverbände.

**Gemeindeverzeichnis,** von der →amtlichen Statistik jeweils anläßlich einer →Volkszählung aufgestellte tabellarische Darstellung der Bevölkerung in ihrer Verteilung auf die →Siedlungseinheiten (Amtliches Gemeindeverzeichnis für die Bundesrepublik Deutschland); systematisches und alphabetisches Verzeichnis der Gemeinden mit statistischer Kennziffer, Postleitzahl, Fläche, Wohnbevölkerung am Zählungsstichtag, Bevölkerungsdichte, Zahl der Haushalte und Koordinatenschlüssel im Gauß-Krüger-Netz. Jedem Kreis sind Angaben über die administrative Zugehörigkeit der Gemeinden vorangestellt: Sitz der Kreisverwaltung, amtliches Kraftfahrzeugkennzeichen, Amts-, Land- und Oberlandesgericht, Arbeits-, Sozial- und Verwaltungsgericht, Arbeitsamt, Finanzamt, Oberfinanzdirektion, Zoll- und Hauptzollamt, Handwerkskammer, Industrie- und Handelskammer, Oberpostdirektion, Standesamt, Ortsklassenstufe, Kreiswehrersatzamt.

**Gemeindewirtschaft,** →Kommunalwirtschaft.

**gemeine Gefahr,** Begriff in einigen strafrechtlichen Tatbeständen. G. G. setzt voraus, daß bedeutende Rechtsgüter (Leib, Leben und Eigentum) einer unbestimmten Vielzahl von Menschen konkret gefährdet sind.

**Gemeineinnahmen,** von Riebel in Analogie zu →Gemeinerlösen geprägter Begriff, der auch auf nichtleistungsbedingte erfolgswirksame und nicht erfolgswirksame →Einnahmen angewandt werden kann.

**gemeiner Handelswert,** →Handelswert.

**Gemeinerlös** (genauer: *echter Gemeinerlös*), →Erlös, der einem sachlich und zeitlich eindeutig abgegrenzten Bezugsobjekt (→Bezugsgröße) nach dem →Identitätsprinzip nicht eindeutig zugerechnet werden kann. – Nach Krömmelbein zu *unterscheiden:* (1) *alternativ bedingter G.* (→alternativ bedingte Gemeinkosten (-ausgaben, -erlöse, -ersparnisse, -erlöseinbußen)); (2) *kumulativ bedingter G.* (→kumulativ bedingte Gemeinkosten (-ausgaben, -erlöse, -ersparnisse, -erlöseinbuße)). – *Zurechnung:* Analog zu den →Gemeinkosten. – Vgl. auch unechte G. (→unechte Gemeinkosten (-ausgaben, -einnahmen, -erlöse, -verbräuche)), Schein-G. (→Scheinkosten (-ausgaben, -einnahmen, -erlöse, -verbräuche)).

**gemeiner Wert,** Begriff des Steuerrechts. – 1. *Legaldefinition* (§ 9 BewG): Der g. W. wird durch den Preis bestimmt, der im gewöhnlichen Geschäftsverkehr nach der Beschaffenheit des Wirtschaftsguts bei einer Veräußerung zu erzielen wäre. Dabei sind – außer ungewöhnlichen und persönlichen Verhältnissen – alle Umstände zu berücksichtigen, die den Preis beeinflussen. – 2. *Einzelne Merkmale:* a) *Preis:* Der im gewöhnlichen Geschäftsverkehr erzielbare Preis ist i. d. R. nicht mit einem einmal tatsächlich erzielten Preis gleichzusetzen. Tatsächlich erzielte Preise im maßgebenden Zeitpunkt oder kurze Zeit vorher oder nachher lassen als Anhaltspunkte nur gewisse Rückschlüsse auf den erzielbaren Preis zu. – b) *Gewöhnlicher Geschäftsverkehr* ist der Handel am freien Markt – auch wenn auf kleineren Kreis beschränkt – bei dem Angebot und Nachfrage die Preise bestimmen. – c) Zur *Beschaffenheit des Wirtschaftsguts* zählen die dem Wirtschaftsgut selbst eigenen Merkmale (z. B. Lage und Größe eines Grundstücks) und von außen kommende Momente verschiedener Art (z. B. Wegegerechtigkeiten, Bauauflagen, Abbruchverpflichtungen). – 3. *Bedeutung:* Bei der steuerlichen Bewertung ist der g. W. immer dann anzusetzen, wenn nichts anderes bzw. spezielles (u. a. →Teilwert, →Ertragswert, →Nennwert, →Kurswert) vorgeschrieben ist; →Einheitswert II 2. Ausnahmeregelungen finden sich im BewG (z. B. § 12 IV BewG) und in anderen Steuergesetzen (z. B. § 6 EStG). – Der g. W. wird als →Bewertungsmaßstab auch bei einzelnen normierten Bewertungsverfahren

(z. B. Sachwertverfahren) zur Wertbemessung von Bestandteilen (z. B. →Bodenwert) herangezogen. – 4. *Ermittlung:* a) Aufgrund von tatsächlich erzielten, zuverlässigen *Verkaufspreisen* am sichersten. – b) Andernfalls zu *schätzen:* Für bestimmte Gruppen von Wirtschaftsgütern gelten verschiedene, besondere Schätzungsverfahren, die von der Rechtsprechung anerkannt sind und von der Finanzverwaltung zugrunde gelegt werden (z. B. für →Mineralgewinnungsrechte, →Wassernutzungsrechte, →Stuttgarter Verfahren zur Schätzung des g. W. nicht notierte Aktien und Anteile). – Vgl. auch (gemeiner) →Handelswert.

**Gemeingebrauch,** die jedem freistehende Benutzung von →öffentlichen Sachen, z. B. Straßen, Wasserläufen, die sich jedoch im Rahmen der Zweckbestimmung der öffentlichen Sache halten muß. Eine darüber hinausgehende Benutzung (gesteigerter Gemeingebrauch, Sondernutzungsrecht) ist nur mit besonderer →Erlaubnis gestattet.

**Gemeingefahr,** jetzt: →gemeine Gefahr.

**gemeingefährliche Krankheiten,** jetzt: →übertragbare Krankheiten.

**Gemeinkosten** (genauer: *echte Gemeinkosten*), *indirekte Kosten, Verbundkosten,* verbundene Kosten, nicht abtrennbare Kosten, Gegenbegriff zu →Einzelkosten. – 1. *Allgemein* bezeichnen G. Kosten, die sich keiner bestimmten →Bezugsgröße exakt zurechnen lassen. (Echte) G. werden durch Entscheidungen ausgelöst, die das betrachtete Bezugsobjekt und weitere gemeinsam betreffen, soweit sie auch bei Anwendung bester Erfassungsmethoden für das betrachtete Bezugsobjekt nicht getrennt erfaßt und ihm auch nicht nach dem →Identitätsprinzip eindeutig zugerechnet werden können. Das ist erst bei einem übergeordneten Bezugsobjekt möglich. Zu den (echten) G. gehören auch die →Schein-Einzelkosten, bei denen zwar die Mengenkomponente direkt erfaßbar und zurechenbar ist, ohne daß jedoch diesem Einzelverbrauch entsprechende Ausgaben nach dem Identitätsprinzip zugerechnet werden können (anders: →unechte Gemeinkosten). – 2. Wie analog für den Begriff der Einzelkosten zutreffend, bezieht man G. *traditionell* auf das Bezugsobjekt Produkt (Kostenträger); entsprechend auch als *Kostenträgergemeinkosten* bezeichnet. G. sind dann die Kostenarten, die nicht direkt in die →Kostenträgerrechnung übernommen werden können, sondern im ersten Schritt in die Kostenstellenrechnung fließen, dort weiterverrechnet und schließlich im Rahmen der →Kalkulation auf die Produkte verteilt werden. Diese Verrechnung der G. ist stets mit massiven →Gemeinkostenschlüsselungen verbunden, die den Aussagewert der →Vollkostenrechnung stark herabsetzen. – 3. Wichtige Arten von G. sind neben Kostenträ-

gergemeinkosten →*Kostenstellengemeinkosten* und →*Periodengemeinkosten.* – 4. Zu unterscheiden sind: →alternativ bedingte Gemeinkosten; →kumulativ bedingte Gemeinkosten. – Vgl. auch →relative Gemeinkosten, →Schein-Gemeinkosten.

**Gemeinkostenleistungen,** veralteter Begriff für →innerbetriebliche Leistungen.

**Gemeinkostenlöhne,** →Hilfslöhne.

**Gemeinkostenlohnzettel,** die für →Hilfslöhne ausgefertigten →Lohnzettel, die zur Erfassung der den Kostenträgern nur mittelbar zurechenbaren Löhne dienen.

**Gemeinkostenmaterial,** *Gemeinkostenstoffe,* häufig verwendeter Begriff für die →Betriebsstoffe (Schmieröle, Treib- und Brennstoffe, Putzmaterial usw.) und i. d. R. die →Hilfsstoffe (Farbe, Leim, Beizen, Schweißmaterial usw.), die den Kostenträgern nicht direkt zugerechnet werden können. Sie werden in der →Kostenstellenrechnung erfaßt. – *Gegensatz:* →Einzelmaterial.

**Gemeinkostenplanung,** →Kostenplanung 3.

**Gemeinkostenschlüsselung. 1.** *Begriff:* Eine G. liegt dann vor, wenn nur mehreren Bezugsobjekten (→Bezugsgrößen) gemeinsam zurechenbare Kosten (→Gemeinkosten) willkürlich auf die einzelnen Bezugsobjekte aufgeteilt werden. – 2. *Phasen der G.:* a) *Schlüsselung von* →*Periodengemeinkosten:* Um eine derartige G. handelt es sich bei der Bildung von →Abschreibungen, der Schlüsselung nur mehreren Jahren gemeinsam zurechenbarer Kosten auf einzelne Teilperioden. – b) *Schlüsselung von* →*Kostenstellengemeinkosten:* Eine solche erfolgt dann, wenn die →Bereitschaftskosten einer →Hilfskostenstelle (z. B. eigene Stromerzeugung) im Rahmen der →innerbetrieblichen Leistungsverrechnung auf die Strom empfangenden Kostenstellen umgelegt werden. – c) *Schlüsselung von Kostenträgergemeinkosten:* Diese liegt dann vor, wenn im Rahmen der →Kostenträgerrechnung z. B. die Kosten der Leitung einer Kostenstelle auf die unterschiedlichen in dieser Kostenstelle erzeugten Produkte aufgeteilt werden. – d) *Schlüsselung von Kostenträgerstückgemeinkosten:* Diese ebenfalls in der Kostenträgerrechnung anzutreffende Art der Schlüsselung nimmt eine Verteilung von Kosten vor, die sich zwar für einen Kostenträger insgesamt exakt erfassen lassen (z. B. Kosten einer Spezialmaschine), nicht jedoch einer einzelnen davon hergestellten Mengeneinheit zurechenbar sind. – 3. *Arten verwendeter Schlüsselgrößen:* Die Praxis verwendet eine Vielzahl unterschiedlicher Schlüsselgrößen; vgl. Übersicht Sp. 2013/2014. – 4. *Problematik:* Jede Form der G. bedeutet eine Verzerrung der in der Kostenrechnung abzubildenden Realität. Dies wird schon daran deutlich, daß man nie die Richtig-

| Art des (Um-lage- bzw. Verteilungs-)schlüssels | verwendete Bezugs-größenart | Bezugsgröße (mit Hilfe der Bezugsgröße geschlüsselte Kosten) |
|---|---|---|
| Mengen-schlüssel i. w. S. | Mengen-größen i. e. S. | Zahl der installierten Anlagen (Raumkosten, Instandhaltungskosten u. dgl.) |
| | | Anzahl der in einer empfangenden Stelle Beschäftigten (Kosten des Personalbüros) |
| | | Zahl der Konten (Buchhaltungskosten) |
| | | Leistungsmengen (Fertigungsgemeinkosten) |
| | Zeitgrößen | Bearbeitungs- und Maschinenbelegungszeiten (Fertigungsgemeinkosten, Kosten der Lohn- bzw. Anlagenbuchhaltung) |
| | | Rüstzeiten (Maschinenrüstkosten) |
| | | zeitliche Inanspruchnahme von Meisterstunden durch einzelne Kostenstellen (Meistergehälter) |
| | | zeitliche Inanspruchnahme bestimmter Räume (Raumkosten verschiedener Art) |
| | | Lagerzeiten (Lagerkosten) |
| | physikalisch-technische-Größen | Raumfläche (Gebäudekosten, Instandhaltungskosten, Heizungskosten) |
| | | Rauminhalt (Gebäudekosten, Instandhaltungskosten, Heizungskosten) |
| | | installierte KW oder PS (Energie-, insbesondere Stromkosten) |
| | | Tonnenkilometer (inner- und außerbetriebliche Transportkosten) |
| | | Transportgewichte (Transportkosten) |
| | | Gewicht des eingesetzten Materials (Materialkosten) |
| | | Gewicht der produzierten Leistungsmengen (Fertigungsgemeinkosten) |
| Wert-schlüssel | Bestands-werte | Wert des Anlagenparks (Raumkosten, Kosten der Betriebsbewachung u. dgl.) |
| | | Lagerbestandswerte (Lagerkosten) |
| | Einstands-(Einsatz-)werte | Wareneingangswerte, Lagerzugangskosten (Kosten der Einkaufs- und der Materialwirtschaft) |
| | Kostenwerte | Lohn- bzw. Gehaltskosten (Kosten der Personalabteilung) |
| | Absatzwerte | Warenumsatz u. dgl. (Vertriebs- oder Verwaltungskosten) |

keit eines verwandten Schlüssels beweisen kann (Verrechnung von Raumkosten anhand von Quadratmetern oder von Kubikmetern?). Je mehr G. in einer Kostenrechnung vorgenommen werden, desto weniger ist sie in der Lage, an sie herangetragene Informationswünsche (z. B. Preisuntergrenzenbestimmung, Verfahrenswahl, Festlegung des Produktions- und Absatzprogramms) zu befriedigen. Diese Mängel waren Ausgangspunkt zur Entwicklung von Systemen →entscheidungsorientierter Kostenrechnung.

**Gemeinkostenstoffe,** →Gemeinkostenmaterial.

**Gemeinkosten-System-Engineering,** →Gemeinkostenwertanalyse.

**Gemeinkostenumlage,** →innerbetriebliche Leistungsverrechnung.

**Gemeinkosten-Verteilungsprinzipien,** →Kostenzuordnungsprinzipien.

**Gemeinkostenwertanalyse,** *administrative Wertanalyse, Gemeinkosten-System-Engineering, overhead value analysis, value administration.* 1. *Begriff:* Verfahren zur Reduzierung von (Kostenträger-)→Gemeinkosten, insbes. im Bereich von mit Verwaltungsaufgaben befaßten Kostenstellen. Eine von dem Beratungsunternehmen McKinsey entwickelte und 1975 in der Bundesrep. D. eingeführte, spezielle Form der →Wertanalyse. – 2. *Vorgehensweise:* Auf der Basis von Analysen des Verhältnisses von Kosten und Nutzen jeder Leistung der Kostenstellenbereiche („Infrastruktur") wird mit →Kreativitätstechniken ermittelt, wo Kosten einsparen lassen, ohne daß Nutzen verlorengeht. Es wird von einem überdurchschnittlich hohen Kreativitätspotential in den Reihen des mittleren Managements ausgegangen. – 3. *Phasen:* a) *Vorbereitungsphase:* Umfaßt u. a. die Vorbereitung und Schulung der Beteiligten, die Projektorganisation und die Projektplanung. – b) *Analysephase:* Kostenstelle für Kostenstelle werden von den dort Verantwortlichen die jeweils erstellten Leistungen erfaßt, deren Kosten abgeschätzt, die Kosten den vermuteten Nutzen der jeweiligen Leistungen gegenübergestellt, für die Leistungen mit schlechtem Kosten-Nutzen-Verhältnis Einsparungsvorschläge unterbreitet, für diese konkrete Realisationspläne entwickelt und diese Pläne einem zentralen Lenkungsausschuß zugeleitet. Dieser überprüft in Zusammenarbeit mit dem Betriebsrat die Durchsetzbarkeit der Maßnahmen. – c) *Durchführungsphase:* Die in der Analysephase entwickelten Pläne bzw. Maßnahmen werden realisiert. – 4. *Bedeutung:* Innerhalb eines →strategischen Managements bietet die G.-W. ein methodisches Gerüst für die Formulierung von Rationalisierungsstrategien zur Verbesserung der Wettbewerbsposition des Anwenders.

**Gemeinkostenzuschlag,** prozentualer Zuschlag auf die →Einzelkosten, der eine dem →Verursachungsprinzip entsprechende Zurechnung der Gemeinkosten auf die Kostenträger ermöglichen soll. Die G. lassen sich aus dem →Betriebsabrechnungsbogen für jede Kostenstelle ermitteln. – Vgl. auch →Kostenträgerrechnung.

**Gemeinlastprinzip.** 1. *Begriff:* Grundsatz der →Umweltpolitik, nach dem die Kosten der Umweltbelastung, Umweltqualitätsverbesserung und Beseitigung von Umweltbelastungen nicht den Personen, Gütern oder Verfahren zugerechnet werden, von denen Umweltbelastungen ausgehen, sondern gesellschaftlichen Gruppen (Fondslösungen) oder den Gebietskörperschaften (öffentliche Haushalte) und damit der Allgemeinheit. Üblicherweise indizieren die genannten Kosten bei gemeinlastorientierter Zurechnung, unabhängig von der individuellen, einzelwirtschaftlichen Inanspruchnahme der Umwelt, bei einer Steuerfinanzierung z. B. nach der individuellen Einkommens- oder Vermögenslage, nach Gewinn- und Umsatzsituation oder nach anderen Größen, die der Besteuerung zugrunde gelegt werden. – 2. *Beurteilung:* Aus ökonomischer Sicht hat eine Kostenzurechnung nach dem G. den Nachteil, daß bei seiner ausschließlichen oder vornehmlichen Anwendung keine effiziente (Re-)Allokation der knappen Umweltressourcen erfolgt, da ein Anreiz zur Belastungsvermeidung und -verringerung wie bei der verursachergerechten Zurechnung nicht besteht, vielmehr sogar eine Ausdehnung der vermeintlich kostenlosen Umweltbelastung rational sein könnte. – 3. *Bedeutung:* Der →Sachverständigenrat für Umweltfragen weist dem G. daher nur eine *Ergänzungsfunktion* zu: Das G. soll nur dann greifen, wenn die Umsetzung des Verursacherprinzips aus „technischen" Gründen nicht möglich ist (Informationsprobleme usw.) oder zu politisch unerwünschten Zielverzichten in anderen Politikbereichen (z. B. Stabilisierungspolitik) führen könnte. – 4. *Instrumente:* a) *Ausgabenseitig:* Ausgaben für Planungs-, Vollzug- und Kontrollmaßnahmen der Umweltverwaltung, Ausgaben für die Errichtung und den Betrieb öffentlicher Umweltschutzeinrichtungen (Klärwerke usw.), direkte Transfers an Private (Zuschüsse an private Haushalte und Unternehmen zur Finanzierung und Verbilligung von Umweltschutzmaßnahmen), z. B. Zinszuschüsse und Bürgschaften (Eventualausgaben). – b) *Einnahmeseitig:* Sonderkonditionen für öffentliche Kredite (Zinsverzichte), Steuervergünstigungen (z. B. §7d EStG).

**Gemeinnütziges Bildungswerk des Deutschen Gewerkschaftsbundes e. V.,** Fort- und Weiterbildungseinrichtungen in der Trägerschaft des →Deutschen Gewerkschaftsbundes (Bad Kreuznach, Hattingen, Hamburg-Sasel, Niederpöcking, Springe). – *Aufgabe:* Fort- und Weiterbildung für Betriebs- und Personalratsmitglieder, Tarifkommissionen, Akkord- und Lohnkommissionen, paritätische Kommissionen und gewerkschaftliche Vertrauensleute.

**gemeinnützige Unternehmen,** Bezeichnung des Steuerrechts für Unternehmen in der Rechtsform von Kapitalgesellschaften, Genossenschaften und eingetragenen Vereinen, mit deren Tätigwerden unmittelbar und ausschließlich →gemeinnützige Zwecke verfolgt werden, d. h. ein privatwirtschaftliches Gewinnstreben als Zielsetzung nicht im Vordergrund steht. Die g. U. genießen steuerliche Vergünstigungen nach §§ 51–68 AO und § 5 I Nr. 9 KStG 1977, insbes. Befreiung von der →Körperschaftsteuer. – Besondere Bestimmungen galten für *gemeinnützige Wohnungsbauunternehmen* auf der Grundlage des Wohnungsgemeinnützigkeitsgesetzes (WGG) vom 29. 2. 1940 (RGBl I 438) mit späteren Änderungen und in DVO vom 25. 4. 1957 (BGBl I 406), soweit sie die Voraussetzungen der Dividendenbegrenzung, die Vermögensbildung, das Kostendeckungsprinzip und den Kleinwohnungsbau erfüllen. Die Gemeinnützigkeit von größeren Wohnungsbauunternehmen entfällt zum 1. 1. 1990, von kleineren zum 1. 1. 1991. – *Anders:* Gemeinwirtschaftliche Unternehmen (→Gemeinwirtschaft).

**gemeinnützige Wohnungsbauunternehmen,** →Wohnungsbaugenossenschaft, →gemeinnützige Unternehmen.

**gemeinnützige Zwecke,** Aufgaben, durch deren Erfüllung ausschl. und unmittelbar die Allgemeinheit gefördert wird. Eine Förderung der Allgemeinheit ist dann anzunehmen, wenn die Tätigkeit dem allgemeinen Besten auf materiellen, geistigen oder sittlichen Gebieten nutzt, insbes. zählt hierzu die Förderung von Wissenschaft und Forschung, Bildung und Erziehung, Kunst und Kultur, Religion, Völkerverständigung, Entwicklungshilfe, Umwelt-, Landschafts- und Denkmalsschutz, der Jugend- und Altenhilfe, des öffentlichen Gesundheitswesens, des Wohlfahrtswesens und des Sports. Die Förderung g. Z. unterliegt steuerlichen Vergünstigungen (→Spenden, →gemeinnützige Unternehmen).

**Gemeinnützigkeit,** Zweckbestimmung von Körperschaften, Anstalten, Stiftungen oder Vereinen nach dem „allgemeinen Nutzen", d. h. ausschließlich nach den der Allgemeinheit gewidmeten Zwecken (→gemeinnützige Zwecke). Die Anerkennung der G. ist für geleistete Beiträge oder sonstige Aufwendungen (→Spenden) bei der Körperschaft- und Einkommensteuer wesentlich. – Vgl. auch →gemeinnützige Unternehmen, →Gemeinwirtschaft.

**gemeinsame Einrichtungen der Tarifvertragsparteien,** durch →Tarifvertrag vorgesehene und geregelte Einrichtungen, meistens „Kassen", die für eine ganze Branche bestimmte Fürsorgeleistungen erbringen (z. B. Lohnausgleichskassen, Zusatzversorgungskassen, Urlaubskassen, überbetriebliche Ausbildungsstätten). Nach § 4 II TVG gelten tarifvertragliche Regelungen über g. E. unmittelbar und zwingend für die Satzung dieser Einrichtung und das Verhältnis der Einrichtung zu den tarifgebundenen Arbeitgebern und Arbeitnehmern (→Tarifgebundenheit). Danach können in Tarifverträgen auch Beitragspflichten zu g. E. d. T. begründet werden.

**Gemeinsame Erklärung.** 1. *Begriff:* Erklärung von Organisationen der gewerblichen Wirtschaft zur Sicherung des Leistungswettbewerbs; 1975 in enger Anlehnung an das →Sündenregister erstmals formuliert, 1984 fortgeschrieben. Unterzeichnet von 17 Organisationen der gewerblichen Spitzenverbände von Handel und Industrie. – *Ergänzt* werden diese durch als Wettbewerbsregeln (§ 28 GWB) zu verstehenden Vereinbarungen durch Selbstbeschränkungsabkommen (→Berliner Erklärung). – 2. *Den Leistungswettbewerb gefährdende Praktiken:* Eintrittsgelder, Listungsgebühren, Investitions- oder Einrichtungszuschüsse, Regal-, Schaufenster- oder sonstige Platzmieten, Werbekostenzuschüsse; unentgeltliche Preisauszeichnung einzelner Artikel mit dem Verkaufspreis des jeweiligen Abnehmers durch den Lieferanten oder für ihn tätige Dritte; Anfordern oder Bereitstellen von Arbeitskräften des Lieferanten oder der für ihn tätigen Handelsvertreter ohne Entgelt für die Mitwirkung im Geschäftsbetrieb des Abnehmers, insbes. im Verkauf oder bei der Inventur; einseitige nachträgliche Festsetzung oder Durchsetzung von Deckungsbeiträgen für die Nichterreichung bestimmter Umsatzgrößen oder für günstigere Vertragsbedingungen, z. B. eine Erhöhung der vereinbarten Umsatzrückvergütungssätze, nicht vereinbarter „Treuerabatte" oder Inanspruchnahme längerer Zahlungsziele unter Beibehaltung derselben Skontosätze; Forderung des Abnehmers nach Qualitätskontrollen im Produktionsbetrieb des Herstellers; Beeinträchtigung der Dispositionsfreiheit des Abnehmers durch vom Hersteller verteilte Gut- oder Wertscheine ohne vorherige Absprache mit den Abnehmern, die Abgabe von Display-Artikeln mit überwiegendem Zweitnutzen; Veranstaltung von Preisausschreiben, Reisen oder Gewinnauslosungen unter den Angestellten des Handels, um diese zur besonderen Förderung bestimmter Artikel zu bewegen; Spreizung der Rabatte in einer Weise, die in keinem Zusammenhang mit den Abnahmeleistungen steht; Beschränkung bestimmter Rabattarten ausschließlich auf marktstarke Abnehmer, obwohl die vergüteten Leistungen oder Risiken auch von kleineren Abnehmern übernommen werden; systematische und ohne sachlich gerechtfertigte Gründe durchgeführte Verkäufe unter Einstandspreisen an Letztverbraucher. – 3. *Wettbewerbsrechtliche Beurteilung:* Die Wirksamkeit derartiger Vereinbarungen ist wettbewerbsrechtlich sehr umstritten. Die Befürworter betonen die Eindämmung den Leistungswettbewerb beeinträchtigender Praktiken, v. a. zum Schutz mittelständischer Industrie- und Handelsunternehmen; die Gegner sehen darin eine unzulässige Beschränkung der wettbewerblichen Verhaltensspielräume durch Aufruf zu abgestimmtem Verhalten im Sinne des § 25 GWB bzw. zur Bildung von unerwünschten Kartellen, § 1 GBW. Weiterhin befürchten sie eine Verlangsamung der erforderlichen Anpassungsprozesse und besondere Wettbewerbsvorteile für Außenseiter, sofern die G. E. nicht als Wettbewerbsregeln allgemeinverbindlich erklärt wird. – 4. *Bedeutung in der Praxis:* Die Regelungen der g. E. werden vielfach unterlaufen, v. a. von preisaggressiven Großbetriebsformen des Handels als Außenseiter sowie durch geheime Rabattspreizung. Bedeutsam in der Rechtsprechung im Verfahren gemäß §§ 26 III, 37a III GWB sowie zur Auslegung der Generalklausel des § 1 UWG.

**gemeinsame Gewinnmaximierung,** →Kollusion-Lösung.

**gemeinsame Inanspruchnahme,** →Gemeinverbrauch.

**gemeinsame Marktorganisation,** →Marktorganisationen.

**Gemeinsamer Agrarmarkt,** wichtiger Bestandteil des Gemeinsamen Marktes, der auf einem System von Agrarmarktordnungen im Rahmen der EWG beruht (→EWG I).

**gemeinsamer Markt.** 1. *Allgemein:* Form der wirtschaftlichen →Integration zwischen Volkswirtschaften. Der g. M. ist gekennzeichnet durch freien Güter- und Faktorverkehr im *Innern* und einheitliche Regelungen der Integrationspartner im Außenwirtschaftsverkehr (z. B. identische Zölle). G. M. geht über →Freihandelszone und →Zollunion hinaus. – 2. Die →EWG wird häufig als *Gemeinsamer Markt* bezeichnet.

**Gemeinsamer Markt,** →EWG.

**Gemeinsamer Senat,** aufgrund des Gesetzes zur Wahrung der Einheitlichkeit der Rechtsprechung der obersten Gerichtshöfe des Bundes vom 19. 6. 1968 (BGBl I 661) gem. Art. 95 GG gebildetes Rechtsprechungsorgan. – 1. *Zuständigkeit:* Der G. S. ist zuständig, wenn ein oberster Gerichtshof (→Bundesgericht) in einer Rechtsfrage von der Entscheidung eines anderen obersten Gerichtshofs oder des g. S. abweichen will. – 2. *Sitz* in Karlsruhe. – 3. *Mitglieder:* Die Präsidenten der obersten Gerichtshöfe, die Vorsitzenden Richter und je

ein weiterer Richter der beteiligten Senate. – 4. Entscheidung erfolgt auf *Vorlegungsbeschluß* mit Stimmenmehrheit.

**Gemeinsamer Zolltarif der EG (GZT),** von den Mitgliedstaaten der →EG gemeinsam aufgestellter einheitlicher Außenzolltarif, in Kraft seit 1. 7. 1968. Der GZT gilt in allen Mitgliedstaaten unmittelbar. Dem GZT liegt das Brüsseler Zolltarifschema zugrunde; Änderungen erfordern einstimmig gefaßte Ratsentscheidungen. – Der GZT *enthält* in der Zollsatzspalte den jeweiligen autonomen und ggf. den vertragsmäßigen Satz; die vertragsmäßigen Zollsätze werden gegenüber allen Ländern angewendet. – Neben dem GZT besteht in der Bundesrep. D. noch der →*Deutsche Teil-Zolltarif,* der im wesentlichen die von der EG nicht erfaßten Lücken schließt, die noch im Rahmen von nationalen Kompetenzen ausgefüllt werden können. Er enthält u. a. die Zollsätze für EGKS-Waren. – Der als Handausgabe für die Zollstellen dienende →*Deutsche Gebrauchs-Zolltarif* umfaßt sämtliche Tarifregelungen, gleichviel, ob sie auf Gemeinschaftsrecht oder auf nationalem Recht beruhen. – Vgl. auch →Zolltarif.

**Gemeinsames Verzeichnis der industriellen Erzeugnisse,** *Nomenclature commune des produits industriels (NIPRO),* seit 1975 Grundlage für den Aufbau einer Produktionsstatistik der EG. Die NIPRO basiert auf der →Allgemeinen Systematik der Wirtschaftszweige in den Europäischen Gemeinschaften (NACE) und dient der inhaltlichen Definition der NACE. Als Erhebungsnomenklatur wird die NIPRO nicht verwendet. – *Aufbau:* Die NIPRO ist nach dem Dezimalsystem in acht Ebenen (Achtsteller) gegliedert: sie umfaßt auf der untersten Ebene ca. 7000 Güterpositionen. Sie ist weitgehend mit dem deutschen Systematischen Warenverzeichnis für die Industriestatistik (WI) von 1982 abgestimmt. NIPRO gehört zu den →internationalen Waren- und Güterverzeichnissen, die die Grundlage international vergleichbarer Statistiken sind. Im Rahmen der in Revision befindlichen internationalen Wirtschaftszweigsystematiken (NACE, ISIC) und der angestrebten Verknüpfung der internationalen Wirtschaftszweig- und Gütersystematiken wird zur Beschreibung der neuen NACE alle Wirtschaftsbereiche umfassende Zentrale Gütersystematik der EG (CPC/COM; →CPC) vorbereitet, die die NIPRO ersetzen wird.

**Gemeinschaft.** I. S o z i o l o g i e : Formen des Zusammenlebens, die als besonders eng, vertraut, als ursprünglich und dem Menschen wesensgemäß angesehen werden, z. B. Familie, Nachbarschaft, kleine Gemeinde und Freundesgruppe. Nach F. Tönnies (,,Gemeinschaft und Gesellschaft", 1887) werden im Prozeß der Industrialisierung und Verstädterung die gemeinschaftlichen Sozialverhältnisse mehr und mehr in gesellschaftliche (anonyme und abstrakte) transformiert. Die Rückgewinnung gemeinschaftlicher Lebensverhältnisse und Arbeitsformen ist seither Ziel sozialer und politischer Bewegungen.

II. Bürgerliches Recht: Im Sinne des BGB *Bruchteilgemeinschaft* (§§ 741 ff. BGB). Anwendbar, wenn ein Recht mehreren gemeinsam zusteht, d. h. jeder einen bestimmten Anteil an den gemeinschaftlichen Gegenständen hat (z. B. →Miteigentum). Die *Verwaltung* des gemeinschaftlichen Gegenstandes steht den Teilhabern gemeinschaftlich zu (§ 744 BGB). Sie können ihre Anteile – anders als bei der →Gesellschaft – *veräußern* und *belasten* (§ 747 BGB). Jeder Teilhaber kann i. d. R. jederzeit *Aufhebung* der Gemeinschaft verlangen (§ 749 BGB), und zwar entweder durch Teilung in Natur oder, wenn dies nicht möglich ist, durch Verkauf des gemeinschaftlichen Gegenstandes, bei Forderungen durch gemeinschaftliche Einziehung und Teilung des Erlöses (§§ 752–754 BGB). *Abweichende Vorschriften* bei der →Gemeinschaft zur gesamten Hand.

III. Internationale Wirtschaftsbeziehungen: Verkürzende Bezeichnung für Europäische Wirtschaftsgemeinschaft (→EWG) bzw. Europäische Gemeinschaften (→EG).

**Gemeinschaftsaufgaben.** 1. *Begriff:* Staatliche Aufgaben, an deren Erfüllung der Bund durch Beteiligung an der Rahmenplanung und an der Finanzierung (Mischfinanzierung) mitwirkt, wenn diese Aufgaben für die Gesamtheit bedeutsam sind und wenn dies zur Verbesserung der Lebensverhältnisse erforderlich ist (Art. 91 a GG). – 2. *Sachbereiche:* a) Aus- und Neubau von wissenschaftlichen Hochschulen einschl. Hochschulkliniken; b) Verbesserung der regionalen Wirtschaftsstruktur (→Strukturpolitik); c) Verbesserung der Agrarstruktur (→Agrarpolitik); d) bei der Bildungsplanung sowie der Förderung von Einrichtungen und Vorhaben der wissenschaftlichen Forschung von überregionaler Bedeutung können Bund und Länder zusammenwirken (Art. 91 b GG). – 3. Trotz Mitwirkung des Bundes bleiben die zu G. erklärten Sachbereiche *Aufgaben der Länder.* Dieses Element der →kooperativen Föderalismus wird häufig dem Vorwurf der zur Selbstblockade tendierenden Politikverflechtung ausgesetzt, v. a. die Länder bemängeln *eingeengte Gestaltungsspielräume.*

**Gemeinschaftsausschuß der Deutschen Gewerblichen Wirtschaft,** Gesellschaft des bürgerlichen Rechts; Sitz in Köln. 1951 von den Spitzenverbänden der Wirtschaft als freiwilliger Zusammenschluß gegründet. – *Aufgabe:* Aussprache über wirtschaftspolitische Angelegenheiten von grundsätzlicher Bedeutung mit dem Ziel, gemeinsame Auffassungen aller Mitgliedsorganisationen und damit der unternehmerischen Wirtschaft einheitlich

nach außen zu vertreten. – *Mitglieder:* Bundesverband Deutscher Banken e. V., Bundesverband der Deutschen Binnenschiffahrt e. V., Bundesverband des Deutschen Groß- und Außenhandels e. V., Bundesverband der Deutschen Industrie e. V., Bundesvereinigung der Deutschen Arbeitgeberverbände e. V., Centralvereinigung Deutscher Handelsvertreter- und Handelsmaklerverbände. Deutscher Hotel- und Gaststättenverband e. V., Deutscher Industrie- und Handelstag, Deutscher Sparkassen- und Giroverband e. V., Gesamtverband der Versicherungswirtschaft e. V., Hauptgemeinschaft des Deutschen Einzelhandels e. V., Verband Deutscher Reeder e. V., Zentralarbeitsgemeinschaft des Straßenverkehrsgewerbes e. V., Zentralverband des Deutschen Handwerks.

**Gemeinschaftsbedürfnis,** →Gruppenbedürfnis.

**Gemeinschaftsdepot,** ein Effektendepot (→Depotgeschäft), das für gemeinsame Rechnung mehrerer Einleger errichtet wird, meist um für eine bestimmte Zeit die gemeinsamen Anrechte an den Effekten zu sichern. I. d. R. wird von den Banken gefordert, daß jeder einzelne der Hinterleger über die Papiere verfügen und quittieren kann.

**Gemeinschaftsdiagnose,** von den führenden →Wirtschaftsforschungsinstituten in der Bundesrep. D. durchgeführte jährliche →Konjunkturdiagnose.

**Gemeinschaftskonten,** →Oderkonten, →Undkonten.

**Gemeinschafts-Kontenrahmen industrieller Verbände (GKR),** 1948/49 als Gemeinschafts-Kontenrahmen für die Industrie vom „Arbeitsausschuß Betriebswirtschaft industrieller Verbände" im →Bundesverband der Deutschen Industrie e. V. erarbeiteter und allen Industrieunternehmen empfohlener →Kontenrahmen. „Das Nummernschema des GKR soll bei der Aufstellung des individuellen →Kontenplanes zugrunde gelegt werden, soweit dem nicht Gründe der Vervollkommnung oder andere zwingende Gründe entgegenstehen" (Grundsätze für das Rechnungswesen vom 12. 12. 1952). Der GKR war Bestandteil der →Gemeinschaftsrichtlinien für das Rechnungswesen. – *Besonderheiten:* Durchgangs- und Übergangskonten in der Gruppe 19, die der Beschleunigung des Rechnungsablaufs dienen sollen. Die →Betriebsabrechnung soll durchweg statistisch außerhalb der Buchführung vorgenommen werden; dadurch erübrigt sich die Führung vieler einzelner Stoffkonten. Die Bestände erscheinen im GKR auf einem Stoffsammelkonto der Kontenklasse 3, Abschluß i. d. R. nach dem →Gesamtkostenverfahren. – Der GKR wurde von der großen Mehrheit der deutschen Unternehmungen übernommen. Im April 1971 veröffentlichte der Bundesverband der

# Übersicht: Gemeinschafts-Kontenrahmen der Industrie (GKR)

| Klasse 0 | | Klasse 1 |
|---|---|---|
| **Anlagevermögen und langfristiges Kapital** | | **Finanz-Umlaufvermögen und kurzfristige Verbindlichkeiten** |

**Anlagevermögen**

**00 Grundstücke und Gebäude**
- 000 Unbebaute Grundstücke
- 001/02 Bebaute Grundstücke
- 003/07 Gebäude
- 008 Im Bau befindliche Gebäude
- 009 Abschreibungen (aktiv abgesetzte Wertberichtigungen) auf Grundstücke und Gebäude [1]

**01 Maschinen und Anlagen der Hauptbetriebe**
- 010/19 Maschinen und Anlagen der Hauptbetriebe

**02 Maschinen und Anlagen der Neben- und Hilfsbetriebe**
- 020/21 Maschinen und Anlagen der Nebenbetriebe
- 022 Maschinen und Anlagen der Hilfsbetriebe
- 023/25 Maschinen und Anlagen zur Umwandlung und Weiterleitung von Energie und dergleichen
- 026/27 Maschinen und Anlagen des Transports
- 028 Im Bau befindliche Maschinen und Anlagen
- 029 Abschreibungen (aktiv abgesetzte Wertberichtigungen) auf Maschinen und Anlagen [1]

**03 Fahrzeuge, Werkzeuge, Betriebs- und Geschäftsausstattung**
- 030/33 Fahrzeuge und Transportgeräte
- 034/36 Werkzeuge, Werksgeräte u. dgl.
- 037/38 Betriebs- und Geschäftsausstattung
- 039 Abschreibungen (aktiv abgesetzte Wertberichtigungen) auf Fahrzeuge, Werkzeuge, Betriebs- u. Geschäftsausstattung [1]

**04 Sachanlagen-Sammelkonten**
- 041/44 Sammelkonten für Anlagen-Zugang, fremd
- 045 Sammelkonten für Anlagen-Zugang, eigen
- 049 Sammelkonten für Anlagen -Abgang

**05 Sonstiges Anlagevermögen**
Bewertbare Rechte
- 050/52 Urheber- und andere bewertbare Rechte
- 053 Abschreibungen (aktiv abgesetzte Wertberichtigungen) auf bewertbare Rechte [1]

Finanzanlagevermögen u. dgl.
- 054 Beteiligungen
- 055 Wertpapiere des Anlagevermögens
- 056 Grundpfandforderungen
- 057 Andere langfristige Forderungen
- 058 Aktiv-Gegenposten zu Eigen- und langfristigem Fremdkapital
- 059 Abschreibungen (aktiv abgesetzte Wertberichtigungen) auf das Finanzanlagevermögen u. dgl. [1]

**Langfristiges Kapital**

**06 Langfristiges Fremdkapital**
- 060/61 Anleihen
- 063/65 Grundpfandschulden
- 066/69 Andere langfristige Verbindlichkeiten

**07 Eigenkapital**
Bei Kapital-Gesellschaften
- 070/71 Grundkapital
- 072 Gesetzliche Rücklage
- 073/76 Freie Rücklagen
- 077/78 Kapitalentwertungs- und verlustkonten
- 079 Gewinn- und Verlust-Vortrag
Bei Personen-Gesellschaften
- 070/73 Kapitalkonten

Berichtigungen zur Bilanz und Ergebnisrechnung

**08 Wertberichtigungen, Rückstellungen u. dgl.**
- 080/84 Passive Wertberichtigungen [2]
- 085/87 Rückstellungen
- 088/89 Bürgschaftsverpflichtungen, Rückgriffsrechte (Avale) u. dgl.

**09 Rechnungsabgrenzung**
- 090 Rechnungsabgrenzung in der Zwischenbilanz (Sammelkonto, Zeitlicher Aufwandsausgleich) [3]
- 098 Aktive Rechnungsabgrenzungsposten der Jahresbilanz
- 099 Passive Rechnungsabgrenzungsposten der Jahresbilanz

**Finanz-Umlaufvermögen**

**10 Kasse**
- 100 Hauptkasse
- 105/09 Nebenkassen

**11 Geldanstalten**
- 110/11 Postscheck
- 112 Landeszentralbank
- 113/19 Banken

**12 Schecks, Besitzwechsel**
- 120/24 Schecks
- 125/29 Besitzwechsel

**13 Wertpapiere des Umlaufvermögens**
- 130/36 Allgemeine Wertpapiere des Umlaufvermögens
- 137/38 Eigene Aktien und Aktien einer herrschenden Gesellschaft
- 139 Wertberichtigungen (aktiv abgesetzte) auf Wertpapiere des Umlaufvermögens

**14/15 Forderungen**
- 140 Forderungen auf Grund von Warenlieferungen und Leistungen
- 141/49 Aufgliederungen nach Kundengruppen [4]
- 150 andere Forderungen
- 151 Selbst geleistete Anzahlungen [4]
- 152 Forderungen an Unternehmen, mit denen ein wirtschaftlicher oder finanzieller Zusammenhang besteht [4]
- 153 Forderungen an Vorstandsmitglieder, leitende Angestellte und Aufsichtsratsmitglieder [4]
- 154/58 Sonstige Forderungen [4]
- 159 Wertberichtigungen (aktiv abgesetzte) auf Forderungen (Delkredere)

**Kurzfristige Verbindlichkeiten**

**16/17 Verbindlichkeiten**
- 160 Verbindlichkeiten auf Grund von Warenlieferungen und Leistungen
- 161/69 Aufgliederungen nach Lieferantengruppen [4]
- 170 Andere Verbindlichkeiten
- 171 Anzahlungen von Kunden [4]
- 172 Verbindlichkeiten gegenüber Unternehmen, mit denen ein wirtschaftlicher oder finanzieller Zusammenhang besteht [4]
- 173 Von Belegschaftsmitgliedern gegebene Pfandgelder [4]
- 174 Verbindlichkeiten aus Werkspareinlagen [4]
- 175/78 Sonstige Verbindlichkeiten [4]
- 179 Berichtigungen zu den Verbindlichkeiten

**18 Schuldwechsel, Bankschulden**
- 180/81 Schuldwechsel
- 182/89 Bankschulden

Durchgangs-, Übergangs- und Privatkonten

**19 Durchgangs-, Übergangs- und Privatkonten**
- 190/91 Durchgangskonten für Rechnungen
- 192/93 Durchgangskosten für Zahlungsverkehr (Kasse und Geldanstalten)
- 194 Durchgangskonten für Zwischenkontierungen
- 195/96 Übergangskonten
- 197/99 Privatkonten

[1] Anwendung bei aktiven Wertberichtigungen
[2] Anwendung bei passiven Wertberichtigungen
[3] Als Sammelgegenkonto zu 498 oder 090/97 Untergliederung gemäß Kostenartengruppen
[4] Vorzugsweise nur Personenkonten-Unterteilung

Entnommen aus den Gemeinschaftsrichtlinien für das Rechnungswesen, Ausgabe Industrie, herausgegeben vom Bundesverband der Deutschen Industrie, Betriebswirtschaftlicher Ausschuß, Frankfurt a. M.

# Übersicht: Gemeinschafts-Kontenrahmen der Industrie (Fortsetzung)

| Klasse 2 | Klasse 3 | Klasse 4 |
|---|---|---|
| Neutrale Aufwendungen und Erträge | Stoffe – Bestände | Kostenarten |

| | | |
|---|---|---|
| **20 Betriebsfremde Aufwendungen und Erträge**<br>200/05 Betriebsfremde außerordentliche Aufwendungen u. Erträge<br>206/09 Betriebsfremde ordentliche Aufwendungen und Erträge<br><br>**21 Aufwendungen und Erträge für Grundstücke und Gebäude**<br>210/19 Aufwendungen und Erträge für Grundstücke und Gebäude<br><br>**23 Bilanzmäßige Abschreibungen**<br>230/39 Bilanzmäßige Abschreibungen<br><br>**24 Zins-Aufwendungen und -Erträge**<br>240/41 Zins-Aufwendungen<br>242 Diskont-Aufwendungen<br>243 Kreditprovisionen<br>244 Skonto-Aufwendungen<br>245/46 Zins-Erträge<br>247 Diskont-Erträge<br>248 Skonto-Erträge<br><br>**25/26 Betriebliche außerordentliche Aufwendungen und Erträge**<br><br>**25 Betriebliche außergewöhnliche Aufwendungen und Erträge**<br>250/51 Eingetretene Wagnisse (gegebenenfalls aufgegliedert nach Wagnisarten)<br>252/59 Andere betriebliche außergewöhnliche Aufwendungen und Erträge<br><br>**26 Betriebliche periodenfremde Aufwendungen und Erträge**<br>Betriebliche periodenfremde Aufwendungen<br>Mehrere oder andere Zeitabschnitte betreffende Aufwendungen für<br>260 Sachanlagen<br>261/65 Instandhaltung usw.<br>266 Entwicklungs- und Versuchsarbeiten<br>267 Steuern<br>268 Sonstige betriebliche periodenfremde Aufwendungen<br>269 Betriebliche periodenfremde Erträge<br><br>**27/28 Gegenposten der Kosten- und Leistungsrechnung**<br><br>**27 Verrechnete Anteile betrieblicher periodenfremder Aufwendungen** (Aufgliederung entsprechend Kontengruppe 26)<br><br>**28 Verrechnete kalkulatorische Kosten**<br>280 Verrechnete verbrauchsbedingte Abschreibungen<br>281 Verrechnete betriebsbedingte Zinsen<br>282 Verrechnete betriebsbedingte Wagnisse<br>283 Verrechneter Unternehmerlohn<br>284 Verrechnete sonstige kalkulatorische Kosten<br><br>**29 Das Gesamtergebnis betreffende Aufwendungen und Erträge**<br>290/99 Das Gesamtergebnis betreffende Aufwendungen und Erträge z. B. Körperschaftsteuer | **30/37 Roh-, Hilfs- u. Betriebsstoffe u. dgl.**<br>300/02 Stoffe-Sammelkonten<br>303/79 Roh-, Hilfs- und Betriebsstoffe u. dgl.<br><br>**38 Bestandteile, Fertigteile, Auswärtige Bearbeitung [5]**<br>380/89 Bestandteile, Fertigteile, Auswärtige Bearbeitung<br><br>**39 Handelswaren und auswärts bezogene Fertigerzeugnisse (Fertigwaren) [6]**<br>390/94 Handelswaren<br>395 Auswärts bezogene Fertigerzeugnisse (Fertigwaren)<br>397 Wertberichtigungen (aktiv abgesetzte) auf Stoffe-Bestände | **40/42 Stoffkosten u. dgl.**<br>**40/41 Stoffverbrauch u. dgl.**<br>400 Stoffverbrauch-Sammelkonto [7]<br>Gegebenenfalls Aufgliederung [8]):<br>401/19 Einsatz-, Fertigungsstoffe u. dgl.<br>Auswärtige Bearbeitung<br>Hilfs- und Betriebsstoffe u. dgl. [9]<br>Werkzeuge u. dgl. [9] [10]<br><br>**42 Brennstoffe, Energie u. dgl.**<br>420 Brenn- und Treibstoffe<br>429 Energie und dgl. [10]<br>Gegebenenf. Aufgliederung [8]):<br>420/29 Brenn- und Treibstoffe: fest, flüssig, gasförmig<br>Energie: Dampf, Strom, Wasser usw.<br><br>**43/44 Personalkosten u. dgl.**<br>**43 Löhne und Gehälter**<br>430 Löhne-Sammelkonto<br>Gegebenenf. Aufgliederung [8]):<br>431/38 Fertigungslöhne u. dgl.<br>Hilfslöhne<br>Andere Löhne<br>439 Gehälter<br>**44 Sozialkosten und andere Personalkosten**<br>440/47 Sozialkosten<br>440 Gesetzliche Sozialkosten<br>447 Freiwillige Sozialkosten<br>440/47 Gegebenenfalls Aufgliederung der gesetzlichen u. freiw. Sozialkosten<br>448 Andere Personalkosten<br><br>**45 Instandhaltung, verschiedene Leistungen u. dgl. [10]**<br>450 Instandhaltung [10]<br>Gegebenenf. Aufgliederung [8]):<br>450/54 Instandhaltung an Grundstücken und Gebäuden [10]<br>Instandhaltung an Maschinen und Anlagen [10]<br>Instandhaltung an Fahrzeugen, Werkzeugen, Betriebs- und Geschäftsausstattung [10]<br>Instandhaltungs-Ratenverrechnung<br>Ratenausgleich<br>455 Allgemeine Dienstleistungen [10]<br>456 Entwicklungs-, Versuchskosten u. dgl. [10]<br>457 Mehr- bzw. Minderkosten [10]<br>Gegebenenf. Aufgliederung [8]):<br>457/59 Über-, Unterschreitungen, Ausschuß, Gewährleistungen usw. [10]<br><br>**46 Steuern, Gebühren, Beiträge, Versicherungsprämien u. dgl.**<br>460 Steuern<br>Gegebenenfalls Aufgliederung:<br>460 Vermögen-, Grundst. u. dgl.<br>461 Gewerbesteuer<br>462 Umsatzsteuer<br>463 Andere Steuern<br><br>– Fortsetzung unter Klassen 5/6 – |

---

[7]) Die Geschäftsbuchführung kann sich auf die Führung dieses Sammelkontos für den gesamten Stoffverbrauch u. dgl. beschränken.

[8]) Vorzugsweise nur in der Kosten- und Leistungsrechnung.

[9]) Diese Kostenarten bzw. Kostenartengruppen können a.ch zwischen „Personalkosten u. dgl." und „Instandhaltung, verschiedene Leistungen u. dgl." eingeordnet werden.

[10]) In der Buchführung: Vorzugsweise nur direkter Fremdanfall.

[5]) Vgl. Fußnote 15

[6]) Vgl. Fußnote 16

| Klasse 5/6 | Klasse 7 | Klasse 9 |
|---|---|---|
| **Kostenstellen** | **Kostenträger** Bestände an halbfertigen und fertigen Erzeugnissen | **Abschluß** |

| Klasse 5/6 | Klasse 7 | Klasse 9 |
|---|---|---|
| Frei für Kostenstellen-Kontierungen der Betriebsabrechnung | 70/77 Frei für Kostenträger-Bestands-Kontierungen der Betriebsabrechnung | 90/96 Frei für Sonderlösungen [19] |
| | 78 **Bestände an halbfertigen Erzeugnissen** [15] | 97 Frei für Abschluß-Kontierung der Betriebsabrechnung |
| – Fortsetzung von Klasse 4 – | 79 **Bestände an fertigen Erzeugnissen** [16] | 98 **Gewinn- und Verlust-Konten** (Ergebnis-Konten) |
| 464 Abgaben, Gebühren u. dgl., Gegebenenfalls Aufgliederung: | 790/98 Bestände an fertigen Erzeugnissen | 980 Betriebsergebnis |
| 464 Allgemeine Abgaben und Gebühren | 799 Wertberichtigungen (aktiv abgesetzte) auf Bestände an halbfertigen und fertigen Erzeugnissen | 985/86 (Verrechnungsergebnis: Stoffe- und Erzeugnis-Umwertung) |
| 465 Gebühren u. dgl. für den gewerbl. Rechtsschutz | | 987 Neutrales Ergebnis |
| 466 Gebühren u. dgl. für den allgemeinen Rechtsschutz | | 988 Das Gesamtergebnis betreffende Aufwendungen und Erträge |
| 467 Prüfungsgebühren u. dgl. | [15] Kann auch mit Kontengruppe 38 zu: „Bestände an halbfertigen Erzeugnissen" in der Geschäftsbuchführung vereinigt werden | 989 Gewinn- u. Verlust-Konto |
| 468 Beiträge und Spenden | [16] Kann auch mit Kontengruppe 39 zu: „Bestände an fertigen Erzeugnissen" in der Geschäftsbuchführung vereinigt werden | 99 **Bilanzkonten** |
| 469 Versicherungsprämien | | 998 Eröffnungsbilanz-Konto |
| 47 **Mieten, Verkehrs-, Büro-, Werbekosten u. dgl.** | | 999 Schlußbilanz-Konto |
| 470/71 Raum-, Maschinen-Mieten (-Kosten) u. dgl. [10] | **Klasse 8** | |
| 472/75 Verkehrskosten Gegebenenfalls Aufgliederung: | **Kostenträger** Erträge [17] | |
| 472 Allgemeine Transportkosten | 80/82 Frei für Kostenträger-Leistungs-Kontierung (Umsatzkosten, Erlöse, Bestandsveränderungen) der Betriebsabrechnung [18] | |
| 473 Versandkosten | 83/84 **Erlöse für Erzeugnisse und andere Leistungen** | |
| 474 Reisekosten | 830/49 Erlöse für Erzeugnisse und andere Leistungen | |
| 475 Postkosten | 85 **Erlöse für Handelswaren** | |
| 476 Bürokosten | 850/59 Erlöse für Handelswaren | |
| 477/78 Werbe- und Vertreterkosten [10] | 86 **Erlöse aus Nebengeschäften** | |
| 479 Finanzspesen und sonstige Kosten | 860/69 Erlöse aus Nebengeschäften | |
| 48 **Kalkulatorische Kosten** | 87 **Eigenleistungen** | |
| 480 Verbrauchsbedingte Abschreibungen | 870/79 Eigenleistungen | |
| 481 Betriebsbedingte Zinsen | 88 **Erlösberichtigungen** | |
| 482 Betriebsbedingte Wagnisse | 880/82 Zusatzerlöse | |
| 483 Unternehmerlohn | 883/89 Erlösschmälerungen | |
| 484 Sonstige kalkulatorische Kosten | 89 **Bestandsveränderungen an halbfertigen und fertigen Erzeugnissen u. dgl.** | |
| 49 **Innerbetriebliche Kostenverrechnung, Sondereinzelkosten und Sammelverrechnung** | 890/99 Bestandsveränderungen (Mehr- u. Minderbestände) an halbfertigen und fertigen Erzeugnissen u. dgl. | |
| 490/97 Innerbetriebliche Kostenverrechnung Sondereinzelkosten [12] | | |
| 498 Sammelkonto Zeitliche Abgrenzung [13] | | |
| 499 Sammelkonto Kostenarten [14] | | |

[12] Nur wenn die Ausgliederung der Sondereinzelkosten nicht durch Eintragung in eine Spalte im Betriebsabrechnungsbogen (BAB) erfolgt

[13] Gegenkonto zu 090 für summarische Behandlung des zeitlichen Aufwandsausgleiches

[14] Sammelkontogegenkonto für laufende Buchungen bei monatlicher Einzelaufstellung o. dgl.

[17] Erträge = Erlöse (Umsatz) + Bestandsveränderungen

[18] Die Kontengruppen 83–89 (Erträge) können auch in Klasse 9 mit der Nummernbezeichnung 90–96 geführt werden, wobei die Klasse 9 die Bezeichnung „Erträge und Abschluß" erhält und die Klasse 8 frei für Zwecke der Betriebsabrechnung – Umsatzkosten entsprechend der Gliederung der Erlöskonten – wird

[19] Vgl. Fußnote 18

Deutschen Industrie einen neuen Kontenrahmen, der nach dem →Abschlußgliederungsprinzip aufgebaut ist. Die dem BiRiLiG entsprechende Neufassung wird mindestens für Kapitalgesellschaften zweckmäßigerweise zu übernehmen sein (→Industriekontenrahmen). – Vgl. Übersicht Sp. 2023–2028.

**Gemeinschafts-Lehrwerkstatt,** →Lehrwerkstatt.

**Gemeinschaftsmarke,** →Warenzeichenrecht II.

**Gemeinschaftspatent,** →Patentrecht IV 1.

**Gemeinschaftspraxis,** gemeinschaftliche Praxisführung durch mehrere Ärzte gleicher oder verschiedener Fachrichtungen (Arzt, Facharzt) bei gemeinschaftlicher Nutzung von Praxisräumen und -einrichtungen sowie gemeinsamer Beschäftigung von Hilfspersonal. Gesellschaftsverhältnis (§ 705 ff. BGB) oder gesellschaftsähnliches Verhältnis der Ärzte unter einem Namen. Bei gemeinsamer Ausübung kassenärztlicher Tätigkeit nur durch →Kassenärzte vorherige Zustimmung des Zulassungsausschusses erforderlich.

**Gemeinschaftsrichtlinien für das Rechnungswesen,** 1950 ausgearbeitete Empfehlungen des →Bundesverbandes der Deutschen Industrie e. V., die 1950 von den angeschlossenen Verbänden im Betriebswirtschaftlichen Ausschuß einstimmig verabschiedet wurden. – *Zweck:* Vereinheitlichung des Rechnungswesens in der Industrie, vornehmlich mit Hilfe des →Gemeinschafts-Kontenrahmens industrieller Verbände (GKR). – *Zwei Teile:* 1. Teil I: Gemeinschaftsrichtlinien für die Buchführung (GRB) mit Gemeinschaftskontenrahmen der Industrie (GKR). – 2. Teil II: Gemeinschaftsrichtlinien für die Kosten- und Leistungsrechnung (GRK) mit Gemeinschaftskalkulationsschema der Industrie und Grundschema der geschlossenen Betriebsabrechnung. In Teil II (Band 3 und 4) werden an Hand eines immer wiederkehrenden Zahlenbeispiels verschiedene Formen und Verfahrenstechniken der →Betriebsabrechnung und →Kalkulation entwickelt und erläutert.

**Gemeinschaftssparen,** *Kollektivsparen,* Zusammenschluß einer Mehrzahl von Sparern, um nach einem Plan und für einen bestimmten Zweck gemeinsam zu sparen, z. B. in Sparvereinen und Sparklubs. – *Wichtigste Form des G.:* →Bausparen.

**Gemeinschaftsteuern.** I. B e g r i f f: →Steuern, deren Aufkommen gem. GG Bund und Ländern gemeinsam zustehen. →Einkommensteuer, →Körperschaftsteuer, →Umsatzsteuer. G. können nach dem →Verbundsystem oder →Zuschlagssystem verteilt werden. Vgl. auch →Bundessteuern, →Landessteuern, →Gemeindesteuern, →Steuerverbund, →Steuerertragshoheit.

II. S t e u e r a r t e n: 1. Vom Aufkommen der *Lohn- und Einkommensteuer* erhalten Bund und Länder je 42,5 v. H., von den *Kapitalertrag-* und *Körperschaftsteuer* je 50 v. H. Der Länderanteil steht dem einzelnen Land insoweit zu, als die Steuern von den Finanzbehörden (→Finanzverwaltung) in ihrem Gebiet vereinnahmt werden (örtliches Aufkommen, Art. 107 I GG). Gemeindeanteil: Vgl. III. – 2. Die Anteile von Bund und Ländern an der *Umsatzsteuer* (einschl. Einfuhrumsatzsteuer) werden durch Bundesgesetz festgesetzt (Art. 106 III GG). Sie sind neu festzusetzen, wenn sich das Verhältnis zwischen den Einnahmen und Ausgaben wesentlich anders entwickelt (Art. 106 IV GG); →Finanzzuweisung. Der Länderanteil steht den einzelnen Ländern nach Maßgabe ihrer Einwohnerzahl zu; ein Teil, höchstens jedoch ein Viertel dieses Länderanteils, kann als Ergänzungsanteil für die Länder vorgesehen werden, deren Einnahmen aus den →Landessteuern und aus der Einkommen- und Körperschaftsteuer je Einwohner unter dem Durchschnitt der Länder liegen (Art. 107 I GG); 1986/87 stehen dem Bund 65% und den Ländern 35% zu; ab 1988 soll das Beteiligungsverhältnis an der Umsatzsteuer neu festgelegt werden.

III. G e m e i n d e a n t e i l: Von dem Länderanteil am Gesamtaufkommen der G. fließt den Gemeinden und Gemeindeverbänden insgesamt ein von der Landesgesetzgebung zu bestimmender Hundertsatz zu. Im übrigen bestimmen die Landesgesetze, ob und inwieweit das Aufkommen der →Landessteuern den Gemeinden (Gemeindeverbänden) zufließt (Art. 106 VII GG). – Außerdem erhalten die Gemeinden einen →Gemeindeanteil am Aufkommen der Einkommensteuer. Die Gemeinden erhalten 15% des Aufkommens an Lohnsteuer und an veranlagter Einkommensteuer, wie es sich für das jeweilige Bundesland ergibt (§ 1 Gemeindefinanzreformgesetz). Der Gemeindeanteil wird nach einem Schlüssel auf die Gemeinden aufgeteilt, der von den Ländern aufgrund der Steuerstatistik (→Finanzstatistik) ermittelt wird.

IV. S o n d e r b e l a s t u n g: Veranlaßt der Bund in einzelnen Ländern oder Gemeinden (Gemeindeverbänden) besondere Einrichtungen, die diesen Ländern oder Gemeinden unmittelbar Mehrausgaben oder Mindereinnahmen verursachen, gewährt der Bund den erforderlichen Ausgleich, wenn und soweit den Ländern oder Gemeinden nicht zugemutet werden kann, die Sonderbelastung zu tragen (Art. 106 VIII GG).

**Gemeinschaftsunterkunft,** bauliche Anlage oder Teil einer baulichen Anlage, deren Unterkunfts- oder Nebenräume von mehreren Arbeitnehmern gemeinschaftlich benutzt werden oder dazu bestimmt sind, von mehreren Arbeitnehmern gemeinschaftlich benutzt zu werden (§ 120 c GewO). – Vgl. auch →Unterkünfte.

**Gemeinschaftsunternehmen,** →Joint Venture I 2.

**Gemeinschaftsvertrieb,** absatzwirtschaftlicher Zusammenschluß mehrerer Unternehmen aus Gründen der Effizienzsteigerung, Rationalisierung, Senkung der Vertriebskosten und bedarfsgerechten Deckung der Nachfrage. Besonders geeignet für Industriebetriebe, die eine Vielzahl von Produkten mit zahlreichen Verwendungsmöglichkeiten herstellen (z. B. chemische Industrie) und demgemäß eine Vielzahl von Märkten zu beliefern haben. *Möglich* ist sowohl die Zusammenarbeit zwischen Herstellern konkurrierender als auch die zwischen Herstellern bedarfsverwandter und sortimentsergänzender Erzeugnisse. – *Formen:* a) Gemeinschaftliche Absatzorgane (→Verkaufskontor, →Auslieferungslager, Reisende, Messestände usw.); b) Mitbenutzung der Absatzorganisation eines der zusammenarbeitenden Unternehmen (Anschlußabsatz).

**Gemeinschaftswarenhaus,** Betriebsform des →Einzelhandels: Zusammenfassung von zumeist selbständigen →Fachgeschäften und Dienstleistungsbetrieben verschiedener Größe und aus unterschiedlichen Branchen zu einem räumlichen und organisatorischen Verbund. *Grundidee* ist, auf der Fachkompetenz und Initiative selbständiger Einzelhändler aufbauend, ein räumlich konzentriertes, warenhausähnliches Warenangebot zusammenzustellen, das in seiner Gesamtheit dem (Bequemlichkeits-)Bedürfnis nach „Einkauf unter einem Dach" entspricht (→Agglomeration). – *Organisation:* Gemeinsame Aufgaben (Werbung, Reinigung u. a.) sowie die erforderliche Koordination werden in Versammlungen oder Ausschüssen der Beteiligten oder von einem zentralen Management (oft stark von der Trägergesellschaft des Gebäudes bestimmt) entschieden. Das Konzept des einheitlichen Auftretens nach außen in Warenauswahl und -präsentation, Ladenausstattung und Preisniveau wird in G. wesentlich konsequenter realisiert als im →Einkaufszentrum.

**Gemeinschaftswerbung,** →kooperative Werbung.

**Gemeinschaft von Gewerkschaften und Verbänden des öffentlichen Dienstes (GGVöD),** Zusammenschluß der tariffähigen Fachgewerkschaften des Deutschen Beamtenbundes und sechs weiterer Organisationen zu einer gewerkschaftlichen Spitzenorganisation, Sitz in Bonn. – *Aufgaben:* Wahrung der Berufsinteressen der Mitglieder, insbes. durch Aushandeln und Abschluß von Tarifverträgen.

**Gemeinschaft zum Schutz der deutschen Sparer,** *Sparerschutzgemeinschaft,* Arbeitsge-

meinschaft von sechs Verbänden des Geld- und Kreditwesens und der Lebensversicherungswirtschaft (→Bundesverband der Deutschen Volksbanken und Raiffeisenbanken e. V.; →Bundesverband Deutscher Banken e. V.; →Deutscher Sparkassen- und Giroverband e. V.; →Verband der Lebensversicherungs-Unternehmen e. V.; →Verband der Privaten Bausparkassen e. V.; →Verband Deutscher Hypothekenbanken e. V.; →Verband öffentlicher Banken e. V.); Sitz in Bonn. – *Aufgaben:* Eintreten für die Stabilität des Geldwertes zum Schutz der Sparer; Stellungnahme zu aktuellen Fragen der Währungs-, Finanz- und Geldpolitik und anderen, stabilitätspolitisch relevanten Fragen. – *Veröffentlichungen:* Mitteilungen und Kommentare zur Geldwertstabilität; Jahresberichte; Sonderveröffentlichungen.

**Gemeinschaft zur gesamten Hand,** Rechtsinstitut deutschrechtlichen Ursprungs. Die einzelnen Gesamthänder sind nicht zu einem bestimmten Bruchteil an den einzelnen Gegenständen (Bruchteilgemeinschaft, →Gemeinschaft II), sondern zu einem Bruchteil an dem gesamten Sondervermögen der G. z. g. H. beteiligt. Sie haben daher keine Verfügungsberechtigung über einen Anteil an einzelnen Gegenständen. Das Sondervermögen betreffende *Rechtsgeschäfte* müssen vielfach gemeinschaftlich von oder gegenüber den Gesamthändern vorgenommen werden. – Die *Ausgestaltung* im einzelnen ist für die verschiedenen G. z. g. H. unterschiedlich geregelt. – *Beispiele für G. z. g. H.:* →Gesellschaft des bürgerlichen Rechts, →offene Handelsgesellschaft, →Kommanditgesellschaft, →Erbengemeinschaft am ungeteilten Nachlaß. – Bei der *steuerlichen* Bewertung wird Gesamthandseigentum den Beteiligten nach Bruchteilen zugerechnet (§ 39 II 2 AO). Die den einzelnen Beteiligten zuzurechnenden Bruchteile richten sich entweder nach den Beteiligungsquoten am gesamten gemeinschaftlichen Vermögen oder nach den Beteiligungsquoten an der Teilungsmasse.

**Gemeinschuldner. 1.** *Begriff:* →Schuldner, über dessen Vermögen →Konkurs (oder →Anschlußkonkurs) eröffnet ist. Der G. braucht nicht Kaufmann zu sein. Bei →Konkurseröffnung über das Vermögen a) einer OHG sind G. alle Gesellschafter, b) einer KG nur die persönlich haftenden Gesellschafter (Komplementäre), c) einer juristischen Person ist diese selbst G. – **2.** *Rechte und Pflichten des G.:* a) Mit der Konkurseröffnung *verliert* der G. *das Recht,* sein zur →Konkursmasse gehörendes (d. h. der Zwangsvollstreckung unterliegendes) inländisches Vermögen zu *verwalten* und darüber zu *verfügen* (§ 6 KO) an den Konkursverwalter. Rechtshandlungen, die der G. nach Konkurseröffnung über zur Masse gehörende Gegenstände vornimmt, sind den Konkursgläubigern gegenüber unwirksam (§ 7 KO). Leistung an G. befreit den Leistenden von seiner Verbindlichkeit nur, wenn ihm die Konkurseröffnung unbekannt war. Andernfalls muß der Konkursverwalter nochmals Zahlungen verlangen (§ 8 KO). – b) Der G. ist dem Konkursverwalter, dem →Gläubigerausschuß und auf Anordnung des Gerichts der →Gläubigerversammlung zur *Auskunft verpflichtet*. Er darf sich von seinem Wohnort nur mit Zustimmung des Gerichts entfernen (§ 101 KO). Auf Antrag des Konkursverwalters oder eines Konkursgläubigers muß er →*eidesstattliche Versicherung* ablegen (§ 125 KO). – c) Die Handlungs-, insbes. →*Geschäftsfähigkeit* des G. wird nicht gemindert. Er bleibt fähig, neue Prozesse zu führen, Rechte zu erwerben und Pflichten einzugehen. – Während des Konkursverfahrens gemachter Erwerb ist bis zur →Aufhebung des Konkursverfahrens für Konkursgläubiger nicht pfändbar (§ 14 KO).

**Gemeinverbrauch** (genauer: *echter Gemeinverbrauch), verbundener Verbrauch, gemeinsame Inanspruchnahme*, durch das betrachtete →Bezugsobjekt und weitere gemeinsam betreffende Entscheidungen ausgelöster →Verbrauch, soweit dieser nicht nach dem →Identitätsprinzip eindeutig zugerechnet werden kann. Zum G. gehört der Schein-Einzelverbrauch (→Schein-Einzelkosten (-ausgaben, -einnahmen, -erlöse, -verbräuche)) nicht der →unechte Gemeinverbrauch. – *Gegensatz:* →Einzelverbrauch.

**Gemeinwirtschaft. 1.** *Begriff:* Unmittelbar auf das Wohl einer übergeordneten Gesamtheit (Gemeinwohl) ausgerichtete wirtschaftliche Aktivitäten (→Gemeinwirtschaftlichkeit). An die Stelle des der Privatwirtschaft zugrunde liegenden Axioms einer kollektiven Nutzenmaximierung (theoretischer, nicht befriedigend gelöster Ansatz). – 2. *Inhaltliche Abgrenzung:* Im Zeitablauf grundsätzlich gewandelt. – a) *Monistischer Ansatz:* G. wird gleichgesetzt mit →Planwirtschaft oder einem System kooperierender Genossenschaften. – b) *Dualistischer Ansatz:* Neben dem privatwirtschaftlichen Sektor wird in G. ein staatswirtschaftlicher oder genossenschaftlicher Sektor, der den privatwirtschaftlichen Sektor zu ergänzen und mögliche negative Folgen zu vermeiden bzw. zu kompensieren hat, als zweiter Teil der gesamten Wirtschaftsordnung gesehen. – c) *Pluralistischer Ansatz* (wird i. a. heute vertreten): Gemeinwirtschaftliche Unternehmen in der herrschenden Wirtschaftsordnung nehmen teilweise am Wettbewerb teil; sie haben gegenüber den privatwirtschaftlichen Unternehmen und Haushalten regulierende, stimulierende und komplementäre Funktionen wahrzunehmen. Träger gemeinwirtschaftlicher Unternehmen sind im wesentlichen Gebietskörperschaften (→öffentliche

Unternehmen), Gewerkschaften, Kirchen, Parteien, Stiftungen und Verbände; neben einer Vielzahl staatlicher und kommunaler Unternehmen u. a. gehören Gewerkschaftsunternehmen, Genossenschaften, Unternehmen der freien Wohlfahrtspflege sowie die Gemeinnützigen Wohnungsunternehmen zum Bereich der G. – *Das Problem* der pluralistischen G.skonzeption besteht in der Operationalisierung der kollektiven Nutzenorientierung und damit in der Abgrenzung von gemeinwirtschaftlicher und privatwirtschaftlicher Verhaltensweise.

**gemeinwirtschaftliches Prinzip,** →Gemeinwirtschaftlichkeit.

**gemeinwirtschaftliche Unternehmen,** →Gemeinwirtschaft.

**Gemeinwirtschaftlichkeit. I.** A l l g e m e i n : 1. *Charakterisierung:* Vielschichtig interpretierte Leitvorstellung für die Steuerung von dem Nutzen der Allgemeinheit verpflichteten Betrieben (gemeinwirtschaftliche Unternehmen, →Gemeinwirtschaft). Zur Operationalisierung gemeinwirtschaftlichen Verhaltens wurden zahlreiche einzelwirtschaftliche Handlungsmaximen aufgestellt: u. a. Gewinnverzichtsregel, kostenorientierte Preispolitik (Kosten-/Preisregel), Gewinnverwendung im Allgemeininteresse/Gemeinwohl (Gewinnverwendungsregel), Maximierung der zu erstellenden und abzugebenden Leistung bei Kostendeckung (Leistungsmaximierungsregel). Gemeinwirtschaftliches Verhalten wird zudem u. a. in der Unterwerfung unter gesetzlich formulierte Pflichtenkataloge, z. B. Betriebs-, Beförderungs-, Tarif-, Fahrplan-, Anschlußpflicht, gesehen. – *Anders:* →Gemeinnützigkeit. – 2. *Bedeutung:* In jüngster Zeit zunehmend Beachtung in der Betriebswirtschaftslehre; teilweise unter anderen Begriffen, z. B. Unternehmensethik, diskutiert.

II. G. i m V e r k e h r : 1. *Begriff:* Mittels spezifischer Auflagen (→Betriebspflicht, →Beförderungspflicht, →Tarifpflicht) bewirkte Umgestaltung der Zielfunktionen der im Verkehrssektor tätigen Unternehmen zwecks Berücksichtigung struktur-, regional- und sozialpolitischer Ziele sowie der staatlichen Daseinsvorsorgefunktion. – 2. *Folgen:* Die Prinzipien der G. schränken die Möglichkeiten der Gewinnerzielung ein; die Ausnutzung von Marktmacht und Marktchancen wird durch Berücksichtigung gesamtwirtschaftlicher Interessen eingeengt. G. bedeutet Drosselung der Rentabilität, aber auch Einschränkung des Verlustabbaus bei unrentabel arbeitenden Unternehmen. Ohne staatliche Ausgleichsleistungen ist G. v. a. dort realisierbar, wo innerhalb eines (Monopol-)Unternehmens interne Subventionierung möglich ist. – 3. *Beurteilung:* a) Ein der gegenwärtigen Situation der Verkehrswirtschaft angepaßtes Verständnis von G. darf sich nicht an überwundenen Strukturen orientieren, sondern muß zukunftsbezogen sein und verstärkt die Gesichtspunkte einer volkswirtschaftlich effizienten Arbeitsteilung der Verkehrsträger berücksichtigen. Die *Eisenbahn* hat seit langer Zeit ihre Monopolstellung verloren; die Verkehrswirtschaft ist durch eine veränderte Aufgabenstellung der verschiedenen Verkehrsträger gekennzeichnet. Dort wo ein anderer Verkehrsträger die erforderlichen Transporte zu niedrigeren Kosten und/oder höherer Qualität erbringen kann, sollten die gemeinwirtschaftlichen Auflagen für die Eisenbahn gelockert werden. – b) Der bei insgesamt volkswirtschaftlich effizienter Arbeitsteilung gesellschaftlich wünschenswerten G. muß durch *Ausgleichszahlungen* nach dem Prinzip der speziellen Entgeltlichkeit entsprochen werden.

**Gemeinwohlbindung der Tarifpartner,** →Tarifautonomie.

**Gemengelage,** *Mischgebiet,* sowohl zu gewerblichen als auch zu Wohnzwecken genutzte Flächen. – Vgl. auch →Bauleitplanung, →Gewerbebestandspflege, →Flächenrecycling.

**gemischte Gründung,** Kombination aus →Bargründung und →Sachgründung.

**gemischte Konten,** Konten, die Bestände, Aufwendungen und Erträge enthalten, daher auch: *Bestands-Erfolgs-Konten.* – 1. Typisches g. K. ist das *ungeteilte Warenkonto.* Es enthält im Soll den Warenanfangsbestand (Bewertung zum Einstandswert) und Wareneinkäufe (zum Einstandspreis) und den Warenrohgewinn; im Haben die Warenverkäufe (zum Verkaufspreis) und den Warenschlußbestand (zum Einstandspreis). *Abschluß:* a) durch körperliche Aufnahme des Warenschlußbestandes (Buchungssatz: Schlußbilanzkonto an ungeteiltes Warenkonto); b) durch Ermittlung des Warenrohgewinns (Buchungssatz: ungeteiltes Warenkonto an Gewinn- und Verlustkonto). – 2. Nach den Buchführungsrichtlinien ist die Führung von g. K. möglichst zu vermeiden, daher Auflösung ungeteilter Warenkonten in *Warenbestands- und Warenerfolgskonten* (z. B. Wareneinkaufskonto und Warenverkaufskonto). – 3. Wegen des *Verrechnungsverbots* gemäß § 246 II HGB dürfen Aufwendungen grundsätzlich nicht mit Erträgen verrechnet werden. – *Ausnahmen:* Ausweis von Umsatzerträgen abzüglich →Erlösschmälerungen, Saldierung von Bestandserhöhungen und Bestandsminderungen an unfertigen und fertigen Erzeugnissen, Ausweis des →Rohertrags bei kleinen und mittelgroßen Kapitalgesellschaften.

**gemischte Kostenarten,** →sekundäre Kostenarten.

**gemischte Lebensversicherung,** →gemischte Versicherung 2.

**gemischtes Restriktionssystem,** →Restriktionssystem, das nicht nur aus einem Typ von Restriktionen (z. B. strenge Ungleichungsrestriktionen, schwache Ungleichungsrestriktionen, Gleichungsrestriktionen) besteht.

**gemischte Tätigkeit,** gewerbesteuerlich das Betreiben eines Gewerbes neben und unabhängig von der sonstigen freiberuflichen Tätigkeit. Der g. T. Ausübende wird nur mit seinem Gewerbe zur →Gewerbesteuer herangezogen. – Übt jemand mehrere Tätigkeiten nebeneinander aus, die wirtschaftlich zusammengehören und sich gegenseitig fördern, so daß ein innerer Zusammenhang zwischen den Tätigkeiten besteht, liegt ein einziger in vollem Umfang steuerpflichtiger Gewerbebetrieb vor, vorausgesetzt, daß eine der Tätigkeiten gewerblicher Natur ist.

**gemischte Versicherung. 1.** *Allgemein:* Oberbegriff für →gebündelte Versicherung und →kombinierte Versicherung. – 2. In der *Lebensversicherung (gemischte Lebensversicherung):* Versicherung auf den Todes- und Erlebensfall. Das versicherte Kapital wird beim Tod des Versicherungsnehmers sofort oder spätestens bei Erleben des vereinbarten Ablaufs fällig. Häufigste und für den normalen Bedarf zweckmäßigste Lebensversicherungsform. – Vgl. auch →Lebensversicherung II 3.

**gemischte Wirtschaftsordnung,** *mixed economy.* 1. *Charakterisierung:* Die Idee der g. W. basiert im Anschluß an R. A. Dahl und C. E. Lindblom darauf, daß die Wirtschaftsordnung einer →Marktwirtschaft ein Mischsystem folgender unterschiedlicher Koordinationsverfahren ist: a) Markt-Preis-Mechanismus, b) demokratische Willensbildung (Polyarchie), c) administrative Lenkungsverfahren (Bürokratie) und d) Verhandlungen zwischen Interessengruppen bzw. Verbänden (bargaining); vgl. auch →gesamtwirtschaftliche Planung. Wird diese Grundidee auf →staatssozialistische Zentralplanwirtschaften übertragen, so bestehen dort neben der zentralen Planung und Lenkung mittels der →Bilanzierungsmethode ebenfalls bürokratische Steuerungsmechanismen, Aushandlungsprozesse zwischen Staatsorganen bzw. Machtgruppen und (meist illegale) Aktivitäten innerhalb der →Schattenwirtschaft. – 2. *Implikation:* Die einzelnen Koordinationsverfahren sind jeweils beliebig miteinander mischbar. Dabei bleibt jedoch unberücksichtigt, daß, wie die ordnungstheoretische Analyse zeigt (→Wirtschaftsordnung III und IV), Markt und Bilanzierung die beiden (sich gegenseitig ausschließenden) primären wirtschaftlichen Koordinationsmechanismen sind und den anderen genannten Verfahren nur eine ergänzende, sekundäre Funktion zukommt. Auch wenn in keiner Wirtschaftsordnung ausschließlich nur die jeweils primäre Koordinationsmethode angewandt wird, ist daher eine beliebige Kombination der einzelnen Verfahren nicht möglich; vielmehr ist zu gewährleisten, daß der primäre Mechanismus nicht beeinträchtigt wird.

**gemischtgenutztes Grundstück,** →Grundstücksart i. S. des BewG. – 1. *Begriff:* Bebautes Grundstück, das teils Wohnzwecken, teils unmittelbar eigenen oder fremden gewerblichen oder öffentlichen Zwecken dient; ferner weder als →Mietwohngrundstück oder →Geschäftsgrundstück, noch als →Einfamilienhaus oder →Zweifamilienhaus anzusehen ist (§75 IV BewG). – 2. *Bewertung:* I. d. R. nach dem →Ertragswertverfahren (§§76 I, 78 ff. BewG), ausnahmsweise nach dem →Sachwertverfahren (§§76 III, 83 ff. BewG).

**gemischtöffentliches Unternehmen,** 1. *Begriff:* →öffentliches Unternehmen, das von verschiedenen Gebietskörperschaften getragen wird. – *Anders:* →gemischtwirtschaftliches Unternehmen. – 2. *Arten:* a) *horizontale g. U.:* Eigentümer sind Gebietskörperschaften nur einer Ebene (z. B. Kommune oder Länder); b) *vertikale g. U.:* Eigentümer sind Gebietskörperschaften verschiedener Ebenen (z. B. Bund, Länder und Gemeinden). – 3. *Bedeutung:* G. U. besitzen v. a. dort Bedeutung, wo durch öffentliche Unternehmen überregionale Aufgaben wahrgenommen werden sollen (z. B. Flughäfen).

**Gemischtwarengeschäft,** früher: *Kolonialwarenladen, Krämerladen,* Betriebsform des Einzelhandels: Kleine bis mittelgroße Einzelhandelsbetriebe, die breite, relativ flache Sortimente mit mittelhohem Preisniveau meist mit Bedienung anbieten. Heute noch zur Versorgung der ländlichen Bevölkerung in manchen Regionen existent. Im übrigen weitgehend verdrängt vom →Nachbarschaftsgeschäft, den →Supermärkten und →Discountgeschäften.

**gemischtwirtschaftliches Unternehmen,** liegt dann vor, wenn private und öffentliche Anteilseigner an einer Kapitalgesellschaft derart beteiligt sind, daß entweder dem öffentlichen oder dem privaten Anteilseigner eine Sperrminorität bei den Entscheidungen in den zuständigen Unternehmensorganen eingeräumt ist. – *Anders:* →gemischtöffentliches Unternehmen. – Vgl. auch →öffentliche Unternehmen.

**Genauigkeitstafel,** Arbeitshilfe für methodische Marktanalyse durch →Umfragen: Zahl der auszugebenden Fragebogen und gewünschter Grad repräsentativer Genauigkeit für das angestrebte Ergebnis werden zueinander in Beziehung gesetzt. Die Genauigkeit wächst nur mit der Quadratwurzel der Fragebogenzahl; sie nimmt ab mit dem Prozentsatz von den Gesamtantworten, die auf das untersuchte Merkmal Bezug nehmen. Sind Häufig-

keit des Merkmals und Zahl der Fragebogen bekannt, so gibt die G. in v. H. an, innerhalb welcher Grenzen bzw. mit welcher Wahrscheinlichkeit das Ergebnis gilt.

**genehmigte Bilanz,** der vom Vorstand aufgestellte, von dem bestellten Abschlußprüfer bestätigte →Jahresabschluß einer AG, der mit Genehmigung des →Aufsichtsrats festgestellt und damit bindend ist (§172 AktG). Feststellung durch die Hauptsammlung erfolgt dann, wenn sich Vorstand und Aufsichtsrat dafür entscheiden oder der Aufsichtsrat den Jahresabschluß nicht billigt (§173 AktG). Die g. B. wird der Hauptversammlung vorgelegt, die über Gewinnverwendung beschließt.

**genehmigtes Kapital.** 1. *Begriff:* Betrag, bis zu dem der Vorstand einer AG das →Grundkapital durch Ausgabe neuer Aktien gegen →Einlagen erhöhen kann, höchstens jedoch die Hälfte des zur Zeit der Ermächtigung vorhandenen Grundkapitals. – Bei ausländischen Gesellschaften oft als *autorisiertes Kapital* bezeichnet. – 2. Die *Ermächtigung* zur Kapitalerhöhung erhält der Vorstand a) durch die Satzung (für höchstens fünf Jahre nach Eintragung der Gesellschaft); b) durch Satzungsänderung (für höchstens fünf Jahre nach Eintragung der Satzungsänderung im Handelsregister). Die Satzung kann auch vorsehen, daß die neuen Aktien an Arbeitnehmer der AG ausgegeben werden (→Belegschaftsaktien). – 3. Zur →Kapitalbeschaffung durch g. K. ist ein *Beschluß der Hauptversammlung* mit mindestens ¾-Mehrheit des bei der Beschlußfassung vertretenen Grundkapitals erforderlich. – Vgl. auch →Kapitalerhöhung II.

**Genehmigung.** I. Bürgerliches Recht: Die →Zustimmung zu einem von anderen Personen vorgenommenen →Rechtsgeschäft, wenn diese nach Abschluß des Geschäfts erteilt wird (andernfalls: →Einwilligung). Hängt die Gültigkeit eines Geschäfts von der G. eines anderen ab, so ist das Rechtsgeschäft „schwebend unwirksam". – Vgl. auch →behördliche Genehmigung, →Erlaubnis.

II. Außenwirtschaftsrecht: Vgl. →Ausfuhrverfahren, →Einfuhrverfahren.

III. Güterkraftverkehrsgesetz: 1. Einer G., auch *Konzession* genannt, *bedarf es* zur Durchführung von gewerblichem Güterfernverkehr und Güterliniennahverkehr (mit Kraftfahrzeugen). – 2. Die G. *gilt* für die Person des Unternehmers (nicht für das Fahrzeug) unter Beachtung der zahlenmäßigen Begrenzung der Fahrzeuge; sie ist nicht übertragbar. I. d. R. wird die G. für acht Jahre erteilt (im Güterliniennahverkehr oder zeitliche Begrenzung). – 3. *Formen:* Das GüKG kennt: a) G. für den allgemeinen Güterverkehr (unbeschränkte oder rote G.); b) G. für den Bezirksgüterfernverkehr in der

150 km-Zone um den Standort (Bezirks- oder blaue G.); c) G. für den grenzüberschreitenden Güterfernverkehr in Verbindung mit einer Inlandsbeförderung (rosa G.); d) G. nur für den grenzüberschreitenden Güterfernverkehr, so daß Inlandsbeförderungen verboten sind (blaß-rosa G.); e) G. für den Güterliniennahverkehr. Daneben gibt es die zum freizügigen Verkehr in EG- und Drittländern berechtigenden *Europa-G.* der EG sowie die *CEMT-G.* zum freizügigen Verkehr innerhalb der der CEMT angeschlossenen Ländern. – 4. *Kontingentierung:* Die Anzahl der G. ist in allen Fällen begrenzt *(Kontingent),* außer für den Güterliniennahverkehr.

Sonstige Verkehrsgesetze: Die Personenbeförderung mit Straßenbahnen, Bussen, Kraftfahrzeugen im Linienverkehr und im Gelegenheitsverkehr bedarf gemäß § 2 PBefG ebenso einer G., wie die gewerbsmäßige Beförderung von Personen und Sachen in Luftfahrzeugen (§§ 20, 21 LuftVG) und die Güterbeförderung mit Binnenschiffen (§ 1 BSchVG).

**genehmigungsbedürftige Einfuhr,** →Einfuhrverfahren II.

**genehmigungsfreie Einfuhr,** →Einfuhrverfahren I.

**general accepted accounting principles,** amerikanische Bezeichnung für die von der Vereinigung der Certified Public Accountants (entsprechend dem Institut der Wirtschaftsprüfer in Deutschland e.V.) ausgearbeiteten →Grundsätze ordnungsmäßiger Buchführung und Grundsätze ordnungsmäßiger Bilanzierung, die als „Empfehlungen" weitgehend anerkannt sind, deren Durchführung aber nicht erzwungen werden kann.

**Generalagent,** →Versicherungsvertreter.

**General Agreement on Tariffs and Trade,** →GATT.

**Generalbevollmächtigter,** →Generalvollmacht.

**Generalbundesanwalt,** Leiter der →Staatsanwaltschaft beim →Bundesgerichtshof. – *Zuständigkeit:* Wahrnehmung der Aufgaben der Staatsanwaltschaft bei den zur Zuständigkeit des Bundesgerichtshofs gehörenden Strafprozessen und zur Zuständigkeit von Oberlandesgerichten in erster Instanz gehörenden Strafsachen (Staatsschutz), Führung des →Bundeszentralregisters.

**Generaldirektor,** in der Praxis teilweise verwendeter Titel für den Leiter der Unternehmung. →Kompetenzen des G. vom Sprachgebrauch nicht einheitlich umrissen. Position meist als →Singularinstanz an der Spitze der →Führungshierarchie; Leitung der untergeordneten Handlungsträger nach dem →Direktorialprinzip. – *Abgrenzung:* Im Unterschied z.B. zum Vorsitzenden einer

GmbH-Geschäftsführung darf der Vorsitzende des →Vorstands einer AG *nicht* G. in diesem Sinne sein, da das AktG 1965 für den multipersonalen Vorstand das →Kollegialprinzip vorschreibt (→Organisationsrecht III 3 a)).

**generalenterprise,** →Generalunternehmer; Umsatzsteuerpflicht: Vgl. →Arbeitsgemeinschaften.

**Generalhandel,** seit 1928 nach der „internationalen Konvention über Wirtschaftsstatistik" die Erfassung aller die Grenzen des Zollgebiets überschreitenden Güter ohne Durchfuhr, also im Gegensatz zum →Spezialhandel die Erfassung des Warenverkehrs derart, wie sich die Verkehrsvorgänge vom Ausland her darstellen: 1. Direkte *Ausfuhr* inländischer Erzeugnisse plus Ausfuhr „nationalisierter" ausländischer Erzeugnisse (→Nationalisierung). – 2. Direkte *Einfuhr* aus dem Ausland plus Einfuhr aus den Zollgutlagern (→Lagerung im Sinne des Zollrechts). Der Unterschied zwischen beiden Darstellungsformen beruht auf der verschiedenen Nachweisung der auf Lager (→Lagerverkehr) eingeführten ausländischen Waren.

**Generalisierung,** aus der Psychologie in die Theorie des →Konsumentenverhaltens übernommener Begriff. Ein gelerntes Verhalten wird von einem Konsumenten nicht nur auf eine spezifische, sondern auch auf ähnliche Situationen angewendet. – *Beispiel:* Die Erkenntnis, daß ein bestimmter Artikel in einem Einzelhandelsbetrieb preisgünstig angeboten wird, kann auf andere Artikel der betreffenden Abteilung oder auf das gesamte Sortiment übertragen werden.

**Generalklausel,** Bezeichnung für § 626 I BGB. Vgl. im einzelnen →außerordentliche Kündigung 2.

**Generalpolice,** →Versicherungsschein, mit dessen Verwendung Anmeldung und Abrechnung bei der →Transportversicherung vereinfacht werden. In der G. werden die laufend zu versichernden Objekte der Gattung nach bezeichnet, die üblichen Transportwege und die geltenden Prämien und Bedingungen aufgeführt. Alle darunter fallenden Transporte sind ohne weiteres versichert. Der Versicherungsnehmer ist verpflichtet, sie einzeln oder zu bestimmten Terminen gesammelt für einen in der G. vereinbarten Zeitraum an den Versicherer zu melden; damit genießt er auch dann Versicherungsschutz, wenn ein Schaden schon vor Eintragung und Anmeldung eingetreten ist.

**general problem solver (GPS),** von A. Newell und H. A. Simon Ende der 50er Jahre entwickeltes intelligentes →Programm, das als ein Spielmodell v.a. zum Erkunden von Möglichkeiten der →künstlichen Intelligenz gedacht war und auch eingesetzt wurde;

außerdem im Bereich der →cognitive science verwendet. GPS kann z. B. einfache Probleme der elementaren symbolischen Logik lösen.

**Generalstreik,** Form des →Arbeitskampfs, bei der alle oder die meisten Arbeitnehmer in →Streik treten, also die gesamte Wirtschaft zum Stillstand bringen, meist in der Absicht, politischen Forderungen Nachdruck zu verschaffen (→politischer Streik).

**Generaltarif,** allgemein geltender →Zolltarif mit den höchsten Zollsätzen eines Landes. Der G. bildet den Ausgangspunkt für Zollverhandlungen im Rahmen von Handelsvertragsverhandlungen. Die Höhe seiner einzelnen Positionen kann gebunden oder ermäßigt werden. Da in den meisten Handelsverträgen und v. a. durch das →GATT die →Meistbegünstigung vereinbart ist, gelten i. d. R. die einem Land gegenüber gemachten Zollkonzessionen auch all den anderen Ländern gegenüber, mit denen handelsvertragliche Bindungen bestehen. Neben dem G. gibt es daher meist einen →Gebrauchstarif. – Vgl. auch →Doppeltarif.

**Generalunternehmer,** *Gesamtunternehmer,* der von einem Auftraggeber mit der Ausführung eines Auftrages (meist Bauauftrages) betraute Unternehmer, der sich zur Erfüllung des von ihm übernommenen Auftrages anderer Unternehmer *(Sub- oder Unterunternehmer)* bedient. Rechtsbeziehungen entstehen nur zwischen dem Auftraggeber und dem G. einerseits und dem G. und den Subunternehmern andererseits. Diese Form der Arbeitsgemeinschaft wird als *Generalenterprise* bezeichnet. – *Anders:* →Hauptunternehmer. – *Umsatzsteuerpflicht:* Vgl. →Arbeitsgemeinschaften II 3.

**Generalverkehrsplan (GVP),** Plan, der die gesamte Verkehrssituation in einem Planungsraum (Gemeinde, Land) berücksichtigt. – *Zweck:* Der G. soll aufgrund der Analyse und Diagnose der gegebenen Situation unter bestimmten Zielsetzungen die künftige Situation prognostizieren und Maßnahmen zur Erreichung der künftig angestrebten Situation vorschlagen.

**Generalversammlung,** auf Gesetz beruhende Versammlung der Gesellschafter a) einer AG: →Hauptversammlung, b) einer GmbH: Gesellschafterversammlung (→Gesellschaft mit beschränkter Haftung V), c) einer Genossenschaft: Generalversammlung (→Genossenschaftsorgane 3). – Die G. *beschließt* insbes. über den Jahresabschluß, die Gewinn- und Verlustverteilung sowie über die Entlastung von Vorstand und Aufsichtsrat.

**Generalvertreter,** →Handelsvertreter (meist →Bezirksvertreter), der die Vermittlungstätigkeit nicht selbst, sondern durch Untervertreter (Subagenten) durchführen läßt. Anstellung und Bezahlung der Untervertreter erfolgt

durch den G. Die Hauptarbeit des G. liegt in der Organisation und Verwaltung der Tätigkeit seiner Subagenten, insbes. deren Auswahl und Schulung.

**Generalvollmacht,** zur Vertretung des Vollmachtgebers in allen Geschäften oder in allen Geschäften eines bestimmten größeren Geschäftskreises ermächtigende →Vollmacht. – *Gegensatz:* →Spezialvollmacht. – In der Wirtschaft werden von Großunternehmern bisweilen auch Prokuristen, denen unumschränkte Prokura erteilt ist und die besonders hervorgehoben werden sollen, als *Generalbevollmächtigte* bezeichnet. Die rechtlichen und tatsächlichen Befugnisse des Generalbevollmächtigten eines Firmeninhabers gehen wesentlich weiter als die eines Generalbevollmächtigten einer Kapitalgesellschaft. Der Generalbevollmächtigte einer Einzelperson repräsentiert rechtlich den Inhaber der Einzelfirma; er kann diesen nach innen und außen bei der Leitung des Unternehmens in jeder Hinsicht vertreten, soweit das Gesetz eine Stellvertretung zuläßt. Der Generalbevollmächtigte besitzt neben der bürgerlich-rechtlichen G. von seiten des Inhabers keine handelsrechtliche Spezialvollmacht und ist demgemäß auch nicht im Handelsregister etwa als Prokurist der Firma eingetragen; er zeichnet nicht die Firma, sondern handelt stets im Namen des Inhabers.

**Generation,** *Geburtsjahrgangskohorte,* Begriff der →Demographie für Personen, die im gleichen Kalenderjahr geboren sind. – Vgl. auch →Generationenabstand, →Kohortenanalyse.

**Generationenabstand.** 1. *Begriff:* Durchschnittsalter der Mütter bei der Geburt von Kindern *(biologischer G.).* G. betrug 1983 in der Bundesrep. D. für ehelich Lebendgeborene 27,34 Jahre. Er war in der Vergangenheit relativ stabil, weil die Abnahme der Zahl der Kinder höherer Ordnungsnummer mit älteren Müttern durch die Zunahme des Alters der Mütter beim ersten Kind kompensiert wurde. – 2. Von großer *Bedeutung* für das Tempo der →Bevölkerungsentwicklung: Eine Bevölkerung mit positiver Geburtenbilanz nimmt um so schneller zu, je niedriger der G. ist, weil die →Generationen rascher aufeinander folgen. – Vgl. auch →Familienstatistik.

**Generationenvertrag.** I. B e g r i f f : „Solidar-Vertrag zwischen den Generationen" (W. Schreiber) als wissenschaftliche Grundlegung der →dynamischen Rente. Gesamtgesellschaftliche Regelung der Konflikte bei der Verteilung des Lebenseinkommens auf die drei Lebensphasen: Kindheit und Jugend, Arbeitsalter sowie Lebensabend. Erforderlich sind wegen des hiermit verbundenen Risikos für den sozialen Frieden *Sicherungsmaßnahmen* im Stil der „alten" Sozialpolitik. Die dem G. zugrunde gelegte Perspektive läßt sich in der nachstehenden Abbildung veranschaulichen. Betrachtet man die Lebenslinie der 2. Generation, so zeigt sich, daß sie Leistungen während der Kindheitsphase von seiten der dann im Erwerbsalter stehenden Elterngeneration (1. Generation) empfängt (Pfeil a). Dafür unterhält sie diese Elterngeneration in deren letzter Lebensphase (Pfeil b). Zudem gewährt sie während ihres Erwerbsalters den Kindern der 3. Generation Unterhalt (Pfeil e) und empfängt von dieser Generation ihren Alters-Unterhalt, sobald diese ins Erwerbsalter und sie selbst in die Phase des Lebensabends hineingewachsen sind (Pfeil d).

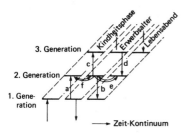

Naturale Leistungsströmung zwischen den Generationen (Pfeile a bis d) und rechtliche Leistungsbilanz innerhalb einer Generation (Schleifen e und f).

II. Problematik: Das *Bild der realen Leistungsströme* („aller Sozialaufwand muß immer aus dem Volkseinkomen des laufenden Periode gedeckt werden", Mackenroht; *Einheit des Sozialbudgets*) wird jedoch von dem *Bild der Rechte und Ansprüche* überlagert. So soll gemäß obiger Darstellung ein Recht auf Versorgung im Alter infolge der Vorleistungen während der Zeit der Erwerbstätigkeit begründet werden (siehe Schleife) sowie eine Verpflichtung, während der Zeit der Erwerbstätigkeit die Unterhaltsleistungen der Kindheitsphase abzugelten. Dieser Systemidee folgend, leistet Sozialpolitik einen *intertemporalen Ausgleich der Lebenseinkommen* in engeren sozialen Gruppen zum Zweck der Sicherung bestimmter Lebensstandards oder Versorgungsniveaus.

III. Folgen: Diese Reformideen sind in das Gesetzgebungswerk der Rentenreform in der Bundesrep. D. eingegangen. Von Anbeginn ist jedoch auf eine zentrale Voraussetzung des Systems dynamischer Renten aufmerksam gemacht worden, daß das Geschäftsvolumen einer Volksrentenanstalt nicht abnimmt, sondern eher zunimmt. Lediglich bei einem stetig wachsenden Volk kann daher das System funktionieren. Die demographische Entwicklung erweist sich unter diesem Aspekt als sozialpolitisch höchst relevant. Ein Altersaufbau, der einer zahlenmäßig schrumpfenden

Erwerbsbevölkerung anteilig steigende Lasten für die Versorgung von Nichterwerbstätigen aufbürdet, könnte Anlaß zu Umverteilungskämpfen zwischen den Generationen bieten, zu einer Aufkündigung des Solidar-Vertrags durch die Erwerbsbevölkerung in Richtung auf die „Kinder" und „Alten". So kann nicht ausgeschlossen werden, daß jene Mitglieder einer Generation, die sich von den Ansprüchen überfordert fühlen, die mit der Erziehung und dem Unterhalt von Kindern verbunden sind, mit dem Verzicht auf Kinder reagieren.

IV. Beurteilung: Die Erkenntnis von der ausschließlichen und alleinigen Abhängigkeit der Versorgung der Nicht-mehr-Erwerbstätigen von der nachgewachsenen Generation rührt unmittelbar an die Grundlagen der Rentenreform. Das entscheidende Versäumnis der Sozialreform in der Bundesrep. D. resultiert aus einer Fehleinschätzung bezüglich dieser „tragenden Grundlage der Sicherung im Alter". In einer umfassenden Konzeption müßte den Anfang der Sozialreform der Familienlastenausgleich bilden, denn Familienlastenausgleich und Altersversorgung können nur als Einheit gesehen werden.

**Generator,** in der elektronischen Datenverarbeitung Grundprogramm (→Programm), das mit Hilfe von speziellen Anweisungen und →Parametern ein Programm (→Programmgenerator), eine →Maske (Maskengenerator), ein Menü (→Menütechnik), das Format einer zu druckenden (→Drucker) Liste (→Reportgenerator) o. ä. erzeugt.

**generelle Standortfaktoren** nach A. Weber („Über den Standort der Industrien", 1909) drei g.St., die für den Industriebetrieb von Bedeutung sind: (1) relative Preishöhe der Materiallager, (2) Arbeitskostenhöhe, (3) Transportkostenhöhe. – Vgl. auch →Standortdreieck.

**generic concept of marketing,** →generisches Marketing.

**generic placement,** →product placement.

**generische Aktivitäten,** →Wettbewerbsstrategie IV.

**generisches Marketing,** *generic concept of marketing,* weitestes Marketingkonzept. Es umfaßt alle sozialen Austauschbeziehungen von Gütern im weitesten Sinne (Transaktionen von Werten), d. h. Austauschbeziehungen von Organisationen mit ihrer Umwelt sowie innerorganisatorische Austauschvorgänge. Marketing mündet so gesehen in eine allgemeine Theorie sozialer Austauschprozesse.

**generische Strategien,** →Wettbewerbsstrategie III 2.

**Genfer Schema,** 1950 bei einer internationalen Konferenz für Arbeitsbewertung in Genf

|  | Können | Belastung |
|---|---|---|
| 1. Geistige Anforderung | × (Kenntnisse) | × (geistige Bel.) |
| 2. Körperliche Anforderung | × (Geschicklichkeit) | × (Muskelarbeit) |
| 3. Verantwortung | × | × |
| 4. Arbeits- bedingungen | − | × |

von Prof. Dr. Bramesfeld und Dr. Lorenz vorgeschlagenes Schema. International vereinheitlichte Gliederung der Komponenten sind Anforderungsmerkmale zur Arbeitsbewertung. Komponenten sind *Können* und *Belastung:* Die geistigen und körperlichen Anforderungen sowie die Verantwortung und die Arbeitsbedingungen werden eingeordnet, so daß insgesamt sechs Anforderungsarten entstehen (vgl. obenstehende Tabelle).

**Genosse,** Mitglied einer →Genossenschaft.

**Genossenliste,** →Genossenschaftsregister 3 b.

**Genossenschaft. I. Rechtsgrundlagen:** →Genossenschaftsgesetz und HGB.

**II. Begriff/Charakterisierung:** Die G. ist eine Gesellschaft von nicht geschlossener Mitgliederzahl mit dem Zweck, den Erwerb oder die Wirtschaft ihrer Mitglieder mittels gemeinschaftlichen Geschäftsbetriebs zu fördern. Der Charakter der G. als *Personenvereinigung* mit *wirtschaftlicher Förderungsaufgabe* kommt zum Ausdruck: a) in der Gleichberechtigung der Mitglieder untereinander ohne Rücksicht auf die Höhe ihrer Kapitalbeteiligung an der G. sowie in der Selbstverwaltung durch die →Genossenschaftsorgane; b) im gemeinschaftlich begründeten Geschäftsbetrieb, der im Sinne der Förderungsaufgabe nicht gewinnorientiert sein soll (→Preispolitik II). Die G. als Form solidarischer Eigenhilfe ist eine Privatwirtschaft; sie ist eingebunden in den marktwirtschaftlichen Prozeß. Im Gegensatz dazu v. a. im Ausland gemeinwirtschaftliche oder halbstaatliche Formen mit ordnungspolitischem Anspruch.

**III. Arten: 1.** *Wirtschaftliche Arten:* a) *Förderungs-G. (Hilfs-G.),* die als Hilfswirtschaft der auch weiterhin selbständig bestehenden Mitgliederwirtschaften anzusehen sind. – *Arten:* (1) *Beschaffungs-G.:* (a) Bezugs-G. der Handwerker (→Handwerkergenossenschaften), (b) Einkaufs-G. des Handels (→EDEKA Genossenschaften, →Rewe-Genossenschaften), (c) Bezugs-G. der Landwirte (→landwirtschaftliche Waren- und Verwertungsgenossenschaften), (d) →Verkehrsgenossenschaften, (e) →Konsumgenossenschaften (Verbraucher-G.); (2) *Absatz-G.:* (a) Absatz-G. der Handwerker (→Handwerkergenossenschaften), (b) Landwirtschaftliche Absatz-G. (→landwirtschaftliche Waren- und Verwertungsgenossenschaften und →Produktionsgenossenschaften (Molkereigenossenschaften); (3) *Kredit-G.:* gewerbliche (→Volksbanken), ländliche (→Raiffeisenbanken); (4) *Wohnungsbau-G.;* (5) *Nutzungs-G.* (→landwirtschaftliche Dienstleistungsgenossenschaften). – b) →*Produktivgenossenschaften (Voll-G.),* bei denen neben dem G.betrieb keine Mitgliederwirtschaften bestehen, weil die Mitglieder in der G. gemeinsam arbeiten.

**2.** *Rechtliche Arten:* a) Es bestehen drei *Haftpflichtformen,* wobei alle nur mit dem Zusatz *eingetragene G. (eG)* firmieren dürfen: (1) *G. mit unbeschränkter Haftpflicht:* Die Genossen haften für die Schulden der Genossenschaft mit ihrem ganzen Vermögen; (2) *G. mit beschränkter Haftpflicht:* Die Genossen haften mit der im Statut festgelegten Haftpflichtsumme (nicht unter dem →Geschäftsanteil); (3) *G. ohne Haftpflicht:* Die Genossen haften nicht, sondern nur die G. als Körperschaft. – b) *Verboten* ist es, in Form der G. ein Versicherungsunternehmen, eine Hypothekenbank oder eine Bausparkasse (ausgenommen die vor dem 1. 10. 1931 gegründeten) zu betreiben.

**IV. Rechtliche Regelungen: 1.** *Gründung* durch mindestens sieben Personen, die ein →Statut für die G. aufzustellen und Vorstand und Aufsichtsrat (→Genossenschaftsorgane) zu wählen haben. *Eintragung* der G. in das →Genossenschaftsregister durch Vorstand anzumelden unter Einreichung des von den Gründern unterzeichneten Statuts (nebst einer Abschrift desselben), einer Liste der Mitglieder, von Urkunden über die Bestellung des Vorstands und des Aufsichtsrats sowie des Zulassungsbescheids zu einem →Prüfungsverband. Mit Eintragung wird die G. →*juristische Person* und gilt (ohne Rücksicht auf ihre Größe) als *Kaufmann* im Sinn des HGB; damit ist sie neben den Vorschriften des G.gesetzes auch denen des HGB unterworfen. – 2. Kennzeichnend für die G. ist das *Prinzip der Selbstorganschaft.* Vorstands- und Aufsichtsratsmitglieder müssen Genossen sein. Das „Basiswissen" der Mitglieder, insbes. ihre Förderungsvorstellungen, soll stets unmittelbar in der Verwaltung der G. präsent sein. Die G. ist eine wirtschaftliche *Selbsthilfeorganisation* von Mitgliedern für Mitglieder. Das Ehrenamt im Vorstand ist typusbestimmend für die G.; wenngleich die praktische Bedeutung des Ehrenamtes im Vorstand in den vergangenen Jahren deutlich nachließ, sind heute selbst in →Kreditgenossenschaften noch häufig Vorstandsmitglieder ehrenamtlich tätig. – 3. *Rechtsstellung der Genossen:* a) *Aufnahme* durch Teilnahme an Gründung oder Eintritt, der durch schriftliche Beitrittserklärung mit Zustimmung des Vorstands und Eintragung in die Genossenliste wirksam wird. – b) *Rechte:* (1) Recht zur Benutzung der satzungsgemäßen Einrichtungen der G.; (2) Stimmrecht, bei Großgenossenschaften das aktive und passive Wahlrecht zur Vertreterversammlung; (3) Anspruch auf →Gewinnanteil soweit nicht durch Statut ausgeschlossen. – c) *Pflichten:* (1) Zahlung der Pflichteinlagen; (2) Nachschußpflicht (→Genossenschaftskonkurs); (3) andere durch Statut begründete Pflichten (z. B. Abnahmepflichten). – d) *Ausscheiden:* (1) Austritt durch schriftliche Kündigung mit Dreimonatsfrist zum Schluß des Geschäftsjahres. Das Statut kann eine andere (höchstens fünfjährige) Kündigungsfrist vorsehen; (2) Aufkündigung durch Gläubiger des Genossen; (3) Ausschließung; (4) Übertragung des Geschäftsguthabens auf einen Genossen; (5) Tod des Genossen. – Eintragung des Ausscheidens in die Genossenliste erforderlich. Der Aussscheidende hat Anspruch auf Auszahlung des sich nach der Bilanz ergebenden →Geschäftsguthabens binnen sechs Monaten, ggf. muß er einen anteiligen Fehlbetrag einzahlen. Hatte der Genossen seinen Geschäftsanteil voll eingezahlt, kann das Statut ihm einen Anspruch einräumen auf Auszahlung eines Anteils an dem zu diesem Zweck aus dem Jahresüberschuß zu bildenden Ergebnisrücklage. – 4. *Auflösung der G.:* a) *Gründe:* (1) Beschluß der Generalversammlung, zu fassen mit Dreiviertelmehrheit der Stimmen der erschienenen Mitglieder; (2) Ablauf der Zeit, wenn das Bestehen der G. im →Statut von vornherein auf eine bestimmte Zeitdauer beschränkt worden ist; (3) Sinken der Mitgliederzahl unter sieben; (4) gesetzwidrige Handlungen oder Unterlassungen der G.; (5) Verfolgung anderer als der im Gesetz zugelassenen Zwecke; (6) →Genossenschaftskonkurs. – b) *Verfahren:* Die Auflösung der G. muß in das G.sregister eingetragen und bekanntgemacht werden. Außer bei Konkurs schließt sich an die Auflösung die Liquidation (Abwicklung) der G. an. Liquidatoren sind der Vorstand oder wenigstens zwei andere dazu bestellte (auch juristische) Personen. Verteilung des Liquidationserlöses an die Mitglieder frühestens nach Ablauf eines Jahres nach Bekanntmachung der Auflösung, wobei zunächst das Verhältnis der Geschäftsguthaben zueinander zugrunde zu legen ist. Übersteigt der Liquidationserlös den Betrag der Geschäftsguthaben, so ist er nach Köpfen zu verteilen, wenn das Statut keinen anderen Verteilungsmodus bestimmt.

V. Steuerpflicht: 1. *Körperschaftsteuer:* Nach § 1 I Nr. 2 KStG sind alle Erwerbs- und Wirtschaftsgenossenschaften steuerpflichtige. Von der Körperschaftsteuer befreit sind Hauberg-, Wald-, Forst- und Lauf-G., wenn sie keinen →Gewerbebetrieb unterhalten oder verpachten (§ 3 II KStG, →Realgemeinden) sowie unter bestimmten Voraussetzungen landwirtschaftliche Betriebs-G. Bei Erwerbs-

und Wirtschafts-G. sind Rückvergütungen an Nichtmitglieder →Betriebsausgaben. Rückvergütungen an Mitglieder sind nur insoweit Betriebsausgaben, als die dafür verwendeten Beträge im Mitgliedergeschäft erwirtschaftet worden sind (§ 22 I KStG). Erzielen unbeschränkt steuerpflichtige G. ausschließlich →Einkünfte aus Land- und Forstwirtschaft, wird gem. § 25 KStG vom →Einkommen ein zeitlich befristeter Freibetrag von 30 000 DM abgezogen. – 2. *Gewerbesteuer:* Erwerbs- und Wirtschafts-G. sind wegen ihrer Rechtsform steuerpflichtig (§ 2 II Nr. 2 GewStG). Die Vorschriften des Körperschaftsteuergesetzes, die den Gewinn der G. ganz oder teilweise von der Besteuerung freistellen, gelten auch für die Gewerbesteuer (§ 3 Nr. 8 GewStG). – 3. *Vermögensteuer:* Nach § 7 VStG bleiben bei der Veranlagung bestimmter G. in den der Gründung folgenden zehn Kalenderjahren 100 000 DM vermögensteuerfrei. Befreiung von der Vermögensteuer unter den gleichen Voraussetzungen wie bei der Körperschaftsteuer.

VI. Geschichtliche Entwicklung in Deutschland: 1. Die G. sind *Mitte des 19. Jahrhunderts* entstanden zur Bekämpfung der wirtschaftlichen Not der ländlichen Bevölkerung, der Gewerbetreibenden und der Arbeiter, eingeleitet durch V. A. Huber (1800–69) als erstem theoretischen Wegbereiter, wenn auch ohne praktischen Gründungserfolg; er propagierte die Gründung von Verbraucher-, Siedlungs- und Bau-G. – 2. Auf anderen Gebieten waren bahnbrechend →Schulze-Delitzsch (Prinzip der Selbsthilfe anstelle von Staatshilfe) und →Raiffeisen. *Schulze-Delitzsch* gründete 1849 in Delitzsch die ersten Rohstoffassoziationen der Tischler und Schuhmacher; weiterhin in den Folgejahren Vorschußvereine, die den Handwerkern Kredite zur Verfügung stellten. – *Raiffeisen* ist der Begründer von landwirtschaftlichen G., erste Gründung von Vorformen in den Jahren 1847–54 in Weyerbusch, Flammersfeld und Heddesdorf im Westerwald. – Um die Wirksamkeit des genossenschaftlichen Zusammenschlusses zu erhöhen, wurden von Schulze-Delitzsch und Raiffeisen G.sverbände und zentrale Kreditinstitute gegründet: 1859 „Centralkorrespondenzbüro der Deutschen Vorschuß- und Kreditvereine" als Vorläufer von „Allgemeiner Verband der auf Selbsthilfe beruhenden deutschen Erwerbs- und Wirtschafts-G.", 1864 „Deutsche G.bank von Soergel, Parrisius u. Co.", 1876 „Landwirtschaftliche Central-Darlehnskasse", 1877 „Generalverband ländlicher G. für Deutschland". – *Anerkennung* der G. als Unternehmungsform durch →Genossenschaftsgesetz 1867. – 3. In den folgenden Jahrzehnten *starke Zersplitterung* in den G.sverbänden: 1883 wurde von Wilhelm Haas die „Vereinigung (später umbenannt in Reichsverband) Deutscher Landwirtschaftlicher Genossenschaften" gegründet; 1895 zur Unterstützung der Landwirtschaft die „Preußische Central-Genossenschafts-Kasse" als staatliche Bank errichtet, mit der der Schulze-Delitzsch-Verband nicht zusammenarbeitete, weil er Staatshilfe ablehnte. – 4. Daher 1901 *Zusammenschluß* von handwerklichen G. unter W. Korthaus im „Hauptverband deutscher gewerblicher G.", die mit der „Preußenkasse" in Verbindung traten. Aus dem „Allgemeinen Verband" wurden nach inneren Auseinandersetzungen 1902: 98 Konsum-G. ausgeschlossen, von denen sich ein Teil 1903 zum „Zentralverband deutscher Konsumvereine", ein anderer Teil 1908 zum „Verband westdeutscher Konsumvereine" (seit 1913 „Reichsverband deutscher Konsumvereine") zusammenschloß. – 5. 1920–35 Vereinigung der verschiedenen Verbände und Zentral-G. einzelner Genossenschaftszweige zu *vier großen Sparten*, von denen sich je in einem Spitzenverband organisiert war: Gewerbliche G., ländliche G., Wohnungsbau-G., Konsum-G. – 6. 1937 Zusammenschluß der gewerblichen und ländlichen G.verbände zum →*Deutschen Genossenschafts- und Raiffeisenverband e.V. (DGRV)*, Sitz Bonn, mit drei fachlich gegliederten Bundesverbänden. Zusammenarbeit des DGRV mit dem *Revisionsverband deutscher Konsum-G. e.V.* (RdK), Hamburg, und dem *Gesamtverband gemeinnütziger Wohnungsunternehmen e.V.* (GGW), Köln, im Freien Ausschuß der deutschen Genossenschaftsverbände. – Vgl. auch →Genossenschaftswesen I.

Literatur: Aschhoff, G./Henningsen, E., Das deutsche G.swesen – Entwicklung, Struktur, wirtschaftliches Potential, Frankfurt a. M. 1985; Boettcher, E., Die G. in der Marktwirtschaft, Tübingen 1985; dters. (Hrsg.), Die G. im Wettbewerb der Ideen, Tübingen 1985; Draheim, G., Die G. als Unternehmungstyp, 2. Aufl. Göttingen 1955; ders., und G.sforschung, hersg. von G. Weisser, Göttingen 1968; Handwörterbuch des G.swesens, hrsg. von Mändle, E/Winter, H. W., Wiesbaden 1980; Henzler, R., Die G., eine fördernde Betriebswirtschaft, Essen 1957; ders., Betriebswirtschaftliche Probleme des G.swesens, Wiesbaden 1962; Lang/Weidmüller, G.sgesetz, Kommentar, 31. Aufl., Berlin (West) 1984; Meyer/Meulenbergh/Beuthien, G.sgesetz, Kommentar, 12. Aufl., München 1983; Müller, K., G.sgesetz, Kommentar, 3. Bde., Bielefeld 1976–80; Ohm, H., Die G. und ihre Preispolitik, Karlsruhe 1955; Paulick, H., Das Recht der eingetragenen G., Karlsruhe 1956; Schmidt, F., Die Prüfung von G., 2. Aufl., Herne/Berlin (West) 1968; Schultz, R./Zerche, J., G.slehre, Berlin (West) 1983; Zülow/Henze u.a., Die Besteuerung der G., 6. Aufl., München 1978.

Dr. Wilhelm Jäger

**genossenschaftliche Pflichtprüfung.** 1. *Begriff und rechtliche Grundlage:* Die g.P. ist die gesetzlich vorgeschriebene →Jahresabschlußprüfung für Genossenschaften, geregelt im Gesetz betreffend die Erwerbs- und Wirtschaftsgenossenschaften (Genossenschaftsgesetz). Jährliche →Prüfung bei einer Bilanzsumme über 2 Mill. DM; andernfalls Prüfung mindestens in jedem zweiten Geschäftsjahr (§ 53 I GenG). – 2. *Gegenstand:* Zu prüfen sind Einrichtungen, Vermögenslage und Geschäftsführung der Genossenschaft, um die

wirtschaftlichen Verhältnisse und die Ordnungsmäßigkeit der Geschäftsführung feststellen zu können. Im Rahmen der g.P. ist der Jahresabschluß unter Einbeziehung der Buchführung und des Lageberichtes zu prüfen (§ 53 GenG). – 3. *Besonderheiten:* Die g.P. erfaßt die Genossenschaft als Ganzes; nicht auf die im Rahmen einer Jahresabschlußprüfung (z.B. für bestimmte Kapitalgesellschaften) prüfungsrelevanten Bereiche beschränkt. Bei Prüfung der genossenschaftlichen Einrichtungen auch Analyse und Beurteilung der betrieblichen Organisation und Leistungsfaktoren; die Prüfung der Vermögenslage entwickelte sich zu einer umfassenden Prüfung des Jahresabschlusses bei Einbeziehung der Buchführung und des Lageberichts unter eingehender Analyse der wirtschaftlichen Verhältnisse (einschl. derer Entwicklung). Der Prüfung unterliegen in diesem Zusammenhang auch Umfang, Entwicklung und Intensität der leistungswirtschaftlichen und mitgliedschaftlichen Beziehungen zwischen der Genossenschaft und ihren Mitgliedern. Eine Überprüfung der Geschäftsführung nicht nur auf ihre formale Ordnungsmäßigkeit, sondern auch auf die Zweckmäßigkeit der getroffenen Entscheidungen ist umstritten. – 4. *Probleme:* a) Die g.P. soll dem Ziel dienen, ein Urteil darüber zu erlangen, ob der Vorstand seinen Grundauftrag zur bestmöglichen Förderung der Mitglieder erfüllt hat. Die Interessenwahrung der einzelnen Mitglieder stößt auf erhebliche Probleme. Die Zielerreichung läßt sich aufgrund unüberwindlicher Schwierigkeiten bei der Nutzenmessung und der gesetzlichen Eingrenzung des Prüfungsobjektes kaum exakt feststellen; es müssen Ersatzkriterien herangezogen werden, z.B. die Entwicklung von Mitgliederzahlen, der Gesamtumsatz, der Umsatz je Mitglied. – b) Die Zielsetzung der g.P. ist in prüfungstheoretischer Hinsicht problematisch, weil sich aus den Interessen der Mitglieder konkrete Zielnormen nicht ableiten lassen. Anhaltspunkte, auf die der →Prüfer sein Urteil stützen muß, offenbaren auch für die g.P. die Problematik einer zwangsweise indirekten Messung (→Prüfung) des Vergleichsobjekts (Soll-Objekts), das Maßstab für das zu prüfende Objekt (Ist-Objekt) sein muß. – c) Der Prüfer ist bei der Durchführung seiner Aufgaben u.a. auf →Begutachtungen (z.B. der Zweckmäßigkeit der Geschäftsführung) angewiesen; nach der Intention des Gesetzgebers hat er auch beratende Funktionen (→Beratung) und kann Handlungsempfehlungen abgeben. Daher wird er als Organ der Prüfung in der Beurteilung eines Ist-Objekt-Komplexes nicht mehr (prozeß-)unabhängig (→Prozeßabhängigkeit) bzw. frei von Vorurteilen sein. – 5. *Prüfungsträger:* Die g.P. wird durch einen →Prüfungsverband durchgeführt. Die Genossenschaft ist Pflichtmitglied des regionalen Genossenschaftsverbandes, dem auch die Prüfung obliegt.

**genossenschaftlicher      Prüfungsverband,**
→Prüfungsverband.

**genossenschaftlicher Verbund,** nach außen
hin als geschlossen erscheinender Unterneh-
menskomplex, der aus einer Vielzahl heterogener Betriebseinheiten besteht. – 1. *Wirtschaftliche Verbund-Organisation:* a) *Horizontaler
Verbund* besteht aus den auf örtlicher Ebene
tätigen rechtlich und wirtschaftlich selbständigen Genossenschaften gleicher Sparte. Träger
des vertikalen Verbunds. – b) *Vertikaler Verbund* umfaßt neben der Primärstufe die nachgelagerten wirtschaftlichen Einheiten (z. B.
regionale →Zentralgenossenschaften), die der
Erfüllung von Aufgaben dienen, die von der
Primärstufe nicht oder nur in unzureichendem
Maße erbracht werden können und so deren
Funktionsfähigkeit und Wettbewerbsposition
stärken (→Subsidiaritätsprinzip). Vielfach
wegen des Bestehens von Bundeszentralen
und bundesweit tätigen Spezialinstituten dreistufig aufgebaut. – 2. *Herrschendes Organisationsprinzip* für die Abläufe im Verbund ist die
Dezentralisation; geschäftliche Aktivitäten
werden nicht an der Verbundspitze ausgelöst,
sondern von den jeweils autonomen, wei-
sungsungebundenen      genossenschaftlichen
Einheiten. – 3. *Stabilisierungs- und Klammer-
funktion im Verbund* haben die →Genossen-
schaftsverbände; sie beraten und betreuen die
Glieder des Verbunds.

**Genossenschaftsbank,**      →Kreditgenossen-
schaft.

**Genossenschaftsgesetz (GenG).** 1. Erste
gesetzliche Regelung für die Genossenschaften
im preußischen Gesetz über die privatrechtliche Stellung der Genossenschaften von 1867,
das von 1868 an im Bereich des Norddeutschen Bundes und von 1871 an im Reichsge-
biet galt. – 2. Darauf aufbauend „*Gesetz,
betreffend die Erwerbs- und Wirtschaftsgenossenschaften*" von 1889, das als wesentliche
Neuerung brachte: a) Zulassung der
beschränkten Haftpflicht; b) Zulassung der
Bildung von →Zentralgenossenschaften; c)
Einführung der gesetzlichen Prüfungspflicht
(→Verbandsprüfung). – 3. *Spätere Novellen:*
1922 Einführung der Vertreterversammlung,
1934 Einführung des Verbandszwangs. - 4.
Das *Gesetz vom 9.10.1973* (BGBl I 1449) zur
Änderung des GenG brachte folgende wesentlichen Veränderungen: a) Aufgabe der persönlichen Haftung der Mitglieder, insbes. Zulassung des Ausschlusses jeder →Nachschuß-
pflicht und Wegfall der Angabe der Haftungsart in der Bezeichnung der Genossenschaft; b)
Aufhebung des Verbotes einer Verzinsung der
→Geschäftsguthaben; c) Zulassung eines
→Mehrstimmrechts und einer Ausübung des
Stimmrechts durch Bevollmächtigte; d) Verselbständigung der Stellung des →Vorstands,
so Wegfall des Verbots der Bestellung
von Prokuristen und Handlungsbevollmäch-

tigten; e) Verbesserung der Kapitalgrundlage,
so Einführung einer mittelbaren Beteiligung
der Mitglieder am Wertzuwachs, Zulässigkeit
einer Beteiligungs-Teilkündigung und Einführung einer bis zu fünf Jahren verlängerten
Kündigungsfrist. – 5. Ausführliche *Straf- und
Bußgeldvorschriften* für die Mitglieder des
Vorstands und des Aufsichtsrats, die Liquidatoren sowie die Prüfer und ihre Gehilfen
(§§ 147–152 GenG).

**Genossenschaftskonkurs.** 1. *G. tritt ein:* a)
bei →Zahlungsunfähigkeit, b) bei Genossenschaften mit →Nachschußpflicht im Fall der
→Überschuldung, wenn diese ein Viertel des
Gesamtbetrags der Haftsumme aller Genossen übersteigt, c) bei Genossenschaften ohne
Nachschußpflicht und bei aufgelösten Genossenschaften im Fall der Überschuldung. – 2.
*Verfahren:* Ablehnung des Konkurses mangels Masse ist bei der Genossenschaft nicht
möglich. Eröffnung des →Konkursverfahrens
(mit Bestellung des Gläubigerausschusses)
bewirkt Auflösung der Genossenschaft. Die
Genossenschaftsorgane bleiben bestehen, Verwaltung und Vertretung der Genossenschaft
gehen aber auf den →Konkursverwalter über.
– 3. *Nachschußpflicht:* Im G. sind die Mitglieder aufgrund ihrer →Haftpflicht zur Leistung
von →Nachschüssen verpflichtet, soweit die
Konkursgläubiger aus der Masse nicht befriedigt werden (§ 105 GenG), es sei denn, das
Statut schließt dies aus. Der Fehlbetrag wird
bei der Genossenschaft mit unbeschränkter
Hafpflicht nach Köpfen, bei der Genossenschaft mit beschränkter Haftpflicht nach dem
Verhältnis der Haftsummen von den Mitgliedern eingezogen. Die Berechnung über die auf
den einzelnen Genossen entfallenden Nachschüsse kann der Konkursverwalter vom
→Konkursgericht für vollstreckbar erklären
lassen. Wird der Fehlbetrag durch die Nachschüsse der Mitglieder nicht gedeckt, so werden auch diejenigen Mitglieder, die innerhalb
der letzten 18 Monate vor Eröffnung des G.
ausgeschieden sind, zu Nachschußzahlungen
herangezogen. – 4. Besonderheiten für den
→Zwangsvergleich (§ 115e GenG): Vorherige Anhörung des →Prüfungsverbands.
Getrennte Abstimmung zwischen Gläubigern,
die Genossen sind, und anderen. Aufhebung
des Konkursverfahrens erst nach Erfüllung
des vom Konkursverwalter durchzuführenden
Zwangsvergleiches. – 5. Entsprechende
Bestimmungen für den →*Genossenschaftsvergleich* (§ 111 VerglO): Getrennte Abstimmung
zwischen Gläubigern, die auch Genossen sind,
und anderen. Anhörung des Prüfungsverban-
des vor Entscheidung über die Eröffnung des
→Vergleichsverfahrens.

**Genossenschaftslehre,**      wissenschaftliche
Disziplin und Prüfungsfach an deutschspra-
chigen Universitäten. Oft traditionell auch als
*Genossenschaftswesen* bezeichnet. Als wirt-

schaftswissenschaftliches Sondergebiet konzentriert sich die G. auf die Organisation der Genossenschaftsunternehmung unter Anwendung von Methoden der Betriebs- und Volkswirtschaftslehre; auch interdisziplinäre Betrachtung unter Einschluß der Rechtswissenschaft. Heute überwiegen entscheidungsorientierte und kooperationstheoretische vor historischen Forschungsansätzen. – *Forschung und Lehre* an den Genossenschaftsinstituten verschiedener Wirtschafts- und Sozialwissenschaftlicher Fakultäten/Fachbereiche. Erstes Genossenschaftsseminar 1911 an der Universität Halle/Wittenberg; 1926 Seminar für Genossenschaftswesen an der Universität zu Köln, 1947 Institut an der Universität Marburg und interdisziplinäres Universitätsinstitut Münster. Weitere Lehr- und Forschungsstätten: Erlangen-Nürnberg, Gießen, Hamburg, Hohenheim, Wien, Freiburg (Schweiz).

**Genossenschaftsorgane,** gesetzlich vorgeschriebene Organe der →Genossenschaft. – 1. *Vorstand* (V): Mindestens zwei Personen, die Mitglieder der Genossenschaft sein müssen und von der Generalversammlung (GV) gewählt werden, wenn nicht die Satzung eine andere Art der Bestellung vorschreibt (regelmäßig Wahl durch den AR). Vorstandsmitglieder können haupt- und ehrenamtlich tätig sein. – *Aufgaben:* Eigenverantwortliche Leitung der Genossenschaft durch Vertretung nach außen und Geschäftsführung nach innen, wobei der V die Sorgfalt eines ordentlichen und gewissenhaften Geschäftsleiters einer Genossenschaft anzuwenden hat. Der V *haftet* solidarisch für Schäden, die durch Pflichtverletzung entstehen; dabei haften ehrenamtliche Vorstandsmitglieder nur für die Sorgfalt „wie in eigenen Angelegenheiten". – 2. *Aufsichtsrat* (AR): Mindestens drei Personen, die Mitglieder der Genossenschaft sein müssen und nicht gleichzeitig dem V angehören dürfen. AR wird von der GV gewählt. – *Aufgaben:* Überwachung der Geschäftsführung des V; Durchführung von Kontrollen und Revisionen; Berichterstattung in der GV; Übernahme weiterer Obliegenheiten, wenn dies statutarisch bestimmt wird. Sorgfaltspflicht und *Haftung* analog zum V. – 3. *Generalversammlung:* Oberstes Willensbildungsorgan der Genossenschaft. Stimmrecht nach Köpfen. – *Entscheidungsbefugnis:* Änderungen der Satzung; Genehmigung des Jahresabschlusses und der Verteilung von Gewinn und Verlust; Amtsenthebungen von Mitgliedern des V und des AR; Entlastung von V und AR in der GV; Festsetzung von Kreditbeschränkungen; Bestimmung über Auflösung oder Verschmelzung der Genossenschaft. – 4. *Vertreterversammlung:* Kann bei mehr als 1500 Mitgliedern und muß bei mehr als 3000 Mitgliedern eingerichtet werden. Gleiche Rechte wie die GV.

**Genossenschaftsprüfung,** →Verbandsprüfung, →Prüfungsverbände.

**Genossenschaftsregister.** 1. *Begriff:* Zum Nachweis der Rechtsverhältnisse der Genossenschaften gegenüber der Öffentlichkeit bei dem für den →Sitz der →Genossenschaft zuständigen →Amtsgericht geführtes Register. – 2. *Eintragungen* auf Antrag des Vorstands, nur in Ausnahmefällen von Amts wegen. – 3. *Teile:* a) Eigentliches *Register,* einzutragen: wichtigste Teile des →Statuts (Firma, Gegenstand und Haftungsart der Genossenschaft, Nachschußpflicht der Genossen); Namen der Vorstandsmitglieder; Änderungen des Statuts; Auflösung der Genossenschaft usw. b) *Liste* der Genossen (Genossenliste), einzutragen: Eintritt und Austritt der Mitglieder.

**Genossenschaftsverbände,** in der Rechtsform des eingetragenen Vereins tätige Vereinigungen, die ihre Mitgliedsorganisationen auf regionaler oder nationaler Ebene beraten und betreuen, deren Interessen vertreten und ggf. auch als gesetzliche Prüfungsinstanzen fungieren. – Vgl. auch →Prüfungsverbände, →genossenschaftlicher Verbund, →Deutscher Genossenschafts- und Raiffeisenverband.

**Genossenschaftsvergleich.** 1. *Vergleichsgrund* ist →Zahlungsunfähigkeit, nach Auflösung der Genossenschaften und bei Genossenschaften ohne →Nachschußpflicht auch →Überschuldung (§ 98 GenG, §§ 2, 111 VerglO); bei der Genossenschaft mit Nachschußpflicht neben der Zahlungsunfähigkeit auch die Überschuldung, sofern diese die Haftsummen der Genossen um ¼ übersteigt. – 2. *Antragsberechtigt* ist jedes Vorstandsmitglied. – 3. *Antragsverpflichtet* (ohne schuldhaftes Zögern) sind Vorstand oder Liquidatoren, und zwar spätestens binnen drei Wochen nach →Zahlungseinstellung. – 4. →*Vergleichsantrag* nebst Anlagen ist in drei Exemplaren einzureichen. Neben der Berufsvertretung ist vom →Vergleichsgericht der →Prüfungsverband darüber zu hören, ob das Verfahren eröffnet werden kann. – 5. *Abstimmung* im →Vergleichstermin getrennt nach Mitgliedsgläubigern und Nichtmitgliedsgläubigern. →Liquidationsvergleich zulässig.

**Genossenschaftswesen,** System der →Genossenschaften.

**I. Organisatorischer Aufbau in der Bundesrep. D.** (Zahlenangaben Stand 1.1.1986; G = Genossenschaft): Das G. ist in der Bundesrep. D. in *drei Sparten* gegliedert: 1. Gewerbliche und ländliche G, 2. Wohnungsbau-G, 3. Konsum-G. Die einzelnen Sparten sind i.d.R. dreistufig aufgebaut: a) lokale Ebene, von den Primär-G gebildet; b) regionale Ebene, gebildet von (1) Zentralinstituten des Geld- und Warenverkehrs und (2) den regionalen Prüfungsverbänden; c) nationale

Ebene, gebildet von (1) Spitzeninstituten des Geld- und Warenverkehrs und (2) Spitzenverbänden. Die Dreistufigkeit besteht bei den Konsum-G inzwischen nicht mehr und bei den Wohnungsbau-G nur noch im verbandsmäßigen Aufbau. – *Verbände:* 1972 fusionierten die Spitzenverbände des gewerblichen (Deutscher Genossenschaftsverband Schulze-Delitzsch e. V.) und des ländlichen G. (Deutscher Raiffeisenverband e. v.) zum →Deutschen Genossenschafts- und Raiffeisenverband e. V. (DGRV). Der DGRV umfaßt drei fachlich gegliederte Bundesverbände (→Bundesverband der Deutschen Volksbanken und Raiffeisenbanken e. V., →Deutscher Raiffeisenverband e. V. und Zentralverband der genossenschaftlichen Großhandels- und Dienstleistungsunternehmen e. V., ZENTGENO) und betreut (1987) 8832 Genossenschaften mit 11,98 Mill. Mitgliedern (einschl. Mehrfachmitgliedschaften). Der DGRV arbeitet zusammen mit dem Gesamtverband gemeinnütziger Wohnungsunternehmen e. V. (GGW), Köln, und dem Revisionsverband deutscher Konsumgenossenschaften e. V. (RdK), Hamburg, im Freien Ausschuß der deutschen Genossenschaftsverbände.

1. *Gewerbliche und ländliche G.:* Stetiger zahlenmäßiger Rückgang als Folge anhaltender Konzentration.

a) *Kredit-G:* (1) *Lokale Ebene:* 3619 Kredit-G, davon 2083 mit Warenverkehr; mit über 19 700 Bankstellen dichtestes Bankstellennetz Europas, insges. 412 Mrd. DM Bilanzsumme; 21 Post-Spar- und Darlehnsvereine, 4 Beamtenbanken, 13 genossenschaftliche Teilzahlungsbanken und 16 Sparda-Banken. – (2) *Regionale Ebene:* 7 →Zentralbanken mit zusammen rd. 77 Mrd. DM Bilanzsumme, 14 regionale →Prüfungsverbände. – (3) *Nationale Ebene:* Genossenschaftliche Zentral- und Spitzeninstitute (vgl. 1 b) (3) und 1 c) (3), die im →genossenschaftlichen Verbund zusammenarbeiten: u. a. →Deutsche Genossenschaftsbank als nationales Spitzeninstitut im genossenschaftlichen Geldverkehr (67 Mrd. DM Bilanzsumme), Deutsche Genossenschafts-Hypothekenbank AG (DG HYP), Hamburg, Münchener Hypothekenbank eG (MHB), München, Bausparkasse Schwäbisch Hall AG, Schwäbisch Hall, R + V Versicherung, Wiesbaden, Union Investment GmbH, Frankfurt a. M., Deutsche Immobilien Fonds AG, Hamburg, Deutscher Genossenschafts-Verlag eG, Wiesbaden, Raiffeisendruckerei GmbH, Neuwied. Spitzenverband: →Bundesverband der Deutschen Volksbanken und Raiffeisenbanken e. V.

b) *Ländliche Waren-, Verwertungs- und Dienstleistungs-G:* (1) *Lokale Ebene:* 6333 G, davon 2083 →ländliche Kreditgenossenschaften mit Warenverkehr, 839 Bezugs- und Absatz-G, 1083 Molkerei- und Milchverwertungs-G, 240

Viehverwertungs-G, 113 Obst- und Gemüse-G, 324 Winzer-G, 309 sonstige Waren- und 1342 Dienstleistungs-G. – (2) *Regionale Ebene:* 12 regionale Prüfungsverbände, davon 4 ausschl. für ländliche und gewerbliche G; 53 Zentral-G für die unterschiedlichen Bereiche der lokalen Ebene, mit einem Umatz von rd. 34 Mrd. DM. – (3) *Nationale Ebene:* Zusammenarbeit mit den unter 1 a (3) aufgeführten Verbundunternehmen: 4 Bundeszentralen mit rd. 3,7 Mrd. DM Umsatz. Deutsche Raiffeisen-Warenzentrale GmbH, Frankfurt a. M.; Deutsches Milch-Kontor GmbH, Hamburg; Weinabsatzzentrale deutscher Winzergenossenschafte eG, Bonn; Bundesvereinigung der Erzeugerorganisationen Obst und Gemüse e. V., Bonn, Spitzenverband: →Deutscher Raiffeisenverband e. V.

c) *Gewerbliche Waren- und Dienstleistungs-G:* (1) *Primär-G:* 840 Waren- und Dienstleistungs-G, überwiegend Einkaufs-G des Handels (→EDEKA) und Handwerks sowie Verkehrs-G, mit einem Umsatz von 54,8 Mrd. DM. – (2) *Zentral-G:* 5 Einkaufszentralen des Handels, 10 des Handwerks und 2 des Verkehrs. – (3) *Zentrale Institutionen:* Zentral- und Spitzeninstitute (vgl. 1 a (3). Fachprüfungsverbände für unterschiedliche Branchen der Primär-G: BÄKO Prüfungsverband Deutscher Bäcker- und Konditorengenossenschaften e. V., Bad Honnef, EDEKA Verband kaufmännischer Genossenschaften e. V., Hamburg, REWE Prüfungsverband e. V., Köln, Prüfungsverband der Deutschen Verkehrsgenossenschaften e. V., Hamburg Spitzenverband: Zentralverband der genossenschaftlichen Großhandels- und Dienstleistungsunternehmen e. V. (ZENTGENO), Bonn.

2. *Wohnungsbau-G.:* a) *Unterbau:* 1183 Wohnungsbau-G mit 1,7 Mill. Mitgliedern und einem Bestand von rd. 1 Mill. Wohnungen. – b) *Mittelbau:* 10 regionale Prüfungsverbände. – c) *Oberbau:* Spitzenverband: Gesamtverband gemeinnütziger Wohnungsunternehmen e. V. (GGW), Köln. – Wohnungsbau-G sind überwiegend *gemeinnützige Wohnungsunternehmen.* Der spezielle Charakter der gemeinnützigen Wohnungswirtschaft, zu dem neben den Wohnungabau-G auch Wohnungsunternehmen anderer Rechtsformen gehören, zeigt sich in dem besonderen wohnungswirtschaftlichen Auftrag, der die Versorgung breiter Bevölkerungskreise, insbes. der sozial schwächeren Einkommensschichten, mit preiswertem und menschenwürdigem Wohnraum sicherstellen soll. – *Steuerliche Vergünstigungen:* Vgl. →Wohnungsbaugenossenschaften.

3. *Konsum-G.:* a) In den letzten zwei Jahrzehnten organisatorischer *Umbau* mit der Tendenz zur Änderung der Rechtsform. Unter

Beteiligung der Gewerkschaften wurde 1974 die co op AG, Frankfurt a. M., errichtet, die nicht mehr wettbewerbsfähige Konsum-G zu einem bundesweiten Einzelhandelsunternehmen verschmolz. Die gesamte co-op-Gruppe umfaßt (1985) 3066 Verkaufseinrichtungen mit einem Gesamtumsatz von über 14 Mrd. DM. – b) *Oberbau*: Bund deutscher Konsumgenossenschaften GmbH (BdK), Hamburg; Revisionsverband deutscher Konsumgenossenschaften e. V. (RdK), Hamburg (→Konsumgenossenschaften).

II. Entwicklung und Aufbau im G. im Ausland: 1. *Entwicklung und gegenwärtiger Stand:* Das G. hat sich seit den ersten Gründungen Mitte des letzten Jahrhunderts über fast alle Länder der Erde ausgebreitet. Die deutschen G haben dabei z. T. als Vorbild gedient; heute unterschiedliche G-Formen in Entwicklungsländern und in zentralverwalteten Staaten. Gegenüber der privatwirtschaftlichen Konzeption der deutschen G (solidarische Eigenhilfe auf dem Boden der Marktwirtschaft) im Ausland vielfach gemeinwirtschaftliche oder halbstaatliche Formen mit sozialpolitischer Orientierung (G als „Dritter Weg"). Heute gibt es weltweit über 1 Mill. G unterschiedlichster Prägung mit rd. 600 Mill. Mitgliedern, davon die meisten in Europa und Asien. – 2. *Internationale Organisationen:* Die deutschen G-Organisationen unterhalten vielfältige Beziehungen zu ausländischen G und internationalen G-Organisationen. Verschiedene supranationale Genossenschaftsverbände auf EG-Ebene; weltweit: Internationaler Genossenschafts-Bund und Internationale Raiffeisen-Union.

III. G. als wissenschaftliche Disziplin: Diese befaßt sich mit der →Genossenschaftslehre. – Vgl. auch →Genossenschaft.

**gentlemen's agreement,** *Vereinbarung auf Treu und Glauben.* 1. *Allgemein:* Eine auf anständiges Verhalten vertrauende, deshalb schriftlich nicht näher fixierte Abmachung zwischen zwei oder mehreren Partnern. Die Erklärungen werden ohne Rechtsfolgewillen abgegeben, weil der erstrebte Erfolg im Vertrauen auf das Wort des Partners oder mit Hilfe einer Bindung an den Anstand erreicht werden soll. – 2. *Kartellrecht:* Kartellrechtliche Vereinbarung in Form von Absprachen, deren Beachtung außerrechtlichen Normen überlassen wird (→Kartell). Nach § 1 GWB unzulässig (→Kartellgesetz VII 1).

**Genußaktie,** mit Stimmrecht ausgestatteter →Genußschein, rechtlich wegen des Stimmrechts als →Vorzugsaktie anzusehen. Als Hilfsmittel der Finanzierung nur bedingt tauglich, da (etwa im Vergleich zur Aktie ohne Nennwert) spekulationsbegünstigend.

**Genußrechte.** 1. *Formen:* Bei der AG z. B. können G. zu einem gewissen Anteil am Reingewinn oder am Liquidationserlös berechtigen. Gewährung von G. als →Gründerlohn, bei →Sanierung und anderen Gelegenheiten ist häufig. – 2. *Charakterisierung:* G. sind an Aktienbesitz nicht gebunden; die Inhaber der G. haben weder →Stimmrecht noch sonstige Mitgliedschaftsrechte. Dadurch unterscheiden sich die G. von den →Sonderrechten der →Vorzugsaktien. Die Gewährung von G. bedarf eines Beschlusses der Hauptversammlung mit Dreiviertelmehrheit des bei der Beschlußfassung vertretenen →Grundkapitals (§ 221 AktG). – 3. Über die G. wird i. a. der →Genußschein *ausgestellt.* – Vgl. auch →Genußaktie.

**Genußschein.** 1. *Begriff:* Urkunde, die Rechte verschiedener Art (vornehmlich →Genußrecht am Reingewinn oder am Liquidationserlös) an einer Unternehmung unabhängig von der Rechtsform verbrieft, im Gegensatz zur Aktie, die Gesellschaftsrechte beurkundet. – 2. *Arten:* a) G. können als →Inhaberpapiere, ›Namenspapiere‹ oder →Orderpapiere ausgegeben werden. – Weitere Unterscheidungen: b) Nach der *Form:* (1) Nominalpapier, auf bestimmte Summe lautend; (2) Quotenpapier, auf prozentualen Anteil am Gewinn oder Liquidationserlös lautend. – c) Nach dem *Inhalt:* (1) G. mit Anspruch auf Gewinnbeteiligung; (2) G. mit Anspruch auf Anteil am Liquidationserlös; (3) G. mit Anspruch auf Zahlung einer bestimmten Summe. – 3. *Ausgabe:* a) G. können ausgegeben werden (1) als Entschädigung für Forderungserlaß bei Sanierung, (2) als Dividendenausgleich, (3) als Aktienersatz für ausscheidende Gesellschafter. – b) Die Ausgabe darf nur auf Beschluß der Hauptversammlung mit Zustimmung von mindestens 75% des anwesenden Kapitals erfolgen (§ 221 AktG). – c) Die Aktionäre haben grundsätzlich ein →Bezugsrecht. – 4. G. sind Eigenkapital, wenn kein Kündigungsrecht seitens des G.-Inhabers besteht; Fremdkapital, wenn Kündigungsrecht besteht.

**geometrisch degressive Abschreibung,** →Abschreibung III 1 b) (1) (b) 2), →degressive Abschreibung.

**geometrische Folge,** →Folge 2.

**geometrisches Mittel,** in der Statistik spezieller →Mittelwert. Das g. M. von n Werten $x_1, ..., x_n$ eines verhältnisskalierten Merkmals (→Verhältnisskala) ist

$$g = \sqrt[n]{x_1 \cdot ... \cdot x_n}$$

Der Logarithmus des g. M. ist gleich dem →arithmetischen Mittel der Logarithmen der Beobachtungswerte. – *Anwendung* des g. M. nur gelegentlich, etwa bei der Errechnung einer mittleren →Wachstumsrate.

**Gepäckversicherung,** →Reisegepäckversicherung.

**Gepäckverzeichnis,** Einrichtung im vereinfachten →Zollgutversand. Für das auf G. abgefertigte Reisegepäck (§ 12 Eisenbahn-Zollordnung), das nicht oder nicht ordnungsgemäß wieder zugestellt wird, haftet die Eisenbahnverwaltung nach der höchsten in Frage kommenden Zollbelastung.

**Gerätesicherheitsgesetz,** →technische Arbeitsmittel.

**Geräusch,** →Immissionsschutz, →Immissionen.

**gerechte Einkommensverteilung.** In der →Verteilungstheorie wird die Frage nach einer gerechten Aufteilung des →Volkseinkommens gestellt. Die Vorstellungen über das g. E. lassen sich in zwei Kategorien einteilen: 1. *Leistungsprinzip:* Nach Clark sollen die →Produktionsfaktoren ein Einkommen in Höhe ihres Beitrages zum →Sozialprodukt erhalten. – 2. *Bedarfsprinzip:* Unter Gerechtigkeit wird „gleiche Wohlfahrt für alle Individuen" verstanden (→Wohlfahrtstheorie); ein solches Konzept ist wegen der Probleme bei der Messung und dem Vergleich von →Nutzen nur schwer zu operationalisieren. – In der *Finanzwissenschaft* findet man diese Problematik bei der →finanzpolitischen Distributionsfunktion wieder: Es geht um die Beeinflussung der Einkommenserzielungsmöglichkeiten sowie um eine aktive Umverteilung (Redistribution) der Einkommen gemäß einer als „gerecht" angesehen/politisch vorgegebenen Einkommensverteilung. Ähnliche Aspekte finden sich auch bei der Frage nach der gerechten Steuerhöhe und der gerechten Steuerverteilung (→Steuergerechtigkeit). Versuche einer wissenschaftlichen Ableitung (z. B. Versuche von E. Sax und E. Lindahl) führten zu Lösungen, die aber nur innerhalb ihres Bezugssystems als wertfrei zu betrachten sind.

**gerechter Preis,** →justum pretium.

**Gerechtigkeiten,** auf altem Herkommen oder landesrechtlichen Vorschriften beruhende, meist aus der Zeit vor Inkrafttreten des BGB stammdende Belastungen eines →Grundstücks, wie Weide-, Fischerei-, Kohlenabbau-, Jagd- und Forstgerechtigkeiten. Rechtlich jetzt →Grunddienstbarkeiten und stark eingeschränkt.

**Gerechtsame.** 1. Veraltete Bezeichnung für vererbliche und veräußerliche Nutzungsrechte an Grundstücken, z. B. Kohlenabbaugerechtigkeit u. ä. – 2. Synonyme Bezeichnung für →Gerechtigkeiten (vgl. dort).

**geregelter Markt,** Teilmarkt der Effektenbörse, der gem. Börsenzulassungsgesetz vom 1. 5. 1987 nach einer Übergangsfrist von einem Jahr ab Mitte 1988 den geregelten Freiverkehr ablösen soll. Vgl. im einzelnen →Börse III 4 c) (4).

**Gerichte,** mit unabhängigen, nur dem Gesetz unterworfenen Richtern besetzte Rechtspflegebehörden. In der Rechtsprechung wird stets nur die Spruchabteilung, d. h. der oder die nach der internen Geschäftsverteilung zuständigen Richter, tätig. Aufbau nach den verschiedenen Zweigen staatlicher Gerichtsbarkeit. Vgl. Übersicht Gerichte des Bundes und der Länder Sp. 2061/2062. – *Höchste Gerichte in der Bundesrep. D.:* 1. für Verfassungsstreitigkeiten das →Bundesverfassungsgericht bzw. entsprechende Gerichte auf Landesebene, z. B. Staatsgerichtshof; 2. für Zivil- und Strafsachen der →Bundesgerichtshof; 3. in der Verwaltungsgerichtsbarkeit das →Bundesverwaltungsgericht; 4. in der Arbeitsgerichtsbarkeit das →Bundesarbeitsgericht; 5. in der Finanzgerichtsbarkeit der →Bundesfinanzhof; 6. in der Sozialgerichtsbarkeit das →Bundessozialgericht.

**Gerichtsferien,** vom 15. 7. bis 15. 9. jeden Jahres. Gesetzlich geregelt in §§ 199 ff. GVG. – Während der G. werden von den ordentlichen Gerichten nur „Feriensachen" bearbeitet. Dazu gehören Strafsachen, Arreste, einstweilige Verfügungen, Wechsel- und Mietsachen, Mahn- und Zwangsvollstreckungssachen, Konkurs- und Vergleichsverfahren. Andere Sachen, die besonderer Beschleunigung bedürfen, kann das Gericht auf Antrag *zur Feriensache erklären.* – Während der G. wird der Lauf von →Fristen gehemmt, der noch nicht verstrichene Teil der Frist beginnt am 16. 9. weiterzulaufen (§ 223 ZPO); dies gilt nicht für die als →Notfristen bezeichneten Fristen, z. B. für Einlegung von Berufung, Revision, sofortiger Beschwerde oder Einspruch.

**Gerichtskosten,** die durch die Prozeßführung einer oder beider Parteien dem Gericht gegenüber entstehenden Kosten, Gebühren und Auslagen. – 1. *Kosten:* Vgl. →Prozeßkosten. – 2. *Gebühren:* Für die Gebühren gilt nach dem Gerichtskostengesetz (GKG) i. d. F. vom 15. 12. 1975 (BGBl I 3047) mit späteren Änderungen ein *Pauschalsystem:* Für jede Art der Gerichtstätigkeit wird, ohne Rücksicht auf ihren Umfang (z. B. Zahl der Verhandlungstermine), eine Gebühr erhoben, deren Höhe nach dem →Streitwert berechnet wird. Das GKG kennt eine *Prozeßgebühr* (für das Verfahren im allgemeinen), und eine doppelte *Urteilsgebühr* (für den Erlaß eines →Urteils, ermäßigt sich auf eine Gebühr bei einem Urteil ohne schriftliche Begründung). Für bestimmte Arten der gerichtlichen Tätigkeiten werden *Teilgebühren* (z. B. für das Mahnverfahren ½ Gebühr, sonst häufig eine ¼ Gebühr) erhoben. – *Höhe:* a) In *erster Instanz:* →Kostentabelle für Zivilprozesse. – b) In der *Berufungsinstanz* erhöhen sich die Gebühren um die Hälfte. – In der *Revisionsinstanz* erhöhen sich die Gebühren auf das Doppelte. – 3. *Auslagen:* An Auslagen werden nament-

**Übersicht: Gerichte des Bundes und der Länder**

| 3. Instanz | Bundesgerichtshof (ordentl. Gerichtsbarkeit) Karlsruhe | Bundesverwaltungsgericht (Verwaltungsgerichtsbarkeit) Berlin | Bundesarbeitsgericht (Arbeitsgerichtsbarkeit) Kassel | Bundessozialgericht (Sozialgerichtsbarkeit) Kassel | Bundesfinanzhof (Finanzgerichtsbarkeit) München | Bundesverfassungsgericht Karlsruhe |
|---|---|---|---|---|---|---|
| | ↑ Revision | ← Revision | ← Revision | ← Revision | ← Revision | |
| 2. Instanz | Oberlandesgericht | Oberverwaltungsgericht (Verwaltungsgerichtshof) | Landesarbeitsgericht | Landessozialgericht | | |
| | ↑ Berufung | ↑ Berufung | ↑ Berufung | ↑ Berufung | | |
| 1. u. 2. Instanz | Landgericht | | | | | |
| | Berufung | Verwaltungsgericht | Arbeitsgericht | Sozialgericht | Finanzgericht | |
| 1. Instanz | Amtsgericht | | | | | |

2061

lich Schreib- und gewisse Postgebühren sowie die an Zeugen und Sachverständige gezahlten Auslagen erhoben. – 4. *Schuldner* der G. ist der zur Tragung der Kosten Verurteilte (→Kostenentscheidung), ferner u. U. als →Gesamtschuldner auch der Antragsteller, Kläger usw. (§ 49 GKG). I. d. R. muß für gerichtliche Handlungen →*Vorschuß* gezahlt werden.

**Gerichtsstand,** örtliche →Zuständigkeit des Gerichts. Im →Zivilprozeß (§§ 12–37 ZPO): 1. *Allgemeiner* G.: G., in dem alle Klagen gegen eine Person erhoben werden können, sofern nicht ausnahmsweise die ausschließliche Zuständigkeit eines bestimmten Gerichts gegeben ist. Er wird durch den →Wohnsitz des Beklagten bestimmt; in Ermangelung eines solchen (in- oder ausländischen) durch den gegenwärtigen inländischen Aufenthaltsort; fehlt auch dieser, durch den letzten Wohnsitz im Inland; bei →juristischen Personen nach deren →Sitz (i. d. R. Ort, wo die Verwaltung geführt wird); für Klagen gegen den →Fiskus nach dem Sitz der Behörde, die den Fiskus in dem Rechtsstreit zu vertreten berufen ist. – 2. Für einzelne Klagen häufig zusätzlicher *besonderer* G., z. B.: a) *Persönlicher* G.: G. des Beschäftigungsorts, wenn die Verhältnisse auf einen Aufenthalt von längerer Dauer schließen lassen; G. der Niederlassung für alle sich auf den Betrieb der Niederlassung beziehenden Klagen am Ort der Niederlassung; G. des Ortes, an dem sich Vermögensstücke des Beklagten befinden, sofern er keinen inländischen Wohnsitz hat. – b) *Sachlicher* G.: G. des →Erfüllungsorts; G. der →unerlaubten Handlung dort, wo diese begangen ist, und zwar für alle Ansprüche, die daraus entstehen; bei →Grundstücken ist für Klagen, mit denen →Eigentum, dingliche Belastung, die Freiheit von einer solchen oder →Besitz geltend gemacht werden, das Gericht ausschließlich zuständig, in dessen Bezirk die Sache gelegen ist; ausschließlich zuständig für Klagen aus →unlauterem Wettbewerb ist das Gericht der gewerblichen Niederlassung, u. U. des Wohnsitzes des Beklagten (§ 24 UWG). – 3. Für *Klagen aus* →*Abzahlungsgeschäften* ist das Gericht ausschließlich zuständig, in dessen Bezirk der Käufer zur Zeit der Klageerhebung seinen Wohnsitz, in Ermangelung eines solchen, seinen gewöhnlichen Aufenthalt hat (§ 6 a AbzG). – 4. *Vertragliche Vereinbarung* eines G. ist eingeschränkt zulässig; sie muß a) sich auf ein bestimmtes Rechtsverhältnis (z. B. nicht ausreichend: ,,alle Klagen aus Geschäftsverkehr") beziehen, b) einen vermögensrechtlichen Anspruch betreffen, c) keinen ausschließlichen G. (s. o.) ausschließen und d) ausdrücklich und schriftlich nach dem Entstehen der Streitigkeit (entfällt zwischen Vollkaufleuten, juristischen Personen des öffentlichen Rechts und öffentlich-rechtlichen Sondervermögen) geschlossen werden. Verhandelt

der Beklagte im Zivilprozeß, ohne die Unzuständigkeit zu rügen, gilt dies nur dann als stillschweigende Zuständigkeitsvereinbarung (§ 39 ZPO), wenn er über die Unzuständigkeit durch das Gericht ausdrücklich belehrt worden ist. Vor Entstehen der Streitigkeit ist eine abweichende Vereinbarung (ebenfalls ausdrücklich und schriftlich) – ähnlich wie bei Abzahlungsgeschäften (§ 6 a II AbzG.) – nur zulässig für den Fall, daß der Beklagte nach Vertragsschluß seinen Wohnsitz oder gewöhnlichen Aufenthaltsort aus der Bundesrep. D. verlegt oder sein Wohnsitz oder gewöhnlicher Aufenthalt im Zeitpunkt der →Klageerhebung unbekannt ist. Für das →Mahnverfahren ist ausschließlich das Amtsgericht zuständig, bei dem der Antragsteller seinen allgemeinen Gerichtsstand hat (§ 689 ZPO). Bei Widerspruch – und auch bei Einspruch gegen den Vollstreckungsbescheid (§ 700 ZPO) – wird der Rechtsstreit ohne mündliche Verhandlung an das Gericht, an dem der Schuldner seinen allgemeinen G. (s. o.) hat (§ 696 ZPO) abgegeben. – 5. Maßgebend ist für →*Klageerhebung* (fast ausnahmslos) der G. des Beklagten; unter mehreren G. hat der Kläger die Wahl. – 6. G. der OHG und KG richtet sich nach dem →Sitz. Klagen gegen die Gesellschafter, z. B. wegen ihrer persönlichen Haftung, müssen aber an deren G., der meist der des →Wohnsitzes sein wird, eingereicht werden. – 7. Die örtliche *Zuständigkeit* ist von Amts wegen zu prüfen; bei Unzuständigkeit ist die Klage als unzulässig abzuweisen, doch kann der Kläger (ggf. hilfsweise) den →Antrag stellen, den Rechtsstreit an das zuständige Gericht zu verweisen. – 8. Bei *Versicherungsverträgen:* a) Bei Prämienklagen der Versicherungsgesellschaft i. a. der Wohnsitz des Versicherungsnehmers. Bei Klagen des Versicherungsnehmers oder des Empfangsberechtigten gegen die Gesellschaft i. a. der Ort der Niederlassung. Auch kommt der G. des Erfüllungsorts in Betracht. Bei Klagen gegen den Versicherer ist häufig der Wohnsitz des Versicherungsnehmers ein zusätzlicher Gerichtsstand; vgl. §§ 8 II AKB; 10 II AHB; 19 AUB; vgl. im übrigen auch § 48 I VVG. Gegen ausländische Versicherer kann am Sitz des inländischen Hauptbevollmächtigten geklagt werden.

**Gerichtsverfassungsgesetz (GVG),** vom 27. 1. 1877 in der Fassung vom 9. 5. 1975 (BGBl I 1077) nebst späteren Änderungen. – *Inhalt:* Organisation und Zusammensetzung der →ordentlichen Gerichtsbarkeit, wie →Amtsgericht, →Schöffengericht, →Familiengericht, →Landgericht, →Kammer für Handelssachen, →Oberlandesgericht, →Bundesgerichtshof; ferner die Bestimmungen über →Staatsanwaltschaft, den →Gerichtsvollzieher, →Rechtshilfe, Öffentlichkeit der Verhandlung, Beratung und Abstimmung bei den Gerichten und die Einrichtung der →Gerichtsferien.

**Gerichtsvollzieher,** ein für →Zustellungen und →Zwangsvollstreckungen zuständiger Beamter. Er wird nur auf Antrag einer Partei tätig. Er untersteht der *Dienstaufsicht* des →Amtsgerichts; für →Amtspflichtverletzung *haftet* i. d. R. das Land (§ 839 BGB, Art. 34 GG). – *Rechte* und *Pflichten* sind in §§ 753 ff. ZPO sowie in den Dienstanweisungen der Justizverwaltung sowie in der Gerichtsvollzieherordnung (GVO) und Geschäftsanweisung für Gerichtsvollzieher (GVGA) geregelt. – G. wird stets nur auf Antrag einer →Partei tätig. – *Aufgabenbereich:* Als Organ der Zwangsvollstreckung ist der G. für alle nicht den Gerichten übertragenen Vollstreckungshandlungen zuständig, insbes. für →Pfändung und →Versteigerung sowie Wegnahme →beweglicher Sachen. Er ist befugt, die Räume des Schuldners mit Gewalt zu öffnen und zu durchsuchen, notfalls mittels polizeilicher Hilfe; zur Nachtzeit und an Sonn- und Feiertagen darf er Vollstreckungshandlungen nur mit gerichtlicher Erlaubnis vornehmen. Über jede Vollstreckungshandlung ist ein Protokoll aufzunehmen. – *Kosten:* G. hat Anspruch auf Gebühren und Ersatz seiner Barauslagen nach dem Gesetz über Kosten der G. vom 26. 7. 1957 (BGBl 887) zuletzt geändert am 8. 3. 1984 (BGBl I 361); sie werden stets vom Auftraggeber geschuldet, der auf Verlangen einen Vorschuß leisten muß. In der Zwangsvollstreckung werden sie, soweit möglich, zugleich mit dem zur Vollstreckung stehenden Anspruch von dem Schuldner beigetrieben.

**geringfügige Beschäftigung. I.** S o z i a l v e r s i c h e r u n g : 1. *Kranken- und Rentenversicherung:* a) G. B. *liegt vor,* wenn die Beschäftigung regelmäßig weniger als 15 Stunden in der Woche ausgeübt wird und das Arbeitsentgelt regelmäßig im Monat (seit 1. 1. 1985) $^1/_7$ der monatlichen Entgeltgrenze (1987: 430 DM) bzw. bei höherem Arbeitsentgelt $^1/_6$ des Gesamteinkommens nicht übersteigt oder die Beschäftigung innerhalb eines Jahres seit ihrem Beginn auf längstens zwei Monate oder fünfzig Arbeitstage nach ihrer Eigenart begrenzt zu sein pflegt oder im voraus vertraglich begrenzt ist, es sei denn, daß die Beschäftigung berufsmäßig ausgeübt wird und die Entgeltgrenzen überschritten werden. Mehrere g. B. sind zusammenzurechnen. Für eine selbständige Tätigkeit gilt die genannte Regelung entsprechend (§ 8 SGB 4). – b) Bei Vorliegen einer g. B. besteht *Versicherungsfreiheit* in der gesetzlichen Kranken- (§ 168 RVO) und Rentenversicherung (§ 1228 I Nr. 4 RVO, § 4 I Nr. 5 AVG, § 30 I Nr. 4 RKG). – 2. *Arbeitslosenversicherung:* a) Arbeitnehmer in kurzzeitigen Beschäftigungen sind *beitragsfrei.* – b) *Kurzzeitig* i. S. des Arbeitsförderungsgesetzes ist eine Beschäftigung, die auf weniger als 19 Stunden wöchentlich der Natur der Sache nach beschränkt zu sein pflegt und

im voraus durch einen Arbeitsvertrag beschränkt ist (§ 169 Nr. 6 AFG, § 102 I AFG i. d. F. des Gesetzes vom 20. 12. 1985 – BGBl I 2484). Gelegentliche Abweichungen von geringer Dauer bleiben unberücksichtigt. – Eine Beschäftigung gilt *nicht* als kurzzeitig, wenn sie zwar auf weniger als 19 Stunden wöchentlich beschränkt ist, aber entweder zusammen mit der für die Ausübung erforderlichen Vor- und Nacharbeit die Arbeitskraft des Beschäftigten i. d. R. mindestens 20 Stunden wöchentlich in Anspruch nimmt oder die Beschränkung darauf zurückzuführen ist, daß der Arbeitnehmer infolge Arbeitsmangels oder infolge von Naturereignissen die an seiner Arbeitsstelle übliche Zahl von Arbeitsstunden nicht erreicht (§ 102 II AFG). Die Arbeitszeiten mehrerer nebeneinander ausgeübter kurzzeitiger Beschäftigungen werden *nicht* zusammengerechnet. – 3. *Einzelheiten* vgl. in den Richtlinien für die versicherungsrechtliche Beurteilung von g. B. und geringfügig selbständigen Tätigkeiten (Geringfügigkeitsrichtlinien 1986) der Spitzenverbände der Krankenkassen, des Verbandes Deutscher Rentenversicherungsträger und der Bundesanstalt für Arbeit vom 16. 9. 1986 (abgedruckt in: Aichberger, Reichsversicherungsordnung Nr. 115).

**II.** L o h n s t e u e r r e c h t : Vgl. →Teilzeitbeschäftigte.

**geringstes Gebot,** Begriff im →Zwangsversteigerungsverfahren. Um bei der Zwangsversteigerung von Grundstücken die Verschleuderung zu vermeiden und die dem Recht des betreibenden Gläubigers vorgehenden Rechte zu sichern (→Deckungsgrundsatz und →Übernahmegrundsatz), wird nur ein Gebot zugelassen, durch das diese Rechte sowie die Kosten des Verfahrens gedeckt werden (§ 44 ZVG). Das g. G. des Erstehers *besteht* demnach a) aus den →bestehenbleibenden Rechten (erscheinen nicht ausdrücklich im Gebot) und b) aus dem →Bargebot (Betrag, den Bieter mindestens bieten und ggf. im Verteilungstermin bar zahlen muß).

**Geringstland** Begriff des BewG: Land- und forstwirtschaftliche Betriebsflächen geringster Ertragsfähigkeit, für die nach dem Bodenschätzungsgesetz vom 16. 10. 1934 (zuletzt geändert am 14. 12. 1976) keine Wertzahlen festzustellen sind. Der →Hektarwert des G. ist gesetzlich mit 50 DM festgesetzt. – G. wird bei der *Einheitsbewertung* des land- und forstwirtschaftlichen Betriebes (→Einheitswert II 2 a)) für Zwecke der Substanzsteuern dem →Wirtschaftswert gesondert hinzugerechnet.

**Geringverdiener,** sozialversicherungsrechtliche Bezeichnung für Personen, deren monatliches Arbeitsentgelt $^1/_{10}$ der monatlichen →Beitragsbemessungsgrenze nicht überschreitet (1987: $^1/_{10}$ von 5700 DM = 570 DM). Die Beiträge zur Sozialversicherung der G. trägt allein der Arbeitgeber (§ 381 I RVO,

§ 1385 IV RVO, § 112 AVG). – *Anders:*
→geringfügige Beschäftigung.

**geringwertige Wirtschaftsgüter** (des Anlagevermögens), abnutzbare bewegliche →Wirtschaftsgüter, die selbständiger Nutzung fähig sind, der Abnutzung unterliegen und deren Anschaffungs- oder Herstellungskosten (Warenpreis ohne Vorsteuer, Nettowert) oder der Einlagewert (→Sacheinlage) für das einzelne Wirtschaftsgut 800 DM nicht übersteigen. Anschaffungs-, Herstellungskosten bzw. Einlagewert g. W. können im Jahr der Anschaffung oder Herstellung in voller Höhe als →Betriebsausgaben abgesetzt werden (§ 6 II EStG); →Bewertungsfreiheit. – Für g. W. besteht *Aufzeichnungspflicht;* sie entfällt, wenn Anschaffungs- oder Herstellungskosten des einzelnen g. W. nicht höher als 100 DM (Abschn. 31 EStR) sind. – *Zulässige Formen:* Besonderes, laufendes Verzeichnis; Buchung auf besonderem Konto; besonderes Bestandsverzeichnis bei der Inventur.

**Gerloff,** Wilhelm, 1880–1954, deutscher Finanzwissenschaftler und Geldtheoretiker. G. wollte aufgrund umfassender historischer und ethnographischer Studien den Ursprung finanzwissenschaftlicher Phänomene aufdekken. Er schuf den Begriff der „Ordnungssteuer" zur Bezeichnung der Steuer als Mittel moderner Wirtschaftspolitik. – *Hauptwerke:* „Die Finanz- und Zollpolitik des Deutschen Reiches" 1913; „Die Entstehung des Geldes und die Anfänge des Geldwesens" 3. Auflage 1947; „Die öffentliche Finanzwirtschaft" 2. Auflage 1984. Herausgeber des „Handbuchs der Finanzwissenschaften" 1926–1929.

**Germanischer Lloyd,** →Klassifikation.

**Gesamtabschreibung,** seltene Form der buchmäßigen →Abschreibung in mittleren und kleinen Betrieben, bei der pauschal, also nicht individuell, auf den einzelnen Gegenstand des Anlagevermögens die →Absetzung für Abnutzung berechnet und verbucht wird. G. ist für Zwecke der →Kostenrechnung nicht zu empfehlen, da sie die Berücksichtigung der Anlagennutzung nicht gestattet. – *Gegensatz:* →Einzelabschreibung. – *Steuerlich:* Vgl. →Pauschalabschreibungen.

**Gesamtaktie,** →Globalaktie.

**Gesamtangebotskurve,** →aggregierte Angebotskurve.

**Gesamtansatz,** bei der Berechnung der →Schlüsselzuweisungen im →kommunalen Finanzausgleich verwendete Größe zur Messung des relativen Finanzbedarfs der Gemeinden (→Ausgleichsmeßzahl, vgl. auch →Finanzbedarf). Summe aus →Hauptansatz und →Ergänzungsansätzen.

**Gesamtausgebot,** *Gruppenausgebot,* gemeinsames Ausgebot mehrerer Grundstücke im

→Zwangsversteigerungsverfahren. – *Gegensatz:* →Einzelausgebot.

**Gesamtbedarfsmatrix,** →Gozinto-Graph.

**Gesamtbeitrag,** Summe der Pflichtleistungen zur Arbeitslosen-, Kranken- und Rentenversicherung, die vom Arbeitgeber zusammen an die Einzugsstelle abzuführen ist. – Vgl. auch →Gesamtsozialversicherungsbeitrag.

**Gesamtbetrag der Einkünfte,** Begriff des Einkommensteuerrechts. Zwischengröße bei der Ermittlung des →zu versteuernden Einkommens. Der G. d. E. ermittelt sich aus der Summe der →Einkünfte aus den einzelnen Einkunftsarten des Steuerpflichtigen, vermindert um den →Altersentlastungsbetrag, den Ausbildungsplatz-Abzugsbetrag und die abzugsfähige ausländische Steuer (§ 2 III EStG). – *Anders:* →Gesamteinkommen.

**Gesamtbetriebsrat,** Organ der Betriebsverfassung. Um eine sinnvolle Wahrnehmung der Mitwirkungs- und Mitbestimmungsrechte auch in Unternehmen mit mehreren Betrieben zu sichern, sieht das Gesetz dort die Bildung von G. vor (§§ 47 ff. BetrVG). Dieser besteht aus entsandten Mitgliedern der →Betriebsräte (§ 47 II–VIII BetrVG) und ist den Betriebsräten nicht übergeordnet (§ 50 I 2 BetrVG). Der G. ist nur zuständig für die Behandlung solcher Angelegenheiten, die das Gesamtunternehmen oder mehrere Betriebe betreffen und nicht durch die einzelnen Betriebsräte innerhalb ihrer Betriebe geregelt werden können sowie dann, wenn er von einem Betriebsrat mit der Behandlung einer – in die Zuständigkeit des Betriebsrats fallenden – Angelegenheit beauftragt worden ist (§ 50 BetrVG). Mindestens einmal in jedem Kalenderjahr hat der G. eine Betriebsräteversammlung einzuberufen (§ 53 BetrVG).

**Gesamtbewertung,** →Pauschalbewertung.

**Gesamtdeutsches Institut – Bundesanstalt für gesamtdeutsche Aufgaben,** nicht rechtsfähige Bundesanstalt im Geschäftsbereich des Bundesministers für innerdeutsche Beziehungen; Sitz in Bonn. Durch Erlaß des Bundesministers für gesamtdeutsche Fragen mit Wirkung vom 1. 7. 1969 errichtet. – *Aufgaben:* Sammlung und wissenschaftliche Auswertung von Publikationen und Forschungsergebnissen zur Deutschen Frage und zur Entwicklung in der Deutschen Demokratischen Republik; Informationsstelle für DDR-Forschung; Information über die Deutschlandpolitik, die Entwicklung der Deutschen Frage, Lage und Entwicklung in der DDR sowie über Probleme Berlins und des Zonenrandgebiets.

**Gesamteigenhandel,** Bezeichnung der amtlichen Statistik für die die Grenzen des Zollgebietes überschreitenden Gütermengen, anders als beim →Generalhandel einschl. der unmittelbaren Durchfuhr.

**Gesamteinkommen,** zur Berechnung von Beiträgen und zur Ermittlung von Leistungsansprüchen in der Sozialversicherung maßgebender Betrag. G. ist die Summe der →Einkünfte i. S. des Einkommensteuerrechts; es umfaßt insbes. →Arbeitsentgelt und →Arbeitseinkommen (§ 16 SGB IV). – *Anders:* →Gesamtbetrag der Einkünfte.

**gesamte Pufferzeit,** →Ereignispuffer 2a), →Vorgangspuffer 2a).

**gesamter Puffer,** →Ereignispuffer 2a), →Vorgangspuffer 2a).

**Gesamtertragsfunktion,** →Produktionsfunktion.

**Gesamtforderung,** Forderung mehrerer →Gesamtgläubiger, von denen jeder von dem Schuldner die ganze Leistung verlangen kann. – *Gegensatz:* →Teilforderung.

**Gesamtgeschäftsführung,** Geschäftsführung durch mehrere Gesellschafter. Bei G. dürfen die Gesellschafter, denen die →Geschäftsführung zusteht, nur zusammen (d. h. mit Zustimmung aller geschäftsführenden Gesellschafter) handeln. Der Zustimmung bedarf es nicht, wenn Gefahr im Verzug ist (§ 115 II HGB). – Bei der OHG (ebenso bei der KG für die Komplementäre) gilt grundsätzlich das Prinzip der →Einzelgeschäftsführung. G. kann aber im Gesellschaftsvertrag vorgesehen sein (§ 115 HGB), bedeutet jedoch noch keine →Gesamtvertretung.

**Gesamtgläubiger,** mehrere Gläubiger, von denen jeder von dem Schuldner die Leistung fordern kann, der Schuldner aber die Leistung nur einmal zu erbringen braucht. Der Schuldner darf nach seinem Belieben an einen der Gläubiger leisten (§ 428 BGB).

**Gesamtgut der Ehegatten,** Begriff des Familienrechts, Behandlung bei der Gütergemeinschaft: Vgl. →eheliches Güterrecht III 1 a) (1).

**Gesamthand,** →Gemeinschaft zur gesamten Hand.

**Gesamthandlungsvollmacht,** beschränkte →Handlungsvollmacht, bei der der →Handlungsbevollmächtigte nur gleichzeitig mit einem anderen Bevollmächtigten oder einem Prokuristen handeln darf. Im Gegensatz zur →Prokura sind solche Bestimmungen auch einem Dritten gegenüber uneingeschränkt zulässig (→Gesamtprokura), ihre *Wirkung* tritt aber nur ein, wenn sie diesem bekanntgemacht worden sind (z. B. auf den Geschäftspapieren) oder der Dritte die Beschränkung aus Fahrlässigkeit nicht kannte (§ 54 III HGB).

**Gesamtheit,** zusammenfassende Bezeichnung für eine →Grundgesamtheit oder im weiteren Sinne eine →Stichprobe (→Teilgesamtheit).

**Gesamthochschule (GH),** integrierte →Hochschule, entstanden entweder durch Neugründung oder durch Zusammenlegung mehrerer vorhandener Ausbildungseinrichtungen (Universitäts-Fachbereiche oder -Abteilungen, Pädagogische Hochschulen, Fachhochschulen u. a.). – *Ziel* der Neuordnung von Studium und Lehre ist die enge Verflechtung der bisher getrennten wissenschaftlichen und praxisnahen Studien zu einem integrierten Studiensystem. Praxisbezogene Studien sollen stärker wissenschaftlich durchdrungen werden, wissenschaftliche Studien einen stärkeren Praxisbezug gewinnen. An die Stelle der verschiedenen Ausbildungsziele der getrennten Hochschuleinrichtungen treten verschiedene Ausbildungseinrichtungen oder Studienschwerpunkte des integrierten Systems mit Übergangsmöglichkeiten auf kurzen Wegen. Die breite Binnendifferenzierung des Systems ermöglicht dem Studierenden einen seinen Fähigkeiten und Neigungen entsprechenden individuellen Studienverlauf. Fachwissenschaftliche Studien werden durch curriculare Elemente ergänzt, die eine wissenschaftliche und praxisorientierte Ausbildung im Hinblick auf Tätigkeitsfelder eröffnen, in denen verschiedene Disziplinen zusammenwirken. Neben einer gründlichen fachwissenschaftlichen Ausbildung soll die Kommunikationsfähigkeit mit anderen Disziplinen gesichert und die Fähigkeit zu interdisziplinärer Zusammenarbeit bei der Behandlung komplexer Probleme gefördert werden.

**Gesamthypothek,** →Hypothek, bei der mehrere Grundstücke für die gleiche Forderung haften. Jedes Grundstück haftet für die ganze Forderung. Der Gläubiger kann nach Belieben Befriedigung aus jedem Grundstück suchen (§ 1132 BGB).

**Gesamtindikator.** 1. *Begriff:* Zusammenfassung einzelner →Konjunkturindikatoren, mit deren Hilfe die Gesamtlage der →Konjunktur auf einen Blick erfaßt und gemessen werden kann (vgl. auch →Konjunkturbarometer, →Barometersystem). – 2. *Konstruktionsweise:* a) Aggregation durch einen →Diffusionsindex; b) Aggregation mit Hilfe einer Signalwertmethode; c) Aggregation durch Standardisierung der Zeitreihen. – 3. *Vorteile und Grenzen:* Der G. bündelt und strafft die Vielfalt konjunktureller Informationen und ist für die Öffentlichkeit eine einfache und wenig zeitraubende Informationsmöglichkeit. Er beschreibt nur den Konjunkturverlauf, läßt keine Schlüsse auf die Ursache von →Konjunkturschwankungen zu. – 4. *Beispiele:* →Harvard-Barometer; Gesamtindikator des →Sachverständigenrats zur Begutachtung der gesamtwirtschaftlichen Entwicklung.

**Gesamtjugendvertretung,** zwingend für solche Unternehmen vorgeschrieben, in denen mehrere →Jugendvertretungen bestehen (§ 72

BetrVG). In G. entsendet grundsätzlich jede Jugendvertretung ein Mitglied; durch →Tarifvertrag oder →Betriebsvereinbarung kann die Mitgliederzahl abweichend geregelt werden. – *Zuständigkeit:* Die G. ist zuständig für Angelegenheiten, die das Gesamtunternehmen oder mehrere Betriebe betreffen und nicht durch einzelne Jugendvertretungen geregelt werden können, sowie in den ihr durch die Jugendvertretung übertragenen Aufgaben (entspricht der Regelung beim →Gesamtbetriebsrat).

**Gesamtkapitalrentabilität,** →Rentabilität 1.

**Gesamtkonstruktionszeichnung,** →Konstruktionszeichnung.

**Gesamtkosten,** Summe der in einem bestimmten Zeitraum in einem →Betrieb angefallenen Kosten. G. setzen sich zusammen aus: a) →fixen Kosten und →variablen Kosten bzw. b) →Einzelkosten und →Gemeinkosten. Gliederung nach →Kostenarten oder →Kostenstellen. – *Gegensatz:* →Stückkosten.

**Gesamtkostendegression,** →Degression I 1.

**Gesamtkostenverfahren.** 1. *Begriff:* Gestaltungsform der →Erfolgsrechnung, bei der die gesamten Kosten bzw. Aufwendungen den gesamten Leistungen bzw. Erträgen (also einschl. der Erträge aus Bestandserhöhungen an Halb- und Fertigfabrikaten und den selbsterstellten Anlagen) gegenübergestellt werden. Dadurch ergibt sich eine (unsaldierte) Bruttodarstellung der Ergebnisquellen gegliedert nach Aufwands- und Ertragsarten. – *Gegensatz:* →Umsatzkostenverfahren, (Nettodarstellung). – 2. *Kostenrechnung:* Der Rechungsgang ist wie folgt:

Bruttoumsatzerlös
− Erlösschmälerung

= Nettoumsatzerlös
+ Wert der Bestandserhöhung
− Wert der Bestandsverminderung
− Herstellkosten der gefertigten Erzeugnisse
− Vertriebskosten der verkauften Erzeugnisse

= Betriebsergebnis

*Formelmäßige Darstellung:*

$$G_B = \sum_{i=1}^{n} x_{ai} p_i +$$

$$\sum_{i=1}^{n} (x_{pi} - x_{ai}) k_{hi} - \sum_{j=1}^{m} k_j - S$$

$G_B$ = Betriebsergebnis (-gewinn), $x_{ai}$ = abgesetzte Menge/Periode, $x_{pi}$ = produzierte Menge/Periode, $p_i$ = Marktpreis/Stück, $k_{hi}$ = Herstellkosten/Stück, $i = 1, 2, ...,$ n = Anzahl der Produktarten, $k_j$ = Kostenart der Art $j = 1, 2, ..., m$, S = Summe der Erlösschmälerungen/Periode. – 3. *Jahresabschluß*

*von Kapitalgesellschaften:* Das G. ist im Rahmen der nach der Staffelform aufzustellenden →Gewinn- und Verlustrechnung (§ 275 I HGB) ebenso zulässig wie das Umsatzkostenverfahren. Bei Anwendung des G. lassen sich dabei die betrieblichen Erträge mit den betrieblichen Aufwendungen zu einem „betrieblichen Ergebnis" (anders: →Betriebsergebnis in der →Kostenrechnung) saldieren, die Finanzerträge ergeben saldiert mit den Finanzaufwendungen das Finanzergebnis. Betriebliches Ergebnis und Finanzergebnis bilden das „Ergebnis der gewöhnlichen Geschäftstätigkeit". Unter Berücksichtigung des außerordentlichen Ergebnisses (Saldo der →außerordentlichen Aufwendungen mit den →außerordentlichen Erträgen) und nach Abzug der den einzelnen Ergebnisteilen nicht zurechenbaren Ertragssteuern und der sonstigen Steuern ergibt sich der Jahresüberschuß/Jahresfehlbetrag als Unternehmungsergebnis. – 4. *Beurteilung:* Eine klare Erfolgsspaltung im betriebswirtschaftlichen Sinne bietet das G. nicht, da weder eine Trennung nach betrieblichen und betriebsfremden, einmaligen und regelmäßigen, periodeneigenen und periodenfremden Aufwendungen und Erträgen noch nach Produktarten möglich ist. Zur Aussagefähigkeit vgl. auch →Bilanzkritik.

**Gesamtmerkmalsbetrag,** Summe der Ausprägungen eines →Merkmals bei den Elementen einer Gesamtheit. Informationsgehalt nur bei metrisch skalierten Merkmalen (→Skala).

**Gesamtnachfolge,** →Gesamtrechtsnachfolge.

**Gesamtnachfragekurve,** →aggregierte Nachfragekurve.

**Gesamtplanung,** systematische Zusammenfassung und gegenseitige Abstimmung aller betrieblichen Teilpläne (→Planbilanz). Integration der partiellen Maßnahmen zu einem geschlossenen System. Durchführung i. d. R. in Form der →Simultanplanung. – *Gegensatz:* →Teilplanung. – Vgl. auch →Unternehmensplanung VI, →Plankoordination.

**Gesamtprokura,** zulässige Beschränkung der →Prokura in der Weise, daß mehrere Prokuristen nur gemeinschaftlich zu handeln befugt sind (§ 48 II HGB). Die Gesamtprokuristen müssen jedoch nicht gleichzeitig durch einen Gesamtakt handeln. Anmeldung der G. zum →Handelsregister erforderlich. – Eine G. derart, daß der Prokurist *an die Zustimmung eines* →Handlungsbevollmächtigten gebunden wird, ist im Innenverhältnis möglich, aber nicht im Handelsregister eintragbar und gegenüber Dritten unwirksam (§ 50 HGB). – Dagegen kann der Prokurist *an die Mitzeichnung des Geschäftsinhabers,* eines OHG-Gesellschafters usw., gebunden werden; eine derartige G. beinhaltet aber gleichzeitig die sog. →Immobiliarklausel, weil die Vertretungsbefugnis des Inhabers, OHG-Gesellschafters usw., nicht eingeschränkt werden kann. – *Gegensatz:* →Einzelprokura. – Vgl. auch →Gesamtvertretung.

**Gesamtpuffer,** →Ereignispuffer 2 a), →Vorgangspuffer 2 a).

**Gesamtpufferzeit,** →Ereignispuffer 2 a), →Vorgangspuffer 2 a).

**Gesamtrechtsnachfolge,** in bestimmten Fällen gesetzlich zugelassene →Rechtsnachfolge in ein Vermögensganzes. G. führt im *Steuerrecht* zum Übergang der Steuerschuld des Rechtsvorgängers auf den Rechtsnachfolger, z. B. bei Erbfolge, Verschmelzung von Gesellschaften (§ 8 StAnpG).

**Gesamtschuldner.** I. B ü r g e r l i c h e s R e c h t / H a n d e l s r e c h t : Schuldner, die für eine Schuld in der Weise haften, daß jeder von ihnen die ganze Leistung zu bewirken verpflichtet, der Gläubiger aber die Leistung nur einmal zu fordern berechtigt ist. Der Gläubiger kann die Leistung nach Belieben von jedem Schuldner ganz oder zum Teil fordern. Bis zur Bewirkung der ganzen Leistung bleiben alle Schuldner verpflichtet (§ 421 BGB). Im Verhältnis untereinander sind die G. zu gleichen Anteilen verpflichtet (§ 426 BGB). Verpflichten sich mehrere durch Vertrag gemeinschaftlich zu einer teilbaren Leistung, so haften sie im Zweifel als G. (§ 427 BGB). Auch die persönlich haftenden Gesellschafter einer Personengesellschaft haften für die Verbindlichkeiten der Gesellschaft den Gläubigern als Gesamtschuldner (§ 128 HGB). – Vgl. auch →Schuldnermehrheit.

II. S t e u e r r e c h t : Die Konstruktion der Gesamtschuld wurde im wesentlichen aus dem bürgerlichen Recht übernommen und damit die Pflicht zur Leistung derselben Steuerschuld auf zwei oder mehrere Personen ausgedehnt. – 1. *Gesetzliche Grundlage:* § 44 AO sowie Bestimmungen in den Einzelsteuergesetzen. – 2. *Wirkung:* Jeder G. schuldet die gesamte Leistung; bis zur Entrichtung des ganzen Betrags bleiben alle G. verpflichtet. Dem Finanzamt steht es in Ausübung seines pflichtgemäßen Ermessens frei, die geschuldete Leistung ganz oder teilweise von jedem G. zu fordern. Die Entrichtung des geschuldeten Betrags (Zahlung, Aufrechnung, Hingabe an Zahlungs Statt, Befriedigung im Beitreibungsverfahren) durch einen G. kommt den anderen G. zustatten. Diese werden endgültig von der Steuerschuld befreit. Dagegen wirken →Erlaß und →Verjährung nur zugunsten des G., für dessen Person ein Erlaß ausgesprochen wird bzw. die Verjährung eintritt. – 3. *Fälle:* Gesamtschuldnerschaft entsteht: a) Durch Tatbestandsverwirklichung, wenn mehrere Personen denselben Tatbestand erfüllen, an den das Gesetz die Entstehung der Steuerschuld knüpft (z. B. mehrere Personen, für

deren Rechnung ein Gewerbe betrieben wird, sind G. hinsichtlich der Gewerbesteuer (§ 5 I 3 GewStG); Miteigentümer eines Grundstücks sind G. der Grundsteuer (§ 10 III GrStG); Veräußerer und Erwerber schulden die Grunderwerbsteuer (§ 13 GrEStG). – b) Infolge Zusammenveranlagung. Das gilt für Ehegatten bei der Einkommensteuer und der Vermögensteuer (§§ 26, 26 b EStG, § 14 VStG). – c) Infolge Nebenhaftung. Das sind die Fälle, in denen neben dem Erstschuldner die Haftung einer weiteren Person oder mehrerer Personen hinzukommt. Vgl. im einzelnen →Haftung. – 4. *Geltendmachung:* G. werden durch →Steuerbescheid, Haftende durch →Haftungsbescheid in Anspruch genommen. – 5. *Aufteilung:* Die →Zusammenveranlagung benachteiligte in den Fällen 3 b wegen der Wirkungen und Folgen der Gesamtschuldnerschaft in den meisten Fällen die betroffenen Ehegatten gegenüber anderen Steuerpflichtigen. Deshalb wurden die Wirkungen der Gesamtschuld durch §§ 268–280 AO für diese Fälle gemildert: Jeder G. kann bei Einleitung der Zwangsvollstreckung beantragen, die rückständigen Steuerschulden im Verhältnis der Beträge aufzuteilen, die sich bei getrennter Veranlagung unter Berücksichtigung der besonderen Aufteilungsmaßstäbe nach §§ 269–278 AO ergeben würden. Entsprechendes gilt für die Vorauszahlungen und die nachgeforderten Steuern. Ist die Tilgung der Steuerschuld gesichert, so kann auch einem Aufteilungsvorschlag der Gesamtschuldner gefolgt werden. Auf den Antrag eines der Gesamtschuldner ergeht Aufteilungsbescheid (§ 279 AO), gegen den der →Einspruch (§ 348 I 8 AO) gegeben ist.

**Gesamtsozialversicherungsbeitrag,** seit 1942 wegen der uneinheitlichen Voraussetzungen für das Bestehen von Pflichtversicherungsverhältnissen eingeführte, einheitliche Abführung der Beiträge zur gesetzlichen Kranken-, Renten- und Arbeitslosenversicherung für in abhängiger Stellung beschäftigte Versicherungspflichtige. Zuständig für die Abführung ist für krankenversicherungspflichtige Beschäftigte deren Pflicht- oder Ersatzkrankenkasse, für nicht krankenversicherungspflichtige die Pflichtkrankenkasse, die beim Vorliegen von Krankenversicherungspflicht normalerweise zuständig wäre, und zwar auch dann, wenn der Betreffende freiwilliges Mitglied einer Ersatzkrankenkasse ist (§ 1399 II RVO, § 121 II AVG, § 176 III, IV AFG). – Vgl. auch →Beitragsgruppen, →Einzugsstelle.

**Gesamtstrafe,** Erhöhung der verwirkten höchsten Strafe bei Verurteilung wegen mehrerer Taten, die gleichzeitig abgeurteilt werden (§ 53 StGB). Wird eine vor der früheren Verurteilung begangene Tat später abgeurteilt, so ist nachträglich eine G. zu bilden (§ 55 StGB).

**Gesamtumsatz,** i. S. des Umsatzsteuerrechts (§ 19 IV UStG) grundsätzlich alle steuerbaren Umsätze mit Ausnahme der →Einfuhr. G. *besteht aus* →Eigenumsatz und →Kundenumsatz. – *Nicht* zum G. rechnen die meisten →Bankumsätze und die der →Grunderwerbsteuer oder →Versicherungsteuer unterliegenden Vorgänge, falls es sich um →Hilfsgeschäfte handelt, sowie eine Reihe weiterer nach § 4 Nr. 7, 8 i, 9 b, 11–28 UStG steuerbefreiter Umsätze. – Von der *Höhe des G.* hängt die Besteuerung als →Kleinunternehmer und die Besteuerung nach →vereinnahmten Entgelten ab. Für die verschiedenen Anwendungsfälle wird der G. jeweils leicht modifiziert berechnet.

**Gesamt-Umsatzrabatt,** →Mengenrabatt.

**Gesamtunternehmer,** →Generalunternehmer.

**Gesamtverband der Christlichen Gewerkschaften Deutschlands (CGD),** Sitz in Bonn. – *Aufgaben:* Schutz und Betreuung der einzelnen angeschlossenen Arbeitsberufsorganisationen; Interessenvertretung und -wahrnehmung, Vertretung beim Christlichen Gewerkschaftsbund (CGB).

**Gesamtverband der Deutschen Versicherungswirtschaft e. V. (GDV),** Sitz in Köln. Interessenvertretung der deutschen Individualversicherung, der fünf Fachverbände (Verband der Lebensversicherungs-Unternehmen, Verband der Haftpflicht-, Unfall-, Auto- und Rechtsschutzversicherer – HUK-Verband – e. V., Verband der Sachversicherer e. V., Verband der privaten Krankenversicherung, Deutscher Transport-Versicherungs-Verband) sowie 420 Mitgliedsunternehmen angehören, die rd. 94% des Brutto-Beitragsaufkommens erwirtschaften.

**Gesamtverband der landwirtschaftlichen Alterskassen (GLA),** Körperschaft des öffentlichen Rechts; Sitz in Kassel. – *Aufgaben:* Förderung der gemeinsamen Aufgaben der landwirtschaftlichen Alterskassen; Verteilung der Bundesmittel auf die landwirtschaftlichen Alterskassen; Durchführung der ihm durch Gesetz zugewiesenen Aufgaben.

**Gesamtverband der Textilindustrie in der Bundesrep. D. – Gesamttextil – e. V.,** Sitz in Frankfurt a. M. – *Aufgaben:* Förderung und Beratung der Mitglieder in wirtschaftlichen und sozialen Angelegenheiten; Vertretung der Mitglieder gegenüber Behörden und anderen Organisationen der Unternehmer und Arbeitnehmer.

**Gesamtverband Deutscher Angestellten-Gewerkschaften (GEDAG),** Sitz in Hamburg. – *Aufgaben:* Interessenvertretung und -wahrnehmung der angeschlossenen Mitgliedsverbände (Deutscher Handels- und Industrieangestellten-Verband, Deutscher Land- und Forstwirtschaftlicher Angestelltenbund, Arbeitnehmerverband Deutscher Milchkontroll- und Tierzuchtangestellten, Verband Detuscher Techniker, Verband der weiblichen Angestellten); Führung von Tarifverhandlungen.

**Gesamtverband Gemeinnütziger Wohnungsunternehmen e. V.,** Sitz in Köln, Spitzenverband der gemeinnützigen Wohnungsunternehmen. – *Aufgaben:* Förderung des Siedlungs- und Wohnungswesens, des Wohnungs- und Städtebaus, der Eigentums- und Vermögensbildung sowie des Sparens; Vertretung der Interessen der Mitglieder; Förderung der Wohnungsunternehmen und der gemeinnützigen Wohnungswirtschaft.

**Gesamtvereinbarung,** →Tarifvertrag, →Betriebsvereinbarung.

**Gesamtvermögen.** 1. *Begriff* des Steuerrechts: Das gesamte Vermögen des →unbeschränkt Steuerpflichtigen, soweit es nicht ausdrücklich von der Vermögensteuer befreit ist, d. h. inländisches und im Ausland befindliches Vermögen (§ 114 BewG). →Bemessungsgrundlage der Vermögensteuer bei unbeschränkt Steuerpflichtigen (§ 4 VStG). Vgl. auch →Auslandsvermögen. – 2. *Ermittlung des G.:* a) Die Werte der einzelnen Vermögensgegenstände werden nach →Vermögensarten zusammengerechnet (*Rohvermögen;* erläutert in § 118 I 1 BewG). Nach Minderung um die Schulden (außer: →Betriebsschulden, vgl. auch →Betriebsvermögen) und sonstige Abzüge (§ 118 BewG) verbleibt das *Reinvermögen,* das der Vermögensteuerveranlagung zugrunde gelegt wird. – Bei *Zusammenveranlagung* vgl. →Haushaltsbesteuerung 4.

**Gesamtvertretung,** *Gesamtvollmacht, Kollektivvertretung,* Form der Vertretung, die das Zusammenwirken aller Bevollmächtigten verlangt. G. dient der Sicherheit im Geschäftsverkehr, schützt vor Unvorsichtigkeiten und Unredlichkeiten. Gleichzeitiges *Handeln* ist nicht erforderlich, es genügt, daß ein zur Vertretung Berufener mit →Zustimmung der anderen im Namen der übrigen Gesamtvertreter das Geschäft abschließt. *Verboten* ist die Erteilung einer →*Generalvollmacht* an einen zur G. Berufenen durch die anderen, da hiermit der Zweck der G. umgangen würde; →*Spezialvollmacht* ist zulässig. *Anordnung* der G. bei einer *OHG* ist ebenso wie jede Änderung in der Vertretung zum →Handelsregister anzumelden (§ 125 II HGB). Entsprechendes gilt für die *AG* (§§ 78, 39 AktG) und die *GmbH* (§ 10 GmbHG). – Der Kommanditist kann nicht an der G. teilnehmen (§ 170 HGB); ihm kann aber →Prokura erteilt werden. – Sind bei →Abwicklung mehrere *Abwickler* vorhanden, liegt immer G. vor, es sei denn, daß Einzelvertretung bestimmt und im Handelsregister eingetragen ist (§ 150

HGB). – Von *unechter* G. spricht man, wenn die Vertretungsbefugnis eines Gesellschafters an die Mitwirkung eines Prokuristen gebunden wird (§ 125 III HGB). – *Gegensatz:* →Alleinvertretung. – Vgl. auch →Gesamthandlungsvollmacht, →Gesamtprokura.

**Gesamtvollmacht,** →Gesamtvertretung.

**Gesamtwert einer Unternehmung,** →Unternehmungswert.

**gesamtwirtschaftliche Eckdaten,** →Orientierungsdaten.

**gesamtwirtschaftliche Finanzierungsrechnung,** Teilgebiet der →Volkswirtschaftlichen Gesamtrechnungen, in dem vornehmlich die Veränderungen der nach Arten spezifizierten Forderungen und Verbindlichkeiten der Sektoren für eine abgelaufene Periode dargestellt werden.

**gesamtwirtschaftliche Planung.** I. Begriff: Kennzeichnung für unterschiedliche Verfahren zur Ausrichtung der einzelwirtschaftlichen Aktivitäten innerhalb einer →Wirtschaftsordnung auf ein nach unterschiedlichen Methoden ermitteltes *gesamtgesellschaftliches Zielbündel* durch *staatliche bzw. gesellschaftliche Instanzen.* Die g. P. soll je nach zugrunde liegender Konzeption gänzlich an die Stelle der Koordination der individuellen Wirtschaftspläne mittels des Markt-Preis-Mechanismus *(→Marktwirtschaft)* treten, diesen partiell ersetzen oder lediglich korrigierend beeinflussen. Theoretisch wird die g. P. durch die Annahme gerechtfertigt, daß die marktwirtschaftliche Koordination nicht oder nur unzureichend eine gesamtgesellschaftlich rationale Güterallokation vermitteln könne *(Marktversagen):* a) Einzelwirtschaftliche Planung führe u. U. auch bei Verfolgung *individueller rationaler Ziele zu gesamtwirtschaftlich negativ zu wertenden Ergebnissen* (z. B. unzureichende individuelle Zukunftsvorsorge bei unterstellt vorherrschenden Gegenwartspräferenzen, ausschließliche Gewinnorientierung bei Vernachlässigung sozialer und ökologischer Folgeprobleme der Güterproduktion). – b) Der Marktmechanismus sei nur ungenügend zu *ex-ante-Koordination* der einzelnen Wirtschaftspläne geeignet, so daß insbes. Investitionsentscheidungen, getroffen auf der Basis gegenwärtig bekannter Daten, sich in der Zukunft leicht als falsch erweisen könnten. Dies führe zu *Kapitalfehlallokationen.* Dieses Problem würde mit zunehmender Kapitalintensivierung der Produktion immer gravierender, da hierdurch die Anpassungsflexibilität des Kapitalstocks sinke. – c) Der *private Sektor* sei prinzipiell *instabil* (Annahme des Keynesianismus, →Keynessche Lehre). – d) Nur mittels nationalstaatlicher g. P. ließe sich der *wachsende Einfluß internationaler Großkonzerne* auf die inländische Volkswirtschaft begrenzen. – Die

g. P. umfaßt ihren Vertretern zufolge mehr als die traditionelle →*Wirtschaftspolitik:* Sei letztere lediglich eine *reaktive Anpassung* an bereits erfolgte Fehlentwicklungen, handle es sich bei der g. P. um eine *antizipierende Koordinierung* des Wirtschaftsprozesses, durch die derartige Fehlentwicklungen *a priori* verhindert werden könnten.

II. Theoretische Konzeptionen und Methoden: 1. *Gemeinsam* ist den unterschiedlichen Konzepten der g. P. die Vorstellung, daß die Volkswirtschaft eine *Organisation* ist, für die: a) eine gesamtwirtschaftliche Ziel- bzw. Wohlfahrtsfunktion ermittelt werden kann, b) die ökonomischen Prozesse von einer Zentralinstanz umfassend überschaut und zutreffend prognostiziert werden können, c) diese Prozesse sich zentral so steuern lassen, daß die Wohlfahrtsfunktion maximiert wird und somit die gesamtwirtschaftliche Struktur und Ergebnis beliebig gestaltbar ist. – 2. *Unterscheidung* der Konzeptionen: a) Danach, wie die *gesamtwirtschaftlichen Ziele und Wege* zu deren Erreichung ermittelt und festgelegt werden: (1) Eine Zentralinstanz legt autoritär Ziele und Mittel fest und stützt sich dabei i. d. R. auf ihre eigenen Präferenzen. (2) Der Inhalt der g. P. wird in einem partizipatorisch-demokratischen Wahlprozeß von allen Wahlbürgern gemeinsam festgelegt. (3) Zielbündel und zieloptimaler Plan werden durch einen Wirtschafts- und Sozialrat ermittelt; in ihm sind alle Sozialverbände und Interessengruppen zusammen mit Vertretern sonstiger, als schutzwürdig angesehener, Interessen vertreten und koordinieren dort ihre gruppenspezifischen Einzelinteressen. – b) Der *ermittelte Plan* kann (1) zwingend verbindlich sein (→zentralgeleitete Wirtschaft), (2) durch indirekt wirkende prozeßpolitische Instrumente realisiert werden (→staatssozialistische Marktwirtschaft) oder (3) ausschließlich orientierenden Charakter haben und u. a. durch Methoden der →moral suasion gegenüber den Planadressaten implementiert werden *(→Planification).* Indirekte sowie orientierende g. P. bei partizipatorisch-demokratischer Entscheidungsfindung sind Konzeptionen unter den Rahmenbedingungen einer →privatwirtschaftlichen Marktwirtschaft, autoritätzwingende g. P. dagegen unter den Bedingungen einer →staatssozialistischen Zentralplanwirtschaft. – c) Nach dem *Umfang:* (1) Struktur- und Niveausteuerung der makroökonomischen Aggregate und Prozesse sowie (2) umfassende Detailsteuerung mikroökonomischer Größen. Dabei kann sich die g. P. auf ein umfassendes gesamtgesellschaftliches Zielbündel oder einige ausgewählte, aber als besonders wichtig angesehene, Einzelziele (z. B. Wachstum, Vollbeschäftigung, Preisniveaustabilität, Zahlungsbilanzgleichgewicht) beziehen. – 3. *Methoden der Entscheidungsvorbereitung* (Ermittlung von Planungsalternativen und Entwicklungsprognosen): a) →Bilanzierungsmethode, b) gesamtwirtschaftliche oder sektorale Input-Output-Berechnungen (→Input-Output-Analyse) und c) ökonometrische Simulationsmodelle (→Ökonometrie II).

III. Konzeptionelle Probleme: 1. Erforderlich ist für die g. P. ein *eigenständiges gesamtwirtschaftliches Informationssystem*, da die Marktpreise die Informationsfunktion annahmegemäß nur unzureichend erfüllen. Da a priori nicht erkennbar ist, welche Informationen für die Entscheidungsfindung relevant sind, müssen tendenziell mehr Informationen zentralisiert werden, als tatsächlich notwendig sind. Dadurch steigen die Kosten der Informationsgewinnung, ohne daß dem zwingend ein zusätzlicher Nutzen gegenübersteht. Darüber hinaus lassen sich die überaus wichtigen spezifischen Kenntnisse der einzelnen Wirtschaftssubjekte über die besonderen Umstände von Ort und Zeit nicht zentralisieren (v. Hayek). – 2. Partizipatorisch-demokratische g. P. kann leicht zu *inkonsistenten Wahlentscheidungen* führen (→Arrow-Paradoxum), woraus eine *große Strategieanfälligkeit* dieses Verfahrens folgt. Auch ist zu befürchten, daß die Wahlbürger aufgrund der Komplexität der von ihnen zu beurteilenden ökonomischen Sachverhalte überfordert werden, so daß sich dann leicht die *Selbstinteressen der Planungsbürokratie* durchsetzen können. – 3. Es erscheint fraglich, ob koordinierende Planungsräte aufgrund der dort repräsentierten konfligierenden gruppenspezifischen Interessen *konsensfähig* sind. – 4. Eine zutreffende *Prognose der wirtschaftlichen Entwicklung und Ergebnisse* ist schwerlich möglich: Die Entwicklung der der Planung zugrunde liegenden Rahmenbedingungen muß selbst unter Hinzuziehung weiterer Annahmen prognostiziert werden, die ebenfalls veränderlich sein können *(Problem des infiniten Regresses)*. Daneben wird verkannt, daß sich aufgrund der Komplexität und der gegenseitigen Interdependenzen der ökonomischen Abläufe, unvorhersehbarer Datenänderungen und einem begrenzten Informationsstand keine detaillierten Ergebnisprognosen, sondern allenfalls Vorhersagen über Verhaltens- und Ablaufmuster (*„Mustervorhersagen"*, v. Hayek) treffen lassen. – 5. Durch *fehlerhafte Planung* oder *Änderung der zugrunde gelegten Ausgangsdaten* kann ein aufgestellter und implementierter Plan hinfällig werden, dies um so wahrscheinlicher, je länger der zu planende Zeitraum ist. Durch die relativ langwierigen Koordinationsverfahren der g. P. kann dieser Plan jedoch nur sehr zeitverzögert und damit unflexibel abgeändert werden. Da die g. P. zudem den Entscheidungsfreiraum der Individuen einschränkt, werden auch diese gehindert, sich geänderten Umweltbedingungen flexibel anzupassen. – 6. In *keinem* realisierten System der g. P. wurden

bisher *eindeutig ausformulierte Zielfunktionen* aufgestellt, allenfalls wurden Einzelziele genannt, ohne daß deren Gewichtung und Optimalwerte überprüfbar fixiert wurden. Dies führt jedoch zu einer gewissen Beliebigkeit der g. P. – 7. Zur Vermeidung extern verursachter und nicht beeinflußbarer Datenänderungen muß die Volkswirtschaft bei g. P. *möglichst geschlossen* sein, was jedoch einen Verzicht auf die gesamtwirtschaftlich wohlfahrtssteigernde Wirkung der internationalen →Arbeitsteilung bedeutet. – Aufgrund dieser und weiterer Schwächen wird der unterstellte Effizienzvorteil der g. P. gegenüber der marktwirtschaftlichen Koordination vielfach *skeptisch beurteilt*. Eher sei es sinnvoll, den Marktmechanismus durch problemorientierte →Ordnungspolitik funktionsfähig und flexibel zu gestalten, als ein fehlerhaft verstandenes „Marktversagen" gegen g. P. mit hoher Neigung zum „Staatsversagen" einzutauschen (→Wohlfahrtsstaat).

**gesamtwirtschaftliches Arbeitskräftepotential,** →Arbeitskräftepotential.

**gesamtwirtschaftliches Arbeitspotential,** →Arbeitspotential.

**gesamtwirtschaftliches Produktionspotential,** →Produktionspotential.

**gesamtwirtschaftliche Vermögensrechnung,** Teilgebiet der →Volkswirtschaftlichen Gesamtrechnungen, in dem die Bestände der Sektoren zu verschiedenen Vermögensarten zum Anfang und zum Ende einer abgelaufenen Periode dargestellt werden.

**Gesamtzusage,** →Pensionsordnung, →vertragliche Einheitsregelung.

**Geschäft.** 1. *Kaufmännischer Sprachgebrauch:* Bezeichnung für eine Unternehmung und für das Verkaufslokal (→Laden) einer Unternehmung (meist Handelsbetrieb), aber auch für eine von mehreren Verkaufsstellen (→Filialunternehmung). Unter G. wird i. d. R. ein Einzelhandelsgeschäft verstanden. – 2. *Rechtlich:* Vgl. →Handelsgeschäfte, →Rechtsgeschäfte.

**geschäftliche Bezeichnungen,** Name, Firma, sonstige Unternehmensbezeichnungen und Titel von Druckschriften (§ 16 UWG). G. B. sind gegen die Verwendung verwechslungsfähiger Kennzeichen anderer im geschäftlichen Verkehr geschützt, auch besondere Geschäftszeichen, Zeichen ohne Namensfunktion, die Verkehrsgeltung besitzen. Voraussetzung des Schutzes sind Unterscheidungskraft und zeitlicher Vorrang der Benutzung der g. B. – Daneben weitgehend Schutz nach § 12 BGB (→Namensrecht) möglich.

**Geschäftsanteil.** I. G m b H : Das entsprechend der Aktie durch den Betrag der übernommenen →Stammeinlage bezeichnete, im

Ggs. zu dieser aber nicht verbriefte *Mitglied-schaftsrecht* des Gesellschafters (§ 14 GmbHG). Der *G.* ist *vererblich* und – mangels abweichender Bestimmung im →Gesellschaftsvertrag – frei *veräußerlich*. Die *Abtretung* und die Verpflichtung zur Abtretung bedarf →öffentlicher Beurkundung (§ 15 GmbHG).

II. Genossenschaft: Betrag, mit dem sich Mitglieder im Höchstfall beteiligen können (→Geschäftsguthaben). – *Höhe* des *G.* ist im →Statut festzusetzen (gesetzliche Festlegung nur für gemeinnützige →Wohnungsbaugenossenschaften, mit 300 DM), ebenso der Mindestbetrag, der darauf eingezahlt werden muß. Die Übernahme mehrerer *G.* ist generell zulässig; die Satzung bestimmt, ob eine Pflicht- oder Staffelbeteiligung gefordert wird. – Der *G.* ist grundsätzlich an die *Person des Mitglieds* gebunden, d. h. bei Beendigung der Mitgliedschaft wird der Genossenschaft der *G.* entzogen, so daß kein festes Grundkapital wie etwa bei der AG entstehen kann. Eine Fortsetzung der Mitgliedschaft mit den Erben ist möglich.

**Geschäftsarten,** Begriff des KVStG. Vgl. im einzelnen →Börsenumsatzsteuer.

**Geschäftsausstattung,** →Betriebsausstattung.

**Geschäftsbanken,** Institute, mit denen die Deutsche Bundesbank die in § 19 BBankG bezeichneten Geschäfte betreiben darf. *G.* sind alle Kreditinstitute im Sinn des KWG (→Banken). – *G. i. e. S.* nur solche Institute, die sich mit allen wesentlichen Sparten des Bankgeschäfts befassen. – *Gegensatz:* →Spezialbanken.

**Geschäftsbedingungen,** →Allgemeine Geschäftsbedingungen, →Lieferungsbedingungen, →Zahlungsbedingungen.

**Geschäftsbeginn,** die tatsächliche Aufnahme der Geschäfte, z. B. Warenbestellung, Ausstellung von Wechseln usw. *G.* ist für die *Entstehung einer OHG oder KG* a) maßgebend, wenn dieser vor der Eintragung ins →Handelsregister liegt, und wenn die Gesellschaft ein →Grundhandelsgeschäft (§ 1 HGB) betreibt; b) betreibt sie ein – Handelsgewerbe gem. §§ 2, 3 HGB (→Sollkaufmann, →Kannkaufmann), so ist die Eintragung maßgebend; bei einem früheren *G.* gilt die Gesellschaft als bürgerlich-rechtliche, kann aber u. U. als →Scheinkaufmann wie eine OHG behandelt werden. Die →Kommanditisten *haften* für die bis zur Eintragung begründeten Verbindlichkeiten in allg. unbeschränkt, wenn sie dem früheren *G.* zugestimmt haben. – Vgl. auch →Betriebseröffnung.

**Geschäftsbereich.** 1. *G. i. w. S.:* Organisatorischer Teilbereich, der nach dem →Objektprinzip gegliedert ist. – 2. *G. i. e. S.:* Synonym

für →Sparte (vgl. dort 2). – Vgl. auch →Geschäftsbereichsorganisation.

**Geschäftsbereichsorganisation.** 1. *G. i. w. S.:* →Organisationsmodell, das nach dem →Objektprinzip gebildet ist. – 2. *G. i. e. S.:* Synonym für →Spartenorganisation.

**Geschäftsbericht,** Berichtsform nach altem Aktienrecht (§ 148 altes AktG). Der Vorstand einer AG hatte den Jahresabschluß (Bilanz und Gewinn- und Verlustrechnung) um einen *G.* zu erweitern. Der *G.* bestand aus Lagebericht und Erläuterungsbericht (§ 160 altes AktG). Mit Inkrafttreten des Bilanzrichtlinien-Gesetzes ist die Verpflichtung zur Erstellung eines *G.* aufgehoben und durch die Vorschriften über die Aufstellung von →Anhang und →Lagebericht ersetzt worden.

**Geschäftsbesorgungsvertrag** entgeltlicher →Dienstvertrag oder →Werkvertrag, durch den sich jemand zur Besorgung eines Geschäfts für einen anderen gegen Vergütung verpflichtet (z. B. Tätigkeit des Rechtsanwalts, Geschäfte der Banken). Unterschied zum Auftrag durch Entgeltlichkeit. Auf den *G.* finden die meisten *Vorschriften* über den →Auftrag entsprechende Anwendung (§ 675 BGB), ausgenommen § 671 BGB (jederzeitiger Widerruf und Kündigung). *Kündigung zur Unzeit* i. d. R. nicht zulässig, auch wenn der Betreffende nach Dienstvertragsrecht ohne Frist kündigen kann.

**Geschäftsbetrieb,** →kaufmännischer Geschäftsbetrieb.

**Geschäftsbezeichnung.** 1. Die besondere Bezeichnung eines Unternehmens oder einer Druckschrift (z. B. Titel einer Zeitschrift). Der lautere *Wettbewerb* verbietet, im Geschäftsverkehr einen Namen, eine Firma oder eine *G.,* deren sich ein anderer befugterweise bedient, in verwechslungsfähiger und dadurch unlauterer Art zu verwenden (§ 16 UWG). – 2. *Vollkaufleute* betreiben das Geschäft unter ihrer →Firma (§§ 17 ff. HGB), andere *Gewerbetreibende* unter ihrem Vor- und →Familiennamen (§ 15 b GewO).

**Geschäftsbriefe,** *Handelsbriefe.* 1. *Begriff:* Alle den Gewerbebetrieb eines →Kaufmanns betreffenden ein- und ausgehenden Schriftstücke (auch Telegramme). – 2. *G. der AG und GmbH* müssen die Rechtsform, den Sitz der Gesellschaft, das Registergericht des Sitzes der Gesellschaft und die Nummer, unter der die Gesellschaft in das Handelsregister eingetragen ist, sowie alle Mitglieder des Vorstandes und den Vorsitzenden des Aufsichtsrats bzw. die Geschäftsführer mit dem Familiennamen und mindestens einem ausgeschriebenen Vornamen angeben. Der Vorsitzende des Vorstands ist als solcher zu bezeichnen. Werden Angaben über das Kapital der Gesellschaft gemacht, so müssen in jedem Falle das Grundkapital sowie, wenn auf die Aktien der Nennbetrag oder der höhere Ausgabebetrag nicht vollständig eingezahlt ist, der Gesamtbetrag der ausstehenden Einlagen angegeben werden (§ 80 AktG, § 35 a GmbH). Bei →Liquidation ist zusätzlich diese Tatsache sowie Bezeichnung der Abwickler (§ 268 IV AktG, § 71 III GmbH) anzugeben. Bei Mitteilungen oder Berichten im Rahmen einer Geschäftsverbindung auf Vordrucken bedarf es der Angaben nicht. Bestellscheine gelten als Geschäftsbriefe. – 3. Dem →Vollkaufmann obliegt hinsichtlich der G. eine sechsjährige →Aufbewahrungspflicht. – Vgl. auch →Briefgeheimnis.

**Geschäftsbücher.** 1. *Begriff:* Nach dem HGB *Handelsbücher,* im kaufmännischen Sprachgebrauch *Bücher.* Die der →Buchführung dienenden Unterlagen in Form von gebundenen Büchern, geordnet abgelegten losen Blätter, sonstigen Datenträger, sofern sie den GoB entsprechen (§ 239 IV HGB). Ursprünglich bestand die doppelte Buchführung aus einem Grundbuch (Journal), in das alle Geschäftsvorfälle chronologisch eingetragen werden, und dem Hauptbuch, das eine systematische Kontoaufteilung enthält. In den meisten Fällen reicht diese einfache Form heute nicht mehr aus. So treten neben das Grund- und Hauptbuch Nebenbücher wie das Kassenbuch, das Wareneinkaufs- und das Warenverkaufsbuch. Alle Eintragungen werden im Journal zusammengefaßt. Bei der →Übertragungsbuchführung überwiegt heute das amerikanische Journal (→amerikanische Buchführung) mit Hauptbuch. Zur →Durchschreibebuchführung gehören die Blätter der Sachkonten, der Kontokorrentkonten und der Journale. – Bei der EDV-Buchführung in der Form der Speicherbuchführung erfüllen magnetische Datenträger die Bücherfunktion. Vgl. auch →Buchführung, →Buchführungspflicht, →Aufbewahrungspflicht. – 2. *Einsichtsrecht* in die G. haben bei der BGB-Gesellschaft, der OHG und der KG auch die von der Geschäftsführung ausgeschlossenen Gesellschafter. Das Recht kann durch →Gesellschaftsvertrag eingeschränkt oder ausgeschlossen werden; aber auch dann kann der Gesellschafter Einsicht verlangen, wenn Grund zur Annahme unredlicher Geschäftsführung besteht (§ 716 BGB, §§ 118, 166 HGB). – 3. *Vorlegung* der G. kann das Gericht im Laufe eines Rechtsstreits anordnen (§ 258 HGB). Ordnungsgemäß geführte Bücher haben Beweiskraft für die in ihnen dargestellten Tatbestände. – 4. G. sind unter der →Pfändung unterworfen (§ 811 Nr. 11 ZPO); sie gehören aber zur *Konkursmasse* (§ 1 III KO).

**Geschäftsbuchhaltung,**    →Finanzbuchhaltung.

**Geschäftseröffnung,** →Betriebseröffnung.

**Geschäftsfähigkeit,** Fähigkeit, →Willenserklärungen rechtsgültig abzugeben und entgegenzunehmen. – 1. *Unbeschränkte G.* wird i. d. R. mit der →Volljährigkeit erreicht. – 2. *Geschäftsunfähig* sind (§ 104 BGB): a) Kinder unter sieben Jahren, b) dauernd Geistesgestörte, c) wegen Geisteskrankheit Entmündigte; Rechtsgeschäfte mit ihnen sind nichtig (§ 105 BGB), für sie handelt der →gesetzliche Vertreter. – 3. *Beschränkt geschäftsfähig* sind (§ 106–115 BGB): a) Personen zwischen sieben und achtzehn Jahren, b) wegen Geistesschwäche, Verschwendung, Rauschgiftsucht und Trunksucht Entmündigte, c) unter vorläufige Vormundschaft gestellte Personen (§ 1906 BGB). Ein beschränkt Geschäftsfähiger kann ohne →Zustimmung des gesetzlichen Vertreters nur Rechtsgeschäfte vornehmen (§§ 110–113 BGB): (1) die ihm lediglich rechtlichen Vorteil bringen, (2) die er mit seinem Taschengeld abwickelt, (3) bei Ermächtigung zum selbständigen Betrieb eines Erwerbsgeschäfts, die er im Rahmen des Erwerbsgeschäfts eingeht oder die (4) die Eingehung oder Aufhebung vom gesetzlichen Vertreter generell erlaubter Arbeitsverhältnisse betreffen. Die Genehmigung kann nachträglich erteilt werden, wozu der gesetzliche Vertreter aufgefordert werden kann. Bis zur Genehmigung kann der andere Teil das Geschäft widerrufen, wenn er die Minderjährigkeit nicht kannte (§ 108 f. BGB). – 4. →*Kaufmann* können auch geschäftsunfähige und in der G. beschränkte Personen sein. Das →Gewerbe können sie aber nur durch ihren gesetzlichen Vertreter betreiben. Vor dem Beginn eines neuen Erwerbsgeschäftes soll die Genehmigung des Vormundschaftsgerichts eingeholt werden (§§ 1645, 1823 BGB). Unwirksam ist ohne vormundschaftsgerichtliche Genehmigung z. B. der entgeltliche Erwerb oder die Veräußerung des Erwerbsgeschäftes, Abschluß eines →Gesellschaftsvertrages zum Betrieb eines Erwerbsgeschäftes (§ 1822 Nr. 3 BGB). – 5. Die Vorschriften des bürgerlichen Rechts sind auch für die G. in *Steuersachen* maßgebend (§ 102 AO).

**Geschäftsfläche,** betrieblich genutzte Fläche eines Handelsbetriebs, also die →Verkaufsfläche zuzüglich der Ausstellungs-, Lager-, Versand-, Büro- und Sozialräume. Parkplätze gehören nicht zur G.

**Geschäftsfreundebewirtung,** Bewirtung von Personen, die nicht →Arbeitnehmer des Steuerpflichtigen sind, aus geschäftlichem Veranlassung. – *Steuerliche Behandlung:* Aufwendungen für G. und die Bewirtung teilnehmender Arbeitnehmer sind →Betriebsausgaben, ab 1989 auf 80 % begrenzt. Der nichtabzugsfähige Teil von 20 % der Bewirtungskosten unterliegt nicht der Umsatzsteuer (kein Eigenverbrauch). – Voraussetzungen: a) die Aufwendungen müssen nach der allgemeinen Verkehrsauffassung angemessen sein; b) Höhe und betriebliche Veranlassung müssen nicht auf einem amtlich vorgeschriebenen Vordruck nachgewiesen werden; Rechnung genügt. c) die Aufwendungen für G. müssen einzeln und getrennt von den sonstigen Betriebsausgaben aufgezeichnet werden (§ 4 II EStG).

**Geschäftsführer,** gesetzlicher Vertreter (Organ) und verantwortlicher Leiter der GmbH (§ 35 I GmbHG). Der G. braucht nicht Gesellschafter zu sein. – 1. *Umfang der gesetzlichen Vertretungsmacht* nach außen unbeschränkbar. Mehrere G. können einzel- oder gesamtvertretungsberechtigt sein. Stellvertretende G. unterliegen den gleichen Bestimmungen wie G. (§ 44 GmbHG). Meist wird G. vom Verbot des Selbstkontrahierens gem. § 181 BGB befreit. – 2. Die *Bestellung* des G. erfolgt im →Gesellschaftsvertrag oder durch die Gesellschafterversammlung, die auch den Anstellungsvertrag schließt. Prokuristen und Handlungsbevollmächtigte zum gesamten Geschäftsbetrieb kann i. d. R. nur die Gesellschafterversammlung bestellen. – 3. *Haftung* der G. gegenüber der Gesellschaft bei Obliegenheitsverletzung für den entstandenen Schaden (§ 43 GmbHG). Sie haben jährlich eine Liste der Gesellschafter zum →Handelsregister einzureichen und haben für die ordnungsgemäße Durchführung zu sorgen (§§ 40, 41 GmbHG). – 4. *Beendigung* der Tätigkeit des G. durch Vertragsablauf, Kündigung oder Widerruf (§ 38 GmbHG). Widerruf bei Vorliegen eines →wichtigen Grundes (Delikt, Pflichtverletzung, Unfähigkeit) jederzeit möglich und nicht ausschließbar. Bestellung und Widerruf sind unter Überreichung der Urkunden (Gesellschafterbeschlüsse) zum Handelsregister anzumelden (§ 39 GmbHG). – Vgl. auch →Arbeitsdirektor, →Arbeitsgerichtsbarkeit, →Kündigungsschutz.

**Geschäftsführergehalt,** →Arbeitsentgelt der mit der Geschäftsführung betrauten Personen. – *Kostenrechnung:* a) Bei *Kapitalgesellschaften:* G. ist in der Kostenarten-Gruppe →Gehälter zu erfassen und der Kostenstelle „Allgemeine Verwaltung" zuzurechnen; b) bei *Personengesellschaften* wird an Stelle des G. in der Vollkostenrechnung ein →kalkulatorischer Unternehmerlohn verrechnet.

**Geschäftsführung.** I. Gesellschaft des bürgerlichen Rechts: Die G. steht den Gesellschaftern gemeinschaftlich zu; für jedes Geschäft ist Zustimmung aller Gesellschafter erforderlich (§ 709 BGB). – 1. Durch abweichende Vereinbarung kann die G. einem oder mehreren Gesellschaftern unter Ausschluß der übrigen *übertragen* und kann mit Mehrheitsbeschluß für verbindlich erklärt werden; Stimmenmehrheit ist im Zweifel nach Kopfzahl zu berechnen. Die geschäftsführenden Gesellschafter sind, soweit im →Gesellschaftsvertrag nichts anderes bestimmt, auch zur →Vertretung der Gesellschaft berechtigt

(§ 714 BGB). – 2. *Entziehung* der im Gesellschaftsvertrag einem oder bestimmten Gesellschaftern übertragenen Geschäftsführung bei →wichtigem Grund, z. B. grober Pflichtverletzung oder Unfähigkeit zur ordnungsgemäßen Geschäftsführung, durch einstimmigen Beschluß der übrigen Gesellschafter; falls nach Gesellschaftsvertrag Stimmenmehrheit entscheidet, genügt Mehrheitsbeschluß der übrigen (§ 712 BGB). Wird die Geschäftsführungsbefugnis entzogen, steht sie künftig allen Gesellschaftern gemeinsam zu; ebenso mangels anderer Abrede bei Auflösung der Gesellschaft (§ 730 II BGB).

II. Offene Handelsgesellschaft: Die G. umfaßt alle laufenden Maßnahmen, die erforderlich sind, um den Gesellschaftszweck zu fördern und zu verwirklichen. Von der G. ist die →Vertretungsmacht streng zu scheiden. – 1. *Umfang:* a) Berechtigung und Verpflichtung einzelner Gesellschafter zur Vornahme bestimmter Handlungen; b) Vertretungsmacht; c) Vertretung mit Wirkung für und gegen die OHG gegenüber Dritten im Rechtsverkehr. Der geschäftsführende Gesellschafter ist für seine G. verantwortlich im Rahmen der →Sorgfalt in eigenen Angelegenheiten. – 2. Die *Regelung* der G. steht im Belieben der Gesellschafter. Ist im Gesellschaftsvertrag nichts bestimmt worden, ist für die Handlungen, die der gewöhnliche Betrieb des Handelsgewerbes der OHG mit sich bringt (§ 116 I HGB), jeder Gesellschafter der OHG zur G. berechtigt und verpflichtet, und zwar einzeln (§§ 114, 115 HGB, →Einzelgeschäftsführung); für ungewöhnliche Geschäfte ist →Zustimmung aller Gesellschafter, auch der von der G. ausgeschlossenen, zur Erteilung einer →Prokura die der geschäftsführenden Gesellschafter erforderlich (§§ 116, 164 HGB). – 3. *Beendigung der G.:* a) mit Beendigung der Gesellschaftsverhältnisses; b) durch Entziehung, wenn ein →wichtiger Grund, insbes. grobe Pflichtverletzung oder Unfähigkeit zur ordnungsmäßigen Geschäftsführung vorliegt (§ 117 HGB), auf Antrag (Klage) aller übrigen Gesellschafter durch gerichtliche Entscheidung; →Abberufung I; c) die Ausübung der G. kann auch durch →einstweilige Verfügung untersagt werden. – 4. *Aufwendungen* oder Verluste, die dem Gesellschafter in Angelegenheiten der Gesellschaft entstanden sind, sind zu ersetzen. – Bei →Abwicklung steht die G. ausschließlich den →Abwicklern zu.

III. Kommanditgesellschaft: Die G. steht nur den persönlich haftenden Gesellschaftern (→Komplementären) zu. Für sie gilt Entsprechendes wie für die OHG-Gesellschafter (§§ 161, 164 HGB). Bei Geschäften, die über den gewöhnlichen Betrieb des Handelsgewerbes der KG hinausgehen, müssen die →Kommanditisten zustimmen (strittig).

IV. Juristische Personen: 1. G. der *AG* erfolgt durch den →Vorstand. – 2. G. der

*KGaA* durch die persönlich haftenden Gesellschafter. – 3. G. der *GmbH* durch einen oder mehrere →Geschäftsführer. – 4. G. der *Genossenschaft* obliegt dem →Vorstand.

**Geschäftsführung ohne Auftrag,** Besorgung eines Geschäfts durch jemand (den Geschäftsführer) für einen anderen (den Geschäftsherrn), ohne von diesem beauftragt oder ihm gegenüber sonst dazu berechtigt zu sein; es entstehen *gegenseitige Rechte und Verbindlichkeiten:* a) Steht die Übernahme der Geschäftsführung mit dem wirklichen oder mutmaßlichen Willen des Geschäftsherrn in Widerspruch und mußte der Geschäftsführer dies erkennen, so ist der G. o. A. unerlaubt und der Geschäftsführer zum →Schadenersatz verpflichtet (§ 678 BGB). – b) Der Geschäftsführer ist ebenfalls zum Schadenersatz verpflichtet, wenn er die G. o. A. nicht so führt, wie es dem Interesse der Geschäftsherrn entspricht. – c) Hat der Geschäftsführer jedoch die G. o. A. zur Abwendung einer dem Geschäftsherrn drohenden dringenden Gefahr übernommen, so haftet er nur für →Vorsatz und →grobe Fahrlässigkeit (§ 680 BGB). – d) Soweit die G. o. A. dem Interesse oder dem mutmaßlichen Willen des Geschäftsherrn entspricht oder die Geschäftsführung genehmigt, kann der Geschäftsführer →Aufwendungsersatz verlangen.

**Geschäftsgang,** →Dienstgang.

**Geschäftsgebühr,** in den Versicherungsbedingungen vorgesehene besondere Gebühr bei Versicherungsverträgen (pauschalierter Aufwendungsersatz). G. kann die Versicherungsgesellschaft verlangen, wenn sie einen Antrag angenommen hat, der Antragsteller aber die Einlösung des Versicherungsscheins verweigert, die Versicherungsgesellschaft jedoch auf die an sich zulässige Einklagung der Erstprämie verzichtet. – *Anders:* Aufnahme- und der Hebegebühr (→Nebengebühren).

**Geschäftsgeheimnis,** →Betriebs- und Geschäftsgeheimnis.

**Geschäftsgrundlage,** „Vorstellungen über Vorhandensein und -bleiben (oder künftiges Eintreten) gewisser grundlegender Umstände, die zwar nicht Vertragsinhalt (als Rechtsgrund oder als Bedingung) geworden, andererseits auch nicht bloß Bewegrund geblieben, sondern entweder von beiden Vertragspartnern oder doch von dem einen unter Erkennen und Nichtbeanstandung durch den anderen zur Grundlage des Geschäfts gemacht worden sind" (Palandt). – Ein *Irrtum* über die G. kann zur →Anfechtung wie ein →Irrtum über den Erklärungsinhalt berechtigen. →Wegfall der Geschäftsgrundlage.

**Geschäftsgrundstück,** →Grundstücksart i. S. des BewG. – 1. *Begriff:* Bebautes Grundstück, das zu mehr als 80% berechnet nach der →Jahresrohmiete, eigenen oder fremden

gewerblichen oder öffentlichen Zwecken dient. – 2. *Bewertung:* I. d. R. nach dem →Ertragswertverfahren (§§ 78 ff. BewG), ausnahmsweise nach dem →Sachwertverfahren (§§ 83 ff. BewG). – *Anders:* →Betriebsgrundstück.

**Geschäftsgründung,** →Gründung.

**Geschäftsguthaben,** Höhe der Einlagen, die Mitglieder von Genossenschaften durch Barzahlung oder Zuschreibung von Gewinnanteilen auf ihren →Geschäftsanteil geleistet haben. Da G. bei Beendigung der Mitgliedschaft der Genossenschaft entzogen werden, verändert sich die Größe des Eigenkapitals bei Genossenschaften mit der Zahl der Geschäftsanteile und der Höhe der darauf erfolgten Leistungen. – *Gewerbesteuer:* G. sind nicht →Dauerschulden; Zinsen aus G. sind deshalb bei Ermittlung des →Gewerbeertrags der Genossenschaft nicht dem →Gewinn und die G. selbst bei Ermittlung des →Gewerbekapitals der Genossenschaft nicht dem →Einheitswert des gewerblichen Betriebs hinzuzurechnen.

**Geschäftsguthabendividende,** →Kapitaldividende der Genossenschaft.

**Geschäftsjahr,** →Wirtschaftsjahr.

**Geschäftsjubiläum,** →Jubiläumsverkauf, →Jubiläumsgeschenke.

**Geschäftsklima,** Einschätzung der gegenwärtigen und zukünftigen Konjunkturentwicklung durch die Unternehmen. G. ist Ergebnis des im Rahmen des vom →IFO-Institut für Wirtschaftsforschung in München durchgeführten Konjunkturtests.

**Geschäftskonto,** Verbindungskonto (Gegenkonto) bei getrennter →Finanzbuchhaltung und →Betriebsbuchhaltung. Buchungsinhalt Spiegelbild des →Betriebskontos. – Vgl. auch →Zweisystem, →Übergangskonten.

**Geschäftsleitung,** maßgebender Ort für die →unbeschränkte Steuerpflicht und →beschränkte Steuerpflicht juristischer Personen bei der Körperschaftsteuer und Vermögensteuer. Nach § 10 AO der Mittelpunkt der geschäftlichen Oberleitung.

**Geschäftsordnung,** Richtlinien, nach denen die Arbeit von →Gremien abgewickelt wird, soweit sie gesetzlich oder satzungsmäßig nicht geregelt ist. – *Wichtige in der G. zu regelnde Punkte:* Einberufung zur Sitzung, Tagesordnung, Vorsitz, Abstimmungsmodus, Minderheitsvotum, Protokollführung, Redezeitbegrenzung, Berichterstattung, Geschäftsführung zwischen den Sitzungen.

**Geschäftspapiere,** alle Papiere, die über Geschäftsvorgänge der Unternehmens Auskunft geben. Gesetzliche →Aufbewahrungspflicht besteht für Handelsbücher, Inventare, Eröffnungsbilanzen, Jahresabschlüsse, Lageberichte, Handelsbriefe usw. (§ 257 HGB). Gesellschafter der OHG und KG (auch die Kommanditisten) haben das Recht auf Einsicht in die G. (§§ 118, 166 HGB); bei Ausschluß dieses Rechts durch Gesellschaftsvertrag jedoch nur dann, wenn Grund zur Annahme unredlicher Geschäftsführung besteht.

**geschäftsplanmäßige Erklärung,** Erklärung des Versicherers gegenüber der Aufsichtsbehörde zur Ergänzung des dieser vor Aufnahme des Geschäftsbetriebs eingereichten Geschäftsplans; zur Anpassung von Tarifbestimmungen und Kalkulationsmethoden an die wirtschaftliche Entwicklung; zur die Versicherer bindenden Auslegung von Allgemeinen Versicherungsbedingungen und Klauseln; oder zur Festlegung bestimmter, gesetzlich nicht geregelter Verhaltensweisen der Versicherer (meist Besserstellung der Versicherungsnehmer).

**Geschäftsräume,** alle Räume, in denen der Betrieb des Unternehmens abgewickelt wird, also neben den Räumen, die der Kundschaft zugänglich sind, z. B. auch Keller, Böden, Lager, Waschräume des Personals sowie auch die Zugänge und Privatwege, die zu den G. führen. – *Arbeitsrecht:* Einrichtung und Unterhaltung der G. müssen gewährleisten, daß der Arbeitnehmer gegen eine Gefährdung seiner Gesundheit geschützt (z. B. genügende Beheizung, Beleuchtung und Belüftung, Instandhaltung usw.) und die Aufrechterhaltung der guten Sitten gesichert ist (§§ 618 f. BGB, § 62 HGB, §§ 120 a ff. GewO). – Vgl. auch →Arbeitsschutz, →Arbeitsstättenverordnung, →Gewerbeaufsicht.

**Geschäftsreise,** beruflich bedingte Reise einer selbständig oder in einem Betrieb, einer Behörde oder einer anderen Institution tätigen Person. – *Steuerrecht:* G. ist nur die an einen mindestens 15 km entfernten Ort führende beruflich bedingte Reise eines Selbständigen. G. eines Arbeitnehmers ist dagegen →*Dienstreise* und eine kürzere Reise *Geschäfts-* bzw. →*Dienstgang,* falls nicht eine Fahrt zwischen Wohn- und Arbeitsstätte (→*Berufsverkehr*). – *Steuerrechtliche Behandlung:* Vgl. →Reisekosten.

**Geschäftsspionage,** →Wirtschaftsspionage.

**Geschäftsstatistik,** Statistiken, deren Unterlagen ausschließlich im Geschäftsgang der Bundesbehörden anfallen oder deren Bearbeitung sich vom Geschäftsgang nicht trennen läßt. Gilt i. ü. S. auch für →Verbandsstatistiken.

**Geschäftssystem,** →Wettbewerbsstrategie IV.

**Geschäftstagebuch,** Hauptbuch der →Mindestbuchführung des Einzelhandels. Sofern nicht bereits weiterreichende Bücher im Sinne

des § 238 HGB bzw. des § 146 AO geführt werden, ist u. a. in G. zu führen, in dem täglich laufend und lückenlos die Ein- und Auszahlungen aus der Kasse nach dem Kassenberichtsblock und die Zu- und Abgänge von bargeldlosen Zahlungskonten (Post und Bank) nach Betriebskosten, Privatentnahmen, Warenein- und -verkäufen und sonstigen Geschäftsvorfällen einzutragen sind.

**Geschäftsteilhaberversicherung,** →Teilhaberversicherung.

**Geschäftstheorie,** →Buchhaltungstheorien II 1.

**Geschäftsunfähigkeit,** mangelnde Fähigkeit, rechtlich wirksame Erklärungen abzugeben. – *Gegensatz:* →Geschäftsfähigkeit.

**Geschäftsveräußerung im ganzen,** Übertragung eines Unternehmens oder des Betriebes eines Unternehmens im ganzen.

**I. Allgemeine rechtliche Behandlung:** Vgl. →Veräußerung II und III.

**II. Steuerliche Behandlung:** 1. *Umsatzsteuer:* G. unterliegt der Umsatzsteuer (§ 10 IV UStG). Besteuerungsgrundlage: das →Entgelt für die dem Erwerber gelieferten Gegenstände und übertragenen Forderungen (Besitzposten); die allgemeinen Befreiungsvorschriften des UStG gelten; übernommene Schulden dürfen nicht abgezogen werden, sondern zählen zur Gegenleistung. Probleme ergeben sich bei der Aufteilung des Gesamtentgelts auf die einzelnen übertragenen Besitzposten. Die Steuer bemißt sich nach dem Regelsteuersatz. Ermäßigter Steuersatz nur dann, wenn in der Anlage zum UStG genannte Gegenstände veräußert werden. – 2. *Einkommensteuer:* Vgl. →Veräußerungsgewinn.

**Geschäftsverteilungsplan,** Plan zur übersichtlichen Erfassung und Darstellung geschäftlicher Arbeitsaufgaben zum Unterschied vom →Arbeitsplan und →Organigramm. Zweck ist persönliche wie sachliche Tätigkeits- und Kompetenzabgrenzung, die klare Verantwortungsbereiche schafft und die betriebliche Zusammenarbeit fördert.

**Geschäftsvolumen,** Bilanzsumme eines Kreditinstituts zuzüglich der „unter dem Bilanzstrich" angegebenen Eventualverbindlichkeiten und Ausgliederungspositionen.

**Geschäftsvorfälle,** Vorgänge aufgrund unternehmerischen Handelns, die Anlaß zu Buchungen sind. Die finanziellen Konsequenzen der G. schlagen sich in →Bilanz und →Gewinn- und Verlustrechnung nieder.

**Geschäftswert,** →Firmenwert.

**Geschäftswucher** →Leistungswucher.

**Geschenk,** →Schenkung, →Jubiläumsgeschenke.

**Geschenksendungen,** zollrechtlicher Begriff für Warensendungen von Privatpersonen an Privatpersonen. *Zollfrei* bis zu einem für EG- und Drittländer unterschiedlichen Warenwert. (Auskunft über aktuelle Höhe durch Zollamt.) Übersteigt der Warenwert die Höchstgrenze, kann der →Zollbeteiligte bestimmen, welche Waren zollfrei sein sollen. Bei mehreren gleichzeitigen Sendungen desselben Absenders an denselben Empfänger ist der Gesamtwert der Sendungen maßgebend. Zollfreiheit ist *ausgeschlossen* für Kaffee, Tee und Auszüge daraus, Alkohol, Tabakwaren und Zigarettenpapier. – Bei B. für *Bedürftige* und bei *Familiengeschenken* spezielle Regelungen nach Art des jeweiligen Sachverhalts (§ 24 ZG).

**Geschichte der Betriebswirtschaftslehre.** I. Überblick: Die Betriebswirtschaft und damit auch die Betriebswirtschaftslehre werden weitgehend von dem jeweils herrschenden Wirtschaftssystem bestimmt. Das ist gegenwärtig die kapitalistische Marktwirtschaft. Sie hat ihren Ursprung in der Renaissance und löste die ständische Wirtschaft des Mittelalters ab. Sie entwickelte sich in vier genetischen Epochen: (1) der Renaissance, gekennzeichnet durch Entstehung und Aufbau der Unternehmung; die quantifizierende Wirtschaftsrechnung wird bis zu einem gewissen Grade ausgebaut; (2) dem Merkantilismus: Mit der Ausbreitung der Unternehmung setzt nunmehr Auf- und Ausbau der Handels- und Verkehrsorganisation ein, der die Voraussetzung der Industrialisierung ist; (3) dem Industrialismus (Hochkapitalismus), gekennzeichnet durch die Entstehung und Entwicklung des Industriebetriebs; (4) dem Übergang zur „sozialen Marktwirtschaft": Zunehmende Berücksichtigung der sozialen Belange in der Wirtschaft und in den Betrieben.

II. Renaissance: Sie ist wirtschaftlich gekennzeichnet durch Ausdehnung des Mittelmeerhandels (Kreuzzüge), Bildung großer Märkte in Oberitalien und später in Mitteleuropa, Entstehung einer spekulativen Einstellung, eines großen Macht- und Gewinnstrebens, Bildung großer Vermögen, Entstehung des Produktivkredits und Rechtfertigung des Zinses, große Erfindungen (Kompaß, Buchdruck, Schießpulver und Hochofen), große Entdeckungen (Amerika, Seeweg nach Ostindien). – Der intensiver werdende Handel drängt den Betrieb zur *Rechenhaftigkeit.* Voraussetzung war die Einführung des indisch-arabischen Zahlensystems; bahnbrechend die Schrift von Leonardo *Pisano*, Liber abaci von 1202. Doch dauerte es noch mehr als drei Jahrhunderte, bis die dekadischen Zahlen die römischen Zahlzeichen aus den Handelsbüchern ganz verdrängt hatten. Die

eigentliche Voraussetzung für die Entstehung der Unternehmung ist jedoch die *Buchhaltung,* die sich in verschiedenen Etappen entwickelte: Einführung des Personenkontos (um 1250), des Sachkontos (um 1300), der Inventare, des doppelten Buchungssatzes (um 1340), des formellen Abschlusses (um 1400) und die Einführung des Bilanzkontos (um 1420). Die doppelte Buchführung bewirkte die Spaltung des mittelalterlichen Zunftbetriebes in „Unternehmung" und „Haushaltung". Mit ihr entsteht Unternehmung als „ökonomische Person" (Sombart). Sie führt zur Bildung des Kapitalbegriffs, aus dem sich zahlreiche Grundbegriffe der neuzeitlichen Betriebswirtschaft entwickeln. Sie zwingt zu einer Quantifizierung möglichst aller Kosten und ermöglicht dadurch eine *exakte Kostenrechnung,* die einen völligen Bruch im Denken des traditionell ausgerichteten Zunftbetriebes bewirkte. Man hat daher mit Recht die Erfindung der doppelten Buchführung neben die Entdeckung Galileis und Newtons gestellt: „Die doppelte Buchhaltung erschließt uns den Kosmos der wirtschaftlichen Welt" (Sombart). Die Entwicklung der Buchhaltung ist daher eine der größten geistigen Leistungen der Neuzeit. Mit ihr beginnt die „wissenschaftliche Betriebsführung, die ein notwendiges Begriffsmerkmal des kapitalistischen Unternehmung ist" (Sombart). Trotz dieser großen geistigen Leistungen ist ihr *literarischer Niederschlag* gering, er beschränkt sich auf Darstellungen der doppelten Buchhaltung (→Pacioli) und verkehrstechnische Schriften. Das hat seinen Grund darin, daß die Buchführung von den wenigen Kaufleuten, die sie bereits anwandten, als Geschäftsgeheimnis gehütet wurde. Das gleiche gilt für die verkehrstechnischen Schriften, die zunächst betriebsinterne Aufzeichnungen waren, so ursprünglich auch das umfassende Werk von G. D. →Peri (1638).

III. Merkantilismus: Der Ausbau der Handels- und Verkehrsorganisation erstreckt sich auf die Differenzierung der Handelsbetriebe (Groß- und Kleinhandel, Branchen- und Überseehandel; Ausbau des Messehandels) sowie die Weiterbildung der Verkehrsbetriebe (Spedition, Post, Schiffahrt und Banken). Diese Entwicklung, an der möglichst alle Kaufleute interessiert werden mußten, führte zu einer Flut von Werken, die den Kaufmann über diese neuen Errungenschaften des Handels und des Verkehrs zu unterrichten suchte. Zahlreiche „Systeme der Handlung", Handelslexika, Handelskompendien riesigen Umfangs erschienen in allen europäischen Ländern. Es handelt sich natürlich nur um beschreibende und systematisierende Kompendien, die uns heute sehr antiquiert anmuten. Die wichtigsten Schriften sind von Jacques →Savary, Parfait Negociant (1675); Paul Jakob Marperger (1656–1730) schrieb etwa 60 handelskundliche Bücher, Carl Günther →Ludovici (1707–1778), Grundriß eines vollständigen Kaufmannssystems (1756); Johann Georg Büsch, Theoretisch-praktische Darstellung der Handlung (1792); Johann Michael →Leuchs, System des Handels (1804). Als die merkantilistische Epoche zu Ende ging und die Kaufleute mit den Handelsorganisationen vertraut waren, hörte die Abfassung langatmiger „Systeme des Handels" von selbst auf, man begnügte sich mit kurzgefaßten Handelskunden.

IV. Industrialismus: Nach Schaffung der weltumspannenden Verkehrs- und Handelsorganisation konnte nunmehr die Technisierung und Rationalisierung des Gewerbebetriebes einsetzen. Es entstand der Industriebetrieb, gleichzeitig mit der Erfindung der Kraftmaschine. Im Vordergrund der betrieblichen Problematik stehen jetzt die *technischen* Fragen der Produktion, die jedoch auch betriebswirtschaftliche Probleme aufwerfen, deren Klärung in einer Wechselwirkung zum Ausbau des *industriellen Rechnungswesens* steht. Er ist vor allem gekennzeichnet durch eine starke Systematisierung. Der Jahresabschluß wird jetzt überall durch systematische Inventarisierung vervollkommnet. Um 1841 wird das Problem der Erfassung von Wertminderungen durch die Abschreibung erkannt und angewandt (Otto). Um die Jahrhundertmitte wird erstmals das Wesen der Gemeinkosten beschrieben (Fredersdorff), doch vergehen noch Jahrzehnte, bis die Gemeinkosten als Zuschläge auf die Fertigungslöhne in der Kostenrechnung berücksichtigt werden. 1877 fordert Ballewski, die Gemeinkosten abteilungsweise zu sammeln; die Kostenstelle ist geschaffen. Auch der Einfluß des sinkenden Beschäftigungsgrades auf die Kostenrechnung wird bereits untersucht. Doch ist die Literatur dieser Epoche trotz der großen betriebswirtschaftlichen Fortschritte wiederum sehr dürftig, und zwar aus den gleichen Gründen wie vor 500 Jahren. Wie in der Renaissance die Buchhaltung, betrachtet man jetzt das industrielle Rechnungswesen als Geschäftsgeheimnis.

V. Zwanzigstes Jahrhundert: Konzentration und Intensivierung der industriellen Produktion in den Jahrzehnten um die Jahrhundertwende rücken die betriebswirtschaftliche Problematik in den Vordergrund des allg. Interesses. Der immer schärfer werdende Wettbewerb auf in- u. ausländischen Märkten zwingt zu einer systematischen Behandlung der wirtschaftlichen Probleme; dadurch wird der Betriebswirtschaftslehre der Weg in die Hochschule und Universität bereitet. Um die Jahrhundertwende entstehen die ersten →Handelshochschulen, die schnell an Bedeutung und Verbreitung gewinnen. Im Mittelpunkt standen allerdings zunächst noch die „Kontorwissenschaften" (Buchhaltung,

kaufmännisches Rechnen, Schriftverkehr und Kontorarbeiten). Doch wurden schon in der Zeit bis zum ersten Weltkrieg einige bahnbrechende Versuche gemacht, die Betriebswirtschaftslehre in ein wissenschaftliches System zu fassen, so vor allem von →Hellauer (1910), →Schär (1911), →Nicklisch (1912) und Rudolf *Dietrich* (1914). Diese Systeme sind normativ ausgerichtet, d.h. sie gehen von idealen Grundnormen aus, die im Ethischen wurzeln. Im Gegensatz dazu ging Eugen →Schmalenbach „empirisch-realistisch" vor und veröffentlichte zunächst zahlreiche wegweisende empirische Aufsätze über betriebswirtschaftliche Spezialthemen; erst allmählich konzentrierte sich seine Forschung auf die Kostenlehre und auf die Lehre von der →dynamischen Bilanz. Schmalenbach begründete die „Kölner Schule", zu der vor allem →Walb und Walter *Mahlberg* gehörten. Angeregt durch die Geldentwertung nach dem Kriege entwickelte 1919 Fritz →Schmidt die Lehre von der →organischen Tageswertbilanz, die er später zu einem betriebswirtschaftlichen System ausbaute. Ihr stellte →le Coutre seine →totale Bilanz gegenüber. Weitere „Systeme" der Betriebswirtschaftlehre wurden entwickelt von Friedrich *Leitner*, Alexander *Hoffmann*, *Rieger* (→Privatwirtschaftslehre) und M. R. *Lehmann*. Daneben wurden bis zum zweiten Weltkrieg alle Gebiete der Betriebswirtschaftslehre, vor allem die Kostenrechnung, unter immer größerer Anteilnahme der Praxis, erheblich weiter entwickelt. Die Zeit nach dem zweiten Weltkrieg ist geprägt durch die ständig wachsende Anwendung der mathematischen Methode. Begünstigt wird dies durch die Entwicklung und Verbreitung der →Produktionsfunktion vom Typ B von →Gutenberg und die weiteren Entwicklungen in der Produktions- und Kostentheorie. Beeinflußt durch Untersuchungen aus den USA kann man für die Mitte der 60er Jahre eine Hinwendung und Öffnung des Fachs für soziologische und psychologische Fragestellungen (→Betriebssoziologie, →Arbeits- und Organisationspsychologie) feststellen. Die verstärkte Beschäftigung mit den Menschen im Betrieb wurde vor allem durch die →entscheidungsorientierte Betriebswirtschaftslehre von Heinen gefördert. Diese und weitere wichtige Positionen wie die →systemorientierte Betriebswirtschaftslehre von Ulrich und die →verhaltenstheoretische Betriebswirtschaftslehre von Schanz prägen gegenwärtig einen wichtigen Teil zu Diskussionen innerhalb der BWL. Durch den zunehmenden Einfluß, den die EDV (→Betriebsinformatik) auf Struktur, Organisation und Ablauf in Betrieben gewinnt, ist die Diskussion um eine →EDV-orientierte Betriebswirtschaftslehre ein weiterer Schwerpunkt der Diskussion. – Zur neueren Betriebswirtschaftslehre vgl. auch →Betriebswirtschaftslehre II.

**Literatur:** Weber, E., Literaturgeschichte der Handelsbetriebslehre, Tübingen 1914; Seyffert, R., Betriebswirtschaftslehre, Geschichte der, in Handwörterbuch der Betriebswirtschaftslehre, 3. Aufl., Stuttgart 1956; Isaac, A., Geschichte der Betriebswirtschaftslehre, Berlin 1932; Schönpflug, E., Das Methodenproblem in der Einzelwirtschaftslehre, 1933; ders. Betriebswirtschaftslehre, Methoden und Hauptströmungen, 1954; Löffelholz, J., Geschichte der Betriebswirtschaft und der Betriebswirtschaftslehre, Stuttgart 1935; Stich, A. O., Die Entwicklung der Betriebswirtschaftslehre zur selbständigen Disziplin, Basel 1956; Gutenberg, E., Grundlagen der Betriebswirtschaftslehre, 1. Band: Die Produktion, 24. Aufl., Berlin/Heidelberg/New York 1983; Heinen, E., Einführung in die Betriebswirtschaftslehre, 9. Aufl., Wiesbaden 1985; Schanz, G., Grundlagen der verhaltenstheoretischen Betriebswirtschaftslehre, Tübingen 1977; Ulrich, H., Die Unternehmung als produktives soziales System, 2. Aufl., Bern/Stuttgart 1970.

Dr. Josef Löffelholz

**geschichtetes Zufallsstichprobenverfahren,** Spezialfall eines →höheren Zufallsstichprobenverfahrens. G. Z. liegt vor, wenn eine →Grundgesamtheit in →Teilgesamtheiten (Primäreinheiten, ,,Schichten") zerlegt wird und Elemente aus jeder Schicht in die →Stichprobe gelangen. G. Z. sind um so vorteilhafter, je homogener die Schichten bezüglich der Untersuchungsvariablen sind (Schichtungseffekt). Durch eine geeignete →Schichtenbildung *(Stratifikation)* und eine geeignete Aufteilung des Stichprobenumfangs auf die Schichten *(Allokation)* kann die Wirksamkeit von g. Z. gesteigert werden.

**Geschicklichkeit,** →Anforderungsmerkmal im Rahmen der Arbeitsbewertung. G. ist nur dann zu bewerten, wenn sich die einzelnen Bewegungen und Griffe des Arbeitenden in besonderer Weise ständig wechselnden oder plötzlich auftretenden Anforderungen anpassen müssen. – Vgl. auch →Genfer Schema.

**Geschiedenen-(Witwen-)Rente.** I. G e s e t z l i c h e  R e n t e n v e r s i c h e r u n g: 1. Rente an die *frühere Ehefrau* eines Versicherten, deren Ehe mit dem Versicherten *vor dem 1.7.1977* geschieden, für nichtig erklärt oder aufgehoben ist. Die Rente wird nach dem Tod des Versicherten gewährt, wenn der Versicherte zur Zeit seines Todes Unterhalt nach den Vorschriften des Ehegesetzes oder aus sonstigen Gründen zu leisten hatte oder im letzten Jahr vor seinem Tod Unterhalt geleistet hat (§ 1265 I 1 RVO, § 42 I 1 AVG, § 65 I 1 RKG). Frühere Ehefrau ist auch diejenige, die sich zu Lebzeiten des Versicherten wiederverheiratet hatte. Eine bestimmte Unterhaltshöhe wird nicht gefordert, doch reichen nur geringfügige Unterhaltsansprüche oder -leistungen nicht aus. Nach der Rechtsprechung des Bundessozialgerichts muß der Unterhaltsanspruch oder die Unterhaltszahlung mindestens etwa ein Viertel des notwendigen Mindestbedarfs gedeckt haben, wobei der Mindestbedarf unter Berücksichtigung der örtlich und zeitlich geltenden Regelsätze nach dem BSHG festzustellen ist. Ein früher ausgesprochener Unterhaltsverzicht führt i. d. R. zu dem Verlust des Unterhaltsanspruchs und damit der Rente. Die G.-(W.-)R. wird zwischen der Witwe und der früheren Ehefrau nach Maß-

gabe der Dauer der jeweiligen Ehe aufgeteilt (§ 1268 IV RVO, § 45 IV AVG, § 69 IV RKG). – 2. Ist eine →*Witwenrente nicht zu gewähren,* besteht Anspruch auf G.-(W.-)R., wenn a) eine Unterhaltsverpflichtung wegen der Vermögens- oder Erwerbsverhältnisse des Versicherten oder wegen der Erträgnisse der früheren Ehefrau aus einer Erwerbstätigkeit nicht bestanden hat und b) die frühere Ehefrau im Zeitpunkt der Scheidung, Nichtigerklärung oder Aufhebung der Ehe mindestens ein waisenrentenberechtigtes Kind zu erziehen oder für ein Kind, das wegen körperlicher oder geistiger Gebrechen Waisenrente erhielt, zu sorgen oder das 45. Lebensjahr vollendet hatte oder c) solange sie berufsunfähig (→Berufsunfähigkeit) oder erwerbsunfähig (→Erwerbsunfähigkeit) ist oder mindestens ein waisenrentenberechtigtes Kind erzieht oder für ein Kind, das wegen körperlicher oder geistiger Gebrechen Waisenrente erhält, sorgt oder das 45. Lebensjahr vollendet hat. Die Voraussetzungen a) bis c) müssen kumulativ vorliegen. Wenn eine Witwenrente in vollem Umfang wegen Erwerbseinkommen oder Erwerbsersatzeinkommen ruht, ist eine G.-(W.-)R. nach den Voraussetzungen a) bis c) nicht zu gewähren (§ 1265 I 3 RVO, § 42 I 3 AVG i. d. F. des Gesetzes vom 11.7.1985, BGBl I 1450). – Nach dem Hinterbliebenen- und Erziehungszeiten-Gesetz vom 11.7.1985 gelten diese Bestimmungen nunmehr auch für den *früheren Ehemann* der Versicherten. – 3. *Frühere Ehegatten, die vor dem 1.1.1936 geboren sind,* können bis zum 31.12.1988 erklären, daß für sie das bis 31.12.1985 gültige Hinterbliebenenrecht maßgebend sein soll. Ansonsten gilt das neue Hinterbliebenen-Rentenrecht aufgrund des Gesetzes vom 11.7.1985 mit Wirkung vom 1.1.1986, wobei bei Überschreiten eines Freibetrags Erwerbs- und Erwerbsersatzeinkommen anzurechnen ist (Näheres vgl. →Witwenrente). – 4. Ist die Ehe *nach dem 30.6.1977* geschieden, für nichtig erklärt oder aufgehoben worden, scheidet eine G.-(W.-)R. aus, da nach dem 1.7.1977 die Ehescheidung unter Durchführung des →Versorgungsausgleichs erfolgt. Als Ausgleich wird u. U. eine →Erziehungsrente gewährt.

II. G e s e t z l i c h e  U n f a l l v e r s i c h e r u n g: 1. Einer *früheren Ehefrau* des durch Arbeitsunfall Verstorbenen, deren Ehe mit ihm geschieden, für nichtig erklärt oder aufgehoben ist, wird nach seinem Tod auf Antrag Rente entsprechend § 590 RVO gewährt, wenn er ihr zur Zeit seines Todes Unterhalt zu leisten hatte oder wenigstens während des letzten Jahres vor seinem Tod geleistet hat (§ 592 RVO). Der Unterhalt bzw. Unterhaltsanspruch muß mindestens 25% des örtlich und zeitlich geltenden Regelbedarfs nach dem BSHG betragen. Sind mehrere Berechtigte vorhanden, so erhält jede von ihnen nur den Teil der für sie zu berechnenden Rente, der im Verhältnis zu den anderen Berechtigten der Dauer der Ehe mit dem Verletzten entspricht (§ 592 II RVO). – 2. Diese Regelungen gelten seit 1.1.1986 für einen *früheren Ehemann* der durch Arbeitsunfall Verstorbenen entsprechend (§ 592 IV RVO i.d.F. des Hinterbliebenen- und Erziehungszeiten-Gesetzes vom 11.7.1985).

III. Bundesversorgungsgesetz: Die frühere Ehefrau (seit 1.1.1986: *der frühere Ehegatte*) eines Beschädigten erhält nach im wesentlichen gleichen Grundsätzen wie in der Renten- und Unfallversicherung eine G.-(W.-)R. Eine Versorgung ist nur solange zu leisten, als der frühere Ehegatte nach den ehe- oder familienrechtlichen Vorschriften unterhaltsberechtigt gewesen wäre oder sonst Unterhaltsleistungen erhalten hätte. Hat eine Unterhaltspflicht aus kriegs- oder wehrdienstbedingten Gründen nicht bestanden, so bleibt dies unberücksichtigt. Der frühere Ehegatte erhält jedoch dieselbe Versorgung wie eine Witwe, die Versorgung wird also nicht nach Maßgabe der Dauer der jeweiligen Ehe zwischen Witwe und früherem Ehegatten geteilt.

**Geschlechterproportion,** Verhältnis von weiblichen zu männlichen Personen in der →Bevölkerung eines Gebiets nach →Altersgruppen oder Jahrgängen. Zufolge ungleicher Säuglingssterblichkeit zumeist ein Knabenüberschuß im ersten Lebensjahr, dann weitgehend Ausgleich und zufolge der größeren →Lebenserwartung der Frauen auch bei ungestörtem Bevölkerungswachstum zunehmender Frauenüberschuß in höheren Altersstufen, im deutschen Volk wegen der Verluste an Männern durch zwei Weltkriege verschärft.

**geschlossene Hauswirtschaft,** →Hauswirtschaft.

**geschlossene Kostenträgererfolgsrechnung,** Form der →kurzfristigen Erfolgsrechnung nach dem →Umsatzkostenverfahren, bei der gleichzeitig rechnerische Bestände der Halb- und Fertigfabrikate geführt werden, die mit der Kostenarten- und Kostenstellenrechnung abgestimmt sind.

**geschlossener Markt,** Markt, auf dem keine neuen Anbieter auftreten können. Gründe für Zutrittsbeschränkungen sind juristischer Art, wie ein Verbot der Marktausweitung. – *Gegensatz:* →offener Markt.

**geschlossenes Entscheidungsmodell,** Modell eines →Entscheidungsprozesses, das von vollständig vorgegebenen →Entscheidungsprämissen ausgeht. G.E. stellt eine Entscheidungssituation dar, die sich durch vollständig formulierte →Entscheidungsmatrix mit bekannter →Entscheidungsregel auszeichnet. G.E. bilden unbeschränktes Rationalverhalten (z.B. →Homo oeconomicus) ab (→Rationalprinzip). →Modell. – Entscheidungsmodelle des →Operations Research zählen zu den g.E. – *Gegensatz:* →offenes Entscheidungsmodell.

**geschlossenes Netz,** →Netz, das aufgrund seiner herstellerspezifischen Architektur nur die Einbindung von →Datenstationen (v.a. von Computern) eines oder weniger bestimmter Hersteller erlaubt. – *Gegensatz:* →offenes Netz.

**Geschmacksmuster,** v.a. als Vorlage für Massenwaren (gewerbliche Erzeugnisse) verwendbares Muster (Vorlagen für Flächen mit zweidimensionalen Gestaltungen) oder Modell (Vorlagen für dreidimensionale Gestaltungen), das der Gestaltung der äußeren Form dient. Schutz nach →Geschmacksmusterrecht.

**Geschmacksmusterrecht,** rechtliche Regelung des ausschließlichen Rechts des Urhebers eines →Geschmacksmusters, dieses nachzubilden und zu verbreiten. – 1. *Rechtsgrundlage:* Geschmacksmustergesetz (GeschmMG) vom 11.1.1876 (RGBl 11) mit späteren Änderungen. – 2. *Inhalt:* a) *Voraussetzungen:* Ein Geschmacksmuster ist schutzfähig, wenn es gewerblich verwertbar, neu (Prinzip der Priorität) und eigentümlich ist. Eigentümlich ist ein Geschmacksmuster, wenn es in der für die ästhetische Wirkung maßgebenden Merkmalen als das Ergebnis einer eigenpersönlichen, form- und farbenschöpferischen Tätigkeit erscheint, die über das Durchschnittskönnen eines Mustergestalters hinausgeht. – b) *Geschmacksmusteranmeldung* und *-eintragung:* Mit Anmeldung und Niederlegung des Geschmacksmusters beim Amtsgericht entsteht das volle G.

**Geschmackstest,** →Produkttest, bei dem die Untersuchung des Geschmacks im Vordergrund steht.

**Geschwindigkeit,** Verhältnis des zurückgelegten Weges zu der für diesen Weg benötigten Zeit. Im Straßenverkehr ist die G. des Fahrzeugs den jeweils gegebenen Verhältnissen (Straßenzustand, Sicht usw.) so anzupassen, daß es vom Fahrer nötigenfalls rechtzeitig angehalten werden kann (§ 3 StVO). – Vgl. auch →Richtgeschwindigkeit.

**Gesell,** Silvio, 1862–1930, Begründer der Freigeldlehre, wonach der Realwert der kontraktiv wirkenden Barbestände der Wirtschaftssubjekte durch wöchentliche Bestätigung ihres Nominalwertes mittels Aufklebens gebührenpflichtiger Geldmarken vermindert werden sollte, so daß ein Liquiditätsverzicht eintreten würde. G. übersah bei seiner Konzentration auf das Notgeld andere Geldformen und Geldsubstitute. Begründer verschiedener Freiland-Freigeld-Bünde, in seinen Ideen über Bodenpolitik von Henry George beeinflußt. 1919 Finanzminister der kommunistischen Räteregierung in Bayern. G. fand Anhänger für manche Ideen in Irving Fisher und v. a. in J. M. Keynes.

**Geselle,** *Handwerksgeselle,* Person, die nach Ablauf der im Berufsausbildungsvertrag vereinbarten Ausbildungszeit eine →Gesellenprüfung (→Ausbildungsabschlußprüfung) vor einem →Gesellenprüfungsausschuß erfolgreich abgelegt hat. Erhält im Regelfall einen →Gesellenbrief.

**Gesellenbrief,** eine von der →Handwerksinnung dem bisherigen →Auszubildenden ausgehändigte Bestätigung über die erfolgreich abgelegte →Ausbildungsabschlußprüfung i. d. R. anläßlich einer besonderen Los- oder Freisprechungsfeier.

**Gesellenprüfung,** Prüfung zum Abschluß der Ausbildungszeit im Handwerk (→Ausbildungsabschlußprüfung).

**Gesellenprüfungsausschuß,** ein von der →Handwerkskammer oder mit ihrer Ermächtigung von der →Handwerksinnung errichtetes öffentlich-rechtliches Organ für alle Auszubildenden des Innungsbezirks (§ 33 HandwO). – *Zusammensetzung:* Mindestens drei sachkundige geeignete Mitglieder. Es müssen selbständige Handwerker, die die Meisterprüfung abgelegt oder zum Ausbilden berechtigt sind, und Arbeitnehmer, Gesellen, die die Gesellenprüfung abgelegt haben und bei einem selbständigen Handwerker beschäftigt sind, in gleicher Zahl und mindestens ein Lehrer einer berufsbildenden Schule vertreten sein. Die Mitglieder werden längstens für drei Jahre ehrenamtlich berufen. Der Prüfungsausschuß wählt aus seiner Mitte den Vorsitzenden und dessen Stellvertreter (§ 34 HandwO).

**Gesellenstück,** eine in den fachlichen Vorschriften festgelegte praktische Leistungserstellung (Arbeitsprobe) im Rahmen der →Ausbildungsabschlußprüfung im Handwerk.

**Gesellschaft,** soziales Gebilde. Als Gegenstand der Soziologie v. a. die territorial abgegrenzte Organisationsform zur Befriedigung und Sicherstellung der Lebensvollzüge einer größeren Menschengruppe. – Zur *Struktur der G.* auf allen Entwicklungsstufen (z. B. Stammes-G., Stände-G., bürgerliche G.) gehören gesellschaftliche Universalien zum Austausch von Ressourcen und Informationen und die Zentralisierung von Herrschaft. Vorherrschende Strukturmerkmale gegenwärtiger spätbürgerlicher, industriell-bürokratischer G. in Europa und Nordamerika sind u. a.: zunehmende Anonymisierung und Bürokratisierung, Verrechtlichung und Verwissenschaftlichung der Daseinsbereiche; Verstädterung; Rollen-Differenzierung des individuellen Verhaltens entsprechend der zunehmenden →sozialen Differenzierung. Ob die in der

bürgerlichen G. herausgebildete Differenz von Staat und G. durch gegenwärtige Prozesse der „Vergesellschaftung des Staates" (z. B. über Verbände und Parteien) oder der „Verstaatlichung der G." (z. B. über Recht, Bürokratie, staatlich gesteuerte Medien) mehr und mehr eingeebnet wird, gilt als fraglich. – *Anders:* →Gemeinschaft.

**Gesellschaft des bürgerlichen Rechts,** *BGB-Gesellschaft.* 1. *Begriff:* Gesellschaft, deren Zweck nicht auf den Betrieb des →Handelsgewerbes eines →Vollkaufmanns gerichtet ist. Rechtsgrundlagen: §§ 705–740 BGB; die Vorschriften des HGB sind unanwendbar. Die G. d. b. R. hat keine →Firma, ist keine →juristische Person und kann als G. weder klagen noch verklagt werden. – 2. *Gründung* durch →Gesellschaftsvertrag. – 3. *Rechte und Pflichten der Gesellschafter:* a) Leistung der →Gesellschaftsbeiträge und Haftung untereinander für Sorgfalt in eigenen Angelegenheiten. – b) Das →Gesellschaftsvermögen steht allen Gesellschaftern in →Gemeinschaft zur gesamten Hand zu; kein Gesellschafter kann über seinen Anteil am Gesellschaftsvermögen (andere Abrede zulässig) verfügen oder Teilung verlangen, solange G. d. b. R. besteht. – c) Wahrnehmung der Geschäfte durch einen oder mehrere geschäftsführende Gesellschafter. – d) Gewinn- oder Verlustverteilung mangels anderer Abrede nach Köpfen (→Gewinnanteil des Gesellschafters). – e) Wegen der →Gesellschaftsschulden können Gläubiger Gesellschaftsvermögen oder sonstiges Vermögen der Gesellschafter in Anspruch nehmen. – f) Ansprüche der Gesellschafter aus dem Gesellschaftsverhältnis sind i. d. R. nicht übertragbar, ausgenommen solche aus der Geschäftsführung, auf den Gewinnanteil oder aus der Auseinandersetzung. – 4. *Beendigung* i. d. R. durch Zweckerreichung, Auflösungsbeschluß und Kündigung, Tod oder Konkurs eines Gesellschafters. Bei G. d. b. R. auf unbestimmte Dauer kann jederzeit gekündigt werden; bei G. auf bestimmte Dauer oder mit Kündigungsfrist, ebenso, wenn →wichtiger Grund vorliegt. Falls Gesellschaftsvertrag Fortdauer der G. d. b. R. bei Kündigung, Tod und Konkurs des Gesellschafters vorsieht, haben diese Umstände nur das Ausscheiden des betreffenden Gesellschafters zur Folge. Bei Auflösung findet →Auseinandersetzung der Gesellschafter hinsichtlich des Gesellschaftsvermögens statt; die Gesellschaft gilt als fortbestehend, soweit der Zweck der Auseinandersetzung (z. B. Abwicklung schwebender Geschäfte) das erfordert.

**Gesellschafteraufnahme.** 1. Bei *Personengesellschaften* (OHG, KG und stiller Gesellschaft) durch Vertrag gegen Leistung einer Einlage, Übertragung eines Gesellschaftergeschäftsanteils oder Einbringung der Arbeitskraft. Bei OHG und KG Eintragung im Handelsregister. – 2. Bei *Kapitalgesellschaf-*

*ten:* a) Bei AG durch Erwerb von →Aktien (bei →Namensaktien →Indossament erforderlich). b) Bei GmbH durch Übernahme eines →Geschäftsanteils (notarielle Beurkundung), meist gebunden an die Zustimmung der übrigen Gesellschafter. c) Bei bergrechtlichen Gewerkschaften durch Übertragung von →Kuxen mit Zession und Umschreibung im Gewerkenbuch. – 3. Bei *Genossenschaften* durch Beitrittserklärung, die der Vorstand dem →Genossenschaftsregister zur Eintragung in die Liste der Genossen einzureichen hat; erst durch die Eintragung entsteht die Mitgliedschaft (→Genossenschaft IV 2).

**Gesellschafterbeschluß,** Entscheidung der Gesamtheit der Gesellschafter. Die zu fassenden G. ergeben sich aus Gesetz (vgl. z.B. §§ 113, 116, 131, 139 HGB) und aus →Gesellschaftsvertrag. – *Mitwirkende Personen* je nach Einzelfall, z.B. alle Gesellschafter (z.B. § 131 Ziff. 2 HGB) oder nur die geschäftsführenden Gesellschafter (z.B. § 116 II HGB). Ein Gesellschafter kann im Einzelfall von der Beschlußfassung *ausgeschlossen* sein, z.B. wenn sich der G. gegen ihn oder seine Interessen richtet. – *Verfahren:* Ob der G. einstimmig oder mit Stimmenmehrheit zu fassen ist, ist entweder dem Gesetz (vgl. § 119 I HGB) oder den Bestimmungen des Gesellschaftsvertrages zu entnehmen. Die →*Abstimmung* erfolgt grundsätzlich nach der Kopfzahl, doch sind abweichende Vereinbarungen erlaubt; es genügt i.d.R. Einzelabgabe der Stimmen, auch schriftlich.

**Gesellschafterdarlehen,** →Darlehen eines Gesellschafters an seine Gesellschaft.

I. G. an Personengesellschaften: 1. Zwischen *vollhaftenden Gesellschaftern* und der Gesellschaft entstehen i.d.R. keine Forderungen und Schulden; G. gelten daher als →Einlagen, Rückzahlungen von G. als →Entnahmen. – 2. G. von *Kommanditisten* sind echte Darlehen, wenn das Haftungskapital voll eingezahlt ist. – 3. *Steuerrechtliche Behandlung:* G. gehören (unabhängig von der buchmäßigen Behandlung) zum Eigenkapital und sind bei der Ermittlung des →Betriebsvermögens nicht als →Betriebsschulden abzugsfähig.

II. G. an Kapitalgesellschaften: 1. G. sind echte Darlehen und unterliegen als →Dauerschulden der →*Gewerbesteuer.* – 2. G. gehören für Zwecke der Einheitsbewertung (→Einheitswert II 2) zum Eigenkapital, wenn eine Zuführung von Geldmitteln objektiv notwendig und die Aufnahme von G. wegen Unmöglichkeit der Beschaffung fremder Kredite zwingend ist. – 3. G. können als →verdecktes Stammkapital gelten; überhöhte Zinsen für G. als →verdeckte Gewinnausschüttung; zu niedrige Zinsen können →Gesellschaftsteuer auslösen.

**Gesellschafterliste.** 1. Verzeichnis der Anteilseigner einer →*Aktiengesellschaft* bzw. ihrer Vertreter bei jeder →Hauptversammlung. G. hat vor Beginn von Abstimmungen auszuliegen und muß vor Eintritt in die Tagesordnung vom Vorsitzenden des Aufsichtsrats unterschrieben sein. *G. enthält* Namen und Wohnort der erschienenen oder vertretenen →Aktionäre sowie der Vertreter von Aktionären und Angabe des Betrags der von jedem vertretenen Aktien unter Bezeichnung ihrer Gattung. Gesonderte Angabe fremder Aktien (§ 129 AktG). – 2. Die nach § 40 GmbHG von den Geschäftsführern einer GmbH jährlich beim →Handelsregister einzureichende Liste der Gesellschafter mit Angabe von Name, Stand und Wohnort sowie ihrer →Stammeinlagen. Hat sich im laufenden Jahr nichts geändert, genügt Erklärung darüber.

**Gesellschafterverbrauch,** Begriff des Umsatzsteuerrechts. G. sind nach § 1 I Nr. 3 UStG die →Lieferungen und sonstigen Leistungen, die eine Personenvereinigung, Körperschaft oder Gemeinschaft (Gesellschaft i.w.S.) an ihre Anteilseigner, Mitglieder usw. (Gesellschafter i.w.S.) im →Erhebungsgebiet unentgeltlich erbringt (z.B. verdeckte Gewinnausschüttungen, als Aufwand verbuchte Leistungen). Die Bemessungsgrundlagen des G. entsprechen denen des →Eigenverbrauchs. Werden die Leistungen entgeltlich erbracht, liegt kein G. vor, es ist aber die Anwendung der →Mindestbemessungsgrundlage zu prüfen. – Vgl. auch →Gesellschaftsleistungen.

**Gesellschafterversammlung,** Organ der →Gesellschaft mit beschränkter Haftung (vgl. dort im einzelnen V).

**Gesellschafterwechsel,** →Ausscheiden eines Gesellschafters, →Gesellschafteraufnahme.

**Gesellschaft für Absatzfinanzierung mbH (GEFA),** Sitz in Wuppertal, zum Konzern →Deutsche Bank gehörendes Spezialinstitut für Absatz- und Investitionsfinanzierung. Das Angebot umfaßt gewerbliche Ratenkredite, Einkaufsfinanzierung, Mietkauf und Faktoring. Betreibt über die Tochtergesellschaft GEFA-Leasing GmbH, Wuppertal, die Vermietung mobiler Investitionsgüter (Leasing) und über EFGEE Gesellschaft für Einkaufs-Finanzierung mbH, Düsseldorf, das Konsumfinanzierungsgeschäft. Weitere wesentliche Beteiligung: ALD AutoLeasing D GmbH, Hamburg, Bilanzsumme der Gruppe: 3,6 Mrd. DM, Mitarbeiter: 424, Filialen: 19, (Ende 1986).

**Gesellschaft für Angewandte Mathematik und Mechanik (GAMM),** Sitz in Karlsruhe. – *Aufgaben:* Förderung der wissenschaftlichen Forschung und internationalen Zusammenarbeit auf den Gebieten der Angewandten Mathematik und Physik.

**Gesellschaft für Informatik e. V. (GI),** Sitz in Bonn. – *Aufgaben:* Die Informatik in Forschung und Lehre, ihre Anwendung und die Weiterbildung auf diesem Gebiet zu fördern. Veranstaltung von Tagungen, Förderung von wissenschaftlichen Veröffentlichungen, Einrichtung von Fachbereichen, Fachausschüssen und Fachgruppen sowie Unterrichtung einer breiten Öffentlichkeit über Fragen der Informationsverarbeitung.

**Gesellschaft für Mathematik und Datenverarbeitung mbH (GMD),** eine der 13 Großforschungseinrichtungen der Bundesrep. D., Sitz in Sankt Augustin. – *Aufgaben:* Forschung und Entwicklung auf dem Gebiet der Informations- und Kommunikationstechnologie und der für ihren Fortschritt bedeutsamen Mathematik sowie die damit verbundene fachliche und wissenschaftliche Aus- und Fortbildung; Beratung und Unterstützung der öffentlichen Verwaltung, besonders der Bundesregierung, von Hochschulen sowie von Herstellern und Anwendern bei der Einführung und Fortentwicklung der Informationstechnik. Forschungs- und Entwicklungsaufgaben reichen von der Grundlagenforschung bis zur Entwicklung konkreter Produkte.

**Gesellschaft für mathematische Forschung e. V.,** Sitz in Freiburg i. Br. – *Aufgabe:* Förderung und Intensivierung der mathematischen Forschung; Fortbildung in der Mathematik und Grenzgebieten; Träger des Mathematischen Forschungsinstituts (Oberwolfach).

**Gesellschaft für musikalische Aufführungs- und mechanische Vervielfältigungsrechte (GEMA),** Sitz in Berlin (West), Bonn und München. – *Aufgabe:* Wahrnehmung deutscher und ausländischer Urheberrechte auf dem Gebiet der Musik in der Bundesrep. D. und Berlin (West).

**Gesellschaft für Öffentliche Wirtschaft und Gemeinwirtschaft e. V.,** Vereinigung gemeinwirtschaftlicher und öffentlicher Unternehmen; Sitz in Berlin. – *Aufgaben:* Wissenschaftliche Erforschung öffentlicher und gemeinwirtschaftlicher Unternehmen und ihrer Wirksamkeit in der Volkswirtschaft auf nationaler und internationaler Ebene.

**Gesellschaft für Organisation e. V. (GfürO),** Sitz in Gießen. Gegründet 1922 in Berlin. – *Ziel:* Förderung der im Bereich der Wissenschaft, Wirtschaft und Verwaltung mit Organisation betrauten Personen. – *Aufgaben:* Aus-, Fort- und Weiterbildung für Organisatoren und andere Führungskräfte (geschlossene mehrwöchige Lehrgänge, Fachseminare); Erfassung und Entwicklung anderweitiger Forschungen und Erfahrungen auf den einschlägigen Gebieten; dezentrale Öffentlich-

keitsarbeit durch Fachtagungen, Kongresse und Fachgruppenarbeit. – *Publikation:* Zeitschrift Führung + Organisation (zfo). – *Ausbildungsinstitution:* Akademie für Organisation (A für O).

**Gesellschaft für Organisationsentwicklung e. V. (GOE),** deutsche Fachorganisation für →Organisationsentwicklung, 1980 gegründet; Sitz Wuppertal. – *Aufgaben:* Unterstützung und Förderung von auf dem Gebiet der Organisationsentwicklung in Wissenschaft und Praxis tätigen Institutionen und Personen; Förderung der Aus- und Weiterbildung von professionellen Beratern im Bereich der Organisationsentwicklung. – *Publikation:* Organisationsentwicklung.

**Gesellschaft für rationale Verkehrspolitik e. V.,** Sitz in Düsseldorf. – *Aufgaben:* Erarbeitung von Grundsätzen für eine rationale, zukunftsorientierte, humane und umweltgerechte Verkehrspolitik von Bund, Ländern und Gemeinden.

**Gesellschaft für Rechtsvergleichung,** Sitz in Göttingen. – *Aufgaben:* Auslandsrechtskunde; ethnologische und universalgeschichtliche Rechtsforschung; angewandte Rechtsvergleichung; internationale Zusammenarbeit im Rechtswesen; internationale Rechtsvereinheitlichung.

**Gesellschaft für sozialen Fortschritt e. V.,** Sitz in Bonn. – *Aufgaben:* Förderung und Erhaltung des sozialen Fortschritts durch Klärung; Festigung und Förderung sozialpolitischer Ziele; insbes. durch wissenschaftliche Untersuchungen, Publikationen und öffentliche Ansprachen.

**Gesellschaft für Versicherungswissenschaft und -gestaltung e. V.,** Sitz in Köln. – *Aufgaben:* Erhaltung und Weiterentwicklung des deutschen freiheitlichen, gegliederten Systems der sozialen Sicherung; Förderung der Selbstverwaltung von Solidargemeinschaften, die den individuellen Bedürfnissen der Versicherten gerecht werden.

**Gesellschaft für Wertpapierinteressen e. V.,** Sitz in Frankfurt a. M. – *Aufgaben:* Beobachtung und Analyse der Wertpapierentwicklung im In- und Ausland.

**Gesellschaft für Wirtschafts- und Sozialwissenschaften – Verein für Socialpolitik,** Sitz in Köln. 1. *Entwicklung:* Der im Jahre 1873 von sozialpolitisch orientierten Nationalökonomen, von Journalisten und Praktikern als Verein für Socialpolitik gegründete Verein löste sich nach mehr als 60jährigem einflußreichem Wirken auf, als unter der nationalsozialistischen Herrschaft seine Unabhängigkeit bedroht war. 1948 als G. f. W.- u. S. wieder ins Leben gerufen. – 2. Die *Mitglieder* stammen überwiegend aus dem gesamten deutschsprachigen Raum: Hochschullehrer aus dem

Bereich der Wirtschafts- und Sozialwissenschaften sowie sonstige in der Lehre und Forschung tätige, kooperative Mitglieder, d.h. Institutionen und Praktiker aus Wirtschaft und Verwaltung, die an den Aufgaben des Vereins interessiert sind. – 3. *Ziele:* Die wissenschaftliche Erörterung wirtschafts- und sozialwissenschaftlicher Probleme in Wort und Schrift; die Klärung von Fach- und Studienfragen der Volks- und Betriebswirtschaftslehre; die Pflege der Beziehungen zur Fachwissenschaft des Auslands. – 4. Die wichtigsten *Tagungen* des Vereins nach seiner Neugründung behandelten die folgenden Themen: „Volkswirtschaftliche Probleme des deutschen Außenhandels" (1948), „Die Problematik der Vollbeschäftigung" (1950), „Kapitalbildung und Kapitalverwendung" (1952), „Deutschland und die Weltwirtschaft" (1954), „Einkommensbildung und Einkommensverteilung" (1956), „Probleme des räumlichen Gleichgewichts in der Wirtschaftswissenschaft" (Sondertagung 1958), „Finanz- und währungspolitische Bedingungen stetigen Wirtschaftswachstums" (1958), „Die Konzentration in der Wirtschaft" (1960), „Strukturwandlungen einer wachsenden Wirtschaft" (1962), „Weltwirtschaftliche Probleme der Gegenwart" (1964), „Rationale Wirtschaftspolitik und Planung in der Wirtschaft von heute" (1966), „Lohnpolitik und Einkommensverteilung" (1968), „Grundfragen der Infrastrukturplanung für wachsende Wirtschaften" (1970), „Macht und ökonomisches Gesetz" (1972), „Stabilisierungspolitik in der Marktwirtschaft" (1974), „Soziale Probleme der modernen Industriegesellschaft" (1976), „Staat und Wirtschaft" (1978), „Zukunftsprobleme der Sozialen Marktwirtschaft" (1980), „Staatsfinanzierung im Wandel" (1982). – Daneben seit 1961 *Arbeitstagungen* mit folgenden Themen: „Diagnose und Prognose als wirtschaftswissenschaftliches Methodenproblem" (1961), „Probleme der normativen Ökonomik und der wirtschaftspolitischen Beratung" (1962), „Das Verhältnis der Wirtschaftswissenschaft zur Rechtswissenschaft, Soziologie und Statistik" (1963), „Grundsatzprobleme wirtschaftspolitischer Beratung" (1967), „Probleme der internationalen Arbeitsteilung" (1973), „Die Bedeutung gesellschaftlicher Veränderungen für die Willensbildung im Unternehmen" (1975), „Neuere Entwicklungen in den Wirtschaftswissenschaften" (1977), „Erschöpfbare Ressourcen" (1979), „Information in der Wirtschaft" (1981), „Ansprüche, Eigentums- und Verfügungsrechte" (1983), „Ökonomie des Gesundheitswesen" (1985), „Beschäftigungsprobleme hochentwickelter Volkswirtschaften" (1987). – 5. *Veröffentlichungen:* Vorbereitende Materialbände und ausführliche Berichte über die Tagungen, Veröffentlichungen der Ausschüsse sowie Spezialuntersuchungen setzen die berühmte „Schriftenreihe des Vereins für

Socialpolitik" fort. Außerdem ist die G.f.W.-u.S. Herausgeber der „Zeitschrift für Wirtschafts- und Sozialwissenschaften".

**Gesellschaft für Zahlungssysteme (GZS),** Sitz in Frankfurt a.M. Von der deutschen Kreditwirtschaft 1982 gegründete Gesellschaft zur Koordination der Zahlungsverkehrsaktivitäten sowie der Entwicklung und Pflege neuer Zahlungsverkehrsverfahren, hervorgegangen aus Verschmelzung der eurocard GmbH und der deutschen eurocheque-Zentrale.

**gesellschaftliche Bedürfnisse,** →Bedürfnisse, die von der Gesellschaft und der Tatsache, daß der Mensch Glied einer Gesellschaft ist, geprägt werden. – *Beispiel:* Modische Kleidung. – *Gegensatz:* →natürliche Bedürfnisse.

**gesellschaftliche Strategien.** 1. *Begriff:* Strategien innerhalb eines →strategischen Managements mit dem Ziel, Unternehmen innerhalb der öffentlichen Meinung zu positionieren. G.St. erscheinen zunehmend erforderlich: Unternehmen und Produkte zeigen eine immer größer werdende Anfälligkeit gegenüber sozialen Konflikten. Gesellschaftspolitische Diskussionen und Auseinandersetzungen treten derzeit v.a. in den Bereichen Umwelt-, Gesundheits-, Konsumentenschutz, Sozialpolitik und Beziehungen zur Dritten Welt auf (aktuelle Problemfälle: Weinskandal, Rheinverschmutzung durch Chemieindustrie u.a.). Gesellschaftspolitischer Handlungsbedarf ist erforderlich; derartige Auseinandersetzungen, die größtenteils öffentlich ausgetragen werden, verlangen neuartige Fähigkeiten vom Management, eigenständige g.St. und oft auch andere Organisationsstrukturen. – 2. *Ansätze:* a) *Strategischer Ansatz:* Die externen Probleme der Interaktion zwischen Unternehmung und sozio-ökonomischem Umfeld werden untersucht; Fragen der Kommunikation mit dem Umfeld, frühzeitige Identifikation von neuen Ereignissen und Entwicklungen im Umfeld (→strategische Frühaufklärung und Handlungs- und Kommunikationsstrategien gegenüber dem Umfeld. – Vgl. auch →Wirtschaftspublizistik. – b) *Organisatorischer Ansatz:* Die internen Gestaltungsprobleme der Organisationsstrukturen und der Führungssysteme werden untersucht: Diskussion, wie eine gesellschaftsbezogene Unternehmenspolitik intern durchgeführt werden kann und wie andererseits die Aufnahme und Verarbeitung von Umfeldereignissen organisatorisch verwirklicht werden sollte. – c) *Führungsbezogener Ansatz:* Aufgabe und Rolle der Führungsspitze im Interaktionsprozeß zwischen Unternehmung und Gesellschaft werden untersucht. – Organisatorischer und führungsbezogener Ansatz befassen sich mit der Transformation der bereits erfaßten Umfeldereignisse in strategische Reaktionen. Dabei ist es wichtig, daß g.St. nicht nur reaktiv entwickelt werden, sondern daß über einen proaktiven Ansatz bereits laufend eine vertrauensbildende Politik gegenüber der Öffentlichkeit betrieben wird. – Vgl. auch →Public Relations.

**gesellschaftliche Verantwortung der Unternehmensführung,** Forderung an Manager von Großunternehmen (→Unternehmensverfassung). – 1. *Idee: Freiwillige* Einbeziehung der Interessen verschiedener Bezugsgruppen der Unternehmung (Konsumenten, Arbeitnehmer, Geldgeber, Gesellschaft) in unternehmerische Entscheidungen. Bei Konflikten ist der *Ausgleich* Aufgabe der Unternehmensführung (Manager). Innerhalb der →kapitalistischen Unternehmensverfassung wird so anstelle des →erwerbswirtschaftlichen Prinzips das an moralischen Maximen ausgerichtete Prinzip der g. V. postuliert. Gewinn ist Mittel zum Zweck und nicht letztes Ziel unternehmerischer Handlungen und Entscheidungen. – Die Idee kann als Reaktion auf die Kritik an der kapitalistischen Unternehmensverfassung, der Machtstellung von Großunternehmen und den Legitimationsdefiziten der →Managerherrschaft in Publikumsgesellschaften verstanden werden. – 2. *Operationalisierung und Implementierung* durch →Verhaltenskodizes und Instrumente wie die →Sozialbilanz. – 3. *Kritik:* a) Von *wirtschaftsliberaler* Seite (Milton Friedman): Kollektivistisch und unvereinbar mit den Prinzipien einer freiheitlichen Marktwirtschaft. – b) Aus *demokratietheoretischer* Sicht: Elitär-personalistischer Lösungsansatz. – c) *Weitere Kritikpunkte:* Mangelhafte Operationalität der zu berücksichtigenden Interesseninhalte; pseudo-normative Leerformel. – 4. *Bedeutung:* Keine Alternative zur Reform der Unternehmensverfassung (→Mitbestimmung, →Verbraucherpolitik, →Publizität, →Umweltschutz), aber im Rahmen der →Unternehmensethik von Bedeutung.

**Gesellschaft mit beschränkter Haftung (GmbH).** I. R e c h t s g r u n d l a g e n : Gesetz, betreffend die GmbH (GmbH-Gesetz) vom 20. 5. 1898 mit späteren Änderungen.

II. B e g r i f f / H a f t u n g : →Kapitalgesellschaft mit eigener Rechtspersönlichkeit, *selbst* unbeschränkt mit ihrem Vermögen *haftend.* Eine *Haftung der Gesellschafter* besteht nur gegenüber der Gesellschaft; sie ist begrenzt auf die Erbringung der Einlagen und etwaiger Nachschüsse. →Gesellschaftsvertrag (vgl. dort IV) mit weitem Spielraum, mitunter Annäherung an →offene Handelsgesellschaft.

III. S t a m m k a p i t a l : Mindestens 50000 DM seit 1.1.1981 (früher 20000 DM, bei Neufestsetzung nach DM-Bilanz-Gesetz 5000 DM), je Stammeinlage mindestens 500 DM (50 DM). Bis zum 31. 12. 1985 mußten Altgesellschaften mit einem Stammkapital von weniger als 50000 DM dieses auf das neue

Mindeststammkapital erhöhen. Beteiligung kann für die einzelnen Gesellschafter verschieden hoch sein. – *Beschluß auf Kapitalerhöhung oder -herabsetzung* bedarf einer Mehrheit von ¾ der abgegebenen Stimmen. Erhöhung verbunden mit 2,5% Gesellschaftsteuer. Bei Kapitalherabsetzung dreimalige Bekanntmachung in Gesellschaftsblättern mit Gläubigeraufruf, Befriedigung oder Sicherstellung der Gläubiger, Anmeldung des Herabsetzungsbeschlusses nach Ablauf des Sperrjahres seit der dritten Bekanntmachung.

IV. E r r i c h t u n g : Die Errichtung einer GmbH erfolgt durch eine oder mehrere Personen mit Abschluß eines Gesellschaftsvertrages in notarieller Form. – 25% Einzahlung aufs Kapital erforderlich, jedoch müssen Bareinlagen zuzüglich Sacheinlagen 25000 DM erreichen. Bei Sacheinlagen müssen Gegenstand und Betrag der Einl. Stammeinlage im Gesellschaftsvertrag festgesetzt werden. Auch ist in einem *Sachgründungsbericht* die Angemessenheit der Sacheinlagen darzulegen und beim Übergang eines Unternehmens auf die Gesellschaft das Jahresergebnis der beiden letzten Geschäftsjahre anzugeben. – Die GmbH *entsteht* mit der Eintragung ins Handelsregister. Vor der Eintragung →nichtrechtsfähiger Verein (→Vorgesellschaft). Errichtung zu jedem gesetzlich zulässigen Zweck möglich; Erwerbszweck nicht notwendig. – *Gesellschaftsvertrag* muß enthalten: Firma, Sitz der Gesellschaft, Gegenstand des Unternehmens, Höhe des Stammkapitals, Stammeinlagen der Gesellschafter. Abänderungen nur mit einer Mehrheit von ¾ der abgegebenen Stimmen. – *Gründerhaftung* ähnlich wie bei der AG. Gesellschaft und Geschäftsführer haften als →Gesamtschuldner der Gesellschaft gegenüber, wenn zum Zweck der Errichtung der Gesellschaft falsche Angaben gemacht werden.

V. O r g a n e : 1. →*Geschäftsführer* (vgl. auch dort), im Innenverhältnis verpflichtet durch Anstellungsvertrag. Vornahme bestimmter Geschäfte nur mit Genehmigung der Gesellschafterversammlung oder des Aufsichtsrats möglich. Nach außen mit unbeschränkbarer Vertretungsmacht. Bei mehreren Geschäftsführern →Gesamtvertretung; nach Satzung usw. auch Einzelvertretung statthaft. Geschäftsführer können gleichzeitig Gesellschafter sein. →Einmanngesellschaft. Häufig Befreiung der Geschäftsführer vom Verbot des Selbstkontrahierens nach §181 BGB. – 2. *Gesellschafterversammlung:* a) Sie hat zu *bestimmen* über Feststellung des Jahresabschlusses und Verwendung des Reingewinns, Einforderung von Einzahlungen auf das Stammkapital oder Nachschüssen, Rückzahlung von Nachschüssen, Einziehung und Teilung von Geschäftsanteilen, Bestellung, Abberufung, Prüfung und Entlastung von Geschäftsführern, Bestellung von Prokuristen, Vertretung der Gesellschaft gegen die Geschäftsführer. Zuständigkeit der Gesellschafterversammlung (zwingend vorgeschrieben bei Beschlüssen über Satzungsänderung, Einforderung von Nachschüssen, Auflösung der Gesellschaft, Bestellung und Abberufung von Liquidatoren) durch Satzung auf den Geschäftsführer, einen Gesellschafter oder den Aufsichtsrat übertragbar. – b) *Beschlüsse* werden mit einfacher Stimmenmehrheit (100 DM = 1 Stimme, falls Satzung nichts anderes bestimmt) gefaßt bis auf Satzungsänderung (§ 53 BetrVG) und Auflösung (§ 60 BetrVG). Satzung kann auch, soweit einfache Mehrheit genügt, schriftliche, telegrafische, telefonische Abstimmung zulassen. – c) *Protokoll* nicht vorgeschrieben, aber empfehlenswert. →Öffentliche Beurkundung bei satzungsändernden Beschlüssen (Kapitalerhöhung, -herabsetzung, Firmenänderung, Sitzverlegung, Liquidation) erforderlich. – d) *Einberufung* der Gesellschafterversammlung mittels eingeschriebenen Briefs durch Geschäftsführer unter Ankündigung der Tagesordnung; Frist, falls Satzung nichts anderes bestimmt, eine Woche. Einberufung zwingend, wenn sie von einer Minderheit von mindestens 10% gefordert wird oder die Hälfte des Stammkapitals verloren ist. – 3. *Aufsichtsrat, Beirat und Verwaltungsrat* sind i. a. fakultative Organe, d. h. bestehen nur, wenn in der Satzung vorgesehen. Hat die GmbH mehr als 500 Arbeitnehmer, muß sie jedoch einen Aufsichtsrat bilden, für den die aktienrechtlichen Vorschriften Anwendung finden (§ 77 BetrVG). – 4. Keine *Publikationspflicht*.

VI. S t r a f b e s t i m m u n g e n : 1. *Falsche Angaben* der Gesellschafter oder Geschäftsführer zum Zweck der Eintragung der Gesellschaft über die Übernahme der Stammeinlagen, die Leistung der Einlagen, die Verwendung eingezahlter Beträge, Sondervorteile, Gründungsaufwand, Sacheinlagen und Sicherungen für nicht voll eingezahlte Geldeinlagen der Gesellschafter im Sachgründungsbericht der Geschäftsführer zum Zwecke der Eintragung einer Erhöhung des Stammkapitals über die Zeichnung oder Einbringung des neuen Kapitals oder über Sacheinlagen oder der Geschäftsführer sowie Liquidatoren bei bestimmten gesetzlich vorgeschriebenen Versicherungen werden mit Freiheitsstrafe bis zu drei Jahren oder mit Geldstrafe bestraft (§ 82 GmbHG). Gleiches gilt bei unwahren Versicherungen über Befriedigung oder Sicherstellung der Gläubiger zum Zweck der Herabsetzung des Stammkapitals und bei falschen Darstellungen über die Vermögenslage der Gesellschaft in öffentlichen Mitteilungen. – 2. *Schuldhafte nicht rechtzeitige Antragstellung* auf Konkurseröffnung oder Eröffnung des Vergleichsverfahrens durch Geschäftsführer oder Liquidatoren wird mit Freiheitsstrafe bis zu drei Jahren oder mit Geldstrafe bestraft;

ebenso eine bei einem Verlust der Hälfte des Stammkapitals unterlassene Anzeige gegenüber den Gesellschaftern (§ 84 GmbHG). – 3. *Verletzung der Geheimhaltungspflicht*, unbefugte Offenbarung eines Betriebs- oder Geschäftsgeheimnisses, wird auf Antrag der Gesellschaft mit Freiheitsstrafe bis zu einem Jahr oder mit Geldstrafe und bei Bereicherungs- oder Schädigungsabsicht mit Freiheitsstrafe bis zwei Jahren geahndet (§ 85 GmbHG).

VII. B e s t e u e r u n g : Es unterliegen a) Gewerbeertrag und Gewerbekapital der →Gewerbesteuer; b) Einkommen der →Körperschaftsteuer; c) →Gesamtvermögen (mindestens 20 000 DM, keine Freibeträge) der →Vermögensteuer; d) bei Gründung oder Kapitalerhöhung, soweit sie nicht aus Gesellschaftsmitteln erfolgt, die vom Gesellschafter erbrachten Leistungen der →Gesellschaftsteuer.

VIII. A u f l ö s u n g : a) durch Ablauf der vereinbarten Vertragsdauer; b) durch Gesellschafterbeschluß mit ¾ der abgegebenen Stimmen; c) durch gerichtliches Urteil; d) durch Eröffnung des →Konkurses (Antragspflicht der Geschäftsführer oder Liquidatoren bei →Überschuldung oder →Zahlungsunfähigkeit); e) durch Löschung von Amts wegen bei Vermögenslosigkeit. Bei Liquidation dreimalige Bekanntmachung in den Gesellschaftsblättern mit Gläubigeraufruf, Verteilung des Vermögens unter die Gesellschafter nach Ablauf des Sperrjahres seit der dritten Bekanntmachung.

IX. G e w i n n v e r t e i l u n g : a) nach einem im Gesellschaftsvertrag festgelegten Schlüssel; b) nach Gesellschafterbeschluß; c) nach dem Verhältnis der Geschäftsanteile; d) häufig wird der Gewinn ganz oder teilweise zur Stärkung des Eigenkapitals verwendet: Gewinn- und Verlustkonto an Rücklagenkonto oder an Gewinnverteilungskonto oder an Konto Gesellschafter.

X. M i t b e s t i m m u n g s r e c h t : Die große GmbH unterliegt der →Mitbestimmung der Arbeitnehmer auf Unternehmensebene nach dem Montan-Mitbestimmungsgesetz, Mitbestimmungsgesetz oder Betriebsverfassungsgesetz.

**Gesellschaft mit beschränkter Haftung und Co.,** →GmbH & Co.

**Gesellschaftsbeiträge,** Leistungen, die Gesellschafter nach dem →Gesellschaftsvertrag zur Erreichung des Gesellschaftszwecks zu bewirken haben (→Gesellschaft); soweit nichts anderes bestimmt ist, alle in gleicher Höhe (§ 706 BGB). Arten: Geldzahlungen, Sachleistungen, Leistung von Diensten, Überlassung von Sachen zur Benutzung usw. Die G. werden →Gesellschaftsvermögen (§ 718

BGB). Nachschußpflicht nur, wenn bei der Auseinandersetzung das Gesellschaftsvermögen zur Berichtigung der →Gesellschaftsschulden nicht ausreicht (§§ 707, 735 BGB). – Vgl. auch →Einlagen.

**gesellschaftsbezogene Rechnungslegung,** →Sozialbilanz.

**Gesellschaftsblätter,** für Veröffentlichungen der AG vorgesehene Publikationsorgane. G. sind i. a. in der →Satzung bestimmt. Durch Gesetz oder Satzung vorgeschriebene Bekanntmachungen (→Veröffentlichungspflicht) sind immer in die G. und den →Bundesanzeiger, in Ermangelung einer derartigen Bestimmung nur in den Bundesanzeiger einzurücken (§ 25 AktG).

**Gesellschaftsformen,** Rechtsformen für →Handelsgesellschaften, d. h. den Zusammenschluß von Personen zum gemeinsamen Betrieb von →Handelsgeschäften. – 1. Nach *Handelsgesetzbuch* (HGB): →offene Handelsgesellschaft (OHG) und →Kommanditgesellschaft (KG) sowie →stille Gesellschaft (= atypische stille Gesellschaft). – 2. Nach *Aktiengesetz* (AktG): →Aktiengesellschaft (AG) und →Kommanditgesellschaft auf Aktien (KGaA). – 3. Nach *Gesetz betreffend die Gesellschaften mit beschränkter Haftung* (GmbHG): →Gesellschaft mit beschränkter Haftung (GmbH). – 4. Nach *Gesetz betreffend die Erwerbs- und Wirtschaftsgenossenschaften* (GenG): eingetragene →Genossenschaften. – 5. Nach *Gesetz betreffend die privaten Versicherungsgesellschaften:* →Versicherungsvereine auf Gegenseitigkeit. – 6. →Gelegenheitsgesellschaften (Vereinigungen zu vorübergehenden handelsrechtlichen Zwecken) werden rechtlich nicht als Handelsgesellschaften im eigentlichen Sinne behandelt.

**Gesellschaftskonkurs,** →Konkurs über das Vermögen von juristischen Personen und Personengesellschaften (§§ 207–213 KO).

I. Juristische Personen: 1. *Konkursgrund:* →Zahlungsunfähigkeit oder →Überschuldung. – 2. *Antragspflicht* besteht für den Vorstand, Geschäftsführer, Abwickler ohne schuldhaftes Zögern, spätestens aber binnen drei Wochen. →Vergleichsantrag ersetzt den →Konkursantrag.

II. Personengesellschaften: Über das Vermögen findet ein selbständiges, zur →Auflösung der Gesellschaft führendes →Konkursverfahren (§ 131 Nr. 3 HGB) statt. Jeder persönlich haftende Gesellschafter kann den Konkurs beantragen. Bei einer OHG und KG mit keiner natürlichen Person als persönlich haftender Gesellschafter besteht bei Zahlungsunfähigkeit oder Überschuldung eine *Antragspflicht* (§ 130 a HGB). – Ein →*Zwangsvergleich* kann nur auf Vorschlag aller persönlich haftenden Gesellschafter geschlossen werden; er ermöglicht Fortsetzung der Gesell-

schaft (§ 144 HGB) und begrenzt, soweit nichts anderes festgesetzt ist, zugleich den Umfang der persönlichen Haftung der Gesellschafter (§ 211 KO). – →*Konkursgläubiger* sind nur die Gesellschaftsgläubiger. Wird, wie meist wegen der Haftung für die →Gesellschaftsschulden, auch über das *Vermögen der persönlich haftenden Gesellschafter Konkurs eröffnet,* können die Gläubiger ihre Gesellschaftsforderungen dort voll anmelden; sie erhalten die Quote nur auf den Teil der Forderung, mit dem sie im Gesellschaftskonkurs ausgefallen sind.

**Gesellschaftsleistungen,** →Lieferungen und sonstige Leistungen zwischen einer Gesellschaft und ihren Gesellschaftern.

I. Umsatzsteuer: 1. Leistungen *innerhalb des Gesellschaftsverhältnisses* (z. B. die Geschäftsführung eines Gesellschafters einer Personengesellschaft ohne besonderes Entgelt; *echte Gesellschafterbeiträge*) sind wegen fehlenden →Leistungsaustausches nicht umsatzsteuerbar. – 2. Leistungen *außerhalb des Gesellschaftsverhältnisses,* die für ein besonders berechnetes Entgelt erbracht werden (z. B. Gesellschafter verkauft Gegenstand an Gesellschaft oder umgekehrt; *unechter Gesellschafterverbrauch*), sind steuerbar und, soweit keine Steuerbefreiung greift, steuerpflichtig, vorausgesetzt, der Gesellschafter handelt als Unternehmer im Rahmen seines Unternehmens. – 3. *Einlagen* des Gesellschafters in Form von Lieferungen oder sonstigen Leistungen sind unter diesen Voraussetzungen ebenfalls steuerpflichtig; die Gegenleistung der Gesellschaft besteht in der Gewährung von Gesellschaftsrechten, die nach § 4 Nr. 8 f. UStG steuerfrei ist. – 4. *Ausscheiden eines Gesellschafters* aus einer Gesellschaft: Er erbringt regelmäßig keine steuerpflichtige Leistung (ggf. Steuerbefreiung). Besteht die Gegenleistung der Gesellschaft in einer Lieferung oder sonstigen Leistung (z. B. Sachabfindung), liegt – bei fehlender Steuerbefreiung – ein steuerpflichtiger Umsatz vor. – 5. Gleiches gilt für die *Auflösung* einer Gesellschaft.

II. Kapitalverkehrsteuer: Vgl. →Gesellschaftsteuer.

**Gesellschaftsmantel,** →Mantel 2.

**Gesellschaftsrechnung,** Errechnung des Gewinn- und Verlustanteils in Gesellschaftsunternehmungen sowie bei der Aufteilung von Konkursmassen, Erbschaften usw.

**Gesellschaftsrecht,** Rechtsnormen mit Bezug auf Personenvereinigungen des →Privatrechts, v. a. die Regelungen über die →Gesellschaft des bürgerlichen Rechts, →offene Handelsgesellschaft, →Kommanditgesellschaft, →stille Gesellschaft, →Aktiengesellschaft, →Kommanditgesellschaft auf Aktien, →Gesellschaft mit beschränkter Haftung, eingetragene →Genossenschaft, →Reederei, des →Versicherungsvereins auf Gegenseitigkeit; in begrenztem Umfang die Regelungen über den →Verein.

**Gesellschaftsrechte,** i. S. des § 6 KVStG: (1) Aktien, Kuxe und sonstige Anteile außer den Anteilen der Komplementäre einer KG, die als →Kapitalgesellschaft i. S. des KVStG gilt; (2) Genußrechte; (3) Forderungen, die eine Beteiligung am Gewinn oder Liquidationserlös der Gesellschaft gewähren.

**Gesellschaftsschulden.** I. Personengesellschaft: Alle Verbindlichkeiten, die für die Gesellschafter gemeinschaftlich begründet werden, z. B. rechtsgeschäftliche Verpflichtungen, Schadenersatzansprüche aus unerlaubter Handlung, öffentlich-rechtliche Verpflichtungen wie z. B. Steuern, Lastenausgleich. – *Haftung:* Den Gläubigern haftet das →Gesellschaftsvermögen, zugleich aber haften auch alle Gesellschafter mit ihrem eigenen Vermögen als →Gesamtschuldner (der →Kommanditist der KG jedoch nur bis zur Höhe der →Haftsumme; § 171 HGB); der Gläubiger kann wählen. Die Gesellschafter können jedoch von der Gesellschaft Berichtigung der G. aus dem Gesellschaftsvermögen verlangen (→Schuldenhaftung). – Bei der →Auseinandersetzung sind vor der Verteilung des Gesellschaftsvermögens die G. zu bezahlen; reicht das Gesellschaftsvermögen nicht aus, sind die persönlich haftenden Gesellschafter zu →Nachschüssen verpflichtet.

II. Kapitalgesellschaft: Verbindlichkeiten begründen regelmäßig keine Haftung der Gesellschafter bzw. Aktionäre.

III. Genossenschaft: Sonderregelung je nach Typ (vgl. →Haftpflicht).

**Gesellschaftsstatistik,** →Sozialstatistik.

**Gesellschaftsteuer,** eine →Kapitalverkehrsteuer, die die Zuführung von Eigenkapital in inländische Kapitalgesellschaften besteuert.

I. Rechtsgrundlagen: §§ 2–10 KVStG; §§ 2–12 KVStDV.

II. Steuerbare Vorgänge (§ 2 KVStG): 1. *Ersterwerb von →Gesellschaftsrechten* an inländischen →Kapitalgesellschaften. – 2. *Leistungen* der Gesellschafter an inländische Kapitalgesellschaften aufgrund im Gesellschaftsverhältnis begründeter Verpflichtungen, z. B. weitere Einzahlungen und Verlustübernahmen bei schriftlichem Ergebnisabführungsvertrag (→Gewinnabführungsvertrag). – 3. *Freiwillige Leistungen* von Gesellschaftern an inländische Kapitalgesellschaften a) wenn das Entgelt in Gewährung erhöhter Gesellschaftsrechte besteht; b) in Form von Zuschüssen, Verzicht auf Forderungen, Überlassung von Gegenständen zu einer den Wert nicht erreichenden Gegenleistung, oder Übernahme von Gegenständen zu einer den Wert

übersteigenden Gegenleistung, wenn die Leistungen geeignet sind, den Wert der Gesellschaftsrechte zu erhöhen. – 4. *Verlegung der Geschäftsleitung* oder des satzungsmäßigen Sitzes einer ausländischen Kapitalgesellschaft in das Inland. – 5. *Zuführung von Anlage- oder Betriebskapital* durch ausländische Kapitalgesellschaften an ihre inländischen Niederlassungen unter bestimmten Voraussetzungen.

III. Steuerbefreiungen (§ 7 KVStG): 1. Die unter II. 1.–3. genannten Rechtsvorgänge, soweit sie zur Deckung einer →Überschuldung oder eines Verlustes an dem durch Gesellschaftsvertrag festgelegten Kapitals dienen. – 2. Der Erwerb von Gesellschaftsrechten im Falle einer Umwandlung einer Kapitalgesellschaft in eine Kapitalgesellschaft anderer Rechtsform oder einer Erhöhung des Nennkapitals (in bestimmten Fällen).

IV. Steuerberechnung: 1. *Bemessungsgrundlage* (§ 8 KVStG): a) beim entgeltlichen Erwerb von Gesellschaftsrechten: Wert der Gegenleistung (Geld oder Sacheinlagen); beim unentgeltlichen Erwerb: Wert der erworbenen Gesellschaftsrechte; b) bei Leistungen: Wert der Leistung; c) bei Verlegung der Geschäftsleitung oder des Sitzes: Wert der Gesellschaftsrechte; d) bei inländischen Niederlassungen ausländischer Kapitalgesellschaften zugeführtem Anlage- oder Betriebskapital: dessen Wert. – 2. *Steuersatz:* 1 v. H. (§ 9 KVStG).

V. Steuerschuldner: Die beteiligte Kapitalgesellschaft (§ 10 I KVStG). Für die G. *haften:* a) beim Erwerb von Gesellschaftsrechten: der Erwerber; b) bei Leistungen: wer der Leistung bewirkt (§ 10 II KVStG).

VI. Verfahren: Für gesellschaftsteuerbare Vorgänge (II) besteht →Anzeigepflicht. Damit wird dem Kapitalverkehrsteueramt (= Finanzamt) ermöglicht, durch einen →Steuerbescheid die G. *festzusetzen.* Die G. wird zwei Wochen nach Entstehung der →Steuerschuld, bei Steuerfestsetzung jedoch nicht vor Ablauf der im Bescheid genannten Frist, die zwei Wochen nicht übersteigen soll, *fällig* (§ 27 KVStG, § 6 KVStDV).

VII. Aufkommen: 1986: 485 Mill. DM (1985: 424 Mill. DM, 1980: 256 Mill. DM, 1976: 231 Mill. DM, 1969: 347,2 Mill. DM, 1965: 176,8 Mill. DM).

**Gesellschaftsvergleich,** Begriff der Vergleichsordnung für das →Vergleichsverfahren von nicht natürlichen Personen.

I. Juristische Personen: 1. *Vergleichsfähig* sind AG, KGaA, Genossenschaft, GmbH, rechtsfähige Vereine, Körperschaften, Stiftungen, Anstalten des öffentl. Rechts – auch nicht rechtsfähige Vereine, die verklagt werden können – (§ 54 BGB, § 50 II ZPO, §§ 108, 111, 112 VerglO). – 2. *Vergleichsgrund:* →Zahlungsunfähigkeit und →Überschuldung. – 3. *Vergleichsantrag* muß spätestens innerhalb von drei Wochen nach Feststellung des Vergleichsgrundes von den gesetzlichen Vertretern gestellt werden; der Prokurist ist nicht antragsberechtigt.

II. Personengesellschaften: Vergleichsfähig sind OHG und KG; *nicht vergleichsfähig* sind die →Gesellschaft des bürgerlichen Rechts und die →stille Gesellschaft. – 1. Der *Vergleichsvorschlag* muß von allen persönlich haftenden Gesellschaftern gemacht werden. – 2. Der Vergleich begrenzt, soweit er nichts anderes festsetzt, zugleich den Umfang der →*persönlichen Haftung* der Gesellschafter. – 3. *Vergleichsgrund* bei OHG und KG nur Zahlungsunfähigkeit; Überschuldung genügt nicht. – 4. Gesetzliche *Antragspflicht* besteht nicht (§ 109 VerglO). Kommanditist hat kein Antragsrecht.

III. Genossenschaften: Vgl. →Genossenschaftsvergleich.

**Gesellschaftsvermögen.** I. Personengesellschaften (OHG, KG und Gesellschaft des bürgerlichen Rechts): G. ist das gemeinschaftliche Vermögen der Gesellschafter. Es *besteht* aus den →Gesellschaftsbeiträgen (sowie ggf. der Einlage der →Kommanditisten) und den für die Gesellschaft erworbenen Gegenständen. G. *steht* allen Gesellschaftern in →Gemeinschaft zur gesamten Hand *zu*. Ein Gesellschafter kann weder über seinen Anteil an einzelnen Gegenständen noch (mangels anderer Abrede) über seinen Gesellschaftsanteil verfügen oder Teilung verlangen (§ 719 BGB). – Dagegen kann ein Gläubiger eines Gesellschafters den *Anteil* am G. *pfänden* (§ 859 ZPO) und der Gesellschaft mit einer Frist von sechs Monaten zum Schluß des Geschäftsjahres (die BGB-Gesellschaft ohne Einhaltung einer Kündigungsfrist, § 725 BGB) kündigen (§ 135 HGB). – Zur *Zwangsvollstreckung* in Gegenstände des G. ist erforderlich a) ein Titel gegen die OHG oder KG (§ 124 II HGB); bzw. b) ein Urteil gegen alle Gesellschafter einer BGB-Gesellschaft (§ 736 ZPO).

II. Aktiengesellschaft: G. wird ausgewiesen in ihrer Bilanz (Privatvermögen außerhalb der Bilanz besitzt die AG nicht), *setzt sich zusammen aus* sämtlichen Aktiven abzüglich der Verbindlichkeiten, Rückstellungen für ungewisse Schulden und Wertberichtigungen.

**Gesellschaftsvertrag.** I. Grundsätzliches: 1. *Begriff:* Die Rechtsverhältnisse der Gesellschafter untereinander ordnende Grundlage jeder Gesellschaft beim Grundsatz der →Vertragsfreiheit. – 2. Die *allgemeinen Vorschriften* über Rechtsgeschäfte und Verträge finden Anwendung. Auch die →Anfechtung eines G. ist zulässig, hat aber keine rückwirkende Kraft mehr, sobald die Gesellschaft ins Leben getreten ist, und wirkt nie gegen gutgläubige Dritte; sie wirkt nur wie

eine →Kündigung, die i. d. R. zur →Auseinandersetzung unter den Gesellschaftern führt.

II. Offene Handelsgesellschaft/ Kommanditgesellschaft: G. ist Voraussetzung für die Entstehung der Gesellschaft. – 1. Keine *Formvorschriften* für den G., so daß selbst stillschweigende Vereinbarung genügt. Formzwang allerdings z. B. bei Einbringen eines →Grundstückes. – 2. Im wesentlichen kann der G., insbesondere im Innenverhältnis, frei *gestaltet* werden. Notwendig muß der G. enthalten die besonderen Voraussetzungen der OHG und den Hinweis, daß die Gesellschafter als Vollkaufleute ein →Handelsgewerbe unter gemeinschaftlicher →Firma betreiben wollen. – 3. Ein →*Vorvertrag* zur Errichtung der Gesellschaft ist nur gültig, wenn sich aus ihm der Inhalt der in Aussicht genommenen Gesellschaft hinreichend bestimmen läßt. – 4. *Vertragsmängel,* die zur →Nichtigkeit oder →Anfechtung des G. führen, können bei der bereits in Vollzug gesetzten, d. h. tätig gewordenen Gesellschaft nur beschränkt geltend gemacht werden; vgl. oben I.

III. Stille Gesellschaft: Regelung wie unter II. Da die stille Gesellschaft nach außen als solche nicht hervortritt, können bei Vertragsmängeln die allgemeinen Vorschriften für die Anfechtung und die Nichtigkeit ohne Einschränkung Anwendung finden.

IV. Gesellschaft mit beschränkter Haftung: 1. Der G. bedarf notarieller *Form,* ist von allen Gesellschaftern zu unterzeichnen und der Anmeldung der GmbH zum →Handelsregister beizufügen. – 2. *Inhalt:* a) Er *muß* enthalten: Firma, Sitz und Gegenstand der GmbH, Betrag des Stammkapitals und der einzelnen Stammeinlagen. – b) Er *kann* enthalten: Bestimmungen über die Abtretung der Geschäftsanteile (die er von der Genehmigung der GmbH abhängig machen kann), über die Einziehung (Amortisation) von Geschäftsanteilen (die nur erfolgen darf, wenn sie im G. zugelassen ist), ferner über die Rechte der Gesellschafter. – 3. *Abänderung* des G. nur durch Beschluß der Gesellschafter (Dreiviertel-Mehrheit); sie ist von den Geschäftsführern durch Vorlage des geänderten gesamten Vertragstextes zur Eintragung im Handelsregister anzumelden; der vorgelegte Gesellschaftsvertrag muß mit der Bescheinigung eines →Notars versehen sein, daß die geänderten Bestimmungen mit dem Gesellschafterbeschluß und die unveränderten mit dem zuletzt eingereichten Wortlaut des Gesellschaftsvertrags übereinstimmen.

V. Aktiengesellschaft/Kommanditgesellschaft auf Aktien: Vgl. →Satzung.

**Gesellschaft zum Studium strukturpolitischer Fragen e. V.,** Sitz in Bonn. – *Aufgaben:*

Problembearbeitung mittel- und langfristiger strukturpolitischer Veränderungen in Wirtschaft und Gesellschaft und ihre Auswirkungen auf die Gesetzgebung; Mitwirkung von Vertretern aus Wissenschaft, Wirtschaft und Politik.

**Gesellschaft zur Finanzierung von Industrieanlagen mbH (GEFI)**, Sitz in Frankfurt a. M., 1967 gegr. von den 54 Konsortialbanken der →Ausfuhrkredit-Gesellschaft mbH (AKA) zur mittel- und langfristigen Finanzierung von Lieferungen und Leistungen in das Währungsgebiet der Mark der DDR. – Kapital 1 Mill. DM. Ähnlich wie die AKA verfügt die GEFI über drei Plafonds, hier als I, II und III bezeichnet, von denen II die Rediskontlinie der BBk in Höhe von derzeit 200 Mill. DM ist. Ähnlich der AKA stellen die Konsortialbanken die Mittel für den Plafond I – derzeit 750 Mill. DM –, von dem als Teilmasse ein Betrag von 550 Mill. DM für die Bildung des Plafond III abgezweigt ist. Selbstbeteiligung bei Plafond I mind. 10% bei Plafond II mind. 30%. Voraussetzung für die Finanzierung ist grundsätzlich das Vorliegen einer Bundesgarantie, ausgestellt von der Treuarbeit. – Aus *Plafond III* werden liefergebundene Finanzkredite in DM an den Besteller zur Begleichung der Lieferforderung des Lieferanten gewährt. Der Höchstbetrag des Finanzkredites entspricht der abzulösenden Lieferforderung. Die Kreditlaufzeit darf den von der Bundesdeckung gezogenen zeitlichen Rahmen nicht überschreiten. Die Auszahlung erfolgt frühestens pro rata erbrachter Lieferung/Leistung unmittelbar an den Lieferanten. – Grundsätzlich läßt die GEFI ihre Kredite durch den Bund (Treuarbeit) versichern, wobei eine auf den Lieferanten abwälzbare Selbstbeteiligung (10%) oder eine nicht abwälzbare Selbstbeteiligung (5%) zur Wahl steht. Der Lieferant muß für alle vom Bund nicht gedeckten Risiken – gegebenenfalls mit Ausnahme der 5%igen Selbstbeteiligung – die Haftung übernehmen. – Für Finanzierungszusagen gilt die für die AKA gegebene Darstellung entsprechend.

**Gesellschaft zur Förderung der Entbürokratisierung e. V.**, Sitz in Bonn. – *Aufgaben:* Initiativen und Unterstüzung für Maßnahmen der Entbürokratisierung, insbes. der Eindämmung der Normenflut, Verwaltungsvereinfachung, Entstaatlichung und Privatisierung, Abbau bürokratischer Belastungen der Unternehmen; Veranstaltung von Fachgesprächen; gesetzesbegleitende Tätigkeiten; Zusammenarbeit mit der Hochschule.

**Gesellschaft zur Förderung der finanzwissenschaftlichen Forschung e. V.**, Sitz in Köln. – *Aufgaben:* Förderung des finanzwissenschaftlichen Forschungsinstituts an der Universität zu Köln.

**Gesellschaft zur Förderung des Erfindungswesens in der Bundesrepublik Deutschland e. V. (GFEW)**, Sitz in Nürnberg. – *Aufgaben:* Ideelle und materielle Förderung der technischen Fortschritts, der Innovationsbereitschaft und des Erfindungswesens; Auskunfterteilung, Beratung und Gutachten im öffentlichen Interesse; Beseitigung von Defiziten im Erfindungswesen.

**Gesellschaft zur Förderung des Schutzes von Auslandsinvestitionen**, Sitz in Köln. – *Aufgaben:* Förderung des Schutzes von Privateigentum und privaten Rechten im internationalen Wirtschaftsverkehr.

**Gesellschaft zur Förderung des Unternehmer-Nachwuchses e. V.**, eine von führenden Industrieunternehmungen im Juli 1955 gegründete Gesellschaft, die sich der Weiterbildung oberer Führungskräfte industrieller Unternehmen und von Banken widmet, von denen angenommen werden kann, daß sie das Format für den Eintritt in die oberste Führung ihrer Unternehmen haben. Im Hinblick auf die Bedeutung des Gesellschaftszweckes für die Erhaltung und Entwicklung der unternehmerischen Wirtschaft haben die großen Spitzenverbände der gewerblichen Wirtschaft die Bemühungen der G. unterstützt (→Bundesverband der Deutschen Industrie, →Bundesvereinigung der Deutschen Arbeitgeberverbände, →Deutscher Industrie- und Handelstag und die →Arbeitsgemeinschaft selbständiger Unternehmer). Zur Durchführung ihrer Arbeiten wurde in Köln das →Deutsche Institut zur Förderung des industriellen Führungsnachwuchses errichtet.

**Gesellschaft zur Verwertung von Leistungsschutzrechten mbH (GVL)**, Sitz in Hamburg. – *Aufgabe:* Wahrnehmung deutscher und ausländischer Urheberrechte, die sich für ausübende Künstler, Bild- und Tonträgerhersteller und Veranstalter ergeben oder auf Hersteller oder Veranstalter übertragen sind.

**Gesellungsstreben**, →Gruppenbedürfnis.

**Gesetz der abnehmenden Grenzrate der Substitution**, Hypothese der Theorie des Haushalts, mit dem der konvexe Verlauf der →Indifferenzkurve begründet wird. Bei fortgesetzter Substitution von Gut 1 durch Gut 2 sinkt die →Grenzrate der Substitution. Das G. d. a. G. d. S. erfordert nicht, daß für alle Güter die Gültigkeit des 1. Gossenschen Gesetzes (→Gossensche Gesetze) erfüllt ist. Es ist insofern eine schwächere Grenzrate der Substitution Voraussetzung.

**Gesetz der Bedürfnisbefriedigung**, →Gossensche Gesetze 1.

**Gesetz der Massenproduktion**, 1910 von K. Bücher aufgestellt.

$$\text{Stückkosten} = \frac{\text{fixe Kosten}}{\text{Ausbringungsmenge}} + \frac{\text{variable}}{\text{Stückkosten}}$$

Daraus leitete Bücher folgende Erkenntnisse ab: 1. Bei Erhöhung der Ausbringungsmenge sinken die Stückkosten. – 2. Die industrielle Produktionserweiterung erhöht das Angebot und paßt die Preise den sinkenden Stückkosten an. – 3. Wenn die Produktionssteigerung eine bestimmte Höhe erreicht hat bzw. die Nutzschwelle (heute Break-even-Punkt) erreicht ist, können die Stückkosten durch die Einführung eines neuen, vollkommeneren Verfahrens wegen der höheren Fixkosten gesenkt werden. – Vgl. auch →Break-even-Analyse.

**Gesetze. 1.** Im *formellen Sinn:* Alle erlassenen Rechtsvorschriften aufgrund eines förmlichen Gesetzgebungsverfahrens durch das Parlament (z. B. Bundestag, Landtag). – **2.** Im *materiellen Sinn:* Neben den G. im formellen Sinn auch →Rechtsverordnungen, →Satzungen und das →Gewohnheitsrecht. – Vgl. auch →Bundesrecht, →Landesrecht.

**Gesetze der großen Zahlen,** zusammenfassende Bezeichnung für mehrere →Grenzwertsätze der Wahrscheinlichkeitstheorie mit großer Anwendungsbedeutung. – 1. *Bernoullische G. d. g. Z.:* Bei einem →Zufallsvorgang sei einem →Ereignis A die →Wahrscheinlichkeit $\theta$ zugeordnet. Die →Zufallsvariable X gebe an, wie oft A bei n unabhängigen Wiederholungen auftritt. Es gilt ($\varepsilon > 0$)

$$\lim_{n \to \infty} W\left(|X/n - \theta| < \varepsilon\right) = 1 \,.$$

Die Wahrscheinlichkeit dafür, daß der Anteil des Auftretens von A dem Betrage nach um weniger als ein vorgegebenes $\varepsilon > 0$ von $\theta$ abweicht, geht mit steigender Länge der Versuchsfolge gegen 1, d. h., der Anteilswert X/n konvergiert stochastisch gegen $\theta$. Dieses G. d. g. Z. besagt also die Eigenschaft der →Konsistenz des Stichprobenanteilswertes. – 2. *Chintchinsche G. d. g. Z.:* Es sei $X_1, \ldots, X_n, \ldots$ eine Folge von Zufallsvariablen →stochastischer Unabhängigkeit mit identischer Verteilung und jeweiligem →Erwartungswert $\mu$. Für die zugehörige Folge der Durchschnitte $Y_1 = X_1$; $Y_2 = (X_1 + X_2)/2$; $Y_3 = (X_1 + X_2 + X_3)/3$; … gilt ($\varepsilon > 0$)

$$\lim_{n \to \infty} \left(|Y_n - \mu| < \varepsilon\right) = 1 \,.$$

Dieses G. d. g. Z. besagt also die Eigenschaft der Konsistenz des Stichprobendurchschnitts.

**Gesetzesauslegung,** zulässige und vielfach notwendige Klarstellung des Sinnes und der Tragweite einer Rechtsvorschrift. Auszugehen ist vom Wortlaut der Bestimmung; dabei muß der Zusammenhang mit anderen Vorschriften *(logisch-systematische G.),* die Entstehungsgeschichte *(historische G.)* und der Zweck des Gesetzes *(teleologische G.)* berücksichtigt werden. Die G. kann zu einer gegenüber

Wortlaut erweiterten oder eingeschränkten Anwendbarkeit einer Vorschrift führen.

**Gesetzesaussage,** *nomologische Hypothese,* allgemeine erfahrungswissenschaftliche Aussage (→Realwissenschaft), die im Extremfall ohne Beschränkung auf einen bestimmten Raum/Ort oder auf eine bestimmte Zeit formuliert wird. Wegen dieser Eigenschaft werden G. auch als *Invarianzbehauptungen* bzw. als *Immer- und Überall-Wenn-Dann-Aussagen* bezeichnet. – Während *Gesetzmäßigkeiten* als Bestandteil der Realität zu trachten sind, handelt es sich bei G. um Erkenntnistatbestände, die sich ggf. als falsche Vorstellungen über die Eigenschaften der Erfahrungswelt erweisen können (→Fallibilismus). – Darüber hinaus muß zwischen G. und *Gesetzen* (etwa im Sinn der Rechtswissenschaft) unterschieden werden. Letztere sind von Menschen zu dem Zweck geschaffen, eine Ordnung in den sozialen und institutionellen Beziehungen zu bewirken. Es handelt sich um Normen bzw. Gebote, die bestimmte Verhaltensweisen fordern oder verbieten. – Innerhalb der →Wissenschaftstheorie wird kontrovers diskutiert, ob die in naturwissenschaftlichen Bereichen bewährte Suche nach Gesetzmäßigkeiten auch in den Sozial- bzw. Kulturwissenschaften zweckmäßig ist.

**Gesetzesvorlage,** Antrag der →Bundesregierung, des →Bundestages oder des →Bundesrates beim Bundestag, ein bestimmtes Gesetz zu verabschieden (Art. 76 GG).

**Gesetzgebung,** staatliche Tätigkeit, die den Erlaß von →Gesetzen zum Gegenstand hat. – Vgl. auch →Gewaltenteilung, →Gesetzesvorlage, →Gesetzgebungskompetenz. – *Anders:* →Rechtsprechung, →Verwaltung.

**Gesetzgebungshoheit,** →Gesetzgebungskompetenz.

**Gesetzgebungskompetenz,** *Gesetzgebungshoheit,* Befugnis im Rahmen der →Finanzhoheit zur Regelung öffentlicher Aufgaben und Einnahmen. – 1. *Aufgabenregelung:* Nach Art. 70 GG steht diese prinzipiell den Ländern zu („Zuständigkeitsvermutung"), soweit nicht dem Bund von der Verfassung explizit zugewiesen. De facto ist die G. durch Art. 71 GG *(→ausschließliche Gesetzgebungskompetenz des Bundes)* und Art. 72 GG *(→konkurrierende Gesetzgebungskompetenz)* den Ländern weitgehend entzogen. – 2. *Einnahmenregelung:* a) G. steht bei Zöllen und Finanzmonopolen dem Bund ausschließlich zu; für die übrigen Steuern besitzt er die („konkurrierende") – und in der Praxis weitestgehend in Anspruch genommene – G., falls (1) deren Aufkommen dem Bund ganz oder teilweise zusteht (→Steuergesetzgebungshoheit, →Finanzverfassung, →Steuerverbund, →Bundessteuern, →Gemeinschaftssteuern) oder (2) ein Bedürfnis nach bundeseinheitlicher Regelung besteht. – b) Den Ländern verbleibt die G., falls a) die Voraussetzungen für die konkurrierende G. des Bundes nicht gegeben sind, b) der Bund bei der konkurrierenden G. von seinem Recht keinen Gebrauch macht und c) über die örtlichen Verbrauch- und Aufwandsteuern, solange und soweit sie nicht bundesgesetzlich geregelten Steuern gleichartig sind. – Vgl. auch →Finanzausgleich, →Finanzverfassung.

**Gesetzgebungsnotstand,** kann für eine Gesetzesvorlage erklärt werden (Art. 81 GG), wodurch ein Bundesgesetz ausnahmsweise ohne Mitwirkung des →Bundestages, jedoch mit Zustimmung des →Bundesrates zustande kommen kann. G. nur für einfache Bundesgesetze, nicht für Verfassungsänderungen möglich.

**Gesetz gegen den unlauteren Wettbewerb (UWG),** →unlauterer Wettbewerb.

**Gesetz gegen Wettbewerbsbeschränkungen (GWB),** →Kartellgesetz.

**gesetzliche Einheiten,** die im Einheitengesetz vom 22.02.1985 (BGBl I 409) und in der Einheitenverordnung vom 13.12.1985 (BGBl I 2272) festgelegten Einheiten für Größenangaben im amtlichen und geschäftlichen Verkehr. (Vgl. Übersicht Sp. 2123/2124): 1. G. E. *mit eigenem Namen:* Vgl. Tabelle 1. – 2. Die aus ihnen mit dem Zahlenfaktor 1 *abgeleiteten Einheiten,* z. B. m/s oder kg/ha. – 3. Die mit Vorsätzen (vgl. Tabelle 2) bezeichneten *dezimalen Teile und Vielfachen* der vorgenannten Einheiten, z. B. Millimeter (mm).

**gesetzliche Feiertage,** festgelegt durch Landesrecht, Tag der deutschen Einheit durch Bundesgesetz. Die g. F. in der Bundesrep. D. und Berlin (West):

| Gesetzliche Feiertage | Baden-Württ. | Bayern | Bremen | Hamburg | Hessen | Niedersachsen | Nordrh.-Westf. | Rheinl.-Pfalz | Saarland | Schlesw.-Holstein | Berlin (West) |
|---|---|---|---|---|---|---|---|---|---|---|---|
| Neujahr | x | x | x | x | x | x | x | x | x | x | x |
| Heilige 3 Könige (6.1.) | x | x | | | | | | | | | |
| Karfreitag | x | x | x | x | x | x | x | x | x | x | x |
| Ostermontag | x | x | x | x | x | x | x | x | x | x | x |
| 1. Mai | x | x | x | x | x | x | x | x | x | x | x |
| Christi Himmelfahrt | x | x | x | x | x | x | x | x | x | x | x |
| Pfingstmontag | x | x | x | x | x | x | x | x | x | x | x |
| Fronleichnam | x | | | | x | | x | x | x | | |
| Allerheiligen (1.11.) | x | | | | | | x | x | x | | |
| Bußtag | x | x | x | x | x | x | x | x | x | x | x |
| 1. Weihnachtstag | x | x | x | x | x | x | x | x | x | x | x |
| 2. Weihnachtstag | x | x | x | x | x | x | x | x | x | x | x |
| Tag der deutschen Einheit (17.6.) | x | x | x | x | x | x | x | x | x | x | x |
| | 13 | 10 | 10 | 10 | 11 | 10 | 12 | 12 | 12 | 10 | 10 |

In einzelnen Ländern, v.a. in Bayern, kommen noch anerkannte kirchliche Feiertage hinzu (Mariä Himmelfahrt, Reformationsfest, Totensonntag), die zwar nicht g. F. sind, aber nach Landesgesetz besonderen Schutz genie-

ßen. – An g. F. bestehen Beschäftigungsverbote (→Sonntagsarbeit) und Verkehrsbeschränkungen für Lastkraftwagen.

**gesetzliche Krankenversicherung,** →Krankenversicherung.

**gesetzliche Orderpapiere,** →Orderpapiere 2 b.

**gesetzliche Rücklage,** gem. § 150 AktG bei der AG und der KGaA zu bildende →Gewinnrücklage. – 1. *Zuzuführen* sind der g. R. 5 v. H. des um einen Verlustvortrag aus dem Vorjahr geminderten Jahresüberschusses, bis die g. R. und die →Kapitalrücklagen nach § 272 II Nr. 1–3 HGB zusammen den zehnten oder den in der Satzung bestimmten höheren Teil des Grundkapitals erreichen. – 2. *Verwendet* werden kann die g. R. unter bestimmten Voraussetzungen zum Ausgleich eines →Jahresfehlbetrages, eines →Verlustvortrags sowie zur →Kapitalerhöhung aus Gesellschaftsmitteln.

**gesetzlicher Vertreter.** 1. Personen, deren Vertretungsmacht nicht auf →Vollmacht, sondern *auf Gesetz* beruht (→Stellvertretung), u. a. die *Eltern* für ihre minderjährigen Kinder (→elterliches Sorgerecht), der *Vormund* für sein Mündel (→Vormundschaft), der *Geschäftsführer* für die GmbH, der *Vorstand* (*auch als Organ bezeichnet;* →Organhaftung) für die AG, die eingetragene Genossenschaft und den eingetragenen Verein, alle *Gesellschafter der OHG* (evtl. Ausschluß einzelner Gesellschafter ist im →Handelsregister einzutragen, § 125 HGB; vgl. →offene Handelsgesellschaft IV.) – 2. *Für Geschäftsunfähige oder beschränkt Geschäftsfähige,* die ohne Einschränkung →Kaufmann sein können, muß der g. V. handeln, z. B. das Unternehmen führen, erwerben oder veräußern, Prokura erteilen usw. – Auch zum Abschluß oder zur Lösung des →Berufsausbildungsvertrags muß der g. V. Zustimmung erteilen. – Vgl. auch →Geschäftsfähigkeit.

**gesetzliches Pfandrecht.** 1. *Begriff/Regelung:* →Pfandrecht, das nicht durch Vertrag, sondern unmittelbar kraft Gesetzes entsteht. Regelung i. a. wie →Vertragspfandrecht (§ 1257 BGB). – 2. *Fälle* des g. P.: a) des Vermieters (→Vermieterpfandrecht, §§ 559 ff. BGB); b) des Verpächters bzw. Pächters (→Pacht, §§ 585, 590 BGB); c) des Unternehmers beim Werkvertrag an Sachen des Bestellers (§ 647 BGB); des Gastwirts an den eingebrachten Sachen der Gäste (Beherbergungsvertrag, § 704 BGB); e) des Kommissionärs (§ 397 HGB); f) des Spediteurs (§ 410 HGB); g) des Lagerhalters (§ 421 HGB); h) des Frachtführers (§§ 440 ff. HGB); i) des Vollstreckungsgläubigers an den vom Gerichtsvollzieher gepfändeten Sachen, sog. Pfändungspfandrecht (§ 804 ZPO); →Pfändung.

# Übersicht: Gesetzliche Einheiten

## Tabelle 1: Gesetzliche Einheiten mit besonderem Namen

| Einheit | | Größe | Beziehung |
|---|---|---|---|
| Name | Zeichen | | |
| 1 | 2 | 3 | 4 |
| Ampere | A | elektrische Stromstärke | SI-Basiseinheit |
| Ar | a | Fläche von Grundstücken und Flurstücken | $1\,a = 100\,m^2$ |
| atomare Masseneinheit | u | Masse in der Atomphysik | $1\,u = 1{,}6605655 \cdot 10^{-27}\,kg$ |
| Bar | bar | Druck | $1\,bar = 10^5\,Pa$ |
| Barn | b | Wirkungsquerschnitt | $1\,b = 10^{-28}\,m^2$ |
| Becquerel | Bq | Aktivität einer radioaktiven Substanz | $1\,Bq = 1\,s^{-1}$ |
| Candela | cd | Lichtstärke | SI-Basiseinheit * |
| Coulomb | C | elektrische Ladung, Elektrizitätsmenge | $1\,C = 1\,A \cdot s$ |
| Dioptrie | dpt | Brechwert von optischen Systemen | $1\,dpt = 1\,m^{-1}$ |
| Elektronvolt | eV | Energie in der Atomphysik | $1\,eV = 1{,}6021892 \cdot 10^{-19}\,J$ |
| Farad | F | elektrische Kapazität | $1\,F = 1\,C/V$ |
| Gon | gon | ebener Winkel | $1\,gon = (\pi/200)\,rad$ |
| Grad | ° | ebener Winkel | $1° = (\pi/180)\,rad$ |
| Grad Celsius | °C | Celsius-Temperatur | $1°C = 1\,K$ |
| Gramm | g | Masse | $1\,g = 10^{-3}\,kg$ |
| Gray | Gy | Energiedosis, spezifische Energie, Kerma, Energiedosisindex | $1\,Gy = 1\,J/kg$ |
| Hektar | ha | Fläche von Grundstücken und Flurstücken | $1\,ha = 10^4\,m^2$ |
| Henry | H | Induktivität | $1\,H = 1\,Wb/A$ |
| Hertz | Hz | Frequenz | $1\,Hz = 1\,s^{-1}$ |
| Joule | J | Energie, Arbeit, Wärmemenge | $1\,J = 1\,Nm = 1\,Ws$ |
| Kelvin | K | thermodynamische Temperatur | SI-Basiseinheit * |
| Kilogramm | kg | Masse | SI-Basiseinheit * |
| Liter | l, L | Volumen | $1\,l = 10^{-3}\,m^3$ |
| Lumen | lm | Lichtstrom | $1\,lm = 1\,cd \cdot sr$ |
| Lux | lx | Beleuchtungsstärke | $1\,lx = 1\,lm/m^2$ |
| Meter | m | Länge | SI-Basiseinheit * |
| metrisches Karat | | Masse von Edelsteinen | $1\,metr.\ Karat = 0{,}2\,g$ |
| Millimeter-Quecksilbersäule | mmHg | Blutdruck und Druck anderer Körperflüssigkeiten | $1\,mmHG = 133{,}322\,Pa$ |
| Minute | ' | ebener Winkel | $1' = (1/60)°$ |
| Minute | min | Zeit | $1\,min = 60\,s$ |
| Mol | mol | Stoffmenge | SI-Basiseinheit * |
| Newton | N | Kraft | $1\,N = 1\,m\,kg/s^2$ |
| Ohm | Ω | elektrischer Widerstand | $1\,\Omega = 1\,V/A$ |
| Pascal | Pa | Druck | $1\,Pa = 1\,N/m^2$ |
| Radiant | rad | ebener Winkel | $1\,rad = 1\,m/m$ |
| Sekunde | " | ebener Winkel | $1'' = (1/60)'$ |
| Sekunde | s | Zeit | SI-Basiseinheit * |
| Siemens | S | elektrischer Leitwert | $1\,S = 1\,\Omega^{-1}$ |
| Sievert | Sv | Äquivalentdosis | $1\,Sv = 1\,J/kg$ |
| Steradiant | sr | Raumwinkel | $1\,sr = 1\,m^2/m^2$ |
| Stunde | h | Zeit | $1\,h = 60\,min$ |
| Tag | d | Zeit | $1\,d = 24\,h$ |
| Tesla | T | magnetische Flußdichte | $1\,T = 1\,Wb/m^2$ |
| Tex | tex | längenbezogene Masse von textilen Fasern und Garnen | $1\,tex = 1\,g/km$ |
| Tonne | t | Masse | $1\,t = 1000\,kg$ |
| Var | var | Blindleistung in der elektrischen Energietechnik | $1\,var = 1\,W$ |
| Vollwinkel | | ebener Winkel | $1\,Vollwinkel = 2\pi\,rad$ |
| Volt | V | elektrisches Potential, elektrische Spannung | $1\,V = 1\,J/C$ |
| Watt | W | Leistung, Energiestrom | $1\,W = 1\,J/s$ |
| Weber | Wb | magnetischer Fluß | $1\,Wb = 1\,V\,s$ |

* Basiseinheiten des Internationalen Einheitensystems (SI).

## Tabelle 2: Vorsätze und Vorsatzzeichen zur Bezeichnung von dezimalen Vielfachen und Teilen von Einheiten

| Faktor, mit dem die Einheit multipliziert wird | Vorsatz | Vorsatz-zeichen | Faktor, mit dem die Einheit multipliziert wird | Vorsatz | Vorsatz-zeichen |
|---|---|---|---|---|---|
| 1 | 2 | 3 | 1 | 2 | 3 |
| $10^{18}$ | Exa | E | $10^{-1}$ | Dezi | d |
| $10^{15}$ | Peta | P | $10^{-2}$ | Zenti | c |
| $10^{12}$ | Tera | T | $10^{-3}$ | Milli | m |
| $10^{9}$ | Giga | G | $10^{-6}$ | Mikro | μ |
| $10^{6}$ | Mega | M | $10^{-9}$ | Nano | n |
| $10^{3}$ | Kilo | k | $10^{-12}$ | Piko | p |
| $10^{2}$ | Hekto | h | $10^{-15}$ | Femto | f |
| $10^{1}$ | Deka | da | $10^{-18}$ | Atto | a |

**gesetzliche Treuhandschaft,** →Treuhandschaft.

**gesetzliche Zahlungsmittel,** →Zahlungsmittel, mit denen ein Zahlungspflichtiger dem Zahlungsempfänger gegenüber seine Verpflichtung rechtsgültig zu leisten vermag und für die Annahmezwang besteht.

**gesetzliche Zeit,** →Zeit III.

**gesetzlich geschützt (ges. gesch.),** zulässige Bezeichnung auf Gegenständen, für die →Patent erteilt ist. Als →irreführende Angabe gem. §3 UWG →unlauterer Wettbewerb, wenn nur Warenzeichenschutz besteht.

**gesetzlich gestaltete Treuhandschaft,** →Treuhandschaft.

**Gesetzmäßigkeit der Verwaltung,** *Vorbehalt des Gesetzes,* rechtsstaatlicher Grundsatz, nach dem die vollziehende Gewalt (d. h. die Verwaltungsbehörden) ohne gesetzliche Grundlage in Freiheit und Eigentum des einzelnen Staatsbürgers nicht eingreifen darf. Verankert in Art. 20 III GG.

**Gesetz über den gewerblichen Binnenschiffsverkehr (BSchVG),** →Binnenschiffsrecht.

**Gesetz vom abnehmenden Grenzertrag,** →Ertragsgesetz.

**Gesetz vom Ausgleich der Grenznutzen,** →Gossensche Gesetze 2.

**ges. gesch.,** Abk. für →gesetzlich geschützt.

**gesonderte Gewinnfeststellung,** →Gewinnfeststellung.

**gespaltener Streitwert,** →Streitwertherabsetzung.

**gespaltener Wechselkurs,** *multipler Wechselkurs.* 1. *Begriff:* Festsetzung verschiedener →Wechselkurse für verschiedene außenwirtschaftliche Transaktionen, Instrument interventionistischer Außenwirtschaftspolitik mit dem Ziel, entsprechend den von der Regierung gesetzten Prioritäten bestimmte Transaktionen zu erleichtern, andere zu belasten. Die Einführung g. W. ist nach dem IMF *genehmigungsbedürftig.* – 2. *Formen:* Differenzierung i. d. R. nach Handels- und Finanztransaktionen, aber auch nach Gütergruppen sowie Trägern und Richtungen der außenwirtschaftlichen Aktivitäten. Anwendung v. a. in Entwicklungsländern, zeitweise auch in Industrieländern. – 3. *Beurteilung:* G. W. erfordern aufwendige Kontrollen; sie verfehlen vielfach die erstrebten Ziele, indem sie z. B. zur Bildung von Devisenschwarzmärkten führen. Da die verschiedenen Kurse die Devisenknappheit nicht widerspiegeln, sind sie Ursache von Fehlallokationen.

**Gestaltpsychologie,** wahrnehmungspsychologische Theorie, ähnlich der Ganzheitspsychologie. Im Gegensatz zur früher gängigen Elementenpsychologie werden nicht nur einzelne Reize, sondern ganze Reizkonstellationen in ihrer Wirkung untersucht („Das Ganze ist mehr als die Summe seiner Teile"). – *Gestalten* sind Wahrnehmungsgegenstände, die sich in ihrer Ausprägung (Prägnanz) unterscheiden. Je prägnanter die Gestalt (regelmäßig, einfach, symmetrisch), desto schneller die →Wahrnehmung und desto sicherer die Erinnerung. – Vgl. auch →Figur-Grund-Prinzipien, →Werbeziele.

**Gestaltungsakt,** →Verwaltungsakt, der eine konkrete Rechtslage oder ein Rechtsverhältnis begründet, ändert oder aufhebt. Ein G. bringt für den Betroffenen entweder eine Begünstigung (z. B. Erlaubnis) oder Belastung (z. B. Verbot).

**Gestaltungsinteresse,** →Erkenntnisinteresse.

**Gestaltungsinvestition,** →Investition, mit der der Unternehmer neue Produkte auf den Markt bringen oder neuartige Produktionsverfahren anwenden will. – Vgl. auch →Erhaltungsinvestition.

**Gestaltungsklage,** Form der →Klage. Der Kläger begehrt eine Änderung des bestehenden Rechtszustandes durch richterliches Urteil. Die G. ist nur in gesetzlich bestimmten Fällen, z. B. auf Auflösung einer OHG oder GmbH, Herabsetzung einer Vertragstrafe oder Unzulässigerklärung der Zwangsvollstreckung aus einem Vollstreckungstitel oder in einen bestimmten Gegenstand, Nichtigkeit einer AG, Anfechtungsklage gegen Beschlüsse einer AG, zulässig.

**Gestaltungsmißbrauch,** →Steuerumgehung.

**Gestaltungsrecht,** Rechtsmacht, durch einseitige Handlungen eine Rechtsänderung zu bewirken, z. B. durch →Anfechtung, →Kündigung oder →Rücktritt.

**Gestattung,** →Erlaubnis.

**Gestellung,** nach dem Zollrecht Verpflichtung, eingeführtes →Zollgut unverzüglich und unverändert der zuständigen →Zollstelle oder den von ihr beauftragten Zollbediensteten vorzuführen, um die →Zollbehandlung zu ermöglichen und sicherzustellen. Die G. ist bewirkt, sobald das Zollgut an den Amtsplatz der Zollstelle oder an den von ihr bestimmten Ort gebracht und ihr dort zur Verfügung gestellt worden ist. Auf Verlangen der Zollstelle sind die Beförderungsurkunden vorzulegen und ggf. ein →Gestellungsverzeichnis abzugeben. – *Gestellungspflicht* ist, wer das Zollgut selbst befördert in seiner Anwesenheit durch andere befördern läßt, sonst der Empfänger oder mangels eines Empfängers jeder andere, der bewirkt hat, daß das Zollgut in das →Zollgebiet gelangt ist oder darin bleibt. – *Befreiung* von der G. ist für eingeführte Waren vorgesehen, die zu ihrer Tarifierung nicht beschaut zu werden brauchen und auf Grund schriftlicher Unterlagen bewertet werden können. Das Verfahren dient der Erleichterung der →Zollabfertigung. Ausnahmen von der G. für die Bundesbahn und -post. – *Versäumte G.* oder *unzulässige Veränderung* des Zollguts vor der G. führt dazu, daß – soweit das Zollgut nicht zollfrei ist – eine Zollschuld entsteht und sofort fällig wird. Wer die G. unterlassen oder eine Veränderung des Zollguts vorgenommen hat, wird Zollschuldner. – Schuldhafte *Verletzung der Gestellungspflicht* ist Ordnungswidrigkeit (§ 382 I Nr. 1 AO i. V. mit § 79 a I Nr. 3 ZG oder nach § 378 AO), sofern nicht der Tatbestand eines Steuervergehens (etwa der Steuerhinterziehung) erfüllt ist. – Bei der *Ausfuhr* besteht keine grundsätzliche Gestellungspflicht. Ausfuhrwaren sind nur zu gestellen, wenn es die Zoll-, Verbrauchsteuer-, Marktordnungsvorschriften oder die Vorschriften über Verbote und Beschränkungen des Warenverkehrs vorsehen.

**Gestellungsverzeichnis,** vollständiges und unterschriebenes Verzeichnis der gestellungspflichtigen Waren, das bei der Zollstelle nach vorgeschriebenem Muster abzugeben ist, wenn sich die →Zollbehandlung nicht unmittelbar an die →Gestellung anschließt, um der Zollstelle eine Prüfung der Vollständigkeit der Ladung zu ermöglichen. – Im Post-, Eisenbahn- und Luftverkehr ist stets ein *vereinfachtes G.* abzugeben (§ 6 ZG, § 13 AZO).

**gesteuerter Preis,** der durch →Preiskartelle, sonstige Kartellabreden oder durch den Staat regulierte Preis. – *Gegensatz:* →Marktpreis.

**gestrichen,** Ausdruck im Börsenbericht. Ein Kurs oder ein Papier wird gestrichen, wenn kein Kurs zustande gekommen ist. Im Kurszettel steht statt des Kurses ein Strich (–); →Notierungen an der Börse.

**Gesundheitsattest.** I. S o z i a l r e c h t: Vgl. →Attest.

II. A u ß e n h a n d e l: Amtliche Bescheinigung für Importgüter, die besagt, daß die Güter frei von Krankheiten sind bzw. daß sie aus unverseuchten Gebieten kommen. G. wird von vielen Staaten verlangt bei der Einfuhr a) von Pflanzen und Tieren, b) von bestimmten pflanzlichen und tierischen Nahrungsmitteln und anderen Erzeugnissen, besonders häufig für Fett, Fleisch und Fleischerzeugnisse, um die Einschleppung von Krankheiten und Schädlingen zu verhindern.

**Gesundheitsökonomik,** *health economics,* Teilgebiet der →Volkswirtschaftstheorie. Befaßt sich u. a. mit den Faktoren, die die individuelle Nachfrage nach und das Volumen sowie die Zusammensetzung des Angebots an Gesundheitsleistungen bestimmen, mit der Finanzierung des Gesundheitswesens sowie mit den Beziehungen zwischen den Gesund-

heitsbereich und seiner ökonomischen und sozialen Umwelt. Zu den Instrumente der G. zählt neben der Theorie →öffentlicher Güter und der Theorie →externer Effekte u. a. die →Kosten-Nutzen-Analyse. – Vgl. auch →Krankenhausökonomik.

**Gesundheitsschutz,** Schutz- und Vorsorgemaßnahmen zur Abwendung von Gefahren für die Gesundheit der Arbeitnehmer, die dem Arbeitgeber obliegen, soweit die Gefahren durch die Art der betrieblichen Einrichtungen oder durch deren Betrieb hervorgerufen werden. – *Gesetzliche Regelungen:* 1. *Strafgesetzbuch:* Verpflichtung zum G. ergibt sich ganz allgemein aus dem Strafgesetz. – 2. *Bürgerliches Gesetzbuch:* Im BGB Regelung innerhalb der Vorschriften über den Dienstvertrag (§ 618 I). Der Dienstberechtigte hat Räume, Vorrichtungen oder Gerätschaften, die er zur Verrichtung der Dienste zu beschaffen hat, so einzurichten und zu unterhalten, und Dienstleistungen, die unter seiner Anordnung oder seiner Leitung vorzunehmen sind, so zu regeln, daß der Verpflichtete gegen Gefahr für Leben und Gesundheit soweit geschützt ist, als die Natur der Dienstleistung es gestattet, d. h. unter Beachtung von wirtschaftlichen und technischen Gesichtspunkten. – 3. *Gewerbeordnung:* Enthält spezielle Rechtsbestimmungen für Gewerbeunternehmen. Erforderlich ist z. B.: genügendes Licht, ausreichender Luftraum und Luftwechsel, Beseitigung von Staub, Dünsten, Gasen und Abfällen; Schutzvorrichtungen an Maschinen und anderen Gefahrenstellen; vorsorgliche Maßnahmen für den Fall eines Brandes im Betrieb; Aufstellung und Überwachung einer Betriebsordnung. Die hygienischen Einrichtungen müssen für die Zahl der Arbeitnehmer ausreichen und den Anforderungen der Gesundheitspflege entsprechen (§§ 120 a ff. GewO). – 4. *Gesetz über Betriebsärzte, Sicherheitsingenieure und andere Fachkräfte für Arbeitssicherheit (ASiG):* Danach ist dem Arbeitgeber aufgegeben, bei Vorliegen bestimmter Voraussetzungen Betriebsärzte und Fachkräfte für Arbeitssicherheit zu verpflichten, organisatorische Maßnahmen dafür zu treffen, daß sie ihre Aufgaben ordnungsgemäß erfüllen. Insbes. die →Betriebsärzte haben den G. als vordringliche Aufgabe. – Vgl. auch →Fürsorgepflicht, →Mutterschutz.

**Gesundheitsüberwachung,** →übertragbare Krankheiten.

**Gesundung des deutschen Steinkohlenbergbaus.** 1. *Rechtsgrundlage:* Gesetz zur Anpassung und Gesundung des deutschen Steinkohlenbergbaus und der deutschen Steinkohlenbergbaugebiete vom 15. 5. 1968 (BGBl I 365) mit späteren Änderungen und VO über die Maßstäbe für die Ermittlung der optimalen Unternehmensgrößen vom 7. 1. 1969 (BGBl I 16). – 2. *Zweck:* Ausrichtung der

Produktionskapazität der Bergbauunternehmen auf die Absatzmöglichkeiten und Ausnutzung der Ertragskraft der Bergwerke zur Vermeidung sozialer und wirtschaftlicher Schäden. – 3. *Verfahren:* Der Bundesbeauftragte für den Steinkohlenbergbau, der als Bundesbehörde dem Bundeswirtschaftsminister untersteht, prüft mit dem Kohlenbeirat die Absatzaussichten und gibt jährlich eine Vorausschätzung ab. Die Bergbauunternehmen haben ihre Meldungen und Auskünfte (z. B. Produktionskapazität, Arbeitnehmerzahl, Haldenbestand, Kohlevorräte unter Tage, Investitionen) bis 1. 3. abzugeben und die voraussichtliche Entwicklung für drei Jahre anzugeben (§ 3). Der Bundesbeauftragte erteilt den Bergbauunternehmen Empfehlungen. Er führt die Entscheidungen der EWG-Kommission durch und kann Ausschüsse zu Fragen der Belegschaftsentwicklung bilden. Bei Nichtbefolgung der erteilten Empfehlungen entfallen Vergünstigungen. – 4. *Maßnahmen:* Die Förderung der Unternehmenskonzentration erfolgt durch Steuervergünstigungen und durch Bundesbürgschaften bis zum Gesamtbetrag von 2 Mrd. DM. Bei Stillegung erhalten entlassene Arbeitnehmer auf Antrag ein Abfindungsgeld (§ 24), wenn sie 35 Jahre alt sind und 10 Jahre zum Bergbau gehörten. Es beträgt 2000 DM und steigt für jeden über die Mindestdauer hinausgehenden Monat um 25 DM bis höchstens 5000 DM. Zur Errichtung und Erweiterung eines Betriebes, der die Wirtschaftsstruktur der Steinkohlebergbaugebiete verbessert, kann Land enteignet werden. – 5. *Nichtabgabe* der vorgeschriebenen *Meldungen* und Mitteilungen kann als Ordnungswidrigkeit mit Geldbuße bis 50 000 DM belegt werden. – 6. Durch das dritte *Verstromungsgesetz* i. d. F. vom 17. 11. 1980 (BGBl I 2137) soll der verstärkte Einsatz heimischer Kohle gefördert und eine Abnahme deutscher Steinkohle 1981–1985 von 191 Mill. t Steinkohleneinheiten (SKE), 1986–1990 von 215 Mill. t SKE, 1991–1995 von 232,5 Mill. t SKE gewährleistet werden.

**Getränkesteuer,** aufgrund der Kommunalabgabengesetze (→Kommunalabgabe) in einigen Ländern erhobene →Gemeindesteuer auf die entgeltliche Abgabe bestimmter alkoholischer und nichtalkoholischer Getränke. Die G. wird mit einem von der Gemeinde festzusetzenden Prozentsatz (häufig 10%) vom Einzelhandelspreis berechnet; vom Getränkeabgebenden geschuldet.

**Getreideeinheit (GE),** Rechengröße, als gemeinsamer Nenner bei der Berechnung der →Brutto-Bodenproduktion und der →Nahrungsmittelproduktion benutzt. Die GE basiert auf dem Nettoenergiewert der Erzeugnisse, ausgedrückt in Stärkeeinheiten sowie dem Verhältnis zum Nettoenergiewert von Getreide. Tierische Erzeugnisse werden nicht nach ihrem eigenen Nettoenergiegehalt, sondern dem des Futters bewertet, das durchschnittlich zu ihrer Erzeugung erforderlich ist.

**getrennte Übersetzbarkeit.** 1. *Begriff* des →Softwareentwurfsprinzips: G. Ü. besagt, daß →Module eines →Softwaresystems so gebildet werden sollen, daß sie jeweils für sich allein übersetzt werden können (→Übersetzer). – 2. *Ziel:* G. Ü. fördert die unabhängige und arbeitsteilige Entwicklung von Modulen, v. a. bei großen Softwaresystemen unabdingbar. – 3. *Voraussetzung:* Die →Programmiersprache muß getrennte Übersetzung von Modulen zulassen.

**getrennte Veranlagung,** eine wählbare Art der Einkommensteuerveranlagung von Ehegatten. Vgl. im einzelnen →Veranlagung I 4.

**Gewährfrist,** Haftungsfrist beim Viehkauf (§ 482 BGB). Verkäufer haftet nur für Hauptmängel, die sich innerhalb der G. zeigen (für die verschiedenen Tierarten und Fehler unterschiedlich 3 bis 28 Tage). Einzelheiten geregelt in der VO v. 27. 3. 1899 (RGBl I 219).

**Gewährleistung,** Einstehen für →Mängel der Sache beim Kauf- und Werkvertrag. – Vgl. auch →Rechtsmängelhaftung, →Sachmängelhaftung, →Garantie.

**Gewährleistungsaval,** besondere Form des →Lieferungs- und Leistungsavals, bei dem sich ein Kreditinstitut zur Zahlung von Geld für die Erfüllung von Gewährleistungsansprüchen bis zum Betrag der vertraglich festgelegten Summe (i. d. R. bis zu 20% des Lieferwerts) verpflichtet. Der Lieferant muß dadurch für die Dauer der Gewährleistungsfrist keine geldmäßige Sicherheit stellen. – Vgl. auch →Aval.

**Gewährleistungsgarantie,** *warranty guarantee,* Form der →Garantie. Die G. sichert den Garantienehmer (Begünstigter) für den Fall ab, daß der Garantieauftraggeber (Lieferer, Verkäufer) seinen vertraglichen Gewährleistungspflichten nicht nachkommt. Durch die G. wird i. d. R. eine →Liefer- und Leistungsgarantie abgelöst.

**Gewährleistungskosten,** →Garantiekosten.

**Gewährleistungsphase,** zweiter Teil der Abwicklungsphase beim →Anlagengeschäft (erste Phase: Lieferphase). G. *umfaßt* die Beseitigung aufretender Probleme beim Einsatz der Anlage sowie insbes. die Abwicklung vereinbarter →Garantieverpflichtungen.

**Gewährleistungsverpflichtung,** →Garantieverpflichtung.

**Gewährleistungswagnis,** kalkualtorisches →Wagnis, durch dessen Verrechnung der Betrieb eine Selbstversicherung gegen nicht fremdversicherbare Risiken aus der Erfüllung von →Garantieverpflichtungen gegenüber den Abnehmern erreicht.

**Gewahrsam.** I. B ü r g e r l i c h e s R e c h t : Die tatsächliche Sachherrschaft. Der →Gerichtsvollzieher darf i.allg. nur Sachen pfänden, an denen der Schuldner G. hat (§ 808 ZPO).

II. E r b s c h a f t s t e u e r r e c h t : Darüber hinausgehend nach seiner wirtschaftlichen Bedeutung ausgelegter Begriff; umfaßt auch die geschäftsmäßige Verwahrung oder Verwaltung fremden Vermögens. Personen, die Vermögen des →Erblassers in G. haben, sind verpflichtet, dieses binnen einem Monat dem Finanzamt anzumelden (§ 187a AO, § 5 ErbStDV).

**Gewährverband,** *Sparkassen-Gewährverband,* öffentlich-rechtliche Körperschaft (Gemeinde, Kreis usw.), die eine →Sparkasse errichtet und der Gewährträger ist (z. B. Gemeinde für Gemeindesparkasse). Der G. haftet für sämtliche Verbindlichkeiten der Sparkasse und schafft dadurch die Voraussetzung dafür, daß eine Sparkasse für mündelsicher (→Mündelsicherheit) erklärt wird. Die G. erläßt Satzung; meist Personalunion zwischen dem Vorsitzer seines Verwaltungsorgans und dem Vorsitzer des Sparkassenvorstandes.

**Gewährvertrag,** →Garantievertrag.

**Gewalt.** 1. *Allgemein:* Anwendung physischer Kraft gegen Personen oder Sachen; oft Unrechtstatbestand. – 2. I. S. von *Staatsgewalt:* Ausdruck a) des allgemeinen Staat-Untertanen-Verhältnisses, b) von besonderen Gewaltverhältnissen, in denen sich z. B. der Beamte zum Staat befindet, aber auch der Benutzer einer rechtsfähigen öffentlichen Anstalt zu dieser oder die unter Polizeiaufsicht gestellte Person. – 3. Im Zusammenhang mit der *Gewaltenteilung:* Trennung der sich in dreifacher Weise äußernden Macht des Staates in Legislative, Exkutive und Justiz. Grundsatz der Gewaltenteilung, erstmalig von Montesquieu in seinem Buch ,,Esprit des lois" gefordert, ist im →Verfassungsrecht der meisten Staaten verankert, seine klare Durchsetzung ist jedoch nicht möglich. – 4. I. S. von →höherer Gewalt als unabwendbarer Zufall: Ereignisse, deren Eintritt oder Folgen selbst durch die zweckmäßigsten Vorkehrungsmaßnahmen nicht abgewandt werden können. Im Falle des Eintritts höherer G. entfällt Leistungspflicht des Schuldners (z. B. § 701 BGB, § 454 HGB) und tritt keine Fristversäumnis ein (z. B. § 203 und 1996 BGB). – 5. I. S. der *elterlichen Gewalt* (→elterliche Sorge): Die den Eltern ihren Kindern gegenüber zukommenden Befugnisse und Obliegenheiten (§§ 1626ff. BGB). Vor allem wichtig bei der Vermögensverwaltung für die Kinder. – 6. →Schlüsselgewalt der Ehegatten (§ 1357 BGB).

**Gewaltenteilung,** Grundsatz jedes Rechtsstaats, demzufolge die Staatsgewalt von drei voneinander getrennten Säulen (→Gesetzgebung, →Verwaltung und →Rechtsprechung) getragen wird. ,,Alle Staatsgewalt geht vom Volke aus. Sie wird vom Volke in Wahlen und Abstimmungen und durch besondere Organe der Gesetzgebung, der vollziehenden Gewalt und der Rechtsprechung ausgeübt. Die Gesetzgebung ist an die verfassungsmäßige Ordnung, die vollziehende Gewalt und die Rechtsprechung sind an Gesetz und Recht gebunden." (Art. 20 II und III GG.)

**Gewalttaten,** →Opferentschädigungsgesetz.

**Gewässergüte,** Ausdruck der →Umweltqualität beim Umweltmedium Oberflächengewässer. – *Kriterien:* (2) Sauerstoffgehalt, (3) hygienisch-bakteriologische Merkmale. – *Güteklassen:* (1) Nicht oder wenig verschmutzt, (2) mäßig verschmutzt, (3) stark verschmutzt, (4) Übermäßig verschmutzt.

**Gewässerschutz,** →Umweltschutz, →Wasserrecht.

**Gewerbe.** I. R e c h t : Jede planmäßige, in Absicht auf Gewinnerzielung vorgenommene, auf Dauer angelegte selbständige Tätigkeit, ausgenommen in der Land- und Forstwirtschaft und in freien Berufen. – 1. Als *Gewinnabsicht* (maßgebend die Absicht, nicht der Erfolg) gilt das Streben auf Gewinnerzielung beim Unternehmen, nicht etwa bei einzelnen Gesellschaftern (Streben auf Deckung der Kosten: →Gemeinwirtschaft). – 2. als *gewerbliche Tätigkeit* gilt nicht gelegentliche Betätigung; Zusammenschluß für einzelne Geschäfte ist §105I HGB nicht eine (den Betrieb eines G. erfordernde) OHG, sondern →Gesellschaft des bürgerlichen Rechts (Konsortium). – 3. Rechtlich erforderlich für *selbständige Tätigkeit* ist Handeln im eigenen Namen und unter eigener Verantwortung. Der →Handlungsgehilfe betreibt kein G. und ist deshalb nicht Kaufmann. – 4. Ein eines Handelsgewerbes macht zum →Kaufmann.

II. B e t r i e b s - / V o l k s w i r t s c h a f t s - l e h r e : Nach Wessels kann man wirtschaftlich unter G. jede nicht naturgebundene Güterproduktion verstehen, wobei das gesamte →Handwerk (auch Handwerksbetriebe mit Dienstleistungscharakter) in die Definition eingeschlossen wird. (Gegensatz: →Handel.) Durch →Gewerbefreiheit sind Wahl von Beruf, Arbeitsplatz und Ausbildungsstätte frei. *Berufsausübung* kann gesetzlich geregelt sein, so für bestimmte Berufe im öffentlichen Interesse abhängig gemacht werden vom Nachweis persönlicher und fachlicher Voraussetzungen (Befähigungsnachweis im Handwerk, Nachweis der Sachkunde im Einzelhandel). Bei Nachweis der Vorausset-

zungen besteht ein Recht auf Erteilung der
→Gewerbeerlaubnis.

**Gewerbeanmeldung,** Anzeige bei Beginn
eines →stehenden Gewerbes, Betriebsverle-
gung, Änderung des Geschäftsgegenstandes,
Hinzunahme nicht geschäftsüblicher Waren
oder Leistungen (§ 14 GewO) auf bestimmten
Vordrucken (GewerbeanzeigenVO vom
19.10.1979, BGBl I 1761). Die Anzeige ist an
die zuständige Landesbehörde zu richten, die
eine Empfangsbescheinigung ausstellt (§ 15
GewO). – Entsprechende Anzeigepflicht bei
Aufnahme gewisser Tätigkeiten, für die eine
*Reisegewerbekarte* nicht erforderlich ist (§ 55 c
GewO), und beim *Automatenverkauf.* – G. ist
ausreichend, soweit keine besondere →Gewer-
beerlaubnis oder sonstige Erlaubnis (z. B. für
Spielgeräte) erforderlich ist. – *Steuerl.:* Vgl.
→Betriebseröffnung.

**Gewerbeaufsicht,** Überwachung der Einhaltung von arbeitsrechtlichen und Arbeits-
schutzbestimmungen. Die G. wird ausgeübt
durch G.-Ämter (technische Sonderverwal-
tung der Länder) in Zusammenarbeit mit den
→Berufsgenossenschaften. Die G.-Beamten
haben amtliche Befugnisse. Der →Betriebsrat
hat Personen der G. durch Anregung und
Beratung zu unterstützen (§ 89 BetrVG). –
Vgl. im einzelnen →Arbeitsschutz IV 4.

**Gewerbeberechtigung,** seit Einführung der
→Gewerbefreiheit ohne Bedeutung. Die vorhandenen →Einheitswerte waren ab 1.1.1963
auf Null DM fortzuschreiben und die G. als
immaterielle Werte zu erfassen. – *Anders:*
→Konzession.

**Gewerbebestandspflege,** *Gewerbe-Entwick-
lung.* 1. *Begriff:* Wichtige Aufgabe im Zielsystem der kommunalen →Wirtschaftsförde-
rung neben der Ansiedlungsförderung
(→Standortmarketing). G. dient der Entwicklung und Förderung des endogenen wirtschaftlichen Potentials in einer Kommune.
Angesichts eines geringer gewordenen gewerblichen Ansiedlungspotentials gewinnt die G.
eine größere Bedeutung gegenüber der
Ansiedlungswerbung. – 2. *Inhalt:* G. konzentriert sich insbes. auf kleine und mittlere
Unternehmen (→Mittelstandspolitik). Maßnahmen: Einsatz finanzpolitischer Mittel der
Gemeinden (z. B. Festlegung der Gewerbe-
steuer-Hebesätze). Beratung und Betreuung
durch kommunale Wirtschaftsförderungsin-
stitutionen (Akquisition i. w. S., Hilfen bei
Bau- und Genehmigungsangelegenheiten
usw.), stadtplanerische und liegenschaftspoli-
tische Maßnahmen. Voraussetzung ist Gewer-
bebestandsermittlung und Ermittlung aktueller und potentieller Entwicklungsengpässe
(Betriebsdatei, Standortdatei, Flächenkata-
ster usw.) durch die Wirtschaftsförderungs-
institutionen in Verbindung mit den Kammern
und der →Gewerbeaufsicht. In *stadtplanerischer und liegenschaftspolitischer Hinsicht* ent-

stehen Entwicklungsengpässe wegen betrieblicher Erweiterung, emissionsrechtlicher Erfordernisse (→Immissionsschutz, →Luftverun-
reinigung, →Emissionskataster), v. a. in
Gemengelagen sowie stadtplanerischer Flä-
chennutzungsänderung (→Bauleitplanung).
G. hat dabei grundsätzlich die Möglichkeiten
der *Bestandssicherung* und des *Bestandsschut-
zes* am alten Standort oder der *Verlagerung*
(Umsiedlung). Art und Intensität der
Bestandsgefährdung bzw. Umsiedlungsnot-
wendigkeit eines Gewerbebetriebes aus stadt-
planerischen oder immissionsrechtlichen
Gründen richten sich nach den Standortkrite-
rien des Bundesbaugesetzes (§§ 30–35) und der
Baunutzungsverordnung (§ 1 Abs. 4–9) sowie
nach dem Bundesimmissionsschutzgesetz. Im
Falle einer Verlagerung kommt u. U. ein
*Gewerbeflächenrecycling* in Betracht (*Flä-
chenrecycling*). Im Sinn einer Gewerbebe-
standsförderung bieten sich dabei *Gewerbehöfe* bzw. *Gewerbeparks* sowie von kommunalen Unterstützung von technologieintensiven
Unternehmen ggf. auch *Technologiezentren*
an; dabei sind gravierende Wettbewerbsverzerrungen zu vermeiden. In jedem Fall sollte
vorausschauende G. eine *Standortvorsorge* in
Form einer ausreichenden *Liegenschaftsre-
serve* treffen.

**Gewerbebesteuerung.** I. Grundsätzliches: 1. *Entwicklung:* Ursprünglich reine
→Realsteuer oder →Ertragsteuer, die
geschichtlich auf Zunftabgaben zurückgeht
und mit Einführung der →Gewerbefreiheit
voll ausgebildet wurde. Mit dem Aufkommen
des Gerechtigkeitsgrundsatzes im Steuersystem (→Steuergerechtigkeit) verlor die G. an
Bedeutung. – 2. *Charakterisierung:* Eine vollständige, *alle Produktionsfaktoren umfassende*
→Gewerbesteuer versucht, den Ertrag des
Kapitals in einer →Gewerbekapitalsteuer, den
Ertrag der Arbeit in einer →Lohnsummen-
steuer (mit Wirkung für das Veranlagungsjahr
1980 außer Kraft) zu erfassen; vorausgesetzt,
daß sich die Erträge der Faktoren isolieren
lassen, ein unlösbares Analyseproblem. Daneben wird versucht, den Gesamtertrag eines
Gewerbebetriebes in einer →Gewerbeertrag-
steuer zu erfassen; dann aber ist jede Einzel-
faktorsteuer aus systematischen Gründen
überflüssig. – Wird nur eine der Einzelfaktor-
steuern, etwa die Lohnsummensteuer, abgeschafft, liegt eine (allokativ nachteilige) einseitige Kapitalbesteuerung vor bzw. eine Begünstigung des Faktors Arbeit, z. B. aus beschäf-
tigungspolitischen Gründen. – 3. *Probleme:* a)
Abgrenzung des Steuerobjekts „Gewerbebetrieb" sowie des „Gewerbes" und der
„gewerblichen Tätigkeit" von jeder anderen
Art der selbständigen wirtschaftlichen und
beruflichen Tätigkeit. – b) Die Gewerbesteuer
stellt nach dem Anteil an der Lohn- und
Einkommensteuer die wesentlichste Einnahmequelle der Gemeinden dar. Wegen der

hohen Konjunkturreagibilität der Gewerbeertragsteuer erscheint sie jedoch als →Gemeindesteuer unbrauchbar. – c) Sehr unterschiedliche Entwicklung des Aufkommens der Gewerbesteuer von Gemeinde zu Gemeinde. – d) Als Gemeindesteuer zu rechtfertigen versucht mit der Feststellung, `daß Gewerbebetriebe erhöhte Verkehrs- und Sozialkosten von den Gemeinden erfordern (Äquivalenzgedanke); heute nicht mehr vorbehaltlos akzeptiert, da auch andere Gemeindeleistungen erforderlich (Schulen, Krankenhäuser, Aufschluß von Wohngebieten). – e) Ein steuersystematischer Fremdkörper, wie die gesamte Ertragsbesteuerung, da die Einkommensbesteuerung ausgebaut ist. – 4. Gegenwärtig steht eine *grundlegende Reform* der G. zur Diskussion (→Gewerbesteuer), die über eine Abschaffung der Mängel der geltenden Gewerbesteuer weit hinausreicht. Die vom Wissenschaftlichen Beirat beim Bundesfinanzministerium 1982 vorgeschlagene →Wertschöpfungsteuer z. B. soll nicht allein die Gewerbebetriebe belasten, sondern alle in einer Gemeinde lebenden und arbeitenden Bürger. Damit erweitert sich das Problem der G. zu dem des optimalen →Gemeindesteuersystems.

II. G. in der Bundesrep. D.: Vgl. →Gewerbesteuer.

**Gewerbebetrieb.** I. Bürgerliches Recht: Ein eingerichteter und in Tätigkeit befindlicher Betrieb, der die Voraussetzungen eines →Gewerbes erfüllt, gem. § 823 I BGB als ,,sonstiges Recht'' gegen rechtswidrige Eingriffe geschützt.

II. Einkommensteuer: Eine selbständige nachhaltige Betätigung, die mit Gewinnabsicht unternommen wird und sich als Beteiligung am allgemeinen wirtschaftlichen Verkehr darstellt, wenn die Betätigung weder als Ausübung von →Land- und Forstwirtschaft noch als Ausübung eines →freien Berufes, noch als andere →selbständige Arbeit im Sinne des Einkommensteuerrechts anzusehen ist und den Rahmen einer privaten →Vermögensverwaltung überschreitet. Als G. gilt stets die mit →Einkünfteerzielungsabsicht unternommene gewerbliche Tätigkeit einer OHG, KG, anderen Personengesellschaft sowie einer →gewerblich geprägten Personengesellschaft. Kein G. (weil nicht mit Gewinnabsicht unternommen) ist eine Betätigung, die eine Minderung der Steuern vom Einkommen verursacht (→Verlustzuweisungsgesellschaft).

III. Gewerbesteuer: G. im Sinne des EStG ist Gegenstand der Gewerbesteuer, wenn er im Inland als →stehendes Gewerbe oder →Reisegewerbe ausgeübt wird (§§ 2 I, 35a GewStG). Nach verschiedenen Merkmalen sind *vier Arten von G.* zu unterscheiden: 1. G. kraft gewerblicher Tätigkeit (§ 2 I GewStG; Einzelgewerbetreibende). – 2. Bei Personengesellschaften: G. kraft Rechtsform, sofern die

Tätigkeit gewerblicher Natur ist oder gem. § 15 III Nr. 2 EStG als gewerblich geprägt gilt (§ 2 II Nr. 1 GewStG). – 3. Bei Kapitalgesellschaften und diesen gleichgestellten juristischen Personen: G. kraft Rechtsform (§ 2 II Nr. 2 GewStG). – 4. Bei sonstigen juristischen Personen des Privatrechts und bei Vereinen: G. kraft wirtschaftlichen Geschäftsbetriebs (§ 2 III GewStG); vgl. →wirtschaftlicher Geschäftsbetrieb.

IV. Bewertungsgesetz: Vgl. →wirtschaftliche Einheit.

**Gewerbebranche,** →Flächenrecycling.

**Gewerbeerlaubnis,** verschiedentlich für die Errichtung eines Gewerbebetriebes vorgeschriebene →Erlaubnis. Einzelheiten vgl. §§ 30 ff. GewO. – Im *Reisegewerbe:* Vgl. →Reisegewerbekarte. →Konzession.

**Gewerbeertrag,** Besteuerungsgrundlage für die →Gewerbesteuer neben →Gewerbekapital und (bis 1979) Lohnsumme (→Lohnsummensteuer). Ermittlung des G. durch Hinzurechnungen (§ 8 GewStG) zum und Kürzungen (§ 9 GewStG) vom gewerblichen →Gewinn, der sich bei →Einkommensermittlung für den dem Erhebungszeitraum entsprechenden Veranlagungszeitraum (Kalenderjahr) ergibt.

I. Hinzurechnungen zum gewerblichen Gewinn, soweit diese Posten bei dessen Ermittlung abgesetzt sind: 1. die Hälfte der Zinsen für →Dauerschulden; 2. Renten und dauernde Lasten, die wirtschaftlich mit Gründung oder Erwerb des Betriebes zusammenhängen; 3. Gewinnanteile der stillen Gesellschafters; 4. a) Gewinnanteile persönlich haftender Gesellschafter einer KGaA auf ihre nicht auf das Grundkapital geleisteten Einlagen oder b) Vergütungen (Tantieme) für die Geschäftsführung; 5. die Hälfte der Miet- und Pachtzinsen für die Benutzng nicht in Grundbesitz bestehende Wirtschaftsgüter des Anlagevermögens (→Miet- und Pachtzinsen); 6. Verlustanteile an einer Personengesellschaft; 7. Spenden von körperschaftsteuerpflichtigen Gewerbebetrieben mit Ausnahme von Spenden zur Förderung wissenschaftlicher Zwecke. 2., 3., 5. grundsätzlich nur hinzurechnungspflichtig, wenn Empfänger mit diesen Beträgen nicht der Gewerbesteuer unterliegt.

II. Kürzungen der Summe aus gewerblichem Gewinn und Hinzurechnungen: 1. a) 1,2 v. H. des Einheitswerts des zum Betriebsvermögen gehörenden Grundbesitzes (→Einheitswert), b) an die Stelle der vorgenannten Kürzung (Kürzung des Grundstücksunternehmens i.S.d § 9 Nr. 1 GewStG auf Antrag eine Kürzung um den Teil des G., der auf die Grundstücksverwaltung und -verwertung entfällt; 2. die bei der Gewinnermittlung angesetzten Anteile am Gewinn einer Personengesellschaft; 3. die bei der Gewinnermittlung angesetzten Anteile am Gewinn einer inländischen Kapitalgesellschaft, einer Kreditanstalt des öffentlichen Rechts oder einer Erwerbs- und Wirtschaftsgenossenschaft, an der das Unternehmen zu Beginn des Erhebungszeitraums mindestens mit 10 v. H. beteiligt ist (gewerbeertragsteuerliches →Schachtelprivileg); 4. der Teil des G., der auf eine nicht im Inland gelegene Betriebsstätte entfällt; 5. die dem Gewinn eines anderen Gewerbebetriebes hinzugerechneten Miet- und Pachtzinsen, wenn sie bei Ermittlung des Gewinns berücksichtigt worden sind; 6. Spenden für wissenschaftliche Zwecke, die aus Mitteln des Gewerbebetriebs von natürlichen Personen oder Personengesellschaften entnommen worden sind; 7. die Zinsen aus den in §431 5 EStG bezeichneten festverzinslichen Wertpapieren, bei denen die Einkommen- oder Körperschaftsteuer durch Abzug von Kapitalertrag (→Kapitalertragsteuer) erhoben worden ist; 8. a) die bei der Gewinnermittlung angesetzten Anteile am Gewinn einer ausländischen Tochtergesellschaft, an deren Nennkapital das Unternehmen seit Beginn des Erhebungszeitraums ununterbrochen zu einem Viertel beteiligt ist und die ihre Bruttoerträge ausschließlich oder fast ausschließlich aus →aktiven Tätigkeiten bezieht (→Schachtelprivileg III); b) das gleiche gilt auf Antrag für Gewinnanteile, die der Muttergesellschaft aus einer über eine Tochtergesellschaft gehaltenen mittelbaren Beteiligung an einer ausländischen Enkelgesellschaft zufließen (§9 Nr. 7 S. 2 u. 3 GewStG); 9. der Ausbildungsplatzabzugsbetrag nach §24b EStG in Höhe der für den Gewerbebetrieb geleisteten finanziellen Hilfen.

**Gewerbeertragsteuer,** Steuer auf den →Gewerbeertrag.

**Gewerbefläche,** →Liegenschaft II, →Industriegelände.

**Gewerbeförderung,** Maßnahmen von →Handwerkskammern, Verbänden und anderen Stellen (häufig mit öffentlicher Förderung) zur Rationalisierung und Leistungssteigerung in Klein- und Mittelbetrieben. Die G. umfaßt Maßnahmen zur Verbesserung der betrieblichen Voraussetzungen für eine rationelle Leistungserstellung, insbes. durch betriebswirtschaftliche Beratung (Finanzierung, Organisation, Rechnungswesen, Marketing), technische Beratung (Bau- und Raumplanung, Betriebsausstattung, Produktionsverfahren), Formgebungs- und Exportberatung, durch Beiträge zur Nachwuchsausbildung und Unternehmerfortbildung, zur Verbesserung der Standortvoraussetzungen (Handwerker- bzw. Gewerbehöfe) sowie spezielle Maßnahmen und Einrichtungen zur Förderung der Markttransparenz und der Makrtbeziehungen der Gewerbebetriebe durch Ausstellungen und Messen, durch Gemeinschaftswerbung u. ä. – Vgl. auch

→Gewerbebestandspflege, →Wirtschaftsförderung.

**Gewerbeförderungsstellen,** bei den meisten →Handwerkskammern besonders eingerichtete und mit entsprechenden Fachkräften (Betriebswirten und Ingenieuren) besetzte Abteilungen mit der Aufgabe, auf technischem und betriebswirtschaftlichem Gebiet praxisnahe →Gewerbeförderung für das Handwerk zu betreiben.

**Gewerbeforschung,** →Handwerksforschung.

**Gewerbefreiheit,** Freiheit für jedermann, einer wirtschaftlichen Betätigung an jedem Ort zu jeder Zeit im Rahmen der gesetzlichen Bestimmungen nachgehen zu können. In der Bundesrep. D. ist der Grundsatz der G. in Art. 2 und 12 GG verankert. Auch die →Gewerbeordnung geht vom Grundsatz der G. aus (§1 GewO), der durch Ausnahmen (z. B. Erlaubnispflicht, Gewerbeerlaubnis) Einschränkungen erleidet.

**Gewerbegebiet,** →Liegenschaft II, →Industriegelände.

**Gewerbegehilfe.** 1. *Begriff:* →Gewerblicher Arbeitnehmer. Hilfsperson des Unternehmers, beschäftigt mit der Bearbeitung, Verarbeitung und Herstellung von Waren durch technische, mechanische Dienstleistungen; auch die mit der Leitung und Beaufsichtigung des Betriebes oder einer Abteilung desselben beauftragten Person, wenn nicht die kaufmännische Tätigkeit überwiegt, sowie die mit höheren technischen Dienstleistungen betrauten Angestellten (gewerbliche Arbeiter und Angestellte). – 2. *Abgrenzung zum Handlungsgehilfen:* Im Gegensatz zum G. leistet der →Handlungsgehilfe gedankliche, geistige Arbeit. Wird der Gehilfe mit beiderlei Diensten beschäftigt, so ist für die rechtliche Beurteilung seiner Tätigkeit die überwiegende entscheidend. – 3. *Gesetzliche Regelung* des Dienstverhältnisses in §§105ff. GewO (→Gewerbeordnung); →Wettbewerbsverbot §133f. GewO; Lohnzahlung (Truckverbot) §§115–119b GewO.

**Gewerbegenehmigung,** →Gewerbeerlaubnis, →Konzession.

**Gewerbehof,** →Handwerkshof, →Gewerbeförderung, →Gewerbebestandspflege, →Flächenrecycling, →Wirtschaftsförderung II 4b).

**Gewerbehygiene,** →Betriebshygiene.

**Gewerbeinspektion,** →Gewerbeaufsicht.

**Gewerbekammern,** von Gewerbetreibenden regional gebildete Interessenvertretungen, in denen hauptsächlich Handwerker und Kleingewerbetreibende zusammengeschlossen waren; meist den Handelskammern angegliedert. Um die Jahrhundertwende wurden in den meisten deutschen Ländern die →Handwerkskammern sowie →Industrie- und Handelskammern verselbständigt; in den Hansestädten blieben die Gewerbekammern als gemeinsame Vertretung bestehen.

**Gewerbekapital,** dem Gewerbebetrieb im Inland dienendes Vermögen. Besteuerungsgrundlage für die →Gewerbesteuer neben →Gewerbeertrag. Ermittlung des G. aus dem →Einheitswert des gewerblichen Betriebs, modifiziert um Hinzurechnungen (§ 12 II GewStG) und Kürzungen (§ 12 III GewStG).

I. Hinzurechnungen zum Einheitswert, soweit diese Posten bei dessen Feststellung abgezogen sind: 1. 50 v. H. der →Dauerschulden insoweit, als sie 50 000 DM übersteigen; 2. kapitalisierter Barwert von Renten und dauernden Lasten, die wirtschaftlich mit Gründung oder Erwerb des Betriebes zusammenhängen; 3. Einlagen eines stillen Gesellschafters; 4. Werte der nicht in Grundbesitz bestehenden Wirtschaftsgüter, die dem Betrieb dienen, aber im Eigentum eines Mitunternehmers oder eines Dritten stehen, soweit sie nicht im Einheitswert des gewerblichen Betriebs enthalten sind (Ausnahmen sind möglich; →fremde Wirtschaftsgüter).

II. Kürzungen der Summe aus Einheitswert und Hinzurechnungen: 1. Summe der Einheitswerte, mit denen die Betriebsgrundstücke in dem Einheitswert des gewerblichen Betriebes enthalten sind; 2. Wert einer zum G. gehörenden Beteiligung an einer Personengesellschaft; 3. der Wert einer zum G. gehörenden Beteiligung an einer inländischen Kapitalgesellschaft, einer Kreditanstalt des öffentlichen Rechts oder einer Erwerbs- und Wirtschaftsgenossenschaft, wenn die Beteiligung mindestens ein Zehntel des Grund- oder Stammkapitals beträgt; 4. dem G. eines anderen Unternehmens hinzugerechnete Werte, soweit sie im Einheitswert des gewerblichen Betriebes enthalten sind; 5. a) der Wert einer zum G. gehörenden Beteiligung an einer ausländischen Tochtergesellschaft, wenn die Beteiligung mindestens ein Zehntel des Nennkapitals beträgt und die Tochtergesellschaft im letzten maßgebenden Wirtschaftsjahr ihre Bruttoerträge ausschließlich oder fast ausschließlich aus →aktiven Tätigkeiten bezogen hat; b) das gleiche gilt auf Antrag für den im Beteiligungswert an der Tochtergesellschaft enthaltenen anteiligen Wert der mittelbaren Beteiligung an einer ausländischen Enkelgesellschaft (§ 12 III Nr. 4 S. 2–4 GewStG); 6. der Wert einer zum Gewerbekapital gehörenden, mindestens 10%igen Beteiligung an einer ausländischen Gesellschaft, die nach einem →Doppelbesteuerungsabkommen unter der Voraussetzung einer Mindestbeteiligung von der Gewerbesteuer befreit ist.

**Gewerbekapitalsteuer,** Steuer auf das →Gewerbekapital (vgl. im einzelnen dort).

**Gewerbekrankheiten,** durch Tätigkeit in gewerblichen Betrieben erworbene →Berufskrankheiten.

**Gewerbekreditbank AG,** Sitz in Düsseldorf; am 26. 5. 1986 gegründet. Spezialbank für die Gewährung von Investitionskrediten, speziell an mittelständische Unternehmen und Freiberufler.

**Gewerbelegitimationskarte,** nach dem in den zwischenstaatlichen Verträgen vorgesehenen Muster auszustellende Bescheinigung für gewerbliche Tätigkeit im Ausland. Erteilung, Versagung und Entziehung i. a. entsprechend →Reisegewerbekarte (§ 55 b II GewO).

**Gewerbelehrer.** 1. *Begriff:* Lehrkräfte an gewerblichen und hauswirtschaftlichen →Berufsschulen und →Berufsfachschulen. Die Ausbildung erfolgte bis in die 60er Jahre an Berufspädagogischen Instituten oder ähnlichen nichtuniversitären Bildungsstätten; danach wurde die G.-Ausbildung an die Universitäten und Technischen Hochschulen verlagert (→Berufs- und Wirtschaftspädagogik). – 2. *Aufnahmevoraussetzung:* Hochschulreife oder Fachhochschulabschluß (ermöglicht ein um bis zu drei Semester verkürztes Studium) und Berufspraxis/Berufspraktikum. – 3. *Erste Ausbildungsphase:* Achtsemestriges Hochschulstudium einer beruflichen Fachrichtung (z. B. Metalltechnik, Elektrotechnik), eines allgemeinbildenden, schulrelevanten Zweitfaches und der Berufspädagogik, das mit dem Ersten Staatsexamen abgeschlossen wird. Z. T. wird auch noch ein reines Fachdiplom als erstes Staatsexamen anerkannt (Dipl.-Ökotrophologen, Dipl.-Agraringenieur u. ä.). – 4. *Zweite Ausbildungsphase:* 18–24monatiger praktisch-pädagogischer Vorbereitungsdienst (Referendariat) an einer gewerblichen bzw. hauswirtschaftlichen Berufs- oder Berufsfachschule sowie einem Staatlichen Studienseminar, der mit dem Zweiten Staatsexamen abschließt. Dieses verleiht die Anstellungsbefähigung zum Studienrat an →berufsbildenden Schulen.

**Gewerbeordnung (GewO),** Gesetz i. d. F. vom 1. 1. 1987 (BGBl I 425). Die G. regelt das gesamte Gewerberecht. – *Inhalt:* 1. *Bestimmungen* besonders *über* Zulassung, Umfang und Ausübung eines Gewerbes, Art der Gewerbebetriebe, Marktverkehr, Taxen, Arbeitsschutz für gewerbliche Arbeiter gegen mißbräuchliche Ausnutzung der Arbeitskraft, Sonntagsruhe, Lohn- und Betriebsschutz, Zeugnisse und Kündigung. – 2. Zahlreiche *Straf- und Bußgeldvorschriften,* insbesondere Bestimmungen zum Schutz der Arbeiter, Verbot der Unterhaltung eines genehmigungspflichtigen Gewerbes ohne Genehmigung u. a. m. (§§ 143 bis 148 b GewO). Geahndet werden kann neben dem →Gewerbetreibenden der die Verantwortung tragende Leiter des Betriebs oder Teilbetriebs.

**Gewerbepark,** →Gewerbebestandspflege, →Flächenrecycling, →Wirtschaftsförderung II 4 b).

**Gewerbepolitik.** I. Begriff: 1. Vom wirtschaftlichen Begriff des →Gewerbes abgeleiteter *Oberbegriff* für Maßnahmen des Staates und der Verbände, Kammern u. a. Selbstverwaltungskörperschaften zur *planmäßigen Förderung* des Wirtschaftslebens im *gewerblichen* Sektor. – 2. G. *schließt ein:* Industriepolitik, Handwerkspolitik und eine G. für solche Gewerbezweige, die weder Industrie noch Handwerk sind und für die eine spezielle Bezeichnung fehlt.

II. Bereiche der G.: Seitens des Staates häufig in der Verfassung festgelegt, so z. B. Weimarer Verfassung 5. Abschn. Auch ohne solche Begründung sind gewerbepolitische Maßnahmen stets im Rahmen der allgemeinen Wirtschaftspolitik vorzunehmen, da sie sich auch auf andere Gebiete wie Agrarpolitik, Handelspolitik, Verkehrspolitik usw. auswirken.

III. Formen: 1. *Allgemeine* wirtschaftspolitische Maßnahmen durch Gesetze und Verordnungen: Vgl. →Gewerbefreiheit, →Befähigungsnachweis, →Gewerbeaufsicht. – 2. *Organisatorische,* produktionstechnische und absatzfördernde Maßnahmen: Vgl. →Gewerbeförderung, →Ausstellungen und Messen. →Rationalisierungskuratorium der deutschen Wirtschaft. – 3. *Finanzwirtschaftliche* Maßnahmen: Förderung des →Kapitalmarkts, Subventions-, →Steuerpolitik, so z. B. steuerliche Begünstigung des gewerblichen Mittelstandes, Festsetzung von Höchstpreisen, Kreditgewährung zu verbilligtem Zinssatz, Existenzaufbauhilfe usw.

IV. Mittel: Gesetze, Verordnungen, Interventionen seitens des Staates, Vereinbarungen, Verbandsbildung, Beratungsdienst usw. durch Selbstverwaltungskörperschaften.

V. G. als Wissenschaft: Teilgebiet der →Wirtschaftspolitik. – *Aufgaben:* 1. Analyse der Grundstruktur der gewerblichen Wirtschaft, systematisch dargestellt; 2. Behandlung der für erfolgreiche gewerbliche Tätigkeit erforderlichen juristischen, soziologischen, historischen und technologischen Fragen.

**Gewerbepolizei,** besondere Polizeifunktion, die durch die Ortspolizei, die Ämter für öffentliche Ordnung oder besondere Behörden *ausgeübt* wird. Die G. überwacht die Einhaltung der Bestimmungen der →Gewerbeordnung.

**Gewerbesteuer.** I. Grundsätzliches: Vgl. →Gewerbebesteuerung.

II. G. in der Bundesrep. D.: 1. *Rechtsgrundlagen:* Gewerbesteuergesetz (GewStG 1984) in der Fassung vom 14. 5. 1984 (BGBl I 657, zuletzt geändert durch Gesetz zur Ände-

rung des Gesetzes über die Lastenausgleichsbank vom 20. 2. 1986 (BGBl I 297); Gewerbesteuer-Durchführungs-VO (GewStDV 1978) in der Fassung vom 26. 1. 1979 (BGBl I 114), geändert durch VA vom 25. 4. 1980 (BGBl I 487); →Gewerbesteuer-Richtlinien.

2. *Charakterisierung:* a) *Begriff:* G. ist eine →Realsteuer, die das Objekt Gewerbebetrieb besteuert, ohne persönliche Verhältnisse zu berücksichtigen. – b) *Hebeberechtigt* für die G. sind die Gemeinden, in denen sich →Betriebsstätten des Gewerbebetriebes befinden. Die Gemeinden bestimmen den →*Hebesatz,* mit dem die G. auf Grund des →*einheitlichen Gewerbesteuermeßbetrages* erhoben wird. – c) *Steuergegenstand und Besteuerungsgrundlagen:* Der G. unterliegen Gewerbebetriebe i. S. des EStG (vgl. im einzelnen →Gewerbebetrieb IV). Besteuert werden: (1) →Gewerbeertrag; (2) →Gewerbekapital. – Vgl. auch →Schachtelprivileg III 2. – d) *Ermittlung und Erhebung:* Durch Anwendung der Steuermeßzahlen auf Gewerbeertrag und Gewerbekapital sind die Steuermeßbeträge für den Erhebungszeitraum (Kalenderjahr) zu errechnen. – (1) Der *Gewerbeertrag* ist auf volle 100 DM abzurunden und bei natürlichen Personen und Personengesellschaften um einen Freibetrag in Höhe von 36000 DM zu kürzen. Die Steuermeßzahl beträgt für alle Unternehmen 5 v. H.. Bei Ermittlung des Steuermeßbetrages nach dem Gewerbeertrag sind →Gewerbeverluste der fünf vorhergehenden Erhebungszeiträume zu berücksichtigen. – (2) Das *Gewerbekapital* ist auf volle 1000 DM abzurunden und um einen Freibetrag in Höhe von 120000 DM bei allen Unternehmungen zu kürzen; die Steuermeßzahl beträgt 2 v. T.. – (3) Die Summe der Steuermeßbeträge nach dem Gewerbeertrag und dem Gewerbekapital bildet den einheitlichen *Steuermeßbetrag,* der vom →Betriebsfinanzamt durch →Steuermeßbescheid festgestellt wird. Bei mehreren Betriebsstätten eines Gewerbebetriebes in verschiedenen Gemeinden zerlegt das Betriebsfinanzamt den einheitlichen Steuermeßbetrag und verteilt ihn durch →Zerlegungsbescheid auf die hebeberechtigten Gemeinden. – (4) Die Gemeinden errechnen die G. durch Anwendung des *Hebesatzes,* dessen Höhe durch die Gemeinden für jedes Rechnungsjahr selbst festgesetzt wird, auf den ihnen zustehenden einheitlichen Steuermeßbetrag und erteilen den Gewerbesteuermeßbescheid. – Der Hebesatz muß für alle in einer Gemeinde gelegenen Unternehmen gleich sein. – e) *Vorauszahlungen:* Am 15. 2., 15. 5., 15. 8. und 15. 11. in Höhe eines Viertels der G., die sich bei der letzten Veranlagung ergeben hat, vom Steuerschuldner zu entrichten. Änderung der vom Finanzamt festgesetzten Vorauszahlungen für Körperschaft- bzw. Einkommensteuer aufgrund zu erwartender Gewinne bewirken Neufestsetzung des einheitlichen Steuermeßbetrages, an den die

Gemeinden bezüglich der Höhe der Vorauszahlungen gebunden sind. – f) *Steuerschuldner:* Der →Unternehmer, bei einer Personengesellschaft die Gesellschaft. Bis zum Übergang eines Gewerbebetriebes auf einen anderen Unternehmer ist der alte Unternehmer Steuerschuldner. Die Übertragung wirkt – wenn keine Vereinigung vorliegt – wie Neugründung.

3. *Rechtsmittel:* Anfechtung des Steuermeßbescheids und Zerlegungsbescheids durch Einspruchsverfahren beim Finanzamt. Anfechtung des G.bescheids, der von der Gemeinde erteilt wird, nach landesrechtlichen Bestimmungen; Widerspruch bei der Gemeinde; bei dessen Abweisung ist die Klage vor dem Verwaltungsgericht möglich. Rechtsmittel gegen den G.bescheid können nicht mit Unrichtigkeit des Steuermeßbetrages begründet werden. Erfolgreich durchgeführtes Rechtsmittelverfahren gegen Steuermeßbescheid oder Zerlegungsbescheid bewirkt auch Änderung des G.bescheids.

4. *Ertragsteuerliche Behandlung:* G. ist eine →Kostensteuer, d. h. sie kann als →Betriebsausgabe im Sinne des EStG vom steuerpflichtigen Gewinn abgesetzt werden und ist wie diese zu verrechnen. Daraus folgt, daß die G. sowohl die Bemessungsgrundlage der Gewerbeertragsteuer als auch die Bemessungsgrundlage der Einkommen- oder Körperschaftsteuer mindert.

5. *Finanzwissenschaftliche Beurteilung:* a) *Einordnung:* Die G. ist eine →Gemeindesteuer. Trotz →Gewerbesteuerumlage ist die G. die tragende Säule des kommunalen Finanzsystems geblieben mit über 40% Anteil an den Gemeindesteuereinnahmen. – b) *Kritik:* Die G. ist die meistkritisierte Steuer des Steuersystems. Argumente: (1) Wertschöpfende Sektoren werden *nur selektiv* erfaßt, z. B. bleiben die Land- und Forstwirtschaft und zum freien Berufe steuerfrei. – (2) Mit dem Äquivalenzprinzip kann die G. *nicht mehr gerechtfertigt werden,* da die Gemeinden nicht allein für die gewerbliche Wirtschaft, sondern auch für andere Berufe, für Familien (Schulen, Krankenhäuser, Wohngebiete) und für das allgemeine Verkehrsnetz Aufwendungen haben. – (3) Das analytische Konzept der Aufspaltung der G. in die Teilsteuern Gewerbeertrag-, Gewerbekapital- und Lohnsummensteuer ist *weder logisch noch realisierbar.* – (4) Die Zweifachbelastung der Eigen- und Fremdkapitalverzinsung durch die beiden erstgenannten Teilsteuern ist *unsystematisch und allokativ nachteilig.* – (5) Freibeträge für Ertrag und Kapital sind mit dem Charakter einer „Objektsteuer" *nicht vereinbar;* die Folge ist die Denaturierung der G. zu einer „Großbetriebsteuer". – (6) Das Aufkommen an G. ist *regional äußerst unterschiedlich;* es führt zu hohem Aufkommen in industriellen Ballungs-

gebieten. – (7) Die G. führt zu *Wettbewerbsnachteilen* im Außenhandel gegenüber jenen Ländern, die keine G. kennen; ein Grenzausgleich wie in der Mehrwertsteuer findet nicht statt. – (8) Die große *Konjunkturempfindlichkeit* der Gewerbeertragsteuer, für die Gemeinden ein fiskalischer Nachteil, wird ergänzt durch einen Nachteil für die Gewerbebetriebe, wenn bei nachlassender Konjunktur die Gewerbekapitalsteuer Fixkostencharakter erhält (→Sollertragsbesteuerung). Vgl. auch →Gewerbebesteuerung. – c) *Reform:* Für die Akzeptanz der unterschiedlichen Reformmodelle gilt die Hebesatzautonomie als conditio sine qua non. Weitere wesentliche Punkte bilden die Kriterien für ein „optimales" →Gemeindesteuersystem (vgl. näher dort). – *Reformmodelle:* (1) *Wertschöpfungsteuer:* Der →Wertschöpfungsteuer gelingt die bessere Lastverteilung; sie ist relativ konjunkturunempfindlich; wegen des niedrigen Steuersatzes (2% bis 3%) ist sie nicht sonderlich merklich. – (2) *Gemeindeaufschlag auf Lohn- und Einkommensteuer:* Hohe Merklichkeit, zugleich ist der Kreis der Belasteten gegenüber der heutigen G. erweitert. – (3) *Beteiligung der Gemeinden am Umsatzsteueraufkommen:* Erweitert den Kreis der Steuerzahler und -träger, ist aber weniger merklich. – (4) Eine *Kombination der Modelle* kann die jeweiligen Vorteile miteinander verbinden und zusammen mit dem Hebesatzrecht der Gemeinden die Finanzierung der Gemeindeleistungen und die Beteiligung der Bürger daran transparenter machen. – Eine „*Revitalisierung*" der G. oder ihre „*Anrechnung*" auf andere, von den Betrieben zu zahlende Steuerarten kann die Nachteile der G. nicht beheben. – Augenblicklich ist nicht zu erkennen, welches Reformmodell politisch durchzusetzen sein wird.

6. *Aufkommen:* 1986: 31 987 Mill. DM (1985: 30 759 Mill. DM, 1981: 26 069 Mill. DM, 1979: 28 385 Mill. DM, 1975: 20 896 Mill. DM, 1970: 12 117 Mill. DM, 1965: 10 283 Mill. DM, 1959: 6468 Mill. DM, 1955: 3727 Mill. DM); bis 1979 einschl. Lohnsummensteuer.

**Gewerbesteuer-Durchführungsverordnung (GewStDV),** Rechtsverordnung, die eine Reihe von Ergänzungen zum Gewerbesteuergesetz mit formellem und materiellem Gehalt umfaßt. Geltende Fassung vom 26.1.1979 (BGBl I 114), geändert durch VO vom 25.4.1980 (BGBl I 487).

**Gewerbesteuererklärung,** Voraussetzung für die Durchführung der Veranlagung zur →Gewerbesteuer. – *Zur Abgabe einer G. sind verpflichtet* gem. § 25 GewStDV: 1. gewerbesteuerpflichtige Unternehmen, deren →Gewerbeertrag im Erhebungszeitraum 36 000 DM oder deren →Gewerbekapital am maßgebenden Feststellungszeitpunkt 120 000 DM überstiegen hat; 2. Kapitalgesellschaften ohne Einschränkung; 3. Erwerbs- und Wirtschaftsgenossenschaften sowie Versicherungsvereine auf Gegenseitigkeit. Sonstige juristische Personen des Privatrechts und nichtrechtsfähige Vereine insoweit, als sie einen →wirtschaftlichen Geschäftsbetrieb (außer Land- und Forstwirtschaft) unterhalten, der bestimmte Grenzen überschreitet; 4. Unternehmen juristischer Personen des öffentlichen Rechts, wenn sie als stehende Gewerbebetriebe anzusehen sind und eine gewisse Größe aufweisen; 5. Unternehmen, für die vom Finanzamt die Abgabe einer Steuererklärung besonders verlangt wird. Die Aufforderung liegt gewöhnlich in der Zusendung eines Erklärungsvordrucks. – Vgl. auch →Steuererklärung.

**Gewerbesteuer-Richtlinien (GewStR),** im wesentlichen Verwaltungsanordnungen sowie Entscheidungen der Finanzgerichte und Erörterungen von Zweifelsfragen bei der Gesetzesauslegung. Die GewStR sind für die →Finanzverwaltung (nicht für Gerichte) bindend. Dem →Steuerpflichtigen steht es frei, gegen die Ausführungen in den GewStR im Rechtsmittelverfahren vorzugehen.

**Gewerbesteuerrückstellung.** 1. *Begriff:* Bei ordnungsmäßiger Buchführung zulässige →Rückstellung für noch nicht fällige, das abgelaufene Wirtschaftsjahr belastende →Gewerbesteuer. – 2. *Höhe:* Da die Gewerbesteuer auf den Gewerbeertrag und das Gewerbekapital als →Betriebsausgabe abzugsfähig ist, mindern beide Erscheinungsformen der Gewerbesteuer die Bemessungsgrundlage der Gewerbeertragsteuer und damit die Gewerbeertragsteuer selbst. Diese Tatsache ist bei der Ermittlung der G. zu berücksichtigen. Die G. ist in Höhe der Differenz zwischen der Nettobelastung der voraussichtlich geschuldeten Gewerbesteuer und den geleisteten Vorauszahlungen anzusetzen. – 3. *Ermittlungsmethoden:* a) Nach der Neun-Zehntel-Methode (Abschn. 22 II EStR) wird die Nettobelastung näherungsweise dadurch bestimmt, daß die Gewerbesteuer mit neun Zehnteln des Betrages der Gewerbesteuer angesetzt wird, der sich ohne Berücksichtigung der Gewerbesteuer als Betriebsausgabe ergibt. b) Die verschiedenen mathematisch-exakten Methoden weisen die Nettobelastung zutreffend aus. – 4. *Beurteilung:* Die Neun-Zehntel-Methode führt i. d. R. bei Hebesätzen über 222 v. H. zu einer höheren G. als die exakten Methoden, woraus eine höhere Gewinnminderung und letztlich ein Steuerstundungseffekt resultiert. Bei Hebesätzen unter 222 v. H. ergeben sich diese Vorteile der →Steuerpolitik für die mathematisch exakten Methoden.

**Gewerbesteuerumlage,** Umlage zur Beteiligung von Bund und Ländern am Aufkommen der →Gewerbesteuer (Art. 106 VI GG); näher bestimmt durch § 6 Gemeindefinanzreformgesetz. Es sind ca. 40% des hebesatzbereinigten gemeindlichen Aufkommens an Gewerbeertrag- und -Kapitalsteuer je zur Hälfte an Bund und Länder zu überweisen. Als Gegenleistung erhalten die Gemeinden 15% des im Gebiet ihres Landes anfallenden Aufkommens an Lohn- und veranlagter Einkommensteuer (Art. 106 V GG). – *Bedeutung:* Die G. ist eine *Maßnahme der Steuerstrukturverbesserung* für die Gemeinden, um hebesatz- und aufkommensbedingte Gewerbesteuerunterschiede auszugleichen und die Gemeinden insgesamt von der einseitigen Orientierung auf die Ertragsteuern (gelten als sehr konjunkturreagibel) teilweise zu befreien zugunsten einer Beteiligung an der stetiger fließenden Einkommensteuer. – Vgl. auch →Finanzausgleich.

**Gewerbetreibender,** derjenige, der im eigenen Namen für eigene Rechnung und unter eigener Verantwortung ein →Gewerbe betreibt. – *Besondere Gruppe* unter den G. bilden die →Hausgewerbetreibenden. *Anders:* →Heimarbeiter.

**Gewerbeuntersagung,** Verbot der Ausübung eines Gewerbes (auch Handwerk und Einzelhandel) oder der Tätigkeit als Vertretungsberechtigter eines Gewerbetreibenden oder der Leitung eines Gewerbebetriebes aufgrund Auftrages durch die Höhere Verwaltungsbehörde (§ 35 GewO). – 1. *Zulässig:* Bei *Unzuverlässigkeit* des Gewerbetreibenden oder Vertreters, wenn die weitere Ausübung des Gewerbes für die Allgemeinheit oder die im Betrieb Beschäftigten eine *Gefährdung* des Lebens, der Gesundheit, der Freiheit oder der Sittlichkeit oder eine Gefährdung des Eigentums oder des Vermögens anderer mit sich bringt, die nur durch die G. abgewendet werden kann. – 2. Ist der Sachverhalt bereits Gegenstand eines *Strafverfahrens* gewesen, darf die G. im allgemeinen nicht ausgesprochen werden, wenn das Gericht die G. bereits abgelehnt hat.

**Gewerbeverlust,** Begriff des Gewerbesteuerrechts: Mögliches Fehlergebnis bei Ermittlung des →Gewerbeertrags für einen Erhebungszeitraum (Kalenderjahr); nicht identisch mit Verlust aus Gewerbebetrieb. Die Berechnung zeigt das nachstehende *Beispiel:*

| | |
|---|---:|
| Gewinn aus Gewerbebetrieb | 2000,– |
| Hinzurechnungen (§ 8 GewStG) | 1000,– |
| | 3000,– |
| Kürzungen (§ 9 GewStG) | 4000,– |
| Gewerbeverlust | 1000,– |

Gewerbetreibende können einen G. aus fünf vorangehenden Erhebungszeiträumen bei Ermittlung des maßgebenden Gewerbeertrags berücksichtigen, soweit die Fehlbeträge nicht in den vier vorhergehenden Jahren berücksichtigt wurden (§ 10a GewStG).

**Gewerbezentralregister,** amtliches Register; ab 1.1.1976 beim →Bundeszentralregister geführt. – 1. *Rechtsgrundlage:* Gesetz zur Änderung der Gewerbeordnung und über die Einrichtung eines Gewerbezentralregisters vom 13.6.1974 (BGBl I 1281, §§ 149 ff. GewO). – 2. *Eintragungen:* a) Entscheidungen einer Verwaltungsbehörde, durch die wegen Unzuverlässigkeit oder Ungeeignetheit u. a. ein Antrag auf Zulassung zu einem →Gewerbe oder einer sonstigen wirtschaftlichen Unternehmung abgelehnt oder eine erteilte Zulassung zurückgenommen oder widerrufen, die Ausübung eines Gewerbes untersagt oder im Rahmen eines Gewerbebetriebes die Befugnis zur Einstellung oder Ausbildung von Auszubildenden entzogen oder die Beschäftigung von Kindern und Jugendlichen verboten wird; b) Verzichte auf eine Zulassung zu einem Gewerbe während eines Rücknahme- oder Widerrufsverfahrens; c) Bußgeldentscheidungen im Zusammenhang mit der Ausübung eines Gewerbes oder dem Betrieb einer sonstigen wirtschaftlichen Unternehmung, sofern die →Geldbuße mindestens 200 DM beträgt. – 3. *Auskunft* erhalten die Betroffenen und Behörden (v. a. Gerichte und Polizeibehörden). – 4. Wird eine eingetragene Entscheidung später aufgehoben, so wird sie aus dem G. *entfernt.* Eintragungen über Bußgeldentscheidungen werden nach Ablauf von drei (bei Geldbußen bis 300 DM) oder von fünf Jahren *getilgt.*

**gewerbliche Arbeitnehmer.** 1. *Gewerbeordnung:* →Arbeitnehmer, die in einem der →Gewerbeordnung unterfallenden Gewerbebetrieb als Gesellen (→Handwerksgeselle), Gehilfen, (→Gewerbegehilfe), →Auszubildende, Betriebsbeamte, Werkmeister, Techniker, Fabrikarbeiter oder in ähnlicher Stellung beschäftigt sind. Für die Arbeitsverhältnisse der g. A. gelten die §§ 105 ff. GewO. – 2. In *Tarifverträgen* sind mit g. A. zumeist nur die →Arbeiter gemeint. – *Anders:* →kaufmännische Angestellte.

**gewerbliche Niederlassung,** →Niederlassung.

**gewerblicher Arbeiter,** →Arbeiter, →Gewerbegehilfe, →gewerbliche Arbeitnehmer.

**gewerblicher Betrieb,** →Gewerbebetrieb, →wirtschaftliche Einheit.

**gewerblicher Rechtsschutz,** Schutz der technisch verwertbaren geistigen Arbeit. Das Rechtsgebiet *umfaßt:* →Patentrecht, →Gebrauchsmusterrecht, →Geschmacksmusterrecht, →Warenzeichenrecht. Im weiteren Sinne wird zum g. R. auch das →Urheberrecht und →Wettbewerbsrecht gezählt.

**gewerblich geprägte Personengesellschaft,** Begriff des Einkommensteuerrechts. Nicht gewerbliche →Personengesellschaft, bei

der ausschließlich eine oder mehrere →Kapitalgesellschaften persönlich haftende Gesellschafter sind, zur Geschäftsführung befugt sind. G. g. P. gilt als →Gewerbebetrieb (§ 15 III EStG).

**Gewerbsmäßigkeit,** ein in verschiedenen strafrechtlichen Tatbeständen (u. a. bei Hehlerei, Wucher und im Steuerstrafrecht) verwendeter Begriff. G. bedeutet Handeln in der Absicht, sich durch wiederholte Begehung von Straftaten gleicher Art (wenn auch nicht notwendig für die Dauer, so doch für längere Zeit und nicht nur vorübergehend) eine Einkommensquelle zu erschließen.

**Gewerke,** Gesellschafter einer →bergrechtlichen Gewerkschaft. Ein G. ist im →Gewerkenbuch eingetragen und haftet nur insofern persönlich, als er zur →Zubuße verpflichtet ist.

**Gewerkenbuch,** Verzeichnis der Namen von Kuxinhabern einer →bergrechtlichen Gewerkschaft. Mitglieder der Gewerkschaft sind durch Eintragung legitimiert. Bei Übertragung der →Kuxe ist Umschreibung im G. erforderlich.

**Gewerkschaften,** nach Industrie-Gruppen, nach Berufen oder nach politischen oder religiösen Richtungen gegliederte Vereinigungen von Arbeitnehmern bzw. von Arbeitnehmervereinigungen zur Verbesserung der sozialen und wirtschaftlichen Lebensbedingungen und als sonstige Interessenvertretungen gegenüber dem Staat und den Arbeitgebern (Arbeitgebervereinigungen) – Vgl. auch →Sozialpartner.

I. G e s c h i c h t e d e r G.: 1. *Bis 1933:* a) Erste im Verlauf der Industrialisierung aufgrund der schlechten sozialen Lage der Arbeitnehmerschaft entstandene gewerkschaftsähnliche Vereinigungen wurden in Deutschland 1848 wieder aufgelöst. Neu hervorgegangen aus den 1865 und 1866 gegründeten Reichsorganisationen der Tabakarbeiter und Buchdrucker. Voraussetzung für weiterreichende G.-Gründung: die 1869 aufgrund der Agitation von Lassale in Preußen gewährte →Koalitionsfreiheit. – *Drei Richtungen:* (1) die „Arbeiterschaften", hervorgegangen aus Lassalles „Allgemeinen Deutschen Arbeiterverein" und den 1868 durch Bebel begründeten „Internationalen Gewerksgenossenschaften"; (2) die durch Dr. Max Hirsch und Franz Duncker gegründeten freiheitlich-nationalen Gewerkvereine. 1878: →Sozialistengesetz (Lahmlegung der unter (1) erwähnten G. bis zur Aufhebung des Gesetzes 1890). Spitzenorganisation dieser „freien" G. seit 1891: Generalkommission; (3) seit Mitte der neunziger Jahre aufgebaute christliche G., hervorgegangen aus der christlich-sozialen Bewegung (Bischof Ketteler). Diese drei Richtungen der deutschen G. als Richtungsgewerkschaften waren politisch ausgerichtet: freie G. verbunden mit der Sozialdemokratie, christliche G. der Zentrumspartei nahestehend, Hirsch-Dunckersche G. den liberalen Parteien nahestehend. – b) *Nach dem ersten Weltkrieg* neuer Auftrieb der G.-Bewegung durch sog. Novemberabkommen vom 15.11.1918 zwischen Arbeitnehmern und Arbeitgebern: Anerkennung der G. als Vertretung der Arbeitnehmer und deren unbedingter Koalitionsfreiheit; Verzicht der Arbeitgeber auf Werksvereine; Regelung der Arbeitsbedingungen für sämtliche Arbeitnehmer durch Kollektivvereinbarungen mit den G. (→Tarifvertrag); Einrichtung von Arbeitsausschüssen (Vorläufer der →Betriebsräte) in sämtlichen Betrieben mit mehr als 50 Beschäftigten; Einführung des 8-Stunden-Tages. Aus den Grundsätzen dieses Abkommens ist entwickelt worden (1) das kollektive Arbeitsvertragsrecht, (2) Betriebsräterecht, (3) Urlaubsrecht, (4) Verbesserung des Sozialversicherungsrechts und dessen Ergänzung durch Vorsorge für den Fall der →Arbeitslosigkeit und →Kurzarbeit. – 2. *1933 bis 1945:* Auflösung der G. sämtlicher Richtungen. Überführung ihrer Mitglieder in die „Deutsche Arbeitsfront". – 3. *Nach 1945:* Neugründung der G.. An die Stelle von Richtungs-G. traten Einheits-G., statt des Berufsprinzips dominierte das Prinzip des Industrieverbandes (Ausnahme z. B. Deutsche Angestellten-Gewerkschaft). 1949 Trennung der westdeutschen G. vom gesamtdeutschen „Freien Deutschen Gewerkschaftsbund" (FDGB seitdem Bezeichnung für die alleinige Gewerkschaftsorganisation in der DDR) und Gründung des DGB (Deutscher Gewerkschaftsbund). Dieser lehnte auf seinem Gründungskongreß den Neuaufbau einer kapitalistischen Gesellschafts- und Wirtschaftsordnung ab und forderte statt dessen energische Schritte in Richtung einer Wirtschaftsdemokratie. Er geriet damit in einen Gegensatz zu den vorherrschenden politischen Kräften, der sich auf gewerkschaftlicher Seite 1955 in der Gründung der CGD (Christliche Gewerkschaftsbewegung Deutschlands) äußerte.

II. Heutige Bedeutung in der Bundesrep. D. (1986): 17 nach dem Industrieprinzip organisierte Einzelgewerkschaften zusammengefaßt im →Deutschen Gewerkschaftsbund (DGB), Sitz Düsseldorf, 7 764 697 Mitglieder (31.12.1986). Daneben →Deutsche Angestelltengewerkschaft (DAG), Sitz Hamburg, 496 299 Mitglieder (31.12.1986); →Deutscher Beamtenbund (DBB), Sitz Köln, 812 500 Mitglieder (31.12.1986); →Christlicher Gewerkschaftsbund (CGB), 307 471 Mitglieder (31.12.1986).

III. Internationale Organisationen: Um die Jahrhundertwende von Deutschland aus entstanden. 1949 konstituierte sich nach Ablösung vom kommunistisch orientierten Weltgewerkschaftsbund der Bund Freier Gewerkschaften (IBFG).

IV. G. in anderen Ländern: 1. Entwicklung der G. in *Frankreich:* Vgl. →Confédération Générale du Travail. – 2. G. in den *USA:* Vgl. →American Federation of Labor, →Congress of Industrial Organizations (Zusammenschluß AFL-CIO im Dezember 1955), →Independents.

**gewerkschaftliche Vertrauensleute,** →Vertrauensleute der Gewerkschaft.

**Gewerkschaftsbeitrag,** Mitgliedsbeitrag des Arbeitnehmers zu einer →Gewerkschaft. – *Einzug durch Arbeitgeber* umstritten: Teilweise wird angenommen, der Einzug durch das Lohnbüro des Arbeitgebers bringe die Gewerkschaft in eine Abhängigkeit von der Gegenseite, so daß die Gegnerfreiheit (→Koalition) berührt sei. Umstritten ist auch, ob der Einzug in →Tarifverträgen vereinbart werden kann (Grenzen der →Tarifautonomie).

**Gewichtsstaffel,** Bemessung der Beförderungsentgelte nach dem Gewicht der Güter, so daß eine Differenzierung entsprechend der Abnahme der Kosten je Gewichtseinheit mit wachsender Transportmenge erfolgt *(Mengenstaffel). – Anders:* →Wertstaffel, →Entfernungsstaffel.

**Gewichtsverlustmaterialien,** →Materialindex, →Reingewichtsmaterialien.

**Gewichtszoll,** der nach dem Gewicht des Zollguts zu bemessende →Zoll. Im Gemeinsamen Zolltarif der EG nur noch im Ausnahmefall vorgesehen. – Vgl. auch →Mengenzoll, →Wertzoll.

**Gewichtung,** bei der Berechnung von →Mittelwerten Einbringung von Faktoren („Gewichten") $g_i$, die den Einfluß der eingehenden Einzelwerte auf das resultierende Mittelwert bestimmen. Z. B. ist

$$\bar{x}_g = \sum g_i x_i$$

ein gewichtetes (gewogenes) →arithmetisches Mittel der Werte $x_i$. I. d. R. wird von G. nur gesprochen, wenn $g_i > 0$ für alle i ist und $\sum g_i = 1$ gilt. Allgemeiner wird der Begriff G. auch verwendet, wenn eine dieser beiden Voraussetzungen oder beide fehlen. G. hat Bedeutung z. B. bei der Ermittlung des arithmetischen Mittels aus einer →Häufigkeitsverteilung oder bei der Berechnung von →Indexzahlen.

**Gewichtungsziffer,** →Äquivalenz-Ziffer.

**gewillkürte Orderpapiere,** →Orderpapiere.

**gewillkürtes Betriebsvermögen,** Begriff des Bilanzsteuerrechts. →Wirtschaftsgüter, die weder →notwendiges Betriebsvermögen noch →notwendiges Privatvermögen sind, vorausgesetzt, sie stehen in einem gewissen objektiven Zusammenhang mit dem Betrieb und sind ihn zu fördern geeignet oder bestimmt. Die Aufnahme in das →Betriebsvermögen erfolgt durch →Einlage. – G. B. ist *nicht* möglich bei Kapitalgesellschaften, Gesellschaftsvermögen von Personengesellschaften und Gewinnermittlung nach §4 III EStG (→Betriebsvermögen I).

**Gewinn. I. Handelsrecht: 1.** *Betriebsgewinn:* Differenz zwischen Betriebserträgen und Kosten einer Periode (→Betriebsergebnis; vgl. auch →Deckungsbeitrag und →Deckungsbudget). – 2. *Unternehmungsgewinn (gewerblicher G.):* Differenz zwischen Erträgen und Aufwand eines Geschäftsjahres (→Unternehmungsergebnis). – 3. *Neutraler Gewinn:* Unternehmungsgewinn ·/. Betriebsgewinn (→neutrales Ergebnis). – 4. *Ermittlung des G.:* Vgl. →Erfolgsrechnung, →Gewinnermittlung. – 5. *Behandlung des G.* (der Gewinnanteile): a) Bei Personengesellschaften: Vgl. →Gewinn- und Verlustbeteiligung. b) Bei Kapitalgesellschaften: Vgl. →Gewinnausschüttung, →Gewinnverwendung.

**II. Steuerrecht:** Die Ermittlung des G. kann auf unterschiedliche Weise erfolgen; vgl. →Einkünfteermittlung. Der steuerpflichtige G. unterliegt der Einkommen- oder Körperschaftsteuer und bildet den Ausganswert für Errechnung des Gewerbeertrags (§ 7 GewStG).

**Gewinnabführungsvertrag. 1.** *Begriff:* →Unternehmensvertrag, durch den eine AG oder KGaA sich verpflichtet, ihren ganzen Gewinn an ein anderes Unternehmen abzuführen (§ 291 I AktG). Der andere Vertragsteil hat jeden während der Vertragsdauer entstehenden Jahresfehlbetrag auszugleichen (Verlustübernahme gem. § 302 I AktG). Als G. gilt auch ein Vertrag, durch den eine AG oder KGaA es übernimmt, ihr Unternehmen für Rechnung eines anderen Unternehmens zu führen. – Der G. ist schriftlich abzuschließen und bedarf – wie seine Änderungen – der Zustimmung der Hauptversammlung (grundsätzlich ¾-Mehrheit des vertretenen Kapitals), wenn der andere Vertragsteil eine AG oder KGaA ist, auch deren Hauptversammlung. Mit der Eintragung in das →Handelsregister wird der G. wirksam. Er kann nur zum Ende des Geschäftsjahres oder des vertraglich vereinbarten Abrechnungszeitraumes aufgehoben werden; fristlose Kündigung ist zulässig. Die Beendigung des G., deren Grund und deren Zeitpunkt sind zur Eintragung im Handelsregister anzumelden. – Sicherung der außenstehenden Aktionäre bei Bestehen eines G. durch →Ausgleichszahlung, Abfindung und Sondervorschriften (§§ 304–307 AktG). Vgl. auch →Teilgewinnabführungsvertrag. – 2. *Steuerliche Behandlung:* Vgl. →Organschaft.

**Gewinnanteil des Gesellschafters. I. Handelsrecht:** Der anteilige, quotenmäßige Anspruch des Gesellschafters auf Beteiligung am →Gewinn einer Gesellschaft. – 1. Bei der *Gesellschaft bürgerlichen Rechts* bestimmt sich der G. nach dem Gesellschaftsvertrag; mangels Vereinbarung hat jeder Gesellschafter den gleichen G. ohne Rücksicht auf seine Beteiligungshöhe. Vereinbarung über G. oder Anteil am Verlust gilt im Zweifel für Gewinn und Verlust (§ 722 BGB). Rechnungsabschluß und Gewinnverteilung können erst nach Auflösung der Gesellschaft, bei Gesellschaften von längerer Dauer am Schluß jedes Geschäftsjahres verlangt werden (§ 721 BGB). – 2. Bei *OHG und KG:* Vgl. →Gewinn- und Verlustbeteiligung. – 3. Bei der *GmbH* wird der Gewinn nach dem Verhältnis der Geschäftsanteile verteilt, wenn nicht der Gesellschaftsvertrag eine andere Regelung vorsieht (§ 29 GmbHG). – 4. Bei *Genossenschaften:* →Kapitaldividende und/oder →Rückvergütung. – 5. In der *AG* wird der G. a) des →Aktionärs als →Dividende, b) der Mitglieder des →Vorstands und →Aufsichtsrats (→Gewinnbeteiligung) als →Tantieme bezeichnet.

**II. Steuerrecht:** Der G. unterliegt beim Empfänger der Einkommensteuer oder Körperschaftsteuer, ggf. dem Steuerabzug für Kapitalertragsteuer. – Vgl. auch →Gewinnausschüttung.

**Gewinnanteilschein,** →Dividendenschein.

**Gewinnausschüttung,** Auszahlung von Gewinnanteilen (→Gewinnverwendung).

**I. Kapitalgesellschaften: 1.** *Formen:* a) unmittelbar an GmbH-Gesellschafter, b) gegen →Kupons an Aktionäre (→Dividende), c) im Wege der →Kapitaldividende und/oder →Rückvergütung. Rückvergütung an Genossen (→Genossenschaft). – 2. *G. erfolgt* nach Beschluß über Gewinnverwendung durch die zuständigen Organe und nach Erfüllung der gesetzlich oder statutarisch erforderlichen Leistungen (Zahlung von Körperschaftsteuer und Aufsichtsratsvergütung, Zuführung zur gesetzlichen Rücklage u. a. m.). – 3. *Besteuerung:* Für G. unbeschränkt steuerpflichtiger Körperschaften ist auf der Gesellschaftsebene eine →Ausschüttungsbelastung von 36% des ausgeschütteten Gewinns vor Abzug der Körperschaftsteuer herzustellen, was zu einer Körperschaftsteuer-Minderung oder -Erhöhung führen kann. – Die Einkommensteuer der Empfänger von G.-Beträgen wird als →Kapitalertragsteuer durch Abzug von der Bardividende erhoben (→Quellenbesteuerung) und ist von der Körperschaft einzubehalten und an das Finanzamt abzuführen. Die einbehaltene Kapitalertragsteuer wird bei →unbeschränkter Steuerpflicht der Anteilseigner wie eine →Vorauszahlung auf die Einkommensteuer angerechnet; ist der Anteilseigner beschränkt steuerpflichtig, so gilt die Einkommensteuer als abgegolten. – *Besonderheit:* Vgl. →verdeckte Gewinnausschüttung.

II. **Personengesellschaften:** Vgl. →Gewinn- und Verlustbeteiligung.

**Gewinnbeteiligung.** I. Erfolgsbeteiligung : 1. Die *Mitarbeiter eines Unternehmens* nehmen aufgrund ihrer Kapitalgebereigenschaft, gleichgültig wie diese zustande kommt (→Kapitalbeteiligung), gleichermaßen am Gewinn teil wie die kapitalgebenden Unternehmer. Ausschlaggebend für die Höhe des Gewinnanteils ist lediglich die Höhe der Kapitaleinlage. Bezugsgröße für die G. ist zumeist der Bilanzgewinn. – Zur *gesamtwirtschaftlichen Problematik* vgl. →Investivlohn. – *G.-regelungen auf freiwilliger Grundlage* durch Unternehmen sowie aufgrund tarifvertraglicher Vereinbarungen. Unterschiedliche Formen werden in der betrieblichen Praxis angewandt. Die dabei auftretenden Unterschiede sind hinsichtlich Funktion der G. und Auszahlungs- und Verfügungsmodus begründet. – G. von Arbeitnehmern (Prokuristen, Geschäftsleitern usw.) berührt grundsätzlich nicht deren *Arbeitnehmereigenschaft.* Mitinhaberschaft erst durch Beteiligung an stillen Rücklagen oder Anlagevermögen. – 2. *G. der Vorstands- und Aufsichtsratsmitglieder* (→Tantieme): Soll in einem angemessenen Verhältnis stehen zu den Aufgaben des Vorstands- oder Aufsichtsratsmitglieds und der Lage der Gesellschaft (§§ 87 I, 113 I AktG).

II. Sonderausstattung von Schuldpapieren : 1. Lediglich G. besteht i. d. R. bei →*Genußscheinen*. – 2. Schuldverschreibungen, die neben oder ohne festen Zinssatz eine G. währen *(→Gewinnschuldverschreibungen)*.

III. Lebensversicherung : Vgl. →Lebensversicherung V.

**Gewinndruckinflation,** →Inflation IV 2b) (1).

**Gewinnentnahmesperre,** →negatives Kapitalkonto II 2 b).

**Gewinnermittlung.** 1. *Handelsrechtliche Ermittlung* des Periodengewinns einer Unternehmung: →Gewinn- und Verlustrechnung, →kurzfristige Erfolgsrechnung, →Deckungsbeitragsrechnung. – 2. G. zur *Besteuerung* nach dem Einkommen (Einkommen-, Körperschaftsteuer) und nach dem Gewerbeertrag (Gewerbesteuer): →Einkünfteermittlung. – 3. *Sonderfall: Gewinnermittlung bei Liquidation* einer Körperschaft. Der Besteuerung wird der im Zeitraum der →Abwicklung erzielte Gewinn zugrunde gelegt. Der Besteuerungszeitraum soll drei Jahre nicht übersteigen. Als im Abwicklungszeitraum erzielter Gewinn gilt gem. § 11 II KStG der Unterschied zwischen dem zur Verteilung gelangenden Vermögen (Abwicklungsendvermögen) und dem Betriebsvermögen, das am Schluß des der

Liquidation vorangegangenen Wirtschaftsjahres der Veranlagung zugrunde lag (Abwicklungsanfangsvermögen). Dem so ermittelten Gewinn sind die nach Körperschaftsteuerrecht nicht abzugsfähigen Aufwendungen, insbes. die während der Abwicklung gezahlten Personensteuern, hinzuzurechnen.

**Gewinnermittlungsbilanz,** →Erfolgsbilanz.

**Gewinnfeststellung.** 1. *Steuerrechtlicher Begriff:* Feststellung der Höhe und Verteilung von Einkünften durch das →Betriebsfinanzamt in einem gesonderten →Feststellungsbescheid (§ 180 I Nr. 2 AO) a) bei einkommen- und körperschaftsteuerpflichtigen Einkünften, wenn mehrere Personen daran beteiligt sind; b) bei Einkünften aus Land- und Forstwirtschaft, Gewerbebetrieb oder freiberuflicher Tätigkeit, wenn das zuständige Finanzamt nicht auch für die Einkommensteuern zuständig ist. G. bildet eine Ausnahme von dem Grundsatz, daß →Besteuerungsgrundlagen nur ein unselbständiger Teil des →Steuerbescheids sind. G. geschieht einheitlich und gesondert; sie verhindert, daß der gleiche Sachverhalt gegenüber den verschiedenen Beteiligten steuerlich unterschiedlich gewertet wird. G. geht i. d. R. aus von den Angaben über die Beteiligten (Gesellschafter), das Beteiligungsverhältnis und die Gewinnverteilung, die der vertretungsberechtigte Beteiligte in der Erklärung zur einheitlichen und gesonderten Gewinnfeststellung (→Steuererklärung) abzugeben hat. – 2. Die in dem G.-Bescheid getroffenen *Feststellungen* richten sich gegen alle Personen, die an dem Betrieb beteiligt sind, und werden den Steuerbescheiden der Beteiligten zugrunde gelegt (§ 182 I AO). – 3. Die *G.-Bescheide* werden dem Empfangsbevollmächtigten mit Wirkung für und gegen alle Feststellungsbeteiligten bekanntgegeben (§ 183 AO). – 4. *Rechtsbehelf:* Gegen den G.-Bescheid ist der →Einspruch gegeben. Die Befugnis zur Einlegung ergibt sich aus § 352 AO, § 48 FGO.

**Gewinnfunktion,** funktionale Beziehung zwischen maximalem →Gewinn einer Unternehmung und allen von der Unternehmung als gegeben betrachteten Güter- und Faktorpreise. Gewinn = Erlös ./. Kosten $(G = E - K)$. – 1. Für *Einproduktunternehmungen* ist hierbei der Erlös das Produkt der Absatzmenge x und des zugehörigen Preis p, wobei x idealtypisch zugleich durch die Nachfragefunktion funktional von p abhängt und umgekehrt. Da auch die Kosten funktional von der Absatzmenge x abhängen (sofern Absatz = Produktion), ergibt sich: $G(x) = E(x) - K(x)$; $G(x) = p(x) \cdot x - K(x)$. In gleicher Weise läßt sich der Gewinn als Funktion des Preises p darstellen. – 2. Für *Mehrproduktunternehmungen* ist die Gewinnfunktion entsprechend komplizierter bzw. komplexer. – Ebenfalls steigt die Komplexität erheblich, wenn man die in der Realität vorhandene Breite von Gewinneinflußfaktoren berücksichtigen will. – Die G. ist die Grundlage von Gewinnanalysen.

**Gewinngemeinschaft,** →Unternehmungszusammenschluß, begründet durch einen Vertrag, durch den eine AG sich verpflichtet, ihren Gewinn oder den Gewinn einzelner Betriebe ganz oder zum Teil dem Gewinn anderer Unternehmen oder einzelner Betriebe anderer Unternehmen zur Aufteilung eines gemeinschaftlichen Gewinns zusammenzulegen (§ 292 I Nr. 1 AktG).

**Gewinnherausgabeanspruch,** im Patentrecht Anspruch des Verletzten gegen den Verletzer auf den aus der Verletzungshandlung gezogenen Gewinn. – Im Wettbewerbsrecht von Rechtsprechung abgelehnt, es sei denn, daß G. als echter Bereicherungsanspruch (§ 812 BGB) geltend gemacht wird (strittig).

**Gewinnlinse,** Beschäftigungsbereich, innerhalb dessen Grenzen eine Unternehmung einen Gewinn erzielt. – 1. Bei *kubisch-parabolischem Gesamtkostenverlauf* (K) liegen i. d. R. diese Kosten bei Beschäftigung $x_0$ bis $x_1$ wegen der anteilig hohen fixen Kosten über der Erlösfunktion (E). In dem Beschäftigungsbereich $x_1$ bis $x_2$ entsteht dagegen ein Gewinn. Wegen seiner linsenförmigen Gestalt bei graphischer Darstellung des Kurvenverlaufs wird dieser Erlösbereich (zwischen $N_1$ und $N_2$) als Gewinnlinse bezeichnet (vgl. Abb.).

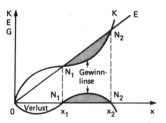

2. Desgleichen entsteht eine G. bei *linearem Kostenverlauf und monopolistischer Absatzfunktion.*

**Gewinnmaximierung,** Verhaltensannahme, nach der eine Unternehmung ihren →Gewinn maximiert. Bezeichnet man den Erlös E als Funktion von n Aktivitätsniveaus $a_1, \ldots, a_n$ also $E = E(a_1 \ldots a_n)$, und die Kosten K, als Funktion derselben Aktivitätsniveaus, also $K = K(a_1, \ldots, a_n)$, dann wählt die Unternehmung ihre Aktivitäten so, daß $R(a_1, \ldots, a_n) - K(a_1, \ldots, a_n)$ maximiert wird. Dabei hat die Unternehmung Restriktionen zu berücksichtigen, die durch technologische Erfordernisse und durch die Handlungen anderer

Marktteilnehmer vorgegeben sein können. – Vgl. auch →Gewinnprinzip, →erwerbwirtschaftliches Prinzip.

**Gewinnobligation,** →Gewinnschuldverschreibungen.

**Gewinnplanung.** I. A l l g e m e i n e s : Die G. resultiert aus einer geschlossenen Planungsrechnung, die – ausgehend vom →Absatzplan – alle betrieblichen →Teilpläne zusammenfaßt. Der *Planungszeitraum* für die G. ist in der Regel ein Jahr, untergliedert in Monatspläne. Das Ergebnis der G. ist der nach Erzeugnissen differenzierte *Gewinnplan* als Unterlage für die Geschäftsleitung zur Lösung aller gewinnbestimmenden Entscheidungsprobleme. *Voraussetzungen* für eine wirkungsvolle G. sind insbes.: (1) sorgfältige Absatzplanung, (2) gute Arbeitsvorbereitung und (3) gut ausgebaute →Deckungsbeitragsrechnung, →Zeitablaufrechnung, Rechnung mit →Deckungsbudgets oder →Plankostenrechnung. – Vgl. auch →Planbilanz.

II. F i n a n z b u c h h a l t u n g : Die Ermittlung des Jahresgewinnes in der Gewinn- und Verlustrechnung der Finanzbuchhaltung ist für die G. ungeeignet, da (1) Aufwand und Ertrag der Finanzbuchhaltung abgegrenzt werden müssen hinsichtlich perioden- und betriebsfremder sowie außerordentlicher Beträge, (2) für die monatliche Erfolgsermittlung in der Finanzbuchhaltung Inventuren der Halb- und Fertigerzeugnisbestände erforderlich sind und (3) die Aufwandsseite in der Gewinn- und Verlustrechnung der Finanzbuchhaltung nach Produktionsfaktoren und nicht, wie für eine wirkungsvolle G. erforderlich, nach Produktarten gegliedert ist.

III. K o s t e n r e c h n u n g : Für eine wirksame G. ist ein gut ausgebautes Kostenrechnungsverfahren in der Form der →Einzelkostenrechnung oder →Grenzplankostenrechnung erforderlich, da diese Kostenschlüsselungen (weitgehend) vermeiden und damit ein unverzerrtes Bild der Realität liefern.

IV. D u r c h f ü h r u n g : 1. *Planung des Gewinnes:* Wegen der →Interdependenz der betrieblichen Teilpläne mit ihren Einzeldaten und Sonderentscheidungen ist die praktische G. zunächst nur näherungsweise zu erreichen. Die G. wird daher meistens stufenweise, beginnend mit dem Absatzplan, aus den jeweils vorgeschalteten Teilplänen aufgebaut. Aus den so ermittelten Absatzmengen, Marktpreisen und geplanten proportionalen Selbstkosten je Erzeugniseinheit lassen sich die →Deckungsbeiträge ableiten, die stufenweise vermindert um den Block der Fixkosten (→Deckungsbeitragsrechnung, →Fixkostendeckungsrechnung) den Plan-Nettogewinn ergeben. Die Einzelpläne müssen mehrmals berechnet werden, wenn Interdependenzen berücksichtigt werden (revolvierende Planung).

Die Berechnungen ergeben eine annähernd optimale Abstimmung der Teilbereiche. Die so ermittelten Pläne werden den verantwortlichen Stellen vorgegeben und durch monatliche Abweichungsanalysen kontrolliert. – 2. *Soll-Ist-Vergleich des Gewinns:* Dient der monatlichen Abweichungsanalyse in der G. Er wird differenziert nach Artikeln oder Artikelgruppen und Absatzgebieten durchgeführt. Die Analyse erstreckt sich insbesondere auf die Einflußgrößen: Mengenmäßiger Gesamtabsatz, Veränderungen der Sortimentszusammensetzung, Abweichungen im Preisniveau und in der Kostenstruktur.

**Gewinnprinzip,** unternehmerisches Formalziel v. a. in →privatwirtschaftlichen Marktwirtschaften und in der →staatssozialistischen Marktwirtschaft Ungarns. – *Schematischer Aufbau der Ergebnisrechnung:*

Verkaufserlöse

| | |
|---|---|
| ./. Abschreibungen | ⎫ |
| ./. Materialkosten | ⎪ |
| ./. Lohnkosten | ⎬ Kosten |
| ./. Kreditzinsen | ⎪ |
| ./. Kostensteuern | ⎪ |
| ./. sonstige Steuern | ⎭ |

= Gewinn

*Der realisierte Gewinn wird verwandt* zu a) Gewinnsteuerzahlungen, b) Reinvestitionen und c) Ausschüttungen an die Kapitaleigner und ggf. an andere Gewinnempfänger wie z. B. am Gewinn vertraglich beteiligte Belegschaftsmitglieder. – Vgl. auch →Planerfüllungsprinzip, →Einkommensprinzip.

**Gewinnpunkt,** →Break-even-Punkt.

**Gewinnpunktrechnung,** →Break-even-Analyse.

**Gewinnrealisation,** im Börsenhandel Verkauf von Wertpapieren, deren Kurs höher liegt als im Zeitpunkt des Ankaufs.

**Gewinn-Richtsätze,** →Richtsätze 1.

**Gewinnrücklagen,** von →Kapitalgesellschaften zu bildende →Rücklagen. Als G. dürfen gem. § 272 III HGB nur Beträge ausgewiesen werden, die im Geschäftsjahr oder in einem früheren Geschäftsjahr aus dem Jahresüberschuß gebildet worden sind. Dazu gehören →gesetzliche Rücklagen, auf Gesellschaftsvertrag oder Satzung beruhende Rücklagen, Rücklagen für eigene Anteile (§ 272 IV) und die sog. anderen Gewinnrücklagen. – *Nicht zu* den G. gehören die →Sonderposten mit Rücklagenanteil.

**Gewinnschuldverschreibung,** *Gewinnobligation,* mit Anspruch auf →Gewinnbeteiligung ausgestattete →Anleihe, die aber im Gegensatz zu →Wandelschuldverschreibungen kein Umtausch- oder →Bezugsrecht auf Aktien

gewähren. – *Ausgabe* nur auf Beschluß der Hauptversammlung mit ³⁄₄-Mehrheit des bei Beschlußfassung vertretenen Grundkapitals und nach staatlicher Genehmigung; die Aktionäre haben auf die G. ein Bezugsrecht (§ 221 AktG).

**Gewinnschwelle,** →Break-even-Punkt.

**Gewinnschwellenrechnung,** →Break-even-Analyse.

**Gewinnspanne,** Differenz zwischen →Erlösen und →Kosten einer Periode bzw. eines Stücks, vielfach in Prozenten des Erlöses ausgedrückt. – *Ausprägungen:* a) *Nettogewinn:* Differenz von →Erlösen und →Vollkosten; b) *Bruttogewinn* bzw. *Deckungsbeitrag:* Differenz von →Erlösen und →Einzelkosten.

**Gewinnsparen,** *Lossparen, Prämiensparen,* Sparform, bei der mit der Leistung der →Spareinlage gleichzeitig ein Lotterielos erworben wird, das an der Verlosung von Geld- und/ oder Sachwerten teilnimmt. – *Beispiel:* Sparer kauft ein Los für 10 DM pro Monat, davon werden 8 DM am Ende des Jahres dem Sparkonto gutgeschrieben, mit einem Los in Höhe von 2 DM nimmt er an einer Lotterie teil.

**Gewinnsteuern,** →Ertragsbesteuerung 2.

**Gewinnthesaurierung,** →Selbstfinanzierung.

**Gewinnthese,** These, die besagt, daß der Marktwert eines Unternehmens nur von den künftigen Gewinnen und der herrschenden Marktrendite (→Rendite) abhänge (→Unternehmungsbewertung). Es könne nicht darauf ankommen, ob diese Zahlungen ausgeschüttet bzw. vom Eigentümer entnommen wurden oder nicht (Gordon). – *Gegenthese:* →Dividendenthese.

**Gewinn- und Verlustbeteiligung,** bei Personengesellschaften meist im →Gesellschaftsvertrag eingehend geregelt. Es gilt volle Vertragsfreiheit, jedoch darf ein Gesellschafter vom Geschäftsgewinn nicht völlig ausgeschlossen werden. Fehlt eine Vereinbarung über G. u. V., so die folgenden Ausführungen.

I. *Personengesellschaft/stille Gesellschaft:* 1. *Gewinn- und Verlustverteilung:* a) *OHG:* Jedem Gesellschafter steht zunächst ein Vorzugsgewinnanteil in Höhe von 4% seines →Kapitalanteils zu (§ 121 I HGB). Der dann noch verbleibende Restgewinn wird gleichmäßig nach Köpfen unter die Gesellschafter verteilt. Die Kopfverteilung gilt auch bei Verlusten (§ 121 III HGB). →Verlustberechnung. – b) *KG:* Für den Vorzugsgewinnanteil gilt gleiches (§ 168 I HGB). Der überschießende Restgewinn wird jedoch im angemessenen Verhältnis der Anteile verteilt. Im Streitfall muß die Angemessenheit durch das Gericht festgestellt werden. Dieselbe Verteilung gilt auch für die Verluste, jedoch kann der →Kommanditist nur bis zur Höhe seiner →Haftsumme in Anspruch genommen werden. – c) *Stille Gesellschaft:* Es gibt keinen Vorzugsgewinnanteil. Im übrigen gilt die angemessen Beteiligung wie bei der KG (§ 231 HGB). – 2. *Gutschrift:* a) Der Gewinnanteil des *OHG-Gesellschafters* ist seinem Kapitalanteil gutzuschreiben (§ 120 II HGB). – b) Gutschrift zugunsten des *Kommanditisten* nur bis zur Höhe der bedungenen Einlage möglich (§ 167 II HGB). – c) Dem *stillen Gesellschafter* ist der Betrag auszuzahlen oder auf dem Privatkonto gutzuschreiben. Nicht erhobener Gewinn erhöht hier nicht die Einlage, wenn keine besondere Vereinbarung besteht (§ 232 III HGB). – 3. *Besteuerung:* Die gewählte Gewinnverteilung wird steuerlich grundsätzlich anerkannt; *Ausnahmen:* (1) →Familiengesellschaften: Die Gewinnverteilung wird nicht anerkannt, wenn sie wirtschaftlich den Leistungen der Familienmitglieder (Kapitaleinlage und Tätigkeit) nicht gerecht wird. – (2) *GmbH & Co KG:* Ist die GmbH alleinige Komplementärin einer KG und sind ihre Gesellschafter zugleich Kommanditisten, so ist ein unangemessen niedriger Gewinnanteil der GmbH eine →verdeckte Gewinnausschüttung. Eine angemessene Gewinnbeteiligung der GmbH muß mindestens eine Vergütung für den Kapitaleinsatz umfassen; bei fehlender Vermögenseinlage der GmbH eine Vergütung für das Haftungsrisiko.

II. Kapitalgesellschaft/Genossenschaft: Vgl. →Gewinnausschüttung, →Gewinnverwendung.

**Gewinn- und Verlustkonto,** →Verlust- und Gewinnkonto.

**Gewinn- und Verlustrechnung (GuV),** *Erfolgsrechnung, Erfolgsbilanz, Ertragsbilanz, Ergebnisrechnung, Umsatzrechnung, Aufwands- und Ertragsrechnung.* 1. *Begriff:* Die GuV ist eine Gegenüberstellung von →Aufwendungen und →Erträgen zur Ermittlung des Unternehmungsergebnisses und der Darstellung seiner Quellen. Sie ist Pflichtbestandteil des →Jahresabschlusses von Kaufleuten (§ 242 III HGB). – 2. *Aufbau:* Die GuV ist klar und übersichtlich zu gliedern: Zum einen Einblick in die Ertragslage der Unternehmung zu gewährleisten. Eine Saldierung von Aufwendungen und Erträgen ist deshalb grundsätzlich unzulässig (→Verrechnungsverbot). – 3. *Darstellungsform:* Die GuV kann in Konto- oder *Staffelform* aufgestellt werden. Wegen der größeren Übersichtlichkeit ist für Kapitalgesellschaften die Staffelform zwingend vorgeschrieben (§ 275 I HGB). Dabei kann entweder das →Gesamtkostenverfahren oder das →Umsatzkostenverfahren angewendet werden (vgl. Übersicht Sp. 2163/2164). Die einmal gewählte Darstellungsform ist grundsätzlich ebenso beizubehalten wie die Postenbezeich-

nung und Postenfolge, soweit sie bei Einzelunternehmen und Personengesellschaften frei wählbar sind (Grundsatz der formellen →Bilanzkontinuität bzw. Stetigkeit), damit die Vergleichbarkeit der GuV gewährleistet ist. – 4. *Wichtigste Vorschriften* des HGB über GuV:

**§ 275 Gliederung**

(1) [1]Die Gewinn- und Verlustrechnung ist in Staffelform nach dem Gesamtkostenverfahren oder dem Umsatzkostenverfahren aufzustellen. [2]Dabei sind die in Absatz 2 oder 3 bezeichneten Posten in der angegebenen Reihenfolge gesondert auszuweisen.

(2) Bei Anwendung des Gesamtkostenverfahrens sind auszuweisen:
1. Umsatzerlöse
2. Erhöhung oder Verminderung des Bestands an fertigen und unfertigen Erzeugnissen
3. andere aktivierte Eigenleistungen
4. sonstige betriebliche Erträge
5. Materialaufwand:
   a) Aufwendungen für Roh-, Hilfs- und Betriebsstoffe und für bezogene Waren
   b) Aufwendungen für bezogene Leistungen
6. Personalaufwand:
   a) Löhne und Gehälter
   b) soziale Abgaben und Aufwendungen für Altersversorgung und für Unterstützung, davon für Altersversorgung
7. Abschreibungen:
   a) auf immaterielle Vermögensgegenstände des Anlagevermögens und Sachanlagen sowie auf aktivierte Aufwendungen für die Ingangsetzung und Erweiterung des Geschäftsbetriebs
   b) auf Vermögensgegenstände des Umlaufvermögens, soweit diese die in der Kapitalgesellschaft üblichen Abschreibungen überschreiten
8. sonstige betriebliche Aufwendungen
9. Erträge aus Beteiligungen, davon aus verbundenen Unternehmen
10. Erträge aus anderen Wertpapieren und Ausleihungen des Finanzanlagevermögens, davon aus verbundenen Unternehmen
11. sonstige Zinsen und ähnliche Erträge, davon aus verbundenen Unternehmen
12. Abschreibungen auf Finanzanlagen und auf Wertpapiere des Umlaufvermögens
13. Zinsen und ähnliche Aufwendungen, davon an verbundene Unternehmen
14. Ergebnis der gewöhnlichen Geschäftstätigkeit
15. außerordentliche Erträge
16. außerordentliche Aufwendungen
17. außerordentliches Ergebnis
18. Steuern vom Einkommen und vom Ertrag
19. sonstige Steuern
20. Jahresüberschuß/Jahresfehlbetrag.

(3) Bei Anwendung des Umsatzkostenverfahrens sind auszuweisen:
1. Umsatzerlöse
2. Herstellungskosten der zur Erzielung der Umsatzerlöse erbrachten Leistungen
3. Bruttoergebnis vom Umsatz
4. Vertriebskosten
5. allgemeine Verwaltungskosten
6. sonstige betriebliche Erträge
7. sonstige betriebliche Aufwendungen
8. Erträge aus Beteiligungen, davon aus verbundenen Unternehmen
9. Erträge aus anderen Wertpapieren und Ausleihungen des Finanzanlagevermögens, davon aus verbundenen Unternehmen
10. sonstige Zinsen und ähnliche Erträge, davon aus verbundenen Unternehmen
11. Abschreibungen auf Finanzanlagen und auf Wertpapiere des Umlaufvermögens
12. Zinsen und ähnliche Aufwendungen, davon an verbundene Unternehmen
13. Ergebnis der gewöhnlichen Geschäftstätigkeit
14. außerordentliche Erträge
15. außerordentliche Aufwendungen
16. außerordentliches Ergebnis

17. Steuern vom Einkommen und vom Ertrag
18. sonstige Steuern
19. Jahresüberschuß/Jahresfehlbetrag.

(4) Veränderungen der Kapital- und Gewinnrücklagen dürfen in der Gewinn- und Verlustrechnung erst nach dem Posten „Jahresüberschuß/Jahresfehlbetrag" ausgewiesen werden.

### § 276 Größenabhängige Erleichterungen

Kleine und mittelgroße Kapitalgesellschaften (§ 267 Abs. 1, 2) dürfen die Posten § 275 Abs. 2 Nr. 1 bis 5 oder Abs. 3 Nr. 1 bis 3 und 6 zu einem Posten unter der Bezeichnung „Rohergebnis" zusammenfassen.

### § 277 Vorschriften zu einzelnen Posten der Gewinn- und Verlustrechnung

(1) Als Umsatzerlöse sind die Erlöse aus dem Verkauf und der Vermietung oder Verpachtung von für die gewöhnliche Geschäftstätigkeit der Kapitalgesellschaft typischen Erzeugnissen und Waren sowie aus von für die gewöhnliche Geschäftstätigkeit der Kapitalgesellschaft typischen Dienstleistungen nach Abzug von Erlösschmälerungen und der Umsatzsteuer auszuweisen.

(2) Als Bestandsveränderungen sind sowohl Änderungen der Menge als auch solche des Wertes zu berücksichtigen; Abschreibungen jedoch nur, soweit diese die in der Kapitalgesellschaft sonst üblichen Abschreibungen nicht überschreiten.

(3) [1]Außerplanmäßige Abschreibungen nach § 253 Abs. 2 Satz 3 sowie Abschreibungen nach § 253 Abs. 3 Satz 3 sind jeweils gesondert auszuweisen oder im Anhang anzugeben. [2]Erträge und Aufwendungen aus Verlustübernahme und aufgrund einer Gewinngemeinschaft, eines Gewinnabführungs- oder eines Teilgewinnabführungsvertrags erhaltene oder abgeführte Gewinne sind jeweils gesondert unter entsprechender Bezeichnung auszuweisen.

(4) [1]Unter den Posten „außerordentliche Erträge" und „außerordentliche Aufwendungen" sind Erträge und Aufwendungen auszuweisen, die außerhalb der gewöhnlichen Geschäftstätigkeit der Kapitalgesellschaft anfallen. [2]Die Posten sind hinsichtlich ihres Betrags und ihrer Art im Anhang zu erläutern, soweit die ausgewiesenen Beträge für die Beurteilung der Ertragslage nicht untergeordnet Bedeutung sind. [3]Satz 2 gilt auch für Erträge und Aufwendungen, die einem anderen Geschäftsjahr zuzurechnen sind.

5. *Aussagefähigkeit:* Durch die Trennbarkeit des Postens Jahresüberschuß/Jahresfehlbetrag in die Bestandteile „Ergebnis aus der gewöhnlichen Geschäftstätigkeit" (bestehend aus dem betrieblichen und dem Finanzergebnis), außerordentliches Ergebnis sowie (den einzelnen Ergebnisteilen nicht zurechenbare) Ertragsund sonstige Steuern ist zwar eine Quellenanalyse möglich, doch bietet die G. keine klare Erfolgsspaltung im betriebswirtschaftlichen Sinn, da eine konsequente Trennung der Aufwendungen und Erträge in betriebliche und betriebsfremde, einmalige und regelmäßige periodeneigene und periodenfremde nicht verlangt wird. – Vgl. auch →Bilanzanalyse.

**Gewinnungsbetriebe,** von E. Gutenberg verwendeter Begriff für →Urproduktionsbetriebe.

**Gewinnung und Verarbeitung von Steinen und Erden,** Teilbereich des Grundstoff- und Produktionsgütergewerbes, umfaßt die Zweige: Naturstein-, Sand- und Kies-, Schiefer- und sonstige Mineralien-, Zement-, Kalk-, Gips- und Kreide-, Ziegel-, Grobsteinzeug-, Feuerfeste-, Betonstein-, Kalksandstein-, Bims- und Bimsstein-Isolier- und Leichtbau-

platten-, Asbestzementwaren-Industrie und sonstige Industrien der Steine und Erden.

### Gewinnung und Verarbeitung von Steinen und Erden

| Jahr | Be-schäf-tigte in 1000 | Lohn- und Gehalts-summe | darun-ter Ge-hälter | Um-satz ge-samt | darun-ter Aus-lands-umsatz | Netto-produk-tions-index 1980 =100 |
|---|---|---|---|---|---|---|
| | | in Mill. DM | | | | |
| 1970 | 256 | 3 948 | 927 | 17 447 | 777 | – |
| 1971 | 261 | 4 509 | 1 074 | 20 276 | 862 | – |
| 1972 | 265 | 5 020 | 1 236 | 22 753 | 941 | – |
| 1973 | 262 | 5 497 | 1 415 | 23 123 | 1 150 | – |
| 1974 | 242 | 5 469 | 1 521 | 22 780 | 1 491 | – |
| 1975 | 215 | 5 136 | 1 525 | 21 559 | 1 501 | – |
| 1976 | 205 | 5 325 | 1 587 | 23 046 | 2 046 | 87,3 |
| 1977 | 192 | 5 399 | 1 637 | 23 253 | 2 081 | 88,4 |
| 1978 | 190 | 5 717 | 1 723 | 25 022 | 2 195 | 94,6 |
| 1979 | 193 | 6 202 | 1 865 | 28 412 | 2 343 | 101,6 |
| 1980 | 193 | 6 633 | 1 984 | 29 878 | 2 476 | 100 |
| 1981 | 184 | 6 596 | 2 074 | 29 200 | 2 740 | 91,5 |
| 1982 | 173 | 6 389 | 2 105 | 28 922 | 2 830 | 85,1 |
| 1983 | 166 | 6 412 | 2 134 | 30 248 | 2 824 | 86,6 |
| 1984 | 165 | 6 603 | 2 224 | 30 528 | 3 093 | 85,9 |
| 1985 | 157 | 6 387 | 2 247 | 28 765 | 3 253 | 78,7 |
| 1986 | 151 | 6 440 | 2 262 | 29 974 | 3 283 | 80,7 |

**Gewinnverband,** →Abrechnungsverband.

**Gewinnvergleichsrechnung,** statisches Verfahren der →Investitionsrechnung, das durch Gegenüberstellung der jährlich zu erwartenden →Erlöse und der aus den Daten der Kostenrechnung ermittelten →Kosten (einschl. →Abschreibungen und →kalkulatorischen Zinsen) durchschnittliche Periodengewinne ermittelt und zwischen den Investitionsalternativen vergleicht. – *Vorteil:* Leichte Durchführbarkeit; *Nachteil:* Unzureichende Berücksichtigung des zeitlichen Anfalls der Ein- und Auszahlungen und der daraus resultierenden Zinswirkungen.

**Gewinnversicherung,** →entgangener Gewinn 2.

**Gewinnverteilung,** →Gewinnausschüttung.

**Gewinnverwendung.** I. Grundsätzliches: Verwendung des Gewinns insbes. bei Kapitalgesellschaften und Genossenschaften. *Vorschlagsrecht* für G. liegt beim Vorstand; *Beschlußfassung* über G. durch Hauptversammlung (AG, vgl. II), Gesellschafterversammlung (GmbH) oder Generalversammlung (Genossenschaft). – *Möglichkeiten der G.:* →Gewinnausschüttung, Zuführung zu Rücklagen und →Reservefonds, Verrechnung mit Verlustvortrag, Gewährung von →Tantiemen an Vorstand oder Aufsichtsrat, Weiterführung von Gewinnteilen als →Gewinnvortrag (vgl. auch →Dividendenpolitik).

II. G. Bei Aktiengesellschaften: 1. Wenn *Vorstand und Aufsichtsrat* den Jahresabschluß feststellen, können sie einen Teil des →Jahresüberschusses, höchstens jedoch die Hälfte, in andere →Gewinnrücklagen einstellen; darüber hinaus nur bei entspr. Bestimmung der Satzung, höchstens jedoch bis zur

| Gesamtkostenverfahren § 275 Abs. 2 HGB | Umsatzkostenverfahren § 275 Abs. 3 HGB |
|---|---|
| 1. Umsatzerlöse | 1. Umsatzerlöse |
| 2. Erhöhung oder Verminderung des Bestands an fertigen und unfertigen Erzeugnissen | |
| 3. andere aktivierte Eigenleistungen | |
| 4. sonstige betriebliche Erträge | |
| 5. Materialaufwand<br>a) Aufwendungen für Roh-, Hilfs- und Betriebsstoffe und für bezogene Waren<br>b) Aufwendungen für bezogene Leistungen | 2. Herstellungskosten der zur Erzielung der Umsatzerlöse erbrachten Leistungen |
| 6. Personalaufwand<br>a) Löhne und Gehälter<br>b) soziale Abgaben und Aufwendungen für Altersversorgung und für Unterstützung | 3. Bruttoergebnis vom Umsatz |
| 7. Abschreibungen<br>a) auf immaterielle Vermögensgegenstände des Anlagevermögens und Sachanlagen sowie auf aktivierte Aufwendungen für die Ingangsetzung und Erweiterung des Geschäftsbetriebs<br>b) auf Vermögensgegenstände des Umlaufvermögens, soweit diese die in der Kapitalgesellschaft üblichen Abschreibungen überschreiten | 4. Vertriebskosten<br><br><br><br>5. allgemeine Verwaltungskosten<br>6. sonstige betriebliche Erträge |
| 8. sonstige betriebliche Aufwendungen | 7. sonstige betriebliche Aufwendungen |

9. (8.) Erträge aus Beteiligungen
10. (9.) Erträge aus anderen Wertpapieren und Ausleihungen des Finanzanlagevermögens
11. (10.) sonstige Zinsen und ähnliche Erträge
12. (11.) Abschreibungen auf Finanzanlagen und auf Wertpapiere des Umlaufvermögens
13. (12.) Zinsen und ähnliche Aufwendungen
14. (13.) Ergebnis der gewöhnlichen Geschäftstätigkeit
15. (14.) außerordentliche Erträge
16. (15.) außerordentliche Aufwendungen
17. (16.) außerordentliches Ergebnis
18. (17.) Steuern vom Einkommen und vom Ertrag
19. (18.) sonstige Steuern
20. (19.) Jahresüberschuß/Jahresfehlbetrag

*Quelle:* Baetge, J./Fischer, Th. R., Zur Aussagefähigkeit der Gewinn- und Verlustrechnung nach neuem Recht, in: Albach, H./Forster, K. H., (Hrsg.), Beiträge zum Bilanzrichtlinien-Gesetz: Das neue Recht in Theorie und Praxis, Wiesbaden 1987.

Hälfte des Jahresüberschusses (§ 58 II AktG). – 2. Die *Hauptversammlung* kann im Falle 1 weitere Beträge in Gewinnrücklagen einstellen oder als Gewinn vortragen. Bei entsprechender Satzungsbestimmung kann sie auch eine andere Verwendung beschließen (§ 58 III AktG). – 3. Stellt die *Hauptversammlung* den Jahresabschluß fest, kann die Satzung bestimmen, daß höchstens die Hälfte des Jahresüberschusses in andere Gewinnrücklagen eingestellt wird. Beträge, die in die →gesetzliche Rücklage einzustellen sind, und ein Verlustvortrag, sind vorab vom Jahresüberschuß abzuziehen (§ 58 I AktG).

**Gewinnvortrag,** durch Gewinnverwendungsbeschluß verbleibender Gewinnrest zur Regulierung der →Gewinnverwendung in späteren Jahren; wird dem Erfolg späterer Jahre vorgetragen und hinzugerechnet. – Anzuweisen als Bilanzposition ,,Gewinnvortrag/Verlustvortrag". – Vgl. auch →Verlustvortrag.

**Gewinnzone,** Beschäftigungsbereich, in dem die →Erlöse über den →Gesamtkosten liegen. Bei linearen Kosten- und Erlösverläufen beginnt die G. im Gewinnpunkt (→Break-even-Analyse), bei nichtlinearen Kurvenverläufen können mehrere G. auftreten (→Gewinnlinse).

**Gewinnzuschlag,** Begriff der Kalkulation: Zuschlag, der beim Verkauf von Gütern und Leistungen meist in Prozenten der →Selbstkosten, bzw. im Einzelhandel des Einstands- oder Verkaufspreises, berücksichtigt wird.

**Gewohnheitsmäßigkeit,** strafrechtlicher Begriff: Ein durch ständige Wiederholung entwickelter Hang zur Begehung von Straftaten bestimmter Art.

**Gewohnheitsrecht.** 1. *Allgemein:* Ungeschriebene Rechtsnormen, die sich durch ständige Übung gebildet haben und auf dem allgemeinen Rechtsbewußtsein beruhen. – *Ähnlich:* →Verkehrssitte, →Handelsbrauch. – 2. *Steuerrecht:* G. ist umstritten. Aufgrund der strengen Normgebundenheit des Steuerrechts besteht nach herrschender Meinung kein steuerbegründendes G.; Steuervergünstigungen können – in Ausnahmefällen – kraft G. anerkannt werden, z. B. Bildung steuerfreier Rücklagen für Ersatzbeschaffung.

**gewöhnlicher Aufenthalt.** I. Steuerrecht: Ort, wo sich jemand unter solchen Umständen aufhält, die erkennen lassen, daß er dort nicht nur vorübergehend verweilt. G. A. ist gleichbedeutend mit dauerndem, im Gegensatz zu dem nur vorübergehenden Aufenthalt. →Unbeschränkte Steuerpflicht natürlicher Personen tritt i. d. R. dann ein, wenn der Aufenthalt im Inland länger als 6 Monate ohne längere Unterbrechung dauert (§§ 9 AO, 1 I EStG, 1 I VStG).

II. Sozialrecht: Ort, an dem sich der Berechtigte oder Verpflichtete unter Umständen aufhält, die erkennen lassen, daß er an diesem Ort oder in diesem Gebiet nicht nur vorübergehend verweilt (§ 30 III SGB 1), wobei über- oder zwischenstaatliche Regelungen unberührt bleiben (§ 30 II SGB 1). – Nach der Rechtsprechung des Bundessozialgerichts haben *Asylbewerber* während der Dauer des Asylverfahrens keinen g. A. im Bundesgebiet, sondern nur einen vorübergehenden Aufenthalt. Auch *Kinder ausländischer Staatsangehöriger* haben keinen g. A. im Bundesgebiet, solange sie sich noch im Ausland in Ausbildung befinden.

**gewöhnlicher Bruch,** Begriff der Transportversicherung; vgl. im einzelnen →Bruchschaden.

**gezeichnetes Kapital,** →Nominalkapital von Kapitalgesellschaften, als erste Position auf der Passivseite der →Bilanz auszuweisen. G. K. ist das Kapital, auf das die Haftung der Gesellschafter für die Verbindlichkeiten der Kapitalgesellschaft gegenüber den Gläubigern beschränkt ist (§ 272 I HGB). Bei AGs ist als g. K. das →Grundkapital (§ 152 I AktG) und bei GmbHs das Stammkapital (§ 42 I GmbHG) auszuweisen. – Die *nicht eingeforderten* →*ausstehenden Einlagen* dürfen auch von dem Posten g. K. offen abgesetzt werden, so daß der verbleibende Betrag als ,,eingefordertes Kapital" auszuweisen ist.

**gezogener Wechsel,** *Tratte,* →Wechsel, durch den der →Bezogene angewiesen wird, an den Nehmer (Remittenten) eine bestimmte Geldsumme zu zahlen; gebräuchlichste Form des Wechsels. – *Sonderform:* →Sichttratte. – *Gegensatz:* →Solawechsel.

**GFEW,** Abk. für →Gesellschaft zur Förderung des Erfindungswesens in der Bundesrepublik Deutschland e. V.

**GfK-Erim-Panel,** Form eines →Haushaltspanels unter Heranziehung von sechs Testgeschäften (→Store-Test), zwei Super- und vier Verbrauchermärkte, die ihren Standort in verschiedenen Regionen der Bundesrep. D. haben und unterschiedlichen Handelsfirmen angehören. Durchgeführt von der Gesellschaft für Konsum-, Markt- und Absatzforschung (Nürnberg).

**GFS,** Abk. für Gemeinsame Kernforschungsstelle (→EURATOM).

**GfürO,** Abk. für →Gesellschaft für Organisation e. V.

**GGVöD,** Abk. für →Gemeinschaft von Gewerkschaften und Verbänden des öffentlichen Dienstes.

**Ghana,** *Republik Ghana,* westafrikanischer Küstenstaat am Golf von Guinea. – *Fläche:* 238 537 km². – *Einwohner* (E): (1985, geschätzt) 13,6 Mill. (56,9 E/km$^2$); Akan-Völker, Ewe, Ga-Adangme u. a.; jährliches Bevölkerungswachstum: 2,7%. – *Hauptstadt:* Accra; weitere wichtige Städte: Kumasi, Sekondi-Takoradi, Tamale, Bolgatanga, Cape Coast, Koforidua. – Unabhängig seit 1957, entstanden aus der britischen Kolonie Goldküste mit Ashanti, den nördlichen Territorien und dem westlichen, britisch verwalteten Teil von Togo. Seit 1960 Republik, Revolutionsrat seit Militärputsch von 1981 (Verfassung von 1979 außer Kraft). – *Verwaltungsgliederung:* 9 Regionen und 64 Verwaltungsbezirke. – *Amtssprache:* Englisch.

Wirtschaft: Nach dem 1981 erfolgten Militärputsch hat sich die wirtschaftliche Lage noch nicht stabilisiert. Die Exporteinnahmen verminderten sich stark aufgrund gesunkener Weltmarktpreise für Kakao und Kakaoerzeugnisse, die Hauptausfuhrgüter. – *Landwirtschaft:* Wichtigster Wirtschaftsbereich; Tendenz zum Anbau von Industriepflanzen; Selbstversorgungsgrad mit Nahrungsmitteln (1982) bei 60%. In Küstennähe ausgedehnter Kakaoanbau (drittgrößter Kakaoproduzent der Erde), Kokospalmen, Kaffee, im Innern Ölpalmen, Kolanüsse, Baumwolle. In der Sahel-Region Erdnüsse, Viehzucht (wegen ungünstiger klimatischer Bedingungen geringe Bedeutung). – Geregelte *Forstwirtschaft:* Laubholzeinschlag (1982) 9,8 Mill. m$^3$. – *Fischereiwirtschaft:* Einer der wichtigsten Eiweißlieferanten für die Bevölkerung; Fangmenge (1982) 224 000 t. – *Bergbau und Industrie:* Bes. im südwestlichen Bergland bedeutende Vorkommen von Gold, Diamanten, Bauxit und Mangan, ferner Kupfer-, Zink-, Bleierz, Tantalit-Columbit und Quecksilber. Erste Ansätze einer eigenen Industrie, meist unter Verwendung heimischer Rohstoffe: Zucker- und Konservenindustrie, Aluminiumhütte, Ölraffinerie u. a. – Wirtschaftliche und verkehrsmäßige Erschließung mit Hilfe von mehrjährigen Entwicklungsplänen. – *BSP* (1985, geschätzt) 4960 Mill. US-\$ (390 US-\$ je E). – *Öffentliche Auslandsverschuldung:* (1984) 22,9% des BSP. – *Inflationsrate:* durchschnittlich 52%. – *Export:* (1985) 617 Mill. US-\$, (v. a. Kakao und Kakaoprodukte). – *Import:* (1985) 731 Mill. US-\$, v. a. Maschinen und Fahrzeuge, Erdöl, Nahrungsmittel. – *Handelspartner:* Großbritannien, USA. EG-Länder, Japan, Kanada, Nigeria, UdSSR.

Verkehr: Etwa 27 155 km feste *Straßen.* – 953 km *Eisenbahnlinie.* – *Haupthäfen:* Takoradi, Toma. – Accra ist wichtiger *Luftverkehrsknoten* an der Oberguineaküste. Eigene staatliche *Fluggesellschaft* „Ghana Airways".

Mitgliedschaften: UNO, AKP, CCC, CEDEAO, OAU, UNCTAD u. a.; Commonwealth; Kooperations-Abkommen mit Zaïre, Zollunion mit Burkina Faso.

Währung: 1 Cedi (C) = 100 Pesewas (p).

**GI**, Abk. für →Gesellschaft für Informatik e. V.

**Gibraltar**, →Großbritannien.

**Gibrat-Verteilungsfunktion**, Versuch einer funktionalen Darstellung der Einkommensverteilung (→Verteilungstheorie IV). – Betrachtet man die Häufigkeitsverteilung der Einkommensempfänger auf Einkommensklassen (→Verteilungstheorie IV), so ergibt sich das Bild einer verzerrten Normalverteilung, nach Gibrat einer lognormalen Verteilung:

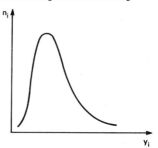

Eine Normalverteilung ist durch folgende Dichtefunktion gekennzeichnet:

$$n_i = \frac{1}{\sigma\sqrt{2\pi}} \cdot e^{-\frac{1}{2}\frac{(y_i - \bar{y})^2}{\sigma^2}}$$

mit $y_i$ = Einkommensklasse, bestimmt durch deren mittleres Einkommen, $n_i$ = Anzahl der Individuen in einer Einkommensklasse, $\bar{y}$ = Erwartungswert des Gesamteinkommens und $\sigma$ = Standardabweichung ($\sigma^2$ = Varianz). Bei gleichbleibenden Achsenbezeichnungen erhält man das gewünschte links-schiefe Verteilungsbild, wenn die Anzahl der Einkommensempfänger nicht in Beziehung zu den einzelnen y-Werten, sondern zu $z = f (\log y)$ = log $(y - y_0)$ + b $(y_0, b = $ Konstante) gesetzt wird und n = f $(z)$ normalverteilt ist.

**Gießereien**, Teilbereich des →Grundstoff- und Produktionsgütergewerbes; Gewinnung und Erstverarbeitung von Eisen-, Stahl- und NE-Metallen, wie z. B. Blei, Zink, Kupfer, Aluminium. Von sämtlichen Produktionsanlagen des Bundesgebietes liegen mehr als die Hälfte im Land Nordrhein-Westfalen. Vgl. Tabelle Sp. 2169.

**Giffen-Effekt**, anomale Reaktion der →Nachfragefunktion: Im Gegensatz zur „normalen Nachfragereaktion" steigt die Nachfrage bei steigendem Preis und umgekehrt; praktisch irrelevant.

**Gifthandel**, *Giftverkehr,* Handel mit chemischen Präparaten, Drogen und Zubereitungen, die aufgrund besonderer Bestimmungen

## Gießereien

| Jahr | Beschäftigte in 1000 | Lohn- und Gehaltssumme | darunter Gehälter | Umsatz gesamt | darunter Auslandsumsatz | Nettoproduktionsindex 1980 = 100 |
|------|------|------|------|------|------|------|
| | | in Mill. DM | | | | |
| 1970 | 158 | 2 450 | 509 | 7 511 | 705 | – |
| 1971 | 152 | 2 529 | 580 | 7 390 | 783 | – |
| 1972 | 141 | 2 531 | 610 | 6 938 | 803 | – |
| 1973 | 140 | 2 859 | 675 | 7 814 | 926 | – |
| 1974 | 137 | 3 114 | 743 | 9 165 | 1 345 | – |
| 1975 | 126 | 3 008 | 763 | 8 944 | 1 335 | – |
| 1976 | 119 | 3 111 | 766 | 9 257 | 1 333 | 97,9 |
| 1977 | 119 | 3 349 | 820 | 9 587 | 1 501 | 97,5 |
| 1978 | 117 | 3 478 | 865 | 9 505 | 1 400 | 98,1 |
| 1979 | 116 | 3 699 | 905 | 10 519 | 1 631 | 105,0 |
| 1980 | 116 | 3 912 | 960 | 11 101 | 1 737 | 100 |
| 1981 | 109 | 3 826 | 974 | 10 911 | 1 868 | 94,5 |
| 1982 | 103 | 3 685 | 965 | 10 669 | 1 923 | 90,1 |
| 1983 | 97 | 3 612 | 967 | 10 490 | 1 842 | 86,5 |
| 1984 | 94 | 3 670 | 960 | 11 313 | 2 132 | 91,3 |
| 1985 | 96 | 3 896 | 982 | 12 213 | 2 245 | 96,2 |
| 1986 | 98 | 4 150 | 1 036 | 12 616 | 2 331 | 98,7 |

in einer besonderen Liste aufgeführt sind. – 1. *Rechtsgrundlage* sind v. a. landesrechtliche Bestimmungen. Sie erstrecken sich a) auf die *Aufbewahrung* der Gifte in Giftböden, Giftkammern, Giftschränken und mit besonderer Aufschrift versehenen Gefäßen; b) die in ein *Giftbuch* einzutragende Abgabe von Giften (bei Verkauf an Apotheken, Krankenhäuser, Ärzte usw.). Verkauf nur an bekannte Personen oder gegen einen von der Polizeibehörde ausgestellten Erlaubnisschein (sog. Giftschein). – 2. *Besondere Vorschriften* bestehen für die Abgabe von Farbe, Ungezieferbekämpfungsmitteln und Pflanzenschutzmitteln. – 3. *Keine Anwendung* finden diese Vorschriften für die Abgabe von Giften durch Apotheken als Heilmittel (→Rezeptpflicht).

**Giftverkehr,** →Gifthandel.

**Giga (G),** Vorsatz für das Milliardenfache ($10^9$fache) der Einheit. Vgl. →gesetzliche Einheiten, Tabelle 2.

**Gigabit (Gb),** Abk. für $2^{30}$ (ca. eine Milliarde) →Bits.

**Gigabyte (GB),** Abk. für $2^{30}$ (ca. eine Milliarde) →Bytes.

**Gilbreth,** Frank Bunker, 1863–1924, amerikanischer Organisator. G. formulierte systematische Prinzipien zur Durchführung von *Zeit- und Bewegungsstudien,* die ihrerseits Eingang in die wissenschaftliche Betriebsführung von Frederick W. Taylor (→Taylorismus) gefunden haben.

**gill,** engl. Hohlmaß für Flüssigkeiten. 1 gill = 0,142 Liter.

**Gini-Koeffizient,** in der Statistik Maßgröße zur Kennzeichnung der relativen →Konzen-

tration. Ist $\bar{x}$ das →arithmetische Mittel der Werte $x_1, ..., x_n$, so ist der G.-K. durch

$$K_G = \frac{1}{2\bar{x}} \cdot \frac{1}{n^2} \sum_i \sum_j |x_i - x_j|$$

definiert. Der G.-K. kann auch mit Hilfe der →Lorenzkurve bestimmt werden. – Vgl. auch →Verteilungstheorie IV 1 b) (Gini-Verteilungsfunktion).

**Gini-Verteilungsfunktion,** →Verteilungstheorie IV 1 b).

**Giralgeld,** Buch- und Bankengeld, das im Gegensatz zum →Bargeld nicht gesetzliches (→Zentralbankgeld), sondern allgemein akzeptiertes →Zahlungsmittel darstellt. – 1. *I. e. S.* sind dies die Sichteinlagen der Nichtbanken beim Bankensystem, also die jederzeit fälligen Guthaben, über die mittels →Scheck oder →Überweisung verfügt werden kann. – 2. *I. w. S.* werden auch Termin- und Spareinlagen zum G. gerechnet, da sie häufig vor ihrer Fälligkeit zu Zahlungen herangezogen werden können. G. und Bargeld ergeben zusammen das →Geldvolumen (je nach Abgrenzung $M_1$, $M_2$ oder $M_3$).

**Giralgeldschöpfung,** →monetäre Theorie und Politik II 2 b) (2).

**Giro.** 1. Überweisung im →Überweisungsverkehr. – 2. →Indossament auf der Rückseite eines →Orderpapieres (z. B. Wechsel), durch das das →Eigentum an dem Papier übertragen wird (doch ist zur Übertragung noch Übergabe des Papiers notwendig).

**Giroeinlagen,** Guthaben auf Girokonten (auch Scheck- oder Kontokorrentkonten) über die der Kunde jederzeit verfügen kann. G. gehören zu den →Sichteinlagen. Sie dienen v. a. der Abwicklung des Zahlungsverkehrs.

**Girogeschäft,** Durchführung des →bargeldlosen Zahlungsverkehrs und des →Abrechnungsverkehrs; →Bankgeschäft i. S. des KWG.

**Girokonto,** →Bankkonto.

**Giroverkehr,** →Überweisungsverkehr.

**Girozentralen,** →Landesbanken.

**GKR,** Abk. für →Gemeinschaftskontenrahmen industrieller Verbände.

**GKS,** Abk. für →Graphisches Kernsystem.

**GLA,** Abk. für →Gesamtverband der landwirtschaftlichen Alterskassen.

**Glas, Herstellung und Verarbeitung von G.,** Teil des →Verbrauchsgüter produzierenden Gewerbes mit im wesentlichen folgendem

Produktionsgebiet: Herstellung von Flach-, Hohl- und technischem Glas, Verarbeitung und Veredelung von Glas, Herstellung und Verarbeitung von Glasfaser.

## Glas-Herstellung und -Verarbeitung

| Jahr | Be-schäf-tigte in 1000 | Lohn- und Gehalts-summe | darun-ter Ge-hälter | Um-satz ge-samt | darun-ter Aus-lands-umsatz | Netto-produk-tions-index 1980 = 100 |
|------|------|------|------|------|------|------|
| | | in Mill. DM | | | | |
| 1970 | 96 | 1 364 | 296 | 4 617 | 726 | – |
| 1971 | 95 | 1 520 | 341 | 5 059 | 754 | – |
| 1972 | 94 | 1 662 | 384 | 5 604 | 842 | – |
| 1973 | 94 | 1 827 | 436 | 6 079 | 937 | – |
| 1974 | 92 | 1 949 | 498 | 6 270 | 1 200 | – |
| 1975 | 83 | 1 879 | 512 | 6 068 | 1 041 | – |
| 1976 | 78 | 1 946 | 517 | 6 583 | 1 222 | 84,1 |
| 1977 | 78 | 2 060 | 554 | 7 171 | 1 353 | 91,1 |
| 1978 | 78 | 2 200 | 601 | 7 326 | 1 407 | 91,1 |
| 1979 | 77 | 2 282 | 635 | 7 824 | 1 527 | 98,2 |
| 1980 | 77 | 2 422 | 692 | 8 897 | 1 809 | 100 |
| 1981 | 74 | 2 450 | 733 | 8 769 | 1 954 | 93,3 |
| 1982 | 70 | 2 454 | 758 | 8 689 | 2 144 | 89,6 |
| 1983 | 67 | 2 456 | 756 | 9 011 | 2 371 | 92,5 |
| 1984 | 65 | 2 500 | 768 | 9 410 | 2 653 | 94,9 |
| 1985 | 65 | 2 574 | 788 | 10 162 | 3 127 | 100,7 |
| 1986 | 65 | 2 688 | 818 | 10 674 | 3 264 | 104,8 |

**Glasfaserkabel,** *Lichtwellenleiter, Lichtleiter,* Medium für die Datenübertragung, die über dünne Glasfasern mittels sehr kurzer Laserlichtimpulse (im Nanosekundenbereich) erfolgt. – *Vorteile* des G. gegenüber andere Datenübertragungskabeln (z. B. →Koaxialkabel): gute Verlegbarkeit (fast beliebig krümmbar, geringer Durchmesser, geringes Gewicht), sehr hohe Frequenzbandbreite für Übertragungen, relativ großer Abstand zwischen Verstärkern möglich, hohe Abhörsicherheit; *Nachteil:* relativ hoher Anschaffungspreis.

**Glasfasertechnik,** →optische Nachrichtenübertagung.

**Glas-Steagall Act,** US-amerikanisches Bankengesetz, das 1933 infolge der Weltwirtschaftskrise verabschiedet wurde und die Trennung des commercial und investment banking festschrieb.

**Glasversicherung.** 1. *Zweck/Umfang:* Ersatz von durch Zerbrechen der versicherten Scheiben oder sonstigen Gegenständen entstandenen Schäden. Schäden durch Brand, Blitz und Explosion auf Antrag mitversichert. Ausgeschlossen: Beschädigung der Oberfläche, der Rahmen und Einfassungen; Schäden durch Krieg, Aufruhr, Erdbeben; Schäden an evtl. noch nicht fertig eingesetzten Scheiben; Schäden durch Veränderung oder handwerksmäßige Verrichtungen an den Scheiben, ihren Umrahmungen oder Schutzvorrichtungen. – 2. *Schadenersatz:* Bei Schäden an Schaufensterscheiben und dergl. Naturalersatz möglich, sonst Barentschädigung. – 3. *Versicherungsformen:* a) *Glas-Einzel-Versicherung* unter Angabe der Glasart und Größe jeder versicherten Sache; b) *Glas-Pauschal-Versicherung,* z. B. für alle Scheiben u. ä. in einer Wohnung oder einem Einfamilienhaus. 4. *Versicherbare Objekte:* V. a. Fensterscheiben, Türscheiben, Schrank- und Vitrinenverglasungen, Wandverkleidungen, Firmenschilder, Treib- und Gewächshausscheiben, Transparente usw. – 5. *Sonderformen:* Versicherung für Raster (z. B. in Klischeeanstalten); Pauschalversicherung für Industriebauten; →Hagelversicherung für Glasdächer, Fabriken usw.; Leuchtröhrenversicherung, auf Antrag mit Einschluß von Schäden an den nichtgläsernen Teilen; Versicherung für Marmorplatten in Gebäuden.

**Glattstellen,** Fachausdruck im Börsenhandel: Ein bestehendes →Engagement durch ein →Deckungsgeschäft ausgleichen.

**Glättungskoeffizient,** Anpassungskonstante im Rahmen der verbrauchsgebundenen →Bedarfsmengenplanung. G. α zur unterschiedlichen Gewichtung der Verbrauchsdaten vergangener Perioden bestimmt den Einfluß (Gewichtung) des jüngsten Verbrauchswertes auf den neuen Verbrauchswert $0 \leq \alpha \leq 1$. $\alpha = 0$: keine Anpassung an Verbrauchsänderungen; $\alpha = 1$: völlige Anpassung an den jüngsten Verbrauch. Auch Bestandteil des →exponentiellen Glättens.

**Glättungskonstante,** →exponentielles Glätten.

**Glaubens- und Gewissensfreiheit,** →Grundrecht, gewährleistet vorbehaltlos die Freiheit des Glaubens, des Gewissens und die Freiheit des religiösen Bekenntnisses, die ungestörte Religionsausübung und das Recht nicht gegen sein Gewissen zum Kriegsdienst mit der Waffe gezwungen zu werden (Art. 4 GG).

**Glaubhaftmachung,** geringerer Grad der Beweisführung. Es genügt Nachweis der überwiegenden Wahrscheinlichkeit. – Im Zivilprozeß nur ausnahmsweise zugelassen, z. B. bei →Arrest und →einstweiliger Verfügung. Zur G. dienen alle →Beweismittel sowie – im Gegensatz zum →Beweisverfahren – auch die →eidesstattliche Versicherung einer Partei oder eines Dritten (§ 294 ZPO). Die Beweismittel müssen gegenwärtig sein, eine Vertagung zwecks späterer Beibringung ist unzulässig.

**Gläubiger,** *Kreditor,* derjenige, der aufgrund eines →Schuldverhältnisses vom →Schuldner (Debitor), eine →Leistung zu fordern berechtigt ist (§ 241 BGB). Bei einem →Kaufvertrages ist der Lieferant G. des Käufers hinsichtlich des Kaufpreises, Schuldner in bezug auf die Lieferung der Ware. Gruppierung der G. innerhalb der Bilanz nach § 266 HGB. – G. im →*Mahnverfahren:* Antragsteller.

**Gläubigeranfechtung,** zur Rückgewähr verschobener Vermögensgegenstände führende

Befugnis des Gläubigers. Hat die →Zwangs-vollstreckung in das bewegliche Vermögen des Schuldners nicht zur Befriedigung des Gläubigers geführt oder ist sie aussichtslos, so kann der Gläubiger im Wege der G. Rückgewähr solcher Gegenstände verlangen, die der Schuldner verschoben oder verschenkt hat (Gesetz betreffend Anfechtung von Rechtshandlungen des Schuldners außerhalb des Konkursverfahrens vom 21.7.1879).

**Gläubigeraufgebot,** →Erbenhaftung.

**Gläubigerausschuß,** im →Konkursverfahren grundsätzlich fakultatives Gläubigerorgan mit der Aufgabe, den →Konkursverwalter zu unterstützen und zu überwachen (zwingend nur im →Genossenschaftskonkurs). – 1. *Bestellung:* Vorläufiger G. kann von der ersten →Gläubigerversammlung aus den Reihen der Gläubiger bestellt werden. Im übrigen entscheidet über Bestellung und Wahl der Mitglieder die Gläubigerversammlung (§ 87 KO). Sie wählt Gläubiger oder andere Personen (mit einfacher Mehrheit). Die Mitglieder des G. sind für die Erfüllung ihrer Pflichten allen Beteiligten verantwortlich (§ 89 KO). – 2. *Aufgaben des G.:* Ein Mitglied muß mindestens einmal monatlich die Kasse des →Konkursverwalters prüfen (§ 88 KO). Quittungen oder Anweisungen des Verwalters an die Hinterlegungsstellen für Geld, Wertpapiere oder Kostbarkeiten bedürfen mangels anderweitiger Beschlusses der Gläubigerversammlung der Mitzeichnung eines Mitgliedes (§ 137 KO). Genehmigung bei zahlreichen Geschäften des Konkursverwalters (§§ 133, 134 KO). Der Konkursverwalter ist dem G. auskunftspflichtig. Keine Anweisung oder Überwachung durch das →Konkursgericht. – 3. *Beschlußfassung:* Zur Beschlußfähigkeit ist Teilnahme der Mehrzahl der Mitglieder erforderlich. Es entscheidet die Mehrheit der abgegebenen Stimmen (§ 90 KO). – 4. *Vergütung* sowie angemessene Auslagen, die aus der Masse zu bezahlen sind, werden vom Konkursgericht nach Anhörung der Gläubigerversammlung festgesetzt; VO vom 25.5.1960 (BGBl I 329) mit späteren Änderungen.

**Gläubigerbegünstigung,** strafbare Handlung des Schuldners im Fall der →Zahlungseinstellung oder →Konkurseröffnung, wenn er in Kenntnis seiner →Zahlungsunfähigkeit einem Gläubiger in Begünstigungsabsicht inkongruente Befriedigung oder Sicherung gewährt und wenn der G. absichtlich oder wissentlich tatsächlich herbeigeführt worden ist (§ 283 c StGB). – *Strafe:* Freiheitsstrafe bis zu zwei Jahren oder Geldstrafe. – *Nicht strafbar* ist die Befriedigung des Gläubigers in der Form und zu der Zeit, in und zu der er sie beanspruchen kann.

**Gläubigerbeirat,** im →Vergleichsverfahren bei besonderem Umfang des Unternehmens des Schuldners vorgesehenes, fakultatives

Gläubigerorgan. – 1. *Bestellung:* Die Mitglieder sind zumeist →Vergleichsgläubiger, müssen es aber nicht sein. Sie werden vom →Vergleichsgericht bestellt. – Das *Vorverfahren* kennt nur den →*vorläufigen Verwalter,* keinen G. – 2. *Aufgaben:* Unterstützung und Überwachung des →Vergleichsverwalters (§§ 44, 45 VerglO). Zur Erfüllung ihrer Aufgaben können die Mitglieder des G. die Bücher und Geschäftspapiere des Schuldners und die Unterlagen des Vergleichsverwalters einsehen und Aufklärung verlangen. Sie müssen ggf. dem Gericht Tatsachen anzeigen, die dessen Einschreiten erfordern. – 3. *Beschluß* des G. ist gültig, wenn er bei Anwesenheit der Mehrheit der Mitglieder mit der Mehrheit der abgegebenen Stimmen gefaßt ist. – 4. Mitglieder, die auch juristische Personen sein können, haben Anspruch auf *Ersatz* ihrer baren Auslagen und auf eine angemessene *Vergütung* für Zeitversäumnis; VO vom 25.5.1960 (BGBl I 329) mit späteren Änderungen.

**Gläubigerbenachteiligung,** →Konkursdelikte.

**Gläubigerland,** Land mit positivem Saldo aus Forderungen und Verbindlichkeiten gegenüber dem Ausland. – *Gegensatz:* →Schuldnerland.

**Gläubigerrisiko,** →Ausfallrisiko.

**Gläubigerschutz. 1.** *Begriff:* Alle Rechtsvorschriften und Maßnahmen zum Schutz der tatsächlichen und potentiellen →Gläubiger einer Unternehmung. Gläubiger können sein: (1) Eigenkapitalgeber (mit unterschiedlicher Risiko- und Mitspracheverteilung), (2) Fremdkapitalgeber (Banken, öffentlich-rechtliche Kreditgeber, private Anleger), (3) externe Leistungsaustauschträger (Lieferanten, Subunternehmer, Dienstleistende, Vermieter usw.), (4) Arbeitnehmer, (5) öffentlich-rechtliche Gläubiger (Finanz- und Zollverwaltung, Krankenkassen, Gemeinden usw.). – 2. Je nach Art des Gläubigers und Schuldners bestehen *unterschiedliche Vorschriften und Möglichkeiten des G.,* die in den handels- und wirtschaftsrechtlichen Bereich (Gesetz, Rechtsprechung) und in praktische Handlungen unterteilt werden: a) *Rechtlicher Teil des G.:* Die *wichtigsten Vorschriften zum G.* finden sich in der Generalnorm des § 242 BGB („Treu und Glauben"), im HGB (§§ 238–263), im gesamten Gesellschaftsrecht sowie im Insolvenz- und Wirtschaftsstrafrecht; weiterhin Regelungen bezüglich beschränkter und unbeschränkter persönlicher Haftung sowie evtl. Haftungsdurchgriffe, Haftungssummen, Sacheinlagen, Gründerhaftung und Gesellschafterdarlehen sowie bezüglich der Vorgesellschaft bei Kapitalgesellschaften (→Haftung). Die Transparenz dieser Verhältnisse wird durch →Handelsregister, Prüfungs- und Publizitätspflichten (→Prüfung, →Jahresabschlußprüfung, →Publizität) erreicht. Von besonderer Bedeutung war hierbei das →Bilanzrichtlinien-Gesetz vom 19.12.1985 u. a. mit Neufassung der Bilanzierungsvorschriften. – *Wichtigste persönliche Institutionen des rechtlich verankerten G.* sind neben den geschäftsführenden und kontrollierenden →Organen der Unternehmen die →Wirtschaftsprüfer (und neuerdings, in eingeschränktem Umfang, die →Steuerberater) sowie die Gerichte. – b) *Praktische Maßnahmen:* Da diese Regelungen, trotz ständiger Fortentwicklung, oft zu spät oder gar nicht greifen, empfehlen sich für die (potentiellen) Gläubiger die Möglichkeiten der vorherigen Einholung von Auskünften, die Prüfungen und Kontrollen sowie die Vertragsgestaltungen. Hier sind zu nennen: Wirtschaftsauskunfteien, Selbstauskünfte, Bankauskünfte, Vorlage geprüfter und ungeprüfter Jahresabschlüsse, Referenzen, Beurteilung bisheriger Geschäftsbeziehungen, →Sonderprüfungen, Vereinbarung bestimmter Zahlungsmodalitäten, Vereinbarung gesonderter Prüfungsrechte, Stellung von →Sicherheiten, Sicherheitseinbehalte usw.

**Gläubigerversammlung,** oberstes Selbstverwaltungsorgan im →Konkursverfahren. Die Rechte der G. sind in der Konkursordnung (KO) genau bezeichnet. – 1. *Berufung* durch das →Konkursgericht zum Wahl-, Prüfungs-, Schluß- und Zwangsvergleichstermin sowie auf besonderen Antrag (§ 93 KO). Die Berufung ist unter Angabe der Tagesordnung öffentlich bekanntzumachen. Die Leitung in der G. hat der Konkursrichter. Die Verhandlung ist nicht öffentlich. – 2. *Stimmrecht:* →Abstimmung grundsätzlich mit absoluter Mehrheit der Erschienenen oder Vertretenen, wobei die Höhe der angemeldeten Forderungen maßgeblich ist. Die *Beschlüsse* der G. haben nur für am Konkursverfahren Beteiligte Rechtswirkung. Die nicht erschienenen Gläubiger sind an die Beschlüsse gebunden. Auf Antrag des →Konkursverwalters oder eines überstimmten Gläubigers kann das Gericht die Ausführung eines Beschlusses untersagen, wenn er dem gemeinsamen Interesse der Konkursgläubiger widerspricht (§ 99 KO). – 3. *Aufgaben:* Auf Vorschlag Wahl eines Konkursverwalters an Stelle des vom Gericht ernannten, Wahl eines →Gläubigerausschusses, Widerruf der Bestellung eines Mitgliedes (§ 92 KO), Beschlußfassung über Fortführung oder Schließung des Geschäfts (§ 130 KO), über Unterstützungszahlung an den →Gemeinschuldner, über den →Zwangsvergleich.

**Gläubigerverzeichnis,** vom Schuldner bei der Antragstellung auf Eröffnung eines gerichtlichen →Vergleichsverfahrens einzureichendes Verzeichnis der Gläubiger unter Angabe der einzelnen Forderungen. Bei der Abstimmung über den Vergleich wird vermerkt, ob der →Vergleichsverwalter und

Schuldner die Forderung anerkennen. Hat sie keiner von beiden bestritten, so hat dies bei →*Bestätigung des Vergleichs* die Wirkung eines *rechtskräftigen Urteils* (§ 85 VerglO). Der Gläubiger kann aus dem bestätigten Vergleich in Verbindung mit einem Auszug aus dem G. die →*Zwangsvollstreckung* betreiben. Den Auszug erteilt der Urkundsbeamte der →Vergleichsgerichts. – Die Vollstreckung ist auch gegen *Bürgen* und *Mitschuldner* zulässig, wenn diese die Verpflichtung gegenüber dem Vergleichsgericht schriftlich übernommen oder im →Vergleichstermin zu Protokoll erklärt haben.

**Gläubigerverzug,** →Annahmeverzug.

**Gleichaltrigen-Gruppe,** →Gruppe I 3c).

**Gleichbehandlung.** I. Allgemein: Arbeitsrechtlicher Grundsatz für die Behandlung der Arbeitnehmer durch den Arbeitgeber. Eine *Ausprägung des →Gleichheitsgrundsatzes* (Art. 3 GG) und ein Gebot der Verwirklichung austeilender Gerechtigkeit. Der Arbeitgeber muß bei Maßnahmen und Entscheidungen, die betriebsbezogen sind, d. h. über einzelne Arbeitsverhältnisse hinausreichen, den Grundsatz beachten, daß das, was sachlich gleich ist, gleichbehandelt werden muß; eine willkürliche Differenzierung ist verboten. Von Bedeutung v. a. bei der Gewährung zusätzlicher freiwilliger Leistungen (Gratifikationen, Ruhegelder u. a. Sozialleistungen). Benachteiligte Arbeitnehmer können die ihnen unzulässig vorenthaltene Leistung verlangen. Darüber, daß unsachliche Differenzierungen im Betrieb unterbleiben, haben nach § 75 BetrVG Arbeitgeber und Betriebsrat gemeinsam *zu wachen.* –*Anders:* →Gleichberechtigung.

II. G. der Geschlechter: Der Gesetzgeber hat 1980 mit dem Gleichbehandlungsgesetz (BGBl I 1308) ein an den Arbeitgeber gerichtetes umfassendes Verbot der Ungleichbehandlung der Geschlechter im Arbeitsverhältnis bei allen Vereinbarungen und Maßnahmen, insbes. bei der Einstellung, aufgestellt (§ 611a BGB). Dem Arbeitgeber ist die Beweislast dafür auferlegt, daß eine Differenzierung durch nicht geschlechtsbezogene sachliche Gründe gerechtfertigt ist. Als Sanktion wird i. d. R. nur der Ersatz des →Vertrauensschadens in Betracht kommen (§ 611a II BGB). – § 612 III BGB enthält ein *Verbot ungleicher Entlohnung.* Bei der Entlohnung steht dem zu Unrecht wegen seines Geschlechts benachteiligten Arbeitnehmer ein Anspruch auf Erhöhung nach Maßgabe des besseren Lohnes zu. – *Stellenausschreibung:* § 611b legt dem Arbeitgeber das Gebot auf, weder öffentlich noch innerbetrieblich nur für Männer oder nur für Frauen auszuschreiben, es sei denn, daß das Geschlecht unabdingbare Voraussetzung für die auszuübende Tätigkeit ist.

**Gleichberechtigung,** soziales Postulat zur Gleichstellung und Gleichbehandlung von Angehörigen einer Sozialgruppe bzw. Gesellschaft, das seit der Heraufkunft der bürgerlich-demokratischen Gesellschaften und im Zusammenhang ihrer Aufklärungs- und Emanzipationsbewegungen v.a. auf die →Gleichberechtigung von Mann und Frau bezogen wird. Zunächst historische und soziologische Untersuchungen der verschiedenen Ausprägungen der Ungleichheit; im folgenden politische und soziale Forderungen nach ihrer Beseitigung und damit nach Abbau von Privilegien und a-symetrischen Macht- und Herrschaftsverhältnissen in *allen* Sozialbereichen (Familie sowie Öffentlichkeit; Arbeitsverhältnis, Sicherheit sowie gleicher Zugang zu allen Ämtern und sozialen Aufstiegsmöglichkeiten). – Die *formale (rechtliche) Absicherung der G. im Grundgesetz* (Art. 3 und Art. 33) ist eine notwendige, aber keine hinreichende Voraussetzung ihrer Verwirklichung; *Arbeits- und sozialrechtliche Maßnahmen* und die Durchsetzung eines entsprechenden *Ehe-, Familien- und Scheidungsrechts* (in der Bundesrep. D. 1976/77) sind weitere Voraussetzungen. – Die Forderung nach G. wird in Anbetracht von Erziehung und neuer Bildung von Vorurteilen auch die künftige politische und soziale Entwicklung national und international mitbestimmen.

**Gleichberechtigung der Geschlechter.** →Gleichberechtigung von Mann und Frau.

**Gleichberechtigungsgesetz (GleichberG),** Gesetz über die Gleichberechtigung von Mann und Frau auf dem Gebiet des bürgerlichen Rechts vom 18. 6. 1957 (BGBl I 609) mit späteren Änderungen. Enthält umfassende Änderungen insbes. des BGB, indem es seine Vorschriften dem Grundsatz der →Gleichberechtigung von Mann und Frau anpaßt; Änderungen v.a. auf dem Gebiet des →ehelichen Güterrechts.

**Gleichberechtigung von Mann und Frau,** *Gleichberechtigung der Geschlechter,* in Art. 3 II („Männer und Frauen sind gleichberechtigt.") kodifiziert. Nach Art. 117 I GG sollte das dem Art. 3 II entgegenstehende Recht nicht länger als bis zum 31.3.1953 in Kraft bleiben, ab 1.4.1953 traten alle Bestimmungen, die dem Grundsatz der Gleichberechtigung widersprachen, außer Kraft. Es war die Aufgabe der Rechtsprechung, diese Lücke auszufüllen; vgl. →Gleichberechtigungsgesetz. – Erst die Reform des Ehe- und Familienrechts, die am 1.7.1977 in Kraft getreten ist, hat die Bestimmungen des BGB so geändert, daß dem Wortlaut des Gesetzes nach bei der Zuständigkeit für Haushalt und Familie eine formale Gleichheit von Mann und Frau erreicht wurde (§ 1356 BGB). Die Durchsetzung dieser formalen Gleichheit ist der Übereinkunft der Ehepartner überlassen. – Aus *soziologischer Sicht* ist die formale Gleichheit vor und nach dem Gesetz noch nicht mit materieller und damit auch sozialer Gleichheit gleichzusetzen. Das Bestreben der verschiedenen sozialen Emanzipationsbewegungen, v.a. der Frauen, die sozialen Voraussetzungen – zumal in der Arbeitswelt – so zu verändern, daß aus der rechtlich weitgehend hergestellten Gleichheit eine soziale und kulturelle Selbstverständlichkeit wird, werden weitergehen und ein wichtiger Inhalt politischer Forderungen bleiben. – *G. im Arbeitsleben:* Vgl. →Gleichbehandlung.

**Gleichgewicht.** 1. *Begriff* der allgemeinen Gleichgewichtstheorie: Entspricht historisch einem aus der klassischen Mechanik (Physik) übernommenen Konzept, das die vollständige Koordinierung aller Wirtschaftspläne bedeutet. Beispiel: Koordinierung über den Markt in einer →Marktwirtschaft. – Formal gibt es *eine Reihe von Definitionen,* z. B. →Marktgleichgewicht, →Tauschgleichgewicht, →Nash-Gleichgewicht. – 2. *Arten:* →angebotsbeschränktes Gleichgewicht, →nachfragebeschränktes Gleichgewicht.

**gleichgewichtiges Wachstum,** Begriff der Wachstumstheorie. G. W. liegt vor, wenn sich alle wichtigen makroökonomischen Größen, wie Volkseinkommen, Investition, Sparen, Konsum, Kapitalstock mit der gleichen Wachstumsrate entwickeln.

**Gleichgewichtsmenge.** 1. *Allgemein:* Gütermenge im →Gleichgewicht. – 2. In einer *marktwirtschaftlich organisierten Wirtschaft:* Bei positiven →Gleichgewichtspreisen die Menge, bei der die angebotenen und nachgefragten Gütermengen übereinstimmen; bei Gleichgewichtspreisen gleich Null (d.h. es handelt sich um →freie Güter) die nachgefragte Menge.

**Gleichgewichtspreis** (eines Gutes), Preis, zu dem keine →Überschußnachfrage nach dem angebotenen Gut besteht. D.h., ist der G. positiv, dann stimmen die zu diesem Preis nachgefragten und angebotenen Gütermengen überein. Ist der G. gleich Null, übertrifft die angebotene Menge die nachgefragte. Man spricht in diesem Fall auch von →freien Gütern.

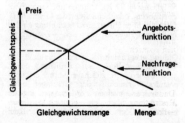

**Gleichgewichtstheorie,** →allgemeine Gleichgewichtstheorie.

**Gleichheitsgrundsatz,** →Grundrecht des Art. 3 I GG, nach dem alle Menschen vor dem Gesetz gleich sind. Nähere Erläuterung in Art. 3 II und III GG: Mann und Frau sind gleichberechtigt (→Gleichberechtigung von Mann und Frau); niemand darf wegen seines Geschlechts, seiner Abstammung, seiner Rasse, seiner Sprache, seiner Heimat und Herkunft, seines Glaubens, seiner religiösen oder politischen Anschauungen benachteiligt oder bevorzugt werden (→Gleichberechtigung).

**Gleichmöglichkeit,** *Gleichwahrscheinlichkeit,* Grundbegriff der Laplaceschen („klassischen") Wahrscheinlichkeitskonzeption. Gibt es bei einem →Zufallsvorgang k mögliche elementare →Ereignisse, die „symmetrisch" sind (z. B. Die Augenzahlen 1 bis 6 bei der Ausspielung eines Würfels), so wird jedem Ereignis die gleiche Wahrscheinlichkeit 1/k zugeordnet. – Vgl. auch →Wahrscheinlichkeitsauffassungen.

**Gleichstellung,** Begriff des Schwerbehindertengesetzes: Behinderte, deren →Grad der Behinderung (früher: Grad der Minderung der Erwerbsfähigkeit – MdE) nach dem SchwbG weniger als 50%, aber wenigstens 30% beträgt. Diese sollen auf Antrag einem →Schwerbehinderten gleichgestellt werden, wenn sie infolge ihrer Behinderung ohne die Gleichstellung einen geeigneten Arbeitsplatz nicht erlangen oder nicht behalten können (§ 2 I SchwbG i. d. F. der Neubekanntmachung vom 26. 8. 1986, BGBl I 1421). Auf Gleichgestellte ist das SchwbG mit Ausnahme der Vorschriften über den Zusatzurlaub (§ 47 SchwbG) und über die unentgeltliche Beförderung Schwerbehinderter im öffentlichen Nahverkehr (§§ 59–67 SchwbG) anzuwenden. – *Zuständig* für die G. ist das Arbeitsamt (§ 33 I Nr. 5 SchwbG).

**Gleichung,** →Gleichungsrestriktion.

**Gleichungsrestriktion,** *Gleichung.* 1. *Begriff:* Als Gleichung formulierte →Restriktion: $f(x_1, x_2, \ldots, x_n) = 0$, d. h. für die Variablen $x_1$, $x_2, \ldots, x_n$ sind wegen der Vektoren $(x_1^*, x_2^*, \ldots, x_n^*)$ von Zahlen $x_1^*, x_2^*, \ldots, x_n^*$ zugelassen, bei denen $f(x_1^*, x_2^*, \ldots, x_n^*)$ genau den Wert 0 annimmt. – *Gegensatz:* →Ungleichungsrestriktion. – 2. *Äquivalente Formulierung:* In einem Restriktionssystem läßt sich eine G. durch das System von Ungleichungsrestriktionen ersetzen:

$$\begin{cases} f(x_1, x_2, \ldots, x_n) \leq 0 \\ f(x_1, x_2, \ldots, x_n) \geq 0 \,. \end{cases}$$

Dadurch ändert sich die →Lösungsmenge des Restriktionssystems nicht. – 3. *Sonderformen:* →lineare Gleichungsrestriktion, →Nullglei-

chung, →Widerspruchsgleichung. – Vgl. auch →Gleichungsrestriktionssystem.

**Gleichungsrestriktionssystem,** →Restriktionssystem, das ausschließlich aus →Gleichungsrestriktionen besteht, d. h. keine →Ungleichungsrestriktionen aufweist. – *Gegensatz:* →Ungleichungsrestriktionssystem.

**Gleichungssystem,** in den Wirtschaftswissenschaften häufig synonym für →Gleichungsrestriktionssystem.

**Gleichungsverfahren,** →innerbetriebliche Leistungsverrechnung II 1.

**Gleichwahrscheinlichkeit,** →Gleichmöglichkeit.

**Gleitarbeitszeit,** →gleitende Arbeitszeit.

**gleitende Arbeitswoche,** Form der →gleitenden Arbeitszeit, bei der die Arbeitnehmer täglich neu innerhalb vorgesehener Gleitzeitspannen ihr Arbeitsende bestimmen. Es besteht jedoch die Verpflichtung, die Ist-Arbeitszeit innerhalb einer Woche der Soll-Arbeitszeit anzugleichen. – *Anwendung:* Bei durchlaufender Arbeitsweise zur Vermeidung technisch nicht vertretbarer Produktionsunterbrechungen, z. B. für Hochöfen und Kokereien oder in der Stahlindustrie.

**gleitende Arbeitszeit,** *Gleitarbeitszeit.* 1. *Begriff:* Nicht auf bestimmte Anfangs- und Endtermine festgelegte →Arbeitszeit. Arbeitsorganisatorische Regelung, bei der die Arbeitnehmer innerhalb bestimmter festgelegter Zeitspannen persönlichen Arbeitsbeginn und Arbeitsende selbst bestimmen können. – *Ziel:* Erhöhung des individuellen Gestaltungsspielraums und Entlastung des Berufsverkehrs (rush hour; 6.00–8.00 Uhr und 16.00–18.00 Uhr) in Ballungsgebieten. – Die *Modelle* der g. A. reichen von der Gestaltung der täglichen über die wöchentliche (→gleitende Arbeitswoche) bis zur jährlichen Arbeitszeit (→Sabbatical, →Jahresarbeitszeitvertrag). – 2. Die g. A. setzt sich zusammen aus *Gleitzeit* (z. B. von 7.00–9.00 Uhr und von 15.00–19.00 Uhr) und *Kernzeit* (Zeit zwischen den Gleitzeiten; in dieser muß der Arbeitnehmer im Betrieb anwesend sein). – 3. *Einführung* der g. A. ist – falls ein →Betriebsrat vorhanden – mitbestimmungspflichtig (§§ 87 I und II, 77 II BetrVG). Die Regelungen der AZO bleiben von →Betriebsvereinbarungen unberührt. (Regelung arbeitszeitrechtlich nicht unbedenklich wegen Gebot des Achtstundentags nach § 3 AZO.) – 4. Zum *Nachweis* der geleisteten Arbeitszeit ist in geeigneter Weise eine Zeiterfassung (z. B. durch Stempeluhr) zu gewährleisten (§ 24 Nr.1, 3 und 32 der Ausführungs-VO zur AZO). – Vgl. auch →Arbeitszeitmodelle, →Arbeitszeitflexibilisierung.

**gleitende Mittelwerte,** einfaches, in der Produktionsplanung und -steuerung verwendetes Prognoseverfahren für die Vorhersage des →Primärbedarfs oder →Sekundärbedarfs. Der Bedarf eines →Teils für die jeweils nächste Periode ergibt sich als arithmetisches Mittel aus dem Verbrauch der jeweils letzten $n$ Vorperioden.

**gleitende Neuwertversicherung,** Sonderform der →Neuwertversicherung für Gebäude, die auch bei Preisschwankungen (praktisch: Preiserhöhungen) vollen Versicherungsschutz garantiert. Berechnungsgrundlage: Meist Neubauwert von 1914 ($=100\%$), auf den alle Neubauwerte umgerechnet werden. Ausgleich der inzwischen eingetretenen Preissteigerung durch Prämienberechnung nach der →Prämienrichtzahl. – *Entschädigung* im Versicherungsfall erfolgt zum Neubauwert am Schadentag. →Unterversicherung liegt nur dann vor, wenn die Versicherungssumme niedriger ist als der Versicherungswert von 1914. – *Gebräuchlich* in der Feuer-, Sturm- und Leitungswasserversicherung von Wohn- und Geschäftsgebäuden sowie bei landwirtschaftlichen Gebäuden.

**gleitender Bestellpunkt,** Methode, um Bestellpunkte jeweils an veränderte Bedarfswerte oder Beschaffungszeiten anzupassen. Mengenmäßige Bestellpunkte (→Meldebestände) hängen vom Bedarf und von der →Beschaffungszeit ab. Wenn diese Bestimmungsfaktoren variieren und der Bestellpunkt dennoch konstant bleibt, treten Fehlentscheidungen im →Lagerhaltungssystem auf. Dies soll der g. B. vermeiden.

**gleitender Durchschnitt,** bei einer Folge von Zeitreihenwerten (→Zeitreihenanalyse) das →arithmetische Mittel von chronologisch aufeinander folgenden Zeitreihenwerten, das der mittleren Periode zugeordnet wird. Sind $x_1$, ..., $x_i$, ... die chronologisch geordneten Zeitreihenwerte, so sind z. B.

$$\bar{x}_i^3 = \frac{1}{3}(x_{i-1} + x_i + x_{i+1});$$

$$\bar{x}_{i+1}^3 = \frac{1}{3}(x_i + x_{i+1} + x_{i+2}); \dots$$

gleitende Dreierdurchschnitte oder
$$\bar{x}_i^4 =$$
$$\frac{1}{4}\left(\frac{1}{2}x_{i-2} + x_{i-1} + x_i + x_{i+1} + \frac{1}{2}x_{i+2}\right); \dots$$

gleitende Viererdurchschnitte. Falls die Zeitreihe keine zyklische Komponente aufweist (→Saisonschwankungen) kann bei einem konstanten oder linearen Trend der Unterschied zwischen $x_i$ und $\bar{x}_i$ im wesentlichen auf die zufällige Komponente zurückgeführt werden. Ist eine zyklische Komponente enthalten und wird der g. D. über eine Anzahl von Perioden gebildet, die gerade eine Zykluslänge ergibt, dann enthält dieser Unterschied den Einfluß der zyklischen und der Zufallskomponente.

**gleitender Lohn,** →Indexlohn.

**gleitender Ruhestand,** allmählicher Übergang von der Vollarbeit in den Ruhestand, um den „Pensionierungsschock" zu umgehen. Praktizierte Regelungen sehen z. B. vor, daß der Arbeitnehmer ab dem 55. Lebensjahr nur noch 35, ab dem 60. Lebensjahr nur noch 30 Stunden wöchentlich tätig ist. Individuellen Wünschen kann Rechnung getragen werden. – Vgl. auch →Arbeitszeitmodell, →Vorruhestand.

**gleitende wirtschaftliche Losgröße,** in →PPS-Systemen verwendetes heuristisches Verfahren zur Berechnung von Losgrößen (→Los) bei diskretem Bedarfsverlauf.

**Gleitkommaprozessor,** →Hilfsprozessor in einem Computer, der die Berechnung arithmetischer Ausdrücke übernimmt.

**Gleitpreisklausel,** Klausel in →Kaufverträgen, mit der die Preisfestsetzung entweder auf einen späteren Zeitpunkt verschoben oder spätere Abänderung des vereinbarten Preises vorbehalten wird. G. wird angewandt v. a. bei größeren Objekten mit längeren Lieferfristen, um die Preisstellung ggf. der im Lieferzeitpunkt veränderten Marktlage (veränderten Lohn- und Rohstoffpreisen) anzupassen.

**Gleitzeit,** →gleitende Arbeitszeit.

**Gleitzoll,** Form des →Mischzolls, bei der die Zollbelastung mit steigendem (sinkendem) Einfuhrpreis sinkt (steigt). Ziel ist eine flexible Abschirmung des Binnenmarktes von Preisveränderungen am Weltmarkt zur Protektion der inländischen Anbieter bzw. zur Preisstabilisierung im Inland. – *Nachteile:* Technische Probleme begünstigen bei der Anpassung des Zolltarifs an neue Einfuhrpreise die Spekulation an den Warenmärkten; Produktivitätsfortschritte im Ausland können beim G. im Gegensatz zum →Wertzoll oder zum →spezifischen Zoll nicht weitergegeben werden, die internationale Arbeitsteilung wird dadurch behindert. – Der Gemeinsame Zolltarif der EG (GZT) enthält keine G.

**Gliedertaxe,** →Invalidität 1 (bei Unfallversicherung).

**Gliederungszahl,** in der Statistik Bezeichnung für eine →Verhältniszahl, bei der der Zähler ein Teil des Nenners ist. G. liegen immer zwischen 0 und 1. – *Beispiele:* Anzahl Knabengeburten/Anzahl der Geburten insgesamt; Anzahl der Angestellten/Anzahl der Erwerbstätigen insgesamt.

**Gliedsteuer,** →mehrgliedrige Steuer.

**Gliedziffer,** bei einer →Zeitreihe von Beobachtungswerten $x_1,..., x_t,...$ der Quotient $x_{t+1}/x_t$ zweier aufeinanderfolgender Werte. G. werden u.a. bei der Ermittlung von Saisonkomponenten (→Saisonbereinigung; →Saisonschwankungen) nach dem Verfahren von W. Persons (1919) verwendet.

**Globalabstimmung,** bei engem funktionalem Zusammenhang zwischen den Merkmalsausprägungen von Prüfungsobjekt (Ist-Objekt) und Vergleichsobjekt (Soll-Objekt) mögliche Form der indirekten →Prüfung, bei der das Soll-Objekt indirekt ermittelt wird.

**Globalabtretung. 1.** *Begriff:* →Forderungsabtretung, meist zur Sicherung eines Bankkredits, durch die der →Zedent alle gegenwärtigen und zukünftigen Forderungen aus dem Verkauf oder der Verwertung einer Sache oder einer geschäftlichen Tätigkeit (z.B. „aus Lieferung von Leder gegen dessen Abnehmer") mit Vertragsabschluß schon abtritt – *Anders:* →Mantelzession. – 2. *Problem der Doppelabtretung:* Die G. führt meist zu einer Konkurrenz mit Abtretungen im Zusammenhang mit →verlängertem Eigentumsvorbehalt. Nach der neueren Rechtsprechung gilt auch in diesem Fall uneingeschränkt der Grundsatz der *Priorität:* Nur die erste Abtretung ist wirksam. Die durch G. schon abgetretene Forderung kann also nicht nochmals an den Vorbehaltsverkäufer abgetreten werden. – 3. *Voraussetzungen für die Gültigkeit einer G.:* a) Die abgetretenen zukünftigen Forderungen müssen *genügend bestimmt* oder bestimmbar sein. – b) Die G. darf den Zedenten nicht knebeln. Die G. bringt für den Zedenten eine wesentliche Beschränkung seiner wirtschaftlichen Entschließungs- und Handlungsfreiheit mit sich und kann damit zu einer *sittenwidrigen Knebelung* führen. Nach der Rechtsprechung ist die Tatsache, daß ein Gläubiger sich zur →Kreditsicherung den größten Teil der gegenwärtigen und zukünftigen Forderungen des Kreditnehmers abtreten läßt, für sich allein noch nicht sittenwidrig, wenn dem Schuldner die wirtschaftliche Entschließungs- und Handlungsfreiheit bleibt, insbes. die Möglichkeit der Einbeziehung der Forderungen, und wenn der Kredit der Aufrechterhaltung und Fortführung des Betriebs dienen soll. – c) Die G. darf nicht in anderer Weise gegen die guten Sitten verstoßen. Ein solcher Verstoß kann nach der Rechtsprechung vorliegen, wenn nach dem Willen beider Vertragsparteien auch solche Forderungen von der G. erfaßt werden sollen, die der Zedent seinen Lieferanten aufgrund →*verlängerten Eigentumsvorbehalts* künftig abtreten mußte und abgetreten hatte. Der Zedent täuscht dann nämlich notwendigerweise die Lieferanten, da er nicht in der Lage ist, die zukünftig gegen die Abnehmer entstehenden Forderungen abzutreten, da sie schon durch die G. abgetreten sind. Indessen kommt es bei der Prüfung der

Sittenwidrigkeit wesentlich auf die Beweggründe der Parteien und die wirtschaftliche Situation an, auf eine Gutgläubigkeit des Zessionars oder auch die Vereinbarung, daß der Zedent zunächst die Lieferanten mit den Mitteln des durch die G. gesicherten Kredits befriedigen soll.

**Globalaktie,** *Gesamtaktie, Gesamttitel, Sammelaktie,* bei Großaktionären mehrere oder alle Aktienrechte einer AG zusammenfassende Urkunde. In der Bundesrep. D. wenig gebräuchlich; stärker verbreitet in Großbritannien.

**Globalisation,** Zusammenwachsen internationaler Finanzmärkte durch neue Informations- und Kommunikationstechniken sowie innovative Finanzinstrumente. Handel „rund um die Uhr" ist somit möglich. – Vgl. auch →Euromärkte.

**Globalkontingent,** allgemeine mengen- oder wertmäßige Begrenzung der Einfuhr ohne Festsetzung der Länder, von denen die einzelnen Waren bezogen werden müssen, u.U. sogar ohne Festsetzung der Waren, die bezogen werden dürfen. G. sind ein Mittel, die Enge des →Bilateralismus zu vermeiden und den Welthandel freier zu gestalten.

**global marketing,** →internationales marketing.

**Globalplanung,** →Grobplanung.

**Globalrechnung,** speziell für die Wirtschaftlichkeitsrechnung der →Deutschen Bundesbahn verwendeter Ausdruck. Mittels einer G. wird der Erfolg lediglich für Gruppen von Betriebszweigen (z.B. für den gesamten Güterverkehr) gemeinsam ermittelt.

**Globalsteuerung,** wirtschaftspolitische Konzeption, wonach staatliche ökonomische Aktivität sich auf die Beeinflussung makroökonomischer Aggregatgrößen (wie z.B. Investitionen, Konsum oder Spartätigkeit) beschränkt. Eine an diesen Größen orientierte *fiscal policy* ist entsprechend zugleich G., auch wenn mit der Weiterentwicklung der keynesianischen Theorie heute gewisse Modifizierungen dieses Prinzips existieren (z.B. regionalistische Konjunkturpolitik). – In der Bundesrep. D. bedeutet G. primär Beeinflussung der Gesamtnachfrage im Sinne einer *diskretionären Wirtschaftspolitik* (→diskretionärer Mitteleinsatz) bzw. →antizyklischen Wirtschaftspolitik. Die Steuerung der Gesamtnachfrage soll zur Realisierung der in §1 StWG genannten gesamtwirtschaftlichen Ziele beitragen.

**Globalurkunde,** →Sammelurkunde.

**Glockenpolitik,** →Blasenpolitik.

**GmbH,** Abk. für →Gesellschaft mit beschränkter Haftung.

**GmbH-Mantel,** →Mantel 2.

**GmbH & Co.,** gesetzlich zugelassene Rechtsform, bei der eine GmbH Gesellschafter ist. Entweder →offene Handelsgesellschaft oder →GmbH & Co. KG. Bei OHG ist die GmbH meist der Hauptgesellschafter, bei KG der →persönlich haftende Gesellschafter (dessen Haftung auf das Stammkapital der GmbH beschränkt ist); häufig sind dann die →Kommanditisten gleichzeitig Gesellschafter der GmbH. Meist sind Steuervorteile oder beabsichtigte Haftungsbeschränkungen die Ursachen, die zur Gründung derartiger Formen führen. – Vgl. auch →Durchgriffshaftung.

**GmbH & Co. KG.** I. Handelsrecht: 1. *Begriff:* Kommanditgesellschaft, bei der eine GmbH persönlich haftender Gesellschafter ist und andere Rechtspersonen (meist die Gesellschafter der GmbH) →Kommanditisten sind. Zulässige Gesellschaftsform, juristisch →Personengesellschaft. – 2. Durch die Beteiligung der juristischen Person (GmbH) wird die *Haftung* des persönlich haftenden Gesellschafters auf deren Vermögen beschränkt. – 3. *Gründung* nach den Grundsätzen der Errichtung der KG. In der Firmenbezeichnung muß die GmbH erscheinen, auch bei Gesellschafterwechsel durch Ausscheiden einer natürlichen Person als persönlich haftender Gesellschafter und Eintritt einer GmbH an seine Stelle. Bei Nichtangabe der Beteiligung der GmbH in der Firmenbezeichnung kommt →Durchgriffshaftung in Betracht.

II. Steuerrecht: 1. Die nach der einheitlichen und gesonderten Gewinnfeststellung auf die beteiligten natürlichen Personen entfallenden Gewinnanteile unterliegen bei diesen der *Einkommensteuer,* die Anteile der beteiligten GmbH bei dieser der →*Körperschaftssteuer.* – 2. Bei der steuerlichen Behandlung des *Gehalts des GmbH-Geschäftsführers* ergeben sich Unterschiede, je nachdem ob das Gehalt von der GmbH oder unmittelbar von der KG gezahlt wird und ob der Geschäftsführer an der KG als Kommanditist beteiligt ist. – 3. Die GmbH u. Co. KG unterliegt mit dem einheitlich und gesondert festgestellten Gewinn grundsätzlich der *Gewerbeertragssteuer.* Das Gewerbekapital richtet sich nach dem Einheitswert des gewerblichen Betriebes. – 4. Nach *Umsatzsteuerrecht* sind KG, GmbH und die einzelnen Kommanditisten als selbständige Unternehmer anzusehen.

**GMD,** Abk. für →Gesellschaft für Mathematik und Datenverarbeitung mbH.

**GNOFÄ,** Abk. für →Grundsätze zur Neuorganisation der Finanzämter und zur Neuordnung des Besteuerungsverfahrens.

**goal programming,** →Zielprogrammierung.

**GoB,** Abk. für →Grundsätze ordnungsmäßiger Buchführung.

**GOE,** Abk. für →Gesellschaft für Organisationsentwicklung e. V.

**Going-concern-Prinzip,**          →Bewertung, →Grundsätze ordnungsmäßiger Buchführung III 3.

**Goldanleihe,** →Anleihe, deren Verzinsung und Rückzahlung in Gold oder Goldwert zugesichert ist. – Vgl. auch →Goldklausel.

**Goldautomatismus,** →internationaler Goldstandard.

**Goldbarrenwährung,** →Goldwährungen II 2.

**Goldblock,** Versuch der Länder Frankreich, Belgien, Niederlande, Schweiz, Italien und Polen 1933 durch Zusammenschluß den Goldstandard ihrer Währungen trotz der 1931 vollzogenen Sterlingabwertung zu halten. Der G. zerfiel mit der 1935 in Belgien, 1936 in allen anderen Ländern vorgenommenen Abwertung bzw. Devisenbewirtschaftung.

**Golddevisenwährung,** →Goldwährung II 3.

**goldene Bankregel,** Liquiditätsgrundsatz der Banken, nach dem die von einer Bank gewährten →Kredite nach Umfang und Fälligkeit den der Bank zur Verfügung gestellten Einlagen entsprechen sollen. Nicht vollumfänglich durchführbar wegen der Aufgabe der Banken, kürzerfristige Einlagen in längerfristige Kredite zu transformieren. Nach Maßgabe der →Bodensatztheorie ist die strenge Einhaltung der g. B. nicht erforderlich.

**goldene Bilanzregel,** Grundsatz bei Aufstellung der Bilanz, analog der →goldenen Bankregel, anwendbar auf alle Unternehmungen. Die g. B. fordert, daß die langfristig an das Unternehmen gebundenen Anlagegüter durch langfristiges Kapital – in erster Linie durch Eigenkapital – gedeckt sein müssen, während das Umlaufvermögen durch kurzfristiges Kapital gedeckt sein kann. – Vgl. auch →Finanzierungsregel.

**goldene Finanzierungsregel,** →Finanzierungsregel II 2 a.

**goldene Regel der Akkumulation,** Begriff der Wachstumstheorie und Kapitaltheorie. Bezeichnung für diejenige Steady-state-Entwicklung (→steady state), die durch den höchsten Pro-Kopf-Konsum gekennzeichnet ist. In diesem Fall stimmen →Wachstumsrate und →Zinsrate in einer Volkswirtschaft überein.

**Goldexportpunkt,** →internationaler Goldstandard.

**Goldfeld-Quandt-Test,** Test zur Überprüfung der Hypothese konstanter Varianzen (→Homoskedastizität) der Störgrößen eines ökonometrischen Modells. Das Verfahren besitzt gegenüber anderen, die auf eine spezielle Form der Heteroskedastizität abstellen, den Vorteil größerer Allgemeinheit. – Vgl. auch →Ökonometrie III.

**Goldgehalt.** 1. Feingoldgewicht einer Goldmünze. – 2. Feingehalt der Währungseinheit, wie er sich aufgrund der gesetzlichen Vorschriften errechnet. Der G. der Reichsmark = 1/2790 kg oder 0,358423 g Feingold. Der G. der DM läßt sich nicht bestimmen, da in der Bundesrep. D. keine feste Relation zwischen Geldmenge und Goldbestand. Auch die indirekte Bestimmung des G. über die Dollarparität (→Goldparität) entfällt seit der Aufhebung der Goldeinlösungspflicht durch die USA und die Freigabe der Wechselkurse.

**Goldimportpunkt,** →internationaler Goldstandard.

**Goldkernwährung,** →Goldwährungen II 2.

**Goldklausel,** vertragliche Vereinbarung (→Wertsicherungsklausel), daß eine Schuld (einschl. Zinsen) in Gold bzw. Goldwert zurückzuzahlen ist. – *Arten:* →Goldmünzklausel und →Goldwertklausel.

**Goldmechanismus,** →internationaler Goldstandard.

**Goldmünzen,** geprägte Goldstücke, die – im Gegensatz zu Goldmedaillen – →gesetzliches Zahlungsmittel waren oder sind.

**Goldmünzklausel,** zur Sicherung gegen Währungsverfall bestimmte →Wertsicherungsklausel, nach der die Zahlung nur in bestimmten Goldmünzen geleistet werden kann. Mangels verkehrsfähiger Goldmünzen ist eine G. heute unwirksam; es wird mit den im Zeitpunkt der Zahlung gültigen gesetzlichen Zahlungsmitteln gezahlt (§ 245 BGB).

**Goldparität,** im Rahmen des Währungssystems des Goldstandards (→internationaler Goldstandard) für die einzelnen Währungen festgelegte Goldmenge, zu der die jeweilige Währung umgetauscht werden konnte.

**Goldpreis.** 1. Bis Anfang der 70er Jahre betrug der G. des amerikanischen Federal-Reserve-System 35 US-Dollar je Feinunze. Dieser für die intervalutarischen Beziehungen zwischen den Zentralbanken der Mitgliedsländer des IMF *verbindliche G.* bestimmte auch den G. am freien Markt. – 2. Seit März 1968 bewegten sich offizieller und freier G. auseinander (*gespaltener Goldmarkt*). Die Zentralbanken verpflichteten sich, auf den Goldmärkten nicht mehr zu intervenieren. – 3. Nachdem der offizielle G. seine Bedeutung eingebüßt hatte (Suspendierung der Goldeinlösungspflicht des Federal-Reserve-System am 15.8.1971), beschloß der IMF seine Abschaffung. – Die wichtigsten *G.-Notierungen* erfolgen in Europa auf den Märkten in Zürich, Paris und London.

**Goldumlaufwährung,** →Goldwährungen II.

**Goldwährungen,** →Währungssysteme, in denen Gold entweder als gesetzliches Zahlungsmittel dient (Goldumlaufwährung) oder in denen das Geld zumindest jederzeit in Gold eingelöst werden kann.

I. Charakteristika: a) fester Goldpreis (Goldparität) durch Bestimmung des Feingoldgehalts der Geldeinheit; b) allgemeines Recht auf Besitz und Verwendung des Goldes (auch zu Zahlungen) zu dieser Parität; c) Goldankaufs- und Geldeinlösepflicht der Zentralbank zur Aufrechterhaltung der Parität; d) freier Goldaußenhandel.

II. Arten: 1. *Goldumlaufwährung:* Als Geld fungieren vollwertige Goldmünzen, neben denen es allerdings noch Banknoten geben kann. Bei reiner Goldumlaufwährung gibt es keine wirksame Geldpolitik zur Vermeidung unerwünschter konjunktureller Schwankungen. – 2. *Goldbarrenwährung (Goldkernwährung i.w.S.):* Die Wirtschaftssubjekte können zum Paritätspreis gegen Banknoten und Giralgeld bei der Zentralbank Goldbarren an- und verkaufen. Die Geldmenge setzt sich hier jedoch auch Zeichen- und Giralgeld zusammen. Die Geldmenge ist nicht mehr völlig durch Gold gedeckt, so daß durch Veränderung des Deckungsverhältnisses eine konjunkturpolitisch wirksame Geldpolitik möglich ist. – 3. *Golddevisenwährung:* Keine Goldwährung i..e.S., vielmehr benutzen die Länder Gold und in Gold einlösbare Devisen, also Devisen von Goldwährungsländern, als Deckungsreserve. Damit man von einer Golddevisenwährung sprechen kann, ist allerdings volle →Konvertibilität zwischen den beteiligten Ländern erforderlich.

III. Kritik: 1. Im Mechanismus der G. fehlt es an einem Instrument, das eine allgemeine →Inflation oder →Deflation verhindert. – 2. Die G. verlangt eine strenge wirtschaftspolitische Disziplin, die in Krisenzeiten nicht zu erreichen ist. – Vgl. auch →Geldmengen-Preismechanismus.

**Goldwährungsmechanismus** →internationaler Goldstandard.

**Goldwertklausel,** die Höhe einer Forderung nach dem Preis einer bestimmten Menge Goldes bestimmende Wertsicherungsklausel (→Goldklausel). Nur mit Genehmigung der Deutschen Bundesbank zulässig (§ 3 Währungsgesetz).

**Gon (gon),** →gesetzliche Einheiten, Tabelle 1.

**Goodwill,** →Firmenwert, →Praxiswert.

**Gosbank,** Abk. für →Staatsbank der Union der Sozialistischen Sowjetrepubliken.

**Gossensche Gesetze,** nach dem preußischen Assessor H. H. Gossen (1810–1858) von v. →Wieser und →Lexis benannte Zusammenhänge bzw. Regeln: 1. *Gesetz der Bedürfnissättigung:* Der →Grenznutzen eines Gutes nimmt mit wachsender verfügbarer Menge dieses Gutes ab. – 2. *Gesetz vom Ausgleich der Grenznutzen:* Das Maximum an Bedürfnisbefriedigung ist erreicht, wenn die Grenznutzen der zuletzt beschafften Teilmengen der Güter gleich sind (→optimaler Verbrauchsplan). Voraussetzung für die Wirksamkeit dieses „Gesetzes" ist, daß alle Bedürfnisse durch dasselbe teilbare Mittel gedeckt werden können (Geld oder Arbeitsstunden). – Diese beiden Gesetze sind Bestandteil eines kardinalen Nutzenkonzepts.

**Government Printing Office,** →United States Government Printing Office.

**Gozinto-Graph,** ein →Graph, der in der Fertigungsplanung zur Produkt- und Teilbedarfsrechnung sowie als Vorstufe zur Fertigungstermin- und Maschinenbelegungsplanung dient. Der G.-G. wurde von A. Vazsonyi entwickelt, der ihn dem nicht existierenden „gefeierten italienischen Mathematiker Zepartzat Gozinto" zuschreibt. – Drückt man diesen Namen in Englisch aus: „ the part that goes into", so gibt der erfundene Name den Inhalt des G.-G. an. – *Ableitung:* Zur Teilbedarfsrechnung dienen die Stücklisten, entweder in analytischer oder synthetischer Gliederung; der G.-G. ist eine Synthese beider Gliederungssysteme (Matrix-Stückliste). Wichtige Grundlage für →Strukturstücklisten, →Mengenübersichtsstücklisten, →Teilebedarfsrechnung. Im G.-G. wird angegeben, welche Menge eines Teils in eine Einheit eines höheren Teils direkt eingeht (Direktbedarfsmatrix). Aus dieser Darstellung lassen sich mit Hilfe der Matrizenrechnung die Gesamtmengen an Einzelteilen und Baugruppen berechnen (Gesamtbedarfsmatrix). Die Knoten des G.-G. stellen Fertigprodukt, Baugruppen und Einzelteile dar.

**Grad (°),** →gesetzliche Einheiten, Tabelle 1.

**Grad Celsius (°C),** →gesetzliche Einheiten, Tabelle 1.

**Grad der Behinderung (GdB).** 1. *Begriff* des Schwerbehindertenrechts, der das *Ausmaß* der Auswirkung einer nicht nur vorübergehenden Funktionsbeeinträchtigung angibt, die auf einem regelwidrigen körperlichen, geistigen oder seelischen Zustand beruht. Auf die Ursache der Funktionsbeeinträchtigung (=Behinderung) kommt es nicht an. Regelwidrig ist der Zustand, der von dem für das Lebensalter typischen abweicht. Als nicht nur vorübergehend gilt ein Zeitraum von mehr als sechs Monaten. – Der Begriff GdB löst seit dem 1.8.1986 aufgrund des Gesetzes vom 24.7.1986 (BGBl I 1110) im Schwerbehindertenrecht den bis dahin auch hier benutzten Begriff Minderung der Erwerbsfähigkeit (MdE) ab, um zu verdeutlichen, daß es im Schwerbehindertenrecht *nicht* auf das *Ausmaß* der Erwerbsfähigkeit ankommt. – 2. Die Auswirkung der Funktionsbeeinträchtigung ist als *GdB,* nach Zehnergraden abgestuft, von 20 bis 100 festzustellen. Bei mehreren Funktionsbeeinträchtigungen ist die Gesamtauswirkung maßgeblich (§ 3 I, II SchwbG i.d.F. vom 26.8.1986 – BGBl I 1421), wobei jedoch keine bloße Addition der einzelnen GdB für die einzelnen Funktionsstörungen erfolgt. – 3. *Festsetzung* des GdB entsprechend den für die Feststellung der →Minderung der Erwerbsfähigkeit (MdE) festgelegten Maßstäben des BVG. Festsetzung erfolgt auf Antrag durch das Versorgungsamt (Landesversorgungsamt).

**Grad Fahrenheit,** →Fahrenheit.

**Gradientenverfahren,** →nichtlineares Optimierungsproblem 4a).

**Graduiertenförderung,** Stipendium nach dem Gesetz über die Förderung des wissenschaftlichen Nachwuchses an den Hochschulen i.d.F. vom 22..1.1976 (BGBl I 207) mit späteren Änderungen, vornehmlich zur Förderung des Hochschullehrernachwuchses, insbes. nach dem Abschluß eines Hochschulstudiums zur Vorbereitung auf die →Promotion oder zum Weiterstudium mit verstärkter Beteiligung an der Forschung. – Vgl. auch →Ausbildungsförderung.

**Grafik-Designer,** →Werbeberufe I 3.

**grain,** angelsächsische Masseneinheit. 1 grain = 64,79891 g. – Vgl. auch →Avoirdupois-Gewicht, →Troy-System.

**Gramm (g),** Gewichtseinheit (1/1000 kg). Vgl. →gesetzliche Einheiten, Tabelle 1.

**Graph.** I. M a t h e m a t i k : Graphische Darstellung einer →Funktion mit der Gleichung $y = f(x)$ im →Koordinatensystem, auch als *Kurve* bezeichnet.

II. O p e r a t i o n s R e s e a r c h : 1. *Begriff:* Ein G. besteht aus einer nichtleeren Menge von V einer Menge E mit V ∩ E = 0 sowie einer auf E definierten Abbildung w (→Inzidenzabbildung), die jedem Element k aus E genau ein Paar i und j von Elementen aus V zuordnet. Wird auch als *Netzwerk* bezeichnet. – 2. *Typen:* a) *Ungerichteter G.:* Das jedem Element k ∈ E zugewiesene Paar von Elementen aus V ist nicht geordnet. Die Elemente von V werden *Kanten* genannt. – b) *Gerichteter G.:* Das jedem Element p ∈ E zugewiesene Paar von Elementen aus V ist geordnet (p = (i, j)). Ein →Knoten i heißt *Vorgänger* bzw. *Nachfolger* des Knoten j, falls ein Pfeil (i, j) bzw. (j, i) existiert. Vorgänger und Nachfolger werden als *Nachbarn* bezeichnet. – Vgl. auch →endlicher Graph, →schlichter Graph, →vollständiger Graph, →zusammenhängender Graph. – 3. *Schreibweise:* Bei der Schreibweise wird auf die

Angabe der Inzidenzabbildung verzichtet. Sie wird implizit berücksichtigt, indem E als Menge von nicht geordneten oder geordneten Knotenpaaren angegeben wird. Ein ungerichteter Graph wird mit G {V, E}, ein gerichteter Graph mit G (V, E) bechrieben. – 4. *Darstellung:* Anschaulich kann jeder Knoten geometrisch mit einem Punkt oder Kreis und jeder Kante (bzw. jeder Pfeil) mit einer Verbindungslinie (bzw. gerichteten Verbindungslinie) zwischen den zugeordneten Knoten identifiziert werden. Diese geometrische Darstellung eines G. nennt man *Diagramm* bzw. *Pfeildiagramm.*

**Diagramm eines**               **Pfeildiagramm eines**
**ungerichteten Graphen**        **gerichteten Graphen**

**Graphentheorie,** Teilgebiet der mathematischen Topologie zur Bereitstellung einfacher und übersichtlicher Hilfsmittel für die Konstruktion von Modellen und die Lösung von Problemen, die sich mit der diskreten Anordnung von Objekten befassen (→Graph). Insbes. im Bereich des →Projektmanagements und der →Logistik haben die aus der G. resultierenden Verfahren der Netzplantechnik praktische Anwendung gefunden.

**Graphik,** →graphische Darstellung.

**Graphikbildschirm,** →Bildschirm, der in der Lage ist, Graphiken (→graphische Darstellung) darzustellen. – *Arten:* Je nachdem, ob durch Ansteuerung jedes Bildpunkts beliebige Muster an beliebiger Stelle dargestellt werden können, oder ob nur durch Mosaikgraphikzeichen →Präsentationsgraphiken wiedergegeben werden können: a) vollgraphischer Bildschirm und b) halbgraphischer Bildschirm. – Vgl. auch →Bit-mapped-Bildschirm.

**Graphikeditor,** →Editor.

**Graphiksystem,** Menge graphischer (→graphische Darstellung) Manipulationsfunktionen (→Funktion), mit denen aus einem rechnerinternen Modell ein Bild erstellt und auf graphischen →Ausgabegeräten dargestellt werden kann, sowie umgekehrt veränderte oder neu erstellte Bilder von den graphischen Eingabegeräten in ein rechnerinternes Modell überführt werden können. – *Basis* eines solchen G. bildet die Definition des →Graphischen Kernsystems.

**Graphiktablett,** *Digitalisiertablett,* →Eingabegerät für bereits vorhandene Graphik (→graphische Darstellung); besteht aus einem elektronischen Tablett und einem angekoppelten frei beweglichen Markierer. Zur Digitalisierung (→digitale Darstellung) wird die Vorlage auf das Tablett gespannt und danach der Markierer auf die zu erfassenden Punkte der Graphik geführt, deren Koordinaten dadurch gespeichert werden.

**graphische Darstellung,** *Schaubild,* zeichnerische Wiedergabe von Zahlen und Vorgängen, insbes. statistischer Reihen oder Verhältnissen zur Veranschaulichung des in Tabellen und in Texten enthaltenen Zahlenmaterials. – *Arten:* →Histogramm, →Kreisdiagramm, →Kurvendiagramm, →Stabdiagramm, →Streuungsdiagramm.

**graphische Datenverarbeitung,** *computer graphics,* zusammenfassende Bezeichnung für alle Techniken und Anwendungen der elektronischen Datenverarbeitung, bei denen Bilder ein- oder ausgegeben werden. – Wird häufig auch mit eingeschränkter Bedeutung als Synonym für die *Bildgenerierung* (generative g. D.) benutzt.

**graphisches Kernsystem (GKS),** in der Bundesrep. D. (v. a. an der Technischen Hochschule Darmstadt) entwickelte funktionale Definition eines graphischen *Basissystems,* d. h. des *Kerns* eines →Graphiksystems; national (DIN 66252 vom April 1986) und international (ISO DIS 7942 Entwurf) als Norm festgelegt. – *Gegenstand der Normung:* a) GKS definiert unabhängig von →Hardware, →Programmiersprachen oder →Betriebssystemen die *Grundfunktionen* für die Erzeugung und Manipulation computergenerierter zweidimensionaler Bilder; dies erfolgt durch Festlegung der →Schnittstellen (→Funktionen und →Prozeduren) eines Graphiksystems zum →Anwendungsprogramm und zu den graphischen →Ein-/Ausgabegeräten. Ziel der Normung: →Portabilität und Geräteunabhängigkeit von Graphiksystemen. Als Nebeneffekt wurde eine Vereinheitlichung der Terminologie in der →graphischen Datenverarbeitung und des Spektrums graphischer Gerätefunktionen erreicht. b) Weiterer Gegenstand ist die programmiersprachenabhängige Schicht (Sprachschale), in die das G. eingebettet werden muß, d. h. die Festlegung der Unterprogrammbezeichnungen (→Unterprogramm) und der →Parameter sowie deren →Datentypen für bestimmte Programmiersprachen (z. B. Fortran, Pascal, Ada, Basic).

**Graphologie,** Technik der psychodiagnostischen Auswertung der individuellen Handschrift. Die G. geht von der Grundannahme aus, daß das Verhalten des Menschen von einem relativ konstanten Faktorensystem bestimmt wird und die individuelle Handschrift eine geeignete Verhaltensstichprobe ist, um auf die Persönlichkeit des Individuums zu schließen. – *Anwendung* häufig bei der →Personalauswahl. – *Beurteilung:* Der G. werden erhebliche Bedenken entgegengebracht. – Vgl. auch →Psychodiagnostik.

**Gratifikation.** I. Begriff: Sonderzuwendungen, die der Arbeitgeber aus bestimmten Anlässen (z. B. Weihnachten, Dienstjubiläum, Urlaub) neben dem →Arbeitsentgelt gewährt. G. sind keine Schenkungen; sie sind i. d. R. Anerkennung für geleistete Dienste und Anreiz für weitere Dienstleistung. – Auf die Zahlung einer G. besteht weder kraft Gesetzes noch der →Fürsorgepflicht des Arbeitgebers ein Rechtsanspruch. Es ist eine besondere Rechtsgrundlage erforderlich.

II. Rechtsgrundlage: Neben einer ausdrücklichen vertraglichen Zusage (→Arbeitsvertrag) oder einer Kollektivvereinbarung (→Tarifvertrag, →Betriebsvereinbarung) kommen v.a. Gleichbehandlungsgrundsatz (→Gleichbehandlung) und →betriebliche Übung in Betracht. – 1. *Tarifvertrag:* Im Zweifel wird mit einer im Tarifvertrag vereinbarten Sonderzahlung überwiegend im Bezugszeitraum geleistete Arbeit zusätzlich vergütet. Der Anspruch entfällt dann, wenn der Arbeitnehmer im Bezugszeitraum nicht nennenswert gearbeitet hat. – 2. *Betriebliche Übung:* Nach der Rechtsprechung besteht ein Anspruch auf die G., wenn der Arbeitgeber dreimal hintereinander vorbehaltlos eine G. zahlt. Dieser Anspruch kann i. d. R. nicht durch Betriebsvereinbarung wieder beseitigt werden. – 3. *Einzelarbeitsvertrag:* Ein entsprechend begründeter Anspruch auf G. kann nur durch →Abänderungsvertrag oder im Wege der →Änderungskündigung beseitigt werden. – 4. *Gleichbehandlungsgrundsatz:* Es entsteht dann ein Anspruch auf G., wenn der Arbeitgeber allgemein G. zahlt, jedoch einzelne Arbeitnehmer oder Gruppen willkürlich ausnimmt. Der Ausschluß ist aber gerechtfertigt bei →Kündigungen des Arbeitsverhältnisses, häufigen unberechtigten Fehlzeiten des Arbeitnehmers und bei geringer Dauer der Betriebszugehörigkeit. Unzulässig ist ein Ausschluß bei →betriebsbedingter Kündigung, es sei denn, der Tarifvertrag enthält eine entsprechende Klausel. – 5. Wird die G. freiwillig, *ohne Anerkennung einer Rechtspflicht* für die Zukunft gezahlt, so steht die Zahlung der G. im Ermessen des Arbeitgebers. Jedoch ist auch dann der Gleichbehandlungsgrundsatz zu beachten.

III. Höhe: Richtet sich nach der ausdrücklich oder stillschweigend getroffenen Vereinbarung. Der Arbeitgeber kann die G. kürzen, wenn er in finanzielle Schwierigkeiten geraten würde und durch Kürzungen Arbeitsplätze erhalten bleiben.

IV. Rückzahlungsklauseln: 1. Der *Rückzahlungsvorbehalt* muß eindeutig vereinbart sein. Eine Rückzahlungspflicht besteht dann nicht, wenn der Arbeitgeber kündigt, ohne daß ihm der Arbeitnehmer hierfür einen Anlaß gegeben hat. – 2. Die durch Rückzahlungsklauseln angestrebte Bindung des Arbeitnehmers an den Betrieb kann so stark sein, daß dem Arbeitnehmer die Freiheit zur Kündigung des Arbeitsverhältnisses genommen wird. Die Rechtsprechung hat deshalb *Regeln über das zulässige Maß der Betriebsbindung* aufgestellt. G. bis zur Höhe von 200 DM (ursprünglich bis 100 DM) können überhaupt nicht mit einer Rückzahlungsklausel verbunden werden. Bei einer Weihnachtsgratifikation, die ein Monatsgehalt erreicht, kann die Kündigung bis nach dem 31.3. des Folgejahres hinausgehende Rückzahlungsverpflichtung unzulässig. – 3. Sind Rückzahlungsklauseln wegen zu langer Bindung *unzulässig,* ist nicht die Zusage des G. überhaupt, sondern nur die zu lange Bindung unzulässig. Hält der Arbeitnehmer die rechtlich zulässigen Fristen nicht ein, muß er den gesamten Betrag der G. zurückzahlen.

V. Pfändung: Die Weihnachtsgratifikation ist bis zur Höhe der Hälfte des monatlichen Arbeitseinkommens, höchstens aber bis zum Betrag von 470 DM unpfändbar (§ 850a Ziff. 4 ZPO); für Unterhaltsansprüche vgl. § 850d I ZPO. – Vgl. auch →Lohnpfändung.

VI. Kostenrechnung: G. werden zumeist gleichmäßig im Rahmen der →Personalnebenkosten auf das Jahr verteilt.

VII. Steuerrecht: G., die mit einem Dienstverhältnis zusammenhängen, gehören zu den →sonstigen Bezügen, soweit sie nicht fortlaufend gezahlt werden. Werden G. regelmäßig mit dem üblichen Arbeitslohn gezahlt, sind sie als laufender →Arbeitslohn zu versteuern. Ausnahme: →Weihnachtsfreibetrag.

**Gratisaktie,** *Bonusaktie,* neu ausgegebene Aktien (→junge Aktien), die den alten Aktionären aus →freien Rücklagen und aus dem Reingewinn zur Verfügung gestellt werden, etwa im Verhältnis 3 alte : 1 neue Aktie (ähnlich: →Gratisgenußschein). G. sind eine Form der →Selbstfinanzierung (Verzicht auf Gewinnausschüttung sowie auf Ansprüche an den Rücklagen), mit der dem Zufluß neuer Mittel eine Erhöhung des Grundkapitals (→Kapitalerhöhung) erfolgt. Da Aktienausgabe ohne Gegenleistung nach dem Aktiengesetz nicht statthaft ist, erfolgt formelle Ausschüttung der →Dividende unter nachträglicher Verrechnung als neue Kapitaleinlage. – *Steuerliche Behandlung:* Nach BFH i. d. R. körperschaftsteuerpflichtige →Gewinnausschüttung; beim Empfänger im jeden Falle steuerpflichtige →Einkünfte aus Kapitalvermögen. – Vgl. auch →Freiaktien.

**Gratisangebot,** Anpreisung kostenloser Warenabgabe zu Zwecken des wirtschaftlichen Wettbewerbs. G. oder →Verschenken von Waren ist wettbewerbsfremd und fast stets unlauteres →Lockmittel, also unerlaubt. – Vgl. auch →Gratisproben.

**Gratisgenußschein,** ohne besondere Gegenleistung, aber in Anrechnung auf die an sich auszuschüttende →Dividende (bzw. neben dieser) ausgegebener →Genußschein. – *Ähnlich:* →Gratisaktie.

**Gratisproben,** Warenproben zu Wettbewerbszwecken. Verteilen von größeren G. dient oft dem unlauteren →Anlocken von Kunden und kann als →unlauterer Wettbewerb Unterlassungs- und Schadenersatzklage rechtfertigen. – Vgl. auch →Gratisangebot.

**grauer Markt,** Absatz von Waren unter Umgehung privatrechtlicher Vereinbarungen oder anerkannter Handelsbräuche. Charakteristikum ist das Bemühen einzelner Marktteilnehmer, sich unter Ausnutzung der Vertrags- bzw. Handelstreue ihrer Mitbewerber Vorteile zu verschaffen. – Vgl. auch →direkter Verkauf.

**Gravitationsmodelle,** im Rahmen der →Verkehrsplanung methodische Ansätze der →Verkehrsverteilung, die in Analogie zu dem von Newton entdeckten Gesetz der Gravitation entwickelt worden sind. In den →Verkehrsverteilungsmodellen werden die Verkehrsaufkommenswerte des →Quellverkehrs und des →Zielverkehrs als Massenwerte verwendet; der Entfernungseinfluß wird mittels einer Widerstandsfunktion ausgedrückt, in die als Argumente jene Verkehrssystemmerkmale eingehen, die sich der Raumüberwindung entgegenstellen. Wird die weiterhin zu berücksichtigende Gravitationskonstante nicht näher durch eine Restriktion festgelegt, so handelt es sich um das *unbeschränkte G.* I. d. R. wird jedoch die Gravitationskonstante so festgelegt, daß die Verkehrsströme mit den Quellverkehrswerten und/oder den Zielverkehrswerten kompatibel sind *(production constrained model, attraction constrained model, doppelt beschränktes Gravitationsmodell).*

**Gray (Gy),** Einheit der Energiedosis (→gesetzliche Einheiten, Tabelle 1). 1 G. ist gleich der Energiedosis bei der Übertragung der Energie 1 Joule auf homogene Materie der Masse 1 kg. – Vgl. auch →Sievert.

**Greatest-Ascent-Regel,** Regel zur Auswahl von Pivotelementen im Rahmen des →primalen Simplexalgorithmus bzw. →dualen Simplexalgorithmus. Von allen möglichen Pivotelementen ist eines zu wählen, das die größte Veränderung des Zielwertes in Richtung auf den Zielwert der gesuchten optimalen Lösung liefert. Die Wahl hat dabei zu gewährleisten, daß bei Anwendung des primalen (dualen) Simplexalgorithmus die zu konstruierende neue kanonische Form weiterhin primal (dual) zulässig ist (→primal zulässige kanonische Form, →dual zulässige kanonische Form).

**Gremium.** 1. *Begriff:* Multipersonale →organisatorische Einheit, in der Handlungsträger verschiedener Stellen ohne interne Hierarchie

zusammengefaßt werden und nur einen Teil ihrer Arbeitszeit verbringen. In Organisationslehre und Praxis mit uneinheitlicher Terminologie auch als *Ausschuß, Kollegium, Kommission, Komitee* oder *Konferenz* bezeichnet. – 2. *Zweck:* Als Instrument der →Koordination dient ein G. v. a. der vereinfachten →Kommunikation und der Nutzung von Spezialkenntnissen seiner Mitglieder. – 3. *Arten:* a) Nach dem *Zeitdauer:* befristete (z. B. eine Kommission für ein bestimmtes Projekt) und unbefristete (z. B. ein Investitionsausschuß) G. – b) Nach dem *Kompetenzen:* Informations-, Beratungs- und Entscheidungs-G.; bei letzteren erfolgt angesichts der fehlenden hierarchischen Über-/Unterordnung der Gremienmitglieder die Willensbildung, die häufig in einer →Geschäftsordnung geregelt ist, nach dem →Kollegialprinzip.

**Grenada,** Staat im Karibischen Meer, bestehend aus den Inseln G. (310 km², Vulkaninsel des Windward-Archipels), Carriacou (32 km²), Petit Martinique und den Grenadinen (20 kleine Inseln). – *Fläche:* 344 km². – *Einwohner:* (E): (1985, geschätzt) 110 000 (320 E/km²); *jährliches Bevölkerungswachstum:* 1,8%. – *Hauptstadt:* St. George's; wichtige Städte: Charlotte Town, Victoria Santeurs, Greenville, Hillsborough (Carriacou). – Parlamentarische Monarchie, seit 1974 unabhängig; Putsch 1979. 1983 militärische Intervention durch die USA. – G. ist *eingeteilt* in 6 Gemeinden. – *Amtssprache:* Englisch (Umgangssprache: kreolisches Englisch und kreolisches Französisch).

Wirtschaft: *Landwirtschaft:* Agrarland mit Kleinbetrieben in Subsistenzwirtschaft und Plantagen. Erzeugt werden Bananen, Muskatnüsse (ein Drittel der Weltproduktion), Kakao, Zitrusfrüchte, Kokosnüsse, Baumwolle, Zuckerrohr, Gemüse, Kartoffeln u. a.. Die Viehwirtschaft kann den Eigenbedarf nicht voll decken. Relativ gut entwickelt sind *Forstwirtschaft* und *Fischerei.* – Die *Industrie* konzentriert sich vorwiegend auf die Verarbeitung einheimischer Agrarprodukte (Zucker, Rum, usw.). – Eine wichtige Einnahmequelle stellt der *Tourismus* dar (1982: 66 400 Besucher). – *BSP:* (1985, geschätzt) 90 Mill. US-$ (820 US-$ je E). – *Inflationsrate:* (1982) 7.8%. – *Export:* (1981) 19 Mill. US-$, v. a. Bananen und Muskatnüsse (95%), Kakao, Zitrusfrüchte, Kokosnüsse. – *Import:* (1981) 54 Mill. US-$. – *Handelspartner:* USA, Großbritannien, Kanada.

V e r k e h r : 910 km feste *Straßen.* – *Hochseehäfen:* St. George's und Greenville. – Seit 1984 internationaler *Flughafen* bei St. George's.

M i g l i e d s c h a f t e n : UNO, AKP, CARICOM, SELA, UNCTAD; Commonwealth.

W ä h r u n g : 1 Ostkaribischer Dollar (EC$ = 100 Cents.

**Grenzabstände,** →Nachbarrecht.

**Grenzaufsicht,** Sicherung der Zollgrenze (→Zollgebiet) und Überwachung des Zollgrenzbezirks, der →Zollfreigebiete und der →Zollflugplätze durch den Zollgrenzdienst (§ 74 ZG).

**Grenzausgleich,** →Ausgleichsbeträge 1.

**Grenzbaum,** →Nachbarrecht.

**Grenzeinrichtung,** →Nachbarrecht.

**Grenzen der Besteuerung,** möglicher (maximaler) Grad der Ausschöpfung einer einzelnen Steuerquelle bzw. der fiskalischen Ergiebigkeit eines gesamten Steuersystems. – 1. *Rein ökonomische G.d.B.:* Bestimmt vom →Sozialprodukt schließt man langfristig eine Substanzbesteuerung (→Substanzsteuern) aus. – 2. *Ordnungspolitische G.d.B.:* Sie liegt in einem marktwirtschaftlichen System deutlich unter der ökonomisch ermittelten Grenze (vgl. auch →Steuerquote). – 3. *Wirtschaftspolitische G.d.B.:* Wachstums-(Kaptialbildung) und konjunkturpolitische Ziele (Flexibilität des Steueraufkommens) begrenzen das Ausmaß des steuerlichen Eingriffs. Um bei wirtschaftspolitischer Zielvorgabe der Besteuerung trotzdem ein Maximum an Einnahmen zu erzielen, muß der Gesetzgeber die psychologischen G.d.B. berücksichtigen. – 4. *Psychologische G.d.B.:* Diese sind vielfältig und zeigen sich in jeglichem legalen und illegalen Steuerwiderstand (→Steuerabwehr), der sich sogar (wie in den USA in den letzten zehn Jahren geschehen) in Steuerrevolten äußern kann. Um solche Reaktionen zu vermeiden, sollte die Steuertechnik entsprechend verständlich und ausgefeilt sein und möglichst den herrschenden Gerechtigkeitsvorstellungen entsprechen. – Vgl. auch →Steuereinmaleins, →Lafferkurve, →Steuerwirkungen, →psychological breaking point.

**Grenzen des Wachstums,** Schlagwort der durch Veröffentlichungen des Club of Rome ausgelösten wirtschaftspolitischen und ökologischen Diskussion der 70er Jahre. – 1. Im *ersten Bericht* erarbeitete die Forschergruppe des Massachusetts Institute of Technology (MIT) um Dennis Meadows („Die Grenzen des Wachstums", Stuttgart 1972) eine Computersimulation für die Zeitspanne von 1900 bis 2100. In diesem „Weltmodell" komplexer Wechselwirkungen werden fünf Trends untersucht: die beschleunigte *Industrialisierung,* das rapide *Bevölkerungswachstum,* die weltweite *Unterernährung,* die *Ausbeutung der Rohstoffreserven* und die zunehmende *Umweltbelastung und -verschmutzung.* In der MIT-Studie wird die Schlußfolgerung gezogen, daß unser Bevölkerungs- und Produktionswachstum ein „Wachstum zum Tode" ist. Die Einwände der *Kritiker* richten sich v.a. gegen die zu starke Aggregation des Modells, die Problematik, den technischen Fortschritt zu prognostizie-

ren, sowie die wissenschaftliche Ermittlung der G.d.W. – 2. In der *zweiten Studie* des Club of Rome von Mesarovic-Pestel („Menschheit am Wendepunkt", Stuttgart 1974) wurden diese Globalrechnungen, wonach die Fortschreibung der Wachstumsraten bis Mitte des kommenden Jahrhunderts zur Katastrophe führen müsse, mit Berechnungen für die einzelnen Regionen der Erde (insgesamt zehn) und der Darstellung zahlreicher Einzelkrisen differenziert. Darum und aus der Darstellung alternativer Entwicklungszenarien leiteten Mesarovic-Pestel Entscheidungsspielräume her, die der politischen Umsetzung bedürfen. – Unter dem Eindruck der Erdölkrise wurde diese *Diskussion* in der Bundesrep. D. aufgenommen und Wege zu einem →Nullwachstum und einer ökologischen Kreislaufwirtschaft gesucht. U.a. hielt Erhard Eppler wies auf Unzulänglichkeiten des Bruttosozialprodukts als Wachstumsindikator hin und stellte ihm den Begriff der →Lebensqualität entgegen. Kriterium der Wirtschaftspolitik könne nicht die Quantität des Wachstums, sondern müsse die Qualität des Wachstums sein, dessen Durchsetzung politische Steuerung erfordere.

**Grenzerlösfunktion,** die von der Wirtschaftswissenschaft mathematisch formulierte Beziehung zwischen einer Absatzmenge und ihrer zugehörigen unendlich kleinen (infinitesimalen) Erlösveränderung. Der Gesamterlös ist das Produkt aus dem Preis p und der Absatzmenge x, wobei x (über die Nachfragefunktion) von p abhängt. Wird p von $p_1$ auf $p_2$ vermindert, so steigt die Absatzmenge von $x_1$ auf $x_2$ (also um $\Delta$ x) und der Erlös von $E_1$ auf $E_2$ (also um $\Delta$ E). Für relativ kleine Preisveränderungen gibt der Quotient $\dfrac{\Delta E}{\Delta x}$ das Steigungsmaß der Erlösfunktion an, welches als *Grenzerlös* bezeichnet wird. Dieser Grenzerlös ist bei jeder Absatzmenge verschieden. Die funktionale Abhängigkeit zwischen Absatzmenge und Grenzerlös wird als G. bezeichnet. Sie ist mathematisch die erste Ableitung der

Erlösfunktion $E(x) = \dfrac{dE(x)}{dx}$. Verläuft die G. oberhalb der x-Achse, so steigt bei fallendem Stückpreis der Gesamterlös (Umsatz).

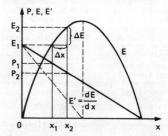

**Grenzermittlung,** Verfahren zur Ermittlung der Grundstücksgrenze. Vgl. im einzelnen →Nachbarrecht.

**Grenzertrag,** *Grenzprodukt.* 1. *Partieller G.:* Produkt aus →Grenzproduktivität eines Produktionsfaktors i $\left(\dfrac{\delta x}{\delta r_i}\right)$ und einer infinitesimal kleinen Einsatzmengenveränderung $dr_i$:

$$\left(\frac{\delta x}{\delta r_i}\right) \cdot dr_i .$$

2. *Totaler G.:* Summe der partiellen G. aller Produktionsfaktoren, also

$$dx = \left(\frac{\delta x}{\delta r_1}\right) dr_1 + \left(\frac{\delta x}{\delta r_2}\right) dr_2 + \ldots + \left(\frac{\delta x}{\delta r_n}\right) dr_n .$$

Der totale G. dx stellt die Veränderung der Ausbringung x dar, die entstehen muß, wenn sich die Produktionsfaktoren um die Einsatzmengen $dr_1, dr_2, \ldots, dr_n$ vermehren oder vermindern.

**Grenz-Festpreis-Verfahren,** →innerbetriebliche Leistungsverrechnung II 5.

**Grenzgänger,** Arbeitnehmer, die im Inland ihren Wohnsitz haben, sich aber täglich von ihrem Wohnsitz über die Grenze an eine →Arbeitsstätte im Ausland begeben und täglich zu ihrem Wohnsitz zurückkehren. – 1. *Lohnsteuer:* G. unterliegen der unbeschränkten Steuerpflicht: Der ausländische Arbeitslohn unterliegt der deutschen →Lohnsteuer, es sei denn, er ist nach einem →Doppelbesteuerungsabkommen freigestellt; die im Ausland auf den Arbeitslohn entrichtete Steuer (falls mit der deutschen Lohn-/Einkommensteuer vergleichbar) ist auf Antrag auf die deutsche Lohnsteuer anzurechnen (§ 34 c I EStG). – 2. *Sozialversicherung:* G. unterliegen den am Arbeitsort maßgebenden Rechtsvorschriften.

**Grenzkosten,** die bei Vergrößerung der Produktionsmenge für Herstellung der letzten Produktionseinheit verursachten Mehrkosten. Wird die in Produktionseinheiten gemessene Beschäftigung (x) einer Unternehmung um eine Einheit vermehrt, so steigen hierdurch die Gesamtkosten (K) um einen bestimmten Betrag; dieser Betrag ist gleich den „G.", den zusätzlichen Kosten für die letzte Produkteinheit. – *Mathematisch werden* die G. aus dem Quotienten ΔK/Δx abgeleitet, indem der Quotient für sehr kleine Werte von Δx (Δx → o) gebildet wird, wobei der Differentialquotient

$$K'(x) = \frac{dK(x)}{dx}$$

entsteht. – Vgl. auch →Grenzprinzip. – *Analytisch* betrachtet sind die G. gleich dem Steigungsmaß der Gesamtkostenfunktion für eine bestimmte Ausbringungsmenge. Diese ist graphisch darstellbar durch die Steigung der Tangente an die Gesamtkostenkurve. Der aufsteigende Ast der G.-Kurve ist vom Minimum der durchschnittlichen variablen Kosten an bei vollständiger Konkurrenz gleich der Angebotskurve; bei unvollkommener Konkurrenz dient sie zur Bestimmung des →Cournotschen Punktes. Die G. sind wichtig zur Bestimmung der Preisuntergrenze und stellen die Grundlage für die Grenzplankostenrechnung und die Verfahren des Operations Research, in denen Kosten relevant sind, dar.

**Grenzkostenergebnis,** →Deckungsbeitrag.

**Grenzkostenkalkulation,** →Kalkulation auf Grenzkostenbasis zur Ermittlung der absoluten kostenwirtschaftlichen →Preisuntergrenze bei Unterbeschäftigung. – In der *volkswirtschaftlichen Theorie* wird die G. als die zum gesamtwirtschaftlichen Optimum (→Pareto-Effizienz) führende Preisbildung aufgefaßt.

**Grenzleerkosten,** die durch die letzte Produkteinheit eintretende Verminderung oder Vermehrung der →Leerkosten, d. h. der nicht genutzten fixen Kosten. Die G. sind eine reine Rechengröße, da die fixen Kosten sich bei der Mengenänderung definitionsgemäß nicht ändern. – Vgl. auch →Grenzkosten.

**Grenzleistungsfähigkeit des Kapitals,** Zinssatz, bei der der →Barwert der (mit Sicherheit eintretenden) Nettoerlöse einer Anlageinvestition deren Anschaffungskosten entspricht (richtiger wäre: Grenzleistungsfähigkeit der Investition). In der makroökonomischen Theorie wichtiger Faktor für das Investitionsverhalten. Es wird angenommen, daß der Unternehmer aus den alternativen Anlagen des Geldkapitals wählt. Er wird Investitionsobjekte so lange erwerben, bis die G. d. K. der höchsten anderweitigen Verzinsung (Marktzins für ausgeliehenes Kapital) entspricht.

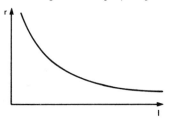

r = Grenzleistungsfähigkeit des Kapitals

I = Investitionsvolumen

Werden die einzelnen Investitionsobjekte nach der Höhe der G.d.K. geordnet, ergibt sich als ein möglicher Verlauf der gesamtwirtschaftlichen Investitionsfunktion die Darstellung auf Sp. 2200.

**Grenznutzen.** 1. *Ältere Fassung:* Zentraler Begriff der →*Grenznutzenschule* der Volkswirtschaftstheorie für den Nutzen der letzten zur Verfügung stehenden Einheit eines Gutes, die das als am wenigsten dringend empfundene Bedürfnis noch deckt. – 2. Die *moderne Theorie* faßt den Grenznutzen als partiellen Differentialquotienten auf. Danach ist G. diejenige Veränderung des Gesamtnutzens, die eintritt, wenn bei gegebener Güterkombination der Konsum eines Gutes um eine infinitesimal kleine Einheit erhöht wird (mathematisch: die 1. Ableitung der Nutzenfunktion nach einem bestimmten Gut). Die G.-Lehre wurde gleichzeitig und unabhängig voneinander durch →Menger (1871), →Jevons (1871) und Walras (1874) entwickelt. Sie beruht auf den →Gossenschen Gesetzen, deren Inhalt unter Bezeichnung „Grenznutzen" durch v. →Wieser in die Diskussion eingeführt wurde. Die Grenznutzenschule vertritt eine allgemeine subjektivistisch begründete Preis-, Lohn- und Zinstheorie, im Gegensatz zu den objektiven Lehren der →Klassiker.

**Grenznutzenschule.** 1. *Begriff:* Wissenschaftliche Richtung, deren Vertretern gemeinsam ist die Betonung der subjektiven Wertschätzung (Nutzen) als Zentralidee des nationalökonomischen Systemaufbaus (→Grenznutzen). Ausgehend von der fast gleichzeitigen Entwicklung des Grenznutzenbegriffs durch K. Menger, L. Walras und W. St. Jevons in den Jahren 1870/71, entwickelte sich die G. zur beherrschenden wissenschaftlichen Richtung bis etwa zum Ersten Weltkrieg. – 2. Innerhalb der G. können *folgende Richtungen* (mit ihren Hauptvertretern) unterschieden werden:

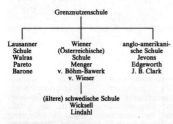

Grenznutzenschule

| Lausanner Schule | Wiener (Österreichische) Schule | anglo-amerikanische Schule |
|---|---|---|
| Walras | Menger | Jevons |
| Pareto | v. Böhm-Bawerk | Edgeworth |
| Barone | v. Wieser | J. B. Clark |

(ältere) schwedische Schule
Wicksell
Lindahl

a) Von diesen Richtungen vertrat das Grenznutzenprinzip am reinsten die *Wiener Schule (österreichische G.)*, die deshalb auch oft allein als G. bezeichnet wird. Nach den grundlegenden Arbeiten Mengers wandte Böhm-Bawerk das Grenznutzenprinzip auf die Preisbildung sowie auf das Kapital- und Zinsproblem an, Wieser gab die geschlossenste Gesamtdarstellung der auf dem Grenznutzenprinzip fußenden Wirtschaftstheorie. Von der österreichischen Schule beeinflußt wurden v.a. die beiden schwedischen Nationalökonomen K. Wicksell (v.a. auf Böhm-Bawerk fußend) und E. Lindahl (beeinflußt durch die finanzwirtschaftlichen Untersuchungen des Wiener Grenznutzentheoretikers E. Sax). Eine weitere wissenschaftliche Richtung führte von Böhm-Bawerk zu L. v. Mises, F. A. Hayek, R. v. Strigl, W. Eucken und H. v. Stackelberg (monetäre →Überinvestitionstheorie, moderne →Lohnfondstheorie, Theorie der diskontierten Grenzproduktivität). – b) Von der *Lausanner Schule* kann eigentlich nur Walras der G. zugerechnet werden. Ab Pareto tritt an die Stelle der Grenznutzentheorie die Theorie der Wahlakte, die später von Allen, Hicks und Stackelberg weiter ausgebaut wurde. Hauptverdienst der Lausanner Schule ist die mathematisch exakte Darstellung der allgemeinen Interdependenz. – c) Die Bedeutung der *anglo-amerikanischen Richtung* liegt v.a. in der Übertragung des Grenzprinzips (Marginalprinzips) auf die Theorie der Produktion und der Einkommensverteilung. Die von J. B. Clark entwickelte Grenzproduktivitätstheorie stellt einen der entscheidenden Lösungsversuche des Problems der Einkommensverteilung dar. – 3. Bei einer *kritischen Würdigung* der Verdienste der G. ist v.a. die Einführung des „Grenzdenkens", des marginalen Denkens, hervorzuheben. Von Ricardo in seiner Grundrententheorie schon vorweggenommen, läßt sich das marginale Denken aus der modernen Wirtschaftstheorie nicht mehr hinwegdenken. Daneben hat die G. eine Vielzahl wissenschaftlicher Einzelerzeugnisse entweder selbst hervorgebracht oder ihre Entwicklung direkt oder indirekt gefördert. – Es kann jedoch nicht übersehen werden, daß die Analysen der G. z. T. in Spitzfindigkeiten ausarteten, so daß Max Weber warnte, die Beschäftigung mit dem Grenznutzen unterliege selbst dem Gesetz vom abnehmenden Grenznutzen. Seit dem Erscheinen der „Theory of Games and Economic Behavior" von J. v. Neumann und O. Morgenstern wird erneut die Frage nach der Meßbarkeit des Grenznutzens diskutiert, deren Verneinung einst als einer der stärksten Einwände gegen die G. angesehen wurde. – Vgl. auch →Grenzproduktivitäts-Theorie.

**Grenzplankostenrechnung,** auch *Teilkostenrechnung, Proportionalkostenrechnung, Deckungsbeitragsrechnung.*

I. Ursprung: Modernste Form der →Plankostenrechnung, entstanden aus den Unzulänglichkeiten der →Vollkostenrechnung (Gefahr von Fehlentscheidungen). Vorläufer in Deutschland: Schmalenbachs Grenzkostenlehre und Rummels Blockkostenrechnung; entsprechende Entwicklungsformen im Ausland: „direct-costing" in den USA und „marginal-costing" in Großbritannien. Einführung in die betriebliche Praxis in Deutschland und dem deutschsprachigen Ausland einschließlich der EDV-mäßigen Aufbereitung vorwiegend durch H. G. Plaut. Theoretische Bearbeitungs insbesondere durch W. Kilger und P. Riebel.

II. Ziel: Insbesondere ausgerichtet auf die dispositiven Aufgaben der Kostenrechnung, d.h. dem Zurverfügungstellen von Kostendaten (relevante Kosten) für den Aufbau der kurzfristigen betrieblichen Planung. 1. Insbesondere werden mit Hilfe geplanter Bezugsgrößen- oder Erzeugnisgrenzkosten *Verfahrenswahlprobleme* des Produktionsvollzugs (bei gegebenen Kapazitäten) optimal gelöst, z.B. die Wahl zwischen mehreren Maschinentypen, Einsatz von Lohnarbeit, Wahl zwischen Eigenerstellung und Fremdbezug, Bestimmung optimaler Seriengrößen. – 2. Die größte Bedeutung hat die G. für die optimale *Verkaufssteuerung* mit Hilfe von →Deckungsbeiträgen. a) Bei freien Kapazitäten erfolgt die Verkaufssteuerung mit Hilfe von *absoluten Deckungsbeiträgen,* alle Produktarten werden in das Verkaufsprogramm aufgenommen, deren absolute Deckungsbeiträge positiv sind. Die Preisuntergrenzen stimmen mit den proportionalen Selbstkosten über ein, sofern die beiden folgenden Voraussetzungen erfüllt sind. Zusatzaufträge dürfen keine sprungfixen Kosten (z.B. Miete für ein zusätzliches Lager) verursachen und die Deckungsbeiträge der übrigen Erzeugnisse nicht nachteilig beeinflussen (z.B. durch Verringerung der Erzeugnismengen oder Preissenkungen). b) Wird ein Engpaß wirksam, so erfolgt die Verkaufssteuerung mit Hilfe von *relativen Deckungsbeiträgen*. Diese erhält man, indem man die absoluten Deckungsbeiträge durch die Einheit der Engpaßplanung dividiert. Die Produktarten werden in der absteigenden Reihenfolge ihrer relativen Deckungsbeiträge in das Produktionsprogramm aufgenommen, bis die Kapazitätsgrenze erreicht ist. c) Bei Wirksamwerden mehrer Engpässe sind für den optimalen Aufbau der Produktions- und Absatzplanung Gewinnmaximierungsmodelle der *mathematischen,* insbesondere →linearen *Programmierung* erforderlich, deren Zielfunktionen Deckungsbeitragsfunktionen sind. – 3. Neben den dispositiven Aufgaben dient die G. in gleicher Weise der Durchführung eines monatlichen *Soll-Ist-Kostenvergleichs* (→Kostenkontrolle), wie die auf Vollkosten basierende flexible Plankostenrechnung. Da die G. heute in den meisten Betrieben durch eine *parallele Vollkostenrechnung* ergänzt wird, kann sie auch die traditionellen Aufgaben der Kostenrechnung, z.B. Bestandsbewertung zu Vollkosten und Ermittlung von Selbstkostenpreisen für öffentliche Aufträge erfüllen.

III. Aufbau: 1. Die G. basiert in gleicher Weise auf den Ergebnissen einer analytischen Kostenplanung wie die flexible →Plankostenrechnung. Der wesentliche Unterschied besteht aber darin, daß sowohl in die Verrechnungssätze für innerbetriebliche Leistungen als auch in die Kalkulationssätze der primären Kostenstellen *nur die proportionalen Kosten* einbezogen werden. Hierdurch wird die für die Vollkostenrechnung typische rechnerische Proportionalisierung der fixen Kosten vermieden. Die fixen Kosten werden aus der Kostenstellenrechnung unmittelbar in die Erfolgsrechnung übernommen. Soll die G. allerdings durch eine parallele Vollkostenrechnung ergänzt werden, muß die innerbetriebliche Leistungsverrechnung der Kostenplanung nachträglich um eine sekundäre Fixkostenverteilung erweitert werden. – 2. Der G. liegt die Konzeption *linearer Kostenverläufe* zugrunde, so daß die geplanten Grenzkosten mit den variablen Durchschnittskosten übereinstimmen. Lediglich in Fällen →intensitätsmäßiger Anpassung können auch nichtlineare Kostenverläufe auftreten. Als Grundprinzip der G. wird das →Verursachungsprinzip angesehen, das auch als *Proportionalitäts- oder Identitätsprinzip* bezeichnet wird.

IV. Kostenstellenrechnung: Der nach Kostenarten und Kostenstellen differenzierte Soll-Ist-Kostenvergleich wird in der G. in gleicher Weise durchgeführt wie in einer auf dem Vollkostenprinzip basierenden flexiblen →Plankostenrechnung.

V. Kostenträgerrechnung: In der →Kalkulation oder Kostenträgerstückrechnung werden den Erzeugnissen nur →proportionale Kosten zugerechnet (→Grenzkostenkalkulation). Die *kurzfristige Erfolgsrechnung* wird in Form einer →Deckungsbeitragsrechnung durchgeführt. Hierzu werden die Stückdeckungsbeiträge (= Verkaufspreis ./. Grenzselbstkosten pro Einheit) mit den abgesetzten Erzeugnismengen multipliziert. Hierbei erhält man die Erzeugnisdeckungsbeiträge. Von dem Gesamtdeckungsbeitrag wird der Fixkostenblock subtrahiert, um den Gesamtgewinn zu erhalten. Werden die fixen Kosten en bloc dem Gesamtdeckungsbeitrag gegenübergestellt, so spricht man von einer einstufigen G. Werden die fixen Kosten nach der „Erzeugnisnähe" gegliedert (in Erzeugnisfixkosten, Erzeugnisgruppenfixkosten, Werksfixkosten und Unternehmungsfixkosten), so spricht man von einer mehrstufigen G. oder dem Verfahren der stufenweisen Fixkostendeckung (Agthe, Mellerowicz). Im übrigen kann auch die nach dem Deckungsbeitragsprinzip aufgebaute kurzfristige Erfolgsrechnung als geschlossene oder als nicht geschlossene Kostenträgererfolgsrechnung durchgeführt werden;

vgl. hierzu →Plankostenrechnung.

**Literatur:** Agthe, K., Stufenweise Fixkostendeckung im System des Direct Costing, ZfB 1959, S. 404 ff.: Böhm, H. H., Wille, Fr., Deckungsbeitragsrechnung, Grenzpreisrechnung und Optimierung, 5. Aufl., München 1974; Deyhle, A., Gewinn-Management, Gauting bei München 1971; Ferner, W., Grenzplankostenrechnung als Instrument der Unternehmensplanung, BFuP 1974, S. 530 – 542; Kilger, W., Einführung in die Kostenrechnung, 3. Aufl., Wiesbaden 1987; Kilger, W., Flexible Plankostenrechnung Deckungsbeitragsrechnung, 2. Aufl., Wiesbaden 1981; Kilger, W., Die Entstehung und Weiterentwicklung der Grenzplankostenrechnung als entscheidungsorientiertes System der Kostenrechnung, in: Schriften zur Unternehmensführung, Bd. 21, hrsg. von H. Jacob, Neuere Entwicklungen in der Kostenrechnung, Wiesbaden 1976; Kilger, W., Kurzfristige Erfolgsrechnung, in: Die Wirtschaftswissenschaften, Wiesbaden 1962; Medicke, W., Geschlossene Kostenträgererfolgsrechnung und Artikelergebnisrechnung in der Grenzplankostenrechnung, AGPLAN Bd. 8. Wiesbaden 1964, S. 37–55; Mellerowicz, K., Planung und Plankostenrechnung, Bd. 1, Betriebliche Planung, Freiburg 1961; Plaut, H. G., Die Grenzplankostenrechnung, ZfB 1953, S. 347 ff. und S. 402 ff.; Plaut, H. G., Unternehmenssteuerung mit Hilfe der Voll- oder Grenzplankostenrechnung, ZfB 1961; S. 460–482; Plaut, H. G., Müller, H., Medicke, W., Grenzplankostenrechnung und Datenverarbeitung, 3. Aufl., München 1973; Plaut, H. G., Entwicklungsformen der Plankostenrechnung, Vom Standard-Cost-Accounting zur Grenzplankostenrechnung, in: Schriften zur Unternehmensführung, Bd. 22, hrsg. von H. Jacobs, Wiesbaden 1976, S. 5–24; Riebel, R., Einzelkosten- und Deckungsbeitragsrechnung, 5. Aufl., Wiesbaden 1985.

Prof. Dr. Wolfgang Kilger

**Grenzprinzip,** auf dem Gedankengut der →Grenznutzenschule beruhender methodischer Ansatz der modernen →Betriebswirtschaftslehre, beherrscht vom dem →Differentialprinzip, nach dem sich ökonomische Erscheinungen in Schichten zerlegen lassen. Die wichtigste ist die Grenzschicht. Darunter versteht man die letzte zu- oder abwachsende Schicht, also die Schicht, die die Veränderung bringt. Während etwa der Grundbestand der Kapazität keinen Veränderungen unterliegt, ist die Grenzschicht Gegenstand ständiger betriebspolitischer Überlegungen bezüglich möglicher Kapazitätserweiterung oder -einschränkung. Um die Wirkung solcher Maßnahmen berechnen zu können, müssen Kosten, Kapitalbindung, Arbeitskräftebedarf usw. für die Grenzschicht errechnet werden. – Besonders bekannt ist die *Anwendung des G. auf die Kosten:* Vgl. im einzelnen →Grenzkosten.

**Grenzprodukt,** →Grenzertrag.

**Grenzproduktivität,** Begriff der Produktionstheorie. G. bezeichnet die Änderung der Ausbringungsmenge einer Unternehmung bei einer (infinitesimal) kleinen Änderung der Einsatzmenge eines Produktionsfaktors $r_i$. – *Mathematisch:* Der partielle Differentialquotient der Produktionsfunktion nach dem betreffenden Faktor, also

$$\frac{\delta x}{\delta r_i}$$

Die G. bildet einen Maßstab für die produktive Wirksamkeit der jeweils zuletzt eingesetzten Faktoreinheit.

**Grenzproduktivität des Geldes,** gibt an, um wieviel sich die Ausbringung erhöht, wenn der Geldeinsatz eines Prozesses um eine Einheit vermehrt wird. – *Kehrwert:* →Grenzkosten.

**Grenzproduktivitätstheorie.** 1. *Charakterisierung:* Von v. Thünen, Clark, Walras und Böhm-Bawerk entwickelte Theorie der Einkommensverteilung. Vgl. auch →Verteilungstheorie. – *Grundgedanke* ist, daß die Unternehmer →Produktionsfaktoren derart einsetzen, daß der Gewinn maximal wird. Die Gewinnmaximierung erfolgt auf der Grundlage von →Produktionsfunktionen, wobei abnehmende Grenzerträge (→Ertragsgesetz) unterstellt werden, sowie von gegebenen Faktor- und Güterpreisen. – 2. a) Die *mikroökonomische G.* stellt dar, welche Produktionsfaktormengen eine Unternehmung bei gegebenen Preisen nachfragt, wenn sie ihren Gewinn maximieren will. Für den gewinnmaximalen Faktoreinsatz muß gelten, daß der Faktorpreis dem →Wertgrenzprodukt des Faktors entspricht. Bei einer linear-homogenen Produktionsfunktion (→Skalenerträge) wird der gesamte Erlös durch die Faktorentlohnung ausgeschöpft, es bleibt kein Gewinn (→Eulersches Theorem). – b) Der *makroökonomischen G.* wird eine Gesamtnachfragetheorie, basierend auf den einzelwirtschaftlichen Nachfragefunktionen aufgestellt. Die Faktorpreise stellen sich so ein, daß sie ihren Grenzproduktivitäten entsprechen. Denn ist der Faktorpreis höher (geringer) als seine Grenzproduktivität, dann ist das Faktorangebot größer (kleiner) als die Faktornachfrage.

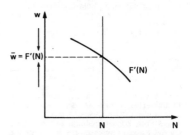

(w = Faktorpreis, F' (N) = Grenzproduktivität, N = Faktorangebot).

**Grenzrate der Substitution,** Maß für die Tauschbereitschaft eines Individuums. Die G.d.S. wird durch das Verhältnis des Grenznutzens zweier Güter ausgedrückt und entspricht im Optimum dem Preisverhältnis.

$$\frac{\text{Abnahme des ersetzten Gutes y}}{\text{Zunahme des ersetzenden Gutes z}} = \frac{\Delta y}{\Delta z}$$

= Austauschverhältnis

$$\lim_{\Delta z \to 0} \frac{\Delta y}{\Delta z} = \frac{dy}{dz} = \text{G.d.S.}$$

Es muß gelten:

$$\frac{dy}{dz} = \frac{\delta x}{\delta z} : \frac{\delta x}{\delta y}$$

*Mathematisch:* Die G.d.S. ist gleich dem Differentialquotienten dy/dz, den man durch Differentiation der nach y aufgelösten Funktion der Isoquanten (→Indifferenzkurven) erhält. Somit ist die G.d.S. gleich dem Aufstieg der in einem bestimmten Punkt an die zugehörige Isoquante gelegten Tangente. – Vgl. auch →Gesetz der abnehmenden Grenzrate der Substitution.

**Grenzsteuersatz,** Erhöhung der Steuerbelastung (in DM oder %), bei Erhöhung des bisherigen steuerbaren Tatbestands um eine Einheit. – Vgl. auch →Durchschnittssteuersatz, →Tarifformen.

**Grenzstreifen,** zollrechtlich ein Streifen von drei bzw. sechs Metern Breite längs des einen →Freihafens umgebenden →Zollzauns, in dem einige der für den →Zollgrenzbezirk vorgesehenen Beschränkungen und Pflichten gelten (§ 141 AZO).

**Grenzübergangschein,** Ausfüllen und Abgabe durch denjenigen, der die Ware befördert (z. B. Spediteur), beim Grenzüberschreiten gem. Gemeinschaftsrecht (EG VO 222/77 Art. 22).

**Grenzverkehr,** →kleiner Grenzverkehr.

**Grenzwert,** *limes (lim)*, mathematischer Begriff. Z. B. ist der G. der Funktion mit der Gleichung

$$y = \frac{3x + x^2}{x}$$

für eine Annäherung der x-Werte an 0 gleich 3, obgleich man für x nicht 0 einsetzen darf. Man schreibt:

$$\lim_{x \to 0} \frac{3x + x^2}{x} = 3 \, .$$

**Grenzwertsatz,** *zentraler Grenzwertsatz,* wichtiger Satz aus der Wahrscheinlichkeitstheorie mit großer Anwendungsbedeutung in der →Stichprobentheorie. – 1. *Inhalt:* Es sei $X_1, \ldots, X_n, \ldots$ eine Folge von stochastisch unabhängigen →Zufallsvariablen, die eine beliebige →Verteilung besitzen dürfen. Die zugehörige Folge von Summenvariablen ist $Z_1 = X_1; Z_2 = X_1 + X_2; \ldots; Z_n = X_1 + \ldots + X_n; \ldots$ Unter sehr allgemeinen Voraussetzungen strebt *(Satz von Ljapunoff,* allgemeinste Variante das z.G.) die Verteilung der zu $Z_n$ gehörenden standardisierten Variablen (→Standardtransformation) gegen die →Standardnormalverteilung. Bei einer spezielleren Variante *(Satz von Lindeberg-Lévy)* wird zusätzlich vorausgesetzt, daß alle $X_i$ alle dieselbe Verteilung haben. – 2. *Bedeutung:* Der Satz von *Ljapunoff* kann als Begründung dafür dienen, daß →Variablen, die als Überla-

gerung einer Vielzahl zufälliger und unabhängiger Einflüsse erklärt werden können, in der Realität oft annähernd normalverteilt (→Normalverteilung) sind. Aus dem Satz von *Lindeberg-Lévy* ist abzuleiten, daß das →arithmetische Mittel der Beobachtungswerte in einer →Zufallsstichprobe bei großem Stichprobenumfang selbst dann approximativ normalverteilt ist, wenn in der →Grundgesamtheit keine Normalverteilung vorliegt. Dies ermöglicht es, gewissermaßen im Schutz großer Stichprobenumfänge, Verfahren der →Intervallschätzung und →statistische Testverfahren auf der Grundlage der Normalverteilung auch in Anwendungsfeldern einzusetzen, in denen die Normalverteilung empirisch nicht festzustellen ist, etwa in der →Wirtschaftsstatistik.

**Grenzzyklus,** Begriff aus der Theorie der →Differentialgleichungen. Ein G. ist eine geschlossene Kurve in einem →Phasendiagramm, gegen die entweder alle Entwicklungspfade (→Trajektorien), die in unterschiedlichen Startpunkten beginnen, konvergieren oder auf der eine Trajektorie beginnt und dort verbleibt. G. werden v. a. in den mathematischen →Konjunkturtheorie verwendet.

**Greshamsches Gesetz,** Ausdruck für die Erwartung, daß in kollektiven Informationsverarbeitungsprozessen „harte", operationale, auf Zahlen aufbauende Informationen gegenüber „weichen", nicht quantifizierbaren, eher intuitiven Informationen bevorzugt werden. „Harte" Informationen werden von vorneherein mit größerer Kompetenz in Verbindung gebracht. In Unternehmen kann das z. B. bedeuten, daß weniger quantifizierbare strategische Überlegungen gegenüber den operativen „harten" Daten weniger Beachtung finden.

**GrEStDV,** Abk. für DVO zum Grunderwerbsteuergesetz; vgl. →Grunderwerbsteuer.

**GrEStG,** Abk. für Grunderwerbsteuergesetz; vgl. →Grunderwerbsteuer.

**Griechenland,** *Hellenische Republik, Helliniki Demokratia,* Staat im Süden der Balkanhalbinsel, Haupteinheiten sind griechisches Festland, Peloponnes, Ionische Inseln, Kreta und Ägäische Inseln (insgesamt 169 bewohnte Inseln). – *Fläche:* 131957 km² (einschl. 1243 km² Binnenwasserfläche). – *Einwohner* (E): (1985, geschätzt) 9,9 Mill. (mit kleinen Minderheiten der Nachbarvölker; 75,4 E/km²). – *Hauptstadt:* Athen (886000 E; zusammen mit der Hafenstadt Piräus ist Athen die größte Stadt des östlichen Mittelmeers; Agglomeration 3,3 Mill. E); weitere Großstadt: Saloniki (406000 E; Agglomeration 706000 E).

S t a a t s - u n d  R e g i e r u n g s f o r m : G. wurde 1830 als Monarchie gegründet, seit Juni

1973 parlamentarische Präsidialrepublik, Verfassung von 1975. G. ist in zehn Verwaltungsregionen *eingeteilt,* die sich in 53 Bezirke (Nomoi), 147 Kreise (Eparchien) und in Gemeinden gliedern. Die Mönchsrepublik Athos besitzt autonomen Status. – *Amtssprache:* Griechisch (Neugriechisch).

Wirtschaft: Anteile der Sektoren am BSP (1984): Landwirtschaft 19%, Industrie einschl. verarbeitendem Gewerbe 30%, Dienstleistungssektor 50%. Die Arbeitslosenquote wurde 1985 mit 8,5% angegeben. – *Landwirtschaft:* Die Produktivität ist relativ gering. Wegen Vorherrschaft von Kleinstbetrieben und der ungünstigen Gebirgslage geringer Mechanisierungsgrad. Agrarische Kernräume sind die Wardar-Niederung, West-Thrakien (v. a. Weizen, Mais, ferner Gerste, Hafer). Umfangreicher Tabak-(Mazedonien) und Weinanbau (Kreta, Inseln, Küsten des Peloponnes). Mediterrane Kulturen mit Agrumen, Feigen, Oliven, Reisanbau in Mazedonien. – In der Viehzucht dominieren Schafe und Ziegen, geringer Rinderbestand. – Bedeutende *Fischerei* (Thunfisch, Sardinen, Schwämme). – *Bergbau und Industrie:* Der Bergbau und seine Erzeugnisse stellen seit dem Zweiten Weltkrieg einen wichtigen Zweig dar. Seit den 60er Jahren Verarbeitung der Rohstoffe im eigenen Land. Mengenmäßig die wichtigsten der etwa 25 bergbaulich geförderten Rohstoffe waren 1983 Bauxit, Silbererz, Porzellanerde und Eisenerz. – Es wird eine verstärkte Industrialisierung angestrebt. Am bedeutendsten sind die Textil-, Bekleidungs- und Genußmittelindustrie, ferner die chemische Industrie. Schiffbau in Piräus und Patras. Industriestandorte: Athen-Piräus, Saloniki. – Traditionelle *Reiseland:* (1984) 7,48 Mill. Touristen. – *BSP:* (1985, geschätzt) 35250 Mill. US-$ (3550 US-$ je E). – *Öffentliche Auslandsverschuldung:* (1984) 28,3% des BSP. – *Inflationsrate:* durchschnittlich 17,3% – *Export:* (1985) 4542 Mill. US-$, v. a. Agrarerzeugnisse (22%), Bekleidung, Schuhe und Lederwaren (13%), Spinnstofferzeugnisse (10%), Erdölerzeugnisse (8%). – *Import:* (1985) 10139 Mill. US-$, v. a. Erdöl und Öl aus bituminösen Mineralien (27%), Maschinen, Kraft- und Wasserfahrzeuge (26%), Nahrungsmittel (12%). – *Handelspartner:* EG-Länder, USA, UdSSR, Japan.

Verkehr: 1983 waren 33512 km des *Straßennetzes* (37365 km) asphaltiert. Streckenlänge der *Eisenbahn* (1982) 2479 km. – Bedeutende *Küstenschiffahrt* (Kanal von Korinth). *Handelsflotte* ist der der größten der Erde: (1984) 32,3 Mill BRT. Wichtige *Häfen:* Piräus, Thessaloniki, Patras, Volvos und Kavala, Kerkira auf Korfu, Iraklion auf Kreta, Mytilene auf Rhodos. – Aufgrund der geographischen Gegebenheiten Ausbau des Personen- und Frachtluftverkehrs. Wichtigster *Flughafen* ist der Athener Ellinikon, daneben noch

sieben weitere internationale und 17 Inlandsflughäfen. Staatliche *Fluggesellschaft* „Olympic Airways".

Mitgliedschaften: UNO, BIZ, CCC, EG, EWS, IEA, NATO, OECD, UNCTAD u. a.; Europarat.

Währung: 1 Drachme (Dr.) = 100 Lepta.

**grobe Fahrlässigkeit,** besonders schwere Verletzung der im (Geschäfts-)Verkehr erforderlichen Sorgfaltspflicht; vgl. im einzelnen →Fahrlässigkeit.

**grobe Pflichtverletzung,** →Abberufung I, III.

**grober Unfug,** eine grob ungehörige Handlung, die geeignet ist, die Allgemeinheit zu belästigen oder zu gefährden und die öffentliche Ordnung zu beeinträchtigen. Ordnungswidrigkeit (§ 118 OWiG). Der Tatbestand kann u. U. auch durch →irreführende Werbung oder aufdringliche *Werbung* verwirklicht werden.

**Groblayoutplanung,** Teilplanungskomplex der →Layoutplanung. Die G. beinhaltet die richtungsbezogene Materialflußgestaltung der einzelnen Teilprozesse sowie des gesamten Produktionsprozesses.

**Grobplanung,** *Globalplanung,* langfristige Planung der Entwicklungseinrichtungen und Angabe der wesentlichen Ausrichtungspunkte. – *Gegensatz:* →Feinplanung.

**Grönland,** *Grønland, Kalaallit Nunaat,* in der Arktis, größte Insel der Erde; Militärstützpunkt der USA. – *Fläche:* 2175600 km², davon etwa 341700 km² frei von Dauervereisung. – *Einwohner* (E): (1985) 52940 (0,15 E/km²; berechnet auf eisfreie Gebiete). – *Hauptstadt:* Nuuk (Godthaab; 9717 E).

Staats- und Regierungsform: G. ist seit 1721 unter dänischer Herrschaft; innere Autonomie seit 1979. Entsprechend den Autonomiegesetzen unterstehen Außenpolitik, Verteidigung und Justiz der dänischen Regierung. Die Beziehungen zur EG gelten jedoch als interne Angelegenheiten. (Austritt aus der EG 1985). *Administrativ* ist G. in Ost-G., Nord-G. und West-G. unterteilt, letzteres gliedert sich in 16 kommunale Verwaltungen. – *Amtssprachen:* Dänisch, Eskimoisch.

Wirtschaft: Ca. 60% der Erwerbstätigen beschäftigen sich mit *Fischfang* (1982: 105830 t), Jagd und Schafzucht. G. besitzt Vorkommen an Kohle, Erdöl, Blei (Meisters-Vig), Zink, Graphit und Uran. – *BSP:* (1985, geschätzt) 390 Mill. US-$ (je E 7300 US-$). – *Export:* (1984) 203 Mill. US-$, v. a. Fisch und Fischprodukte, Häute, Pelzwerk und Erze. – *Import:* (1984) 295 Mill. US-$, v. a. Konsumgüter. – *Handelspartner:* Dänemark u. a. EG-Länder, USA, Finnland, Norwegen, UdSSR.

**Verkehr:** An der Westküste ist Søndre-Strømfjord wichtige Zwischenstation auf der nördlichen *Flugroute* Skandinavien-Kanada.

**Mitgliedschaften:** Nordischer Rat.

**Währung:** 1 Dänische Krone (dkr) = 100 Øre.

**Gros,** altes deutsches Zählmaß. 1 Gros = 12 Dutzend = 144 Stück.

**Groschsches Gesetz,** von H. A. Grosch 1953 beschriebene Gesetzmäßigkeit über das Preis-/Leistungsverhältnis von Computern, das für den Großrechnerbereich (→Rechnergruppen) lange Zeit Gültigkeit besaß. Nach dem G.G. steigt die Leistungsfähigkeit eines Computers mit dem Quadrat des Anschaffungspreises. – In *neuerer Zeit* wurde dagegen ein eher linearer Zusammenhang festgestellt.

**gross barter-terms of trade,** eines der Konzepte der →terms of trade, definiert als Relation des Import- und Exportmengenindex des betreffenden Landes. Bei der *Berechnung* dieser Größe wird – da die Aggregation physischer Mengeneinheiten die Aussage verzerren würde – abgestellt jeweils auf den Index des Import- bzw. Exportwertes, dividiert durch den Import- bzw. Exportpreisindex. – *Bedeutung:* Die Import- und Exportmengen werden herangezogen, weil die →Handelsbilanz häufig unausgeglichen ist und dies Wohlfahrtsimplikationen hat. Bei einem Importüberschuß stehen einem Teil der Importe keine Exporte mehr gegenüber, die reale Güterversorgung hat sich verbessert. Dadurch folgt zwar Verbesserung der g.b.-t.o.t., allerdings ohne Berücksichtigung der Finanzierung des Importüberschusses. Im Hinblick auf die Wohlfahrt des Landes ist es unterschiedlich zu beurteilen, ob die Finanzierung über Exportpreissteigerungen, unentgeltliche Leistungen (z. B. →Entwicklungshilfe) oder →Auslandsverschuldung erfolgt, da im letzten Fall eine Verpflichtung zur Verzinsung und Tilgung in späteren Perioden entsteht.

**Grossing-up-Verfahren,** →Zwischengesellschaft III 3.

**Grossist,** veraltete Bezeichnung für →Großhandelsuntérnehmung.

**Großaktionär,** →Aktionär, der über einen beträchtlichen Teil des Grundkapitals einer Aktiengesellschaft verfügt und deshalb i. d. R. im →Aufsichtsrat vertreten ist. Oft sind Aktiengesellschaften die G. anderer Aktiengesellschaften. Ein G. kann beträchtlichen Einfluß auf eine Gesellschaft ausüben. Die Etablierung eines neuen G. oder der Wechsel bei den G. findet an der Börse große Beachtung. – *Gegensatz:* →Kleinaktionär.

**Großbetrieb,** begrifflich unklare Zuordnung von Betrieben zu einer Betriebsgrößenklasse, ohne nähere Bezeichnung der Merkmale, auf denen die Einteilung beruht; abhängig von den jeweiligen historischen und volkswirtschaftlichen Gegebenheiten. – Steuerrecht: Einteilungskriterium für die →Außenprüfung. Vgl. →Betriebsgrößenklassifikation. G. müssen nach § 4 BpO(St) der →Außenprüfung in Form der (kontinuierlichen) Anschlußprüfung unterzogen werden. – *Anzahl:* Vgl. unterstehende Tabelle.

**Großbritannien,** *Vereinigtes Königreich von Großbritannien und Nordirland,* Inselstaat in Nordwest-Europa. – *Fläche:* 244046 km². – *(Einwohner* (E): (1985, geschätzt) 56,4 Mill. (231 E/km²; darunter Engländer 83%, Schotten 9%, Waliser 5%, Nordiren 2,8%. – *Hauptstadt:* London (Greater London 1984: 6,75 Mill. E); weitere 85 Großstädte, darunter Birmingham (1981: 1007000 E), Glasgow (766000 E), Leeds (705000 E), Sheffield (537000 E), Liverpool (510000 E).

**Staats- und Regierungsform:** Staatsgründung bereits im 8. Jh., seit 1800 „Vereinigtes Königreich und Irland". Konstitutionelle Monarchie auf demokratisch-parlamentarischer Grundlage im Commonwealth. Keine formelle Verfassung, sondern mehrere im Lauf der Jahrhunderte entstandene Gesetze, Rechtsvorschriften und gewohnheitsrechtliche

### Großbetriebe im Bergbau und Verarbeitenden Gewerbe *)

| Gewerbezweige | Betriebe insgesamt | Betriebe mit mehr als 1000 Beschäftigten | | Beschäftigte insgesamt | Beschäftigte in Betrieben mit mehr als 1000 Beschäftigten | |
|---|---|---|---|---|---|---|
| | | Anzahl | % | | Anzahl | % |
| Bergbau | 285 | 51 | 17,9 | 215048 | 170555 | 79,3 |
| Grundstoff- und Produktionsgütergewerbe | 9036 | 238 | 2,6 | 1386328 | 714867 | 51,6 |
| Investitionsgüter produzierendes Gewerbe | 17735 | 584 | 3,3 | 3658830 | 1699290 | 46,4 |
| Verbrauchsgüter produzierendes Gewerbe | 13012 | 86 | 0,7 | 1324991 | 130567 | 9,9 |
| Nahrungs- und Genußmittelgewerbe | 4418 | 39 | 0,9 | 454697 | 54558 | 12,0 |
| Insgesamt | 44486 | 998 | 2,2 | 7039894 | 2769837 | 39,3 |

*) Betriebe von Unternehmen mit im allgemeinen 20 und mehr Beschäftigten.

Normen. Zweikammerparlament (Oberhaus, Unterhaus). *Verwaltungsgliederung:* England – 49 Grafschaften, 6 Metropolitan Counties; Wales – 8 Grafschaften; Nordirland – 26 Distrikte; Schottland – 12 Regionen. – Die Kanal-Inseln und die Insel Man unterstehen unmittelbar der Krone. Von G. abhängige Gebiete mit verschiedenem Grad von Selbstverwaltung sind: Montserrat, Cayman-Inseln, Falkland-Inseln, Bermuda-Inseln, Gibraltar, →Hongkong, Sankt Helena, Turks- und Caicos-Inseln, Virgin Islands. Vgl. auch die im British Commonwealth of Nations (→Commonwealth) verbundenen Länder. – *Amtssprache:* Englisch.

Wirtschaft: *Landwirtschaft* wird rationell betrieben: Weizen, Gerste, Zucker- und Futterrüben, Kartoffeln besonders in Lindsey, Lincoln, Norfolk, Suffolk; im Osten Schottlands und Nordirlands besonders Hafer. In Südost-England (v.a. um London) Gemüse, Obst. Im übrigen bedeutende Grünland- und Weidewirtschaft mit Rindern und Schafen. Ausgedehnte Heide und Moor in den schottischen Highlands (Wolle); waldarm. – Fischreiche Küstengewässer (Kabeljau, Schellfisch, Makrele, Scholle). – *Bergbau:* Bedeutende Bodenschätze, besonders Steinkohle (Mittelengland, Südwales, Newcastle, Edinbourgh), Eisenerze (auf der Linie Hull, Northampton, Middlesbrough), Erdöl und Erdgas (fast ausschließlich unter der Nordsee), ferner Blei, Zink, Zinn, Kaolin. – *Industrie:* Auf Kohle und Eisen entwickelte sich anfangs des vorigen Jh. eine bedeutende Industrie (England ist das älteste Industrieland). Große Schwerindustriegebiete sind bei Birmingham (Black Country), Sheffield, in Südwales, Middlesbrough und Glasgow-Edinbourgh. Weitere Hauptgewerbezweige: Textilindustrie (v.a. Wolle und Baumwolle) ist die älteste, bedeutendste und größte der Erde, bei Liverpool, Manchester und Glasgow; chemische, Kunstseiden-, Metall-, elektronische, Fahrzeug- und Flugzeugindustrie. Bedeutender Schiffbau in den meisten Häfen. – Zahlreiche Erdölraffinerien (London u.a.). Die Leistung der thermischen Kraftwerke wurde durch den Bau mehrerer Atomkraftwerke ergänzt. – London ist internationales *Finanzzentrum.* – *BSP:* (1984, geschätzt) 484 340 Mill. US-$ (8390 US-$ je E). – *Inflationsrate:* durchschnittlich 13,8%. 14,3%. – *Export:* (1986) 107 006 Mill. US-$, v.a. Maschinen, Metallwaren und Fahrzeuge, Erdöl und Erdölprodukte, chemische Erzeugnisse, Genußmittel, Textilien. – *Import:* (1986) 126 208 Mill. US-$, v.a. Maschinen und Fahrzeuge, Nahrungsmittel und Getränke, Erdöl und Erdölprodukte, chemische Erzeugnisse. – *Handelspartner:* USA, Bundesrep. D., Frankreich, Niederlande, Commonwealth-Länder.

Verkehr: 366 900 km *Straßen,* davon 2800 km Autobahnen (1982). – Die Streckenlänge der *Eisenbahn* betrug (1983) 17 400 km. – Den größten Gesamtumschlag weist der *Erdölhafen* Sullom Voe auf den Shetland-Inseln auf, gefolgt vom Londoner Hafen. Wichtige Container- und Ro-Ro-Häfen sind Dover, Felixstowe, Southampton und Liverpool. G. verfügte (1985) über 2378 *Hochseeschiffe* (über 100 BRT) mit 14,34 Mill. BRT. – *Hauptflughäfen* sind London (mit dichtem Verkehr nach allen Kontinenten), Manchester, Glasgow (nach Keflavik/Island und Gander(Neufundland). Zwei bedeutende internationale *Luftverkehrsgesellschaften:* British European Airways (BEA), British Overseas Airways (BOA). – Großprojekt eines Meerestunnels Dover-Calais.

Mitgliedschaften: UNO, BIZ, CCC, EG, EWS (Sonderregelung), IEA, NATO, OECD, UNCTAD, WEU u.a.; Colombo-Plan, Commonwealth, Europarat.

Währung: 1 Pfund Sterling (£) = 100 New Pence (p).

**Größe,** →physikalische Größe.

**Größendegression,** Bezeichnung für das Phänomen, daß bei voller Kapazitätsauslastung größere Kapazitätseinheiten i.a. mit niedrigeren Kosten je Leistungseinheit arbeiten als mehrere kleine mit gleicher Gesamtkapazität. – Vgl. auch →Degression I 2.

**Größenklassen.** I. Einzelunternehmen: Kategorisierung der Kapitalgesellschaften durch das →Bilanzrichtlinien-Gesetz (ausschließlich AG, KGaA, GmbH) in kleine, mittelgroße und große Kapitalgesellschaften, wobei die Eingruppierung in die jeweilige Klasse gewisse rechtliche Konsequenzen nach sich zieht (vgl. →Offenlegung, →Abschlußprüfung, →Bilanzreform sowie →Gewinn- und Verlustrechnung). – 1. *Umschreibung der G.* nach § 267 HGB: a) *Kleine Kapitalgesellschaften* sind solche, die mindestens zwei der drei nachstehende Merkmale nicht überschreiten: (1) 3 900 000 DM Bilanzsumme nach Abzug des auf der Aktivseite ausgewiesenen Fehlbetrages einer buchmäßigen →Überschuldung (§ 268 III HGB); (2) 8 000 000 DM Umsatzerlöse in den zwölf Monaten vor dem Abschlußstichtag; (3) im Jahresdurchschnitt 50 Arbeitnehmer. – b) *Mittelgroße Kapitalgesellschaften* sind solche, die mindestens zwei der drei oben angeführten Merkmale überschreiten und jeweils zwei der drei nachstehenden Merkmale nicht überschreiten: (1) 15 500 000 DM Bilanzsumme nach Abzug des auf der Aktivseite ausgewiesenen Fehlbetrages; (2) 32 000 000 DM Umsatzerlöse in den zwölf Monaten vor dem Abschlußstichtag; (3) im Jahresdurchschnitt 250 Arbeitnehmer. – c) *Große Kapitalgesellschaften* sind solche, die mindestens zwei der drei eben genannten Merkmale überschreiten. Eine Kapitalgesellschaft gilt stets als große, wenn Aktien oder andere von ihr ausgegebene Wertpapiere an einer Börse in einem Mitgliedstaat der EG zum amtlichen Handel zugelassen oder in den geregelten Freiverkehr einbezogen sind oder die Zulassung zum amtlichen Handel beantragt ist. – 2. Die *Rechtsfolgen* der Merkmale treten nur ein, wenn sie an den Abschlußstichtagen von zwei aufeinanderfolgenden Geschäftsjahren über- oder unterschritten werden. – 3. G. gibt es auch für *Unternehmen anderer Rechtsform,* allerdings unterscheiden sie sich von den oben behandelten und sind in dem Gesetz über die Rechnungslegung von bestimmten Unternehmen und Konzernen (Publizitätsgesetz) – Vgl. auch geregelt. → Rechnungslegung nach Publizitätsgesetz.

II. K o n z e r n u n t e r n e h m e n . 1. *G. gemäß § 293 HGB:* Ein inländisches Konzernmutterunternehmen (gem. § 290 HGB eine Kapitalgesellschaft, unter deren einheitlicher Leitung andere Unternehmen – Tochterunternehmen – mit ihr zusammen einen → Konzern bilden) ist von der Pflicht zur Aufstellung eines → Konzernabschlusses unter folgenden *Bedingungen befreit:* a) Am Abschlußstichtag des Mutterunternehmens und dem Stichtag des Vorjahres müssen mindestens zwei der drei folgenden Merkmale zutreffen: (1) Bilanzsummen von Mutter- und Tochterunternehmen (nach Abzug von Fehlbeträgen gem. § 268 II HGB) sind kleiner oder gleich 46 800 000 DM; (2) die Umsatzerlöse der Konzernunternehmen im Geschäftsjahr sind kleiner oder gleich 96 000 000 DM; (3) die durchschnittliche Arbeitnehmerzahl der Konzerenunternehmen ist kleiner oder gleich 500; *oder* b) der Konzernabschluß am Abschlußstichtag und dem Stichtag des Vorjahres erfüllt mindestens zwei der drei folgenden Merkmale: (1) Bilanzsumme nach Abzug des Fehlbetrages ist kleiner oder gleich 39 000 000 DM; (2) Umsatzerlöse des Geschäftsjahres sind kleiner oder gleich 80 000 000 DM; (3) durchschnittliche Arbeitnehmerzahl des Konzerns kleiner oder gleich 500. – 2. *G. für Konzerne gem. Publizitätsgesetz:* Vgl. → Rechnungslegung nach Publizitätsgesetz.

**Größenprogression,** Bezeichnung für das Steigen der langfristigen → Stückkosten bei Überschreitung der optimalen → Betriebsgröße.

**Größenstaffel,** Staffelpreise für Waren gleicher Zweckbestimmung, aber unterschiedlicher Größe (→ Preisstaffeln), z. B. Verbraucherhöchstpreise für deutsche Eier je nach Jahreszeit und Gewichtsgruppen (unter 50 g, 50–55 g, 55–60 g, 60–65, über 65 g). – Vgl. auch → Handelsklassengüter.

**Großfeuerungsanlage,** eine → Feuerungsanlage mit einer Feuerungswärmeleistung von 50 Megawatt und mehr sowie bei Einsatz von gasförmigen Brennstoffen von 100 Megawatt und mehr. Nach der VO über Großfeuerungsanlagen vom 22.6.1983 (BGBl I 719) werden an Errichtung und Betrieb von G. besondere Anforderungen gestellt und im Interesse des → Immissionsschutzes Emissionsgrenzwerte festgelegt. Meßstellen zur Überwachung der Emissionen sind einzurichten. – Verstöße werden als Ordnungswidrigkeit geahndet.

**Großflächen,** Tafeln, die ausschließlich von einem Werbetreibenden während einer Dekade belegt werden (→ Ganzstellen) und ein Format von 3,56 m x 2,52 m haben; stehen i. d. R. auf privatem Grund. – *Vorteile:* Alleinstellung des Werbetreibenden; interessante Möglichkeiten der Darstellung, die kleinere Plakatformen nicht zulassen; Fernwirkung, die sich durch Kombination nebeneinanderliegender G. noch erhöhen läßt. – *Bestand an G.* in der Bundesrep. D. (1986): 176 487 in 2824 Orten. – Vgl. auch → Außenwerbung.

**Großhandel.** 1. *Begriff* des → Handels in zwei Ausprägungen: a) *Institutionelle Interpretation:* Der Warenabsatz durch → Großhandelsunternehmen. – b) *Funktionale Interpretation:* Absatz von Waren und sonstigen Leistungen an Wiederverkäufer, Weiterverarbeiter oder Großverbraucher; *Beispiele:* → Erzeugerhandel, → Rohstoffhandel, gleichgültig, wer diese Tätigkeit ausübt. – 2. *Wirtschaftliche Bedeutung:* Vgl. untenstehende Tabelle.

### Großhandel

| Wirtschaftsgliederung | Unternehmen[1] | | Beschäftigte[1] | | | | Umsatz | |
|---|---|---|---|---|---|---|---|---|
| | | | insgesamt | | je Unternehmen | | | |
| | Anzahl | | 1000 | | Anzahl | | Mill. DM | |
| | 1985 | 1979 | 1985 | 1979 | 1985 | 1979 | 1984 | 1978 |
| Großhandel insgesamt | 101 089 | 97 708 | 1 137,1 | 1 206,2 | 11,2 | 12,3 | 852 244 | 613 352 |
| darunter mit: | | | | | | | | |
| Getreide, Futtermitteln, Düngemitteln, Tieren | 10 436 | 11 557 | 78,2 | 90,1 | 7,5 | 7,8 | 90 178 | 71 949 |
| festen Brennstoffen, Mineralölerzeugnissen | 1 743 | 2 001 | 33,7 | 16,5 | 16,8 | 141 236 | 85 627 | |
| Erzen, Stahl, NE-Metallen usw. | 2 237 | 2 055 | 55,6 | 68,9 | 24,8 | 33,5 | 86 184 | 62 468 |
| Nahrungsmitteln, Getränken, Tabakwaren | 17 407 | 20 454 | 212,3 | 246,7 | 12,2 | 12,1 | 173 389 | 144 035 |
| Fahrzeugen, Maschinen, techn. Bedarf | 17 903 | 14 945 | 208,6 | 201,1 | 11,7 | 13,5 | 97 564 | 67 848 |

[1] Stichtag Ende März

**Großhandelskontenrahmen,** →Kontenrahmen für die Betriebe des →Großhandels. Vgl. Abb. Sp. 2219–2222. Der abgebildete G. orientiert sich an den Regelungen des AktG. a. F. – Bei einer zu erwartenden *Anpassung* des G. *an das BiRiLiG* dürfte vermutlich die Prozeßgliederung, die insbes. in den Klassen 3 und 8 zum Ausdruck kommt, beibehalten werden. *Änderungen* werden sich voraussichtlich v. a. ergeben: in Klasse 2 (Anpassung an § 275 HGB) und Klasse 4 (Boni und Skonti sind entweder als Anschaffungskostenminderung beim Wareneinkauf – § 255 I HGB – oder als Erlösschmälerung beim Warenverkauf – § 277 I HGB – zu berücksichtigen).

**Großhandels-Preisindex,** →Preisindex der amtlichen Statistik (Index der Großhandelsverkaufspreise), berechnet in institutioneller Gliederung der 14 Wirtschaftsgruppen und 76 Wirtschaftsklassen, getrennt nach einzelwirtschaftlichem und genossenschaftlichem Großhandel, ferner in einer Gliederung nach dem produktionswirtschaftlichen Zusammenhang für 32 Warengruppen und 371 Warenuntergruppen sowie in der Gliederung nach dem Warenverzeichnis für die Binnenhandelsstatistik (Ausgabe 1978) für 10 Hauptbereiche und 77 Warengruppen. Berechnung aufgrund von 8050 Reihen (für 1060 Waren), Gewichtungsgrundlage Umsatzwerte des Großhandels 1980.

**Großhandelsstatistik,** Repräsentativstatistik im Rahmen der →Handelsstatistik bei bis zu 10 000 (bei mehrjährlichen Erhebungen bis zu 20 000) ausgewählten Unternehmen aus 121 Wirtschaftsklassen auf der Grundlage des →Handelszensus unter Berücksichtigung von Neugründungen. Monatliche Meßzahlen über die Entwicklung von Umsatz und Beschäftigtenzahl; jährlich tätige Personen, Waren- und Materialeingang und -bestand, Investitionen, Aufwendungen für gemietete und gepachtete Anlagegüter, Verkaufserlöse aus dem Abgang von Anlagegütern, Bruttolohn- und -gehaltssumme, Umsatz nach Arten der wirtschaftlichen Tätigkeiten, Warengruppen und Absatzformen, Gesamtwert des gegen Provision vermittelten Warenumsatzes; mehrjährlich Zusammensetzung des Warensortiments, Inlandsbezüge nach Lieferantengruppen, Inlandsumsatz nach Abnehmergruppen.

**Großhandelsunternehmung,** *Großhandlung.* 1. *Begriff:* Institutionen (Betriebe), deren wirtschaftliche Tätigkeit ausschließlich oder überwiegend dem →Großhandel im funktionellen Sinn zuzurechnen ist (institutionelle Interpretation des Begriffs →Handel). G. treten in unterschiedlichen →Betriebsformen auf. Sie sind auf nahezu allen Stufen der →Absatzkette tätig, insbes. dann, wenn durch Einschaltung selbständiger Institutionen die Aufgaben der →Distribution rationeller als durch den direkten Kontakt zwischen Hersteller (Anbie-

ter) und Weiterverarbeiter (Abnehmer) abgewickelt werden können. – 2. *Charakteristische Tätigkeiten:* Sammeln von kleinen Warenpartien und deren Veräußerung an Großabnehmer (kollektierende G.), Ankauf größerer Mengen, deren Austeilung und Weiterverkauf (distribuierende G.); zentrale Aufgabe der G., die Waren an den →Einzelhandel abzusetzen. Weitere wichtige Funktionen: Lagerhaltung (→lagerhaltende Großhandelsunternehmung), aber auch das →Streckengeschäft. – 3. *Bedeutung:* Der Beitrag einzelner G. zur Versorgung der Wirtschaft ist je nach Menge, Art und Intensität der übernommenen →Handelsfunktionen stark unterschiedlich. Überall dort, wo die Funktionsausübung durch private G. als überflüssig oder zu teuer angesehen wird, sind sie von der Ausschaltung (→direkter Verkauf) oder von konkurrierenden, meist auf genossenschaftlicher Basis arbeitenden G. bedroht (→landwirtschaftliche Waren- und Verwertungsgenossenschaften, →Konsumgenossenschaften, →Einkaufsgenossenschaften).

**Großhandelszentrum,** frei entstandene oder geplante →Agglomeration von →Großhandelsunternehmungen, die den Kunden den Einkauf erleichtern sollen. *Vorteile* für die Großhändler: Gemeinsame Benutzung bestimmter Einrichtungen wie Bahnanschlüsse, Lagerflächen, Fuhrparks, EDV-Anlagen, Parkplätze.

**Großkollektur,** →Aufkaufhandel.

**Großkredit.** 1. *Begriff:* Kredit an einen Kreditnehmer, der 15% des haftenden Eigenkapitals des Kreditinstituts übersteigt (§ 13 KWG). – 2. *Anzeigepflicht:* G., die 50 000 DM oder 50% des haftenden Eigenkapitals des Kreditinstituts übersteigen sind der →Deutschen Bundesbank anzuzeigen; ebenso Erhöhung eines angezeigten G. um mehr als 20% oder um mehr als 50% des haftenden Eigenkapitals. – 3. *Beschränkungen:* G. dürfen nur aufgrund einstimmigen Beschlusses der Geschäftsleiter gewährt werden. Der einzelne G. darf 50% des haftenden Eigenkapitals des Instituts nicht übersteigen. Alle G. dürfen das Achtfache des haftenden Eigenkapitals nicht überschreiten. Nach § 13a KWG sind diese Vorschriften auch für die von Kreditinstituten gebildeten Gruppen verbindlich. Die Einhaltung der G.-Grenzen ist daher durch bankaufsichtliche Konsolidierungsverfahren festzustellen. Dabei werden in die Konsolidierung über die Fälle der Beherrschung hinaus nur solche Kreditinstitute einbezogen, an denen das zusammenfassungspflichtige Mutterinstitut mindestens einen Kapital- oder Stimmrechtsanteil in Höhe von 50% unmittelbar oder mittelbar hält.

**Großmarkt,** Veranstaltung, auf der eine Vielzahl von Anbietern bestimmte Waren oder Waren aller Art im wesentlichen an gewerbliche Wiederverkäufer, gewerbliche Verbrau-

## Übersicht: Großhandelskontenrahmen

| Klasse → | 0 | 1 | 2 | 3 |
|---|---|---|---|---|
| Gruppe ↓ | Anlage- und Kapitalkonten | Finanzkonten | Abgrenzungskonten | Wareneinkaufskonten |
| 0 | 00 bebaute Grundstücke | 10 Forderungen auf Grund von Warenlieferungen und Leistungen | 20 Außerordentliche und betriebsfremde Aufwendungen | 30 Warengruppe I<br>300 Fakturenbetrag (ohne Abzug von Skonto)<br>301 Zölle u. Ausgleichsteuern<br>302 Verbrauchsabgaben<br>303 Kursdifferenzen<br>304 Frachten u.ä. |
| 1 | 01 Unbebaute Grundstücke | 11 Sonstige Forderungen | 21 Zinsaufwendungen | 31 Warengruppe II<br>310 ...<br>311 ... |
| 2 | 02 Maschinen und maschinelle Anlagen | 12 Wertpapiere | 22 Ertrags- und Vermögensteuern | 32 Warengruppe III<br>320 ...<br>321 ... |
| 3 | 03 Betriebs-und Geschäftsausstattung | 13 Banken (ohne Landeszentralbank und Postscheck) | 23 Haus- und Grundstücksaufwendungen | |
| 4 | 04 Rechtswerte (Konzessionen, Patente, Lizenzen, Marken- und ähnliche Rechte) | 14 Wechsel, Devisen | 24 Großreparaturen und im Bau befindliche Anlagen | |
| 5 | 05 Beteiligungen und andere Wertpapiere des Anlagevermögens | 15 Zahlungsmittel (Kasse, Postscheck, Landeszentralbank) | | |
| 6 | 06 Langfristige Forderungen | 16 Privatkonten (für Einzelfirmen und Personengesellschaften) | | |
| 7 | 07 Langfristige Verbindlichkeiten | 17 Verbindlichkeiten auf Grund von Warenlieferungen und Leistungen | 27 Außerordentliche und betriebsfremde Erträge | |
| 8 | 08 Kapital und Rücklagen | 18 Schuldwechsel | 28 Zinserträge | |
| 9 | 09 Wertberichtigungen, Rückstellungen, Abgrenzungsposten der Jahresrechnung | 19 Sonstige Verbindlichkeiten | 29 Haus- und Grundstückserträge | |

# Übersicht: Großhandelskontenrahmen (Fortsetzung)

| 4 | 5 | 6, 7 | 8 | 9 |
|---|---|---|---|---|
| **Boni und Skonti** | **Konten der Kostenarten** | | **Warenverkaufskonten** | **Abschlußkonten** |
| 40 Boni, an Kunden gewährt | 50 Personalkosten (Löhne, Gehälter, soziale Aufwendungen u.ä.) | | 80 Warengruppe I<br>800 Bruttoverkaufswert (ohne Abzug von Skonto)<br>801 Rücksendungen und Gutschriften | 90 |
| 41 Skonto, an Kunden gewährt | 51 Miete und sonstige Sachkosten für Geschäftsräume | | 81 Warengruppe II | 91 Monats-Gewinn- und Verlustkonto |
| | 52 Steuern, Abgaben und Pflichtbeiträge | | 82 Warengruppe III | |
| | 53 Nebenkosten des Finanz- und Geldverkehrs | | | 93 Jahres-Gewinn- und Verlustkonto |
| | 54 Besondere Kostenarten für Werbung und Reise | | | 94 Jahresbilanzkonto |
| | 55 Provisionen | | | |
| | 56 Transportkosten (für nicht betriebseigene Transportmittel) und Verpackung | | | |
| 47 Boni, nachträglich von Lieferanten gewährt | 57 Kosten des Fuhr- und Wagenparkes | | | |
| 48 Skonto, von Lieferanten gewährt | 58 Allgemeine Verwaltungskosten | | | |
| | 59 Abschreibungen | | | |

cher oder Großabnehmer vertreibt (§ 66 GewO); meist leichtverderbliche Produkte: Obst, Gemüse, Fleisch, Fisch, Blumen. – Vgl. auch →Veiling.

**Großrechenanlage,** →Rechnergruppen 2 c).

**Großrechner,** →Rechnergruppen 2 c).

**Großreparaturen,** *Generalüberholungen,* einmalig oder periodisch auftretende Instandsetzungen größeren Ausmaßes, die, wenn voraussehbar, handelsrechtlich zur Bildung von →Rückstellungen berechtigen (§ 249 II HGB). I. d. R. sind Aufwendungen für solche werterhöhenden G. handels- und steuerrechtlich zu aktivieren (→Herstellungsaufwand); der erhöhte Anlagewert wird unter Beachtung der betriebsgewöhnlichen Nutzungsdauer abgeschrieben. *Teilaufwendungen* können auf einem Konto „Anlagen im Bau" gesammelt und nach Fertigstellung der Arbeiten auf das Anlagekonto übertragen werden. – Vgl. auch →Instandhaltungskosten.

**Großspeicher,** →Massenspeicher.

**Großstadt,** Begriff der Bevölkerungs- und Wirtschaftsstatistik für eine →Siedlungseinheit, abgegrenzt unabhängig von ihrer Rechtsstellung oder Wirtschaftsstruktur lediglich nach der Einwohnerzahl (100 000 und mehr).

**Großvieh-Einheit,** rechnerische Größe, die in der landwirtschaftlichen Produktionsstatistik (→Landwirtschaftsstatistik) dazu dient, den Besatz der landwirtschaftlichen Nutzfläche mit Vieh verschiedener Gattung (Rindvieh, Schafe oder Schweine) zeitlich und regional vergleichbar zu machen. 1 G.-E. = 500 kg, z. B. 0,9 Pferde, 1 Kuh, 1,4 Jungrinder, 3,3 Kälber, 6 Schlachtschweine, 10 Schafe.

**Grundakten,** im Grundbuchrecht Bezeichnung für die durch Eintragungen im →Grundbuch je Grundbuchblatt entstandenen Vorgänge (z. B. Urkunden usw.) sowie das dazugehörige Handblatt.

**Grundbedürfnisorientierung,** Ausrichtung der →Entwicklungshilfe und Wirtschaftspolitik der →Entwicklungsländer selbst auf die direkte Erfüllung elementarer menschlicher Bedürfnisse, z. B. Ernährung, Gesundheit, Kleidung, Wohnung und Bildung. G. wird insbes. von jenen gefordert, die eine auf Exporte ausgerichtete bzw. ausschließlich wachstums- und effizienzorientierte Entwicklungspolitik als verfehlt ansehen (vgl. →Dependencia-Theorie), da diese im wesentlichen nur einer kleineren reicheren Gruppe zugute komme, anstatt die Masse der Bevölkerung zu erreichen und zu ihrer besseren Versorgung mit Gütern der genannten Kategorien beizutragen.

**Grundbedürfnisse,** von der OECD wie folgt definierte Menge an →Bedürfnissen: 1. →natürliche Bedürfnisse, 2. Bedürfnisse nach Gesundheit, Bildung, Erwerbstätigkeit und Qualität des Arbeitslebens u. a. – Vgl. auch →soziale Indikatoren.

**Grundbesitz,** Begriff des BewG als einheitliche Kategorie für land- und forstwirtschaftliche Betriebe: →Grundstücke und →Betriebsgrundstücke. – 1. Für →wirtschaftliche Einheiten des G. werden mit unterschiedlicher Wirkung (vgl. 2.) für Vermögensteuer, Gewerbesteuer, Grundsteuer, Erbschaftsteuer und (in Sonderfällen) Grunderwerbsteuer →*Einheitswerte festgestellt* (§ 19 I Nr. 1 BewG). – 2. *Besonderheiten:* Das Gesetz zur Änderung des BewG (BewÄndG) vom 13. 8. 1965 (BGBl I 850) hat im wesentlichen die Neubewertung des G. geregelt, dessen Wertverhältnisse zu dem letzten Hauptfeststellungszeitpunkt (1. 1. 1935) grundlegend verändert haben. Der folgende →Hauptfeststellungszeitpunkt war der Beginn des Jahres 1964. Bis einschl. 1973 haben dennoch die Einheitswerte vom 1. 1. 1935 der Besteuerung zugrunde gelegen. Die Einheitswerte vom 1. 1. 1964 fanden erstmalige Anwendung mit dem 1. 1. 1974. Nach § 121 a BewG sind während der Geltungsdauer der auf den Wertverhältnissen am 1. 1. 1964 beruhenden Einheitswerte des G. mit 140% des Einheitswerts anzusetzen: die Grundstücke und Betriebsgrundstücke (letztere bei der Einheitsbewertung des →Betriebsvermögens) für die Vermögen-, Erbschaft-, Gewerbesteuer, die Ermittlung des Nutzungswerts der selbstgenutzten Wohnung nach § 21 a EStG und die Grunderwerbsteuer (aber nicht: für Grundsteuer und keinesfalls bei →land- und forstwirtschaftlichem Vermögen). Die erstmalige Anwendung der Einheitswerte 1964 erfolgte mit den Einheitswerten des G. durch →Fortschreibung, →Nachfeststellung oder Aufhebung des Einheitswerts auf den 1. 1. 1974.

**Grundbetrag,** eine bei der Berechnung der →Schlüsselzuweisungen im kommunalen Finanzausgleich verwendete Größe, deren Höhe iterativ so gewählt wird, daß sich aus ihrer Multiplikation mit der Summe aller →Ausgleichsmeßzahlen der insgesamt vom Land für Schlüsselzuweisungen bereitgestellte Betrag *(Schlüsselmasse)* ergibt.

**Grundbilanz,** Zusammenfassung der →Leistungsbilanz und der Bilanz des langfristigen Kapitalverkehrs (→Kapitalbilanz).

**Grundbuch. I. Buchführung: 1.** *Begriff:* Vgl. →Journal. – 2. Die *Eintragungen* in die G. sind zeitgerecht, vollständig und richtig zu bewirken (§ 239 II HGB). – Vgl. auch →Buchführung, →Buchführungspflicht.

**II. Grundstücksrecht:** Öffentliches Register, vom →Grundbuchamt geführt mit dem Zweck, die Rechte am →Grundstück zu offenbaren (→Publizitätsprinzip). – 1. Nach dem →*Eintragungsgrundsatz* müssen alle eintragungsfähigen Rechte im G. eingetragen werden, vorher werden sie nicht wirksam. →Grundbucheinsicht ist weitgehend zu gewähren. – 2. *Eintragungen* im G. grundsätzlich nur auf Antrag (→Antragsgrundsatz). Zur Stellung des Antrags berechtigt sind die durch die Eintragung begünstigten und die durch sie betroffenen Beteiligten. Weitere Voraussetzung ist →Eintragungsfähigkeit; ausgenommen sind z. B. die öffentlich-rechtlichen Vorgänge (z. B. Belastung mit →Steuern) und die schuldrechtlichen Vorgänge (z. B. →Miete, →Pacht). →Einzelkaufleute werden grundsätzlich im G. nur unter ihrem bürgerlichen Namen, →Handelsgesellschaften unter ihrer →Firma, →juristische Personen des Handelsrechts unter dem Namen oder der Firma eingetragen (vgl. § 15 der Allgemeinen Verfügung über die Einrichtung und Führung des Grundbuches vom 8.8.1935). – 3. *Anlegung* des G. nach Bezirken. – 4. Innerhalb des G. hat jedes Grundstück einen bestimmten Platz, das *Grundbuchblatt*, das für das einzelne Grundstück als das Grundbuch i. S. des BGB anzusehen ist (§ 3 I 2 GBO). Grundsätzlich bekommt zwecks Klarlegung der Rechtsverhältnisse jedes Grundstück ein eigenes Grundbuchblatt (Realfolium). Wenn Verwirrung nicht zu besorgen ist (§ 4 GBO), ist jedoch die Zusammenführung mehrerer selbständiger Grundstücke im Eigentum einer Person auf einem Blatt zulässig (Personalfolium). – 5. *Gliederung* des G. nach gesetzlich vorgeschriebenem Muster. An der Spitze steht das →Bestandsverzeichnis. Dann folgen drei Abteilungen: Abt. 1 enthält die Eigentumsverhältnisse, Abt. 2 die Lasten und Beschränkungen, ausgenommen die →Grundpfandrechte, Abt. 3 die Grundpfandrechte (→Hypotheken, →Grundschuld, →Rentenschuld). – 6. Die um die Eintragungen im G. entstehenden Vorgänge (Urkunden, Protokolle) werden nicht zum G. selbst genommen, sondern für sich gesammelt und zwar für jedes Grundbuchblatt in einem eigenen Aktenstück, den sog. →*Grundakten* (mit dem sog. →Handblatt). – 7. Wegen des →öffentlichen Glaubens des G. ist keine →Beschwerde gegen Eintragungen möglich, sondern →*Widerspruch* und →*Grundbuchberichtigung*.

**Grundbuchamt,** Abteilung des →Amtsgerichts, der die Führung des →Grundbuchs obliegt (§ 1 GBO). Leiter ist der *Grundbuchrichter*, dessen Aufgaben heute vielfach auf den Rechtspfleger übergegangen sind. Das Grundbuchverfahren gehört zur →Freiwilligen Gerichtsbarkeit.

**Grundbuchberichtigung,** von Amts wegen (→Amtsberichtigung, →Grundbuchberichtigungszwang) oder auf Betreiben eines Beteiligten (→Grundbuchberichtigungsanspruch) erfolgende Berichtigung des →Grundbuchs. G. ist erforderlich, wenn die wirkliche Rechtslage eines Grundstücks mit den Eintragungen

im Grundbuch (Buchstand) nicht übereinstimmt. Das Erfordernis der G. folgt aus der Gefahr des →gutgläubigen Erwerbs oder der Leistung an einen Scheinberechtigten. – Vgl. auch →Widerspruch, →Löschung.

**Grundbuchberichtigungsanspruch,** Anspruch desjenigen, dessen Recht durch eine unrichtige Eintragung im →Grundbuch beeinträchtigt wird. Er kann Berichtigung beantragen, die das →Grundbuchamt vorzunehmen hat, wenn die Unrichtigkeit durch →öffentliche Urkunde nachgewiesen ist oder die Berichtigung von dem Scheinberechtigten bewilligt wird (§§ 22, 29 GBO); diese →Eintragungsbewilligung kann der Betroffene von dem Scheinberechtigten nach § 894 BGB aufgrund des G., notfalls im Prozeßwege, verlangen.

**Grundbuchberichtigungszwang,** wegen Interesses der Allgemeinheit an der Richtigkeit des →Grundbuches (→öffentlicher Glaube) in gewissen Fällen durch das →Grundbuchamt ausgeübter Zwang (§§ 82 ff. GBO). – Vgl. auch →Amtsberichtigung.

**Grundbuchblatt,** →Grundbuch.

**Grundbucheinsicht,** Recht eines jeden, der ein →berechtigtes Interesse an der Einsichtnahme im →Grundbuch darlegt (§ 12 GBO). Für die G. werden keine Gebühren erhoben (§ 74 KostO).

**Grundbucheintragung,** →Grundbuch II 2.

**Grundbuchungen,** erste, chronologische Buchungen: a) in den Grundbüchern (Kassenbuch, Wareneinkaufsbuch = Warenkonto Soll, Warenverkaufsbuch = Warenkonto Haben), die neben dem zu verbuchenden Betrag das Gegenkonto und den Buchungsbeleg, oft durch Symbole bezeichnet (KA = Kassenausgabebeleg, ER = Einkaufsrechnung, AR = Ausgangsrechnung, Bk = Bankbeleg), nennen; b) in dem beschreibenden Grundbuch (Tagebuch, Journal oder Memorial), wobei das durch die Buchung belastete, das durch die Buchung erkannte Konto und der Beleg genannt werden.

**Grundbuchvermutung,** aus dem →Publizitätsprinzip folgende Vermutung: Ist im →Grundbuch für jemand ein Recht eingetragen, wird vermutet, daß es ihm zustehe. Die →Löschung eines eingetragenen Rechts begründet Vermutung, daß es nicht bestehe (§ 891 BGB). Die G. erspart im Streitfall den →Beweis.

**Grunddatenverwaltung,** Komponente eines PPS-Systems, die für die Verwaltung der →Stammdaten zuständig ist. – Vgl. auch →PPS-System II 1.

**Grunddienstbarkeit,** rechtsgeschichtlich an die Servitut des römischen Rechtes anknüpfendes Rechtsinstitut, steht neben →Nießbrauch und →beschränkt persönlicher Dienstbarkeit. – G. ist das dem jeweiligen Eigentümer eines →Grundstücks zustehende →dingliche Recht zur beschränkten unmittelbaren Nutzung eines anderen Grundstücks (§§ 1018 ff. BGB). Vom Eigentümer des belasteten oder dienenden Grundstücks wird dabei kein aktives Tun verlangt. Er hat nur entweder eine bestimmte Nutzung seines Grundstücks oder Handlung zu *dulden* (z. B. Begehen, Befahren, Einwirkungen durch Rauch, Gase, Geräusche) oder die Ausübung eines Rechtes zu *unterlassen*, das sich aus seinem Eigentum ergeben würde (Baubeschränkungen). G. kommt überwiegend in ländlichen Bezirken vor. – *Eintragung* in Abt. 2 des →Grundbuchs des dienenden Grundstücks; beim herrschenden Grundstück auf Antrag im →Bestandsverzeichnis.

**Gründerbericht,** →Gründungsbericht.

**Gründer einer AG.** 1. *Personenkreis:* G. einer AG sind die →Aktionäre, die die →Satzung festgestellt haben (§ 28 AktG); mindestens fünf Personen, die →Aktien gegen →Einlagen übernehmen. – 2. *Pflichten:* Die G. haben den Inhalt der Satzung in notariell beurkundeter Form festzustellen (§§ 2, 23 AktG), die Aktien zu übernehmen, die Einlagen auf diese Aktien zu leisten (§ 2 AktG). und im Wege der notariellen Beurkundung den ersten Aufsichtsrat und den Abschlußprüfer für das erste Voll- oder Rumpfgeschäftsjahr zu bestellen (§ 30 AktG). – 3. *Rechte:* Der G. erlangt mit Übernahme der Aktien die Mitgliedschaftsrechte des Aktionärs. Für seine Tätigkeit kann ihm ein →Gründerlohn gewährt werden. – Vgl. auch →Gründung einer AG.

**Gründergesellschaft,** →Vorgesellschaft.

**Gründergewinn,** →Gründerlohn.

**Gründerjahre,** Schlußphase eines in Deutschland 1869 einsetzenden Aufschwungs, in deren Verlauf, auch gefördert durch eine Liberalisierung des Aktienrechts, die optimistische Stimmung nach dem Sieg über Frankreich und eine Liquidisierung des Kapitalmarktes durch die französischen Reparationen, viele neue Unternehmen gegründet worden sind. Die Investitionen in Industrie- und Verkehrsunternehmen sowie in den Wohnungsbau erreichten Rekordhöhen. 1873 brach die Spekulation zusammen. Der „Gründerkrach" leitete die von 1873 bis 1879 dauernde „Gründerkrise" ein.

**Gründerlohn,** *Gründergewinn,* zu Lasten der AG gewährte Entschädigung oder Belohnung (→Sondervorteil) der Aktionäre oder anderer Personen für die Durchführung oder Vorbereitung der Gründung (→Gründung einer AG II 3). Der Gesamtaufwand aus solchen Entschädigungen und Belohnungen ist in der →Satzung gesondert festzusetzen, sonst sind die zugrunde liegenden Verträge und die Rechtshandlungen zu ihrer Ausführung der Gesellschaft gegenüber unwirksam.

**Grunderwerbsteuer,** →Verkehrsteuer, die erhoben wird, wenn die rechtliche oder wirtschaftliche Verfügungsmacht an einem inländischen Grundstück übergeht.

I. R e c h t s g r u n d l a g e : 1. *Bis 1982* Grunderwerbsteuergesetz (GrEStG) vom 29. 3. 1940 (RGBl I 585), DV (GrEStDV) vom 30. 3. 1940 (BGBl I 595), Nebengesetze sowie →Landesrecht. – 2. *Ab 1983* GrEStG vom 17. 12. 1982 (BGBl I 1777) mit wesentlichen Änderungen gegenüber dem bis dahin geltenden Recht.

II. S t e u e r b a r e V o r g ä n g e (§ 1 I–III GrEStG): Hauptfall ist der Abschluß eines →Kaufvertrages über ein inländisches →Grundstück. Daneben unterliegen zahlreiche weitere tatsächliche und rechtliche Vorgänge der G., die eine Steuervermeidung verhindern sollen, z. B. unter bestimmten Voraussetzungen die Übertragung von Anteilen an einer Gesellschaft, zu deren Vermögen ein inländisches Grundstück gehört.

III. S t e u e r b e f r e i u n g e n (§ 3 Nr. 1–8 GrEStG): 1. Erwerbe, deren Wert weniger als 5000 DM (→Freigrenze) beträgt; 2. Schenkungen und Erwerbe von Todes wegen; 3. Erwerb eines zum Nachlaß gehörenden Grundstücks durch Miterben zur Teilung des Nachlasses; 4. Erwerbe durch Ehegatten; 5. Erwerbe durch früheren Ehegatten im Rahmen der Vermögensauseinandersetzung nach Scheidung; 6. Erwerb durch Verwandte in gerader Linie, Stiefkinder sowie deren Ehegatten.

IV. S t e u e r b e r e c h n u n g : 1. *Bemessungsgrundlage:* Wert der Gegenleistung; in bestimmten Fällen der mit 40% erhöhte (§ 121 a BewG) Einheitswert (§ 8 GrEStG). – 2. *Steuersatz:* 2 v. H. (§ 11 I GrEStG).

V. S t e u e r s c h u l d n e r : Steuerschuldner sind regelmäßig die an einem Erwerbsvorgang beteiligten Personen (§ 13 GrEStG) als →Gesamtschuldner (§ 44 I AO). – Zum *Entstehungszeitpunkt* der G. vgl. →Steuerschuld.

VI. V e r f a h r e n : Für grunderwerbsteuerbare Vorgänge (II.) besteht grundsätzlich →Anzeigepflicht. Damit wird dem zuständigen Finanzamt ermöglicht, durch einen →Steuerbescheid die G. festzusetzen. I. d. R. wird die Steuer einen Monat nach dessen Bekanntgabe fällig (§ 15 GrEStG).

VII. A u f k o m m e n : 1986: 913 Mill. DM (1985: 903 Mill. DM; 1979: 902 Mill. DM; 1977: 1567 Mill. DM).

**Gründerzentrum,** →Existenzgründungshilfen, →Wirtschaftsförderung II 4 c).

**Grundgehalt,** Hauptbestandteil der Dienstbezüge eines Beamten (→Besoldung), nach der

Besoldungsordnung A (für aufsteigende Gehälter) oder B (für feste Gehälter) festgesetzt; bei aufsteigenden Gehältern nach Dienstaltersstufen (Steigerung i. a. alle zwei Jahre bis zum Endgehalt).

**Grundgesamtheit,** *Ausgangsgesamtheit, Kollektiv, Population, statistische Masse,* Menge aller Elemente, auf die ein Untersuchungsziel in der Statistik gerichtet ist. Die G. bedarf einer exakten *sachlichen, räumlichen und zeitlichen* Abgrenzung (falsche Abgrenzung: →Coverage-Fehler). Gelegentlich werden auch *hypothetische G.* erörtert, z. B. Menge aller Ausspielungen, die mit einem Würfel durchgeführt werden können. Bei →Stichprobenverfahren ist G. der Gegenbegriff zu →Stichprobe; die Resultate der Stichprobe werden (→Schätzung) auf die G. übertragen. – *Anders:* →Erhebungsgesamtheit.

**Grundgeschäftserklärung,** schriftliche Erklärung, die die Kreditinstitute bei der Rediskontierung von →Bankakzepten und Debitorenziehungen darüber abzugeben hatten, daß der Wechsel ein Handelswechsel ist, insbes. nicht der Finanzierung von Investitionen oder der Verflüssigung eingefrorener Debitoren dient. Heute i. a. nicht gefordert, jedoch bei →Privatdiskonten Angabe über das Grundgeschäft erforderlich.

**Grundgesetz (GG),** die am 24. Mai 1949 (BGBl 1) in Kraft getretene vorläufige Verfassung für die →Bundesrepublik Deutschland. – *Inhalt:* Das GG enthält Bestimmungen über eine Reihe von →*Grundrechten,* die gem. Art. 1 III GG die →Gesetzgebung, →Verwaltung und →Rechtsprechung als unmittelbar geltendes Recht binden; weitere Vorschriften betreffen Bund und Länder, →Bundestag, →Bundesrat, →Bundespräsident, sowie die →Bundesregierung, die Gesetzgebung des Bundes, die Ausführung der →Bundesgesetze, die Bundesverwaltung, die Rechtsprechung und das Finanzwesen. – Das *Verhältnis* zwischen *Bund und Ländern* ist nach dem Prinzip des →Föderalismus gestaltet: 1. Die *Länder* sind grundsätzlich für die Ausübung aller staatlichen Befugnisse und Erfüllung aller staatlichen Aufgaben zuständig, soweit das GG keine andere Regelung trifft oder zuläßt (Art. 30). Die Ausführung der Bundesgesetze obliegt den Verwaltungsbehörden der Länder, sofern nicht eine bundeseigene Verwaltung mit eigenem Verwaltungsunterbau (Art. 87 I, Art. 89 II, Art. 90 III) oder Bundesbehörden (nach Art. 87 III) zugelassen und errichtet werden (z. B. Bundesfinanzverwaltung, Bundespost oder Bundesämter, u. a. für gewerbliche Wirtschaft). – 2. Besonders fühlbare Auswirkungen hat das föderalistische Prinzip im Bereich des Finanzwesens durch die Regelung der *Zuständigkeit zur Steuergesetzgebung* und durch die *Verteilung des Aufkommens* aus den verschiedenen Steuern. Die Länder sind nicht

„Kostgänger des Bundes", sondern Gläubiger bestimmter Steuern; vgl. →Steuergesetzgebungshoheit, →Finanzhoheit. – 3. *Verfassungsorgan* zur Wahrung der bundesstaatlichen Grundstruktur ist der Bundesrat. Er ist dem Bundestag gleichrangig. Seine Zustimmung ist zu bestimmten Gruppen von →Gesetzen, →Rechtsverordnungen und →Verwaltungsvorschriften erforderlich. – 4. *Änderungen* des GG: Das GG hat bisher 35 Änderungen erfahren. Die Änderungen der letzten Jahre betrafen u. a. eine Erweiterung der Kompetenzen des Bundes und eine Verringerung der Kompetenzen der Länder; vgl. →Finanzreform, →Gemeinschaftsaufgaben.

**Grundhandelsgeschäfte,** die in § 1 II HGB aufgezählten Tätigkeiten. Jedes →Gewerbe, das eines dieser G. zum Gegenstand hat, gilt als *Handelsgewerbe;* das Betreiben eines Handelsgewerbes macht zum →*Mußkaufmann.*

**Grundhandelsgewerbe,** Gewerbebetrieb, der ein →Grundhandelsgeschäft nach § 1 HGB zum Gegenstand hat.

**Grundkapital,** Aktienkapital einer AG, entspricht zahlenmäßig dem →Nennwert aller ausgegebenen →Aktien. – 1. *Höhe des G.:* Der Mindestnennbetrag des G. wurde von 500 000 RM (§ 7 AktG 1937) für Neugründungen auf 100 000 DM herabgesetzt (§ 7 AktG 1965). Die Höhe des G. sagt nichts über den ständig wechselnden Wert des →Gesellschaftsvermögens aus. – 2. In der *Bilanz* ist das G. als →gezeichnetes Kapital auf der Passivseite auszuweisen (§ 152 AktG, § 266 HGB). Der feste Betrag des G. kann nicht durch Gewinn oder Verlust verändert werden; deshalb ist das Gewinn- und Verlust-Konto nicht über Kapitalkonto, sondern über Bilanzkonto abzuschließen. G. plus Kapitalrücklage, Gewinnrücklagen, Gewinnvortrag/Verlustvortrag und Jahresüberschuß/Jahresfehlbetrag ist gleich dem bilanziellen →Eigenkapital. Die einzelnen Aktiengattungen sind mit den Gesamtnennbeträgen jeder Gattung und u. U. mit Angabe der Stimmenzahl gesondert auszuweisen. Bedingtes Kapital (→bedingte Kapitalerhöhung) ist mit dem Nennwert zu vermerken (§ 152 AktG), →genehmigtes Kapital im →Anhang anzugeben (§ 160 AktG). – 3. a) *Aktienausgabe* unter Nennwert ist verboten (§ 9 AktG). b) Vor *Eintragung der AG im* Handelsregister müssen alle Aktien von den →Gründern der AG übernommen und eingezahlt sein (§§ 36, 36a AktG). c) Verboten ist die Rückgewährung von →Einlagen (§ 57 AktG). d) Erwerb →eigener Aktien ist nur unter besonderen Voraussetzungen möglich (§ 71 AktG).

**Grundkosten,** Aufwendungen, die im Rechnungszeitabschnitt in gleicher Höhe in die Kostenrechnung eingehen (aufwandsgleiche

Kosten = Zweckaufwand, als Kosten verrechneter Zweckaufwand). – *Gegensatz:* →Zusatzkosten, →Anderskosten.

**Grundlohn.** I. P e r s o n a l w e s e n : Tariflich festgelegtes Entgelt für die übliche Arbeitsleistung in verschiedenen →Lohnformen.

II. S o z i a l r e c h t : Bemessungsgrundlage für Beiträge zur gesetzlichen →Krankenversicherung (§ 385 RVO). – 1. Der Betrag, der sich bei gleichmäßiger Verteilung des an den Arbeitstagen verdienten →Arbeitsentgelts auf die Kalendertage ergibt. Je nach Satzung der Krankenkassen ist G. nach dem wirklichen Arbeitsverdienst oder nach Lohnstufen (Lohnformen/Zeitlohn) festgelegt, ggf. auch als Kombination dieser Berechnungsarten. – 2. Für *freiwillig Versicherte,* die kein Arbeitsentgelt beziehen, und für die deshalb G. nicht besteht, wird er durch die Krankenkasse bestimmt. Ansonsten richtet sich bei freiwillig Versicherten der G. nach dem Arbeitsentgelt und den sonstigen Einnahmen zum Lebensunterhalt; mindestens beträgt er $^1/_{180}$ der monatlichen →Bezugsgröße (1987: 3010 DM = 16,72 DM täglich = 501,60 DM monatlich). – 3. Für *Studenten und Praktikanten* richtet sich der G. nach dem Bedarfssatz der Studenten an Hochschulen, die nicht bei ihren Eltern wohnen. – 4. Für *Rentner* bestimmt sich der G. nach dem Rentenzahlbetrag zuzüglich des Betrages von anderen rentenähnlichen Einnahmen wie Betriebsrenten, Versorgungsbezügen sowie etwaigen zusätzlichen Arbeitseinkommen; insgesamt aber nur bis zur Jahresarbeitsverdienstgrenze.

**Grundnutzen,** Teil des →Nutzens. G. besteht in der wirtschaftlich-technischen, sachlichstofflichen oder funktionalen Eignung eines Gutes für seinen Verwender. G. wird ergänzt durch den →Zusatznutzen.

**Grundpfandrechte,** dem Sprachgebrauch entsprechend Sammelbezeichnung für →Hypothek, →Grundschuld und →Rentenschuld. Das BGB verwendet die Bezeichnung G. nicht, weil bei der Grund- und der Rentenschuld die für das →Pfandrecht an Fahrnis und Rechten charakteristische Abhängigkeit von einer Forderung fehlt, anders freilich bei der Hypothek. – Vgl. auch Übersicht Sp. 2233/2234.

**Grundpreis,** →Agrarpreise I 3, →EWG I 2 b).

**Grundrechnung,** I. C h a r a k t e r i s i e r u n g : 1. *Begriff:* Zweckneutrale Datenbasis für eine Vielzahl von →Zweckrechnungen. 2. *Ursprung:* Begriff und Idee bezüglich der Kosten gehen auf Schmalenbach, bezüglich pekuniärer Größen auf Goetz zurück. Theoretische Weiterentwicklung und praktische Ausgestaltung erfolgten zuerst im Rahmen der Einzelkosten- und Deckungsbeitragsrechnung. – Vgl. auch →originäre Grundrechnung, →primäre Grundrechnung, →sekundäre

Grundrechnung. – 3. *Zweck:* Bereitstellung mutmaßlich benötigter elementaren Geld- und Mengengrößen für vergangenheits- und zukunftsbezogene Auswertungsrechnungen für alle bedeutenden Zwecke. – 4. *Hauptanforderungen:* Zweckneutralität, vielfältige Verwertbarkeit und hohe Abbildungstreue. – 5. *Grundregeln:* (1) keine Vermengung (Aggregation) heterogener Elemente; (2) keine willkürliche Aufteilung homogener Elemente (z. B. echter Gemeinerlöse); (3) Erfassung und Ausweis aller Rechengrößen bei dem jeweils originären Bezugsobjekt, d. h. dem speziellsten, bei dem das noch ohne willkürliche Aufteilung möglich ist; (4) Kennzeichnung der Elemente durch alle für die Auswertung bedeutsamen Merkmale, z. B. Disponierbarkeit und Abhängigkeiten, Erfassungs- und Zahlungsweise usw.

II. R e a l i s i e r u n g : Bei der Auswahl dieser Merkmale und ihrer Merkmalsausprägungen sowie grundsätzlich beim Aufbau der G. müssen die Anforderungen der voraussichtlich interessierenden Auswertungsmöglichkeiten vorweg bedacht werden. Weil ein völlig zweckunabhängiger Wertansatz nicht existiert und häufig nicht-proportionale →Entgeltfunktionen vorliegen, sollten *Preis- und Mengenkomponente* (soweit möglich) *getrennt* ausgewiesen werden. Die Mehrzahl der abzubildenden Vorgänge ist komplex, die aufzunehmenden Informationselemente sind durchweg vieldimensional; eine →urbelegidentische Grundrechnung kann das partielle Unterdrücken von Informationen verhindern und die uneingeschränkte Klassifikations- und Verknüpfungsmöglichkeit gewährleisten. Auf Basis einer als →relationale Datenbank realisierten G. können mit Hilfe von Methodenbanken und anderen Instrumenten der EDV-Unterstützung sowohl standardisierte als auch fallweise Auswertungsrechnungen gespeist werden. – Bessere Übersicht und schnellerer Zugriff werden ermöglicht, wenn zwischen die urbelegidentische G. und die problemspezifischen Auswertungsrechnungen *selektiv verdichtete und für unterschiedliche Benutzer- oder Zweckgruppen aufbereitete Grundrechnungsauszüge* eingeschoben werden.

III. G r u n d r e c h n u n g s a u s z ü g e : Zur besseren Veranschaulichung kann eine Tabellenform dienen, wobei das gesamte Datenfeld z. B. in die „Teilgebiete" der Erlöse (bzw. Einnahmen und Einzahlungen), G. der Beschaffungsentgelte (bzw. Ausgaben und Auszahlungen), G. der Kosten, G. der Potentiale und G. der Bewegungsmengen.

1. *G. der Erlöse:* Vieldimensionale Sammlung der erwarteten, geplanten, vereinbarten, fakturierten und endgültig realisierten Brutto- und Nettoerlöse, Erlösminderungen und -berichtigungen mit allen Merkmalen, die für die Auswertung bedeutsam sind. Bei den Bezugs-

## Übersicht: Grundpfandrechte

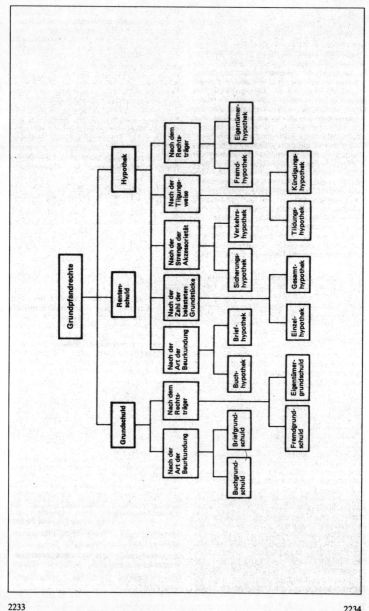

objekten ist nicht nur nach Leistungsarten, Auftragsarten und -größen, Kunden usw. zu differenzieren, sondern auch nach Art der Auftragsgewinnung und -abwicklung, Zahlungs- und Lieferkonditionen usw. Das Verhalten gegenüber unterschiedlichen Einflußfaktoren ist, insbes. bei nicht proportionalen mehrgliedrigen →Entgelten bzw. gespaltenen Preisen, durch die Bildung entsprechender Erlöskategorien und Bezugsobjekte zu berücksichtigen. Fixe Erlöse aus Verträgen mit fester (Mindest-)Bindungsdauer sind der Bindungsperiode als Ganzes zuzurechnen und durch weitere Merkmale z. B. Kündigungstermine, Zahlungsmodalitäten) zu kennzeichnen. Soweit es sich nicht um prompte Zug-um-Zug-Geschäfte handelt, sollten die Phasen der Erlösrealisierung und die damit verbundenen Erlösänderungen vom Auftragseingang über die Fakturierung bis zum Zahlungseingang und Ablauf von Gewährleistungsfristen verfolgt werden. Oft ist auch die Entwicklung während der Verhandlungsphase und der Leistungserstellung von Bedeutung. Wegen der zum Teil identischen Bezugsobjekte und der Bindung an bestimmte Erlöskategorien ist es vorteilhaft, umsatzwert-, absatzmengen- und auftragsindividuelle Leistungskosten einzubeziehen.

2. *G. der Beschaffungsentgelte:* Analog zur G. der Erlöse nach beschafften Güterarten, Beschaffungsaufträgen, Lieferanten, Entgeltregelungen, Konditionen usw. aufzubauen. Im Hinblick auf die Aufteilung der beschafften Menge im Zuge der Verwendungsdisposition, muß die Zurechenbarkeit auf Teilmengen geprüft werden.

3. *G. der Kosten:* In der primären G. werden die *nach kategorialen Merkmalen differenzierten Kostenarten* bei den Bezugsobjekten, für die sie direkt erfaßt wurden, gesammelt. Dabei kann eine nach üblicher Auffassung einheitliche Kostenart in mehreren Kategorien auftreten (z. B. Lizenzen als umsatzwert- oder absatzmengenabhängig und als an Perioden unterschiedlicher Dauer gebundene „fixe" Pauschallizenz mit unterschiedlichen Zahlungsmodalitäten). Lassen sich die unterschiedlichen Kategorien zugehörigen Teile einer Kostenart nur gemeinsam erfassen, werden sie primär als Mischkosten ausgewiesen. – Als *Bezugsobjekte* erscheinen „gleichberechtigt" nebeneinander Kostenstellen, Kostenträger und andere bisher nicht übliche Bezugsobjekte, z. B. Kunden, Teilmärkte und Geschäftsarten. – Die *Periodenrechnung ist hierarchisch differenziert;* Leistungskosten werden nur aufgenommen, soweit es sich um periodengebundene Leistungen handelt und/oder die Dauer der Erstellung vernachlässigt werden kann. Die übrigen werden auftrags-, partie- oder projektspezifisch in periodenübergreifenden Zeitablaufsrechnungen gesammelt, ebenso wie Bereitschaftskosten mit überjähriger oder

phasenverschobener →Bindungsdauer oder unbestimmter Nutzungsdauer. – Die *traditionelle Abrechnungsfolge der Kostenarten-, Kostenstellen- und Kostenträgerrechnung* kennt die G. nicht. Lediglich wenn Mischkosten gespalten, unechte Gemeinkosten disaggregiert oder die abgeleiteten Kosten innerbetrieblicher Leistungen gefragt sind, ist eine sekundäre G. vonnöten. Bei mehrstufiger Leistungserstellung sollten die einzelnen Kostenarten und -kategorien (analog zur Primärkostenrechnung) getrennt durchgerechnet werden, soweit dies für die Auswertung von Bedeutung ist. Disaggregierte Kosten sind freilich nicht für Durchführungskontrollen geeignet.

4. *G. der Potentiale:* Diese weist die verfügbaren/geplanten Bestände und Bestandsänderungen an personellen, sachlichen und finanziellen Nutzungspotentialen sowie die geplante und schon vordisponierte Inanspruchnahme aus, ferner Bestände und Bestandsveränderungen von Verbrauchsgütern, insbes. wenn deren Mengeneinheiten keine Ausgaben oder Leistungskosten zugerechnet werden können. In der G. wird nach Quantengrößen, Standorten und anderen Merkmalen, die für die Bereitstellungs- und Einsatzplanung, die Ermittlung von Engpässen oder andere Auswertungen benötigt werden, differenziert.

5. *G. der Bewegungsmengen* (Zugangs-, Einsatz-, Ausbringungs- und Abgangsmengen bzw. produzierte und abgesetzte Leistungsmengen): Diese liefert Informationen für das Mengengerüst der Beschaffungsentgelt-, Kosten-, Leistungs- und Erlösrechnung. Sie ist unumgänglich soweit den Gütereinheiten keine Entgelte oder Zahlungen zugerechnet werden können.

In jedem dieser „Teilbereiche" sind nebeneinander zahlreiche „Sichten", d. h. unterschiedliche Ausschnitte und Verknüpfungen möglich, darüberhinaus solche, in denen unterschiedliche Teilbereiche verknüpft werden, was auf Schwierigkeiten stößt, solange die „Teilbereiche" in der Datenbasis nicht voll integriert sind.

**Literatur:** S. Hummel, Wirklichkeitsnahe Kostenerfassung, Berlin 1970; P. Riebel, Einzelkosten- und Deckungsbeitragsrechnung, 5. Aufl.; Wiesbaden 1985; P. Riebel/W. Sinzing, zur Realisierung der Einzelkosten- und Deckungsbeitragsrechnung mit einer relationalen Datenbank, in: ZfbF, 33 (1981), S. 457–489; W. Sinzig, Datenbank-orientiertes Rechnungswesen, 2. Aufl., Berlin-Heidelberg-New York-Tokyo 1985; H. Wedekind/E. Ortner, Der Aufbau einer Datenbank in der Kostenrechnung, in: DBW, 27 (1977), S. 533–547.

Prof. Dr. Paul Riebel

**Grundrechnung der Beschaffungsentgelte,** →Grundrechnung III 2.

**Grundrechnung der Bewegungsmengen,** →Grundrechnung III 5.

**Grundrechnung der Erlöse,** →Grundrechnung III 1.

# Schema einer verdichteten Sicht zu der Grundrechnung der Kosten in Tabellenform

*Spaltenüberschriften (Zurechnungsobjekte):*

**Funktionen:** Auftragsabwicklung · Auftragsgewinnung · Kundenbetreuung und -erhaltung · Werbung · Markterkundung

**Bereiche:** Kostenstellengruppen · Kostenstellen

**Gesch. art:** Lagergeschäft · Streckengeschäft

**Märkte:** Absatzgebiete · Kundengruppen

**Leistungen:**
- externe: Auftragsarten 1, 2 ... k · Artikelgruppe 1, 2 ... j · Artikelarten 1, 2 ... n
- interne: nicht aktiv. pflichtig · aktiv. pflichtig

*Hinweise im Tabellenkörper:*
- zusätzlich nach Erfassungsweise (direkt erfaßte EK - zugeschlüsselte unechte GK) bzw. Genauigkeit aufgliederbar
- zusätzlich nach Erfassungsweise, Kündigungsfristen und Zahlungsweise aufgliederbar

| Zeitabschnitte | Kostenkategorien | Kostenarten (Beispiele) |
|---|---|---|
| **I. Leistungsrechnung**<br>1. periodengebundene auftrags-, partie- od. projektspez. Zeitablaufrechnung<br>2. nicht periodengebundene | *Leistungskosten – absatzbedingt:* umsatzwertabhängige · absatzmengenabhängige · auftragsbedingte | Provisionen · Kaffeesteuer · Frachten, Packmittel |
| | *manipulationsbedingt (+):* manipulationsmengenabhängige · sortenwechselbedingte · auftragsgebundene | Material, Energie · Material, Energie · Sondervorrichtung |
| | *beschaffungsbedingt:* beschaffungswertabhängige · beschaffungsmengenabhängige · partiegebundene · auftragsgebundene Nebenkosten | Wertzölle · Wareneinstand · Globalentgelte · Frachten |
| **II. Periodenrechnung**<br>Monatsrg.<br>Quartalsrg.<br>Jahresrechnung | *Mischkosten / Bereitschaftskosten geschlossener Perioden:* zeitl. ungebundene Kosten · stundengebundene Kosten · schichtgebundene Kosten · tagesgebundene Kosten · monatsgebundene Kosten<br>Σ = aggregierte Monats-Einzelkosten<br>= aggregierte Quartals-Einzelkosten | Strom zum Arbeitspreis · Überstundenlöhne · Schichtzuschläge · Zins für Tagesgeld · Löhne bei monatl. Kündigung |
| | jahresgebundene Kosten<br>Σ = aggregierte Jahres-Einzelkosten  (aggr. Jahres-Einzelk. / Jahres-GK) | Gehälter bei vj. Kündigung<br>Vermögensteuer |
| **III. überjährige nicht periodengebundene Zeitablaufrechnung** (offener Perioden) | abgrenzungspflichtige Jahres-Gemeinkosten (Ausgabenverpflichtungen während gesamter Bindungsdauer) | Mietvertrag vom 1.10. bis 30.9.<br>5-Jahres-Vertrag |
| | nicht aktivierungspflichtige Jahres-Gemeinausgaben (Kosten) (+Ausgabenverpflichtungen) | Kauf geringwertiger Wirtschaftsgüter · Werbeausgaben |
| | aktivierungspflichtige Jahres-Gemeinausgaben (Kosten) (+Ausgabenverpflichtungen) | Großreparatur · Fahrzeugkauf |

*) bzw. erzeugungs- oder leistungsbedingt

2237    2238

**Grundrechnung der Kosten,** →Grundrechnung III 3.

**Grundrechnung der Potentiale,** →Grundrechnung III 4.

**Grundrechte,** die im Grundrechtsteil des →Grundgesetzes verankerten Freiheitsrechte. G., die allen Menschen unterschiedslos zukommen, heißen *Menschenrechte,* die nur den Deutschen vorbehaltenen G. *Bürger- oder Deutschenrechte.* Menschenrechte sind z. B. das Recht auf Gleichbehandlung, die →Glaubens- und Gewissensfreiheit und Bekenntnisfreiheit, die →Meinungsfreiheit und →Pressefreiheit, das Recht auf Unverletzlichkeit der Wohnung, auf Gewährleistung des →Eigentums und des Erbrechts; Bürger- oder Deutschenrechte sind die →Versammlungsfreiheit und →Vereinsfreiheit, das Recht der →Freizügigkeit, die →Berufsfreiheit. Die G. binden →Gesetzgebung, →Verwaltung und →Rechtsprechung als unmittelbar geltendes Recht. Gegen *unberechtigte Eingriffe* in die G. kann sich der Einzelne, insbes. durch Erhebung der →Verfassungsbeschwerde, wehren. Soweit jemand zum Kampfe gegen die freiheitliche demokratische Grundordnung gewisse G. mißbraucht, kann er diese verwirken. Die Verwirkung wird vom →Bundesverfassungsgericht ausgesprochen. – Dient die *Beschränkung von G.* dem Schutze der freiheitlichen demokratischen Grundordnung oder des Bestandes oder der Sicherung des Bundes oder eines Landes, so kann durch Gesetz bestimmt werden, daß an die Stelle des Rechtsweges die Nachprüfung durch von der Volksvertretung bestellte Organe und Hilfsorgane tritt (Art. 10 II ff.).

**Grundrente.** I. B u n d e s v e r s o r g u n g s g e s e t z : Rentenleistung an Beschäftigte; vgl. im einzelnen →Beschädigtenrente.

II. S o z i a l p o l i t i k : Sozialpolitischer Begriff in der Diskussion um die geplante Reform der gesetzlichen Rentenversicherung. G. meint im wesentlichen die Einführung einer beitragsunabhängigen, aus allgemeine Steuermitteln zu finanzierenden Altersrente für alle Bürger mit einem festen Betrag als Grundsicherung der Bevölkerung; im einzelnen stark umstritten. Im derzeitigen Alterssicherungssystem der Bundesrep. D. unbekannt, existiert aber in unterschiedlicher Ausprägung z. T. in anderen Ländern. – Synonyme oder verwandte Begriffe: *Staatsbürgerrente, Volksrente, Mindestrente, Grundversorgung.*

**Grundsatz der Wesentlichkeit,** →materiality.

**Grundsätze der Ausübung des Wirtschaftsprüferberufs,** →Berufsgrundsätze für Wirtschaftsprüfer.

**Grundsätze ordnungsmäßiger Abschlußprüfung,** →Grundsätze ordnungsmäßiger Prüfung.

**Grundsätze ordnungsmäßiger Bilanzierung,** →ordnungsmäßige Bilanzierung III 3, →ordnungsmäßige Bilanzierung.

**Grundsätze ordnungsmäßiger Buchführung (GoB).** I. B e g r i f f : 1. Bestimmte *Regeln der Rechnungslegung.* Sie bilden die allgemeine Grundlage für die handelsrechtliche Bilanzierung und sollen die mit der Erstellung und Veröffentlichung von Jahresabschlüssen verbundenen legislatorischen Zwecksetzungen gewährleisten. – 2. Die GoB haben *Rechtsnormcharakter,* d. h. sie sind verbindlich anzuwenden, wenn Gesetzeslücken vorhanden sind, Zweifelsfragen bei der Gesetzesauslegung auftreten und eine Rechtsanpassung an veränderte wirtschaftliche Verhältnisse stattfinden muß. Insofern spricht man auch von einem unbestimmten Rechtsbegriff. Im →Bilanzrichtlinien-Gesetz hat der Gesetzgeber erstmalig bestimmte Prinzipien, die seit langem als rechtsform- und größenunabhängige GoB anerkannt waren, erstmals *kodifiziert.* – 3. Für die Ermittlung der *nichtkodifizierten Teile* der GoB werden in der Literatur zwei Methoden genannt: a) Nach der *induktiven* Methode werden die GoB aus den Gepflogenheiten der Praxis „abgeleitet". b) Bei der *deduktiven* Methode wird der Versuch unternommen, die GoB allein aus Zwecken der Rechnungslegung zu ermitteln. Beide Verfahren haben lediglich heuristischen Charakter. So hat die deduktive Methode, die nach herrschender Meinung die richtige ist, mit Deduktion oder Ableitung in einem logischen Sinne nichts zu tun. Sie ist lediglich ein „theoretisches Interpretations- und Findungsverfahren" im Gegensatz zur „Induktion aus der Anschauung der praktischen Übung ehrbarer Kaufleute" heraus.

II. Q u e l l e n : 1. Gesetz- und Rechtsprechung: a) Handelsrecht (§§ 238–263 HGB); b) Steuerrecht (§§ 140–148, 154, 158 AO; §§ 4 ff. EStG; Abschn. 29–31 EStR); c) Rechtsprechung. – 2. Empfehlungen, Erlasse, Gutachten von Behörden und Verbänden. – 3. Gepflogenheiten der Praxis. – 4. Wissenschaftliche Diskussion.

III. D i e w i c h t i g s t e n G r u n d s ä t z e : Nach überwiegender Meinung, der seit Inkrafttreten des Bilanzrichtlinien-Gesetzes auch das HGB folgt, werden folgende Anwendungsbereiche der GoB unterschieden:

1. *Grundsätze ordnungsmäßiger Buchführung (i. e. S.):* Als Ausfluß des Grundsatzes der *Klarheit und Übersichtlichkeit* (Nachprüfbarkeit) soll die →Buchführung so beschaffen sein, daß sie einem sachverständigen Dritten innerhalb angemessener Zeit einen Überblick über die Geschäftsvorfälle, ihre Entstehung und Abwicklung und die Lage des Unternehmens vermitteln kann (§ 238 HGB, § 145 I AO). Notwendig sind Eintragungen in einer lebenden Sprache oder deren Schriftzeichen;

insbes. bei EDV-Buchführung dürfen auch Abkürzungen, Ziffern, Buchstaben oder Symbole verwendet werden, wenn ihre Bedeutung in Organisationsplänen, Programmbeschreibungen, Datenflußplänen o. ä. eindeutig festliegt (§ 239 HGB). – Die Grundsätze der *Vollständigkeit* sowie formellen und materiellen *Richtigkeit* verlangen, daß keine Geschäftsvorfälle weggelassen, hinzugefügt oder anders dargestellt werden, als sie sich tatsächlich abgespielt haben. Konten dürfen nicht auf falsche oder erdichtete Namen geführt werden. Bei der Führung von Büchern oder bei →Belegbuchhaltung soll Blatt für Blatt oder Seite für Seite fortlaufend numeriert sein. Der ursprüngliche Buchungsinhalt darf nicht unleserlich gemacht, es darf nicht radiert werden, Bleistifteintragungen sind unzulässig. Zwischen den Buchungen dürfen keine Zwischenräume gelassen werden (→Buchhalternase). Bei EDV-Buchführungen müssen Änderungen und Korrekturen automatisch aufgezeichnet werden (§ 239 III HGB). – Sämtliche Buchungen müssen aufgrund der →Belege jederzeit nachprüfbar sein („keine Buchung ohne Beleg", →*Belegprinzip*). Der Zusammenhang zwischen Geschäftsvorfall, Beleg und Konto ist durch ein Grundbuch herzustellen, das auch in einer geordneten und übersichtlichen Belegablage bestehen kann. Die Erfüllung der Grundbuchfunktion ist bei EDV-Buchführung durch Ausdruck oder Ausgabe auf Mikrofilm (vgl. →Mikrofilm II), bei der Speicherbuchführung durch jederzeitige Ausdruckbereitschaft sicherzustellen. – Der Grundsatz der *rechtzeitigen und geordneten Buchung* verlangt, daß die Buchungen innerhalb einer angemessenen Frist in ihrer zeitlichen Reihenfolge vorgenommen werden. Kasseneinnahmen und -ausgaben sollen i. d. R. täglich festgehalten werden (§ 146 I AO). Im Kontokorrentbuch sind alle Käufe und Verkäufe auf Kredit kontenmäßig festzuhalten; bei nur gelegentlich unbarem Geschäftsverkehr braucht ein Kontokorrentbuch nicht geführt zu werden, wenn für jeden Bilanzstichtag über die bestehenden Forderungen und Schulden Personenübersichten geführt werden; bei Einzelhändlern ist eine vereinfachte Buchung kleinerer Kreditgeschäfte zulässig (im Wareneingangsbuch in einer besonderen Spalte, Kreditverkäufe in einer Kladde, Debitoren- oder Kreditorenverzeichnis zum Bilanzstichtag). Ersatzweise Führung einer →Offene-Posten-Buchführung ist bei Einhaltung der Ordnungsmäßigkeitsvoraussetzung möglich. – Die *Aufbewahrungsfrist* für Bücher beträgt zehn, für Buchungsbelege sechs Jahre, soweit sie nicht Buchfunktion erfüllen (wie z. B. die Belegkopien der ausgeglichenen Posten in der Offene-Posten-Buchführung).

2. *Grundsätze ordnungsmäßiger Inventur:* Der Grundsatz der *Vollständigkeit* verlangt, daß

am Schluß eines jeden Geschäftsjahrs *(Stichtagsprinzip)* alle Vermögensgegenstände, Rechnungsabgrenzungsposten und Schulden in ein Inventar aufzunehmen sind (→Inventur), die dem Grunde nach in der Bilanz erscheinen könnten (→Aktivierungspflicht, →Aktivierungswahlrecht, →Passivierungspflicht, →Passivierungswahlrecht). Dazu gehören alle Posten, die nach wirtschaftlicher Betrachtungsweise dem bilanzierenden Unternehmen zuzurechnen sind (also z. B. auch Treuhandvermögen beim →Treugeber, Sicherungsvermögen beim →Sicherungsgeber, Kommissionsware beim →Kommittenten). Deshalb gilt grundsätzlich das Prinzip der *Einzelerfassung*, doch genügen bei Anwendung anerkannter mathematisch-statistischer Methoden auch Stichprobenverfahren (§ 241 I HGB). Nach dem Grundsatz der *Wesentlichkeit* (→Materiality) brauchen Anlagevermögensgegenstände bis zu 100 DM nicht in das Inventar aufgenommen zu werden (Abschn. 31 III EStG). Weitere Vereinfachungen sind durch die Anwendung der Festbewertung (§ 240 III HGB; →Festwert) und der →Gruppenbewertung (§ 240 IV HGB) möglich. – Der Grundsatz der *Richtigkeit* verlangt eine zutreffende Erfassung nach Art, Menge und Wert der zu inventarisierenden Posten. – Es gilt der Grundsatz der *Einzelbewertung*, wobei auch hier Vereinfachungen bei gleichartigen Gegenständen des Vorratsvermögens sowie anderen gleichartigen oder annähernd gleichwertigen beweglichen Vermögensgegenständen durch Gruppen- und Durchschnittsbewertungen zulässig sind (§ 240 IV HGB). – Der Grundsatz der *Klarheit* verlangt eine übersichtliche, eindeutige, nachprüfbare Aufzeichnung der Inventurmethoden und -ergebnisse. – Der Grundsatz der *Rechtzeitigkeit* verlangt die Aufstellung des Inventars innerhalb der einem ordnungsgemäßen Geschäftsgang entsprechenden Zeit (§ 249 II HGB). Da neben der →Stichtagsinventur auch die vorbzw. nachverlegte Stichtagsinventur und die →laufende Inventur zulässig sind (§ 242 II/III HGB), betrifft die Frage der Rechtzeitigkeit in erster Linie die Bewertung der Bestände.

3. *Grundsätze ordnungsmäßiger Bilanzierung:* a) *Gliederungsgrundsätze:* Nach dem Grundsatz der *Klarheit und Übersichtlichkeit* (§ 243 II HGB), der für alle Kaufleute gilt, sind die Gliederung der Bilanz und der Gewinn- und Verlustrechnung so zu gestalten, daß jede Art von Verschleierung vermieden wird. – Die Form der Darstellung ist beizubehalten (Grundsatz der *formellen Kontinuität* oder Stetigkeit, § 265 I), um die *Vergleichbarkeit* der Jahresabschlüsse zu gewährleisten. Abweichungen von den für alle Kapitalgesellschaften geltenden gesetzlichen bzw. für einzelne Branchen durch Rechtsverordnungen vorgeschriebenen Gliederungen sind zulässig, insbes. auch Zusammenfassung von Positionen

wegen Geringfügigkeit (Grundsatz der *Wesentlichkeit*). – b) *Grundsätze der Bilanzierung dem Grunde und der Höhe (Bewertung) nach:* Der bei den Inventurgrundsätzen dargestellte Grundsatz der *Vollständigkeit* gilt auch für den Jahresabschluß. Daraus und aus dem Grundsatz der *Klarheit und Übersichtlichkeit* folgt, daß i. d. R. Forderungen nicht mit Verbindlichkeiten, Erträge nicht mit Aufwendungen und Grundstücksrechte nicht mit Grundstückslasten aufgerechnet werden dürfen. – Der Jahresabschluß ist zum Schluß eines jeden Geschäftsjahres (*Stichtagsprinzip*, §242 I/II HGB) innerhalb der einem geordneten Geschäftsgang entsprechenden Zeit (§ 243 III HGB) aufzustellen (Grundsatz der *Rechtzeitigkeit*). Dabei muß die Schlußbilanz des Vorjahres der Eröffnungsbilanz des nächsten Jahres entsprechen (Grundsatz der *Bilanzidentität*). – Bei der Bewertung ist von dem Grundsatz der *Vorsicht* auszugehen (§252 I 4 HGB), d. h. Ergebnisse sind erst dann auszuweisen, wenn sie realisiert sind *(Realisationsprinzip)*; vorhersehbare Risiken und Verluste sind im Gegensatz zu Gewinnen bereits vor ihrer Realisation zu berücksichtigen *(Imparitätsprinzip)*. Zu bewerten sind grundsätzlich die einzelnen Bilanzposten (Grundsatz der *Einzelbewertung*, § 252 I 3 HGB). Dabei ist von der Fortführung der Unternehmenstätigkeit auszugehen, solange nicht tatsächliche oder rechtliche Gegebenheiten entgegenstehen *(Going-concern-Prinzip*, § 252 I 2 HGB). Die Bewertungsmethoden sind beizubehalten *(materielle Bilanzkontinuität* oder Stetigkeit, §252 I 6 HGB). – Für Aufwendungen und Erträge gilt der Grundsatz der *periodengerechten Zuordnung* (§252 I 5 HGB). Der in den USA anerkannte Grundsatz, zusammengehörende Aufwendungen und Erträge derselben Rechnungsperiode zuzuordnen (matching principle), gilt in der Bundesrep. D. weder handels- noch steuerrechtlich. – Im übrigen sind *Abweichungen* von den oben aufgeführten Grundsätzen nur in begründeten Ausnahmefällen zulässig (§ 252 II HGB).

IV. Verstöße gegen GoB: 1. Bei erheblichen *formellen Mängeln*, die das Wesen der Buchführung berühren, liegt keine ordnungsmäßige Buchführung vor (z. B. Fehlen notwendiger Aufzeichnungen des Tagebuchs, Kassenbuchs, Memorials oder des Inventarbuchs, mangelnde Ausdruckbereitschaft bei →Speicherbuchführung). Bei kleineren formellen Mängeln ist die Ordnungsmäßigkeit der Buchführung nicht zu beanstanden, wenn das sachliche Ergebnis nicht beeinflußt wird (→Buchführungspflicht). – 2. Bei *materiellen Mängeln* der Buchführung (z. B. Nichtbuchung oder Falschbuchung von Geschäftsvorfällen, Passivsalden im Kassenbuch) ergibt sich folgendes: a) die Fehler in der Buchführung werden berichtigt; b) das Buchführungsergebnis wird durch eine ergänzende Schät-

zung berichtigt; c) das gesamte Ergebnis wird unter Verwendung der Buchführungsunterlagen geschätzt.

V. Folgen fehlender Ordnungsmäßigkeit: 1. *Steuerlich:* a) →Schätzung der Besteuerungsgrundlagen; b) Entzug derjenigen steuerlichen Vergünstigungen, die an das Vorliegen bestimmter Buchnachweise geknüpft sind; c) Umkehrung der Beweislast; d) →Zwangsmittel, ggf. Steuerstrafverfahren. – 2. *Straf- und zivilrechtlich:* a) Mangelnder Beweiswert der →Geschäftsbücher; b) Konkursvergehen nach §283ff. StGB strafbar (→Bankrott); c) bei Kapitalgesellschaften Versagen des →Bestätigungsvermerks.

**Grundsätze ordnungsmäßiger Inventur,** →Grundsätze ordnungsmäßiger Buchführung III 2.

**Grundsätze ordnungsmäßiger Prüfung,** Grundsätze, die zu beachten sind, um die Aufgaben im wirtschaftlichen Prüfungswesen den gegebenen Zwecken entsprechend auszuführen (→Wirtschaftsprüfung). Untergrundsätze sind u. a. die *Grundsätze ordnungsmäßiger Abschlußprüfung*, die maßgeblich vom →Institut der Wirtschaftsprüfer in Deutschland e. V. erarbeitet wurden.

**Grundsätze ordnungsmäßiger Unternehmensbewertung,** in der Literatur entwickelte Systeme von Verfahrensregeln für die →Unternehmungsbewertung zur Sicherung der im Verkehr erforderlichen Sorgfalt des Bewerters. Ausgehend von den verschiedenen Zwecken der Unternehmensbewertung werden Regeln abgeleitet mit dem Ziel der Sicherstellung zweckgerechter, in diesem Sinne richtiger Bewertung.

**Grundsätze über das Eigenkapital und die Liquidität der Kreditinstitute,** *Eigenkapitalgrundsätze, Liquiditätsgrundsätze,* erlassen vom →Bundesaufsichtsamt für das Kreditwesen (§§10, 10a, 11 KWG). – *Grundsatz I:* Kredite an Wirtschaft, Private und Kreditinstitute und Beteiligungen eines Kreditinstituts abzüglich der Sammelwertberichtigungen sollen das 18fache des haftenden Eigenkapitals nicht übersteigen. – *Grundsatz Ia:* Der Unterschiedsbetrag zwischen Aktiv- und Passivdevisenpositionen soll bei einem Kreditinstitut täglich bei Geschäftsschluß nicht übersteigen: a) 30% des haftenden Eigenkapitals, unabhängig von der Fälligkeit der Devisenpositionen; b) 40% des haftenden Eigenkapitals im Falle von Devisenpositionen, die innerhalb eines Kalendermonats fällig werden; c) 40% des haftenden Eigenkapitals im Falle von Devisenpositionen, die innerhalb eines Kalenderjahres fällig werden. – *Grundsatz II:* Langfristige Ausleihungen, Konsortialbeteiligungen, Beteiligungen in nicht börsengängigen Wertpapieren sowie in Grundstücken und Gebäuden sollen die langfristigen Finanzie-

# Übersicht: Handelsrechtliche Grundsätze ordnungsmäßiger Buchführung (GoB)

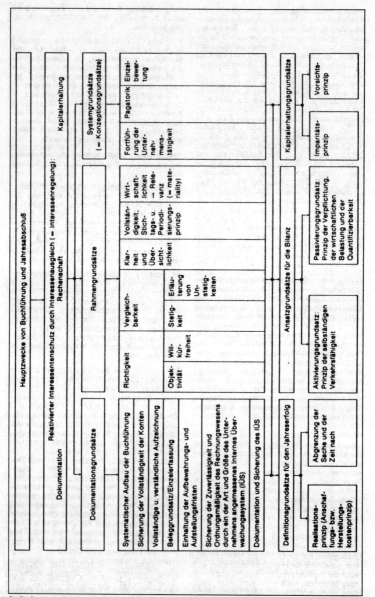

rungsmittel (Eigenkapital, umlaufende eigene Schuldverschreibungen, vorverkaufte Schuldverschreibungen, aufgenommene langfristige Darlehen, 60% der Spar- und 10% der Sicht- und Termineinlagen von Nichtbanken) nicht übersteigen. – *Grundsatz III:* Debitoren, Debitorenziehungen, börsengängige Dividendenwerte und „sonstige Aktiva" sollen nicht übersteigen: 60% der Sicht- und Termineinlagen von Nichtbanken, 35% der Sicht- und Termineinlagen von Kreditinstituten, 20% der Spareinlagen, 35% der aufgenommenen Gelder mit Laufzeit unter vier Jahren, 80% der von der Kundschaft im Ausland benutzten Kredite und 80% der umlaufenden eigenen Akzepte, Solawechsel und den Kreditnehmern abgerechneten eigenen Ziehungen zuzüglich/abzüglich des Finanzierungsüberschusses/Fehlbetrages nach Grundsatz II. – Bei der Beurteilung der Angemessenheit des Eigenkapitals und der Liquidität eines Kreditinstitutes können *Sonderverhältnisse* berücksichtigt werden, die geringere oder auch höhere Anforderungen rechtfertigen. Insbes. der Grundsatz III spielt für die Kreditinstitute zur Beurteilung ihrer einzelwirtschaftlichen Liquidität eine Rolle, da er ihnen durch Interbankengeschäfte die Möglichkeit zur Liquiditätsschöpfung eröffnet (→Liquidität III).

**Grundsätze zur Neuorganisation der Finanzämter und zur Neuordnung des Besteuerungsverfahrens (GNOFÄ),** inneramtliche Organisationregelung für die Finanzämter vom 16. 2. 1976 (BStBl I 88). Untergliederung in: Übernahmestellen, Amtsprüfstellen, Veranlagungs-Verwaltungsstellen, Rechtsbehelfstellen, Veranlagende Außenprüfung, Lohnsteuerstelle. Gleichzeitig Einteilung der Steuerpflichtigen in drei Fallgruppen nach der Bedeutung des Steuerfalls; die Fallgruppeneinteilung führt zu verschiedener Intensität der Sachverhaltsermittlung. – Obwohl eine Verfassungsbeschwerde abgewiesen wurde, wenden die Bundesländer in unterschiedlichem Umfang die G. wegen durch sie verursachter organisatorischer Probleme nicht mehr an.

**Grundschuld,** →Belastung eines Grundstücks in der Weise, daß an den Begünstigten eine bestimmte Geldsumme aus dem Grundstück zu zahlen ist (§§ 1191–1198 BGB). Die G. dient zur Finanzierung von Grundstücks- und Gebäudekäufen, zur Bodenverbesserung (Melioration), für Erweiterungsbauten u. ä. Sie sichert langfristiges Fremdkapital und hat beim Bankkredit die →Hypothek weitgehend verdrängt. – 1. Das *Bestehen einer Forderung ist nicht* Voraussetzung zur Entstehung einer G. (im Gegensatz zur →Hypothek). Demgemäß gelten für die G. die §§ 1114–1183 BGB nur, soweit sie die Hypothek als solche, nicht auch die zugrunde liegende persönliche Forderung betreffen. Auch wenn eine G. zur Sicherung einer persönlichen Schuld dient (Siche-

rungsgrundschuld), ist sie in ihrem Bestand von der persönlichen Forderung ganz unabhängig. – 2. *Eintragung ins Grundbuch* (→Grundbuch II 2) in der dritten Abteilung ist für Buch- und Brief-G. erforderlich. Über die G. kann ein →Grundschuldbrief ausgestellt werden, der (selten) auch auf den Inhaber lauten kann (→Inhabergrundschuld und dann wie ein →Inhaberpapier übertragbar ist. – 3. Eine G. wird *bestellt:* a) wenn der Schuldgrund verdeckt werden soll oder b) wenn der Grundstückseigentümer sich nicht zugleich persönlich verpflichten will, denn das sonstige Vermögen des Eigentümers haftet nicht (wohl aber meist bei der Hypothek). Die G. ist die Rechtsform für den reinen →Realkredit. Die G. kann auch vom Grundstückseigentümer für diesen selbst eingetragen werden (→Eigentümergrundschuld). – 4. Eine G. kann in eine Hypothek *umgewandelt* werden, ohne Zustimmung der im Rang gleich- oder nachstehenden Berechtigten. – 5. *Sonderform der G.:* →Rentenschuld. – 6. *Bilanzierung* der Aktiv-G. unter langfristigen Darlehen im Umlaufvermögen, der Passiv-G. unter langfristigen Verbindlichkeiten.

**Grundschuldbrief,** über eine →Grundschuld (Briefgrundschuld) vom Grundbuchamt auszustellende Urkunde. Der G. *enthält* Angaben über Inhalt der Eintragung im →Grundbuch (Betrag der Grundschuld, Zinsen, Fälligkeit), die Nummer des Grundbuchblatts und die laufende Nummer des zu belastenden Grundstücks, unter der es im Bestandsverzeichnis eingetragen ist (siehe Muster in der VO vom 1. 12. 1977, BGBl I 2313). Der g. *dient* dem Gläubiger zur Legitimation und erleichtert die Übertragung (einfache schriftliche Abtretungserklärung und Übergabe).

**Grundsteuer,** →Substanzsteuer, erhoben als →Realsteuer mit dem Charakter einer öffentlichen Last von landwirtschaftlichen, gewerblichen und Wohn-Grundstücken.

I. Rechtsgrundlagen: Grundsteuergesetz (GrStG) vom 7. 8. 1973 (BGBl I 965), geändert durch Einführungsgesetz zur Abgabenordnung vom 14. 12. 1976 (BGBl I 3341).

II. Steuergegenstand: Der →Grundbesitz, also Betriebe der →Land- und Forstwirtschaft, →Grundstücke und →Betriebsgrundstücke (§ 2 GrStG). – *Befreit* ist Grundbesitz der öffentlichen Hand, von Religionsgemeinschaften und Grundbesitz, der unmittelbar gemeinnützigen oder mildtätigen Zwecken oder den Zwecken der Wissenschaft, der Erziehung, des Unterrichts oder dem Zweck einer Krankenanstalt dient (§ 3 GrStG). Weitere Befreiungen gem. § 4 GrStG.

III. Steuerschuldner: Der wirtschaftliche Eigentümer des Steuergegenstandes (II) bzw. bei →Erbbaurechten der Inhaber dieses Rechts für die G. auf das belastete Grundstück. Bei mehreren wirtschaftlichen Eigentümern sind diese →Gesamtschuldner (§ 10 GrStG). – Sekundär *haften* ggf. der Nießbraucher und i. d. R. – zeitlich begrenzt – der Erwerber (§ 11 GrStG). Der Steuergebenstand haftet dinglich; Steuerforderungen der Steuerbehörde können ohne weiteren Titel im Wege der →Zwangsvollstreckung beigetrieben werden.

IV. Steuerberechnung: 1. *Bemessungsgrundlage* ist der der. BewG für den Steuergegenstand festgestellte →Einheitswert zu Beginn des jeweiligen Kalenderjahres. – 2. Ermittlung des →Steuermeßbetrages durch Anwendung eines Tausendsatzes *(Steuermeßzahl; § 13* GrStG). Die →Steuermeßzahlen betragen: a) für Betriebe der Land- und Forstwirtschaft 6 v. T.; b) für →Einfamilienhäuser 2,6 v. T. für die ersten 75 000 DM, 3,5 v. T. für den Rest des Einheitswertes; c) für →Zweifamilienhäuser 3,1 v. T. – 3. Ermittlung der G. durch Anwendung eines →Hebesatzes auf den Steuermeßbetrag, der von einer Gemeinde für die in ihrem Gebiet liegenden land- und forstwirtschaftlichen Betriebe *(Grundsteuer A)* und die dort liegenden Grundstücke *(Grundsteuer B)* festzusetzen ist (§ 25 GrStG).

V. Verfahren: 1. Der Steuermeßbetrag wird vom →Belegenheitsfinanzamt (§§ 18, 22 AO) durch →Steuermeßbescheid festgestellt. Er gilt von dem Kalenderjahr an, das zwei Jahre nach dem →Hauptfeststellungszeitpunkt beginnt (§ 16 GrStG), grundsätzlich sechs Jahre; in der Zwischenzeit ist anknüpfend an fortgeschriebenen oder nachfestgestellten Einheitswert *Neu- oder Nachveranlagung* möglich. – 2. Nach Mitteilung des Steuermeßbetrages setzt die zuständige Gemeinde die G. durch *Steuerbescheid* fest. – 3. *Entrichtung* (§ 28 GrStG): Vierteljährlich jeweils am 15. 2., 15. 5., 15. 8. und 15. 11.; Sonderregeln für Kleinbeträge bis zu 60 DM. – Bis zur Bekanntgabe eines neuen Steuerbescheides sind zu den bisher maßgebenden Zahlungszeitpunkten *Vorauszahlungen* unter Zugrundelegung der zuletzt festgesetzten Jahressteuerschuld zu entrichten (§ 29 GrStG); nach Bekanntgabe eines neuen Bescheids werden diese abgerechnet (§ 30 GrStG). – 4. *Erlaß:* Vgl. →Grundsteuererlaß.

VI. Finanzwissenschaftliche Beurteilung: 1. *Uneinheitlichkeit in der Steuerart:* a) Sie muß als eine Art *Sondervermögensteuer* auf den Grundbesitz gelten, da sie neben der Vermögensteuer erhoben wird. – b) Ist sie für die Grundstücke der Betriebe und des Grundvermögens im Wohungswesen eine echte G., so ist sie für die Land- und Forstwirtschaft demgegenüber eine *Gesamtbetriebsteuer* fast in einer Art „Gewerbesteuer". Sie erfaßt „Wohnungswert" und „Wirtschaftswert". – 2. *Steuertechnik* (kompliziert): a) Die

zunächst erfolgende *Bildung der →Einheitswerte* ist für die Grundvermögensarten und Grundstücke unterschiedlich: (1) Für land- und forstwirtschaftliche Betriebe wird der Wirtschaftswert als Ertragswert ermittelt, der Wohnungswert nach den Bewertungsgrößen für Wohngrundstücke minus einem Abschlag von 15%. (2) Beim Grundvermögen des Wohnungswesens werden unbebaute Grundstücke mit dem →gemeinen Wert angesetzt, bebaute Grundstücke nach dem →Sachwertverfahren oder →Ertragswertverfahren bewertet. In letzterem wird die „Jahresrohmiete" mit bestimmten „Vervielfältigern" multipliziert, die nach Gemeindegröße, Bauausführung, Gebäudeart und Baujahr äußerst differenziert gestaffelt sind und zwischen den Extremen 4,5 und 13 liegen. (3) Betriebsgrundstücke sind nach den o. g. Bewertungsregeln (1) oder (2) zu bewerten; Fabrikgebäude nach dem Sachwertverfahren. – b) *Verwendung willkürlich gebildeter „Steuermeßzahlen":* (1) für die land- und forstwirtschaftlichen Betriebe 6 v. T.; (2) für unbebaute Grundstücke 3,5 v. T.; (3) für bebaute Grundstücke im Normalfall 3,5 v. T.; (4) für Einfamilienhäuser 2,6 v. T. für die ersten 75 000 DM des Einheitswerts und 3,5 v. T. für den restlichen Einheitswert; (5) für Zweifamilienhäuser 3,1 v. T. – c) Die endgültige Belastung des Grundvermögens ergibt sich nach *Anwendung des →Hebesatzes* jener Gemeinde, in der das Grundstück oder der land- und forstwirtschaftliche Betrieb liegt: Einheitswert × Steuermeßzahl = Steuermeßbetrag;
Steuermeßbetrag × Hebesatz = Steuerbetrag (Steuerschuld).
– 3. *Generelle Unterbewertung des Grundvermögens und spezielle Unterbewertung der land- und forstwirtschaftlichen Betriebe:* a) Noch heute werden die 1964 errechneten *Einheitswerte* angesetzt; der 1974 verfügte Aufschlag von 40% auf die Werte von 1964 gilt für die Vermögens- und die Erbschaftsteuerung, nicht aber für die G. Diese Bevorzugung des Grundvermögens vor anderen Vermögensarten gilt als nicht allokationsneutral und hat die bekannte „Flucht ins Betongold" hervorgerufen. – b) Darüberhinaus erfolgt eine *Bevorzugung der Land- und Forstwirtschaft:* (1) durch den 15%-Abschlag auf den Wohnwert und (2) durch das Festhalten an den Bodenwertschätzungen von 1934 für den Anbauboden; demnach liegen die für die steuerliche Bewertung maßgeblichen Reinerträge bei nur ca. 10% der Verkehrswerte. – 4. *Wohnungsbaupolitisch* motiviert ist die Begünstigung der Ein- und Zweifamilienhäuser durch Ansatz niedrigerer Steuermeßzahlen. – 5. Das *Verteilungsziel* dürfte verletzt sein, wenn die Eigentümer der begünstigten Ein- und Zweifamilienhäuser den einkommensstarken Schichten angehören. – 6. Die G. ist weitgehend eine →Sollertragsbesteuerung: a) Bei bebauten Grundstücken wird (1) die

Sollmiete statt der tatsächlich erzielten angesetzt und (2) ein Vervielfältiger verwendet, der die Grundstücke unabhängig von den erzielten Mieten klassifiziert. – b) Beim Sachwertverfahren gibt es ebenfalls normierte Berechnungen und Pauschalierungen. – 7. Eine *Steuerhäufung* ergibt sich durch die gleichzeitige Belastung der Erträge mit G., Vermögensteuer und Einkommensteuer. – 8. Als *Gemeindesteuer* ist die G. geeignet (→Gemeindesteuersystem): a) Sie ist kaum konjunkturreagibel; b) Sie ist eine örtlich radizierbare Steuer; c) Sie ist merklich und kann daher eine unmittelbare Beziehung zwischen Steuerzahler und Gemeinde herstellen; d) zur Hebesatzautonomie vgl. →Gewerbebesteuerung und →Gewerbesteuer; e) fiskalisch ist die G. wegen der vielfältigen Unterbewertungen nicht sonderlich ergiebig; sie erbringt durchschnittlich 15% der Gemeindesteuern i. w. S. – 9. *Reform:* a) Sobald eine →*Wertschöpfungssteuer* eingeführt werden sollte, wird die G. abgeschafft. – b) Für eine weiterbestehende G. ist die stets verlangte und verschleppte *Neubewertung* des gesamten Grundvermögens unabdingbar; ihre Realisierung dürfte an den politischen Widerständen und verwaltungstechnischen Schwierigkeiten vermutlich scheitern.

**VII. Aufkommen:** 1986: 7637 Mill. DM (1985: 7366 Mill. DM; 1980: 5804 Mill. DM; 1975: 4150 Mill. DM; 1965: 2110 Mill. DM; 1956: 1405 Mill. DM).

**Grundsteuer A,** →Grundsteuer IV 3.

**Grundsteuer B,** →Grundsteuer IV 3.

**Grundsteuererlaß,** Erlaß der →Grundsteuer. – 1. *Gem.* §§ *32–34 GrStG:* a) für →Grundbesitz, dessen Erhaltung wegen seiner Bedeutung für Kunst, Geschichte, Wissenschaft oder Naturschutz im öffentlichen Interesse liegt, wenn die erzielten Einnahmen und die sonstigen Vorteile (Rohertrag) i. d. R. unter den jährlichen Kosten liegen; b) für öffentliche Grünanlagen, Spiel- und Sportplätze, wenn die Kosten den Rohertrag übersteigen; c) bei Betrieben der Land- und Forstwirtschaft und bei bebauten Grundstücke auf Antrag *teilweiser* Erlaß, wenn der tatsächliche Rohertrag mehr als 20% vom normalen Rohertrag abweicht, ohne daß der Steuerpflichtige die Minderung zu vertreten hat. – 2. *Unberührt davon* bleibt die Befugnis der Gemeinden, nach § 227 AO Erlaß von der Grundsteuer zu bewilligen.

**Grundsteuermeßbescheid,** →Steuermeßbescheid.

**Grundstoffe,** unbearbeitete oder nur wenig bearbeitete Waren, die als Materialgrundlage für die Weiterverarbeitung und den Verbrauch einer Volkswirtschaft dienen. – *Arten:* a) die im Produktionsvorgang der Landwirtschaft, Forstwirtschaft und der Plantagenwirtschaft der Natur abgewonnenen Stoffe; b) die im Arbeitsvorgang des Bergbaus gewonnenen Abbauprodukte, einschl. Gewinnung von Sand. Fertigung von Zement, Kalk, Ziegeln, Glas usw. aus mineralischen Abbauerzeugnissen. – Für die G. wird ein besonderer →Preisindex berechnet. – Vgl. auch →Rohstoffwirtschaft I 2.

**Grundstoffindustrie,** →Rohstoffwirtschaft I 2, →Grundstoff- und Produktionsgütergewerbe.

**Grundstoff- und Produktionsgütergewerbe,** für die volkswirtschaftliche →Wertschöpfung neben dem →Investitionsgüter produzierenden Gewerbe wichtigster Bereich des →Verarbeitenden Gewerbes, zu dem u. a. →Mineralölverarbeitung, →Gewinnung und Verarbeitung von Steinen und Erden, →Eisenschaffende Industrie, →NE-Metallerzeugung, →Chemische Industrie und →Gummiverarbeitung gehören.

### Grundstoff- und Produktionsgütergewerbe

| Jahr | Beschäftigte in 1000 | Lohn- und Gehaltssumme | darunter Gehälter | Umsatz gesamt | darunter Auslandsumsatz | Nettoproduktionsindex 1980 = 100 |
|---|---|---|---|---|---|---|
| | | in Mill. DM | | | | |
| 1970 | 1 845 | 30 565 | 10 309 | 177 855 | 31 643 | – |
| 1971 | 1 819 | 32 730 | 11 543 | 181 810 | 32 891 | – |
| 1972 | 1 776 | 34 883 | 12 599 | 190 592 | 35 621 | – |
| 1973 | 1 782 | 39 324 | 14 228 | 223 327 | 44 961 | – |
| 1974 | 1 749 | 43 468 | 16 162 | 278 795 | 67 269 | – |
| 1975 | 1 653 | 43 213 | 17 192 | 249 427 | 55 094 | – |
| 1976 | 1 607 | 45 790 | 18 126 | 280 783 | 61 967 | 93,4 |
| 1977 | 1 570 | 48 283 | 19 534 | 281 181 | 63 421 | 93,5 |
| 1978 | 1 542 | 50 222 | 20 583 | 290 083 | 67 570 | 96,9 |
| 1979 | 1 532 | 53 426 | 21 763 | 345 179 | 79 563 | 103,8 |
| 1980 | 1 544 | 57 269 | 23 499 | 381 258 | 86 841 | 100 |
| 1981 | 1 502 | 58 677 | 24 855 | 401 681 | 98 351 | 95,8 |
| 1982 | 1 448 | 58 921 | 25 828 | 401 267 | 100 591 | 91,1 |
| 1983 | 1 394 | 58 273 | 26 175 | 405 509 | 104 415 | 94,0 |
| 1984 | 1 372 | 60 835 | 27 248 | 441 888 | 120 006 | 97,8 |
| 1985 | 1 368 | 63 132 | 28 497 | 461 216 | 128 182 | 99,1 |
| 1986 | 1 365 | 65 178 | 29 697 | 407 117 | 115 955 | 98,5 |

**Grundstücke. I. Bürgerliches Recht:** Begrenzte, durch Vermessung gebildete Teile der Erdoberfläche, die im →Grundbuch als selbständige G. eingetragen sind. – *Gegensatz:* →bewegliche Sache (Mobilie).

**II. Steuerrecht: 1.** *Bewertungsgesetz:* a) *Begriff:* Wirtschaftliche Einheit des →Grundvermögens; Unterfall des →Grundbesitzes. Zu den G. im Sinne des BewG gehört auch →Erbbaurecht und Teileigentum (→Wohnungseigentum). – b) Für G. werden →*Einheitswerte* nach dem →*Ertragswertverfahren* oder dem →*Sachwertverfahren* ermittelt: (1) *Bebaute G.:* Bewertungsverfahren richtet sich nach →Grundstücksart, Ausstattungsmerkmalen und Verfahrensvoraussetzungen (§ 76 BewG); (2) *unbebaute G.:* Bewertung mit dem →gemeinen Wert. – c) *Besonderheiten bei G. im Zustand der Bebauung:* (1) Für die →*Vermö-*

*gensteuer* ist neben dem Einheitswert für Grund und Boden ein besonderer Einheitswert festzustellen, wenn das Gebäude entweder beim Einheitswert eines →Betriebsvermögens, bei Ermittlung des →Gesamtvermögens oder bei Bewertung des →Inlandsvermögens anzusetzen ist. – (2) Für die →*Grundsteuer* ist der Einheitswert des Grund und Bodens maßgeblich. – 2. *Gewerbe-/Einkommensteuer:* a) *Vermietung und Verpachtung von G.* ist i. a. reine Vermögensverwaltung. Sie kann zum →Gewerbebetrieb werden und zu dementsprechenden Einkünften führen, wenn durch fortgesetzte und einer gewerblichen Tätigkeit entsprechende Betätigungen besondere Umstände hinzukommen, die über bloße Überlassung zur Nutzung hinausgehen, z. B. die Vermietung von Räumen in großen Bürohäusern, wenn bedeutsame Sonderleistungen des Vermieters, ständiger und schneller, durch die Vermietung bedingter Mieterwechsel eine Tätigkeit erfordern, die über das bei längerfristigen Vermietungen übliche Maß hinausgeht. – b) Wird das G. *im Rahmen eines Gewerbebetriebes* vermietet oder verpachtet, so fallen die Einnahmen unter die Einnahmen aus Gewerbebetrieb. – Vgl. auch →Betriebsgrundstücke, →Grundstücksarten. – 3. *Grunderwerbsteuer:* G. im Sinne der →Grunderwerbsteuer (§ 2 GrEStG): a) G. im Sinne der bürgerlichen Rechts, ausgenommen Maschinen und sonstige Vorrichtungen aller Art, die zu einer Betriebsanlage gehören, sowie Mineralgewinnungsrechte und sonstige Gewerbeberechtigungen; b) Erbbaurechte; c) Gebäude auf fremdem Boden. – Vgl. auch →Grund und Boden 2.

**Grundstücksarten,** Begriff des BewG bei der Bewertung bebauter →Grundstücke bzw. →Betriebsgrundstücke. Zu unterscheiden: (1) →Mietwohngrundstück, (2) →Geschäftsgrundstück, (3) →gemischtgenutztes Grundstück, (4) →Einfamilienhaus, (5) →Zweifamilienhaus und (6) →sonstige bebaute Grundstücke (§ 75 BewG).

**Grundstücksbestandteile,** *wesentliche Grundstücksbestandteile,* i. d. R. die mit dem Grund und Boden fest verbundenen Sachen, insbes. Gebäude sowie alle Erzeugnisse, solange sie mit dem Boden zusammenhängen; ferner die zur Herstellung eines Gebäudes eingefügten Sachen; nicht jedoch solche Sachen, die nur zu einem vorübergehenden Zweck mit dem Grund und Boden verbunden sind (§§ 93 ff. BGB). Abgrenzung oft zweifelhaft und im Einzelfall schwierig. – (W.) b. können nicht Gegenstand besonderer Rechte sein; sie teilen den Rechtsstand des →Grundstücks.

**Grundstücksbewertung,** →Grundstücke II, →Einheitswert, →Beleihungswert.

**Grundstücksfonds,** →Immobilienfonds.

**grundstücksgleiche Rechte,** →dingliche Rechte, die wie →Grundstücke behandelt werden; sie erhalten ein eigenes Grundbuchblatt und können belastet werden, z. B. →Abbaurecht, →Bergwerkseigentum, →Erbbaurecht, →Wohnungseigentum nach Wohnungseigentumsgesetz vom 15. 3. 1951.

**Grundstücksklausel,** →Immobiliarklausel.

**Grundstücksmakler,** →Immobilienmakler.

**Grundstücksverkehr,** *Immobilienverkehr.* 1. *Begriff:* Übertragung des Eigentums an einem →Grundstück, Belastung eines Grundstücks mit einem Recht sowie Übertragung oder Belastung eines solchen Rechts. – 2. Der G. unterliegt wegen der Wichtigkeit des Grund und Bodens besonderen *Formvorschriften:* Nach § 873 BGB ist die →*Einigung* der Berechtigten und des anderen Teiles über den Eintritt der Rechtsänderung und *Eintragung* der Rechtsänderung in das →Grundbuch erforderlich. Der *Vertrag,* durch den sich der eine Teil verpflichtet, das Eigentum an einem Grundstück zu übertragen oder zu erwerben, bedarf der notariellen Beurkundung (§ 313 BGB). Die →*Auflassung* muß nach § 925 BGB bei gleichzeitiger Anwesenheit beider Teile vor dem →Notar erklärt werden. Sie darf nicht unter einer →Bedingung oder einer →Zeitbestimmung erfolgen. – 3. *Beschränkungen* des G. bestehen insbes. im Verkehr mit land- und forstwirtschaftlichen Grundstücken nach dem →Grundstücksverkehrsgesetz, aber auch nach den Siedlungsgesetzen und dem →Baugesetzbuch. – 4. Nach *Außenwirtschaftsrecht* ist der G. grundsätzlich genehmigungsfrei; jedoch können Rechtsgeschäfte zwischen Gebietsansässigen und →Gebietsfremden, die den entgeltlichen Erwerb von, Grundstücken in →fremden Wirtschaftsgebieten und von Rechten an solchen Grundstücken betreffen, nach §§ 22, 23 AWG beschränkt werden.

**Grundstücksverkehrsgesetz** (GrdstVG), Gesetz über Maßnahmen zur Verbesserung der Agrarstruktur und zur Sicherung land- und forstwirtschaftlicher Betriebe vom 28. 7. 1961 (BGBl I 1091) mit späteren Änderungen, regelt Beschränkungen im →Grundstücksverkehr mit land- und forstwirtschaftlichen Grundstücken sowie Moor- und Ödland, das in land- oder forstwirtschaftliche Kultur gebracht werden kann. – 1. Die rechtsgeschäftliche →Veräußerung und der schuldrechtliche →Vertrag hierüber bedürfen im Interesse der Erhaltung lebensfähiger landwirtschaftlicher Betriebe und Sicherung der durch die Flurbereinigung verbesserten Besitzordnung der *behördlichen Genehmigung.* Der Veräußerung stehen Einräumung und Veräußerung von Miteigentumsanteilen, Veräußerung eines Miterbenanteils und Bestellung eines →Nießbrauchs gleich. – 2. Die Genehmigung ist *nicht erforderlich:* a) wenn der Bund oder ein Land an der Veräußerung beteiligt ist, b) wenn eine mit den Rechten einer →Körperschaft des öffentlichen Rechts ausgestattete Religionsgesellschaft einzelne Grundstücke erwirbt, c) wenn die Veräußerung oder die Ausübung des →Vorkaufsrechts der Durchführung eines Verfahrens zur Flurbereinigung eines Siedlungsverfahrens oder eines Verfahrens nach § 37 BVFG dient, d) wenn Grundstücke veräußert werden, die im räumlichen Geltungsbereich eines →Bebauungsplanes nach dem Bundesbaugesetz liegen. – 3. Über *Anträge* auf Genehmigung entscheidet die nach Landesrecht zuständige Behörde. Gegen die Versagung der Genehmigung können die Beteiligten binnen zwei Wochen Antrag auf Entscheidung nach dem Gesetz über das gerichtliche Verfahren in →Landeswirtschaftssachen stellen. – 4. Aufgrund einer genehmigungsbedürftigen Veräußerung darf eine Rechtsänderung erst im Grundbuch eingetragen werden, wenn dem Grundbuchamt die Unanfechtbarkeit der Genehmigung nachgewiesen wird.

**Grundstücksvollmacht,** eine zur Verfügung über →Grundstücke ermächtigende →Vollmacht, im Gegensatz zur gewöhnlichen Vollmacht i. d. R. formbedürftig. Bei Erklärungen, die ein Bevollmächtigter gegenüber dem →Grundbuchamt abgibt, ist →öffentliche Beglaubigung der G. erforderlich (§ 29 GBO). Eine unwiderrufliche Vollmacht zur Veräußerung eines Grundstücks bedarf der →öffentlichen Beurkundung wie der Veräußerungsvertrag selbst (§ 313 BGB). – *G. des Prokuristen:* Vgl. →Immobiliarklausel.

**Grundstückswert.** I. S t e u e r r e c h t : Vgl. →Einheitswert, →Grundstücke II; vgl. auch →Ertragswertverfahren, →Sachwertverfahren.

II. B e l e i h u n g : Vgl. →Beleihungswert.

III. B a u g e s e t z b u c h : Nach §§ 136–144 BBauG werden über den G. bebauter und unbebauter Grundstücke (ausgenommen land- oder forstwirtschaftlich genutzter) *Gutachten* durch unabhängige Gutachterausschüsse erstattet. – 1. *Der Gutachterausschuß* ermittelt als →gemeinen Wert (Verkehrswert) den Preis, der in dem Zeitpunkt, auf den sich die Ermittlung bezieht, im gewöhnlichen Geschäftsverkehr nach Eigenschaft, Beschaffenheit und Lage des Grundstücks ohne Rücksicht auf ungewöhnliche oder persönliche Verhältnisse zu erzielen wäre. – 2. *Das Gutachten können beantragen:* (1) Eigentümer, (2) Gläubiger einer Hypothek, Grund- oder Rentenschuld, (3) Behörden nach dem Baugesetzbuch, (4) Gerichte. – 3. Bei den Gutachterausschüssen werden *Kaufpreissammlungen* eingerichtet. Die aufgrund dieser für einzelne Teile des Gemeindegebiets oder für das gesamte Gemeindegebiet ermittelten

durchschnittlichen Lagewerte (Bodenrichtwerte) sind in regelmäßigen Abständen in der Gemeinde ortsüblich bekanntzumachen.

**Grundsystematik,** allgemeine Form der →Wirtschaftszweigsystematik, von der unterschiedliche Versionen für spezielle Zwecke abgeleitet werden können.

**Grund und Boden.** 1. *Begriff:* Vgl. →Grundstück. – 2. *Steuerliche Behandlung:* a) G.u.B. der zum →notwendigen Betriebsvermögen gehört, ist in der →Steuerbilanz als →Anlagevermögen zu aktivieren. Die Bewertung erfolgt mit den →Anschaffungskosten oder dem niedrigeren →Teilwert (§ 6 I Nr. 2 EStG). – b) Bei Steuerpflichtigen, die den Gewinn nach § 4 III EStG ermitteln (→Einnahmen und Ausgabenrechnung), sind die Anschaffungskosten des G.u.B. erst im Zeitpunkt der Veräußerung oder →Entnahme als →Betriebsausgaben zu berücksichtigen.

**Gründung,** *Firmengründung, Geschäftsgründung, Unternehmensgründung, Unternehmungsgründung.*

I. A l l g e m e i n : 1. *Begriff:* Errichtung eines arbeitsfähigen, erwerbswirtschaftlichen Betriebs. Erforderliche Maßnahmen: Planung (der Beschaffung, der Leistungserstellung, des Absatzes, der Finanzierung und der Organisation), Beschaffung der Erstausstattung an Kapital, an Personal, an Betriebsmitteln und ggf. Waren oder Stoffen, Aufbau der inneren und äußeren Organisation. – 2. *Arten der Gründung:* a) →Bargründung; b) →Sachgründung; c) →gemischte Gründung. – 3. Erforderlichenfalls *Handelsregistereintragung* (→Eintragung im Handelsregister): Für Personen und Personenvereinigungen mit deklaratorischer, für Kapitalgesellschaften mit konstitutiver Wirkung. – 4. *Gewerbeerlaubnis:* Falls nach der →GewO vorgeschrieben, beim Ordnungsamt der zuständigen Gemeinde zu beantragen. – 5. *Anders:* →Umgründung.

II. P e r s o n e n g e s e l l s c h a f t e n : Vgl. →Gesellschaft des bürgerlichen Rechts 2, →Kommanditgesellschaft II, →offene Handelsgesellschaft II .

III. K a p i t a l g e s e l l s c h a f t e n : Vgl. →Gesellschaft mit beschränkter Haftung III, →GmbH & Co KG 2, →Gründung einer AG.

IV. S t i l l e G e s e l l s c h a f t : Vgl. →stille Gesellschaft II.

**Gründung einer AG.** I. A b l a u f : 1. Die →*Satzung* (Gesellschaftsvertrag) ist in notariell beurkundeter Form durch die (mindestens fünf) →Gründer festzustellen (§§ 2, 23, 28 AktG). Sie muß bestimmen: (1) Firma und Sitz der Gesellschaft; (2) Gegenstand des Unternehmens, namentlich ist bei Industrie- und Handelsunternehmen die Art der Erzeugnisse und Waren, die hergestellt und gehandelt werden sollen, näher anzugeben; (3) Höhe des

→Grundkapitals; (4) Die Nennbeträge der Aktien sowie die Zahl der Aktien jeden Nennbetrags und, falls mehrere Gattungen bestehen, die einzelnen Aktiengattungen und die Zahl der Aktien jeder Gattung; (5) ob die Aktien auf den Inhaber oder auf den Namen ausgestellt werden; (6) die Zahl der Mitglieder des →Vorstands oder die Regeln zur Festlegung dieser Zahl; (7) Form der Bekanntmachungen der Gesellschaft; (8) ggf. die einzelnen Aktionären eingeräumten →Sondervorteile; (9) ggf. den →Gründerlohn; (10) im Falle der →Sachgründung den Gegenstand der →Sacheinlage bzw. →Sachübernahme, die Person, von der die Gesellschaft den Gegenstand erwirbt, und den Nennbetrag der bei der Sacheinlage zu gewährenden Aktien oder die bei der Sachübernahme zu gewährende Vergütung (§§ 23, 25–27 AktG). – 2. Gleichzeitig mit der Feststellung der Satzung findet die *Übernahme der Aktien* durch die Gründer gegen →Einlagen statt (→Simultangründung, →Einheitsgründung). Mit Übernahme aller Aktien durch die Gründer ist die Gesellschaft *errichtet* (§ 29 AktG). Die Übernahme der Aktien verpflichtet zur Einlage. Die Errichtung der Gesellschaft ist somit nicht auch an die Voraussetzung geknüpft, daß die Einlagen bereits geleistet sind. Bis zur (konstitutiv wirkenden) Eintragung in das Handelsregister (→Eintragung im Handelsregister) besteht die Gesellschaft als →Vorgesellschaft der Gründer in der Form des nichtrechtsfähigen Vereins, auf den die Vorschriften der Gesellschaft des bürgerlichen Rechts anzuwenden sind (§ 54 BGB). – Nach dem AktG 1937 war es auch zulässig, einen Teil der Aktien nicht von den Gründern, sondern von anderen Personen übernehmen zu lassen (→Stufengründung) und die Aktien erst nach Feststellung der Satzung zu übernehmen. Diese Möglichkeiten bestehen seit dem AktG 1965 nicht mehr. – 3. (Notariell beurkundete) *Bestellung* des ersten →Aufsichtsrats (AR) und des →Abschlußprüfers für das erste Voll- oder Rumpfgeschäftsjahr durch die Gründer sowie Bestellung des ersten *Vorstands* durch den AR (§ 30 AktG). – 4. *Gründungsprüfung* und Erstattung des →Gründungsberichts durch die Gründer und Prüfung des Hergangs der G. durch den Vorstand und AR, deren Ergebnisse in einem besonderen Prüfungsbericht darzulegen sind. Falls eine →qualifizierte Gründung stattfindet, hat zusätzlich eine Sonderprüfung durch einen oder mehrere gerichtlich bestellte(n) Prüfer (→Gründungsprüfer) stattzufinden (§§ 33 f. AktG). – 5. *Leistung der Einlagen:* Im Falle der Bareinlage muß der eingeforderte Betrag mindestens ein Viertel des Nennbetrags und bei Ausgabe der Aktien über pari auch den Mehrbetrag umfassen (Unterpari-Emissionen sind gem. § 9 I AktG verboten). Sacheinlagen sind vollständig zu leisten. Besteht die Sacheinlage in der Verpflichtung, einen Vermögensgegenstand auf die Gesellschaft zu übertragen, so muß diese Leistung innerhalb von fünf Jahren nach Eintragung der Gesellschaft in das Handelsregister zu bewirken sein (§ 36a AktG). Da die Aktien erst nach Eintragung der Gesellschaft in das Handelsregister ausgegeben werden dürfen, wird die Leistung der Einlage durch Ausgabe von Kassenscheinen quittiert. – 6. *Anmeldung* der Gesellschaft durch sämtliche Gründer, sämtliche Mitglieder des Vorstands und Mitglieder des AR zur Eintragung in das Handelsregister (§§ 36, 37 AktG). Gem. § 37 I 1 AktG sind der Betrag, zu dem die Aktien ausgegeben werden, und der darauf eingezahlte Betrag anzugeben und die Verfügbarkeit des eingezahlten Betrags nachzuweisen. Gem. § 37 4 AktG sind der Anmeldung die Satzung und Urkunden über die G., Belege über den Gründungsaufwand, Urkunden über die Bestellung von Vorstand und AR, der Gründungsbericht, die Prüfungsberichte von Vorstand, AR und Gründungsprüfer und erforderlichenfalls (wie z. B. im Kreditwesen) die staatliche Genehmigungsurkunde beizufügen. – 7. *Prüfung des Registergerichts,* ob die Gesellschaft ordnungsgemäß errichtet und angemeldet ist (§ 38 AktG). – 8. *Eintragung in das Handelsregister,* mit der die Gesellschaft die eigene Rechtspersönlichkeit erlangt (konstitutive Wirkung der Eintragung gem. § 6 HGB i. V. m. § 3 AktG). Vor der Eintragung besteht die Gesellschaft zivilrechtlich als nicht rechtsfähiger Verein (→Vorgesellschaft). – 9. *Ausgabe der Aktien* durch Eintausch der Kassenscheine. →Inhaberaktien dürfen nur ausgegeben werden, wenn das Grundkapital voll eingezahlt ist. Stehen stattdessen Einlagen noch aus, darf die Gesellschaft nur Namensaktien ausgeben oder für den Fall einer baldigen Einzahlung der noch ausstehenden Einlagen die Kassenscheine gegen →Zwischenscheine (Interimsscheine) eintauschen (§ 10 AktG).

II. Formen: 1. *Bargründung:* Sämtliche Aktien werden gegen Bareinlage übernommen. Soweit nicht in der Satzung Sacheinlagen festgesetzt sind, haben die Aktionäre ihre Einlagen in bar zu leisten (§ 54 II AktG). – 2. *Gemischte Gründung:* Die Aktien werden zum Teil gegen Sacheinlagen und zum Teil gegen Bareinlagen übernommen. – 3. →*Qualifizierte Gründung:* In folgenden (der zusätzlichen Gründungsprüfung nach § 33 II AktG unterliegenden) Fällen gegeben: a) Ein Mitglied des Vorstandes oder des AR gehört zu den Gründern; b) bei der Gründung werden für Rechnung eines Mitglieds des Vorstands oder des AR Aktien übernommen; c) ein Mitglied des Vorstands oder AR erhält einen →Gründerlohn; d) Gründung mit Sacheinlagen oder -übernahmen. – 4. →*Nachgründung:* Sie ist gegeben, wenn innerhalb der ersten zwei Jahre nach der Eintragung der Gesellschaft in das Handelsregister Verträge abgeschlossen werden, nach denen sie vorhandene oder herzustellende Anlagen oder andere Vermögensgegenstände für eine ein Zehntel des Grundkapitals übersteigende Vergütung erwerben soll. Solche Verträge sind nur wirksam, wenn die Hauptversammlung ihnen mit einer Mehrheit von mindestens drei Vierteln des bei der Beschlußfassung vertretenen Grundkapitals nach Prüfung durch AR und Gründungsprüfer zugestimmt hat und sie in das Handelsregister eingetragen worden sind (§ 52 AktG).

III. K o s t e n : 1. *Arten:* a) Gebühren für die *Beurkundung* (des Vorvertrags, der Satzung, ggf. zusätzlicher Verträge im Rahmen der G. und der erforderlichen HV-Beschlüsse); b) Gebühren für die *Eintragung* in das Handelsregister, bei Einbringung von Grundstücken die Gebühren für die Umschreibung im Grundbuch; c) ggf. Gebühren für die zusätzliche *Gründungsprüfung;* d) *Provisionen der Börseneinführung,* falls die Aktien über die Börse abgesetzt werden sollen; e) *Druckkosten* (für den Druck z. B. der Aktien, ggf. der Zwischenscheine, der Satzung, der Einladungen zur Hauptversammlung und ggf. des Börseneinführungsprospekts); f) Kosten für *Veröffentlichungen* (z. B. Gesellschaftsblätter, Bundesanzeiger, Börsenprospekt). – 2. *Behandlung im Jahresabschluß:* Aufwendungen für die Gründung des Unternehmens und für die Beschaffung des Eigenkapitals dürfen nach der (für alle Kaufleute geltenden) Vorschrift des § 248 I HGB in die Bilanz nicht als Aktivposten aufgenomen werden. Dagegen dürfen Aufwendungen für die Ingangsetzung und Erweiterung des Geschäftsbetriebs als →Bilanzierungshilfe aktiviert werden. Der Posten ist in der Bilanz unter der genannten Bezeichnung vor dem Anlagevermögen auszuweisen und im →Anhang zu erläutern. Werden solche Aufwendungen in der Bilanz ausgewiesen, so dürfen Gewinne nur ausgeschüttet werden, wenn die nach der Ausschüttung verbleibenden jederzeit auflösbaren →Gewinnrücklagen zuzüglich (abzüglich) eines Gewinnvortrags (Verlustvortrags) dem angesetzten Betrag mindestens entsprechen (§ 269 HGB, der diese Bilanzierungshilfe nur Kapitalgesellschaften, nicht auch anderen Kaufleuten gewährt). Für die Ingangsetzung und Erweiterung des Geschäftsbetriebs ausgewiesene Beträge sind in jedem der folgenden Geschäftsjahre zu mindestens einem Viertel durch Abschreibungen zu tilgen.

IV. B u c h u n g : 1. *Bargründung. Beispiel a):* Aktienausgabe zum Nennwert (Pari-Emission), Grundkapital 300 000, 40% Einzahlung auf Geldkonten; Buchung: Ausstehende Einlagen 180 000, Geldkonten 120 000 an gezeichnetes Kapital 300 000. – *Beispiel b):* Überpari-Emission zum Kurs von 120%, Grundkapital nominell 300 000, Einzahlung auf Geldkonten 30% des Nominalkapitals zuzüglich Agio, Ausgabekosten bezahlt über Geldkonten;

Buchung: Ausstehende Einlagen 210 000, Geldkonten 150 000 an gezeichnetes Kapital 300 000, Finanzaufwendungen 10 000, Kapitalrücklage 60 000, Geldkonten 10 000. – 2. *Sachgründung. Beispiel:* Grundkapital 500 000, Ausgabekurs 200%, 200 000 nominell werden aufgebracht durch Einbringung eines Gebäudes zum Zeitwert von 400 000, der Rest von 300 000 nominell Einzahlung von 25% zuzüglich Agio auf Geldkonten; Buchung: Ausstehende Einlagen 525 000, bebaute Grundstücke 400 000, Geldkonten 75 000 an gezeichnetes Kapital 500 000, Kapitalrücklage 500 000. Die Kosten der Gründung sind als Aufwand in der Gewinn- und Verlustrechnung zu erfassen.

V. B e s t e u e r u n g : 1. *Beginn der Steuerpflicht:* a) Beginn der Körperschaftsteuerpflicht mit Feststellung der Satzung, auch schon als Vorgesellschaft, wenn die Gesellschaft einen nach außen hin in Erscheinung tretenden Geschäftsbetrieb aufnimmt; b) Beginn der Gewerbesteuerpflicht mit der Eintragung in das Handelsregister, der Vorgesellschaft ggf. schon mit dem Zeitpunkt der Aufnahme einer nach außen hin in Erscheinung tretenden Geschäftstätigkeit; c) Beginn der Vermögensteuerpflicht, sobald der Gesellschaft Vermögen übertragen worden ist. Nur für den Fall, daß die Gesellschaft schon als Vorgesellschaft nach außen hin geschäftlich in Erscheinung tritt, beginnt die Vermögensteuerpflicht bereits mit Aufnahme dieser Tätigkeit. – 2. *Ertragsteuerliche Hinweise zur Einlage:* a) Die Bareinlage löst weder auf Seiten des Leistenden noch auf Seiten der Gesellschaft ESt bzw. KSt oder GewSt aus; b) Sacheinlagen können beim Einbringenden zur Auflösung stiller Rücklagen führen, die unter bestimmten Voraussetzungen der ESt bzw. KSt und der Gewerbeertragsteuer unterliegt. – 3. *Kapitalverkehrsteuerrechtliche Hinweise:* a) Der Ersterwerb der in der Aktie verbrieften Gesellschaftsrechte löst gem. § 2 I Nr. 1 KVStG Gesellschaftsteuer (1%) aus; b) die Ausgabe der Aktie an den Ersterwerber ist von der Börsenumsatzsteuer ausgenommen (§ 22 KVStG). – 4. *Umsatzsteuerrechtliche Hinweise* für Gründungen mit Sacheinlagen: Falls der Einbringende Unternehmer im Sinne des § 2 UStG ist und auch die übrigen Voraussetzungen des § 1 UStG erfüllt sind, ist die Einbringung von Geldforderungen, Wertpapieren und Geschäftsanteilen sowie die Übernahme von Verbindlichkeiten gem. § 4 Nr. 8 c), e)–g) UStG und, soweit sie unter das Grunderwerbsteuergesetz fällt, die Einbringung von Grundstücken gem. § 4 Nr. 9 a) UStG von der USt befreit, nicht jedoch die Einbringung anderer Sachen (z. B. bewegliche Anlagegegenstände, Vorräte). – 5. Die *Kosten der Ausgabe der Aktien* sind, da § 9 Nr. 1 KStG durch das StEntlG ersatzlos gestrichen wurde (erstmals für den 29. 6. 1983 an zur Eintragung in das Handelsregister angemeldeten Maßnahmen), in vollem Umfang als Betriebsausgaben abzugsfähig. Die →Grunderwerbsteuer gehört in diesem Rahmen nicht mehr zu den Emissionskosten.

**Gründungsbericht,** *Gründerbericht,* von den →Gründern schriftlich zu erstattender Bericht über den Hergang der Gründung. Im G. sind ggf. die wesentlichen Umstände zu schildern, von denen die Angemessenheit der Leistungen für Sacheinlagen oder Sachübernahmen abhängt, namentlich die vorausgegangenen Rechtsgeschäfte, die auf den Erwerb durch die Gesellschaft hingezielt haben, die Anschaffungs- und Herstellungskosten aus den letzten beiden Jahren und beim Übergang eines Unternehmens auf die Gesellschaft die Betriebserträge aus den letzten beiden Geschäftsjahren. Desgleichen ist anzugeben, ob und in welchem Umfang bei der Gründung für Rechnung eines Mitglieds des Vorstands oder Aufsichtsrats Aktien übernommen worden sind und ob und in welcher Weise ein solches Mitglied sich einen besonderen Vorteil oder für Durchführung oder Vorbereitung der Gründung eine Entschädigung oder Belohnung ausbedungen hat (§ 32 AktG).

**Gründungsbilanz,** Eröffnungs- bzw. Anfangsbilanz, die bei Errichtung eines (der Buchführungspflicht unterliegenden) Betriebes aufzustellen ist (§ 242 HGB). – 1. *Inhalt/ Gliederung:* G. muß über Zusammensetzung und Werte der eingebrachten Vermögensgegenstände und über die Kapitalverhältnisse Aufschluß geben. In G. von AGs muß das Grundkapital (Mindesthöhe 100 000 DM; § 7 AktG), in G. von GmbHs das Stammkapital (Mindesthöhe 50 000 DM; § 5 GmbHG) unter dem Posten „gezeichnetes Kapital" auf der Passivseite ausgewiesen werden. Die →ausstehenden Einlagen auf das gezeichnete Kapital sind auf der Aktivseite vor dem Anlagevermögen gesondert auszuweisen und entsprechend zu bezeichnen; die davon eingeforderten Einlagen sind zu vermerken. Die nicht eingeforderten ausstehenden Einlagen dürfen auch von dem Posten „gezeichnetes Kapital" offen abgesetzt werden; in diesem Fall ist der verbleibende Betrag als Posten „eingeforertes Kapital" in der Hauptspalte der Passivseite auszuweisen und ist außerdem der eingeforderte, aber noch nicht eingezahlte Betrag unter den Forderungen gesondert auszuweisen und entsprechend zu bezeichnen (§ 272 HGB). – 2. *Bewertung:* Die Bewertungsgrundsätze für den Jahresabschluß (insbes. Anschaffungswert-, Realisations- und Imparitätsprinzip) gelten sinngemäß. Für den Jahresabschluß des Kaufmanns ist die Bewertung der Vermögensgegenstände und Schulden in §§ 252–256 sowie 240 II und IV HGB, für den Jahresabschluß der Kapitalgesellschaften ergänzend in den §§ 279–283 HGB geregelt. Vgl. im einzelnen →Jahresabschluß.

**Gründungsfinanzierung,** Gesamtheit der Maßnahmen zur Feststellung des Kapitalbedarfs und zur Kapitalbeschaffung aus Anlaß der →Gründung einer Unternehmung (vgl. auch →Finanzentscheidungen, →Finanzplanung, →Finanzierung, →Eigenkapital, →Fremdkapital). – 1. *Bestimmungsfaktoren des* →*Kapitalbedarfs:* Im Rahmen der Gründung v. a. Ausgaben a) für den Kauf von Grundstücken, b) den Kauf oder die Herstellung von Gebäuden, Maschinen und Einrichtungsgegenständen, c) für den Umbau vorhandener Anlagen, d) für den Erwerb von Patenten, Lizenzen, Konzessionen und ähnlichen Rechten, e) Aufwendungen für die Ingangsetzung des Geschäftsbetriebs, f) Betriebskapital für Personal-, Material-, Energie- und andere laufende Kosten sowie zur Überbrückung der Produktionsdauer, der Lagezeiten und der zu gewährenden Zahlungsziele sowie g) Unterhaltung von Finanzmittelreserven. – 2. *Kapitalbeschaffung:* Bei verantwortungsbewußter Unternehmensgründung bedarf es einer dem Gesamtrisiko angemessenen Ausstattung mit Eigenkapital. Die Entscheidung über das Verhältnis von Eigen- und Fremdkapital wird zum einen von Rentabilitätserwägungen (Einfluß der Kosten des Fremdkapitals im Vergleich zu denen des Eigenkapitals unter Berücksichtigung der steuerlichen Auswirkungen; vgl. →Rentabilität, →Leverage-Effekt), zum anderen von Sicherheitsüberlegungen (Aufrechterhaltung der →Liquidität i. S. d. finanziellen Gleichgewichts) zum Schutz der Gläubiger, in Kapitalgesellschaften auch der außenstehenden Gesellschafter abhängen.

**Gründungsfonds,** →Gründungsstock.

**Gründungsgeschäft,** Finanzierungsgeschäft, bei dem Firmen in die Gesellschaftsform überführt werden. Motive können sein: Fehlende Bereitschaft, das Risiko künftig allein zu tragen, Fehlen eines geeigneten Nachfolgers aus der eigenen Familie, leichtere Vererbungsmöglichkeit und Sicherung der finanziellen Interessen der Familie, größere Leichtigkeit der Mittelaufbringung für einen sich erweiterenden Betrieb in der Gesellschaftsform als in der Form der Einzelfirma.

**Gründungsinvestition,** *Errichtungsinvestition,* (Gesamt-)Ausgabe für die Planung der Errichtung und die Erstausstattung eines Betriebs sowie für den Aufbau seiner inneren und äußeren Organisation. G. führt i. d. R. zur langfristigen Bindung des eingesetzten Kapitals (Kapitalbindung). – *Anders:* →Folgeinvestition.

**Gründungsjahr,** Altersangabe eines Unternehmens, bezogen auf die →Gründung oder auf die Handelsregistereintragung (→Eintragung im Handelsregister).

**Gründungskosten.** I. A l l g e m e i n : Gesamtheit der Aufwendungen für die Schaffung der rechtlichen Existenz des Unternehmens wie: Gründerlohn, Provisionen, Notar- und Gerichtskosten, Kapitalverkehrsteuer. – G. sind *nach Steuerrecht* als Betriebskosten abzusetzen. Aktivierung der G. nach § 248 I HGB (ebenso wie Kosten der Eigenkapitalbeschaffung) unstatthaft. Dagegen sind →Aufwendungen für die Ingangsetzung und Erweiterung des Geschäftsbetriebes aktivierungsfähig. – G. stehen nicht in Zusammenhang mit dem Leistungsprozeß des Betriebes, sie sind somit *keine Kosten* im Sinne der →Kostenrechnung.

II. G. e i n e r A k t i e n g e s e l l s c h a f t : Vgl. →Gründung einer AG III.

**Gründungsprüfer,** vom Gericht bestellter Prüfer, der den Hergang der →Gründung einer AG (neben den Mitgliedern des Vorstands und des Aufsichtsrats) zusätzlich zu prüfen hat, falls es sich um eine →qualifizierte Gründung handelt. Als G. sollen, wenn die Prüfung keine anderen Kenntnisse erfordert, nur bestellt werden a) in der Buchführung ausreichend vorgebildete und erfahrene Personen oder b) Prüfungsgesellschaften, von deren gesetzlichen Vertretern mindestens einer diese Vorbildung und Erfahrungen besitzt. – Vgl. auch →Gründungsprüfung.

**Gründungsprüfung,** Prüfung der →Gründung einer AG. – 1. *Umfang:* Namentlich ist festzustellen, ob die Angaben der →Gründer zur Übernahme der Aktien und zu den Einlagen auf das Grundkapital richtig und vollständig und ob die für den →Gründerlohn und die →Sacheinlagen oder →Sachübernahmen gewährten Leistungen angemessen sind (§ 34 I AktG). – 2. *Prüfer:* a) Die Mitglieder des →Vorstands und des →Aufsichtsrats; b) zusätzlich ein oder mehrere vom Gericht bestellte Prüfer (→Gründungsprüfer) im Fall der →qualifizierten Gründung. – 3. *Prüfungsbericht:* Über jede Prüfung ist unter Angabe des Gegenstands jeder Sacheinlage oder Sachübernahme und der zur Ermittlung des Werts herangezogenen Bewertungsmethode schriftlich zu berichten. Je ein Exemplar des Prüfungsberichts ist dem Gericht, dem Vorstand und der Industrie- und Handelskammer (IHK) einzureichen. Jedermann hat das Recht, den Prüfungsbericht bei der IHK einzusehen (§ 34 AktG).

**Gründungsstock,** *Gründungsfonds,* Fonds zur Deckung der Errichtungs- und Einrichtungskosten eines →Versicherungsvereines auf Gegenseitigkeit. Der G. entspricht als Gewährstock der später zu bildenden →gesetzlichen Rücklage und dient als Betriebsstock der Deckung der ersten Betriebskosten. Bildung, Verzinsung und Tilgung regelt die →Satzung mit Zustimmung

des →Bundesaufsichtsamts für das Kreditwesen.

**Grundurteil,** besondere Art eines →Urteils im gerichtlichen Verfahren. Besteht Streit über Grund und Höhe eines Anspruchs, kann das Gericht vorab durch ein G. entscheiden, daß dem Kläger *dem Grunde nach* ein Anspruch gegen den Beklagten zusteht (z. B. § 304 ZPO, § 111 VwGO, § 99 FGO). Das G. ist ein selbständig mit →Berufung oder →Revision anfechtbares Zwischenurteil mit dem Zweck, zunächst abschließend zu klären, ob der Anspruch dem Grunde nach besteht, bevor in eine meist umfangreiche Beweisaufnahme über die Höhe des geltend gemachten Betrages eingetreten wird. Zum „Grund" gehört i. d. R. auch die Frage des →Mitverschuldens. – Im Verfahren über den *Betrag* kann das Gericht die Klage noch abweisen, wenn z. B. ein Schaden nicht feststellbar ist; Einwendungen, neue Tatsachen und →Beweismittel, die sich auf den Grund des Anspruchs beziehen, können im Betragsverfahren nicht mehr berücksichtigt werden.

**Grundvergütung,** →Bundes-Angestellten-Tarifvertrag.

**Grundvermögen.** 1. *Begriff* des BewG für Zwecke der →Vermögensteuer. G. ist eine der zum →Gesamtvermögen gehörenden →Vermögensarten. G. umfaßt nur den →Grundbesitz (i. S. d. BewG), der weder zum →land- und forstwirtschaftlichen Vermögen noch zum →Betriebsvermögen (konkret: →Betriebsgrundstücke) gehört. – 2. *Bewertung:* a) *Bewertungsgegenstand* des G. sind die →Grundstücke: (1) Bodenwert, Gebäudewert, →Außenanlagen, sonstige Bestandteile und Zubehör; (2) →Erbbaurecht; (3) Wohnungseigentum, Teileigentum, Wohnungserbbaurecht, Teilerbbaurecht nach dem Wohnungseigentumsgesetz (§ 68 BewG). *Nicht* dazu gehören →Mineralgewinnungsrechte und →Betriebsvorrichtungen. – b) Jede →wirtschaftliche Einheit des G. bildet ein *selbständiges Grundstück,* für das ein →Einheitswert festzustellen ist.

**Grundversorgung,** →Grundrente II.

**Grundzeit ($t_g$),** nach REFA Summe der →Soll-Zeiten von →Ablaufabschnitten, die für die planmäßige Ausführung eines Arbeitsablaufs durch den Menschen erforderlich sind. Bezug: Mengeneinheit 1. Die G. besteht aus →Tätigkeitszeit und →Wartezeit: $t_g = t_t + t_w$. – *Bei Betriebsmitteln:* Betriebsmittel-Grundzeit $t_{gB}$ (→Belegungszeit). – Vgl. auch →Grundzeitaufnahme.

**Grundzeitaufnahme,** →Zeitaufnahme aller Ablaufabschnitte, die zur →Grundzeit gerechnet werden mit dem Ziel der Soll-Zeit-Ermittlung für →Tätigkeitszeit und →Wartezeit.

**Grüne Karte,** →Versicherungskarte.

**Grüner Bericht,** jährliche agrar- und ernährungspolitische Erklärung der Bundesregierung gegenüber Bundestag und Bundesrat nach Maßgabe §§ 4, 5 des Landwirtschaftsgesetzes vom 5. 9. 1955 (BGBl I 565). Der G.B. umfaßt die Darstellung der wirtschaftlichen Lage der Landwirtschaft, insbes. die Agrarstruktur und die Ertragsverhältnisse in der Landwirtschaft und den Vergleich mit der Entwicklung der gewerblichen Wirtschaft, die Ziele der Agrarpolitik, v. a. aber die Erläuterung der getroffenen und geplanten Maßnahmen einschl. ihrer Finanzierung. – Vgl. auch →Grüner Plan, →Agrarpolitik.

**Grüner Plan,** jährlich aufgestellter Plan der Bundesregierung zur Verbesserung der Ertragslage in der Landwirtschaft im Sinne des § 1 des Landwirtschaftsgesetzes. Über das ausgelaufene Jahr informiert der →Grüne Bericht. Da ein Großteil der agrarpolitischen Aufgaben des Bundes an die EG übertragen worden ist, hat der G.P. seine ursprüngliche Bedeutung verloren.

**Gruppe.** I. S o z i o l o g i e : 1. *Begriff:* Soziales Gebilde; mit Familie bzw. Horde und Sippe Ursprung menschlichen Gruppenlebens. Gegenüber früheren Abgrenzungen versteht man in der Soziologie unter G. v. a. die *Klein-G.,* d. h. ein Gebilde von drei bis etwa 25 Mitgliedern; die Zweier-G. gilt als Sonderform. – 2. *Charakteristische Merkmale:* Bestimmte Anzahl von Mitgliedern, die (1) über längere Zeit miteinander ein gemeinsames Ziel verfolgen und (2) in einem kontinuierlichen Kommunikations- und Interaktionszusammenhang gruppenspezifische Rollen, Normen und Werte ausbilden. – 3. *Zu unterscheiden sind* insbes.: a) *Primär- und Sekundärgruppen:* Primärgruppen sind v. a. die von Gefühl und Vertrauen geprägten primären Lebensgemeinschaften der Menschen, z. B. Familie, Freundschaftsgruppe, Nachbarn; Sekundärgruppen sind alle sozialen Gebilde, in denen mehr unpersönliche, anonyme und abstrakte Beziehungen vorherrschen (wie in Organisationen und formellen G.). – b) *Formelle und informelle G.:* Formelle G. sind auf einen bestimmten Zweck hin oder für einzelne Aufgaben zusammengesetzte G.; informelle G., die sich auf dem Hintergrund zumeist hoch-formalisierter Sozialbeziehungen (z. B. in Betrieben) bilden und z. B. zu emotionalen Spannungsausgleich führen. – c) Die Entwicklung von immer altersspezifischeren *Gleichaltrigen-G.* und neuen *Sozial-G.* (im Wohn- und Arbeits-, Freizeit- und Therapiebereich u. a.) sind wichtige Merkmale des sozialen Wandels und zeigen die Bedeutung von G.-Bildungen als Reflex auf gesellschaftliche Strukturen und Problemlagen. – Vgl. auch →Gruppenbildung.

II. E l e k t r o n i s c h e  D a t e n v e r a r b e i t u n g : 1. *Begriff:* Sammlung von Daten (meist: Datensätze einer Datei), die den glei-

chen →Ordnungsbegriff aufweisen und bei Gruppenwechselproblemen (→Gruppenwechsel) gemeinsam verarbeitet werden. – 2. *Formen* (bei mehrstufigem Ordnungsbegriff): a) *Haupt-G.:* Daten mit einer gemeinsamen Ordnungsbegriffkomponente der höchsten Stufe; b) *Unter-G.:* Daten innerhalb der Haupt-G. mit einer gemeinsamen Ordnungsbegriffkomponente der nächsttieferen Stufe; usw.

**Gruppenabschreibung,** →Pauschalabschreibung.

**Gruppenakkord,** Form des →Akkordlohns, der bei im Gegensatz zum →Einzelakkord nicht ein einzelner Arbeitnehmer, sondern eine Gruppe von Arbeitnehmern nach ihrer Leistung entlohnt wird. Probleme entstehen bei der Verteilung der G. auf die einzelnen Gruppenmitglieder. Der individuelle Anteil bemißt sich meist nach dem Verhältnis der tariflichen Grundlohnansprüche. Bei →teilautonomen Arbeitsgruppen können die individuellen Anteile nach in der Gruppe festzulegenden Schlüsseln verteilt werden.

**Gruppenarbeit,** *Teamarbeit,* von den →human relations empfohlene Form der Arbeitsorganisation, die der Befriedigung sozialer Bedürfnisse (→Bedürfnispyramide) dienen soll und z. B. in der →teilautonomen Arbeitsgruppe realisiert wird. G. kann unter spezifischen Voraussetzungen →Synergie produzieren.

**Gruppenarbeitsverhältnisse,** besondere Formen des →Arbeitsverhältnisses. – 1. *Eigengruppe:* Arbeitnehmer bieten als Gruppe ihre Arbeitsleistung an (z. B. Musikkapelle). Einzelkündigungen sind in diesem Fall im Zweifel ausgeschlossen; liefert ein Gruppenmitglied einen Kündigungsgrund, so kann die ganze Gruppe gekündigt werden. – 2. *Betriebsgruppe (Akkord-Gruppe):* Der →Arbeitgeber schließt eine Gruppe von Arbeitnehmern zusammen (z. B. Akkordkolonnen im Baugewerbe und entlohnt sie nach dem von der Gruppe erzielten Arbeitsergebnis (→Gruppenakkord). – In diesem Fall ergeben sich besondere Probleme der Haftung für Schäden, die bei der Gruppenarbeit entstehen.

**Gruppenausgebot,** →Gesamtausgebot.

**Gruppenbedürfnis,** *Gemeinschaftsbedürfnis, Gesellungsstreben,* zu den sozialen Bedürfnissen (→Bedürfnishierarchie) zählendes Grundmotiv, das den Menschen veranlaßt, mit anderen Individuen Kontakt aufzunehmen bzw. die Gesellschaft anderer zu suchen. – Vgl. auch →Guppe, →Gruppenbildung.

**Gruppenbewertung,** Verfahren der →Pauschalbewertung: Bei der Aufstellung des →Inventars und der →Bilanz können gleichartige Vermögensgegenstände des Vorratsvermögens sowie andere gleichartige oder annähernd gleichwertige bewegliche Vermögensgegenstände jeweils zu einer Gruppe zusammengefaßt und mit dem gewogenen Durchschnitt angesetzt werden (§ 240 IV HGB).

**Gruppenbildung.** I. B e t r i e b s s o z i o l o g i e : Im Industrieunternehmen zufällig entstehende formale oder informale Gruppierung der Menschen, die unter bestimmten technischen Bedingungen zusammenarbeiten. – 1. *Formelle Gruppen:* Diese ergeben sich zwangsläufig durch die Größenordnung des Betriebs (Anzahl der Belegschaftsmitglieder) und seiner technischen Struktur; als organisatorische Formen: Hauptabteilungen, Abteilungen, Gruppen; Betriebe, Werkstätten, Meistereien. – 2. *Informelle Gruppen:* Die nicht auf den Betriebszweck ausgerichteten Gebilde, deren Vorhandensein vielfach nicht in Erscheinung tritt, die aber u. U. eine recht bedeutungsvolle Rolle im Betrieb spielen. (Beispiel: weltanschauliche Gruppen, Anhänger von Sportvereinen, Spielgruppen, Tischgruppen aus der Kantine u. ä.). Gruppenmitglieder haben unterschiedlichen Einfluß auf die (latente) Zielsetzung der Gruppe: a) Die einzelnen Mitglieder unterstützen teils bewußt, teils unbewußt das Verhalten der Gruppe und heißen es gut; das Ziel, meist auch die Grenzen, sind im Gruppencharakter anders gelagert als im Einzelcharakter; b) die einzelnen Mitglieder entwickeln unbewußt und zwanglos gleiche Eigenschaften und Verhaltsregeln; der Gruppencharakter hat gleiche Ziele und gleiche Grenzen wie der Charakter des einzelnen; c) Innerhalb der Gruppe gibt es einen Meinungsführer (→ Führung), der die Zielsetzung der Gruppe dominiert. – Gruppe ist nicht zu verwechseln mit *Clique*, die negativ zu den Zielen der Gemeinschaft steht und ungünstigen Einfluß auf Betrieb und Gemeinschaft ausübt.

II. S t a t i s t i k : Vgl. → Klassenbildung.

**Gruppendenken,** *groupthink,* hohe Konformität in der Einschätzung und Bewertung spezieller komplexer Situationen durch die Mitglieder der → Gruppe. G. behindert das Eintreten von → Synergie.

**Gruppendynamik,** Forschungsrichtung innerhalb der → humanistischen Psychologie, die auf K. Lewin (1890–1947) zurückgeht und v. a. durch die Betonung der dynamischen Zusammenhänge von Gruppenphänomenen (Herausarbeitung der wechselseitigen Abhängigkeiten) Bedeutung erlangt hat (→ gruppendynamisches Training).

**gruppendynamisches Training,** *laboratory training, sensitivity training,* in den USA unter dem Einfluß von K. Lewin entwickelte Trainingsform zum Aufbau neuer sozialer Interaktionsmuster im Sinne der → humanistischen Psychologie. Analyse der „hier und jetzt"

ablaufenden gruppendynamischen Prozesse, Experimentieren mit dem eigenen Verhalten sowie Rückkopplung (feedback) anderer zur Wirkung des eigenen Verhaltens. Der Lernprozeß betont Erfahrung (statt Übung) und schließt emotional-affektive Prozesse mit ein. – *Ergebnisse:* Erhebliche Streuung der Wirksamkeit des g.T. bei den Teilnehmern; Übertragung (Transfer) des Erlernten am Anwendungsort i. d. R. nur, sofern parallel die betriebliche Situation mit verändert wird (→ Organisationsentwicklung).

**Gruppenforschung,** Forschungsgebiet der → Sozialpsychologie. Gegenstand ist die → Gruppe, ihr Wesen, ihre Entstehung, ihre Wirkungsweise, ihre Beziehung zum Individuum und zu anderen Gruppen. Je nach Betonung des psychologischen oder soziologischen Aspekts steht dabei das Individuum oder die Gruppe im Vordergrund.

**Gruppenfreistellung,** Begriff des EG-Kartellrechts. Vgl. im einzelnen → Kartellgesetz XI 3.

**Gruppenklima,** Bezeichnung für die stimmungsartige Gesamtbefindlichkeit einer → Gruppe, die sich im Verlauf gemeinsamer Erfahrungen und Aktivitäten allmählich herausbildet. G. drückt sich aus in den → Einstellungen und Haltungen der einzelnen Mitglieder gegenüber ihrer Gruppe und kann mannigfach gefärbt sein; gereizt, gespannt, ausgewogen, heiter, harmonisch, freundlich, feindselig, frostig, warm usw. Je kleiner eine Gruppe, desto eher Herausbildung eines G.; seine Entwicklung ist deshalb typischer für überschaubare Gruppen als für Organisationen, bei denen man ggf. von → Betriebsklima spricht.

**Gruppenkohäsion,** Ausmaß des Zusammenhalts in (Arbeits-)→ Gruppen. Die G. hängt ganz wesentlich ab von der Attraktivität der Gruppe für den einzelnen (G. ist umso größer, je eher man Vorteile im Hinblick auf die Erreichung persönlicher Ziele erwarten kann), z. B. im Prestige, das mit der Zugehörigkeit zu dieser Gruppe verbunden ist, und in den Möglichkeiten, innerhalb der Gruppe eigene Bedürfnisse zu befriedigen. – *Folge hoher G.* ist i. a. eine relativ starke Verhaltensnormierung der Gruppenmitglieder; Gruppennormen finden verstärkte Beachtung.

**Gruppenleiter,** bei organisierten bzw. institutionalisierten → Gruppen häufig verwendete Bezeichnung für → Führer.

**Gruppenmitglied,** jeder Angehörige einer bestimmten → Gruppe, ungeachtet der Position, die er darin einnimmt; entscheidend ist, daß er an der Aktivität (→ Interaktion) der Gruppe teilnimmt, ihre Normen (→ Gruppennorm) und Ziele im wesentlichen akzeptiert, sich ihr zugehörig fühlt und auch von den übrigen Mitgliedern angenommen wird.

**Gruppennorm,** eine von der Mehrheit einer →Gruppe akzeptierte Verhaltensregel, die den →Gruppenmitgliedern für bestimmte Situationen ihre Denk- und Handlungsweisen vorschreibt.

**Gruppenpreis,** Begriff der staatlichen Preislenkung oder -regelung für einen →Kostenpreis, der durch staatliche Preisbehörden bei unterschiedlicher Kostenlage jeweils für Gruppen vergleichbarer Betriebe festgelegt wird. – Anders: →Einheitspreis.

**Gruppenpreisverfahren,** rationelles Verfahren zur Bewertung von Beständen, die sich aus einer Vielzahl von Artikeln zusammensetzen, indem man die Artikel in eine kleine Anzahl von Preisgruppen zusammenfaßt. Die Bestände einer Preisgruppe werden addiert und mit dem dazugehörigen Gruppenpreis multipliziert. – Weiterentwicklung: Zonenpreisverfahren.

**Gruppenproduktion,** →Zentrenproduktion, →Produktionsinsel.

**Gruppenpsychologie,** Gebiet der →Arbeits- und Organisationspsychologie. Gegenstand der G. sind v. a. die Probleme, die bei Zusammenarbeit mehrerer Individuen auftreten, z. B.: Idealgruppe umfaßt je nach der Aufgabenstellung sechs bis zehn Mitglieder; Anspruchsniveau aller Einzelmitglieder wächst proportional zum Gruppenehrgeiz; Mitbeteiligung am Arbeitserfolg durch Gruppenprämien; Heranziehen zur Mitverantwortung. – Vgl. auch →Partnerschaft, →Gruppenarbeit, →Gruppenbildung, →Gruppendynamik, →Gruppe, →Organisationsentwicklung.

**Gruppenversicherung,** Möglichkeit für Arbeitgeber, deren rechtsfähige Vereinigungen, andere Verbände und Vereine, für ihre Mitglieder oder Arbeitnehmer G.-Verträge abzuschließen und damit insbes. tarifliche Begünstigungen in Anspruch zu nehmen. – Vorkommende Formen: →Firmen-Gruppenversicherung; →Vereins-Gruppenversicherung.

**Gruppenwechsel.** 1. Begriff: In der →betrieblichen Datenverarbeitung häufig auftretende Aufgabe, bei der die Elemente eines Datenbestands (meist: die Datensätze einer Datei), der nach einem →Ordnungsbegriff sortiert ist, in →Gruppen verarbeitet werden. – 2. Arten: a) Einstufiger G. liegt vor, wenn der Ordnungsbegriff einstufig ist; bei Übergang von einer Gruppe zur nächsten treten die typischen G.-Tätigkeiten auf: (1) Abschlußarbeiten für die alte Gruppe (z. B. Zwischensummen bei Abrechnungsproblemen); (2) Vorarbeiten für die Bearbeitung der neuen Gruppe (z. B. Überschriften erzeugen). – b) Mehrstufiger G. liegt vor, wenn der Ordnungsbegriff mehrstufig ist. Die G.-Tätigkeiten sind dann bezüglich der Unter- und Hauptgruppen durchzuführen.

**Gruppenwerbung,** →kooperative Werbung.

**Gruppierungsplan.** 1. Begriff: Teil der 1969 eingeführten neuen Systematik der öffentlichen Haushaltspläne (→Haushaltssystematik) neben dem →Funktionenplan. Der G. gliedert die Einnahmen und Ausgaben einzelner Titel nach ökonomischen Gesichtspunkten; eine Gruppierungskennziffer ermöglicht es, jeden Ansatz im →Haushaltsplan dem G. zuzuweisen. – 2. Gliederungskennziffern: 0 Einnahmen aus Steuern und steuerähnlichen Abgaben; 1 Verwaltungseinnahmen, Einnahmen aus Schuldendienst und dergleichen; 2 Einnahmen aus Zuweisungen und Zuschüssen für laufende Zwecke; 3 Einnahmen aus Schuldenaufnahmen, aus Zuweisungen und Zuschüssen für Investitionen, besondere Finanzierungseinnahmen; 4 Personalausgaben; 5 sächliche Verwaltungsausgaben, militärische Beschaffungen usw., Ausgaben für Schuldendienst; 6 Ausgaben für Zuweisungen und Zuschüsse für laufende Zwecke; 7 Baumaßnahmen; 8 sonstige Ausgaben für Investitionen und Investitionsförderungsmaßnahmen; 9 besondere Finanzierungsausgaben. – 3. Von besonderer Bedeutung für die →volkswirtschaftliche Lenkungsfunktion: Nach den Kriterien der →Volkswirtschaftlichen Gesamtrechnung ist es möglich, den Haushalt z. B. nach seinen konjunkturellen Impulsen bzw. allgemein nach seinen Wirkungen auf volkswirtschaftliche Aggregate hin zu untersuchen. – Vgl. auch →Gruppierungsübersicht.

**Gruppierungsübersicht,** eine nach dem →Gruppierungsplan aufgebaute Übersicht über Einnahmen, Ausgaben und →Verpflichtungsermächtigungen eines Haushaltsjahres, die dem →Haushaltsplan als Anlage beizufügen ist. G. und →Funktionenübersicht bilden den →Haushaltsquerschnitt.

**Gruppik,** Bezeichnung einer nach →Kontenplan im Stil der Kameralistik geführten Einnahme-Ausgabe-Rechnung, in der durch „künstliche Istbuchungen" sowie durch Ausführung der Abschreibungen mittels „Rückeinnahme" eine Ergebnisrechnung angestrebt und erreicht wird.

**GTZ,** Abk. für →Deutsche Gesellschaft für Technische Zusammenarbeit GmbH.

**Guadeloupe,** →Frankreich.

**Guatemala,** Republik Guatemala, mittelamerikanischer Staat am Pazifik mit schmalem Zugang zur Karibik. – Fläche: 108 889 km². – Einwohner (E): (1986, geschätzt) 8,2 Mill. (75 E/km²), darunter Indianer (50%), Mestizen (Ladinos; 30–40%), Weiße (5%), Schwarze (2%), Mulatten, Zambos und wenige Chinesen. – Hauptstadt: Ciudad de Guatemala (1981: 749 800 E); weitere wichtige Städte (E

1981): Escuintla (73 700), Quezaltenango (72 700), Puerto Barrios (46 800), Retalhuleu (46 000). – Unabhängig seit 1821; präsidiale Republik; Verfassung (von 1966) 1982 suspendiert. 1982–84 mehrere Militärputsche. *Verwaltungsgliederung:* 22 Bezirke (Departamentos), 326 Gemeinden. – *Amtssprache:* Spanisch.

Wirtschaft: G. gehört zu den am wenigsten entwickelten Ländern. – *Landwirtschaft:* Stark exportorientierte Anbaustruktur: Kaffee, Zuckerrohr, Baumwolle, Bananen und Kardamom. Für den Eigenbedarf werden u. a. Mais, Sorghum, Bohnen, Kartoffeln, Zwiebeln, Tomaten und Zitrusfrüchte gepflanzt; bedeutende Rinderzucht. – *Waldwirtschaft* (Farb- und Edelhölzer). – *Bergbau und Industrie:* Bisher geringe Nutzung der reichen Bodenschätze. Abbau u. a. von Eisen-, Kupfer-, Zink-, Antimon- und Wolframerz. Angestrebt wird der Ausbau der Erdölwirtschaft. Die Industrialisierung wird u..a. durch die schwierige innenpolitische Lage gehemmt. Wichtigste Zweige sind die Nahrungsmittel-, Getränke-, Tabak-, Textil- und Lederindustrie. – *BSP:* (1985, geschätzt) 9890 Mill. US-$ (1240 US-$ je E). – *Export:* (1984) 1129 Mill. US-$, v. a. Kaffee, Baumwolle, Zucker. – *Import:* (1984) 1278 Mill. US-$, v. a. mineralische Brennstoffe, Maschinen und Fahrzeuge, chemische Erzeugnisse. – *Handelspartner:* USA, EG-Länder, El Salvador u. a. Länder Lateinamerikas.

Verkehr: 17 278 km *Straßen*, davon 2851 km asphaltiert (1979). Durch G. führen Teilstücke der „Carretera Interamericana" und der „Carretera Costera". – 1828 km *Schienenwege*, darunter Plantagenlinien. – Wichtige *Häfen:* Puerto Barrios an der karibischen und San José an der pazifischen Küste. Freihafen ist Santo Tomás de Castilla. 1983 verfügt G. über neun *Handelsschiffe* (über 100 BRT) mit 18 100 BRT. – Internationale *Flughäfen* in Guatemala-Stadt und Santa Elena Pétén. Eigene *Luftfahrtgesellschaft.*

Mitgliedschaften: UNO, CACM, SELA, UNCTAD u. a.

Währung: 1 Quetzal (Q) = 100 Centavos.

**Guillotine-Zuschneideproblem,** →Zuschnittplanung.

**Guinea,** *Republik Guinea,* westafrikanischer Staat mit 300 km Küstenlinie am Atlantik, erstreckt sich weit ins afrikanische Hinterland. – *Fläche:* 245 857 km². – *Einwohner* (E): (1985, geschätzt) 6,1 Mill. (24,7 E/km²), städtische Bevölkerung 27%. – *Hauptstadt:* Conakry (1980: 763 000 E); weitere wichtige Städte: Labé (253 000 E), Kankan (229 000 E). – Seit der Unabhängigkeit 1958 präsidiale

Republik, seit 1984 unter Militärherrschaft; Verfassung (1982) 1984 suspendiert. *Verwaltungsgliederung:* 4 Supra-Regionen, 33 Regionen, Arrondissements. – Keine offizielle Landessprache, als *Amtssprache* wird Französisch verwendet.

Wirtschaft: G. zählt zu den Entwicklungsländern. – *Landwirtschaft* ist Haupterwerbsquelle. – Die beabsichtigten kollektiven Bewirtschaftungsformen konnten sich bisher gegenüber den kleinbäuerlichen Familienbetrieben nicht durchsetzen. Kommunalen Farmen und Staatsfarmen sind Verarbeitungsbetriebe für landwirtschaftliche Erzeugnisse angegliedert. Der Schwerpunkt der landwirtschaftlichen Produktion liegt in Niederguinea. Zur Deckung des Eigebedarfs werden vornehmlich Reis, Hirse, Mais, Süßkartoffeln und Maniok angebaut. Wichtige Exportprodukte sind Palmkerne, Kaffee, Ananas und Bananen. Übergang von der nomadisierenden zur stationären Viehwirtschaft. – *Forstwirtschaft:* Wiederaufforstungsmaßnahmen sollen den Folgen der Brandrodungswirtschaft entgegenwirken. 85% des 1982 eingeschlagenen Laubholzes (3,63 Mill. m³) wurden als Brennholz benutzt. – Die Fangmenge der *Fischerei* belief sich 1982 auf 18 453 t. – *Bergbau und Industrie:* Reiche Eisenerz- und Bauxitlager, abbauwürdige Vorkommen an Diamanten, Gold, Uran, Kalkstein, Granit und Salz. Ansätze einer eigenen Industrie auf der Grundlage einheimischer Rohstoffe. Um die industrielle Entwicklung des Landes voranzutreiben wurde Anfang der 80er Jahre das Investitionsgesetz liberalisiert. – Die Entwicklung des *Fremdenverkehrs* wird angestrebt; 1982 Gründung eines Büros für Fremdenverkehr. – *BSP:* (1985, geschätzt) 1950 Mill. US-$ (320 US-$ je E). – *Öffentliche Auslandsverschuldung:* (1984) 59,5% des BSP. – *Inflationsrate:* durchschnittlich 4,5%. – *Export:* (1983) 390,5 Mill. US-$, v. a. Aluminiumerze und Aluminiumoxid, Kaffee und Kakaobohnen. – *Import:* (1983) 279,3 Mill. US-$, v. a. Maschinen und Fahrzeuge, Erdöl und Erdölprodukte, chemische Erzeugnisse und Nahrungsmittel. – *Handelspartner:* EG-Länder, USA.

Verkehr: Hauptverkehrsader ist die *Eisenbahnlinie* zwischen Conakry und Kankan (662 km), daneben noch 153 km Eisenbahnlinie für den Transport von `Bauxit und Tonerde. Geplant ist eine Verlängerung der Strecke Conakry-Kankan nach Bamako in Mali und eine 1000 km lange Gütertransportlinie (Transguinea-Eisenbahn) zwischen N'Zérékoré und Conakry. – Unzureichende Straßenverbindung; 1972 waren nur etwa 5% des 28 400 km langen *Straßennetzes* asphaltiert. – Wichtigster *Meereshafen* ist Conakry. In Planung befindet sich ein Tiefseehafen südlich der Insel Kasa und mehrere kleine Häfen für die Küstenschiffahrt. – Die nationale *Flugge-*

*sellschaft* „Air Guinee" bedient das Inlandnetz und fliegt westafrikanische Flughäfen an. Der internationale *Flughafen* von Conakry soll ausgebaut werden.

Mitgliedschaften: UNO, AKP, OAU, UNCTAD u. a.

Währung: 1 Guinea-Franc (F.G.) = 100 Cauris.

**Guinea-Bissau,** *Republik Guinea-Bissau,* westafrikanischer Küstenstaat. – *Fläche:* 36 125 km², einschl. ca. 60 kleiner Inseln vor der Atlantikküste. – *Einwohner* (E): (1985, geschätzt) 890 000 (24,6 E/km²), hauptsächlich Völker der Bantusprachen. – *Hauptstadt:* Bissau (1979: 109 486 E). – Unabhängig seit 1974, Verfassung von 1984, Staatsrat (seit 1984), Nationalversammlung. *Verwaltungsgliederung:* 8 Regionen, 36 Kreise. – *Amtssprache:* Portugiesisch.

Wirtschaft: G.-B. gehört zu den am wenigsten entwickelten Ländern. – *Landwirtschaft:* 80% der Erwerbspersonen arbeiten in der Landwirtschaft. Hauptanbauprodukte sind Reis, Mais, Erdnüsse und Maniok; Viehzucht (Rinder, Ziegen, Schweine, Hühner). – Im Bereich der Schwemmlandküste *Holzwirtschaft.* – *Fischerei:* Fangmenge (1980) 3700 t. – *Bergbau und Industrie:* Vorkommen von Bauxit, Phosphaten, Erdöl, Eisenerz und Kalkstein. Erste Ansätze einer eigenen Industrie, hauptsächlich auf der Basis land- und forstwirtschaftlicher Erzeugnisse. – *BSP:* (1985, geschätzt) 150 Mill. US-$ (170 US-$ je E). – *Export:* (1984) 27,1 Mill. US-$, v. a. Erd- und Kokosnüsse, Palmöl, Fische und Krustentiere, Schnittholz, Baumwolle. – *Import:* (1984) 46,1 Mill. US-$, v. a. Nahrungsmittel, Ausrüstungen, mineralische Brennstoffe, verschiedene Konsumgüter. – *Handelspartner:* Portugal, Spanien, Großbritannien, Japan, Frankreich.

Verkehr: 3500 km *Straßen,* davon 450 km asphaltiert. – Keine *Eisenbahn.* –1000 km *Binnenwasserwege.–See- und Flughafen* Bissau.

Mitgliedschaften: UNO, AKP, OAU, UNCTAD u. a.

Währung: 1 Guinea-Peso (PG) = 100 Centavos.

**GÜKUMT,** Abk. für →Güterkraftverkehrstarif für den Umzugsverkehr und für die Beförderung von Handelsmöbeln in besonders für die Möbelbeförderung eingerichteten Fahrzeugen im Güterverkehr und Güterfernverkehr.

**Gummiverarbeitung,** Teil des Gummistoff- und Produktionsgütergewerbes; Industriezweig, zu dem neben der Herstellung von Bereifung, Transportbändern und Besohlmaterial aus Kautschuk und Asbest, auch die Verarbeitung des Rohmaterial zu Halbfabrikaten gehört.

**Gummiverarbeitung**

| Jahr | Beschäftigte in 1000 | Lohn- und Gehaltssumme | darunter Gehälter | Umsatz gesamt | darunter Auslandsumsatz | Nettoproduktionsindex 1980 =100 |
|------|------|------|------|------|------|------|
| | | in Mill. DM | | | | |
| 1970 | 133 | 1 903 | 538 | 7 691 | 1 026 | – |
| 1971 | 130 | 2 041 | 608 | 7 837 | 1 201 | – |
| 1972 | 128 | 2 199 | 665 | 8 023 | 1 411 | – |
| 1973 | 128 | 2 471 | 741 | 8 874 | 1 824 | – |
| 1974 | 121 | 2 547 | 801 | 9 726 | 2 435 | – |
| 1975 | 109 | 2 483 | 833 | 9 807 | 2 264 | – |
| 1976 | 106 | 2 685 | 865 | 10 548 | 2 408 | 107,4 |
| 1977 | 104 | 2 862 | 925 | 10 835 | 2 551 | 101,3 |
| 1978 | 103 | 2 974 | 980 | 10 856 | 2 531 | 103,3 |
| 1979 | 104 | 3 184 | 1 034 | 11 921 | 2 790 | 104,4 |
| 1980 | 104 | 3 402 | 1 126 | 12 899 | 2 947 | 100 |
| 1981 | 101 | 3 464 | 1 205 | 13 534 | 3 196 | 94,1 |
| 1982 | 97 | 3 490 | 1 237 | 13 874 | 3 192 | 97,2 |
| 1983 | 93 | 3 518 | 1 263 | 14 085 | 3 327 | 99,2 |
| 1984 | 93 | 3 673 | 1 312 | 14 596 | 3 663 | 104,3 |
| 1985 | 95 | 3 888 | 1 374 | 16 124 | 4 079 | 112,0 |
| 1986 | 97 | 4 143 | 1 469 | 16 942 | 4 320 | 114,1 |

**Günstigkeitsprinzip,** Begriff des →Arbeitsrechts. – 1 Nach dem G. kann von den Normen eines →Tarifvertrages (Mindestbedingungen) lediglich *zugunsten* des Arbeitnehmers durch Einzelvertrag oder →Betriebsvereinbarung abgewichen werden. – 2. *Günstigere Bedingungen,* die schon bestanden haben, bleiben beim Inkrafttreten des Tarifvertrages in Geltung. – Ein *übertariflicher Lohn* z. B. wird durch eine Tariflohnerhöhung mangels entgegenstehender Vereinbarung so lange nicht berührt, als der Tariflohn übertariflichen Lohn nicht übersteigt. Wird der übertarifliche Lohn ausdrücklich als selbständiger Lohnbestandteil neben dem Tariflohn gewährt und bezeichnet, bleibt er von Tariflohnerhöhungen unberührt. Hat dagegen der Arbeitnehmer keinen Anspruch auf übertarifliche Zulage neben dem Tariflohn, so können Tariflohnerhöhungen mit übertariflichen Lohnbestandteilen verrechnet werden. – 3. Das G. *gilt nicht* im Verhältnis des Tarifvertrages zu Gesetzen. Dispositives Recht ist jedoch grundsätzlich auch durch Tarifvertrag abdingbar.

**Gut,** Mittel zur Bedürfnisbefriedigung. Güter sind nach pysikalischen Eigenschaften, Ort und Zeitpunkt der Verfügbarkeit differenziert. Zu unterscheiden: →freie Güter und →wirtschaftliche Güter. – *Vgl. auch* →Gütertypologie, →Gebrauchswert, →Tauschwert.

**Gutachten.** 1. *Allgemein:* Beurteilung durch →Sachverständigen. – 2. G. hat auf Verlangen des *Finanzamtes* oder eines *Gerichts* abzugeben: wer zur Erstattung von Gutachten öffentlich bestellt ist oder die Wissenschaft, die Kunst oder das Gewerbe, deren Kenntnis Voraussetzung zur Begutachtung ist, öffentlich zum Erwerb ausübt (§ 187 AO, § 407 ZPO, § 75 StPO). Das Finanzamt muß den Gutachter, den es zu beauftragen beabsichtigt, dem betreffenden →Steuerpflichtigen mitteilen (§ 206 AO). – 3. G. über den *Wert von Grundstücken:* Vgl. →Grundstückswert.

**Gutachterausschuß,** →Grundstückswert.

**Güte,** →Teststärke.

**Gütefunktion,** *Powerfunktion, Macht eines Tests,* bei →statistischen Testverfahren Funktion, die die Trennschärfte (Teststärke) eines Tests, also dessen Fähigkeit, eine falsche →Nullhypothese als solche erkennbar zu machen, ausdrückt. Die G. gibt in Abhängigkeit vom waren Wert des →Parameters die →Wahrscheinlichkeit der Ablehnung der Nullhypothese an. Dabei werden das →Signifikanzniveau, der Stichprobenumfang sowie die Nullhypothese selbst als konstant betrachtet.

**Güteklassen,** behördlich oder durch Vereinbarung von Erzeugern oder Verbänden geschaffene Qualitätsstufen für bestimmte Handelswaren (z. B. Eier, Butter). – Vgl. auch →Handelsklassengüter.

**Gütekriterien,** Kriterien zur Beurteilung der Qualität der Daten, die bei einem Meßvorgang erhoben wurden: a) →Objektivität, b) →Reliabilität und c) →Validität. Nur wenn allen G. Rechnung getragen wird, können aus einer Untersuchung verläßliche Schlußfolgerungen gezogen werden.

**Gutenberg,** Erich. I. L e b e n : Erich Gutenberg wurde am 13. Dezember 1897 in Herford (Westfalen) als Sohn eines Fabrikanten geboren. Er studierte zunächst an der Technischen Hochschule Hannover Physik und Chemie, dann zur Vorbereitung auf die Übernahme der elterlichen Fabrik Nationalökonomie in Würzburg und Halle an der Saale. Dort wurde er im Jahre 1921 mit einer Dissertation über „Thünen's isolierter Staat als Fiktion" zum Dr. rer. pol. promoviert. Da die väterliche Firma die Wirren der Inflationszeit nicht überstand, konnte sich Erich Gutenberg noch vor dem geplanten Eintritt in die Firma seinen wissenschaftlichen Interessen zuwenden. – Er wurde 1924 *Assistent von Professor Bruck* in Münster. Er legte (als Voraussetzung für die Habilitation) das Fach Betriebswirtschaftslehre in Münster) im Wintersemester 1926 in Frankfurt das kaufmännische Diplomexamen ab und habilitierte sich im Mai 1928 mit einer Arbeit über „Die Unternehmung als Gegenstand betriebswirtschaftlicher Theorie" in Münster für das Fach Betriebswirtschaftslehre. Seine engsten Kollegen in Münster waren *Eduard Willeke* und *Wilhelm Kromphardt.* Auch *Erich Schneider* lernte er in Münster kennen. – Es folgten Jahre der Praxis, zunächst in Berlin, dann in

Dortmund, die Bestellung zum Wirtschaftsprüfer (1933), eine selbständige Tätigkeit als Wirtschaftsprüfer in Essen, daneben Lehrtätigkeit in Münster und Rostock, schließlich zum Wintersemester 1938/39 die Berufung auf das *Extraordinariat für Betriebswirtschaftslehre an der Bergakademie Clausthal-Zellerfeld.* Von 1939 bis 1943 war Erich Gutenberg zum Militärdienst eingezogen. 1940 wurde Gutenberg als *Ordinarius nach Jena* berufen. Dort war *Erich Preiser* sein engster Kollege und Freund. Im letzten Kriegsjahr betreute Gutenberg außerdem noch einen betriebswirtschaftlichen *Lehrstuhl in Breslau.* Im Jahre 1947 übersiedelte er nach Marburg, 1948 folgte er einem Ruf an die *Universität Frankfurt.* Dort lehrten damals *Fritz Neumark* und *Heinz Sauermann,* zu denen eine freundschaftliche Verbindung entstand. Sie halfen Erich Gutenberg, nach den Jahren der Isolation den Anschluß an die internationale Entwicklung im Fach wiederzugewinnen: Fritz Neumark, weil er in der Zeit des Dritten Reiches in der Türkei am Aufbau des dortigen Universitätswesens mitwirkte und so den Kontakt mit den angelsächsischen Entwicklungen in den Wirtschaftswissenschaften hatte halten können, Heinz Sauermann, weil er als einer der ersten nach dem Kriege in Amerika studiert hatte und Eindrücke aus erster Hand nach Frankfurt mitbrachte. – Im Jahre 1951 nahm Gutenberg den Ruf auf den *Lehrstuhl für Allgemeine Betriebswirtschaftslehre und Spezielle Betriebswirtschaftslehre der Wirtschaftsprüfung und des Treuhandwesens an der Universität zu Köln* an. Dieser Universität blieb er trotz zahlreicher Rufe (unter anderem nach München und Hamburg) bis zu seiner Emeritierung im Jahre 1966 treu. – Von 1954 bis 1966 gehörte Gutenberg dem *Wissenschaftlichen Beirat beim Bundeswirtschaftsministerium* an. – Für seine wissenschaftlichen Verdienste verliehen ihm die Universitäten Berlin (1957), Münster (1962), München (1967), Saarbrücken (1967), Göttingen (1977) und Frankfurt (1978) die *Ehrendoktorwürde.* Der Bundespräsident zeichnete Gutenberg mit dem *Großen Verdienstkreuz* des Verdienstordens der Bundesrep. D. aus (1968).

II. W e r k : Gutenbergs Hauptwerk sind die *„Grundlagen der Betriebswirtschaftslehre",* ein dreibändiges Werk, in dem er ein neues System der Betriebswirtschaftslehre entwickelte. – *Der Betrieb* wird darin verstanden als die *Gesamtheit der betrieblichen Teilfunktionen: Produktion, Absatz und Finanzen.* Dabei kam es Gutenberg weniger auf die einzelnen betrieblichen Teilbereiche als auf die Gesamtsicht dieser Funktionen an. Diese Einheit wird für Gutenberg gewahrt durch die Idee des Kombinationsprozesses, durch das →Ausgleichsgesetz der Planung, durch das →finanzielle Gleichgewicht und durch das Prinzip der Wirtschaftlichkeit. Der Betrieb hat die *Auf-*

*gabe,* →Produktionsfaktoren (objektgebundene und dispositive Arbeit, Betriebsmittel und Werkstoffe) am Markt zu beziehen, in einer Produktivitätsbeziehung zu höherwertigen absatzfähigen Gütern zu kombinieren und dabei darauf zu achten, daß keine Produktionsfaktoren verschwendet werden *(Prinzip der Wirtschaftlichkeit)* und daß der Betrieb seinen Zahlungsverpflichtungen jederzeit nachkommen kann *(Prinzip des finanziellen Gleichgewichts)*. Diese Aufgabe ist allen Betrieben gemeinsam, gleichgültig, ob sie in einer kapitalistischen Wirtschaftsordnung oder in einer Zentralverwaltungswirtschaft produzieren. – Die *Betonung des Unternehmensganzen in der Vielfalt der betrieblichen Erscheinungen* lag Gutenberg am Herzen. Seine Beiträge zu den verschiedenen betrieblichen Teilbereichen sind nur vor dem Hintergrund seines Versuches zu verstehen, eine *Allgemeine Theorie der Unternehmung* zu schaffen.

1. *Produktion:* Gleichzeitig mit T. Koopmans hat Gutenberg die →*Aktivitätsanalyse* entdeckt: die Tatsache, daß die Produktionsfaktoren im Kombinationsprozeß linear-limitational miteinander verbunden werden und nicht substitutiv sind, wie die klassische Produktionstheorie angenommen hatte. Anders als Koopmans aber hat Gutenberg sofort erkannt, daß die Einsatzmengen der Produktionsfaktoren im Produktionsprozeß nicht starr gekoppelt sind (konstante Produktionskoeffizienten), sondern daß sie nach Maßgabe der →Verbrauchsfunktion variieren können. Dabei gibt die Verbrauchsfunktion an, wie sich der Faktoreinsatz je Ausbringungseinheit verändert, wenn die Produktionsgeschwindigkeit (Intensität der Produktion) verändert wird. Gutenberg hat diese von ihm sogenannte ,,Produktionsfunktion vom Typ B" (→Gutenberg-Produktionsfunktion) dem klassischen →Ertragsgesetz entgegengestellt, wonach der Ertrag verändert werden kann, wenn bei Konstanz eines Faktors die Einsatzmenge eines anderen (variablen Faktors) variiert wird. – Gutenberg führte die *Theorie der Anpassungsformen* (→Anpassung) in die Produktionstheorie ein. Er unterschied die *zeitliche Anpassung* (an veränderte Beschäftigung paßt sich der Betrieb durch Variation der Produktionszeit an), die *quantitative Anpassung* (an veränderte Beschäftigung paßt sich der Betrieb durch Veränderung der Betriebsmittelausstattung, also durch Veränderung seiner Kapazität an) und die *intensitätsmäßige Anpassung* (an veränderte Beschäftigung paßt sich der Betrieb bei Konstanz der Betriebsmittelausstattung und der Fertigungszeit durch Veränderung der Produktionsgeschwindigkeit an). Er untersuchte die Auswirkung verschiedener Anpassungsformen auf die Kosten der Ausbringung. – Aus der Produktionstheorie leitet Gutenberg die →*Kostentheorie* ab. Damit schuf er die theoretische Basis für die →Deckungsbeitragsrechnung bzw. die →Grenzplankostenrechnung. Den Faktorverbrauch an Betriebsmitteln konnte er in diese Kostenrechnung nicht miteinbeziehen, da es ihm (bis auf wenige Ausnahmen) nicht gelang, die Verbrauchsfunktion für Gebrauchsfaktoren (Betriebsmittel) zu bestimmen. Dies ist Gegenstand der Verschleißforschung (Tribologie), die sich in den letzten Jahren entwickelt hat.

2. *Absatz:* Die Betriebswirte vor Gutenberg betrachteten den Absatzmarkt als vollkommen und sahen eher den Beschaffungsmarkt als unvollkommen an (Eugen Schmalenbach unterschied ungehemmte und gehemmte Beschaffung). In der nationalökonomischen Preistheorie wurde dagegen in den 30er Jahren die Theorie des unvollkommenen Absatzmarktes entdeckt (Chamberlain, Robinson, v. Stackelberg). Gutenberg analysierte die *Absatzpolitik von Unternehmen auf vollkommenen Faktormärkten und auf unvollkommenen Gütermärkten.* Wegen der Vollkommenheit der Beschaffungsmärkte und der Konstanz der Produktionskoeffizienten in seiner Produktionsfunktion vom Typ B (bei gegebener Intensität) kommt Gutenberg so zu einer vollkommen elastischen Angebotsfunktion. Die *Gutenberg-Nachfragefunktion* dagegen weist einen doppelt-geknickten Verlauf auf. Zwei konkurrenzbezogene Äste der Kurve schließen den monopolistischen Bereich ein, innerhalb dessen der Anbieter Preispolitik betreiben kann, ohne befürchten zu müssen, Nachfrage in größerem Umfang zu verlieren. – Die *anderen absatzpolitischen Instrumente* Gutenbergs (Werbung, Absatzorganisation, Produktpolitik) sind darauf gerichtet, den monopolistischen Bereich der Nachfrage gegenüber der Konkurrenz abzusichern. Sie erhöhen, richtig eingesetzt, das ,,akquisitorische Potential" des Unternehmens, also die Gesamtheit aller Präferenzen, die dem Unternehmen von seinen Kunden entgegengebracht werden, und die Gesamtheit aller strategischen Wettbewerbsvorteile, die das Unternehmen gegen Angriffe seiner Konkurrenten auf dem Markt schützen. – Die Absatzpolitik eines Unternehmens befindet sich dann im Gleichgewicht, wenn die *optimale Kombination der absatzpolitischen Instrumente* (das optimale Marketing-mix) gefunden ist. – Vgl. auch →Absatzpolitik.

3. *Finanzen:* Autonomie in seinen Produktions- und Absatzentscheidungen kann ein Unternehmen nur bewahren, wenn es das *finanzielle Gleichgewicht* aufrechterhält. Finanzielles Gleichgewicht liegt dann vor, wenn der Kapitalfonds stets auf den Kapitalbedarf abgestimmt ist. – Den Kapitalbedarf leitet Gutenberg aus der →Produktionsfunktion und der zeitlichen Anordnung der Produktionsprozesse ab. Den Kapitalfonds speisen sowohl →Innenfinanzierung als auch

→Außenfinanzierung. Nach Gutenberg liegt die *optimale Selbstfinanzierungsrate* dort, wo die Grenzrate der Rentabilität im Unternehmen gleich dem von den Kapitaleignern geforderten Zinssatz ist. Dieser Satz bestimmt auch die optimale Ausschüttungspolitik. Die optimale Aufteilung des Kapitalfonds auf Eigenfinanzierung und Fremdfinanzierung leitet Gutenberg aus den Kapitalkosten auf einem unvollkommenen Kapitalmarkt für das Unternehmen ab. Die Strukturierung des Kapitalfonds ist daher für Gutenberg im Gegensatz zu den Annahmen von Modigliani und Miller ein betriebwirtschaftliches Problem (→Modigliani-Miller-Theorem). – I.a. sind Kapitalbedarf und Kapitalfonds trennbar. Für den Fall nicht trennbarer Kapitalbedarfs- und Kapitaldeckungsfunktionen muß der optimale Kapitalfonds simultan mit dem optimalen Kapitalbudget (Kapitalbedarf) bestimmt werden.

4. *Unternehmensführung:* Die Prozesse im Unternehmen werden nach Gutenberg durch den *„dispositiven Faktor"* gesteuert. Dieser umfaßt Planung, Organisation und Leitung. – Für die Planung gilt das *„Ausgleichsgesetz der Planung".* Dieses Gesetz besagt, daß sich die Planung stets nach dem betrieblichen Teilbereich zu richten hat, der den Engpaß bildet *(„Engpaßplanung").* – *Organisation* ist für Gutenberg stets *instrumental:* sie hat für die Durchführung der Planung zu sorgen. Sie setzt Planung in ein System von betrieblichen Regelungen um. Gutenberg unterscheidet fallweise und generelle Regelungen. Es gilt das *„Substitutionsgesetz der Organisation":* Fallweise Regelungen werden durch generelle Regelungen ersetzt, wenn die Ereignisse genügend häufig auftreten. – Die Leitung des Unternehmens erfordert eine *„Leitungsorganisation".* Einige Aufgabenbereiche können von der obersten Unternehmensspitze auf nachgelagerte Instanzen delegiert werden, andere Aufgaben müssen der obersten Unternehmensführung vorbehalten werden. Zu den *nicht delegierbaren Entscheidungen* rechnet Gutenberg die folgenden fünf Entscheidungsbereiche: (1) Festlegung der Unternehmenspolitik auf weite Sicht; (2) Koordinierung der großen betrieblichen Teilbereiche; (3) Beseitigung von Störungen im laufenden Betriebsprozeß; (4) geschäftliche Maßnahmen von außergewöhnlicher betrieblicher Bedeutsamkeit; (5) Besetzung von Führungsstellen im Unternehmen. Gutenberg hat die Leitungsstruktur amerikanischer Unternehmen (Board-System) stets der Leitungsorganisation deutscher Aktiengesellschaften (Aufsichtsratssystem) für überlegen gehalten.

III. F o r s c h u n g : Erich Gutenberg hat Wissenschaft als professio, nicht als confessio aufgefaßt: „Ich erkenne die Forderung an, daß die Voraussetzungen präzise angegeben werden, auf die hin bezogen eine Aussage gilt.

Aber ein Professor ist nicht zu einer confessio verpflichtet. Profession bedeutet eine berufsmäßig ausgeübte Tätigkeit, nicht eine Wertentscheidung... Ich habe stets so geschrieben, daß niemand erfährt, wie ich innerlich zu den Dingen stehe. Das geht ja auch niemanden etwas an. Das ist meine Privatsache. Als politische Person habe ich meine Ansicht. Und sie habe ich auch vertreten, obwohl ich kein homo politicus, sondern ein homo ludens war. Die vita contemplativa galt mir mehr als die vita activa oder auch als der homo faber. Das ist eine rein persönliche Präferenzordnung, keine generelle", heißt es in den nachgelassenen Schriften von Erich Gutenberg. Praktische Anschauung, geistige Zucht, wissenschaftliche Strenge und Wertfreiheit der Analyse, das sind die Faktoren, die neben der wissenschaftlichen Kreativität und Originalität das Werk Gutenbergs zu dem machen, was es für die Betriebswirtschaftslehre ist: Eine Revolution im Denken und ein Fundament für die betriebswirtschaftliche Forschung, die sich auf der sicheren Grundlage der „Grundlagen" kräftig entfaltet hat.

Prof. Dr. Dr. hc. mult. Horst Albach

**Gutenberg-Produktionsfunktion,** *Produktionsfunktion vom Typ B,* von E. Gutenberg der →substitutionalen Produktionsfunktion (Ertragsgesetz, Produktionsfunktion vom Typ A) gegenübergestellte Grundform einer →Produktionsfunktion. Die Ertragsfunktion beruht auf den Eigenschaften (Z-Situation) des betrachteten Aggregates; sie wird in →Verbrauchsfunktionen ausgedrückt, in denen der Faktorverbrauch pro Ausbringungseinheit (in manchen Fällen auch der Faktorverbrauch pro Zeit) in Abhängigkeit von der Intensität der Leistungsabgabe der Aggregate gemessen wird. Die Einführung der Verbrauchsfunktion führt zur Unterscheidung von Verbrauchsfaktoren (Repetierfaktoren), die im einmaligen Vollzug des Produktionsprozesses aufgezehrt werden (Werkstoffe, Betriebsmittel), und von Gebrauchsfaktoren (Potentialfaktoren), die über einen längeren Zeitraum in ihrem Bestand erhalten bleiben und Leistungen abgeben (Betriebsmittel), letztere unterliegen regelmäßig dem Verschleiß. Die Aggregate, d.h. die sie ausmachenden Potentialfaktoren, besitzen i.d.R. einen gewissen Spielraum der Leistungsabgabe, innerhalb dessen die optimale Leistung bestimmt werden kann. – *Eigenschaften:* a) Das Verhältnis der Einsatzmengen der Faktoren wird von der Intensität $d_j$ (Leistung) des Aggregats j bestimmt. b) Die Produktionskoeffizienten $a_{ij}$ werden durch die Verbrauchsfunktion $f_{ij}(d_j)$ bestimmt: $a_{ij} = f_{ij}(d_j)$ $(i = 1, ..., n, j = 1, ..., m)$; die Produktionskoeffizienten $a_{ij}$ sind bei unterschiedlichen Produktionsmengen konstant, wenn die Mengenvariationen durch zeitliche Anpassung erreicht wird, aber variabel, wenn sie durch intensitätsmäßige Anpassung erreicht wird. c) Die Leistungsabgabe ist innerhalb bestimmter Grenzen stetig oder sprunghaft variierbar. d) Die Qualität der Produktionsfaktoren und der Produkte ist bei jeder Leistung gleich.

**Güteprämie,** →Qualitätsprämie.

**Güter,** →Gut.

**Güterarbitrage,** →direkter internationaler Preiszusammenhang.

**Güterbahnhof,** →Bahnhof.

**Güterbündel,** →Konsumplan.

**Güterfernverkehr,** in der Bundesrep. D. der →Güterkraftverkehr über die und außerhalb der Grenzen der Nahzone (→Güternahverkehr). – G. in der Bezirkszone (Gemeindegebiete im 150-km-Umkreis) wird als Bezirksgüterfernverkehr bezeichnet. – *Gegensatz:* →Güternahverkehr.

**Gütergemeinschaft,** →eheliches Güterrecht III 1.

**guter Glaube,** →gutgläubiger Erwerb, →Gutglaubensschutz.

**Güterklassifikation,** Einteilung der Güter in bestimmte Klassen. – 1. *Amtliche Statistik* des Statistischen Bundesamtes: Zehn Güterabteilungen (z. B. 0 = Nahrungs- und Genußmittel) mit entsprechender Klassifizierung in Hauptgruppen (z. B. 00 = Getreide) und Gruppen (z. B. 001 = Weizen, Mengenkorn) – 2. *Statistik „Verkehr in Zahlen"* des Bundesverkehrsministeriums in Zusammenarbeit mit dem Deutschen Institut für Wirtschaftsforschung (DIW): Elf Hauptgütergruppen. – 3. *Tarifwesen:* a) Deutsche Bundesbahn: Drei Güterklassen (A, B und C) sowie die Montangüterklassen (I bis V). – b) Güterkraftverkehr: Die Ladungsklassen A/B, E und F im RKT.

**Güterkraftverkehr,** Güterverkehr mit Kraftfahrzeugen (Lastkraftwagen, Lastzug aus Lastkraftwaren und Anhänger, Sattelzug aus Sattelschlepper und Auflieger) als Teil des →Straßenverkehrs (vgl. im einzelnen dort). – *Arten:* →Güternahverkehr und →Güterfernverkehr.

**Güterkraftverkehrsgesetz (GüKG),** Gesetz i. d. F. vom 10. 3. 1983 (BGBl I 256). – *Inhalt:* Staatliche Ordnung des Kraftverkehrs, Regelung der Wettbewerbsverhältnisse für alle Formen des Güterkraftverkehrs (den gewerblichen Güterfernverkehr und Güternahverkehr sowie den Werkverkehr): a) gegenüber der Eisenbahn, b) innerhalb der Zweige im Kraftverkehr. Allgemeine Regelungen, Straf- und Bußvorschriften sowie Bestimmungen über Güterfernverkehrsgenehmigung und -tarif, Pflichten der am Beförderungsvertrag Beteiligten, Abfertigungsdienst, Umzugsverkehr, Güterverkehr der Deutschen Bundesbahn, Werkverkehr, Bundesanstalt für den

Güterfernverkehr, Aufsicht, allgemeinen Güternahverkehr und Güterliniennahverkehr. – Bestimmte Beförderungsfälle sind durch VO vom 29. 7. 1969 (BGBl I 1022) mit späteren Änderungen von dem GüKG freigestellt.

**Güterkraftverkehrstarif für den Umzugsverkehr und für die Beförderung von Handelsmöbeln in besonders für die Möbelbeförderung eingerichteten Fahrzeugen im Güternahverkehr und Güterfernverkehr (GÜKUMT),** Pflichthaftpflichtversicherung des Möbelverkehrs-Unternehmers.

**Güterliniennahverkehr,** gewerbsmäßig zwischen bestimmten Ausgangs- und Endpunkten linien- und regelmäßig betriebener →Güternahverkehr mit Lastkraftwagen (Nutzlast über 750 kg) oder Zugmaschinen (→Linienverkehr). Erlaubnis und Genehmigung erforderlich, gesetzlich geregelt im Güterkraftverkehrsgesetz (§§ 90 ff.). – *Erlaubnis* wird nur erteilt, wenn der Antragsteller und die für die Führung der Geschäfte bestellte Person zuverlässig und fachlich geeignet sind und die finanzielle Leistungsfähigkeit des Betriebes als gewährleistet angesehen werden kann (§ 81 GüKG).

**Güternahverkehr,** in der Bundesrep. D. der →Güterkraftverkehr innerhalb der Grenzen der Nahzone (Gebiete aller Gemeinden mit festgelegten Ortsmittelpunkten im 50-km-Umkreis um den Ortsmittelpunkt der Gemeinde des Fahrzeugstandortes). – *Gegensatz:* →Güterfernverkehr. – Vgl. auch →Güterliniennahverkehr.

**Güterrecht,** →eheliches Güterrecht.

**Güterrechtsregister,** jedermann zur Einsicht offenstehende Register, in das die ehelichen güterrechtlichen Verhältnisse (→eheliches Güterrecht) eingetragen werden (§§ 1558–1563 BGB; Gesetz über den ehelichen Güterstand von Vertriebenen und Flüchtlingen vom 4. 8. 1969, BGBl I 1067). Führung beim →Amtsgericht des Wohnsitzes des Ehemannes. Einzutragen sind alle Abweichungen vom gesetzlichen Güterstand, insbes. alle →Eheverträge. Der Eintragungsantrag bedarf →öffentlicher Beglaubigung. Die Eintragungen sind vom Registergericht öffentlich bekannt zu machen. Dritten Personen gegenüber können sich die Eheleute auf eine eintragungsfähige Tatsache, z. B. Ehevertrag, nur dann berufen, wenn diese Tatsache dem Dritten bekannt oder im G. eingetragen ist. Die Einsicht des G. ist jedem gestattet. Von den Eintragungen kann gegen Gebühr eine Abschrift gefordert werden; sie ist auf Verlangen zu beglaubigen.

**Güterschaden-Europa-Deckung,** Anhang bzw. Nachtrag der Speditionsversicherung seit dem 1. 1. 1984. Danach ersetzen die Speditionsversicherer bei Transporten im internationalen Verkehr mit Abgangs- und Bestim-

mungsort innerhalb Europas auch Güterschä-
den bis 5000 DM je Verkehrsauftrag, ohne
daß dieser Wert erhöht werden kann. Dies
aber nur, soweit sie vom Spediteur und/oder
nachgeordneten Verkehrsunternehmen zu vertreten sind. Der Einwand der Unterversiche-
rung entfällt. Untersuchung dieser Zusatzdek-
kung durch den Auftraggeber möglich (→Ver-
botskunde).

**Güterstand,** →eheliches Güterrecht II.

**Gütersystematik nach Herkunftsbereichen,**
*Classification of Commodities by Industrial
Origin (CCIO),* von den Vereinten Nationen
erstellte Warensystematik, gegliedert nach
dem landwirtschaftlichen und industriellen
Ursprung der Güter, die eine eindeutige Verbindung zwischen Produkt und Produzent
herstellen soll. Unterteilung in ca. 1300 fünf-
stellige Positionen. Zwitterstruktur, da sie
ausschließlich aus der Verknüpfung von
→Standard International Trade Classification
und →International Standard Industrial Classification of all Economic Activities besteht,
den Ursprung der Güter durch außenhandels-
orientierte Positionen beschreibt und deshalb
sowohl als Güter- wie auch als Wirtschaftszweigsystematik angesehen werden kann.

**Gütertrennung,** →eheliches Güterrecht II 1.

**Gütertypologie,** Systematisierung der ver-
schiedenen realen Erscheinungsformen der
Güter. – *Zu unterscheiden:* 1. Nach dem
Kriterium der *Verwendungssphäre* der Güter:
→Konsumgüter und →Investitionsgüter. – 2.
Nach dem Kriterium der *einmaligen* oder
*mehrmaligen Verwendung:* →Verbrauchsgüter
und →Gebrauchsgüter.

**Güterverkehr,** →Verkehr III. – *Problematik
des G.:* Vgl. →staatliche Verkehrspolitik III 2
b (1).

**Güterverkehrszentrum,** Modellkonzeption
eines zentralen Güterverteilungssystems, bei
dem Logistik- und Verkehrsbetriebe an einem
verkehrsgünstigen Standort kooperieren. Die
Parzellen in der Gemeinschaftsanlage werden
auf Pacht- oder Eigentumsbasis vergeben, so
daß im *Gegensatz* zur Modellkonzeption
→Güterverteilzentrale die Selbständigkeit der
Unternehmen erhalten bleibt.

**Güterversicherung,** Versicherung von
Gütern (z. B. Massengüter, Stückgüter, Valo-
ren) gegen Transportgefahren aufgrund der
ADB (Binnentransporte), ADS (Seetrans-
porte und gemische Reisen) und anderer
Bestimmungen (z. B. für Reisegepäck). – Vgl.
auch →Transportversicherung, →Kargoversi-
cherung.

**Güterverteilzentrale (GVZ),** Modellkonzeption eines zentralen Güterverteilsystems, bei
dem sich Speditions-, Frachtführer-, Lagerei-
und Umschlagbetriebe an einem Standort mit
günstigen infrastrukturellen Voraussetzungen

zu einer einheitlichen (monolithischen) Organisation vereinen und Lager- und Umschlag-
vorgänge in einer Zentralanlage abwickeln.
Die Unternehmen geben ihre rechtliche und
wirtschaftliche Selbständigkeit auf. Die G.
bildet wie das →Güterverkehrszentrum eine
Schnittstelle zwischen Nah- und Fernverkehr
(bzw. Schienen- und Straßenverkehr), auf der
Basis des →kombinierten Verkehrs.

**güterwirtschaftliches Denken,** eine von
Schmidt geforderte betriebswirtschaftliche
Erfolgsauffassung (→Bewertung), nach der
Gewinn erst dann erzielt ist, wenn die *Substanz* (die realen Sachgüter des Betriebes)
*erhalten* ist. Danach ist nicht der Anschaf-
fungswert, sondern der Wiederbeschaffungswert bei der Gewinnermittlung zugrunde zu
legen. Das g.D. ist *zweckmäßig* bei Geldentwertung.

**Güterzins,** →Realzins.

**Güterverhandlung,** mündliche Verhandlung
vor dem Vorsitzenden des Arbeitsgerichts zum
Zwecke der gütlichen Einigung der Parteien
(§ 54 ArbGG).

**Gutgewicht,** nach den Usancen beim →Han-
delskauf wegen Gewichtsschwund gewährte
Gewichtsvergütung. Der Großhandel erhält
G. für Warensubstanzverluste beim Umpak-
ken und Sortieren; dem Einzelhandel wird G.
für unverwertbare Warenreste, die an der
Verpackung haften (→Besemschon), für Ver-
streuen von Waren in fester Form, für Ver-
schütten von Flüssigkeiten, für Übergewichte,
die Kunden gewährt werden, für Verschlechterung der Warenqualität usw. eingeräumt.

**Gutglaubensschutz,** Grundsatz des Handelsrechts, ähnlich dem Prinzip des →gutgläubi-
gen Erwerbs. G. besteht gegenüber dem, der
sich als Kaufmann aufspielt, ohne es zu sein
(→Scheinkaufmann). Auch die Eintragungen
im Handelsregister genießen G. (§15 III
HGB). – Vgl. auch →Publizitätsprinzip..

**gutgläubiger Erwerb,** Eigentumserwerb vom
Nichtberechtigten. Das Eigentum an einer
Sache kann man grundsätzlich nur vom bishe-
rigen Eigentümer rechtsgeschäftlich erwerben.
In gewissen Fällen ersetzt jedoch der gute
Glaube des Erwerbers an die Veräußerungsbe-
fugnis (das Eigentum) des anderen Teils die
sen mangelnde Veräußerungsbefugnis (nicht
etwa die mangelnde →Geschäftsfähigkeit). –
Im *Erbrecht* ersetzt der gute Glaube an einen
Erbscheinsberechtigten die mangelnde
Erbrecht.

I. B e w e g l i c h e  S a c h e n : 1. Bei →Übereig-
nung durch →*Übergabe und Einigung oder
bloße Einigung* (→Übereignung kurzer Hand)
erwirbt der Erwerber auch dann das Eigentum, wenn der Veräußerer nicht Eigentümer
ist; jedoch nicht, wenn der Erwerber bei der

Übergabe oder Einigung →bösgläubig ist bzw. bei Übereignung kurzer Hand den Besitz nicht vom Veräußerer erlangt hatte (§ 932 BGB). – 2. Bei Vereinbarung eines →*Besitzkonstituts* (wie i. a. bei der →Sicherungsübereignung) findet i. d. R. kein g. E. statt; anders nur, wenn die Sache nachträglich dem Erwerber übergeben wird und dieser in diesem Zeitpunkt noch gutgläubig ist (§ 933 BGB). – 3. Bei Übereignung durch *Abtretung des Herausgabeanspruchs* gegen einen dritten Besitzer wird der Erwerber bei gutem Glauben Eigentümer mit der Abtretung, wenn der Veräußerer →mittelbarer Besitzer war, sonst erst, wenn er bei späterem eigenem Besitzerwerb noch gutgläubig ist (§ 934 BGB). – 4. An →*abhanden gekommenen Sachen*, ausgenommen an Geld oder →Inhaberpapieren, ist kein g. E. möglich (§ 935 BGB).

II. Grundstücke: G. E. durch den →öffentlichen Glauben des →Grundbuchs: Zugunsten desjenigen, welcher ein →dingliches Recht an einem →Grundstück bzw. ein Recht an einem solchen Recht durch →Rechtsgeschäft erwirbt, gilt der Inhalt des Grundbuchs als richtig, solange kein →Widerspruch eingetragen oder dem Erwerber Unrichtigkeit positiv bekannt ist; ebenso bei Verfügungsbeschränkungen (z. B. →Konkurs), die weder eingetragen noch dem Erwerber bekannt sind (§ 892 BGB).

III. Handelsverkehr: G. E. besonders erleichtert (§ 366 BGB): Veräußert oder verpfändet ein →Kaufmann im Betriebe seines Handelsgewerbes eine ihm nicht gehörige bewegliche Sache, findet ein g. E. auch statt, wenn der Erwerber ohne →grobe Fahrlässigkeit annehmen durfte, daß der Veräußerer oder Verpfänder für den Eigentümer über die Sache zu verfügen berechtigt sei. – *Ausnahme* z. T. bei Erwerb →abhanden gekommener Wertpapiere (§ 367 HGB). – *Entsprechend* können durch g. E. die →gesetzlichen Pfandrechte des Kommissionärs, Spediteurs, Lagerhalters und des Frachtführers entstehen.

**Guthaben,** in der Buchhaltung z. B. des Lieferanten die Differenz (Saldo) zwischen der Summe der Gutschriften und der Belastungen, wenn die Belastungen (Forderungen) überwiegen.

| ......Konto | | | |
|---|---|---|---|
| versch. Belastungen | 1000 | versch. Gutschriften | 900 |
| | | Guthaben | 100 |
| | 1000 | | 1000 |

**Gutschein,** *Coupon,* Maßnahme der →Verkaufsförderung. Durch G., in deren Besitz der Konsument z. B. durch Zusendung eines Werbebriefs, durch ein Inserat, durch Kauf eines anderen Produktes, etc. kommen kann,

gelangt er zu der Möglichkeit, ein anderes Produkt zu einem wesentlich günstigeren Preis als normal zu erwerben.

**Gut-Schlecht-Prüfung,**　　　→Attributenkontrolle.

**Gutschrift,** I. Rechnungswesen: Buchung einer Leistung zugunsten einer Person oder eines Unternehmens auf der Habenseite des betreffenden Kontos; Mitteilung an den Begünstigten von einer entsprechend vorgenommenen Buchung. – *Gegensatz:* →Lastschrift.

II. Umsatzsteuerrecht: Eine G. gilt als Rechnung unter folgenden Voraussetzungen: Der Unternehmer, der die Lieferung oder sonstige Leistung ausführt (Empfänger der G.) muß zum gesonderten Ausweis der Steuer in einer Rechnung berechtigt sein; zwischen Aussteller und Empfänger der G. muß Einverständnis darüber bestehen, daß mit einer G. abgerechnet wird; die G. muß die erforderlichen Angaben enthalten (→Rechnung); die G. muß dem Unternehmer, der die Lieferung oder sonstige Leistung bewirkt, zugeleitet worden sein (§ 14 V UStG).

**Guttman-Skalierung,** *Skalogrammverfahren,* ein von L. Guttman entwickeltes →Skalierungsverfahren zur Messung der konativen Einstellungskomponente (→Einstellung), basierend auf der Konstruktion monoton abgestufter Ja-Nein-Fragen. – 1. *Konstruktion:* (1) Formulierung einer großen Menge von monoton-deterministischen Fragen. (2) →Befragung einer Testgruppe. (3) Darstellung der Ergebnisse in Matrixform. Bei fehlerhaften Antwortschemata werden Fragen umgruppiert bzw. eliminiert. (4) Zuordnung von numerischen Werten zu den Antwortschemata in der Reihenfolge ihres Auftretens, so daß die zugemessenen Werte den Rangplatz der betreffenden Testperson definieren. – 2. *Anwendung:* In der eigentlichen Erhebung werden dann den Testpersonen die Rangplätze zugeordnet, die ihrem Antwortschemata entsprechen. – 3. *Vorteil:* Fragebogentechnische Einfachheit; *Nachteil:* Schwierigkeiten bei der Konstruktion der Skala.

**Guyana,** *Kooperative Republik Guyana,* Staat im Nordosten Südamerikas am Atlantischen Ozean. – *Fläche:* 214969 km². – *Einwohner* (E): (1984, geschätzt) 940000 (4,4 E/km²), darunter Inder 51%, Schwarze 30,7%, Mulatten und Mestizen 11,4%, Indianer 4,4%, Weiße, Chinesen u. a. 2,5%. – *Hauptstadt:* Georgetown (1983: Agglomeration 188000 E); weitere wichtige Städte (E 1982): Linden (Mackenzie; 30000), New Amsterdam (20 000). – Unabhängig seit 1966, Kooperative Republik im Commonwealth of Nations seit 1970, Verfassung von 1980, Einkammerparlament. *Verwaltungsgliederung:* 10 Bezirke (districts). – *Amtssprache:* Englisch.

Wirtschaft: G. gehört zu den am wenigsten entwickelten Ländern der Erde. – *Landwirtschaft:* Hauptanbauprodukte sind Zuckerrohr und Reis, ferner Kakao, Kaffee, Maniok, Erdnüsse, Kokosnüsse, Ananas und Guajavafrüchte. Um eine bessere Eigenversorgung zu gewährleisten, fördert die Regierung den Anbau von u.a. Mais, Zitrusfrüchten, Bananen, Gemüse, Ölpalmen und Sojabohnen. Viehzucht (vorwiegend Rinderhaltung). – *Forstwirtschaft:* 85% G.s sind von tropischen Regenwäldern bedeckt, die jedoch noch ungenügend erschlossen sind. Wichtigstes Erzeugnis ist das Hartholz Greenheart. Laubholzeinschlag (1982: 201000 m³). – Fangmenge der *Fischerei:* (1982) 21124 t. – *Bergbau und Industrie:* Bekannte bzw. vermutete Vorkommen u.a. Eisen, Blei, Nickel, Chrom, Kobalt, Uran, Erdöl und Erdgas. Abbau von Bauxit, Manganerz, Gold und Diamanten. Anlagen zur Bauxit- und Manganerzaufbereitung, Zuckerfabriken, Reisschälanlagen und Sägewerke präsentieren im wesentlichen die Industrie: – *BSP:* (1985, geschätzt) 460 Mill. US-$ (570 US-$ je E). – *Inflationsrate:* (1982) 18,5%. – *Export:* (1983) 189 Mill. US-$, v.a. Aluminiumerze, Zucker, Reis, Fisch. – *Import:* (1983) 230 Mill. US-$, v.a. Erdöl und Erdölerzeugnisse, Maschinen, Nahrungsmittel, chemische Erzeugnisse. – *Handelspartner:* USA, EG-Länder, Trinidad und Tobago, Venezuela.

Verkehr: 4800 km *Straßen,* davon 1250 km asphaltiert (1982). – *Werkbahnen* für den Bauxit- und Manganerztransport. – 1000 km *Binnenwasserstraßen.* Wichtigste *Seehäfen:* Georgetown, New Amsterdam. G. verfügte 1983 über 84 *Handelsschiffe* (über 100 BRT) mit einer Gesamttonnage von 20248 BRT. – Internationaler *Flughafen:* Timehri (ca. 40 km von Georgetown). Eigene *Fluggesellschaft.*

Mitgliedschaften: UNO, AKP, CARICOM, CCC, SELA, UNCTAD, u.a.; Commonwealth, ,,Amazonas-Vertrag".

Währung: 1 Guyana-Dollar (G$) = 100 Cents.

**GVG,** Abk. für →Gesellschaft für Versicherungswissenschaft und -gestaltung e.V.

**GVL,** →Gesellschaft zur Verwertung von Leistungsschutzrechten mbH.

**GVP,** Abk. für →Generalverkehrsplan.

**GVZ,** Abk. für →Güterverteilzentrale.

**Gy,** Abk. für →Gray.

**Gymnasium,** →Wirtschaftsgymnasium, →Fachgymnasium.

**GZS,** Abk. für →Gesellschaft für Zahlungssysteme.

# H

h, Kurzzeichen für →Hekto.

H, Kurzzeichen für Henry (→gesetzliche Einheiten, Tabelle 1).

ha, Kurzzeichen für →Hektar.

**Haavelmo-Theorem**, Lehrsatz, der erklärt, daß unter bestimmten Bedingungen auch von einem ausgeglichenen Haushalt des Staates expansive Wirkungen auf den Konjunkturverlauf ausgehen können, aufgestellt von T. Haavelmo (1945). Wird das Steueraufkommen erhöht und das Mehraufkommen zu staatlichen Käufen von Gütern und Dienstleistungen verwandt, tritt eine expansive Wirkung ein, die das Volkseinkommen um den Betrag der Mehrausgaben erhöht, da der Staatsausgabenmultiplikator genau um die Größenordnung 1 größer ist als der Steuermultiplikator (vgl. →Staatsausgabenmultiplikator). Unberücksichtigt bleiben bei dem H.-T. die Struktureffekte des Budgets und die unterschiedlichen Konsumquoten der Steuerpflichtigen.

**Haben**, die rechte Seite eines Kontos, die bei Aktivkonten für die Eintragungen der Abgänge, ggf. Abschreibungen, also der Aktivpostenabnahme, und bei Passivkonten für die Passivpostenzunahme benutzt wird. In den Eigenkapitalkonten ist die H.-Seite die der Kapitalzunahme durch Gewinn oder Einlagen. Die H.-Seite der Erfolgskonten weist die Erträge aus. – Linke Kontoseite: →Soll. – Vgl. auch →Buchhaltungstheorien.

**Habenzinsen**, →Passivzinsen.

**Habilitation**, Erwerb der Lehrberechtigung an einer Hochschule. Erforderlich sind außer der →Promotion zum Doktor eine weitere wissenschaftliche Arbeit (Habilitationsschrift). Probevortrag innerhalb der Fakultät und u. U. eine öffentliche Antrittsvorlesung.

**Hacking**, →Datenschutz II 6, →Ausspähen von Daten.

**Hafen**, Station des →Schiffsverkehrs mit Einrichtungen für das Ein- und Aussteigen von Reisenden, den Umschlag und die Lagerung von Gütern sowie den Service für Schiffe und ihren Einsatz. – Vgl. auch →Flughafen.

**Haft**, Freiheitenzug aufgrund einer gerichtlichen Entscheidung. – Vgl. auch →Untersuchungshaft, →Erzwingungshaft.

**Hafteinlage**, in der Kommanditgesellschaft (KG) →Einlage, auf die die persönliche Haftung des →Kommanditisten mit seinem Privatvermögen gegenüber den Gläubigern der KG beschränkt ist. Die H. ist im →Gesellschaftsvertrag klar und eindeutig in deutscher Währung zu bestimmen. Leistung der H. braucht aber nicht in Geld zu erfolgen. Ist die H. geleistet, so ist weitere Haftung ausgeschlossen (§ 171 I HGB). Entscheidend ist für die Gläubiger die im Handelsregister eingetragene Summe oder ihre Erhöhung durch handelsübliche Mitteilung oder sonstige Bekanntmachung der Gesellschaft an die Gläubiger. →Erlaß oder →Stundung der H. durch die Gesellschafter ist gegenüber den Gläubigern unwirksam; verschleierte Rückzahlung in Form unzulässiger Gewinnausschüttung (z. B. nach dem Stand des Kapitalkontos) läßt die Haftung i. a. wieder aufleben (§ 172 HGB).

**haftendes Eigenkapital**, Begriff des Kreditwesengesetzes; vgl. →Eigenkapital.

**Häftlingshilfe**, Sozialleistung des sozialen Entschädigungsrechts. – 1. *Gesetzliche Grundlagen:* Häftlingshilfegesetz (HHG) v. 6. 8. 1955 (BGBl I 498) i. d. F. der Neubekanntmachung v. 29. 9. 1969 (BGBl I 1793) mit späteren Änderungen, zuletzt durch Gesetz v. 18. 2. 1986 (BGBl I 265). Das HHG gilt nach Art. II § 1 SGB bis zur Einordnung in das Sozialgesetzbuch als besonderer Teil des Sozialgesetzbuches. – 2. *Berechtigte:* H. erhalten deutsche Staatsangehörige und deutsche Volkszugehörige, die nach dem 8. 5. 1945 im Gebiet der heutigen DDR und den ehemaligen deutschen Ostgebieten oder in den Ländern des Ostblocks aus politischen und nach freiheitlich-demokratischer Auffassung von ihnen nicht zu vertretenden Gründen in Gewahrsam genommen worden sind sowie deren Angehörige und Hinterbliebene (§ 1 HHG). H. erhalten weiter die den in § 1 HHG genannten Personen gleichgestellte Gruppen (VO vom 1. 8. 1962, BGBl I 545 in Verbindung mit § 3 HHG). – 3. *Leistungen:* Für *Gesundheitsschäden* infolge des Gewahrsams erhalten die Berechtigten wegen der gesundheitlichen und wirtschaftlichen Folgen der Schädigung auf Antrag Versorgung nach den Vorschriften des

BVG. Hinterbliebene des in Haft oder an den Folgen der Haft verstorbenen Berechtigten erhalten *Hinterbliebenenversorgung* nach dem gleichen Gesetz. Im Rahmen der H. werden außerdem Eingliederungshilfen, Existenzaufbaudarlehen und Wohnraumbeschaffungshilfen gewährt.

**Häftlingshilfegesetz (HHG),** Gesetz über Hilfsmaßnahmen für Personen, die aus politischen Gründen in Gebieten außerhalb der Bundesrep. D. in Gewahrsam genommen wurden, i. d. F. vom 4. 2. 1987 (BGBl I 512). Regelt Anspruchsvoraussetzungen für Leistungen des Bundes, die dem genannten Personenkreis bzw. Angehörigen gewährt werden: Beschädigten- und Hinterbliebenenversorgung, Unterhaltsbeihilfe (→ Häftlingshilfe).

**Haftpflicht.** I. Begriff: 1. *I. w. S.:* Pflicht zum → Schadenersatz. – 2. *I. e. S.:* Schadenersatzpflicht aus → unerlaubten Handlungen und → Gefährdungshaftung.

II. Rechtsgrundlagen: Das H.-Recht ist geregelt u. a. im BGB, Atomgesetz, Haftpflichtgesetz, Straßenverkehrsgesetz (für Halter eines Kraftfahrzeugs) und im Luftverkehrsgesetz. – *Anders:* → Haftung.

III. Genossenschaftsrecht: 1. Die *besondere H. der Mitglieder* als Sonderform des Einstehenmüssens für die Verbindlichkeiten der → Genossenschaft. Mit dem → Geschäftsanteil müssen sich die Mitglieder einer Genossenschaft verpflichten, im Konkursfall (→ Genossenschaftskonkurs) solidarisch für die Verbindlichkeiten der Genossenschaft zu haften, soweit die → Konkursmasse diese nicht deckt. – 2. Ursprünglich nur *unbeschränkte H.,* bei der die Mitglieder mit ihrem gesamten Vermögen haften. Seit Erlaß des Genossenschaftsgesetzes von 1889 auch *beschränkte H.,* bei der die Mitglieder nur bis zu einem bestimmten Betrag haften, mindestens in Höhe des Geschäftsanteils. Seit der Novelle von 1973 kann die H. ganz auf den eingezahlten Geschäftsanteil beschränkt werden (Anteilshaftung). – 3. Die beschränkte und unbeschränkte H. besteht als → *Nachschußpflicht* der Genossenschaft gegenüber; die Mitglieder können nicht unmittelbar von den Gläubigern zu Zahlungen herangezogen werden. Die Zahlungen an die Genossenschaft werden dann vom → Konkursverwalter an die Gläubiger verteilt (→ Haftsumme II).

IV. Handelsrecht: Beschränkung der H. bei Gesellschaftsunternehmungen; vgl. im einzelnen → Kommanditgesellschaft, → Gesellschaft mit beschränkter Haftung, → Aktiengesellschaft.

**Haftpflichtgesetz,** Gesetz i. d. F. vom 4. 1. 1978 (BGBl I 145), regelt einen Ausschnitt aus dem Haftpflichtrecht (→ Haftpflicht). – 1. Bei *Tötung oder Verletzung eines Menschen* oder bei *Beschädigung einer Sache* a) beim

Betrieb einer Schienenbahn oder einer Schwebebahn oder b) durch die Wirkungen von Elektrizität, Gasen, Dämpfen oder Flüssigkeiten, die von einer Stromleitungs- oder Rohrleitungsanlage oder Anlage zur Abgabe der bezeichneten Energien oder Stoffe ausgehen, ist der Betriebsunternehmer und der Inhaber der Anlage auch ohne Verschulden schadenersatzpflichtig. – 2. *Entlastung* u. a., a) wenn der Unfall durch → höhere Gewalt verursacht worden ist, b) bei einem Bahnbetriebsunternehmen weiter, wenn der Unfall sich innerhalb des Verkehrsraums einer öffentlichen Straße abgespielt hat (z. B. bei Bahnübergängen) durch den Nachweis, daß der Unfall auf einem → unabwendbaren Ereignis oder einem überwiegenden Mitverschulden des Verletzten beruht, c) bei Energieanlagen, wenn Schäden innerhalb eines Gebäudes und durch oder an Energieverbrauchsgeräten entstehen (§§ 1, 2 HaftpflichtG). – 3. Schadenersatz wegen Aufhebung oder Minderung der Erwerbsfähigkeit und wegen Vermehrung der Bedürfnisse des Verletzten entweder als *Geldrente* oder *Kapitalabfindung;* jährlicher Höchstbetrag der Jahresrente von 30 000 DM für jede getötete oder verletzte Person. – 4. Ähnliche Regelungen für *Unternehmer eines gefährlichen Betriebes.* – 5. *Verjährung* der Ansprüche in drei Jahren seit Zeitpunkt, in dem der Verletzte von dem Schaden und der Person des Ersatzpflichtigen Kenntnis erlangt, spätestens in 30 Jahren seit der Begehung der Handlung an. Solange zwischen den Beteiligten Verhandlungen über den zu leistenden Schadenersatz schweben, ist die Verjährung gehemmt, bis ein Teil die Fortsetzung der Verhandlungen verweigert.

**Haftpflichtverbindlichkeiten,** zwingen zur Bildung von → Rückstellungen für ungewisse Verbindlichkeiten (§ 249 I HGB) aus am Bilanzstichtag bereits eingetretenen, die Haftpflicht begründenden Ereignissen, selbst wenn noch keine Ansprüche geltend gemacht worden sind oder wenn sie dem Verpflichteten erst später, jedoch bis zum Tag der Bilanzaufstellung, bekannt geworden sind.

**Haftpflichtversicherung.** I. Deckungsumfang: 1. Die H. gewährt dem Versicherungsnehmer in der versicherten Eigenschaft (z. B. als Betriebsinhaber, Privatperson, Tierhalter) *Versicherungsschutz* für den Fall, daß er wegen eines während der Wirksamkeit der Versicherung eingetretenen Schadenereignisses, das Tod, Verletzung oder Gesundheitsschädigung von Menschen (Personenschaden) oder Beschädigung oder Vernichtung von Sachen (Sachschaden) zur Folge hatte, für diese Folgen aufgrund gesetzlicher Haftpflichtbestimmungen privatrechtlichen Inhalts von einem Dritten auf → Schadenersatz in Anspruch genommen wird. – 2. *Erhöhungen oder Erweiterungen des versicherten → Risikos* gelten automatisch als mitversichert im Rahmen der bestehenden H. Nach Ablauf des Versicherungsjahres erfolgt eine Prämienregulierung auf Basis des tatsächlichen Riksikoumfangs (z. B. Lohnsumme, Zahl der beschäftigten Personen, Anzahl der gehaltenen Tiere). Im übrigen unterliegen die Prämien, soweit sie nicht nach Umsatz-, Lohnoder Bausumme berechnet werden, einer Anpassung an den Schadenbedarf durch die →Prämienanpassungsklausel. Nachträglich neu entstehende Haftpflichtrisiken werden im Rahmen der →Vorsorgeversicherung mit begrenzten Deckungssummen automatisch in die H. einbezogen, sofern innerhalb festgelegter Fristen Anzeige und Einigung über die Mitversicherung erfolgen. – Die H. *gilt nicht* für besonders schwere Risiken (z. B. Halten und Führen von Luft-, Kraft- oder Wasserfahrzeugen). – 3. Die H. *erstreckt sich,* wenn nicht anderes vereinbart ist, *nur* auf die gesetzliche →Haftpflicht (deliktische und quasideliktische Ansprüche) und Ansprüche, die sich aufgrund gesetzlicher Haftpflichtbestimmungen aus →Vertragsverhältnissen ergeben (z. B. Haftung des Beherbergungswirtes), sofern sie auf Schadenersatz gerichtet sind. Durch besondere Vereinbarung können Vermögensschäden, die weder Personenschaden noch Sachschaden sind oder durch einen solchen entstanden sind, sowie das Abhandenkommen von Sachen in die H. eingeschlossen werden.

II. Ausschlüsse: 1. *Wesentliche abdingbare Ausschlüsse:* Ausschlüsse, die gegen besondere Vereinbarung und Prämienzuschlag versicherbar sind: a) Schäden, die sich im Ausland ereignen; b) Sachschäden durch allmähliche Einwirkung der Temperatur, von Gasen, Dämpfen, Feuchtigkeit und Niederschlägen, Schäden durch Schwammbildung, Erdrutsch, Überschwemmungen, Abwässer (die Mitversicherung derartiger Schäden ist für das *Baugewerbe* von Bedeutung); c) Schäden an fremden Sachen, die der Versicherungsnehmer gemietet, geliehen oder gepachtet hat, die Gegenstand eines besonderen Verwahrungsvertrages sind, oder an oder mit denen der Versicherungsnehmer eine berufliche oder gewerbliche Tätigkeit vornimmt (Bearbeitung, Beförderung, Reparatur und dgl.). – 2. Zu den *unabdingbaren Ausschlüssen* zählen z. B. vorsätzlich herbeigeführte Schäden, Ansprüche bestimmter Angehöriger und mitversicherter Personen sowie Schäden, die an den vom Versicherungsnehmer hergestellten oder gelieferten Arbeiten oder Sachen infolge einer in der Herstellung oder Lieferung liegenden Ursache entstehen.

III. Leistungen im Schadenfall: Sofern für das Schadenereignis Versicherungsschutz besteht, prüft der Versicherer die Haftung des Versicherten (einschl. Verhandlungsführung in seinem Namen) und ersetzt entweder die Entschädigung, die der Versicherte an den Anspruchsteller aufgrund eines außerordentlichen Vergleichs oder einer gerichtlichen Entscheidung zu zahlen hat einschl. der damit zusammenhängenden Kosten oder wehrt unberechtigte Ansprüche notfalls auf dem Prozeßweg ab. Die Leistungspflicht je Schadenereignis ist durch vertraglich vereinbarte Versicherungssummen begrenzt. Ein →Versicherungswert fehlt in der H.; die →Versicherungssumme ist →Höchsthaftungssumme.

IV. Wichtigste Formen: Berufs-H., Betriebs- und Produkt-H. (Trotz Zugehörigkeit des Betriebes zur →Berufsgenossenschaft notwendig, weil diese für Sachschäden und für Ansprüche betriebsfremder Personen nicht eintritt. Außerdem kann die Berufsgenossenschaft bei grober Fahrlässigkeit ihre gesamten Aufwendungen vom Unternehmer zurückverlangen, wenn z. B. eine der zahlreichen →Unfallverhütungsvorschriften übertreten wurde.) Ferner H. für Land- und Forstwirtschaft, Tierhalter-H., Grundstücks- und Bauherren-H., Privat-H., Vereins-H., Jagd-H., Gewässerschaden-H. – *Sonderformen:* Vermögensschaden-H. (z. B. für Rechtsanwälte, Notare, Wirtschaftsprüfer, vereidigte Buchprüfer, Steuerberater); Pflichthaftpflichtversicherung für Kraftfahrzeuge (→Kraftverkehrsversicherung), für Luftfahrzeuge (→Luftfahrtversicherung), für Kernenergierisiken (Atom-H.), für Hersteller von Pharmazeutika (Arzneimittel-H.).

**Haftsumme,** Betrag, mit dem die Genossen der →Genossenschaften haften können. Die H. muß durch das →Statut bestimmt sein; sie darf für den einzelnen Genossen nicht niedriger sein als sein →Geschäftsanteil. Eine H. entfällt bei Genossenschaften ohne Haftpflicht; bei Genossenschaften mit unbeschränkter Haftpflicht haften die Genossen mit ihrem ganzen Vermögen. – Vgl. auch →Haftsummenzuschlag.

**Haftsummenzuschlag,** bei →Kreditgenossenschaften haftendes Eigenkapital im Sinne des KWG. Der H. trägt der zusätzlich zur Zahlung des →Geschäftsanteils übernommenen →Nachschußpflicht Rechnung. Gemäß §10 KWG sind bei Genossenschaften die →Geschäftsguthaben und die Rücklagen zuzüglich eines vom Bundesfinanzminister zu bestimmenden H. haftendes Eigenkapital. Der H. durfte bis 1985 50% der Geschäftsguthaben zuzüglich der Rücklagen nicht übersteigen; dieser Anrechnungsprozentsatz sinkt gemäß Verordnung vom 20.12.1984 jährlich um 2,5% auf letztlich 25% ab 1995. – Der H. wirkt stark auf die *Geschäftspolitik* der Kreditgenossenschaften. Auch im 3. Gesetz zur Änderung des KWG (1984) ist die Regelung beibehalten. Eine ähnliche Regelung kam trotz entsprechenden Vorschlags des Bundesrats nicht in das Gesetz. Die Regelung des §10

KWG ist verfassungsrechtlich umstritten für Sparkassen.

**Haftung.** I. B ü r g e r l i c h e s  R e c h t: 1. *Allgemeine H.*: Grundsätzlich nur H. für eigenes →Verschulden, ausgenommen die H.: a) für →Erfüllungsgehilfen; b) für →Verrichtungsgehilfen; c) des Inhabers einer Fabrik, eines Bergwerks, eines Steinbruchs oder einer Grube für das Verschulden seiner Bevollmächtigten, Repräsentanten und Aufsichtspersonen (→gefährliche Betriebe); d) bei Gefährdungshaftungstatbeständen, z. B. Tierhalter. – 2. *Besondere H.:* a) *H. der öffentlichen Körperschaften* für Amtspflichtverletzungen ihrer Bediensteten gemäß Art. 34 GG, §839 BGB. Vgl. im einzelnen →Amtshaftung. – b) *H. der Eisenbahn:* (1) *Frachtverkehr:* Rechtsgrundlagen §§88–92 EVO und Internationales Übereinkommen über den Eisenbahnfrachtverkehr (Art. 27–38). Außerdem Haftungsbestimmungen in BGB und HGB, soweit die EVO keine Sonderregelung vorsieht. Höhe der Entschädigung zu berechnen nach dem Börsenpreis, Marktpreis oder dem gemeinen Wert; im nationalen und internationalen Verkehr beschränkt. Außerdem Ersatz der anteilmäßigen Fracht, die Zölle, Steuern und sonstigen Kosten. Die vertragliche Haftung der Bahn tritt ohne Rücksicht auf Verschulden ein. Die Bahn kann sich im Gegensatz zum Landfrachtführer nicht durch den Nachweis der Sorgfalt eines ordentlichen Frachtführers entlasten. – (2) *Personenverkehr:* Vgl. →Haftpflicht. – c) *H. der Deutschen Bundespost:* (1) *Postbedienstete:* Vgl. →Amtshaftung; (2) *Postbenutzer:* H. für Schäden durch vorschriftswidrige Verpackung, Verschließung und Aufschrift sowie für Schäden durch Postsendungen, die von der Beförderung ausgeschlossen oder nur bedingt zugelassen sind; (3) *die Bundespost* für Verlust von Paketen (bis zu 6 DM je Kilo), Wertsendungen (bis zum angegebenen Wert), Einschreibesendungen (40 DM je Sendung). – d) *H. bei Verkehrsunfällen:* Grundsätzlich für Fahrer und Halter bei Verschulden; im übrigen trifft den Halter die →Gefährdungshaftung.

II. S t e u e r r e c h t: 1. *Grundlagen:* In Übereinstimmung mit dem Privatrecht bedeutet H. auch im Steuerrecht, für Schulden einstehen zu müssen, dem Zugriff der Vollstreckungsbehörde zu unterliegen. H. im Steuerrecht ist regelmäßig persönliche H. für fremde Schuld, in Ausnahmefällen auch Sachhaftung. – 2. *Haftungstatbestände:* Es haften: a) Dritte, die bei der Entrichtung der Steuer für den Schuldner kraft Gesetzes mitzuwirken haben, für die einzubehaltende und zu entrichtende Steuer (z. B. Arbeitgeber, §42d I EStG; Kapitalgesellschaften, §44 V 1 EStG; Versicherungsunternehmen, §20, VI ErbStG, §7 I 2 VersStG); b) gesetzliche Vertreter, Geschäftsführer, Vermögensverwalter und Verfügungsberechtigte, soweit Ansprüche aus dem Steuerschuldverhältnis wegen vorsätzlicher oder grob fahrlässiger Pflichtverletzung nicht oder nicht rechtzeitig festgesetzt oder erfüllt werden (§69 AO); c) Vertretene unter bestimmten Voraussetzungen für durch →Steuerhinterziehung oder leichtfertige →Steuerverkürzung verkürzte Steuern oder zu Unrecht gewährte Steuervorteile (§70 AO); d) Steuerhinterzieher und Steuerhehler für die verkürzten Steuern, die zu Unrecht gewährten Steuervorteile und die Hinterziehungszinsen (§71 AO); e) wer vorsätzlich oder grob fahrlässig die Pflicht zur Kontenwahrheit verletzt, soweit dadurch die Verwirklichung von Steueransprüchen beeinträchtigt wird (§72 AO); f) die Organgesellschaft für bestimmte Steuern des Organträgers (§73 AO); g) an einem Unternehmen wesentlich beteiligte Personen für betriebliche Steuern des Unternehmens (§74 AO); h) Betriebsübernehmer für betriebliche Steuern und Steuerabzugsbeträge (§75 AO); i) Waren, die einer →Verbrauchsteuer oder einem Zoll unterliegen (§76 AO); j) Erben für Nachlaßverbindlichkeiten nach den Vorschriften des bürgerlichen Rechts (§45 II AO). Die zivilrechtlichen Haftungsvorschriften bleiben unberührt, sie bleiben auch bei steuerrechtlichen Vorschriften anwendbar. – 3. *Haftungsfolgen:* a) Der Haftungsanspruch ist ein Anspruch aus dem →Steuerschuldverhältnis (§37 AO), er entsteht, sobald der Tatbestand verwirklicht ist, an den das Gesetz die Haftung knüpft (§38 AO). Der Haftungsschuldner ist →Gesamtschuldner (§44 I AO). b) Der Haftungsschuldner haftet grundsätzlich für die gesamte Steuerschuld unbeschränkt. Haftungsbeschränkungen bestehen für wesentlich Beteiligte (H. nur mit den eigenen Gegenständen, die dem Unternehmen dienen (§74 AO), Betriebsübernehmer (H. nur mit dem Bestand des übernommenen Vermögens (§75 AO). c) Der Haftungsschuldner kann durch Haftungsbescheid in Anspruch genommen werden (Opportunitätsprinzip, §191 I 1 AO). Ein Haftungsbescheid kann grundsätzlich nicht mehr ergehen, wenn die Steuerfestsetzung nicht erfolgt ist und wegen Fristablaufs nicht mehr erfolgen kann, wenn die festgesetzte Steuer verjährt ist oder erlassen wurde (§191 V AO). Gegen den Haftungsbescheid ist der →Einspruch gegeben (§348 I Nr. 4 AO). d) Der Haftungsschuldner darf grundsätzlich nur dann in Anspruch genommen werden, wenn die Vollstreckung in das bewegliche Vermögen des Steuerschuldners erfolglos war oder aussichtslos erscheint (§219 AO).

III. A r b e i t s r e c h t: 1. *H. des Arbeitgebers:* a) *Beschränkte H. für Personenschäden des Arbeitnehmers* (§636 RVO): Für Personenschäden (alle Schäden aus Tötung und Verletzung) bei Arbeitsunfällen haftet der Arbeitgeber dem Arbeitnehmer, seinen Angehörigen und Hinterbliebenen nur bei Vorsatz und

Unfällen im allgemeinen Verkehr (zu dem wird Werkverkehr nicht gerechnet); die Regelung betrifft Personenschäden einschl. des immateriellen Schadens (Schmerzensgeld nach § 847 BGB). – Grund der Regelung ist, daß der Arbeitgeber allein die Beiträge zu →Unfallversicherung trägt und deshalb von jedem zusätzlichen Risiko befreit sein soll. – Zivilrechtliche *Rückgriffsansprüche der Sozialversicherungsträger,* die bei Arbeitsunfällen Leistungen gewährt haben, gegen den Arbeitgeber, wenn er den Arbeitsunfall vorsätzlich oder grob fahrlässig herbeigeführt hat (§ 640 RVO). – b) *H. für Sachschäden des Arbeitnehmers:* Werden bei einem Arbeitsunfall eingebrachte Sachen des Arbeitnehmers beschädigt (z. B. Kleidung), richtet sich die Ersatzpflicht des Arbeitgebers nach der *allgemeinen Verschuldenshaftung* (vgl. I 1) aus Vertragsverletzung und unerlaubter Handlung. – Auch *ohne Verschulden* hat der Arbeitgeber Schäden an Sachen des Arbeitnehmers zu ersetzen, die bei der Arbeit entstanden sind, es sei denn, die Schäden gehören zum allgemeinen Lebensrisiko des Arbeitnehmers oder sind durch das →Arbeitsentgelt abgegolten (§ 670 BGB). Z. B. hat der Arbeitgeber den Schaden am arbeitnehmereigenen Kfz bei Dienstfahrten zu ersetzen, wenn er ohne Einsatz des Kfz des Arbeitnehmers ein eigenes Fahrzeug einsetzen und damit dessen Unfallgefahr tragen müßte. – *Mitverschulden des Arbeitnehmers* entsprechend § 254 BGB zu berücksichtigen.

*2. H. des Arbeitnehmers:* a) *H. gegenüber dem Arbeitgeber:* (1) Fügt der Arbeitnehmer bei Erfüllung des Arbeitsvertrages dem Arbeitgeber *schuldhaft* einen Schaden zu, haftet er nach den Grundsätzen über die →positive Vertragsverletzung und u. U. (bei Eigentumsverletzung) wegen →unerlaubter Handlung nach Maßgabe der §§ 823 ff. BGB. – (2) Im Arbeitsverhältnis wird die Verschuldungshaftung des BGB den modernen Verhältnissen nicht gerecht. Durch geringes Verschulden können Arbeitnehmer, die mit immer höheren Vermögenswerten zu tun haben, einen sehr großen Schaden verursachen. Nach der Rechtsprechung ist die H. wegen der →Fürsorgepflicht des Arbeitgebers bzw. dem →Betriebsrisiko des Arbeitgebers *bei →gefahrgeneigter Arbeit beschränkt:* (a) *leichteste Fahrlässigkeit:* keine H.; (b) *Vorsatz* und *grobe Fahrlässigkeit:* grundsätzlich volle H.; (c) *mittlere Fahrlässigkeit:* Schadensteilung unter Abwägung von Verschulden des Arbeitnehmers und Betriebsrisiko des Arbeitgebers. – Die Rechtsprechung (BAG vom 23. 3. 1983 – 7 AZR 391/79 –) verneint eine Verpflichtung des Arbeitnehmers zum Schadenersatz, wenn der Arbeitnehmer den Schaden in Ausübung gefahrgeneigter Arbeit weder vorsätzlich noch grob fahrlässig verursacht hat. Wegen grundsätzlicher Bedeutung ist der Große Senat des →Bundesarbeitsgerichts (Entscheidung für

1988 erwartet) zu der Frage angerufen, ob die Haftungsbeschränkung auf jede Arbeit auszudehnen ist und ob bei grober Fahrlässigkeit eine summenmäßige Begrenzung der H. in Betracht kommt. – b) *H. unter Arbeitskollegen:* Ist ein Arbeitsunfall durch einen im gleichen Betrieb tätigen Arbeitnehmer bei betrieblicher Tätigkeit verursacht worden, haftet er für einen Personenschaden nur, wenn er den Unfall vorsätzlich herbeigeführt hat (§ 637 RVO), vgl. →Unfallversicherung I 8. – c) *H. gegenüber Dritten* (nicht Angehörige desselben Betriebs): Der Arbeitnehmer haftet gegenüber diesen nach den allgemeinen Vorschriften über die unerlaubten Handlungen. – Im Innenverhältnis von Arbeitgeber und -nehmer können die Schäden Dritter nicht anders behandelt werden als Schäden des Arbeitgebers. Der Arbeitnehmer hat daher einen Freistellungsanspruch gegen den Arbeitgeber bei gefahrgeneigter Arbeit und leichter Fahrlässigkeit.

IV. Wettbewerbsrecht: Bei →unlauterem Wettbewerb richtet sich der →Unterlassungsanspruch ohne jede Entlastungsmöglichkeit auch gegen den Geschäftsinhaber (§ 13 III UWG), wenn die unzulässigen Handlungen in einem geschäftlichen Betrieb von einem Angestellten oder Beauftragten vorgenommen werden.

V. Außenwirtschaftsrecht: Die persönliche H. kann verschiedene Zollbeteiligte treffen. Außerdem haften die zollbaren Waren ohne Rücksicht auf die Rechte Dritter – beispielsweise des gutgläubigen Erwerbers unverzollter Waren – für den Betrag des darauf ruhenden Zolls (dingliche H. nach § 121 AO). Persönliche H. bedeutet die Verpflichtung zur Bezahlung der Zollschuld, dingliche H. die Möglichkeit, die Waren zur Befriedigung der Zollforderungen heranzuziehen.

VI. Handelsrecht: Vgl. →Schuldenhaftung.

VII. Konkursordnung: Vgl. →Konkursverwalter III.

**Haftungsausschluß,** vertragliche Abmachung, die eine nach dem Gesetz begründete →Haftung (z. B. Sachmängelhaftung, Rechtsmängelhaftung, Schadenersatzpflicht) ausschließt. H. ist zulässig, soweit →Vertragsfreiheit reicht. Haftung für →Vorsatz kann nicht ausgeschlossen werden, wohl aber für →Fahrlässigkeit und für das (auch vorsätzliche) Verhalten der →Erfüllungsgehilfen (§§ 276, 278 BGB). Mitunter stillschweigender H. beim →Handeln auf eigene Gefahr. – *Allgemeine Geschäftsbedingungen* (AGB), z. B. die der Banken, enthalten oft mehr oder weniger weitgehenden H. Unwirksam ist in AGB jedoch ein H. oder eine Begrenzung der Haftung für einen Schaden, der auf einer grob fahrlässigen Vertragsverletzung des Verwenders oder auf einer vorsätzlichen oder grob fahrlässigen Vertragsverletzung eines gesetzlichen Vertreters oder Erfüllungsgehilfen des Verwenders beruht. Entsprechendes auch bei Schäden aus der Verletzung von Pflichten bei den Vertragsverhandlungen.

**Haftungsbescheid,** der bei Inanspruchnahme eines neben dem eigentlichen →Steuerpflichtigen oder an dessen Stelle persönlich für die Zahlung von Steuern Haftenden ergehende Bescheid (§ 191 I AO). Der H. ist ein Ermessensverwaltungsakt. Gegen den H. ist der →Einspruch gegeben (§ 348 I Nr. 4 AO).

**Haftungsgenossenschaft,** →Genossenschaft, die bürgschaftsähnliche Haftung für die ihren Genossen von Dritten gewährten Kredite übernimmt. Die H. können sich auch selbst die Mittel von Dritten beschaffen und im eigenen Namen an ihre Mitglieder ausleihen.

**Haftungszuschlag,** Eigenkapitalsurrogat, das im Vorfeld der dritten Novellierung des Kreditwesengesetzes von den Sparkassen im Hinblick auf die unbegrenzte Haftung des Gewährträgers (Gemeinde/Land) für eventuelle Verluste einer Sparkasse zur Erhöhung des bilanziellen Eigenkapitals gefordert wurde. Die Einräumung eines H. hätte ohne Zahlungsvorgang das vorhandene Eigenkapital einer Sparkasse und damit die Kreditvergabemöglichkeit erhöht. Ein H. wurde jedoch nicht als haftendes Eigenkapital i.S. des § 10 KWG zugelassen (→Eigenkapital).

**Hagelversicherung,** Versicherungsschutz für versicherte Sachen, die durch die Einwirkung des Hagelschlags zerstört oder beschädigt werden. – *Vorkommen:* a) H. für Bodenerzeugnisse: Als versichert gilt der Schaden durch Hagel, nicht auch durch begleitenden Wind, Regen o. ä. Alle wirtschaftlich nutzbaren Pflanzenteile sind versichert, auch wenn schon vom Boden getrennt. Wegen erheblicher Schwankungen im Schadenverlauf vorzugsweise langjährige Vertragsdauer, außerdem →Selbstbeteiligung (Franchise) des Versicherungsnehmers. – b) Im Rahmen der →Glasversicherung: für Glasdächer, Fabrikfenster, Treib- und Gewächshausfenster. – c) Als Annex zur →Sturmversicherung. – d) In der →EC-Versicherung. – e) In der →Elementarschädenversicherung.

**Hagen-Argument,** →Protektionismus.

**Haiti,** *Republik Haiti.* Das Staatsgebiet umfaßt das westliche Drittel der Antilleninsel Hispaniola sowie die Inseln Gonave, Tortue, Ile-à-Vache und Grande Cayenite. – *Fläche:* 27750 km². – *Einwohner* (E): (1986, geschätzt) 5,36 Mill. (193,2 E/km²); 90% sind Afroamerikaner. – *Hauptstadt:* Port-au-Prince (1983, geschätzt: 800000 E); weitere wichtige Städte: Cap-Haitien, Gonaives, Les Cayes, Port-de-Paix, Jérémie, Saint Marc. – Unabhängig seit 1804. Präsidiale Republik. Verfassung (von 1957) wurde 1986 außer Kraft gesetzt. H. ist in 9 Départements und 27 Arrondissements eingeteilt. – *Amtssprache:* Französisch.

W i r t s c h a f t : H. zählt zu den ärmsten Entwicklungsländern. – *Landwirtschaft:* Der landwirtschaftlichen Produktion steht etwa ein Drittel der Landesfläche zur Verfügung. Knapp drei Viertel der Bevölkerung sind in diesem Wirtschaftszweig beschäftigt, der aber den Eigenbedarf des Landes nicht decken kann. Neben den tektonischen und klimatischen Bedingungen, die die Bodennutzung erschweren, verfügen 71% aller Betriebe nur über eine Fläche bis zu 1,3 ha. Mit primitiven Mitteln produzieren diese Kleinbauernbetriebe Mais, Reis, Bohnen, Obst und Gemüse, vorwiegend für den Eigenbedarf. Meist in ausländischem Besitz befindliche Großplantagen kultivieren Kaffee, Kakao, Sisal, Zuckerrohr und Bananen. – Die Viehwirtschaft zielt vornehmlich auf die Deckung des einheimischen Bedarfs ab. – *Forstwirtschaft:* Ein Aufforstungsprogramm soll der Bodenerosion in Folge von Raubbau und Rodung entgegenwirken. Geringe Bestände von Edelhölzern. – *Bergbau und Industrie:* Der *Bergbau* spielt nur eine untergeordnete Rolle. Der Bauxitabbau wurde 1983 eingestellt. – Die Verlagerung lohnintensiver US-Industrien (Bekleidung, Montage von Elektroartikeln) nach H. bewirkte eine positive Entwicklung des Industriesektors, der bis dahin lediglich eine Zementfabrik, eine Getreidemühle, vier Zukkerfabriken, eine Speiseölfabrik und ein kleines Stahlwerk aufzuweisen hatte. Die Zahl der Betriebe im Verarbeitenden Gewerbe belief sich 1982 auf 801, im Baugewerbe auf 461. – *Fremdenverkehr:* Deviseneinnahmen (1984) 68 Mill. US-$. – *BSP:* (1985, geschätzt) 1900 Mill. US-$ (350 US-$ je E). – *Öffentliche Auslandsverschuldung:* (1984) 27,3% des BSP: – *Inflationsrate:* (Durchschnitt 1973–84) 7,9%. – *Export:* (1984) 179 Mill. US-$, v.a. Erzeugnisse der Verarbeitenden Industrie, Agrarprodukte. – *Import:* (1984) 472 Mill. US-$, v.a. Nahrungsmittel, Maschinen und Fahrzeuge, industrielle Konsumgüter. – *Handelspartner:* USA (bis 50%), EG-Länder.

V e r k e h r : Von den 4000 km *Straßen* (1980) weist nur ein Teil eine feste Decke auf. Ausbau des Straßennetzes wird staatlich gefördert. – *Keine* dem öffentlichen Verkehr dienenden *Eisenbahnlinien,* nur Werk- und Plantagenbahnen. – Trotz Insellage nur eine unbedeutende *Handelsflotte.* Regelmäßiger Seeverkehr mit den USA und Europa. Wichtigster *Überseehafen:* Port-au-Prince. – Zunehmende Bedeutung gewinnt der *Luftverkehr.* Der inländische Luftverkehr, der von der nationalen *Fluggesellschaft* COHATA durchgeführt wird, spielt eine untergeordnete Rolle.

Mitgliedschaften: UNO, CCC, SELA, UNCTAD u. a.

Währung: 1 Gourde (Gde.) = 100 Centimes; daneben ist der US-$ gesetzliches Zahlungsmittel.

**halbbarer Zahlungsverkehr,** →Zahlungsverkehr unter teilweiser Verwendung von Bargeld. Der h. Z. wird immer dann erforderlich, wenn entweder der Zahlungspflichtige oder der Begünstigte kein Konto bei einem Kreditinstitut unterhält.

**Halbbelegung,** *Halbdeckung.* 1. *Begriff* der gesetzlichen Rentenversicherung: a) Die H. *ist erfüllt,* wenn die Zeit vom Kalendermonat des Eintritts in die Versicherung bis zum Kalendermonat des Versichertenfalls mindestens zur Hälfte, jedoch nicht unter 60 Monaten, mit Beiträgen für eine rentenversicherungspflichtige Beschäftigung oder Tätigkeit belegt ist (§ 1259 RVO, § 36 AVG, § 58 RKG). Der Kalendermonat des Eintritts in die Versicherung und der des Versicherungsfalls werden nicht mitgerechnet, jedoch die hierfür entrichteten Pflichtbeiträge. Bei der Ermittlung der Anzahl der Kalendermonate bleiben in diese Zeit fallende →Ersatzzeiten, →Kindererziehungszeiten vor dem 1.1.1986, →Ausfallzeiten und Zeiten des Rentenbezugs unberücksichtigt. – b) Die H. *gilt auch als erfüllt* bei Personen, bei denen die Zeit vom 1.1.1973 bis zum Versicherungsfall zur Hälfte, jedoch mindestens mit 60 Monaten, mit Pflichtbeiträgen belegt ist. – 2. *Wirkungen:* Nur wenn die H. erfüllt ist, können Ausfallzeiten angerechnet werden. Die H. ist auch erforderlich für die Anrechnung von Ersatzzeiten in bestimmten Fällen (§ 1251 RVO, § 28 AVG) und Zurechnungszeiten (§ 1260 RVO, § 37 AVG).

**Halbdeckung,** →Halbbelegung.

**halbduplex,** Art der →Datenübertragung, bei der abwechselnd Daten in beide Richtungen über das Medium übertragen werden können. – *Gegensatz:* (voll-) →duplex.

**Halberzeugnisse,** →unfertige Erzeugnisse.

**Halbfamilie,** →Kernfamilie.

**halbformale Spezifikation,** im →Software Engineering eine Methode der →Spezifikation, bei der die Aufgaben eines →Softwaresystems oder eines →Moduls teils verbal, teilweise formalisiert, definiert werden.

**Halbjahreseinzelkosten,** →Periodeneinzelkosten.

**Halbleiterspeicher,** *monolithischer Speicher,* durch Halbleiterschaltungen auf einem →Chip realisierter →Speicher. – *Rechtlich:* Vgl. Halbleitergesetz vom 22.10.1987 (BGBl I 2294). – Vgl. auch →Speicherchip.

**Halbselbstbedienung** →Selbstauswahl.

**Halbteilungsgrundsatz,** →Kirchensteuer 2.

**Halo-Effekt,** Störeffekt bei der Einstellungs- und Imagemessung. Die Versuchspersonen lassen sich bei ihrer Einschätzung verschiedener Produkte von übergeordneten Sachverhalten bzw. einem bereits gebildeten Qualitätsurteil leiten (z. B. die Einstellung zu bayerischem Bier wird von der Einstellung zu Bayern dominiert).

**Halsey-Lohn,** von Halsey entwickeltes Prämienlohnsystem (→Prämienlohn). Der H.-L. bietet →garantierten Mindestlohn, der einer normalen Stückzeit entspricht. Unterschreitet der Arbeiter die normale Stückzeit, dann wird ihm die ersparte Zeit nicht voll honoriert, sondern z. B. nur $\frac{1}{3}$ oder $\frac{1}{2}$ der Zeitersparnis. Der Rest der ersparten Zeit ($\frac{2}{3}$ oder $\frac{1}{2}$) kommt dem Betrieb zugute (Teilungslohn). Bei Überschreitung der Normalzeit trägt das Unternehmen den Mehraufwand für die vereinbarte Arbeitsentgelt. Im Gegensatz zum →Rowan-Lohn hängt hier die Prämie nicht von der prozentualen, sondern von der absoluten Zeitersparnis ab, wodurch die Prämienkurve nicht degressiv, sondern linear verläuft.

**Halter eines Kraftfahrzeuges,** *Kraftfahrzeughalter,* Begriff des Straßenverkehrsrechts für diejenige natürliche oder juristische Person oder Gesellschaft, die für eigene Rechnung ein →Kraftfahrzeug in Gebrauch hat und diejenige Verfügungsgewalt darüber besitzt, die ein solcher Gebrauch voraussetzt (also nicht notwendig der Eigentümer). H. ist verpflichtet, für die Instandhaltung des Kfz, besonders für seine →Betriebssicherheit zu sorgen. Er unterliegt einer besonderen, als →Gefährdungshaftung ausgestalteten →Kraftfahrzeughaftung.

**Halte- und Bordezeichen,** Zeichen, mit denen Zollboote, Zollflugzeuge und Zollansageposten in den Gewässern und Watten zwischen der Hoheitsgrenze und der Zollgrenze an der Küste, der vom →Zollgebiet ausgeschlossenen Küstengewässer, dem →Zollgrenzbezirk und den der →Grenzaufsicht unterworfenen Gebieten verlangen, daß Schiffsführer halten oder das Borden ermöglichen (§§ 17, 143 AZO). Die festgelegten Zeichen sind in der Anlage 4 zur AZO aufgeführt. – Vgl. auch →Zollzeichen.

**Hamburger Börse,** bestehend aus folgenden Einzelbörsen: (1) *Allgemeine Börse,* die dem Abschluß von Handelsgeschäften mit Waren und Dienstleistungen aller Art dient, soweit nicht für bestimmte Waren und Dienstleistungen besondere Börsen bestehen; (2) *Hanseatische Wertpapierbörse Hamburg,* die dem Abschluß von Handelsgeschäften in Wertpapieren und ihnen gleichstehenden Rechten, Zahlungsmitteln aller Art, Wechseln und Edelmetallen dient; (3) *Hamburger Getreidebörse,* die dem Abschluß und der Vermittlung von Handelsgeschäften mit Getreide, Ölsaaten, Futtermitteln, Hülsenfrüchten, Saatgut und verwandten Artikeln, dem Abschluß und der Vermittlung von damit zusammenhängenden Dienstleistungsgeschäften sowie der Information dient; (4) *Hamburger Kaffeebörse,* die dem Abschluß und der Vermittlung von Handelsgeschäften mit Rohkaffee dient; (5) *Hamburger Versicherungsbörse,* die dem Abschluß und der Vermittlung von Versicherungsgeschäften und damit zusammenhängenden Dienstleistungsgeschäften sowie der Information dient. – *Träger:* Die Wertpapierbörse wird vom Verein der Mitglieder der Wertpapierbörse in Hamburg unterhalten und betrieben. Die Mitgliedschaft bei diesem Verein kann von Firmen erworben werden, die in Hamburg oder an einem im norddeutschen Wirtschaftsbezirk gelegenen Platz als Hauptgewerbe das Bank- oder Sparkassengewerbe oder das Gewerbe eines Wertpapier- bzw. Devisenmaklers betreiben und zum Börsenbesuch zugelassen sind. Voraussetzung ist, daß die Firma in das Handelsregister oder Genossenschaftsregister eingetragen ist oder daß es sich bei ihr um ein Kreditinstitut des öffentlichen Rechts handelt. – *Organisation:* Der *Vorstand* der Wertpapierbörse besteht aus 14 Vertretern des Bankgewerbes, zwei Kursmaklern, einem freien Makler, einem Vertreter der Händlerschaft sowie je einem Vertreter der Wertpapieraussteller, der Wertpapieranleger und der Kapitalsammelstellen. Die *Kursmakler* an der Hanseatischen Wertpapierbörse werden durch den Senat der Freien und Hansestadt Hamburg bestellt. Der Vorstand der Kursmaklerkammer übt die Aufsicht über die Kursmakler aus und überwacht die amtliche Kursfeststellung. – Für die *Neueinführung von Wertpapieren* in den amtlichen Handel ist ein Mindestbetrag vorgeschrieben. – Die *Kursfeststellung* erfolgt durch die Kursmakler aufgrund der von ihnen vermittelten Geschäfte. Für alle Papiere, Aktien wie festverzinsliche Werte, werden Einheitskurse und fortlaufende Kurse, die die jeweiligen Schwankungen wiedergeben, festgestellt. Dadurch soll erreicht werden, daß alle Ereignisse, die während der Börsenzeit bekanntwerden, ihren Einfluß auf die Kursgestaltung ausüben können.

### Hamburger Gesellschaft für Völkerrecht und Auswärtige Politik, Sitz in Hamburg. –
*Aufgaben:* Förderung völkerrechtlicher und sonstiger öffentlich-rechtlicher Forschungen und Erkenntnisse über internationale Beziehungen; Beobachtung der Interdependenzen von Staat, Recht, Politik und Wirtschaft in Entwicklungsprozess der Dritte-Welt-Staaten.

### Hamburger Methode der Netzplantechnik, →HMN.

### Hamburgisches Welt-Wirtschafts-Archiv, →HWWA – Institut für Wirtschaftsforschung.

### Handblatt, bei den →Grundakten befindlicher Vordruck, der die wörtliche Wiedergabe des

betreffenden Grundbuchblatts (→Grundbuch) enthält.

### Handel. I. Begriff: Verschiedene Ausprägungen. – 1. Ausgehend von der Aufgabe, der Tätigkeit wird der gesamte Güteraustausch in einer *Volkswirtschaft* als H. im *funktionellen* Sinn bezeichnet (H. = Absatz- oder →Distributionswirtschaft). Die Frage, welche Institutionen die →Handelsfunktionen wahrnehmen, bleibt bei dieser Begriffsabgrenzung unbeantwortet. Neben dieser gesamtwirtschaftlichen, ist auch eine *einzelwirtschaftliche* Interpretation des funktionalen H.-Begriffs möglich: Danach wird als H. die gesamte beschaffungs- und absatzwirtschaftliche Tätigkeit einer Unternehmung bezeichnet. – 2. Enger als der funktionale ist der *institutionale* Handelsbegriff: Dieser umfaßt *alle* Institutionen, die ausschließlich oder überwiegend H. im funktionellen Sinn betreiben, d. h. die hauptamtlich Waren, an denen mit Ausnahme geringfügiger Veredelungs- und Pflegeleistungen keine grundsätzlichen produktionstechnischen Veränderungen vorgenommen wurden, kollektieren und distribuieren. – 3. Die *exakte Begriffsabgrenzung* bereitet manchmal Schwierigkeiten. So beim →Handwerkshandel und bei H.betrieben, die eigene Produktionsstätten angegliedert haben oder viele →Handelsmarken und →No-names-Produkte führen. – 4. Beide Begriffsinterpretationen stellen in erster Linie auf den Austausch von *Sachgütern* (→Warenhandel) ab. Andere Gegenstände, wie Dienstleistungen, Immobilien, Geld, Rechte (auf Güter oder Immobilien) sowie Informationen (v. a. in ihrer hochkonzentrierten, gespeicherten Form als Software, die ebenfalls gehandelt werden, bleiben unberücksichtigt. Schließlich werden andere zentrale Tätigkeiten, die H.betriebe mit der Warendistribution stets gleichzeitig erbringen, zu wenig betont (z. B. Markterschließung für Hersteller und Konsumenten, vielfältige Beratung und zusätzlich erbrachte sonstige Dienstleistungen). Weiterhin sind H.betriebe für viele Menschen ein Ort der Kommunikation mit der regionalen Umwelt und der persönlichen Erlebnisse (nicht nur der Konsumerlebnisse). Es ist daher für das Verständnis der Tätigkeit von H.betrieben wichtig, zu beachten, daß sie ihr Warenangebot stets mit weiteren Leistungen kombinieren, um so die Waren ökonomisch konsumreifer zu machen.

II. Kritik: Die Tätigkeit des H. ist schon seit Jahrhunderten Anlaß für Kritik. Dem H. wird vorgeworfen, er sei unproduktiv und bereichere sich zu Lasten der Produzenten und Konsumenten, indem er die Waren unnötig verteuere und zu hohe Anteile der →Distributionsspanne für sich beanspruche. François Quesnay hat in seinem „Tableau économique" (1760) mit der Einordnung des H. in die „sterile Klasse" den *Produktivitätsstreit* ausgelöst, dessen Ergebnis u. a. die Entwicklung von verschiedenen Zusammenstellungen der →Handelsfunktionen zur Rechtfertigung der H.stätigkeiten war. Diese Auseinandersetzung lebt heute in der wettbewerbspolitischen Diskussion um die Haupt- und Nebenleistungen im H. (→Sündenregister) und um die Nachfragemacht des H. (→Konzentration) fort.

III. Volkswirtschaftliche Bedeutung: Der H. war schon immer eine Quelle des Wohlstands für Familien (z. B. Fugger, Welser), aber auch für Städte und Regionen (z. B. Hanse-Städte). Der überregionale H. bereichert einerseits die Angebotspalette und eröffnet den Kontakt zu fremden Sitten und Gebräuchen. Andererseits ist dieser Warenaustausch stets dann Anlaß für kritische Auseinandersetzungen, wenn die Austauschrelationen nicht als gerecht (z. B. Preise für Rohstoffe der Entwicklungsländer) oder die fremden Einflüsse als eine Gefahr für den Verfall der Sitten im eigenen Land angesehen werden. Dennoch sollte die völkerverbindende Funktion des H. nicht unterschätzt werden.

IV. Wirtschaftspolitische Maßnahmen: Wegen ihrer Bedeutung für die Entwicklung einer Volkswirtschaft wird die Tätigkeit des H. in vielfältiger Weise durch Entscheidungen der →Binnenhandelspolitik reglementiert. Im Vordergrund stehen der Verbraucherschutz (→Verbraucherpolitik) und die Erhaltung einer ausgewogenen →Handelsstruktur durch den Schutz des →Mittelstandes. Hinzu kommt eine Abstimmung der Standortplanung von Verkaufsflächen des H. im Rahmen der →Infrastrukturpolitik.

V. Reale Erscheinungsformen: Die Formen des H. sind außerordentlich vielfältig. Ein Grund für diese Vielgestaltigkeit ist der stete Wandel der Funktionsverteilung im →Absatzweg einer Ware. Jedes Glied der →Absatzkette ist ständig bemüht, die Funktionen auf sich zu konzentrieren, die es besser und kostengünstiger als die anderen Glieder erfüllen kann. Gleichzeitig versuchen alle Kettenglieder zur Steigerung ihrer Gewinne, die Aufgaben, die gemäß ihren jeweiligen Zielen zu hohe Kosten verursachen, auf vor- oder nachgelagerte Glieder abzuwälzen. Die konkreten Lösungen dieses Permanentkonflikts sind nicht nur das Ergebnis von gesamtwirtschaftlichen Rationalitätsüberlegungen, sondern auch aktueller Machtauseinandersetzungen im →Absatzkanal. Ein weiterer Grund für den steten Wandel im H. ist die →Dynamik der Betriebsformen.

VI. Institutionen: Die Institutionen des H. können nach einer Vielzahl von Merkmalen gegliedert werden: 1. Nach dem *Schwerpunkt der gehandelten Waren:* →Rohstoffhandel, →Produktionsverbindungshandel, Konsumgüterhandel, →Altwarenhandel. – 2. Nach der *Art der Kunden:* →Großhandel

und →Einzelhandel. – 3. Nach der *Stufigkeit im Absatzweg:* Einstufige H.sbetriebe (z. B. →Fachgeschäft) und mehrstufige H.sbetriebe (z. B. →freiwillige Kette). – 4. Nach dem *räumlichen Betätigungsfeld:* →Einfuhrhandel und →Ausfuhrhandel. – 5. Nach der *Hauptausrichtung der Tätigkeit:* →kollektierender Handel und →distribuierender Handel. – 6. Nach der *Unabhängigkeit in der Willensbildung:* völlig weisungsgebunden (z. B. der Filialleiter eines Filialunternehmens), teils abhängig (z. B. der Einzelhändler in einer →kooperativen Gruppe), völlig unabhängig (z. B. alle nicht kooperierenden →Fachgeschäfte). – 7. Nach dem *Standort:* →stationärer Handel und →ambulanter Handel. – 8. Nach der *Menge der Standorte:* Filialunternehmen und Einzelunternehmen. – 9. Nach der *Form der Kontaktanbahnung:* H. gemäß dem Residenzprinzip, Domizilprinzip und Distanzprinzip. – 10. Nach der *Art der Warenpräsentation:* H. nach Katalogen (z. B. Versandhandel) und H. mit Ladengeschäften, in denen die Ware ausgestellt und von den Kunden mitgenommen werden kann. – 11. Nach der *Bedienungsorganisation:* H. mit →Fremdbedienung und H. mit →Selbstbedienung. – 12. Nach der *Sortimentsbreite:* Sortimentsgroßhandel und Spezialgroßhandel. – 13. Nach der *Form der Warenzustellung:* →Zustellgroßhandel und →Cash-und-Carry-Großhandel. – 14. Nach dem *Preisniveau:* Discounthandel und H. mit Luxusgütern. – 15. Nach der *Art der Gegenwerte:* →Kaufhandel und →Tauschhandel.

VII. Handelsmanagement: Das Management jeder Institution des H. formuliert zur Erfüllung der zu übernehmenden Funktionen Ziele, die es durch geeigneten Einsatz des unternehmenspolitischen Instrumentariums zu erfüllen gilt. Dies ist Aufgabe des →Handelsmanagements (vgl. im einzelnen dort).

VIII. Ausbildung: Der H. ist Gegenstand von Ausbildungsgängen, z. B. zum (zur) Verkäufer(in), zum Einzelhandelskaufmann, zum Groß- und Außenhandelskaufmann und zum Handelsfachwirt. Auch an Universitäten und Fachhochschulen kann →Handelsbetriebslehre ein Teil der Ausbildung sein.

IX. Quantitative Bedeutung: Die wirtschaftlichen Größenordnungen des H. sowie die Anzahl der Institutionen, gegliedert nach deren Haupttätigkeitsfeldern, werden laufend bzw. periodisch mit einer Reihe von statistischen Erhebungen erforscht, z. B. in der →Handelsstatistik und dem →Handelszensus.

**Literatur:** Dichtl, E., Grundzüge der Binnenhandelspolitik, 1979; Gümbel, R., Handel, Markt und Ökonomik, 1985; Hansen, U., Absatz- und Beschaffungsmarketing des Einzelhandels, Bd. 1 und 2, 1976; Hansen, U./Algermissen, J., Handelsbetriebslehre, Bd. 1 und 2, 1979; Hasitschka, W./Hruschka, H., Handelsmarketing, 1984; Nieschlag, R./Kuhn, G., Binnenhandel und Binnenhandelspolitik, 3. Aufl. 1980; Müller-Hagedorn, L., Handelsmarketing, 1984; Oehme, W., Handels-Marketing, 1983; Schenk, H. O., Geschichte und

Ordnungstheorie der Handelsfunktionen, 1970; Seyffert, R., Wirtschaftslehre des Handels, 4. Aufl., 1961; Tietz, B., Der Handelsbetrieb, 1985; Tietz, B., Binnenhandelspolitik, 1986; Treis, B. (Hrsg.), Der mittelständische Einzelhandel im Wettbewerb, 1980.

Prof. Dr. Bartho Treis

**Handeln auf eigene Gefahr,** rechtlicher Begriff. H. a. e. G. ist Grundlage für →Haftungsausschluß für Fahrlässigkeit, u. U. auch für grobe Fahrlässigkeit. H. a. e. G. liegt vor, wenn sich jemand an einer gefährlichen Veranstaltung derart beteiligt, daß nach den Umständen die Beteiligung als Einwilligung in eine als möglich erkannte Verletzung gedeutet werden muß. Setzt i. a. →Geschäftsfähigkeit voraus. Abgrenzung nur im Einzelfall möglich.

**Handel ohne komparative Kostenvorteile,** →inverser Handel.

**Handelsabkommen.** 1. *Begriff:* Zwischenstaatliche Vereinbarung zur Regelung des Güterverkehrs in einem bestimmten Zeitraum (meist ein Jahr), meist in Verbindung mit einem den Zahlungsverkehr und die Höhe des →Swing regelnden →Zahlungsabkommen *(Handels- und Zahlungsabkommen)*. – 2. *Inhalt:* In den H. wird das gesamte Handelsvolumen vereinbart. H. enthalten ferner Listen der Waren, die im Lauf des Vertragsjahres zur Einfuhr zugelassen werden sollen. – 3. *Durchführung:* Vorgesehene Importkontingente stellen keine Verpflichtung zur Abnahme der aufgeführten Waren dar; die Verpflichtung erstreckt sich nur auf die Erteilung von Importlizenzen. Wenn jedoch (z. B. aufgrund eines verzerrten →Wechselkurses) kein kommerzielles Interesse der Importeure an den ausländischen Produkten besteht, werden die Kontingente nicht ausgeschöpft. Daraus kann sich eine einseitige Verschuldung eines Partners ergeben, der zur Entlastung seiner →Zahlungsbilanz die noch nicht zur Einfuhr ausgeschriebenen Kontingente so lange zurückhält, bis der andere Vertragspartner durch entsprechende Einkäufe einen Ausgleich der Lieferungen und damit der Zahlungsverpflichtungen hergestellt hat. Ist ein Swing vereinbart, so kann erst nach dessen Überschreitung eine weitere Kreditierung der Exporte verweigert werden. – 4. Eine heute *wichtige Form* des H. sind die →Selbstbeschränkungsabkommen.

**Handelsablenkung,** *Handelsumlenkung, Abschließungseffekt, trade diversion effect,* Verlagerung des Imports eines Produktes von einem kostengünstigeren Drittland zu dem weniger kostengünstigen, aber durch den Zollabbau preisgünstigeren Integrationspartner, wenn z. B. zwei Länder eine →Zollunion bilden. Die Bildung der Zollunion hat in diesem Fall eine Fehlallokation zur Folge, da die Produktion des betreffenden Gutes beim Integrationspartner zunimmt, obwohl dies sowohl für das betreffende Drittland als auch für das Importland nachteilig ist. H. bewirkt also eine negative Wohlfahrtswirkung der

wirtschaftlichen →Integration zwischen Volkswirtschaften. – Vgl. auch →Handelsschaffung.

**Handelsabschlag,** Form der →Prozentspanne: Das prozentuale Verhältnis von absoluter →Handelsspanne (→Betragsspanne) zu Warenverkaufspreis, dessen Prozentwert vom Warenverkaufspreis abgezogen wird, um zum →Wareneinstandspreis zu kommen. – *Gegensatz:* →Handelsaufschlag.

**Handelsaufschlag,** *Bruttoaufschlag Bruttoverdienstaufschlag,* Form der →Prozentspanne: Das prozentuale Verhältnis von absoluter →Handelsspanne (→Betragsspanne) zu →Wareneinstandspreis, dessen Prozentwert auf den Wareneinstandspreis aufgeschlagen wird, um zum →Bruttoverkaufspreis zu gelangen. – *Gegensatz:* →Handelsabschlag.

**Handelsbanken,** Spezialbanken zur Finanzierung des Handels, insbes. des Außenhandels. In der Bundesrep. D. von geringer, in Großbritannien von großer Bedeutung (→merchant banks).

**Handelsbetrieb.** 1. *Begriff:* Selbständige Institution, deren Haupttätigkeit die →Distribution von Waren ist (vgl. auch →Handel). Nach ihrer Stellung im Distributionsprozeß: Außen-, Groß- und Einzelhandelsbetriebe, weiter zu untergliedern in Branchen nach überwiegend gehandelten Warenarten. H. können auf mehreren Handelsstufen tätig sein, z. B. die →Konzentrationsformen des Handels und →Kooperationsformen des Handels, oder auf nur einer Stufe, so die →Betriebsformen des Handels. H. sind Gegenstand der →Handelsbetriebslehre. – *Modell eines H.:* Vgl. Diagramm Sp. 2309/2310. – 2. *Ziele:* Besonderheiten ergeben sich für den H. aus der Rechtsform, der regional dezentralisierten Tätigkeit sowie der Vielfalt an Betriebsformen. – a) Die Handelsbranchen der Bundesrep. D. sind weitgehend *mittelständisch* organisiert, die meisten Betriebe werden als Mittel- oder Kleinbetriebe von den Eigentümern selbst geführt. Vorherrschend sind personale Rechtsformen einschl. der GmbH & Co., KG. Für diese Unternehmungen werden selten präzise formulierte Ziele vorgegeben. Neben der Gewinnmaximierung gelten standesgemäßes Einkommen, Sicherheit und Selbständigkeit sowie soziale Verantwortung für Mitarbeiter und Kunden als typische Ziele. – b) Bei *Großbetrieben* in der Rechtsform von Kapitalgesellschaften ergeben sich Probleme der Zielfindung, weil neben dem Management in der Zentrale eine Vielzahl von Filialleitern dezentral tätig ist, die ein Mitspracherecht bei den konkreten Absatzzielen (Sortiment, Preis, Werbung) fordern, um den regionalen Konsumbedürfnissen entsprechen zu können. Die Bewältigung dieses Konflikts ist das zentrale Führungsproblem bei kooperativen Gruppen des Handels.

**Übersicht: Handelsbetrieb (Modell)**

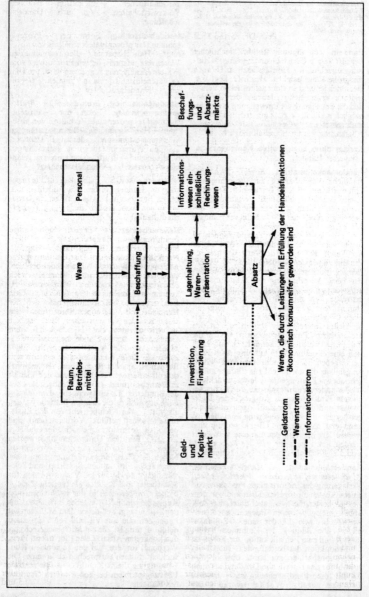

**Handelsbetriebslehre.** 1. *Begriff:* Institutionenlehre der Betriebswirtschaftslehre, deren Erkenntnisobjekte die →Handelsbetriebe und deren Führung (→Handelsmanagement) sind. In dieser schwerpunktmäßigen Begrenzung auf den →Handel im institutionellen Sinn ist der Unterschied zur →Handelswissenschaft zu sehen. – 2. *Ausbildung* im Fach H. auf Universitäten und Fachhochschulen. Zur Erhaltung der erforderlichen Flexibilität in Forschung und Lehre enthalten die Prüfungsordnungen, v. a. der Universitäten, nur grobe inhaltliche Fixierungen. Bei allen Unterschieden folgende *Schwerpunkte:* a) →Institutionenlehre des Handels, einschl. Binnenhandelspolitik; b) Lehre von den →Handelsfunktionen, einschl. deren Verteilung im →Absatzkanal; c) →Handelsmanagement, meist mit deutlicher Betonung des →Handelsmarketings (Übergänge zum Fach Marketing fließend). – 3. Die *methodischen Ansätze* des Faches lassen sich ebenso grob eingrenzen: a) systemtheoretischer Ansatz, geeignet zur Beschreibung der Handelsinstitutionen und deren Beziehungen in der Distributionswirtschaft; b) entscheidungstheoretischer Ansatz, bevorzugt zur Untersuchung der Entscheidungen des Handelsmanagements; c) warentypologischer Ansatz, liefert Erklärungen für Brancheneinteilung, Betriebsform und Sortimentsentscheidungen.

**Handelsbevollmächtigter,** →Handlungsbevollmächtigter.

**Handelsbilanz.** I. Handelsrecht: Die durch § 242 I HGB vorgeschriebene Bilanz, die ein →Kaufmann bei Beginn seines Handelsgewerbes (→Eröffnungsbilanz) und jeweils für den Schluß eines Geschäftsjahres (→Jahresbilanz) aufzustellen hat. – Vgl. auch →Jahresabschluß.

II. Außenwirtschaftstheorie/-politik: Gegenüberstellung der Werte der in einer Periode von einer Volkswirtschaft aus- und eingeführten Waren. Die H. bildet zusammen mit der →Dienstleistungsbilanz und der →Übertragungsbilanz die →Leistungsbilanz und ist Teil der →Zahlungsbilanz.

**Handelsbrauch,** *Handelssitte, Handelsusancen, Usancen,* besondere →Verkehrssitte im Handelsverkehr. H. ist keine eigentliche Rechtsquelle, ein allgemeiner H. (nicht ein Ortsgebrauch) kann aber zum →Gewohnheitsrecht werden, wenn die allgemeine Überzeugung vorherrscht, so handeln zu müssen, weil eine Rechtsnorm dazu zwinge. Von besonderer Bedeutung ist der H. aufgrund § 346 HGB: „Unter Kaufleuten in Ansehung der Bedeutung und Wirkung von Handlungen und Unterlassungen" auf den H. Rücksicht zu nehmen. – Über das *Bestehen eines H.* erteilen die Industrie- und Handelskammern Auskunft und Gutachten. – Die →Kammern für Handelssachen bei den Landgerichten entscheiden über H. aufgrund eigener Sachkunde und Wissenschaft (§ 114 GVG). Selbst ein *ausländischer H.* ist anzuwenden, wenn festgestellt wird, daß die Parteien das Geschäft einem bestimmten H. unterstellen wollten. Fehlt es an jedem Anhalt dafür, so entscheidet der H. des Erfüllungsortes für die Verpflichtung jedes Teiles. Bei der Auslegung ist jedoch der Sprachgebrauch zu berücksichtigen: Der Empfänger einer Erklärung muß nach Treu und Glauben den Sprachgebrauch berücksichtigen, der im Sprachgebiet des Erklärenden gilt.

**Handelsbriefe,** →Geschäftsbriefe.

**Handelsbücher,** Begriff des HGB für →Geschäftsbücher.

**Handelsfixkauf,** →Handelskauf, der →Fixgeschäft ist. – *Sonderrechte des Gläubigers* nach § 376 HGB gehen über die Rechte des § 361 BGB hinaus: a) Rücktrittsrecht aufgrund objektiver Säumnis schlechthin (kein Verzug und keine Nachfristsetzung nötig). – b) Bei →Schuldnerverzug Recht auf →Schadenersatz wegen Nichterfüllung ohne Nachfristsetzung im Gegensatz zu der allgemeinen Regelung für gegenseitige Verträge; bei der Schadenberechnung kann der Gläubiger, wenn die Ware einen Markt- oder Börsenpreis hat, den Unterschied zwischen Kaufpreis und Marktpreis zur Zeit der Fälligkeit verlangen (abstrakte Schadenberechnung). →Deckungsgeschäfte (Selbsthilfeverkauf bzw. Deckungseinkauf) müssen bei Waren mit Markt- oder Börsenpreis sofort nach dem Stichtag unter Mitwirkung eines öffentlichen Versteigerers oder öffentlich ermächtigten Handelsmaklers zum laufenden Preis vorgenommen werden. – c) Der Gläubiger kann Erfüllung nur dann noch verlangen, wenn er sofort nach dem Stichtag dem Geschäftspartner anzeigt, daß er auf Erfüllung bestehe.

**Handelsflotte,** zusammenfassende Bezeichnung für alle Seeschiffe einer nationalen Flagge, die in das Seeschiffsregister des betreffenden Staates eingetragen sind. Nur rechtlicher Begriff, der über wirtschaftliche Zusammenhänge nichts aussagt. Z. B. sind die H. von Panama, Honduras und Liberia („Panhonlib-Flotten") wesentlich größer, als es dem Verkehrsaufkommen oder der Wirtschaftskraft dieser Länder entsprechen würde: Steuerliche Vorteile, niedrigere Gebühren, primitivere Schiffssicherheitsbestimmungen, geringere Sozialverpflichtungen, Möglichkeit zur Umgehung von Verpflichtungen aus internationalen Verträgen veranlassen die Reeder, ihre Schiffe in die Register dieser Länder einzutragen (→billige Flaggen). – *Größe/Entwicklung:* Vgl. Tabellen Sp. 2313.

**Handelsforschung.** 1. *Ältere Interpretation:* Möglichst genaue statistische Erfassung aller Vorgänge der →Distribution von Waren und

### Die führenden Schiffahrtsländer
(Stand: 1. 7. 1986):

| | Flottengröße | | Anteil an der Welthandels-tonnage in % (BRT) |
|---|---|---|---|
| | Mill. BRT | Mill. tdw | |
| 1. Liberia | 52,6 | 101,6 | 13,0 |
| 2. Panama | 41,3 | 68,3 | 10,2 |
| 3. Japan | 38,5 | 60,0 | 9,5 |
| 4. Griechenland | 28,4 | 51,3 | 7,0 |
| 5. UdSSR | 25,0 | 28,1 | 6,2 |
| 6. USA | 19,9 | 28,9 | 4,9 |
| 7. VR China (einschl. Taiwan) | 15,8 | 24,0 | 3,9 |
| 8. Großbritannien | 11,6 | 16,9 | 2,9 |
| 9. Zypern | 10,6 | 18,8 | 2,6 |
| 10. Norwegen | 9,3 | 14,2 | 2,3 |
| 11. Hongkong | 8,2 | 13,7 | 2,0 |
| 12. Italien | 7,9 | 12,4 | 2,0 |
| 13. Süd-Korea | 7,2 | 11,6 | 1,8 |
| 14. Philippinen | 6,9 | 11,7 | 1,7 |
| 15. Indien | 6,5 | 10,7 | 1,6 |
| 16. Singapur | 6,3 | 10,6 | 1,5 |
| 17. Brasilien | 6,2 | 10,3 | 1,5 |
| 18. Bahamas | 6,0 | 10,6 | 1,5 |
| 19. Frankreich | 5,9 | 9,3 | 1,5 |
| 20. Bundesrep. D. | 5,6 | 7,7 | 1,4 |
| Sonstige | 85,2 | 137,5 | 21,0 |
| Welthandelsflotte insgesamt | 404,4 | 658,2 | 100,0 |

Quelle: Lloyd's Register of Shipping, Statistical Tables 1986 (Stand: 1. 7. 1986); Schiffe über 100 BRT einschl. Küstenschiffe, Fischerei- und Spezialfahrzeuge.

### Entwicklung der Handelsflotten seit 1974

| | Welt | | Bundesrep. D. | |
|---|---|---|---|---|
| | Mill. BRT | Mill. tdw | Mill. BRT | Mill. tdw |
| 1974 | 311,3 | 494,0 | 8,0 | 12,5 |
| 1976 | 372,0 | 608,3 | 9,3 | 14,9 |
| 1978 | 406,0 | 670,4 | 9,7 | 15,7 |
| 1980 | 419,9 | 690,9 | 8,4 | 13,3 |
| 1982 | 424,7 | 702,0 | 7,7 | 12,4 |
| 1984 | 418,7 | 683,3 | 6,2 | 9,5 |
| 1986 | 404,9 | 658,2 | 5,6 | 7,7 |

Quelle: Lloyd's Register of Shipping, Statistical Tables 1974 bis 1986

die Klassifizierung der daran beteiligten Institutionen des Handels (→Handelsstatistik, →Handelszensus). – 2. *Neuere Interpretation:* →Marktforschung für die Führung von Handelsunternehmungen *(Handelsmarktforschung)*. Schwerpunkte sind hierbei die Erforschung des Verhaltens der Marktpartner des Handels, insbes. von Konsumenten und Lieferanten. H. in diesem Sinn liefert auch Beiträge zum Erkennen realer Wettbewerbsbeziehungen unter Handelsbetrieben, die Grundlage sein können für empirisch fundierte Entscheidungen über die Abgrenzung relevanter Märkte, z. B. in Fusionskontrollverfahren.

**Handelsfunktionen.** I. Begriff: In jeder arbeitsteiligen Wirtschaft bedarf es eines „Apparates", der die →Distribution, verstanden als die Bewältigung des Waren-, Informations- und Zahlungsstromes, besorgt. Die dabei anfallenden Aufgaben, die H., werden von Absatz- und Beschaffungsabteilungen der

Hersteller (Handel im funktionellen Sinn) oder von selbständigen Handelsunternehmen (Handel im institutionellen Sinn) wahrgenommen. Diese Aufgaben können sich auf eine Überbrückung räumlicher, zeitlicher, mengenmäßiger und qualitativer Spannungen zwischen Produktion und Konsum beziehen. Daß H. wahrgenommen werden müssen, wird allseits anerkannt; strittig ist, wer sie ausüben soll (bzw. mit welcher Intensität ausüben muß) und welches Entgelt (→Distributionsspanne) angemessen ist. Daher werden für die verschiedenen Wirtschaftsordnungen unterschiedliche Kataloge von H. aufgestellt.

II. H. in Marktwirtschaften: 1. *Funktionen zur Steuerung des Warenstroms:* a) quantitative H. (Sammeln, Aufteilen, Verteilen); b) qualitative H. (Sortimente bilden, Qualitätserhaltung und -kontrolle, Garantie, Kundendienst, Beratung, Einkaufsschnelligkeit und -bequemlichkeit steigern, Umtausch); c) H. des Zeitausgleichs (Lagerhaltung, Retouren, Geschäfts-, Ladenöffnungszeiten, Sonderangebote, Warenplazierung, Lieferzeitkontrollen); d) H. der Raumüberbrückung (Transport, Standort). – 2. *Funktionen zur Steuerung des Informationsstromes:* a) quantitative H. (Menge der ausgetauschten Informationen); b) qualitative H. (Art der Informationen: Daten über Kunden- und Lieferantenverhalten, Umsätze, Verbundkäufe, Penetration etc. sowie Verdichtung der Informationen, Verkaufsgespräche und Medienwerbung u. a. zur Markterschließung); c) H. des Zeitausgleichs (Vordisposition, Spekulation); d) H. der Raumüberbrückung (Nutzung von Briefpost, Ordersatz, Telefon, Btx). – 3. *Funktionen zur Steuerung des Zahlungsstroms:* a) quantitative H. (Abwicklung sämtlicher Zahlungs- und Kreditvorgänge, Kredithöhe); b) qualitative H. (Kumulierung von Zahlungen, Wahl der Zahlungsart: Bar, Scheck, Überweisung, Bankeinzug, POS-Banking, Kreditkarten, Kreditabsicherung, Preisermittlung, Kalkulationsarten); c) H. der Raumüberbrückung (Zahlungsmitteltransporte, Lieferanten-, Kunden-, Bankkredit); d) H. der Zeitüberbrückung (Vorfinanzierung, Zahlungsziele, Kredit).

III. H. in Zentralverwaltungswirtschaften: 1. *Versorgungsfunktion* (Rationalisierung der Absatzwege, Vermeidung von Lagerbeständen oder Warenknappheit, bedarfsgerechte Sortimente, freundliche Bedienung, angenehme Ladenatmosphäre, hygienische Warenverarbeitung u. a. zur reibungslosen Versorgung der gesamten Bevölkerung. – 2. *Bedarfsforschung* (systematische und laufende Beschaffung aller Informationen, um den zukünftigen Bedarf nach Art, Menge, zeitlicher und räumlicher Verteilung abschätzen zu können). – 3. *Bedarfslenkung* (Warenplazierung, Kundenaufklärung und -beratung und – so gestattet – Preisvariation).

– 4. *Produktionslenkung* (aktive Einwirkung auf vorgelagerte Handels- bzw. Produktionsstufen und koordinierende Planungsstellen, z. B. durch Qualitäts- und Lieferzeitkontrollen). – 5. *Ideologische Funktion* (Unterstützung von Partei und Staat mit dem Ziel, die persönlichen mit den gesellschaftlichen Interessen auf sozialistische Weise in Übereinstimmung zu bringen).

IV. Beurteilung: 1. Die Frage, *wer H. wahrnehmen sollte*, ist nie abschließend und allgemeingültig beantwortbar; denn Handelsbetriebe werden in die Distribution eingeschaltet (indirekter Absatz) oder ausgeschaltet (direkter Absatz) oder Funktionen werden verlagert (Kundeninformation auf der Verpackung; Angebot von Fertigmahlzeiten; nach Wegfall der Preisbindung: Fixierung des Endverbraucherpreises; durch Feinsteuerung von Warenwirtschaftssystemen: Lagerhaltung; Produkthaftung bei Handelsmarken; Warenzustellung: ersetzt durch Selbstbedienung). – 2. Über die *Höhe eines angemessenen Entgelts* für die Funktionsübernahme und dessen Verteilung wird im Zuge der Lösung von Machtkonflikten im Absatzkanal verhandelt. Lösungsansätze sind der →Funktionsrabatt sowie der Versuch einer Regulierung über die Fixierung von Haupt- und Nebenleistungen im →Sündenregister.

**Handelsgerichtsbarkeit,** ursprünglich Innungsgerichte der Standesorganisationen, später den ordentlichen Gerichten zugeordnet. Handelssachen i. S. des Gerichtsverfassungsgesetzes sind u. a. Ansprüche gegen Kaufleute aus beiderseitigen Handelsgeschäften, aus Firmen-, Warenzeichen- und Wettbewerbsrecht und gesellschaftsrechtlichen Rechtsverhältnissen, aus dem Wechsel- und Scheckrecht, aus der Börsengesetzgebung und dem Kartellgesetz. Auf Antrag einer Partei entscheidet statt Zivilkammer die Kammer für Handelssachen.

**Handelsgeschäfte,** im Rechtssinne: 1. *Handelsunternehmen* (→Einzelkaufmann und →Handelsgesellschaften). – 2. *Rechtshandlungen eines Kaufmanns,* die durch seine Betriebstätigkeit entstehen: a) *Begriff:* Alle Geschäfte eines Kaufmanns, die zum Betrieb seines Handelsgewerbes gehören (§ 343 I HGB), das sind (1) die Grundgeschäfte, die das betreffende Handelsgewerbe zum Gegenstand hat (z. B. Zuckergroßhandlung: An- und Verkauf von Zucker) und (2) die Hilfsgeschäfte (z. B. Anschaffung von Einrichtungsgegenständen, Anstellung von Personal, Kauf eines Pkw). Die →Grundhandelsgeschäfte sind auch dann H., wenn sie nicht zum Geschäftszweig gehören (§ 343 II HGB). Es besteht eine Vermutung für die Betriebszugehörigkeit (§ 344 HGB); dem Kaufmann obliegt der Gegenbeweis. Bei →Schuldscheinen muß sich Betriebsfremdheit aus der

Urkunde selbst ergeben. – b) *Arten:* (1) Einseitige H., die nur auf einer Seite H. sind (Vertrag zwischen Kaufmann und Nichtkaufmann), (2) beiderseitige H., das sind Geschäfte zwischen Kaufleuten. – c) *Handelsrechtliche Vorschriften:* Gelten nach der Grundregel des § 345 HGB gleichmäßig für beide Teile, auch beim einseitigen H. Davon gibt es zahlreiche Ausnahmen, z. B. gelten die strengen Rügevorschriften und -fristen beim Handelskauf (§§ 377, 378 HGB) nur für beiderseitige H.

**Handelsgesellschaften,** nach deutschem Handelsrecht die Vereinigungen von zwei oder mehr Personen zum Betrieb von →Handelsgeschäften, wenn die Gesellschaft als solche im Handelsregister eingetragen wird (→Eintragung im Handelsregister); in verschiedenen Unternehmungsformen: a) →Personengesellschaften (ausgenommen →stille Gesellschaft, die nur Innengesellschaft ist); b) →Kapitalgesellschaften. – H. sind streng zu trennen von den →Gesellschaften des bürgerlichen Rechts, die nach BGB zu behandeln sind. Für H. gelten die für den →Kaufmann bestehenden handelsrechtlichen Vorschriften (§ 6 HGB). →Genossenschaften sind insoweit den H. gleichgestellt.

**Handelsgesetzbuch (HGB),** vom 10. 5. 1897 mit späteren Änderungen, regelt einen wesentlichen Teil des vom allgemeinen →bürgerlichen Recht abweichenden Sonderrechts des Handels. – *Inhalt:* Vorschriften über den →Handelsstand (→Kaufmann, →Handelsregister, →Firma, →Prokura, →Handlungsvollmacht, →Handlungsgehilfen und Handlungslehrlinge, →Handelsvertreter und →Handelsmakler), die →offene Handelsgesellschaft, →Kommanditgesellschaft und →stille Gesellschaft; allgemeine Regeln über →Handelsgeschäfte; Handelsbücher (→Bücher); Einzelbestimmungen über den →Handelskauf, das →Kommissionsgeschäft, die →Spedition, das →Lagergeschäft und den →Frachtvertrag. – *Ergänzung:* Neben dem HGB gelten handelsrechtliche Sondergesetze, z. B. AktG, GmbHG, DepotG, UWG, WZG usw. Ergänzend Anwendung der Vorschriften des BGB (Art. 2 EGHGB).

**Handelsgewerbe,** Gewerbe, das a) ein Grundhandelsgeschäft (§ 1 II HGB) zum Gegenstand hat (→Mußkaufmann) oder b) nach Art und Umfang einen in kaufmännischer Weise eingerichteten Geschäftsbetrieb erfordert und ins Handelsregister eingetragen ist (→Sollkaufmann, →Kannkaufmann) oder c) in einem bestimmten Rechtsform betrieben wird (→Formkaufmann). Ein H. betreibt nur, wer eine Tätigkeit nach außen im eigenen Namen, wenn auch für Rechnung und mit Mitteln eines anderen, ausübt.

**Handelsgewicht,** das absolute →Trockengewicht einer Ware unter Einrechnung des zulässigen Feuchtigkeitsgehalts, festgelegt durch →Handelsbrauch.

**Handelsgewinn,** *Außenhandelsgewinn,* Begriff der realen Außenwirtschaftstheorie: Gesamtheit der Vorteile, die die handeltreibenden Länder durch →Freihandel realisieren. – 1. *Statischer H.:* Zu unterscheiden: a) *Tauschgewinn:* Ergibt sich schon durch die internationale Angleichung der Preise gehandelter Güter; daraus folgt die Wohlfahrtssteigerung durch Angleichung der Grenznutzen bei der Verwendung der betreffenden Güter. – b) *Spezialisierungsgewinn:* Ergibt sich über den Tauschgewinn hinaus, indem infolge der Preisverschiebungen die Produktionsstruktur in effizientere Verwendungen gelenkt wird, d. h. die Produktionsstruktur sich ändert. Das Ergebnis derartiger Reallokationsprozesse wird auch als „relatives Maximum der Produktion" bezeichnet. Wird über die nationale Mobilität der Produktionsfaktoren hinaus auch noch die internationale Mobilität zugelassen (→gemeinsamer Markt), tritt eine weitere Änderung der Produktionsstruktur ein, man spricht dann von „absolutem Maximum der Produktion". – 2. *Dynamischer H.:* Weitere Handelsvorteile, und zwar v. a.: a) →Technologietransfer; b) Einfuhr von benötigten, aber im betreffenden Land nicht produzier- bzw. verfügbaren Gütern; c) Intensivierung des Wettbewerbs durch Öffnung der eigenen Märkte für die ausländische Konkurrenz; d) bessere Nutzung der Größenvorteile (economics of size) durch Ausweitung der Märkte; e) Beschleunigung des Wirtschaftswachstums durch steigende Kapitalbildung; f) Mobilisierung brachliegender Ressourcen bzw. nicht genutzter Produktionskapazitäten durch Ausdehnung der Nachfrage (→Vent-for-surplus-Theorie).

**Handelsgut,** Ware, wie sie im redlichen Handelsverkehr am Erfüllungsort üblich ist. Bei →Gattungsschulden ist H. „mittlerer Art und Güte" zu liefern (§ 360 HGB), d. h. Durchschnittsware; so auch bei einseitigen Handelsgeschäften. Ausschluß durch Vertrag möglich. – Bei der →*Tel-quel-Klausel* kann das schlechteste Gut oder die schlechteste Sorte geliefert werden, wenn es nur ordentliches Kaufmannsgut ist. Ist *„prima Ware"* verkauft, ist beste Qualität zu liefern.

**Handelshemmnisse,** Hindernisse, die einem freien internationalen Austausch von Waren und Dienstleistungen entgegenstehen, wie →Zölle, →Kontingente, →Devisenbewirtschaftung, →Verwaltungsprotektionismus bzw. administrative Hemmnisse; schärfere Mittel sind →Einfuhrverbote und →Ausfuhrverbote mit unterbindender Wirkung. Das GATT und andere multilaterale Übereinkommen haben den Abbau von H. zum Ziel. – *Arten:* a) *Tarifäre H.:* Z. B. Zölle; konnten (zumindest im Handel zwischen →Industrie-

ländern) erheblich reduziert oder z. T. aufgehoben werden (→Kennedy-Runde, →Tokio-Runde). – b) *Nicht-tarifäre* H.: Z. B. technische Vorschriften, Zulassungsbedingungen für Kraftfahrzeuge, Lebensmittelvorschriften sowie administrativ bedingte H. (z. B. behördliche Auflagen); die Erfolge bezüglich Abbau sind geringer. Weitergehender ist der Abbau von H. innerhalb von Zollunionen (insbes. der EWG) und →Freihandelszonen. – *Auswirkungen:* H. sind i. d. R. mit Wohlfahrtseinbußen verbunden (Verzicht auf Ausnutzung von →Handelsgewinnen); können, wenn bestimmte Bedingungen erfüllt sind, aber auch gewisse Vorteile bringen (vgl. →Erziehungszoll, →Optimalzoll, →Protektionismus).

**Handelshilfe,** Maßnahmen im Rahmen der →Entwicklungshilfe, u. a. zwecks Zunahme der Exportkapazität, Verbesserung der Qualität der Exportprodukte und Erleichterung der Erschließung von Exportmärkten für Entwicklungsländer. Zur H. zählen auch Zollpräferenzen, die den betreffenden Ländern einen bevorzugten Zugang zu den Märkten der Geberländer ermöglichen (→Lomé-Abkommen). – Oft wird allgemein eine *Liberalisierung des Außenhandels gegenüber Entwicklungsländern* als H. bzw. Entwicklungshilfe bezeichnet *(aid by trade)*. Anwendung des Begriffes „Hilfe" fragwürdig, da Handelsliberalisierung beiden Seiten Vorteile bringt und kein Opfer zugunsten der Entwicklungsländer darstellt.

**Handelshilfsgewerbe,** selten verwendete Bezeichnung für Geld-, Bank- und Börsenwesen, Versicherungs- und Transportwesen, Handelsvertretung, Vermittlung, Werbung und Verleih.

**Handelshochschule,** Hochschule der betriebswirtschaftlichen Pionierzeit um 1900, als die rasch fortschreitende wirtschaftliche Entwicklung dazu zwang, die bereits im Merkantilismus unter der Bezeichnung Handelsbetriebslehre entwickelte, in der Zwischenzeit jedoch vernachlässigte betriebswirtschaftliche Forschung und Lehre wieder verstärkt zu betreiben. Es wurden folgende H. gegründet: 1898 Leipzig und Aachen, 1901 Köln und Frankfurt a. M., 1906 Berlin, 1907 Mannheim, 1910 München, 1915 Königsberg und 1919 Nürnberg. – Vgl. auch →Betriebswirtschaftslehre, →Geschichte der Betriebswirtschaftslehre.

**Handelsindifferenzkurve,** Ort aller Kombinationen von Import- und Exportgütern, die einem Land den gleichen Nutzen stiften. Die H. ergeben sich durch Verschiebung des Produktionsblocks (→Transformationskurve) entlang der einzelnen nationalen →Differenzkurven und bilden die Grundlage der Ableitung der →Tauschkurve.

**Handelskammer,** →Industrie- und Handelskammer, →Auslandshandelskammer, →Internationale Handelskammer.

**Handelskauf,** Kauf, der →Handelsgeschäft
ist und dessen Gegenstand eine Ware oder ein
Wertpapier ist. Im Interesse der schnellen und
glatten Abwicklung des H. wird der Verkäufer
im Vergleich zum →Kaufvertrag nach BGB
begünstigt. – *Rechtlich geregelt* in §§ 373–382
HGB.

I. Geltungsbereich: Das Sonderrecht für
den H. gilt: a) nur für den reinen H.; b) für den
Handelstausch (§ 515 BGB); c) für den han-
delsmäßigen →Werklieferungsvertrag, soweit
er gemäß § 651 BGB nach Kaufrecht behandelt wird; sonst gelten die Vorschriften über
den →Werkvertrag (§ 381 II HGB). – Das
Sonderrecht des H. gilt nicht: a) für den Kauf
von anderen Gütern, z. B. Grundstücken,
Rechten, einem Handelsunternehmen; b) für
den →Viehkauf auch zwischen Vollkaufleuten, soweit der Viehkauf im BGB besonders
geregelt ist (§ 382 HGB); c) für den Bierabnah-
mevertrag, soweit dieser Vertrag durch besonderes Landesgesetz geregelt ist (Art. 18
EGHGB).

II. Ergänzende bzw. abändernde
Gültigkeit der HGB-Sondervor-
schriften zum Kaufvertragsrecht nach
BGB: 1. *Abzugsrecht der Verpackung vom
Kaufpreis:* a) Ist der Kaufpreis nach dem
Gewicht der Ware bestimmt, wird das
Gewicht der Verpackung (Tara) abgezogen
(§ 380 HGB); das Nettogewicht (Bruttoge-
wicht abzüglich Taragewicht) ist maßgebend.
Eine größere Verpackung (Fässer, Kisten,
Säcke, Flaschen) ist meist nicht mitverkauft,
sondern ist vom Käufer zurückzusenden. – b)
Abweichungen können auf Vertrag oder Handelsbrauch am Erfüllungsort des Verkäufers
beruhen, z. B. kann das Taragewicht mit zu
verrechnen sein oder der Käufer ggf. für
schadhafte oder unbrauchbare Teile der gelieferten Ware einen Preisabzug (Refaktie) fordern, muß aber regelmäßig Ware behalten.
Ebenfalls kann ein Anspruch auf Gewichtszu-
gabe (Gutgewicht) bestehen, z. B. im Kartof-
felhandel wegen Gewichtsschwund (§ 380 II
HGB). – 2. *Zusätzliche Berechtigung des
Verkäufers,* bei →Annahmeverzug des Käufers die Ware in einem öffentlichen Lagerhaus
oder in sonst sicherer Weise auf Gefahr und
Kosten des Käufers zu hinterlegen (→Hinter-
legung) oder ein →Selbsthilfeverkauf vorzunehmen (§§ 373, 374 HGB). – 3. *Aufbewahrungspflicht des Käufers* (§ 379 HGB) für
beanstandete Ware, die ihm vom Verkäufer
übersandt worden ist, damit Verkäufer selbst
über die Ware verfügen kann. Ist die Ware
verderblich und Gefahr im Verzug, so kann
der Käufer sie nach vorheriger Androhung
öffentlich versteigern lassen (Notverkauf). – 4.
*Rügepflicht des Käufers:* Die strengen Bestimmungen über die →Mängelrüge (§ 377 ff.
HGB) gelten nur für den H., der beiderseitiges
Handelsgeschäft ist. Das HGB stellt Schlecht-

lieferung und Falschlieferung gleich und
unterwirft sie der →Sachmängelhaftung, die
sowohl bei Lieferung einer ganz anderen als
der bestellten Ware (→aliud) als auch bei einer
anderen Warenmenge (Quantitätsmangel) eingreift. – a) Der Käufer hat die abgelieferte
Ware unverzüglich nach der Ablieferung,
soweit dies nach ordnungsmäßigem
Geschäftsgang tunlich ist, zu untersuchen und
etwaige festgestellte Mängel unverzüglich dem
Verkäufer anzuzeigen (Mangelrüge), sonst
verliert er seine Gewährschaftsansprüche und
die gelieferte Ware gilt als genehmigt. Art und
Umfang der Untersuchungen müssen zweckmäßig sein; Berücksichtigung der Handelssitte. Besichtigung genügt nicht immer. Oft
sind Kostproben oder Stichproben notwendig. Markenartikel brauchen nicht ausgepackt
zu werden. Nicht erkennbare, verborgene
Mängel, die später hervortreten, muß der
Käufer unverzüglich nach ihrer Entdeckung
anzeigen. – b) Die Mängelrüge ist formlos,
muß aber Art und Umfang (nicht Ursache)
der Mängel erkennen lassen. Allgemeine
Rügen wie „Schundware", „Ware ist
schlecht" genügen nicht. Zur Erhaltung der
Käuferrechte genügt rechtzeitige Absendung
der Anzeige (§ 377 IV HGB); die Gefahr ihrer
Ankunft trägt der Verkäufer. – c) Die Rügepflicht fällt fort, wenn der Verkäufer den
Mangel arglistig verschwiegen (§ 377 V HGB)
oder eine Eigenschaft arglistig vorgespiegelt
hat. – d) Die Rügepflicht kann durch Vertrag
oder Handelssitte eingeschränkt werden. Einseitige Beschränkungen des Rügerechts auf
der Rechung sind im allgemeinen bedeutungslos (z. B. „Reklamationen werden nur innerhalb von fünf Tagen seit dem Empfang der
Ware berücksichtigt"); anders bei Aufnahme
in dem →Bestätigungsschreiben. – 5. *Weitere
Sonderregeln* gelten für →Spezifikationskauf
und →Handelsfixkauf.

**Handelskette,** Glieder einer →Absatzkette,
die in den →Absatzweg einer in ihrem stoffli-
chen Charakter unveränderten Ware von einem erzeugenden zu einem verwendenden
Glied eingeschaltet sind. Vom Urproduzenten
bis zum Endverbraucher durchläuft eine Ware
meist eine Vielzahl von H. (Handelsketten-
folge). – *Beispiel:* Die Einschaltung von
H.ngliedern in den Weg von Wolle vom
Schafzüchter zum Spinner, des Garns vom
Spinner zum Weber, des Tuchs vom Weber
zur Konfektion, der Kleider von der Konfektion zum Endverbraucher (Absatzweg mit
einer H.nfolge von vier Stufen). – Handelsket-
tenglieder können vornehmlich *kollektierende*
(Aufkauf landwirtschaftlicher Erzeugnisse
oder von Schrott, Altpapier) oder *distribuierende Aufgaben* (Verkauf von Sekt durch den
Lebensmittelgroß- und -einzelhandel; vgl.
→Distribution) haben. Hinzu kommen die
Glieder der H., die im *Außenhandel* tätig sind:
→Ausfuhrhändler (Exporteur), →Einfuhr-

händler (Importeur) und →Transithändler (Transiteur).

**Handelskettenspanne,** Differenz zwischen Einkaufspreis eines Verwenders/Konsumenten und Verkaufspreis des Produzenten, der das erste Glied der jeweiligen →Handelskette beliefert.

**Handelsklassen,** Einteilung von Produkten (z. B. frisches Obst und Gemüse) in Klassen einheitlicher Qualität. H. bewirken eine Gütesicherung. Dadurch wird der Handelsverkehr erleichtert, die Preisbildung objektiviert und wegen der erhöhten Markttransparenz allen Beteiligten (Erzeugern, Händlern, Verbrauchern) Schutz vor Übervorteilung geboten. – Vgl. auch →Handelsklassengüter.

**Handelsklassengüter.** 1. *Begriff:* Erzeugnisse der Landwirtschaft und der Fischerei, die aufgrund des Handelsklassengesetzes vom 23. 11. 1972 (BGBl I 2201) mit späteren Änderungen i. V. m. RechtsVO gesetzlich festgelegte Merkmale haben müssen; z. B. Eier, Getreide, Kartoffeln, Butter, Käse, wenn sie nach gesetzlichen Handelsklassen angeboten, feilgehalten, geliefert oder verkauft werden. – 2. *Merkmale* (können insbes. durch VO des Bundesministers für Ernährung, Landwirtschaft und Forsten im Einvernehmen mit dem Bundesminister für Jugend, Familie, Frauen und Gesundheit sowie Wirtschaft mit Zustimmung des Bundesrates bestimmt werden): Qualität, Herkunft, Art und Weise sowie Zeitpunkt der Erzeugung, Gewinnung, Herstellung und Behandlung, Angebotszustand, Reinheit und Zusammensetzung, Sortierung und Beständigkeit bestimmter Eigenschaften. – 3. Durch RechtsVO kann auch bestimmt werden, daß bestimmte Erzeugnisse nur noch in gesetzlichen Handelsklassen in Verkehr gebracht werden dürfen, daß in Rechnungen die Handelsklassen anzugeben sind, daß bei der öffentlichen Werbung die Handelsklassen anzugeben sind, daß Börsen, Verwaltungen öffentlicher Märkte usw. bei amtlichen Preisnotierungen die gesetzliche Handelsklasse feststellen und notieren. – Zur Durchführung der RechtsVO stehen den Behörden Auskunfts-, Einsichts- und Prüfungsrechte zu. – 4. *Verstöße* gegen die Handelsklassenbestimmungen und Auskunftsrechte werden als Ordnungswidrigkeit mit Geldbuße geahndet.

**Handelsklauseln,** im Handelsverkehr besonders zwischen Käufer und Verkäufer eingebürgerte kurze Formeln (Klauseln), die dem Vertrag einen bestimmten Inhalt geben. Die H. gelten allgemein für alle Kaufleute und haben eine große Bedeutung. Sie werden sowohl im nationalen als auch im internationalen Handel sehr häufig verwandt. Von besonderer Bedeutung →Incoterms. – Vgl. auch →Lieferungsbedingungen, →Zahlungsbedingungen.

**Handelskosten,** →Handlungskosten.

**Handelskreditbrief,** →commercial letter of credit.

**Handelsmakler.** I. Begriff: Derjenige, der gewerbsmäßig die Vermittlung von Verträgen über Gegenstände des Handelsverkehrs übernimmt, ohne dabei in einem ständigen Vertragsverhältnis zu seinem Auftraggeber zu stehen (§ 93 HGB). – *Beispiele:* Kauf und Verkauf von Wertpapieren, Vermittlung von Versicherungen. – *Anders:* →Handelsvertreter, →Zivilmakler. – *Voraussetzungen:* a) *Gewerbsmäßig* bedeutet eine planmäßig auf Gewinn gerichtete Tätigkeit (→Gewerbe). Wer nur gelegentliche Vermittlung übernimmt, ist Zivilmakler. b) Die Tätigkeit des H. erstreckt sich auf die *Vermittlung,* nicht auf den Abschluß oder lediglich den Nachweis von Gelegenheiten. – *Rechtliche Regelung:* §§ 93–104 HGB, §§ 652–655 BGB.

II. A r t e n (nach der Art der Vermittlung von Verträgen über Gegenstände des Handelsverkehrs; § 93 I HGB): 1. *Warenmakler:* H., die Vermittlung von Warengeschäften im Kleinverkehr besorgen (Krämermakler), unterliegen nicht den Vorschriften über Schlußnote und Tagebücher. – 2. *Effektenmakler:* Vgl. →freie Makler. – 3. *Versicherungsmakler* (Assekuranzmakler). – 4. *Schiffsmakler:* Hierzu gehören v. a. Makler auch die Makler, die in Hafenplätzen die Vermittlung von Schiffsraum betreiben u. a. – Im *alten HGB* waren H. nur amtlich bestellte Vermittler (Sensale), das neue HGB kennt dagegen nur Privatmakler. Es gibt allerdings auch heute noch öffentlich bestellte Makler mit amtlichem Charakter, das sind z. B. die →Kursmakler (§ 30 BörsG), die öffentlich bestellten Versteigerer (§ 383 III HGB), oder die öffentlich ermächtigten H. nach § 385 BGB.

III. P f l i c h t e n : Der H. ist zu seiner Vermittlungstätigkeit keiner der Parteien gegenüber verpflichtet. Übernimmt er aber den Auftrag, auch wenn er nur von einer Partei beauftragt ist, so tritt er gleichzeitig auch zu der anderen Partei in vertragliche Beziehungen. Hierdurch unterscheidet er sich gerade von dem Handelsvertreter und dem Zivilmakler. – 1. *Sorgfaltspflicht:* Der H. hat die Interessen beider Parteien wahrzunehmen und haftet ihnen für durch sein →Verschulden entstandenen Schaden (§ 98 HGB). – 2. *Beurkundung:* Das vermittelte Geschäft ist zu beurkunden a) durch Ausstellung einer →Schlußnote, die jeder Partei unverzüglich nach Abschluß des Geschäftes zuzustellen ist (§§ 94, 95 HGB); b) durch tägliche Eintragung in das →Tagebuch (§ 100 HGB). – 3. *Auskunft:* Der H. hat jeder Partei auf Verlangen mittels Auszügen aus dem Tagebuch Auskunft zu erteilen (§ 101 HGB). – 4. *Aufbewahrung von Proben* bei

→Kauf nach Probe bis zur Erledigung des Geschäftes (§ 96 HGB).

IV. R e c h t e : 1. Wie jeder Makler hat der H. Anspruch auf *Vergütung* (→Maklerlohn). Voraussetzung ist, daß das Geschäft rechtswirksam zustande gekommen ist (§ 652 BGB), Ausführung ist nicht erforderlich. Wird der Vertrag unter einer Bedingung geschlossen, entsteht der Anspruch erst nach Eintritt der Bedingung. Der H. kann von jeder Partei die Hälfte des Maklerlohnes fordern (§ 99 HGB). – Wird der Auftrag vorher *widerrufen,* besteht kein Anspruch auf Maklerlohn. Erfolgt Widerruf aber in der Absicht, den Abschluß mit einer von dem H. genannten Vertragspartei direkt durchzuführen, um so den H. um seinen Lohn zu bringen, so bleibt Anspruch auf Vergütung bestehen. Widerruf kann vorbehaltlich des wichtigen Grundes ausgeschlossen werden. – 2. *Anspruch auf Ersatz von Auslagen* besteht mangels besonderer Vereinbarung nicht (§ 652 BGB). – 3. Zur *Empfangnahme von Zahlungen* ist der H. nicht berechtigt.

V. U m s a t z s t e u e r : Die Leistungen der H. sind umsatzsteuerbar und i. d. R. auch umsatzsteuerpflichtig (Ausnahmen vgl. §§ 4 Nr. 2, 8 UStG). Die Umsatzsteuerschuld entsteht bei H., die ihre Umsätze nach →vereinbarten Entgelten versteuern, mit Ablauf des Voranmeldungszeitraums, in dem sie ihre Vermittlungsleistungen bewirkt haben (mit Ausstellung der Schlußnote).

**Handelsmanagement.** 1. *Begriff:* Führung von Unternehmungen des Handels durch den Eigentümer der Unternehmung selbst (meist bei mittelständischen Handelsbetrieben) oder durch angestellte Mananger (meist bei Großbetrieben des Handels meist in den Zentralen der Konzentrations- und Kooperationsformen des Handels; →kooperative Gruppen). Die wachsende Bedeutung der letzten Gruppe hat zu einer zunehmenden Professionalisierung und Akademisierung im H. geführt, die wiederum Voraussetzung für die Nutzung der neuen Informationstechnologien bei der Unternehmensführung sind. – 2. Die *Führungsbereiche* des H. umfassen Ziel- und Mittelentscheidungen sowie Planung und Kontrolle aller unternehmenspolitischen Entscheidungen hinsichtlich ihres Beitrags zur Zielerreichung. Also: a) konstitutive Entscheidungen (Betriebsformenwahl, Standort, Betriebsgröße, Rechtsform, Organisation, ggf. Fusion); b) laufende Entscheidungen (Kombination der Produktionsfaktoren gemäß Modell im Stichwort →Handelsbetrieb). – 3. *Aufgaben im einzelnen:* →Handelsmarketing, hierbei insbes. Steuerung von →Warenwirtschaftssystemen; Personalpolitik; Finanzierungs- und Investitionspolitik mit einem Schwergewicht bei der regionalen Standortplanung, die eine Voraussetzung für die konzentrierte, rationale Warenlogistik schafft; das gesamte →Rechnungswesen einschl. →Controlling, das durch den Einsatz von EDV-Anlagen und die Möglichkeiten der raschen Datenfernübertragung eine zunehmende Bedeutung als aktuelle Informationsbasis für die gesamte Unternehmenspolitik gewinnt.

**Handelsmarke,** Fertigerzeugnis des Konsumgüterbereichs, das eine Handelsorganisation mit einer ihr gehörenden, geschützten →Marke kennzeichnet, und das i. a. nur im eigenen oder in angeschlossenen Einzelhandelsgeschäften zu erhalten ist. Viele H. wurden als preisgünstige Alternative gegenüber →Markenartikeln eingeführt oder weil Markenartikelhersteller das Handelsunternehmen nicht mehr belieferten. – Heute sind H. Ausdruck eines aktiven →Handelsmarketing zwecks Profilierung im Absatzmarkt, Sortimentsbereinigung und somit Festigung der Nachfrageposition gegenüber den Lieferanten; sie sind mit ihrem Namen – sofern mit der Firma identisch – Werbeträger für die gesamte Unternehmung. – Vgl. auch →No-names-Produkte.

**Handelsmarketing.** 1. *Begriff:* →Marketing für →Handelsbetriebe, meist als *Beschaffungs- und Absatzmarketing* aufgefaßt. Sämtliche Instrumente des H. sind gemäß den jeweils spezifischen Gegebenheiten auf den Beschaffungs- und Absatzmärkten einzusetzen. Hauptschwierigkeit ist die Koordination der unmittelbar gegenseitig wirkenden Konsequenzen. Formen der →Matrixorganisation sowie Teamentscheidungen von Einkäufern und Verkäufern sind daher verbreitet. – 2. *Instrumente:* a) *Beschaffungsinstrumente:* →Beschaffungswegepolitik, →Beschaffungsorganisation, →Bestellmengenpolitik, →Beschaffungspreis- und -konditionenpolitik und →Beschaffungswerbung. – b) *Absatzinstrumente:* →Standortpolitik, →Lieferbereitschaftspolitik, →Absatzorganisation und -methode, →Sortimentspolitik und Produktpolitik (→Handelsmarken), →Servicepolitik, →Absatzpreis- und -konditionenpolitik, →Absatzkommunikationspolitik. – 3. Der *Einsatz der Beschaffungsinstrumente* gewinnt nicht nur an Dominanz, wenn auf den Beschaffungsmärkten Engpässe auftreten, sondern auch bei starkem Wettbewerb auf den Absatzmärkten, der zu einer konsequenten Nutzung aller nur möglichen Beschaffungsvorteile zwingt. Diese Konstellation ist für viele Handelsbranchen typisch.

**Handelsmarktforschung,** →Marktforschung, →Handelsforschung.

**Handelsmißbrauch,** gegen die guten Sitten verstoßender →Handelsbrauch. Maßgebend ist die Anschauung des verständigen durchschnittlichen Gewerbetreibenden. H. wird nicht dadurch erlaubter Handelsbrauch, daß zahlreiche Gewerbetreibende ihn anwenden.

Zu beurteilen auch nach den Grundsätzen über →unlauteren Wettbewerb.

**Handelsname des Kaufmanns,** eine aus Worten bestehende Bezeichnung, die auf eine im Handelsverkehr auftretende natürliche oder juristische Person oder auf die Gesellschafter einer Gesellschaft hinweist. H. d. K. ist die →Firma. – *Anders:* →Unternehmensbezeichnung.

**Handelspanel.** 1. *Begriff:* →Panel von ausgewählten Einzel- bzw. Großhandelsbetrieben. Am weitesten verbreitet ist das *Einzelhandelspanel* in der allgemeinen Form, daneben auch spezielle Panels, wie etwa *Branchen-Panel* oder *Fachhandelspanel.* – 2. *Erhebung:* a) *Erhebungsgegenstände:* Erhoben wird in erster Linie der Endverbraucherabsatz der einzelnen Geschäfte; ferner die Warenbestände und deren Veränderung, Ein- und Verkaufspreise sowie die räumliche Verteilung der Betriebe, die ein bestimmtes Produkt führen, sowie Bezugsquellen, Bestellmengen und -termine, Lagerbestände und Umschlagshäufigkeiten. Nur mit dem Einzel- und Großhandelspanel sind die Umsätze zu erfassen, die auf Nicht-Haushalte, wie Gaststätten, Großverbraucher usw. entfallen. – b) *Erhebungsmethode:* Vorwiegend manuell, d. h. der Endverbraucherabsatz wird ermittelt aus der Summe von Anfangsbestand und Einkäufen abzüglich Endbestand, der jeweils manuell durch Zählen ermittelt werden muß (→Beobachtung). Vereinfachung durch Einführung der Scanner-Technologie in den Einzelhandelsgeschäften. – 3. In der *Bundesrep. D. durchgeführt* von Nielsen sowie der Gesellschaft für Konsum-, Markt- und Absatzforschung (GfK). – Vgl. auch →Scanner-Handelspanel, →Haushaltspanel.

**Handelspapiere,** alle →Wertpapiere, die dem Handelsverkehr dienen. Dies ist der Fall, wenn die in dem Papier enthaltene Beurkundung eines Rechtsverhältnisses gerade dem Zweck dient, das Recht umlaufsfähig zu machen. Zu den H. gehören demnach insbes. →Inhaberpapiere (Inhaberschuldverschreibung usw.) und →Orderpapiere (Wechsel usw.). →Anschaffung und →Weiterveräußerung von H. ist →Grundhandelsgeschäft i. S. des § 1 II 1 HGB.

**Handelspolitik,** →Außenhandelspolitik.

**Handelsrecht.** I. Begriff/Einordnung: H. ist das Sonderrecht des Kaufmanns, des →Handelsstandes. – 1. *Privatrechtliche Normen:* Die Vorschriften des H. betreffen im wesentlichen die Rechtsbeziehungen des Kaufmanns zu seinen Geschäftspartnern, die wettbewerbsrechtlichen und gesellschaftsrechtlichen Beziehungen zu anderen Unternehmern. Das Handelsgesetzbuch (HGB) vom 10. 5. 1897 (RGBl 219) mit späteren Änderungen geht in § 1 HGB vom Kaufmannsbegriff aus, beschränkt diesen aber nicht auf die Tätigkeit der Güterverteilung, sondern bezieht auch die Industrie, den handwerklichen Großbetrieb und die Hilfsgewerbe in §§ 2–6 HGB ein. Zum Kaufmannsbegriff gehören Kommissionäre, Handelsvertreter, Handelsmakler, Bank- und Versicherungsunternehmen, Spediteure, Lagerhalter, Verlagsgeschäfte und die Geschäfte der Druckereien. – 2. *Öffentlich-rechtliche Normen:* Dies gilt für den Kaufmannsbegriff, das Handelsregisterrecht, die kaufmännische Buchführungspflicht, das Firmen-, Warenzeichen- und Wettbewerbsrecht, das Privatversicherungs-, Bank- und Börsenrecht, das Aktienrecht und viele weitere Gebiete. – Der Schwerpunkt des H. liegt beim Privatrecht.

II. Geltungsbereich: Das H. gilt für alle Kaufleute mit Vorrang vor dem bürgerlichen Recht (Art. 2 EGHGB). Oft ergänzt das allgemeine bürgerliche Recht jedoch das H., z. B. bei der Vollmacht, dem Recht der OHG und KG, dem Kauf- und Werkvertragsrecht. Das H. ist auch auf einseitige Handelsgeschäfte anzuwenden, bei denen nur ein Vertragspartner Kaufmann ist, es sei denn, daß die Geltung ausdrücklich auf beiderseitige Handelsgeschäfte beschränkt ist (z. B. die Mängelrüge gem. § 377 HGB). Für den Vollkaufmann, der Kaufmann, der ein Grundhandelsgewerbe nach § 1 HGB betreibt oder der im Handelsregister eingetragene Soll-, Kann- und Formkaufmann, deren Geschäfte nach Art und Umfang eine kaufmännische Betriebsführung erfordern, gilt das H. in vollem Umfang. Für Minderkaufleute ist eine Reihe von Vorschriften des H. nicht anwendbar (vgl. §§ 4 II, 351 HGB).

III. Rechtsquellen: 1. *Handelsgesetzbuch:* Das deutsche H. ist aus den Stadtrechten der großen Handelsplätze des Mittelalters hervorgegangen. Beeinflußt wurde das deutsche H. vom italienischen H. (Codigo di Cimerico von 1829) und vom französischen H. (code de commerce von 1807). Als erstes Privatrechtsgebiet ist das H. im vorigen Jahrhundert zur innerdeutschen Rechtseinheit gelangt. Das HGB vom 10. 5. 1897, das mit dem BGB am 1. 1. 1900 in Kraft getreten ist, geht auf das Allgemeine Deutsche Handelsgesetzbuch von 1861 zurück. – *HGB-Gliederung in fünf Bücher:* a) *Buch I:* Handelsstand mit Normierung des Kaufmannsbegriffs, des Registerrechts, des Rechts der Firma, der besonderen handelsrechtlichen Vollmachten (Prokura, Handlungsvollmacht), des Rechts der Handlungsgehilfen, Handelsvertreter und Handelsmakler. – b) *Buch II:* Handelsgesellschaften und stille Gesellschaft mit Regelung des Rechts der offenen Handelsgesellschaft, der Kommanditgesellschaft und der stillen Gesellschaft. – c) *Buch III:* Handelsbücher mit den Vorschriften über die Buchführung und über das Bilanzrecht einschl. der Ergänzungen für Kapitalgesellschaften. – d) *Buch IV:* Handelsgeschäfte mit allgemeinen Vorschriften für alle Handelsgeschäfte und Sonderbestimmungen für einzelne Vertragstypen. – e) *Buch V:* Seehandel mit der Regelung des Seehandelsrechts. – 2. *Nebengesetze:* Diese betreffen das →Wettbewerbsrecht, das →Gesellschaftsrecht, das →Wertpapierrecht, das Bankrecht und Börsenrecht. Außerdem zählen das Privatversicherungsrecht und das Recht des Buch- und Verlagshandels zu dem H. – 3. *Gewohnheitsrecht:* Im gleichen Rang wie das Gesetzesrecht gilt das Gewohnheitsrecht, das im Handelsverkehr seit jeher eine erhebliche Bedeutung hat. →Handelsbräuche beeinflussen die Gesetzgebung und das Gewohnheitsrecht (§ 346 HGB). – 4. Zusätzlich gelten im H. viele *internationale Vereinbarungen.*

IV. Besonderheiten: Im Vertragsrecht spielen im H. die Allgemeinen Geschäftsbedingungen eine große Rolle, zumal das →AGB-Gesetz bei Geschäftsbedingungen gegenüber einem Kaufmann nicht eingreift (§ 24 AGB-Gesetz). Auch die Schutzvorschriften des AbzG greifen nicht zu Gunsten eines Kaufmanns ein (§ 8 AbzG). Unter Kaufleuten ist nach § 38 ZPO auch weiterhin die Gerichtsstandsvereinbarung zugelassen. – Das Wesen des H. wird bestimmt vom *Gedanken der Rechtssicherheit,* vom Vertrauen in die Handlungen des Kaufmanns. Darauf beruhen der Ausbau des Registerwesens (→Handelsregister, →Genossenschaftsregister, →Schiffsregister), die Ausbildung besonderer Vollmachten mit typisiertem Inhalt (→Prokura, →Handlungsvollmacht) und der erweiterte Vertrauensschutz bei der Rechtsscheinhaftung. – Das H. dient dem Warenverkehr, der oft der besonderen *Beschleunigung* bedarf. Daher sind Formvorschriften teilweise aufgehoben oder aufgelockert (§§ 350, 351 HGB) und sollen auch Vertragsverletzungen einer beschleunigten Lösung zugeführt werden. Dies wirkt sich beim Zurückbehaltungsrecht (§ 369 HGB) und bei der →Mängelrüge (§ 377 HGB) aus. Diesem Zweck dienen auch Vorschriften über die Gestaltung der Zivilgerichtsbarkeit. Im Wechsel- und Scheckprozeß wird der Beschleunigungsgrundsatz deutlich. Im Zivilprozeß sind außerdem bei den Landgerichten Kammern für Handelssachen eingerichtet (§§ 95 ff. GVG), die mit Berufs- und sachkundigen Handelsrichtern über Rechtsstreitigkeiten beschleunigt, teilweise aufgrund eigener Sachkunde (§ 114 GVG), entscheiden. Diese Kammern werden auch bei Beschwerdeentscheidungen im Verfahren der freiwilligen Gerichtsbarkeit, insbes. bei Registersachen, tätig. Daneben wird bei Streitigkeiten in Handelssachen oft von der Möglichkeit der Vereinbarung des Schiedsverfahrens (§§ 1025 ff. ZPO) Gebrauch gemacht.

**handelsrechtliche Buchführungsvorschriften,** Teil der kodifizierten und nicht kodifizierten Grundsätze ordnungsmäßiger Buchführung (GoB), der die Buchführung betrifft; vgl. im einzelnen →Grundsätze ordnungsmäßiger Buchführung, →Buchführungsrichtlinien.

**Handelsregister,** ein bei den →Amtsgerichten geführtes öffentliches Register, das Vollkaufleute und Handelsgesellschaften unter ihrer →Firma verzeichnet und bestimmte Rechtsvorgänge offenkundig macht (→Publizitätsprinzip). Im HGB und Nebengesetzen (z. B. Aktiengesetz) finden sich verstreut die Vorschriften über die Pflicht zur Eintragung und zur Anmeldung eintragungspflichtiger Tatsachen. Die Eintragung kann mit →Zwangsgeld erzwungen, in Ausnahmefällen von Amts wegen vorgenommen werden. – *Bestandteile:* Das H. besteht aus der *Abteilung A* für die Einzelkaufleute und die Personengesellschaften des Handelsrechts mit Ausnahme der stillen Gesellschaft sowie der juristischen Personen des öffentlichen Rechts und *Abteilung B* für die Kapitalgesellschaften. – Die *Bestimmung des H. für die Öffentlichkeit* findet darin Ausdruck, daß die Einsicht jedem gestattet ist (→Handelsregistereinsicht). Darüber hinaus erfolgt auch die →öffentliche Bekanntmachung der eingetragenen Tatsachen. Den Behörden gegenüber wird ein Zeugnis über Eintragungen oder Fehlen solcher durch ein →Positivattest bzw. →Negativattest erbracht. – *Verstößt* eine Eintragung gegen gesetzliche Vorschriften, so kann sie von Amts wegen gelöscht werden. – *Gegen* die Verfügungen des Registergerichts ist meist Beschwerde (§ 19 FGG), z. T. →sofortige Beschwerde (§ 22 FGG) und die weitere Beschwerde (§ 27 FGG) möglich, über die das Landgericht (→Kammer für Handelssachen) bzw. das →Oberlandesgericht entscheidet. – Das H. genießt einen geringeren *Gutglaubensschutz* als ihn der öffentliche Glaube des Grundbuchs gewährt (→Positivwirkung).

**Handelsregistereinsicht,** Einblick in das →Handelsregister. Er ist jedermann gebührenfrei gestattet (§ 9 HGB). Gleiches gilt auch für die Einsicht in zur →Eintragung im Handelsregister eingereichte Schriftstücke. Auf Antrag ist Abschrift, die zu beglaubigen ist, sofern nicht darauf verzichtet wird, von den Eintragungen und den zum Handelsregister eingereichten Schriftstücken zu erteilen.

**Handelsregistereintragung** →Eintragung im Handelsregister.

**Handelsrichter,** ehrenamtliche Richter (→Laienrichter), die als Beisitzer der →Kammer für Handelssachen fungieren. Die H. werden auf gutachtlichen Vorschlag der Industrie- und Handelskammer auf jeweils drei Jahre ernannt. – *Voraussetzung:* Vollendung des 30. Lebensjahres und Eintragung als Kaufmann, Vorstand einer AG, Geschäftsführer einer GmbH oder als Vorstand einer sonstigen juristischen Person im Handelsregister. – Während der Dauer ihres Amtes haben sie alle *Rechte und Pflichten eines Richters.* – *Entschädigung:* H. erhalten nach dem Gesetz über die Entschädigung ehrenamtlicher Richter i.d.F. vom 1.10.1969 (BGBl I 1753) mit späteren Änderungen Ersatz für Zeitversäumnis, Fahrtkosten- und Fußwegstreckenersatz und Aufwandsentschädigung.

**Handelssachen. 1.** *Handelsrecht:* Nach Art. 2 EGHGB die im HGB und EGHGB besonders geregelten privatrechtlichen Tatbestände. Auf H. sind zuerst das HGB und EGHGB anzuwenden, ergänzend dazu das BGB. – **2.** *Prozeßrecht:* Alle Rechtsverhältnisse, für die die →Kammern für Handelssachen zuständig sind (§ 95 GVG); vgl. auch →Handelsgerichtsbarkeit.

**Handelsschaffung,** *Aufschließungseffekt, trade creation effect,* üblicherweise am Beispiel der Bildung einer →Zollunion abgeleitete Erscheinung. Grundlage positiver Wohlfahrtswirkungen der wirtschaftlichen →Integration zwischen Volkswirtschaften. Von H. wird gesprochen, wenn aufgrund der Senkung von →Zöllen die Integrationsländer die Einfuhr von Gütern anderer Integrationsländer, die dort kostengünstiger hergestellt werden können, zu Lasten der heimischen Produktion verstärken. Durch eine derartige Spezialisierung der Produktion entsprechend dem →Theorem der komparativen Kostenvorteile realisieren die Integrationsländer →Handelsgewinne. – Vgl. auch →Handelsablenkung.

**Handelsschule,** jetzt:→Berufsfachschule.

**Handelssitte,** →Handelsbrauch.

**Handelsspanne. 1.** *Begriff:* a) *Handelsbetriebslage:* Unterschiedsbetrag zwischen Einstands- und Verkaufspreisen im Handelsbetrieb. Vgl. →Handelsaufschlag, →Handelsabschlag sowie unten 4. – b) *Umsatzsteuer:* (1) Differenz zwischen Warenverkaufspreis (inklusive Mehrwertsteuer) und eingesetzten Warenmengen, bewertet mit →Wareneinstandspreisen (ohne Vorsteuer). Diese *Brutto-Netto-Rechnung* ist im Handel üblich, da Warenumsätze bislang nach dem Verkauf meist nur auf der Basis von Warengruppen erfaßt wurden, so daß ein gesonderter Ausweis der genauen Mehrwertsteuerbeträge nur schwer möglich ist. (2) Zur Ermittlung eines die Steuerbelastung exakt berücksichtigenden Rohgewinns ist der artikelspezifische Vorsteuer den Wareneinstandspreisen hinzuzufügen *(Brutto-Brutto-Rechnung)* oder die Mehrwertsteuer von den Verkaufspreisen abzuziehen *(Netto-Netto-Rechnung).* Werden H. für einzelne Artikel berechnet, ist die Herausrechnung der Umsatzsteuerbelastung leicht möglich. – **2.** *Formen:* H. können als *absolute Zahl* (→Stückspanne, die gleich dem →Rohertrag eines Artikels ist) oder als *relative Zahl*

(→Prozentspanne) ausgewiesen werden. Außerdem ist die Ermittlung von Warengruppen-, Durchschnitts-, insbes. →Betriebshandelsspannen üblich. – **3.** H. *dienen* zur Ermittlung der →Kalkulationsaufschläge, insbes. bei der →Mischkalkulation, sowie zur Kontrolle der Rohgewinnentwicklung mittels →Istspannen und →Sollspannen. – **4.** *Berechnungsbeispiel:* In einer Periode sollen 100 Einheiten à 800 DM einen Umsatz von 100 000 DM führen sollen.

*Handelsaufschlag* ( = *Kalkulationsaufschlag*):

$$\frac{\text{Rohgewinn} \times 100}{\text{Wareneinsatz}} = \frac{20\,000 \times 100}{80\,000} = 25\%$$

Rohgewinn = Warenumsatz ./. Wareneinsatz, bewertet zu Einstands-, hier Einkaufspreisen: 100 000 – 80 000 = 20 000 DM. Auf jeden Artikel zu 800 DM Einkaufspreis sind 25% = 200 DM aufzuschlagen. Dies ergibt bei einem Verkaufspreis von 1000 DM × 100 Einheiten einen Umsatz von 100 000 DM.

*Handelsabschlag* ( = *Handelsspanne* in %):

$$\frac{\text{Rohgewinn} \times 100}{\text{Umsatz zu Verkaufspreisen}} = \frac{20\,000 \times 100}{100\,000}$$
$$= 20\%$$

Bei einem Verkaufspreis pro Stück von 1000 DM sind 20% von 1000 DM = 200 *(absolute H.)* abzuziehen, um den Einkaufspreis von 800 DM zu erreichen. Einem Rohgewinn vom Umsatz in Höhe von 20% *entspricht* also ein Handelsaufschlag auf den Einkaufspreis von 25%.

**Handelsstand,** i.S. des HGB alle kaufmännisch tätigen natürlichen und juristischen Personen, unabhängig davon, ob sie Unternehmer, Prokuristen, Handelsvertreter, Handlungsgehilfen usw. sind. – *Organe des H.:* →Industrie- und Handelskammern.

**Handelsstatistik,** zusammenfassender Begriff für ein System von aufeinander abgestimmten und sich ergänzenden Statistiken in den Bereichen →Großhandel, →Handelsvermittlung, →Einzelhandel und →Gastgewerbe. Ein in ca. zehnjährlichen Abständen durchgeführter →Handelszensus mit wenigen Grundmerkmalen (zuletzt 1985) bildet dabei zugleich Auswahlgrundlage und Hochrechnungsrahmen für auf Stichprobenbasis durchzuführende Monats-, Jahres- und Ergänzungserhebungen in den einzelnen Bereichen. – *Gesetzlich geregelt* durch Gesetz über die Statistik im Handel und Gastgewerbe (Handelsstatistikgesetz) vom 10.11.1978 (BGBl I 1733), geändert durch Statistikbereinigungsverordnung vom 14.9.1984 (BGBl I 1249). – *Weitere institutionelle Angaben* zu →Arbeitsstättenzählungen, →Kostenstruktur-Statistiken, →Umsatzsteuerstatistik; ferner →Preise, →Innerdeutscher Handel, →Außenhandel, →Volkswirtschaftliche Gesamtrechnungen.

**Handelsstruktur,** Aufbau und Zusammensetzung des →Handels zu einem bestimmten Zeitpunkt. Einblicke in die H. vermitteln amtliche Statistik (→Handelsstatistik) und die Strukturerhebungen mittels der Handels- und Gaststättenzählungen (→Handelszensus). Differenziertere Erhebungen nach Regionen, Betriebsformen, Kooperationszugehörigkeit u. a. erstellen Industrie- und Handelskammern und die berufsständischen Organisationen des Handels.

**Handelsstufe,** nacheinander geschaltete Glieder einer →Handelskette, z. B. Importgroßhändler, Großhändler, Einzelhändler.

**Handelsumlenkung,** →Handelsablenkung.

**Handelsusance,** →Handelsbrauch.

**Handelsverein e. V. Bundesrepublik Deutschland – Deutsche Demokratische Republik,** Sitz in Bremen. – *Aufgabe:* Förderung der Wirtschaftsbeziehungen zwischen der Bundesrep. D. und der DDR.

**Handelsverlust,** *Außenhandelsverlust,* in der realen Außenwirtschaftstheorie aufgezeigte Möglichkeit, daß sich die Wohlfahrtsposition eines Landes durch Übergang zum →Freihandel nicht erhöht, sondern verringert, z. B. möglicherweise dann, wenn die sozialen und privaten Kosten voneinander abweichen oder durch Aufnahme des Außenhandels Arbeitskräfte freigesetzt werden, die aufgrund unzulänglicher Mobilität und unzureichender Flexibilität der Löhne unbeschäftigt bleiben.

**Handelsvermittlung.** 1. *Begriff:* Vgl. →Handelsvertreter, →Handelsmakler, →Distribution. – 2. *Wirtschaftliche Bedeutung:* Vgl. untenstehende Tabelle. – Vgl. auch →Handelsvermittlungsstatistik.

**Handelsvermittlung**

| Wirtschafts-gliederung | Unter-nehmen | Beschäf-tigte | Umsatz | Gesamt-wert der gegen Provision vermittelten Waren |
|---|---|---|---|---|
| | am 31. 3. 1985 | | 1984 | |
| | Anzahl | 1000 | Mill. DM | |
| Handelsvermittlung insges. | 65 822 | 170,4 | 15 857 | 262 461 |
| darunter Vermittlung von Textilien, Bekleidung, Schuhen, Lederwaren | 10 206 | 20,7 | 1 850 | 34 429 |
| Metallwaren, Einrichtungsgegenstände | 12 573 | 27,2 | 2 176 | 35 733 |
| Fahrzeugen Maschinen, techn. Bedarf | 7 545 | 24,9 | 3 119 | 25 592 |
| Tankstellen (Absatz in fremdem Namen | 10 443 | 42,8 | 3 867 | 31 602 |

**Handelsvermittlungsstatistik,** Repräsentativstatistik im Rahmen der →Handelsstatistik bei bis zu 10 000 ausgewählten Unternehmen aus 85 Wirtschaftsklassen auf der Grundlage des →Handelszensus unter Berücksichtigung der Neugründungen. Erfaßt werden zweijährlich die tätigen Personen, Waren- und Materialeingang und -bestand, Investitionen, Aufwendungen für gemietete oder gepachtete Anlagegüter, Verkaufserlöse aus dem Abgang von Anlagegütern, Bruttolohn- und -gehaltssumme, Umsatz nach Arten der wirtschaftlichen Tätigkeiten, Gesamtwert des gegen Provision vermittelten Warenumsatzes nach Warengruppen.

**Handelsvertreter,** früher: *Handlungsagent,* erlangten mit dem Gesetz zur Änderung des Handelsgesetzbuches vom 6. 8. 1953 (BGBI I 771) die heutige Rechtsstellung. H. ist stets →Mußkaufmann (§ 1 II Nr. 7 HGB).

I. B e g r i f f : H. ist, wer als selbständiger Gewerbetreibender ständig damit betraut ist, für einen anderen Unternehmer Geschäfte zu vermitteln (→Vermittlungsvertreter) oder in dessen Namen abzuschließen (→Abschlußvertreter) (§ 84 I 1 HGB). – 1. *Selbständig:* D. h. nicht Angestellter des Unternehmens, für das er arbeitet. Hier kommt es nicht auf die wirtschaftliche, sondern auf die persönliche Selbständigkeit an. H. muß „im wesentlichen frei seine Tätigkeit gestalten und seine Arbeitszeit bestimmen können" (§ 84 I 2 HGB). Fehlen diese Voraussetzungen, so gilt er als Angestellter (§ 84 II HGB), soweit der Unternehmer →Kaufmann ist, als →Handlungsgehilfe. – 2. *Ständige Betrauung:* Dies verlangt eine auf Dauer gerichtete Vertragsbeziehung; es genügt auch für eine Saison, aber nicht nur gelegentlich. – 3. Der Unternehmer braucht *kein* →Handelsgewerbe zu betreiben.

II. H . - V e r t r a g : →Dienstvertrag über Geschäftsbesorgungen (kein Arbeitsvertrag, sondern Vertrag über selbständige Dienste). – Die Vorschriften der §§ 611 ff., 675 BGB sind ergänzend heranzuziehen. An eine bestimmte Form ist der H.-Vertrag nicht gebunden. H. und Unternehmer können aber Aufnahme in eine zu unterzeichnende Urkunde verlangen (§ 85 HGB).

III. P f l i c h t e n : 1. V. a. *Vermittlung* und *Abschluß von Geschäften.* – 2. *Ferner:* a) *Wahrnehmung des Interesses des Unternehmers* (§ 86 I HGB); →Schmiergelder darf der H. nicht annehmen; andernfalls ist außerordentliche Kündigung nach § 89 a HGB möglich. – b) *Sorgfaltspflicht* (§ 86 III HGB): Das erfordert Weitergabe aller für den Unternehmer wichtigen Mitteilungen, z. B. über Kreditwürdigkeit eines Kunden, Beanstandungen und Wünsche der Kunden, Lage des Marktes im ganzen oder für die geführten Artikel usw. Weiterhin beinhaltet die Sorgfaltspflicht die

Prüfung der Zahlungsfähigkeit der Kunden; bei besonderer Vereinbarung haftet der H. für die Erfüllung der Verbindlichkeiten aus einem Geschäft (→Delkredere). – c) *Benachrichtigungspflicht:* Unverzügliche Mitteilung über jede Vermittlung und jeden Abschluß eines Geschäftes (§ 86 II HGB), auch über den Stand des Geschäftes. Ferner hat der H. Rechnung zu legen und herauszugeben, was er erlangt hat (§§ 675, 666, 667 BGB). – d) *Pflicht zur persönlichen Dienstleistung* ergibt sich aus § 613 BGB. H. kann aber Hilfspersonen im gewöhnlichen Maße einsetzen; Haftung nach § 278 BGB (→Untervertreter). – e) *Verschwiegenheitspflicht* (§ 90 HGB): Während und nach der Vertragszeit Wahrung von Geschäfts- und Betriebsgeheimnissen. – f) *Treuepflicht:* Ergibt sich aus der Dauernatur des Vertrages und dem hierfür notwendigen Vertrauensverhältnis. Ein ausdrückliches →Wettbewerbsverbot ist für den H. nicht vorgesehen, eine Tätigkeit für andere Unternehmer oder Abschluß eigener Geschäfte ist zulässig, aber es darf hierdurch keine Schädigung des einen Unternehmers eintreten. Für die Zeit nach Beendigung des H.-Verhältnisses kann eine →Wettbewerbsklausel vereinbart werden (§ 90a HGB).

IV. R e c h t e: Entsprechen den in § 86a HGB aufgenommenen Pflichten des Unternehmers. – 1. Der H. kann die für seine Tätigkeit *erforderlichen Arbeitsunterlagen* fordern, z. B. Preislisten, Muster, Werbedrucksachen. – 2. Er kann *Benachrichtigung* über Annahme oder Ablehnung eines vermittelten oder ohne Vollmacht abgeschlossenen Geschäftes sowie über Beschränkungen in der Liefermöglichkeit usw. verlangen. – 3. Ferner hat H. Recht auf *Vergütung* (→Provision; §§ 87ff. HGB). Dieses besteht auf jeden Fall für alle während des Vertragsverhältnisses aufgrund seiner Tätigkeit mit Dritten abgeschlossenen Geschäfte. Es kann aber bei Zuweisung eines besonderen Bezirks oder Kundenkreises auch ohne seine vermittelnde Tätigkeit entstehen (§ 87 II HGB; →Bezirksvertreter, →Kundenschutz) oder in Wegfall kommen, wenn die Vergütung nach § 87 III HGB an einen anderen H. zu zahlen ist. – 4. Erstattung der *Aufwendungen*, die im regelmäßigen Geschäftsbetrieb entstehen, kann H. nur verlangen, wenn dies besonders vereinbart oder handelsüblich ist (§ 87d HGB). – 5. Sonderregelung gilt für die *Vollmacht des H.:* a) Die dem Abschlußvertreter erteilte →Handlungsvollmacht hat den gleichen gesetzlich bestimmten Umfang wie die des →Handlungsreisenden; entsprechendes gilt für den Abschlußvertreter, der von einem Unternehmer bevollmächtigt ist, der nicht Kaufmann ist (§§ 55, 91 I HGB). – b) Der Vermittlungsvertreter gilt als ermächtigt, →Mängelanzeigen, die Erklärung, daß eine Ware zur Verfügung gestellt werde sowie ähnliche Erklärungen entgegenzunehmen. Er kann dem Unternehmer zustehenden

Rechte auf →Beweissicherung geltend machen. Eine Beschränkung dieser Rechte ist Dritten gegenüber nur wirksam, wenn sie die Beschränkung kannten oder fahrlässig nicht kannten (§ 91 II HGB). – 6. *Zurückbehaltungsrechte* stehen dem H. nur nach den §§ 369ff. HGB, § 273 BGB zu. Sie sind aber unverzichtbar (§ 88a HGB). – 7. *Kündigungsschutz* des H. berücksichtigt, daß eine Zeit für die Umstellung bzw. die Bewerbung um eine neue Vertretung erforderlich ist. – a) Ist das Vertragsverhältnis auf unbestimmte Zeit eingegangen, so kann es in den ersten drei Jahren der Vertragsdauer mit einer Frist von sechs Wochen für den Schluß eines Kalendervierteljahres gekündigt werden. Wird eine andere Kündigungsfrist vereinbart, so muß sie mindestens einen Monat betragen; es kann nur für den Schluß eines Kalendermonats gekündigt werden. – b) Nach einer Vertragsdauer von drei Jahren kann das Vertragsverhältnis nur mit einer Frist von mindestens drei Monaten zum Schluß eines Kalendervierteljahres gekündigt werden. – c) Eine vereinbarte Kündigungsfrist muß für beide Teile gleich sein. Bei Vereinbarung ungleicher Fristen gilt für beide Teile die längere Frist (vgl. § 89 HGB). Kündigung aus wichtigem Grund (§ 89a HGB) ist daneben und auch für Verträge auf bestimmte Dauer möglich. – 8. Nach Beendigung des Dienstverhältnisses hat der H. u.U. wegen seiner bleibenden Leistung einen →*Ausgleichsanspruch* (§ 89b HGB).

V. G e r i c h t s b a r k e i t: 1. Grundsätzlich liegt die Entscheidung über Ansprüche aus dem H.-Vertrag bei der *ordentlichen Gerichtsbarkeit,* innerhalb der Landgerichte bei den Kammern für Handelssachen. – 2. *Arbeitsgerichtsbarkeit* gilt, wenn H. aufgrund seiner wirtschaftlichen Unselbständigkeit als „arbeitnehmerähnliche Person" i. S. des § 5 ArbGG anzusehen ist. Hierunter fallen Einfirmenvertreter im Sinne des § 92a HGB, die in den letzten sechs Vertragsmonaten (bei kürzerer Vertragsdauer während dieser) durchschnittlich nicht mehr als 1500 DM monatlich verdient haben. Dieser Betrag kann entsprechend den jeweiligen Lohn- und Preisverhältnissen durch Rechtsverordnung geändert werden (vgl. Art. 3 des Gesetzes vom 6. 8. 1953; VO vom 20. 10. 1967, BGBl I 998 und vom 18. 12. 1975, BGBl I 3153).

VI. S t e u e r p f l i c h t: 1. *Einkommensteuer:* H. erzielt i. d. R. →Einkünfte aus Gewerbebetrieb (§ 2 I Nr. 2 EStG), bei Unselbständigkeit →Einkünfte aus nichtselbständiger Arbeit. Zur Behandlung des →Ausgleichsanspruchs des H. vgl. dort. – 2. *Umsatzsteuer:* a) Handelt der H., gleichgültig unter welcher Bezeichnung, *im eigenen Namen,* so ist bei Lieferungsgeschäften und Leistungen das volle →Entgelt der Umsatzsteuer zu unterwerfen (→Kommissionär; →Eigenhändler). b) Tritt er in *frem-*

*dem Namen* auf (echter H.), unterliegt nur die Provision der Steuer sowie etwa vom Auftraggeber (Geschäftsherr) ersetzte Spesen. – Umsatzsteuerfrei: →durchlaufende Posten.

**Handelsvolumen,** →Außenhandelsvolumen 2.

**Handelswaren,** bewegliche Sachgüter, die in absatzfähigem Zustand bezogen und ohne Be- oder Verarbeitung – meist mit einem Aufschlag – wieder verkauft werden. Manipulationen wie Sortieren, Mischen, Abpacken, Markieren gelten dabei nicht als Be- oder Verarbeitung. Eine Einteilung ist nach einer Vielzahl von Merkmalen der →Warentypologie möglich.

**Handelswechsel,** →Warenwechsel.

**Handelswerbung,** Gestaltung der nichtpersonalen Kommunikation zwischen Handelsunternehmen und den aktuellen und potentiellen Kunden unter Einschaltung bestimmter →Media (Werbeträger) und →Werbemittel. – *Strategien der H.:* a) Umwerbung eines einzelnen Werbesubjekts, z. B. durch einen Werbebrief; b) Umwerbung eines Werbeobjekts in einer Personengruppe, z. B. die Autofahrer durch ein Inserat in einer Auto-Fachzeitschrift; c) Umwerbung der Allgemeinheit, z. B. durch einen →Fernsehspot. – Es besteht auch die Möglichkeit der →kooperativen Werbung: a) mit Herstellern (vertikal) oder b) mit anderen Handelsunternehmen (horizontal).

**Handelswert,** *gemeiner Handelswert,* der im Handelsverkehr erzielte Durchschnittspreis, der Markt- oder Handelspreis der Ware. Unterart des →gemeinen Wertes. Der H. wird i. a. nach Zeit und Ort der Ablieferung berechnet. Die Ersatzpflicht ist im Handelsrecht bisweilen auf den H. begrenzt (z. B. beim Frachtführer gem. § 430 HGB).

**Handelswissenschaft.** 1. *Begriff:* Wissenschaft vom →Handel im funktionellen Sinn. – 2. *Teilgebiete:* a) *Gesamtwirtschaftliche Betrachtung:* Welthandel, Rohstoffhandel, Rohstoffhandelsabkommen, Beschräkungen des Freihandels, Handelsströme, internationaler (innerdeutscher) Handel, Import-, Exporthandel, Marktordnungen, Institutionen der →Distribution von Waren, Konzentration und Kooperation im Handel, Binnenhandelspolitik einschl. der handelsgerichteten Wettbewerbspolitik und -rechtsprechung (in der EG und in der Bundesrep. D.). – b) *Einzelwirtschaftliche Betrachtung:* Führung von Handelsbetrieben, →Handelsmanagement, d. h. betriebswirtschaftliche Analyse sämtlicher unternehmenspolitischen Entscheidungen in allen Funktionsbereichen eines Handelsbetriebes. Während die ältere →Handlungswissenschaft die gesamt- und

einzelwirtschaftlichen Teilgebiete nahezu gleichgewichtig betonte, wird in der heutigen →Handelsbetriebslehre, einer Institutionenlehre der betriebswirtschaftlichen Ausbildung, vielfach der einzelwirtschaftliche Aspekt, v. a. das →Handelsmarketing, gegenüber der Institutionenlehre besonders betont. – Vgl. auch →Handelsforschung.

**Handelszensus,** umfassende Strukturerhebung im Handel und Gastgewerbe (Handels- und Gaststättenzählung), erstmals angeordnet durch Gesetz vom 27. 5. 1960 (BGBl I 313), danach durch Handelszählungsgesetz 1968 vom 1. 4. 1968 (BGBl I 241) sowie durch Handelsstatistikgesetz vom 10. 11. 1978 (BGBl I 1733). – 1. *Erhebungsbereich:* a) Unternehmungen des Großhandels (einschl. Außenhandel, Einkaufs- und Verkaufsvereinigungen, auch -genossenschaften), der Handelsvermittlung (Handelsvertreter und Handelsmakler einschl. Versandhandelsvertreter), des Einzelhandels (einschl. Versand-, Markt-, Straßen- und Hausierhandel, Apotheken sowie Tankstellen) und des Gastgewerbes (Beherbergungs- und Gaststättengewerbe). b) Arbeitsstätten von Unternehmungen des Großhandels, der Handelsvermittlung, des Einzelhandels und des Gastgewerbes, unabhängig von ihrer ausgeübten wirtschaftlichen Tätigkeit. – 2. *Durchführung:* Der letzte H. fand 1985 für das Kalender- oder Geschäftsjahr 1984 statt. (Ergebnisse vgl. Tabelle Sp. 2337/2338). Dem Zensus liegt ein einheitliches Frageprogramm zugrunde, das jedoch in Einzelheiten jeweils den besonderen Verhältnissen und Eigenheiten der einbezogenen Wirtschaftsbereiche angepaßt ist. – Im wesentlichen werden erfaßt *(Erhebungsmerkmale):* a) Für *Unternehmungen* Angaben über Beschäftigte, Umsatz insgesamt und Aufteilung nach ausgeübten wirtschaftlichen Tätigkeiten; i. a. gegliedert nach Umsatz- und Beschäftigtengrößenklassen, Rechtsformen, Zahl der Arbeitsstätten; im Großhandel und in der Handelsvermittlung jeweils nach Arten; im Groß- und Einzelhandel nach der Unternehmensform und nach der Absatzform; im Einzelhandel nach Erscheinungsformen. b) Für *Arbeitsstätten* Angaben über Beschäftigte und Umsatz insgesamt und Aufteilung nach ausgeübten wirtschaftlichen Tätigkeiten; im Großhandel Umsatz aus Selbstbedienung; im Groß- und Einzelhandel verfügbare Kfz-Parkfläche; im Einzelhandel Geschäfts- und Verkaufsfläche; im Gastgewerbe Fremdenzimmer, Fremdenbetten sowie Ferienhäuser, Ferienwohnungen. – 3. Die *Ergebnisse* sind i. a. gegliedert nach Umsatz- und Beschäftigtengrößenklassen; im Groß- und Einzelhandel nach Bedienungsformen und örtlicher Lage; im Einzelhandel nach Erscheinungsformen, Verkaufsflächen-Größenklassen, Vertriebsformen; im Gastgewerbe nach der Zahl der Fremdenzimmer und Fremdenbetten.

**Handhabungssystem,** Systemtyp der →Industrieroboter. – *Arten:* a)Werkzeug-H.; b) Werkstück-H. Letztere Kategorie ist sehr häufig. – *Anwendungen:* v.a. Teilehandling, Montage, Greifen und Transportieren und Fügen von Werkstücken.

**Hand-held-Computer,** *Aktentaschen-Computer,* tragbarer Mikrorechner (→Rechnergruppen), der in eine Aktentasche paßt und unabhängig vom Stromnetz mit Batterie oder Akku betrieben werden kann; →Zentraleinheit, →Tastatur, →Bildschirm, Peripheriespeicher (→Peripheriegeräte) und teilweise →Drucker sind in einem Gehäuse integriert.

**Handkauf,** Barkauf ohne besondere vertragliche Klauseln. Zusammenfallen von →Kaufvertrag und →Übereignung. Typisch für alle Einkäufe des täglichen Lebens mit sofortigem Austausch von Ware und Geld.

**Handlager,** organisatorischer Behelf zur Bereithaltung von ständig benötigtem Kleinmaterial an den einzelnen Verbrauchsorten. Zugriffsfreie Entnahme möglich. – Vgl. auch →Lager.

**Händler.** 1. *Allgemein:* Bezeichnung für im →Handel tätige Kaufleute (Großhändler, Einzelhändler, fliegende Händler usw.). – 2. *Börsenwesen:* a) *Begriff:* Im →Börsengeschäft tätige Personen. – b) *Händlereigenschaft* berechtigt zum börsenumsatzsteuerfreien Abschluß von Anschaffungsgeschäften über →Wertpapiere, ausgenommen Geschäfte über GmbH-Anteile. Händlereigenschaft haben nach §21 KVStG: Bundesbank, Kreditanstalt für Wiederaufbau, Umschuldungsverband Deutscher Gemeinden, Kreditinstitute, die unter das KWG fallen, und vergleichbare ausländische Kreditinstitute, Kursmakler und an der Börse zugelassene freie Makler sowie vergleichbare ausländische Makler.

**Händlergeschäfte,** i.S. der →Börsenumsatzsteuer: Anschaffungsgeschäfte über Wertpapiere, die als Vertragsteilnehmer an der Börse zugelassene →Händler sind (§20 KVStG).

**Händlerlisten-Förderung,** *dealer-listed promotion,* Förderung einer an Konsumenten gerichteten Werbebotschaft, in der über ein Produkt oder ein Sonderangebot berichtet wird. Gleichzeitig werden Namen und ggf. Adressen der Einzelhändler, die das Produkt führen oder sich an der Aktion beteiligen, angegeben. – H.F. dient als Maßnahme zur Information des Konsumenten sowie als Anreiz für die Einzelhändler, das Produkt zu führen bzw. an der Aktion teilzunehmen (→Verkaufsförderung).

**Händlermarke,** →Marke 3a).

**Händlernachlaß,** *merchandise allowance,* vertraglich festgelegte Vergütung für die Händler, die sich innerhalb eines bestimmten Zeitraumes für das Produkt eines Herstellers über das normale Maß hinaus engagiert haben. – *Arten:* a) Der *Werbenachlaß (advertising allowance)* wird für die besondere Herausstellung des Produktes in der Werbung des Händlers gewährt. – b) Der *Display-Nachlaß (display allowance)* stellt für den Händler eine Entlohnung dar für die Mühe, die er bei der Installation des Display-Materials aufgewandt hat, und ist zugleich ein Kostenbeitrag für die Nutzung eines Teils des Verkaufsraumes für die Produktpräsentation. – H. wird als Maßnahme der →Verkaufsförderung angewandt.

**Händlerpreisempfehlung,** →Preisempfehlung.

**Händler- und Berater-Regeln,** Bestandteil der →Insider-Regeln. H.- u.B.-R. verbieten Kreditinstituten, ihren Geschäftsleitern und Mitarbeitern sowie gewerblichen Anlageberatern, die nicht als Kreditinstitut organisiert oder in einem solchen tätig sind, die Empfehlung von Wertpapiergeschäften aus nicht im Interesse des Kunden liegenden Gründen. Die Anerkennung der H.- u.B.-R. geschieht auf freiwilliger, vertraglicher Basis zwischen Händler und Beratern und Unternehmensleistung bzw. bei gewerblichen Anlageberatern außerhalb von Kreditinstituten zwischen Beratern und der Arbeitsgemeinschaft deutscher Wertpapierbörsen. – Kursmakler sind i.S. der Insider-Regeln keine Händler.

**Handlungsagent,** jetzt: →Handelsvertreter.

**Handel – Strukturdaten 1984/85**

| | Unternehmen | Beschäftigte am 29.3.1984 (insgesamt) | Umsatz 1984 | | | | | Gesamtwert der gegen Provision vermittelten Waren 1984 |
|---|---|---|---|---|---|---|---|---|
| | | | insgesamt | darunter aus | | | | |
| | | | | Großhandel | Handelsvermittlung | Einzelhandel | Gastgewerbe | |
| | Anzahl | | Mill. DM | % | | | | Mill. DM |
| Großhandel | 101 089 | 1 137 179 | 852 244 | 94,6 | 0,3 | 3,9 | – | 67 925 |
| Handelsvermittlung | 65 822 | 170 379 | 15 857 | 13,8 | 63,1 | 16,3 | – | 262 461 |
| Einzelhandel | 339 318 | 2 360 660 | 473 762 | 4,6 | 0,2 | 92,4 | 0,3 | – |
| Gastgewerbe | 186 784 | 839 329 | 50 373 | – | – | 1,0 | 96,7 | – |

**Handlungsbevollmächtigter,** *Handelsbevollmächtigter,* derjenige, der ohne Erteilung der →Prokura zum Betrieb eines ganzen Handelsgewerbes oder zur Vornahme einer bestimmten Art von Geschäften oder einzelner Geschäfte eines Handelsgewerbes ermächtigt ist (→Handlungsvollmacht). Der H. braucht in keinem Dienst- oder Abhängigkeitsverhältnis zum Unternehmer zu stehen, kann z. B. dessen Freund, Ehefrau, Kommanditist oder stiller Gesellschafter sein. Der H. zeichnet mit einem sein Vollmachtsverhältnis ausdrückenden Zusatz, darf aber keinen die Prokura andeutenden Zusatz verwenden (§ 57 HGB; →Zeichnung).

**Handlungsfähigkeit,** Fähigkeit, rechtswirksam zu handeln. Die H. gliedert sich in →Geschäftsfähigkeit und →Deliktsfähigkeit. – *Anders:* →Rechtsfähigkeit.

**Handlungsgehilfe. I.** B e g r i f f : Im Sprachgebrauch häufig →kaufmännischer Angestellter, der in einem →Handelsgewerbe zur Leistung kaufmännischer Dienste gegen Entgelt beschäftigte Angestellte (§ 59 ff. HGB).

**II.** V e r t r a g : →Arbeitsvertrag, dem die Mindestvorschriften der §§ 59 ff. HGB zugrunde zu legen sind. Daneben finden ergänzend die §§ 611 ff. BGB, die arbeitsrechtlichen Vorschriften und die der →Tarifverträge Anwendung. Eine bestimmte Form ist für den Abschluß nicht vorgeschrieben; →Schriftform jedoch zweckmäßig.

**III.** P f l i c h t e n  d e s  H . : 1. Arbeitsleistung und allgemeine →Gehorsamspflicht. – 2. Unterlassen jeden Wettbewerbes ohne Einwilligung des →Unternehmers während und bei entsprechender Vereinbarung auch nach Beendigung des Arbeitsverhältnisses (→Wettbewerbsverbot, →Wettbewerbsklausel). – 3. Verbot der Annahme von →Schmiergeldern und des Verrats von →Betriebs- und Geschäftsgeheimnissen.

**IV.** P f l i c h t e n  d e s  U n t e r n e h m e r s : 1. Leistung der Vergütung, die sich auf das vereinbarte Gehalt, ggf. den Unterhalt und evtl. die Provision erstreckt; die Vergütung ist auch dann zu zahlen, wenn der H. durch ein unverschuldetes →Unglück an der Leistung der Dienste verhindert ist (§ 63 HGB). – 2. Gewährung von →Urlaub. – 3. Pflicht, den H. im Rahmen seines Arbeitsvertrages zu beschäftigen (→Beschäftigungspflicht). – 4. →Fürsorgepflicht (§ 62 HGB), die den allgemeinen Sorgfaltspflichten des Unternehmers zum Schutz seiner H. bei der Regelung des Geschäftsbetriebes umfaßt, z. B. Instandhaltung der Geschäftsräume sowie jeden Schutz für Leben und Gesundheit der H. Für H., die in die häusliche Gemeinschaft des Unternehmers aufgenommen werden, gilt eine erweiterte Fürsorgepflicht (§ 62 II HGB). – 5. →Aufwendungsersatz. Verlangt der H. hier

für einen →Vorschuß, so muß dieser gewährt werden. – 6. Ausstellung eines →Zeugnisses nach Kündigung des Arbeitsvertrages.

**V.** K ü n d i g u n g : Die →ordentliche Kündigung des H. ist an bestimmte Kündigungsfristen gebunden (vgl. auch →Kündigung). Neben § 622 I BGB gelten die Kündigungsvorschriften des Gesetzes über die Kündigungsfristen für →ältere Angestellte vom 9. 7. 1927 (RGBl I 399), des Kündigungsschutzgesetzes (→Kündigungsschutz), des Mutterschutzgesetzes (→Mutterschutz) und des Gesetzes über die Beschäftigung →Schwerbehinderter. Daneben kann auch eine außerordentliche oder fristlose Kündigung bei Vorliegen eines →wichtigen Grundes, z. B. bei Unfähigkeit oder Untreue, erfolgen.

**Handlungsgehilfenprüfung,** →Ausbildungsabschlußprüfung.

**Handlungskosten,** *Handelskosten.* 1. *Handelsbetrieb:* Sämtlicher Werteverzehr, der zur Erbringung handelsbetrieblicher Leistungen erforderlich ist. Zusammengesetzt aus: a) *Warenkosten:* Kosten der Ware selbst einschl. sämtlicher Preiskorrekturen und direkt zurechenbaren Bezugs-Nebenkosten. – b) *Handlungskosten i. e. S.:* Übrige Kosten handelsbetrieblicher Tätigkeit, z. B. Personalkosten, Raumkosten, Miete, Transport, Kfz-, Verpackungskosten, Kosten für selbsterstellte Leistungen (Reparaturen, Installationen u. a.), Zinsen, Abschreibungen, allgemeine Verwaltungskosten. Hinzu kommen – je nach Rechenzweck – Steuern (Gewerbesteuer), Unternehmerlohn, Zinsen für Eigenkapital und der Mietwert für die Nutzung eigener Gebäude. – 2. *Industriebetrieb:* Summe aus Verwaltungs- und Vertriebsgemeinkosten (→Verwaltungskosten, →Vertriebskosten).

**Handlungsregulation,** Regulierung des Arbeitsprozesses (u. a. im Rahmen der Mensch-Maschine-Interaktion) in Abhängigkeit von der Erfahrungsbildung und der Komplexität der Aufgabe auf der intellektuellen, perzeptiv-begrifflichen und/oder sensomotorischen Ebene. Im Gedächtnis der Mitarbeiter sind operative Abbildsysteme (Hacker) gespeichert, die sich auf die gedankliche Vorwegnahme des Arbeitsergebnisses, das Wissen um die Ausführungsbedingungen sowie die Hypothesen zu den erforderlichen Operationen beziehen, um vom Ist-Zustand zum Soll-Zustand zu gelangen. Hohe →Monotonie verbindet sich mit sehr einfachen operativen Abbildsystemen und H. auf der sensomotorischen Ebene.

**Handlungsreisender,** →Handlungsgehilfe, der damit betraut ist, außerhalb des Betriebs des Unternehmers Geschäfte in dessen Namen abzuschließen. Im Gegensatz zum →Handelsvertreter fehlt dem angestellten H. die Möglichkeit, im wesentlichen seine Tätigkeit frei zu gestalten und seine Arbeitszeit zu bestimmen. – Eine dem H. u. U. erteilte →*Handlungsvollmacht* hat einen gesetzlich bestimmten Umfang (§ 55 HGB). Die →Vollmacht zum Abschluß von Geschäften bevollmächtigt H. nicht, abgeschlossene Verträge zu ändern, insbes. Zahlungsfristen zu gewähren oder ohne besondere Vollmacht Zahlungen entgegenzunehmen (§ 55 II, III HGB). Dagegen können →Mängelanzeigen und ähnliche Erklärungen dem H. gegenüber abgegeben werden; er kann die Rechte des Unternehmers auf →Beweissicherung geltend machen (§ 55 IV HGB). – Gleiches gilt für den H., der *nur mit der Vermittlung von Geschäften* betraut ist; eine Beschränkung dieser Rechte wirkt Dritten gegenüber nur, wenn ihnen die Beschränkung bekannt war oder aus →Fahrlässigkeit nicht bekanntgeworden ist (§ 75 g HGB).

**Handlungsspielraum,** →Arbeitsgestaltung.

**Handlungstheorie.** I. H. als K o n z e p - t i o n   d e r   b e t r i e b s w i r t s c h a f t l i c h e n T h e o r i e: 1. *Charakterisierung:* Die H. ist, soweit sie die Analyse von Unternehmen betrifft, eine bestimmte Konzeption der betriebswirtschaftlichen Theorie. Sie ist dadruch gekennzeichnet, daß über die entscheidungsbestimmte Handlungsweise der Unternehmensleitung (im weitesten Sinne verstanden) bedingte Allgemeinaussagen gebildet werden. Dabei sind Annahmen über die entscheidungsrelevanten Vorstellungen der Unternehmensleitung zu setzen. Gemeint sind die Vorstellungen über Ziele und Mittel, über die Handlungsalternativen sowie über die Beschaffenheit und Entwicklung der künftigen Umweltdaten – sie bestimmen bei rationalen Entscheidungen die Handlungsweisen. – 2. In erster Linie werden folgende *Arten von Aussagen* gebildet: a) Aussagen darüber, welche von verschiedenen alternativen Handlungsweisen unter bestimmten Bedingungen optimal ist (*Optimumaussagen*). – Über sämtliche Unternehmensvariablen, quantifizierbar oder nicht, lassen sich *„Basistheoreme"* bilden. In ihnen wird das Optimum (z. B. des Absatzprogramms oder des Fertigungsstandorts) durch die Gewinnmaximierung bzw. durch das Kostenminimum definiert. – Jeweils auf der Grundlage eines Basistheorems können über quantifizierbare Variablen empirisch gehaltvollere *„Funktionaltheoreme"* gebildet werden, z. B. die Analyse des Optimus von Ausbringungsvolumen, Absatzprogramm, Anlagekapazität, Losgröße, Bestellmenge und Finanzierungsprogramm. – Die Praxis benötigt solche Optimumaussagen, weil sich diese unmittelbar oder mittelbar als Optimalitätskriterien verwenden lassen. Diese Optimalitätskriterien bilden die Grundlage aller rationalen Entscheidungen. – *Optimumsanalyse:* (1) Die *exakte Optimumsanalyse:* Es werden Aussagen, die gedanklich absolut abgesichert sind, aber teilweise auf recht stilisierten, wirk-

lichkeitsfremden Prämissen aufbauen, gebildet; sie lassen sich, falls sie für die unmittelbare Anwendung überhaupt geeignet sind, nur für kurz- bzw. mittelfristige Entscheidungen verwenden. (2) Die *anwendungsnahe Optimumsanalyse:* Es werden „Grobaussagen" gebildet, die nur tendenziell gültig, aber bei mittel- und langfristigen Entscheidungen praktikabel sind. Gewonnen werden diese Aussagen jeweils durch die Vergröberung eines exakten Handlungstheorems; somit ist die exakte Optimumsanalyse für die Praxis nur indirekt bedeutsam. – b) Aussagen über die *Reaktion der Unternehmensleitung auf initiative Maßnahmen externer Entscheidungsträger.* Als Externe kommen vornehmlich andere Unternehmen, die sich mit dem betrachteten Unternehmen in einer Interaktionsbeziehung befinden, sowie die öffentlichen Entscheidungsträger (z. B. wirtschafts- und finanzpolitische Instanzen in Bund, Ländern und Gemeinden) in Betracht. Solche Analysen benötigt der externe Entscheidungsträger als Grundlage für die Prognose der Reaktion eines Unternehmens, das durch die eigenen initiativen Maßnahmen betroffen wird. – Soweit es die *Interaktionsbeziehungen zwischen verschiedenen Unternehmen* anlangt, denke man etwa an die Analyse der Beziehung zwischen Nachfragemenge eines Unternehmens und dem Angebotspreis eines Lieferunternehmens oder an die Bestimmung von Werbewirkungsfunktionen. – Soweit es die *Beziehung zwischen dem initiativen Handeln staatlicher Entscheidungsträger und der reaktiv handelnden Unternehmensleitung* betrifft, so sind in der Literatur bereits die Beziehungen zwischen Körperschaftsteuersatz und Investitionsvolumen, zwischen Verbrauchsteuersatz und Angebotspreis eines Unternehmens sowie zwischen staatlichen geldpolitischen Maßnahmen und der Kassenhaltung eines Unternehmens untersucht worden. Alle diese Arbeiten bilden Bausteine, die sich mit zahlreichen anderen Analysen in das große Gebäude der *„unternehmensbezogenen Wirkungsanalyse"* einfügen lassen. Letztere bildet ein wichtigen Bestandteil der handlungsorientiert betriebenen Unternehmenstheorie. – Vgl. auch →Theorie der Unternehmung. – 3. *Abgrenzung von anderen, früher entstandenen Konzeptionen der betriebswirtschaftlichen Theorie:* a) Von der *neoklassischen Konzeption* (gleichgewichtsbezogene Gütertauschtheorie) unterscheidet sich die H. in Gegenstand und Zweck. Die Neoklassik stellt auf die Erklärung des gesamtwirtschaftlichen Prozesses ab und sucht dabei die Preis-Mengen-Relationen der im gesamtwirtschaftlichen System (bzw. auf einem Teilmarkt) transferierten Güter zu bestimmen. Demgegenüber ist H. pragmatisch orientiert: Sie will den Entscheidungsträgern Informationen zukommen lassen, mit deren Hilfe die Entscheidungen treffsicherer gemacht werden können. Daher stellt sie auf die Bildung von bedingten Allgemeinsätzen über das unternehmerische Handeln ab. – b) Von der *normativen betriebswirtschaftlichen Entscheidungstheorie:* (1) Die Entscheidungstheorie geht von dem Postulat des vernünftigen unternehmerischen Handelns aus und sucht es auf die konkreten Partialentscheidungen anzuwenden. Demgegenüber ist die H. ausschließlich an der Empirie orientiert; demgemäß tritt an die Stelle des Postulats vom vernünftigen Handeln die *unternehmensbezogene Totalanalyse.* Diese baut auf der Prämisse auf, daß die Unternehmensleitung ihre Entscheidungen rational trifft, d. h. ausschl. auf Vorstellungsinhalte gründet. Sie besteht in der Bildung von bedingten Allgemeinsätzen über das unternehmerische Handeln im Ganzen, d. h. ohne speziellen Bezug auf einzelne Unternehmensvariable. – (2) Die Entscheidungstheorie stellt lediglich auf die Informationsbedürfnisse der Unternehmensleitungen ab; sie ist auf eine einzige gesellschaftliche Gruppe fixiert. Die H. stellt dagegen auf die *Informationsbedürfnisse sämtlicher Entscheidungsträger* in einem gesellschaftlichen System (Unternehmensleitungen, öffentliche Instanzen, Verbände usw.) ab, insofern, als diese in ihrem Entscheidungskalkül konkrete Unternehmensanalysen durchzuführen haben. – Vgl. auch →Entscheidungstheorie.

II. **H. als allgemeine Theorie des Handelns:** Die betriebswirtschaftliche H. ist nur ein spezieller Bereich der H. im Ganzen. Der Basisdisziplin, der allgemeinen Theorie des Handelns, sind die speziellen H. (z. B. Theorie des Handelns eines privaten Subjekts, Theorie des staatlichen Handelns) untergeordnet (vgl. Abbildung Sp. 2344): a) *Theorie des privaten Handelns* (Theorie des Handelns eines privaten Subjekts): Unter der Voraussetzung eines mit Geld ausgestatteten marktwirtschaftlichen Systems läßt sich diese Theorie gliedern in: (1) die *Theorie des Haushalts* (Einkommensverwendung zur Bereitstellung von Konsumgütern); (2) die *Theorie des Einkommenserwerbs,* die in die Theorie des Erwerbsunternehmens („Unternehmenstheorie"), in die Theorie des unselbständigen Einkommenserwerbs sowie in die Theorie des teils selbständigen, teils unselbständigen Erwerbshandelns (z. B.: unselbständige Arbeit und Vermögensanlage) unterteilt werden kann. – b) *Theorie des staatlichen Handelns:* Die betriebswirtschaftliche Theorie befaßt sich mit der Analyse des privaten Handelns – dabei steht die Theorie des Erwerbsunternehmens („Unternehmenstheorie") im Mittelpunkt. In arbeitsteiliger Abgrenzung hiervon bildet, handlungstheoretisch gesehen, die Analyse des wirtschafts- und finanzpolitischen Handelns des staatlichen Akteurs den Hauptinhalt der volkswirtschaftlichen Theorie. Die Theorie des staatlichen Handelns aber hat sich auf die betriebswirtschaftliche Handlungsanalyse

zu stützen, denn sie hat zur Bildung makroökonomischer Sätze aggregierte Annahmen über das unternehmrische Verhalten einzuführen. Hierbei aber gilt es, Ergebnisse der betriebswirtschaftlichen Forschung zu übernehmen. Denn im arbeitsteiligen System der empirischen Wissenschaften ist es zweckmäßig, die Unternehmensanalyse der betriebswirtschaftlichen Disziplin zuzuweisen.

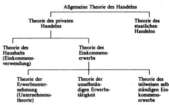

III. **Folgen:** Eine konsequente Einführung der handlungstheoretischen Konzeption würde eine Forcierung folgender Unternehmensanalysen über den derzeitigen Stand der betriebswirtschaftlichen Theorie hinaus bedeuten: 1. Einführung der Teildisziplin der *unternehmenstheoretisch(st)en Totalanalyse:* Sie besteht in der Gewinnung von Allgemeinsätzen über das Unternehmen als Ganzes, ohne daß auf einzelne oder einige Unternehmensvariable explizit Bezug genommen wird. Die pragmatische Bedeutung der Totalanalyse liegt nicht so sehr in der unmittelbaren Anwendung der Totalaussagen als Optimalitätskriterien, sondern vielmehr in der Anwendung der Totalaussagen für die Bildung von partiellen Sätzen über einzelne Unternehmensvariablen, die sich ihrerseits als Optimalitätskriterien in die Praxis umsetzen lassen. – 2. Inhaltlicher Aufbau bzw. Ausbau der Teildisziplin der *anwendungsnahen Unternehmenstheorie:* In dieser werden unternehmenstheoretische Aussagen gebildet, die so „grob" gehalten sind, daß sie im praktischen Entscheidungsfall, auch wenn nur ungenaue Prognosen gestellt werden können, umsetzbar sind, z. B. Stärke-Schwäche-Analysen und Scoring-Modelle. – 3. Ausbau der Teildisziplin der *unternehmensbezogenen Wirkungsanalyse.* Es liegen bereits Untersuchungen zu einzelnen Problemen vor, aber die Analyse des reaktiven Unternehmensverhaltens auf staatliche Maßnahmen bedarf eines intensiven Ausbaus. Dabei sind u. a. die staatliche Konjunktur- und Wachstumspolitik, die Umweltschutzpolitik sowie die Wettbewerbspolitik einzubeziehen.

**Literatur:** Koch, H., Unternehmenstheorie als Entscheidungshilfe, Wiesbaden 1987; ders. (Hrsg.), Neuere Entwicklungen in der Unternehmenstheorie – Erich Gutenberg zum 85. Geburtstag, Wiesbaden 1983; Mellwig, W./Kuhn, A./Standop, D. (Hrsg.), Unternehmenstheorie und Unternehmensplanung – Helmut Koch zum 60. Geburtstag, Wiesbaden 1979.

Prof. Dr. Helmut Koch

**Handlungsträger,** *Funktionsträger,* gedachte (abstrakte) Person, die durch Handlungen an →organisatorischen Einheiten an der Erfüllung der Unternehmungsaufgabe beteiligt ist. – Vgl. auch →Organisationsmitglieder, →Verantwortungsträger.

**Handlungsunkosten,** →Unkosten.

**Handlungsvollmacht.** I. B e g r i f f : Die nicht als →Prokura in einem Handelsgewerbe dem →Handlungsbevollmächtigten erteilte →Vollmacht (§§ 54–58 HGB).

II. A r t e n / U m f a n g : 1. *Gesetzlicher Umfang der H.:* Wird durch § 54 HGB bestimmt. Danach deckt die H. alle Geschäfts- und Rechtshandlungen, die der Betrieb eines derartigen Handelsgewerbes oder die Vornahme derartiger Geschäfte gewöhnlich mit sich bringt. Die H. ermächtigt dagegen nicht, selbst wenn in dem Betrieb üblich, zur Veräußerung und Belastung von Grundstücken, Eingehung von Wechselverbindlichkeiten, Aufnahme von Darlehen oder zur Prozeßführung (§ 54 II HGB). Hierfür ist eine besondere Vollmacht erforderlich. – 2. *Arten:* a) *Generalvollmacht:* Die Vollmacht umfaßt den Betrieb im ganzen (z. B. Geschäftsleiter), b) *Art- oder Teilvollmacht:* Die Vollmacht erstreckt sich nur auf bestimmte Arten von Geschäften (z. B. für Einkäufer, Verkäufer, Kassierer) oder c) *Einzel- oder Spezialvollmacht:* Die Vollmacht wird für einzelne Geschäfte erteilt. – 3. *Beschränkungen der H.* sind beliebig möglich (anders Prokura), gegen Dritte aber ist Beschränkung nur insoweit wirksam, als sie die Beschränkungen kannten oder kennen mußten (§ 54 III HGB). Es genügt, daß Beschränkung gehörig bekanntgemacht ist, z. B. durch auffällige Vermerke auf dem Bestellschein. – 4. Die H. kann in der Weise erteilt werden, daß mehrere zusammen handeln müssen (→Gesamthandlungsvollmacht). – 5. Einen gesetzlich bestimmten Umfang hat auch die *H. des* →*Handlungsreisenden und des* →*Ladenangestellten.*

III. E n t s t e h u n g / L ö s c h u n g : 1. H. kann im Gegensatz zur Prokura auch von einem Minderkaufmann oder einem Prokuristen, einem Testamentsvollstrecker oder Nachlaßverwalter erteilt werden. Ein Handlungsbevollmächtigter kann wieder ein H. erteilen, wenn der Betrieb des Handelsgewerbes oder die Vornahme der ihm übertragenen Geschäfte die Erteilung einer H. an andere mit sich bringt. Eintragung in das Handelsregister findet nicht statt. – 2. *Die Erteilung der H.* ist grundsätzlich ein einseitiges, empfangsbedürftiges Rechtsgeschäft, aber auch durch Vertrag möglich. Die Erklärung kann gegenüber dem zu Bevollmächtigenden, dem Dritten, dem gegenüber die Vertretung stattfinden soll, wie auch durch öffentliche Bekanntmachung

erfolgen. Im ersten Fall wird meist dem Handlungsbevollmächtigten eine Vollmachtsurkunde ausgehändigt; die H. wirkt dann gegenüber Dritten mit deren Kenntnisnahme. An eine bestimmte Form ist aber Erteilung der H. nur gebunden, wenn besondere gesetzliche Bestimmungen es vorschreiben, z. B. § 12 II HGB. – 3. Die H. *erlischt* a) mit Erreichen des mit ihr verbundenen Zweckes, b) mit Zeitablauf, c) mit Widerruf (ist Unwiderruflichkeit vereinbart, aber nur bei Vorliegen eines →wichtigen Grundes), d) durch Kündigung des zugrunde liegenden Dienst- oder Auftragsverhältnisses, e) durch Eintritt der →Geschäftsunfähigkeit des Bevollmächtigten (nicht aber des Vollmachtgebers), f) durch Eröffnung des Konkurses über das Vermögen des Vollmachtgebers (§ 23 KO). – 4. Zum Schutz des guten Glaubens Dritter kann die erloschene H. aber wie eine sonstige Vollmacht *fortwirken.* Auch ohne Bevollmächtigung kann der Unternehmer bei der Schein-Handlungsvollmacht haften. – 5. Auch die wirksame →*Anfechtung der H.* oder des Grundverhältnisses, wenn H. mit diesem verbunden war, z. B. bei einem Geschäftsbesorgungsvertrag, hat Erlöschen zur Folge.

IV. R e c h t l i c h e W i r k u n g e n : Vgl. →Stellvertretung.

**Handlungswissenschaft,** voruniversitäre Untersuchung der Tätigkeiten von →Handelsbetrieben, die früher einzelwirtschaftliche Institutionen von zentraler Bedeutung für den Kaufmannsstand waren (J. Savary: „Le parfait négociant", 1675; K. G. Ludovici: „Das vollständige Kaufmannslexikon", 1752–56; J. M. Leuchs: „System des Handels", 1804). Die Veröffentlichungen erfolgten in praktischbelehrender und allgemein-erzieherischer Absicht für den Kaufmannsstand. – *Inhalte:* Buchhaltung, kaufmännisches Rechnen, insbes. Kalkulationsanleitungen, Warenkunde, Münz-, Meß- und Gewichtskunde, Tauschhandel, ·Zahlungssituanzen, Länderkunde, Transportwege. Die Veröffentlichungen enthalten darüber hinaus auch detaillierte Vorschriften über das Verhalten eines „ehrbaren Kaufmanns". – Vgl. auch →Handelswissenschaften, →Handelsbetriebslehre.

**Hand-Mund-Kauf,** Form der Einkaufspolitik einer Unternehmung, bei der stets nur die für die momentane Fertigung benötigten Roh-, Hilfs- und Betriebsstoffe eingekauft werden (→Bereitstellungsprinzipien). – *Vorteile:* Ersparnis an Lagerkosten und an durch Kapitalbindung in Lagerbeständen erwachsenden Zinskosten (verführerische Parole in kapitalknappen Zeiten). – *Nachteile* (Gefahren) in Industriebetrieben mit vielen Fabrikationszweigen und ständig wechselndem Programm: a) Aufgabe jeder Sicherung vor unvorhergesehen Stockungen in der Anlieferung mit ihren Rückwirkungen in der Fabrikation, besonders bei →Fließproduktion sowie auch bei Einzel-produktion hinsichtlich der Ansprüche des Kunden (v. a. Saisonartikel), der schnelle Lieferung verlangt. b) Kostenersparnis bei der Lagerwirtschaft wird u. U. durch höhere Beschaffungskosten unwirksam. – Nicht *minimale*, sondern *optimale* Lagerbestände sind zweckmäßig (→optimale Bestellmenge).

**Handschriftleser,** →Klarschriftleser.

**Handwerk. I. Begriff: 1. H. als Tätigkeit:** Selbständige Erwerbstätigkeit auf dem Gebiet der Be- und Verarbeitung von Stoffen sowie im Reparatur- und Dienstleistungsbereich, gerichtet auf Befriedigung individualisierter Bedürfnisse durch Leistungen, die ein Ergebnis der Persönlichkeit des handwerklich schaffenden Menschen, seiner umfassenden beruflichen Ausbildung und des üblichen Einsatzes seiner Kräfte und Mittel sind (Definition der Rencontres de St. Gall, April 1949). – 2. *H. als Berufsstand:* Gesamtheit jener Gruppe von Wirtschaftenden, die ihre Tätigkeit mit einer in längerer Ausbildung erhaltenen Fähigkeit und Geschicklichkeit ausüben.

**II. Gruppen/Zweige:** Gruppen nach der Gliederungssystematik der HandwO sind Bau- und Ausbaugewerbe, Metallgewerbe, Holzgewerbe, Bekleidungs-, Textil- und Ledergewerbe, Nahrungsmittelgewerbe, Gewerbe für Gesundheits- und Körperpflege sowie chemische und Reinigungsgewerbe, Glas-, Papier-, keramische und sonstige Gewerbe. Die Anzahl der Handwerkszweige je Handwerksgruppe sind der obenstehenden Tabelle zu entnehmen.

**III. Umfang: 1.** *Anzahl* (nach dem Stand der Handwerksrollen), *Beschäftigte* und *Umsatz* (nach der vierteljährlichen Handwerksberichterstattung), gegliedert nach Handwerksgruppen: Vgl. untenstehende

**Anzahl der Handwerkszweige nach Handwerksgruppen**

| Handwerksgruppen | Anzahl der Hand-werkszweige | |
|---|---|---|
| | Hand-werk lt. Liste A | Hand-werks-ähnliche Gewerbe |
| Bau- und Ausbauhandwerke | 17 | 7 |
| Metallhandwerke | 35 | 4 |
| Holzbauhandwerke | 13 | 7 |
| Bekleidungs-, Textil- und Lederhandwerke | 18 | 12 |
| Nahrungsmittelhandwerke | 6 | 2 |
| Gesundheits- u. Körperpflege-, Chemische u. Reinigungs-handwerke | 10 | 5 |
| Glas-, Papier-, keramische und sonstige Handwerke | 27 | 3 |
| Gesamthandwerk | 126 | 40 |
| Prozentuale Aufteilung | 76% | 24% |

Tabelle. – 2. Die Übersicht der *Betriebsgrößenklassen* zeigt nach den Ergebnissen der Handwerkszählung 1977, daß Klein- und Mittelbetriebe die Struktur des H. in der Bundesrep. D. bestimmen. 82,4% aller Handwerksbetriebe haben 1–9 Beschäftigte, wobei der sog. Einmannbetrieb (i. d. R. Alleinmeisterbetrieb) 17,7% der Betriebe ausmacht und in der Gruppe der Bekleidungs-, Textil- und Leder-

**Betriebsgrößenklassen des Handwerks**

| Zahl der Beschäftigten | Unternehmen 1977 | | Beschäftigte 1976 | |
|---|---|---|---|---|
| | Anzahl | % | Anzahl | % |
| 1 | 83 274 | 17,7 | 83 274 | 2,3 |
| 2– 4 | 184 094 | 39,0 | 529 991 | 14,4 |
| 5– 9 | 121 410 | 25,7 | 785 706 | 21,3 |
| 10–19 | 52 685 | 11,2 | 695 103 | 18,8 |
| 20–49 | 22 449 | 4,8 | 656 334 | 17,8 |
| 50 u. m. | 7 804 | 1,7 | 940 773 | 25,5 |
| | 471 716 | 100 | 3 691 181 | 100 |

**Anzahl, Beschäftigte und Umsatz der Handwerksbetriebe (1986)**

| Handwerksgruppen bzw. handwerks-ähnliches Gewerbe | Betriebe | | Beschäftigte | | Umsatz | | |
|---|---|---|---|---|---|---|---|
| | Anzahl | Anteil an ins-gesamt % | Anzahl | Anteil an ins-gesamt % | einschl. MwSt. Mrd. DM | ohne MwSt. Mrd. DM | Anteil an ins-gesamt % |
| Bau, Ausbau | 115 680 | 19,2 | 1 035 000 | 25,8 | 102 | 89 | 24,6 |
| Metall | 188 350 | 31,3 | 1 140 000 | 28,4 | 170 | 149 | 41,3 |
| Holz | 44 700 | 7,4 | 225 000 | 5,6 | 25 | 22 | 6,1 |
| Bekleidung, Textil, Leder | 38 200 | 6,3 | 100 000 | 2,5 | 9 | 8 | 2,2 |
| Nahrung | 65 500 | 10,9 | 505 000 | 12,6 | 60 | 52 | 14,7 |
| Gesundheits-, Körper-pflege, Reinigung | 67 170 | 11,1 | 760 000 | 19,0 | 23 | 20 | 5,5 |
| Glas, Papier, Sonstige | 17 401 | 2,9 | 90 000 | 2,2 | 11 | 10 | 2,8 |
| Handwerk insgesamt handwerksähnliche | 537 001 | 89,1 | 3 855 000 | 96,1 | 400 | 350 | 97,2 |
| Gewerbe | 65 557 | 10,9 | 155 000 | 3,9 | 11 | 10 | 2,8 |
| Handwerk u. hand-werksähnliches Gewerbe | 602 558 | 100,0 | 4 010 000 | 100,0 | 411 | 360 | 100,0 |

gewerbe besonderes Gewicht hat (56,6%); in allen übrigen Gewerbegruppen ist die Größenklasse mit zwei bis vier Beschäftigten am stärksten mit Betrieben besetzt. Vgl. im einzelnen Tabelle Sp. 2348. – 3. *Entwicklung des Umsatzes* (einschl. MwSt) bei Vollhandwerk und handwerksähnlichen Gewerben: 1978: 338 Mrd. DM, 1980: 396 Mrd. DM, 1982: 390 Mrd. DM, 1984: 406 Mrd. DM, 1986: 411 Mrd. DM. – 4. *Anteil des H. am Bruttoinlandsprodukt* in der Bundesrep. D. (in Mrd DM):

|  | 1960 | 1965 | 1970 | 1975 | 1980 | 1983 |
|---|---|---|---|---|---|---|
| Bruttoinlands-produkt | 303 | 459 | 675 | 1 027 | 1 479 | 1 670 |
| darunter Handwerk | 36 | 57 | 73 | 96 | 144 | 149 |

5. *Auszubildende:* 1985 wurden insgesamt in allen Bereichen 1 831 400 Auszubildende, darunter im Handwerk 874 600 = 37,6% (Industrie und Handel: 687 800 = 47,8%) ausgebildet.

**Handwerker. 1.** *Begriff:* →Gewerbetreibender, der Sachen handwerksmäßig be- oder verarbeitet. Alle H. werden von der →Handwerkskammer (dort in der →Handwerksrolle geführt) sowie auch von der Industrie- und Handelskammer erfaßt. – 2. Zu *unterscheiden:* →Warenhandwerker und →Lohnhandwerker. Nach §1 II Nr. 1 HGB sind die Warenhandwerker Mußkaufleute; Lohnhandwerker fallen unter §1 II Nr. 2 HGB, sofern das Gewerbe nicht handwerksmäßig betrieben wird. Das gleiche gilt für die Geschäfte der Druckereien (§1 II Nr. 9 HGB). – 3. Die *Abgrenzung des handwerklichen Betriebes von dem Gewerbebetrieb* i. S. dieser Vorschrift ist nach der Verkehrsauffassung zu beurteilen. Als Merkmale können gelten: eigene handwerkliche Mitarbeit des Betriebsinhabers, überwiegende Beschäftigung von vorgebildeten Arbeitskräften, Zurücktreten der Maschinenarbeit gegenüber der Handarbeit usw. Es müssen aber nicht alle Merkmale zusammentreffen. Soweit H. kein den Voraussetzungen des §1 II HGB entsprechendes Gewerbe betreibt, ist er →Sollkaufmann nach §2 HGB, wenn sein Unternehmen einen kaufmännisch eingerichteten Geschäftsbetrieb erfordert. Nach dem Umfang seines Gewerbes ist H. als Sollkaufmann stets →Vollkaufmann (weil hier der in kaufmännischer Weise eingerichtete Geschäftsbetrieb Voraussetzung für die Kaufmannseigenschaft ist); als Mußkaufmann kann er aber Minderkaufmann sein, wenn sein Gewerbebetrieb nach Art und Umfang einen so eingerichteten Geschäftsbetrieb nicht erfordert (§4 I HGB). – 4. Zur *Überwachung der Vorschriften über die Eintragung* sind die Organe des →Handelsstandes und die Organe des Handwerkstandes eingeschaltet.

**Handwerkerbund,** →Handwerkstag.

**Handwerkerhof,** *Gewerbehof,* zur Verbesserung des Angebots geeigneter Gewerbeflächen (insbes. in Ballungsgebieten) sowie zur Förderung der Kooperation und Innovation von Kammern (→Handwerkskammer, →Industrie- und Handwerkskammer) mit Beteiligung der öffentlichen Hand errichtetes Gewerbezentrum. H. bieten einer größeren Zahl von Gewerbebetrieben verschiedener Branchen Betriebsräume und nach Bedarf nutzbare Gemeinschaftsräume, Infrastruktureinrichtungen und teilweise auch Serviceleistungen.

**Handwerkerinnung,** →Handwerksinnung.

**Handwerkerversicherung. 1.** *Rechtsgrundlage:* Handwerkerversicherungsgesetz (HwVG) v. 8.9.1960 (BGBl I 737) mit zahlreichen Änderungen. Vorläufer war das Gesetz über die Altersversorgung für das Deutsche Handwerk v. 21.12.1938. – 2. *Versicherungspflicht:* Nach dem HwVG besteht grundsätzlich für alle in der Handwerksrolle eingetragenen Handwerker Versicherungspflicht, solange Beiträge für eine rentenversicherungspflichtige Beschäftigung oder Tätigkeit für weniger als 216 Kalendermonate ( = 18 Jahre) entrichtet worden sind (§1 HwVG), unabhängig von der Art, des Umfangs oder der Größe des Betriebes und der Höhe des Einkommens. Versicherungspflichtig sind auch die Gesellschafter einer in der Handwerksrolle eingetragenen Personengesellschaft, die den Befähigungsnachweis besitzen. Die Versicherung wird in der Rentenversicherung der Arbeiter durchgeführt. – 3. *Beginn* der Versicherungspflicht mit dem Kalendermonat der auf den Kalendermonat folgt, in dem die Voraussetzungen für die Versicherungspflicht erfüllt werden. – 4. *Ende* der Versicherungspflicht mit dem Ablauf des Kalendermonats, in dem die Voraussetzungen der Versicherungspflicht entfallen; danach können sich die Handwerker in der Rentenversicherung der Arbeiter freiwillig weiterversichern. Die Versicherungspflicht endet auch mit der Löschung in der Handwerksrolle oder der Aufnahme einer versicherungspflichtigen Beschäftigung als Arbeitnehmer. – 5. *Versicherungsfreiheit* richtet sich zunächst nach den Bestimmungen der Arbeiterrentenversicherung. Nach dem HwVG ist außerdem versicherungsfrei, wer über die Vorschriften der Arbeiterrentenversicherung hinaus a) als Inhaber eines handwerklichen Nebenbetriebs in die Handwerksrolle eingetragen ist, b) als Nachlaßverwalter, Nachlaßpfleger, Nachlaßkonkursverwalter oder Testamentsvollstrecker einen Handwerksbetrieb führt, c) als Erbe oder in ungeteilter Erbengemeinschaft in die Handwerksrolle eingetragen und nicht in dem nachgelassenen Handwerksbetrieb tätig ist, d) als Witwe und Witwer für die Zeit nach dem Tod des Ehegatten dessen Handwerksbetrieb fortführt. – 6. *Beiträge:* Unabhängig von der Höhe des Einkommens erfolgt die Beitragsentrichtung unmittelbar an den zuständigen Rentenversicherungsträger (LVA). Der Regelpflichtbeitrag wird alljährlich durch Rechts-VO festgesetzt und beträgt seit 1.1.1986 monatlich 549 DM. Es kann auch eine höhere Beitragsklasse gewählt werden, aber nicht eine höhere, als einem Zwölftel der Jahreseinkünfte entspricht.

**handwerksähnliches Gewerbe,** Gewerbe, das handwerksähnlich betrieben wird (→Handwerksbetrieb), in der Anlage B zur HandwO aufgeführt. Der selbständige Betrieb eines h. G. als →stehendes Gewerbe ist unverzüglich der →Handwerkskammer, in deren Bezirk die gewerbliche Niederlassung liegt, anzuzeigen (§ 18 HandwO). Die Inhaber des h. G. werden in ein Verzeichnis aufgenommen, das bei berechtigtem Interesse eingesehen werden kann (§ 19 HandwO). Ein →Befähigungsnachweis für diese Eintragung ist nicht erforderlich, im übrigen gelten die Vorschriften über die →Handwerksrolle.

**Handwerksbetrieb,** *Handwerksunternehmen, Handwerksunternehmung,* gem. § 1 HandwO →Gewerbebetrieb, der handwerksmäßig betrieben wird und vollständig oder in wesentlichen Teilen ein →Gewerbe umfaßt, das in der Anlage A zur HandwO aufgeführt ist (→Positivliste). Der selbständige H. als →stehendes Gewerbe ist nur den in der →Handwerksrolle eingetragenen natürlichen und juristischen Personen sowie Personengesellschaften und Gesellschaften des bürgerlichen Rechts gestattet. Gewisse Ausnahmen nach § 4 HandwO bei Tod des Handwerkers für Ehegatten (→Witwenprivileg), Erben (→Erbenprivileg), Testamentsvollstrecker usw. Beginn und Beendigung des Betriebs sind nach § 14 GewO der örtlich zuständigen Handwerkskammer unverzüglich anzuzeigen. – *Abgrenzung zum Industriebetrieb:* Vgl. →Industrieunternehmung II.

**Handwerksdichte,** Begriff der →Handwerksstatistik zur Kennzeichnung der Zahl von Handwerksbetrieben oder auch von im Handwerk Beschäftigten je 1000 Einwohner.

**Handwerksförderung,** →Gewerbeförderung.

**Handwerksforschung,** *Gewerbeforschung,* systematische wissenschaftliche Erforschung der speziellen volkswirtschaftlichen, betriebswirtschaftlichen, rechtlichen, pädagogischen und soziologischen Probleme des →Handwerks in der Bundesrep. D., insbes. durch das →Deutsche Handwerksinstitut. Behandlung von Teilfragen erfolgt auch durch das →Institut für Mittelstandsforschung (Bonn/Köln) sowie an Lehrstühlen verschiedener Universitäten und sonstiger Hochschulen. Umsetzung von Forschungsergebnissen in die betriebliche Praxis u. a. in Verbindung mit Gewerbeförderungsmaßnahmen der Handwerksorganisation (→Gewerbeförderung). – Zentren der H.

im *deutschsprachigen Ausland:* Institut für Gewerbeforschung (Wien) und Schweizerisches Institut für gewerbliche Wirtschaft an der Hochschule St. Gallen; *international:* →Rencontres de St. Gall.

**Handwerksgeselle,** →Geselle.

**Handwerksgesetzgebung,** *Handwerksrecht,* ursprünglich in der Gewerbeordnung von 1869 geregelt mit verschiedenen Gesetzesänderungen: (1) Handwerkernovelle vom 26.7.1897 (Handwerkerschutzgesetz): Errichtung der →Handwerkskammern als Körperschaften des öffentlichen Rechts (ab 1900); fakultative Pflichtinnung; (2) Gewerbenovelle vom 30.5.1908: Einführung des kleinen →Befähigungsnachweises; (3) Gewerbenovelle vom 16.12.1922: Errichtung des Deutschen Handwerks- und Gewerbekammertages (→Deutscher Handwerkskammertag) als Körperschaft des öffentlichen Rechts; (4) Handwerksnovelle vom 11.2.1929: Einführung der →Handwerksrolle; (5) Dritte Verordnung über den vorläufigen Aufbau des Deutschen Handwerks vom 18.1.1935: Einführung des großen Befähigungsnachweises; (6) nach 1945 Schaffung einer einheitlichen Rechtsgrundlage für das gesamte Bundesgebiet durch Gesetz zur Ordnung des Handwerks (→Handwerksordnung); in Kraft seit 24.9.1953 (BGBl I 1411); (7) Novellierung des Gesetzes zur Ordnung des Handwerks vom 28.12.1965 mit Ergänzungen und Änderungen der Handwerksordnung von 1953, insbes. Einführung der Anlage B (Verzeichnis der →handwerksähnlichen Gewerbe).

**Handwerksgruppen,** →Handwerk II.

**Handwerksinnung,** *Handwerkerinnung, Innung,* Zusammenschluß selbständiger →Handwerker des gleichen Handwerks oder solcher Handwerke, die sich fachlich oder wirtschaftlich nahestehen, zwecks Förderung ihrer gemeinsamen gewerblichen Interessen innerhalb eines bestimmten Bezirks (§ 52 HandwO). Die H. ist eine Körperschaft des öffentlichen Rechts; sie untersteht der Aufsicht der →Handwerkskammern (§ 75 HandwO). Die Mitgliedschaft ist freiwillig. – *Aufgaben:* Interessenvertretung der →Handwerks; Regelung und Überwachung der Berufsausbildung (Lehrlingsausbildung) sowie Abnahme der Gesellenprüfung (wenn von der zuständigen Handwerkskammer übertragen); Förderung des →Handwerks (→Handwerksforschung, →Gewerbeförderung); Förderung von →Genossenschaften innerhalb des Handwerks. – *Organe:* Innungsversammlung, Vorstand, Ausschüsse. – *Zusammenschluß* der H. in Landes- und Bundesinnungsverbände (→Handwerksorganisation).

**Handwerkskammer,** ursprünglich entstanden durch Handwerkerschutzgesetz vom

26.7.1897 und errichtet nach den Bestimmungen über die Handwerkskammern am 1.4.1900. Die regional aufgebauten H. gehören neben den Handwerksinnungen zur Grundlage der Handwerksorganisation. H. sind sowohl Interessenvertretungen des Handwerks als auch Organe der handwerklichen Selbstverwaltung. – 1. *Errichtung:* Körperschaften des öffentlichen Rechts, durch staatlichen Akt (oberste Landesbehörde) errichtet. Der Kammerbezirk deckt sich i.d.R. mit einem Regierungsbezirk. – 2. *Zugehörigkeit:* Selbständige Handwerker, Inhaber handwerksähnlicher Gewerbe sowie die Handwerksgesellen und Handwerkslehrlinge (§90 HandwO). – 3. *Aufgaben:* a) *allgemeine Zielsetzung:* Vertretung der Interessen des Handwerks (§90 HandwO); b) *Einzelaufgaben* (§91 HandwO), z.B. Erlaß von Gesellen- und Meisterprüfungsordnungen sowie Vorschriften über die Lehrlingsausbildung und handwerklichen Prüfungen, Schlichtung von Streitigkeiten zwischen Handwerkern und Auftraggebern, Führung der Handwerks- und Lehrlingsrolle; auch Förderung der wirtschaftlichen Interessen des Handwerks (Genossenschaftswesen, Unterhaltung einer Gewerbeförderungsstelle, Bestellung von Sachverständigen, Unterstützungsmaßnahmen für notleidende Handwerker); Festsetzung von Ordnungsstrafen bis zu 1000 DM (§112 HandwO); c) als Körperschaft des öffentlichen Rechts Wahrnehmung der durch Gesetz übertragenen staatlichen Auftragsangelegenheiten (Hoheitsaufgaben). – 4. *Organe:* a) Mitgliederversammlung (Vollversammlung), besteht aus gewählten Mitgliedern, davon ein Drittel Gesellen; Einzelheiten regelt die Satzung; b) Vorstand, ihm obliegt die Verwaltung; c) Ausschüsse für regelmäßige oder vorübergehende Aufgaben. – 5. Die oberste Landesbehörde führt die *Staatsaufsicht* (Beachtung von Gesetz und Satzung, Erfüllung der Aufgaben). – 6. Zusammenschluß der H. auf Bundesebene im →Deutschen Handwerkskammertag (→Handwerksorganisation). – 7. Entsendung von 13 Mitgliedern aus den H. in den →Handwerksrat.

**Handwerkskarte,** Bescheinigung der →Handwerkskammer über die Eintragung in die →Handwerksrolle (§10 HandwO). Sie ist bei einer Betriebseröffnung mit der Gewerbeanmeldung der zuständigen Behörde (Gemeindebehörde, Gemeindevorstand) vorzulegen (§16 HandwO). – *Einzelheiten:* VO über die Einrichtung der Handwerksrolle und den Wortlaut der H. vom 2.3.1967 (BGBl I 274).

**Handwerks-Kontenrahmen,** auf Handwerksbetriebe ausgerichteter →Kontenrahmen. Aufbau nach dem dekadischen System, Einteilung in Kontenklassen, -gruppen und -arten. Für die Aufstellung von Branchen-Kontenrahmen und Kontenplänen bestehen Varia-

tionsmöglichkeiten, um Besonderheiten der verschiedenen Handwerkszweige berücksichtigen zu können. Der Einheits-K., der vom Deutschen Handwerksinstitut (DHI) herausgegeben wurde, beschränkt sich auf nur sechs Klassen und enthält in der Gruppierung klare Trennung nach Bilanz- und Erfolgskonten. Außerdem wurden Variationen nach Betriebsgröße und Tätigkeitsgebieten entwickelt, um die Einführung im Klein- und Mittelbetrieben zu erleichtern. – Geringfügige Änderungen wegen BiRiLiG sind in Vorbereitung. „Grundstruktur" soll jedoch unverändert bleiben.

**Handwerkslehrling,** →Lehrling.

**Handwerksmeister,** *Meister,* →Handwerker, der eine →Meisterprüfung abgelegt hat. Er besitzt das Recht zur Führung eines →Meistertitels und eines →Handwerksberiebs; er ist zur →Berufsausbildung (Lehrlingsausbildung) berechtigt.

**Handwerksordnung (HandwO),** Gesetz zur Ordnung des Handwerks vom 17.9.1953 (BGBl I 1411), neugefaßt durch das Gesetz zur Änderung der Handwerksordnung vom 28.12.1965 (BGBl I 1). Die HandwO i.d.F. von 1965 umfaßt 129 Paragraphen. Die HandwO gliedert sich in: I. Teil: Ausübung eines Handwerks; II. Teil: Berufsausbildung in Betrieben selbständiger Handwerker (Handwerksbetriebe); Teil III: Meisterprüfung; Meistertitel; Teil IV: Organisationen des Handwerks; Teil V: Straf-, Bußgeld-, Übergangs- und Schlußvorschriften. Anlage A zur HandwO enthält das Verzeichnis der Gewerbe, die als Handwerk betrieben werden können, Anlage B das Verzeichnis der Gewerbe, die handwerksähnlich betrieben werden können, Anlage C die Wahlordnung für die Wahlen der Mitglieder der HandwO. Durch die Novellierung der HandwO wurden auch die →handwerksähnlichen Gewerbe zur Betreuung den Handwerkskammern zugewiesen.

**Handwerksorganisation.** I. Begriff: Gesamtheit aller Einrichtungen, deren Arbeit über den Interessen des einzelnen Berufsstandangehörigen steht. Das Bedürfnis nach Zusammenschlüssen und Zweckgemeinschaften hat im →Handwerk Tradition (→Zunft). In jüngerer Zeit wurde zunehmend das Prinzip der Selbstverwaltung angestrebt und durchgeführt. Eine eigene →Handwerksgesetzgebung ist Grundlage für eine erfolgreiche organisatorische Aufbauarbeit.

II. Gliederung: Fachlich und überfachlich, je nach der vom Gesetzgeber vorgesehenen Zweckbestimmung in den einzelnen Stufen als Einrichtung des öffentlichen oder privaten Rechts aufgebaut. – 1. *Fachliche Organisation:* a) →Handwerksinnung (6196); b) →Landesinnungsverband bzw. Landes-

fachverband (321); c) regionale Vereinigung
der Landesverbände bzw. Arbeitsgemeinschaft der Landesfach- bzw. Landesinnungs-
verbände (11); d) →Zentralfachverband bzw.
Bundesfach- oder Bundesinnungsverband
(52); e) →Bundesvereinigung der Fachverbände. – 2. *Überfachliche („berufsständische",*
*regionale) Organsiation:* a) →Kreishandwer-
kerschaft (272); b) →Handwerkskammern
(42); c) Handwerkskammertag bzw. Arbeitsgemeinschaft der Handwerkskammern, i. d. R.
auf Landesebene (11); d) Landeshandwerks-
vertretung (→Handwerkstag, 12); e) →Deut-
scher Handwerkskammertag; f) →Zentralver-
band des Deutschen Handwerks. (Alle Zahlenangaben zu 1. und 2. beziehen sich auf 1987.)

**Handwerkspolitik,** Gesamtheit aller Maßnahmen zur Sicherung und Erhaltung der Vielzahl
selbständiger Handwerksbetriebe auf wirtschaftlicher, finanzieller, juristischer und politischer Ebene. – Vgl. auch →Gewerbepolitik.

**Handwerksrat,** Organisation des Handwerks
zur Erörterung der das Handwerk betreffenden gesamtwirtschaftlichen Fragen. – *Zusam-*
*mensetzung:* Präsidium des →Zentralverban-
des des Deutschen Handwerks mit 16 Mitgliedern, zusätzlich je 13 aus den →Handwerks-
kammern und →Zentralfachverbänden und
zwei aus den dem Handwerk nahestehenden
Einrichtungen (gewerbliche Genossenschaftswesen, Innungskrankenkassen, berufständi-
sche Versicherungsanstalten) entsandt werden.

**Handwerksrecht,** →Handwerksgesetzgebung.

**Handwerksrolle.** 1. *Begriff:* Gem. §§6ff.
HandwO und der VO über die Einrichtung der
Handwerksrolle vom 2.3.1967 (BGBl 1274)
angelegtes Verzeichnis der selbständigen
→Handwerker im Bezirk einer →Handwerks-
kammer mit denen von ihnen betriebenen
Handwerk. – 2. Die *Eintragung* in die H. ist
alleinige Voraussetzung für die Berechtigung
zum selbständigen Betrieb eines Handwerks.
Sie ist durch die Handwerkskammer vorzunehmen und hat anzugeben: a) bei *natürlichen*
*Personen* Vor- und Familienname, Geburtsdatum, Staatsangehörigkeit des Inhabers, die
Firma, Ort und Straße der gewerblichen Niederlassung, das zu betreibende Handwerk, die
Rechtsvorschriften bzgl. der Voraussetzungen
der Eintragung, die Prüfung und den Zeitpunkt der Eintragung; b) bei *juristischen*
*Personen:* Daneben die Firma, die Personalien
des gesetzlichen Vertreters, das Handwerk, die
Personalien des Betriebsleiters; c) bei *Perso-*
*nengesellschaften:* Firma, Personalien des für
die technische Leitung verantwortlichen persönlich haftenden Gesellschafters, Personalien
der übrigen Gesellschafter; d) bei *handwerkli-*
*chen Nebenbetrieben* ist auch deren Betriebsleiter mit seinen Personalien und seinen Eintra-
gungsvoraussetzungen anzugeben; e) bezüglich der Eintragung von *Staatsangehörigen* der

Mitgliedstaaten der EG vgl. §9 HandwO
i. V. m. VO vom 4.8.1966 (BGBl 1469) mit
späteren Änderungen. – 3. *Einsicht in die H.:*
Bei berechtigtem Interesse. – 4. *Löschung* der
Eintragung auf Antrag oder von Amts wegen,
wenn die Voraussetzungen für die Eintragung
nicht (mehr) vorliegen. – 5. *Rechtsmittel:*
Entscheidungen der Kammer über Eintragung
und/oder Löschung sind im Widerspruchsver-
fahren und Verwaltungsrechtsweg *anfechtbar.*

**Handwerksstatistik,** gesonderte Erfassung
der →Handwerksbetriebe im Bundesgebiet. –
1. *Handwerkszählungen:* Letzte 1977 mit Gliederung nach Wirtschafts- und Gewerbezwei-
gen. Erfaßt werden Rechtsformen, Beschäftigte, Umsätze nach Umsatzarten und Absatz-
richtung, Löhne, Gehälter und Sozialkosten,
ländermäßige und regionale Verteilung der
Handwerksbetriebe, Strukturdaten aus bisherigen Zählungen. – 2. *Laufende Berichterstat-*
*tung:* Nach der „Neufassung des Gesetzes
über die Durchführung laufender Statistiken
im Handwerk" vom 30.5.1980 (BGBl I 648)
wird eine vierteljährliche Repräsentativerhe-
bung bei maximal 35000 Betrieben durchgeführt. Erfaßt werden Umsatz und Zahl der
Beschäftigten. Darstellung der Ergebnisse
nach der Wirtschaftszweigsystematik und
nach der Gewerbezweigsystematik für ausgewählte Handwerkszweige. – 3. *Kostenstruk-*
*turerhebungen im Handwerk:* Seit 1958 im
Abstand von vier Jahren auf gesetzlicher
Grundlage durchgeführt. Erhebungen erfolgen auf repräsentativer und freiwilliger
Grundlage. Die letzte Kostenstrukturerhe-
bung wurde 1986 durchgeführt; die Veröffentlichung der Ergebnisse wird für 1988 erwartet.
– 4. *Sekundärstatistiken der Handwerkskam-*
*mern und des Zentralverbands des Handwerks:*
Betriebsstatistik (Stand der Handwerksrollen), Eintragungsstatistik (Eintragungs-
gründe), Betriebsstatistik des handwerksähnlichen Gewerbes, Organisationsstatistik (Stand
der Handwerksorganisationen), Aus- und
Weiterbildungsstatistiken (u. a. Ausbildungs-
verhältnisse, Anzahl Gesellen-, Meister-, Fort-
bildungsprüfungen). – 5. *Betriebsvergleiche für*
*verschiedene Handwerkszweige:* Durchfüh-
rende bzw. mitwirkende Stellen sind das
→Deutsche Handwerksinstitut, verschiedene
→Gewerbeförderungsstellen, zahlreiche Fachverbände und Buchstellen (→Betriebsverglei-
che im Handwerk).

**Handwerksunternehmen,** →Handwerksbe-
trieb.

**Handwerksunternehmung,** →Handwerksbe-
trieb.

**Handwerkstag,** *Handwerkerbund, Landes-*
*handwerksvertretung,* Zusammenschluß der
→Handwerkskammern und der Handwerks-
verbände auf Landesebene, nicht in →Selbst-
verwaltung; z. B. Bayerischer Handwerkstag,
Rheinisch-Westfälischer Handwerkerbund;

Hessischer Handwerkstag. – Vgl. auch →Handwerksorganisation.

**Handwerkswirtschaft.** 1. *I.e.S.*: Wirtschaftliche Einrichtungen, die dem Bereich des selbständigen Handwerks zuzuzählen sind (→Handwerksbetrieb). – 2. *I.w.S.*: Alle Handwerksbetriebe einschl. der →Handwerksorganisation und der Gemeinschaftseinrichtungen (z. B. Handwerkergenossenschaften).

**Handwerkszählung,** Totalerhebungen bei allen in die →Handwerksrolle eingetragenen Handwerksunternehmen und handwerklichen Nebenbetrieben (nicht bei handwerksähnlichen Gewerbebetrieben; →handwerksähnliches Gewerbe) zur Beurteilung der wirtschaftlichen und sozialen Bedeutung des Handwerks als Teil des Produzierenden und Dienstleistungs-Gewerbes. H. erfolgten in den Jahren 1949, 1956, 1963, 1968, 1977. – *Aufgaben der H.* (Gesetz vom 10.8.1976; BGBl I 2125): Darstellung der Bedeutung des Handwerks im Rahmen der Gesamtwirtschaft; Schaffung einer neuen Basis für die stichprobenweise Durchführung der vierteljährlichen Statistik über Beschäftigte und Umsatz im Handwerk (Handwerksstatistik, Handwerksberichterstattung); Leistung von Hilfsdiensten für den Aufbau einer Kartei im Produzierenden Gewerbe. Die H. ist Grundlage der →Handwerksstatistik.

**Handwerkszeichen,** Zeichen des Gesamt-Handwerks, handwerkliche Verbandszeichen für die einzelnen Handwerksberufe und (in Gold) Auszeichnung für besondere Verdienste um das Handwerk.

**Handwerkszweig,** →Handwerk II.

**Handzeichen,** →Paraphe.

**Hanns-Seidel-Stiftung e.V.,** Sitz in München. – *Aufgaben:* Politische Bildung; Förderung der internationalen Verständigung und europäischen Einigung; Begabtenförderung.

**Hans-Böckler-Stiftung,** Sitz in Düsseldorf. – *Aufgaben:* Förderung des Studiums von begabten Arbeitnehmern und Arbeitnehmerkindern; Förderung von Forschung und Erfahrungsaustausch.

**Hanseatenklausel,** die im Länderfinanzausgleich (→Finanzausgleich) der Bundesrep. D. enthaltene Bestimmung, nach der die Stadtstaaten Bremen und Hamburg Sonderzuweisungen erhalten, sofern und soweit ihre ausgleichsrelevanten Steuereinnahmen hinter denen der Länder Baden-Württemberg (Stuttgart als Vergleichsgemeinde für die kommunale Steuerkraft) und Nordrhein-Westfalen (Köln als Vergleichsgemeinde) zurückbleiben (§ 10 V, VI Länderfinanzausgleichsgesetz).

**Hardcopy,** Ausdruck einer Bildschirmseite (→Bildschirm). Häufig (besonders bei Personal Computern) befindet sich auf der →Tastatur eine →Funktionstaste, nach deren Betätigung eine H. des augenblicklichen Bildschirminhalts auf einem angeschlossenen →Drucker ausgegeben wird.

**Hardware.** I. **Elektronische Datenverarbeitung:** Gesamtheit der technischen Maschinen-Elemente (Geräte, Teile) eines →Computers oder eines →Netzes (z. B. →Zentraleinheit, →externer Speicher, Leitungsverbindungen). Die *Funktionen* der H. werden durch die →Programme ausgelöst, gesteuert und kontrolliert. H. allein ist kein funktionsfähiges →Datenverarbeitungssystem, sondern nur ein Teil des Ganzen. Erst mit der →Software bildet die H. ein einsetzbares Computersystem. – Neue Fertigungstechniken führten fortschreitend zur Verkleinerung der Bauteile (Miniaturisierung) und zu ihrer Verbilligung. – Vgl. auch →mixed Hardware.

II. **Investitionsgüter-Marketing:** Sachleistungskomponente im Angebot eines Herstellers. Sie wird ergänzt durch Software-Leistungen, die →Dienstleistungen des Herstellers.

**Hardwarehersteller,** Unternehmen, das vorrangig →Hardware (Computer) produziert. Viele H. treten daneben auch als Anbieter von →Softwareprodukten auf dem →Softwaremarkt auf. – Zu *unterscheiden:* →OEM, →PCM.

**Hardwaremarkt,** der Markt für →Hardware. – *Marktführer:* (weltweit) IBM; (in der Bundesrep. D.) IBM Deutschland GmbH vor Siemens AG.

**Hardwaremonitor,** Gerät zur Messung der Auslastung einer Funktionseinheit eines →Computers, z. B. der →Zentraleinheit oder des →Arbeitsspeichers. – *Bestandteile:* Meßsonden, eine Meßwertverarbeitungseinheit und eine Ausgabeeinheit. – *Funktionsweise:* Die Meßsonden werden an bestimmten Schaltkreispunkten der Funktionseinheit angebracht; anschließend werden während des Systembetriebs die an den Punkten anfallenden Meßdaten aufgezeichnet; nach Abschluß der Messungen werden diese Daten aufbereitet und in tabellarischer oder graphischer Form (→graphische Darstellung) ausgegeben. – Vgl. auch →Softwaremonitor.

**Harmonielehre,** Auffassung der →klassischen Lehre, nach der das einzelwirtschaftliche Gewinnstreben gleichzeitig dem Gemeinwohl dient. *Begründet* wird diese Ansicht damit, daß die höchsten Gewinne dort zu erzielen sind, wo der Bedarf am größten ist. Das Streben nach →Gewinnmaximierung sorgt dafür, daß die wichtigsten Bedürfnisse zuerst befriedigt werden. Wegen des Konkurrenzmechanismus werden die Gewinne im Laufe der Zeit abgebaut. – *Kritik:* Die H. überschätzt die →Elastizität der Betriebe und

Märkte. Das vielfältige Versagen des Konkurrenzmechanismus (→Oligopole, →Monopole, Rigiditäten von Löhnen und Preisen) bleibt unbeachtet.

**harmonisches Mittel,** in der Statistik spezieller →Mittelwert. Das h. M. von n Werten $x_i$, ..., $x_n$ eines verhältnisskalierten →Merkmals (→Skala) ist

$$h = n / \sum \frac{1}{x_i} \quad \text{mit} \quad \frac{1}{h} = \frac{1}{n} \sum \frac{1}{x_i}.$$

Der *Kehrwert* des h. M. ist also gleich dem →arithmetischen Mittel der Kehrwerte der Merkmalsbeträge.

**Harmonisiertes System zur Beschreibung und Codierung der Waren (HS),** herausgegeben vom →Rat für die Zusammenarbeit auf dem Gebiet des Zollwesens (RZZ). Das in enger Zusammenarbeit zwischen RZZ, EG und UN vorbereitete HS soll voraussichtlich 1988 in die internationalen und nationalen Außenhandelsstatistiken eingeführt werden und die bisher angewandten Warensystematiken ersetzen (vgl. auch →internationale Waren- und Güterverzeichnisse). Das HS soll gleichzeitig als Grundlage für eine Harmonisierung der internationalen Warensystematiken durch das →Integrierte System der internationalen Wirtschaftszweig- und Gütersystematiken (ISCAP/SINAP) dienen.

**Harmonisierung,** Anpassung gesetzlicher Bestimmungen innerhalb der Europäischen Gemeinschaften mit dem Ziel der Liberalisierung des Dienstleistungs-, Güter- und Kapitalflusses. – 1. *Gesellschaftsrecht:* Grundsatzprogramm zur „Harmonisierung bestimmter gesellschaftsrechtlicher Minimalforderungen innerhalb der Gemeinschaft" (Art. 54 3 ¡des EWG-Vertrags), das v.a. AG, KGaA sowie GmbH betrifft. Wesentliches Mittel zur Durchsetzung sind die →EG-Richtlinien. – 2. *Verkehrspolitik:* Beseitigung von Unterschieden in der Ordnung einer Verkehrsart zwischen den verschiedenen Staaten, um eine gemeinsame Ordnung innerhalb dieser Verkehrsart zu fördern oder eine Gleichwertigkeit verschiedener Ordnungen herzustellen. – 3. *Steuerpolitik:* Vgl. →Steuerharmonisierung, →EWG I 11, →Umsatzsteuerharmonisierung. – 4. *Zollpolitik:* Durch den Erlaß der EG-Richtlinien zur H. der Verfahren für die Überführung der Waren in den zollrechtlich freien Verkehr 1979 (Einfuhrrichtlinie) und der Verfahren für die Ausfuhr 1981 (Ausfuhrrichtlinie) wurde ein einheitliches Zollgebiet geschaffen (→Zollunion). Ziel war ein einheitlicher Zollschutz gegenüber Einfuhren aus Drittländern sowie die Verhinderung von Wettbewerbsverzerrungen. – Vgl. auch →EWG I 1.

**Harmonogramm,** *Arbeitsablaufschaubild,* spezielles ablauforientiertes →Organigramm.

Graphische Darstellung zweier oder mehrerer zueinander in Beziehung stehender Ablaufabschnitte (z. B. Fertigung und Fertigungskontrolle) und ihrer gegenseitigen Abstimmung.

**Harrod-Modell,** →Wachstumstheorie III 1 b).

**Härteausgleich.** I. Einkommensteuerrecht: Milderungsregelung bei der →Veranlagung von Arbeitnehmern zur →Einkommensteuer gem. §46 II Nrn. 1–7 EStG. Voraussetzung: Die nicht in →Arbeitslohn bestehenden →Einkünfte betragen mehr als 800 DM aber nicht mehr als 1600 DM. Vom →Einkommen ist der Betrag abzuziehen, um den die →Einkünfte insgesamt niedriger als 1600 DM sind (§46 V EStG i.V.m. §70 EStDV).

II. Kriegsopferversorgung/Kriegsopferfürsorge: Selbständiger Anspruch nach §89 BVG. Gewährung des H. liegt als Kann-Bestimmung im Ermessen der Versorgungsbehörden, wenn sich im Einzelfall aus den Bestimmungen des BVG besondere Härten ergeben. Zustimmung des Bundesarbeitsministers erforderlich, die auch allgemein erfolgen kann (§89 II BVG).

**harte Währungen.** 1. Synonym für frei konvertible Währungen (→Konvertibilität). – 2. Währungen, deren Kursentwicklung an den Devisenmärkten sehr stabil ist und einen deutlichen Aufwertungstrend aufweist (z. B. sfr, DM). – *Gegensatz:* →weiche Währungen.

**Hartwährungsländer,** →harte Währungen.

**Harvard-Barometer,** von W. M. Persons an der Harvard University entwickeltes Indikator-System (→Konjunkturindikatoren), das ursprünglich aus fünf Gruppen von Zeitreihen bestand, später aber auf drei Gruppen reduziert wurde (→ABC-Kurven). Zeitreihen, die zu der gleichen Gruppe gehören, zeigen ein ähnliches Verhalten im Zeitablauf bezüglich der Zyklenlänge und den Umkehrzeitpunkten. Das H.-B. wurde in den zwanziger Jahren in der USA für die →Konjunkturprognose eingesetzt und später wegen deutlich falscher Vorhersagen aufgegeben.

**Harvard-Step-Test,** Testverfahren zur Prüfung der Leistungsfähigkeit einer Person. Als Belastung dient das Besteigen von Stufen von 50,8 cm Höhe, wobei je Minute 30 Stufen erstiegen werden müssen. Der Versuch wird bis zur Erschöpfung des Probanden, längstens jedoch fünf Minuten lang durchgeführt. Als Beurteilungskriterium dient das Verhalten der Pulsfrequenz nach Versuchende und die Versuchsdauer (bis zur Erschöpfung). Nach Versuchsende wird dreimal (in der 2., 3., und 5. Minute) die Pulsfrequenz für 0,5 Minuten gezählt. – *Formel zur Indexberechnung:*

$$\frac{\text{Dauer des Stufensteigens sec} \times 100}{2 \times (\sum 3 \text{ Pulszählungen nach Belastung})}$$

Ein Indexwert von über 90 spiegelt eine sehr gute Leistungsfähigkeit, Werte unter 55 eine sehr schlechte wider.

**Harzburger Modell,** von R. Höhn (Leiter der Akademie für Führungskräfte der Wirtschaft, Bad Harzburg) 1956 ins Leben gerufene „Führung im Mitarbeiterverhältnis mit Delegation von Verantwortung". – *Zentrale Zielsetzungen:* a) *Autoritäre Führung überwinden:* Das auf Befehl und Gehorsam beruhende Prinzip der Führung von Mitarbeitern wird als unzeitgemäß abgelehnt. b) *Verantwortung delegieren:* Dies soll nicht nur das Abgeben von Arbeit heißen, sondern die Schaffung von eigenen Bereichen, die durch →Stellenbeschreibungen genau abgegrenzt sind. – Genaue *Verhaltensanweisungen* im einzelnen. Die große Menge der im H.M. zu beachtenden Vorschriften macht es zu einem starren, reglementierenden Modell, das die autokratische durch eine bürokratische Führung ablöst. – *Beurteilung:* Die Erfahrungen mit dem H.M. sind geteilt; als Führungskonzept (→Führungstechnik) umstritten.

**Hash-Funktion,** →Datenorganisation II 2 b).

**Häufigkeit,** in der Statistik die Anzahl der Elemente einer →Gesamtheit, die bezüglich eines →Merkmals zu einer Kategorie oder →Klasse gehören. Die Summe aller Häufigkeiten ist gleich dem Umfang der Gesamtheit. Dividiert man die Häufigkeiten durch diesen Umfang, ergeben sich →relative Häufigkeiten, deren Summe 1 ist.

**Häufigkeit der Verkehrsleistung.** 1. *Begriff:* Qualitätsmerkmal eines Verkehrssystems. Die (tatsächliche oder potentielle) Zahl der Transportvorgänge pro Zeiteinheit. – 2. *Verkehrswertigkeit:* Ein Verkehrssystem, das jederzeit (sehr selten) Transporte erbringen kann, weist im Sinn der H.d.V. das höchste (niedrigste) Qualitätsniveau auf. Für den Straßengüterverkehr (kleinere Transportgefäße, damit relativ schnelles Reagieren auf Transportwünsche) und den Pkw-Verkehr (H.d.V. nur von den eigenen Dispositionen des Pkw-Besitzers abhängig) ist hohe H.d.V. typisch. Für den fahrplangebundenen Verkehr ist die H.d.V. unterschiedlich: Der Eisenbahngüter- und -personenverkehr zwischen Raumpunkten mit starkem Verkehrsaufkommen ist durch hohe H.d.V. gekennzeichnet; in ländlichen Räumen ist H.d.V. niedrig. Der Luftverkehr bedient im Personen- und Frachtverkehr nur wenige Raumpunkte mit relativ hoher H.d.V.; gleiches gilt für den Schiffsverkehr. Der Nachrichtenverkehr ist wiederum durch sehr hohe H.d.V. gekennzeichnet. – 3. *Verkehrsaffinität:* In einer hochentwickelten Volkswirtschaft seitens der Verkehrsnachfrager hohe Anforderungen an die H.d.V.: Erleichterung unternehmerischer Beschaffungs- und Absatzdispositionen; Kosteneinsparungen durch Einschränkung der Lagerhaltung; schnelle Behebung von Produktionsengpässen bei Fehlen einzelner Einsatzgüter (z.B. Ersatzteile). Der Personenverkehr neigt zu einer um so höheren H.d.V., je kürzer die geplante Reise ist, z.B. im täglichen Berufs- und Einkaufsverkehr Bevorzugung des privaten Pkw. Hohe potentielle H.d.V. des Nachrichtenverkehrs ist für die Verkehrsnachfrager unverzichtbar.

**Häufigkeitstabelle,** in der Statistik tabellarische Darstellung einer →Häufigkeitsverteilung.

**Häufigkeitsverteilung,** bei einer Gesamtheit zusammenfassende Bezeichnung für die bezüglich eines →quantitativen Merkmals eingeführten Klassenintervalle (→Klassenbildung) und die zugehörigen (absoluten oder relativen) →Häufigkeiten. Veranschaulichung einer H. in Form einer *Häufigkeitstabelle* oder graphisch z.B. in Form eines →Histogramms. – *Allgemeiner* wird der Begriff H. auch als Bezeichnung für die einzelnen →Ausprägungen eines →qualitativen Merkmals und die zugehörigen Häufigkeiten verwendet.

**häufigster Wert,** →Modus.

**Hauptabschlußübersicht (HAÜ),** *Abschlußtabelle, Betriebsübersicht, Abschlußbogen, Abschlußblatt.* 1. *Begriff:* Tabellarische Übersicht über das gesamte Zahlenwerk eines Buchführungsabschnitts für den Zeitpunkt des Jahresabschlusses. Die HAÜ weist die Entwicklung aller Bestandskonten von der Eröffnungsbilanz bis zur Jahresschlußbilanz, aller Aufwands- und Ertragskonten zur Verlust- und Gewinnrechnung sowie das Ergebnis der Inventur aus. Auf Verlangen des Finanzamtes ist bei Betrieben mit doppelter Buchführung eine H. nach amtlichem Vordruck beizufügen (§ 60 Abs. 2 EStDV). – *Muster:* Vgl. Übersicht Sp. 2365–2368. – 2. Die *Summenbilanz* ist die tabellarische Zusammenstellung der Kontensummen einschließlich der Saldovorträge (Anfangsbestände). Da bei der doppelten Buchführung jeder Vorgang im Soll und im Haben gebucht wird, müssen die Summen der Soll- und Habenspalte gleich sein *(Probebilanz)*. –3. Die *Saldenbilanz* weist für jedes Konto den Überschuß der größeren über die kleinere Kontoseite aus. – 4. Die *Umbuchungsspalte* nimmt die vorbereitenden Abschlußbuchungen auf, wodurch beispielsweise die Privatentnahmen auf das Kapitalkonto, Skonti auf Warenkonten, der Einkaufswert der verkauften Waren vom Warenein- auf das Warenverkaufskonto, Abschreibungen auf ein Abschreibungskonto übertragen werden. – 5. Stimmen die sich aus diesen Umbuchungen ergebenden Buchbestände der Bestandskonten mit den durch die Inventur festgestellten Beständen überein, werden die Überschüsse der Bestandskonten in die *Hauptabschlußbilanz* übernommen und die Erfolgskonten, (Aufwand oder Ertrag) in die

*Gewinn- und Verlustrechnung.* – 6. Statt des formellen Abschlusses der Konten können die *Soll- und Habensummen* (Verkehrszahlen) in die H. übernommen werden, ohne daß davon die Ordnungsmäßigkeit der Buchführung berührt wird. Allerdings sind dann die Sachkonten durch doppeltes Unterstreichen als abgeschlossen zu kennzeichnen, die Umbuchungen ausreichend zu erläutern und die H. als Bestandteil der Buchführung aufzubewahren (§ 147 I Nr. 1 AO).

**Hauptabteilung,** →organisatorischer Teilbereich.

**Hauptabteilungsleiter,** →Handlungsträger, der der →Instanz an der Spitze einer Hauptabteilung zugeordnet ist.

**Hauptansatz,** bei der Berechnung der →Schlüsselzuweisungen im →kommunalen Finanzausgleich verwendete Größe zur Bestimmung des relativen Finanzbedarfs der Gemeinden (→Ausgleichsmeßzahl; vgl. auch →Finanzbedarf), die auf der – in einzelnen Bundesländern mit der Gemeindegröße gewichteten (→Hauptansatzstaffel) – Einwohnerzahl der Gemeinden basiert. Die Summen aus H. und →Ergänzungsansätzen bilden den →Gesamtansatz.

**Hauptansatzstaffel,** die auf das →Brechtsche Gesetz zurückgehende und von J. Popitz erstmals vorgeschlagene Staffelung des →Hauptansatzes mit zunehmender Gemeindegröße.

**Hauptanschluß,** Endstellen eines öffentlichen →Telefonnetzes und →Telexnetzes der Deutschen Bundespost einschl. der Anschlußleitung.

**Hauptberatungsstelle für Elektrizitätsanwendung e. V.,** Gemeinschaftsorganisation der Deutschen Elektrowirtschaft, Sitz in Frankfurt a. M. – *Aufgaben:* Information der Öffentlichkeit über die Bedeutung und Zweckmäßigkeit der Anwendung elektrischer Energie.

**Hauptberuf,** Begriff der →amtlichen Statistik zur Abgrenzung gegen eine Tätigkeit als Nebenberuf (→Nebentätigkeit).

**Hauptbetrieb,** →Produktionshauptbetrieb.

**Hauptbuch,** Buch der doppelten Buchführung; vgl. auch →Bücher. – Die *Geschlossenheit* des H. als Grundlage der →Bilanz muß gegeben sein: a) formell, d. h. Soll-Haben-Ausgleich; b) materiell, d. h. Abschlußfähigkeit. In das H. werden entweder alle einzelnen Geschäftsvorfälle übernommen (→italienische Buchführung) oder die Summen einer Periode (Woche, Monat) werden jeweils zusammengefaßt übertragen (→deutsche Buchführung, →französische Buchführung, →amerikanische Buchführung). Überprüfung

der Eintragungen im H. durch →Hauptbuchprobe.

**Hauptbuchprobe,** durch Aufstellen einer →Rohbilanz durchgeführte Kontrolle der Buchführung. Die Addition der Sollseiten und der Habenseiten sämtlicher Konten des →Hauptbuchs muß gleiche Summen ergeben.

**Hauptentschädigung,** wichtigste Ausgleichsleistung des →Lastenausgleichs. – 1. Abgeltung für erlittene *Vermögensverluste:* Vertreibungsschäden, Kriegssachschäden und Ostschäden an Wirtschaftsgütern, die zum landund forstwirtschaftlichen Vermögen, Grundoder Betriebsvermögen gehören, sowie an Gegenständen, die für die Berufsausübung oder für die wissenschaftliche Forschung erforderlich sind; Vertreibungs- und Ostschäden an Reichsmarkspareinlagen u. ä., soweit keine Entschädigung im Währungsausgleich für Sparanlagen gewährt wurde (Ausnahme: Hausratentschädigung). – 2. Aufgrund einer Schadenfeststellung wurden die Geschädigten in *Schadensgruppen* eingestuft. – 3. *Höhe der H.:* Grundbetrag, der der Schadensgruppe entspricht, in der der Entschädigungsberechtigte eingereiht worden ist; gem. § 246 LAG festgesetzt. – Geschädigte mit weniger als 50% Vermögensverlust erhielten keine H. – 4. *Erfüllung* der Ansprüche auf H. vom 1. 4. 1957 bis 31. 3. 1979 in Form von Barleistung, Schuldverschreibungen und Eintragung in das Bundesschuldbuch. Auszahlung nach Dringlichkeitsstufen; bevorzugt soziale Notstände, hohes Lebensalter, Nachentrichtungen freiwilliger Beiträge zu gesetzlichen Rentenversicherungen, Fälle neuer Eigentumsbildung für Einheitswert-Vermögen, Begründung oder Festigung wirtschaftlicher Selbständigkeit.

**Hauptfeststellung,** die allgemeine Feststellung der →Einheitswerte auf den →Hauptfeststellungszeitpunkt. Durch die H. werden die Einheitswerte überprüft und den jeweiligen tatsächlichen und wirtschaftlichen Verhältnissen angepaßt.

**Hauptfeststellungszeitpunkt.** 1. *Begriff* des Steuerrechts: Zeitpunkt, auf den eine →Hauptfeststellung vorzunehmen ist; der Beginn des Kalenderjahres, das für die jeweilige Hauptfeststellung maßgebend ist. Berücksichtigung finden i. d. R. die Verhältnisse im H. – 2. *Besonderheiten:* a) *Abweichende Stichtage* für die Zugrundelegung der Bestands- und/ oder Wertverhältnisse aus §§ 35 II, 54, 59, 106,112 BewG. – b) *Letzter H.* für die Bewertung des Grundbesitzes 1. 1. 1964; seitdem keine neue Hauptfeststellung (vgl. →Grundbesitz). – Vgl. auch →Einheitswert III 1.

**Hauptfürsorgestelle,** staatliche oder kommunale Stelle mit folgenden Aufgaben (§ 31 SchwbG): Erhebung und Verwendung der →Ausgleichsabgabe, →Kündigungsschutz,

## Übersicht: Hauptabschlußübersicht

| Konten | Summenbilanz | | Saldenbilanz I | | Vorbereitende Abschlußbuchung | | Saldenbilanz II | | AbschlußBilanz | | Erfolgsübersicht | |
|---|---|---|---|---|---|---|---|---|---|---|---|---|
| | Soll | Haben | Soll | Haben | Soll | Haben | Soll | Haben | Soll | Haben | Soll | Haben |
| Grundstücke und Gebäude | 103 400,– | | 103 400,– | | | | 103 400,– | | 103 400,– | | | |
| Betr- u. Geschäftsausst. | 8 000,– | 1 000,– | 7 000,– | | | 1 900,– | 5 100,– | | 5 100,– | | | |
| Waren | 168 500,– | 3 000,– | 168 500,– | | 200,– | 3 700,– | 165 000,– | | 165 000,– | | | |
| Geleistete Anzahlungen | 3 000,– | | 3 000,– | | | | | | | | | |
| Forderungen | 74 933,– | 20 043,– | 54 890,– | | | 2 000,– | 52 890,– | | 52 890,– | | | |
| Dubiose | 3 000,– | 1 750,– | 1 250,– | | 2 000,– | 1 000,– | 2 250,– | | 2 250,– | | | |
| Besitzwechsel | 19 000,– | 9 000,– | 10 000,– | | | | 10 000,– | | 10 000,– | | | |
| Kasse | 7 800,50 | 4 220,– | 3 580,50 | | | | 3 580,50 | | 3 580,50 | | | |
| Sonstige Forderungen | | | | | 500,– 900,68 | | 1 400,68 | | 1 400,68 | | | |
| Vorsteuer | 1 638,– | 158,82 | 1 479,18 | | 50,– | 1 529,18 | | | | | | |
| Gehaltsvorschüsse | 300,– | 300,– | | | | | | | | | | |
| Aktive RAP | 2 080,– | 1 120,– | 960,– | | 500,– | | 1 460,– | | 1 460,– | | | |
| Eigenkapital X | | 120 000,– | | 120 000,– | | 450,– | | 120 450,– | | 120 450,– | | |
| Privat X | 550,– | 1 000,– | | 450,– | 450,– | | | | | | | |
| Eigenkapital Y | | 80 000,– | | 80 000,– | | | | 80 000,– | | 80 000,– | | |
| Wertber. a. Gebäude | | 12 000,– | | 12 000,– | | 2 000,– | | 14 000,– | | 14 000,– | | |
| Rückstellungen | 4 000,– | 4 000,– | | | | 500,– | | 500,– | | 500,– | | |
| Hypotheken-Verbindl. | | 5 000,– | | 5 000,– | | | | 5 000,– | | 5 000,– | | |
| Darlehen | 6 000,– | 54 000,– | | 48 000,– | | | | 48 000,– | | 48 000,– | | |
| Lieferanten-Verbindl. | 16 500,– | 58 048,– | | 41 548,– | | | | 41 548,– | | 41 548,– | | |
| Schuldwechsel | 10 000,– | 10 000,– | | | | | | | | | | |
| Bank | 15 423,– | 55 053,– | | 39 630,– | | | | 39 630,– | | 39 630,– | | |
| Erhaltene Anzahlungen | 3 000,– | 3 000,– | | | | | | | | | | |
| Sonst. Verbindlichkeiten | 700,– | 3 450,– | | 2 750,– | | 550,– | | 3 300,– | | 3 300,– | | |
| Berechnete MWSt | 542,68 | 1 262,09 | | 719,41 | 90,91 628,50 | | | | | | | |
| Mehrwertst. (Zahllast) | | | | | 1 529,18 | 628,50 900,68 | | | | | | |

| Konto | Summenbilanz Soll | Summenbilanz Haben | Saldenbilanz Soll | Saldenbilanz Haben | Umbuchungen | Saldenbilanz II Soll | Saldenbilanz II Haben | Schlußbilanz Soll | Schlußbilanz Haben | GuV Soll | GuV Haben |
|---|---|---|---|---|---|---|---|---|---|---|---|
| Passive RAP | 80,– | 80,– | | | | | | | | | |
| Löhne und Gehälter | 3 000,– | | 3 000,– | | | 3 000,– | | | | 3 000,– | |
| Soziale Aufwände | 200,– | | 200,– | | | 200,– | | | | 200,– | |
| Abschreib. a. Ford. | 3 818,18 | | 3 818,18 | | 909,09 | 4 727,27 | | | | 4 727,27 | |
| Abschreib. a. Anlagen | | | | | 1 500,– / 2 000,– | 3 500,– | | | | 3 500,– | |
| Zinsaufwände | 2 820,– | | 2 820,– | | | 2 820,– | | | | 2 820,– | |
| Diskontaufwände | 180,– | | 180,– | | | 180,– | | | | 180,– | |
| Skontoaufwände | 245,– | | 245,– | | | 245,– | | | | 245,– | |
| a. o. Aufwände | | | | | 400,– | 400,– | | | | 400,– | |
| Mietaufwände | 1 000,– | | 1 000,– | | | 1 000,– | | | | 1 000,– | |
| Provisionsaufwände | 1 500,– | | 1 500,– | | 500,– | 500,– | | | | 500,– | |
| Versicherungsaufwände | 500,– | | 500,– | | 500,– | 1 000,– | | | | 1 000,– | |
| Reparaturaufwände | 200,– | | 200,– | | 200,– | 1 000,– | | | | 1 000,– | |
| Bezugsaufwände | 1 363,64 | | | | | | | | | | |
| Warenverkäufe | 9 300,– | | | 3 700,– | 100,– | | 4 236,36 | 100,– | 100,– | | 4 236,36 |
| Bonuserträge | 1 500,– | | | | | | 1 500,– | | | | 1 500,– |
| Diskonterträge | 310,– | | | | 100,– | | 210,– | | | | 210,– |
| Skontoerträge | 88,18 | | | | | | 88,18 | | | | 88,18 |
| a. o. Erträge | 4 590,91 | | | | | | 4 590,91 | | | | 4 590,91 |
| Mieterträge | | | | 500,– | | | 500,– | | | | 500,– |
| | | | | | | | | **345 081,18** | | | **11 125,45** |
| Verlust | | | | | | | | 7 446,82 | | | 7 446,82 |
| | **463 274,–** | **463 274,–** | **364 522,86** | **364 522,86** | **16 458,36** | **363 653,45** | **363 653,45** | **352 528,–** | **352 528,–** | **18 572,27** | **18 572,27** |
| | | | | | | | | **352 528,–** | **352 528,–** | **18 572,27** | **18 572,27** |

**Eigenkapitalentwicklung X**

|  | DM |
|---|---|
| Anfangsbestand | 120 000,– |
| ./. Entnahmen | 550,– |
| + Einlagen | 1 000,– |
| ./. Verlustanteil | 3 723,41 |
| Endbestand am 31.12.1971 | 116 726,59 |

**Eigenkapitalentwicklung Y**

|  | DM |
|---|---|
| Anfangsbestand | 80 000,– |
| ./. Verlustanteil | 3 723,41 |
| Endbestand am 31.12.1971 | 76 276,59 |

Quelle: Engelhardt/Raffée, Grundzüge der doppelten Buchhaltung, zweite, vollständig neu bearbeitete Aufl., Wiesbaden 1971. S. 198/199.

nachgehende Hilfe im Arbeitsleben, zeitweilige Entziehung des Schwerbehindertenschutzes. (Im Rahmen der *nachgehenden Hilfe* im Arbeitsleben soll die H. darauf hinweisen, daß Schwerbehinderte entsprechend ihren Fähigkeiten und Kenntnissen beschäftigt werden und sich am Arbeitsplatz behaupten können.) Die H. kann auch Hilfen für behindertengerechte Wohnungen, Hilfen zur wirtschaftlichen Selbständigkeit u. a. gewähren. außerdem ist sie für die Durchführung der →Kriegsopferfürsorge zuständig.

**Hauptgemeinschaft des Deutschen Einzelhandels e. V.**, Sitz in Köln. Spitzenorganisation des deutschen Einzelhandels; gegründet 1947 durch Zusammenschluß der Landesverbände und der Bundesfachverbände des →Einzelhandels. – *Zweck:* Vertretung der Einzelhandelskaufleute in wirtschaftlicher, beruflicher und sozialer Beziehung, ohne Rücksicht auf Betriebsformen und Vertriebsarten. – *Aufgaben:* a) Wahrnehmung der allgemeinen Interessen des Berufsstandes, der Vertretung vor dem Bundesparlament und in Bundesministerien sowie Mitwirkung bei Gesetzen und Verordnungen, Unterstützung der regionalen Verbände bei der Beratung ihrer Mitglieder. – b) Förderung rationeller Betriebsführungsmethoden in den Einzelhandelsbetrieben mittels individueller Beratungen durch die „Betriebswirtschaftliche Beratungsstelle für den Einzelhandel GmbH".

**Hauptgenossenschaft,** regionale Warenzentrale für das ländliche Bezugs- und Absatzgeschäft der →Raiffeisengenossenschaften. H. beliefern diese mit Düngemitteln, Futtermitteln aus eigener Herstellung, Saatgut, Landmaschinen und sonstigen Betriebsmitteln und vermarkten zentral bei den Genossenschaften aufkommende Agrarprodukte, insbes. Getreide und Kartoffeln.

**Hauptgruppe,** →Gruppe II 2a).

**Hauptkostenstelle,** →Endkostenstelle, die Hauptprodukte des Unternehmens erzeugt, z. B. Gießerei, Fräserei, Dreherei, Schleiferei. – *Gegensatz:* →Nebenkostenstelle.

**Hauptlager,** organisatorisch von →Nebenlagern und →Handlagern u. ä. getrennte →Lager zur Aufnahme der für die normale Fertigung erforderlichen Rohstoffe, Hilfsstoffe, Betriebsstoffe, Teile, Werkzeuge usw.

**Hauptlauf,** →Transportkette.

**Hauptniederlassung,** örtlicher Mittelpunkt des gesamten Unternehmens. Ort der H. bestimmt allgemeinen →Gerichtsstand (§ 17 ZPO) und bei Handelsgesellschaften i. d. R. den →Sitz. - 1. Von *mehreren Niederlassungen* kann grundsätzlich nur eine H. sein, es sei denn, es handelt sich dabei um selbständige Unternehmen. Dann sind diese Unternehmen in bezug auf →Firma und Registerrecht selb-

ständig zu behandeln. – 2. Unternehmen, die sowohl in der *Bundesrep. D. und der Deutschen Demokratischen Republik oder Berlin (West)* Niederlassungen haben, können auch doppelte H. (→Doppelsitz) errichten. – 3. Am Gericht der H. haben auch alle die Zweigniederlassungen betreffenden Anmeldungen zum Handelsregister zu erfolgen (§ 13a HGB). *Ausnahme:* H. befindet sich im Ausland (§ 13b HGB), Eintragungsfähigkeit der Zweigniederlassung richtet sich dann nach deutschem Recht. Nach Eintragung wird die Zweigniederlassung als H. behandelt. – 4. *Verlegung* der H. ist beim bisherigen Gericht der H. anzumelden (§ 13c HGB).

**Hauptnutzungszeit,** Zeit mit planmäßiger, unmittelbarer Nutzung des Betriebsmittels i. S. der Zweckbestimmung (Arbeitsaufgabe). – Vgl. auch →Nebennutzungszeit.

**Hauptprogramm,** →Programm, dessen Ausführung i. a. durch ein Kommando des →Betriebssystems angestoßen wird. Ein H. kann →Unterprogramme benutzen.

**Hauptsätze der Wohlfahrtstheorie.** 1. Der *erste H. d. W.* besagt, daß Marktgleichgewichte immer Pareto-effizient sind. – 2. Nach dem *zweiten H. d. W.* sind Pareto-effiziente Allokationen bei konvexen, stetigen und monotonen Präferenzen →Marktgleichgewichte für geeignete Verteilungen von Güterausstattungen.

**Hauptschuldner,** der ursprüngliche Schuldner bei der →Bürgschaft.

**Hauptspediteur,** im Recht des Speditionsgeschäfts der erste Spediteur, der den Speditionsauftrag unmittelbar von dem →Versender erhält. – Der H. *haftet* beschränkt für nicht mit der Sorgfalt eines ordentlichen Kaufmanns ausgewählte →Zwischenspediteure im Rahmen der ADSp.

**Hauptspeicher.** 1. Bezeichnung für den Teil des →Arbeitsspeichers, der dem Benutzer zur Verfügung steht. – 2. Synonym für Arbeitsspeicher.

**Haupttätigkeit,** Begriff des Arbeitsstudiums für die planmäßige, unmittelbar der Erfüllung der Arbeitsaufgabe dienende →Tätigkeit. – *Gegensatz:* →Nebentätigkeit.

**Haupttermin,** Gerichtstermin im Zivilprozeß, dient i. d. R. der Erledigung des Rechtsstreites. Das Gericht hat in den Sach- und Streitstand einzuführen und soll hierzu die Parteien persönlich hören. Der streitigen Verhandlung soll die Beweisaufnahme unmittelbar folgen, und im Anschluß hieran ist der Sach- und Streitstand erneut mit den Parteien zu erörtern. Ein erforderlicher neuer Termin ist möglichst kurzfristig anzuberaumen (§§ 272, 278 ZPO). Vorbereitet wird der H. durch ein →schriftliches Vorverfahren oder einen →frühen ersten Termin.

**Hauptunternehmer,** der von einem Auftraggeber mit der Ausführung eines Bauauftrages betraute Unternehmer, der sich verpflichtet, einen Teil des Auftrages im Namen des Auftraggebers an andere Unternehmer (→Nachunternehmer bzw. Nebenunternehmer) weiterzugeben. Es entstehen unmittelbare Rechtsbeziehungen zwischen dem Auftraggeber und den einzelnen Nachunternehmern. Nachunternehmer übernehmen damit auch dem Auftraggeber gegenüber die Gewähr für die ordnungsgemäße Ausführung ihrer Teilarbeit. Der H. ist Vermittler, er kann als solcher aber dem Auftraggeber gegenüber für die Gesamtausführung neben den einzelnen Nachunternehmen haften. Er kann auch z. B. die Bauleitung (Unternehmerbauleitung) übernehmen und befugt sein, die Zahlungen für die Nachunternehmer entgegenzunehmen (*anders:* →Generalunternehmer). – *Umsatzsteuerpflicht:* Vgl. →Arbeitsgemeinschaften II.

**Hauptuntersuchung,** Begriff des Straßenverkehrsrechts für die jährlich (Fahrzeuge zur Personenbeförderung und Lastkraftwagen) oder alle zwei Jahre (sonstige Personenkraftwagen) vorgeschriebene Untersuchung auf ihre Verkehrssicherheit durch den amtlichen Sachverständigen oder Prüfer für den Kraftfahrzeugverkehr (§ 29 StVZO). – Vgl. auch →Zwischenuntersuchung.

**Hauptveranlagung,** Begriff des Steuerrechts. – 1. H. zur *Vermögensteuer* i. a. für drei Kalenderjahre; Zeitraum kann vom Bundesminister der Finanzen abgekürzt oder verlängert werden (§ 15 VStg). Der H. wird der Wert des →Gesamtvermögens (unbeschränkte Steuerpflicht) im →Hauptveranlagungszeitpunkt zugrunde gelegt. – Vgl. auch →Vermögensteuer IV. – 2. H. zur →*Grundsteuer* erfolgt im Anschluß an die →Hauptfeststellung der →Einheitswerte (vgl. dort III) des →Grundbesitzes.

**Hauptveranlagungszeitpunkt,** Termin der →Hauptveranlagung; Beginn des Hauptveranlagungszeitraums und damit Beginn des ersten der drei Kalenderjahre, für die die Vermögensteuer allgemein festgesetzt wird. – *Letzter H.:* 1.1.1986.

**Hauptverband der Deutschen Bauindustrie e. V.,** Sitz in Wiesbaden. – *Aufgaben:* Vertretung bauindustrieller Interessen sowohl auf wirtschaftlichem als auch auf sozialpolitischem Gebiet.

**Hauptverband der Deutschen Holzindustrie und verwandter Industriezweige e. V. (HDH),** Sitz in Wiesbaden. – *Aufgaben:* Wahrung, Förderung und Vertretung der wirtschaftlichen, sozialpolitischen und fachlichen Belange der Holzindustrie und Kunststoffverarbeitung sowie verwandte Industrie.

**Hauptverband der Deutschen Schuhindustrie e. V.,** Sitz in Offenbach. – *Aufgaben:* Vertretung der gemeinsamen Interessen der deutschen Schuhindustrie auf wirtschaftlichem und sozialpolitischem Gebiet.

**Hauptverband der gewerblichen Berufsgenossenschaften e. V. (BG),** Spitzenverband der gesetzlichen Unfallversicherung, Sitz in Berlin. – *Aufgaben:* Wahrnehmung der gemeinsamen Interessen und Aufgaben der gewerblichen Berufsgenossenschaften.

**Hauptverband der Papier, Pappe und Kunststoffe verarbeitenden Industrie e. V.,** Sitz in Frankfurt a. M. – *Aufgaben:* Wahrung und Förderung der gemeinsamen wirtschafts- und sozialpolitischen Interessen der Papier und Pappe verarbeitenden Industrie und verwandten Industriezweige.

**Hauptvereinigung der Ambulanten Gewerbes und der Schausteller in Deutschland e. V. (HAGD),** Sitz in Bonn. – *Aufgaben:* Unterstützung und Förderung der Mitglieder in ihrer organisatorischen und berufsständischen Entwicklung; Vertretung der Mitglieder in grundsätzlichen Berufsangelegenheiten; Förderung des Ansehens des Berufsstandes im öffentlichen Leben.

**Hauptversammlung (HV),** früher: *Generalversammlung.*

I. Begriff: Gesetzliches Organ der Aktiengesellschaft und Kommanditgesellschaft auf Aktien (§§ 118–128, 285 AktG). Versammlung der Aktionäre, in der sie ihre Rechte in Angelegenheiten der AG ausüben. →Vorstand und →Aufsichtsrat sollen an der HV teilnehmen (§ 118 AktG). Die Rechte der HV, die durch das Aktiengesetz 1937 zugunsten des Vorstands stark beschnitten worden waren, sind durch das Aktiengesetz 1965 zum Teil wiederhergestellt worden.

II. Aufgaben: Beschlußfassung in allen von Gesetz oder Satzung bestimmten Fällen, namentlich über: 1. *Bestellung der Mitglieder des Aufsichtsrats,* soweit es sich nicht um Arbeitnehmervertreter handelt. – 2. *Verwendung des Bilanzgewinns* (→Gewinnverwendung). – 3. – →*Entlastung von Vorstand und Aufsichtsrat.* – 4. *Bestellung des Abschlußprüfer.* – 5. *Satzungsänderungen.* – 6. Maßnahmen der *Kapitalbeschaffung und -herabsetzung.* – 7. *Bestellung von Prüfern für Sonderprüfung* (→Wirtschaftsprüfung IV 2 b)). – 8. *Auflösung der AG.* – 9. Über Fragen der *Geschäftsführung* kann die HV nur entscheiden, wenn der Vorstand es verlangt (§ 119 AktG).

III. Zeitpunkt: 1. I. a. einmal *jährlich* in den ersten acht Monaten des Geschäftsjahres zur Entlastung des Vorstands und Aufsichtsrats. Damit i. d. R. verbunden Verhandlung über Gewinnverwendung (§ 120 I, III AktG). – 2. Wenn das *Wohl der AG* dies erfordert

(§ 121 I AktG). – 3. Wenn eine *Minderheit* von 5% des Grundkapitals oder 1 Mill. DM Nennbetrag das verlangt (§ 122 II AktG). – 4. *Besondere Regelung* besteht für Versicherungs-Aktiengesellschaften und Versicherungsvereine auf Gegenseitigkeit durch VO vom 5. 2. 1968 (BGBl I 141).

**IV. Einberufung:** 1. Durch den *Vorstand* (§ 121 AktG); falls er einem Minderheitsverlangen (vgl. III 3) nicht stattgibt, durch die vom Gericht ermächtigten Aktionäre (§ 122 III AktG). – 2. Die Einberufung nebst Tagesordnung ist mindestens ein Monat vor dem Tag der HV in den *Gesellschaftsblättern* bekanntzugeben. Hat eine Minderheit (vgl. III 3) verlangt, daß Gegenstände zur Beschlußfassung bekanntgemacht werden (122 II AktG), so genügt Bekanntmachung zehn Tage nach der Einberufung (§ 124 I AktG). – 3. Bei der *Wahl von Aufsichtsratsmitgliedern* ist anzugeben, nach welchen gesetzlichen Vorschriften sich der Aufsichtsrat zusammensetzt. – 4. Soll die HV über eine *Satzungsänderung* oder über einen *Vertrag* beschließen, der nur mit Zustimmung der HV wirksam wird, ist auch der Wortlaut der Satzungsänderung oder der wesentliche Inhalt des Vertrages bekanntzumachen (§ 124 II AktG). – 5. In der Bekanntmachung der Tagesordnung haben Vorstand und Aufsichtsrat zu jedem Tagesordnungspunkt, über den die HV beschließen soll, *Vorschläge zur Beschlußfassung* zu machen (zur Wahl von Aufsichtsratsmitgliedern und Prüfern nur der Aufsichtsrat; § 124 III AktG).

**V. Mitteilungen:** 1. *Kreditinstitute* und *Aktionärsvereinigungen,* die in der letzten HV Stimmrechte für Aktionäre ausgeübt oder die Mitteilung verlangt haben, erhalten binnen zwölf Tagen nach der Bekanntmachung der Einberufung im Bundesanzeiger besondere Mitteilung über a) Einberufung der HV, b) Tagesordnung, c) Anträge und Wahlvorschläge von Aktionären (vgl. unten), einschl. des Namens des Aktionärs, der Begründung und einer etwaigen Stellungnahme der Verwaltung (§ 125 I AktG). – 2. Die gleiche Mitteilung wird den *Aktionären* übersandt, die a) eine Aktie bei der Gesellschaft hinterlegt haben, b) die Mitteilung verlangen oder im Aktienbuch der AG eingetragen sind (§ 125 II AktG). – *Weitergabe* der Mitteilungen (nach 1) an die Aktionäre obliegt den Kreditinstituten und Aktionärsvereinigungen. Der Bundesjustizminister kann vorschreiben, daß die AG die Aufwendungen für die Vervielfältigung und Übersendung an die Aktionäre zu ersetzen hat (§ 128 AktG).

**VI. Anträge von Aktionären** (§ 126 AktG): 1. *Frist:* Mitteilung (vgl. oben) braucht nur zu erfolgen, wenn der Aktionär binnen einer Woche seit der Bekanntmachung im Bundesanzeiger der AG einen Gegenantrag mit Begründung übersandt und dabei mitge-

teilt hat, daß er in der HV einem Vorschlag der Verwaltung widersprechen und die anderen Aktionäre veranlassen wolle, für seinen Gegenantrag zu stimmen (§ 126 I AktG). – 2. *Gegenanträge* und Begründung brauchen u. a. nicht mitgeteilt zu werden: a) soweit sich der Vorstand strafbar machen würde; b) wenn der Gegenantrag zu einem gesetz- oder satzungswidrigen Beschluß der HV führen würde; c) wenn die Begründung in wesentlichen Punkten offensichtlich falsche oder irreführende Angaben oder wenn sie →Beleidigungen enthält; d) wenn ein auf denselben Sachverhalt gestützter Gegenantrag des Aktionärs bereits zu einer anderen HV mitgeteilt worden ist; e) wenn derselbe Gegenantrag mit wesentlich gleicher Begründung in den letzten fünf Jahren zu zwei HV mitgeteilt worden ist und in der HV weniger als 5 v. H. des Grundkapitals für ihn gestimmt haben; f) wenn der Aktionär an der HV nicht teilnehmen und sich nicht vertreten lassen wird. – 3. Die *Begründung* braucht nicht mitgeteilt zu werden, wenn sie mehr als 100 Worte beträgt. – 4. *Mehrere Gegenanträge* nebst Begründung zu demselben Tagesordnungspunkt kann der Vorstand zusammenfassen. – 5. Für *Wahlvorschläge* von Aktionären gilt Entsprechendes. Begründung entbehrlich; erforderlich Angabe des Namens, Berufs und Wohnorts des zu Wählenden (§ 127 AktG).

**VII. Ablauf:** 1. In der HV ist ein →*Teilnehmerverzeichnis* aufzustellen. – 2. Die Aktionäre können das →Auskunftsrecht ausüben. – 3. *Beschlüsse* der HV bedürfen i. a. der →Stimmenmehrheit, u. U. auch einer →qualifizierten Mehrheit, immer der →öffentlichen Beurkundung. Jede Aktie gewährt →Stimmrecht (ausgenommen: →Mehrstimmrechtsaktien). – 4. Beschlüsse der HV unterliegen unter bestimmten Voraussetzungen der *Anfechtung; Nichtigkeitsgründe im § 241 AktG.

**Hauptverwaltung,** zentrale Leitung größerer Unternehmungen. Die H. befindet sich i. a. am Ort der →Hauptniederlassung.

**Hauptwohnung,** Begriff des Melderechts für die vorwiegend benutzte Wohnung des Einwohners. H. eines verheirateten Einwohners, der nicht dauernd getrennt von seiner Familie lebt, ist die vorwiegend benutzte Wohnung der Familie. In Zweifelsfällen ist die vorwiegend benutzte Wohnung dort, wo der Schwerpunkt der Lebensbeziehungen des Einwohners liegt (§ 12 II Melderechtsrahmengesetz vom 16. 8. 1980 – BGBl I 1429). – Vgl. auch →Meldepflicht. – *Amtliche Statistik:* Bedeutsam für die Zuordnung der →Bevölkerung.

**Hauptzollamt,** örtliche Bundesbehörde für die Verwaltung der →Zölle und →Verbrauchsteuern (§ 13 FVG).

**Hausangestellte,** →Hausgehilfin.

**Hausarbeitstag,** *Haushaltstag,* arbeitsfreier Tag berufstätiger Frauen zur Verrichtung der Hausarbeit. Vgl. im einzelnen →Frauenschutz III.

**Hausauftrag,** →Innenauftrag.

**Hausbank.** 1. Bank, mit der ein Unternehmen als Dauerkunde zusammenarbeit. – 2. Bank, die für ein Unternehmen sämtliche Bankgeschäfte erledigt (Gewährung von Kontokorrentkrediten, Wechseldiskontierung, Abwicklung der Auslandsgeschäfte usw.), im Gegensatz zu solchen Banken, bei denen das Unternehmen lediglich Konten für den Zahlungsverkehr unterhält. – 3. Einem Großunternehmen angegliederte Bank, die dessen Bankgeschäfte erledigt; betreibt i. d. R. auch allgemeines Bankgeschäft. H. von Konzernen *(Konzernbanken)* auch in der Bundesrep. D.

**Haus des Handwerks,** 1953 in Bonn errichtete gemeinsame Geschäftsstelle des →Zentralverbandes des Deutschen Handwerks, der →Vereinigung der Zentralfachverbände und des →Deutschen Handwerkskammertages.

**Hausfriedensbruch,** →Hausrecht.

**Hausgehilfin,** *Hausangestellte,* weibliche Arbeitskraft, die Hausarbeit gegen Entgelt leistet und i. d. R. zum →Haushalt ihres Arbeitgebers gehört. – *Anders:* →Haushaltshilfe.

I. Arbeitsrecht: Vgl. →Mutterschutz.

II. Steuerliche Behandlung: 1. *Beim Arbeitgeber:* Bei Beschäftigung einer H. können auf Antrag die Aufwendungen als →außergewöhnliche Belastung (§ 33 a III EStG), höchstens 1200 DM jährlich, vom →Gesamtbetrag der Einkünfte abgezogen werden, a) wenn der Steuerpflichtige oder sein mit ihm zusammenlebender Ehegatte das 60. Lebensjahr vollendet hat; b) wenn der Steuerpflichtige oder sein mit ihm zusammenlebender Ehegatte, ein zum Haushalt gehöriges Kind oder eine andere zu seinem Haushalt gehörige unterhaltene Person nicht nur vorübergehend körperlich hilflos oder schwer körperbeschädigt ist oder die H. wegen Krankheit einer dieser Personen erforderlich ist. – 2. *Bei der H.:* Sie ist →Arbeitnehmer. Ihr Arbeitslohn besteht i. d. R. aus Barlohn und →Sachbezügen und unterliegt der →Lohnsteuer. Übernimmt der Arbeitgeber die Lohnsteuer und die Arbeitnehmeranteile der →Sozialversicherung, so rechnen diese Beträge zum Arbeitslohn.

**Hausgewerbetreibende.** I. Arbeitsrecht: Nach Heimarbeitsgesetz (HAG) vom 14.3.1951 (BGBl I 191), geändert durch Gesetz vom 29.10.1974 (BGBl I 2879), und DVO i. d. F. vom 27.1.1976 (BGBl I 341) Personen, die in eigener Arbeitsstätte (Wohnung oder Betriebsstätte) wie →Heimarbeiter im Auftrag von →Gewerbetreibenden oder

→Zwischenmeistern mit nicht mehr als zwei fremden Hilfskräften Waren herstellen, bearbeiten oder verpacken und selbst wesentlich mitarbeiten, evtl. Roh- und Hilfsstoffe selbst beschaffen. – Vgl. auch →Heimarbeit.

II. Sozialversicherung: Selbständig Tätige, die in eigener Arbeitsstätte im Auftrag und für Rechnung von Gewerbetreibenden, gemeinnützigen Unternehmen oder öffentlich-rechtlichen Körperschaften gewerblich arbeiten, auch wenn sie Roh- und Hilfsstoffe selbst beschaffen oder vorübergehend für eigene Rechnung tätig sind (§ 12 I SGB IV) mit freier Bestimmung über Arbeitszeit und Arbeitsverlauf. Die Arbeitsstätte kann in der Wohnung oder in einer eigenen Betriebsstätte sein. Der H. darf auch Mitarbeiter beschäftigen.

III. Gewerbesteuer: H. unterliegen der Gewerbesteuerpflicht. Die →Steuermeßzahlen für den →Gewerbeertrag ermäßigen sich gegenüber den für natürliche Personen und Gesellschaften festgesetzten Steuermeßzahlen um die Hälfte. Betreibt ein H. noch eine andere gewerbliche Tätigkeit und sind beide Tätigkeiten als eine Einheit anzusehen, so tritt die Ermäßigung der Steuermeßzahlen nur ein, wenn die Tätigkeit als H. überwiegt (§ 11 III 1 GewStG, § 22 GewStDV).

**Haushalt,** *Haushaltung.* I. Wirtschaftstheorie: Wirtschaftliche Entscheidungseinheit. Bei →Konsumentensouveränität wird i. d. R. unterstellt, daß sich der H. als →Nutzenmaximierer verhält und dadurch sein Angebot an Produktionsfaktoren und seine Nachfrage nach Konsumgüter bestimmt. – *Besteuerung:* Vgl. →Haushaltsbesteuerung, →Haushaltsfreibetrag.

II. Finanzwissenschaft: Gegenüberstellung von Voranschlägen der Einnahmen und Ausgaben der öffentlichen Hand (→Haushaltsplan) im Haushaltsjahr. – Vgl. auch →Budget, →öffentlicher Haushalt.

III. Amtliche Statistik: 1. *Privathaushalt:* Personen, die allein *(Einzelpersonen-H.)* oder zusammen *(Mehrpersonen-H.)* wohnen und wirtschaften. Es können verwandte und/ oder familienfremde Personen sein. Weitaus die meisten H. sind *Familien-H.:* Gemeinschaften von verheirateten, verwandten oder verschwägerten Personen. – In der *Bundesrep. D.:* Vgl. Tabellen Sp. 2377/2378. – 2. *Anstalts-H.:* Personengemeinschaften unter gemeinsamer Leitung, z. B. Kaserne, Internat, Strafanstalt, Pflegeheim. – Vgl. auch →Haushaltsstatistik, →Familienstatistik, →Haushaltstyp.

**Haushaltsausgleich,** der nach Art. 110 I GG vorgesehene Ausgleich des Haushaltsplanes „in Einnahmen und Ausgabe", d. h. Ausgleich der mit Zahlungen verbundenen Einnahme- und Ausgabeposten (Ausgleich aus formeller sowie materieller Sicht). Vgl. auch →Haushaltsplan. – Eine bewußte *Unterdeckung*

(→deficit spending) gem. Stabilitätsgesetz ist erlaubt, muß aber mit realisierbaren Kreditbeschaffungsmöglichkeiten, nicht mit nur fiktiven Einnahmeposten, verbunden sein.

**Haushaltsbesteuerung. I. H. im weiteren Sinne** *(kreislauftheoretisches Begriffsverständnis): 1. Begriff:* Besteuerung der im persönlichen Bereich des wirtschaftenden Menschen realisierten Steuertatbestände, die eine besondere Leistungsfähigkeit ausdrükken. Die Besteuerung der Organisationsgebilde „privater Haushalt" steht im Gegensatz und in Ergänzung zur objektiven →Unternehmensbesteuerung, die die Steuertatbestände in jenen Organisationsgebilden aufsucht, die der Kombination produktiver Faktoren dienen und die die Ertragsfähigkeit dieser Organisationen ausdrücken. Private Haushalte sind diejenigen Kreislaufaggregate, denen die in den Unternehmen entstandenen Erträge als Einkommen zugehen (Einkommensentstehungsstrom des Kreislaufs). – 2. Erhebung von →*Personensteuern:* Lohn- und Einkommensteuer, Kirchensteuer, persönliche Vermögensteuer, Erbschaft- und Schenkungsteuer; das →Leistungsfähigkeitsprinzip läßt sich aber auch in der Besteuerung der Einkommensverwendung realisieren, weshalb auch die „persönliche →Ausgabensteuer" zu den Personensteuern zählt.

**II. H. im engeren Sinne** *(veranlagungstechnisches Begriffsverständnis):* Gemeinsame Veranlagung aller Leistungsfähigkeitsindikatoren der gesamten Familie und aller in einem Haushalt zusammenlebenden Personen oder weniger umfassend die Zusammenveranlagung der Ehegatten. Daneben steht die Individualbesteuerung bzw. -veranlagung, bei der jedes Mitglied eines Haushalts getrennt von den anderen veranlagt und besteuert wird.

**III. H. in der Bundesrep. D.:** *1. Begriff:* Besteuerung von →Ehegatten und

### Privathaushalte nach Zahl der Personen

| Jahr | Insgesamt | Davon mit ... Person(en) | | | | | Haushaltsmitglieder | Personen je Haushalt |
|------|-----------|------|------|------|------|------|------|------|
| | | 1 | 2 | 3 | 4 | 5 und mehr | | |
| | | 1000 | | | | | | Anzahl |
| 13. 9. 1950 | 16 650 | 3 229 | 4 209 | 3 833 | 2 692 | 2 687 | 49 850 | 2,99 |
| 6. 6. 1961 | 19 460 | 4 010 | 5 156 | 4 389 | 3 118 | 2 787 | 56 012 | 2,88 |
| 27. 5. 1970 | 21 991 | 5 527 | 5 959 | 4 314 | 3 351 | 2 839 | 60 176 | 2,74 |
| April 1977 | 24 165 | 7 062 | 6 829 | 4 371 | 3 540 | 2 363 | 61 245 | 2,53 |
| Mai 1981 | 25 160 | 7 730 | 7 200 | 4 394 | 3 649 | 2 129 | 61 658 | 2,46 |
| April 1982 | 25 336 | 7 926 | 7 283 | 4 474 | 3 636 | 2 017 | 61 560 | 2,43 |
| Juni 1985 | 26 367 | 8 863 | 7 861 | 4 514 | 3 480 | 1 649 | 61 006 | 2,31 |

### Privathaushalte im Mai 1985 nach Altersgruppen und Familienstand des Haushaltsvorstandes
(in 1 000)

| Alter des Haushaltsvorstandes von ... bis unter ... Jahren | Insgesamt | Davon Haushaltsvorstand | | | | Einpersonenhaushalte | Davon Haushaltsvorstand | | | |
|------|------|------|------|------|------|------|------|------|------|------|
| | | ledig | verheiratet | verwitwet | geschieden | | ledig | verheiratet *) | verwitwet | geschieden |
| unter 25 | 1 600 | 1 245 | 329 | – | 24 | 1 004 | 973 | 20 | – | 10 |
| 25–45 | 8 764 | 1 975 | 5 873 | 113 | 803 | 2 142 | 1 513 | 223 | 28 | 379 |
| 45–65 | 9 463 | 756 | 6 769 | 1 221 | 717 | 2 043 | 609 | 202 | 769 | 463 |
| 65 und mehr | 6 540 | 433 | 2 512 | 3 364 | 232 | 3 673 | 379 | 53 | 3 035 | 207 |
| Insgesamt | 26 367 | 4 410 | 15 483 | 4 699 | 1 775 | 8 863 | 3 474 | 497 | 3 833 | 1 059 |

*) Getrennt lebend

### Privathaushalte im Mai 1982 nach Haushaltsgröße und monatlichen Haushaltseinkommen
(in 1 000)

| Privathaushalte mit ... Person(en) | Insgesamt | Davon | | | | | | | | | sonst. Haushalte |
|------|------|------|------|------|------|------|------|------|------|------|------|
| | | mit einem monatlichen Haushaltsnettoeinkommen von ... bis unter ... DM | | | | | | | | | |
| | | unter 600 | 600– 1 200 | 1 200– 1 800 | 1 800– 2 500 | 2 500– 3 000 | 3 000– 4 000 | 4 000– 5 000 | 5 000 und mehr | |
| 1 | 7 926 | 647 | 2 800 | 2 478 | 1 182 | 251 | 189 | 58 | 55 | 272 |
| 2 | 7 283 | 57 | 539 | 1 482 | 2 012 | 992 | 1 201 | 413 | 319 | 268 |
| 3 und mehr | 10 127 | 15 | 193 | 928 | 2 407 | 1 540 | 2 354 | 1 136 | 953 | 601 |
| Insgesamt | 25 336 | 720 | 3 532 | 4 887 | 5 600 | 2 783 | 3 744 | 1 600 | 1 327 | 1 142 |

von Eltern und steuerlich zu berücksichtigenden Kindern als Gemeinschaft. – 2. Die H. von *Ehegatten* erfolgt nach §26 EStG durch →Zusammenveranlagung, wenn beide Ehegatten diese wählen oder keine Erklärung abgeben. Die Steuerprogression, die durch die Zusammenrechnung der →Einkünfte beider Ehegatten entsteht, ist durch die besondere Gestaltung des →Einkommensteuertarifs gemildert (→Splitting-Verfahren). – 3. Bei der *Vermögensteuer* (§14 VStG) werden Ehegatten zusammenveranlagt, ebenfalls Ehegatten mit Kindern und Einzelpersonen mit Kindern, wenn diese eine Haushaltsgemeinschaft bilden und die Kinder das 18. Lebensjahr noch nicht vollendet haben (Kinder in Berufsausbildung bis zur Vollendung des 27. Lebensjahres). Durch die →Zusammenveranlagung vervielfachen sich die →Freibeträge, die vom →Gesamtvermögen (vgl. →Zusammenrechnung des Vermögens) zum Abzug kommen.

**Haushaltsfreibetrag,** Begriff des Einkommen- und Lohnsteuerrechts (§32 VII EStG). Den H. von 4536 DM erhalten Steuerpflichtige, bei denen das →Splitting-Verfahren nicht anzuwenden ist und keine →getrennte Veranlagung durchgeführt wird, wenn ihnen ein →Kinderfreibetrag gewährt wird. Bei *Lohnsteuerpflichtigen* ist der H. in der Lohnsteuertabelle durch Einstufung in die →Steuerklasse II bereits berücksichtigt. Bei *Einkommensteuerpflichtigen* wird er im Wege der →Veranlagung gewährt.

**Haushaltsführungsehe,** neben →Doppelverdienerehe und →Zuverdienstehe im Familienrecht vorgesehenes Ehemodell. H. trennt die Berufssphären beider Ehegatten vollkommen und ist entweder Hausfrauen- oder Hausmannsehe. Ein Ehegatte sorgt für den Erwerb der zum Unterhalt notwendigen Geldmittel, der andere Ehegatte versorgt und leitet in eigener Verantwortung den Haushalt, wobei er seine Vepflichtung durch Arbeit zum Unterhalt der Familie beizutragen, i.d.R. durch die Haushaltsführung erfüllt (§§ 1356 II, 1360 S. 2 BGB).

**Haushaltsfunktionen,** Summe der finanzwissenschaftlichen Anforderungen an einen →Haushaltsplan. Die H. sind zu unterschiedlichen Zeitpunkten entsprechend verschiedenen finanz- und haushaltstheoretischen Gesichtspunkten entwickelt worden; sie sind daher nicht in sich konsistent, sondern oft gegensätzlich und bergen Zielkonflikte, insbes. bei den aus ihnen abgeleiteten →Haushaltsgrundsätzen. – *Teilfunktionen:* a) →administrative Kontrollfunktion, b) →finanzwirtschaftliche Ordnungsfunktion, c) →politische Kontrollfunktion, d) →politische Programmfunktion, e) →volkwirtschaftliche Lenkungsfunktion.

**Haushaltsgesetz,** Form, in der ein staatlicher →Haushaltsplan parlamentarisch festgestellt wird. Es genügt die einfache Mehrheit. Das H. legt das Volumen der Einnahmen und Ausgaben sowie der vorgesehenen Kreditaufnahme, die →Verpflichtungsermächtigungen und den Höchstbetrag der Kassenverstärkungskredite fest. – Der Haushaltsplan i.e.S. samt seinen Anlagen (→Haushaltsplan) bildet eine *Anlage zum H.* –H. für Gemeinden und Gemeindeverbände: Vgl. →Haushaltssatzung.

**Haushaltsgrundsätze,** *Budgetprinzipien.*

I. Begriff: Von Finanzwissenschaft und Praxis entwickelte Regeln für die öffentliche Haushaltswirtschaft, deren Befolgung insbes. der Kontrollierbarkeit der öffentlichen Haushaltswirtschaft dienen soll. Die Benutzung der öffentlichen Haushalte als Instrument zur Verwirklichung stabilisierungspolitischer Ziele macht Durchbrechungen der traditionellen Haushaltsgrundsätze (→Haushaltsfunktionen) erforderlich. – *Gesetzliche Regelung:* In der Bundesrep. D. haben die H. samt ihren Ausnahmeregelungen im →Grundgesetz (GG), im Gesetz über die Grundsätze des Haushaltsrechts des Bundes und der Länder (Haushaltsgrundsätzegesetz – HGrG) vom 19.8.1969 (BGBl I 1273) sowie der Bundeshaushaltsordnung (BHO) entsprechend in den einzelnen Landeshaushaltsordnungen (LHO) ihren Niederschlag gefunden; vgl. →Haushaltsreform.

II. Einzelgrundsätze: 1. *Vollständigkeit* (Art. 110 I GG, §§8, 12 HGrG, 11, 15 BHO): Unverkürzte Aufnahme sämtlicher erwarteter Einnahmen, Ausgaben und voraussichtlich benötigter →Verpflichtungsermächtigungen (Bruttoprinzip); Ausnahmen bestehen bezüglich kaufmännisch eingerichteter Staatsbetriebe und Sondervermögen sowie der Kreditfinanzierung. – 2. *Klarheit:* Systematische, aussagefähige Gliederung des Haushalts und Kennzeichnung seiner Einzelansätze. – 3. *Einheit* (Art. 110 II GG, §§8, 18 HGrG, 12, 26 BHO): Einnahmen, Ausgaben und Verpflichtungsermächtigungen einer Gebietskörperschaft sind in einem Haushaltsplan zusammenzufassen (→Einheitsbudget). – 4. *Genauigkeit:* Voranschläge sollen frei von Zweckpessimismus oder -optimismus aufgestellt werden, um die Spanne zwischen erwarteten und wirklichen Ergebnissen zu minimieren (→Fälligkeitsprinzip). – 5. *Vorherigkeit:* Feststellung des Haushaltsplans soll vor Beginn des Haushaltsjahres erfolgen, auf das er sich bezieht. – 6. *Spezialität* (§§ 15, 27 HGrG, 19, 20, 46 BHO): a) *Qualitative Spezialität:* Zu verausgabende Mittel dürfen nur für den im Haushaltsplan ausgewiesenen Zweck ausgegeben werden. Ausgenommen sind Ausgaben, für die eine „gegenseitige" oder „einseitige Deckungsfähigkeit" entweder generell (im Bereich der Personalausgaben) oder durch besondere Erklärung im Haushaltsplan zugelassen ist (→Deckungsfähigkeit). – b) *Quantitative Spe-*

*zialität:* Zu verausgabende Mittel dürfen nur bis zu der im Haushaltsplan ausgewiesenen Höhe ausgegeben werden. Ausgenommen sind über- und außerplanmäige Ausgaben im Falle eines unvorhergesehen und unabweisbaren Bedürfnisses; sie bedürfen nach Art. 112 GG im Bereich des Bundeshaushalts der Zustimmung des Bundesfinanzministers. – c) *Temporäre Spezialität:* Zu verausgabende Mittel dürfen nur in der Zeit, für die der Haushaltsplan gilt, ausgegeben werden. Ausgenommen sind Ausgaben, für die ,,Übertragbarkeit" entweder generell (Ausgaben für Investitionen und Ausgaben aus zweckgebundenen Einnahmen) oder durch besondere Erklärung im Haushaltsplan zugelassen ist (→Übertragbarkeit von Ausgaben). – 7. *Öffentlichkeit* (Art. 110 II GG): Unbeschränkte Zugänglichkeit des Haushaltsplans sowie breiteste Publizierung und Diskussion des ganzen ,,Budgetlebens" (Lotz), insbes. des Entwurfs und der parlamentarischen Beratungen. – 8. *Nonaffektation* (§§ 7 HGrG, 8 BHO): Alle Einnahmen dienen als Deckungsmittel für den gesamten Ausgabebedarf, d. h. Abkehr von der früher üblichen ,,Fondswirtschaft. Ausnahmen bedürfen ausdrücklicher Bestimmung in den einzelnen Steuergesetzen. – 9. *Sparsamkeit und Wirtschaftlichkeit* (§§ 6 HGrG, 7 BHO): Binden die öffentliche Haushaltswirtschaft an das →ökonomische Prinzip. – Vgl. auch →Haushaltsplan, →Bundeshaushalt.

**Haushaltsgrundsätzegesetz (HGrG),** Gesetz über die Grundsätze des Haushaltsrecht des Bundes und der Länder vom 19. 8. 1969 (BGBl I 1273); gesetzliche Regelung der →Haushaltsgrundsätze. – Vgl. auch →Haushaltsreform.

**Haushaltshilfe,** Leistung der gesetzlichen Krankenversicherung für Versicherte, wenn es ihnen oder ihrem Ehegatten wegen Krankenhaus- oder Kuraufenthaltes nicht möglich ist, den Haushalt weiterzuführen, und eine andere im Haushalt lebende Person hierfür nicht zur Verfügung steht. Voraussetzung: ein Kind unter acht Jahren oder behindert und auf Hilfe angewiesen (§ 185 b RVO). Die Krankenkasse hat als H. eine Ersatzkraft zu stellen oder die Kosten für eine vom Versicherten selbst beschaffte Ersatzkraft in angemessener Höhe zu erstatten (§ 185 b II RVO). Für Verwandte und Verschwägerte bis zum zweiten Grad werden keine Kosten für die Haushaltsführung erstattet; Fahrtkosten und Verdienstausfall können übernommen werden. Erweiterung durch Kassensatzung möglich (§ 185 b III RVO).

**Haushaltsjahr,** →Rechnungsjahr der öffentlichen Haushalte, für das der →Haushaltsplan aufgestellt wird. Seit 1961 das Kalenderjahr. Andere Lösungen sind aber möglich (§ 9 HGrG, § 12 BHO).

**Haushaltskontrolle,** vierte Phase im ,,Lebenszyklus" eines öffentlichen Haushaltsplans (→Haushaltskreislauf). – *Bestandteile:* 1. *Verwaltungskontrolle:* Überprüfung der verwaltungstechnischen Ordnungswidrigkeit, bestehend aus: a) der vorherigen Kontrolle (Unterzeichnung der Anweisungen durch den Dienststellenleiter), b) der mitschreitenden Kontrolle (interne Eigenprüfung der Behörden) sowie c) der nachträglichen Kontrolle durch →Rechnungshof bzw. Rechnungsprüfungsamt; das Ergebnis der Rechnungshofprüfung wird in einem Prüfbericht zusammengefaßt (auf Bundesebene: Bemerkungen des →Bundesrechnungshofs), der dem Parlament vorgelegt wird. – 2. *Politische Kontrolle:* Prüfung der Kongruenz von Haushaltsführung und Etatvorgabe; wird vom Parlament vorgenommen, das auf der Grundlage des Rechnungshofsberichts und einer vom Rechnungsprüfungsausschuß dazu erarbeiteten Analyse über die Entlastung der Exekutive befindet. Zusätzlich führt der Haushaltsausschuß des Parlaments eine mitschreitende Kontrolle durch.

**Haushaltskreislauf,** *Budgetkreislauf,* Verfahrenszüge bei der Aufstellung, der Entscheidung, dem Vollzug und der Kontrolle des jeweiligen →Haushaltsplans bzw. →Budgets für ein →Haushaltsjahr. – *Beispiel: Bundesetat;* (1) Aufstellung des Haushaltsentwurfs: Einholung der geplanten Maßnahmen und Ausgaben der verschiedenen Ministerien durch den Finanzminister und Abstimmung und Zusammenstellung dieser Pläne im Etatentwurf; (2) Beratung und Bewilligung in drei Lesungen im Bundesrat und Bundestag; (3) Vollzug durch die Bürokratie; (4) Kontrolle durch den Bundesrechnungshof. – *Dauer* des H. gewöhnlich drei Jahre.

**Haushaltspanel.** 1. *Begriff:* →Panel von einem repräsentativen Kreis von Haushalten, (die Untersuchung bezieht sich auf den gesamten Haushalt und nicht auf die Einzelpersonen). Bedeutendste Form des →Verbraucherpanels. – Erfaßt wird nicht der Verbrauch der Haushalte, sondern die Einkäufe im Handel; damit stellt das H. gewissermaßen ein Spiegelbild des →Handelspanels dar. – 2. *Erhebung* des Datenmaterials sowohl schriftlich in Form eines Fragebogens (GfK-Haushaltskalender) als auch durch manuelle Auswertung von Kassenbons (→GFK-ERIM-Panel). Seit Beginn 1982 innerhalb des GfK-ERIM-Panels auch eine Erhebung auf elektronischem Wege →Scanner-Haushaltspanel. In der *Bundesrep. D. durchgeführt* von der Gesellschaft für Marktforschung (GfM) und der Gesellschaft für Konsum-Markt- und Absatzforschung (GfK) bzw. der G + I Forschungsgemeinschaft für Marketing.

**Haushaltsplan.** 1. *Begriff:* H. der öffentlichen Haushalte (vgl. auch →Budget, →Etat) ist eine systematische Zusammenstellung der für den vorher festgelegten Zeitraum (Haushaltsperiode) geplanten und vollzugsverbindlichen Ausgabeansätze und der vorausgeschätzten Einnahmen eines öffentlichen Gemeinwesens. – 2. Wichtigste *Formen* in der Bundesrep. D.: a) H. des Bundes (→Bundeshaushalt); b) H. der Länder; c) H. der Gemeinden, die in etwas anderer Form vorgelegt werden (→Haushaltssatzung). – 3. *Zweck:* Der H. dient der Feststellung und Deckung des Finanzbedarfs zur Erfüllung der öffentlichen Aufgaben im Bewilligungszeitraum (meist 1.1.–31.12.); er ist Grundlage für eine rationale Haushalts- und Wirtschaftsführung. – 4. *Bedeutung:* Bei seiner Aufstellung und Ausführung ist den Erfordernissen des gesamtwirtschaftlichen Gleichgewichts Rechnung zu tragen; in demokratischen Staaten ist der H. als aussagehaltigster Beweis für die von der regierenden Mehrheit verfolgte Politik anzusehen. – Vgl. auch →Haushaltsgrundsätze (Regeln der öffentlichen Haushaltswirtschaft), →Haushaltsfunktionen, →Haushaltssystematik, →Haushaltskreislauf (Phasen eines H.).

**Haushaltsquerschnitt,** Zusammenstellung aller Planzahlen eines Haushalts in Form einer Matrix, gebildet aus der →Funktionenübersicht (linke Randspalte der Matrix) und der →Gruppierungsübersicht (Kopfleiste der Matrix). Der H. ist dem Jahreshaushaltsplan als Anlage beizufügen; 1969 als wesentlicher Teil der neuen →Haushaltssystematik eingeführt. – *Zweck:* Der H. läßt auf einen Blick erkennen, in welcher Höhe Einnahmen bzw. Ausgaben für welche ökonomischen und sozialen Zwecke angesetzt wurden.

**Haushaltsrechnung,** nach den Grundsätzen der →Kameralistik geführte Rechnungslegung über den Vollzug des öffentlichen Haushalts. Jede Ausgabe und jede Einnahme wird zuerst „angewiesen" oder „ins Soll gestellt" und bei der Auszahlung bzw. Einzahlung im „Ist" verbucht; die Differenz zwischen Soll und Ist ist der „Rest", der Bestand, Schuld oder Forderung sein kann. Gem. Art. 114 GG ist die H. dem Bundestag und dem Bundesrechnungshof zu übersenden; sie bildet die Grundlage für die sich anschließende →Haushaltskontrolle.

**Haushaltsreform,** im Zusammenhang mit der →Finanzreform 1967/69 vorgenommene Gesetzesänderungen, durch die das bis dahin für die Haushaltswirtschaft in Bund und Ländern im wesentlichen gültige Haushaltsrecht aus der Weimarer Demokratie (Reichshaushaltsordnung vom 31.12.1922) abgelöst wurde. Insbes. fand die stabilisierungspolitische Haushaltsfunktion (→politische Programmfunktion) Berücksichtigung, wurde die Rechtseinheit in Bund und Ländern gesichert und eine →mehrjährige Finanzplanung eingeführt. – Die Änderungen des GG vom

6.7.1967 und vom 12.5.1969 schufen die Voraussetzungen für *weitere gesetzliche Regelungen:* das Gesetz über die Grundsätze des Haushaltsrechts des Bundes und der Länder (Haushaltsgrundgesetz – HGrG) vom 19.8.1969 (BGBl I 1273); die Bundeshaushaltsordnung (BHO) vom 19.8.1969 (BGBl I 1284); die der BHO weitgehend analog formulierten Landeshaushaltsordnungen (LHO) der einzelnen Bundesländer, verabschiedet in den Jahren 1970 bis 1978; und die dem geänderten Haushaltsrecht von Bund und Ländern angepaßten, in den einzelnen Bundesländern nur geringfügig voneinander abweichenden Neufassungen der Gemeindehaushaltsverordnungen der Bundesländer, in Kraft getreten 1974/75.

**Haushaltssatzung,** Form, in der ein kommunaler →Haushaltsplan vom einem Kommunalparlament festgestellt wird; einfache Mehrheit genügt. Die H. legt das Volumen der Einnahmen und Ausgaben sowie der vorgesehenen Kreditaufnahme, die →Verpflichtungsermächtigungen, den Höchstbetrag der Kassenkredite sowie die →Hebesätze der Grund- und Gewerbesteuer fest. – Der *Genehmigungspflicht der Aufsichtsbehörde* (länderverschieden, meist Bezirksregierung/Regierungspräsident) unterliegen der Gesamtbetrag der Kredite und der Verpflichtungsermächtigungen, der Höchstbetrag der Kassenkredite und die Hebesätze. – Der Haushaltsplan i.e.S. samt seinen Anlagen bildet eine *Anlage zur H.* – *Bund und Länder:* Vgl. →Haushaltsgesetz.

**Haushaltsstatistik,** Teil der →amtlichen Statistik. Statistische Erfassung der Privathaushalte (→Haushalt IV) im Rahmen totaler oder repräsentativer Volkszählungen, bei denen der Haushalt i.d.R. Erhebungseinheit ist. – *Gliederungskriterien:* (1) Zahl der Personen; (2) verwandtschaftliche Verhältnisse der Haushaltsmitglieder; (3) Zahl der →Generationen im Haushalt (vgl. Tabellen zu →Haushalt). – Vgl. auch →Familienstatistik.

**Haushaltssystematik.** 1. *Begriff:* Beschreibung der jeweiligen Gliederung der Haushaltspläne des Staatssektors (→Haushaltsplan). Verschiedene Möglichkeiten sind denkbar, häufig an den jeweiligen als Maßstab zugrunde gelegten →Haushaltsfunktionen orientiert. – 2. *Grundgliederung* gemäß der administrativen Kontrollfunktion nach dem →Ministerialprinzip: Für jede oberste Bundesbehörde wird ein Einzelplan gebildet, der in →Kapitel untergliedert wird. Kleinste haushaltstechnische Einheit ist der →Titel, eine Zusammenfassung haushaltswirtschaftlicher und ökonomisch zusammengehörender Einnahmen und Ausgaben. – 3. *Ergänzungen:* a) Unter dem Aspekt der →volkswirtschaftlichen Lenkungsfunktion: der →Gruppierungsplan und die daraus entwickelte →Gruppierungsübersicht; b) unter dem Aspekt der

→politischen Programmfunktion: der →Funktionenplan und die →Funktionenübersicht. In der Form einer Matrix werden schließlich Gruppierungs- und Funktionenübersicht zu einem →Haushaltsquerschnitt zusammengefaßt. – Vorangestellt wird den Einzelplänen die →Haushaltsübersicht, die →Finanzierungsübersicht sowie der →Kreditfinanzierungsplan. – 4. Trennung in →*ordentlichen Haushalt* und →*außerordentlichen Haushalt:* Diese Zweiteilung geht zurück auf die ältere Deckungslehre des Haushalts (Wagner, Schäffle), in deren Rahmen auch die „objektbezogene Verschuldungsregel" aufgestellt wurde, die z. B. eine Kreditaufnahme als außerordentliche Einnahme bezeichnete, die auch nur für außerordentliche Ausgaben (außergewöhnliche), nicht planbare Ausgaben oder werbende (produktive) Zwecke verwandt werden durfte (heute: „situationsbezogene Verschuldungsregel"). – Sie galt seit dem 31.12.1922 (Erlaß der Reichshaushaltsordnung) und war durch die vorläufige Bundeshaushaltsordnung vom 7.6.1950 bis zum 31.12.1969 Bundesgesetz. – Mit dem Vordringen neuerer wirtschaftspolitischer/konjunkturpolitischer Erfordernisse auch in das Haushaltsrecht ist diese Differenzierung weitgehend obsolet geworden. Heute gibt es nur noch einen Haushaltsplan bei den Gebietskörperschaften; nur die Gemeinden haben noch die Zweiteilung des Haushalts in einen →Verwaltungshaushalt und →Vermögenshaushalt. – 5. Trennung nach der Wirksamkeit finanzieller Transaktionen auf den Vermögensstatus der Gebietskörperschaft in *Kapital- und laufendes Budget* (→Kapitalbudget, →laufendes Budget): In der Bundesrep. D. auf Staatsebene nicht gebräuchliche Form der Gliederung öffentlicher Haushalte; auf kommunaler Ebene bestehen Parallelen zur Trennung in →Verwaltungshaushalt und →Vermögenshaushalt. – 6. Trennung nach den zeitlichen Abgrenzung in *Kassen- und Zuständigkeitsbudget* (→Kassenbudget, →Zuständigkeitsbudget).

**Haushaltstheorie,** *Theorie des Haushalts,* Teildisziplin der →Volkswirtschaftstheorie, die sich mit den ökonomischen Handlungen eines als repräsentativ angesehenen Haushalts befaßt. Die Begriffe →Konsument und →Haushalt werden dabei meistens synonym gebraucht. Gegenstand der H. sind die Kaufentscheidungen und das Faktorangebot (Kapital- und Arbeitsleistungen) des Haushaltes.

**Haushaltstyp,** u. a. für die Berechnung und laufende Kontrolle der Verbrauchsschemata (→Warenkorb) für den →Preisindex für Lebenshaltung standardisierte Familien in bestimmter Zusammensetzung und mit (jährlich neu) festgesetztem Bruttoeinkommen, die auf freiwilliger Basis regelmäßig Aufzeichnung über ihre Einnahmen und Ausgaben (→Wirt-

schaftsrechnungen) vornehmen. – *Typen:* a) *Typ* 1: 2-Personenhaushalte von Renten- und Sozialhilfeempfängern mit geringem Einkommen. b) *Typ* 2: 4-Personen-Arbeitnehmerhaushalte mit mittlerem Einkommen des alleinverdienenden Ehemannes. c) *Typ* 3: 4-Personen-Haushalte von Beamten und Angestellten mit höherem Einkommen. – Früher als *Indexfamilie* bezeichnet.

**Haushaltsüberschreitung,** Planabweichung vom →Haushaltsplan in Form von über- oder außerplanmäßigen Ausgaben; →Haushaltsgrundsätze. ●Ergänzungshaushalt und →Nachtragshaushalt sind keine H.

**Haushaltsübersicht,** Teil des →Haushaltsplans. Die H. enthält eine Zusammenfassung der Einnahmen, Ausgaben und Verpflichtungsermächtigungen der Einzelpläne (§ 13 BHO). Sie ist gem. der →Haushaltssystematik der BHO dem Haushaltsplan beizufügen.

**Haushaltvertreter,** *Versandvertreter,* Gruppe der →Handelsvertreter, mit der Aufgabe, Konsumwaren durch Besuch von Haushaltungen abzusetzen. Die angebotenen Waren werden meist als Muster mitgeführt und bei Bestellung dem Käufer später zugeschickt. H. werden von Versandgeschäften, aber auch von Einzel- und Großhandlungen sowie Produzenten für den Direktverkauf eingesetzt, etwa für den Vertrieb von Staubsaugern, Kühlschränken, Nähmaschinen. H. sind meist auf Provisionsbasis tätig.

**Hausierhandel,** Form des →ambulanten Handels: Der Händler bietet seine Ware an wechselnden Orten, von Haustür zu Haustür an. Traditionelle, heute noch gebräuchliche Hausierwaren: Korbwaren, Kurzwaren, Textilien, Teppiche, Scherenschleiferei. – *Ähnlich:* →Haustürgeschäfte beim Direktverkauf mancher Landwirte oder industrieller Hersteller sowie →Fahrverkauf zur Versorgung ländlicher Gebiete.

**hausinternes Netz,** →Inhouse-Netz.

**häusliche Krankenpflege,** früher: *Hauspflege,* Leistung der Krankenversicherung. 1. *Berechtigte:* a) Erkrankte neben der ärztlichen Behandlung, wenn Krankenhauspflege geboten aber nicht ausführbar ist oder wenn Krankenhauspflege dadurch nicht erforderlich wird, soweit eine im Haushalt lebende Person die Pflege nicht durchführen kann (§ 185 RVO, § 18 KVLG); b) Schwangere und Wöchnerinnen (§§ 185, 199 Abs. 2 RVO, § 26 KVLG). – 2. H. K. *erfolgt* durch Krankenpfleger, Krankenschwestern, Krankenpflegehelfer, Krankenschwesternhelferinnen, Kinderkrankenschwestern oder durch andere zur Krankenpflege geeignete Personen. – 3. *Kostenübernahme* in angemessener Höhe für eine selbst beschaffte Krankenpflegeperson möglich, wenn eine Pflegeperson durch die Krankenkasse nicht gestellt werden kann oder ein anderer Grund besteht, von einer Gestellung abzusehen (§ 185 III RVO).

**Hausmarke,** Marke eines kleineren Händlers (Konditor, Metzger, Bäcker), der die H. in einem begrenzten Absatzgebiet als „Spezialität des Hauses" vertreibt. – Vgl. auch →Handelsmarke, →Markenartikel.

**Hausordnung,** Grundsätze für die Aufrechterhaltung der äußeren Ordnung in den Büros und Werkstätten eines Betriebes. In der H. sind u. a. zu regeln: Raucherlaubnis, Esseneinnahme, Garderobenablage, Reinlichkeit, Inventar-, Schlüssel-, Anwesenheitskontrolle, Entfernung vom Arbeitsplatz, Passierschein, Besuchsannahme. – Vgl. auch →Ordnung des Betriebs.

**Hauspflege,** jetzt:  →häusliche Krankenpflege.

**Hausrat,** die zur Haushalt- und Lebensführung erforderlichen Möbel, Geräte und sonstigen Bestandteile einer Wohnungseinrichtung. – 1. Nach BewG gehört H. nicht zum →sonstigen Vermögen; H. unterliegt nicht der Vermögenssteuer (§ 111 Nr. 10 BewG). – 2. H. ist erbschaftssteuerfrei bei Erwerb durch Personen der Steuerklasse I oder II, soweit der Wert 40 000 DM, der übrigen Steuerklassen, soweit der Wert 10 000 DM nicht übersteigt (§ 13 I Nr. 1 a ErbStG). – 3. Verfügungsbeschränkungen über H. bestehen im Güterstand der Zugewinngemeinschaft; →eheliches Güterrecht II 2 b).

**Hausratentschädigung,** Leistung als Entschädigung für verlorenen Hausrat im Rahmen des →Lastenausgleichs.

**Hausratversicherung,** →verbundene Hausratversicherung.

**Hausrecht,** Gesamtheit der rechtlich geschützten Befugnisse über Wohnung, Geschäftsräume und befriedetes Besitztum darüber tatsächlich frei zu verfügen, andere am widerrechtlichen Eindringen zu hindern und jedermann, ohne dessen Befugnis darin verweilt, zum Verlassen zu zwingen. – →Hausfriedensbruch wird auf Antrag mit Freiheitsstrafe oder mit Geldstrafe geahndet (§ 123 StGB). – Inhaber des H. muß nicht der Eigentümer sein; er braucht nur ein stärkeres Recht als der Störer haben. Einzelheiten ergeben sich aus der Rechtsprechung.

**Haus Rissen,** →Internationales Institut für Politik und Wirtschaft.

**Hausse.** 1. Börsenmäßige Bezeichnung für die Aufschwungphase der Konjunktur (→Konjunkturphasen). – 2. Börsenausdruck für das Ansteigen der Kurse, entweder ganzer Gruppen von Wertpapieren oder nur der Papiere bestimmter Branchen. Gegensatz: →Baisse. – Die künstliche (vereinzelt auch unlautere) Herbeiführung steigender Kurse durch starke

Finanzgruppen wird als „Spekulation à la hausse" bezeichnet. Die „Haussiers" an der Börse rechnen auf einen baldigen Kursanstieg, kaufen daher im →Termingeschäft zum derzeitigen Preis, um die später höher notierten Papiere gegebenenfalls mit Gewinn weiterzuveräußern.

**Haussuchung,** →Durchsuchung.

**Haustarifvertrag,** →Firmentarifvertrag.

**Haustelefon,** Mittel der Nachrichtentechnik eines Betriebs zur a) selbsttätigen und sofortigen Herstellung von Amtsverbindungen, b) schnelleren Verständigung im Hausverkehr, c) Rückfragemöglichkeiten bei anderen Nebenstellen während eines Amtsgespräches, d) beliebigen Umlegung von Amtsverbindungen zu anderen Nebenstellen. Die Fernsprechzentrale (Vermittlungsstelle) wird nur für ankommende Gespräche und bei Vermittlung von Ferngesprächen beansprucht. – Zusatzeinrichtungen: Konferenzanlagen für gleichzeitige Unterhaltung mehrerer Nebenstelleninhaber, Mithöreinrichtung, Mithöraufforderung an Sekretärstationen, Ruf-(Signal-)anlage, Tonaufnahmegerät, Rundspruchanlage, Gebührenzähler, Anzeigedisplay und Datenübertragsschnittstelle. – H. ist als →Nebenstellenanlage an das öffentliche Fernsprechnetz angeschlossen. – Die Apparatur kann von der Post oder von Privatfirmen gemietet oder als Eigenanlage betrieben werden.

**Haustürgeschäft,** Form des →direkten Vertriebs; gebräuchlich z. B. bei Eiern, Tiefkühlkost, Bier, Limonade. Vertragsabschluß über eine entgeltliche Leistung erfolgt an der Haustüre des Kunden, im Bereich seiner Privatwohnung, am Arbeitsplatz, anläßlich einer Freizeitveranstaltung, z. B. auf sog. Kaffeefahrten oder durch überraschendes Ansprechen im Rahmen des öffentlichen Verkehrs. – Rechtliche Regelungen: Nach dem Gesetz über den Widerruf von Haustürgeschäften und ähnlichen Geschäften vom 16. 1. 1986 (BGBl I 122) wird dem Kunden in schriftlicher →Widerruf binnen einer Woche nach schriftlicher Belehrung über das Recht zum Widerruf eingeräumt; bei Widerruf sind die Rechtsfolgen ähnlich wie bei den →Abzahlungsgeschäften. Ausgenommen ist Widerruf bei Bargeschäften mit einem Entgelt bis zu 80 DM, bei notariellen Beurkundungen und bei Verträgen, die auf vorhergehende Bestellung des Kunden eingeleitet worden sind. Ausgenommen sind auch Versicherungsverträge sowie solche Verträge, bei denen der Kunde in Ausübung einer selbständigen Erwerbstätigkeit handelt oder der Vertragspartner des Kunden ohne gewerbliche Zwecke. – Vgl. auch →Fahrverkauf, →Hausierhandel, →Party-Verkauf.

**Haus- und Familiendiebstahl,** →Diebstahl oder →Unterschlagung gegenüber einem

Angehörigen, Vormund oder einem mit dem Täter in häuslicher Gemeinschaft Lebenden. – *Verfolgung* nur auf →Strafantrag (§ 247 I StGB).

**Haus- und Grundstückserträge,** insbes. Mieten und Pachten. – 1. Behandlung in der *Kostenrechnung:* Vgl. →Miet- und Pachtzinsen II.; H.- u. G. als betriebsfremde Erträge in Kontenklasse 2 (vgl. im einzelnen →Abgrenzung). – 2. Behandlung im *Gewerbesteuerrecht:* Vgl. →Miet- und Pachtzinsen III.

**Hauswirtschaft,** *geschlossene Hauswirtschaft,* →Wirtschaftsstufe, bei der alle benötigten Güter und Dienste innerhalb einer Wirtschaftseinheit produziert und konsumiert werden; keine →Arbeitsteilung mit anderen Wirtschaftseinheiten. Die betreffende Wirtschaftseinheit ist ohne wirtschaftliche Verbindung zur Außenwelt (→Autarkie).

**Hautwiderstandsmessung,** Messung des Hautwiderstandes (elektrodermale bzw. psychogalvanische Reaktion) der Testpersonen mittels Elektroden als physiologischer Indikator der psychischen →Aktivierung. Veränderungen des elektrischen Widerstandes der Haut (Reaktion) bei Einwirkung von Reizen (z. B. Werbung) geben Auskunft über Grad der Aktivierung und das Aktivierungspotential der Reize. – *Nicht meßbar* ist die Qualität der Reaktion, d. h. ob ein Reiz als positiv oder negativ empfunden wird; hierfür ist eine zusätzliche Befragung notwendig.

**Havanna-Charta,** internationales Abkommen über gemeinsame Grundsätze der Wirtschafts- und →Außenwirtschaftspolitik und die Errichtung einer internationalen Handelsorganisation (→ITO), Ergebnis einer Weltwirtschaftskonferenz in Havanna 1947. Von den beteiligten 57 Nationen unterzeichneten 54 am 24. 3. 1948. Die Ratifizierung scheiterte am Widerstand des amerikanischen Kongresses; jedoch konnten die wichtigsten Grundsätze des Kap. IV über die internationale Handelspolitik im Rahmen des →GATT in Kraft gesetzt und so das Hauptziel der H.-Ch., die weitgehende Befreiung des Welthandels von allen →Handelshemmnissen und →Diskriminierungen, weiter verfolgt werden. – *Inhalt:* Hebung des Lebensstandards, Sicherung der Vollbeschäftigung, Förderung der wirtschaftlichen Entwicklung und des Wiederaufbaus (Kap. I–III). Grundsätze der Handelspolitik: Allgemeine →Meistbegünstigung, Abbau des →Protektionismus (Kap. IV), Verhinderung wettbewerbsbeschränken der Handelspraktiken (Monopol- und Kartellpolitik, Kap. V), Regulierung der Rohstoffmärkte (→Rohstoffabkommen, Kap. VI), regelt Aufbau und Funktionen der ITO (Kap. VII), Schlichtung von Streitfällen (Kap. VIII), allgemeine Bestimmungen (Kap. IX).

**Havarie,** *Haverei.* 1. *Begriff:* Alle durch Unfall verursachten Beschädigungen an Schiff und Ladung sowie Kosten der Schiffahrt. Regelung des HGB in §§ 78 ff. BinnSchG im wesentlichen übernommen. – 2. *Arten:* a) *Kleine H.:* Alle Kosten der Schiffahrt (Lotsengeld, Hafengeld, Leuchtfeuergeld, Schlepplohn u. ä.); kleine H. trägt der Verfrachter (§ 621 HGB). – b) *Große H.* (general average, Havariegrosse): Aufwendungen für alle Schäden, die Schiff bzw. Ladung zur Errettung aus gemeinsamer Gefahr von dem Schiffer zugefügt bzw. vom Kapitän veranlaßt werden, sowie für die zu diesem Zweck aufgewendeten Kosten; große H. ist von Schiff, Fracht und Ladung gemeinschaftlich zu tragen; Beteiligte haften nur mit vorgenannten Gegenständen, nicht persönlich. Einzelheiten §§ 700 ff. HGB. Schadensfeststellung durch Aufmachung der →Dispache. – c) *Besondere H.* (particular average, Havarie-part.): Schäden und Kosten, die weder zu 1 noch zu 2 gehören; besondere H. trägt i. d. R. der Geschädigte (§§ 701–707 HGB). Bei Zusammenstoß mit anderem Schiff haften die Reeder, deren Besatzung Verschulden traf, nach Maßgabe des etwa vorhandenen beiderseitigen Verschuldens, aber nur mit dem Schiff, nicht mit dem sonstigen Vermögen.

**Havariekommissar,** Beauftragter, der aufgrund besonderer Vollmacht des Versicherers am Havarieort Ursache und Höhe des Schadens feststellt und darüber ein besonderes Besichtigungsprotokoll *(Havariezertifikat)* erstellt. In selteneren Fällen auch Anerkennung und Auszahlung von Schäden. Anstellung bzw. Beauftragung häufig auch durch Verbände und Vereinigungen (→Verein Hamburger Assecuradeure, →Verein Bremer Seeversicherer, →Lloyds).

**Hawthorne-Effekt,** unter Bezugnahme auf die Hawthorne-Experimente von Mayo (→human relations) vorgenommene spezifische Erklärung beobachteter Verhaltensveränderungen im Betrieb. Als Ursache für beobachtete Effekte wird nicht der Inhalt spezifischer Maßnahmen, sondern der Tatbestand der Veränderung an sich gesehen.

**HDH,** Abk. für →Hauptverband der Deutschen Holzindustrie und verwandter Industriezweige e. V.

**HDLC** →SDLC.

**head hunting,** Methode der →Personalbeschaffung, in den USA üblich für Positionen des höheren Managements. Dieses „Kopfjäger-Verfahren" bedeutet die Abwerbung ganz bestimmter, vorher ausgewählter Personen von anderen Firmen. – Vgl. auch →Abwerbung.

**Headline,** Überschrift einer →Anzeige, die schon die wesentlichen Informationen enthalten und/oder zum Lesen des →Fließtextes motivieren sollte (→Blickfang). – *Gegensatz:* →Baseline.

**health economics,** →Gesundheitsökonomik.

**Hearing,** Anhörung von Wirtschaftsverbänden, Arbeitgeber- und Arbeitnehmerorganisationen, Ausschüssen, Vertretern der Bundesbank und ähnlichen Spitzen-Institutionen über ihre Stellungnahme zu Gesetzentwürfen, die ihre Interessen berühren.

**Hearsay II/III,** →Expertensysteme, die zum Verstehen gesprochener (englischer) Sprache entwickelt wurden, →natürlichsprachliche Systeme. – 1. *Hearsay II* besitzt einen Wortschatz, der die Durchführung eines Schachspiels ermöglicht. – 2. *Hearsay III* versteht schon ca. 1000 Begriffe und erlaubt Datenbankzugriffe (→Datenbanksystem) über gesprochene Befehle. Für H. III wurde das →blackboard model entwickelt. – 3. *Hearsay III* bezeichnet auch eine *Knowledge-Engineering-Sprache* (→Knowledge engineering) mit zugehöriger Umgebung (→Softwareentwicklungsumgebung) für die Entwicklung →regelbasierter Systeme; stellt Architektur nach dem →blackboard model zur Verfügung. Ende der 70er Jahre vom Information Sciences Institute als Forschungssystem entwickelt. Implementiert in der Programmiersprache →Lisp.

**Hebegebühr,** beim Versicherungsvertrag: Vgl. →Nebengebühren.

**Hebelwirkung der Finanzstruktur,** →Leverage-Effekt.

**Hebesatz,** der für die Erhebung der →Grundsteuer oder →Gewerbesteuer von den Gemeinden für jedes Rechnungsjahr einheitlich festzusetzende v. H. Satz, mit dem der →Steuermeßbetrag zu vervielfältigen ist, um die Höhe der Steuer zu berechnen.

**Heckscher-Ohlin-Theorem,** →Faktorproportionentheorem.

**Hedgegeschäfte,** →Hedging.

**Hedge-Instrumente,** →Hedging, →financial futures.

**Hedger,** →financial futures.

**Hedging,** Verringerung des Risikos durch Variation negativ korrelierter Einzelpositionen. Die Risiken der einen Position werden durch die Chancen der anderen teilweise kompensiert (→Diversifikation).

I. Rohstoff-Hedging: Sicherungsgeschäfte in Form von →Warentermingeschäften (→Deckungsgeschäft) zum Zwecke der Ausschaltung von Preisrisiken bei Welthandelsrohstoffen; diese unterliegen i. d. R. starken Preisschwankungen (z. B. Baumwolle). Der Verarbeiter der Rohstoffe verkauft gleichzeitig mit dem Einkauf eine gleiche Menge des Rohstoffs als Terminware, und zwar auf den Zeitpunkt der beabsichtigten Veräußerung der

Fertigware. Fallen die Preise während der Verarbeitung, kann er die fertige Ware nur billiger absetzen, aber auch die zur Erfüllung des Termingeschäfts benötigten Rohprodukte entsprechend billiger einkaufen und dadurch den geminderten Gewinn bzw. Verlust des einen Geschäfts durch den des anderen ausgleichen; umgekehrt beim Steigen der Preise.

II. Finanz-Hedging: Sicherungsgeschäfte (→Risk Management) zur Absicherung von Zins- und Wechselkursrisiken im Devisen-, Edelmetall- und Wertpapierhandel. Der Hedger überträgt die Zins- und Wechselkursrisiken auf einen Kontrahenten, der entweder das Risiko aus spekulativen Motiven übernimmt oder ein entgegengesetztes Risiko abzusichern versucht. In letzteren Fall erfolgt eine Absicherung seiner Cash-Position durch einen zeitlich und wirtschaftlich übereinstimmenden Terminkontrakt (→financial futures). – Vgl. auch →collar, →cap, →floor.

**Hehlerei,** Aufrechterhaltung eines durch die Tat eines anderen (z. B. Diebstahl, Unterschlagung, Betrug) in bezug auf eine Sache geschaffenen rechtswidrigen Zustandes seitens eines weiteren Täters zu dessen Vorteil, sei es, daß dieser die vom Vortäter erlangte Sache verheimlicht, an sich bringt, oder zu ihrem Absatz bei mitwirkt. H. ist grundsätzlich nur bei →Vorsatz (mit Freiheitsstrafe bis zu fünf Jahren, §259 StGB) strafbar, ausnahmsweise auch wenn der Täter aus →Fahrlässigkeit nicht erkennt, daß das Hehlgut durch strafbare Handlung erlangt war, nämlich: a) bei Edelmetall u. ä., falls der Täter zu den Personen gehört, die gewerbsmäßig Handel mit Edelmetallen treiben oder solche Gegenstände gewerbsmäßig bearbeiten, b) bei unedlen Metallen, wenn der Täter Altmetallhändler ist. Strafe in beiden Ausnahmefällen: Freiheitsstrafe bis zu einem Jahr oder Geldstrafe.

**Heilanstaltspflege,** Leistung der gesetzlichen →Unfallversicherung wie auch der →Kriegsopferversorgung, die Kur und Verpflegung in einer Heilanstalt umfaßt. In der Unfallversicherung ist H. ein Teil der →Krankenbehandlung.

**Heilbehandlung,** *Heilverfahren.* 1. *Gesetzliche Rentenversicherung:* Leistung, deren Gewährung nach dem Ermessen des Versicherungsträgers möglich ist. Die H. umfaßt alle erforderlichen medizinischen Maßnahmen zur Erhaltung, Besserung und Wiederherstellung der Erwerbsfähigkeit, insbes. Behandlung in Kur- und Badeorten und in Spezialanstalten. – Vgl. auch →Übergangsgeld. – 2. *Unfallversicherung:* Leistung zur Beseitigung der durch → Arbeitsunfall verursachten Körperverletzung, Gesundheitsstörung, Minderung der Erwerbsfähigkeit oder Verhütung der Verschlimmerung von Unfallfolgen. H. umfaßt ärztliche Behandlung, Versorgung mit Arznei,

Heilmitteln, Körperersatzstücken usw., Gewährung von Pflege, Gewährung von →Verletztenrente. – 3. *Bundesversorgungsgesetz:* H. wird gewährt wegen anerkannter Folgen einer →Kriegsbeschädigung und bei →Schwerbehinderten auch für Gesundheitsstörungen, die nicht Folge einer Kriegsbeschädigung sind. Außerdem wird H. in bestimmtem Umfang Angehörigen u.a. Personen gewährt, soweit die Krankenbehandlung nicht anderweitig sichergestellt werden kann.

**Heilmittel,** im Sinn der Krankenversicherung und Kriegsopferversorgung Mittel zu Beseitigung und Milderung von Krankheitserscheinungen, die (im Gegensatz zu Arzneimitteln) von außen wirken. *H. sind z.B.* Bruchbänder, Einlagen, Gummistrümpfe, Massagen, Bewegungstherapie. *Kosten* für H. werden von der Krankenkasse in voller Höhe übernommen (vgl. aber →Verordnungsblattgebühr). Der *Ersatz* von verlorengegangenen, zerstörten oder beschädigten H. ist ebenfalls Leistung der Krankenkasse, wenn den Versicherten hierfür kein Verschulden trifft.

**Heilmittelwerbung,** *Arzneimittelwerbung,* rechtlich geregelt im Gesetz über die Werbung auf dem Gebiete des Heilwesens (HWG) i.d.F. vom 18.10.1978 (BGBl I 1677). – *Gesund Verbote:* Verbot irreführender Werbung (§3); Gebot von Pflichtangaben (§4); Beschränkungen der Werbung außerhalb von Fachkreisen (Verbot von Werbung für verschreibungspflichtige und die Schlaflosigkeit beseitigende Arzneimittel (§10); Verbot der Bezugnahme auf Gutachten (§11). – *Verstöße* sind strafbar bzw. ordnungswidrig; es kann →unlauterer Wettbewerb vorliegen.

**Heilverfahren,** →Heilbehandlung.

**Heilwesen,** →Heilmittelwerbung.

**Heimarbeit.** I. Gesetzliche Grundlage: Heimarbeitsgesetz (HAG) vom 14.3.1951 (BGBl. I 191) mit späteren Änderungen und 1. DVO i.d.F. vom 27.1.1976 (BGBl. I 222) sowie VO über Kurzarbeitergeld für Heimarbeiter vom 16.1.1970 (BGBl. I 105) und spätere Änderungen, insbes. das Heimarbeitsänderungsgesetz vom 29.10.1974 (BGBl. I 2879) als Sonderrecht für die Regelung der Arbeitsverhältnisse von in H. beschäftigten →arbeitnehmerähnlichen Personen.

II. Inhalt: 1. *Personenkreis:* →Heimarbeiter und →Hausgewerbetreibende; im Falle eines sozialen Schutzbedürfnisses können diesen weitere Personen mit ähnlichen Eigenschaften und →Zwischenmeister durch die von der obersten Landesarbeitsbehörde errichtete Heimarbeitsausschüsse (die Unterausschüsse bilden können (§§1–4 HAG), gleichgestellt werden. Die in H. Beschäftigten sind nicht eigentlich →Arbeitnehmer. Das allgemeine Arbeitsschutzrecht und auch das sonstige Arbeits-

recht gelten nicht. – 2. *Schutzbestimmungen des HAG:* Neben allgemeinen Schutzvorschriften, Arbeitszeitschutz und Gefahrenschutz (§§6–16 HAG), ist der Entgelt- und Kündigungsschutz eingeführt (§§17–29 HAG). – a) *Entgelte für H.* sind gundsätzlich nicht nach Arbeitsstunden, sondern nach Mengen zu bemessen (→Stückgeldakkord). Die Entgeltfestlegung erfolgt i.d.R. durch die Heimarbeitsausschüsse mit der Wirkung allgemein verbindlicher Tarifverträge, selten durch Tarifvertrag. – *Überwachung* ordnungsmäßiger Entgeltzahlung durch staatliche Entgeltprüfer. – *Haftung* für das Entgelt neben einem etwa eingeschalteten Zwischenmeister durch den Auftraggeber. Entgeltansprüche gegen beide können von der obersten Landesarbeitsbehörde im eigenen Namen mit Wirkung für und gegen den in H. Beschäftigten oder Gleichgestellten geltend gemacht werden. – b) *Kündigungsschutz:* Für in H. Beschäftigte, die länger als vier Wochen tätig waren, eine Frist von zwei Wochen. Diese Frist erhöht sich auf einen Monat zum Monatsende, wenn bei überwiegender Beschäftigung in H. das Beschäftigungsverhältnis fünf Jahre, auf zwei bzw. drei Monate zum Monatsende, wenn das Beschäftigungsverhältnis zehn bzw. zwanzig Jahre bestanden hat. Das Recht zur →außerordentlichen Kündigung aus wichtigem Grund bleibt unberührt. – *Mindestentgelt während der Kündigungsfrist* (auch bei Ausgabe einer geringeren Arbeitsmenge): $^1/_{12}$–$^5/_{12}$ des Gesamtentgelts aus den der Kündigung vorausgehenden 24 Wochen. – c) *Urlaub:* Es gilt grundsätzlich das Bundesurlaubsgesetz (BUrlG). Heimarbeiter und Gleichgestellte erhalten von ihrem Auftraggeber oder, falls sie von einem Zwischenmeister beschäftigt werden, von diesem bei einem Anspruch auf 18 Urlaubstage ein Urlaubsentgelt von 6¾% des in der Zeit vom 1.5. bis 30.4. des folgenden Jahres verdienten Arbeitentgeltes vor Abzug der Steuern und Sozialversicherungsbeiträge. Einzelheiten in §12 BUrlG. – d) *Mutterschutzgesetz* (→Mutterschutz) gilt grundsätzlich auch für Heimarbeiterinnen. – e) *Verstöße* werden als Straftat oder als Ordnungwidrigkeit nach den §§31ff. HAG geahndet.

III. Sondervorschriften für Kinder und Jugendliche: 1. *Kinder* dürfen nicht beschäftigt werden. – 2. Der Auftraggeber hat dem *Jugendlichen* für jedes Kalenderjahr bezahlten Urlaub zu gewähren, dessen Dauer sich nach dem Alter des Jugenlichen richtet. Zur Dauer und der davon abhängigen Höhe des Urlaubsentgelts vgl. im einzelnen §19 IV JArbSchG. – Vgl. im einzelnen →Jugendschutz.

**Heimarbeiter.** I. Arbeitsrecht: Personen, die in eigener Arbeitsstätte allein oder mit ihren Familienangehörigen im Auftrage von →Gewerbetreibenden oder →Zwischenmeistern erwerbsmäßig arbeiten, jedoch die Verwertung ihrer Arbeitsergebnisse dem Auftraggeber überlassen. – *Rechtsstellung:* Vgl. →arbeitnehmerähnliche Personen, →Heimarbeit.

II. Sozialversicherung: Personen, die in eigener Arbeitsstätte im Auftrag und für Rechnung von Bewerbetreibenden, gemeinnützigen Unternehmen oder öffentlich-rechtlichen Körperschaften erwerbsmäßig arbeiten, auch wenn sie Roh- oder Hilfsstoffe selbst beschaffen. H. gelten als Beschäftigte (§ 12 II SGB IV). – Als *Arbeitgeber* eines H. gilt, wer die Arbeit unmittelbar an ihn vergibt, und als Auftraggeber der, in dessen Auftrag und für dessen Rechnung er arbeitet. – *Keine H.* sind Hausarbeiter oder Außenarbeiter.

**heimatloser Ausländer,** nach dem Gesetz über die Rechtsstellung h. A. im Bundesgebiet vom 25.9.1951 (BGBl I 269) eine Person fremder →Staatsangehörigkeit oder ein →Staatenloser, die a) der Obhut einer Organisation untersteht, die von der Vereinten Nationen (UN) mit der Betreuung verschleppter Personen oder Flüchtlinge beauftragt ist, b) nicht Deutscher i. S. des Grundgesetzes ist und c) am 30.6.1950 seinen Aufenthalt im Geltungsbereich des Grundgesetzes oder Berlin (West) hatte.

**Heimbeirat,** eine auf zwei Jahre gewählte Vertretung der Bewohner in Altenheimen (Altenwohnheimen, Pflegeheimen). Der H. besteht aus mindestens einem Mitglied (ab 6–20 Bewohnern) oder höchstens neun Mitgliedern (über 250 Bewohnern). – *Aufgaben:* Eingliederung der Bewohner in das Heim zu fördern, Anregungen und Beschwerden von Heimbewohnern entgegenzunehmen, Maßnahmen des Heimbetriebes zu beantragen u. a. In der VO vom 19.7.1976 (BGBl I 1819) sind Einzelheiten geregelt. – *Verstöße* werden als →Ordnungswidrigkeit geahndet.

**Heimcomputer,** *Hobbycomputer, Homecomputer,* Mikrocomputer (→Rechnergruppen 2 a), die im wesentlichen für den nicht-professionellen Einsatz in Privathaushalten konzipiert sind. Für H. existiert eine Vielzahl von Computerspielen und →Interpretern oder →Compilern für einfache →Programmiersprachen (v. a. Basic, Pascal).

**Heimfallstock,** →Heimfallunternehmung.

**Heimfallunternehmung,** private oder gemischtwirtschaftliche Unternehmung, die als Konzessionsnehmer vom Staat bzw. von der Gemeinde einen Betrieb mit der Auflage führt, daß das Unternehmen mit allen Aktiven und Passiven nach Ablauf der Konzession ohne Gegenwert an den Konzessionsgeber (zurück) fällt, so etwa die auf Grund staatlicher Genehmigung errichteten Schienenbahnen, Drahtseilbahnen u. ä. – Heimfall wird in die Erbbauverträge (meist 30–90 Jahre) aufgenommen. Konzessionsnehmer und Erbbauberechtigter

passen ihre Abschreibungen der Vertragsdauer an. – I. a. wird daneben als passivische →Wertberichtigung ein besonderer *Heimfallstock* gebildet, dessen Gegenwerte dazu dienen, den Kapitalgebern bei Ablauf der Konzession die Einlage zurückzuzahlen.

**Heimstätte,** zweckgebundenes Eigentum an Grundstücken, die als Siedlerstellen vergeben worden sind. – Vgl. im einzelnen →Heimstätten-Wesen.

**Heimstätten-Gesellschaften,** →gemeinnütziges Unternehmen als Wohnungsbauträger mit regionalem Wirkungskreis, meist übereinstimmend mit Bundesländern oder mehrere Regierungsbezirke umfassend, Organe der staatlichen Wohnungsbaupolitik (→Heimstätten-Wesen). Durch eigene Initiative Baulandbeschaffungsorgane als Gegengewicht gegen Preisspekulationen.

**Heimstätten-Wesen. 1.** *Begriff:* Gerichtet auf die Schaffung und Erhaltung von Volksheimstätten (→Eigenheim) als besonders geschütztes Eigentum. – 2. *Rechtsgrundlage:* Reichsheimstättengesetz i. d. F. vom 25.11.1937 (RGBl I 1291). – 3. Als *Heimstätte* sind Einfamilienhäuser mit Nutzgarten oder gewisse ländliche Anwesen zugelassen. – a) *Entstehung* der Heimstättengemeinschaft durch Vertrag des Heimstätters (Grundstückseigentümers) mit einem sog. Ausgeber (Bund, Land, Gemeinde, Gemeindeverband oder gemeinnütziges Unternehmen) und Eintragung im →Grundbuch an erster Rangstelle. – b) *Wirkungen:* (1) Der Ausgeber erwirbt ein dingliches →Vorkaufsrecht und hat bei ordnungsdwidriger Bewirtschaftung einen Heimfallanspruch. (2) Zur Veräußerung, Vergrößerung, Teilung oder Belastung der Heimstätte ist Zustimmung des Ausgebers erforderlich. (3) Die Heimstätte ist vererblich, die Teilung unter mehreren Erben i. a. unzulässig. (4) Die →Zwangsvollstreckung in die Heimstätte kann nur aus den im Grundbuch eingetragenen Rechten, nicht aber wegen persönlicher Forderungen gegen den Heimstätter erfolgen.

**Heirat,** *Eheschließung.* I. Rechtlich: Vgl. →Ehe.

II. Amtliche Statistik: Die amtliche Statistik erfaßt die vor dem Standesbeamten geschlossenen Ehen. In der Bundesrep. D. heiraten 90 bis 95% der Männer und Frauen; von zunehmender Bedeutung ist jedoch die nichteheliche Lebensgemeinschaft; das Absinken der Heiratshäufigkeit ist die Folge. 1983 waren von den 350000 geschlossenen Ehen über 17% Eheschließungen Geschiedener, weitere über 5% Eheschließungen Verwitweter. – Vgl. auch →Heiratshäufigkeit.

**Heiratsabfindung,** →Abfindung III.

**Heiratsbeihilfen,** anläßlich der Eheschließung gewährte einmalige Zuwendungen in

Geld oder Sachwerten. – *Lohn- und Einkommensteuer:* H. bis zum Betrag von 700 DM sind steuerfrei, sofern die H. frühestens drei Monate vor und spätestens drei Monate nach der Eheschließung gezahlt werden. Bei höheren H. unterliegt nur der 700 DM übersteigende Betrag der Einkommen- oder Lohnsteuer (§ 3 Nr. 15 EStG). – Bezieht ein Arbeitnehmer aus →*mehreren Dienstverhältnissen* je eine H., so kann er den Freibetrag für jede Beihilfe in Anspruch nehmen.

**Heiratserstattung,** in der gesetzlichen Rentenversicherung früher vorhandene Möglichkeit auf Erstattung von Versicherungsbeiträgen wegen Heirat. Heute ist Erstattung von Beiträgen nur noch im Rahmen der allgemeinen →Beitragserstattung möglich. – Frauen, denen die Beiträge früher wegen Heirat erstattet worden sind, können auf Antrag freiwillige Beiträge für diese Zeiten *nachentrichten,* wenn sie wieder eine versicherungspflichtige Beschäftigung oder Tätigkeit ausüben und mindestens für 24 Monate Pflichtbeiträge entrichtet worden sind. Am Tag der Antragstellung muß Rentenversicherungspflicht bestehen. – *Zuständig* ist der Versicherungsträger, zu dem bei Antragstellung Versicherungspflicht besteht.

**Heiratsgut,** im zollrechtlichen Sinne die aus Anlaß der Eheschließung zwischen einem Bewohner des →Zollgebiets und einem Bewohner des →Zollauslands eingeführten Waren, die der aus dem Ausland übersiedelnde Teil zur Errichtung eines Haushalts oder zum persönlichen Ge- oder Verbrauch der Ehegatten selbst beschafft oder von anderen Personen erhalten hat. H. ist zollfrei unter der Bedingung, daß es nicht innerhalb von zwei Jahren nach der →Einfuhr veräußert wird. Zollfreiheit für Lebensmittel und für andere Verbrauchsgüter auf Mengen beschränkt, die üblicherweise als Vorrat gehalten werden, und für Tabakwaren und Spirituosen ausgeschlossen (§ 40 AZO).

**Heiratshäufigkeit,** statistische Verhältniszahl zur Darstellung und Messung der Eheschließungen (→Heirat), auch →Eheschließungsrate. – *Meßzahlen:* 1. *Anteil* der Männer bzw. Frauen, *die überhaupt heiraten;* erfaßt durch die amtliche Statistik. Da nach dem 50. Lebensjahr kaum noch Ledige heiraten, kann der Anteil der Personen, die überhaupt heiraten, an dem Anteil der nicht mehr Ledigen in diesem Alter abgelesen werden. – 2. *Allgemeine* oder *rohe Heiratsziffer* (Heiratshäufigkeit in einem Kalenderjahr): Verhältnis der Eheschließungen in einem Kalenderjahr zur Durchschnittsbevölkerung dieses Jahres. Für örtliche und zeitliche Vergleiche nicht sehr zuverlässig, weil die Durchschnittsbevölkerung auch Personen umfaßt, die (wie Kinder und Verheiratete) für eine Eheschließung nicht infrage kommen. Die allgemeine Heiratsziffer

1985 in der Bundesrep. D.: 6,0 auf 1000 Einwohner; wegen der nachlassenden Heiratsbereitschaft seit 1970 stark zurückgehend. – 3. *Altersspezifische Heiratsziffer:* Verhältnis der eheschließenden Ledigen in einem bestimmten Alter zur Durchschnittszahl der Ledigen dieses Alters in der Bevölkerung (Querschnittsanalysen). Entsprechend für eheschließende Verwitwete oder Geschiedene. Ebenfalls Berechnungen für Angehörige bestimmter Geburtsjahrgänge im Lebensablauf (Längsschnittsanalysen). – *Heiratstafeln:* Berechnung für Unverheiratete bestimmten Alters, in welchem Umfang sie mit zunehmendem Alter aus dem Familienstand der Unverheirateten durch Tod oder Verheiratung ausscheiden. Am häufigsten aufgestellt für ledige Männer und Frauen auf der Grundlage von Sterbe- und Heiratswahrscheinlichkeiten nach dem Alter für Kalenderjahre (Periodentafeln). Kennziffern, die aus Heiratstafeln ermittelt werden können: Abgangsordnung der Ledigen, aus der hervorgeht, wie sich ihre Zahl Jahr für Jahr durch Tod und Verheiratung vermindert; Anteil der Ledigen, die im späteren Leben überhaupt noch heiraten; Zahl der Jahre bis zur Heirat; durchschnittliches Heiratsalter.

**Heiratstafel,** →Heiratshäufigkeit 3.

**Heiratsziffer,** →Heiratshäufigkeit 2 und 3.

**heißes Geld,** kurzfristige Geldmittel, die von den Banken auf den Devisen- und Geldmärkten, v. a. Euromärkten, gehandelt werden. In Zeiten spekulativer Devisen- und Geldbewegungen wandern die „heißen Gelder" von Tag zu Tag von einem Land zum anderen in der Hoffnung, kurzfristige Kursgewinne mitnehmen zu können. Der Hauptblock des h.G. besteht aus den Euro-Dollars und Petrodollars. – Vgl. auch →internationale Devisenspekulation.

**Heizöl.** *Gewinnung* vornehmlich aus Erdöl, weiter aus Steinkohlenteer, Braunkohlen- und Ölschiefer. – *Vorzüge:* wirtschaftlicher und angenehmer als Kohlenfeuerung. – *Verwendung* u. a. als Energie in der Industrie, für die Dampfkessel der Schiffe, Zentralheizungen u. a. – *Erzeugung/Verbrauch:* Vgl. Tabelle Sp. 2399. – *Sondersteuer:* →Mineralölsteuer.

**Heizölkennzeichnung,** Einfärbung zwecks Verhinderung des Mißbrauchs von Heizöl als Kraftstoff für Dieselmotoren. Seit dem 1. 4. 1976 muß leichtes Heizöl rot gefärbt und zusätzlich mit einem Indikator (Furfurol) versehen werden. Der Treibstoff wird im Straßenverkehr und bei stationären Motoren kontrolliert.

**Heizölsteuer,** →Mineralölsteuer.

**Heizungskosten,** werden in der Kostenrechnung zumeist auf einer gesonderten →Hilfskostenstelle gesammelt, in der →Betriebsabrech-

**Heizöl – Erzeugung und industrieller Verbrauch in der Bundesrep. D.**

| Jahr | Erzeugung | Verbrauch der Industrie |
|------|-----------|-------------------------|
|      | in Mill. t | |
| 1963 | 23,4 | 15,4 |
| 1964 | 32,4 | 18,6 |
| 1965 | 38,3 | 22,0 |
| 1966 | 43,1 | 24,2 |
| 1967 | 45,0 | 25,0 |
| 1968 | 50,7 | 27,4 |
| 1969 | 55,4 | 29,9 |
| 1970 | 62,2 | 31,8 |
| 1971 | 63,4 | 31,3 |
| 1972 | 65,1 | 32,5 |
| 1973 | 70,6 | 33,4 |
| 1974 | 62,8 | 29,6 |
| 1975 | 52,3 | 26,6 |
| 1976 | 58,6 | 27,5 |
| 1977 | 56,4 | 26,2 |
| 1978 | 55,4 | 26,5 |
| 1979 | 60,3 | 26,0 |
| 1980 | 47,6 | 23,1 |
| 1981 | 43,8 | 19,1 |
| 1982 | 42,9 | 17,6 |
| 1983 | 37,0 | 15,5 |
| 1984 | 36,9 | 14,4 |
| 1985 | 34,9 | 13,0 |
| 1986 | 34,2 | 14,3 |

nung erfaßt und als Teil der →Gebäudekosten verrechnet.

**Hektar (ha),** Flächenmaß. 1 ha = 100a = 10 000 m².

**Hektarertrag,** eine durch geographische Lage, Bonität des Bodens (→Bodenbonitierung), Witterungseinflüsse, Stand der Ackerbautechnik und Intensitätsgrad der Bearbeitung bestimmte wirtschaftliche Maßgröße, die den durchschnittlichen Jahresernteertrag für 1 ha Ackerfläche angibt. – *H. im Vergleich:* Vgl. untenstehende Tabelle.

**Hektarwert,** Begriff des Steuerrechts für den Wert, mit dem die Flächeneinheit →Hektar eines Betriebs der Land- und Forstwirtschaft zu bewerten ist: der auf einen Hektar bezogene →Vergleichswert (§ 40 I 3 BewG).

**Hekto (h),** Vorsatz für das Hundertfache (10² fache) der Einheit. Vgl. →gesetzliche Einheiten, Tabelle 2.

**Helfferich,** Karl, 1872–1924, bedeutender Nationalökonom, Publizist und Staatsmann. Schüler von Brentano, Lotz, Schmoller und Wagner sowie insbes. von Knapp. Zu Lebzeiten einer der maßgeblichen Währungs- und Finanzexperten; ab 1915 Staatssekretär des Schatzamtes, ab 1916 Nachfolger im Reichsamt des Innern und stellvertretender Reichskanzler; später preußischer Finanzminister. Wissenschaftliche Leistungen sind – bei allen Mängeln – die Untersuchungen über die Höhe des deutschen Volkseinkommens und Volksvermögens („Die Verteilung des Volkseinkommens in Preußen 1896 bis 1912", 1913; „Deutschlands Volkswohlstand 1888 bis 1912", 1913). Seine Leistung als Verantwortlicher für die Kriegsfinanzierung seit 1915 ist umstritten; ebenso seine politische Tätigkeit. Dagegen sind seine Verdienste um die Sanierung des Geldwesens nach der Inflation anerkannt. – *Hauptwerke:* „Das Geld" 1903.

**Hellauer,** Josef, 1871–1956, deutscher Wirtschaftswissenschaftler, einer der Begründer der →Betriebswirtschaftslehre als selbständige wissenschaftliche Disziplin. – *Hauptarbeitsgebiet:* Handels- und Verkehrslehre. Im Mittelpunkt seines Werkes, das sich durch strenge Systematik und scharfe Begriffsbestimmung auszeichnet, stehen drei Problemkreise: Der Aufbau des Handels, der Kaufvertrag und die Verkehrsorganisation. – *Hauptwerke:* „Nachrichten und Güterverkehr" 1930, „Güterverkehr" 1938, „Welthandelslehre..." 1950, „Transportversicherung" 1953.

**Hemmung der Verjährungsfristen,** Stillstand des Fristenablaufs in gewissen Fällen, in denen der Schuldner zur Leistungsverweigerung berechtigt oder der Gläubiger an rechtzeitiger Klageerhebung gehindert ist. Vgl. im einzelnen →Verjährung IV 1.

**Hektarertrag (in dt für Weizen)**

| | 1968 | 1972 | 1976 | 1980 | 1985*) |
|---|------|------|------|------|--------|
| Schleswig-Holstein | 46,5 | 38,9 | 51,4 | 54,3 | 79,6 |
| Niedersachsen | 49,1 | 42,3 | 47,0 | 50,3 | 73,2 |
| Bayern | 41,3 | 41,8 | 40,2 | 47,9 | 57,4 |
| Saarland | 32,5 | 39,1 | 33,6 | 38,6 | 46,1 |
| Bundesgebiet (einschl. Berlin (West)) | 42,3 | 40,6 | 41,9 | 48,9 | 63,1 |
| Belgien | 41,3 | 45,0 | 44,0 | 46,1 | 62,4 |
| Dänemark | 47,9 | 43,9 | 46,6 | 46,6 | 58,0 |
| Portugal | 12,2 | 9,2 | 13,0 | 11,1 | 12,4 |
| USA | 19,2 | 22,0 | 20,4 | 22,5 | 25,2 |
| Kanada | 14,9 | 16,8 | 21,0 | 17,3 | 17,5 |
| Argentinien | 9,8 | 15,9 | 17,5 | 15,5 | 16,1 |
| Australien | 13,6 | 8,4 | 13,1 | 9,7 | 13,8 |
| Neuseeland | 34,8 | 36,8 | 42,8 | 38,5 | 56,6 |
| Japan | 31,4 | 24,9 | 25,0 | 30,5 | 37,4 |
| Indien | 11,0 | 13,8 | 14,1 | 14,4 | 18,7 |
| Südafrika | 10,2 | 11,9 | 15,3 | 9,1 | 8,4 |
| Welt | 14,6 | 16,2 | 17,7 | 18,9 | 22,2 |

*) Bundesrep.D. 1986.

**Hempel-Oppenheim-Schema,** nach Carl G. Hempel und Paul Oppenheim benanntes Muster wissenschaftlicher Erklärungen: Einen realwissenschaftlichen Sachverhalt zu erklären heißt, ihn auf logisch-deduktivem Wege (→Deduktion) aus →Gesetzesaussagen und →Anwendungsbedingungen abzuleiten. – *Darstellung* des H.-O.-Sch.: Vgl. →Erklärung.

**Henry (H),** →gesetzliche Einheiten, Tabelle 1.

**Henzler,** Reinhold, 1902–1968, Professor der Betriebswirtschaftslehre, Studium in Frankfurt als Schüler →Hellauers, bei dem er sich 1933 habilitierte. Lehrbeauftragter in Heidelberg und Göttingen. 1937 außerordentlicher und 1940 ordentlicher Professor an der Universität Frankfurt. 1952 Ruf an die Universität Hamburg, wo er den Aufbau der Wirtschaftswissenschaftlichen Fakultät entscheidend mitgestaltete und bis zu seinem Tode wirkte. H. war Direktor des Seminars für Allgemeine Betriebswirtschaftslehre und errichtete das Seminar für Handel und Marktwesen und das Institut für Genossenschaftswesen. – *Hauptarbeitsgebiete:* Allgemeine Betriebswirtschaftslehre des Warenhandels, Genossenschaftswesen und später die Probleme des Gemeinsamen Marktes. – *Wichtige Veröffentlichungen:* Die Rückvergütung der Konsumvereine, Berlin, Wien 1929; Gewinnbeteiligung der Gefolgschaft, Frankfurt 1937; Betriebswirtschaftliche Hauptfragen des Genossenschaftswesens, Stuttgart 1939; Genossenschaftswesen, 2. Aufl. Wiesbaden 1953; Die Genossenschaft – eine fördernde Betriebswirtschaft, Essen 1957; Die Marktunion – eine betriebswirtschaftliche Wende, Köln und Opladen 1958; Betriebswirtschaftslehre des Außenhandels, I. Teil, Wiesbaden 1962; Betriebswirtschaftliche Probleme des Genossenschaftswesens, Wiesbaden 1962; Außenhandel, Betriebswirtschaftliche Hauptfragen von Export und Import, Wiesbaden 1961.

**Herabsetzung der Einlage,** →Kapitalherabsetzung.

**Herabsetzung des Grundkapitals,** →Kapitalherabsetzung.

**Heranwachsende,** Begriff v. a. des Jugendstrafrechts für die 18, aber noch nicht 21 Jahre alten Personen.

**Herausgabeanspruch,** Anspruch auf Herausgabe einer Sache. H. kann auf verschiedenen Rechtsgründen beruhen. – Nach BGB sind folgende H. – auch nebeneinander – möglich: a) H. des Eigentümers gegen den zum Besitz nicht berechtigten Besitzer, § 985 BGB (→Eigentum IV); b) H. des früheren Besitzers, dem der Besitz durch verbotene Eigenmacht entzogen worden ist, § 861 BGB (→Besitzschutz); c) H. des früheren, besser berechtigten

Besitzers gegen den jetzigen, schlechter berechtigten Besitzer (§ 1007 BGB); d) H. des Vermieters gegen den Mieter nach Beendigung der Mietzeit, § 556 BGB (→Miete); e) H. des Verleihers gegen den Entleiher (→Leihe), § 604 BGB; f) H. des Hinterlegers gegen den Verwahrer (Verwahrungsvertrag), § 695 BGB; g) H. des Erben gegen den Erbschaftsbesitzer, § 2018 BGB; h) H. aufgrund einer →ungerechtfertigten Bereicherung.

**Herausgeber,** Begriff des Presse- und Urheberrechts: Person, die die Herausgabe eines Werkes (z. B. Sammelwerk, Festschrift) redaktionell betreut.

**Herfindahl-Koeffizient,** Koeffizient zur Messung der absoluten →Konzentration. Der H.-K. ist durch

$$K_H = \sum p_i^2$$

definiert, wobei $p_i$ der Anteil des i-ten Elements am →Gesamtmerktmalsbetrag ist. Mann kann zeigen, daß $K_H = (v^2 + 1)/n$ ist, wobei v den →Variationskoeffizienten und n den Umfang der →Gesamtheit bezeichnet.

**Herkunftsbezeichnung,** →irreführende Angaben.

**Hermann,** Friedrich Benedikt Wilhelm von, 1795–1868, deutscher Nationalökonom und Politiker. H. gehörte politisch zu den Führern der liberalen Partei. Nationalökonomisch nach J. H. v. Thünen und neben v. Mangoldt der bedeutendste Vertreter der deduktiven Nationalökonomie in Deutschland. Wichtig seine Kritik der →Lohnfondstheorie und seine Arbeiten auf dem Gebiet der Lehre von Wert, Preis und Einkommen sowie seine statistischen Forschungen. – *Hauptwerke:* „Staatswirtschaftliche Untersuchungen" 1832.

**Hermann-Ehlers-Stiftung e. V.,** Sitz in Kiel. – *Aufgabe:* Staatsbürgerliche Bildung in Schleswig-Holstein, Hamburg, Niedersachsen, Bremen und Berlin (West).

**Hermeneutik,** als Lehre von der Textinterpretation zunächst Hilfswissenschaft von Philosophie und Jurisprudenz. H. erlangte später als eigenständige philosophische Disziplin speziell in Deutschland Bedeutung; insbes. bei den Begründern der geisteswissenschaftlichen Tradition (F. Schleiermacher, W. Dilthey). – *Hauptmerkmal* ist ein methodischer Autonomieanspruch der sog. Geistes bzw. →Kulturwissenschaften in Form des Verstehens bzw. der →verstehenden Methode: Einer äußeren, durch Beobachtung vermittelten Erfahrung innerhalb der Naturwissenschaften wird die innere Erfahrung (etwa von Sinnzusammenhängen) im geisteswissenschaftlichen Bereich gegenübergestellt. Verbindet sich mit einer Absage an die Suche nach raum-zeitlich invarianten Tatbeständen (→Gesetzesaussage) und die damit verbundene Zielvorstellung der →Erklärung der Wirklichkeit. – *Spielarten*

der H. u.a. im existenzphilosophischen Werk
M. Heideggers, bei J. Habermas oder auch im
→Konstruktivismus.

**Hermes-Deckungen,** →Ausfuhrgarantien
und -bürgschaften.

**Hermes Kreditversicherungs-AG,** Sitz in
Hamburg, Unternehmen, das die erwerbswirt-
schaftliche →Kreditversicherung betreibt.
Daneben besondere Bedeutung im Bereich
staatlicher →Exportförderung. Als Mandatar
des Bundes wickelt die H. K. – AG federfüh-
rend zusammen mit der →Treuarbeit AG die
staatlichen →Ausfuhrgarantien und -bürg-
schaften ab. Des weiteren werden Anträge auf
Wechselkursgarantien und -bürgschaften ent-
gegengenommen und bearbeitet.

**herrenlose Sachen,** Sachen, an denen entweder noch nie ein Eigentum bestanden hat (z.B.
wilde Tiere in Freiheit) oder erloschen ist (z.B.
ausgebrochener Bienenschwarm) oder an
denen der Eigentümer das Eigentum aufgegeben hat (→Dereliktion). An h.S. kann durch
→Aneignung Eigentum erworben werden.

**Herrschaft,** im Gegensatz zum sozialen Verhältnis der →Macht, in dem der eigene Wille
auch gegen Widerstand durchgesetzt wird, auf
der Legitimität, d.h. auf der Überzeugung der
Beherrschten von der Richtigkeit und Berechtigung der H. beruhend. – Zu *unterscheiden*
(M. Weber): a) *rationale* H., Legitimität wird
von legalen Ordnungssystemen abgeleitet; b)
*traditionale* H., beruht auf dem Glauben an
den Selbstwert und die Heiligkeit der traditio-
nal zur H. berufenen Personen; c) *charismati-
sche* H., erwächst einer Person mit charismati-
schen Fähigkeiten.

**herrschendes Grundstück,** →Grunddienst-
barkeit.

**herrschendes Unternehmen,** Begriff des
Konzernrechts für ein Unternehmen, das auf
ein anderes, →abhängiges Unternehmen einen
beherrschenden Einfluß ausüben kann (§17
AktG).

**Herstellermarktforschung,** →Marktfor-
schung.

**Herstellerpräferenz,** →Förderung der Wirtschaft von Berlin (West) I.

**Herstellkonto,** *Fabrikationskonto.* 1. Wenig
übersichtliches →*gemischtes Konto* in Produk-
tionsbetrieben bei einer sehr einfachen Form
der industriellen Abrechnung. Dieses H.
erfaßt alle Vorgänge des Einkaufs, der Herstellung und sogar des Verkaufs, so daß der
Saldo sich aus vier verschiedenen Wertinhal-
ten zusammensetzt, nämlich Rohstoff-, Halb-
fabrikate-, Fertigfabrikatebestand u. Erfolg. –
2. Da bei dieser summarischen Abrechnung
kein Überblick über Einzelheiten gegeben ist,
wird das H. in der Praxis in *Unterkonten*
aufgegliedert: a) Vorschaltung eines Rohstoff-

kontos; b) Nachschaltung eines Verkaufskontos als gemischtes Konto (Bestand an Fertigerzeugnissen und Bruttogewinn als Saldo); c)
Nachschaltung eines Fertigerzeugniskontos
und eines Verkaufskontos als reines Bestands-
bzw. reines Erfolgskonto. Durch Vor- und
Nachschaltung anderer Konten ergibt sich
also die Möglichkeit, ein H. zu bilden, auf dem
die →Herstellkosten einer Periode als Buch-
saldo erscheinen (reine Kontenführung).

**Herstellkosten,** Begriff der Kostenrechnung
für die durch die Herstellung eines Gutes
entstandenen →Kosten. H. dienen der internen Bewertung von selbsterstellten Vermögensgegenständen und umfassen i.d.R. die
Summe aus Fertigungseinzel- und Fertigungsgemeinkosten sowie Materialeinzel- und
Materialgemeinkosten.

*Schema:*

I.   Materialeinzelkosten
   + Materialgemeinkosten

   = Materialkosten
     Fertigungseinzelkosten
     (Fertigungslöhne)
   + Fertigungsgemeinkosten
   + Sondereinzelkosten der Fertigung

   = Fertigungskosten

II.  Materialkosten
   + Fertigungskosten

   = Herstellkosten

Die H. der laufenden Kostenrechnung entsprechen nicht den Vorschriften für die in der
Handels- und Steuerbilanz anzusetzenden
Herstellungskosten und können daher allenfalls als Grundlage zur Ermittlung der Herstellungskosten dienen. – *Anders:* →Herstel-
lungskosten.

**Herstellung,** →Produktion.

**Herstellungsanspruch,** von der Rechtsprechung des Bundessozialgerichts in Anlehnung
an den Folgenbeseitigungsanspruch entwik-
kelter selbständiger öffentlich-rechtlicher
Anspruch des Berechtigten gegen Sozialversicherungsträger oder Behörde, wenn der
Berechtigte aufgrund der Verletzung einer
Nebenpflicht durch den Versicherungsträger
einen Schaden erleidet, v.a. aufgrund der
Verletzung der →Auskunfts- und Bera-
tungspflicht nach §§14, 15 SGB 1. Verschulden des Versicherungsträgers oder der
Behörde nach allgemeiner Auffassung nicht
erforderlich; rechtswidrige Verletzung der aus
dem Sozialrechtsverhältnis begründeten
Nebenpflicht genügt. – *Anspruchsziel* geht auf
die Herstellung des Zustandes, wie er bestehen
würde, wenn die Pflichtverletzung nicht
erfolgt wäre, z.B. der Versicherte richtig
beraten worden wäre. Eine vom Gesetz an sich

nicht vorgesehene Leistung kann aber nicht verlangt werden. – *Einzelheiten* zu Voraussetzungen und Folgen des H. z. T. noch umstritten.

**Herstellungsaufwand,** Begriff des Einkommensteuerrechts zur Abgrenzung gegenüber →Erhaltungsaufwand. H. sind Aufwendungen, durch die entweder ein →Wirtschaftsgut neu beschaffen oder ein vorhandenes über seinen ursprünglichen Zustand hinaus verbessert, in seinem Wesen erheblich verändert oder wesentlich in seiner Substanz erweitert wird, z. B. Anbaukosten, Umbaukosten. Aufwendungen, die für sich allein betrachtet →Erhaltungsaufwand darstellen, sind steuerlich als H. zu behandeln, wenn sie in engem räumlichen und zeitlichen Zusammenhang mit H. anfallen.

**Herstellungsgemeinkosten,** veraltete zusammenfassende Bezeichnung für →Materialgemeinkosten, →Fertigungsgemeinkosten und Verwaltungsgemeinkosten, soweit diese auf den Material- und Fertigungsbereich entfallen; Teil der →Herstellungskosten.

**Herstellungskosten,** bilanzieller Begriff des Handels- und Steuerrechts; Maßstab für die Bewertung von Vermögensgegenständen (handelsrechtlich) bzw. Wirtschaftsgütern (steuerrechtlich), die ganz oder teilweise im eigenen Betrieb erstellt worden sind. Zur Ermittlung der H. muß auf die Kostenrechnung des Unternehmens zurückgegriffen werden. Dabei muß auf die unterschiedlichen Kontenbegriffsinhalte geachtet werden. Kalkulatorische Kosten ohne Aufwandsentsprechung dürfen in die A. nicht eingerechnet werden.

I. Handelsrecht: Nach § 255 II HGB sind H. Aufwendungen, die durch den Verbrauch von Gütern und die Inanspruchnahme von Diensten für die Herstellung eines Vermögensgegenstandes, seine Erweiterung oder für eine über seinen ursprünglichen Zustand hinausgehende wesentliche Verbesserung entstehen. Dazu gehören die *Materialkosten,* die *Fertigungskosten* und die *Sonderkosten der Fertigung.* Bei der Berechnung der H. *dürfen* auch angemessene Teile der notwendigen *Materialgemeinkosten,* der notwendigen *Fertigungsgemeinkosten* und des *Werteverzehrs* des Anlagevermögens, soweit er durch die Fertigung veranlaßt ist, eingerechnet werden. Kosten der allgemeinen Verwaltung sowie Aufwendungen für soziale Einrichtungen des Betriebs, für freiwillige soziale Leistungen und für betriebliche Altersversorgung *brauchen nicht* eingerechnet zu werden. Vertriebskosten *dürfen nicht* in die H. einbezogen werden. Zinsen für Fremdkapital gehören nicht zu den H. Sie *gelten* aber als H.; Voraussetzung: Verwendung des Fremdkapitals zur Herstellung von Vermögensgegenständen in der betrachteten Herstellungsperiode.

II. Steuerrecht: *Steuerlich* sind H. *nach Abschn. 33 EStR* definiert als „Aufwendungen", die durch den Verbrauch von Gütern und die Inanspruchnahme von Diensten für die Herstellung eines Erzeugnisses entstehen. Dazu gehören auch alle Aufwendungen, die entstehen, um ein vorhandenes Wirtschaftsgut wesentlich zu ändern, zu verbessern oder zu erweitern (vgl. →*Herstellungsaufwand,* →*Erhaltungsaufwand).* Die H. setzen sich demnach zusammen aus den *Materialkosten* einschl. der notwendigen *Materialgemeinkosten* und den *Fertigungskosten* (insbes. den *Fertigungslöhnen)* einschl. der notwendigen *Fertigungsgemeinkosten.* Dazu gehört auch der Wertverzehr des Anlagevermögens (→*Absetzung für Abnutzung),* soweit er der Fertigung der Erzeugnisse gedient hat. *Fakultativ* berücksichtigt werden können die Kosten für die allgemeine Verwaltung, die Aufwendungen für die betriebliche Altersversorgung und die Gewerbeertragsteuer. *Nicht einbezogen* werden dürfen Einkommen- und Vermögensteuer, Vertriebskosten einschl. Umsatzsteuer und grundsätzlich Finanzierungskosten. Der Vorsteuerbetrag nach § 15 UStG gehört, soweit er bei der Umsatzsteuer abgezogen werden kann, nicht zu den H. des Wirtschaftsgutes, auf dessen Herstellung er entfällt. Ebensowenig wird der nichtabziehbare Teil des Vorsteuerbetrages berücksichtigt, wenn er 25% des Vorsteuerbetrages und 500 DM nicht übersteigt oder die zum Ausschluß vom Vorsteuerabzug führenden Umsätze nicht mehr als 3% des Gesamtumsatzes betragen. – 3. *Vergleichende Gegenüberstellung* der H. nach Handels- und Steuerrecht. Während nach Steuerrecht im Ansatz der H. zu (steuerlichen) Vollkosten zwingend ist, sind handelsrechtlich die Vollkosten Wertobergrenze. Gründe für die unterschiedlichen Wertansätze: zum einen stimmen Aufwand in der Handelsbilanz und Betriebsausgaben in der Steuerbilanz nicht überein (z. B. höhere Abschreibungsquoten, steuerlich nicht zulässige Rückstellungsbildung in der Handelsbilanz), zum anderen besteht für einige aufwandsgleiche Kosten in der Handelsbilanz ein Aktivierungswahlrecht, während in der Steuerbilanz eine Aktivierungspflicht vorgesehen ist.

III. Gegenüberstellung: Vgl. Tabelle Sp. 2407/2408.

**Herstellungsland.** I. Zollrecht: Vgl. →Ursprungsland.

II. Einfuhrstatistik: Das Land, in dem die Waren vollständig gewonnen oder hergestellt worden sind oder ihre letzte wesentliche und wirtschaftlich gerechtfertigte Be- oder Verarbeitung erfahren haben. – Vgl. auch →Außenhandelsstatistik.

**Herstellungsort,** →Erscheinungsort.

### Herstellungskosten in der Handels- und Steuerbilanz

| | Handelsbilanz | Steuerbilanz |
|---|---|---|
| Aktivierungspflicht | – Materialeinzelkosten<br>– Fertigungseinzelkosten<br>– Sonderkosten der Fertigung | – Materialeinzelkosten<br>– Fertigungseinzelkosten<br>– Sonderkosten der Fertigung<br>– Materialgemeinkosten<br>– Fertigungsgemeinkosten<br>– Gewerbekapitalsteuer, soweit sie auf das der Fertigung dienende Gewerbekapital entfällt<br>– Werteverzehr des Anlagevermögens, soweit es der Fertigung der Erzeugnisse gedient hat. |
| Aktivierungswahlrecht | – angemessene Teile des auf den Herstellungszeitraum entfallenden Werteverzehrs des Anlagevermögens, soweit es der Fertigung der Erzeugnisse gedient hat<br>– notwendige Materialgemeinkosten<br>– notwendige Fertigungsgemeinkosten<br>– Verwaltungskosten | – Verwaltungskosten |
| Herstellungskosten | – freiwillige soziale Aufwendungen<br>– Aufwendungen für die betriebliche Altersversorgung<br>– Aufwendungen für soziale Einrichtungen des Betriebes<br>– Zinsen für Fremdkapital, das zur Finanzierung eines Vermögensgegenstandes verwendet wird, soweit sie auf den Zeitraum der Herstellung entfallen | – freiwillige soziale Aufwendungen<br>– Aufwendungen für die betriebliche Altersversorgung<br>– Aufwendungen für soziale Einrichtungen des Betriebes<br>– Zinsen für Fremdkapital, das zur Finanzierung eines Wirtschaftsgutes verwendet wird, soweit sie auf den Zeitraum der Herstellung entfallen<br>– Gewerbeertragsteuer<br>– steuerliche Sonderabschreibungen |
| Aktivierungsverbot | – Vertriebskosten<br>– Fremdkapitalzinsen<br>– Sonderabschreibungen<br>– Leerkosten bei Unterbeschäftigung<br>– Kosten der Grundlagenforschung<br>– kalkulatorische Kosten ohne Aufwandsentsprechung<br>– Einkommensteuer | – Vertriebskosten<br>– Fremdkapitalzinsen<br>– Teilwertabschreibungen<br>– Leerkosten bei Unterbeschäftigung<br>– Forschungs- und Entwicklungskosten<br>– kalkulatorische Kosten ohne Aufwandsentsprechung<br>– Einkommen-, Vermögensteuer |

**Herstellungswert,** →Herstellungskosten.

**Hertz (Hz),** →gesetzliche Einheiten, Tabelle 1.

**heterogene Güter,** sachlich ungleichartige Güter, die miteinander konkurrieren, da sie in gewissem Grad substituierbar sind (z. B. verschiedenen Automarken, Motorräder; →Substitutionsgüter). – *Gegensatz:* →homogene Güter.

**heterogene Konkurrenz,** →Surrogatkonkurrenz, →unvollkommener Markt.

**heterogene Kostenverursachung,** Abhängigkeit der →variablen Kosten einer Kostenstelle von mehreren →Bezugsgrößen. Es müssen deshalb stets mehrere Bezugsgrößen nebeneinander verwandt werden. H. K. zu. B. bei Serienfertigung, wenn Rüstprozesse anfallen; als Bezugsgrößen dienen hier z. B. Rüstminuten und Fertigungsminuten. – *Gegensatz:* →homogene Kostenverursachung.

**heterogenes Netz,** →offenes Netz.

**heterograde Statistik,** ein seit Charlier in der statistischen Theorie gebräuchlicher Ausdruck für →Inferenzstatistik, soweit nur →quantitative Merkmale betrachtet werden. Die Unterteilung in h. St. und →homograde Statistik ist in den Hintergrund getreten, weil

h. St. homograde Statistik als Spezialfall umfaßt.

**Heteroskedastizität,** sich ändernde Varianzen der →Störgrößen in der Gleichung eines ökometrischen Modells. – *Gegensatz:* →Homoskedastizität.

**Heuer.** 1. Anspruch des →Schiffers gegen den →Reeder auf Unterhalt, Verpflegung und Gehalt (§§ 545 ff. HGB). – 2. Anspruch auf Vergütung des Besatzungsmitglieds auf Kauffahrteischiffen für die aufgrund des →Heuerverhältnisses geleistete Arbeit.

**Heuerverhältnis,** Arbeitsverhältnis der Besatzungsmitglieder auf Kauffahrteischiffen (§§ 23 ff. Seemannsgesetze).

**Heuristik.** 1. In der neueren →Wissenschaftstheorie als *Beurteilungskriterium* für →Theorien und für ganze Wissenschaftsprogramme (→Paradigma) von Bedeutung. Bewertet wird dabei nicht ausschließlich deren →Informationsgehalt, sondern das ihnen innewohnende Potential für die Weiterentwicklung des Erkenntnisstandes. – 2. *Vorgehensweise zur Lösung von allgemeinen Problemen,* für die keine eindeutigen Lösungsstrategien bekannt sind oder aufgrund des erforderlichen Aufwands nicht sinnvoll erscheinen; beinhaltet in erster Linie „Daumenregeln" auf der Grundlage subjektiver Erfahrungen und überlieferter Verhaltungsweisen. H. werden v.a. in schlecht strukturierten und schwer überschaubaren Problembereichen angewendet. – 3. *Vorgehensweise zur Lösung von mathematischen Problemen:* Methode, die auf der Basis von Erfahrung oder Urteilsvermögen zu einer guten Lösung eines Problems führt, die nicht notwendig optimal ist. Diese Lösungsverfahren ohne Konvergenzbeweis werden entweder für Probleme eingesetzt, für die keine konvergierende Verfahren existieren, oder sie werden zur Beschleunigung von konvergierenden Verfahren eingesetzt. Heuristiken werden dann angewandt, wenn keine →effektiven Algorithmen existieren; so werden häufig Branch-and-Bound-Verfahren, dynamische Optimierung und begrenzte Enumeration bei wachsender Problemgröße durch →heuristische Verfahren abgelöst.

**heuristische Information,** →heuristische Suche.

**heuristische Suche,** Methodik des →Suchens, die v.a. in der →künstlichen Intelligenz Anwendung findet. Zur Reduzierung des Suchaufwands werden aufgabenspezifische Informationen (heuristische Informationen) in den Suchprozess mit aufgenommen; sie dienen als Parameter zur Steuerung des Prozesses.

**heuristische Verfahren.** I. Charakterisierung: Obwohl h. V. in Theorie und Praxis der Betriebswirtschaftslehre eine wichtige Rolle spielen, gibt es keine einheitliche, aussagekräftige Definition. In erster Annäherung kann lediglich gesagt werden, daß h. V. *keine konvergenten Verfahren* (Algorithmen; →Algorithmus) sind; konvergente Verfahren zeichnen sich dadurch aus, daß durch einoder mehrmalige Anwendung bestimmter Rechenvorschriften das Auffinden einer vorhandenen optimalen Lösung garantiert wird. – Viele betriebliche Entscheidungsprobleme lassen sich als Entscheidungsmodelle in einer Weise formulieren, die es gestattet, eine in Bezug auf eine vorliegende Zielsetzung optimale Lösung mit Hilfe eines meist – iterativen – Verfahrens exakt oder zumindest hinreichend genau zu bestimmen. Beispielsweise kann die Entscheidung über eine →optimale Bestellmenge durch Aufstellung einer entsprechenden Kostenfunktion und anschließender Anwendung eines Verfahrens der Differentialrechnung gefunden werden; soll im Rahmen der →Produktionsprogrammplanung eine Entscheidung über die Produktionsmengen mit Hilfe eines linearen Programms getroffen werden, so bietet sich zur numerischen Lösung das →Simplexmethode der linearen Programmierung an.

II. H. V. für wohlstrukturierte Entscheidungsprobleme: Für eine nicht unbedeutende Anzahl von vollständig und exakt definierten betrieblichen Entscheidungsproblemen (wohlstrukturierte Entscheidungsprobleme), die sich in einer dem Problem adäquaten Weise in Form von Entscheidungsmodellen darstellen lassen, existieren *keine Verfahren, die mit einem vertretbaren Aufwand die Bestimmung einer optimalen Lösung ermöglichen.* Hierzu gehören etwa zahlreiche Probleme der (Produktions-) Ablaufplanung, z.B. bei Reihen- und Werkstattfertigung, die sich i.a. problemlos als Entscheidungsmodelle formulieren lassen. Verfahren zu ihrer numerischen Lösung erfordern für Beispiele in praktisch relevanten Größenordnungen einen ökonomisch nicht mehr sinnvollen Rechenaufwand. Aus diesem Grund muß man sich mit Näherungslösungen zufrieden geben. Für eine Reihe von Entscheidungsmodellen der zuletzt erwähnten Art wurden meist -iterative- Verfahren entwickelt und erprobt, mit deren Hilfe heuristische Lösungen gefunden werden können, die subjektiv als mehr oder weniger zufriedenstellend (brauchbar, suboptimal) zu bezeichnen sind. Verfahren dieser Art werden h. V. genannt. – *Suboptimalität heuristischer Lösungen:* Eine mit einem h. V. ermittelte heuristische Lösung kann wegen der nichtbeweisbaren Konvergenz lediglich rein zufällig optimal in bezug auf der zugrundeliegende Zielsetzung sein. I. a. ist sie es jedoch nicht, und es existiert kein intersubjektiv nachprüfbares Maß für die Güte einer gefundenen heuristischen Lösung. – *Gründe:* Die fehlende Konvergenz eines h. V. kann dadurch begründet sein, daß beispielsweise entweder optimale Lösungen nicht gefunden werden, weil das Suchen und Prüfen aller zulässigen Lösungen nicht möglich oder zu aufwendig ist, oder das optimale Lösungen nicht identifiziert werden, weil ein geeignetes Optimalitätskriterium fehlt, oder das von vorneherein im Laufe des Verfahrens eine Untergrenze für die Werte der Zielfunktion angegeben wird, bei deren Erreichen das Verfahren abbricht, weil eine Fortsetzung subjektiv nicht lohnend erscheint oder infolge Zeitdrucks nicht möglich ist. – Im Rahmen eines h. V. kann der Entscheidungsträger die Suche nach einer im Sinne der betrachteten Heuristik optimalen Lösung ganz dem Computer überlassen, er kann aber auch interaktiv eingreifen, d.h. den Suchprozeß aufgrund neuer Information über das Entscheidungsproblem oder aufgrund während des bisherigen Prozeßverlaufs gefundener Zwischenergebnisse dialoggesteuert am Computer beeinflussen. – *Anwendungen h.V.:* Ein bekanntes und sehr vielseitig anwendbares h. V. ist die →Simulation. In der Ablaufplanung ist beispielsweise die Zahl der möglichen Ablaufpläne i.a. zu groß, um sie vollständig aufzuzählen und jeweils auf Optimalität – beispielsweise in Bezug auf die Zykluszeit – überprüfen zu können; in diesem Fall kann das Problem auf einem Computer simuliert werden, indem solange Ablaufpläne zufällig erzeugt werden bis der Entscheidungsträger – etwa aufgrund gleichzeitig durchgeführter statistischer Analysen – glaubt, einen hinreichend guten Ablaufplan gefunden zu haben. Die betriebliche Praxis ist gerade wegen ihrer hohen Komplexität auf h. V. angewiesen. Es existieren zahlreiche erprobte h. V., die allerdings meistens für ganz spezifische Entscheidungsprobleme (z. B. innerbetriebliche Standortprobleme) entwickelt wurden. Allgemeingültige Aussagen über die Güte h. V. sind wegen ihrer großen Vielfalt jedoch kaum möglich.

III. H. V. für schlecht strukturierte Entscheidungsprobleme: Viele praktische betriebliche Entscheidungsprobleme sind schlecht strukturiert, d. h. sie sind entweder unvollständig und/oder wenig exakt definiert. Will man sie lösen, muß man sie *in Richtung auf wohlstrukturierte Probleme zu vervollständigen*. Zusätzliche Altertnativen und/oder verfolgte Zielsetzungen müssen zunächst in einem mehr oder weniger strukturierten Suchprozeß gefunden bzw. präzisiert werden. In diesem Zusammenhang spricht man von *heuristischen Prinzipien*: Hierunter werden insbes. Regeln (Entscheidungstechniken) verstanden, mit deren Hilfe der Ablauf eines Entscheidungsprozeßes zur Lösung eines Entscheidungsproblems sinnvoll gesteuert wird. Die Sinnhaftigkeit derartiger heuristischer Prinzipien kann nicht allgemein hergeleitet, sondern muß an Einzelfällen empirisch überprüft werden. Die zuletzt aufgeworfenen Fragen stoßen in der Betriebswirtschaftslehre zunehmend auf Interesse.

Literatur: Dinkelbach, W., Entscheidungsmodelle, Berlin-New York 1982; Fischer, J., Heuristische Investitionsplanung, Berlin 1981; Klein, H. K., Heuristische Entscheidungsmodelle, Wiesbaden 1971; Müller-Merbach, H., Heuristics and their design: a survey, in: European German Operational Research, Vol. 8 1981, pp. 1–23; Peal, J., Heuristics, Reading (Mass. 1984; Streim, H., Heuristische Lösungsverfahren – Versuch einer Begriffsklärung, in: Zeitschrift für Operations Research, Bd. 19, 1975, S. 143–162; Witte, Th., Heuristisches Planen, Wiesbaden 1979.

Prof. Dr. Werner Dinkelbach.

**Hickssche Nachfragefunktion,** →Nachfragefunktion.

**Hierarchie.** 1. *Begriff:* System, das durch die Beziehungen der Über-/Unterordnung zwischen den Elementen gekennzeichnet ist. Bei einer gegebenen Anzahl von Elementen ist eine H. umso steiler (flacher), je höher (niedriger) die Zahl der Hierarchieebenen ist. – 2. *Arten* nach den für Zwecke der →Aufbauorganisation betrachteten Elementen: a) H. der →organisatorischen Einheiten, z.B. die →Entscheidungshierarchie; b) →Führungshierarchie. Beide H. sind nur dann deckungsgleich, wenn ausnahmslos unipersonale organisatorische Einheiten vorliegen, zwischen denen keine →Personalunion existiert.

**hierarchisches Datenmodell,** →Datenmodell, mit dem hierarchische Beziehungen zwischen →Datensätzen beschrieben werden können. Früher gebräuchliches Modell; Grundlage älterer, bekannter Datenbanksysteme (z. B. →IMS). – *Nachteil:* geringe Flexibilität bei →Datenbankabfragen und bei Änderungen.

**hierarchy plus input-process-output method,** →HIPO-Methode.

**Hifo high in first out,** im Ausland sehr verbreitetes, nach deutschem Handelsrecht strittiges Verfahren (weil nicht durch Wortlaut von § 256 HGB gedeckt), nach Steuerrecht nicht zulässiges Verfahren zur Bewertung gleichartiger Vermögensgegenstände des Vorratsvermögens (→Steuerbilanz III). Man unterstellt, daß die am teuersten eingekauften Waren zuerst verbraucht werden; die Vorräte werden zu den niedrigsten Preisen bilanziert, die man in der Rechnungsperiode für sie bezahlen mußte. – Vgl. auch →Fifo, →Lifo.

**high employment budget surplus (HEBS),** ein auf den amerikanischen Council of Economic Advisers (CEA) zurückgehendes →Budgetkonzept. *Messung des konjunkturellen Impulses des Budgets.* Ausgangspunkt der Überlegungen ist die These, daß ein bei Vollbeschäftigung ausgeglichener Haushalt keinen Einfluß auf die weitere kunjunkturelle Entwicklung ausübt und insofern neutrale Wirkungen hat. Ist die Vollbeschäftigungssituation daher in dem fraglichen Zeitpunkt bei der Berechnung des HEBS nicht gegeben, wird zunächst errechnet, wie hoch die Steuereinnahmen bei unverändertem Steuersystem im Falle der Vollbeschäftigung gewesen wären (und damit uno actu auch die entsprechenden Ausgaben). Diesen hypothetischen Annahmen sind die tatsächlichen Ausgaben gegenüberzustellen. Der Saldo ist der HEBS. – *Kritik:* Mit nur minimalen Fehlern bei der Errechnung des Vollbeschäftigungsniveaus entsteht sofort ein sich potenzierender Fehler.

**Hilfe in besonderen Lebenslagen,** →Sozialhilfe.

**Hilfeleistung,** Verrichtungen des →Zollbeteiligten oder einer von ihm beauftragten Person mit dem Zweck, die Ermittlung der Menge und Beschaffenheit des →Zollguts (→Zollbeschau) zu ermöglichen (Verbringen der Ware zur Waage, Abrollen von Stoffballen usw.). Die H. ist nach zollamtlicher Anweisung und auf Kosten und Gefahr des Zollbeteiligten vorzunehmen. Ist Personal für H. zollamtlich bestellt, so kann die →Zollstelle dieses auf Kosten des Zollbeteiligten in Anspruch nehmen, soweit dies zweckmäßig und dem Zollbeteiligten zumutbar ist. Der Zollbeteiligte ist zur H. verpflichtet. Kommt er dieser Pflicht nicht nach, weist die Zollstelle den →Zollantrag zurück. – Vgl. auch →Darlegung.

**Hilfeleistung in Steuersachen,** →Steuerberatungsgesetz I.

**Hilferding,** Rudolf, 1877–1941, bedeutender sozialistischer Nationalökonom. H. war Reichsfinanzminister 1923 und 1928/1929; er gehörte zum Neomarxismus, einer sozialistischen Richtung, die das Ausbleiben des vom Marxismus vorausgesagten Zusammenbruchs des kapitalistischen Systems durch den Imperialismus der Nationalstaaten zu erklären suchte (→Marxismus). – *Hauptwerk:* Das Finanzkapital (1910).

**Hilfe zum Lebensunterhalt,** →Sozialhilfe.

**Hilfsantrag,** ein im Zivilprozeß nur hilfsweise (d. h. für den Fall, daß dem Hauptantrag nicht stattgegeben wird) gestellter →Antrag. Nur zulässig, soweit Haupt- und Hilfsantrag auf einem Sachverhalt beruhen (z. B. Hauptantrag auf Zahlung des Kaufpreises; H. – etwa für den Fall, daß das Gericht den Kaufvertrag als nichtig ansehen sollte – auf Rückgabe der schon übergebenen Kaufsache).

**Hilfsarbeit,** niedrigste Einstufung einer Arbeitsverrichtung nach dem Grad ihrer Schwierigkeit; vgl. auch →Arbeitsbewertung.

**Hilfsarbeiter,** ein mit Arbeiten einfacher und einfachster Art beschäftigter →Arbeiter ohne Berufserfahrung und Anlernung (→angelernter Arbeiter). – Vgl. auch →ungelernter Arbeiter.

**Hilfsarbeiterlohn,** meist Zeit-, selten Akkordlohn für →ungelernte Arbeiter oder →angelernte Arbeiter. – *Kostenrechnungstechnische Erfassung und Verrechnung:* H. können →Fertigungslöhne sein, sofern sie sich dem Kostenträger direkt, d. h. ohne Verrechnung über Kostenstellen im →Betriebsabrechnungsbogen zurechnen lassen. Meist jedoch nur Verrechnung als *Gemeinkostenlöhne* (→Hilfslöhne), oftmals als →Kostenstelleneinzelkosten möglich, da die Hilfsarbeiter i. d. R. bestimmten Kostenstellen als Arbeitskraft zugeteilt und die für sie erwachsenden Lohnkosten diesen zuzurechnen sind; bei „fliegenden Kolonnen" oder vielseitig beanspruchten Einzelkräften ist eine Aufteilung anteilig (nach Zeit- oder Mengeneinheiten) der für die Kostenstellen erbrachten Arbeitsleistung erforderlich.

**Hilfsbetrieb,** →Produktionshilfsbetrieb.

**Hilfsbücher,** Bezeichnung für die insbes. der Mengenverrechnung dienenden Nebenbücher, die als Ergänzung gewisser Hauptbucheintragungen oder zur Kontrolle einzelner Vermögensteile dienen. Dazu zählen das Kontokorrentbuch oder die Kontokorrentkartei, das Wechselbuch, das Akzeptbuch, Effektenbücher, das Wareneingangs- und -ausgangsbuch u. ä. – Vgl. auch →Bücher.

**Hilfsfiskus,** Begriff der Finanzwissenschaft. – 1. Synonyme Bezeichnung der Parafisci (→Parafiskus); – 2. Oft Bezeichnung der Untergruppe der Parafisci, deren Existenz durch staatliche Initiative begründet wird (→Parafiskus 2a).

**Hilfsgeschäfte.** 1. *Begriff:* Gelegentliche Geschäfte, die dazu dienen, die eigentliche gewerbliche oder berufliche Tätigkeit eines Unternehmens fortzuführen oder aufrechtzuerhalten. – *Beispiel:* Ein Handelsvertreter veräußert einen unbrauchbar gewordenen Kraftwagen, um einen neuen zu kaufen; eine Stoffabrik veräußert Abfälle, ein Verlag Altpapier, eine Fabrik alte Maschinen als Schrott. – 2. *Umsatzsteuer:* →Entgelte aus H. unterliegen der →Umsatzsteuer. Ein Unternehmer, der für die Umsätze im Rahmen seiner gewerblichen oder beruflichen Tätigkeit Umsatzsteuerfreiheit oder den ermäßigten Steuersatz in Anspruch nehmen kann, muß H. mit dem Regelsteuersatz für die betreffenden Hilfsumsätze versteuern. Bestimmte H. werden bei der Berechnung des Gesamtumsatzes (→Kleinunternehmer, →Istversteuerung) nicht berücksichigt (§ 19 IV Nr. 2 UStG).

**Hilfskostenstelle,** →Kostenstelle, die nicht direkt mit der Herstellung der betrieblichen Produkte befaßt ist, sondern hierzu Vorleistungen (→innerbetriebliche Leistungen) erbringt. – *Arten:* a) *Allgemeine H.:* Ihre Leistungen fließen an sämtliche Kostenstellen des Unternehmens, z. B. Werksfeuerwehr, Sozialstation, Stromerzeugung; b) *spezielle H.:* Ihre Leistungen werden nur für spezielle Unternehmensbereiche, z. B. Arbeitsvorbereitung als Fertigungshilfskostenstelle, erbracht. – Die Kosten von H. werden im Rahmen der →Betriebsabrechnung anderen Hilfs- oder Hauptkostenstellen belastet. – *Gegensatz:* →Hauptkostenstellen.

**Hilfslager,** in Abgrenzung zum →Hauptlager eingerichtet zur gelegentlichen oder vorübergehenden Lagerung von Überschußmengen. H. dienen zur Ergänzung der Hauptlager.

**Hilfslöhne,** Begriff der Kostenrechnung für alle Löhne, die nicht als →Fertigungslöhne erfaßt und verrechnet werden, da sie nicht unmittelbar am Werkstück verrichtete Arbeit anfallen. Zu H. zählen z. B. Löhne für Transport- und Reinigungsarbeiten. – *Maßgeblich* für die Unterscheidung vom Fertigungslohn ist nicht die Art der Tätigkeit (Facharbeit oder Hilfsarbeit), sondern die Verrechnung als →Gemeinkosten. Daher werden H. häufig auch als *Gemeinkostenlöhne* bezeichnet.

**Hilfsmaterial,** →Hilfsstoffe.

**Hilfsmittel,** im Sinn der Sozialversicherung und der Kriegsopferversorgung Mittel gegen Verunstaltung oder Verkrüppelung, die nach beendigter Heilbehandlung zur Erhaltung oder Wiederherstellung der Arbeitsfähigkeit notwendig sind, z. B. Körperersatzstücke, orthopädische Hilfsmittel, künstliche Glieder, Blindenführhunde. H. werden in den erforderlichen Fällen in voller Höhe gewährt. Sie gehören zu den Pflichtleistungen; ebenso erforderliche Instandsetzungen und Ersatzbeschaffungen. – Zahnersatz, Zahnkronen und Stiftzähne gelten in der Krankenversicherung nicht als H. und werden entsprechend der Satzung der jeweiligen Krankenkasse gewährt.

**Hilfsprozessor,** *Coprozessor,* Zusatzprozessor (→Prozessor), der die Leistung eines →Computers erhöhen soll, indem er den →Zentralprozessor durch die Übernahme bestimmter Aufgaben entlastet. Zu den H. zählen insbes. →Ein-/Ausgabe-Prozessor und →Gleitkommaprozessor.

**Hilfsstoffe,** *Hilfsmaterial,* Begriff der Kostenrechnung für diejenigen Stoffe, die bei der Fertigung in das Erzeugnis eingehen, ohne Rohstoff zu sein, also nicht wesentlicher Bestandteil des Erzeugnisses werden, sondern lediglich eine Hilfsfunktion im fertigen Produkt erfüllen (Leim, Lack bei der Möbelproduktion). Die Kosten von H. werden zumeist aus Vereinfachungsgründen als →unechte Gemeinkosten verrechnet und mit den →Betriebsstoffen zu einer Kostenartengrupe zusammengefaßt. – Vgl. auch →Gemeinkostenmaterial.

**hinkende Inhaberpapiere,** *qualifizierte Legitimationspapiere,* zu den →Wertpapieren i. w. S. gehörig. In h. I. verspricht Aussteller einem namentlich benannten Gläubiger eine Leistung, bestimmt aber gleichzeitig, daß die Leistung an jeden Inhaber der Urkunde bewirkt werden kann (§ 808 BGB). Übertragung der h. I. nicht wie Inhaberpapiere durch →Übereignung der Urkunde, sondern nur durch Abtretung der verbrieften Forderung (→Forderungsabtretung). Der Aussteller ist jedoch berechtigt, an jeden Inhaber der Urkunde mit befreiender Wirkung zu leisten; er ist hierzu nicht verpflichtet, kann vielmehr verlangen, daß der Inhaber sich vorher als berechtigter Gläubiger ausweist. Der Schuldner kann bei Leistung stets Aushändigung des Papiers verlangen. – Zu den h. I. gehören: →Sparbücher, →Depotscheine, →Versicherungsscheine. – *Legitimationspapiere* (z. B. Garderobenmarken, Gepäckscheine) nennen Namen des Berechtigten nicht.

**Hinterbliebenengeld,** Leistung der →Altershilfe für Landwirte.

**Hinterbliebenenrenten,** im Rahmen der gesetzlichen Rentenversicherung, gesetzlichen Unfallversicherung wie auch der Kriegsopferversorgung den Hinterbliebenen eines Versicherten bzw. Beschädigten gewährte Leistungen. – 1. *Anspruchsberechtigte:* In den

einzelnen Versicherungen verschieden festgelegt: a) Angestellten- und Arbeiterrentenversicherung, knappschaftliche Rentenversicherung: Witwen-, Witwer-, Waisenrenten sowie Rente an den früheren Ehegatten (§§ 41–44 AVG, §§ 1264–1267 RVO, §§ 64–67 RKG); – b) Unfallversicherung: Witwen-, Witwer-, Waisenrenten, Rente an den früheren Ehegatten sowie Elternrenten (§§ 590 ff. RVO); c) Kriegsopferversorgung: Witwen-, Witwer-, Waisen-, Elternrenten, Rente an die frühere Ehefrau, Witwen- und Waisenbeihilfe sowie Schadensausgleich für Witwen (§§ 38–52 BVG). – 2. *Kürzung* der H., die den Anspruchsberechtigten gewährt werden, a) bei Überschreitung eines Höchstbetrags, b) beim Zusammentreffen mehrerer Hinterbliebenenrenten oder beim Zusammentreffen von H. mit Versichertenrenten. – 3. *Sonderbestimmung:* Anspruch von Verwandten der aufsteigenden Linie besteht nur, soweit Ehegatten und Kinder den Höchstbetrag der H. nicht erschöpfen. – 4. Zur *Neuregelung des H.-Rechts* seit 1. 1. 1986 vgl. →Witwenrente und →Witwerrente.

**Hinterland,** Bezeichnung des wirtschaftlichen Einzugsgebiets von See- und Binnenhäfen. Der Kampf um das H. der deutschen Nordseehäfen, untereinander und mit Häfen der Benelux-Länder ist durch die Teilung Deutschlands und auch durch die verkehrspolitischen Maßnahmen und Ziele der EG verschärft. Zum Schutz der Häfen Hamburg und Bremen bestehen Seehafenausnahmetarife, die den Verlust des H. außerhalb der Bundesrep. D. teilweise ausgleichen sollen.

**Hinterlegung.** I. A l l g e m e i n : H. von Geld und gewissen anderen Sachen bei dem Amtsgericht des →Leistungsorts (vgl. auch →Erfüllungsort) hat unter gewissen Voraussetzungen gleiche Wirkung wie die →Erfüllung; ebenso ist die H. Mittel der →Sicherheitsleistung. – *Rechtsgrundlage:* §§ 372–386 BGB, Hinterlegungsordnung vom 10. 3. 1937 (RGBl I 285).

II. H. von Geld, Wertpapieren und Kostbarkeiten: 1. *Statthaft* a) bei →Annahmeverzug des Gläubigers, b) bei einem in der Person des Gläubigers liegenden Grund (z. B. Geschäftsunfähigkeit ohne gesetzlichen Vertreter, c) bei entschuldbarer Unkenntnis über die Person des Gläubigers z. B. bei unsicherer Rechtslage mehrere die Forderung für sich beanspruchen). – 2. Die H. ist dem Gläubiger *anzuzeigen.* – 3. Der Schuldner darf die hinterlegte Sache im allgemeinen *zurücknehmen,* solange er nicht gegenüber der Hinterlegungsstelle auf das Rücknahmerecht verzichtet oder der Gläubiger die Annahme erklärt hat. – 4. Ist die Rücknahme ausgeschlossen, gilt die H. als *Erfüllung.* Auch sonst kann der Schuldner den Gläubiger auf die hinterlegte Sache verweisen; er braucht auch weder Zinsen zu zahlen noch Ersatz für →Nutzungen zu leisten. – 5. Die *Kosten* der H.

trägt der Gläubiger, wenn nicht der Schuldner zurücknimmt. – 6. H. bewirkt im Steuerrecht ein →Pfandrecht des Steuergläubigers an hinterlegtem Geld oder Wertpapieren oder an der Forderung auf Rückerstattung (§ 139 AO).

III. H. beim Handelskauf: Der Verkäufer darf bei →Annahmeverzug des Käufers die Ware auch ohne die sonst zu erfordernden Voraussetzungen, und zwar auch in einem öffentlichen Lagerhaus oder in sonst sicherer Weise, und im allgemeinen ohne an einen bestimmten Hinterlegungsort gebunden zu sein, hinterlegen (§ 373 I HGB).

IV. H. anderer Sachen: Dies ist unzulässig (Ausnahme beim Handelskauf, hier können alle Waren hinterlegt werden); sie müssen zuerst durch *Versteigerung* oder *Verkauf* verwertet werden. – 1. Bewegliche Sachen, die *zur H. nicht geeignet* sind, kann der Schuldner bei Annahmeverzug des Gläubigers durch einen Gerichtsvollzieher nach vorheriger Androhung i. d. R. am Leistungsort öffentlich versteigern lassen und den Erlös hinterlegen. Von der Versteigerung ist der Gläubiger zu benachrichtigen. Androhung darf unterbleiben, wenn die Sache dem Verderb ausgesetzt und mit dem Aufschub Gefahr verbunden ist. – 2. Ist der Schuldner wegen *Unkenntnis* über die Person des Gläubigers oder aus einem in der Person des Gläubigers liegenden Grund zur H. berechtigt, darf eine Versteigerung nur erfolgen, wenn der Verderb der Sache zu besorgen oder die Aufbewahrung mit unverhältnismäßigen Kosten verbunden ist. – 3. Sachen, die einen Börsen- oder Marktpreis haben, kann der Schuldner auch durch *freihändigen Verkauf* durch einen zu solchen Verkäufen öffentlich ermächtigten Handelsmakler oder einen Gerichtsvollzieher zum laufenden Preise verwerten und den Erlös hinterlegen. – 4. Die *Kosten* der Versteigerung oder der freihändigen Verwertung trägt der Gläubiger, sofern nicht der Schuldner zurücknimmt.

V. H. bei Verpflichtung zur Sicherheitsleistung: I. d. R. vorgeschrieben.

**Hintermann,** →Strohmann.

**Hinzurechnungen,** Begriff des Gewerbesteuerrechts bei der Ermittlung des →Gewerbeertrags (§ 8 GewStG) und des →Gewerbekapitals (§ 12 II GewStG).

**HIPO-Methode,** *hierarchy plus input-process-output method.* 1. *Begriff:* a) meist →Softwareentwurfsmethode; *Darstellungsmittel* für die →Programmentwicklung, z. B. →Struktogramm und →Programmablaufplan. – 2. *Entstehung:* 1970 von Mitarbeitern der Firma IBM in Zusammenhang mit einem großen Softwareprojekt („New-York-Times-Projekt") entwickelt. – 3. *Bestandteile:* a) *Inhaltsübersicht* (visual table of contents): Graphische Übersicht, in alle →Module eines →Softwaresystems, bzw. im kleineren: alle Verfeinerungskonstrukte eines →Programms

(→schrittweise Verfeinerung), in einer Hierarchie als Baum dargestellt werden. – b) *Überblicksdiagramme:* für jede Komponente der Inhaltsübersicht wird ein dreiteiliges Diagramm erstellt, das links die *Eingabedaten* (input), in der Mitte die groben *Verarbeitungsschritte* (process) und rechts die *Ausgabedaten* (output) enthält. – c) *Detaildiagramme:* die Verarbeitungsschritte der Überblicksdiagramme werden verfeinert (schrittweise Verfeinerung) und analog zu b) in dreiteiligen Diagrammen dargestellt; u. U. für mehrere Verfeinerungsstufen. – d) *Erweiterte Beschreibung:* zusätzliche verbale Erläuterungen zu Übersichts- und Detaildiagrammen. – 4. *Eignung:* für „Programmierung im Kleinen" (→Software Engineering IV 4) brauchbar, da schrittweise Verfeinerung gut unterstützt; für „Programmierung im Großen" weniger, da →Modularisierungsprinzipien eher behindert werden.

**Histogramm,** *Säulendiagramm,* graphische Darstellung einer →Häufigkeitsverteilung in bezug auf ein →quantitatives Merkmal, bei dem eine →Klassenbildung vorgenommen wurde. Über den jeweiligen Klassenintervallen werden Rechtecke (Säulen) derart gezeichnet, daß die Maßzahl der Fläche der jeweiligen Rechtecks die (relative oder absolute) Klassenhäufigkeit repräsentiert. Um die Höhe der Rechtecke („Häufigkeitsdichten") zu erhalten, müssen die Klassenhäufigkeiten durch die Klassenbreiten dividiert werden. Die Gesamtfläche eines H. ist somit gleich dem Umfang der Gesamtheit *(absolutes H.)* bzw. 1 *(relatives H.).* – Die in nachstehender Tabelle verzeichnete Häufigkeitsverteilung ergibt als Beispiel ein relatives H. gemäß der folgenden Zeichnung.

| Klasse | Häufigkeit absolut | Häufigkeit relativ | Rechtecks-höhe |
|---|---|---|---|
| 0 bis unter 20 | 24 | 0,12 | 0,006 |
| 20 bis unter 30 | 34 | 0,17 | 0,017 |
| 30 bis unter 40 | 48 | 0,24 | 0,024 |
| 40 bis unter 50 | 56 | 0,28 | 0,028 |
| 50 bis unter 70 | 20 | 0,10 | 0,005 |
| 70 bis unter 100 | 18 | 0,09 | 0,003 |
| zusammen | 200 | 1,00 | X |

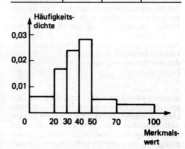

**historischer Materialismus.** 1. *Charakterisierung:* Von K. Marx und F. Engels auf der Basis des →dialektischen Materialismus konzipierte Lehre über die allgemeinen Entwicklungsgesetze der Gesellschaft. Als Ursache des zwangsläufigen Geschichtsprozesses wird im →Marxismus die dialektische Spannung zwischen den →Produktionsverhältnissen und den →Produktivkräften angesehen: Letztere entwickeln sich durch den →technischen Fortschritt immer weiter und geraten dabei in zunehmenden Widerspruch zu den augenblicklich vorherrschenden Produktionsverhältnissen. Folge dieses „Grundwiderspruchs" sind eine Hemmung des technischen Fortschritts, immer heftigere ökonomische Krisen und gesellschaftliche Spannungen. Die sozialen Konflikte weiten sich auf Grund des zunehmenden Klassenkampfes zwischen den Produktionsmitteleigentümern und -nichteigentümern (→Klassentheorie) so lange aus, bis in einem dialektischen Sprung die Produktionsverhältnisse revolutionär so umgestaltet werden, daß sie dem erreichten Stand der Produktivkräfte entsprechen. Diese Übereinstimmung zwischen beiden Elementen fördert zwar anfänglich den technisch-ökonomischen Fortschritt, jedoch geraten die Eigentumsverhältnisse bald wieder in Widerspruch zu den sich fortentwickelnden Produktivkräften; die Folge ist eine neuerliche revolutionäre Umwälzung. – 2. Die dialektische Einheit von Produktivkräften und Produktionsverhältnissen wird als *Produktionsweise* bezeichnet. Marx leitet fünf verschiedene, sich seiner Meinung nach gesetzmäßig folgende Produktionsweisen ab: a) *Urgesellschaft:* Gemeinschaftseigentum an den Produktionsmitteln; b) *Sklavenhaltergesellschaft:* Privateigentum an den Produktionsmitteln und an den Sklaven; c) *Feudalismus:* Privateigentum an den Produktionsmitteln bei Leibeigenschaft und Grundhörigkeit der Bauern; d) →*Kapitalismus*; Privateigentum an den Produktionsmitteln; e) →*Kommunismus* (bzw. →*Sozialismus*): Gesellschaftseigentum an den Produktionsmitteln. Der jeweiligen Produktionsweise als „Basis" entspricht eine spezifische Ausprägung des gesellschaftlichen „Überbaus", d. h. der realisierten Form der Staatsordnung, der Religion, der Kunst, der Ideologie usw. – *Grundwiderspruch der kapitalistischen Produktionsweise* ist Marx zufolge der erreichte hohe Stand der gesamtgesellschaftlichen Arbeitsteilung bei gleichzeitiger individueller Aneignung der Wertschöpfung durch die Kapitalisten als Produktionsmitteleigentümer (→Mehrwerttheorie, →Ausbeutung). Marxens ökonomische Analyse dient dem Zweck, hieraus die zunehmende Krisenanfälligkeit des Kapitalismus und seinen notwendigen Untergang abzuleiten (→tendenzieller Fall der Profitrate, →Krisentheorie). – Die angenommene Entwicklungsgesetzmäßigkeit findet ihren *Abschluß im Sozialismus bzw. Kommunismus,*

da es dort wegen des Gesellschaftseigentums keine unterschiedlichen, sich bekämpfenden Klassen mehr gibt sowie gesellschaftliche Arbeitsteilung und Aneignung der Wertschöpfung übereinstimmen. – 3. *Kritisiert* wird dieser Ansatz u. a. deswegen, weil er nicht in der Lage ist, die geschichtlichen Entwicklungen in allen Ländern zu erklären und daneben der weitere gesellschaftliche Fortschritt vom Umfang des zukünftigen Wissens abhängt, worüber jedoch in der Gegenwart aus logischen Gründen keine Aussagen getroffen werden können. Das Denken in Entwicklungen übersehe insbes. die Gestaltbarkeit der gesellschaftlichen Ordnung durch den Menschen und könne nicht zur Lösung der in jeder Wirtschaftsordnung bestehenden Probleme herangezogen werden.

**Historische Schule.** 1. *Bezeichnung* für die sich insbes. in Deutschland zur Mitte des 19. Jh. herausbildende Forschungsrichtung, deren Grundthese ist, daß alle wirtschaftlichen Erscheinungen raum- unmd zeitabhängig sind und deshalb keine allgemeingültigen, abstrakten Theorien aufgestellt werden können. Unterschieden werden: a) *ältere H. Sch.* Vorläufer List, daneben Roscher, Hildebrand, Knies), b) *jüngere H. Sch.* (Schmoller als Hauptvertreter, daneben Bucher, Brentano, Conrad, Haubach, Held, Herkner, Knapp) und c) *„dritte" H. Sch.* (M. Weber, Sombart, Spiethoff). – Zu der Strömung, die sich insbes. mit sozialpolitischen Fragen auseinandersetzte, vgl. →*Kathedersozialisten.* – 2. *Charakterisierung:* Innerhalb der h. Sch. herrscht die Vorstellung, daß die einzelnen Volkswirtschaften unterschiedliche Stufen der wirtschaftlichen Entwicklung mit nur ihnen jeweils eigenen Besonderheiten durchlaufen (→Wirtschaftsstufe, →Wirtschaftsstil). Mit Hilfe der historischen Methode müßten durch umfassende Detailstudien historischer Quellen und durch statistisch-empirische Forschung die Besonderheit der jeweiligen Stufe erfaßt werden (induktive Methode, d. h. die Ableitung theoretischer Aussagen aus Beobachtungen). – 3. *Beurteilung:* Der Vorwurf der Theoriefeindlichkeit ist zwar gegenüber den Vertretern der H. Sch. insgesamt unzutreffend, jedoch scheitert die historische Methode letztendlich an ihrem Verzicht auf A-priori-Hypothesen und daraus abgeleiteten, die Forschung lenkenden Fragestellungen. Durch ausgedehnte Informationssammlung lassen sich zwar die unterstellten wirtschaftlichen Entwicklungsstufen illustrieren, nicht jedoch ihre Zwangsläufigkeit beweisen, wie auch das innere Gefüge einer →Wirtschaftsordnung durch Deskription nicht analysierbar ist.

**historisches Steuersystem,** ein im Zeitablauf gewachsenes →Steuersystem mit Steuern verschiedener Art, deren Unterschied i. d. R. in Entstehung, Rechtfertigung, Zweckmäßigkeit und Ergiebigkeit liegt. – *Gegensatz:* →rationales Steuersystem.

**HMN, Hamburger Methode der Netzplantechnik,** Netzplantechnik, die Vorgangsknotennetzpläne (→Netzplan) verwendet. Zugelassen sind nur →Endfolgen (Mindest- und Höchstabstände); →Netzplantechnik III 1.

**Hobbes,** Thomas, 1588–1679, englischer Philosoph. Beeinflußt von den antiken Materialisten und dem philosophischen Nominalismus schuf H. ein materialistisches System. Durch seine Erkenntnistheorie wurde er Vorläufer des →Positivismus. Nach H. besteht ein „Atomismus selbstsüchtiger Individuen" (Dilthey), ein Kampf aller gegen alle (bellum omnium contra omnes). Daraus abgeleitet die Forderung nach absoluter Staatsherrschaft (staatlicher Omnipotenz). *Hauptwerke:* „Elementa philosophiae" Section I: De corpore 1655, Sectio II: De homine 1658, Sectio III: De cive 1642; „Leviathan" 1651.

**Hobbycomputer,** →Heimcomputer.

**Hochkapitalismus,** →Kapitalismus.

**Hochkonjunktur,** →Konjunkturphasen.

**Hochrechnung,** synonymer Begriff für Schätzung im Zusammenhang mit der Übertragung von empirischen Befunden aus →Zufallsstichproben auf die übergeordnete →Grundgesamtheit. Von H. wird insbes. dann gesprochen, wenn der Schätzvorgang den Umfang der Grundgesamtheit einbezieht, v. a., wenn →Gesamtmerkmalsbeträge oder Anzahlen von Elementen einer bestimmten Kategorie zu schätzen sind. – 1. *Freie H.* liegt vor, wenn nur der Stichprobenbefund selbst zur Schätzung herangezogen wird. – 2. *Gebundene H.* (z. B. Verhältnisschätzung, Regressionsschätzung, Differenzschätzung) ist gegeben, wenn daneben weitere Informationen in den Schätzvorgang eingehen, z. B. Informationen aus einer früheren →Vollerhebung.

**Hochregallager,** →Lager mit Fachregalen großer Höhe (ca. 15–20 m oder höher), die i. d. R. durch automatische Fördereinrichtungen bedient werden; Steuerung durch →Software. – Vgl. auch →fahrerloses Transportsystem, →Prozeßsteuerung, →factory of the future.

**Hochschule,** Stätte für wissenschaftliche Forschung und Lehre, d. h. Weitergabe praktischer und theoretischer Kenntnisse in wissenschaftlicher Form an die Studierenden, an die bei Nachweis der erworbenen Kenntnisse und Fähigkeiten durch die vorgesehene Abschlußprüfung akademische Würden erteilt werden können.

I. Aufbau: 1. *Leitung* von H. liegt in den Händen eines Rektors bzw. Präsidenten, dem der Prorektor bzw. Vizepräsident/en, die Dekane (Leiter der Fakultäten) bzw. Vorsit-

zende (der Fachschaften) und der Senat bzw. Fachbereichsrat sowie Ausbildungskommission und Forschungskommission zur Seite stehen. Alle Posten und Gremien werden für eine bestimmte Amtszeit durch Wahl besetzt. – 2. Die *Lehrer* (Dozenten) gliedern sich in ordentliche und außerordentliche Professoren, außerplanmäßige Professoren, Honorarprofessoren, Privatdozenten und Lehrbeauftragte. – 3. Gliederung der H. entsprechend der Sachgebiete in Fakultäten bzw. Fachbereiche. – 4. *Voraussetzung* für den Besuch der meisten H. ist die Reifeprüfung; daneben möglich allgemeine Hochschulreife (zu erlangen an Abendgymnasien und Kollegs), fachgebundene Hochschulreife, Sonderreifeprüfung. – Wegen der ungenügenden Zahl an Arbeitsplätzen bestehen an einigen Fakultäten bzw. Abteilungen der H. Zulassungsbeschränkungen (numerus clausus). – 5. *Einteilung* des Studiums an den deutschen H. in Semester (Halbjahre). Sommersemester vom 1. 4. bis 30. 9. (Vorlesungen vom 15. 4. bis 15. 7.), Wintersemester vom 1. 10. bis 31. 3. (Vorlesungen vom 15. 10. bis 15. 2.). – 6. *Lehrformen* an den H. sind Vorlesungen (Kollegien), praktische Übungen, Seminare und Besprechungen (Kolloquien).

II. Arten: 1. Die →Universitäten (älteste Form der H.), an denen die Gesamtheit der Wissenschaften gelehrt wird, nach Wissenschaftszweigen in Abteilungen (Fakultäten bzw. Fachbereiche) unterteilt. Diese Gliederung beruht auf den vier Grundwissenschaften: Theologie, Rechtswissenschaft, Medizin, Philosophie; von der letzteren sind Naturwissenschaft und Mathematik in neuerer Zeit abgetrennt. Die Fächer der Volks- und Betriebswirtschaftslehre sind z. T. der philosophischen, häufiger der rechtswissenschaftlichen Fakultät eingegliedert oder bestehen als Wirtschafts- und Sozialwissenschaftliche Fakultät selbständig neben den vier Grunddisziplinen. In neuerer Zeit zählen zu den H. auch die Technischen Universitäten und andere gleichrangige H. (außer den selbständigen Pädagogischen und Theologischen Hochschulen). – 2. Die übrigen H. dienen der höheren Fachbildung für bestimmte Berufsgebiete: Pädagogische Hochschulen, Theologische Hochschulen, Kunst- und →Fachhochschulen. – 3. *Sonderform* →Gesamthochschulen.

III. Anzahl der Studierenden: Im WS 1986/87 an Universitäten, Technischen Universitäten, Gesamthochschulen, Pädag. Hochschulen, Theolog. Hochschulen und Kunsthochschulen der Bundesrep. D. und Berlin (West): 1.057 000; an Fachhochschulen: 313 000.

IV. Ausbau und Neubau von wissenschaftlichen H.: →Gemeinschaftsaufgabe von Bund und Ländern, geregelt durch das Hochschulbauförderungsgesetz vom 1.9.1969 (BGBl I 1556) mit späteren Änderungen.

**Hochschulreform,** Umgestaltung des Hochschulwesens (Organisation und Studiengang) mit der Zielsetzung größerer Demokratisierung der Entscheidungsgremien (mit den unterschiedlich beteiligten Gruppen: Hochschullehrer, wissenschaftl. Mitarbeiter, Studenten) und strafferen Studienablaufs. – Im *Hochschulrahmengesetz* (HRG) i.d.F. vom 9.4.1987) (BGBl I 1170) wird die H. als eine gemeinsame Aufgabe der Hochschulen und der zuständigen staatlichen Stellen angesprochen. Nach diesem Rahmengesetz ist das Hochschulwesen neu zu ordnen, mit dem Ziel, die gegenwärtig von Hochschulen mit unterschiedlicher Aufgabenstellung wahrgenommenen Aufgaben in Forschung, Lehre und Studium zu verbinden. – Die H. befindet sich stark in Entwicklung. – *Gegenwärtiger Stand* der Durchführung und Ausprägungen der H. sehr verschieden in den einzelnen Ländern (Hochschulgesetze der Länder) sowie auch von Hochschule zu Hochschule.

**Hochschulstatistik,** Teilbereich der →Kulturstatistik. Die H. dient der Bereitstellung bundeseinheitlicher Planungsdaten im Hochschulbereich, gesetzlich geregelt im Hochschulstatistikgesetz i.d.F. vom 21.4.1980 (BGBl I 453). Die Statistik liefert Angaben über Studienwünsche (der Abiturenten), Studenten, Prüfungen und Prüfungskandidaten, Hochschulpersonal, Raumbestand, Hochschulausgaben und -einnahmen. Die H. wird vom Ausschuß für die Hochschulstatistik begleitet. Derzeit wird wegen gewisser datenschutzrechtlicher Bedenken eine Novellierung der Rechtsgrundlage angestrebt.

**Hochseefischerei,** als Teilgebiet des Fischereiwesens zur →Urproduktion gehörig. Ausübung der H. gilt als Erwerb durch Seefahrt. Die dazu verwendeten Seeschiffe sind deshalb Kauffahrteischiffe.

**Höchstarbeitsbedingungen,** Tarifbedingungen als Höchstbedingungen; unzulässig nach dem in §4 III TVG niedergelegten →Günstigkeitsprinzip. Den Parteien des einzelnen Arbeitsvertrages muß eine Vergütung nach Leistung durch übertarifliche Zulagen (→übertarifliche Bezahlung) gestattet sein.

**Höchstbeiträge,** in der gesetzlichen Sozialversicherung gemäß Beitragsbemessungsgrenze und Beitragssatz von freiwillig Versicherten ganz oder von Empfängern höherer Einkommen und deren Arbeitgebern jeweils zur Hälfte zu zahlende höchste Beiträge. 1987: Rentenversicherung 1065,90 DM, Arbeitslosenversicherung 245,10 DM je Monat, Krankenversicherung je nach Satzung (keine bundeseinheitliche Regelung) ca. 513 DM (bei einem Beitragssatz von 12%).

**Höchstbestand,** →Materialbestandsarten 2 a).

**Höchstbetragshypothek,** *Maximalhypothek,* wird gemäß §1190 BGB in der Weise bestellt, daß nur der Höchstbetrag, bis zu dem das Grundstück haften soll, bestimmt, im übrigen die Feststellung der Forderung vorbehalten wird. Zinsen sind eingerechnet. Umwandlung in gewöhnliche →Hypothek ist zulässig. Die H. gilt als →Sicherungshypothek, auch wenn sie im Grundbuch nicht als solche bezeichnet ist. Die Forderung kann nach allgemeinen Vorschriften (§§ 398 ff. BGB) übertragen werden; in diesem Fall ist der Übergang der Hypothek ausgeschlossen. Eine H. kann zur Sicherung für alle bestehenden und zukünftigen Forderungen bestellt werden, auch zur Sicherung von Bürgschaftsverpflichtungen u.a. – *Sonderform:* →Arresthypothek.

**Höchsthaftungssumme,** Haftungsgrenze, insbes. der →Haftpflichtversicherung. – Vgl. auch →Versicherungssumme.

**Höchstpreis,** gesetzlich oder behördlich festgesetzte obere Preisgrenze, die grundsätzlich unterboten werden darf. Als Mittel der staatlichen Wirtschaftspolitik soll der H. zur Vermeidung sozial oder volkswirtschaftlich unerwünschter Gewinne dienen und wird deshalb häufig in Zeiten von Kriegswirtschaft oder Inflation angewendet.

**Höchstqualität,** Bezeichnung der Handelsbetriebslehre für Waren, die höchsten Verbrauchsansprüchen in bezug auf Verbrauchseignung und Stoffqualität entsprechen.

**Höchstwertprinzip,** Wertansatzbestimmung des Handelsrechts für *Verbindlichkeiten,* abgeleitet aus dem Prinzip der Bilanzvorsicht und damit Bestandteil der →Grundsätze ordnungsmäßiger Buchführung. Analog Aufwandsantizipation wie bei Anwendung des →Niederstwertprinzips. Das H. besagt, daß von zwei möglichen Wertansätzen für eine Verbindlichkeit stets der höhere gewählt werden muß. Liegt z.B. bei Auslandsschulden der Tageswert infolge Wechselkursänderungen unter den Anschaffungskosten (= Briefkurs am Tag der Entstehung), so sind letztere anzusetzen, da die niedrigere Bewertung einer Schuld zum Ausweis eines unrealisierten Gewinns führen würde (→Realisationsprinzip). Entsprechend muß im umgekehrten Falle ein über die Anschaffungskosten gestiegener Tageswert passiviert werden (→Imparitätsprinzip).

**Höchstzinssatz,** →cap.

**Hochwasserzuschlag,** prozentualer Zuschlag zur Grundfracht, den die Binnenschiffahrt bei Verkehrsbehinderung durch Hochwasser erhebt.

**Höferecht,** Sondervorschriften über Erbrecht, Bewirtschaftung und Belastung von land- und forstwirtschaftlichen Besitzungen mit einer zur Bewirtschaftung geeigneten Hofstelle, die sich im Alleineigentum einer natürlichen Person oder von Ehegatten befindet. Nach der Aufhebung des Reichserbhofgesetzes von 1933 durch das KRG 45 wieder landesrechtliche Regelung. In der früher britischen Besatzungszone: Höfeordnung i. d. F. vom 26.7.1976 (BGBl I 1933); vgl. auch die Verfahrensordnung für Höfesachen (HöfeVfO) vom 29.3.1976 (BGBl I 885).

**Hoffnungskauf,** Kauf einer unsicheren Sache oder eines unsicheren Rechtes ohne Gewähr. I.d.R. ist die bloße Einräumung der Gewinnaussicht Gegenstand des Kaufes, wie beim Kauf eines Loses.

**Hohe Behörde,** →Kommission der Europäischen Gemeinschaften.

**Hoheitsakt,** Entscheidung des Staates oder einer juristischen Person des öffentlichen Rechts auf Grund ihrer Stellung als Hoheitsträger. Oberbegriff für →Regierungsakte und →Verwaltungsakte.

**Hoheitsbetriebe.** 1. *Begriff:* Betriebe von Körperschaften des öffentlichen Rechts, die überwiegend der Ausübung der öffentlichen Gewalt dienen. Insbes. anzunehmen, wenn sie Leistungen erbringen, zu deren Annahme der Leistungsempfänger auf Grund gesetzlicher oder behördlicher Anordnung verpflichtet ist, z.B. Forschungsanstalten, Wetterwarten, Friedhöfe, Krematorien, Schlachthöfe, Anstalten zur Lebensmitteluntersuchung, zur Desinfektion, zur Müllbeseitigung, zur Straßenreinigung usw. – 2. *Besteuerung:* H. sind keine Betriebe gewerblicher Art und unterliegen daher nicht der Besteuerung. Eine Zusammenfassung mit Betrieben gewerblicher Art ist unzulässig.

**Hoheitsverkehr,** Verkehrsausführung durch Träger der hoheitlichen Gewalt (Bund, Länder, Gemeinden und Gemeindeverbände, Körperschaften und Anstalten des öffentlichen Rechts sowie die ihnen unterstehenden Verwaltungseinheiten, z. B. Bundeswehr, Bundesgrenzschutz, Polizei zwecks Wahrnehmung der ihnen obliegenden hoheitlichen Aufgaben. Die Beförderung von Gütern mit eigenen Kraftfahrzeugen im Rahmen des H. unterliegt nicht den Bestimmungen des Güterkraftverkehrsgesetzes.

**höhere Datenstruktur,** →abstrakte Datenstruktur.

**höhere Gewalt.** 1. *Allgemein:* Ein von außen kommendes, unvorhersehbares und außergewöhnliches Ereignis, das auch durch äußerste, nach Lage der Sache vom Betroffenen zu erwartende Sorgfalt nicht verhütet werden kann. Der Schuldner haftet regelmäßig nicht für h. G. Unternehmen, die für den von ihnen

verursachten Schaden auch ohne Nachweis eines Verschuldens haften (→Haftpflichtgesetz), können sich durch Nachweis h. G. entlasten. – *Kraftfahrzeughaftung:* Vgl. →unabwendbares Ereignis. – Bei *Fristversäumnis* ist h. G. als Entschuldigungsgrund ein Ereignis, das durch größte Sorgfalt und Vorsicht nicht abzuwenden ist. – 2. *Versicherungswesen:* Blitzschlag, Überschwemmung, Wolkenbruch, Erdrutsch, Brücken- oder Straßeneinsturz, Absturz und ähnliche Ereignisse. In den einzelnen Versicherungszweigen unterschiedliche Regelung. – 3. *Arbeitsrecht:* Vgl. →Betriebsrisiko.

**Höhere Handelsschule,** jetzt: →Berufsfachschule.

**höhere Programmiersprache,** →Programmiersprache III 3.

**höhere Zufallsstichprobenverfahren,** in der Statistik Sammelbegriff für Verfahren der →Teilerhebung mit zufälliger Auswahl der →Untersuchungseinheiten, sofern diese nicht nach einem der beiden einfachen →Urnenmodelle durchgeführt werden (dann →uneingeschränktes Zufallsstichprobenverfahren). Insbes. zählen zu den h. Z. das →mehrstufige Zufallsstichprobenverfahren, das →geschichtete Zufallsstichprobenverfahren, das →Klumpenstichprobenverfahren, das →Flächenstichprobenverfahren. Im Prinzip werden bei den h. Z. mehrere uneingeschränkte Zufallsstichprobenverfahren verknüpft.

**Höherversicherung,** Möglichkeit, sich in der gesetzlichen Rentenversicherung zusätzlich zu versichern, eingeführt durch Gesetz vom 14.3.1951 (BGBl I 188) über freiwillige H. (§§ 1234, 1388 RVO bzw. §§ 11, 115 AVG). Beiträge zur H. können nur neben Pflicht- oder freiwilligen Beiträgen entrichtet werden. – *Freiwillige Beiträge* seit 1.1.1979 sind wie Beiträge zur H. zu berücksichtigen, wenn sie in keinem zusammenhängenden Zeitraum von drei Kalenderjahren liegen, in dem für jedes Kalenderjahr das Zwölffache des Mindestbeitrags aufgewendet ist. – Für jeden Beitrag zur H. erhält der Versicherte einen bestimmten *Steigerungsbetrag* zur Rente, der vom Lebensalter des Versicherten und dem Entrichtungsjahr des Beitrags abhängig ist. Leistungen aus der H. nehmen an der jährlichen Anpassung nicht teil. – Anspruch auf *Versicherten- und Hinterbliebenenrenten* aus Beiträgen der H. besteht nur neben einem entsprechenden Anspruch auf Rente aus anderen Beiträgen (§ 1295 RVO, § 72 AVG). Besteht danach kein Anspruch, erfolgt →Kapitalabfindung.

**Hökerhandel,** Form des →ambulanten Handels; entwickelte sich aus dem →Hausierhandel. Die Waren werden von einem Wagen oder von einem festen Stand aus angeboten (z. B.

Obst, Gemüse, Kartoffeln, Christbäume). Oft in Fußgängerzonen.

**Holding-Gesellschaft,** *Beteiligungsgesellschaft.* 1. *Begriff:* Als Vorform des →Trusts in den USA entwickelte Effektenhaltungsgesellschaft. H.-G. produzieren nicht selbst; ihre wirtschaftliche Tätigkeit erstreckt sich auf die Verwaltung von Effekten sämtlicher von ihnen beherrschter Unternehmungen und zumeist Abstimmung von deren Produktionsprogrammen, soweit dies zur Marktbeeinflussung zweckmäßig erscheint. Die Aktionäre einzelner Gesellschaften geben der H.-G. ihre Aktien und erhalten dafür diejenigen der H.-G. (sog. Effektensubstitution). – Die *rechtliche* Selbständigkeit der Unternehmungen bleibt zumindest nach außen bestehen; die *wirtschaftliche Selbständigkeit* geht im Hinblick auf die Finanzierung völlig, bezüglich der Unternehmungspolitik weitgehend auf die H.-G. über. – 2. *Arten:* a) *Reine Kontrollgesellschaft:* Das für den Fertigungsbetrieb über die Finanzierungsmacht eingeräumte allgemeine Weisungsrecht wird nicht sehr weit ausgenutzt. – b) *Dachgesellschaft:* Außer der wirtschaftlichen Beherrschung über die Finanzierung wird eigene Planung und Entwicklung zugunsten der zugehörigen Unternehmungen betrieben. H.-G. waren in der Bundesrep. D. bisher unbekannt; mit gewissen Abweichungen setzen sie sich jetzt auch hier durch (→Kapitalanlagegesellschaft). – 3. *Steuerliche Besonderheit:* Zur Vermeidung von Doppelbesteuerung sind H.-G. bei der Körperschaft- und Vermögensteuer begünstigt durch das →Schachtelprivileg (vgl. im einzelnen dort).

**Holismus,** →methodologischer Kollektivismus.

**holländisches Verfahren,** Verfahren zur Unterbringung einer Wertpapieremission im Rahmen einer Auktion (→Kursfeststellung). Nach Aufforderung des Emittenten werden Gebote, die häufig über einem vorgegebenen Mindestpreis liegen, abgegeben. Alle Bieter, die über dem niedrigsten zur Zuteilung ausreichenden Einheitskurs liegen, werden zu diesem zugeteilt. In der Bundesrep. D. gebräuchlich. – Vgl. auch →Tender-Verfahren.

**Holschuld,** Schuld, bei der →Erfüllungsort der →Wohnsitz bzw. das Geschäftslokal des Schuldners ist, der auch nicht zur Versendung verpflichtet ist. – *Anders:* →Schickschuld, →Bringschuld.

**Holsystem,** Prinzip der →Materialbereitstellung im Industriebetrieb, bei dem die Arbeiter das Material aus dem Lager abholen. H. ist wesentliches Element des →Kanban-Systems. – *Vorteile:* Entlastung der Lagerverwaltung und →Arbeitsvorbereitung; Ausgabe des richtigen Materials gewährleistet; keine größeren Materialbestände am Werkplatz. – *Nachteile:* Arbeitszeitverlust in der Werk-

statt, zu vermindern durch Zeitplan für Materialabholung und räumlich sinnvolle Zuordnung von Werkstätten und Lagern (→dezentrales Lager). – *Gegensatz:* →Bringsystem.

**Holzbearbeitung,** Teil des Grundstoff- und Produktionsgütergewerbes; Wirtschaftszweig der →Holzindustrie, unmittelbar standortgebundene Industrien: Sägewerke in den Wald- und waldnahen Gebieten Bayerns, Niedersachsens und Nordrhein-Westfalens; Holzeinfuhrhäfen in Bremerhaven, Cuxhaven und Hamburg. – Der Wirtschaftszweig *umfaßt:* Lagern und Trocknen von Holz, Bearbeitung und Zersägen des Rundholzes zu Bauholz, Brettern, Bohlen, Balken, Kantholz, Profilbrettern, Furnieren u.a. Besäumen, Hobeln, Stapeln des geschnittenen Holzes. Nachgeschalteter Wirtschaftszweig: →Holzverarbeitung.

### Holzbearbeitung

| Jahr | Beschäftigte in 1000 | Lohn- und Gehaltssumme | darunter Gehälter | Umsatz gesamt | darunter Auslandsumsatz | Nettoproduktionsindex 1980 = 100 |
|---|---|---|---|---|---|---|
| | | in Mill. DM | | | | |
| 1970 | 75 | 908 | 194 | 5 304 | 320 | – |
| 1971 | 74 | 998 | 217 | 5 781 | 305 | – |
| 1972 | 73 | 1 091 | 241 | 6 263 | 325 | – |
| 1973 | 73 | 1 217 | 271 | 7 220 | 489 | – |
| 1974 | 70 | 1 262 | 297 | 7 292 | 692 | – |
| 1975 | 64 | 1 213 | 299 | 6 620 | 547 | – |
| 1976 | 64 | 1 325 | 313 | 7 909 | 729 | 95,7 |
| 1977 | 60 | 1 384 | 337 | 8 210 | 698 | 98,9 |
| 1978 | 59 | 1 431 | 353 | 8 300 | 723 | 99,4 |
| 1979 | 59 | 1 531 | 383 | 9 193 | 844 | 100,6 |
| 1980 | 59 | 1 645 | 417 | 10 351 | 933 | 100 |
| 1981 | 55 | 1 623 | 431 | 9 587 | 898 | 88,8 |
| 1982 | 51 | 1 552 | 430 | 8 784 | 901 | 83,2 |
| 1983 | 47 | 1 515 | 411 | 9 077 | 884 | 88,0 |
| 1984 | 47 | 1 556 | 417 | 9 165 | 1 053 | 92,7 |
| 1985 | 45 | 1 527 | 411 | 8 789 | 1 232 | 89,9 |
| 1986 | 44 | 1 552 | 411 | 9 034 | 1 280 | 91,0 |

**Holzindustrie,** zusammenfassende Bezeichnung für mehrere Wirtschaftszweige, deren Grundstoff Holz ist: a) →Holzbearbeitung, b) →Holzverarbeitung und c) →Zellstoff-, Holzschliff-, Papier- und Pappeerzeugung.

**Holzverarbeitung,** Teil des →Verbrauchsgüter produzierenden Gewerbes, Sägewerken und Holzbearbeitung nachgeschaltete Wirtschaftszweig der →Holzindustrie, dessen Herstellungsprogramm alle Gegenstände aus Holz (ausgenommen Spiel- und Schmuckwaren, Musikinstrumente und Sportartikel) umfaßt, insbes. Bauwerke aus Holz, Möbel, Holzwaren, Verpackungsmittel (Kisten, Fässer, Verschläge), Haus- und Küchengeräte u.a.m. – Nach der VO zur Auswurfbegrenzung von Holzstaub vom 18.12.1975 (BGBl I 3133) sind Anlagen zur Bearbeitung oder Verarbeitung von Holz oder Holzwerkstoffen bei ihrer Errichtung mit *Abluftreinigungsanlagen* auszurüsten. Holzstaub und Späne sind in geschlossenen Räumen zu lagern. Verstöße werden als →Ordnungswidrigkeit geahndet.

### Holzverarbeitung

| Jahr | Beschäftigte in 1000 | Lohn- und Gehaltssumme | darunter Gehälter | Umsatz gesamt | darunter Auslandsumsatz | Nettoproduktionsindex 1980 =100 |
|---|---|---|---|---|---|---|
| | | | in Mill. DM | | | |
| 1970 | 242 | 3 070 | 707 | 12 991 | 747 | – |
| 1971 | 248 | 3 551 | 837 | 15 072 | 866 | – |
| 1972 | 257 | 4 111 | 996 | 17 463 | 988 | – |
| 1973 | 264 | 4 720 | 1 181 | 19 472 | 1 235 | – |
| 1974 | 252 | 4 931 | 1 308 | 19 607 | 1 527 | – |
| 1975 | 234 | 4 851 | 1 330 | 19 503 | 1 566 | – |
| 1976 | 230 | 5 290 | 1 404 | 21 488 | 2 122 | 82,8 |
| 1977 | 234 | 5 809 | 1 529 | 24 448 | 2 296 | 89,9 |
| 1978 | 239 | 6 313 | 1 659 | 25 061 | 2 445 | 100,2 |
| 1979 | 241 | 6 742 | 1 797 | 26 705 | 2 566 | 102,0 |
| 1980 | 241 | 7 232 | 1 953 | 28 959 | 2 740 | 100 |
| 1981 | 230 | 7 229 | 2 027 | 27 717 | 2 794 | 89,2 |
| 1982 | 210 | 6 785 | 1 977 | 25 992 | 2 924 | 79,6 |
| 1983 | 200 | 6 813 | 1 993 | 27 120 | 2 932 | 81,5 |
| 1984 | 197 | 6 937 | 2 036 | 27 665 | 3 287 | 80,8 |
| 1985 | 190 | 6 795 | 2 011 | 26 726 | 3 568 | 75,4 |
| 1986 | 186 | 6 915 | 2 034 | 27 940 | 3 894 | 76,7 |

**home banking,** Erledigung von Bankgeschäften von zuhause aus. Kreditinstitute stellen dazu ein Informationsangebot über Geld- und Kreditgeschäfte und ihre sonstigen Leistungen (z. B. Börsenkurse, Devisen-/Sortenkurse, Konditionen und Gebühren, Finanzierungs- und Kreditmöglichkeiten, Anlageempfehlungen) sowie *Bankdienstleistungen* (z. B. Erteilung von Überweisungsaufträgen, Anforderung von Schecks und Geld) zur Verfügung. Das h.b. wird in der Bundesrep. D. über das *öffentliche Bildschirmtext-System* (→Bildschirmtext) realisiert. Die Angebotspalette der Banken im h.b. wird ständig erweitert.

**Homecomputer,** →Heimcomputer.

**homogene Güter,** sachlich gleichartige Güter, die völlig substituierbar sind. – *Gegensatz:* →heterogene Güter.

**homogene Kostenverursachung,** Abhängigkeit der →variablen Kosten einer Kostenstelle von nur einer →Bezugsgröße. – *Gegensatz:* →heterogene Kostenverursachung.

**Homogenität vom Grade 0,** →Homogenität vom Grade r, →Linearhomogenität.

**Homogenität vom Grade r. I.** B e g r i f f : Eine Funktion f: $R^n$ →R heißt homogen vom Grad r, wenn für jede reelle Zahl a > 0 die Beziehung gilt:

$$f(\lambda x_1, \lambda x_2, \lambda x_3, \ldots, \lambda x_n) = \lambda^r \cdot$$
$$f(x_1, x_2, x_3, \ldots, x_n),$$

d. h. bei Multiplikation aller Variabler mit einem Faktor $\lambda$ nimmt der Funktionswert den $\lambda^r$-fachen Wert an. – *Spezialfall:* →Linearhomogenität (Homogenität vom Grade 0).

**II.** Ö k o n o m i s c h e  B e d e u t u n g : Homogene, insbes. linear homogene Funktionen, finden in Produktions- und Kostentheorie, Nutzentheorie, Haushaltstheorie und Wachstumstheorie Verwendung. – *Beispiele:* a) *Homogene Produktionsfunktionen* implizieren bei konstanten Faktorpreisverhältnissen konstante Einsatzverhältnisse der Produktionsfaktoren. Im Falle *linear-homogener Produktionsfunktionen* gilt daneben das →Ertragsgesetz und bei zusätzlichem Vorliegen vollständiger Konkurrenz das →Eulersche Theorem. – b) *Linear-homogene Nutzenfunktionen* beinhalten Freiheit von →Geldillusion. Aus ihnen abgeleitete Einkommens-Konsumfunktionen haben Einkommenselastizitäten von 1, die in der Wachstumstheorie eine der Voraussetzungen für gleichmäßiges Wachstum (→evolutorische Wirtschaft) sind.

**homograde Statistik,** ein seit Charlier in der Statistik gebräuchlicher Ausdruck für →Inferenzstatistik, soweit nur →qualitative Merkmale oder auf Kategorien reduzierte →quantitative Merkmale betrachtet werden. H. St. kann als Spezialfall der →heterograden Statistik aufgefaßt werden.

**Homomorphie,** →Modell.

**Homo oeconomicus. I.** W i s s e n s c h a f t s - t h e o r i e : Modell eines wirtschaftlich denkenden Menschen, das den Analysen der klassischen und neoklassischen Wirtschaftstheorie zugrunde liegt. – *Hauptmerkmal* des H. o. ist seine Fähigkeit zu uneingeschränktem rationalen Verhalten (→Rationalität). – *Handlungsbestimmend* ist das Streben nach Nutzenmaximierung, das für Konsumenten und Produzenten (in der speziellen Ausprägung der Gewinnmaximierung) gleichermaßen angenommen wird. Zusätzliche charakteristische *Annahmen:* lückenlose Information über sämtliche Entscheidungsalternativen und deren Konsequenzen; vollkommene Markttransparenz. Eine Abschwächung dieser Vorstellung von einer völlig voraussageverfreien Zukunft erfolgt im Rahmen der sog. →normativen Entscheidungstheorie durch Unterscheidung zwischen Risiko- und Unsicherheitssituationen. – *Beurteilung:* Wegen ihres weitgehend *fehlenden →Informationsgehalts* sind die Annahmen des H. o. Modells in jüngerer Zeit zunehmend kritisiert und durch ein realistischeres Bild vom wirtschaftenden Menschen zu ersetzen versucht worden; vgl. hierzu →entscheidungsorientierte Betriebswirtschaftslehre, →verhaltenstheoretische Betriebswirtschaftslehre.

**II.** E n t s c h e i d u n g s t h e o r i e : Idealtyp eines →Entscheidungsträgers, der zu uneingeschränkt rationalem Verhalten (→Rationalprinzip) fähig ist und damit in der Mehrzahl der bislang im Operations Research formulierten Entscheidungsmodelle unterstellt wird. Notwendig sind *Ausnahmen über das →Ent-*

*scheidungsverhalten* des H. o.: a) Annahmen über Entscheidungsinformtionen, Kenntnis aller Aktionen und →Umweltzustände b) Annahmen über das Wertsystem wie →Transitivität, →Konsistenz; c) Annahmen über →Entscheidungsregeln, die der H. o. in Abhängigkeit vom Sicherheitsgrad der Informationen anwendet. – Vgl. auch →Menschenbilder.

**Homoskedastizität,** endliche und gleiche Varianzen der →Störgrößen. Die Varianzen sind insbes. unabhängig von →Regressoren und der Periode. H. wird als Annahme u. a. bei der Schätzung von linearen Regressionsmodellen (→lineare Regression) getroffen. Zur Prüfung der Gültigkeit der Annahme wurde eine Vielzahl von Testverfahren entwickelt, z. B. der →Goldfeld-Quandt-Test. – *Gegensatz:* →Heteroskedastizität.

**Honduras,** *Republik Honduras,* mittelamerikanischer Staat in der Karibik mit Zugang zum Pazifik. Zu H. gehören die Bahia-Inseln und die Swan-Inseln. – *Fläche:* 112088 km². – *Einwohner* (E): (1985, geschätzt) 4,37 Mill.; 91% Mestizen, 6% Indios, 2% Neger und 1% Kreolen. – *Hauptstadt:* Tegucigalpa (597 500 E); weitere wichtige Städte: San Pedro Sula (397 200 E), La Cliba, Choluteca, El Progreso. – Seit 1938 *unabhängig,* präsidiale Republik, Einkammerparlament, bis 1981 Militärjunta, neue Verfassung von 1982. Grenzkonflikte mit Nicaragua. Verwaltungsmäßig *gliedert* sich H. in 18 Departamentos. – *Amtssprache:* Spanisch.

Wirtschaft: H. zählt zu den Entwicklungsländern. Seit 1980 Devisenbewirtschaftung. – *Landwirtschaft:* Nahezu 2/3 der arbeitenden Bevölkerung sind in diesem Wirtschaftsbereich tätig. Kleinbäuerliche Betriebe und extensiv bewirtschaftete Latifundien stehen der kapitalintensiven und exportorienten Plantagenwirtschaft (vorwiegend in amerikanischer Hand) gegenüber. Agrarerzeugnisse für den Export: Bananen, Kaffee, Baumwolle, Tabak, auch Kokosnüsse, Zitrusfrüchte und Ananas. Agrarprodukte für den heimischen Verbrauch: Mais, Hirse, Reis, Bohnen, Zuckerrohr, Kartoffeln und Maniok. In der Viehzucht wird trotz meist extensiver Nutzungsformen über den Eigenbedarf hinaus produziert. – *Forstwirtschaft* trotz ausgedehnter Waldbestände mit Edelhölzern nur wenig entwickelt, infolge unzureichender Verkehrserschließung. – Fangmenge der *Fischerei:* (1983) 8432 t, davon 94,1% Krustentiere. – *Bergbau und Industrie:* Die reichen mineralischen Bodenschätze sind nur zum geringen Teil erschlossen. Bergwerke, in denen u. a. Gold, Silber, Blei, Zink und Antimon abgebaut werden, befinden sich meist in amerikanischem Besitz. Die hauptsächlich um die Hauptstadt und San Pedro Sula angesiedelten Klein- und Mittelunternehmen verarbeiten vorwiegend einheimi-

sche Rohstoffe. – *Fremdenverkehr:* Deviseneinnahmen (1982) ca. 31 Mill. US-$. – *BSP:* (1985, geschätzt) 3190 Mill. US-$ (730 US-$ je E). – *Öffentliche Auslandsverschuldung:* (1984) 60,8% des BSP. – *Inflationsrate:* (Durchschnitt 1973–84) 8.6%. – *Export:* (1984) 736 Mill. US-$, v.a. Bananen, Kaffee, ferner Fleisch, Krabben und Langusten, Holz, Zukker, Tabak, Blei- und Zinkerze, Silber. – *Import:* (1984) 896 Mill. US-$, v.a. Kapital- und Konsumgüter, mineralische Brennstoffe. – *Handelspartner:* USA (über 50%), EG-Länder.

Verkehr: 1983 betrug das *Straßennetz* 18 280 km, davon waren 10% asphaltiert und 51% geschottert. Im S. verläuft die „Carretera Panamericana". – Im karibischen Küstengebiet liegen 3 *Eisenbahnlinien* mit einer Gesamtstrecke von (1984) 1780 km. Etwa die Hälfte des Netzes wird von Werk- und Plantagenbahnen betrieben. – Reger *Inlandflugverkehr,* 4 honduranische *Luftfahrtgesellschaften.* Neben 2 internationalen Flughäfen bei Tegucigalpa und San Pedro Sula gibt es noch etwa 35 kleinere Flugplätze. – Der wichtigste *Seehafen* ist Puerto Cortés, über den mehr als 50% des gesamten Außenhandels verschifft werden. Weitere Überseehäfen sind La Ceiba und Tela an der Karibikküste, und Ampala an der Pazifikküste.

Mitgliedschaften: UNO, CACM, SELA, UNCTAD u. a.

Währung: 1 Lempira (L) = 100 Centavos; durch gesetzliche Bindung an den US-$ bestimmt.

**Hongkong,** britische Kronkolonie, an der Südküste der VR China. – *Fläche:* 1063 km², davon die Insel Hongkong 76 km², die Halbinsel Kowloon 10 km² und die New Territories 959 km² (einschl. Wasserflächen: 2916 km²). – *Einwohner* (E): (1986) 5,5 Mill. – *Hauptstadt:* Victoria (1,1 Mill. E); weitere Großstadt: Kowloon (ca. 1,5 Mill. E.). – Die Insel H. ist seit 1841 britische Kronkolonie, 1860 Angliederung der Insel Kowloon, 1898 Pachtung der New Territories für 99 Jahre von China. Koloniale Selbstverwaltung. Nach Ablauf des Pachtvertrags 1997 Rückgabe H.s an die VR China. Im H.-Vertrag garantiert die VR China das im Wesentlichen unveränderte Weiterbestehen der „Besonderen Verwaltungsregion H." auf zunächst 50 Jahre. Verwaltungsgliederung: 3 Gebiete, 18 Distrikte. – *Amtssprache:* Englisch.

Wirtschaft: Drittgrößtes Finanzzentrum der Welt. – Die *Landwirtschaft* spielt eine untergeordnete Rolle. Bedeutende *Fischerei* (Fangmenge 1982: 179 800 t). – Grundlage der *industriellen Entwicklung* bildeten das günstige Investitionsumfeld (Freihandelszone) und die billigen Arbeitskräfte (Flüchtlinge): Textil- und Bekleidungsgewerbe, Elektrotechnik/

(Elektronik, Kunststoffindustrie, Metallverarbeitung, Druck und Vervielfältigung, Maschinenbau. – *Fremdenverkehr:* (1982) 2,6 Mill. Besucher. – *BSP:* (1985, geschätzt) 33 770 Mill. US-$ (6220 US-$ je E). – *Öffentliche Auslandsverschuldung:* (1984) 0.8% des BSP. – *Inflationsrate:* (Durchschnitt 1973–84) 9,8%. – *Export:* (1986) 35 595 Mill. US-$, v. a. Bekleidung, Maschinen, elektrotechnische Erzeugnisse, Straßenfahrzeuge, Garne, Gewebe. – *Import:* (1986) 35 392 Mill. US-$, v. a. Maschinen, elektrotechnische Erzeugnisse und Straßenfahrzeuge; Garne, Gewebe, fertiggestellte Spinnstofferzeugnisse; Erdölerzeugnisse; chemische Produkte. – *Handelspartner:* USA, VR China, EG-Länder, Japan, Singapur.

Ver kehr: 1217 km *Straßen* (1982). – Streckenlänge der *Eisenbahn* (1981): 100 km, davon 34 km Staatsbahn. – Die *Handelsflotte* verfügte (1983) über 321 Seeschiffe mit 4,9 Mill. BRT. H. zählt zu den führenden See- und Luftfrachtumschlagplätzen der Welt. Eigene *Luftverkehrsgesellschaft.*

Mitgliedschaften: GATT, WMO u. a.

Währung: 1 Hongkong-Dollar (HK-$) = 100 Cents.

**Honorant,** im Wechselrecht derjenige, der bei notleidenden Wechseln zugunsten eines Rückgriffspflichtigen eintritt (→Ehreneintritt), im Wege der Ehrenannahme oder der Ehrenzahlung. – Derjenige, zu dessen Gunsten er eintritt, ist der *Honorat.*

**Honorat,** →Honorant.

**Hörfunkwerbung,** →Funkwerbung.

**horizontale Finanzierungsregeln,** →Finanzierungsregeln II 2.

**horizontale Werbung,** →kooperative Werbung.

**Horizontalkonzern,** ein Unternehmungszusammenschluß (→Konzern), dessen Organisationsprinzip darin besteht, Werke der gleichen Produktionsstufe zu integrieren, also z. B. mehrere Stahl- und Walzwerke, mehrere Röhrenwerke usw. Die Vorteile der horizontalen Konzentration bestehen vor allem darin, daß sie es ermöglicht, das vom Markt verlangte Verkaufsprogramm auf die einzelnen Werke aufzuteilen, so daß diese zur Massenproduktion übergehen können (→Spezialisierung).

**Horn-Klausel,** eine Darstellungsform für bestimmte Aussagen der Prädikatenlogik, die in der →logischen Programmierung verwendet wird. – *Beispiel:* Programmiersprache →Prolog; die →Regeln werden als H.-K. in der Form „Ergebnis :- Bedingung$_1$,..., Bedingung$_n$", dargestellt, wobei das Symbol „,:-" als „ist wahr, wenn gilt" und ein Komma als Konjunktion zu interpretieren ist; d. h., das

Ergebnis ist wahr, wenn alle Bedingungen 1 bis n wahr sind.

**horse-power (hp),** englische Leistungseinheit. 1 hp = 745,7 Watt.

**Hortung.** 1. *H. von Geld:* Dauerhafter oder vorübergehender Entzug von Geld aus dem Geldkreislauf. Durch H. entsteht ein effektiver Nachfrageausfall, die Umlaufgeschwindigkeit des Geldes sinkt. In der →klassischen Lehre galt die H. als unplausibel, weil der Haltung von Geld kein eigener Nutzen zugebilligt wurde. Bei H. ist das →Saysche Theorem, das in der klassischen Lehre zentrale Bedeutung hat, ungültig. – *Kritik* an den Vorstellungen der Klassiker durch die →Liquiditätspräferenztheorie der →Keynesschen Lehre. – 2. *H. von Waren:* Übermäßiger Lageraufbau bei Produzenten, Händlern oder Haushalten. Ursache ist meist die Erwartung von Knappheiten und/oder stark steigenden Preisen.

**Host,** ein Verarbeitungsrechner (→Computer) in einem Rechnernetz, der netzwerkunabhängige (→Netz) Aufgaben löst und dessen Leistungen von anderen Netzstationen in Anspruch genommen werden können. Der H. ist i. d. R. über einen →Vorrechner mit dem Netz verbunden.

**Hotelling-Regel,** auf Hotelling (1931) zurückgehendes Fundamentalprinzip der intertemporalen Allokation erschöpfbarer →natürlicher Ressourcen. Die H.-R. besagt, daß der Ressourcenpreis (Verkaufs- oder Schattenpreis) mit dem Realkapitalzinssatz bzw. mit der Grenzproduktivität des Kapitals steigen muß. Begründung in einem Marktmodell: Die einzige Möglichkeit des Ertrages eines nicht abgebauten Ressourcenbestandes für seinen Eigentümer besteht im steigenden Preis; die Preissteigerungsrate der Ressource entspricht deshalb deren Verzinsung, die für alle Vermögensarten, auch für Realkapital, gleich groß sein muß. – In *anderer Formulierung* fordert die H.-R., daß der Gegenwartswert der →Nutzungskosten einer natürlichen Ressource für alle Perioden gleich sein muß.

**Hotellings Lemma,** Lehrsatz mit der Aussage, daß sich die Faktornachfragefunktionen (→Nachfragefunktion) bzw. die →Angebotsfunktion) einer Ein-Produkt-Unternehmung durch partielle Ableitung der →Gewinnfunktion nach den Faktorpreisen (bzw. nach dem Preis des Gutes) ermitteln lassen.

**hp,** Kurzzeichen für →horse-power.

**HPV,** Abk. →Hauptverband der Papier, Pappe und Kunststoffe verarbeitenden Industrie e. V.

**HS,** Abk. für →Harmonisiertes System zur Beschreibung und Codierung der Waren.

**Hucke-pack-Verkehr,** →kombinierter Verkehr, bei dem Lastkraftwagen, Lastzüge, Sattelzüge *(rollende Landstraße),* Anhänger, Auflieger und Wechselbehälter als Ladeeinheiten des Schienenverkehrs auf Eisenbahnwagen transportiert werden. Der H. wird in der Bundesrep. D. von der *Kombiverkehr KG* abgewickelt, an der neben der Deutschen Bundesbahn Verbände und Betriebe des Straßenverkehrs beteiligt sind.

**HUK-Verband,** →Verband der Haftpflicht-, Unfall-, Auto- und Rechtsschutzversicherer.

**human capital,** →Humankapital.

**Humanisierung der Arbeit,** zusammenfassende Bezeichnung für alle auf die Verbesserung des Arbeitsinhaltes und der Arbeitsbedingungen gerichtete Maßnahmen. – *Bedeutungsinhalte:* 1. *Aufhebung der Ausbeutungsbedingungen* der →Arbeit. Meist von marxistischen und neomarxistischen Wissenschaftlern vertretene Auffassung, daß sich die H. d. A. nur durch Abschaffung der kapitalistischen Verwertungsbedingungen erreichen läßt. – 2. *Arbeitsorganisatorische Maßnahmen,* die darauf abzielen, die Arbeitsbelastung zu verringern. Durch Abbau einseitiger Belastungen (→job rotation, →Ergonomie), Erweiterung des Tätigkeitsspielraumes (→job enlargement), Erweiterung der Verantwortung (→job enrichment). – 3. *Psychologische Arbeitsgestaltung,* d. h. Abstimmung der Arbeit auf die individuellen arbeitsbezogenen Motive (→job diagnostic survey).

**humanistische Psychologie,** auf Autoren wie McGregor, Maslow, Argyris und Schein zurückgehende Richtung der Psychologie, nach der im Unterschied zur bürokratischen Organisation nicht die Kontrolle der Person, sondern deren Selbstentfaltung und Möglichkeit zur authentischen Kommunikation im Vordergrund stehen soll. – *Bedeutung:* Von der h. P. sind wesentliche Impulse auf die →Humanisierung der Arbeitswelt ausgegangen.

**Humankapital,** *human capital.* I. M a k r o ö k o n o m i k : Das in ausgebildeten und hochqualifizierten Arbeitskräften repräsentierte Leistungspotential der Bevölkerung *(Arbeitsvermögen).* Der Begriff H. erklärt sich aus den zur Ausbildung dieser Fähigkeiten hohen finanziellen Aufwendungen. Vgl. auch →Verteilungstheorie III 2.

II. M i k r o ö k o n o m i k : Vorwiegend von Friedman geprägte Vermögenskategorie, über die das Individuum neben Geld, Wertpapieren und Sachwerten verfügen kann. H. in diesem Sinne besteht aus dem Einkommen, das ein Individuum aufgrund seiner Ausbildung, Talente und Fähigkeiten in Zukunft noch erwerben kann.

**human relations,** in den USA im Anschluß an die Hawthorne-Experimente (→Hawthorne-Effekt) entstandene Bewegung, nach der die Leistung weniger von ergonomischen Bedingungen als von der Pflege zwischenmenschlicher Beziehungen abhängt. – *Beurteilung:* Von der empirischen Forschung (→Kohäsion) ist dieser Verallgemeinerung nicht bestätigter Ansatz. – Vgl. auch →Public Relations IV.

**human ressource,** →Humanvermögen.

**human ressource accounting,** →Humanvermögensrechnung.

**Humanvermögen,** *human ressource,* Summe aller Leistungspotentiale (Leistungsreserve), die einer Unternehmung durch ihre Organisationsmitglieder zur Verfügung gestellt werden. Begriffsbildung entsprechend dem allgemeinen betriebswirtschaftlichen Vermögensbegriff: Summe aller Ressourcen, über die eine Unternehmung zur wirtschaftlichen Nutzung bzw. zum Verzehr verfügen kann. Erfaßt werden soll nicht der Arbeitnehmer selbst, sondern sein dem Unternehmung zur Verfügung gestelltes Leistungspotential, das sich ergibt aus dem Produkt seines Leistungsangebotes mit dem Zeitraum, über den er die Leistung anzubieten in der Lage ist; das Leistungsangebot ist bestimmt durch die individuelle Leistungsfähigkeit und Leistungsbereitschaft (Leistungsmotivation). – *Quantitative Bewertung und Darstellung:* Vgl. →Humanvermögensrechnung.

**Humanvermögensrechnung,** *human ressource accounting,* aus den USA stammende Methode, das dem Unternehmen zur Verfügung stehende →Humanvermögen zu erfassen. Unzureichende Einschätzung des Humanvermögens kann zu personalpolitischen Fehlentscheidungen führen: Personalpolitische Rationalisierungsstrategien, mit denen Abbau von Personal (→Personalfreisetzung) verbunden ist, erweisen sich häufig ausschließlich als Abbau von Humanvermögen. – *Ansätze zur Erfassung des Humanvermögens:* a) Ansätze, die geschätzte monetäre Größen verwenden; b) Ansätze, die lediglich Annahmen über Potentiale anstellen, die auf der Basis einer Reihe von Verhaltens- und Leistungsschätzungen gewonnen werden.

**Hume,** David, 1711–1776, englischer Philosoph, Historiker und Nationalökonom, philosophisch vertrat H. den erkenntnistheoretischen Empirismus und wurde somit zu einem der Begründer des Positivismus. Hauptgebiete waren Geld-, Zins- und Außenhandelstheorie. H. vertrat nicht mehr die naive Quantitätstheorie, sondern verfeinerte sie durch die Berücksichtigung der Umlaufgeschwindigkeit des Geldes. Eine Vergrößerung der Geldmenge und/oder der Umlaufgeschwindigkeit des Geldes müsse bei unveränderten sonstigen Bedingungen zu einer proportionalen Preissteigerung führen (Proportionalitätstheorie). Der merkantilistischen Ansicht, eine aktive Handelsbilanz sei auf jeden Fall für ein Land günstig, stellte H. als einer der ersten die Tatsache gegenüber, daß sich bei freiem Geld- und Warenverkehr sowie freier Preisbildung der Handelsbilanzen (genauer →Zahlungsbilanzen) aller beteiligten Länder auf die Dauer ausgleichen müssen. – *Hauptwerke:* Treatise on Human Nature 1739–1740; Enquiry concerning Human Understanding 1748; Political Discourses 1752; The History of England 1754–1762.

**Hundesteuer.** 1. *Begriff:* Steuer auf das Halten von Hunden als Ausdruck besonderen Lebensaufwandes. – 2. *Charakterisierung:* a) Eine →Gemeindesteuer, die teils erhoben werden muß, teils erhoben werden kann. b) eine *objektive* →*Verbrauchsteuer* in dem Sinne, daß die ökonomische Situation des Halters nicht berücksichtigt wird; aus dem Aufwand für Hunde wird auf ökonomische Leistungsfähigkeit geschlossen. Soziale und psychische Aspekte (Alleinsein älterer Menschen) finden keinen Ausdruck. – 3. *Höhe:* Zumeist in Gemeindesatzungen festgelegte Steuerbeträge innerhalb der von den Landesgesetzen gezogenen Grenzen zwischen 3 und 120 DM pro Jahr; Progression bei mehreren Hunden. – *Befreiungen* vornehmlich aus beruflichen, polizeilichen, gesundheitlichen (Blindenhunde) u. ä. Gründen sowie bei Hundehaltung für wissenschaftliche Zwecke. – 4. *Rechtfertigung:* Die H. wird trotz ihrer Nähe zum Problem der →Bagatellsteuer sowohl mit fiskalischen Argumenten als auch mit der Notwendigkeit, die Hundehaltung aus Hygiene- und Ordnungsgründen einzudämmen, begründet.

**hundredweight (cwt),** angelsächsische Masseneinheit. 1 cwt = 50,8023 kg. – In den USA außerdem: 1 short cwt = 45,35924 kg.

**Hurwicz-Regel,** Entscheidungsregel bei Unsicherheit (→Entscheidungsregeln 2 c). Für jede Aktion j aus der →Entscheidungsmatrix wird das Zeilenminimum (Min $e_{ij}$) über alle Umweltzustände i = 1,.., m und das Zeilenmaximum (Max $e_{ij}$) über alle Umweltzustände i = 1,..., m ermittelt; daraus wird mit Hilfe eines vorher fixierten Pessimismus-Optimismus-Faktors k ($0 \leq k \leq 1$) ein gewogener arithmetischer →Mittelwert W gebildet: $W_j$ = k (Max $e_{ij}$) + (1 – k)    (Min $e_{ij}$)    mit i = 1,.., m. Als optimal i. S. der H.-R. gilt die Aktion j mit dem maximalen Mittelwert $W_j$: Max $W_j$! – Mit zunehmendem Pessimismus des Entscheidungsträgers sinkt k (k = 0 bedeutet risikoscheues Entscheidungsverhalten des Entscheidungsträgers → Minimax-Regel); mit wachsendem Optimismus steigt k. k = 1 bedeutet risikofreudiges Entscheidungsverhalten des Entscheidungsträgers (→Maximax-Regel).

**Hüttenvertrag,** 1969 für 20 Jahre geschlossene Vereinbarung zwischen der Ruhrkohle AG und den deutschen Stahlunternehmen, nach der diese ihren Kohlebedarf bei der Ruhrkohle AG decken. Die Ruhrkohle AG ist verpflichtet, die von den Stahlunternehmen benötigte Menge zu liefern. Die Preisdifferenz zwischen dem Ruhrkohle-Listenpreis und der billigeren Importkohle wird annähernd durch eine staatliche →Kokskohlenbeihilfe gedeckt. 1985 wurde der H. bis zum Jahr 2000 verlängert. – Vgl. auch →Kohlepolitik.

**HV,** Abk. für →Hauptversammlung.

**HWWA – Institut für Wirtschaftsforschung,** früher: *Hamburgisches Welt-Wirtschafts-Archiv,* Sitz Hamburg. Gegründet 1908. Unabhängiges Wirtschaftsforschungsinstitut (→Wirtschaftsforschungsinstitute), gehört mit seiner umfangreichen Forschungstätigkeit und seinem international bedeutenden Bibliotheks-, Archiv- und Dokumentationsbereich zu den fünf größten wirtschaftswissenschaftlichen Instituten der Bundesrep. D. – *Aufgabe:* Erarbeitung von Entscheidungshilfen für Praxis in Wirtschaft und Politik durch empirisch wissenschaftliche Analysen. – *Forschungsgebiete:* Konjunktur, Geld und öffentliche Finanzen; Weltkonjunktur; Wirtschaftsordnung; internationale Finanzen; Wirtschaftsbeziehungen zwischen Industrieländern; sozialistische Länder und Ost-West-Wirtschaftsbeziehungen; Entwicklungsländer und Nord-Süd-Wirtschaftsbeziehungen. – *Materialsammlungen:* a) Bibliothek (rd. 670000 Bände, 3600 Zeitschriften, 9000 Jahrbücher, rd. 70 Tageszeitungen), b) Archive (rd. 13000000 Ausschnitte aus in- und ausländischer Presse; Archive für Länder, Waren, Unternehmen und Personen) – *Periodische Veröffentlichungen:* Wirtschaftsdienst; Intereconomics, Monthly Review of International Trade and Development; Konjunktur von Morgen; Weltkonjunkturdienst; Bibliographie der Wirtschaftspresse; Finanzierung und Entwicklung, Deutsche Ausgabe der Weltbank-Zeitschrift Finance and Development; Neuerwerbungen der Bibliothek des HWWA-Institut für Wirtschaftsforschung Hamburg.

**Hybridrechner,** →Rechner, der analog (→Analogrechner) und digital (→Digitalrechner) arbeiten kann.

**Hybridsystem,** in der →künstlichen Intelligenz ein System, in dem mehrere Formen oder Mischformen der →Wissensrepräsentation verwendet werden.

**Hygiene,** →Betriebshygiene.

**Hygienefaktoren,** →Zweifaktorentheorie.

**Hyperbel,** aus zwei getrennten Teilen bestehende Kurve, die ich als Schnitt einer geeigneten Ebene mit einem Doppelkegel ergibt. Mathematisch kann eine H. beschrieben werden durch eine Gleichung zweiten Grades mit zwei Variablen, z. B. $x^2 - y^2 = 1$ oder $x \cdot y = 1$. – Vgl. auch →Ellipse, →Parabel.

**hypergeometrische Verteilung,** spezielle theoretische diskrete →Verteilung in der Statistik mit der →Wahrscheinlichkeitsfunktion

$$h(x \mid n; N; M) = \begin{cases} \dfrac{\dbinom{M}{X}\dbinom{N-M}{n-x}}{\dbinom{N}{n}} \end{cases}$$

für $x = 0, 1, 2, \ldots, n$

$$\binom{M}{N}\binom{N-M}{n-x} \quad \text{und} \quad \binom{N}{n}$$

sind →Binomialkoeffizienten. Die h. V. erfaßt folgenden Sachverhalt: In einer →Grundgesamtheit vom Umfang N befinden sich zwei Sorten von Elementen (z. B. schlechte und gute Produkte); die Anzahl der Elemente der einen Sorte beträgt M, die der anderen N-M. Es werden zufällig n Elemente *ohne Zurücklegen* nach jeder einzelnen Ziehung entnommen (→Urnenmodell). Dann gibt h(x|n;N;M) die →Wahrscheinlichkeit dafür an, daß genau x Elemente der Sorte, die M-mal in der ursprünglichen Grundgesamtheit enthalten ist (z. B. schlechte Produkte), in die Ziehung gelangen. Die h. V. hat die →Parameter n, N und M. Der →Erwartungswert einer h. verteilten →Zufallsvariablen ist n · M/N, die →Varianz

$$n \cdot \frac{M}{N} \cdot \left(1 - \frac{M}{N}\right) \cdot \frac{N-n}{N-1};$$

$(N-n)/(N-1)$ ist der sog. →Korrekturfaktor. Unter bestimmten Voraussetzungen kann die h. V. durch die →Normalverteilung approximiert werden (→Approximation).

**Hypothek,** das an einem →Grundstück zur Sicherung einer Forderung bestellte →Pfandrecht (§§ 1113–1190 BGB).

I. Charakterisierung: →Belastung eines Grundstücks in der Weise, ,,daß an denjenigen, zu dessen Gunsten die Belastung erfolgt, eine bestimmte Geldsumme zur Befriedigung wegen einer ihm zustehenden Forderung aus dem Grundstück zu zahlen ist''. – *Einzutragen* in Abt. III des →Grundbuchs. Im Gegensatz zur →Grundschuld und →Rentenschuld ist das Bestehen einer persönlichen Forderung *Voraussetzung* für Entstehung der H., des →dinglichen Rechts. Diese Abhängigkeit (akzessorische Natur der H.) ist aber nicht immer streng durchgeführt (vgl. II). – Der *Schuldgrund* (z. B. Darlehen, Kaufver-

trag) berührt nur den *persönlichen Schuldner,* der nicht Eigentümer des belasteten Grundstücks zu sein braucht; er ist dem Gläubiger zur Zahlung der Forderung verpflichtet und haftet dafür mit seinem ganzen Vermögen. Der *Eigentümer* des mit der H. belasteten Grundstücks dagegen schuldet persönlich nichts (soweit er nicht – wie meist – auch gleichzeitig persönlicher Schuldner ist), sondern haftet nur mit dem Grundstück. Zahlt der Schuldner nicht, kann sich der *Gläubiger* auf Grund der H. aus dem Grundstück und den mithaftenden Gegenständen (z. B. Zubehör des Grundstücks, Miet- oder Pachtzinsforderungen in gewissem Umfang) durch Verwertung im Wege der →Zwangsversteigerung und →Zwangsverwaltung (§ 1147 BGB) befriedigen.

II. Arten: 1. Regelform ist die *gewöhnliche H., (Verkehrs-H.):* Im Gegensatz zur Sicherungshypothek kann sich bei ihr ein gutgläubiger Erwerber auch hinsichtlich der persönlichen Forderung auf die Richtigkeit des Grundbuchs verlassen und wird durch dieses geschützt (§ 1138 BGB). – Die Verkehrs-H. kann Brief- oder Buch-H. sein: a) Die *Brief-H.* das ist H., bei der ein →Hypothekenbrief erteilt wird, ist die Regel (§ 1116 I BGB). b) Bei der *Buch-H.* ist Erteilung eines Hypothekenbriefes durch entsprechende Eintragung im Grundbuch ausgeschlossen (§ 1116 II BGB). Der Vorteil der Brief-H. besteht in der größeren Verkehrsfähigkeit. Zu ihrer Übertragung bedarf es nicht der Eintragung im Grundbuch. Der Ersterwerb erfolgt durch →Einigung und →Übergabe des Briefes. Zur Ausübung der Rechte aus der H. genügt →Besitz des Briefes – 2. Die *Sicherungs-H.* ist im Gegensatz zur Verkehrs-H. nur Buch-H. und streng von der persönlichen Forderung abhängig, da der Gläubiger der Sicherungs-H. im Streitfall immer beweisen muß; er kann sich nicht auf das Grundbuch verlassen oder berufen. Für den Verkehr ist die Sicherungs-H. daher wenig geeignet. Im Grundbuch muß sie im Interesse der Rechtssicherheit ausdrücklich als solche bezeichnet werden (§ 1184 II BGB). – *Sonderformen:* →Höchstbetrags-Hypothek, →Inhaber-Hypothek; ferner: →Arrest-Hypothek und →Zwangs-Hypothek – 3. Die *Gesamt-H., (Korreal-H.,)* wird zur Sicherung einer einheitlichen Forderung an mehreren Grundstücken desselben oder verschiedener Eigentümer bestellt. Auch Bruchteile eines Grundstücks bei Miteigentum können mit einer G. H. belastet werden, wobei jedes Grundstück und jeder Bruchteil für die ganze Forderung haftet. Der Gläubiger kann sich nach Belieben aus allen oder einzelnen Grundstücken oder Bruchteilen befriedigen. Erfolgt Befriedigung aus einem Grundstück oder Bruchteil, so erlischt die H. auf den anderen. – 4. Regelmäßig ist das Kapital der durch H. gesicherten Forderung nach Kündigung auf einmal fällig

(→*Kündigungs-Hypothek*). Vielfach wird die Forderung auch in Raten abgetragen, so vor allem bei Baukredit von Banken und anderen öffentlichen Anstalten; dafür Eintragung einer →*Tilgungs-Hypothek (Amortisations-* oder *Annuitäten-H.)*. Der Schuldner hat gleichbleibende, aus Zinsen und Tilgungsbeträgen sich zusammensetzende Jahresleistungen zu erbringen. Da die Zinsen bei zunehmender Rückzahlung der Schuldsumme fallen, wird der auf die Schuldsumme fallende Anteil der Tilgungsraten immer höher. Anders bei der →*Abzahlungs-Hypothek*, bei der langsam fallende Jahresleistungen zu erbringen sind. Gleich bleibt zwar der Betrag zur Tilgung der Schuldsumme, die Zinsen aber fallen. – Tilgungs-H. beruhen häufig auf gesetzlicher Vorschrift, z. B. Deckungs-, Hauszinssteuerabgeltungs- und Schuldenregelungs-H. – 5. Um die Grundbuchführung zu vereinfachen, können mehrere im Rang gleichstehende oder unmittelbar aufeinanderfolgende H. desselben Gläubigers zu einer einheitlichen H. zusammengefaßt werden (*Einheits-H.*). – 6. Steht die H., wie im Regelfall, einem anderen als dem Eigentümer des belasteten Grundstücks zu, spricht man von *Fremd-H.* Tilgt ein Eigentümer, der nicht gleichzeitig persönlicher Schuldner ist, die Forderung, so erwirbt er damit neben Forderung gegen den persönlichen Schuldner auch die an seinem Grundstück bestehende H. als *Eigentümer-H.* Anders, wenn er auch persönlicher Schuldner ist. Erlischt die Forderung, so wandelt sich die H. in eine Grundschuld, und zwar, da sie dem Eigentümer zusteht, in eine →*Eigentümergrundschuld*. – 7. *Vertrags-H.*, Sammelbezeichnung für alle H., die auf Grund vertraglicher Vereinbarung zustande kommen, im Gegensatz zur im Wege der →*Zwangsvollstreckung* entstandenen →*Zwangs-Hypothek* – 8. *Wertbeständige H.*: H., die nicht die Zahlung einer bestimmten Geldsumme zum Gegenstand hat, sondern Zahlung einer Geldsumme, die sich aus dem Preis einer bestimmten Warenmenge an einem bestimmten Tage errechnet (→*Wertsicherungsklausel*). – 9. *Sonderform*: Schiffs-Hypothek.

**III. Begründung, Übertragung und Aufhebung**: 1. Die H. wird *begründet*: a) Vertraglich durch →*Einigung* zwischen Grundstückseigentümer und Gläubiger und Eintragung im Grundbuch. Zu beachten dabei: Auch bei wirksamer Einigung und Eintragung steht die H. noch dem Grundstückseigentümer zu, bis die Forderung entsteht und bei der Brief-H. außerdem der Hypothekenbrief übergeben ist. b) Durch Zwangsvollstreckung als Arrest-Hypothek und Zwangs-Hypothek c) Kraft Gesetzes (vgl. oben II 4). – 2. Die Übertragung der H. erfolgt durch Abtretung der Forderung (→*Schriftform*, § 1154 BGB) oder Eintragung im Grundbuch und Übergabe des Briefes bei

der Brief-H., sonst Eintragung im Grundbuch. Gemäß § 1153 BGB geht mit der Übertragung der Forderung die H. auf den neuen Gläubiger über; die H. kann nicht ohne die Forderung, die Forderung nicht ohne H. übertragen werden. Mehrfache Übertragung ist möglich und zulässig. – 3. Die *Zwangsvollstreckung* in eine Hypothekenforderung erfolgt i. d. R. durch →*Pfändungs-* und *Überweisungsbeschluß* mit Briefübergabe bzw. Eintragung im Grundbuch (§§ 830, 837 ZPO). – 4. Die H. *erlischt*: a) durch rechtsgeschäftliche (vertragliche) Aufhebung; b) durch Befriedigung des Gläubigers aus dem Grundstück im Wege der →*Zwangsvollstreckung*; c) durch Ausfall in der Zwangsvollstreckung (→*geringstes Gebot*). Sie erlischt *nicht* bei Wegfall der durch sie gesicherten perönlichen Forderung; in diesem Falle entsteht eine →*Eigentümergrundschuld* oder auch Eigentümer-H. (vgl. II 6).

**IV. Finanzierung**: Dient der Beschaffung von langfristigem Fremdkapital (→*Fremdfinanzierung*). Durch die Verkehrs-H. wird Anlagevermögen zur Sicherung eines Kredites benutzt, der dazu dient, andere Anlageteile oder Umlaufvermögen zu beschaffen. – Zu *unterschieden*: a) →*Zins-Hypotheken* (jährliche Zinszahlung und Gesamtrückzahlung der Darlehenssumme); b) →*Tilgungs-Hypotheken* (jährliche Zinszahlung und Tilgung).

**V. Bilanzierung**: H. sind als Posten des Fremdkapitals einzustellen. Wird dem Darlehensnehmer nicht das volle Hypothekardarlehen, sondern mit Abzug (→*Damnum*, →*Disagio*) ausgezahlt, ist die Verbindlichkeit voll zu passivieren, das Disagio zu aktivieren und während der Laufzeit der Hypothekenschuld abzuschreiben.

**VI. Vermögensteuer**: Aktiv-H. und Passiv-H. sind für die steuerliche Bewertung gem. BewG mit dem Nennwert anzusetzen (→*Kapitalforderungen*). – *H.-Forderungen* gehören bei beschränkter Steuerpflicht zum →*Inlandsvermögen*, wenn sie durch inländischen →*Grundbesitz* oder inländische grundstücksgleiche Rechte gesichert sind. – *H.Schulden* sind als →*Betriebsschulden* oder als sonstige *Schulden* vom Rohvermögen abzugsfähig. H. berühren nicht den →*Einheitswert* des Grundbesitzes.

**VII. Währungsreform**: Die auf Reichsmark, Rentenmark oder Goldmark lautenden H. wurden durch die →*Währungsreform* im Regelfall entsprechend der gesicherten Forderung umgestellt, also grundsätzlich im Verhältnis 10 RM = 1 DM. Zur Eintragung des Umstellungsbetrages in das →*Grundbuch* bedurfte es der Bewilligung des Gläubigers und des Eigentümers, zur Eintragung eines ausnahmsweise höheren Umstellungsbetrages auch der Zustimmung des Finanzamtes. Die Eintragung des Umstellungsbetrags war nicht zwingend erforderlich. Soweit die H. nicht umgestellt wurde, entstand eine Umstellungsgrundschuld, die dann in die Hypothekengewinnabgabe überging. Klarheit im *Grundbuchverkehr* über die Umstellung der H. brachte das Gesetz vom 20.12.1963 (BGBl I 986); →Umstellungsgrundschuld.

**Hypothekarkredit,** durch Eintragung einer →Hypothek gesicherter →Kredit. Die Hypothek kann auch auf einem nicht dem Schuldner gehörenden Grundstück bestellt werden. In diesem Fall ist der Grundstückseigentümer also nicht zugleich der persönliche Schuldner. H. kann unmittelbar zwischen Privaten gegeben werden. Bei den Kreditbanken in abgewandelter Form. H. wird von den Sparkassen und Versicherungsgesellschaften gepflegt und ist das charakteristische Aktivgeschäft der Realkreditinstitute.

**Hypothekenbanken,** private und öffentlichrechtliche →Realkreditinstitute, deren Geschäftsbetrieb darauf gerichtet ist, →Grundstücke durch →Hypothekarkredit zu beleihen und aufgrund der erworbenen →Hypotheken →Pfandbriefe auszugeben. H. dürfen nach dem Hypothekenbankgesetz vom 5.2.1963 (BGBl I 81) mit späteren Änderungen nur in der Rechtsform der AG oder KGaA betrieben werden. In der Bundesrep. D. bestanden Ende 1986 25 private und 12 öffentlich-rechtliche H.

**Hypothekenbrief,** Urkunde über eine im Grundbuch eingetragene →Hypothek (Briefhypothek). Der H. gibt den Inhalt der Eintragung wieder (siehe Muster in der VO vom 1.12.1977, BGBl I 2313). Wird ein Teil der Hypothek abgetreten, so wird dies in dem H. vermerkt; über den abgetretenen Betrag kann *Teil-H.* gebildet werden. – Der H. ist ein →Rektapapier, durch Übergabe und der →Schriftform bedürfende Abtretung bzw. Eintragung im Grundbuch *übertragbar;* soweit die Abtretungserklärung lückenlos und mit →öffentlicher Beglaubigung versehen wird, legitimiert der Brief gegenüber dem Schuldner und ermöglicht →gutgläubigen Erwerb. Eine Briefhypothek ist demnach leicht übertragbar. Ein *abhanden gekommener* H. kann im →Aufgebotsverfahren für kraftlos erklärt werden. In besonderen Fällen – etwa weil der H. in der DDR und nicht zu erlangen ist – Kraftloserklärung gem. VO über die Kraftloserklärung von Hypotheken-, Grundschuld- und Rentenschuldbriefen vom 18.4.1950.

**Hypothekengewinnabgabe,** →Lastenausgleich 2.

**Hypothekengläubiger,** Gläubiger einer durch →Hypothek gesicherten Forderung. – Der H. genießt in bezug auf die *Gebäudeversicherung* (bei der Feuer-, z. T. auch bei der Leitungswasser- und Sturmversicherung) zusätzlichen Schutz: Entschädigung an den Versicherungsnehmer wird nur geleistet, wenn der

H. nicht widerspricht. Kündigung und Rücktritt durch den Versicherer wirken gegenüber dem H. erst mit Monatsfrist nach Anzeige. Der H. ist auch geschützt, wenn der Versicherer (bei grob →fahrlässiger Herbeiführung des Versicherungsfalles) dem Versicherungsnehmer gegenüber von der Leistungspflicht frei ist.

**Hypothekenkreditversicherung,** Versicherungsschutz für den Hypothekengläubiger vor Verlust von Kapital und Zinsen bei gänzlichem und teilweisem Ausfall seiner →Hypothek im Zwangsversteigerungsverfahren.

**Hypothekenpfandbrief,** →Pfandbrief.

**Hypothekenregister,** Register, in das die →Hypotheken, die zur Deckung der →Pfandbriefe der →Hypothekenbanken dienen sollen, einzutragen sind.

**Hypothekentilgungsversicherung,** *Hypothekenversicherung, Tilgungslebensversicherung.* 1. *Wesen:* Keine besondere Form der Lebensversicherung. Versicherungen auf den Todes- und Erlebensfall, die zum Zweck der Tilgung von Hypothekendarlehen abgeschlossen werden. Lebenslängliche Todesfallversicherungen können Verwendung finden durch Abkürzung der Versicherungsdauer mit Gewinnanteilen und/oder freiwilligen Zuzahlungen oder durch Rückkauf bei Fälligkeit der Darlehensschuld. – 2. *Gestaltung:* Ein Kreditinstitut oder der Lebensversicherer selbst gewährt ein Hypothekendarlehen, und zwar entweder als Festhypothek (Zinshypothek, →Hypothek IV a) oder als Tilgungshypothek (→Hypothek IV b), jedoch dann mit Tilgungsaussetzung für die gesamte Versicherungsdauer. Der Versicherungsvertrag in entsprechender Höhe wird zur Sicherung der Tilgung an den Hypothekengläubiger abgetreten. Mit dem Lebensversicherungsvertrag erfolgt die Entschuldung sowohl im Todesfall und – im Gegensatz zur Restschuld- und Restkreditversicherung – auch im Erlebensfall. Die Versicherung dient der Tilgungssicherung u n d der Tilgung. Ist die abgetretene Versicherungsleistung (z. B. durch die Überschußanteile, vgl. →Lebensversicherung V) höher als die Darlehensschuld, hat der Schuldner gegen den Darlehensgläubiger einen Herausgabeanspruch (Abrechnung). – 3. *Bedeutung:* a) Für den *Hypothekengläubiger:* Sicherung der Tilgung im Erlebens- und Todesfall des Schuldners. Der dingliche Anspruch des Gläubigers (Hypothek, Grundschuld) tritt als Sicherungsrecht zurück (subsidiär), Abwicklung im Todesfall einfacher. – b) Für den *Schuldner:* Sicherung der Tilgung auch für den Todesfall, mit einer entsprechenden Berufsunfähigkeits-Zusatzversicherung (Wegfall der Prämienzahlung und Rente in Höhe der Darlehenszinsen) auch für den Fall der Berufsunfähigkeit. Zusätzliches Ansparen der Tilgungsleistung mit einer Lebensversicherung bringt häufig steuerliche Vorteile: Kapitalleistungen der Lebensversicherung fließen einschließlich der Überschußanteile im Erlebens- oder Todesfall dem Anspruchsberechtigten grundsätzlich einkommensteuerfrei zu; Darlehenszinsen können dagegen häufig als →Werbungskosten oder →Betriebsausgaben geltend gemacht werden; nach Steuern ist der Effektivzins des Darlehens meistens geringer als die Rendite des Lebensversicherungssparens, dadurch Verringerung der Kreditkosten.

**Hypothekenversicherung,** →Hypothekentilgungsversicherung.

**Hypothekenzinsen,** Aufwand für langfristiges durch Grundpfandrechte gesichertes Fremdkapital. – H. werden häufig aus der betrieblichen *Kostenrechnung* ferngehalten und auf einem →Abgrenzungskonto erfaßt; an ihrer Stelle werden →kalkulatorische Zinsen verrechnet. – Bedeutung als *Indikator im Rahmen der* →*Konjunkturanalyse:* Steigende B. implizieren starke Nachfrage nach Baukrediten und damit Belebung der Bauwirtschaft.

**Hypothese.** 1. Im *Sprachgebrauch* i.d.R. Bezeichnung für ungeprüfte Spekulation; Gegenteil von sicherem Wissen. – 2. Im *erfahrungswissenschaftlichen Sinn* Vermutung über strukturelle Eigenschaften der Realität, die meist in Form einer Wenn-dann-Aussage formuliert wird. – Wird von der grundsätzlichen Fehlbarkeit des menschlichen Problemlösungsverhaltens ausgegangen (→Fallibilismus), dann sind alle wissenschaftlichen Erkenntnisse als hypothetisch zu bezeichnen. – *Abstufungen* können hinsichtlich des momentan erreichten Erkenntnisstandes vorgenommen werden: a) H. als bislang ungeprüfte Spekulationen; b) H. als geprüfte Aussage, ohne daß vorerst die Einordnung in eine →Theorie möglich ist; c) H. als gut begründete, empirisch getestete Aussage, die im Rahmen einer Theorie ein →Theorem darstellt oder ggf. sogar als →Axiom fungiert; hier kann von einer →Gesetzesaussage bzw. nomologischen H. gesprochen werden.

**Hypothesenprüfung,** →statistische Testverfahren.

**hypothetisches Konstrukt,** →Käuferverhalten II 2.

**Hz,** Kurzzeichen für Hertz (→gesetzliche Einheiten, Tabelle 1).

# I

**I.A.** 1. Abk. für →im Auftrag. – 2. Firmenzusatz für in Abwicklung (→Abwicklung).

**IAA,** Abk. für →Internationales Arbeitsamt.

**IAB,** Abk. für →Institut für Arbeitsmarkt- und Berufsforschung.

**IaDB, Inter-american Development Bank,** →Interamerikanische Entwicklungsbank.

**IAEA, International Atomic Energy Agency,** *Internationale Atomenergie-Organisation (JAEO),* gegründet 1957, Sitz in Wien. Autonome Organisation im Rahmen der UN, bildet zusammen mit den Sonderorganisationen der UN die Familie der den UN (intergovermental organizations related to the UN) angeschlossenen Organisationen. – *Mitglieder:* (1987) 112 Staaten. – *Organe:* Konferenz aus Vertretern aller Mitgliedstaaten (Generalkonferenz); Rat der Gouverneure; Sekretariat mit fünf Abteilungen für technische Hilfeleistung und Veröffentlichung, technische Verfahren, Forschung und Isotopen, Sicherheit und Überwachung, Verwaltung; wissenschaftliches und beratendes Komitee. – *Ziele:* Förderung und Beschleunigung des Beitrags der Atomenergie zu friedlichen Zwecken, insbes. der Gesundheitsfürsorge; Sicherung – soweit möglich – gegen militärische Ausnutzung der von der IAEA geleisteten Forschungsarbeit, Förderung von Forschung und technischer Ausbildung. – *Aufgaben und Arbeitsergebnisse* (Schwerpunkte): a) Überwachung von 514 Nuklearanlagen (1986), v. a. nach dem Atomwaffensperrvertrag. b) Technische Hilfeleistung und Ausbildung von Experten für Entwicklungsarbeiten, Beratung und Ausbildungsveranstaltungen in Entwicklungsländern. c) Auf dem Gebiet der Ernährungs- und Landwirtschaft werden in enger Zusammenarbeit mit der →FAO Forschungsvorhaben über die Anwendung von radioaktiven Strahlen und Isotopen abgewickelt. d) Auf dem Gebiet der Medizin arbeitet die IAEA gemeinsam mit der →WHO u.a. an Vorhaben zur Anwendung von Radioisotopen sowie an Forschungsprojekten über die Strahlenbelastung der Umwelt. e) Die naturwissenschaftlichen Vorhaben konzentrieren sich auf praktische Probleme bei der Anwendung von Atomenergie, radioaktiver Strahlung und Isotopen vorwiegend in Entwicklungsländern. f) Im Bereich der Kernenergie werden vornehmlich der Erfahrungsaustausch über fachliche und wirtschaftliche Fragen von Kernkraftwerken sowie die direkte technische Hilfeleistung gefördert. g) Zu den vorrangigen Aufgaben im Bereich der Sicherheit von Kernenergie gehört die Vermittlung von IAEA-Informationen über Sicherheitsstandards für den Schutz von Menschen, Sachen und Umwelt. Zu diesem Zweck hat die IAEA in Übereinstimmung mit den Empfehlungen der Internationalen Kommission für radiologischen Schutz (International Commission on Radiogical Protection – ICRP) Mindestsicherheitsstandards entwickelt und 1983 veröffentlicht. Entwickelt wurde ferner ein System zur Vermittlung von Soforthilfe bei Kernunfällen. h) Wichtigstes Instrument der Informationsverbreitung ist das computergestützte Internationale Nukleare Informationssystem (INIS). i) Grundlage der Bestrebungen der IAEA zur Verhinderung des Mißbrauchs von Kernenergie ist der Vertrag über die Nichtverbreitung von Kernwaffen (Atomwaffensperrvertrag). j) Enge Zusammenarbeit mit →EURATOM und der →NEA bei der →OECD. – *Konkrete Ergebnisse* bisher v. a. auf dem Gebiet der Kernforschung und bei der Verhinderung des militärischen Mißbrauchs von Kernmaterialien und -informationen. Im Bereich der Sicherheit hat die IAEA ein Sicherheits- und Kontrollsystem für Kernmaterial entwickelt sowie eine Konvention über Haftpflicht bei Atomschäden, die 1963 in Kraft trat. – *Wichtige Publikationen:* Annual Report; IAEA Bulletin (vierteljährlich); Technical Directories; INIS Atomindex, Safety Series; Proceedings of Conferences, Symposia und Seminars.

**IAEO, Internationale Atomenergie-Organisation,** →IAEA.

**IAO, Internationale Arbeitsorganisation,** →ILO.

**IARIW,** →Internationale Vereinigung zur Erforschung von Volkseinkommen und -vermögen.

**IASC,** Abk. für →International Accounting Standards Committee.

**IATA,** Abk. für →International Air Transport Association.

**IATA Clearing House,** →International Air Transport Association.

**IAW,** Abk. für →Institut für Angewandte Wirtschaftsforschung.

**IBM-Code,** →EBCDIC.

**IBRD, International Bank for Reconstruction and Development,** *Internationale Bank für Wiederaufbau und Entwicklung (Weltbank),* Sitz in Washington D.C. Gegründet am 27.12.1945, nachdem das auf der von den USA einberufenen internationalen Währungskonferenz in Bretton Woods im Juli 1944 von den 44 Teilnehmerstaaten erarbeitete Übereinkommen von 28 Nationen unterzeichnet war. Offizieller Beginn der Geschäftstätigkeit: 25.6.1946. – *Mitgliedschaft:* Vorbedingung ist die Mitgliedschaft beim Internationalen Währungsfonds (→IMF); *Mitglieder:* (1986) 151 Staaten. Die Bundesrep. D. ist seit 1952 Mitglied. – *Organisation:* a) Alle Verfügungsgewalt liegt beim *Board of Gouvernors,* in das jeder Mitgliedstaat einen Vertreter entsendet und das i.d.R. einmal jährlich tagt. Die meisten Befugnisse sind an das Direktorium delegiert, das auf 21 Executive Directors besteht (5 werden von den Staaten mit den größten Kapitalanteilen benannt: Bundesrep. D., Frankreich, Großbritannien, Japan, USA), die restlichen aus dem Kreis der Gouverneure der übrigen Mitgliedstaaten gewählt). b) Die Geschäftsführung obliegt dem vom Direktorium zum Vorsitzenden gewählten *Präsidenten.* –*Aufgaben:* a) Förderung des Wiederaufbaus nach dem Zweiten Weltkrieg und der Entwicklung der Gebiete der Mitglieder durch Erleichterung der Kapitalanlage für produktive Zwecke, der Schwerpunkt der Aufgaben liegt nunmehr bei der Förderung der wirtschaftlichen Entwicklung in den Mitgliedstaaten. b) Förderung der privaten ausländischen Investitionen durch Garantieübernahme oder Beteiligung an Darlehen. c) Ausdehnung des internationalen Handels und Aufrechterhaltung des Gleichgewichts der Zahlungsbilanzen durch Entwicklung der Produktionsquellen und damit der Produktivität und des Lebensstandards in den Mitgliedstaaten. d) Abstimmung der eigenen mit den von anderen internationalen Institutionen gewährten internationalen Anleihen zugunsten der dringlichsten und produktivsten Projekte. – *Kapital:* Urspr. 10 Mrd. US-$, nach der Quotenerhöhung des IMF und durch den Beitritt weiterer Länder beträgt das nach der Quotenerhöhung des IMF und durch Beitritt weiterer Länder autorisierte Grundkapital 94,4 Mrd. US-$ (Stand 1986), gezeichnet sind 73,4 Mrd. US-$. Vom Kapitalanteil jedes Mitglieds sind 10% in Landeswährung einzuzahlen, die restlichen 90% bilden ein Garantiekapital. Grundlage für die Festsetzung der Quoten der Mitgliedstaaten bilden nicht mehr der US-Dollar, sondern die →Sonderziehungsrechte (SZR). Der Wert der SZR belief sich (1983) auf 1,0690 US-$. – *Kreditoperationen:* a) Darlehenspolitik nach privatwirtschaftlichen Grund-

sätzen (im Gegensatz zur →IDA, die eine flexiblere Darlehenspolitik betreibt). Kredite grundsätzlich an die Regierungen gegeben, an Privatunternehmen nur gegen Regierungsgarantie. Laufzeit der Kredite bis zu 25 Jahre; Rückzahlung erfolgt grundsätzlich in der ausgeliehenen Währung (Ausnahmen möglich). – b) Kreditoperationen im einzelnen: (1) Kreditaufnahme durch Begebung von Schuldverschreibungen (Schuldenaufnahme 1983/84: 9,8 Mrd. US-$); (2) Verkauf von Forderungen aus den von der Bank gewährten Krediten; (3) Kreditgewährung (Stand Juni 1985) 1985 Darlehen an 104 Länder, Gesamthöhe 113 Mrd. US-$. Hauptschuldnerländer waren Brasilien (11,5 Mrd. $), Indien (9 Mrd.$), Indonesien (8 Mrd. $), Mexiko (7,9 Mrd. $), Türkei (5,3 Mrd. $), Korea (5,8 Mrd. $), Kolumbien (4,9 Mrd. $), Jugoslawien (4,5 Mrd. $), Philippinen (4,3 Mrd. $) und Thailand (3,6 Mrd. $); (4) Übernahme von Bürgschaften und Beteiligungen bei Kreditgewährung der Mitgliedstaaten. IBRD, →IMF, →IDA, →IFC und →IFAD bilden die Finanzierungsinstitute im Rahmen der →UN. – *Wichtige Veröffentlichungen:* Annual Reports, World Development Report.

**IC, integrated circuit,** in einem →Chip integrierte Schaltung.

**ICA, International Cooperation Administration,** Institution zur Verwaltung der Mittel der amerikanischen Auslandshilfe, Sitz in Washington D.C. Die ICA hat die von der Economic Cooperation Administration (ECA) gegebenen Garantien übernommen (in 31 Ländern, darunter Dänemark, Frankreich, Bundesrep. D., Irland, Italien, Niederlande, Großbritannien).

**ICA,** →CAI.

**ICAO, International Civil Aviation Organization,** *Internationale Zivilluftfahrtorganisation,* Sitz in Montreal (Kanada). Gegründet am 4.4.1947. – *Mitglieder:* 152 Staaten. – *Organe:* a) Versammlung aus Vertretern der 152 Mitgliedstaaten als oberstes Organ, tritt in dreijährigen Abständen zusammen; b) Rat, von der Versammlung gewählte Vertreter (für jeweils drei Jahre gewählt) von 33 Mitgliedstaaten als ständiges Exekutivorgan; c) verschiedene Ausschüsse u.a. Luftfahrtkommission, Luftverkehr-, Finanz-, Rechtsausschuß; d) Generalsekretariat. – *Aufgaben:* a) Aufbauend auf dem Luftverkehrsabkommen von Paris (1919) und dem Abkommen über die Handelsluftfahrt von Havanna (1928) ist das 1944 abgeschlossene Abkommen über den Luftverkehr, das gleichzeitig die ICAO begründet, entwickelt worden. Durch Ausarbeitung allgemein anerkannter Grundsätze und Richtlinien technischer, wirtschaftlicher und rechtlicher Art soll die ICAO die größtmögliche Sicherheit und Wirtschaftlichkeit im Luftverkehr herbeiführen. b) Im einzelnen umfassen ihre Aufgaben insbes. Sorgen für sicheres und geordnetes Wachsen der internationalen Zivilluftfahrt; Förderung des Flugzeugbaus zu friedlichen Zwecken, der Entwicklung von Luftstraßen, Flughäfen und Luftfahrteinrichtungen, Sicherung eines regelmäßigen, leistungsfähigen und wirtschaftlichen Luftverkehrs, Verhinderung „übermäßigen Wettbewerbs"; Förderung der Flugsicherheit. – *Bisherige Leistungen:* a) internationale Vorschriften und Normen für die zivile Luftfahrt, Bestimmungen über die Einrichtung und Sicherung der Flughäfen, Förderung des Gebrauchs neuer technischer Geräte und Methoden, Entwicklung eines vorbildlichen Systems für Wetterdienst, Verkehrskontrollen, Nachrichtenverbindung, Such- und Rettungsdienst, Vereinfachung der Zoll- und Einwanderungsformalitäten; b) finanzielle oder technische Hilfe für die Erhaltung der Luftverkehrseinrichtungen in den Mitgliedstaaten oder in Gebieten, in denen die Erhaltung aus eigener Kraft unmöglich ist; c) Konvention über die internationale Anerkennung der Eigentums-Rechte an Flugzeugen; d) technische Hilfe durch Entsendung von Fachleuten für die Ausbildung im Flugwesen, Vergebung von Auslandsstudienstipendien (1984: 55 Mill. US-$); e) Veröffentlichung technischer Schriften auf dem Gebiet der Luftfahrt; f) Studien über umweltrelevante Anpassungen der Lärm- und Abgasemissionen der Antriebaggregate und Aufstellung internationaler Standards und Richtlinien für zulässige Geräuschzertifikationen in der Luftfahrt. – *Wichtige Publikationen:* ICAO-Bulletin; Reports on Meetings; Convention on International Civil Aviation and its 18 Annexes; ICAO Administrative Regulations; Annual Report; Digest of Statistics.

**ICC, International Chamber of Commerce** →Internationale Handelskammer.

**ICGS,** Abk. für →International Standard Classification of all Goods and Services.

**Ich-Beteiligung,** →Involvement.

**ICITO, Interim Commission for the International Trade Organization,** *Interimistische Kommission für die Internationale Handelsorganisation,* internationale Handelsorganisation, ursprünglich zur Gründung der angestrebten, jedoch nie geschaffenen →ITO eingerichtet. Die ICITO fungiert als Sekretariat des →GATT, das anstelle der ITO getreten ist.

**ICLS, International Conference of Labour Statisticians,** →Internationales Arbeitsamt.

**ICM, Intergovernmental Commitee for Migration,** *Zwischenstaatliches Komitee für Auswanderung* (bis November 1980: *Intergovernmental Commitee for European Migration, ICEM),* Sitz in Genf (Zweigbüros und Missionen in ca. 33 Ländern). Gegründet 1951.

– *Mitglieder:* 32 europäische und außereuropäische Staaten (Aus- und Einwanderungsländer); 14 Länder nehmen als Beobachter teil. – *Organe:* Rat der Mitgliedsregierungen (Council), Exekutiv-Komitee (Vertreter von neun Staaten). – *Finanzierung:* Pflichtbeiträge der Mitgliedsregierung zum administrativen Haushalt und freiwillige Beträge zum operationellen Haushalt. – *Ziele:* Organisierung der Auswanderung von Europäern nach Übersee; Durchführung des Transports und der Eingliederung von Flüchtlingen in Aufnahmeländern sowie Vermittlung von Fachkräften in Einwanderungsländer zur Förderung der wirtschaftlichen und sozialen Entwicklung. – *Arbeitsergebnisse:* 1952–81 Betreuung von 2,6 Mill. Auswanderern bei der Auswanderung nach Übersee und Wiedereingliederung von mehr als 1,6 Mill. Flüchtlingen seit 1951; das ICM hat 600 000–700 000 Familienzusammenführungen vermittelt; Vermittlung von Sprachtraining und beruflicher Fortbildung; kostenlose Schulung für Auswanderer; besondere Unterstützung lateinamerikanischer Entwicklungsländer durch Einrichtung von Betreuungsstellen und Untersuchungen über Eingliederungsmöglichkeiten. Darüber hinaus hat das ICM eine Reihe von Hilfsaktionen in der Welt durchgeführt (u. a. 1956 in Ungarn, 1968 in der CSSR, 1972 in Uganda, seit 1975 Unterstützung der Indochina-Flüchtlingsbewegung). – *Wichtige Veröffentlichungen:* Migration Bulletin; Annual Report; International Migration (vierteljährlich).

**ICSID, International Centre for Settlement of Investment Disputes,** *Internationales Zentrum zur Beilegung von Investitionsstreitigkeiten,* Sitz in Washington D.C. Gegründet 1966. ICSID-Konvention bis 1984 von 89 Staaten unterzeichnet, die Mitglieder der →IBRD sind. – *Hauptziel:* Beilegung von Investitionsstreitigkeiten zwischen Staaten und Staatsbürgern von Ländern, die das ICSID zur Regelung von Streitigkeiten anrufen, für die der Vertragsparteien keine Regelungen vereinbart haben. Dazu Schiedsregeln zur Beilegung von Streitigkeiten; Schiedsgerichte, die von den streitenden Parteien angerufen werden können; Informationen für die Abfassung von Schiedsgerichtsklauseln. – *Organe:* Verwaltungsrat (Vorsitz in Personalunion mit IBRD-Präsident), Sekretariat unter Leitung eines Generalsekretärs. – *Tätigkeit:* Schwerpunkt ist die Einsetzung und Unterhaltung von Schiedsgerichten zur Beilegung von Investitionsstreitigkeiten. – *Wichtige Veröffentlichungen:* ICSID-Newsletter; Annual Report: Convention on the Settlement of Investment Disputes between States and Nationals of Other States, Model Clausel Relating to the Convention on the Settlement of Investment Disputes Designed for Bilateral Investment Treaties; List of Contracting States and Other Signatories of the Convention.

**IDA, International Development Association,** *Internationale Entwicklungsorganisation,* Sitz in Washington D.C. Gegründet 1960 als Tochtergesellschaft der →IBRD; sie gehört zu den →Sonderorganisationen der UN. Die IDA nahm im November 1960 ihre Tätigkeit auf, nachdem 22 Staaten mehr als 65% des Grundkapitals von 1 Mrd. US-$ gezeichnet hatten. Die Zeichnungsbeträge sind den Anteilen der Staaten am Kapital der IBRD proportional. Die Stimmrechte der Mitgliedstaaten entsprechen ihren Kapitalanteilen. – *Organe:* Identisch mit denen der IBRD (Personalunion). – *Mitgliedschaft:* 135 Staaten sind Mitglied der IDA. Die Mitglieder lassen sich in *zwei Gruppen* einteilen: a) Industrialisierte Staaten, reichere oder Part I-Länder (Australien, Belgien, Bundesrep. D., Dänemark, Finnland, Frankreich, Großbritannien, Irland, Island, Italien, Japan, Kanada, Kuweit, Luxemburg, Niederlande, Neuseeland, Norwegen, Österreich, Schweden, Rep. Südafrika, USA). b) Die übrigen Mitgliedstaaten, d.h. Entwicklungsländer oder Part II-Länder. Zu den Geberländern gehören auch die Schweiz und die Vereinigten Arabischen Emirate als Nichtmitglieder. Als Ergebnis der 7. Wiederauffüllungsrunde der IDA-Mittel beliefen sich die der IDA insgesamt zur Verfügung gestellten Mittel im Juni 1985 auf ca. 36,7 Mrd. US-$. Zusätzlich zu diesen Einlagen transferiert die IBRD jährlich 100 Mill. US-$ an die IDA. – *Tätigkeit:* Die IDA finanziert Entwicklungsprojekte unter wesentlich günstigeren Bedingungen als die Weltbank (Laufzeit i.d.R. 50 Jahre, Beginn der Tilgung nach 10 Jahren, Rückzahlung auch in eigener Währung möglich, ohne Zinsberechnung, jedoch geringe Verwaltungsgebühr 0,75% der Kreditsumme). Im Unterschied zur IBRD und zur →IFC vergibt die IDA insbes. Mittel zur Finanzierung von Infrastrukturprojekten in Entwicklungsländern. Maßstab für die Einstufung als Kreditnehmerland ist das Pro-Kopf-Einkommen der Bevölkerung. Grenze gegenwärtig bei einem jährlichen Bruttosozialprodukt je Einwohner von weniger als 731 US-$; darunter fallen über 50 Länder. Im Finanzjahr 1983/84 vergab die IDA Kredite zur landwirtschaftlichen und ländlichen Entwicklung in 44 Ländern (über 50% der Kredite an Länder in Südasien und 34% in afrikanische Länder) mit einer Kreditsumme von 3,4 Mrd. US-$. Gefördert wurden 106 Vorhaben, von denen ca. 20% der Energie- und Straßenbauentwicklung dienten. Nach dem Stand vom Juni 1985 verteilt sich die Kreditgesamtsumme von 36,7 Mrd. US-$ auf die Weltregionen wie folgt: Ost- und Südafrika: 6,6 Mrd. US-$; Westafrika 3,6 Mrd. US-$; Ostasien und Pazifik: 2,7 Mrd. US-$; Südasien 20,8 Mrd. US-$; Europa, Mittlerer Osten und Nordafrika: 2,3 Mrd. US-$; Lateinamerika und Karibik 0,8 Mrd. US-$. – IDA, →IBRD, →IMF, →IFC und →IFAD

bilden die Finanzierungsinstitute im Rahmen der →UN. – *Wichtige Veröffentlichung:* Annual Report (Weltbankjahresbericht deutsch).

**IDC, International Data Corporation,** international tätiges Marktforschungsunternehmen; bekannt und meist zitiert wegen Untersuchungen auf dem Software- und Hardwaremarkt.

**Idealisierung,** besonderes Verfahren der →Abstraktion, Konstruktion von idealen Eigenschaften, Gegenständen, Beziehungen usw. Idealen Objekten werden Eigenschaften beigegeben, die die realen Objekte nicht oder lediglich angenähert besitzen. – *Gefahr der I.:* Gedankliche Verselbständigung der idealen Objekte (→Homo oeconomicus, →Modellplatonismus).

**Idealmodell,** →Modell.

**Ideenfindungsmethoden,** →Kreativitätstechniken.

**Ideenschutz,** Schutz einer noch nicht gestalteten oder verkörperten Idee. Für →Patente, →Gebrauchsmuster und →Geschmacksmuster sowie im Bereich des Urheberrechts nicht vorgesehen, wenn ein solcher neuerdings auch gefordert wird. Schutz nach UWG in Einzelfällen möglich; vgl. →Betriebs- und Geschäftsgeheimnis III.

**identifiable costs,** →Einzelkosten.

**Identifikation.** 1. *Charakterisierung:* I. ist eine Aufgabe, die bei der Entwicklung ökonometrischer Modelle (→Ökonometrie II) zu lösen ist. Man unterstellt gewöhnlich, daß eine „*wahre*" *Struktur* (→strukturelle Form) des Modells existiert und aus den Daten zu schätzen ist. Ist jedoch möglich, daß es mehrere Strukturen gibt, die mit den Annahmen des Modelles vereinbar und empirisch, d.h. mit Hilfe der Daten, nicht zu unterscheiden sind; diese Strukturen nennt man *beobachtungsäquivalent,* sie besitzen dieselbe →reduzierte Form; man kann in diesem Fall nicht eindeutig auf die Strukturparameter rückschließen, sie sind nicht identifizierbar. – 2. *Restriktionen:* Das I.-Problem ist ein Problem der zugrundeliegenden Theorie, die genügend Informationen liefern muß, um ein Modell identifizierbar zu machen. Die Informationen sind als identifizierende Restriktionen in die Strukturform einzuführen. Die wichtigsten Restriktionen bestehen aus dem *Eliminieren von Variablen* (Nullsetzen der Parameter) in einzelnen Gleichungen des Systems. – 3. *Grad der I.:* Zu unterscheiden sind *genau identifizierte, überidentifizierte* und *unteridentifizierte* Gleichungen. Genau und überidentifizierte Gleichungen sind schätzbar, für unteridentifizierte Gleichungen gibt es keine Schätzmethoden mit wünschenswerten statistischen Eigenschaften. – Es existieren *Kriterien zur Überprü-*

*fung* der I., die bei linearen Modellen eine besonders einfache Form annehmen.

**Identifikationsnummer,** *personal identity number (PJN),* Sicherungscode für Betreiber externer Rechner bei →Bildschirmtext.

**Identifikationsproblem,** von Leontief und Frisch bei der empirischen Ermittlung von Angebots- und Nachfragekurven entdecktes Phänomen, nach dem die eindeutige statistische Ermittlung dieser Kurven nicht möglich ist, wenn Preise und Mengen die einzigen Beobachtungsgrößen sind. I. auch, wenn größere simultane Gleichungsmodelle statistisch aufgefüllt werden sollen. Durch Verwendung spezieller Schätzmethoden (→Maximum-Likelihood-Schätzung ) kann das I. gelöst werden.

**Identifikationstest,** Methode der Werbemitteltelforschung; Test zur Feststellung der Aufmerksamkeitswirkung (→Aufmerksamkeit) von Werbemitteln. Der Werbeappell wird dem Befragten unvollständig (maskiert, Fortlassen von Worten, Bildern usw.) präsentiert. Die Auskunftsperson soll das Werbemittel identifizieren und die fehlenden Elemente ergänzen. Anwendbar auf optische und akustische Werbemittel. – *Technisches Hilfsmittel:* →Videometer.

**Identifizierbare Kosten,** →Einzelkosten.

**Identität,** im zollrechtlichen Sinne: Vgl. →Nämlichkeit.

**Identitätsfeststellung.** 1. *Im Rahmen eines strafrechtlichen Ermittlungsverfahrens* darf sowohl ein Verdächtiger als auch eine unverdächtige Person, deren Identität nicht sogleich festgestellt werden kann, zur I. festgehalten werden, wenn die I. sonst nicht oder nur unter erheblichen Schwierigkeiten möglich ist (§§ 163 b, c StPO). – 2. Darüber hinaus kann die *Polizei* im präventiven Bereich nach Landesrecht unter gesetzlich bestimmten Voraussetzungen jemand zur Dienststelle bringen und vorübergehend zwecks I. festhalten, falls dies an Ort und Stelle unmöglich ist oder ein Verdacht unrichtiger Angaben besteht (§9 PolG NRW, §20 II, 22 I 3 PolG Bad.-Württ., Art. 12 bay. PAG, §§16, 45 SOG Hessen, §§9, 10 PolG Bremen, §5 PVG Rheinl.-Pf.).

**Identitätsprinzip. I. Wissenschaftstheorie:** 1. *Begriff:* Gedankliche Konstruktion, mit deren Hilfe aus einem weiteren →Erfahrungsobjekt ein engeres →Erkenntnisobjekt gewonnen werden soll. I. haben daher eine Selektionsfunktion. Innerhalb der →Betriebswirtschaftslehre kommt ihnen (heute in deutlich abgeschwächter Form) Bedeutung zu, wenn das betriebswirtschaftliche Erfahrungsobjekt ausschließlich unter dem Gesichtspunkt der Rentabilität (→Privatwirtschaftslehre) oder der Wirtschaftlichkeit (→Wirtschaftlichkeitsprinzip) betrachtet

wird. – 2. *Bedeutung:* Wegen der Gefahr, daß auf diese Weise bedeutsame Fragestellungen ausgeklammert werden, wird auf der Notwendigkeit einer Abgrenzung mittels I. in der neueren Betriebswirtschaftslehre kaum mehr beharrt.

**II. Kostenrechnung:** Maßgebliches →Kostenverteilungsprinzip der →Einzelkostenrechnung. Kosten (bzw. Erlösen, Ausgaben, Einnahmen, Güterseinsatz oder -verbrauch) werden einer Bezugsgröße nur zugerechnet, wenn Bezugsgröße (z. B. die erstellte Leistung) und Kosten (bzw. Erlösen, Ausgaben, Einnahmen, Güterseinsatz oder -verbrauch) auf einen identischen dispositiven Ursprung zurückgeführt werden können, d. h. auf einen identischen Entscheidungszusammenhang. Leistungsentstehung und Güterverbrauch (einschl. der Inanspruchnahme der Potentialfaktoren) sind die gekoppelten positiven und negativen Wirkungen des technischen Kausalprozesses (kombinierter Einsatz aller benötigten Mittel unter spezifischen Ablaufbedingungen), dessen man sich bedient, um das angestrebte Ziel der Entstehung der gewollten Leistung zur erreichen. Das I. ist auf naturwissenschaftliche und technische Vorgänge (z. B. Einsatz-/Ausbringungsbeziehungen) sowie auf Verträge und rechtliche Vorschriften und damit auf die Zurechnung von Erlösen und Ausgaben bzw. Zahlungen anwendbar. Werden bei der Anwendung des I. Reihenfolge und Zeitpunkte der Entscheidungen sowie dabei festgelegte Rangfolgen und Realisationsstadien berücksichtigt, kann eine andere, von der im Falle der statischen Betrachtung abweichende Beurteilung der Zurechenbarkeit die Folge sein.

**III. Bilanzierung:** Vgl. →Bilanzidentität.

**IV. Zollrecht:** Vgl. →Nämlichkeit.

**Ideologie,** zunächst im allgemeinen Sinn Lehre von den Ideen; später bei Karl Marx Bezeichnung für ein durch gesellschaftliche Vorurteile entstehendes „falsches" Bewußtsein. – I.e.S. kann von I. dann gesprochen werden, wenn mit den Mitteln der Wissenschaft (ggf. unbewußt) eine Rechtfertigung bestehender Herrschaftsstrukturen erfolgt. Bei der Aufdeckung solcher Einseitigkeiten, etwa in Form des Nachweises der Abhängigkeit des Denkens von gesellschaftlichen Verhältnissen, handelt es sich um Ideologiekritik.

**IDFA,** Abk. für →Interessengemeinschaft Deutscher Fachmessen und Ausstellungsstädte.

**idle-money,** →deficit spending III 2.

**IDMS, integrated database management system,** →Datenbanksystem, das auf dem →Netzwerkmodell basiert und von der →CODASYL-Gruppe zum Standard für derartige Systeme erhoben wurde. I. ist auf Großrechnern (→Rechnergruppen 2c)) und Minirechnern (unter der Steuerung mehrerer gängiger →TP-Monitore) einsetzbar. – *Hersteller:* Cullinane Corp.; im deutschsprachigen Raum früher durch die Firma ADV/ORGA, heute durch Cullinane selbst vertrieben.

**IDN, Integriertes Text- und Datennetz,** seit 1975 von der Deutschen Bundespost aufgebautes und von dem sog. Elektronischen Datenvermittlungssystem (EDS) verwaltes digitales Netz (→digitale Darstellung), das das Datex-P-Netz (→Datex-P 2), das Datex-L-Netz (→Datex-L 2), das Telex-Netz (→Telex) und das →Direktrufnetz in einem Netz zusammenfaßt. Den leitungstechnischen Grundbestandteil des IDN bildet das allgemeine (Fernmelde-)Netz (→Fernmeldenetz) der Deutschen Bundespost.

**IDW,** →Institut der Wirtschaftsprüfer in Deutschland e. V.

**IEA, International Energy Agency,** *Internationale Energie-Agentur,* 1974 im Rahmen der →OECD gegründetes Organ zur Realisierung des OECD-Übereinkommens über ein internationales Energieprogramm. – *Mitglieder:* 22 OECD-Staaten (darunter die Bundesrep. D.). – *Hauptziele:* Schaffung einer besseren Markttransparenz auf dem Energiesektor; Sicherstellung einer langfristigen Zusammenarbeit der OECD-Länder im Energiesektor zwecks Einsparung von Energie, Entwicklung alternativer Energiequellen und Aufbau eines sofort realisierbaren Aktionsprogramms für die Überbrückung von Versorgungsnotständen mit Erdöl. – *Grundlage der Tätigkeit* der IEA bildet ein langfristiges Kooperationsprogramm auf dem Energiesektor sowie eine 1980 beschlossene 40-Jahresstrategie für Energieforschung und -entwicklung (Kohle, Atomenergie, Schonung der Erdölreserven, Solarenergie, Energie aus Biomasse und geothermische Energie). – *Wichtige Veröffentlichungen:* Monthly Oil Market Report; Quarterly Oil Statistics; Energy Policies and Programmes of IEA Countries; World Energy Outlook; im übrigen vgl. Veröffentlichungsprogramm der →OECD.

**IfA,** Abk. für →Institut für Auslandsbeziehungen.

**IEEE, Institute of Electrical and Electronic Engineers,** Ingenieursverband in den USA mit zunehmendem Schwerpunkt im Bereich der →Informatik. Herausgeber bekannter Informatik-Zeitschriften, Veranstalter internationaler und nationaler Tagungen. Bedeutender Faktor in der internationalen Standardisierungsszene, z. B. Standards für →lokale Netze; vgl. →IEEE 802.

**IEEE-802,** Projekt des →IEEE, in dem Standards für verschiedene LAN-Konzepte (→lokales Netz) erarbeitet wurden. Diese wurden später von der →ISO als Normungsempfehlungen übernommen. Bekannt v. a.: (1)der 1983 von der Arbeitsgruppe 802.3 entsprechend der Ethernet-Spezifikation (→Ethernet) festgelegte Standard für *CSMA/CD-Busnetze* (→CSMA/CD, →Netzwerktopologie), (2)der 1984 von der Gruppe 802.4 festgelegte *Token-Bus-Standard* (→token passing), und der 1984 von der Gruppe 802.5 entsprechend den IBM-Vorschlägen festgelegte *Token-Ring-Standard.*

**I. Fa., in Firma,** gebräuchlich in der Anschrift zur Kennzeichnung, daß der Adressat Mitinhaber ist, irrtümlich auch bei Angestellten neben →im Hause verwendet. – Vgl. auch →Briefgeheimnis.

**IFA,** Abk. für →Deutsche Vereinigung für Internationales Steuerrecht.

**IFAA,** →Institut zur Förderung von Auslandsgeschäften und Auslandsprojekten e. V..

**IFAC,** Abk. für →International Federation of Accountants.

**IFAD, International Fund for Agricultural Development,** *Internationaler Fonds für landwirtschaftliche Entwicklung, Internationaler Agrarentwicklungsfonds,* gegründet 1977 als →Sonderorganisation der UN. – *Mitglieder:* 141 Staaten. Die *Mitgliedstaaten* (Stand Oktober 1984) werden drei *Kategorien* zugeordnet: Kategorie I: beitragspflichtige Industriestaaten (20 oder 24 OECD-Länder); Kategorie II: beitragspflichtige Entwicklungsländer (erdölexportierende Länder); Kategorie III: sonstige Entwicklungsländer. Ostblockländer sind nur in Kategorie III vertreten. Die Länder der Kategorie I und II sind als Geberländer beitragszahlungspflichtig; den Ländern der Kategorie III ist eine Beitragszahlung freigestellt. – Die Bundesep. D. hinterlegte ihre Ratifikationsurkunde im Oktober 1977. – *Organisation:* Gouverneursrat (Governing Council), in dem alle Mitgliedsländer vertreten sind. Verwaltungsrat (Executive Board), bestehend aus 18 vom Rat gewählten Mitgliedern, dem die Geschäftsführung obliegt. – *Aufgaben:* Zusammenarbeit mit →FAO, →UNDP sowie den UN-Finanzierungsinstituten →IBRD, →IFC und →IDA, zu denen auch →IMF und IFAD gehören. Förderung der Landwirtschaft, Nahrungsmittelproduktion, Beschäftigung und Einkommen in der Landwirtschaft und Beseitigung der Unterernährung in den Entwicklungsländern durch verlorene Zuschüsse und Kreditgewährung zu speziellen Bedingungen. Ähnlich wie durch die IDA werden u. a. den ärmsten Entwicklungsländern Kredite aufgrund von drei Standardbedingungen gewährt: a) Zinsfreiheit mit einer Bearbeitungsgebühr von 1%

und einer Laufzeit von 50 Jahren, davon 10 tilgungsfrei; b) Verzinsung 4%, Laufzeit 20 Jahre, davon 5 tilgungsfrei; c) Verzinsung 8%, Laufzeit 15–18 Jahre, davon drei tilgungsfrei. – *Kreditoperationen:* Zur Verfügung stehende Mittel (1985) ca. 2,3 Mrd. US-$ (Kategorie I-Länder ca. 1,6 Mrd. US-$, Kategorie II-Länder ca. 0,73 Mrd. US-$, Kategorie III-Länder ca. 0,05 Mrd. US-$). Diesen Kreditmitteln standen Investitionsaufwendungen der Empfängerländer und zusätzlicher Geberländer von ca. 6 Mrd. US-$ gegenüber. Bis 1985: 177 Anleihen vergeben, davon 63 an afrikanische, 48 an asiatische, 33 an lateinamerikanische Entwicklungsländer und 33 an Länder des Nahen Ostens und Nordafrikas. Insgesamt bis 1985 aufgebrachte Entwicklungsleistungen ca. 1,9 Mrd. SZR (= 2,5 Mrd. US-$). – *Wichtige Veröffentlichung:* Annual Report of the International Fund for Agricultural Development.

**IEC, International Electronical Commission,** privatrechtliche internationale Organisation; Sitz in Genf. – *Mitglieder:* 42. Aus einem Land wird jeweils nur ein Mitglied aufgenommen. Für die Bundesrep. D. ist das →Deutsche Institut für Normung e. V. (DIN) Mitglied. – *Tätigkeit:* Internationale Normung (→internationale Normen).

**IfAG,** Abk. für →Institut für Angewandte Geodäsie.

**IFC, International Finance Corporation,** *Internationale Finanz-Corporation,* Sitz in Washington D. C., gegründet am 25. 7. 1956, ein der →IBRD nahestehendes, aber von ihr getrenntes Institut. Die IFC gehört zu den →Sonderorganisationen der UN. – *Organe:* Identisch mit denen der IBRD (Personalunion). – *Aufgabe:* Finanzierung von Investitionen und Beteiligung am Kapital privater industrieller Unternehmen v.a. in Entwicklungsländern. Die Kredithilfen der IFC sollen dazu beitragen, die private Unternehmerinitiative anzuregen. – *Mitglieder:* 126 Staaten (Bundesrep. D. seit 1956). Voraussetzung für IFC-Mitgliedschaft ist Mitgliedschaft in der IBRD. – *Grundkapital:* (1984) 650 Mill. US-$. – *Tätigkeit:* Bis Juni 1985 Gesamtzusagen (Kredite und Kapitalbeteiligungen) von 2,9 Mrd. US-$ an 366 Unternehmen in 47 Entwicklungsländern, darunter: Lateinamerika einschließlich Karibik 49%, Asien 24%, Europa und Mittlerer Osten 9%, Afrika 18%. – IFC, IBRD →IMF, →IDA und →IFAD bilden die Finanzierungsinstitute im Rahmen der →UN. – *Wichtige Veröffentlichungen:* General Policies; Articles of Agreement; IFC Basic Information; außerdem vgl. Veröffentlichungsprogramm der →IBRD.

**IFH, Internationale Föderation des Handwerks,** →Internationale Gewerbeunion (IGU).

**IFIP, International Federation for Information Processing,** internationale Vereinigung von nationalen und internationalen Organisationen, die auf dem Gebiet der Informationsverarbeitung (→Informatik, →elektronische Datenverarbeitung) tätig sind.

**IFO-Institut für Wirtschaftsforschung,** Sitz in München. Gegründet 1949. Gemeinnütziges, auf überregionaler Basis arbeitendes wirtschaftswissenschaftliches →Wirtschaftsforschungsinstitut, das von Wirtschaft, Verbänden, Gewerkschaften, Verwaltungen und Wissenschaft getragen wird. – *Hauptaufgabengebiete:* a) empirische Konjunkturforschung, besonders aufgrund des IFO-Konjunkturtests, einer neuartigen monatlichen Tendenzbefragung von etwa 6000 Unternehmern der Industrie und des Groß- und Einzelhandels (→Geschäftsklima); b) volkswirtschftliche Analysen und Prognosen der Konjunkturentwicklung, der sozialwirtschaftlichen Struktur und der Weltwirtschaft; c) Marktbeobachtungen und Strukturuntersuchungen für Industrie, Groß- und Einzelhandel, Verkehr, Landwirtschaft; d) betriebswirtschaftliche Untersuchungen, Gutachten und Marktanalysen. – *Wichtige Veröffentlichungen:* IFO-Schnelldienst (wöchentlich), Wirtschaftskonjunktur (vierteljährlich), IFO-Studien (halbjährlich), IFO-Schriftenreihe, Gutachten und Sonderberichte, Branchenhandbuch, Konjunkturspiegel (Ergebnisse des Konjunkturtests).

**IFORS,** Abk. für →International Federation of Operational Research Societies.

**IG,** Abk. für →Industriegewerkschaft.

**IGU,** Abk. für →Internationale Gewerbeunion.

**i.H., im Hause,** Anschriftsvermerk auf einer für einen Angestellten einer Unternehmung bestimmten und an dessen Adresse gerichteten Sendung.

**IHK,** Abk. für →Industrie- und Handelskammer.

**IIWA,** Abk. für →Institut für Internationalen wissenschaftlichen Austausch e. V.

**IKG,** Abk. für →Interessengemeinschaft Konkursgeschädigter e. V.

**IKR,** Abk. für →Industriekontenrahmen.

**IKS,** Abk. für →Internes Kontrollsystem.

**i.L.,** Firmenzusatz für in Liquidation (→Abwicklung).

**Illiquidität.** 1.*Begriff:* Zustand, in dem die flüssigen Mittel und leicht liquidierbaren anderen Vermögensgegenstände *nicht* ausreichen, um die zwingend fälligen Verbindlichkeiten (hierzu gehört ggf. auch der Kapitaldienst langfristiger Verbindlichkeiten) zu erfüllen. – I. ist *nicht gleichbedeutend* mit

→Unterbilanz, →Verlust oder →Überschuldung (auch ein nicht überschuldetes Unternehmen kann illiquide werden). – *Gegensatz:* →Liquidität. – 2. *Arten:* a) *Zeitpunkt - I.:* I., auf einen Zeitpunkt bezogen; b) *Zeitraum - I.:* I., auf einen Zeitraum bezogen. – 3. *I. und Zahlungsunfähigkeit:* Läßt sich dieser Zustand nicht beheben, so ist →Zahlungsunfähigkeit gegeben (vgl. auch →Konkurs, →Vergleich). Der Eintritt der Zahlungsunfähigkeit läßt sich vermeiden, wenn es gelingt, die Einzahlungen und Auszahlungen zeitlich wieder aufeinander abzustimmen, z. B. durch Aufnahme eines kurzfristigen Kredits (in solchen Situationen gewöhnlich nur gegen Sicherheit). Beschleunigung des Geldeingangs mittels Intensivierung des Mahnwesens, Umwandlung kurzfristiger in langfristige Kredite, Zuführung weiterer Eigenmittel (vgl. auch →Finanzierung, →Sanierung). – 4. Für *Kreditinstitute* bestehen gesetzliche Vorschriften zur Vermeidung von I. (→Grundsätze über das Eigenkapital und die Liquidität der Kreditinstitute).

**Il Negoziante,** überarbeitetes Vermächtnis des Genueser Kaufmanns G. D. Peri für seine Söhne, 1638; behandelt auf 700 Seiten Rechnen, Latein, Buchführung, Korrespondenz, Kassenwesen, Geschäftsgründung, Verträge, Wechsel, Kauf und Verkauf; nicht beschränkt auf Darstellung der inneren Betriebsorganisation, sondern unter Einschluß weiterer Gebiete der Verkehrslehre.

**ILO, International Labour Organization,** *Internationale Arbeitsorganisation (IAO),* ins Leben gerufen durch Friedensvertrag von Versailles 1919, enge Verbindung zu Völkerbund. Tätigkeit auch während des Zweiten Weltkriegs. 1946 Abkommen zwischen der UN und der ILO, durch das die ILO den Status einer →Sonderorganisation der UN erhielt (Mustervertrag für die Schaffung der übrigen UN-Sonderorganisationen). – *Mitglieder:* 151 Staaten (nicht die USA). – *Mitgliedschaft Deutschlands:* Das Deutsche Reich war Mitglied 1919–35. Die Bundesrep. D. wurde 1951 in die ILO aufgenommen und erhielt einen ständigen Sitz im Verwaltungsrat. 1953 wurde in Bad Godesberg das Zweigamt Bonn des →Internationalen Arbeitsamtes eingerichtet. – *Hauptorgane:* 1. Internationale Arbeitskonferenz (Vollversammlung aller Mitgliedstaaten), jährlich einmal, u. a. zuständig für die Annahme der Übereinkommen (conventions), die den Regierungen unterbreitet und von diesen ratifiziert werden müssen. – 2. Verwaltungsrat (zusammengesetzt aus 56 Mitgliedern, von denen 28 die Regierungen, 14 die Arbeitgeber und 14 die Arbeitnehmer vertreten), tritt drei- bis viermal jährlich zusammen. 11 Sitze haben ständig die wirtschaftlich wichtigsten Mitgliedstaaten („states of chief industrial importance") inne, deren Auswahl dem Verwaltungsrat von einem Sachverständigenausschuß vorgeschlagen

wird. – 3. →Internationales Arbeitsamt in Genf, das die Funktion eines Sekretariats ausübt. – 4. Daneben regionale Konferenzen, ständige beratende korrespondierende Sonder-, Industrie- und gemischte Ausschüsse auf internationaler Basis. – *Ziele:* Generell Verbesserung der Arbeitsbedingungen im weltweiten Rahmen. Im einzelnen: Regelung der Arbeitszeit und des Arbeitsmarktes, Verhütung der Arbeitslosigkeit, Gewährleistung angemessener Löhne, Schutz der Kinder und Frauen, Verhütung von Berufskrankheiten und Betriebsunfällen, Ausbau der Sozialversicherung, Anerkennung des Rechts auf kollektive Regelung der Arbeitsbedingungen u. a., die Gesundheit, den Bildungsstand und die Berufsausbildung fördernde Maßnahmen. – *Aufgaben und Arbeitsergebnisse:* Wichtigstes Instrument der Aktivitäten der ILO ist die Aufstellung internationaler Konventionen und Empfehlungen und deren Annahme durch die Internationale Arbeitskonferenz. Durch die Ratifizierung dieser Konventionen in den Mitgliedstaaten werden internationale Mindeststandards für die Arbeitsbedingungen geschaffen, die für die ILO-Mitgliedstaaten bindend sind. Insgesamt sind bisher 159 Konventionen und 169 ergänzende Empfehlungen angenommen worden, die das gesamte Gebiet der Arbeits- und Sozialpolitik einschließlich der Einhaltung von Grundrechten des Arbeitslebens berühren. Die Gesamtheit dieser Instrumente bildet den Internationalen Kodex der Arbeit (International Labour Code), zu dem im Juli 1984 über 5100 nationale Ratifizierungen registriert wurden. Weitere wichtige Instrumente der ILO zur Förderung international einheitlichen Arbeits- und Lebensbedingungen sind das Weltbeschäftigungsprogramm (World Employment Programme), das durch eine umfassende langfristig angelegte Beschäftigungsstrategie entscheidende Impulse insbes. auf die nationalen Politiken der Entwicklungsländer in Afrika, Asien, Lateinamerika und der Karibik ausüben soll, ferner das ILO-Programm für technische Entwicklungshilfe, das eine Vielzahl von Berateraktivitäten wie Wahrnehmung von Managementfunktionen bei Anleitung zur Verbesserung der örtlichen Wohnungs- und Arbeitsbedingungen umfaßt und für das jährlich ca. 100 Mill. US-$ aufgewendet werden. Hervorzuhebende Aktivitäten sind außerdem die Tätigkeit des Internationalen Instituts für Arbeitsstudien der ILO sowie des Internationalen Zentrums für technische und berufliche Fortbildung. Voraussetzung für die Aktivitäten der ILO ist ein System international vergleichbarer Arbeitsstatistiken (Statistiken der Arbeitskräfte und Berufe sowie Berufskrankheiten, der Löhne, Arbeitszeit, Lebenshaltung und Sozialversicherung), für das die ILO internationale Standardempfehlungen erarbeitet hat. – *Finanzierung* durch Umlage auf die einzelnen Mitgliedstaaten.

–*Wichtige Veröffentlichungen:* International Labour Review (sechsmal jährlich); Official Bulletin (dreimal jährlich); Legislative Series (zweimal monatlich); Yearbook of Labour Statistics; Bulletin of Labour Statistics (vierteljährlich).

**Image.** →Einstellung. – *Firmen-I.*: Vgl. →Öffentlichkeitsarbeit, →Public Relations.

**Imageforschung,** →Einstellungsforschung.

**Imagekonzept,** →Einstellung I 2.

**Image placement,** →product placement.

**Imagetransfer,** Versuch, ein bestehendes positives →Image auf ein anderes Objekt zu übertragen. In der Markenartikelindustrie z. B. Nutzung des Images einer Marke für verschiedene Produkte, sog. →Produktfamilien; dadurch Imagewirkung einer Dachmarke.

**Imaginärer Gewinn,** →entgangener Gewinn.

**Im Auftrag (i. A.),** →Zeichnung, v. a. von Geschäftsbriefen, durch nicht dauernd vertretungsberechtigte Angestellte (Artbevollmächtigte).

**IMF, International Monetary Fund,** *Internationaler Währungsfonds (IWF).*

I. E n t s t e h u n g : Errichtet am 27. 12. 1945 auf der Grundlage des Übereinkommens über den IMF, das auf der Währungs- und Finanzkonferenz in Bretton Woods (Juli 1944, →Bretton-Woods-Abkommen) vorbereitet worden war. Der IMF begann seine Tätigkeit am 1. 3. 1947, nachdem im Dezember 1946 die Gold- und Dollarparitäten für die Währungen von 32 Mitgliedstaaten festgesetzt worden waren. Dem IMF gehören außer den Ostblockstaaten und der Schweiz fast alle Länder der Welt (1986: 149) an.

II. O r g a n e : 1. *Gouverneursrat* (Board of Governors): Oberste Behörde, in die jedes Mitglied einen Vertreter entsendet; tritt i. d. R. einmal jährlich zusammen und ist für grundlegende Fragen zuständig. – 2. *Direktorium* (Board of Executive Directors): Bestehend aus 22 Exekutivdirektoren (Ende 1985); fünf werden von den Mitgliedern mit den größten Quoten (darunter auch die Bundesrep. D.) ernannt, 16 werden aus der Gruppe der anderen Mitglieder gewählt, einer wird von Saudi Arabien aufgrund seiner hohen Finanzierungsleistungen gestellt. – 3. *Geschäftsführender Direktor:* Präsident des IMF und Vorsitzender des Gouverneursrats. – 4. Als *beratende Gremien* fungieren der →IMF-Interimausschuß sowie der gemeinsam von →IBRD und IMF eingesetzte Entwicklungsausschuß (Development Committee), der sich mit allen Fragen des Ressourcentransfers in die Entwicklungsländer befaßt.

III. Z i e l e : Erleichterung eines ausgeglichenen Wachstums des Welthandels. Zu diesem Zweck: Förderung der Zusammenarbeit auf dem Gebiet der internationalen Währungspolitik; Förderung der Aufrechterhaltung geordneter Währungsbeziehungen zwischen den Mitgliedsstaaten bzw. der Stabilität der Währung und Verhinderung von Währungsabwertungen aus Wettbewerbsgründen (→Beggarmy-neighbour-Politik); Einrichtung eines multilateralen Zahlungssystems für laufende Transaktionen zwischen den Mitgliedern und Beseitigung von Devisenverkehrsbeschränkungen; Unterstützung der Mitglieder bei der Behebung von Zahlungsbilanzungleichgewichten durch Bereitstellung von Fondsmitteln, so daß keine Restriktionen des Zahlungsverkehrs notwendig werden; ständige Informationen und Beratung der Mitglieder.

IV. K a p i t a l : Jedem IMF-Mitglied ist eine Quote zugewiesen, nach der sich sein Anteil am Fonds (Subskription), sein Stimmrecht, die Höhe seiner ständigen Bareinlage, seine Verpflichtung zur Kreditgewährung an andere Mitgliedsländer und die Begrenzung für seine Inanspruchnahme des Fonds (→Ziehungsrechte) bemessen. Mehrfache Quotenerhöhung (zuletzt 1983). Die Gesamtsumme der Quoten betrug (Ende 1985) 89,3 Mrd. →Sonderziehungsrechte (SZR). Die höchsten Quoten haben die USA (17,9 Mrd. SZR), Großbritannien (6,2), Bundesrep. D. (5,4), Frankreich (4,5), Japan (4,2), Industrieländer insgesamt 56,1 Mrd. SZR, Entwicklungsländer insgesamt 33,2 Mrd. SZR. Dementsprechend entfallen auf die Industrieländer 60,8% und auf die Entwicklungsländer 39,2% der Stimmrechte. – Im zweiten Halbjahr 1986 wurde mit der neunten allgemeinen Überprüfung der Quoten begonnen.

V. T ä t i g k e i t : 1. Der IMF gewährt *bei Zahlungsbilanzproblemen finanzielle Hilfen,* deren Umfang sich an der Quote des betreffenden Landes orientiert. Kreditgewährung erfolgt z. T. auflagenfrei, bei hohem Kreditbedarf nur unter wirtschafts- und währungspolitischen Auflagen (→Konditionalität). Für Zahlungsbilanzkredite stehen bzw. standen dem IMF verschiedene *Kreditfazilitäten* zur Verfügung: a) die regulären Ziehungsmöglichkeiten in den Kredittranchen (→Ziehungsrechte), Laufzeit 3–5 Jahre; b) die →erweiterte Fondsfazilität; c) seit 1984 die →Politik des erweiterten Zugangs als temporär geplante Maßnahmen zur Ergänzung der unter a) und b) genannten Fazilitäten; d) weitere zeitlich begrenzte Fazilitäten, wie (1) →Ölfazilität (1974–76) und (2) →Witteveen-Fazilität (1979–84); e) seit 1963 die →IMF-Kompensationszahlungen bei Exporterlösausfällen; f) →IMF-Finanzierungsfazilität für Rohstoffausgleichslager; g) →Konto für Sonderverwendungen. – 2. Nach dem ursprünglichen IMF-Abkommen war jedes Land verpflichtet, mit dem IMF eine *Goldparität* oder eine *Dollarparität* mit dem Feingoldgehalt vom 1.7.1944 zu vereinbaren und diese nur bei Vorliegen eines „fundamentalen Ungleichgewichts" der →Zahlungsbilanz nach Konsultation mit dem IMF zu verändern. Die Notenbanken hatten durch geeignete Interventionen dafür zu sorgen, daß die Wechselkurse nur innerhalb einer bestimmten Bandbreite (1% um die festgelegte Parität, seit Dezember 1971 2,25%, →Washingtoner Währungsabkommen) schwankten. – Seit der zweiten Änderung des IMF-Abkommens vom April 1978, die bereits 1976 beschlossen wurde, sind die Mitglieder des IMF in der Wahl ihres *Wechselkurssystems frei*, solange *drei Bedingungen* erfüllt sind: a) Kein Land darf Wechselkursmanipulationen zur Herbeiführung eines Wettbewerbsvorteils auf dem Weltmarkt vornehmen; b) die Mitglieder sind zu einer auf Stabilität gerichteten binnenwirtschaftlichen Finanz- und Wirtschaftspolitik als Voraussetzung für eine Dämpfung der Wechselkursschwankungen verpflichtet; c) die Wechselkurspolitik jedes Mitgliedslandes muß vom IMF permanent und intensiv überwacht werden können. – Die betreffende Änderung beinhaltet ferner: d) Abbau der Rolle des Goldes im internationalen Währungssystem; e) Ausweitung der Verwendungsmöglichkeiten der SZR mit dem Ziel ihrer Umwandlung zur Hauptreserve des internationalen Währungssystems; f) Ermächtigung des Gouverneursrats zur Einsetzung eines Rates auf Ministerebene als neues Organ des Fonds mit Entscheidungsvollmachten anstelle des →IMF-Interimausschusses; g) Verbesserung der organisatorischen und administrativen Struktur des IMF. – *Wichtige Veröffentlichungen:* Annual Report; International Financial Statistics (monatlich), Balance of Payments Yearbook; Finance and Development (deutschsprachige Ausgabe: „Finanzierung und Entwicklung", vierteljährlich); Government Finance Statistics Yearbook; IMF Survey (zweimal monatlich). – Vgl. auch →Bereitschaftskreditabkommen, →Allgemeine Kreditvereinbarungen.

**IMF-Interimausschuß,** 1974 auf Vorschlag des →Zwanziger-Ausschusses eingesetztes Komitee zwecks Beratung des Gouverneursrats des →IMF in Fragen der internationalen Währungsordnung. Die zwanzig Mitglieder des I.-I. sind Gouverneure; sie werden von den Ländern bzw. Ländergruppen bestellt, die einen Exekutivdirektor entsenden. – Der I.-I. kann in einen *Rat auf Ministerebene* umgewandelt werden, der dann nicht nur beratende Aufgaben, sondern Beschlußvollmacht hätte.

**IMF-Finanzierungsfazilität für Rohstoffausgleichslager,** 1969 eingeführte Fazilität des →IMF. Kredite daraus können an solche Rohstoffländer gewährt werden, die Einzahlungen bei internationalen Rohstoffausgleichslagern (→Bufferstock) zu leisten haben. Die Fazilität ist seit Anfang 1984 (Stand Mai 1986) auf 45% der Quote des betreffenden IMF-Mitglieds beschränkt und steht für Zinn-, Kakao-, Zucker- und Kautschuk-Vorratslager zur Verfügung.

**IMF-Kompensationszahlungen bei Exporterlösausfällen,** seit 1963 unter genau festgelegten Bedingungen gewährte Sonderkredite des →IMF, um sinkende Ausfuhrerlöse eines Landes zu kompensieren. Dieses zusätzliche Ziehungsrecht beläuft sich seit Anfang 1984 (Stand Mai 1986) auf 83% der Quote des betreffenden IMF-Mitglieds. Seit Mai 1981 können auch (insbes. an Entwicklungsländer mit niedrigem Volkseinkommen) Sonderkredite gewährt werden, wenn die Kosten für Getreideimporte vorübergehend über den mittelfristigen Trend hinaus ansteigen. Beide Kreditarten zusammen dürfen 105% der Quote nicht überschreiten. – Kredite z. T. nur unter der Bedingung, daß sich das Land flankierend um die Lösung seiner Zahlungsbilanzprobleme bemüht (→Konditionalität).

**Im Hause,** →i. H.

**Imitatio-Prinzip,** nicht systematisiertes Lernen in der →Berufsausbildung, das v. a. im Handwerk traditionell begründet und verbreitet ist. Charakteristisch ist z. B. das Stufungsmodell der TWI-Methode (training within industry): Vorbereitung – Vormachen – Nachmachen – Üben. Problematisch ist der rezeptive Charakter des I.-P., die fehlende theoretische Durchdringung und daraus resultierende die geringe Übertragungsmöglichkeit des Gelernten.

**Immaterialgüterrechte,** Persönlichkeitsrechte an unkörperlichen (immateriellen) Gütern, die ausschließlichen Charakter und gleichzeitig einen selbständigen Vermögenswert haben (z. B. Urheber- und Patentrechte). – *Gegensatz:* →Sachenrechte, →Forderungsrechte.

**Immaterielle Anlagewerte,** →immaterielle Wirtschaftsgüter des Anlagevermögens.

**Immaterielle Investition,** *Potentialinvestition,* →Investition in immaterielle Werte (→immaterielle Wirtschaftsgüter). – *Beispiele:* Ausbildungs-, Forschungs-, Organisations-, Werbeinvestition. – Vgl. auch →Finanzinvestition, →Realinvestition.

**Immaterielle Mitarbeiterbeteiligung,** Partizipation der Mitarbeiter an Entscheidungen, u. U. als Folge →materieller Mitarbeiterbeteiligung. I. M. kann sich grundsätzlich auf den Arbeitsplatz (→Arbeitsplatzmitbestimmung) oder die Unternehmensebene beziehen. In Großunternehmen geregelt durch →Mitbestimmungsgesetz, →Betriebsverfassungsgesetz 1952, →Montan-Mitbestimmungsgesetz, in mittelständischen Betrieben verschiedene

Modelle freiwillig vereinbarter i.M. Mitwirkungsmöglichkeiten der Mitarbeiter von Informations- und Kontrollrechten bis zu Mitsprache- und Mitbestimmungsrechten. Zumeist handelt es sich um eine Komponente der betrieblichen →Partnerschaft. Ausübung der i.M. in Partnerschaftsausschüssen, Beiräten oder ähnlichen Organen, denen bisweilen recht weitreichender Einfluß auf wichtige Unternehmensentscheidungen eingeräumt wird. – Vgl. auch →Mitbestimmung.

**immaterielle Vermögensgegenstände,** →immaterielle Wirtschaftsgüter.

**immaterielle Werte,** →immaterielle Wirtschaftsgüter.

**immaterielle Wirtschaftsgüter,** *immaterielle Vermögensgegenstände, immaterielle Werte.*

I. Begriff: Nichtstoffliche Vermögenswerte eines Unternehmens, wie a) Standort, Kundenkreis, Firmenname, Organisation, Leitung und Mitarbeiterstamm (→Firmenwert); b) Konzessionen; c) Kontingente; d) Erfindungen; e) verschiedene Rechte (Patente, Lizenzen, Warenzeichen- und Gebrauchsmusterrechte, Bezugs- und Belieferungsrechte, Urheberrechte, Verlagsrechte usw.); f) Ansprüche aus schwebenden Geschäften. – I. W. tragen wesentlich zur Bildung des Gesamtunternehmenswerts (→Unternehmensbewertung) bei.

II. Handelsbilanz: Als i. W. sind in der Bilanz von Kapitalgesellschaften vor den Sachanlagen und den Finanzanlagen auszuweisen Konzessionen, gewerbliche Schutzrechte sowie Lizenzen an diesen und ähnlichen Rechten und Werten, der erworbene (derivative) Geschäfts- oder →Firmenwert sowie auf diese Vermögensgegenstände geleistete Anzahlungen. Für alle angeschafften i. W. gilt ein Aktivierungsgebot, lediglich für den Firmenwert ein Aktivierungswahlrecht. Ein aktivierter Firmenwert kann in den folgenden vier Geschäftsjahren oder planmäßig auf die voraussichtliche Nutzungsdauer verteilt abgeschrieben werden (§ 255 IV HGB). – *Selbst hergestellte immaterielle Gegenstände des Anlagevermögens,* also insbes. auch der originäre Firmenwert, dürfen nicht aktiviert werden. – *Immaterielle Gegenstände des Umlaufvermögens* sind stets aktivierungspflichtig.

III. Steuerbilanz: 1. I. W. des →*Anlagevermögens* müssen aktiviert werden, wenn sie entgeltlich erworben wurden (§ 5 II EStG); selbstgeschaffene i. W. dürfen nicht aktiviert werden, es sei denn, es handelt sich um Gegenstände des →Umlaufvermögens. – 2. Für i. W. des →*Umlaufvermögens* (z. B. Software bei Herstellern von EDV-Anlagen) besteht Aktivierungspflicht. – 3. *Bewertung:* Abnutzbare i. W. (z. B. →Firmenwert, befristetes Lizenzrecht) sind mit den →Anschaffungskosten, vermindert um →Absetzungen

für Abnutzungen, anzusetzen. I. W., die nicht der Abnutzung unterliegen, können nicht abgeschrieben werden (außer den Nachweis eines niedrigeren →Teilwerts). Sie sind mit den Anschaffungskosten anzusetzen (z. B. Verlagsrecht, Verkehrskonzession).

IV. Bewertungsgesetz: 1. *Grundsätze:* I. W. sind bei der Ermittlung des →*Betriebsvermögens* (§ 95 BewG) anzusetzen, wenn sie nach der Verkehrsauffassung selbständig bewertbare Wirtschaftsgüter sind. Das setzt voraus das Bestehen eines abgrenzbaren Wertes, eine gewisse wirtschaftliche Bedeutung und die Verkehrsfähigkeit des Wirtschaftsgutes. Einem Ansatz nach dem BewG unterliegen i. a. die bewertungsfähigen Wirtschaftsgüter, gleichgültig, ob sie originär entstanden oder derivativ erworben sowie ob sie in der Ertragsteuerbilanz ausgewiesen sind oder nicht. (Ausnahme: Ansatz nur des derivativ erworbenen →Firmenwertes.) – 2. *Ermittlung des Betriebsvermögens:* I. W. sind mit dem Teilwert am Bewertungsstichtag zu erfassen (§§ 109 I, 10 BewG). Dieser kann über oder unter den Wertansätzen in der Ertragsteuerbilanz liegen oder sich mit diesen Ansätzen decken, wenn sie bereits dem Teilwert entsprechen. – Die *praktische Durchführung* der Teilwertermittlung ist meist schwierig; sie läuft meist auf eine Schätzung hinaus. Als Anhaltspunkte können u. a. dienen: Kaufpreis, Ertragswert, wiederkehrende Zahlungen, Aufwendungen aus Erwerb oder zur Herstellung, Wertansätze nach den Verwaltungsrichtlinien für bestimmte i. W. – Für den *derivativ erworbenen Firmenwert* gilt ausschließlich der Wert der Ertragsteuerbilanz (§ 109 IV BewG). – 3. *Ermittlung des →sonstigen Vermögens:* I. W. sind mit dem →gemeinen Wert zu erfassen (§ 110 I Nr. 5 und § 9 BewG). – *Ausnahmen* für Erfinder und Urheber bezüglich a) eigener Erfindungen, b) der Ansprüche auf Vergütungen für eigene Diensterfindungen und c) eigener →Urheberrechte sowie Originale (nicht: Vervielfältigungsstücke) urheberrechtlich geschützter Werke: Diese Wirtschaftsgüter gehören weder zum sonstigen Vermögen eines unbeschränkt steuerpflichtigen Erfinders oder Urhebers noch zum sonstigen Vermögen seines unbeschränkt steuerpflichtigen Ehegatten oder seiner unbeschränkt steuerpflichtigen Kinder, wenn die Wirtschaftsgüter im Falle des Todes des Erfinders oder Urhebers auf diese übergegangen sind.

**immiserizing growth,** →Verelendungswachstum.

**Immission 1.** *Allgemein:* Durch →Emission in bestimmte →Umweltmedien eindringender bzw. dort in bestimmten Konzentrationen vorhandener →Schadstoff (oder -energie). I. resultieren aus Emissionen; sie können nur durch Maßnahmen gegen Emissionsquellen bekämpft werden. – 2. Nach *BImSchG* auf Menschen sowie

Tiere, Pflanzen, andere Sachen einwirkende Luftverunreinigungen, Geräusche, Erschütterungen, Licht, Wärme, Strahlen und ähnliche Umwelteinwirkungen.

**Immissionsschutz,** Schutz der Menschen (geplant ist Einführung eines Grundrechtes auf eine gesunde Umwelt), Tiere, Pflanzen u.a. Sachen vor schädlichen Umwelteinwirkungen; bei genehmigungsbedürftigen Anlagen Schutz vor Gefahren, erheblichen Nachteilen und Belästigungen, die auf andere Weise herbeigeführt werden; Vorbeuge vor dem Entstehen schädlicher Umwelteinwirkungen. Vgl. auch →Immission. – 1. *Rechtsgrundlage:* Gesetz zum Schutz vor schädlichen Umwelteinwirkungen durch Luftverunreinigungen, Geräusche, Erschütterungen und ähnliche Vorgänge *(Bundes-Immissionsschutzgesetz – BImSchG)* vom 15.3.1974 (BGBl I 721) mit späteren Änderungen. Gilt für die Errichtung und den Betrieb von Anlagen, das Herstellen, Inverkehrbringen und Einführen von Anlagen, Brennstoffen, Treibstoffen und bestimmten anderen Stoffen und Erzeugnissen, für die Beschaffenheit, die Ausrüstung, den Betrieb und die Prüfung von Kraftfahrzeugen nebst Anhängern und von Schienen-, Luft- und Wasserfahrzeugen und schließlich für den Bau öffentlicher Straßen, Eisen- und Straßenbahnen. – 2. *Inhalt des I.:* a) *Genehmigungspflicht* für Errichtung und Betrieb von Anlagen zu gewerblichen Zwecken und im Rahmen wirtschaftlicher Unternehmungen, die aufgrund ihrer Beschaffenheit oder ihres Betriebs in besonderem Maße geeignet sind, schädliche Umwelteinwirkungen hervorzurufen oder in anderer Weise die Allgemeinheit oder die Nachbarschaft zu gefährden, erheblich zu benachteiligen oder erheblich zu belästigen. Andere Anlagen sind genehmigungspflichtig, wenn sie in besonderem Maße geeignet sind, schädliche Umwelteinwirkungen durch Luftverunreinigungen, Geräusche oder Erschütterungen hervorzurufen. – b) Für *nicht genehmigungsbedürftige Anlagen* (z.B. Kraftfahrzeuge und Wohnhäuser) besteht die Pflicht, schädliche Umwelteinwirkungen auf ein Mindestmaß zu beschränken und entstehende Abfälle ordnungsgemäß zu beseitigen. – c) Durch *Rechtsverordnung* kann vorgeschrieben werden, daß Maschinen, Geräte, Brenn- und Treibstoffe nur vertrieben und eingeführt werden dürfen, wenn sie bestimmten Anforderungen zum Schutz vor schädlichen Umwelteinwirkungen durch Luftverunreinigungen, Geräusche oder Erschütterungen genügen. – d) Für Ballungsgebiete ist ein allgemeines Luftüberwachungssystem und eine intensive Luftkontrolle vorgesehen. Hier sollen sämtliche Luftverschmutzungsquellen (Industrie, Kraftfahrzeuge, Haushaltsfeuerungen) in einem →*Emmissionskataster* erfaßt werden. – e) Bei allen *Planungsmaßnahmen* (Bauleitplanung, Landesplanung, Fachplanung) ist nach umweltfreundlichen Gesichts-

punkten zu verfahren. – 3. *Zuwiderhandlungen:* a) Bei schwerwiegenden Verstößen, z.B. wenn das Leben oder die Gesundheit eines anderen oder fremde Sachen von bedeutendem Wert gefährdet werden, liegt eine *Straftat* vor, die mit Freiheitsstrafe bis zu fünf Jahren oder mit Geldstrafe belegt wird (§§ 325, 329 StGB, →Umweltkriminalität). b) Bei leichten Verstößen, so u.a. gegen behördliche Anordnungen, kann wegen einer *Ordnungswidrigkeit* eine Geldbuße bis zu 100000 DM verhängt werden.

**Immissionsschutzbeauftragter,** bei bestimmten genehmigungsbedürftigen Anlagen zu bestellender Betriebsbeauftragter für →Immissionsschutz. – *Gesetzliche Regelung:* VO über I. vom 14.8. 1975 (BGBl I 504) und VO über die Fachkunde und Zuverlässigkeit des I. vom 12.4.1975 (BGBl I 957).

**Immobiliarklausel** *Grundstücksklausel,* erweitert, der →Prokura besonders beigefügt, die Vertretungsmacht des Prokuristen auch auf Verkauf, Übereignung und Belastung von Grundstücken (§49 II HGB). Die Befugnis, Miet- und Pachtverträge abzuschließen, steht dem Prokuristen i.a. schon ohne I. zu. Die I. kann auf Anmeldung im Handelsregister eingetragen werden.

**Immobiliarversicherung,** →Gebäudeversicherung.

**Immobiliarvollstreckung,** →Zwangsvollstreckung in das unbewegliche Vermögen (Immobilien).

**Immobilien,** →Grundstücke und deren Bestandteile (→Grundstücksbestandteile).

**Immobilienfonds,** *Grundstücksfonds.* 1. *Begriff:* Anlagegesellschaften, bei denen die Kapitalanlage im wesentlichen aus Grundstücken und Gebäuden besteht. Die I. geben Immobilienzertifikate (ähnlich wie Investmentzertifikate; →Anteilscheine) aus, die einen bestimmten Anteil am Fondsvermögen repräsentieren. – 2. *Tätigkeit* der I.: Erwerb von Grundstücken und/oder grundstücksgleichen Rechten, Bebauung mit Wohn- und/oder gewerblichen Gebäuden, Vermietung der Liegenschaften. Finanzierung durch Eigenkapital in der Form der I.-Zertifikate und durch Fremdkapital in Form von Hypotheken usw. – 3. Bei den in der Bundesrep. D. arbeitenden I. unterscheidet man grundsätzlich zwei *Arten:* a) *Offener Fonds (open end fonds):* Höhe der auszugebenden Anteile ist nicht begrenzt. Sie sind dem Gesetz über Kapitalanlagegesellschaften unterstellt und haben besondere Vorschriften hinsichtlich der Anlagepolitik zu beachten. Sie unterliegen den für Kreditinstitute geltenden strengen gesetzlichen Vorschriften. Der Fonds selbst, nach der gesetzlichen Definition ein „Grundstückssondervermögen", wird von der Kapitalanlagegesellschaft verwaltet. Die Mieteinnahmen und andere Erträge werden nach Abzug der Zins- und Tilgungsleistungen der Verwaltungs-, Instandhaltungs-, Bewirtschaftungskosten usw. sowie der →Absetzungen für Abnutzung an die Zertifikatinhaber ausgeschüttet, sofern sie nicht in weitere Liegenschaften investiert werden. Durch die Reinvestition findet eine ständige Wertsteigerung der einzelnen Anteile statt. Die Anteile von offenen Fonds sind übertragbar; darüber hinaus besteht eine Rücknahmeverpflihtung seitens der Anlagegesellschaft. Die Rücknahmepresie werden täglich veröffentlicht. − b) *Geschlossener Fond (closed end fonds):* Das Zertifikatkapital wird zur Zeichnung durch Anleger einmalig aufgelegt. Die zu finanzierenden Liegenschaften stehen von vornherein fest; sie können aus einem oder − aus Gründen der Risikostreuung − mehreren Objekten bestehen. Dabei wird zwischen zwei Typen unterschieden: (1) *Bruchteils-Eigentumsfonds* und (2) *Kommanditgesellschaften.* Hauptunterschied beider Fondstypen liegt in der gesellschaftsrechtlichen Lösung. Während beim Bruchteils-Eigentumsfonds der Anleger grundbuchrechtlich abgesichert werden kann, mit der Folge der Grunderwerbsteuer für jeden Zweiterwerb, erwirbt der Zeichner bei Kommanditgesellschaften einen Teil des üblicherweise von einem Kreditinstitut treuhänderisch gehaltenen Kommanditanteils. Grunderwerbsteuer wird somit bei Zweiterwerb nicht fällig. − 4. *Steuerliche Behandlung beim Zertifikatinhaber:* Bei einer Beteiligung an einem *offenen I.* erzielt der Zertifikatsinhaber →Einkünfte aus Kapitalvermögen. Bei *geschlossenen I.* beziehen die Anleger i.d.R. →Einkünfte aus Vermietung und Verpachtung, sofern nicht bei einer →Kommanditgesellschaft deren Tätigkeit einen →Gewerbebetrieb darstellt.

**Immobilienmakler,** *Grundstücksmakler, Hypothekenmakler,* rechtlich nicht →Handelsmakler, sondern →Zivilmakler, da Grundstücke nicht Gegenstände des Handelsverkehrs i.S. des §93 HGB sind. Die gewerbsmäßige Vermittlung oder der Nachweis einer Gelegenheit zum Abschluß von Verträgen über Grundstücke, grundstücksgleiche Rechte, gewerbliche Räume, Wohnräume, Darlehen und zum Erwerb von Anteilscheinen einer Kapitalanlagegesellschaft bedarf der *Erlaubnis,* die bei Unzuverlässigkeit oder bei ungeordneten Vermögensverhältnissen des Vermittlers zu versagen ist (§34c GewO). − Zum *Schutz der Immobilienkäufe* enthält die Makler und Bauträger VO vom 11.6.1975 (BGBl I 1351) besondere Vorschriften über Sicherheitsleistungen, Buchführungs-, Auskunft- und Informationspflichten.

**Immobilienpolicen,** →Lebensversicherung II 7a).

**Immobilienverkehr,** →Grundstücksverkehr.

**Immobilienversicherung,** →Gebäudeversicherung.

**Immunisierungsstrategie,** →Modellplatonismus.

**Immunität.** 1. *Allgemein:* Befreiung der völkerrechtlichen Vertreter eines Staates (z.B. Botschafter) von der Gerichtsbarkeit des Empfangsstaates. − 2. *Parlamentarische I.:* Schutz der Abgeordneten des Bundestags oder anderer Parlamente vor Strafverfolgungsmaßnahmen und Verhaftungen bis zum Beschluß des Parlaments über die Aufhebung der I. (Art. 46 GG).

**IMO, International Maritime Organization,** *Internationale Organisation für Seeschiffahrtsfragen, Internationale Seeschiffahrtsorganisation* (früher: International Martime Consultative Organization, IMCO). Die 1948 auf der Schiffahrtskonferenz der UN in Genf von 35 Staaten unterzeichnete Konvention trat am 4.4.1958 in Kraft, nachdem Voraussetzungen (Beitritt von 21 Staaten, darunter 7 mit Schiffsraum von mindestens 1 Mill. BRT) erfüllt waren. Sitz in London. − *Mitglieder:* 121 Staaten. − *Organe:* Versammlung, Rat aus 32 Mitgliedsländern, Seeschiffahrts-Sicherheits-Komitee, Komitee für den Schutz des Meeres, Sekretariat. − *Ziele:* Förderung der Zusammenarbeit der Regierungen bei der Lösung technischer Probleme der Seeschiffahrt, höchstmögliche Sicherheitstandards in der Schiffahrt, Abbau restriktiver und diskriminierender Praktiken in der Handelsschiffahrt und Schutz des Meeres vor Verschmutzung durch Schiffe, Niederlegung verbindlicher Vorschriften in internationalen Seeschiffahrtskonventionen, die von den Mitgliedstaaten zu ratifizieren sind. − *Aufgaben und Ergebnisse:* Bis 1984: 19 internationale Konventionen und Richtlinien, z.B. Internationale Konvention für die Sicherheit menschlichen Lebens auf See 1948, 1960, 1974 (International Convention for the Safety of Human Life at Sea); Internationale Konvention zur Verhinderung von Schiffskollisionen auf See 1948, 1960, 1972 (Convention on International Regulations Preventing Collisions at Sea); Internationale Konvention zur Verhinderung von Meeresverschmutzung durch Schiffe 1973 (International Convention on the Prevention of Pollution from ships); Studie zur Sicherheit von Roll-off/Roll-on-Fährschiffen 1980 (Abraten von Fährschiffen des gleichen Typs wie die 1987 verunglückte ,,Enterprise‟/Zeebrugge). − *Wichtige Publikationen:* IMO News (vierteljährlich); Bulletin; International Conventions and Technical Publications; Annual Report.

**Impact-Drucker,** *anschlagender Drucker,* →Drucker, bei dem die Zeichendarstellung auf Papier durch Typenanschlag erzeugt wird. − *Gegensatz:* →Non-Impact-Drucker.

**Impact-Test,** Verfahren des →Recall-Tests zur Messung der Erinnerungswirkung von Werbung. – *Ablauf:* Mindestens 200 durch Stichprobe ausgewählten Personen wird eine Zeitschrift zum Lesen vorgelegt. Später sind aus auf Kärtchen vorgegebenen realen und fiktiven Markennamen die erinnerten auszuwählen. Eine anschließende Befragung klärt Grad der Erinnerung und hinterlassenen Eindruck. – *Ergebnis:* Prozentsatz der Erinnerung je Anzeige, Grad der Einprägung und Art der Reaktion (positiv, negativ) u. a. – *Einsatz* als →Pretest und →Posttest.

**Imparitätsprinzip,** ein handelsrechtlicher Bewertungsgrundsatz. Während nach dem →Realisationsprinzip (das dem allgemeineren Prinzip der Bilanzvorsicht entspringt) nur realisierte *Gewinne und Verluste* ausgewiesen werden dürfen, schränkt das Prinzip der Imparität, d. h. der ungleichen Behandlung, diesen Grundsatz ein, indem es verlagt, daß nichtrealisierte (aber bereits erkennbare) Verluste ausgewiesen werden müssen, noch nicht realisierbare Gewinne hingegen bilanziell nicht berücksichtigt werden dürfen: *Beispiel:* Die Abwertungsgebote gemäß →Niederstwertprinzip.

**imperative Programmiersprache,** →Programmiersprache II 1.

**Imperialismus.** 1. Nach der *Imperialismustheorie des →Marxismus* teilen die nationalen Großunternehmen in der Phase des →Monopolkapitalismus die weniger entwickelten Länder mit militärischer Gewalt als Kolonien unter sich auf, um den Untergang des →Kapitalismus zeitweilig aufzuhalten. Durch zusätzliche Nachfrage in den Kolonien könnten die Unterkonsumtionskrisen (→Krisentheorie) verhindert werden, durch →Ausbeutung der dortigen Arbeiter und billige Rohstoffimporte könne daneben der →tendenzielle Fall der Profitrate abgewendet werden (R. Luxemburg). – 2. Nach der *Imperialismustheorie von Lenin* (→Marxismus-Leninismus) bewirkt der Kapitalexport in die Kolonien, daß für das in den kapitalistischen Staaten verbleibende Kapital die →Profitrate entgegen der Tendenz nicht falle, da so die negativen Auswirkungen der →Akkumulation neutralisiert würden. Ausbeutung und →Verelendung träfen nun nicht die Arbeiter in den kapitalistischen Staaten, sondern diejenigen in den Kolonien, woraus Lenin schließt, daß die nächsten sozialistischen Revolutionen dort und nicht in den hochentwickelten Industriestaaten ausbrechen müßten. Die in den Kolonien erzielten Gewinne könnten von den Monopolen zur Bestechung der Arbeiterführer und damit ebenfalls zur Systemstabilisierung verwendet werden. Nachdem jedoch alle Länder zwischen den Monopolen aufgeteilt wären, wirkten diese Mechanismen nicht mehr und das Ende des Kapitalismus ließe sich nicht mehr aufhalten. – 3. *Modifizierung der Imperialismustheorie* durch Einführung einer weiteren *neoimperialistischen Entwicklungsphase,* da sich die Leninsche Vorhersage auch nach Beendigung der Kolonialära nicht erfüllte: Zwar seien die ehemaligen Kolonien nur formell unabhängig, der Einfluß der Monopole sei jedoch durch ihr dortiges wirtschaftliches Engagement weiterhin dominierend, die Zwänge der internationalen Arbeitsteilung hielte die weniger entwickelten Staaten in einem Zustand permanenter Abhängigkeit. – 4. *Bedeutung/Beurteilung: a) Marxsche bzw. Leninsche Imperialismustheorie:* Bei der I.theorie handelt es sich um eine Ad-hoc-Hypothese, mit deren nachträglichen Einfügen in das Entwicklungsschema des →historischen Materialismus die Marxsche Vorhersage vor der Widerlegung durch die geschichtliche Realität immunisiert werden soll (vgl. auch →Monopolkapitalismus, →Staatsmonopolkapitalismus, →Spätkapitalismus). Die Zusammenbruchsvorhersage der Leninschen I.theorie ist an ihrer Nichterfüllung gescheitert. Nicht alle hochindustrialisierten →privatwirtschaftlichen Marktwirtschaften haben eine koloniale Vergangenheit, die oft politisch-nationalistische Ursachen gehabt hat. „Vorkapitalistische" Kolonialisationen sind durch diesen Ansatz nicht erklärbar. – b) Die *Theorie des Neoimperialismus* läßt unberücksichtigt, daß die internationale Wettbewerbsfähigkeit und damit auch wirtschaftliche Selbständigkeit der ehemaligen Kolonien von den dort vorhandenen Ressourcen und deren internationalen Knappheiten sowie insbes. von der Effektivität der nationalen →Wirtschaftsordnung abhängt. Von einer naturgesetzlichen Unterordnung dieser Staaten unter den Willen supranationaler Großunternehmen kann daher nicht gesprochen werden.

**Impfschaden,** über das übliche Ausmaß einer Impfreaktion hinausgehender Gesundheitsschaden. I. liegt auch vor, wenn mit lebenden Erregern geimpft wurde und ein anderer als die geimpfte Person durch diese Erreger einen Gesundheitsschaden erleidet. – Zur Anerkennung des Gesundheitsschadens als Folge genügt die Wahrscheinlichkeit des ursächlichen Zusammenhangs. – Wer durch eine gesetzlich vorgeschriebene oder aufgrund eines Gesetzes angeordnete oder von einer zuständigen Behörde öffentlich empfohlene und in ihrem Bereich vorgenommene Impfung einen Schaden erleidet, erhält auf Antrag wegen der gesundheitlichen und wirtschaftlichen Folgen des I. *Versorgung* nach den Vorschriften des BVG (§ 51 Bundesseuchengesetz – BSeuchG – i. d. F. der Bekanntmachung v. 18. 12. 1979 – BGBl I 2262). – *Zuständig* für die Durchführung der Versorgung nach dem

BSeuchG sind die Versorgungsämter. – Nach Art. II § 1 Nr. 11 SGB 1 gilt § 51 BSeuchG als besonderer Teil des Sozialgesetzbuches bis zur Einordnung in das Sozialgesetzbuch.

**Implementationsbeschreibung,** Teil der →Dokumentation eine →Softwaresystems, in der die →Systemarchitektur, die einzelnen →Module sowie die Programmlogik (→Programm) und die →Datenstrukturen mit Erläuterungen beschrieben sind. Zielgruppe: v. a. →Wartungsprogrammierer und →Systemanalytiker. – Vgl. auch →Implementierung.

**Implementierung,** im Software Engineering: 1. *Phase im →software life cycle,* in der die in der →Entwurfsphase spezifizierten →Module eines Softwaresystems als →Programme realisiert werden (→Programmentwicklung); für die I. bzw. →Codierung wird eine →*Programmiersprache* benutzt. – 2. *Vorgang der Umsetzung einer →Spezifikation in ein Programm.* –3. *Ergebnis der Umsetzung,* d. h. das Programm (Sprechweisen: Programm ist eine I. der Spezifikation; Programm implementiert eine Spezifikation). – 4. *Realisierung der in der →Schnittstelle eines Moduls definierten Leistungen* innerhalb des Moduls (→information hiding) (Sprechweise: I. der Schnittstelle; bei einem →funktionsorientierten Modul auch: Modul implementiert einen →Algorithmus).

**Import,** →Einfuhr.

**Importbeschränkung,**          →Einfuhrbeschränkung.

**Importeur,** →Einfuhrhändler.

**Import-Factoring,** →Factoring IV 2.

**Importfinanzierung,** →Einfuhrfinanzierung.

**Importgarantie,** →Garantie II b).

**Importhandel,** →Einfuhrhandel.

**Importierte Inflation,** Übertragung von →Inflation (vgl. dort IV 3) im Ausland auf das Inland. – 1. Gefahr der i. I. vor allem bei →*festen Wechselkursen.* Argumentation: a) Die bei einer höheren Inflation im Ausland normalerweise auftretende Aktivierung der →Leistungsbilanz (normale Reaktion der Leistungsbilanz) bewirke eine Inflationsübertragung über (1) den Einkommenseffekt (→Einkommenstheorie des Inflationsimports) und (2) den Geldmengen- bzw. Liquiditätseffekt (→Liquiditätstheorie des Inflationsimports). b) Höhere Inflation im Ausland bei international eng verbundenen Märkten ergebe eine Preisniveauanpassung nicht zuletzt durch Güterarbitrage (→direkter internationaler Preiszusammenhang). – 2. Gefahr der i. I. bei →*flexiblen Wechselkursen* wesentlich geringer: a) Führt die Inflation im Ausland zu einem Exportüberschuß des Inlands (normale Reaktion der Leistungsbilanz), so dürfte über

den →Wechselkursmechanismus eine Gegenbewegung induziert werden, die auf einen Leistungsbilanzausgleich hinwirkt; Einkommens- und Liquiditätseffekte treten mithin nicht auf bzw. werden wesentlich abgeschwächt. Gleichzeitig wirkt die Wechselkursänderung (→Aufwertung der Inlandswährung) auf eine Kompensation der Preiserhöhung der Außenwirtschaftsgüter hin. – b) Inflationsimport ist jedoch auch bei flexiblen Wechselkursen möglich: Reagiert z. B. die Leistungsbilanz des Inlands anomal, d. h. verschlechtert sie sich bei höherer Inflation im Ausland, wird eine Abwertung der einheimischen Währung induziert, so daß sich die Effekte der Auslandspreiserhöhung im Sinn des direkten internationalen Preiszusammenhangs verstärken. Außerdem ist zu beachten, daß bei flexiblen Wechselkursen zwar Geldmengen- bzw. Liquiditätseffekte nicht zur Geltung kommen, da die →Zahlungsbilanz stets ausgeglichen ist; aber der durch Stabilitätsvorsprung induzierte Leistungsbilanzüberschuß könnte trotzdem durch entsprechende Kapitalexporte (z. B. als Folge der Zinssteigerung im Ausland) bestehen bleiben. In diesem Fall kann sich ein gewisser Inflationsimport über den Einkommenseffekt vollziehen.

**Importkalkulation,** →Kalkulation im Außenhandel 2.

**Importkartell,** →Kartell, bei dem eine Einkaufsgemeinschaft zum Import von ausländischen Gütern gebildet wird. Nach § 7 GWB Erlaubniskartell ohne Anspruch auf Erlaubnis (→Kartellgesetz VII 3 c)). – *Gegensatz:* →Exportkartell.

**Importlizenz,** →Einfuhrlizenz.

**Importmultiplikator,** Meßzahl, die (in Analogie zum →Exportmultiplikator) die Änderung des Volkseinkommens ausdrückt, die sich bei einer nicht auf Veränderung der Gesamtnachfrage zurückzuführenden Importänderung um eine Geldeinheit ergibt. Kommt z. B. eine Importsteigerung aufgrund einer Wechselkursverschiebung zustande, nimmt das Volkseinkommen entsprechend dem I. um das mehrfache der ursprünglichen Importsteigerung ab, soweit eine Anpassung durch Veränderung der Güter- und Faktorpreise nicht erfolgt *(negativer I.).* Das umgekehrte gilt bei Substitution von Importen durch Inlandsproduktion, wobei nicht ausgelastete Produktionskapazitäten unterstellt werden *(positiver I.).* –Vgl. auch →Multiplikator.

**Importpreisprüfung,** →Preisprüfung.

**Importquote,** Anteil der Ausgaben für Importe am →Volkseinkommen; vgl. auch →marginale Importquote. – *Gegensatz:* →Exportquote.

**Importrestriktion,** →Einfuhrbeschränkung.

**Importschutzversicherung,** beim Kauf auf Basis →cif oder →cip Verpflichtung des Verkäufers, auf eigene Kosten eine übertragbare Seeversicherungspolice bei zuverlässigen Versicherungen abzuschließen, in Höhe des cif- bzw. cip-Preises zuzüglich 10%. Deckungsumfang muß bei cif mindestens der bisher gültigen englischen Deckungsform →F. P. A. entsprechen; soll bei cip zwischen Verkäufer und Käufer detailliert abgesprochen werden. Entspricht der vom Verkäufer besorgte Versicherungsschutz nicht den Bedürfnissen des Käufers, kann dieser zusätzlich eine I. abschließen, die im Schadenfall so eintritt, als bestünde die vom Verkäufer besorgte Versicherung nicht. Eine eventuell vom cif- bzw. cip-Versicherer erbrachte Leistung fällt an den Importschutzversicherer. – Vgl. auch →Exportschutzversicherung, →Transportversicherung.

**Importsubstitution.** 1. *Begriff:* I. liegt (nach Chenery) vor, wenn der Importanteil am inländischen Gesamtangebot sinkt. Im Fall einer wachsenden Wirtschaft kann I. also auch bei absolut zunehmenden Importen als gegeben angesehen werden. Zu unterscheiden: a) *Natürliche I.:* Das Ergebnis des Strukturwandels unter Freihandelsbedingungen, verursacht durch internationale Verschiebungen der Angebots- und Nachfragebedingungen. b) *Wirtschaftspolitisch induzierte I.* (I.-Strategie): i. d. R. (wie auch im folgenden) mit dem Begriff gemeint; besonders für →Entwicklungsländer diskutiert. – 2. *Charakterisitik:* a) *Ziele* v. a.: (1) Förderung von Wirtschaftszweigen, die möglichst nachhaltige Entwicklungseffekte bzw. positive Effekte entfalten, insbes. des industriellen Sektors; (2) jungen Industrien, die zwar kurzfristig der ausländischen Konkurrenz unterlegen sind, jedoch längerfristig international wettbewerbsfähig zu werden versprechen, Entwicklungschancen zu gewähren; (3) Entlastung der →Zahlungsbilanz; (4) (gelegentlich erhoffte) Sozialprodukt- und Wachstumswirkungen durch positive Multiplikator- und Akzeleratorwirkungen. – b) *Maßnahmen:* (1) Einfuhrrestriktionen, wie →Zölle, →Kontingente und →Devisenbewirtschaftung; (2) allgemeine Maßnahmen der Produktions- und Investitionsförderung, wie Subventionen und steuerliche Vergünstigungen. – 3. *Ergebnisse:* a) Entwicklungsländer, die auf I. mittels einer interventionistischen Politik setzen, verzeichnen in der ersten Phase i. d. R. *Wohlfahrtseinbußen,* da sie auf einen Teil der →Handelsgewinne verzichten. Längerfristig sind *positive Wirkungen* möglich, wenn die geförderten Industrien tatsächlich ausgeprägte positive externe Effekte entfalten bzw. die erhoffte Wettbewerbsreife erlangen (→Protektionismus). – b) Die *bisherigen Erfahrungen* sind in vielen Fällen negativ, da u. a. folgende *Politikfehler* gemacht wurden: (1) Die Verbesserung

der Angebotsbedingungen (Sach-, Humankapital- und Infrastrukturausstattung u. a.) als wichtige Ergänzung zu den Maßnahmen der I. wird oft vernachlässigt. (2) Positive Wirkungen der Schutz- bzw. Förderungsmaßnahmen für die betreffenden Wirtschaftszweige werden oft konterkariert, indem z. B. benötigte Inputs und Investitionsgüter durch Einfuhrrestriktionen verteuert werden oder die internationale Wettbewerbsfähigkeit durch Inflation und Überbewertung der eigenen Währung beeinträchtigt wird. (3) Im Rahmen der I.-Politik werden vielfach Investitionen induziert, die nur bei anhaltendem Schutz bzw. dauerhafter Förderung überleben können und daher ständige gesamtwirtschaftliche Verluste bedingen.

**Importüberschuß,** →Einfuhrüberschuß.

**Importverbot,** →Einfuhrverbot.

**Importvordepot,** von devisenschwachen Ländern angewandtes Instrument. Die (erwünschten) Importgüter werden in einer „Freiliste" ausgewiesen. Vor Ausfuhr aus dem Stammbzw. Exportland muß der Importeur (Zielland) die Einfuhr anmelden. Er erhält für die Dauer eines bestimmten Zeitraumes ein „registro". Während dieser Frist muß dann auch die Lieferung erfolgen. Bei der Registro-Erteilung muß vom Importeur ein I. in Landeswährung gestellt werden, dessen Höhe den Gegenwert des Importvolumens darstellen kann. Die zinslos zu hinterlegende Summe kann aber auch – je nach Zielsetzung der Landesbehörden – höher oder niedriger sein. Gleichzeitig erhält der Importeur die Genehmigung zum Devisenerwerb in Höhe der registrierten Einfuhr. Durch den gezielten Einsatz von I. können Warenströme qualitativ und quantitativ – und somit auch Exportmöglichkeiten in diese Länder – beeinflußt werden.

**Importwarenabschlag,** →Bewertungsabschlag.

**Importzertifikat,** →internationale Einfuhrbescheinigung.

**impôt unique** (= einzige Steuer). 1. *Charakterisierung:* Da der Wirtschaftstheorie (Wertschöpfungstheorie) der →Physiokratie zufolge ausschließlich die Landwirtschaft eine Nettowertschöpfung (produit net) hervorbringen kann, würden alle Steuern, unabhängig vom Steueranknüpfungspunkt, durch Überwälzung letztendlich aus diesem Überschuß finanziert. Daher wird gefordert, anstelle der verwaltungs- und daher kostenintensiven Besteuerung des Einkommens, Umsatzes, Vermögens u. a. in den anderen Wirtschaftsbereichen (Handwerk, Handel und sonstiges Gewerbe) eine erhebungstechnisch einfache und billige *Steuer* alleine auf den Boden einzuführen, die von den Grundeigentümern aus ihren Pachteinnahmen (Wertschöpfung der Landwirtschaft) zu zahlen sein soll. – 2.

*Kritik:* Aufgrund der zwischenzeitlich widerlegten Wertschöpfungstheorie der Physiokraten und nicht zuletzt wegen unsozialer Folgewirkungen ist dieser Vorschlag praktisch undurchführbar. Während ein wohlhabender Gewerbetreibender keinerlei Steuer zahlen müßte, wäre die Steuerbelastung eines Grundeigentümers mit minimalen Pachteinnahmen ggf. unerträglich hoch. Die in Deutschland vom Markgrafen von Baden-Durlach durchgeführten physiokratischen Experimente zeigten daneben, daß diese Steuern von den Grundeigentümern auf die Pächter weitergewälzt wurden. Die Folgen waren Verarmung der Landbevölkerung, Landflucht und Niedergang der Landwirtschaft.

**Impressum,** notwendige Herkunftsangabe bei →Druckschriften. Ein I. ist nicht erforderlich bei den amtlichen und den Zwecken des Gewerbes und Verkehrs, des häuslichen und geselligen Lebens dienenden harmlosen Druckschriften. Das I. muß den Drucker und Verleger, u. U. den Herausgeber oder Verfasser angeben. Dabei genügt nach manchen Landespressegesetzen die Angabe des Namens bzw. der Firma und des Wohnsitzes bzw. des Sitzes, nach anderen ist die Anschrift erforderlich. – Bei *periodischen Druckschriften* muß das I. auch den verantwortlichen Redakteur nennen (*gesteigertes I.*) – Das *I. von Büchern* enthält ferner meist das Erscheinungsjahr; dessen Vordatierung ist regelmäßig als →Handelsmißbrauch anzusehen.

**Improvisation,** die vorübergehende Regelung einer begrenzten Anzahl von Teilhandlungen im Rahmen der arbeitsteiligen (→Arbeitsteilung) Aufgabenerfüllung der Unternehmung. I. muß nicht (wie häufig in der Praxis) als ineffizient angesehen werden, sondern kann der Organisation auch vorzuziehen sein, z. B. wennn sich ständig ändernde Situationsbedingungen keine dauerhafte Lösung ermöglichen. – *Gegensatz:* a) die dauerhaft und umfassend angelegte Organisation (instrumentaler →Organisationsbegriff); b) die einzelfallbezogene →Disposition.

**Impulskauf,** *Reizkauf,* Kaufentscheidung, die weniger auf kognitiver Steuerung als auf unmittelbaren Reizstimuli am POS (→point of sale) beruht. Die im Schaufenster oder im Regal zur →Selbstbedienung ausgestellte Ware löst beim Kunden affektive äußere Reize aus, die zu spontanen Kaufbedürfnissen führen. Der Käufer agiert nicht; er reagiert situations- und persönlichkeitsbezogen auf die dargebotenen Reize. Intensive Werbeanstrengungen zum Vorverkauf der Produkte, hohe Anteile frei verfügbarer Kaufkraft, Warenverpackung und Warenauslage mit psychologisch hohem Aufforderungscharakter bewirken ein Ansteigen der I.

**IMS, information management system,** →Datenbanksystem, das von IBM auf der Basis des →hierarchischen Datenmodells entwickelt wurde und heute weltweit das verbreitetste Datenbanksystem ist. I. ist für den Einsatz auf Großrechnern (→Rechnergruppe 2c) konzipiert und unter mehreren gängigen →TP-Monitoren einsetzbar. →Abfragesprache: DL/1.

**incentives.** I. Wirtschafts-/Finanzpolitik: Durch wirtschafts- oder finanzpolitische (insbes. steuerliche) Maßnahmen bewirkte Erhöhung der (ökonomischen) Leistungsbereitschaft, die sich für die privaten Haushalte meist in einer Erhöhung des Arbeitsangebots und für die Unternehmen meist in einer Erhöhung der Investitionen äußert. – *Gegensatz:* →disincentives.

II. Arbeits- und Organisationspsychologie: Vgl. →Anreiz.

**In-basket-Methode,** Methode der →Eignungsdiagnostik. Der Teilnehmer, der sich in die Rolle der Führungskraft versetzt, erhält ein Postkörbchen mit 14–40 einzelnen Schriftstücken, die für den Posteingang einer Stelle repräsentativ sind und die Informationen zu Problemen enthalten. Er analysiert in vorgeschriebener Zeit die Probleme, setzt Prioritäten und gibt Anweisungen, die anhand der entsprechenden Stellenanforderungen ausgewertet werden. Begründung der Entscheidungen in einem Nachfolgeinterview. – Die I.-b.-M. *testet* folgende Fähigkeiten des Teilnehmers:: Überblick, Delegationsfähigkeit, Entscheidungsvermögen, Organisationsfähigkeit, Belastbarkeit, Leistungskontrolle. – *Anwendung* bei der Assessment-center-Technik (→assessment center).

**inch (″),** angelsächsische Längeneinheit. $1″ = 2,54$ cm.

**income-terms of trade,** *Index der Importkapazität, Index der Kaufkraft der Exporterlöse,* eines der Konzepte der →terms of trade, das die Umrechnung der →commodity-terms of trade entsprechend der Veränderung der Exportmenge bzw. -erlöse ausdrückt. Die i.-t.o.t. erhält man durch Deflationierung des Exportwerts (Exporterlös) mit den Importpreisen. – *Bedeutung:* Die i.-t.o.t. sind im Hinblick auf Änderungen der Vorteilhaftigkeit des Außenhandels für das betreffende Land aussagefähiger als die commodity-terms of trade, da sie angeben, welches Importvolumen mit den erzielten Exporterlösen finanziert werden kann (Importkapazität, Kaufkraft der Exporterlöse).

**Incoterms,** *international commercial terms.* 1. *Charakterisierung:* Internationale Regeln für die Auslegung bestimmter im internationalen Handel gebräuchlicher Vertragsformeln, insbes. wichtig für die Verteilung der Kosten auf Käufer und Verkäufer und Gefahrenübergang. Die von der Internationalen Handelskammer (Paris) 1936 aufgestellten I. gelten in der im Mai 1953 revidierten Fassung („*I. 1953*", Broschüre Nr. 166 der Internationalen Handelskammer), 1967 und 1976 um zusätzliche Klauseln erweitert. Derzeit bestehend aus insgesamt 14. I.-Klauseln; vgl. im einzelnen Übersicht Sp. 2483/2484 – 2. *Bedeutung:* Die I. koppeln Gefahrenübergang mit der Preisgefahr, woraus abgeleitet werden kann, daß der Käufer – sobald die Gefahr auf ihn übergeht – auch dann zur vereinbarten Zahlung des Kaufpreises verpflichtet ist, selbst wenn die Ware nach Gefahrenübergang auf ihn untergeht oder eine Wertminderung erfährt. In Abweichung zur Gesetzgebung vieler Länder wird durch die I. weiterhin festgelegt, daß der Gefahrenübergang in Unabhängigkeit von der Eigentumsübertragung bei Erfüllung der Lieferfrist (Bereitstellung der Ware am vereinbarten Lieferort) vollzogen ist. Nach Zeitpunkt des Übergangs von Gefahr und Kosten werden unterschieden: a) →Einpunktklauseln und b) →Zweipunktklauseln. – 3. *Anwendung:* I. sind für die Vertragspartner *verbindlich*, wenn sich die Vertragspartner eindeutig im Rahmen des Vertrags auf diese beziehen; Beförderungs- und Speditionsverträge bleiben davon unberührt. I. werden häufig (unabhängig von der Bezugnahme der I. in den Verträgen) bei *Streitfällen* herangezogen. – 4. *Abweichungen:* Aufgrund zahlreicher Sonderregelungen und der Anwendung länderspezifischer →trade terms, (z. B. US-Lieferklauseln) zu Abweichungen von den I. – a) *Erweiterung der cif-Klauseln (nicht in den I. enthalten):* (1) cif & i *(interest):* Der Preis schließt die Bankzinsen bis zur Fälligkeit der Tratte ein, (2) cif & c *(commission):* Der Preis beinhaltet die Einkaufsprovision bzw. Kommission des Exporteurs, (3) cifci *(cific):* Der Preis enthält Zinsen und Provision, (4) cifw zwecks Abdeckung von Kriegsrisiken (w = war·risk) und (5) cif landed: Der Preis enthält zusätzlich Abladekosten. – b) Abweichungen der *fob-Klausel* im Auslandsgeschäft mit : (1) *Dänemark, Finnland, Norwegen und Schweden:* Der Zusatz ‚Verschiffungskosten zu Lasten des Empfängers' wird oft verwendet, so daß der fob-Käufer die damit verbundenen Zusatzkosten noch übernehmen muß. (2) *UdSSR:* Im Seeverkehr wird ausschließlich zu fob gestaut abgeschlossen, wodurch der fob-Verkäufer zusätzlich die Staukosten zu tragen hat. (3) *USA:* fob named inland carrier at named point of exportation (benannter inländischer Frachtführer am benannten Ausfuhrort), fob named point of shipment (benannter Verladehafen), und fob named inland point in the country of importation (benannter inländischer Ort im Einfuhrland).

**incremental costs,** →relevante Kosten.

**Indemnität,** strafrechtliche Verantwortungsfreiheit für Äußerungen oder Abstimmungen eines →Abgeordneten, die dieser im →Bundestag oder in einem seiner Ausschüsse getan

hat. Die I. bezieht sich auch auf die Zeit nach Ablauf des Mandats. *Ausgenommen* sind verleumderische Beleidigungen (Art. 46 I GG, § 36 StGB).

**Indemnitätsbrief,** Urkunde über eine Entschädigungsgarantie (→Garantie); im Außenhandelsgeschäft gebräuchliche Form der Konnossementsgarantie, um die Ausladung und Übergabe der Ware zu erreichen.

**Indemnitätsprinzip,** Grundsatz der nachträglichen Zustimmung des Parlaments zu Regierungsmaßnahmen, die aus Dringlichkeits- oder anderen Gründen außerhalb der verfassungsmäßigen Vorschriften getroffen werden, in erster Linie bezüglich Etatüberschreitungen sowie Regierungs- und Verwaltungsausgaben vor Verabschiedung des Haushaltsplans. Durch das Stabilitäts- und Wachstumsgesetz wird das I. *durchbrochen:* Wenn die Bundesregierung auf Grund von Rechtsverordnungen aus konjunkturellen Gründen zusätzliche Ausgaben tätigt, benötigt sie dazu nicht die nachträgliche Zustimmung des Parlaments.

**Indentgeschäft,** *purchase order,* Außenhandelsgeschäft, bei dem der Warenlieferer (Indentnehmer) erst dann in den Vertrag eintritt, wenn es ihm gelungen ist, die von dem Kunden (Indentgeber) gewünschten Waren zu den gewünschten Konditionen und Preisen zu beschaffen. – *Formen:* a) *closed indent:* Der Indentgeber benennt die einzubeziehenden Lieferanten oder legt die Ware fest (z. B. bei Markenartikeln); b) *open indent:* Der Indentgeber überläßt dem Indentnehmer die Wahl des Lieferanten und der Waren. – Vgl. auch →Indentkunde, →Indentvertreter.

**Indentkunde, Indentor,** im Außenhandelsgeschäft Personen, die sich auf der Basis einer bereits fertig erstellten Einkaufsliste, die sich auf mehrere Produktgruppen beziehen kann, an Hersteller, Exporteure oder sonstige Handelsunternehmen wenden und um entsprechende Angebote bitten. Der I. vertritt i. d. R. mehrere Käufer bzw. Kaufinteressenten, aus deren Wünschen er eine Sammelliste erstellt, die er über seine Beschaffungskontakte zu möglichst günstigen Preisen zu realisieren versucht. I. werden in dem Maße überflüssig, wie sich in einzelnen Ländern Vertriebs- bzw. Verteilerstrukturen entwickeln, über die sich der Bedarf decken läßt.

**Indentor,** →Indentkunde.

**Indentvertreter,** Vertreter des Importeurs im Ausland, der dessen Importaufträge erledigt und die Importverträge zu den vorgeschriebenen Preisen, Bedingungen und Lieferterminen abschließt. Der I. hat die Interessen seines Auftraggebers nach bestem Können und in jeder geeigneten Weise zu wahren.

**Index,** →Indexzahl.

**Indexanleihe,** →indexed bond.

| | Computer-abkürzung | Kostenübergang | Gefahrenübergang |
|---|---|---|---|
| (1) ab Werk (ex works)<br>ab Fabrik (ex factory)<br>ab Mühle, Pflanzung,<br>Lagerhaus usw. (ex mill,<br>plantation, ware house) | EXW | ab Werk (Fabrik, Mühle, Pflanzung, Lagerhaus u. ä.); vgl. im einzelnen → ab Werk. | |
| (2) frei (franco) Waggon/Lkw<br>... benannter Abgangsort<br>(free on rail/free on truck) | FOR/<br>FOT | beladener Waggon oder Lkw (bei Komplettladung) bzw. Übergabe an die Bahn bzw. an Lkw (sofern keine Waggonladung) | |
| (3) frei längsseite Seeschiff<br>... benannter Verschiffungs-<br>hafen (free alongside ship) | FAS | Längsseite Seeschiff im Verschiffungshafen | |
| (4) frei an Bord ... benannter<br>Verschiffungshafen<br>(free on board) | FOB | tatsächliches Überschreiten der Reling Seeschiff im Verschiffungs-hafen (Erweiterung bei ‚fob stowed‘) | |
| (5) ab Schiff ... Name des<br>Schiffes und Bestimmungs-<br>hafen (ex ship) | EXS | ab Bord Seeschiff im Bestimmungs-/Löschhafen | |
| (6) ab Kai (ex quai) ...<br>... verzollt (duties paid) ...<br>benannter Bestimmungs-<br>hafen | E & Q | ab Zurverfügungstellung am Kai des Bestimmungshafens nach der Verzollung | |
| ... unverzollt (duties on bu-<br>yer's account) ... benannter<br>Bestimmungshafen | | ab Zurverfügungstellung am Kai des Bestimmungshafens vor der Verzollung.<br>Vgl. im einzelnen → ab Kai. | |
| (7) geliefert Grenze ... (be-<br>nannter Lieferort an der<br>Grenze) | DAF | benannter Lieferort an der Grenze (Land A/B) | |
| (8) geliefert ... benannter<br>Bestimmungsort im Ein-<br>fuhrland, verzollt | DDP | benannter Bestimmungsort im Einfuhrland, verzollt (falls erforder-lich: Löschen, Aus- oder Abladen der Waren) | |
| (9) fob Flughafen ... benannter<br>Abflughafen (fob airport) | FOA | ● Siehe analog (4) ... benannter Verschiffungshafen<br>● Präzise Regelung in bezug auf Gefahren- und Kostenübergang erforderlich, indem z. B. eine genaue Benennung des Flugfracht-führers oder/und dessen Agenten oder des Flugkurses vorgenom-men wird. Außerdem müssen die Palettisierungs- und/oder Con-tainerisierungskosten klar zugeordnet werden. Aus diesem Grund haben die Spediteurverbände der Bundesrep. D. und der Schweiz drei Zusatzklauseln für fob airport ausgearbeitet:<br>– ‚ready for carriage‘ (zollabgefertigte Übergabe an den Luft-frachtführer)<br>– Verkäufer trägt alle Kosten außer Palettisierungs-/Container-sierungsspesen bei der Übergabe der Ware<br>– Verkäufer trägt die Gefahren der Ware bis zur Übergabe an den Luftfrachtführer | |
| (10) frei Frachtführer ... be-<br>nannter Ort (free carrier) | FRC | ● Übergabe an benannten Frachtführer zu dem für die Lieferung vereinbarten Zeitpunkt bzw. innerhalb der für die Lieferung vereinbarten Frist am benannten Ort<br>● Der Verkäufer trägt die Kosten für die Ausfuhrbewilligung und für sonst. behördliche Genehmigungen, die für die Ausfuhr der Ware wichtig sind, sowie alle Steuern, Gebühren und Abgaben, die aufgrund der Warenausfuhr erhoben werden | |
| (11) Kosten und Fracht ... be-<br>nannter Bestimmungshafen<br>(cost and freight/c & f) | CFR | Bestimmungshafen (fob ver-schifft, zuzüglich: ● Verschif-fungsspesen ● Seefracht und evtl. ● Konsulatsgebühren) | Reling Seeschiff im Verschif-fungshafen (fob-Klausel) |
| (12) Kosten, Versicherung,<br>Fracht... benannter Bestim-<br>mungshafen (cost insurance,<br>freight/cif) | CIF | Bestimmungshafen (fob ver-schifft) zuzüglich: ● Verschif-fungsspesen ● Seefracht ● Versi-cherungen und evtl. ● Konsulats-gebühren); vgl. im einzeln. →cif. | Reling Seeschiff im Verschif-fungshafen (fob-Klausel) |
| (13) frachtfrei ... benannter Be-<br>stimmungsort<br>(13.1) frachtfrei (freight or<br>carriage paid to ...) | DCP | Bestimmungsort | Übernahme erster Frachtführer |
| (13.2) frachtfrei versichert<br>(freight carriage and<br>insurance paid to ...) | CIP | Erhöhung der Kosten durch Versicherung | |

**Index der Arbeitsproduktivität,** Indexzahl des Produktionsergebnisses je Beschäftigten, je Beschäftigungsstunde, je Arbeiter und je Arbeiterstunde (z. Z. auf Basis 1980), →Mengenindex. Sie zeigen die Entwicklung der Produktion (gemessen am Index der industriellen Nettoproduktion für das →Produzierende Gewerbe) im Verhältnis zum personellen Aufwand. Gliederung nach der Systematik der Wirtschaftszweige, Ausgabe 1979, Fassung für die Statistik im produzierenden Gewerbe (SYPRO).

**Index der Bruttoproduktion für Investitionsgüter,** →Investitionsgüterindex.

**Index der Großhandelsverkaufspreise,** →Großhandels-Preisindex.

**Index der Importkapazität,** →income-terms of trade.

**Index der Kaufkraft der Exporterlöse,** →income-terms of trade.

**Index des gesamten Handelsgewinns,** →index of total gain from trade.

**indexed bond,** *Indexanleihe,* →Anleihe, deren (Nominal-)Verzinsung an einen Preisindex (z. B. Goldpreis, Rohölpreis) gebunden ist. Das bedeutet Berücksichtigung eines Inflationsausgleichs neben dem Realzins. – *Beispiel:* Steigerung des Preisindexes 5%, Realzins 3%; Nominalverzinsung 3 · 1,05 = 3,15% + 5% = 8,15%.

**Indexfamilie,** →Haushaltstyp.

**Indexierung,** Kopplung der →Wachstumsrate bestimmter makroökonomischer Größen an einen Index mit dem Ziel der Neutralisierung der ungünstigen Einkommensverteilungseffekte der →Inflation. – 1. *I. der Tariflohnsätze:* Angestrebt wird eine Erhöhung der Reallöhne, die der Wachstumsrate der →Arbeitsproduktivität entspricht, da auf diese Weise die Einkommensverteilung unverändert bleiben soll (→Lohnpolitik III 1). Nominallohnsteigerungen über die Wachstumsrate der Arbeitsproduktivität werden in dem Maß zugelassen, wie z. B. der Lebenshaltungskostenindex steigt. Eine solche Lohnpolitik würde allerdings voraussetzen, daß die Tarifpartner die bestehende Einkommensverteilung akzeptieren. Andere Indexierungsverfahren sind denkbar. – 2. *Andere Bereiche,* für die eine I. vorgeschlagen wird: Bankenbereich und die Einnahmen und Ausgaben des Staates.

**Indexklausel,** eine →Wertsicherungsklausel, die festlegt, daß bei Erhöhung bestimmter →Preisindizes (Lebenshaltung, Baukosten, Effektivlöhne u. ä.) bis zur Zahlungszeit ein entsprechender Zuschlag zu einer Geldschuld zu leisten ist.

**Indexlohn,** *gleitender Lohn.* 1. Entlohnungssystem, bei dem nicht der →Geldlohn,

sondern der *Reallohn* stabil gehalten wird (gleiche Kaufkraft). Maßstab für die Kaufkraft des Geldes ist meist der →Preisindex für Lebenshaltung, auch Goldpreis und Kurs für fremde Währung. Anwendung des I. ist sinnvoll, wenn eine Volkswirtschaft unter erheblichen Geldwertschwankungen zu leiden hat, in normalen Zeiten jedoch nicht zweckmäßig wegen der komplizierten Berechnung. In der Bundesrep. D. sind Indexbindungen als Bestandteil des Tarifvertrages rechtlich zulässig. Als spezielle Wertsicherungsklausel sind sie jedoch bei der Deutschen Bundesbank genehmigungspflichtig (§ 3 WährG i. V. m. § 49 II AWG). Die Koppelung des Lohns an den Preisindex gilt als inflationsfördernd und -verstärkend. – 2. System, bei dem die Lohnsumme in angemessenem *Verhältnis* zur →Arbeitsproduktivität, der →Dividende, dem →Gewinn oder einem sonstigen Ertragsmaßstab steht. I. an der Wertschöpfung beteiligter Arbeitskräfte. Maßstab z. B.: Verhältnis Umsatz : Lohn (oder/und Umsatz : Gewinn) im Indexjahr. I. dieser Art beginnen sich in den USA durchzusetzen. Bei diesen Verfahren schwankt die Lohnhöhe nicht von Woche zu Woche, sondern sie wird jährlich oder in Abständen von zwei bis drei Jahren der veränderten Ertragslage des Wirtschaftszweigs angepaßt. – *Anders:* →garantierter Jahreslohn.

**index of total gain from trade,** *Index des gesamten Handelsgewinns,* eines der Konzepte der →terms of trade, dessen Werte durch Multiplikation der →commodity-terms of trade mit dem Index des Außenhandelsvolumens (Exporte + Importe) ermittelt werden. – *Beurteilung:* Grundüberlegung für diesen Index hinsichtlich Änderungen der Vorteilhaftigkeit des Außenhandels für das betreffende Land ist, daß die Gewinne aus der internationalen Arbeitsteilung (unter der Annahme konstanter Import- und Exportpreise) umso größer seien, je mehr international gehandelt wird. In der Realität (unter verzerrten Bedingungen) ist jedoch nicht gesichert, daß jede Zunahme des Außenhandels den komparativen Vorteilen entspricht (→Theorem der komparativen Kostenvorteile).

**Indexrente,** →dynamische Rente.

**index sequential access method,** →Datenorganisation II 2b) (2).

**Indexversicherung,** Versicherungen, deren Versicherungssumme und -prämien gleitend oder in bestimmten Zeitabschnitten einer →Indexzahl (z. B. Baukostenindex) angepaßt werden. – Vgl. auch →gleitende Neuwertversicherung, →Fremdwährungsversicherung, →Prämienanpassungsklausel, →Prämienrichtzahl, →Stichtagsversicherung.

**Indexwährung,** *Kaufkraftwährung,* →Währungssystem, bei dem der →Geldwert, losgelöst von Bindungen an ein Währungsmetall, durch Regulierung der gesamten umlaufenden Geld- und Kreditmenge begründet wird. Es wird Bindung an bestimmten Preisindex erstrebt, um möglichst wertstabiles Geld, das ist Geld mit gleichbleibender →Kaufkraft, zu erhalten. Dabei hat die Notenbank die Geld- und Kreditmenge innerhalb der Wirtschaft ständig so zu regulieren, daß Umlaufgeschwindigkeit und Geldmenge nicht vom Index abweichen. Theoretische Begründung durch *I. Fisher*, der die Kaufkraft des Geldes (Recheneinheit) gegenüber der Warenwelt im ganzen stabilisieren wollte: Durch genaue Beobachtung des Preises einer bestimmten Warengruppe soll danach der Dollar, durch jeweilige Veränderung des Goldgehaltes, in seiner Kaufkraft gegenüber den Waren stabil gehalten werden.

**Indexzahl.** I. S t a t i s t i k : Kenngröße zur globalen Charakterisierung einer Vielzahl von einzelnen Preis- bzw. Mengen- bzw. Umsatzentwicklungen *(Preis-I.; Mengen-I.; Umsatz-I.).* Eine I. wird als gewogenes →arithmetisches Mittel von →Meßzahlen mit gleicher Basis- und Berichtsperiode ermittelt. Z.B. wird ein Preisindex $P_{0,1}$ mit der Basisperiode 0 und der Berichtsperiode 1 berechnet als mit den Gewichten (→Gewichtung) $g_i$ gewogener Durchschnitt aus den Preismeßzahlen für n Güter:

$$P_{0,1} = \sum \frac{p_1^i}{p_0^i} g_i \cdot 100$$

$(g_i > 0; \sum g_i = 1)$. Spezielle Gewichtungen ergeben *spezielle Indexformeln,* etwa den →Laspeyres-Index und den →Paasche-Index.

II. A m t l i c h e  S t a t i s t i k : Es werden laufend verschiedene *Preis-I.* (z. B. der Lebenshaltung, der Löhne, der Aktienkurse; vgl. im einzelnen →Preisindex, auch →Preisindex für die Lebenshaltung) und *Mengen-I.* (z. B. der industriellen Nettoproduktion; vgl. im einzelnen →Mengenindex) ermittelt.

**Indien,** *Republik Indien,* Subkontinent in Südasien. – *Fläche:* 3 287 590 km² (einschließlich des von Indien besetzten Teils von Kaschmir). – *Einwohner* (E): (1985, geschätzt) 751 Mill. (228 E/km²); meist Indiens, daneben die Gruppen der Melaniden, Mongoliden und Weddiden; jährliches Bevölkerungswachstum: (Durchschnitt 1973–85) 2,2%. – *Hauptstadt:* New Dehli (1981: 4,86 Mill. E, Agglomeration 5,71 Mill. E); weitere Millionenstädte (E Agglomeration 1981): Kalkutta (9,17 Mill.), Bombay (8,23 Mill.), Madras (4,28 Mill.), Bangalore (2,91 Mill.), Hyderabad (2,53 Mill.), Ahmadabad (2,51 Mill.), Kanpur (1,69 Mill.), Poona (1,69 Mill.), Nagpur (1,30 Mill.), Jaipur (1,00 Mill.), Lakhnau (1,00 Mill.). – *Unabhängig* seit 1947, demokratische Republik mit bundesstaatlicher *Gliederung* im

Commonwealth of Nations, Verfassung von 1950. *Verwaltungsgliederung:* 22 Bundesstaaten, 9 Unionsterritorien, ferner 584 Distrikte sowie Kreise und Gemeinden. – *Amtssprache:* Hindi und Englisch.

W i r t s c h a f t : *Landwirtschaft:* Abhängig vom Monsunklima. Ein Ausbleiben des Regens bedeutet für das übervölkerte Land Hungersnot. Ca. 55 Mill. ha Anbauflächen werden bewässert. Haupterzeugnisse der Landwirtschaft: Reis, Weizen, Zucker, Tee, Jute und Baumwolle. Die Viehwirtschaft spielt eine untergeordnete Rolle (Rinder, Büffel, Schweine, Ziegen, Schafe, ferner Seidenraupenzucht). – *Bergbau und Industrie:* Reich an mineralischen Rohstoffen. Abbau von u. a. Steinkohle, Eisenerz, Mangan, Chrom, Titan, Antimon, Bauxit, Glimmer. Nach der Loslösung von Großbritannien hatte die Industrialisierung besonderen Aufschwung zu verzeichnen. Das Hauptaugenmerk galt der sich verhältnismäßig rasch entwickelnden Schwerindustrie (Eisen und Stahl, Maschinenbau und Metallverarbeitung, Chemie). Der Hauptteil der industriellen Produktion entfällt jedoch noch immer auf die Leichtindustrie (v. a. Textilindustrie). I. zählt heute zu den zehn führenden Industrienationen. – *Fremdenverkehr:* (1982) 860 200 ausländische Besucher. – *BSP:* (1985, geschätzt) 194 820 Mill. US-$ (250 US-$ je E). – *Öffentliche Ausandsverschuldung:* (1983) 11,2% des BSP. – *Inflationsrate:* (Durchschnitt 1973–84) 7,8%. – *Export:* (1985) 7631 Mill. US-$, v. a. Edel- und Schmucksteine, Bekleidung, Tee, Eisenerz, Leder/Lederwaren, Baumwollgewebe. – *Import:* (1985) 14 204 Mill. US-$, v. a. Erdöl und Erdölerzeugnisse, Eisen und Stahl, nichtelektrische Maschinen, chemische Düngemittel, NE-Metalle. – *Handelspartner:* UdSSR, USA, Japan, Großbritannien.

V e r k e h r : 1 633 400 km *Straßen,* davon 635 400 km befestigt (1979). – Streckenlänge der *Eisenbahn* 61 240 km, davon 5345 km elektrifiziert (1981). – Wichtige *Seehäfen:* Bombay, Marmagao, Vischakhapatnam, Madras, Kalkutta, Kandla, Kotschin, Paradip, New Mangalore, New Tuticorin. I. verfügte (1982) über 695 *Seeschiffe* (über 100 BRT) mit 7,47 Mill. BRT. – Das dichte *Inlandsflugnetz* wird ausschließlich von der Indian Airlines Corp. bedient. Internationale *Flughäfen:* Bombay-Santa Cruz, Kalkutta-Dum Dum, Delhi-Palam, Madras-Meenambakkam.

M i t g l i e d s c h a f t e n : UNO, CCC, UNC-TAD u. a.; Colombo-Plan, Commonwealth.

W ä h r u n g : 1 Indische Rupie (iR) = 100 Paise (P.).

**Indifferenzklasse,** Menge aller Konsumpläne (Güterbündel), die einem →Konsumenten den gleichen Nutzen stiften, wie ein fester

→Konsumplan aus einer →Konsummenge. – *Spezialfall:* →Indifferenzkurve.

**Indifferenzkurve,** geometrischer Ort aller Konsumgüterbündel, die einem Konsumenten gleichen Nutzen stiften. I. lassen sich als Niveaumengen der Nutzenfunktion interpretieren. Sie werden analog zu den →Isoquanten in der Produktionstheorie gebildet. – Vgl. auch →Handelsindifferenzkuve.

**Indikatorprognose,** →Prognose.

**Indikatorvariable,** *Bernoulli-Variable,* spezielle →Zufallsvariable, die nur die beiden möglichen Werte 1 und 0 mit zugehörigen →Wahrscheinlichkeiten θ und $(1 - θ)$ annehmen kann. Die Summe von n stochastisch unabhängigen und identisch verteilten I. ist binomialverteilt (→Binomialverteilung).

**indirekte Abschreibung,** Buchungstechnik der Abschreibungsverrechnung nach altem Handelsrecht, bei der das abzuschreibende Anlagegut in der Buchführung und Bilanz gleichbleibend mit den vollen Anschaffungs- oder Herstellungskosten erschien. Die Abschreibung wurde auf einem Konto für →Wertberichtigung passiviert, und zwar durch die Buchung: Abschreibungskonto an Wertberichtigung. Seit Inkrafttreten des Bilanzrichtlinien-Gesetzes ist zumindest für Kapitalgesellschaften der Ausweis von Wertberichtigungen dieser Art in der Bilanz nicht mehr gestattet. – *Gegensatz:* →direkte Abschreibung.

**indirekte Ausfuhr,** →Ausfuhrhandel.

**indirekte Investitionen,** →Portfolioinvestitionen.

**indirekte Kosten,** →Gemeinkosten.

**indirekte Lenkung,** →pretiale Lenkung.

**indirekte Nutzenfunktion,** funktionale Beziehung zwischen dem maximalen Nutzen, den ein Konsument erzielen kann, den Preisen aller Güter und dem Einkommen eines Konsumenten. – Vgl. auch →Nutzenfunktion.

**indirekte Preiselastizität der Nachfrage,** →Kreuzpreiselastizität.

**indirekte Prüfung,** →Prüfung.

**indirekter Absatz,** →indirekter Vertrieb.

**indirekter Nutzen,** →soziale Erträge.

**indirekter Schluß,** →Repräsentationsschluß.

**indirekter Vertrieb,** *indirekter Absatz,* Form des Absatzes von Industrieprodukten über unabhängige Handelsbetriebe (→Großhandel, →Einzelhandel und →Ausfuhrhandel; vgl. auch →Handel). – *Gegensatz:* →direkter Vertrieb. – Vgl. auch →Absatzwegepolitik.

**indirekte Steuern,** Gruppierung der Steuern (→Steuerklassifikation). – *Beispiele:* Verbrauch- und Verkehrsteuern. – *Einteilungskri-*

terien: a) Nach der *Veranlagungs- und Erhebungstechnik:* Erhebung der i.St. aufgrund von Tarifen (auch *Tarifsteuern*), z. B. Verbrauchsteuern. I.St. werden beim Hersteller von Waren erhoben, wobei deren Überwälzung unterstellt wird. – b) Nach der *Überwälzung:* I.St. sind grundsätzlich ganz oder teilweise überwälzbar in den Preisen der Fertiggüter und Dienstleistungen auf den Verbraucher bzw. Abnehmer (→Überwälzung). Trotz der von der Finanzwissenschaft mittlerweile nachgewiesenen Tatsache, daß sowohl direkte Steuern überwälzt werden (Gewerbe-, Körperschaftsteuer) als auch die Überwälzung von i.St. nicht immer gelingt, wird die Einteilung in den volkswirtschaftlichen Gesamtrechnungen aus Vereinfachungsgründen beibehalten. – c) Nach der *Leistungsfähigkeit:* Sie wird nur mittelbar erfaßt, d. h. Besteuerung der Einkommensverwendung und des Vermögensverkehrs. – In den *Volkswirtschaftlichen Gesamtrechnungen* machen die i.St. zusammen mit den →Subventionen, da sie beide in umgekehrter Richtung preiswirksam werden, den Unterschied zwischen dem →Nettosozialprodukt zu Marktpreisen und dem Nettosozialprodukt zu Faktorkosten (→Volkseinkommen) aus. – *Gegensatz:* →direkte Steuern.

**indirekte Subventionen,** →Steuervergünstigungen.

**Individualeinkommen.** 1. *Begriffe:* a) Das einer Person oder einem Haushalt während einer Periode zufließende Entgelt für den Einsatz von Arbeit oder Kapital (*Produktionsaspekt,* vor der Umverteilung). – b) Geldbetrag oder sonstige Mittel, die einer Person oder einem Haushalt in einer Periode zur Deckung des Bedarfs an wirtschaftlichen Gütern (ohne Rückgriff auf vorhandenes Vermögen) zur Verfügung stehen (*Verfügungsaspekt,* nach der Umverteilung). – 2. In der *gesamtwirtschaftlichen Betrachtung* entspricht die Summe der I. unter dem Produktionsaspekt dem Anteil der privaten Haushalte am →Volkseinkommen, unter dem Verfügungsaspekt dem →verfügbaren Einkommen der privaten Haushalte.

**Individualentscheidung,** →Entscheidung eines aus einer Einzelperson bestehenden →Entscheidungsträgers. Das →Entscheidungsverhalten wird durch Informationsverarbeitungsprozesse innerhalb der Person (intraindividuelle Prozesse) determiniert. – Die *Erforschung der I.* bewegt sich im psychologischen Erkenntnisbereich; die bislang vorliegenden Ergebnisse beschränken sich bisher auf diverse Beschreibungs- und Erklärungsversuche der I. – *Ansätze:* a) *Idealtyp:* →Homo oeconomicus; b) *neuere Ansätze:* empirisch realistische Entscheidungstheorie (→Informationsverarbeitungsansatz). – *Gegensatz:* →Kollektiventscheidung.

**Individualgüter,** *private Güter,* Wirtschaftsgüter, die in der freien Marktwirtschaft von privaten Anbietern angeboten werden. – *Gegensatz:* →öffentliche Güter; vgl. auch →meritorische Güter.

**Individualisierungsstrategie,** Ausrichtung der Produktpolitik (→Absatzpolitik II, →marketingpolitische Instrumente) eines (Investitionsgüter-)Herstellers auf die jeweiligen Wünsche eines Abnehmers. Durch Angebot und Entwicklung von kundenspezifischen Problemlösungen wird versucht Präferenzen zu schaffen, bessere preispolitische Spielräume zu erhalten und durch die individuelle Leistungsdifferenzierung einen Wettbewerbsvorteil zu erreichen. – *Gegensatz:* →Standardisierungsstrategie.

**Individualismus,** dem →Liberalismus entsprechendes Prinzip, daß jeder einzelne Mensch das Recht auf freie, dabei jedoch selbstverantwortliche Entfaltung seiner Persönlichkeit nach seinen eigenen Möglichkeiten und Vorstellungen hat und dieses Recht vor machtbegründeten Eingriffen durch den Staat oder durch andere Gesellschaftsmitglieder zu schützen ist. – Vgl. auch →methodologischer Individualismus.

**Individualkommunikation,** eine Form der →Kommunikation, bei der die Kommunikationspartner für die Informationsübermittlung exklusiv ausgewählt werden. Für I., die über ein →Netz erfolgen soll, wird deshalb ein →Vermittlungsnetz benötigt. – *Gegensatz:* →Massenkommunikation.

**Individudualpsychologie.** →Tiefenpsychologie.

**Individualsoftware,** →Software, die für den Einsatz in *einem* speziellen Betrieb entwickelt wird, entweder durch Eigenerstellung (→software life cycle) oder Auftragsvergabe an externen Softwarehersteller. – *Gegensatz:* →Standardsoftware.

**Individualsphäre des Arbeitnehmers,** →Tarifautonomie 2 d).

**Individualreise,** Reise einer Person oder Personengruppe, für die Beförderungen, Aufenthalte und sonstige Reisebestandteile nach den Wünschen der Reisenden zusammengestellt und mit eigenen Mitteln ausgeführt oder zu ihren Einzelpreisen von den ausführenden Reiseverkehrs- und Fremdenverkehrsbetrieben (→Tourismus) erworben werden. – *Gegensatz:* →Pauschalreise.

**Individualverkehr. 1.** *Begriff:* Verkehrsart, bei der die Verkehrsmittel nur von einem einzelnen oder einem beschränkten Personenkreis eingesetzt werden und bei dem der oder die Benutzer völlig frei sind in der Bestimmung der Zeit, des Fahrweges und des Zieles der Fahrt. Der Pkw als das wichtigste Ver-

kehrsmittel des I. vereinigt Komfort mit zeitlicher und örtlicher Ungebundenheit, hat im Vergleich zu öffentlichen Verkehrsmitteln den Nachteil des hohen Flächenbedarfs. – *Gegensatz* (i. a.): →öffentlicher Verkehr. – 2. *Arten:* Motorisierter und nicht motorisierter I. (Wege, die zu Fuß, mit dem Fahrrad oder Mofa zurückgelegt werden). Verkehrsstatistiken bzw. -prognosen verstehen unter motorisiertem I. i. a. den Verkehr mit Personen- und Kraftkombinationswagen (z. T. einschl. Taxis und Mietwagen), Krafträdern und Mopeds. In der Bundesrep. D. im Vergleich zu den USA noch kaum Beachtung findet der I. mit Flugzeugen. – 3. *Entwicklung/Bedeutung:* V. a. seit Beginn der 60er Jahre hat der I. eine nahezu stetige enorme Ausweitung erfahren. Insbes. in der Phase des rapiden Wirtschaftswachstums übernahm der Pkw einen weitgehend dazu verbundenen zusätzliche Verkehrsaufkommen im Personenverkehr; der I. mit dem Pkw entzog dem öffentlichen Personenverkehr zugleich in erheblichem Umfange Fahrgäste, am deutlichsten beim Berufs- und Ausbildungsverkehr. – Zwischen 1960 und 1985 stieg die Zahl der Pkw von 4,21 Mill. auf 24,47 Mill.; der durchschnittliche tägliche Verkehrsstärke (Kfz im Personenverkehr je 24 Std.) erhöhte sich auf Bundesstraßen von rd. 2680 im Jahre 1960 auf 6520 im Jahre 1985, auf Bundesautobahnen von rd. 8086 auf 26 550. Im gleichen Zeitraum nahm der I. von 15 300 Mill. auf 27 605 Mill. Beförderungsfälle zu (im öffentlichen Verkehr sank die Zahl der beförderten Personen von 7561 Mill. auf 6986 Mill.). Die im I. erbrachte Verkehrsleistung stieg von 161,7 Mrd. Pkm (1960) auf 481,6 Mrd. Pkm (1985). Belief sich der Anteil des I. am Verkehrsaufkommen (Verkehrsleistung) im Personenverkehr 1960 auf 66,6% (63,8%), waren es 1985 79% (80,1%). In bezug auf das Verkehrsaufkommen verteilte sich der I. (1982) zu 27,7% auf den Berufs-, 3,7% den Ausbildungs-, 13,3% den Geschäfts-, 20,1% den Einkaufs-, 35% den Freizeit- und nur 0,2% den Urlaubsverkehr. Am deutlichsten steigerte der I. seinen Anteil am Gesamtverkehrsaufkommen zwischen 1960 und 1982 beim Berufsverkehr (von 38,1 auf 80,9%); beim Ausbildungsverkehr Anstieg von 16,1 auf 30,8%, beim Freizeitverkehr von 77,1 auf 86,0% und beim Urlaubsverkehr von 53,2 auf 62,3%. Mit Anteilen von rd. 95% beim Geschäftsreise- und rd. 76% beim Einkaufsverkehr hat sich hier die relative Position des I. seit 1960 kaum verändert. – 4. *Probleme:* Während in den 60er Jahren die fortschreitende Motorisierung der Bevölkerung fast uneingeschränkt als Ausdruck des Fortschritts und des wachsenden Wohlstandes gewertet wurde, verstärkte sich seit Mitte der 70er Jahre die Kritik am I. Die enorme Zunahme der Pkw-Dichte und des I. beim Ausbildungs- und Berufsverkehr haben inzwischen in den Städten zu fast unlösbaren

Problemen geführt. Dort stößt der I. vielfach an kaum mehr überwindbare Kapazitätsschranken des vorhandenen Straßennetzes; die immer häufigeren Verkehrsstaus (Stop-and-Go-Verkehr) sowie die Parkprobleme führen zu spürbaren zeitlichen und kostenmäßigen Belastungen im I. Versuche, durch weitere Forcierung des innerstädtischen Straßenbaus autogerechte Städte zu schaffen, müssen inzwischen als gescheitert angesehen werden. Hinzu kommt, daß die vom I. ausgehenden Belastungen der Bevölkerung (Lärm und Abgase) sowie die durch die Motorisierung verursachten Schädigungen der Umwelt zunehmend kritischer beurteilt werden. Entsprechendes gilt für den vergleichsweise hohen Energieverbrauch des I. mit dem Pkw. – 5. *Zukünftige Entwicklung:* Zum Bundesverkehrswegeplan 1985 erstellte Verkehrsprognosen erwarten, daß der I. voraussichtlich nur noch verhalten zunehmen wird, unter bestimmten Rahmenbedingungen bis zum Jahr 2000 bezogen auf die Verkehrsleistung sogar abnehmen könnte. V. a. im Bereich der städtischen Ballungsgebiete geht es weiterhin darum, zu einer noch stärkeren funktionalen Ergänzung von I. und →öffentlichem Personennahverkehr zu gelangen.

**Individualversicherung,** *Vertragsversicherung,* Sammelbezeichnung für die privatwirtschaftliche Versicherung durch private Versicherungsunternehmen und öffentlich-rechtliche Versicherungsanstalten, gekennzeichnet durch Selbstverantwortung, Entschlußfreiheit und leistungsäquivalente →Prämie. – *Gegensatz:* →Sozialversicherung.

**Individualwucher,** Ausbeutung einer individuellen Schwächesituation, um für eine eigene Leistung eine deren Wert weit übersteigende Gegenleistung zu gewinnen. – Vgl. auch →Wucher.

**Individuation,** Entwicklung einer besonderen, individuellen Persönlichkeitsstruktur während der kindlichen Entwicklung. Während der I. erwirbt bzw. entwickelt der Mensch verhaltensbestimmende →Motive. – Vgl. auch →Sozialisation.

**Individuelle Abschreibung,** →Einzelabschreibung.

**Individuelles Arbeitsrecht,** →Arbeitsrecht II.

**Individuelle Datenverarbeitung (IDV),** *end user computing.* 1. *Begriff:* Neuere Organisationsform der →betrieblichen Datenverarbeitung, bei der dem →Endbenutzer in der Fachabteilung Computerleistung (→Computersystem) an seinem persönlichen Arbeitsplatz zur Verfügung gestellt wird und er insbes. seine aufgabenspezifischen →Anwendungen selbst entwickelt und pflegt. – Vgl. auch →personal computing. – 2. *Einsatzgebiete:* V. a. Aufbereitung und Gewinnung von

Informationen aus bestehenden EDV-Systemen (z. B. →Datenbanksysteme, →elektronische Datenverarbeitung) für Berichte, Ad-hoc-Abfragen, Kalkulationen und Planungen; arbeitsplatzspezifische Aufgaben ohne Bezug zu anderen Systemen (typisch: Einsatz von →Personal Computern). – 3.*Unterstützung:* Der für die EDV zuständige Unternehmensbereich (z. B. EDV-Abteilung) stellt →Endbenutzerwerkzeuge und →Endbenutzersysteme zur Verfügung, setzt je nach Machtstellung verbindliche oder freiwillige Unternehmensstandards bzgl. der einzusetzenden Produkte, bietet Beratungsleistungen an (z. B. durch ein *Benutzer-Service-Zentrum* oder →*Information Center*) und versucht, soweit wie möglich die →Datenintegrität bzgl. des Gesamtdatenbestands des Unternehmens aufrechtzuerhalten. – 4. *Vor- und Nachteile:* Der Endbenutzer kann spezifische Probleme direkt und schneller lösen (Abbau des →Anwendungsstaus), keine Kommunikationsprobleme mit der EDV-Abteilung („EDV-Chinesisch"); andererseits fehlt ihm deren gesammeltes Know-how, so daß der jahrelange Lernprozess z. T. benutzerindividuell nachvollzogen wird.

**Indizierung,** in der Plankostenrechnung und Kostenplanung die prozentuale Umrechnung von Kostenständen aufgrund von Preisänderungen der Kostengüter (in Form von Indizes) bei sonst unveränderten geplanten Verbrauchs- und Leistungsmengen.

**Indoktrination,** beeinflussende Maßnahmen zur Erzielung einer möglichst weitgehenden Harmonisierung der Interessen und Wünsche der Unternehmer, des Betriebes und der Mitarbeiter, um Friktionen in der Kooperation beim betrieblichen Leistungsprozeß zu minimieren. – *Mittel:* Innerbetriebliche Information, Schulung und Weiterbildung, Vorbildung der Führungskräfte u. a.

**Indonesien,** *Republik Indonesien,* südostasiatischer Inselstaat, umfaßt die Hauptteil des Malaiischen Archipels; von den etwa 13 600 Inseln sind nur ca. 6000 bewohnt, darunter die Sunda-Inseln Java, Borneo, Sumatra und Celebes. – *Fläche:* 1,905 Mill. km², einschließlich Westirian/Irian Jaya und Osttimor. – *Einwohner* (E): (1986, geschätzt) 167 Mill. (87 E/km²); meist malaiische Indonesier (Javaner, Sudanesen, Maduresen usw.), aber auch Papua- und verwandte melanesische Völker, außerdem Chinesen (1980: 4 Mill.),. Araber, Inder/Pakistaner und Weiße. – *Hauptstadt:* Jakarta (1980: 6,5 Mill. E); weitere Millionenstädte (E 1980): Surabaya (2,0 Mill.), Bandung (1,5 Mill.), Medan (1,4 Mill.), Semarang (1,0 Mill.). – Von 1816 bis zur Unabhängigkeit 1945 niederländische Kolonie (endgültig unabhängig 1949), präsidiale Republik, Verfassung von 1945, Einkammerparlament, zentralistisch verwaltet. *Verwaltungsgliederung:* 27 Provinzen (Propinsi) und 3 weitere Sonderbezirke (Jakarta, Yogyakarta, Aceh), 251 Regierungsbezirke (Kabupaten), Kreise (Kecamatan). – *Amtssprache:* Bahasa Indonesia.

W i r t s c h a f t : *Landwirtschaft:* Vorwiegend bäuerliche Klein- und Kleinstbetriebe, daneben exportorientierte Plantagenwirtschaft. Wichtige Agrarerzeugnisse sind u.a. Reis, Zuckerrohr, Maniok, Palmkerne, Kopra, Naturkautschuk, Papayas, Kaffee, Kakao, Tee, Gewürze (Pfeffer) und Tabak. Wenig entwickelte Viehwirtschaft. – *Forstwirtschaft:* Wälder bedecken 63% der Gesamtfläche. Große tropische Hartholzbestände. Seit 1981 verstärkte Wiederaufforstungs- und Schutzmaßnahmen. Holzeinschlag: (1981) 151,6 Mill. m³ Nutzholz. – *Bedeutende Fischerei* (Fangmenge 1981: 1,9 Mill.t). – *Bergbau und Industrie:* Abbau von Kohle, Mangan- und Kupfer-, Zinn-, Nickelerz, Bauxit, Silber und Gold. Dominante Wirtschaftskraft ist die Erdöl- und Erdgasindustrie, ferner Nahrungs- und Genußmittelindustrie, Textil- und Bekleidungsgewerbe, chemische Industrie sowie Herstellung von Metallwaren, Maschinen- und Fahrzeugbau (vorwiegend Montage). Relativ niedriger Industrialisierungsgrad. – Der *Fremdenverkehr* beschränkt sich bisher hauptsächlich auf die Insel Bali. – *BSP:* (1985, geschätzt) 86 590 Mill. US-$ (530 US-$ je E). – *Öffentliche Auslandsverschuldung:* (1984) 30,2% des BSP. – *Inflationsrate:* (Durchschnitt 1973–84) 17,4%. – *Export:* (1985) 18 590 Mill. US-$, v. a. Erdöl (über 50%), Erd- und Flüssiggas, Holz, Naturkautschuk, Zinnerz, Kaffee und Frischfisch. – *Import:* (1985) 10 259 Mill. US-$, v. a. nichtelektrische Maschinen, Kraftfahrzeuge, Erdölerzeugnisse, elektrische Maschinen, Apparate und Geräte, Erdöl, Zucker. – *Handelspartner:* Japan, Singapur, USA.

V e r k e h r : 154 181 km *Straßen,* davon 62 741 km asphaltiert (1981). – Streckenlänge der *Eisenbahn:* (1983) 6375 km. – Wichtigste *Häfen:* Tanjung Priok bei Jakarta, Tanjung Perak bei Surabaya, Belawan auf Sumatra und Ujung Pandang (Makassar). I. verfügte (1983) über 1391 *Handelsschiffe* (über 100 BRT) mit 1,95 Mill. BRT und 141 Tanker (über 100 BRT) mit 0,37 Mill. BRT. – Zwei internationale *Flughäfen* in der Nähe von Jakarta (Halim, Cenkareng). Zwei *Luftverkehrsgesellschaften.*

M i t g l i e d s c h a f t e n : UNO, ASEAN, CCC, CIPEC, OIC, OPEC, UNCTAD, u. a.; Colombo-Plan.

W ä h r u n g : 1 Rupiah (Rp.) = 100 Sen (S).

**Indossable Wertpapiere,** durch →Indossament übertragbare Wertpapiere. – Vgl. auch →Orderpapiere.

**Indossament,** *Übertragungsvermerk, Wechselgiro, Wechselindossament,* die auf der Rück-

seite eines →Orderpapiers angebrachte Erklärung, mit der der jeweilige Inhaber (Indossant) das Eigentum und damit das Recht aus dem Papier auf den von ihm im I.-Vermerk genannten Indossatar überträgt. I. ist auch auf der Vorderseite und einer →Allonge zulässig; beim Blanko-Indossament auf Wechseln nur auf der Rückseite (Art. 13 WG). – *Haftung:* Mangels entgegenstehenden Vermerks (→Angstklausel) haftet der Indossant für die Annahme und Zahlung. Der Inhaber kann bei jedem Vormann Rückgriff nehmen, soweit er durch eine ununterbrochene Reihe von I. als berechtigt legitimiert ist. Wird dem I. die negative Orderklausel „nicht an Order" hinzugefügt, so haftet der Indossant nur dem Indossatar, nicht den weiteren Nachmännern gegenüber. – *Sonderform:* →Pfandindossament. – Vgl. auch →Blanko-Indossament, →Voll-Indossament.

**Indossamentverbindlichkeiten,** die aus Wechselunterschriften entstehenden Eventualverpflichtungen (aus eigenen Ziehungen, aus Bürgschaften, insbes. Wechsel- und Scheckbürgschaften und Avalkrediten sowie aus Indossamenten). Eine Inanspruchnahme ist nur bei Zahlungsunfähigkeit der anderen aus dem Wechsel Verpflichteten zu erwarten; infolgedessen Ausweis außerhalb der Bilanzsumme (unter dem Strich) gem. § 251 HGB. Von besonderer Bedeutung in der Bankbilanz.

**Indossant,** *Girant,* derjenige, der ein →Orderpapier durch →Indossament an einen anderen (→Indossatar) überträgt.

**Indossatar,** derjenige, auf den das Recht an einem →Orderpapier durch →Indossament übertragbar wird. Beim Wechsel ist Übertragung auch ohne Angabe des I. möglich.

**In dubio pro reo,** ( = im Zweifel für den Angeklagten), strafrechtlicher Grundsatz, nach dem alle Zweifelsfragen bei der Beweiswürdigung zugunsten des Angeklagten zu werten sind.

**Induktion,** logisches Verfahren, bei dessen Anwendung vom Besonderen (einzelne Beobachtungen) zum Allgemeinen (→Theorie) vorangeschritten wird. I. wird häufig als realwissenschaftliche Vorgehensweise schlechthin dargestellt. Ob derartige gehaltserweiternde Schlüsse (→Informationsgehalt) überhaupt möglich sind, wird als *Induktionsproblem* bezeichnet; in seiner ursprünglichen Form gilt es als negativ gelöst. – *Gegensatz:* →Deduktion.

**Induktionsproblem,** →Induktion.

**induktive Inferenz,** *learning from examples,* Methode des automatischen Wissenserwerbs durch ein →wissensbasiertes System, bei der versucht wird, aus einer Menge dem System vorliegender Beispiele auf neues Wissen zu schließen.

**induktive Statistik,** →Inferenzstatistik.

**industrial engineering. 1.** *Begriff:* Interdisziplinäres Betätigungsfeld, das sich mit der Untersuchung, Erklärung und Gestaltung des management-technologischen Bereichs (→Management-Techniken) befaßt. – 2. *Hauptanwendungsgebiete:* →Unternehmensplanung, Verbesserung und Einführung integrierter Mensch-Maschine-Systeme; dabei Konzentration der Bemühungen auf Funktionsfähigkeit dieser Systeme und insbes. auf die Anpassung der maschinellen Sachmittel- und personalen (Menschen) Systemelemente. – 3. *Spezielle Untersuchungsbereiche:* Verhaltensweisen und -prozesse der im System kooperierenden Menschen, Management-Techniken, Verfahrensanalysen, Qualitätstest und -kontrolle, Computertechnik und Informationsbe- und -verarbeitung im Rahmen der EDV, stochastische und deterministische Planungsmodelle. – 4. *Berufsmäßige Institutionalisierung* des industrial engineering ist in den USA stark ausgeprägt. In der BRD ist das i.e. mit dem Wirtschaftsingenieurwesen vergleichbar.

**Industrialisierung. I.** Charakterisierung: 1. *Begriff:* Bezeichnung für die im 18. Jh. von England her erfolgende Ausweitung des Industriesystems mit dessen wirtschaftlichen, technischen und sozialen Besonderheiten (→industrielle Revolution) bis zur Durchsetzung der industriellen Produktionsform zu beherrschender Stellung, wenn auch nicht zu völligem Übergewicht gegenüber anderen →Wirtschaftsbereichen. Die so verstandene I. ist in allen entwickelten Ländern nachweisbar. – 2. *Wirtschaftliche Bedeutung:* Gemessen an der →Wertschöpfung wächst der produktive Beitrag der Industrie schneller als der der Landwirtschaft oder des Handwerks; heute große Bedeutung des Dienstleistungssektors aufgrund der mit der I. erlangten Differenzierung der Lebenshaltung.

II. Wirkungen: 1. *Wirtschaftliche Auswirkungen:* Strukturelle Umschichtungen. a) Besonders in Verbindung mit den sich in verschiedenen Stadien vollziehenden Verlagerungen im Außenhandel bei Neuindustrialisierungsländern: (1) Anteil der Einfuhr von Produktionsmitteln nimmt zuerst zu; bei der Ausfuhr braucht der Anteil der Fertigwaren zunächst nicht zu steigen; (2) in späteren Stadien steigt bei der Einfuhr der Anteil der Konsumgüter, Nahrungsmittel und Rohstoffe, bei der Ausfuhr der Anteil der Fertigwaren und Produktionsmittel. b) Die mit der I. verbundene Steigerung des →Realeinkommens infolge moderner Technik, hoher Kapitalausstattung, Marktorganisation u.ä. (z.B. in Holland, Dänemark, Australien, Kanada). – 2. *Soziale Auswirkungen:* I. wird häufig gleichgesetzt mit relativer Zunahme ungelernter Arbeit und folglich Vermassung als Ergeb-

nis der spezifischen Industrietechnik (→Massenproduktion). Die empirische Sozialforschung zeigt jedoch, daß mit fortschreitender I. in wachsendem Umfang konstruktive und organisatorische Kräfte erforderlich werden, deren Beschaffung neben den für wenige Handgriffe angelernten Kräften Schwierigkeiten bereiten kann. Die Konzentration auf präzise Leistung stellt solche Anforderungen, daß Fachkräfte häufig fehlen.

III. Ergebnisse: 1. *Wirtschaftlich:* a) Ständige Einkommenssteigerung: Das in der Industrie gebildete Nettoeinkommen ist absolut und relativ, bezogen auf die Zahl der Beschäftigten, ständig gestiegen. Diese Wirkung ist jedoch nicht auf die Industrie beschränkt geblieben. Mit Einsatz von Maschinen, Chemikalien usw. hat auch die einkommensbildende Kraft in der Landwirtschaft und im Verkehrswesen zugenommen. b) Erstrebenswertes Ziel der I.: Ihre qualitative Wirkung durch Herstellung völlig neuartiger Güter und darin ermöglichte weitgehende Konsumdifferenzierung. – 2. *Soziologisch:* Auflockerung der Beziehungen der traditionellen sozialen Gruppen zueinander und Herausbildung industriell bedingter Gruppen (Gewerkschaft, Verbände, politische Gruppen usw.) als Folge der immer geringer werdenden Bindung an Arbeitsplatz und an bestimmte Konsumgüter.

**industrial relations,** Beziehungen zwischen →Betrieb und überbetrieblichen Institutionen zu den →Gewerkschaften und anderen Organisationen.

**Industrie. I.** Charakterisierung: 1. *Begriff:* Gewerbliche Produktion mit mechanischen Mitteln unter Einschluß der maschinellen Veredelung von Rohstoffen und des Bergbaus. – Vgl. auch →Industriebetrieb, →Industriebetriebslehre. – 2. *Gliederung:* a) *Nach Waren* bzw. *nach der Konsumnähe:* (1) *Verbrauchsgüter produzierendes Gewerbe:* Bekleidung, Schuhe, Möbel, Hausgerät; (2) *Investitionsgüter produzierendes Gewerbe:* Maschinen, Baustahl, Schiffsplatten u.ä., auch (volkswirtschaftlicher Aspekt i.w.S.) das Grundstoff- und Produktionsgütergewerbe, das bei betriebswirtschaftlicher Betrachtung gesondert aufzuführen wäre. – b) *Nach der Vermögensstruktur:* (1) *anlageintensiv:* Industrie, in der hohe fixe Aufwendungen durch starken Kapitaleinsatz entstehen (Braunkohlenindustrie, Schiffbau); (2) *arbeitsintensiv:* Industrie mit hohem Anteil von Lohn- und sonstigen Arbeitskosten (Spitzenindustrie, Bijouteriehierstellung, Uhrenfabrikation); (3) *rohstoffintensiv:* (Textilindustrie, Ziegeleien, Möbelfabriken). – Meist ist ein bestimmter Industriezweig nicht durch einen, sondern durch eine Kombination von zwei Intensitätsfaktoren charakterisiert. – c) *Nach dem Standort:* (1) *rohstofforientiert:* Porzellanindustrie, Ziegelfabrikation; (2) *verbrauchsorientiert:*

Brotindustrie, Molkereien und sonstige Nahrungsmittelindustrie; (3) *arbeitskostenorientiert;* (4) *verkehrsorientiert.* –3. *Zukunftsrisiken der deutschen Industrie:* Die deutsche Industrie wurde durch die Römischen Verträge (EG) begünstigt, die deutsche Landwirtschaft benachteiligt. Die Entwicklung der Weltpolitik und die Instabilität der internationalen Währungsverhältnisse bringen für die Zukunft ständige Unsicherheiten über Richtung, Größe und Preise des Exports sowie Art und Stärke der Importkonkurrenzen mit. – Tendenzen zur Humanisierung der Arbeitswelt (→Humanisierung der Arbeit) sowie Verkürzung der Arbeitszeit (35-Stunden-Woche) werden Produktionsveränderung, Kostenumlagerungen und, wahrscheinlich, Aufwanderhöhungen von im voraus unbestimmtem Umfang mit sich bringen. – In Anbetracht der zunehmenden Bedeutung des Umweltschutzes (z. B. Sandoz-Unfall) wird zunehmend mit Auflagen und sonstigen gesetzlichen Regelungen für die I. zu rechnen sein; entsprechende Kosten (v. a. auch Investitionskosten) bei der I. für den Umweltschutz, u. U. mit internationalen Wettbewerbsnachteilen verbunden, werden die Folge sein. – Die Konkurrenz aus sog. Billiglohn-Ländern auf internationalem und nationalem Markt sowie weitere Faktoren, wie z. B. Kurssturz des US-$ und Überkapazitäten, werden zu einer Wettbewerbsverschärfung führen.

II. Amtliche Statistik: Seit der Neuordnung dieses Bereichs →Produzierendes Gewerbe.

**Industrial organization,** →Industrieökonomik.

**Industriebetrieb,** →Industrieunternehmung.

**Industriebetriebslehre.** I. Begriff und Abgrenzung: I. als wissenschaftliche *Teildisziplin* der →Betriebswirtschaftslehre umfaßt die Erforschung und Lehre des Wirtschaftens von Industriebetrieben. Erkenntnisobjekt der I. ist der *Industriebetrieb.* Diese kann als komplexes, offenes soziotechnisches System verstanden werden, in dem primär Sachgüter zur Fremdbedarfsdeckung in einem ingenieurtechnischen Prozeß zur Realisierung von Gewinn und anderen Zielen erstellt werden. Wirtschaften läßt sich als Wählen bzw. Entscheiden zwischen Alternativen interpretieren. Somit kann die I. auch als die Wissenschaft von Entscheidungen in Industriebetrieben oder auch als Wissenschaft der Führung (Entscheidungs-, Steuerungs- und Kontrollprozesse) von Industriebetrieben gekennzeichnet werden. – Sie kann verstanden werden als eine durch institutionelle Gliederung gebildete spezielle Betriebswirtschaftslehre im Sinne einer *Wirtschaftszweiglehre,* die die allgemeine Betriebswirtschaftslehre ergänzt. Die I. steht somit auf gleicher Ebene wie die Handelsbetriebs-, Bankbetriebs-, Verkehrsbe-

triebs- und Versicherungsbetriebslehre sowie die landwirtschaftliche Betriebslehre und die Betriebswirtschaftslehre des Handwerks. Wirtschaftszweiglehren beschäftigen sich mit betriebswirtschaftlichen Problemen, die durch Besonderheiten der jeweiligen Wirtschaftszweige bedingt sind. – 2. Die *Grenzen* zwischen allgemeiner Betriebswirtschaftslehre und I. sind nicht scharf zu ziehen. Dies ist zum einen darauf zurückzuführen, daß bei vielen Aussagen der allgemeinen Betriebswirtschaftslehre industrielle Betriebsverhältnisse zugrunde gelegt werden, zum anderen darauf, daß von Industriebetrieben ähnliche Funktionen wahrzunehmen sind wie von anderen Betrieben, zum Beispiel Absatz, Beschaffung, Finanzierung. Grundsätzlich ergänzt die I. das Wissenschaftsprogramm der allgemeinen Betriebswirtschaftslehre durch einen erhöhten Konkretisierungsgrad. Dieser könnte durch die Konzeption spezieller I. (z. B. des Maschinenbaus, des Textilbetriebes) erhöht werden. Der Ansatz ist jedoch bis heute nur wenig ausgebaut. – 3. Relevante *Nachbardisziplinen* sind – neben der allgemeinen Betriebswirtschaftslehre – Ingenieurwissenschaften, Rechtswissenschaft, Arbeitswissenschaft und Informatik.

II. Wissenschaftsziel und Forschungsmethode: 1. I. ist eine Realwissenschaft, die das Vermitteln von theoretischen und/oder pragmatischen Aussagen über ihr Erkenntnisobjekt (Industriebetrieb) bezweckt. Für die I. ist ein theoretisches und ein pragmatisches Wissenschaftsziel zu kennzeichen: a) Das *theoretische Wissenschaftsziel* bedingt eine gedankliche Erfassung des komplexen Objektbereichs und dessen Analyse in Elemente nach zu wählenden Kriterien. Hieran schließt sich die Gewinnung von gesetzesähnlichen Aussagen über den untersuchten Bereich an, ferner ist eine Überprüfung der so gewonnenen Aussagen auf ihren Wahrheitsgehalt vorzunehmen. Diese Gesetzeshypothesen stellen die Elemente von Theorien (in sich widerspruchsfreie Systeme von Aussagen) dar. – b) Das *pragmatische Wissenschaftsziel* bedingt die Entwicklung leistungsfähiger – praxisnaher – Ansätze zur zieladäquaten Gestaltung der Realität. Auf der Basis von Beschreibungen, Klassifikationen und Typologien sind verbale und mathematische Erklärungsmodelle aufzustellen. Ferner sind Annahmen über Zielvorstellungen zu treffen sowie Simulations- und analytische Modelle zu entwickeln, die die Ermittlung der (relativ) optimalen Lösung im Sinne des Zielkriteriums ermöglichen. Neben derartigen Entscheidungsmodellen, die i. d. R. ein Hauptziel enthalten, kommen auch Nutzwertmodelle zur Anwendung, die mehrere Hauptziele bei der Entscheidungsfindung berücksichtigen. – 2. Als *Forschungsmethoden* finden sowohl →Induktion (Schließen vom Besonderen auf das Allgemeine aufgrund von Beobachtungen und Erfahrungen) als auch →Deduktion (Schließen vom Allgemeinen auf das Besondere aufgrund abstrakter Überlegungen) Anwendung.

III. Charakterisierung der Teilgebiete: Kernbereich des Systems Industriebetrieb ist der *Produktions- (Fertigungs-)bereich* mit dem in ihm stattfindenden ingenieurtechnischen Transformationsprozeß, der Be- und/oder Verarbeitung von Stoffen. Im Rahmen der Gestaltung und Lenkung dieses Prozesses unter besonderer Beachtung ökonomischer und anderer z.B. sozialer Ziele sind Entscheidungen auf folgenden – stichpunktartig beschriebenen – Gebieten zu treffen: (1) *Produktwirtschaft* (Produktplanung, Forschung und Entwicklung, Wertanalyse, Normung/Typung); (2) *Anlagenwirtschaft* (Kapazität, Layout, innerbetrieblicher Standort, Instandhaltung); (3) *Personalwirtschaft* (Arbeitsgestaltung, Arbeits- und Leistungsbewegung, Lohnformen, Personaleinsatz); (4) *Programmwirtschaft* (Produktprogrammplanung mit Produktionsverfahrens-, Losgrößen-, Eigenproduktions-/Fremdbezugswahl); (5) *Prozeßwirtschaft* (Produktionsprozeßwirtschaft als auftrags- und potentialorientierte Termin- und Kapazitätsbelegungsplanung mit integrierter Material- und Personalplanung, Produktionsprozeßsteuerung und -kontrolle als Arbeitsverteilung, Arbeitsingangsetzung und Arbeitsfortschritts- und -qualitätskontrolle); (6) *Materialwirtschaft* (Bedarfsermittlung, Lagerhaltung und Bestelldisposition); (7) *Informationswirtschaft* (Kostenrechnungsinformationen, Investitionsrechnungsinformationen, Organisation des Produktions-Controlling). – Andere Faktoren und Funktionen werden in der I. insoweit behandelt, als sich Sonderfragen für Industriebetriebe ergeben.

IV. Ausblick: Entwicklungen auf technischem, wirtschaftlichem und sozialem Gebiet werden auch in Zukunft die Aufgabenstellungen der I. beeinflussen. In jüngster Zeit ist hier insbes. auf dem Gebiet der EDV eine Tendenz zur Integration der betriebswirtschaftlich-organisatorischen und der technisch orientierten Anwendungen zu beobachten. Diese Entwicklung wird unter der Bezeichnung CIM (computer integrated manufacturing) diskutiert. In Verbindung hiermit erfolgt eine zunehmende Automatisierung der Produktion, z.B. durch Einsatz von flexiblen Ferigungssystemen und Industrierobotern. Aus dieser Entwicklung resultieren veränderte Anforderungen an die Mitarbeiter und veränderte Arbeitszeitstrukturen.

**Literatur:** Blohm, H./Beer, T./Seidenberg, U./Silber, H., Produktionswirtschaft, Herne, Berlin 1987; Hahn, D., industrielle Fertigungswirtschaft in entscheidungs- und systemtheoretischer Sicht, in: Zeitschrift für Organisation, 41. Jg. 1972, S. 269–277, 369–380, 427–439; Hahn, D./Laßmann, G., Produktionswirtschaft – Controlling industrieller Produk-

tion, Band 1, Heidelberg, Wien, Zürich, 1986; Heinen, E., Industriebetriebslehre, 7. Aufl., Wiesbaden 1983; Hoitsch, H.-J., Produktionswirtschaft, München 1985; Jacob, H. (Hrsg.), Industriebetriebslehre, 3. Aufl., Wiesbaden 1986; Jacob, H., Industriebetriebslehre, in: Kern, W. (Hrsg.), Handwörterbuch der Produktionswirtschaft, Stuttgart 1979, Sp. 753–766; Kern, W., Industriebetriebslehre, in: Grochla, E./Wittmann, W. (Hrsg.), Handwörterbuch der Betriebswirtschaftslehre, Bd. 2, 4. Aufl., Stuttgart 1975, Sp. 1849–1858; ders., Industrielle Produktionswirtschaft, 3. Aufl., Stuttgart 1980; Kilger, W., Industriebetriebslehre I, Wiesbaden 1986; Mellerowicz, K., Betriebswirtschaftslehre der Industrie, 2 Bd., 7. Aufl., Freiburg 1981; Zäpfel, G., Produktionswirtschaft, Berlin, New York 1982.

Prof. Dr. Dietger Hahn

**Industriebranche,** →Flächenrecycling, →Gewerberecycling.

**Industriegebiete,** Gebiete, in denen es durch günstige Standortbedingungen (Rohstoffe, Verkehrslage) zur Häufung von Industrieanlagen gekommen ist, z.B. Rhein-Main-Gebiet, Neckarraum. – *Charakteristische Merkmale:* Hohe →Bevölkerungsdichte, Rückgang der landwirtschaftlichen Bevölkerung.

**Industriegelände,** von der modernen Stadtplanung angestrebte örtliche Konzentration von Industrieanlagen innerhalb eines Verwaltungsgebietes, um Wohngegenden von den Umweltbelastungen durch die Industrie zu befreien. – *Vorteile:* günstige Verkehrsanschlüsse für Gütertransport, günstige Wasserversorgung, evtl. Energie- und sonstiger Verbundbetrieb mit benachbarten Betrieben.

**Industriegewerkschaften (IG),** →Gewerkschaften, die nicht nach Berufen, sondern nach Industriezweigen (IG Bergbau, IG Metall) oder nach religiösen oder politischen Richtungen (z.B. in Frankreich und Italien) organisiert sind. IG erfassen ungelernte und angelernte Arbeiter sowie Facharbeiter verschiedener Berufszugehörigkeit. Dieses Organisationsprinzip wurde auf allen Gewerkschaftskongressen von 1892 bis 1925 diskutiert, blieb umstritten; setzte sich jedoch nach 1945 in der Bundesrep. D. weitgehend durch (Ausnahme z.B. Deutsche Angestellten-Gewerkschaft). – Im *einzelnen:* IG Bau-Steine-Erden (Bundesvorstand in Frankfurt a.M.); IG Bergbau und Energie (Hauptvorstand in Bochum); IG Chemie-Papier-Keramik (Hauptvorstand in Hannover); IG Medien-Druck und Papier, Publizistik und Kunst (Stuttgart; umfaßt für eine Übergangszeit bis 1989 den beruflichen Geltungsbereich von IG Druck und Papier sowie der Gewerkschaft Kunst); IG Druck und Papier (Hauptvorstand in Stuttgart); IG Metall (Vorstand in Frankfurt a.M.).

**Industriehypothek,** auf industriell genutzte Grundstücke eingetragene →Hypothek. Wert der I. unterschiedlich, da Industriegrundstücke bei ungünstigem Standort im Konkursfall schlecht verwertbar sind. Anders bei Unternehmen mit Monopolcharakter (z.B. Elektrizitätsversorgungsunternehmen). I. sind infolgedessen als dingliche Sicherheit für langfristige Kredite oder Anleihen nur bedingt geeignet.

**Industrie-Kontenrahmen (IKR)**, 1971 vom Betriebswirtschaftlichen Ausschuß des Bundesverband der Deutschen Industrie veröffentlichter →Kontenrahmen, der den seit 1950 geltenden →Gemeinschaftskontenrahmen der Industrie ablösen soll. Änderungen vom ursprünglichen Kontenrahmen ergaben sich insbesondere durch das am 1.1.86 in Kraft getretene →Bilanzrichtlinien-Gesetz. – 1. *Ziele:* a) Der IKR soll allen Industrieunternehmungen – gleich welcher Branche, Größe und Rechtsform – Anregungen zur Aufstellung unternehmensindividueller →Kontenpläne bieten; branchenbezogene Kontenrahmen können abgeleitet werden. b) Weitere Präzisierung bei gleichzeitiger Vereinfachung des Rechnungswesens; Anpassung an die Erfordernisse der EDV. c) Harmonisierung des Rechnungswesens auf internationaler Ebene (insbes. im EG-Bereich). – 2. *Gestaltungsprinzipien:* Gleichzeitige Anwendung von →Abschlußgliederungsprinzip und →Prozeßgliederungsprinzip, konsequente Trennung zwischen Geschäftsbuchführung (Rechnungskreis I) und Kosten- und Leistungsrechnung (Rechnungskreis II); vgl. →Zweisystem. Gliederung des Rechnungskreises I nach dem Abschlußprinzip, Berücksichtigung der handelsrechtlichen Gliederungsvorschriften für Kapitalgesellschaften (§§ 266, 275 HGB). Gliederung des Rechnungskreises II nach dem Prozeßprinzip. – 3. *Gliederung (Grundstruktur):*

a) *Geschäftsbuchführung:*

Bilanzkonten

| | | |
|---|---|---|
| aktive: | Klasse 0: | Immaterielle und Sachanlagen |
| | Klasse 1: | Finanzanlagen |
| | Klasse 2: | Umlaufvermögen, Rechnungsabgrenzung |
| passive: | Klasse 3: | Eigenkapital, Wertberichtigungen, Rückstellungen |
| | Klasse 4: | Verbindlichkeiten, Rechnungsabgrenzung |

Erfolgskonten

| | | |
|---|---|---|
| Erträge: | Klasse 5: | Alle Arten |
| Aufwendungen: | Klasse 6: | Betriebliche Aufwendungen |
| | Klasse 7: | Weitere Aufwendungen |

Eröffnung und Abschluß

| | | |
|---|---|---|
| | Klasse 8: | Eröffnungs- und Abschlußkonten |

b) *Betriebsbuchführung:*

| | |
|---|---|
| Klasse 9: | Kosten- und Leistungsrechnung |

Vgl. Übersicht Sp. 2505–2518

**Industriekredit**, von Kreditinstituten an Industrieunternehmen ausgegebene Betriebsmittelkredite (kurz- oder mittelfristig) sowie Investitionszwischenkredite (mittel- oder langfristig), die durch Emissionen später refundiert werden. I. werden auch von Spezialinstituten gewährt, z. B. von der →Industriekreditbank AG – Deutsche Industriebank.

**Industriekreditbank AG – Deutsche Industriebank**, Sitz in Düsseldorf und Berlin (West). Hervorgegangen aus der 1924 gegründeten Deutschen Industriebank AG und der 1949 gegründeten Industriekreditbank AG. – *Aufgaben:* Bereitstellung mittel- und langfristiger Kredite für kleine und mittlere Industrieunternehmen; Beschaffung der Mittel durch Ausgabe von Obligationen und Aufnahme von Darlehen. Ausführendes Organ bei der Durchführung der →Investitionshilfe, die 1956 abgeschlossen wurde; zu diesem Zweck wurde das *Industriekreditbank-Sondervermögen Investitionshilfe* gebildet. Die West-Berliner Niederlassung, →Berliner Industriebank AG, ist Anlageinstitut für →Berlin-Darlehen nach § 16 Berlinförderungsgesetz.

**Industrieländer**, Staaten mit folgenden Merkmalen: relativ hoher Anteil der Verarbeitenden Industrie am Bruttosozialprodukt; relativ lange Tradition der industriellen Produktion; relativ hohes technologisches Niveau und Pro-Kopf-Einkommen; relativ hohe Funktionsfähigkeit bzw. Effizienz des Wirtschaftssystems. – *Gegensatz:* →Entwicklungsländer.

**industrielle Formgebung**, Zusammenfassung aller Bemühungen, die darauf gerichtet sind, industrielle Erzeugnisse nicht nur technisch zweckmäßig, sondern auch geschmacklich und künstlerisch vollendet zu gestalten. Dabei ist gute Form nicht nur modische Hülle. Formgestaltete Produkte gewähren außer Gebrauchsnutzen meist noch Zusatznutzen und verkaufsfördernde Wirkung.

**industrielle Reservearmee**, Begriff der Wirtschaftstheorie des →Marxismus für das Überschußangebot auf dem Arbeitsmarkt. Der →technische Fortschritt wirkt Marx zufolge alleine arbeitskräftesparend (→tendenzieller Fall der Profitrate), wodurch die Nachfrage der Unternehmer nach Arbeitskräften stetig sinkt. Die Konkurrenz auf dem Arbeitsmarkt führe dazu, daß die Löhne dem Existenzminimum (d. h. dem „Reproduktionsaufwand"; →Arbeitswertlehre, →Existenzminimumtheorie, →Mehrwerttheorie) entsprächen und hierdurch die →Ausbeutung der Arbeiter ermöglicht würde. Im konjunkturellen Aufschwung führe zwar die verstärkte Nachfrage nach Arbeitskräften zu einem kurzfristigen Anstieg der Löhne, jedoch bewirke der hierdurch verursachte Fall der →Profitrate mittelbar wieder ein Absinken der Löhne auf das Existenzminimum. – Die heutzutage relativ hohe Arbeitslosigkeit in den westlichen Indu-

# Übersicht: Industrie-Kontenrahmen (IKR)

Herausgegeben vom Bundesverband der Deutschen Industrie (gekürzt)

| Kontenklasse 0 | Kontenklasse 0 | Kontenklasse 1 |
|---|---|---|
| AKTIVA | | |
| Anlagevermögen | | Umlaufvermögen |

**0 Immaterielle Vermögensgegenstände und Sachanlagen**

**00 Ausstehende Einlagen** bei Kapitalgesellschaften: auf das gezeichnete Kapital, bei Kommanditgesellschaften: ausstehende Kommanditeinlagen)

001 noch nicht eingeforderte Einlagen

\* 002 eingeforderte Einlagen (s. § 272 Abs. 1 [1]) und vgl. Ktn. 268 u. 305)

**01 Aufwendungen für die Ingangsetzung und Erweiterung des Geschäftsbetriebes** (s. § 269)

*Immaterielle Vermögensgegenstände [2]* (vgl. § 248 Abs. 2)

**02 Konzessionen, gewerbliche Schutzrechte und ähnliche Rechte und Werte sowie Lizenzen an solchen Rechten und Werten**

021 Konzessionen
022 Gewerbliche Schutzrechte
023 ähnliche Rechte und Werte
024 Lizenzen an Rechten und Werten

**03 Geschäfts- oder Firmenwert**

031 Geschäfts- oder Firmenwert
032 Verschmelzungsmehrwert

**04 Geleistete Anzahlungen auf immaterielle Vermögensgegenstände**

*Sachanlagen*

**05 Grundstücke, grundstücksgleiche Rechte und Bauten einschließlich der Bauten auf fremden Grundstücken**

050 unbebaute Grundstücke
051 bebaute Grundstücke
   0511 – mit eigenen Bauten
   0519 – mit fremden Bauten
052 grundstücksgleiche Rechte
053 Betriebsgebäude
   0531 – auf eigenen Grundstücken
   0539 – auf fremden Grundstücken
054 Verwaltungsbauten
055 andere Bauten
056 Grundstückseinrichtungen
   0561 – auf eigenen Grundstücken
   0569 – auf fremden Grundstücken
057 Gebäudeeinrichtungen
058 frei
059 Wohngebäude

**06 frei**

**07 Technische Anlagen und Maschinen**
(Untergliederung nach den Bedürfnissen des Industriezweiges bzw. des Unternehmens. Nachstehende Positionen können dazu nur eine Anregung geben).

070 Anlagen und Maschinen der Energieversorgung
071 Anlagen der Materiallagerung und -bereitstellung
072 Anlagen und Maschinen der mechanischen Materialbearbeitung, -verarbeitung und -umwandlung
073 Anlagen für Wärme-, Kälte- und chemische Prozesse sowie ähnliche Anlagen
074 Anlagen für Arbeitssicherheit und Umweltschutz
075 Transportanlagen und ähnliche Betriebsvorrichtungen
076 Verpackungsanlagen und -maschinen
077 sonstige Anlagen und Maschinen
078 Reservemaschinen und -anlageteile
079 geringwertige Anlagen und Maschinen

**08 Andere Anlagen, Betriebs- und Geschäftsausstattung**

080 andere Anlagen
081 Werkstätteneinrichtung
082 Werkzeuge, Werksgeräte und Modelle, Prüf- und Meßmittel
083 Lager- und Transporteinrichtungen
084 Fuhrpark
085 sonstige Betriebsausstattung
086 Büromaschinen, Organisationsmittel und Kommunikationsanlagen
087 Büromöbel und sonstige Geschäftsausstattung
088 Reserveteile für Betriebs- und Geschäftsausstattung
089 geringwertige Vermögensgegenstände der Betriebs- und Geschäftsausstattung

**09 Geleistete Anzahlungen und Anlagen im Bau**

090 geleistete Anzahlungen auf Sachanlagen
095 Anlagen im Bau

**1 Finanzanlagen**

**10 frei**

**11 Anteile an verbundenen Unternehmen** (s. § 271 Abs. 2)

110 – an einem herrschenden oder einem mit Mehrheit beteiligten Unternehmen
111 – an der Konzernmutter, soweit nicht zu Kto. 110 geh.
112/117 – an Tochterunternehmen
118 frei
119 – an sonstigen verb. Untern.

**12 Ausleihungen an verbundene Unternehmen**

120 – gesichert, durch Grundpfandrechte oder andere Sicherheiten
125 – ungesichert

**13 Beteiligungen** (s. § 271 Abs. 1)

130 Beteiligungen an assoziierten Unternehmen
135 andere Beteiligungen

**14 Ausleihungen an Unternehmen, mit denen ein Beteiligungsverhältnis besteht**

140 – gesichert, durch Grundpfandrechte oder andere Sicherheiten
145 – ungesichert

**15 Wertpapiere des Anlagevermögens**

150 Stammaktien
151 Vorzugsaktien
152 Genußscheine
153 Investmentzertifikate
154 Gewinnobligationen
155 Wandelschuldverschreibungen
156 festverzinsliche Wertpapiere
157 frei
158 Optionsscheine
159 sonstige Wertpapiere

**16 Sonstige Ausleihungen (Sonstige Finanzanlagen)**

160 Genossenschaftsanteile
161 gesicherte sonstige Ausleihungen
162 frei
163 ungesicherte sonstige Ausleihungen
164 frei
165 Ausleihungen an Mitarbeiter, an Organmitglieder und an Gesellschafter
   1651/1653 Ausl. an Mitarbeiter
\*  1654 Ausl. an Geschäftsführer/Vorstandsmitglieder
   1655 frei
\*  1656 Ausl. an Mitglieder des Beirats/Aufsichtsr.
   1657 frei
\*  1658 Ausl. an Gesellschafter
166/168 frei
169 übrige sonstige Finanzanlagen

# Übersicht: Industrie-Kontenrahmen (IKR)
## (Fortsetzung)

| Kontenklasse 2 | Kontenklasse 2 | Kontenklasse 3 |
|---|---|---|
| AKTIVA | | PASSIVA |

**Umlaufvermögen**

**2 Umlaufvermögen und aktive Rechnungsabgrenzung**

*Vorräte*

**20 Roh-, Hilfs- und Betriebsstoffe** [3])

**21 Unfertige Erzeugnisse, unfertige Leistungen**

**22 Fertige Erzeugnisse und Waren**
220/227 fertige Erzeugnisse
228 Waren (Handelswaren) [3])
229 frei

**23 Geleistete Anzahlungen auf Vorräte**

*Forderungen und sonstige Vermögensgegenstände (24–26)*

**24 Forderungen aus Lieferungen und Leistungen** [4])
240/244 Forderungen aus Lieferungen und Leistungen
245 Wechselforderungen aus Lieferungen und Leistungen
246/248 frei
249 Wertberichtigungen zu Forderungen aus Lieferungen und Leistungen

**25 Forderungen gegen verbundene Unternehmen und gegen Unternehmen, mit denen ein Beteiligungsverhältnis besteht**

* *Forderungen gegen verbundene Unternehmen*
250 Forderungen aus Lieferungen und
251 Leistungen
252 Wechselforderungen
253 sonstige Forderungen
254 Wertberichtigungen zu Forderungen gegen verbundene Unternehmen [5])

* *Forderungen gegen Unternehmen, mit denen ein Beteiligungsverhältnis besteht*
255 Forderungen aus Lieferungen und
256 Leistungen
257 Wechselforderungen
258 sonstige Forderungen
259 Wertberichtigungen zu Forderungen bei Beteiligungsverhältnissen [5])

**26 Sonstige Vermögensgegenstände**
260 anrechenbare Vorsteuer
261 aufzuteilende Vorsteuer
262 Sonstige Forderungen an Finanzbehörden
263 sonstige Forderungen an Finanzbehörden
264 Forderungen an Sozialversicherungsträger
265 Forderungen an Mitarbeiter, an Organmitglieder und an Gesellschafter
2651/2653 Ford. an Mitarbeiter

* 2654 Ford. an Geschäftsführer/Vorstandsmitglieder
2655 frei
* 2656 Ford. an Mitglieder des Beirats/Aufsichtsr.
2657 frei
* 2658 Ford. an Gesellsch.ter
266 andere sonstige Forderungen
2661 Ansprüche auf Versicherungs- sowie Schadensersatzleistungen
2662 Kostenvorschüsse,
2663 Kautionen und sonstige Sicherheitsleistungen
2664 Darlehen, soweit nicht Finanzanlage
2665/2667 frei
2668 Forderungen aus Soll-Salden der Kontengruppe 44
267 andere sonstige Vermögensgegenstände
268 eingefordertes, noch nicht eingezahltes Kapital und eingeforderte Nachschüsse
* 2681 eingefordertes, noch nicht eingezahltes Kapital
* 2685 eingeforderte Nachschüsse
269 Wertberichtigungen zu sonstigen Forderungen und Vermögensgegenständen [5])

**27 Wertpapiere**
* 270 Anteile an verbundenen Unternehmen
* 271 eigene Anteile
* *Sonstige Wertpapiere*
272 Aktien
273 variabel verzinsliche Wertpapiere
274 festverzinsliche Wertpapiere
275 Finanzwechsel
276/277 frei
278 Optionsscheine
279 sonstige Wertpapiere

**28 Flüssige Mittel**
280/284 Guthaben bei Kreditinstituten
285 Postgiroguthaben
286 Schecks
287 Bundesbank
288 Kasse
289 Nebenkassen

**29 Aktive Rechnungsabgrenzung**
* 290 Disagio (s. § 268 Abs. 6)
291 Zölle und Verbrauchssteuern
292 Umsatzsteuer auf Anzahlungen
293 andere aktive Jahresabgrenzungsposten
294 frei
* 295 aktive Steuerabgrenzung
* 299 nicht durch Eigenkapital gedeckter Fehlbetrag

**3 Eigenkapital und Rückstellungen**

*Eigenkapital (vgl. § 272)*

**30 Kapitalkonto/Gezeichnetes Kapital**

**Bei Einzelfirmen und Personengesellschaften:**
300 Kapitalkonto Gesellschafter A
3001 Eigenkapital
3002 Privatkonto
301 Kapitalkonto Gesellschafter B
3011 Eigenkapital
3012 Privatkonto
**alternativ:**
300 Festkapitalkonto
3001 – Gesellschafter A
3002 – Gesellschafter B
301 veränderliches Kapital
3011 – Gesellschafter A
3012 – Gesellschafter B
302 Privatkonto
3021 – Gesellschafter A
3022 – Gesellschafter B

**Bei Kapitalgesellschaften:**
300 Gezeichnetes Kapital
* 305 noch nicht eingefordert Einlagen

**31 Kapitalrücklage**
311 Aufgeld aus der Ausgabe von Anteilen
312 Aufgeld aus der Ausgabe von Wandelschuldverschreibungen
313 Zahlung aus der Gewährung eines Vorzugs für Anteile
314 andere Zuzahlungen von Gesellschaftern in das Eigenkapital
315–317 frei
* 318 eingeforderte Nachschüsse

**32 Gewinnrücklagen**
* 321 gesetzliche Rücklagen
* 322 Rücklage für eigene Anteile
3221 – für Anteile eines herrschenden oder eines mit Mehrheit beteiligten Unternehmens
3222 – für Anteile des Unternehmens selbst
* 323 satzungsmäßige Rücklagen
* 324 andere Gewinnrücklagen
* 325 Eigenkapitalanteil bestimmter Passivposten
3251 EK-Anteil von Wertaufholungen
3252 EK-Anteil von Preissteigerungsrücklagen

**33 Ergebnisverwendung** [6])
(anstelle Bilanzposition A IV „Gewinnvortrag/Verlustvortrag" gem. § 266 Abs. 3)
331 Jahresergebnis des Vorjahres
* 332 Ergebnisvortrag aus früheren Perioden
333 Entnahmen aus der Kapitalrücklage

| Kontenklasse 3 | Kontenklasse 4 | Kontenklasse 5 |
|---|---|---|
| PASSIVA | | ERTRÄGE |

**Kontenklasse 3 — PASSIVA**

334 Veränderungen der Gewinnrücklagen vor Bilanzergebnis

335 Bilanzergebnis (Bilanzgewinn/Bilanzverlust)

336 Ergebnisausschüttung

337 zusätzlicher Aufwand oder Ertrag aufgrund Ergebnisverwendungsbeschluß

338 Einstellungen in Gewinnrücklagen nach Bilanzergebnis

339 Ergebnisvortrag auf neue Rechnung

34 **Jahresüberschuß/Jahresfehlbetrag**

35 **Sonderposten mit Rücklageanteil** (s. § 247 Abs. 3 § 273 u. § 281)

350 sog. steuerfreie Rücklagen

355 Wertberichtigungen auf Grund steuerlicher Sonderabschreibungen

36 **Wertberichtigungen** (Bei Kapitalgesellschaften als Passivposten der Bilanz nicht mehr zulässig)

*Rückstellungen (s. § 249)*

37 **Rückstellungen für Pensionen und ähnliche Verpflichtungen**

371 Verpflichtungen für eingetretene Pensionsfälle

372 Verpflichtungen für unverfallbare Anwartschaften

373 Verpflichtungen für verfallbare Anwartschaften

374 Verpflichtungen für ausgeschiedene Mitarbeiter

375 Pensionsähnliche Verpflichtungen (z. B. Verpflichtungen aus Vorruhestandsregelungen)

38 **Steuerrückstellungen**

380 Gewerbeertragsteuer

381 Körperschaftsteuer

382 Kapitalertragsteuer

383 ausländ. Quellensteuer

384 andere Steuern vom Einkommen und Ertrag

* 385 latente Steuern

386/388 frei

389 sonstige Steuerrückstellungen

39 **Sonstige Rückstellungen**

390 – für Personalaufwendungen und die Vergütung an Aufsichtsgremien

391 – für Gewährleistung
3911 Vertragsgarantie
3915 Kulanzgarantie

392 – Rechts- und Beratungskosten

393 – für andere ungewisse Verbindlichkeiten

394/396 frei

397 – für drohende Verluste aus schwebenden Geschäften

398 – für unterlassene Instandhaltung

399 – für andere Aufwendungen

**Kontenklasse 4**

4 **Verbindlichkeiten und passive Rechnungsabgrenzung**

40 **frei**

41 **Anleihen**

* 410 Konvertible Anleihen
415 Anleihen – nicht konvertibel

42 **Verbindlichkeiten gegenüber Kreditinstituten**

43 **Erhaltene Anzahlungen auf Bestellungen**

44 **Verbindlichkeiten aus Lieferungen und Leistungen[4])**

45 **Wechselverbindlichkeiten (Schuldwechsel)**
450 – gegenüber Dritten
451 – gegenüber verbundenen Unternehmen
452 – gegenüber Unternehmen, mit denen ein Beteiligungsverhältnis besteht

46 **Verbindlichkeiten gegenüber verbundenen Unternehmen[4])**
460 – aus Lieferungen und Leistungen/Inland
465 – aus Lieferungen und Leistungen/Ausland
469 – sonstige Verbindlichkeiten (verb. Untern.)

47 **Verbindlichkeiten gegenüber Unternehmen, mit denen ein Beteiligungsverhältnis besteht[4])**
470 – aus Lieferungen und Leistungen/Inland
475 – aus Lieferungen und Leistungen/Ausland
479 sonstige Verbindlichkeiten (Betlg.verh.)

48 **Sonstige Verbindlichkeiten**
480 Umsatzsteuer
* 481 Umsatzsteuer nicht fällig
* 482 Umsatzsteuervorauszahlung
483 sonstige Steuerverbindlichkeiten
484 Verbindlichkeiten gegenüber Sozialversicherungsträgern
485 Verbindlichkeiten gegenüber Mitarbeitern, Organmitgliedern und Gesellschaftern
486 andere sonstige Verbindlichkeiten
487/488 frei
489 übrige sonstige Verbindlichkeiten

49 **Passive Rechnungsabgrenzung** (s. § 250 Abs. 2)
490 passive Jahresabgrenzung

**Anmerkung:** Hier können je nach betrieblicher Organisation weitere Konten für die **innerjährige Rechnungsabgrenzung** eingefügt werden.

**Kontenklasse 5 — ERTRÄGE**

5 **Erträge**

50 **Umsatzerlöse** (vgl. § 277 Abs. 1)
500/504 frei
505 st.freie Umsätze
506 st.freie Umsätze
507 Lieferungen in das Währungsgebiet der Mark der DDR (WgM-DDR)
508 Erlöse 1/2 USt.-Satz
509 frei

51

510 Umsatzerlöse für eigene Erzeugnisse und andere Leistungen
513 1/1 USt.-Satz
514 andere Umsatzerlöse, 1/1 USt.-Satz
515 Umsatzerlöse für Waren, 1/1 USt.-Satz

*Erlösberichtigungen (soweit nicht den Umsatzerlösarten direkt zurechenbar)*
516 Skonti
517 Boni
518 andere Erlösberichtigungen
519 frei

52 **Erhöhung oder Verminderung des Bestandes an unfertigen und fertigen Erzeugnissen**
521 Bestandsveränderungen an unfertigen Erzeugnissen und nicht abgerechneten Leistungen
522 Bestandsveränderungen an fertigen Erzeugnissen
523/524 frei
* 525 zusätzliche Abschreibungen auf Erzeugnisse bis Untergrenze erwarteter Wertschwankungen
* 526 steuerliche Sonderabschreibungen auf Erzeugnisse

53 **Andere aktivierte Eigenleistungen**
530 selbsterstellte Anlagen
539 sonstige andere aktivierte Eigenleistungen

54 **Sonstige betriebliche Erträge**
540 Nebenerlöse[8])
541 sonstige Erlöse[8])
542 Eigenverbrauch (umsatzsteuerpflichtige Lieferungen und Leistungen ohne Entgelt gem. § 1 Abs. 1 Nr. 2a, 2b, 2c und 3 UStG; vgl. Kto. 6935)
543 andere sonstige betriebliche Erträge
5431 empfangene Schadensersatzleistungen
5432 Schuldennachlaß
5433 Steuerbelastungen an Organgesellschaften
5434 Investitionszulagen
544 Erträge aus Werterhöhungen von Gegenständen des Anlagevermögens
545 Erträge aus Werterhöhungen von Gegenständen des Umlaufvermögens außer Vorräten und Wertpapieren

# Übersicht: Industrie-Kontenrahmen (IKR)
## (Fortsetzung)

| Kontenklasse 5 | Kontenklasse 6 | Kontenklasse 6 |
|---|---|---|
| ERTRÄGE | AUFWENDUNGEN | |

| ERTRÄGE | AUFWENDUNGEN | |
|---|---|---|
| 546 Erträge aus dem Abgang von Vermögensgegenständen<br>5461 – immaterielle Vermögensgegenstände<br>5462 – Sachanlagen<br>5463 – Umlaufvermögen (soweit nicht unter anderen Erlösen)<br>* 547 Erträge aus der Auflösung von Sonderposten mit Rücklageanteil<br>548 Erträge aus der Herabsetzung von Rückstellungen<br>* 549 periodenfremde Erträge<br>**55 Erträge aus Beteiligungen**<br>* *E. aus Bet. an verbundenen Unternehmen*<br>* 550 Erträge aus Beteiligungen an verbundenen Unternehmen, mit denen Verträge über Gewinngemeinschaft, Gewinnabführung oder Teilgewinnabführung bestehen<br>551 Erträge aus Beteiligungen an anderen verbundenen Unternehmen<br>552 Erträge aus Zuschreibungen zu Anteilen an verbundenen Unternehmen<br>553 Erträge aus dem Abgang von Anteilen an verbundenen Unternehmen<br>554 frei<br>* *E. aus Bet. an nicht verbundenen Unternehmen*<br>* 555 Erträge aus Beteiligungen an nicht verbundenen Unternehmen, mit denen Verträge über Gewinngemeinschaft, Gewinnabführung oder Teilgewinnabführung bestehen<br>556 Erträge aus anderen Beteiligungen<br>557 Erträge aus Zuschreibungen zu Anteilen an nicht verbundenen Unternehmen<br>558 Erträge aus dem Abgang von Anteilen an nicht verbundenen Unternehmen<br>559 frei<br>**56 Erträge aus anderen Wertpapieren und Ausleihungen des Finanzanlagevermögens**<br>* 560 Erträge von verbundenen Unternehmen aus anderen Wertpapieren und Ausleihungen des Anlagevermögens<br>565 Erträge von nicht verbundenen Unternehmen aus anderen Wertpapieren und Ausleihungen des Anlagevermögens<br>**57 Sonstige Zinsen und ähnliche Erträge**<br>* 570 sonstige Zinsen und ähnliche Erträge von verbundenen Unternehmen<br>**58 Außerordentliche Erträge** (s. § 277 Abs. 4)<br>**59 Erträge aus Verlustübernahme** | **6 Betriebliche Aufwendungen**<br><br>*Materialaufwand*<br>**60 Aufwendungen für Roh-, Hilfs- und Betriebsstoffe und für bezogene Waren**<br>600 Rohstoffe/Fertigungsmaterial<br>601 Vorprodukte/Fremdbauteile<br>602 Hilfsstoffe<br>603 Betriebsstoffe/Verbrauchswerkzeuge<br>604 Verpackungsmaterial<br>605 Energie<br>606 Reparaturmaterial und Fremdinstandhaltung (sofern nicht unter 616, weil die Fremdinstandhaltung überwiegt)<br>607 sonstiges Material<br>608 Aufwendungen für Waren<br>609 Sonderabschreibungen auf Roh-, Hilfs- und Betriebsstoffe u. f. bezogene Waren (sofern das Kto. 609 noch für best. Materialien benötigt wird, können für diese Abschreibungen auch z. B. die Unter-Ktn. 6198/6199 eingesetzt werden)<br>6091 frei<br>* 6092 zusätzliche Abschreibungen auf Material und Waren bis Untergrenze erwarteter Wertschwankungen<br>* 6093 steuerliche Sonderabschreibungen auf Material und Waren<br><br>**61 Aufwendungen für bezogene Leistungen**<br>610 Fremdleistungen für Erzeugnisse und andere Umsatzleistungen<br>611 Fremdleistungen für die Auftragsgewinnung (bei Auftragsfertigung – soweit einzelnen Aufträgen zurechenbar)<br>612 Entwicklungs-, Versuchs- und Konstruktionsarbeiten durch Dritte<br>613 weitere Fremdleistungen<br>614 Frachten und Fremdlager (incl. Vers. u. anderer Nebenkosten)<br>615 Vertriebsprovisionen<br>616 Fremdinstandhaltung und Reparaturmaterial<br>617 sonstige Aufwendungen für bezogene Leistungen<br><br>*Aufwandsberichtigungen (soweit nicht den Aufwandsarten direkt zurechenbar)*<br>618 Skonti<br>619 Boni und andere Aufwandsberichtigungen | *Personalaufwand*<br>**Löhne**<br>620 Löhne für geleistete Arbeitszeit einschl. tariflicher, vertraglicher oder arbeitsbedingter Zulagen<br>621 Löhne für andere Zeiten<br>622 sonstige tarifliche oder vertragliche Aufwendungen für Lohnempfänger<br>623 freiwillige Zuwendungen<br>624 frei<br>625 Sachbezüge<br>626 Vergütungen an gewerbl. Auszubildende<br>627/628 frei<br>629 sonstige Aufwendungen mit Lohncharakter<br>**Gehälter**<br>630 Gehälter einschließlich tariflicher, vertraglicher oder arbeitsbedingter Zulagen<br>631 frei<br>632 sonstige tarifliche oder vertragliche Aufwendungen<br>633 freiwillige Zuwendungen<br>634 frei<br>635 Sachbezüge<br>636 Vergütung an techn./kaufm. Auszubildende<br>637/638 frei<br>639 sonstige Aufwendungen mit Gehaltscharakter<br>**Soziale Abgaben und Aufwendungen für Altersversorgung und für Unterstützung**<br>*Soziale Abgaben*<br>640 Arbeitgeberanteil zur Sozialversicherung (Lohnbereich)<br>641 Arbeitgeberanteil zur Sozialversicherung (Gehaltsbereich)<br>642 Beiträge zur Berufsgenossenschaft<br>643 sonstige soziale Abgaben<br>*Aufwendungen für Altersversorgung*<br>644 gezahlte Betriebsrenten (einschl. Vorruhestandsgeld)<br>645 Veränderungen der Pensionsrückstellungen<br>646 Aufwendungen für Direktversicherungen<br>647 Zuweisungen an Pensions- und Unterstützungskassen<br>648 sonstige Aufwendungen für Altersversorgung<br>*Aufwendung für Unterstützung*<br>649 Beihilfen und Unterstützungsleistungen<br>**Abschreibungen**<br>650 Abschreibungen auf aktivierte Aufwendungen, für die Ingangsetzung und Erweiterung des Geschäftsbetriebes (§ 282)<br>*Abschreibungen auf Anlagevermögen*<br>651 Abschreibungen auf immaterielle Vermögensgegenstände des Anlagevermögens |

| Kontenklasse 6 | Kontenklasse 6 | Kontenklasse 7 |
|---|---|---|

AUFWENDUNGEN

| Kontenklasse 6 | Kontenklasse 6 | Kontenklasse 7 |
|---|---|---|
| * 6511 A. auf Rechte gem. Ktn. Gr. 02<br>* 6512 A. auf Geschäfts- oder Firmenwert<br>* 6513 A. auf Anzahlungen gem. Ktn.Gr. 04<br>* 652 Abschreibungen auf Grundstücke und Gebäude<br>* 653 Abschreibungen auf technische Anlagen und Maschinen<br>* 654 Abschreibungen auf andere Anlagen, Betriebs- und Geschäftsausstattung<br>* 655 außerplanmäßige Abschreibungen auf Sachanlagen<br>* 656 steuerrechtliche Sonderabschreibungen auf Sachanlagen<br><br>* *Abschreibungen auf Umlaufvermögen (soweit das in d. Gesellsch. übliche Maß überschreitend, s. § 275 Abs. 2 Ziff. 7 b)*<br>657 unübliche Abschreibungen auf Vorräte<br>658 unübliche Abschreibungen auf Forderungen und sonstige Vermögensgegenstände<br>659 frei<br><br>*Sonstige betriebliche Aufwendungen (66–70)*<br><br>**66 Sonstige Personalaufwendungen**<br>660 Aufwendungen für Personaleinstellung<br>661 Aufwendungen für übernommene Fahrtkosten<br>662 Aufwendungen für Werkarzt und Arbeitssicherheit<br>663 personenbezogene Versicherungen<br>664 Aufwendungen für Fort- und Weiterbildung<br>665 Aufwendungen für Dienstjubiläen<br>666 Aufwendungen für Belegschaftsveranstaltungen<br>667 frei (evtl. Aufwendungen für Werksküche und Sozialeinrichtungen)<br>668 Ausgleichsabgabe nach dem Schwerbehindertengesetz<br>669 übrige sonstige Personalaufwendungen<br><br>**67 Aufwendungen für die Inanspruchnahme von Rechten und Diensten**<br>670 Mieten, Pachten, Erbbauzinsen<br>671 Leasing<br>672 Lizenzen und Konzessionen<br>673 Gebühren<br>674 Leiharbeitskräfte (soweit nicht unter 6132)<br>675 Bankspesen/Kosten des Geldverkehrs u. d. Kapitalbeschaffung<br>676 Provisionen (soweit nicht unter 611 oder 615)<br>677 Prüfung, Beratung, Rechtsschutz<br>678 Aufwendungen für Aufsichtsrat/Beirat oder dgl.<br>679 frei | **68 Aufwendungen für Kommunikation (Dokumentation, Informatik, Reisen, Werbung)**<br>680 Büromaterial und Drucksachen<br>681 Zeitungen und Fachliteratur<br>682 Post<br>683 sonstige Kommunikationsmittel<br>684 frei<br>685 Reisekosten<br>686 Gästebewirtung und Repräsentation<br>687 Werbung<br>688 frei<br>689 sonstige Aufwendungen für Kommunikation<br><br>**69 Aufwendungen für Beiträge und Sonstiges sowie Wertkorrekturen und periodenfremde Aufwendungen**<br>690 Versicherungsbeiträge, div.<br>691 Kfz-Versicherungsbeiträge<br>692 Beiträge zu Wirtschaftsverbänden und Berufsvertretungen<br>693 andere sonstige betriebliche Aufwendungen<br>6931 Verluste aus Schadensfällen<br>6932 Forderungsverzicht<br>6935 Eigenverbrauch<br>695 Verluste aus Wertminderungen von Gegenständen des Umlaufvermögens (außer Vorräten und Wertpapieren)<br>6951 Abschreibungen auf Forderungen wegen Uneinbringlichkeit<br>6952 Einzelwertberichtigungen<br>6953 Pauschalwertberichtigungen<br>6954 Kursverluste bei Forderungen in Fremdwährung und Valutabeständen<br>* 6955 zusätzliche Abschreibungen auf Forderungen in Fremdwährung und Valutabestände bis Untergrenze erwarteter Wertschwankungen<br>696 Verluste aus dem Abgang von Vermögensgegenständen<br>697 Einstellungen in den Sonderposten mit Rücklageanteil<br>* 6971 steuerliche Sonderabschreibungen auf Anlagevermögen<br>* 6973 steuerliche Sonderabschreibungen auf Umlaufvermögen<br>6979 sonstige Einstellungen in den Sonderposten mit Rücklageanteil<br>698 Zuführungen zu Rückstellungen soweit nicht unter anderen Aufwendungen erfaßbar<br>* 699 periodenfremde Aufwendungen (soweit nicht bei den betreffenden Aufwandsarten zu erfassen) | **7 Weitere Aufwendungen**<br><br>**70 Betriebliche Steuern**<br>700 Gewerbekapitalsteuer<br>701 Vermögensteuer<br>702 Grundsteuer<br>703 Kraftfahrzeugsteuer<br>704 frei<br>705 Wechselsteuer<br>706 Gesellschaftssteuer<br>707 Ausfuhrzölle<br>708 Verbrauchsteuern<br>709 sonstige betriebliche Steuern<br><br>**71/73 frei**<br><br>**74 Abschreibungen auf Finanzanlagen und auf Wertpapiere des Umlaufvermögens und Verluste aus entsprechenden Abgängen**<br>740 Abschreibungen auf Finanzanlagen<br>7401 frei<br>* 7402 Abschreibungen auf den beizulegenden Wert<br>* 7403 steuerliche Sonderabschreibungen<br>741 frei<br>742 Abschreibungen auf Wertpapiere des Umlaufvermögens<br>743/744 frei<br>745 Verluste aus dem Abgang von Finanzanlagen<br>746 Verluste aus dem Abgang von Wertpapieren des Umlaufvermögens<br>747/748 frei<br>* 749 Aufwendungen aus Verlustübernahme<br><br>**75 Zinsen und ähnliche Aufwendungen**<br>* 750 Zinsen und ähnliche Aufwendungen an verbundene Unternehmen<br>751 Bankzinsen<br>752 Kredit- und Überziehungsprovisionen<br>753 Diskontaufwand<br>754 Abschreibung auf Disagio<br>755 Bürgschaftsprovisionen<br>756 Zinsen für Verbindlichkeiten<br>757 Abzinsungsaufwand<br>758 frei<br>759 sonstige Zinsen und ähnliche Aufwendungen<br><br>**76 Außerordentliche Aufwendungen**<br><br>**77 Steuern vom Einkommen und Ertrag**<br>770 Gewerbeertragsteuer<br>771 Körperschaftsteuer<br>772 Kapitalertragsteuer<br>773 ausländ. Quellensteuer<br>774 frei<br>775 latente Steuern<br>776/778 frei<br>779 sonstige Steuern vom Einkommen und Ertrag<br><br>**78 Sonstige Steuern**<br><br>**79 Aufwendungen aus Gewinnabführungsvertrag** |

| Kontenklasse 8 | Kontenklasse 8 | Kontenklasse 9 |
|---|---|---|
| ERGEBNISRECHNUNGEN | | KOSTEN- UND LEISTUNGSRECHNUNG |

**8 Ergebnisrechnungen**

**80 Eröffnung/Abschluß**

  800 Eröffnungsbilanzkonto
  801 Schlußbilanzkonto
  802 GuV-Konto Gesamt-
     kostenverfahren
  803 GuV-Konto Umsatz-
     kostenverfahren

*Konten der Kostenbereiche für
die GuV im Umsatzkosten-
verfahren*

**81 Herstellungskosten**

  810 Fertigungsmaterial
  811 Fertigungsfremdleistungen
  812 Fertigungslöhne und -gehäl-
     ter
  813 Sondereinzelkosten der Fer-
     tigung
  814 Primärgemeinkosten des
     Materialbereichs
  815 Primärgemeinkosten des
     Fertigungsbereichs
  816 Sekundärgemeinkosten des
     Materialbereichs
  817 Sekundärgemeinkosten des
     Fertigungsbereichs (s. Hin-
     weis unter Konto 816)

**82 Vertriebskosten**

**83 Allgemeine Verwaltungskosten**

**84 Sonstige betriebliche Aufwen-
dungen**

*Konten der kurzfristigen Er-
folgsrechnung (KER) für innerjährige Rechnungsperioden
(Monat, Quartal oder Halbjahr)*

**85 Korrekturkonten zu den
Erträgen der Kontenklasse 5**

  850 Umsatzerlöse
  851
  852 Bestandsveränderungen
  853 andere aktivierte Eigenlei-
     stungen
  854 sonstige betriebliche Erträge
  855 Erträge aus Beteiligungen
  856 Erträge aus anderen Wert-
     papieren und Ausleihungen
     des Finanzvermögens
  857 sonstige Zinsen und ähn-
     liche Erträge
  858 außerordentliche Erträge
  859 frei

**86 Korrekturkonten zu den Aufwen-
dungen der Kontenklasse 6**

  860 Aufwendungen für Roh-,
     Hilfs- und Betriebsstoffe
     und für bezogene Waren
  861 Aufwendungen für bezogene
     Leistungen
  862 Löhne
  863 Gehälter
  864 Soziale Abgaben und Auf-
     wendungen für Altersversor-
     gung und für Unterstützung

  865 Abschreibungen
  866 sonstige Personal-
     aufwendungen
  867 Aufwendungen für die Inan-
     spruchnahme von Rechten
     und Diensten
  868 Aufwendungen für Kommu-
     nikation (Dokumentation,
     Informatik, Reisen, Wer-
     bung)
  869 Aufwendungen für Beiträge
     und Sonstiges sowie Wert-
     korrekturen und perioden-
     fremde Aufwendungen

**87 Korrekturkonten zu den Aufwen-
dungen der Kontenklasse 7**

  870 betriebliche Steuern
  871/873 frei
  874 Abschreibungen auf Finanz-
     anlagen und auf Wertpa-
     piere des Umlaufvermögens
     und Verluste aus entspre-
     chenden Abgängen
  875 Zinsen und ähnliche Auf-
     wendungen
  876 außerordentliche Auf-
     wendungen
  877 Steuern vom Einkommen
     und Ertrag
  878 sonstige Steuern
  879 frei

**88 Kurzfristige Erfolgsrechnung
(KER)**

  880 Gesamtkostenverfahren
  881 Umsatzkostenverfahren

**89 Innerjährige Rechnungs-
abgrenzung**
(alternativ zu 298 bzw. 498)

  890 aktive Rechnungs-
     abgrenzung
  895 passive Rechnungsabgren-
     zung

Die Kontengruppen 85–87 erfassen
die Gegenbuchungen zur KER auf
Konto 880. Gleichzeitig enthalten
sie die Abgrenzungsbeträge dieser
periodenbereinigten Aufwendungen
und Erträge zu den Salden der Kontenklasse 5–7. Die Gegenbuchung
der Abgrenzungsbeträge erfolgt auf
entsprechenden Konten der inner-
jährigen Rechnungsabgrenzung z. B.
298 bzw. 498 oder 890 bzw. 895.

**9 Kosten- und Leistungsrechnung
(KLR)**

**90 Unternehmensbezogene Abgren-
zungen (betriebsfremde Aufwendungen und Erträge)**

**91 Kostenrechnerische Korrekturen**

**92 Kostenarten und Leistungsarten**

**93 Kostenstellen**

**94 Kostenträger**

**95 Fertige Erzeugnisse**

**96 Interne Lieferungen und Leistun-
gen sowie deren Kosten**

**97 Umsatzkosten**

**98 Umsatzleistungen**

**99 Ergebnisausweise**

In der Praxis wird die KLR gewöhnlich tabellarisch durchgeführt.
Es wird auf die dreibändigen BDI-
Empfehlungen zur Kosten- und Leistungsrechnung hingewiesen.

*Erläuterungen zu einzelnen Positionen des IKR*

\* Abgesehen von geringfügigen Ausnahmen wurde die Gliederung des IKR so angelegt, daß die laut den gesetzlichen Bilanz- und GuV-Gliederungsschemata für große Kapitalgesellschaften ausweispflichtigen Posten jeweils eine Kontengruppe (zweistellige Nummer) belegen. Außerdem wurde bestimmten weiteren gesondert auszuweisenden Posten jeweils eine Kontengruppe eingeräumt. Die dann noch verbleibenden gesondert ausweispflichtigen Posten, die auf Einzelkonten (dreistellige Nummer) oder Unterkonten (vierstellige Nummer) erfaßt werden, wurden durch Kennzeichnung mit einem Stern (\*) hervorgehoben. Zum Teil können einzelne Posten davon zusammengefaßt ausgewiesen werden. Die Pflicht zum gesonderten Ausweis kann sich auch auf den Anhang beziehen.

1) Hinweise auf Gesetzesparagraphen beziehen sich auf das HGB, sofern nichts anderes vermerkt ist.

2) Bestimmte Begriffe der gesetzlichen Gliederungsschemata können nicht in die Nomenklatur des Kontenrahmens selbst übernommen werden, weil sie sich nicht mit einem Konto oder einer Kontengruppe decken. Sie wurden deshalb in Kursivdruck als Zwischenüberschriften an die entsprechenden Stellen des Kontenrahmens eingefügt. Eine Ausnahme bilden demgegenüber die Kursiv-Zeilen der Klasse 8, die als Überschriften zur Abgrenzung von getrennten Funktionsbereichen eingefügt wurden, sowie die Zwischenzeilen „Erlösberichtigungen" und „Aufwandsberichtigungen".

3) Für Anschaffungsnebenkosten und Anschaffungskostenminderungen können Unterkonten gebildet werden (s. Kontengruppe 20 und Konto 228).

4) Forderungen und Verbindlichkeiten aus Lieferungen und Leistungen werden im allgemeinen nach Inland und Ausland sowie ggf. nach weiteren Kundengruppierungen gegliedert. Für Forderungen und Verbindlichkeiten in Fremdwährung werden getrennte Konten geführt (s. Kontengruppen 24 und 44).
Für Verbindlichkeiten, die durch Pfandrechte oder ähnliche Rechte gesichert sind, empfiehlt es sich, in allen Kontengruppen jeweils getrennte Konten zu führen – vgl. § 285 Nr. 1 b u. Nr. 2 i. V. m. § 288 (s. Kontengruppen 44–48).
Eine Gliederung der Konten für Forderungen und Verbindlichkeiten nach den gesetzlich unterschiedenen Restlaufzeiten (s. § 268 Abs. 4 u. 5. und § 285 Nr. 1 a u. 2 i. V. m. § 288) wird nicht als generell zu empfehlen angesehen, da dies im Zeitablauf jeweils entsprechende Umbuchungen bedingen würde. Bei den Verbindlichkeiten ergäbe sich außerdem eine zusätzliche Komplikation durch die weitere gesetzliche Unterscheidung zwischen gesicherten und ungesicherten Verbindlichkeiten (s. § 285 Nr. 1 u. Nr. 2). Es soll daher der Buchführungsorganisation im Einzelfall überlassen bleiben, ob sie das Kriterium der Restlaufzeiten im Kontenplan berücksichtigt.

5) Einzelwertberichtigungen können auch direkt auf den Einzelkonten bzw. auf Unterkonten zugeordnet werden (s. Konten 249, 254 u. 259).

6) Bei der Kontengruppe 33 ergibt sich eine Besonderheit. Sie steht anstelle der Position A IV der Passivseite „Gewinnvortrag/Verlustvortrag" des Bilanzgliederungsschemas. Eine gleichlautende Bezeichnung für die Kontengruppe erweist sich jedoch als nicht sinnvoll, weil in der Bilanz dieser Posten vom Gesetzgeber nur unter der Voraussetzung einer Bilanzaufstellung „vor Ergebnisverwendung" oder „nach vollständiger Ergebnisverwendung" vorgesehen ist. Bei Bilanzaufstellung „nach teilweiser Ergebnisverwendung" steht an dieser Stelle der Bilanz der Posten „Bilanzgewinn/Bilanzverlust". In allen drei Fällen ist es aber dieselbe Kontengruppe, die je nach den Voraussetzungen den einen oder anderen Posten als Saldo ausweist. Es muß daher für die Kontengruppe eine Bezeichnung gewählt werden, die alle Alternativen abdeckt. Da sich in jedem Falle in dieser Kontengruppe die Buchungsschritte der „Ergebnisverwendung" abspielen, dürfte der Begriff „Ergebnisverwendung" die richtige Bezeichnung für diese Kontengruppe sein.

7) Die bei Einzelunternehmen und Personengesellschaften anfallenden Einkommensteuern für die Unternehmer/Mitunternehmer werden nicht in der Kontengruppe 77 erfaßt, sondern unmittelbar den jeweiligen Privatkonten belastet. Es besteht andererseits ein Interesse auch für den Bilanzleser, daß publizitätspflichtige Einzelunternehmen und Personengesellschaften ein mit Kapitalgesellschaften vergleichbares Ergebnis ausweisen können. Eine dem § 257 Abs. 1 HGB-Regierungsentwurf v. 26. 8. 83 entsprechende Regelung im Publizitätsgesetz wäre daher wünschenswert (s. Konten 388 u. 778).

8) Die mit den Konten 540 u. 541 angesprochenen Erträge können je nach den Verhältnissen des einzelnen Unternehmens auch zu den Umsatzerlösen gehören und sind dann in der Kontengruppe 50/51 zu erfassen (s. § 277 Abs. 1).

striestaaten kann nicht auf der Grundlage dieser Theorie erklärt werden.

**Industrielle Revolution,** im frühen 19. Jh. in Analogie zum Begriff „politische Revolution" eingeführter Ausdruck. Bezeichnet einen raschen Wandel von Produktionstechniken und, daraus abgeleitet, von wirtschaftlich-gesellschaftlichen Strukturen. Urpsrünglich bezogen auf die Phase der Einführung neuer Kraft- und Werkzeugmaschinen und den Beginn der Fabrikindustrie in England am Ende des 18. Jh. Er wurde sodann auf die Erstindustrialisierungsphasen anderer Länder übertragen. – Inzwischen spricht man auch von einer *ersten i. R.* im 18. Jh. (Industrialisierung), von einer *zweiten i. R.* um die Wende des 19. zum 20. Jh. (Elektrifizierung) sowie von einer *dritten i. R.*, die sich gegenwärtig vollziehe (Computerisierung). – *Inhalt und Nutzen des Begriffs* blieben umstritten, da die wirtschaftshistorische Forschung inzwischen die Langsamkeit der Änderungsprozesse auch im England des 18. und frühen 19. Jh. der Modellcharakter dieser i. R. für ähnliche Wandlungsprozesse in anderen Ländern zweifelhaft geworden ist.

**Industrielles Rechnungwesen,** zusammenfassende Bezeichnung für das →Rechnungswesen der →Industrieunternehmungen. Das i. R. wird traditionell in Buchführung, Kostenrechnung, industriebetriebliche Statistik und Planung unterteilt.

I. B u c h f ü h r u n g u n d B i l a n z : 1. Dieser Teil des i. R. umfaßt die →Finanzbuchhaltung u. die →Betriebsbuchhaltung sowie die aus der Buchhaltung unter Einbeziehung der →Inventur entwickelte →Jahresbilanz, →Gewinn- und Verlustrechnung ggf. einschließlich →Anhang und →Lagebericht. Die normierte Ausrichtung dieser Rechen- und Erläuterungswerke auf die Erfordernisse der Industrieunternehmungen ist in der Wirtschaftspraxis aus zwei Gründen weit entwickelt: (1) Der Gesetzgeber des 3. Buches des HGB hat sich unausgesprochen am Modell des Industriebetriebes ausgerichtet, insbes. die →Bilanzgliederung (§ 266 HGB) und die Gliederung der →Gewinn- und Verlustrechnung (§ 275 HGB) orientieren sich am typischen Produktionsprozeß einer Industrieunternehmung. (2) Der →Industrie-Kontenrahmen bietet Industrieunternehmungen – gleich welche Branche, Größe und Rechtsform – Anregungen zur Aufstellung individueller, aber doch gleich strukturierter Kontenpläne. – 2. *Aufgaben* dieser Teile des i. R.: (1) Information, (2) Dokumentation, (3) Ergebnisfeststellung. – Vgl. im einzelnen →Jahresbilanz.

II. K o s t e n r e c h n u n g : Industrielle Produktionsprozesse waren seit den Anfängen der Kostenrechnung bestimmend für Aufbau, Teilgebiete, Verfahren und Abrechnungsprinzipien des →internen Rechnungswesens. Bis heute stecken Überlegungen zur Gestaltung

von Kostenrechnungen für Dienstleistungsunternehmen noch in den Kinderschuhen. Die derzeit in den Lehrbüchern dargestellte →Kostenrechnung ist weitestgehend eine industrielle Kostenrechnung.

III. I n d u s t r i e b e t r i e b l i c h e S t a t i s t i k : Vergleichsrechnung für innerbetriebliche Vorgänge, v. a. zur Kostenkontrolle. – *Beispiel:* Verhältniszahlen oder Abweichungen von Richtzahlen für Warenverbrauch, Löhne, Gehälter, Beschäftigungszahlen, Verkaufsmengen und -erlöse, Rohgewinn, Reingewinn – im Verhältnis zum Umsatz bzw. zu einem Durchschnittsumsatz. – Vgl. im einzelnen →betriebswirtschaftliche Statistik.

IV. P l a n u n g : Heranzuziehen sind die industriebetriebliche Statistik sowie die Ergebnisse von Buchführung und Kostenrechnung: a) für das Gesamtunternehmen in einem Zeitabschnitt, b) für Abteilungen, wie Fertigung, Einkauf, Absatz, Finanzierung usw. Nach Ablauf einer Periode (Monat, Vierteljahr, Geschäftsjahr) werden dem Planungssoll die effektiven Zahlen der Buchhaltung gegenübergestellt.

**Industriemesse,** →Messe.

**Industrieobligation,** →Anleihe III 2.

**Industrieökonomik,** *Theory of Industrial Organization.* 1. *Begriff:* Eine von der Theorie geleitete empirische Forschung zur Organisation und Struktur der Industrie i. w. S. Im Mittelpunkt der I. steht die Frage, ob das bei der Herstellung von Gütern und Dienstleistungen erzielte Ergebnis für die gesellschaftliche Wohlfahrt zufriedenstellend ist. – 2. *Entwicklung:* In den 30er Jahren von E. S. Mason begründet, v. a. von J. S. Bain weiterentwickelt. – 3. *Ausgangspunkt* ist das „Structure-conduct-performance-Paradigma": Es besagt, daß sich das Ergebnis einer „industry" (Branche i. e. S.) durch die Struktur und das Verhalten der Unternehmen in ihr erklären läßt. Die Struktur beinhaltet die Rahmenbedingungen, die die Unternehmen einer „industry" in ihren Entscheidungen beachten müssen. Im Rahmen dieser Gegebenheiten besteht für die „industry" ein gewisser Handlungsraum, für das erreichbare Ergebnis festlegt. Dieser deterministische Zusammenhang wird in neueren Beiträgen für I. abgewandelt, indem retrograd auch von einer Einflußnahme des Ergebnisses auf das Verhalten und auch die Struktur ausgegangen wird. – 4. *Ansätze:* Vgl. Übersicht Sp. 2521/2522. – 5. *Anwendung:* a) Ursprünglich wurde die I. in der Regierungspolitik und in der Rechtsprechung genutzt. Struktur und Verhalten sind Ansatzpunkte für die Wirtschafts- und Wettbewerbspolitik (vgl. auch →Wirtschaftspolitik, →Wettbewerbspolitik). Sie sind auch Kriterien für die Beurteilung der Marktmacht und deren Auswirkung auf das Ergebnis in der Antirust-Gesetzge-

| | Marktstruktur | Marktverhalten | Marktergebnis |
|---|---|---|---|
| Bain (1968) | 1. Anbieterkonzentrationsgrad<br>2. Nachfragerkonzentrationsgrad<br>3. Grad der Produktdifferenzierung<br>4. Eintrittsbedingungen | 1. Festsetzung von Preisen und Mengen der Anbieter<br>2. Festsetzung von Vertriebskosten und Produktpolitik<br>3. „predatory and exclusionary tactics"<br>4. Nachfrageverhalten | 1. technische Effizienz der Produktion<br>2. Preis/Grenzkosten der Produktion<br>3. Output/möglichen Output bei Preis gleich Grenzkosten<br>4. Verkaufsförderungs-/Produktionskosten<br>5. Produkteigenschaften<br>6. Fortschritt |
| Caves (1972) | 1. Anbieterkonzentration<br>2. Produktdifferenzierung<br>3. Marktschranken<br>4. Wachstumsrate der Marktnachfrage<br>5. Preiselastizität der Nachfrage<br>6. Nachfragerkonzentration | 1. Politik der Preisfestsetzung<br>2. Politik der Qualitätsbestimmung<br>3. Politik der Markträumung | 1. Vollbeschäftigung und Preisstabilität<br>2. Fortschritt, Forschung und Innovation<br>3. Effizienz (profitrates, efficient scale of production, sales promotion and product changes) |
| Koch (1974) | 1. „industry"-Reife<br>2. öffentliche Regulierung<br>3. Produktdifferenzierung<br>4. Anbieter- u. Nachfragekonzentration<br>5. Eintrittsbarrieren<br>6. Kostenstrukturen<br>7. vertikale Integration<br>8. Diversifikation<br>9. „scale economies" | 1. Kollusion<br>2. Preisstrategie<br>3. Produktstrategie<br>4. Anpassung an Wechsel<br>5. Forschung und Innovation<br>6. Werbung<br>7. „legal tactics" | 1. Output<br>2. Outputwachstum<br>3. technologischer Fortschritt<br>4. Beschäftigung<br>5. allokative Effizienz<br>6. „cross-efficiency"<br>7. Einkommensverteilung |
| Shepherd (1979) | 1. Marktanteil<br>2. Konzentration<br>3. Eintrittsbarrieren<br>4. vertikale Modelle<br>5. andere<br>  – Lebenszyklen<br>  – Wachstum<br>  – Zufallsprozesse<br>  – Regierungspolitik | 1. Preisverhalten<br>  – gemeinsame Gewinnmaximierung<br>  – Preisdiskriminierung<br>2. Marktausschluß | 1. Preis-Kosten-Modelle<br>2. Effizienz: statisch und dynamisch<br>3. Einkommensverteilung<br>4. „content" |
| Scherer (1980) | 1. „economics of scale"<br>2. Fusionisten und Konzentration<br>3. Regierungspolitik<br>4. stochastische Determinanten | 1. Preisverhalten<br>2. Produktstrategie und Werbung<br>3. technologische Innovation<br>4. „plant investment"<br>5. „legal tactics" | 1. Produktions- und allokative Effizienz<br>2. Fortschritt<br>3. Vollbeschäftigung<br>4. Einkommensverteilung |

bung und -Rechtsprechung (vgl. auch →Kartellgesetz). b) Aktuell erfährt die I. aus dem Bereich der →Wettbewerbskonzepte innerhalb eines →strategischen Managements neue Impulse.

**Industriepolitik,** alle wirtschaftspolitischen Maßnahmen und Bestrebungen durch Bund, Länder und Kommunen sowie Verbände, die auf Struktur und Entwicklung der Industrie einwirken. I. kann aktiv zur Beeinflussung des Industrialisierungsprozesses (Strukturwandel als Folge der I.) oder reaktiv auf unerwünschte Differenzierungswirkungen des Industrialisierungsprozesses erfolgen. Im letzteren Fall können Erhaltungsmaßnahmen *(defensive I.)* oder Anpassungshilfen *(offensive I.)* ergriffen werden. Teil der →Gewerbepolitik (Maßnahmen vgl. dort).

**Industrieroboter.** 1. *Begriff:* Universell einsetzbarer, mit mehreren Achsen versehener Bewegungsautomat, dessen Bewegungen hinsichtlich Bewegungsfolge, Wegen und Winkeln frei programmierbar sind. Ein I. ist mit Greifern, Werkzeugen oder anderen Fertigungsmitteln ausgerüstet und kann Handhabungs- (→Handhabungssystem) und/oder Fertigungsaufgaben ausführen. – 2. *Aufbau:* Ein I. besteht aus Antriebssystem, Wegmeßsystem, Steuerung, Kinematik (Achsen) und ggf. Greifern. – 3. *Einsatzschwerpunkte:* im Rahmen der →Fertigungsautomation v. a. Werkzeughandhabung, z. B. Punktschweißen, Lackieren, und Werkstückhandhabung, z. B Teilebearbeitung, Montage, Transport.

**Industriesoziologie,** spezielle Soziologie mit dem Gegenstandsbereich der Beziehungen zwischen Gesellschaft bzw. gesellschaftlichen Entwicklungen und Problemlagen und Industrie bzw. industrieller Entwicklung. – *Untersuchungsgegenstand:* I. e. S. Interdependenzen von Produktionsweise (Produktionsorganisation und -technologie), Wirtschaftsordnung und Gesellschaft bzw. gesellschaftliche Teilbereiche; i. w. S. industrielle Gesellschaft und ihre Wandel. – *Abgrenzung:* Das breite Spektrum industriesoziologischer Fragestellungen ist eine Folge der außerordentlichen Komplexität ihres Gegenstandes. Aus diesem Grund ist es nicht möglich, eine abgrenzende Definition vorzunehmen. Enge Beziehungen bestehen zur →Betriebssoziologie u. a. Diziplinen, die sich mit Arbeit, Wirtschaft, Technologie, Beruf usw. befassen, wobei die I. gegenüber diesen eher durch eine Makroperspektive gekennzeichnet ist.

**Industriestaat,** Staaten, deren Arbeitsbevölkerung zum größten Teil im Handwerk, im Gewerbe, v. a. aber in der Industrie beschäftigt ist. – *Gegensatz:* →Agrarstaat.

**Industriestandard.** 1. *Begriff:* Auf dem Hardware- und Softwaremarkt vielbenutzte Fiktion für ein Produkt, dem Standardcharakter

bei Anwendern in der Industrie zugemessen wird (vgl. auch →De-Facto-Standard); meist eher als Schlagwort beim Produkt-Marketing verwendet. – 2. *Formen:* Zahlreiche Kategorien, z. B. Betriebssystem →MS-DOS (bzw. →PC-DOS) als I. für →Personal Computer (Konkurrenz behauptet allerdings, →UNIX sei I.), →SQL als I. für relationale Datenbankabfragesprachen, IBM PC als I. für →Personal Computer. – Oft werben Anbieter mit →Kompatibilität zum I., v. a. im letzten Fall.

**Industriestatistik,** Bezeichnung eines Erhebungs- und Berichtssystems der amtlichen Statistik auf dem Gebiet industrieller Unternehmen und Betriebe bis zum Übergang auf das System der Statistiken im →Produzierenden Gewerbe nach der gesetzlichen Neuordnung dieses Bereichs durch das Gesetz über die Statistik im Produzierenden Gewerbe vom 6. 11. 1975 (BGBl I 2779).

**Industrietypen,** →Produktionstypen.

**Industrie- und Handelskammer (IHK),** Interessenvertretung für die gewerbliche Wirtschaft eines Bezirks. – 1. *Geschichtliche Entwicklung:* Anfang des 19. Jh. nach französischem Vorbild dort entstanden, wo französisches Recht galt. Die Handelskammern erhielten in Preußen durch Gesetz von 1870 und 1897 Rechtsgrundlage; einige Jahrzehnte später in Nord- und Ostdeutschland als echte Selbstverwaltungsorgane. – 2. *Organisation:* a) Nach 1945 zunächst unterschiedliche Regelung. – b) Durch das Gesetz zur vorläufigen Regelung des Rechts der Industrie- und Handelskammern vom 19. 12. 1956 (BGBl I 920) mit späteren Änderungen Vereinheitlichung und Neuregelung des Handelskammerrechts. Danach sind die IHK im Bundesgebiet wieder →Körperschaften des öffentlichen Rechts mit verfassungsrechtlich zulässiger Zwangsmitgliedschaft. Mitglieder (Kammerzugehörige) sind alle Einzelkaufleute, Handelsgesellschaften und juristische Personen des privaten und öffentlichen Rechts, die im Kammerbezirk eine gewerbliche Niederlassung, Betriebsstätte oder Verkaufsstelle unterhalten und zur Gewerbesteuer veranlagt werden; Angehörige freier Berufe oder der Land- und Forstwirtschaft nur, soweit sie ins Handelsregister eingetragen sind; Handwerksbetriebe sind nicht zur Mitgliedschaft verpflichtet, können jedoch beitreten, wenn sie gleichzeitig in die Handwerksrolle und in das Handelsregister eingetragen sind. Kammerbeiträge in zwei Formen: als veränderliche Umlagen auf Grund der Gewerbesteuermeßbeträge und als einheitliche Grundbeiträge; in bestimmten Fällen Sonderbeiträge (§ 3 V des IHK-Gesetzes). Beiträge verjähren in fünf Jahren. – 3. *Dachorganisation:* →Deutscher Industrie- und Handelstag. – 4. *Organe:* Mitglieder wählen einen Beirat, der das Präsidium bestellt. Beirat und Präsidium bestellen Hauptgeschäftsführer oder Syndikus. – 5. *Aufgaben:* Vertretung der gewerblichen Wirtschaft gegenüber den kommunalen Instanzen, Beratung der Mitglieder, Abgabe von Gutachten, z. B. über Handelsbräuche oder Frage der Vergleichswürdigkeit bei Konkurs oder Vergleich, Auskunfterteilung, Träger der Berufsausbildung, Errichtung von Fach- und Berufsschulen, Gestellung von Sachverständigen, Schlichtung von Wettbewerbsstreitigkeiten, Mitwirkung bei Eintragungen, Berichtigungen u. ä. im Handelsregister, bei Konzessionserteilung usw. – 6. IHKs in der *Bundesrep. D.:* IHK zu Aachen; IHK für das südöstliche Westfalen zu Arnsberg; IHK Aschaffenburg; IHK für Augsburg und Schwaben (Augsburg); IHK für Oberfranken (Bayreuth); IHK zu Berlin; IHK Ostwestfalen zu Bielefeld; IHK zu Bochum; IHK Bonn; IHK Braunschweig; HK Bremen; IHK Bremerhaven; IHK zu Coburg; IHK Darmstadt; IHK Lippe zu Detmold; IHK zu Dillenburg; IHK zu Dortmund; IHK zu Düsseldorf; Nordrheinische IHK Duisburg-Wesel-Kleve zu Duisburg; IHK für Ostfriesland und Papenburg (Emden); IHK für Essen, Mülheim a. d. R., Oberhausen zu Essen; IHK Flensburg; IHK Frankfurt a. M.; IHK Südlicher Oberrhein (Freiburg); IHK Friedberg (Hessen); IHK Fulda; IHK Gießen; Südwestfälische IHK zu Hagen; HK Hamburg; IHK Hanau-Gelnhausen-Schlüchtern (Hanau); IHK Hannover-Hildesheim (Hannover und Hildesheim); IHK Ostwürttemberg (Heidenheim/Brenz); IHK Heilbronn; IHK Mittlerer Oberrhein (Karlsruhe); IHK Kassel; IHK zu Kiel; IHK zu Koblenz; IHK zu Köln; IHK Hochrhein-Bodensee (Konstanz); IHK Mittlerer Niederrhein Krefeld-Mönchengladbach-Neuss (Krefeld); IHK Limburg; IHK Lindau-Bodensee; IHK für die Pfalz (Ludwigshafen a. Rh.); IHK zu Lübeck; IHK Lüneburg-Wolfsburg (Lüneburg); IHK für Rheinhessen (Mainz); IHK Rhein-Neckar (Mannheim); IHK für München und Oberbayern (München); IHK zu Münster; IHK Nürnberg; IHK Offenbach a. M.; Oldenburgische IHK (Oldenburg); IHK Osnabrück-Emsland (Osnabrück); IHK für Niederbayern (Passau); IHK Nordschwarzwald (Pforzheim); IHK Regensburg; IHK Reutlingen; IHK des Saarlandes (Saarbrücken); IHK Siegen; IHK Stade für den Elbe-Weser-Raum; IHK Mittlerer Neckar (Stuttgart); IHK Trier; IHK Ulm; IHK Schwarzwald-Baar-Heuberg (Villingen-Schwenningen); IHK Bodensee-Oberschwaben (Weingarten); IHK Wetzlar; IHK Wiesbaden; IHK Würzburg-Schweinfurt (Würzburg); IHK Wuppertal-Solingen-Remscheid (Wuppertal). – *Zusammenschlüsse auf Landesebene:* Arbeitsgemeinschaft der IHK in Baden-Württemberg (Stuttgart); Arbeitsgemeinschaft der Bayerischen IHK (München); Arbeitsgemeinschaft hessischer IHK (Frankfurt a. M.); Vereinigung der Niedersächsi-

schen IHK (Hannover); Vereinigung der IHK des Landes Nordrhein-Westfalen (Düsseldorf); Arbeitsgemeinschaft der IHK Rheinland-Pfalz (Mainz); Verband der IHK des Landes Schleswig-Holstein (Kiel); Arbeitsgemeinschaft Öffentlichkeitsarbeit der norddeutschen IHK (Hamburg).

**Industrieunternehmen,** *Industrieunternehmen, Industriebetrieb.*

I. Begriff/Wesen: I. sind sozio-technische Systeme, in denen i. d. R. auf ingenieurwissenschaftlicher Basis Sachgüter zur Fremdbedarfsdeckung geschaffen werden, um Erfolg unter Beachtung von sozialen und sonstigen Anforderungen zu erzielen. Die Sachgüterproduktion (→Produktion) steht bei I. im Vordergrund, wobei allerdings in zunehmendem Maße auch produktionsbezogene →Dienstleistungen (z. B. Softwareherstellung) erbracht werden.

II. Abgrenzung: 1. Das Kriterium der Sachgüterproduktion unterscheidet I. von *Dienstleistungsunternehmungen* (→Dienstleistungsbetriebe), bei denen die Erbringung von Verrichtungen, Finanz- und Informationsleistungen im Mittelpunkt der Werteerzeugung stehen. – 2. Eine exakte Abgrenzung zwischen I. und *Handwerksunternehmungen* (→Handwerksbetriebe) ist nicht möglich. Neben der ingenieurwissenschaftlichen Planung des Produktionsprozesses in I. bestehen nur graduelle Unterschiede in bestimmten Merkmalsbereichen. Handwerksunternehmungen haben im wesentlichen räumlich und persönlich eng begrenzte Abnehmerkreise, die Handarbeit steht im Mittelpunkt des Podukationsprozesses und die Anlagenintensität ist relativ gering. Die Handwerksunternehmung erfordert vielseitig ausgebildete Arbeitskräfte und der Handwerksmeister ist Kapitalgeber, Unternehmer, Lehrmeister und Arbeiter in einer Person. Aufgrund der geringen Beschäftigtenzahl ist eine tiefe organisatorische Gliederung nicht erforderlich. In I. dagegen ist der Abnehmerkreis räumlich meist breit gestreut und sowohl die →unmittelbar kundenorientierte Produktion als auch die →mittelbar kundenorientierte Produktion kennzeichnen I. Die maschinelle, zum Teil automatisierte Produktion (→Automatisierung) dominiert, und die →Anlagenintensität ist relativ hoch. Wegen des hohen Grades der Arbeitsteilung sind in I. viele an- und ungelernte Arbeitskräfte neben hochqualifizierten Fachkräften beschäftigt. Die Funktionen des Kapitalgebers, des Unternehmers und Arbeitnehmers sind personell vielfach getrennt. Die relativ hohe Beschäftigtenzahl in I. macht eine tiefe organisatorische Gliederung erforderlich. – 3. Neben dieser tendenziellen Abgrenzung in den erwähnten Merkmalsbereichen ist eine *formale Unter-*

*scheidung in den öffentlichen Statistiken* üblich: Hiernach sind I. durch die Mitgliedschaft in den →Industrie- und Handelskammern und die Handwerksunternehmungen durch die Mitgliedschaft in den →Handwerkskammern gekennzeichnet.

III. Historische Betriebsformen der Industrie: Als historische Formen gelten die →Fabrik, die →Manufaktur und das →Verlagssystem (Charakterisierung sowie heutige Bedeutung vgl. dort).

*Literatur:* Hahn, D./Laßmann, G., Produktionswirtschaft – Controlling industrieller Produktion, Bd. 1, Heidelberg-Wien 1986; Heinen, E., Industriebetriebslehre, 8. Aufl., Wiesbaden 1985; Kern, W., Industrielle Produktionswirtschaft, 3. Aufl., Stuttgart 1980; Mellerowicz, K., Betriebswirtschaftslehre der Industrie, Bd. 1, 7. Aufl., Freiburg i. Br. 1981.

Prof. Dr. Dieter Hahn

**Industrieverbandsprinzip,** Gliederung der Organisationen von Arbeitnehmern (→Gewerkschaft) und Arbeitgebern (→Berufsverband) nach Wirtschaftsbereichen, nicht nach Berufen. In der Bundesrep. D. ist I. üblich. – *Gegensatz:* →Berufsverbandsprinzip.

**Industrievereinigung,** →Kombinat.

**Industriewerbung,** Werbung, deren Werbebotschaft an bestimmte, zahlenmäßig kleinere Käuferkreise (z. B. Werbung für Investitionsgüter) gerichtet ist (industrieorientiert). Da industrielle Güter i. d. R. erklärungsbedürftig sind, kommen weniger emotionale, sondern mehr sachliche, rationale Werbeaussagen zum Einsatz. – Vgl. auch →Handelswerbung, →Zielgruppe.

**induzierte Größen,** ökonomische Variablen eines Modells, deren Entwicklung von anderen ökonomischen und außerökonomischen Größen beeinflußt wird. *Beispiel:* induzierter Konsum = derjenige Teil des Konsums, der durch das Volkseinkommen bestimmt wird. Die Trennung von i. G. und →autonomen Größen ist eine modelltheoretische Vereinfachung.

**Infant-industry-Argument,** →Erziehungszoll.

**inferentielle Datenanalyse,** →Datenanalyse 2.

**inferentielle Statistik,** →Inferenzstatistik.

**Inferenz,** *Schlußfolgerung,* Bezeichnung für ein neues →Faktum, das man aus bereits bekannten Fakten, z. B. durch die Anwendung von →Regeln, ableitet. Vgl. auch →Inferenzmaschine, →Inferenzstrategie. – *Arten:* a) zielgesteuerte I.: Vgl. →Rückwärtsverkettung; b) datengesteuerte I.: Vgl. →Vorwärtsverkettung.

**Inferenzmaschine,** *Inferenzmechanismus,* Bestandteil eines →wissensbasierten Systems, der die Aufgabe hat, mit Hilfe von Inferenzregeln (→Inferenz, →Regel) Schlußfolgerungen

aus der →Wissensbasis abzuleiten, die zur Lösung des zu bearbeitenden Problems beitragen. Zur Vorgehensweise vgl. →Inferenzstrategie.

**Inferenzmechnismus,** →Inferenzmaschine.

**Inferenzstatistik,** *analytische Statistik, inferentielle Statistik, induktive Statistik,* diejenigen Methoden und Probleme der Statistik, die die Übertragung von Befunden aus →Stichproben (in einem engeren Sinn) auf zugehörige →Grundgesamtheiten zum Gegenstand haben, also insbes. die Methoden und Probleme der →Punktschätzung, der →Intervallschätzung (→Konfidenzschätzung) und der →statistischen Testverfahren; hinzu kommen noch die Probleme der technischen Auswahl von →Zufallsstichproben, des Einsatzes →höherer Zufallsstichprobenverfahren bzw. →Hochrechnungsverfahren. I. steht in einem gewissen Gegensatz zur →deskriptiven Statistik, deren Gegenstand die Beschreibung von statistischen →Gesamtheiten ohne Beachtung von Schätz- oder Prüfaspekten ist.

**Inferenzstrategie,** Vorgehensweise, die eine →Inferenzmaschine eines wissensbasierten Systems bei der Herleitung der Problemlösung einschlägt. In den meisten Anwendungsgebieten ist der Lösungsraum zu groß, als daß ein systematisches Generieren und Überprüfen aller Möglichkeiten (durch „erschöpfende" →Breadth-first-Suche oder →Depth-first-Suche) sinnvoll bzw. technisch durchführbar wäre; aus diesem Grund in diesen Fällen der Prozeß der Lösungssuche durch Strategien gesteuert, die das in der →Wissensbasis gespeicherte →Expertenwissen und/oder bestimmte →Heuristiken zur Auswahl erfolgversprechender Lösungswege nutzen.

**inferiore Güter,** Güter, deren Konsum von einer bestimmten Einkommenshöhe an abnimmt.

**Inflation,** Prozeß allgemeiner Preissteigerungen.

I. Symptome/Arten: 1. Für eine Marktwirtschaft ist charakteristisch, daß die Preise der einzelnen Güter steigen bzw. sinken, wenn ihr Knappheitsgrad zu- bzw. abnimmt. Die Beweglichkeit der Einzelpreise hat die wichtige marktwirtschaftliche Funktion der Lenkung von Ressourcen in die rentierlichen und begehrten Bereiche zum Ausgleich von Angebot und Nachfrage (optimale Allokation). Ist die beidseitige Flexibilität der Einzelpreise derart gestört, daß lediglich Preiserhöhungen auftreten ohne daß genügend andere Einzelpreise sinken, führt dies zu einem *Anstieg des* →Preisniveaus (Kennziffer für die durchschnittliche Veränderung aller Einzelpreise). Dies ist ein Merkmal einer *offenen I.* Bei I. ist die Allokations- und Innovationsfunktion insofern gestört, als die Anbieter und Nachfrager die Veränderung der relativen Preise nur schwer abzuschätzen vermögen. – Je nach Ausmaß der längere Zeit anhaltenden Preisniveauerhöhung, gleichbedeutend mit Verlust an →Kaufkraft des Geldes, wird von *schleichender, trabender* und *galoppierender I.* gesprochen. Die Übergänge zwischen diesen Arten der I. sind definitorisch „fließend". – Treten zur I. mangelhaftes Wachstum und Arbeitslosigkeit hinzu, so liegt →*Stagflation* vor. – 2. Von einer *zurückgestauten I.* spricht man, wenn trotz Nachfrageüberhang fällige Preiserhöhungen durch administrative Maßnahmen (Lohn- und Preisstopp, Höchstpreise usw.) unterdrückt werden, wie beispielsweise in Deutschland während des Zweiten Weltkrieges (Bezugscheine, schwarze Märkte, Währungsreform 1948) oder in Zentralverwaltungswirtschaften. – 3. Desweiteren unterscheidet man I.sarten nach ihren Ursachen wie etwa *geldmengen-, angebots- und nachfrageinduzierte oder importierte I.* (vgl. im einzelnen IV).

II. M e s s u n g : Es wäre in der Praxis sehr aufwendig, sämtliche Preise laufend zu ermitteln. Außerdem sind die verschiedenen Güter gesamtwirtschaftlich und für einzelne Personen (Gruppen) ganz unterschiedlich wichtig. Dazu kommt, daß Preis-, Mengen- und Qualitätsänderungen der Güter praktisch gleichzeitig auftreten, so daß die Preisbewegungen rechnerisch isoliert werden müssen. Angesichts dieser Problematik konstruiert man unter bewußtem Verzicht auf Einzelinformationen (d. h. durch repräsentative Auswahl von Gütern und Preisen) eine Kennziffer, die über die durchschnittliche Preisentwicklung informiert (→Preisindex): a) Ein *Preisindex für das Bruttosozialprodukt* mißt die Preisentwicklung aller Waren und Dienstleistungen, die in das Sozialprodukt eingehen. b) Der →*Preisindex für die Lebenshaltung* dagegen berücksichtigt nur Waren und Dienstleistungen des täglichen Bedarfs, die als repräsentativ für den „durchschnittlichen" privaten Haushalt angesehen werden können.

III. W i r k u n g e n : Preisniveausteigerungen haben i. d. R. überwiegend nachteilige ökonomische und soziale Folgen, die insbes. den Allokations- und Verteilungseffekten der I. zuzuschreiben sind. Positive Wachstums- und Beschäftigungseffekte dagegen sind theoretisch ebenso umstritten, wie bislang empirisch kaum nachweisbar.

1. *Allokationswirkungen:* a) Die negativen Auswirkungen auf den Allokationsprozeß zeigen sich in der inflationsbedingten *Fehlleitung von Produktionsfaktoren und Rohstoffen,* was zu erheblichen *volkswirtschaftlichen Kosten* und *Innovationsverlusten* führt. Vor dem Hintergrund der Aufgaben des marktwirtschaftlichen Preissystems läßt sich dies verdeutlichen: Preise und ihre Änderungen sind für die Anbieter und Nachfrager Signale; sie zeigen

ihnen früh an, auf welchen Gebieten kreatives Denken und Handeln (→Innovation, →technischer Fortschritt) einzel- und gesamtwirtschaftlich lohnend ist (F. A. v. Hayek). Beispielsweise signalisieren steigende Energiepreise Notwendigkeit und Profitabilität neuer Systeme der Energieeinsparung (Wärmepumpen, Solarenergie usw.). In einer funktionierenden Marktwirtschaft ist also das Preisgefüge ständig in Bewegung, wenn sich die Knappheitsverhältnisse verändern. Die Koordinationsleistungen des Marktmechanismus liegen in seiner Fähigkeit, in Anpassung an diese Veränderungen Angebot und Nachfrage auf den einzelnen Märkten tendenziell auszugleichen. Bei I. wird es für die Wirtschaftssubjekte immer schwieriger, an Hand der absoluten Preisveränderungen die Veränderung der tatsächlichen Knappheitsrelationen abzulesen, so daß sie ihre ökonomischen Entscheidungen auf Fehlinformationen stützen, was zu einer Unterausnutzung wie kreativen Möglichkeiten sowie zu ineffizienten Verwendungen der knappen Produktionsfaktoren (Fehlallokation) führt. Das bedeutet *Hemmung von Wachstum und Beschäftigung* und somit Widerspruch zu der These von der Wachstumsstimulation (der hohe ein gewissen Grad als „Preis" für mehr Beschäftigung zu tolerieren sei (→Phillipskurve). – b) *Bei starker und anhaltender I.* vertrauen die Wirtschaftssubjekte der Geldwertstabilität immer weniger; es bildet sich eine *Inflationsmentalität* mit negativen Folgen für das Geld als Tausch- und Wertaufbewahrungsmittel. Damit entsteht die *Gefahr einer Beschleunigung der I.:* Um erwartete Preissteigerungen zu entgehen und um Kaufkraftverluste zu vermeiden, kaufen die Wirtschaftssubjekte mehr, bzw. früher als ursprünglich geplant (Flucht in Sachwerte). Auf lange Sicht werden diese spekulativen Nachfrageerhöhungen zu unerwünschten Fehlallokationen führen, weil in den betroffenen Branchen Überkapazitäten entstehen, die spätestens dann sichtbar werden, wenn sich die I. zurückbildet – mit den Konsequenzen von Preisverfall der in Kaufeuphorie erworbenen Sachgüter, Unternehmenszusammenbrüchen und struktureller Arbeitslosigkeit. Ein Anschauungsbeispiel dafür liefern Bauwirtschaft und Wohnungsmarkt während der letzten 15 Jahre.

2. *Verteilungswirkungen:* Unmittelbarer beobachtbar als die Allokationseffekte sind die Umverteilungseffekte der I. Sie zeigen sich in Veränderungen der Einkommens- und Vermögensverteilung im Vergleich zu einer inflationsfreien Entwicklung. Die unterschiedliche Fähigkeit der Wirtschaftssubjekte, die I. richtig zu antipizieren, ihre Einkommen entsprechend anzupassen sowie eine verzögerte Anpassung der Zinssätze an die Inflationsrate sind Hauptursachen für die Verteilungswirkungen: a) *Gläubi-*

*ger-Schuldner-Argument:* Der Realwert von Geldschulden sinkt bei I., so daß die Schuldner tendenziell gewinnen und die Gläubiger tendenziell verlieren; es findet also eine Umverteilung des Realvermögens von Gläubigern zu den Schuldnern statt. – b) *Lohn-Lag:* Der Reallohn wird bei I. tendenziell gesenkt, insbes. wenn die Nominallöhne aufgrund der Laufzeiten von Tarifverträgen nicht flexibel angepaßt werden können; es findet eine Umverteilung zugunsten der Gewinne statt. – c) *Transfereinkommens-Lag:* Aufgrund institutioneller Regelungen werden die →Transfereinkommen (Renten, Kindergeld usw.) später angepaßt, während die weitgehend marktbestimmten Faktoreinkommen (insbes. Gewinne, aber auch die Löhne), schneller auf einen Preisniveauanstieg regaieren. – d) *Steuerbelastungsargument:* Die I. verändert die effektive Steuerbelastung; insbes. bei einer progressiven Einkommensteuer, bei der die Steuerlast überproportional zum Einkommen zunimmt, bewirkt die I. eine Umverteilung von den Privaten zugunsten des Staates.

3. *Wachstums- und Beschäftigungswirkungen:* Für Wachstums- und Beschäftigungseffekte der I. werden insbes. drei, teilweise widersprüchliche Argumente angeführt. – a) Wenn die I. mit erhöhten Gewinnen einhergeht, so regt dies die *Investitionen* an. Dieser Effekt kann noch verstärkt werden, wenn der Nominalzins weniger stark steigt als das Preisniveau (Realzinsabsenkung). Gegen dieses Argument ist allerdings einzuwenden, daß die inflationsbedingte Gewinnausweitung mit den behaupteten Wachstums- und Beschäftigungseffekten mittel- u. längerfristig durch steigende Löhne und Nominalzinsanpassung (→monetäre Theorie und Politik, →rationale Erwartung) kompensiert werden. – b) Die bereits angesprochene Flucht in die Sachgüter bei I. wird häufig als Argument dafür angeführt, daß durch I. die *Güternachfrage* (→Multiplikator) und in der Folge wieder die *Investitionstätigkeit* erhöht wird (→Akzelerator). Dieser mechanistische Denkweise sind allerdings die oben angeführten Argumente der möglichen Fehlallokationen entgegenzuhalten (vgl. III 1). – c) Eindeutiger dagegen ist das Argument, das aus dem *Wettbewerbseffekt* der I. abgeleitet ist: Wenn das inländische Preisniveau stärker ansteigt als das ausländische, so ist damit tendenziell eine Verschlechterung der Leistungsbilanz verbunden; dies wird sich dann ceteris paribus über den Exportmultiplikator verstärkt negativ auf das Sozialprodukt und die Beschäftigung auswirken.

IV. U r s a c h e n : Der Begriff „Ursache" ist äußerst vorsichtig zu verwenden, wenn es um die Erklärung einer konkreten I. geht. Er ist vordergründig, wenn sich hinter augenscheinlichen Ursachen erst die wirklich auslösenden Faktoren verbergen, z. B. psychologisch begründete Ängste und Befürchtungen hinter dem Kaufverhalten (Furcht vor weiteren Preissteigerungen, Angst vor künftiger Arbeitslosigkeit). Außerdem sind für eine I. häufig mehere Ursachen gleichzeitig verantwortlich (Ursachenbündel), und diese Ursachen verstärken sich möglicherweise noch wechselseitig. Daneben ist oft kaum zu klären, was Ursache und was Wirkung ist (Steigen die Preise, weil die Löhne steigen oder umgekehrt? Geht die Geldmenge nach oben, weil die Nachfrage sich erhöht oder umgekehrt?). – Ungeachtet dieser Problematik lassen sich drei Erklärungsansätze von Inflation begründen, wobei im konkreten Fall einer I. möglicherweise nur Teilaspekte heranzuziehen sind:

1. *Monetäre Inflationsursachen:* Diese stellen auf ein zu starkes Wachstum der Geldmenge im Vergleich zur realen Produktion bei Vollauslastung der Produktionsmöglichkeiten ab. – a) *Erklärungsansatz der einfachen Quantitätstheorie:* Das Preisniveau ist gemäß diesem theoretischen Ansatz streng proportional zur Geldmenge. Eine andere Inflationsursache wie Geldmengenausweitung kann es letztlich nicht geben, denn selbst massive Lohnerhöhungen oder etwa drastische Energiepreissteigerungen verändern nach dieser Sicht nur die Preisstruktur, nicht aber das Preisniveau. – b) *Monetaristischer Erklärungsansatz:* Dieser Ansatz knüpft an der Quantitätstheorie an, kommt aber zu einem differenzierten Ergebnis. – (1) Die Vertreter des *Monetarismus in der ursprünglichen Friedmanschen Ausprägung* zu der Erkenntnis, daß Geldmengenerhöhungen (als Folge falscher Inflationserwartungen der Wirtschaftssubjekte) kurzfristig das reale Wachstum anheben und damit die Arbeitslosenrate verringern. Erst auf lange Sicht verschwindet der reale Effekt und es kommt zu einer dauerhaften Anhebung der Inflationsrate auf ein höheres Niveau. – (2) Demgegenüber kennt die *Schule der rationalen Erwartungen* keine Unterscheidung zwischen kurz- und langfristigen Wirkungen von Geldmengenvariationen. Die Vertreter dieser Richtung unterstellen den Wirtschaftssubjekten aufgrund von →rationalen Erwartungen die Fähigkeit, bei völliger Freiheit von →Geldillusionen auf Geldmengenvariationen unverzüglich zu reagieren. Es kommt deshalb sofort zu Anpassungsreaktionen bei Löhnen, Preisen und Zinsen, so daß keine realwirtschaftlichen Wirkungen eintreten. Geldmengenerhöhungen führen damit unmittelbar zu Preissteigerungen bzw. die Ursache von I. ist in Geldmengenausweitungen zu sehen. – c) *Monetärer Erklärungsansatz der keynesianischen Theorie:* Dieser Ansatz geht davon aus, daß eine Geldmengenausweitung zunächst eine Zinssenkung bewirkt, welche die Investitionstätigkeit anregt. Über den Einkommensmultiplikator steigt dann die Gesamtnachfrage um ein Vielfaches an. Bei Vollbeschäftigung in der

Ausgangslage entsteht I. Bei dieser Erklärung ist kritisch anzumerken, daß der Kapazitätseffekt der Investitionen außer Acht gelassen wird, was selbst für die kurze Frist nicht plausibel ist. Längerfristig ist aufgrund der Kapazitätserweiterungen ohnedies eine Angebotsausweitung zu erwarten, die dem Preisauftrieb entgegenwirken würde.

2. *Realwirtschaftliche Inflationsursachen:* Diese liegen vor, wenn die I. von Faktoren im güterwirtschaftlichen Bereich ausgelöst wird. – a) *Nachfrageinduzierte I. (Nachfrageinflation; demand-pull inflation):* Betreffen die Faktoren die Nachfrageseite, also die private Konsum- oder Investitionstätigkeit, die Staatsausgaben und/oder die Auslandsnachfrage mit der Folge, daß die gesamtwirtschaftliche Nachfrage das produzierbare reale Sozialprodukt übersteigt (inflatorische Lücke), so entsteht eine nachfrageinduzierte I. Ihr liegt ein primär realwirtschaftlicher Vorgang zugrunde, z. B. eine Verringerung der Sparquote, eine Investitionsausweitung aufgrund gestiegener Absatzerwartungen (typisch für Boomphasen) oder etwa eine erhöhte Exportnachfrage wegen einer günstigen Konjunkturentwicklung im Ausland. Die nachfrageinduzierte I. ist unabhängig von primären Geldmengenvariationen. Sie kann ihrerseits eine Geldmengenausweitung nach sich ziehen. Ihre Finanzierung ist aber ebenso durch häufigeren Einsatz der vorhandenen Geldmenge und/oder über zusätzliche Lieferantenkredite bzw. zusätzliche Kredite der →paramonetären Institute möglich. – Eine besondere Variante der nachfrageinduzierten I. ist die *Nachfrageverschiebungs-I. (demand-shift inflation):* Ihr liegen Nachfrageverschiebungen zugrunde, die zu Lohn- und Preissteigerungen in jenen Bereichen führen, in denen die Nachfrage nun verstärkt wirksam wird, während in den schrumpfenden Wirtschaftsbereichen kompensierende Preissenkungen ausbleiben. Die sektorale und berufliche Mobilität der Arbeitnehmer von den rückläufigen zu den expandierenden Bereichen hin ist meist eingeschränkt. Daher kommt es bei sektoralem Kostendruck (Unterauslastung der Kapazitäten, Rückwirkungen der Reallohnanhebungen in Wachstumsbranchen), der seinerseits die I. verstärkt, auch zu struktureller Arbeitslosigkeit (→Stagflation). – b) *Angebotsinduzierte I. (Angebotsinflation):* (1) Diese resultiert aus preistreibenden Gewinnen *(Gewinndruckinflation; profit-push inflation),* rückführbar auf nicht genügend durch Wettbewerb gedrosselte preispolitische Spielräume der Anbieter, z. B. bei übermäßiger Marktmacht (Konzentration, Marktbeherrschung); (2) aus über den Produktivitätszuwachs hinaus steigenden Löhnen, Steuern, Kreditkosten, Vorleistungsimporten oder anderen Kostenelementen *(Kostendruckinflation; cost-push inflation).* – Wirken die genannten Faktoren nach-

und miteinander, unter Umständen wechselseitig verstärkt, so kommt es zur *Preis-Lohn-Preis-Spirale,* die sich um so schneller dreht, je heftiger der Verteilungskampf der gesellschaftlichen Gruppen geführt wird. Der Verteilungskampf zwischen den Gewerkschaften, die eine höhere Lohnquote anstreben und den Unternehmern, die das verhindern, bzw. eine Erhöhung der Gewinnquote durchsetzen wollen, verursacht die *Anspruchsinflation.* Die negativen Allokationswirkungen der I. neutralisieren dann möglicherweise wieder die ursprünglichen, aus wettbewerblichen (innovativen) Anstrengungen (neue Güter und Techniken, bessere Qualitäten) entstandenen Einkommenszuwächse, um die so heftig gerungen wurde.

3. *Inflationsimport:* Bei importierter I. wird ausländische I. auf das Inland übertragen. – a) *Direkter Preiszusammenhang:* Dies ist z. B. dann der Fall, wenn Preissteigerungen importierter Rohstoffe und Energieträger zu Kostensteigerungen bei den Importeuren führen und auf die inländischen Abnehmer überwälzt werden. – b) *Indirekter, in international unterschiedlichen Inflationsraten begründeter Zusammenhang:* Sind die Inlandpreise vergleichsweise niedrig, so wird dies zu Exporterhöhungen führen. Das verringert das inländische reale Güterangebot bei eventuell gleichzeitiger Erhöhung der Inlandsnachfrage (Multiplikatorwirkung der expansiven Exporte). Dann steigen auch im Inland die Preise. Ein derartiger Inflationsimport könnte durch eine entsprechende Aufwertung der Inlandswährung vermieden werden. Aber selbst bei flexiblen Wechselkursen kommt es häufig nicht zu den gemäß der →Kaufkraftparitätentheorie zu erwartenden kompensierenden Wechselkursänderungen (wegen Dominanz anderer Einflußgrößen, wie Zinsdifferenzen, Konjunkturgefälle oder Wechselkursspekulation).

V. Anti-Inflations-Politik: Zur Bekämpfung der I. werden Geldpolitik, Finanzpolitik, Einkommenspolitik sowie die außenwirtschaftliche Absicherung (gegen importierte I.) eingesetzt. Die Art der Arbeitsteilung zwischen diesen vier Teilgebieten der Wirtschaftspolitik und die Beurteilung ihrer Eignung zur Bekämpfung der I. hängt von der Diagnose der Ursache(n) ab, aber auch von der grundsätzlichen Einschätzung der Wirksamkeit prozeß- und ordnungspolitischer Maßnahmen. – 1. Die eklatantesten Fehlschläge bringt dabei nach überwiegender Ansicht jenes Vorgehen, das scheinbar sofortige positive Wirkungen zeigt: Der *staatliche Preisstopp.* Er friert das Preisgefüge ein mit allen negativen Folgen und baut einen Inflationsstau auf, der sich unvermeidbar bei Wegfall des Preisstopps in um so größerer I. auflöst. – 2. Eine relativ einfache Problemlösung wird von den Monetaristen angeboten. Durch eine *strenge Kontrolle der Geldmenge,* die sich am

Wachstum des Produktionspotentials auszurichten hat, wird der I. sozusagen die „Finanzierungsmöglichkeit" genommen; die Preisniveaustabilität stellt sicht ungeachtet der ursprünglichen Ursachen mittelfristig dann von selbst wieder ein. – 3. Aus realistischer Sicht (insbes. was die Problematik der Geldmengensteuerung und die Gefahr eines zu tolerierenden Beschäftigungseinbruchs betrifft), spricht jedoch vieles dafür, daß die herkömmliche →*Globalsteuerung* (d. h. der beabsichtigte sinnvoll abgestimmte, in der Praxis aber oft gegeneinander wirkende Einsatz von Geld-, Fiskal- und Einkommenspolitik) *durch ordnungspolitische Maßnahmen ergänzt* werden sollte. Die Inhalte einer solchen Politik gegen die I. wären: die Wettbewerbspolitik müßte konsequenter alle Wettbewerbsbeschränkungen verbieten und aktiver als bisher durch allgemeine Verbesserung der Gewinnerwartungen die Anreize zu wettbewerblichem Verhalten (Neugründungen von Unternehmen, Innovationen, Forschung und Entwicklung usw.) erhöhen. Staatliche Vermögenspolitik, vermögenspolitische Vereinbarungen der Tarifpartner und innerhalb einzelner Unternehmen, betriebliche Gewinnbeteiligung der Arbeitnehmer sollten die Voraussetzungen schaffen, daß die Tarifparteien den unproduktiven und gerade wegen der I. letztlich unwirksamen Kampf um Anteile am Volkseinkommen aufgeben können.

**Literatur:** Cukierman, A., Inflation, stagflation, relative prices and imperfect information, Cambridge 1984; Frisch, H., Inflationstheorie 1963–1975, in: H. Frisch/H. Otruba (Hrsg.), Neuere Ergebnisse zur Inflationstheorie, Stuttgart 1978; Hayek, F. A. von, Der Wettbewerb als Entdeckungsverfahren, Kiel 1968; Köhler, C., Geldwirtschaft Bd. 3 – Wirtschaftspolitische Ziele und wirtschaftspolitische Strategie, Berlin 1983; Müller, U./ Bock, H./Stahlecker, P. Stagflation – Ansätze in Theorie, Empirie und Therapie, Königstein/ Ts. 1980; Pohl, R., Theorie der Inflation, München 1981; Stöbele W., Inflation. Einführung in Theorie und Politik, München–Wien, 2. Aufl. 1984.

Prof. Dr. Udo Müller
Dr. Reinhard Kohler

**Inflationsimport,** →importierte Inflation.

**Inflatorische Lücke,** →gap.

**Informale Organisation,** →informelle Organisation.

**Informale Spezifikation,** *verbale Spezifikation,* im →Software Engineering eine Methode der →Spezifikation, bei der die Aufgaben eines →Softwaresystems oder eines →Moduls verbal, ohne Benutzung eines formalen Rahmens, definiert werden.

**Informatik.** I. Begriff: Wissenschaft von der systematischen Verarbeitung von Informationen, insbes. der automatischen Verarbeitung mit Hilfe von Computern; im angelsächsischen Raum als *computer science* bezeichnet. Die I. untersucht grundsätzliche Verfahrensweisen für die Verarbeitung von Informationen sowie allgemeine Methoden der Anwendung solcher Verfahrensweisen in den verschiedensten Bereichen.

II. Teilgebiete: 1. *Technische I.:* V. a. a) *Rechnerorganisation:* Entwurf neuer Konzepte und →Konfigurationen für die →Hardware von →Computersystemen, insbes. für Teilnehmersysteme (→Teilnehmerbetrieb) und Verbundsysteme (→Computerverbund); b) *Schaltungstechnologie:* Automatisierung des Entwurfs von Hardwareeinheiten (von einzelnen Schaltungen bis hin zu vollständigen Rechenanlagen); c) *Mikroprogrammierung:* Entwicklung von →Programmen zur Steuerung elementarer Hardwarefunktionen; d) Entwicklung von *Prozeß- und Spezialrechnern;* e) Entwicklung von →*Peripheriegeräten.* – 2. *Theoretische I.:* V. a. a) *formale Sprache:* Entwicklung künstlicher Sprachen zur eindeutigen formalen Beschreibung von →Algorithmen sowie von Beschreibungsmitteln für die Syntax (→Syntax einer Programmiersprache) dieser Sprachen; b) *Theorie der* →*Programmierung:* Entwicklung formaler Beschreibungsmittel für die Semantik von Programmiersprachen (→Semantik einer Programmiersprache) und darauf aufbauend →Programmverifikation (formaler Korrektheitsbeweis für →Programme); c) *Automatentheorie:* Ableitung von Grundlagen für den Aufbau und das Verhalten informationsverarbeitender Maschinen aus abstrakten mathematischen Modellen; d) *Algorithmentheorie:* Berechenbarkeit von Funktionen durch Algorithmen und Klassifikation der „nichtberechenbaren" Funktionen; e) *Komplexitätstheorie:* Klassifizierung der durch Algorithmen berechenbaren Funktionen nach ihrer Komplexität, d. h. nach dem zur Berechnung notwendigen Aufwand; f) *Schaltwerktheorie:* Entwicklung formaler Beschreibungen für Schaltungen und komplexe Schaltkreise; g) *abstrakte Darstellung* von Informationen und Kommunikationsvorgängen; h) *Codierung von Informationen;* i) Entwicklung von *mathematischen Modellen* für verschiedene Aspekte von →Computersystemen. – 3. *Praktische I.:* V. a. a) Entwicklung von *Programmiersprachen,* →Übersetzern, →Betriebssystemen, Informations- und Kommunikationssystemen; b) Entwicklung von →*Datenstrukturen* und →Datenorganisation; c) →*graphische Datenverarbeitung;* d) →*Software Engineering;* e) →*Künstliche Intelligenz;* f) Entwicklung *kognitiver Verfahren und Systeme;* g) *Simulation* von Abläufen auf einem Rechner. – 4. *Angewandte I.* hat v. a. Anwendungen der I. in der Betriebs- und Volkswirtschaft, in der Mathematik, in Naturwissenschaft und Technik sowie in der Medizin zum Gegenstand.

III. Betriebsinformatik: Aufgrund der rasch wachsenden Verbreitung von Computersystemen in Wirtschaft und Verwaltung und des Entstehens spezieller computergestützter betrieblicher Problemlösungen, die umfassende betriebswirtschaftliche Kenntnisse verlangen, hat sich mit dem Betriebs- bzw.

Wirtschaftsinformatik eine eigene interdisziplinäre Wissenschaft entwickelt. – Vgl. im einzelnen →Betriebsinformatik.

IV. Entwicklung: 1. *Wurzeln der I.* reichen weit in die Geistesgeschichte zurück; fundamentale Grundbegriffe der I. (z. B. der Begriff des →Algorithmus, die Ideen der formalen Beschreibung und Konstruktion künstlicher Sprachen, die Mechanisierung angeblich geistiger Tätigkeiten) gehen z. T. bis auf das griechische Altertum zurück; sie gewannen insbes. wegen ihrer engen Beziehung zur Mathematik und Philosophie seit dem Mittelalter immer mehr an Bedeutung. Weitere Wurzeln der I. liegen in der Geschichte der Rechenmaschinentechnik (G. L. Leiniz, W. Schickard, B. Pascal, C. Babbage) und der Nachrichtenübertragungstechnik und Nachrichtentheorie. – 2. Mitte der 30er Jahre entstanden *erste Arbeiten zur I.,* insbes. die Untersuchungen von K. Zuse, die 1948 zum Bau der ersten programmgesteuerten Rechenmaschine (Z3) führten, die theoretischen Überlegungen von A. M. Turing über Möglichkeiten und Grenzen der Berechenbarkeit von Algorithmen mit Hilfe automatischer Rechenmaschinen sowie den Arbeiten von C. E. Shannon zur Schaltkreis-, Codierungs-, Informations- und Kommunikationstheorie. – 3. Aufgrund der Ereignisse der Kriegs- und Nachkriegszeit setzte in der Bundesrep. D. eine *stärkere Entwicklung der I.* erst *ab 1950* ein, als in mehreren Hochschulen und verschiedenen Firmen damit begonnen wurde, Rechenanlagen zu konzipieren und zu bauen, sowie Untersuchungen über die Programmierung von Rechnern und ihre möglichen Anwendungen durchgeführt wurden. Gefördert und getragen von Mathematikern, Elektrotechnikern und Physikern, wurden ab Mitte der 50er Jahre vor allem an Forschungszentren zunehmend Rechenanlagen eingesetzt, womit gleichzeitig eine intensivere Beschäftigung mit Problemen der I. verbunden war. Die heutige Ausrichtung der I. im deutschsprachigen Raum wurde dadurch stark prädiziert. – 4. In den *60er Jahren* entwickelte sich die I. schließlich zu einer *selbständigen wissenschaftlichen Disziplin.* Das heutige Konzept der I.-Forschung an deutschen Hochschulen wurde 1971 von der Bundesregierung im „überregionalen Forschungsprogramm I." verankert.

V. Studium: 1967 wurde an der Technischen Universität München der erste Vollstudiengang I. eingerichtet; inzwischen existieren I.-Studiengänge an vielen Universitäten (Abschluß: Diplom-Informatiker) und Fachhochschulen. – Die I.-Ausbildung wurde von der Westdeutschen Rektorenkonferenz sowie der Ständigen Konferenz der Kultusminister der Länder in der Rahmenordnung für die Diplomprüfung in I. festgelegt (letzte Änderung 1981).

**Information.** 1. *Begriff:* Zweckbezogenes Wissen über Zustände und Ereignisse, das im →Informationssystem einer Unternehmung übermittelt(→Kommunikation), gespeichert (→Informationsspeicherung) und verarbeitet (→Informationsverarbeitung) wird. – 2. *Arten* (nach dem Informationsgrad): →unvollkommene Information, →vollkommene Information. – 3. Angesichts der Bedeutung von I. hat sich eine eigenständige →*Informationsökonomik* entwickelt.

**information center.** 1. *Begriff:* Organisationskonzept zur →individuellen Datenverarbeitung bzw. betriebliche Abteilung zur Koordination bei dezentraler Datenverarbeitung. – 2. *Ziele:* Das I. C. dient als zentrale Anlaufstelle für alle Fragen der Informationsverarbeitung in einem Unternehmen, insbes. bei dezentraler Organisation der Datenverarbeitung. Die →Endbenutzer in den Fachabteilungen sollen beim Umgang mit →Computersystemen, v. a. beim →personal computing, unterstützt werden. – 3. *Zielgruppe:* Typische Klienten des I. C. sind Endbenutzer, die fachspezifische →Anwendungen entwickeln, aber nicht programmieren (→Programmieren); statt einer →Programmiersprache benutzen sie z. B. →Abfragesprachen oder andere →Endbenutzerwerkzeuge. Häufig kommen sie aus dem Rechnungswesen, Personalwesen oder dem Bereich Forschung und Entwicklung. – 4. *Aufgaben:* Beratung, Schulung und Unterstützung der Benutzer bei der Einführung neuer →Softwareprodukte oder Computersysteme für dezentrale Datenverarbeitung; Standardisierung der Hardware und Software (z. B. durch Rahmenrichtlinien); Wartungs- und Installationsunterstützung; Hilfestellung bei der Entwicklung von Anwendungen.

**information hiding,** *Geheimnisprinzip,* im →Software Engineering ein →Modularisierungsprinzip; von D. L. Parnas 1971 vorgeschlagen. Grundlegende Bedeutung für die Software-Technologie (→Software Engineering IV 4). I. h. besagt, daß die Art und Weise, *wie* ein Modul seine Aufgaben erfüllt, im Innern des Moduls „verborgen" werden soll; über das Modul sollen nach außen nur die Dinge bekannt sein, die als →Modulschnittstelle definiert werden (Abstraktion von der internen Realisierung).

**information management system,** →IMS.

**information ressource management (IRM),** langfristige Planung und Steuerung der Ressourcen aller informationsverarbeitender Systeme eines Betriebs in regelmäßigen Abständen (z. B. jährlich). – Die *Aufgaben* des IRM bestehen v. a. darin, die Ziele der Informationsverarbeitung in dem Betrieb zu bestimmen, die organisatorischen Strukturen des EDV-Bereichs (→elektronische Datenverarbeitung) festzulegen sowie Rahmenkonzeptionen für die Anwendungen hinsichtlich der

Hardware- und Softwaretechnologie (→Software Engineering IV 4) zu erarbeiten.

**Information retrieval,** Auswertung eines Bestands von formatfrei gespeicherten →Daten (meist Texte) nach →Suchbegriffen, insbes. Suche und Bereitstellung der gefundenen Daten.

**Informationsaufnahme,** alle Vorgänge, die dazu führen, daß ein Reiz in den „zentralen Prozessor" des menschlichen Informationsverarbeitungssystems (Gehirn) gelangt und dort für die Weiterverarbeitung verfügbar ist (→Informationsverarbeitung, →Informationsspeicherung). – Im Bereich der *visuellen Informationen* ist das →Blickverhalten Grundlage für die I.: Nur Informationen, die betrachtet (fixiert) werden, können weiterverarbeitet werden; insofern ist die →Blickregistrierung ein Verfahren zur Messung der (visuellen) I. – Vgl. auch →Informationsüberlastung.

**Informationsbedarfsanalyse. 1.** *Begriff:* Methode zur Erhebung und Bewertung des zukünftigen Informationsbedarfs eines Unternehmens; in diesen gehen die Anforderungen der Fachabteilungen bzgl. der Neuentwicklung betrieblicher Informationssysteme (→betriebliches Informationssystem) und neuer Anwendungen ein. – **2.** *Einsatzgebiete:* →requirement engineering, →EDV-Audit und →EDV-Rahmenkonzeption. – **3.** *Schwerpunkte:* Ermittlung des bereits vorhandenen, jedoch ungedeckten Informationsbedarfs (→Anwendungsstau, →Anwendungs-Backlog) und Prognose des zukünftigen Bedarfs. – **4.** *Ergebnis:* langfristiger Anwendungsplan, der die vorhanden und zukünftigen Anwendungen unter Berücksichtigung der Einführungsprioritäten enthält. – Vgl. auch →Informationswertanalyse.

**Informationsbroker,** Spezialist, der unter zu Hilfenahme der elektronischen Datenverarbeitung bzw. Datenfernübertragung Informationen aus nationalen und internationalen Datenbanken zum Zwecke der →Marketingforschung bzw. →Marktforschung zusammenstellt.

**Informationsbeschaffungsphase,** →Suchphase.

**Informationsentscheidung,** Entscheidung hinsichtlich Art und Menge an →Informationen. Auf der Grundlage der I. ist eine →Entscheidung (Handlungsentscheidung) zu treffen, deren Erfolg wesentlich von der Informationsgüte mitbestimmt wird. – *Basis einer I.* ist der →Informationswert, der sich exakt nur durch eine gleichzeitige Informations- und Handlungsentscheidung ermitteln läßt. – Vgl. auch →Informationsparadoxa.

**Inmformationsfluß,** Gesamtheit der →Informationen, die die Unternehmung auf →Informationswegen und -kanälen durchlaufen. I. erstreckt sich, von →Informationsquellen ausgehend, über verschiedene Sender und Empfänger auf die gesamte Unternehmung. – *Phasen des I.:* Informationsaufnahme, -vorspeicherung, -verarbeitung, -nachspeicherung, -abgabe (Kosiol).

**Informationsgehalt,** *empirischer Gehalt,* Kriterium zur Beurteilung erfahrungswissenschaftlicher →Theorien, →Gesetzesaussagen und →Hypothesen. – Zu unterscheiden sind: *Allgemeinheit* und *Präzision* einer Aussage. Darstellung dieser Problematik anhand wissenschaftlicher Aussagen in konditionaler Form (Wenn-dann-Sätze): Die Allgemeinheit einer Aussage hängt vom Gehalt ihrer Wenn-Komponente ab, wobei mit zunehmendem Gehalt die Allgemeinheit sinkt (und umgekehrt), weil die in der Dann-Komponente bezeichnete Konsequenz unter stärker einschränkenden Bedingungen behauptet wird; Manipulationen des Gehalts der Dann-Komponente verändern die Bestimmtheit bzw. den Präzisionsgrad der Aussage, wobei mit abnehmendem Gehalt der Dann-Komponente die Präzision ebenfalls abnimmt (und umgekehrt). – Nach Karl R. Popper (Logik der Forschung, 8. Aufl., Tübingen 1984) gilt, daß zwischen empirischem Gehalt und *Falsifizierbarkeit* einer wissenschaftlichen Aussage eine positive Korrelation anzunehmen ist: je gehaltvoller eine Aussage, desto leichter falsifizierbar ist sie (vgl. auch →Popper-Kriterium). Dabei ist streng zwischen Falsifizierbarkeit als logischer Eigenschaft einer Aussage und ihrer tatsächlichen →Falsifikation zu unterscheiden.

**Informationsgemeinschaft zur Feststellung der Verbreitung von Werbeträgern e.V. (IVW),** 1949 als Tochterorganisation des →Zentralausschusses der Werbewirtschaft gegründet, Sitz in Bonn. – *Tätigkeit:* Kontrolle der Auflagen von Zeitungen und Zeitschriften, Kontrolle der Verbreitung des Plakatanschlags und der Verkehrsmittel- und Großflächenwerbung, die Überprüfung der Besucherzahlen in den Filmtheatern u. a. – Die von der IVW veröffentlichten Informationen zur Verbreitung der wichtigsten Werbeträger stellen die Grundlage der →Mediaplanung (vgl. dort) dar.

**Informationskartei,** →Preisinformations-System.

**Informationskette,** Reihe verbundener →Informationen, wobei die vorhergehende die folgende Information auslöst.

**Informationsklumpen,** →chunk.

**Informationskosten. 1.** *Begriff:* Kosten für die Gewinnung von →Informationen zur Fundierung von Entscheidungen. I. sind notwendiger Bestandteil von →Informationsent-scheidungen, da sie den →Informationswert zusätzlicher Informationen beeinflussen. – 2. *Ermittelbarkeit der I.:* Die Kostenermittlung außerbetrieblich gewonnener Informationen ist i. d. R. unproblematisch, da ihnen mehrheitlich direkte Zahlungen gegenüberstehen; der exakten Kostenermittlung innerbetrieblich gewonnener Informationen steht das Zurechnungsproblem entgegen, da innerbetriebliche Informationen i. d. R. nicht in einer Kostenstelle gewonnen werden, sondern an ihrer Entstehung mehrere betriebliche Bereiche beteiligt sind. – Vgl. auch →Informationsparadoxa.

**Informationsmanager.** 1. *Begriff:* Neueres Berufsbild in der Unternehmensorganisation. – 2. *Hintergrund:* Informationen werden als wichtige Ressource eines Unternehmens eingestuft, die von einer zentralen Managementinstanz geplant, verwaltet und gepflegt werden sollen. – 3. *Aufgaben* des I. können als Weiterentwicklung der Aufgaben des EDV-Koordinators, des →EDV-Organisators und des →Datenbankadministrators angesehen werden, insbes. unter strategischen Aspekten. Der I. ist wie diese Mittler zwischen den Fachabteilungen, der Unternehmensleitung sowie der →Org/DV-Abteilung. – 4. *Ausbildung:* Die Aufgabe setzt ein Hochschulstudium der →Betriebsinformatik, →Betriebswirtschaftslehre oder der →Informatik voraus.

**Informationsökonomik.** I. O b e r b e g r i f f für neuere Gebiete der Wirtschaftswissenschaften, die die Bedeutung von Informationen betonen. Der I. können alle ökonomischen Theorien zugerechnet werden, die eine oder mehrere der Sicherheitsannahmen der Theorie des allgemeinen Gleichgewichts (→allgemeine Gleichgewichtstheorie) aufgeben. – Einen *Schwerpunkt* bildet das Entscheidungskalkül von Wirtschaftssubjekten über den notwendigen Informationsumfang: Je mehr Informationen beschafft werden, desto bessere Entscheidungen lassen sich treffen; andererseits sind mit der Informationsbeschaffung und -verarbeitung Kosten verbunden (→Informationswert, →Informationskosten, →Informationsparadoxa).

II. T h e o r e t i s c h e   A n s ä t z e : Die Wirkungen der Annahmen spezieller Informationslücken auf das Verhalten ökonomischer Entscheidungsträger sind für viele einzelne Märkte (Güter-, Versicherungs-, Arbeits-, Kapitalmärkte, usw.) untersucht worden.

1. *Stigler-Modell* (Grundlage für zahlreiche informationsökonomische Modelle): Untersuchungsgegenstand sind die Preisunsicherheit auf Gütermärkten und die damit zusammenhängenden Suchaktivitäten. Entscheidungsproblem: Ein Wirtschaftssubjekt hat die Wahl unter mehreren Anbietern, die unter-

schiedliche Preise verlangen. Gesucht wird der billigste Anbieter, wobei nicht die einzelnen Preisforderungen, aber die Wahrscheinlichkeitsverteilung der möglichen Preise bekannt sind. Aus Kostengründen ist die Zahl der Anbieter zu bestimmen, deren Preise ermittelt werden sollen nach der üblichen Marginalbedingung, daß sich die Erwartungswerte von Grenzertrag und Grenzkosten der Suche gleichen. Der Ertrag resultiert aus einer möglichen Verringerung des zu zahlenden Preises; Suchkosten entstehen für das Aufsuchen der einzelnen Anbieter. – Eine alternative Suchregel besteht in der *ex ante-Fixierung eines bestimmten Höchstpreises* (Reservationspreis). Es wird solange gesucht, bis ein entsprechender Anbieter gefunden wird.

2. *Modelle zu Qualitätsunsicherheiten* (weitere Form realer Informationslücken der Wirtschaftssubjekte). Noch schwieriger ist es i. d. R., vor dem Kauf die Produktqualität zuverlässig einzuschätzen, weil „Qualität" eine mehrdimensionale Größe darstellt, die teilweise ex ante nicht festgestellt werden kann. – a) *Nelson-Modell:* Die Güter werden danach eingeteilt, ob ihre Qualitätsmerkmale vor dem Kauf durch bloße Inspektion sicher erkannt werden können (Inspektionsgüter) oder ob die volle Qualitätskenntnis nur im Wege der Erfahrung zu erlangen ist (Erfahrungsgüter). Die zu beobachtenden Preis-Qualitäts-Kombinationen können in Nutzengrößen bewertet werden, wobei die Nutzenverteilungen über die verschiedenen Güter dem Nachfrager bekannt sind; nicht bekannt ist ihm, welches Gut welchen Nutzen stiftet. – Der Qualitätssuchprozeß wird analog zum Preissuchprozeß modelliert (es ist ebenfalls möglich, den Stichprobenumfang zu bestimmen oder den Höchstpreis zu fixieren). Die Kosten der Überprüfung von Inspektionsgütern fallen als reine Suchkosten an; die Kosten der Überprüfung von Erfahrungsgütern bestehen jeweils in der Differenz zwischen dem Nutzen aus der besten, bereits bekannten Entscheidungsalternative, und dem Nutzen der zuletzt geprüften. – b) *Akerlof-Modell:* Modellierung der Wirkungen der Qualitätsunsicherheit und asymmetrischer Informationsverteilung auf Gleichgewichte; der Qualitätssuchprozeß wird ausgeklammert. Es wird gezeigt, daß unter bestimmten Bedingungen ständige Verschlechterungen der Produktqualitäten stattfinden (Akerlof-Prozeß), wobei der Markt schrumpft oder möglicherweise ganz verschwindet.

3. *Kontrakttheoretische Modelle:* Die Unzulänglichkeiten neoklassischer Arbeitsmarktmodelle werden aufgegriffen und explizit Unsicherheit der Unternehmen über zukünftige Umweltzustände (Absatzchancen) eingeführt. Zusätzlich wird die Zielfunktion der Arbeitnehmer dahingehend modifiziert, daß neben einem möglichst hohen Einkommen

Sicherheit als Ziel mitberücksichtigt wird. Aufgrund dieser Annahmen versucht die Kontrakttheorie v. a. Arbeitslosigkeit und Lohninflexibilitäten zu erklären.

4. *Transaktionskostenansatz:* Auch unter I. zu subsumieren, da die für die Zustandekommen und für die Abwicklung von Vereinbarungen notwendigen Informationen nicht kostenlos erhältlich sind, sondern dafür →Transaktionskosten aufgewendet werden müssen (vgl. im einzelnen →Theorie der Unternehmung II 4).

**Informationsparadoxa.** 1. *Begriff:* Bei der ex-ante-Abwägung von →Informationskosten und →Informationswert auftretende Gegensätze. – 2. *Formen/Quellen:* a) *Beschränkte Korrelation zwischen Kosten der Suche nach Information und dem Wert für Entscheidungen* resultieren z. B. daraus, daß ein Entscheidungsträger nur Informationen sammelt, um seine intuitive Entscheidung zu unterstützen. Die Entscheidung wird in diesem Fall nicht verbessert; damit ist aber der Informationswert gleich Null, und es ist irrational, eine solche Information einzuholen. – b) Die *Nichtvorhersehbarkeit des Informationswertes* führt dazu, daß man die Information kennen müßte, um sie bewerten zu können. Ist die Information jedoch bereits bekannt, braucht man sie nicht zu gewinnen und die Frage der Informationsbewertung ist irrelevant. – c) Die *Vielstufigkeit eines Informationsverarbeitungsprozesses* führt zu einer *unendlichen Bewertungskette:* Eine Entscheidung, Informationen einzuholen, setzt gewisse Informationen voraus. Diese Vorinformationen müssen erst gewonnen oder zumindest gedanklich verarbeitet werden, was wiederum eine Informationsentscheidung verlangt, usw. – d) *Umweltbeeinflussung bzw. -änderung:* Durch eine Informationsbeschaffungsmaßnahme kann bereits die Umwelt beeinflußt werden, außerdem können während der Informationsbeschaffungsmaßnahme autonome Umweltveränderungen stattfinden. Beides kann den Informationswert erheblich beeinflussen, was eine ex-ante-Abschätzung des Nutzwerts der Information schwierig macht. – e) *Auf der psychologischen (subjektiven) Ebene begründete Bewertungsprobleme:* Die Kosten des Informationsverarbeitungsprozesses und v. a. der Nutzwert von Informationen für Entscheidungen hängt wesentlich von der Position und den Fähigkeiten des Entscheidungsträgers ab, so z. B. vom „Eigenvorrat an Informationen" (Erfahrungen, Wissen), von physiologischen Eigenschaften (z. B. Übermüdung, Krankheit), von der Art der Aufbereitung der Information (wissenschaftlich, volkstümlich, usw.) und wie der Entscheidungsträger sie versteht. – 3. *Konsequenz:* I. führen dazu, daß in der Realität eine ex-ante-Abschätzung der Informationskosten und des Nutzwerts von Informationen nur in sehr wenigen Fällen exakt möglich ist, wodurch die

Erreichung des *optimalen Informationsgrads* (Grenznutzen = Grenzkosten) *praktisch unmöglich* wird.

**Informationspflicht,** generelle Anweisung an einen Handlungsträger, einem anderen Handlungsträger bestimmte →Informationen regelmäßig oder unregelmäßig zu übermitteln.

**Informationsportfolio.** 1. *Begriff:* In der →Betriebsinformatik eine Methode zur Bewertung der realisierten →Anwendungen und des zukünftigen Anwendungsbedarfs eines Unternehmens beim →EDV-Audit bzw. der EDV-Rahmenplanung. – 2. *Aufgaben:* Beurteilung der vorhandenen Anwendungen auf ihre Verwendbarkeit in der Zukunft, Beschreibung des Ersatzbedarfs bzw. der erforderlichen Anpassungen und Erweiterungen, Bestimmung der betrieblichen Funktionskreise, für die zukünftig EDV-Unterstützung erforderlich ist. – 3. *Kriterien zur Portfolio-Ermittlung:* Betriebswirtschaftliches Konzept und Softwaretechnologie der Anwedungen, Beherrschbarkeit (z. B. Auswirkungen von Änderungen, Dokumentation, Integrierbarkeit mit anderen Funktionskreisen). Der Bewertung liegt i. a. ein ordinal skaliertes Schema zugrunde.

**Informationsprozeß,** aus den selbständigen, gleichzeitigen und sich gegenseitig bedingenden Teilprozessen der Informationsgewinnung, →Informationsübermittlung und →Informationsverarbeitung bestehend. Er unterlagert den betrieblichen Entscheidungs- und Managementprozeß (→Entscheidungsprozeß). Die zurücklaufenden Kontrollinformationen stellen einen erneuten Informationsbeschaffungsprozeß dar.

**Informationsquelle.** 1. *Begriff:* Alle Personen, Gegenstände oder Prozesse, die →Informationen liefern. – 2. *Arten:* a) *Interne I.* (im Betrieb selbst vorzufindende I., wie Beschäftigte, Güter aller Art oder Prozesse) und *externe I.* (Konkurrenzbetriebe, Märkte usw.). – b) *Ursprüngliche I.* (durch eigene Tatbestandsfeststellungen entstandene I.) und *abgeleitete I.* (aus Verarbeitungsprozessen gewonnene I., z. B. Marktforschungsinstitute).

**Informationsrecht.** I. Organisation: Recht eines Handlungsträgers, bestimmte →Informationen regelmäßig oder unregelmäßig zu empfangen. Grundsätzlich hat jeder Handlungsträger das Recht, alle Informationen zu empfangen, die zur Erfüllung der ihm übertragenen →Aufgaben notwendig sind. Generelles I. über alle betrieblichen Tatbestände hat das →Top Management. Jede übergeordnete →Instanz hat ein I. über alle ihr untergeordneten →Stellen.

II. Betriebsverfassungsgesetz: 1. *Allgemein:* Beteiligungsrecht des Betriebsrats und der Arbeitnehmer. I. sind nicht unmittelbar auf die →Mitwirkung und →Mitbestimmung gerichtete Rechte, insoweit stellen sie eine Vorstufe dar. Das Gesetz gewährt z. B. I. für die Durchführung allgemeiner Aufgaben des Betriebsrats (§ 80 II BetrVG) und für die Ausübung von Zustimmungsverweigerungsrechten (§ 99 I BetrVG). – *I. der Arbeitnehmer über die wirtschaftliche Lage des Unternehmens* (§ 110 BetrVG): Vgl. →Wirtschaftsausschuß.

III. Handelsrecht: Vgl. →Publizität, →Publizitätsprinzip.

**Informationsspeicherung,** Lernen von Informationen. – 1. *Speicherungsmodule* des Menschen, die sich in Kapazität und Speicherdauer unterscheiden: a) *Sensorischer Informationsspeicher:* dient der Aufnahme von Reizen (→Informationsaufnahme) bis zur Weiterverarbeitung; hohe Kapazität, Speicherdauer bis 1 s. – b) *Kurzzeitspeicher:* ein Arbeitsspeicher, der aus dem sensorischen Informationsspeicher Teile der Informationen übernimmt, decodiert und mit bekannten Ereignissen aus dem Langzeitspeicher verknüpft (→Informationsverarbeitung); begrenzte Kapazität, Speicherdauer bis 30 s. – c) *Langzeitspeicher:* entspricht dem menschlichen Gedächtnis; extrem große Kapazität, unbegrenzte Speicherdauer. Voraussetzung für Aufnahme in den Langzeitspeicher ist, daß eine Information die beiden davorliegenden Speicher erfolgreich passiert hat. – 2. *Vergessen* wird heute überwiegend auf Interferenzeffekte (Überlagerungseffekte) zurückgeführt.

**Informationssystem.** 1. *Begriff:* Summe aller geregelten betriebsinternen und -externen Informationsverbindungen sowie deren technische und organisatorische Einrichtungen zur Informationsgewinnung und -verarbeitung. Das I. ist der formale Teil des gesamten betrieblichen →Kommunikationssystems. – *Computergestützte I.:* →betriebliches Informationssystem, →Führungsinformationssystem, →Marketinginformationssystem, →Personalinformationssystem; *branchenspezifisch:* →Banken-Informationssystem, →computergestütztes Reisebuchungssystem, →computergestütztes Versicherungsinformationssystem, →computergestütztes Warenwirtschaftssystem. – 2. *Aufgaben:* Rechtzeitige Versorgung der Handlungsträger mit allen notwendigen und relevanten →Informationen in wirtschaftlich sinnvoller Weise. I. bildet Medium für Entscheidungsfindung und -durchsetzung des Managements und ist somit Grundlage für den gesamten Managementprozeß. Im I. vollzieht sich der →Informationsprozeß.

**Informationstransformation.** 1. *I. w. S.:* Die Phasen →Informationsspeicherung, →Informationsübermittlung und →Informationsverarbeitung des →Informationsprozesses. – 2. *I. e. S.:* Umformung von →Informationen in andere Zeichensysteme oder auf andere Zeichenträger.

**Informationsüberlastung,** Überforderung des Konsumenten/Individuums durch ein zu großes Informationsangebot; nach neueren Ansätzen als Anteil der nicht wahrgenommenen Informationen am gesamten Informationsangebot in Prozent definiert. Die erlebte Notwendigkeit übermäßiger →Informationsaufnahme führt zu negativem Streß. In der →Printwerbung liegt die I. schätzungsweise bei über 90%.

**Informationsübermittlung,** Phase des betrieblichen →Informationsprozesses, in der eine räumliche Übertragung von →Informationen zwischen dem Informationssender und -empfänger erfolgt (→Kommunikation).

**Informationsverarbeitung.** I. Organisation: Umwandlung, Verwertung und Ein- und Umsetzen von →Informationen im Hinblick auf ihre betriebliche Zwecksetzung. Phase des betrieblichen Informationsprozesses (→Informationsprozeß).

II. Marketing/Werbung: Entschlüsselung und Interpretation der von einem Individuum aufgenommenen Informationen, Kombination der „neuen" Informationen mit vorhandenen sowie Entscheidung über Annahme (Lernen) oder Ablehnung (Vergessen); letztere Entscheidung ist abhängig vom persönlichen Wertesystem (→Motivation) des Individuums. Phase der I. schließt sich der →Informationsaufnahme an. – Vgl. auch →Informationsspeicherung, →Informationsüberlastung.

**Informationsverarbeitung,** *IV-Ansatz,* Ansatz zum →Entscheidungsverhalten einer Einzelperson (→Individualentscheidung). Der betrachtete Mensch wird v. a. als informationsverarbeitendes System gesehen *(kognitiv-empirischer Ansatz)*. – *Charakterisierung:* a) Informationsbeschaffung und -verarbeitung sind wichtige Teile der Entscheidung (→offenes Modell); b) situations- und kontextabhängige Sicht der Entscheidung; c) Integration von Entscheidungsfällungsinstrumentarium und Eigenschaften des Menschen.

**Informationsverhaltensforschung,** Teilgebiet der →Marktforschung, das die Erfassung des Informationsverhaltens einer bestimmten Zielgruppe zum Gegenstand hat. Untersuchungsgegenstände sind der Informationsbedarf, die Art und Weise der Informationsbeschaffung sowie die Informationsaufnahme, -verarbeitung, -speicherung und -weitergabe. Die Erkenntnisse der I. werden bei der Planung und Gestaltung von kommunikationspolitischen Maßnahmen berücksichtigt.

**Informationsweg.** 1. *Begriff:* Organisatorisch festgelegte →Kommunikationsbeziehung zwischen mindestens zwei betrieblichen Handlungsträgern zum Austausch von →Informationen. In ihrer Gesamtheit bilden I. das formale →Kommunikationssystem, in dem sich der →Informationsprozeß vollzieht. – 2. *Unterscheidungskriterien:* Verlauf im Rahmen der →Hierarchie in *vertikaler* oder *horizontaler* Richtung (→Kommunikationsweg); b) Möglichkeit der *einseitigen* oder *zweiseitigen* Benutzung. *Mehrstufige* I. bilden →Informationsketten. – 3. *Bedeutung:* Die I. sind die Medien des betrieblichen →Informationsflusses. Von ihrer Struktur und Leistungsfähigkeit hängt daher auch die Effizienz des unternehmerischen Führungs- und Steuerungsprozesses ab. – Vgl. auch →Kommunikation.

**Informationswert,** Grundlage von →Informationsentscheidungen (→Informationsökonomik). Der Wert einer Information läßt sich aus dem Zweck der jeweils betrachteten Entscheidung ableiten. Der I. errechnet sich theoretisch aus der Differenz zwischen dem Erfolg einer Handlungsentscheidung nach der Beschaffung zusätzlicher Information und dem Erfolg der Entscheidung vor der zusätzlichen Informationsaktivität abzüglich der →Informationskosten. In der Realität läßt sich der I. aufgrund von Zuordnungs- und Bewertungsproblemen oft nicht ermitteln (→Informationsparadoxa).

**Informationswertanalyse,** *information value analysis.* 1. *Begriff:* Methode zur Analyse und Bewertung von Informationsstrukturen und -flüssen und zur Entwicklung von Verbesserungsvorschlägen im Hinblick auf die langfristige Planung →betrieblicher Informationssysteme, aufbauend auf Konzepten der →Wertanalyse. – 2. *Ziele:* Verkürzung der Zeiten des Informationsdurchlaufs durch die betrachtete Einheit (z. B. eine Abteilung oder einen Prozeß), Erhöhung des Informationswerts, Senkung des Aufwands für die Zurverfügungstellung einer Information. – 3. *Vorgehen:* Zunächst Prüfung der vorhandenen Informationsträger (Schriftgut, Formulare, Drucklisten, Masken u. a.) auf ihre Funktion und Bedeutung anhand von quantitativen und qualitativen Kriterien, dann Prüfung der Verbesserungsmöglichkeiten (z. B. Vermeidung von Datenredundanzen, Änderungsaufwand). – Vgl. auch →Informationsbedarfsanalyse.

**Informationszentrale der Elektrizitätswirtschaft e. V.,** Gemeinschaftsorganisation der deutschen Elektrizitätswirtschaft, Sitz in Frankfurt a. M. – *Aufgaben:* Aufklärung der Öffentlichkeit über die Bedeutung und Zweckmäßigkeit der Anwendung elektrischer Energie; Weiterbildung der Beratungskräfte der Elektrowirtschaft; Herausgabe von Informationsmaterial.

**Informationszentrale für den Steuerfahndungsdienst,** nach Straftätern geordnete Steuer-Fahndungskartei, errichtet aufgrund einer Vereinbarung zwischen den Bundesländern beim Finanzamt Wiesbaden II. Aufgenommen werden nur Fälle überregionaler Bedeutung, daher i. d. R. keine Ordnungs-

widrigkeiten. Verhindert werden soll, daß Ermittlungen nach demselben Täter unabgestimmt nebeneinander herlaufen.

**Informelle Gruppe,** →Gruppe I 3 b).

**Informelle Organisation,** *informale Organisation,* die inoffiziellen, personen- und situationsabhängigen Verhaltensmuster der →Organisationsmitglieder. – *Gegensatz:* (formelle) →Organisation.

**Informelle Untersuchung,** in der Markt- und Meinungsforschung eine Ermittlung ohne →Befragung i. e. S. Die i. U. sucht Antwort auf eine bestimmte Frage, die aber nicht gestellt wird. Der Interviewer muß sich durch indirekte Fragen (indirekte Befragung) Gewißheit über den Gegenstand der i. U. verschaffen. Gefahr des →Bias besonders groß.

**Infrastruktur,** die (meist) öffentlichen Einrichtungen, die eine Grundvoraussetzung für das wirtschaftliche Leben sind, so v. a. Straßen, Kanäle und sonstige Verkehrseinrichtungen, Energie- und Wasserversorgung, Bildungsinstitutionen, Krankenhäuser, Sozialversicherungen. – Ausbau und Finanzierung der I. sind für die *Entwicklungsländer* von vordringlicher Bedeutung. – Vgl. auch →Infrastrukturpolitik, →Infrastrukturkredite.

**Infrastrukturkredite,** Kredite zur Finanzierung der →Infrastruktur. Sie werden bevorzugt von der Weltbank (→IBRD) und der →IDA gegeben.

**Infrastrukturpolitik,** Sammelbegriff für wirtschaftspolitische Maßnahmen zur Förderung der →Infrastruktur. Die Legitimation staatlichen Einflußnahme wird v. a. in der Bereitstellung →öffentlicher Güter im Rahmen der I. gesehen. – *Verkehrspolitische Maßnahmen:* Vgl. im einzelnen →staatliche Verkehrspolitik II, →Verkehrsinfrastruktur.

**Ingangsetzungskosten,** →Aufwendungen für Ingangsetzung und Erweiterung des Geschäftsbetriebes.

**Inhaberaktie,** auf den Inhaber lautende →Aktie; übliche Aktienform in der Bundesrep. D. – I. dürfen nur nach Einzahlung der →Einlage ausgegeben werden (§ 10 AktG). Sie werden wie andere →Inhaberpapiere i. d. R. durch Einigung und Übergabe des Papiers übertragen und sind deshalb für den Verkehr hervorragend geeignet. Kontakt zwischen Gesellschaft und Aktionär ist schwach. – *Gegensatz:* →Namensaktie.

**Inhabergrundschuld,** selten vorkommende Form der →Grundschuld, bei der der →Grundschuldbrief auf den Inhaber ausgestellt wird (§ 1195 BGB). I. ist stets Briefgrundschuld. – *Anders:* →Inhaberhypothek.

**Inhaberhypothek,** →Hypothek zur Sicherung einer Forderung aus einer Schuldverschreibung auf den Inhaber (→Inhaberschuldverschreibung), aus einem →Wechsel oder aus einem anderen Papier, das durch Indossament übertragen werden kann (§§ 1187–1189 BGB). – Die I. ist kraft Gesetzes →*Sicherungshypothek*, auch wenn sie im →Grundbuch nicht als solche bezeichnet ist, um das Auseinanderfallen von persönlichem und dinglichem Anspruch zu vermeiden. Das Papier (z. B. der Wechsel) hat für den Inhaber ähnliche Bedeutung wie der →Hypothekenbrief bei der Hypothek. – Die I. geht durch *Übertragung* des Papiers auf den Erwerber über. – Die I. kann auch als →*Höchstbetragshypothek* bestellt werden.

**Inhaberindossament,** gilt im Wechselrecht als →Blanko-Indossament.

**Inhaberklausel,** Klausel, wonach der Inhaber eines Papiers zur Geltendmachung der Rechte befugt ist. – 1. Nach der I. verpflichtet sich der Aussteller eines →*Wertpapiers*, an den Inhaber der Urkunde zu leisten; nicht immer notwendig (z. B. nicht bei staatlichen →Inhaberschuldverschreibungen). Von besonderer Wichtigkeit ist die I. im Scheckverkehr, da der →Scheck (von Gesetzes wegen →Orderpapier) erst durch die I. („oder Überbringer") die leichte Verkehrsfähigkeit erlangt. – 2. Soweit bei *Versicherungsverträgen* der Versicherungsschein auf den Inhaber ausgestellt ist *(Inhaberpolice)*, ist er ein Ausweispapier. Die I. schützt den Versicherer. Besonders bei der →Lebensversicherung (Kleinlebensversicherung) besagt die I., daß der Versicherer jeden Inhaber des →Versicherungsscheines als berechtigt für alle Ansprüche aus dem Versicherungsverhältnis ansehen kann, soweit nicht eine ausdrückliche →Bezugsberechtigung festgelegt ist. I. befreit den Versicherer jedoch dem wahren Berechtigten gegenüber dann nicht, wenn er bei Leistung an den Inhaber von dessen Nichtberechtigung Kenntnis besitzt. I. d. R. wird der Versicherer den Nachweis der Verfügungs- und Empfangsberechtigung verlangen.

**Inhaberobligation,** →Inhaberschuldverschreibung.

**Inhaberpapiere,** →Wertpapiere, bei denen der Berechtigte namentlich nicht genannt ist, vielmehr jeder Inhaber legitimiert ist. – *Übertragbar* durch einfache →Übereignung des Papiers und deshalb für den Verkehr hervorragend geeignet. – Vgl. auch →Inhaberaktien, →Inhaberschuldverschreibung.

**Inhaberpolice,** →Inhaberklausel.

**Inhaberscheck,** normale Form des →Schecks; von Gesetzes wegen →Orderpapier, wird er aber erst durch die →Inhaberklausel zum I.

**Inhaberschuldverschreibung,** *Inhaberobligation, bearer bond,* →Anleihe, die den Emittenten verpflichten, an den jeweiligen Inhaber

der Anleiheurkunde die Zinsen und den Rücknahmekurs bei Fälligkeit der Papiere zu leisten. Die Rechte aus der Urkunde werden wie bei jedem →Inhaberpapier durch Einigung und Übergabe übertragen.

**Inhaltsangabe,** bestimmte Kennzeichnung der Beschaffenheit von Waren. Unter Strafandrohung vorgeschrieben nach dem Lebensmittelgesetz. Ausgestaltung der Verpackung und die Bezeichnung von bestimmten Lebensmitteln sind festgelegt, um irrtümliche Vorstellung des Käufers über Menge und Beschaffenheit der zum Verkauf gestellten Lebensmittel auszuschließen.

**Inhaltsnormen,** normative Bestimmungen im →Tarifvertrag, die den Inhalt des einzelnen →Arbeitsverhältnisses regeln, z. B. Löhne, Zulagen, Arbeitszeit und Urlaub (§ 1 TVG).

**Inhaltstheorien der Motivation,** →Erwartungs-Wert-Theorie, –Arbeitsmotivation.

**Inhibitors,** Vorstellungen der Konsumenten über Faktoren, die für ihre →Kaufentscheidung wichtig sind, die aber nicht in die →Einstellung gegenüber einem Objekt eingehen, z. B. der erwartete aktuelle Preis und die Erhältlichkeit einer Marke in einem Geschäft. Wegen der I. entspricht das →Konsumentenverhalten nicht vollständig der Einstellung.

**In-house-Banking,** *Do-it-yourself-Banking,* Bezeichnung für die Tätigkeit traditionell über Banken abgewickelter Finanzgeschäfte durch die Finanzabteilungen von Großunternehmen.

**In-house-Netz,** *hausinternes Netz,* Oberbegriff für →Nebenstellenanlagen, →lokale Netze und herstellerspezifische Datenverarbeitungsnetze (→Netz), die räumlich auf ein begrenztes Gelände bezogen sind. – Zu *In-house-ISDN-System* vgl. →ISDN; zu *In-house-Btx* vgl. →Bildschirmtext II.

**Initialzündung,** →pump priming.

**initiating structure,** →Führungsverhalten.

**Initiativgesetz,** Gesetz, dessen Entwurf nicht auf eine Vorlage der →Bundesregierung zurückgeht, sondern aus der Mitte des →Bundestags oder durch den →Bundesrat eingebracht worden ist.

**Initiativrecht,** Recht des →Betriebsrats, eine Angelegenheit zur verbindlichen Entscheidung vor die →Einigungsstelle zu bringen („Regelunsanspruch"), z. B. in sozialen Angelegenheiten nach § 87 II BetrVG oder beim Sozialplan nach § 112 IV BetrVG.

**Inkasso,** Einziehung fälliger Forderungen, ins. bes. von Wechseln, Schecks, verlosten Wertpapieren, Rechnungen, Akkreditiven, Dokumenten-Wechseln durch Handelsvertreter oder Banken. – *Vergütung für I.:* →Inkasso-

provision. – Vgl. im einzelnen →Inkassoge-
schäft.

**Inkassoabtretung,** *Inkassozession,* →Forde-
rungsabtretung, lediglich zu dem Zwecke, den
Zessionar zur Einziehung der Forderung zu
legitimieren. Gegenüber dem Schuldner hat
der Zessionar die vollen Rechte des Gläubigers, gegenüber dem Zedenten lediglich die
eines Beauftragten; deshalb ist er zur Herausgabe des Erlöses an den Zedenten verpflichtet
(→Auftrag).

**Inkassoakzept,** →Akzept, das die Bank einem Kunden gibt (→Akzeptkredit), auf dessen Konto entsprechende Zahlungseingänge
zu erwarten sind.

**Inkassobüro,** gewerbliches Unternehmen, das
sich mit der Einziehung fremder oder zu
Einziehungszwecken abgetretener Forderungen befaßt (→Inkasso). Den I. steht meistens
das Material von Auskunfteien zur Verfügung, so daß sie ihre Maßnahmen entsprechend einrichten und in aussichtslosen Fällen
unnötige Kosten vermeiden können. – Die
*Aufnahme des Betriebs* ist nach § 14 GewO
anzeigepflichtig, unterliegt aber außerdem als
geschäftsmäßige Besorgung fremder Rechtsangelegenheiten einer besonderen Erlaubnis
nach dem RechtsberatungsG.

**Inkassogeschäft,** *Einziehungsgeschäft.*

I. B a n k w e s e n : Einziehung (Inkasso) von
Schecks, Wechseln, Lastschriften, Quittungen, Zins- und Dividendenscheinen, Dokumenten u. a. Das I. hat durch den unbaren
Zahlungsverkehr sehr große Bedeutung
erlangt.

1. *Scheckinkasso:* Die →Schecks werden den
Kunden unter „Eingang vorbehalten" auf
Kontokorrentkonto gutgeschrieben. – Die *auf
die eigene Bank gezogenen Schecks* werden von
der Disposition bearbeitet und der Scheckab-
teilung zurückgegeben, die den Aussteller
zugunsten des Scheckeinreichers belastet. –
*Platzschecks* werden im Abrechnungsverkehr
erledigt. Vielfach verrechnen die Banken auch
direkt über die gegenseitig unterhaltenen Verrechnungskonten. *Schecks auf Filialen oder
befreundete Banken* werden diesen direkt oder
über die Zentrale (eigene oder fremde) übersandt, andere Schecks werden über die Lan-
deszentralbanken, Girozentralen und Zentral-
kassen zum Einzug gebracht. Für die Kreditinstitute, die Mindestreserven bei den Landes-
zentralbanken unterhalten, übernehmen diese
gebühren- und kostenfreien Scheckeinzug
(→vereinfachtes Scheck- und Lastschriftein-
zugsverfahren); dies ist für die Kreditinstitute
besonders günstig, da ihnen der Gegenwert
der eingereichten Schecks bereits am nächsten
Arbeitstag gutgeschrieben wird. – Schecks, die
*mangels Deckung* nicht honoriert werden können, werden sofort mit Vorlegungsvermerk
zurückgegeben (Retouren).

2. *Wechselinkasso:* Die →Wechsel werden mit
einem →Prokura-Indossament an die Bank
giriert. Die im eigenen Portefeuille der Banken
befindlichen Wechsel werden, falls sie an
einem anderen Ort, an dem sich jedoch eine
Zentralbankstelle (LZB) befinden muß, zahlbar sind, vielfach zehn Tage vor Fälligkeit an
die zuständige LZB oder an die zuständige
Girozentrale bzw. Zentralkasse weitergegeben, um das Wechselinkasso zu vereinfachen.

3. *Lastschrift- und Quittungsinkasso:* Inkasso
von Rechnungseinziehungspapieren in Form
von Bankquittungen und Lastschriften
(→Rechnungseinzugsverfahren).

4. *Zins- und Dividendenscheine-Inkasso:* Die
zum Inkasso eingereichten Scheine werden an
die Zahlstelle weitergegeben (Gutschrift „Eingang vorbehalten"), die Verrechnung erfolgt
meist über Abrechnungsstelle, Kassenvereine
und dgl.

5. *Dokumenteninkasso:* Die mit dem Inkasso
beauftragte Bank liefert dem Verpflichteten
(meist Importeur) die Warendokumente gegen
Zahlung des Inkassobetrages aus. – Vgl. auch
→Einziehungsverfahren, →Rechnungsein-
zugsverfahren.

II. P o s t w e s e n : 1. *Begriff:* Einziehung von
Forderungen Privater. – 2. *Verfahren:* a)
→*Nachnahme,* zulässig bei Brief- und Paket-
sendungen; b) →*Postprotestauftrag,* mit der
Möglichkeit, nichteingelöste →Wechsel oder
→Schecks zu →Protest gehen zu lassen; c)
*Einziehungsauftrag* im →Postgiroverkehr: regelmäßig wiederkehrend fällige Beträge werden von dem Konto des Zahlungspflichtigen
abgebucht und dem Konto des Zahlungsempfängers gutgeschrieben. Zahlungsempfänger
beantragt bei →Postgiroamt Zulassung und
erteilt danach den Einziehungsauftrag bei
Fälligkeit der Zahlung.

**Inkassoindossament,**             →Prokuraindossa-
ment.

**Inkassokommission,** Übernahme der Einziehung von Forderungen in eigenem Namen für
fremde Rechnung, z. B. durch die Bank für
ihre Kunden. Die I. unterliegt den Regeln des
(unechten) →Kommissionsgeschäfts (§ 406
HGB).

**Inkassoprovision,** Vergütung für den Geldeinzug (→Inkasso). – 1. I. steht dem *Handelsvertreter* zu, wenn er nach dem Dienstvertrag
besonders beauftragt ist, das Entgelt aus den
abgeschlossenen Geschäften einzuziehen (§ 87
IV HGB). – 2. I. der *Kreditinstitute* wird meist
nach dem Betrag berechnet, z. B. für Wechselinkasso 1 pro Mille vom Wechselbetrag.
Kreditinstitute untereinander erheben meist
keine I.

**Inkassorisiko,** →Delkredererisiko.

**Inkassovollmacht,** eine zur Einziehung von Forderungen berechtigende →Vollmacht. →Handlungsreisende und →Handelsvertreter sind ohne besondere I. nicht befugt, Zahlungsfristen zu gewähren oder Zahlungen entgegenzunehmen (§ 55 III HGB).

**Inkassowechsel,** *Einzugswechsel,* von einer Bank, die sich nicht durch Indossament verpflichtet, ausschließlich zum Einzug übernommene →Wechsel. Gutschrift des Wechselbetrages erst nach Eingang des Gegenwertes.

**Inkassozession,** →Inkassoabtretung.

**Ink-Jet-Drucker,** →Tintenstrahldrucker.

**Inklusionsschluß,** *direkter Schluß,* in der Statistik die Schlußweise von der →Grundgesamtheit auf eine ihr zu entnehmende →Stichprobe. Insbes. betrifft der I. die Ermittlung von →Verteilungen von →Stichprobenfunktionen (z. B. des Stichprobendurchschnitts). Beim I. wird unterstellt, daß die Verteilung des Merkmals in der Grundgesamtheit bekannt ist. Der I. ist eine der theoretischen Grundlagen der →Inferenzstatistik.

**Inkognito-Adoption,** Form der →Annahme als Kind, bei der die leiblichen Verwandten des Kindes nicht erfahren, wer das Kind adoptiert hat.

**Inkompatibilität.** 1. *Allgemein:* Unvereinbarkeit, Unverträglichkeit. – 2. *Öffentlicher Dienst:* Unvereinbarkeit zweier Ämter oder Berufe. Beispiel: Der Bundespräsident darf nach Art. 55 GG weder einer Regierung oder gesetzgebenden Körperschaft angehören, noch ein Gewerbe oder einen anderen Beruf ausüben.

**inkonsistentes Restriktionssystem,** *unlösbares Restriktionssystem, widersprüchliches Restriktionssystem,* →Restriktionssystem, das keine →Lösung besitzt. – *Gegensatz:* →konsistentes Restriktionssystem.

**inkrementale Planung,** Planung, die ausgehend vom Ist-Zustand schrittweise versucht, die wahrgenommenen Mängel abzubauen. Dabei läßt man sich von dem Grundsatz der Machbarkeit leiten. Aufgrund hoher Problem- und Umweltkomplexität wird die Planung eines Gesamtentwurfs (→synoptische Planung) nicht als sinnvoll angesehen.

**Inkrementalismus,** Begriff der finanzwissenschaftlichen Budgetlehre: Methode der Haushaltsplanung (→Haushaltsplan), u. a. in der Bundesrep. D. üblich. Die Bedarfsanmeldungen der einzelnen Verwaltungsstellen werden „von unten nach oben" gesammelt, koordiniert und mit Zu- oder Abschlägen versehen als →Haushaltsplan vorgestellt. Der I. kann zur Inflexibilität des Haushalts führen (vgl. auch →politische Programmfunktion). – *Gegensatz:* →programmorientierte Haushaltsplanung.

**Inkulanz,** Ungefälligkeit im Geschäftsverkehr. – *Gegensatz:* →Kulanz.

**Inland,** Gebiet innerhalb der Staatsgrenzen. – 1. *Steuerrecht:* Wichtiges Kriterium zur Bestimmung der Steuerbarkeit von Sachverhalten bzw. der →Steuerpflicht von natürlichen und juristischen Personen. – I. S. des *Umsatzsteuerrechts:* Vgl. →Erhebungsgebiet. – 2. *Außenwirtschaftsrecht:* Vgl. →Wirtschaftsgebiet. – 3. *Zollrecht:* Vgl. →Zollgebiet. – *Gegensatz:* →Ausland.

**Inländer,** natürliche und juristische Personen, die →Wohnsitz oder →gewöhnlichen Aufenthalt bzw. →Sitz im →Inland haben. – I. S. der *Zahlungsbilanzstatistik* zählen zu den I. auch die inländischen Gebietskörperschaften sowie die inländische Notenbank, nicht hingegen die Angehörigen des diplomatischen Corps und der im Inland stationierten ausländischen Streitkräfte. – Vgl. auch →Inländerkonzept.

**Inländerkonvertibilität,** →Konvertibilität, bei der Deviseninländer das Recht haben, jederzeit beliebige Mengen jeder Währung gegen in- oder ausländische Währung zu erwerben und zu verwenden. Dieses Recht kann auf den Erwerb und Verkauf von nur aus dem Waren- und Dienstleistungsverkehr stammenden Devisen oder auf die Währungen bestimmter Länder beschränkt werden. – *Gegensatz:* →Ausländerkonvertibilität.

**Inländerkonzept,** Begriff der →Volkswirtschaftlichen Gesamtrechnungen: Inländer sind alle Wirtschaftseinheiten (Institutionen und Personen), die ihren ständigen Sitz bzw. Wohnsitz im Bundesgebiet haben. Für die Abgrenzung ist i. a. die Staatsangehörigkeit ohne Bedeutung. Beim I. werden die Einkommen und die Ausgaben zusammengefaßt, die von Inländern kontrahiert werden, unabhängig vom Ort der zugehörigen Produktion. Z. B. wird das →Sozialprodukt nach dem I. gebildet, d. h. es enthält die Erwerbs- und Vermögenseinkommen aus dem Ausland und enthält nicht die an das Ausland geleisteten, wenngleich im Bundesgebiet entstandenen Erwerbs- und Vermögenseinkommen. – *Anders:* →Inlandskonzept.

**inländische Wertpapiere,** →Wertpapiere VI.

**Inlandskonzept,** Begriff der →Volkswirtschaftlichen Gesamtrechnungen. Beim I. werden die Einkommen und Ausgaben nach dem Ort der zugehörigen Produktion zusammengefaßt, unabhängig von der Zugehörigkeit des die Transaktion tätigenden Wirtschaftssubjekts. Z. B. enthält das →Inlandsprodukt alle und nur alle im Bundesgebiet aus Produktion entstandenen Einkommen, gleichgültig, ob sie Inländern oder Ausländern zufließen. – *Anders:* →Inländerkonzept.

**Inlandsprodukt,** Produktionsergebnis einer Periode im Inland. Unterscheidet sich vom

→Sozialprodukt durch die grenzüberschreitenden Erwerbs- und Vermögenseinkommen: Diejenigen solcher Einkommen, die von einer inländischen Produktionsstätte an Ausländer geleistet werden, sind im I. enthalten, im Sozialprodukt nicht. Umgekehrt sind die aus ausländischer Produktion an Inländer geleisteten Einkommen im Sozialprodukt enthalten, im Inlandsprodukt nicht. – Kann „brutto" *(Brutto-I.)* oder „netto" *(Netto-I.)* dargestellt werden: Bei der Bruttodarstellung sind die Abschreibungen eingeschlossen, bei der Nettodarstellung nicht. – Vgl. auch →Inlandskonzept.

**Inlandsvermögen,** Vermögen, mit dem →beschränkt Steuerpflichtige zur Vermögensteuer herangezogen werden. Der *Umfang des I.* ist abschließend nach §121 BewG zu bestimmen; es dürfen nur solche Schulden zum Abzug gebracht werden, die mit dem I. wirtschaftlich verbunden sind. – *Beispiele:* inländischer →Grundbesitz, inländisches →Betriebsvermögen. – *Gegensatz:* →Gesamtvermögen.

**Inland Transport Committee,** →ITC.

**Innenauftrag,** *Hausauftrag,* →Auftrag, der nicht durch Kundenbestellung veranlaßt ist (→Kundenauftrag), sondern unmittelbar von betriebsinternen Stellen ausgeht: a) Vorratsaufträge zur Lagerergänzung; b) Aufträge zur Erstellung innerbetrieblicher Leistungen (Anlagen, Werkzeuge, aber auch Dienstleistungen, wie Reparaturen). – In der *Kostenrechnung* sind I. im Interesse richtiger Kostenverteilung grundsätzlich wie →Kundenaufträge abzurechnen, wobei die verursachenden →Kostenstellen zugunsten der leistenden belastet werden. Ein derartiges Vorgehen ermöglicht eine Überwachung der Kostenentwicklung und Feststellung, ob die Selbstherstellung mit geringeren Kosten verbunden ist als der →Fremdbezug.

**Innenfinanzierung,** Maßnahmen zur →Kapitalbeschaffung innerhalb der Unternehmung (→Selbstfinanzierung). – Vgl. auch →Finanzierung, →Außenfinanzierung.

**Innengeld,** →inside money.

**Innengesellschaft,** →Gesellschaft des bürgerlichen Rechts, die keine Außenwirkung entfaltet, z. B. bei der Unterbeteiligung. Geschäftsführung und Vertretung stehen allein dem Hauptbeteiligten zu. Eine I. ist im Grunde auch die →stille Gesellschaft.

**Innenrevision,** →interne Revision.

**innerbetriebliche Leistungen,** *Wiedereinsatzleistungen.* 1. *Begriff:* Leistungen des Betriebs, die nicht für den Absatz bestimmt sind; insbes. die Leistungen der allgemeinen Kostenstellen, Materialstellen, Fertigungshilfsstellen, Entwicklungs- und Forschungsstellen, Verwaltungs- und Vertriebsstellen.

Auch Fertigungsstellen können an der Erstellung i. L. beteiligt sein, z. B. mit der Ausführung von Innenaufträgen zur Eigenerstellung von Anlagen, Maschinen, Werkzeugen usw., die im Erzeugungsprozeß wieder eingesetzt werden sollen. – *Gegensatz:* →Endfabrikat, →unfertige Fabrikate. – 2. *Buchung:* Soweit i. L. zur Fertigung von Anlagen für den Eigenbetrieb führen, sind sie mit den →Herstellungskosten zu aktivieren (Anlagenkonto an „andere aktivierte Eigenleistungen") und abzuschreiben. – 3. *Verrechnung:* Vgl. →innerbetriebliche Leistungsverrechnung.

**innerbetriebliche Leistungsverrechnung,** *Sekundärkostenrechnung,* Verrechnung von Kosten innerhalb der →Kostenstellenrechnung.

I. G r u n d a n s a t z: Neben absatzbestimmten Leistungen wird insbes. in den →Hilfskostenstellen eine Vielzahl von →innerbetrieblichen Leistungen erstellt, deren Kosten den →Kostenstellen zugerechnet werden müssen, die ihren Anfall ausgelöst haben. Dem Leistungsfluß entsprechend bedeutet dies insbes. eine Verrechnung von Kosten der Hilfskostenstellen auf andere Hilfskostenstellen (z. B. Kosten der Stromlieferung vom unternehmenseigenen Kraftwerk an den Werkschutz) oder auf →Hauptkostenstellen (Kosten der Erstellung von Arbeitsplänen von der Arbeitsvorbereitung an die zugeordneten Fertigungsstellen), mit dem der Abrechnungslogik der traditionellen →Vollkostenrechnung entsprechenden Ergebnis, daß nach Durchführung der i. L. die Hilfskostenstellen völlig entlastet, ihre Kosten sämtlich den Hauptkostenstellen zugerechnet sind. Nur in Ausnahmefällen erbringen Hauptkostenstellen innerbetriebliche Leistungen für Hilfskostenstellen (z. B. Erstellung eines Ersatzteils für die Stromerzeugungsanlage durch die Dreherei). Diese müssen gesondert abgerechnet werden. Hierfür sind andere Verrechnungsverfahren erforderlich als für die zuerst angesprochene standardmäßige Verrechnung von Hilfskostenstellen auf andere Kostenstellen.

II. V e r f a h r e n   z u r   v o l l s t ä n d i g e n   E n t l a s t u n g   v o n   H i l f s k o s t e n s t e l l e n: 1. *Gleichungsverfahren:* Simultane Berechnung der Verrechnungssätze aller Hilfskostenstellen mit Hilfe von linearen Gleichungen. Die Zahl der Gleichungen entspricht der Zahl der betroffenen Kostenstellen, so daß sich stets eine eindeutige Lösung ergibt. Durch die Notwendigkeit des Formulierens von Gleichungen erweist sich das Gleichungsverfahren als aufwendig, kann jedoch als einziges Verfahren wechselseitige Leistungsverflechtungen zwischen Kostenstellen exakt erfassen (z. B. Stromlieferungen an die Werkstatt, die ihrerseits Turbinenwartung vornimmt). – 2. *Iterationsverfahren:* Dieses Verfahren ermöglicht ebenfalls eine Berücksichtigung wechselseitiger Leistungsverflechtungen, liefert jedoch nur eine (beliebig genaue) Näherungslösung. Vom Grundprinzip her werden durch Leistungsrückflüsse auftretende Verrechnungsfehler durch sukzessive Neuberechnungen immer mehr verkleinert. Aus diesem Grund läßt sich das Iterationsverfahren sinnvoll nur im Rahmen EDV-gestützter Kostenrechnungssysteme anwenden, verursacht jedoch auch dort erhebliche Rechenzeiten. – 3. *Stufenleiterverfahren (step ladder system, (Kostenstellen)Umlageverfahren, Treppenverfahren)*: Grundprinzip des Stufenleiterverfahrens ist es, die Hilfskostenstellen so aufzureihen, daß jede Kostenstelle zwar an nachfolgende Kostenstellen innerbetriebliche Leistungen abgibt, selber aber keine bzw. vernachlässigbar geringe Anteile von diesen erhält. Das Stufenleiterverfahren ist das in der traditionellen →Betriebsabrechnung am häufigsten angewendete Verrechnungsverfahren. Seine Genauigkeit (im Sinne des →Verursachungsprinzips) steht und fällt mit dem Umfang der Leistungsrückflüsse. – 4. *Anbauverfahren*: Das Anbauverfahren vernachlässigt Leistungsströme zwischen den Hilfskostenstellen völlig, verrechnet jede Hilfskostenstelle somit direkt an Hauptkostenstellen, es weist deshalb in aller Regel eine unzureichende Genauigkeit auf. – 5. *Festpreisverfahren*: Das Festpreisverfahren verrechnet keine Istkosten der innerbetrieblichen Leistungen, sondern →Normal- oder →Plankosten (im Falle der Bewertung mit →Grenzkosten bzw. →Einzelkosten spricht man zuweilen vom *Grenz-Festpreis-Verfahren*). Durch den Verzicht auf exakte Berechnung ist das Festpreisverfahren leicht handhabbar und insbes. für kurzperiodische (z. B. monatliche) Kostenauswertungen gut geeignet.

III. Verfahren i. L. u. für einzelne Leistungen: 1. *Kostenartenverfahren*: Das Kostenartenverfahren verrechnet lediglich die Einzelkosten einer innerbetrieblichen Leistung von einer Hauptkostenstelle auf eine (zumeist) Hilfskostenstelle. Die anteiligen Gemeinkosten verbleiben auf der leistenden Stelle. Durch die Beschränkung auf die Erfassung von Einzelkosten ist das Kostenartenverfahren leicht handhabbar, weist aber durch die Vernachlässigung der anteiligen Gemeinkosten (im Sinne des Verursachungsprinzips) Ungenauigkeiten auf. – 2. *Kostenstellenausgleichsverfahren*: Entspricht bezogen auf die Verrechnung der Einzelkosten dem Kostenartenverfahren, nimmt aber zusätzlich noch eine Verrechnung anteiliger Gemeinkosten vor. Innerbetriebliche Leistungen werden nach dem Kostenstellenausgleichsverfahren in der gleichen Weise kalkuliert wie die absatzbestimmten Leistungen der betreffenden Hauptkostenstelle. – 3. *Kostenträgerverfahren*: Dieses Verfahren wird dann angewandt, wenn meh-

rere Haupt- (ggf. auch Hilfs-)kostenstellen gemeinsam eine aktivierungspflichtige innerbetriebliche Leistung erstellen (z. B. Eigenbau einer Maschine). Wie es die Verfahrensbezeichnung ausdrückt, wird die innerbetriebliche Leistung als eigenständiger Kostenträger nach für die →Kostenträgerrechnung geltenden Prinzipien kalkuliert.

IV. Problematik/Ansatz der Einzelkostenrechnung: Von zwei Ausnahmen abgesehen beinhalten alle Verfahren der i. L. eine massive *Schlüsselung von Gemeinkosten* (→Gemeinkostenschlüsselung) und können somit zu einer Verzerrung des Kostenbildes führen. – Aus diesem Grund werden in der (relativen) →Einzelkostenrechnung (1) nur meßbare innerbetriebliche Leistungen verrechnet, und zwar (2) nur zu ihren (echten) →Einzelkosten. Die übrigen Kosten bleiben bei der leistenden Kostenstelle. Bei der empfangenden Kostenstelle sind sie als Belastung in die dort maßgebliche Kostenkategorie einzuordnen; das ist oft mit einem Kategoriewechsel verbunden, z. B. sind die Materialeinzelkosten für eine Reparaturauftrag bei der leistenden Stelle leistungsmengenabhängige oder auftragsindividuelle Leistungskosten, bei der empfangenden Stelle Bereitschaftskosten mit offener Nutzungsdauer. Auch kann z. B. bei selbsterzeugten Energien, ein Wechsel von den bei der leistenden Stelle direkt erfaßten Kosten zu →unechten Gemeinkosten auftreten, wenn der Energieverbrauch beim Empfänger nicht gemessen wird. Bei der liefernden Stelle auftretende unechte Gemeinkosten sollten näherungsweise verrechnet werden, jedoch von den direkt erfaßten Einzelkosten gesondert, da sie in der empfangenden Stelle nicht kontrollierbar sind, aber dort für die Vorbereitung von Entscheidungen (z. B. Verfahrenswahl) und Erfolgsquellenanalysen benötigt werden.

**innerbetriebliche Logistik**, →Fertigungslogistik.

**innerbetrieblicher Schadensausgleich**, →Haftung I.

**innerbetriebliche Standortplanung**, →Layoutplanung.

**innerbetriebliche Stellenausschreibung**, →Ausschreibung von Arbeitsplätzen.

**innerbetrieblicher Vergleich**, →Betriebsvergleich II 2 a) (1).

**innerbetriebliche Stellenausschreibung**, zulässiges Verlangen des →Betriebsrates, daß zu besetzende Arbeitsplätze zunächst im Betrieb ausgeschrieben werden (§ 93 BetrVG). – *Vorteil*: Bekanntreit von Fähigkeiten und Leistungswillen; *Nachteil*: Verärgerung und Unzufriedenheit bei Nichtberücksichtigung des innerbetrieblichen Bewerbers.

**innerbetriebliche Weiterbildung,** im Betrieb durchgeführte Maßnahmen der →Personalentwicklung zur Intensivierung des Wissens und der Fähigkeiten. – *Vorteil* gegenüber außerbetrieblichen Maßnahmen der Weiterbildung: Beeinflußbarkeit des Programmes hinsichtlich der Struktur der Teilnehmer und der Firmeninteressen; *Nachteil:* Häufig zu speziell auf die Situation des arbeitgebenden Unternehmens zugeschnittenes Programm.

**innerbetriebliche Werbung,** *interne Information.* 1. *Begriff:* Einsatz von Werbemitteln (Lohntütenbeilagen, Plakaten, Filmen, Werbefunk usw.) im Betrieb. – *Gegensatz:* Verkaufswerbung (außerbetriebliche →Werbung. – 2. *Zweck:* Förderung des Leistungswillens der im Betrieb bzw. für den Betrieb tätigen Personen, ihre Ausrichtung auf das Betriebsziel, dadurch Weckung der →Leistungsbereitschaft. Schaffung aller Voraussetzungen (wie →Betriebsklima, gegenseitiges Verstehen, Vertrauen und Zusammenwirken), die durch freiwilligen Beitrag der Belegschaft zu Leistungssteigerungen führen, mittels Einsatzes der Werbetechnik in Verbindung mit sozialpolitischen Maßnahmen (→Partnerschaft). – 3. *Beispiele:* Mitwirkung bei Arbeitsplatzgestaltung, Einrichtung von Werksbibliotheken sowie Wasch- und Badeanlagen, Freizeitgestaltung, Auszeichnung verdienter Betriebsmitglieder, Prämierung von Verbesserungsvorschlägen und Intensivierung des Vorschlagwesens durch systematische Vorbereitung und Durchführung der i. W.

**innerdeutscher Handel.** I. Begriff: Warenverkehr zwischen der Bundesrep. D. einschl. Berlin (West) und der Deutschen Demokratischen Republik und Berlin (Ost). Der I. H. *gilt nicht* als →Außenhandel, gehört nicht zum Außenwirtschaftsverkehr. Die DDR und Berlin (Ost) sind kein Ausland und kein fremdes Wirtschaftsgebiet; die Staatsgrenzen zwischen den beiden Gebieten sind keine Zollgrenzen. Das Verbringen von Waren im I. H. in die DDR wird als „Lieferungen", das Verbringen von Waren aus der DDR als „Bezüge" bezeichnet.

II. Gesetzliche Regelung: Für den I. H. gelten nach wie vor das alliierte Militärregierungsgesetz Nr. 53 und die VO 235. Weitere grundlegende Regelungen, insb. bei dem Warenverkehr, sind die Interzonenhandelsverordnung vom 18.7.1951 in der Fassung vom 22.5.1968 (Bundesanz. Nr. 97 v. 25.5.1968), die dazu eingegangenen Verordnungen zur Durchführung der Interzonenhandelsverordnung und die Allgemeinen Genehmigungen zur Interzonenhandelsverordnung sowie ferner die Vereinbarungen mit der DDR im Berliner Abkommen i.d.F. vom 16.8.1960 mit seinen Anlagen und jährlichen Vereinbarungen.

III. Genehmigungspflicht: Bezüge und Lieferungen sind größtenteils allgemein genehmigt *(„Allgemeine Genehmigung")*. Soweit sie nicht allgemein genehmigt sind, senden die Genehmigungsstellen der Länder dem Bundesamt für Wirtschaft (BAW) Anträge auf Erteilung von Bezugsgenehmigungen und Warenbegleitscheinen zur Zustimmung zu. *(„Einzelgenehmigung").* Das BAW hat die Einhaltung vereinbarter →Kontingente sowie Embargovorschriften (→Embargo, →COCOM) zu überwachen, ggf. Preisprüfungsverfahren durchzuführen.

IV. Amtliche Statistik: Der Warenverkehr mit der DDR und Berlin (Ost) wird nicht im Rahmen der Außenhandelsstatistik nachgewiesen, sondern in gesonderten Statistiken. Die Warengliederung richtet sich nach dem systematischen Güterverzeichnis für Produktionsstatistiken (Ausgabe 1982). Bezüge und Lieferungen des Bundesgebietes einschl. Berlin (West) in den letzten Jahren (in Mill. DM):

| Jahr | Bezüge | Lieferungen |
|------|--------|-------------|
| | in Mill. DM | |
| 1974 | 3 252 | 3 671 |
| 1975 | 3 342 | 3 922 |
| 1976 | 3 877 | 4 269 |
| 1977 | 3 953 | 4 341 |
| 1978 | 3 900 | 4 575 |
| 1979 | 4 587 | 4 711 |
| 1980 | 5 580 | 5 293 |
| 1981 | 6 051 | 5 575 |
| 1982 | 6 639 | 6 382 |
| 1983 | 6 878 | 6 947 |
| 1984 | 7 744 | 6 408 |
| 1985 | 7 636 | 7 901 |
| 1986 | 6 831 | 7 454 |

V. Umsatzsteuer: Der i. H. gilt als weder im →Erhebungsgebiet noch im →Außengebiet abgewickelt. Für Leistungen aus der DDR →Steuervergütungsanspruch (Kürzungsanspruch) statt →Vorsteuerabzug; für Leistungen in die DDR ermäßigter Steuersatz, kein Ausschluß vom Vorsteuerabzug (§ 26 IV UStG i. V. m. der „Allgemeinen Verwaltungsvorschrift über die umsatzsteuerliche Behandlung des innerdeutschen Waren- und Dienstleistungsverkehrs ... (VwV)" vom 18.7.1984.

**innerdeutscher Zahlungsverkehr,** Zahlungsverkehr zwischen der Bundesrep. D. und der Deutschen Demokratischen Republik. Der Zahlungsausgleich erfolgt bilateral: Beide Notenbanken (Deutsche Bundesbank und Deutsche Notenbank) führen Verrechnungskonten; für die weitere Zahlungsabwicklung sind Kreditinstitute zugelassen worden. Private Tauschgeschäfte sind verboten. Kompensationsgeschäfte sind nur mit einer staatlichen Stelle (VEH-DIA) in Berlin (Ost) zugelassen. Da sich die Lieferungen aus der DDR oft verzögern, wird meist die Zahlungsweise →Kasse gegen Dokumente vereinbart. –

1. *Zahlungen von Schuldnern in der DDR und in Ost-Berlin* an Bewohner der Bundesrep. D. dürfen nur auf ein verzinsliches Konto des Zahlungsempfängers in der DDR geleistet werden; wenn kein Konto angegeben wird, an die Deutsche Notenbank. Verfügungen über die Bankkonten sind nur beschränkt möglich, so für Steuerzahlungen, Instandsetzungskosten, Kapitalrückzahlungen, Hypothekenzinsen, Versicherungsprämien im Zusammenhang mit Grundbesitz sowie für Zins- und Tilgungszahlungen auf alte Bankkredite, die jedoch an die Deutsche Notenbank zu leisten sind. – 2. *Gläubiger in der DDR und in Ost-Berlin,* die Forderungen an Bewohner der Bundesrep. D. haben, haben ihre Geldforderungen bei der Deutschen Notenbank zu melden und ihr auf Verlangen abzutreten. In der Bundesrep. D. werden solche erzwungenen Abtretungen nicht anerkannt. – DDR-Bewohner können über ihre Konten in Westdeutschland verfügen: a) zur Zahlung von Bankgebühren, Steuern, Verwaltungsgebühren und Gerichtskosten sowie zum Erwerb von Grundstücken und Wertpapieren und dgl. ohne weiteres; b) bei Anwesenheit des Kontoinhabers oder seiner Familienangehörigen können bis zu 1000 DM abgehoben werden; c) durch Überweisung und Anweisung zur Barabhebung für Bewohner des Bundesgebietes je Konto und Monat 150 DM; u. a.

**Innerdeutsches Rechtsabkommen,** →Deutsches Interlokales Privatrecht.

**innerdeutsche Verrechnungsbanken,** Geldinstitute, die als Abwicklungsbanken in den →innerdeutschen Zahlungsverkehr aus dem Interzonenhandel im Rahmen des →Berliner Abkommens eingeschaltet sind. Im Währungsgebiet der DM alle Geldinstitute mit Sitz oder Niederlassung in diesem Währungsgebiet; im Währungsgebiet der Mark der DDR: Staatsbank der DDR, Berlin, Deutsche Außenhandelsbank AG, Berlin, mit Filialen und Außenstellen, Deutsche Handelsbank AG, Berlin. – Zahlungen nur soweit sie devisenrechtlich allgemein oder einzeln genehmigt sind.

**innerer lag,** →lag II 2a) (1).

**innerer Wert einer Aktie,** wahrer bzw. objektiver Wert; ergibt sich aus der Summe der Entwicklung aller Erfolgskomponenten der durch die Aktie repäsentierten Unternehmung in der Zukunft. Abweichende Aktienkurse basieren auf Über/Unterbewertungen der Komponenten durch die Marktakteure. – Vgl. auch →fundamentale Aktienanalyse.

**inneres Steuersystem,** →Steuersystem, das sich auf die zugrundeliegende Wertordnung in materieller Hinsicht bezieht. Dies aus der Wertordnung resultierenden Prinzipien sind die tragenden Elemente des i. St. – *Gegensatz:* →äußeres Steuersystem.

**innere Verbrauchsbesteuerung,** →Fabrikationsteuer.

**innergemeinschaftlicher Reiseverkehr,** →Reiseverkehr IV.

**Innovation.** I. Charakterisierung: Bezeichnung in den Wirtschaftswissenschaften und anderen Wissenschaften (z. B. Geschichte, Geographie, Soziologie, Politikwissenschaften und Ingenieurwissenschaften) unter unterschiedlichen Aspekten für die mit technischen, sozialen und wirtschaftlichen Wandel einhergehenden (komplexen) Neuerungen. – Bisher liegt *kein geschlossener, allgemeingültiger* I.-ansatz bzw. keine allgemein akzeptierte Begriffsdefinition vor. Gemeinsam sind allen Definitionsversuchen die *Merkmale:* (1) *Neuheit* oder *(Er-)Neuerung* eines Objekts oder einer sozialen Handlungsweise, mindestens für das betrachtete System und (2) *Veränderung* bzw. *Wechsel* durch die I. in und durch die Unternehmung, d. h. Innovation muß entdeckt/erfunden, eingeführt, genutzt, angewandt und institutionalisiert werden.

II. Betriebswirtschaftslehre: 1. *Begriffsinterpretationen:* a) *Leitvorstellung* bzw. *Denkhaltung von Unternehmern und Managern:* Beim innovativen Unternehmen z. B. finden Neuerungen ihren Niederschlag in der Unternehmens- und Produktpolitik; (→Unternehmenspolitik; →Produkt- und Programmpolitik); b) *Sozialtechnologie,* z. B. als Programme oder Ansätze zur Beschreibung, Erklärung und Beeinflussung des geplanten organisatorischen Wandels; c) *strategisches Konzept:* (technische) I. dienen als „Waffe" im (internationalen, technologischen) Wettbewerb und helfen dem Unternehmen, Wachstum zu erzielen; d) *analytische Variable* (bei gesamtwirtschaftlicher Betrachtungsweise): I. bzw. →technischer Fortschritt ist das erklärende Moment, warum eine Produktionsfunktion eine nächst höhere Stufe der wirtschaftlichen Entwicklung oder des Wachstums erreicht.

2. *Betrachtungsweisen:* a) I. als *Problem:* (1) An- und Verwendung von Erfindungen (Inventionen) ist das Problem (Hier ist die Lösung, wo ist das Problem.). (2) Für viele Probleme werden keine Ideen, Forschungs- und Entwicklungsergebnisse oder Inventionen gefunden, weil man sie nur in eingegrenzten Lösungsräumen zu finden sucht, →Kreativitätstechniken und teamartige Projektgruppen für innovative Problem- und Aufgabenstellungen sind Lösungsalternativen (Hier ist das Problem, wo ist die Lösung?). (3) Für Kundenprobleme müssen I. gefunden werden, die ihnen helfen, durch deren An- und Verwendung ihre Probleme zu lösen (Hier ist unsere Kundengruppe, wo ist deren Problem und wo ist unsere Lösung für deren Problem?). – b) I. als *Objekt:* I. ist eine subjektiv neue Idee, Verfahrensweise (Prozeß-I.) oder ein neues

Produkt (Produkt-I.); das „neue Objekt" bildet den Gegenstand der Untersuchung, wie man ihn vorwiegend bei Arbeiten aus der Diffusionsforschung findet. – c) I. als *Prozeß:* I. ist ein Prozeß, der sich von der Exploration und Analyse eines Problems, der Ideensuche und -bewertung, Forschung, Entwicklung und Konstruktion, Produktions- und Absatzvorbereitung bis zur Markteinführung, d-h. in mehreren Phasen innerhalb und außerhalb der Organisation, abspielen kann; es benötigt ein institutionaliertes unternehmerisches Subsystem (→Technologiemanagement), wenn die I. nicht dem Zufall überlassen werden soll. Die einzelnen Phasen sowie in ihrer Gesamtheit bilden Untersuchungsgegenstände, z. B. →Forschung und Entwicklung, betriebliche →Organisationsforschung, →Marketing, →strategisches Management oder →Industrieökonomik.

3. *Organisatorische Aspekte:* a) Aufgrund dieses vielfältigen komplexen und dynamischen Problemfeldes (technischer) I. ist I. *Führungsaufgabe strategischer und operativer Art.* Technologischer sowie wirtschaftlicher Vollzug erfolgen in drei betrieblichen *Teilprozessen:* (1) Forschungs- und Entwicklungsvorhaben werden innerhalb oder außerhalb der Unternehmung erfolgreich durchgeführt; Ergebnisse der Forschung, Entwicklung sowie Konstruktion, Inventionen bzw. „Innovationsideen" werden der Unternehmung ausreichend zur Verfügung gestellt (→Technologietransfer). (2) Die Führung erkennt die ökonomische Relevanz der Forschungs- und Entwicklungsergebnisse/Investitionen (→technologische Voraussagen, →Technologiefolgenabschätzung) und besitzt die Innovationsbereitschaft und -fähigkeit, die ursprünglichen Erfindungen produktionsreif zu entwickeln, herzustellen und zu vermarkten bzw. als Vefahrensi. einzusetzen. (3) Ein Technologiemanagement wird institutionalisiert, um eigene Forschungs- und Entwicklungsvorhaben oder technisches Know-how durch Technologietransfer nicht der Eigendynamik und dem Zufall zu überlassen, sondern gezielt eine I. zu erzielen. – b) Mit dem Führungsproblem rücken weitere Aspekte und Faktoren von (technischen) I. im Unternehmen in den Vordergrund: Die Notwendigkeit von I. für Unternehmen führt im konkreten I.-sprozeß zu *inner- und außerbetrieblichen Folgeproblemen* (erhebliche Innovationswiderstände, Akzeptanzprobleme), die durch das innovierende Unternehmen als weitere Führungsprobleme mitbewältigt werden müssen: (1) Das Objekt der I. (Produkt-, Material-, Informations- und/oder Verfahrensinnovation) induziert i. d. R. *Sozialinnovationen,* z. B. Veränderungen der →Ablauforganisation, Verhaltensänderung bei den Organisationsmitgliedern mittels →Organisationsentwicklung, Verhaltensänderungen bei Lieferanten und Kunden.

(2) Innovative Problemstellungen zeichnen sich durch *dominante Merkmale* wie Neuheitsgrad, Komplexität, Unsicherheit/Risiko und Konfliktgehalt aus. (3) I. werden innerbetrieblich durch *sozial-organisatorische Bedingungen* unterstützt (Zielsystem, Anreizsystem, Führungsstil, Projektmanagement usw.). (4) *Spezifische Führungsfunktionen, -techniken und -attitüden eines Fach- und Machtpromotors* als Mitwirkungsformen des Managements. (5) *Schaffung innovationsfördernder Rahmenbedingungen* sowie Erfassung und Förderung „kreativen" Personals mittels betrieblichen Vorschlagswesens, →Qualitätszirkel, Erfinder-Beauftragten usw. (6) Bereitstellung von *Risikokapital* (→Venture Capital). (7) Berücksichtigung von marktorientierten Diffusionsbedingungen und -determinanten als Probleme eines *I.marketings* (Variablen der Kunden, Variablen des Sozialsystems, Variablen und Instrumente des Marketings) als auch wahrgenommene Charakteristika der I. durch den potentiellen Kunden (relativer Vorteil, Anschaulichkeit des Vorteils, „Spielerische" Aneignungsmöglichkeiten der Vorteile der Innovation, Neuartigkeit/Komplexität, Grad der Anpassung an bestehende Struktur wie Kompatibilität und Integrationsfähigkeit).

III. Volkswirtschaftslehre: 1. *Begriff:* Erstmalige kommerzielle Nutzung einer Neuerung in der Wirtschaft. – *Phasen des I.prozesses* (Schumpeter): a) Erfindung (Invention), b) erstmalige Nutzung (Innovation), c) Verbreitung (Diffusion durch Imitation). – 2. *Arten:* (Schumpeter): a) Produkt-I. (bzw. Differenzierung der Produktqualität), b) Prozeß-I. im Produktions- und Vertriebsbereich (z. B. neue Fertigungstechniken), c) Erschließung neuer Absatzwege im In- und Ausland, d) Erschließung neuer Vorproduktmärkte und Rohstoffquellen im In- und Ausland, e) Veränderung der Markt- und/oder Unternehmensorganisation (z. B. Fusionierung, Konzernbildung). – *Basis-I.* sind besonders herausragende I.: Aufgrund einer neu entdeckten Schlüsseltechnologie wird eine Vielzahl von Anwendungsbereichen erschlossen und induziert zahlreiche *Folge-I.* (oder *Verbesserungs-I.).* –3. *Gesamtwirtschaftliche Bedeutung:* Aufspüren bisher unbefriedigter Nachfragewünsche durch neue, verbesserte oder ausdifferenzierte Produktqualitäten und der Ressourcenersparnis eingeführter Produkte, durch die Wohlfahrtssteigerungsmöglichkeiten erschlossen werden. – 4. *Einzelwirtschaftliche Bedeutung:* Für Unternehmen besteht ein Anreiz zur I., weil die vorübergehende Monopolstellung dem innovierenden Unternehmen Pionierrenten verschafft. – Vgl. auch →evolutorische Wirtschaft.

**Innovation possibility function (IPF),** von C. Kennedy behaupteter funktionaler Zusammenhang zwischen der Wachstumsrate des arbeitsvervielfachenden Fortschritts und der

Wachstumsrate des kapitalvervielfachenden Fortschritts. Die IPF ist im Zusammenhang mit dem Wiederaufkommen der Theorie der gesteuerten Forschrittsrichtung zu sehen, in der es darum geht, die neoklassische Wachstumstheorie durch die Hypothese zu verteidigen, daß der →technische Fortschritt langfristig Harrod-neutral ist und dadurch störungsfreies gleichgewichtiges Wachstum gemäß der neoklassischen Wachstumstheorie gewährleistet. Diesem Zweck dient die IPF.

**Innovationsförderung,** im Bereich der →Mittelstandspolitik des Bundesministeriums für Wirtschaft Programm zur Förderung von Erstinnovationen und der hierzu gehörigen Entwicklung seit 1972, mit dem Ziel, das Risiko von Erstinnovationen bis auf ein für das betreffende Unternehmen vertretbares Maß zu verringern. – Als *Erstinnovation* gilt die Entwicklung eines neuen Produktes oder Verfahrens bis zur Produktions- oder Verfahrensreife mit dem Ziel der Markteinführung. – *Zuschuß* in Höhe von maximal 50% der Vorhabenskosten; zinslos; im Erfolgsfall rückzahlbar. – *Anträge* werden von einem „Ausschuß für Erstinnovationsförderung" beim BMWi geprüft.

**Innovationsmarketing,** →Innovation II 3 g).

**Innovationspolitik,** →Technologieförderungspolitik.

**innovative Entscheidung,** →programmierbare Entscheidung 2 c).

**Innung,** →Handwerksinnung.

**Innungskrankenkassen,** durch die →Handwerksinnungen aufgrund der Vorschriften der Reichsversicherungsordnung (RVO) und der (HandwO) Handwerksordnung errichtete →Pflichtkrankenkassen für alle bei Innungsmitgliedern beschäftigten (Handwerks) →Gesellen, Auszubildenden und sonstigen Arbeitnehmer. Die I. sind Körperschaften des öffentlichen Rechts mit Selbstverwaltung. – Freiwillige Mitgliedschaft für Betriebsinhaber und Familienangehörige ist möglich. – Voraussetzung für die Gründung einer I. ist, daß in den Mitgliedsbetrieben regelmäßig mindestens 450 Versicherungspflichtige (→Versicherungspflicht) beschäftigt werden. *Behördliche Genehmigung* erforderlich.

**Input. I. Produktionstheorie:** Mengenmäßiger Einsatz von →Produktionsfaktoren in einem Kombinationsprozeß (Betrieb).

**II. Systemtheorie/Kybernetik:** Beziehungsaufnahme zwischen →System und Umwelt in Form der Aufnahme der drei Grundkategorien Materie, Energie und Information.

**III. Statistik:** Kalkulierbare Vorleistungen im Produktionsprozeß, die vom Bruttoertrag abgesetzt werden müssen, um im Vergleich mit dem Wert der Ausbringung (→Output) die eigene Leistung eines Unternehmens oder eines Wirtschaftszweiges statistisch ermitteln zu können.

**Inputkoeffizient,** →Produktionskoeffizient.

**Input-Output-Analyse,** volkswirtschaftliche Modellrechnung, in der mit Hilfe von Input-Output-Tabellen (→Input-Output-Rechnung) volkswirtschaftliche Prognosen oder Simulationen ausgeführt werden. In der einfachen Form geht man von der Annahme linearlimitationaler Produktionstechnik aus, d. h. man unterstellt, daß aller Einsatz von Produktionsfaktoren (Inputs) der Höhe der in der Analyse zu variierenden Produktionsanstoßes (Output) proportional ist. Diese Modelle werden sowohl für Produktions- als auch für Preisuntersuchungen verwendet.

**Input-Output-Rechnung,** Teilgebiet der →Volkswirtschaftlichen Gesamtrechnungen, in dem die gütermäßige Verflechtung der →Produktionsbereiche einer Volkswirtschaft in Form von Input-Output-Tabellen dargestellt wird. Aus den Input-Output-Tabellen kann man ersehen, welche Güter in welchem Umfang jeder Produktionsbereich verbraucht, und welche Güter in den letzten Verbrauch eingehen (→Input-Output-Analyse).

**Input-Output-Tabellen,** →Input-Output-Rechnung.

**Input-Output-Vektoren,** →Input-Output-Analyse.

**Insasse,** Fahrgast in einem Transportmittel (Fahrzeug), für den auch beim Kraftfahrzeug wegen der beschränkten →Gefährdungshaftung eine besondere Insassenunfallversicherung (→Kraftverkehrsversicherung III 1 c)) abgeschlossen werden kann.

**Insassenunfallversicherung,** gebräuchliche Bezeichnung für Kraftfahrtunfallversicherung (→Kraftverkehrsversicherung III 1 c)).

**Insichgeschäft,** Geschäft, das jemand mit sich selbst als →Vertreter zweier verschiedener Personen oder mit dem eigenen Namen und gleichzeitig als Vertreter des Geschäftspartners abschließt. Nur zulässig, wenn die beteiligten Vertragspartner dem Vertreter das →Selbstkontrahieren gestattet haben (§ 181 BGB), oder das Rechtsgeschäft ausschließlich in der Erfüllung einer Verbindlichkeit besteht.

**inside lag,** →lag II 2 a) (1).

**inside money,** *Innengeld,* Teil der Geldversorgung einer Volkswirtschaft, der auf einer Verschuldung des privaten Sektors (private Unternehmungen, Haushalte oder Geschäftsbanken) beruht. Es umfaßt nur das durch bankgeschäftliche Geldschöpfung (→multiple Geldschöpfung) geschaffene Buchgeld; das vom Staat bzw. der Zentralbank geschaffene Geld bleibt hierbei unberücksichtigt. – *Gegensatz:* outside money. – *Bedeutung:* Die Unterscheidung zwischen Außen- und Innengeld hat unter geldtheoretischen Gesichtspunkten mit Blick auf den Vermögenscharakter des Geldes Bedeutung. Während dem Außengeld Vermögenscharakter zugesprochen wird, stellt nach überwiegender Auffassung das Innengeld kein Vermögensgut dar. Die Vertreter dieser Auffassung begründen dies mit der Tatsache, daß im privaten Sektor den Forderungen gleichhohe Verbindlichkeiten gegenüberstehen. Die Differenz zwischen Soll- und Habenzinsen, deren Kapitalisierung auf Vermögenscharakter hinweist, bleibt dabei unberücksichtigt, was wiederum von Kritikern dieser Differenzierung nach Außen- und Innengeld angeführt wird.

**Inside-out-Planung,** →Planungsphilosophie, bei der man davon ausgeht, daß das Unternehmen gegenüber der Umwelt eine gewisse Autonomie besitzt und diese beeinflussen kann. Planungsüberlegungen setzen an den eigenen Zielen an und betrachten erst in zweiter Linie die Anpassungserfordernisse der Umwelt. – *Gegensatz:* →Outside-in-Planung.

**Insider,** Personen, die kraft ihres Amtes oder ihrer Funktionen auf legalem Wege Nachrichten aus Unternehmen (→Insiderinformationen), welche die Erwartungen über angemessene Preise von Wertpapieren beeinflussen, früher als die Mehrzahl der gegenwärtigen oder potentiellen Anteilseigner erhalten oder selbst gestalten. Die mißbräuchliche Ausnutzung dieser wertvollen Informationen soll durch die →Insider-Regeln verhindert werden.

**Insiderinformationen,** nach den →Insider-Regeln Kenntnisse über eine Änderung des Dividendensatzes, über wesentliche Ertrags- und Liquiditätsveränderungen oder über wesentliche Umstände, die hierauf von Einfluß sind bzw. sein werden, sowie Kenntnisse von vorgesehenen Maßnahmen zur Kapitalbeschaffung oder -herabsetzung, zum Abschluß von Beherrschungs- und Gewinnabführungsverträgen, zu Übernahme- und Abfindungsangeboten, Eingliederungen, Verschmelzungen, Vermögensübertragung, Umwandlungen und Auflösungen.

**Insiderpapiere,** Aktien, Genußrechte, Wandel- und Gewinnschuldverschreibungen, Optionsscheine und Bezugsrechte. Sie müssen zum amtlichen Handel an einer inländischen Börse zugelassen und in deren geregelten Freiverkehr einbezogen sein. – Gegenstand der →Insider-Regeln.

**Insider-Regeln.** 1. *Begriff und Aufgabe:* Von der Börsensachverständigenkommission empfohlene Richtlinien, die der Gefahr mißbräuchlicher Ausnutzung und Weitergabe von Insiderinformationen verringern sollen (→Insider). I.-R. bestehen aus den Insiderhandels-Richtlinien, den Händler- und Berater-Regeln und der Verfahrensordnung für die

Prüfungskommission (erste Fassung vom 13.11.1970, neue Fassung vom 1.7.1976). Die mit den I.-R. angesprochenen Insider, Händler und Berater können die Regeln zu einem Bestandteil ihres Arbeitsvertrages machen, ohne dazu gezwungen zu sein. – 2. *Sanktionen* bei Verstoß gegen die I.-R.: Erzielte Gewinne oder vermiedene Verluste bei Transaktionen aufgrund von Insiderinformationen sind an die Gesellschaft abzuführen, der gegenüber die I.-R. anerkannt wurden. Bei nachgewiesenem Verstoß gegen die (freiwillig) anerkannten I.-R. trägt der Betroffene auch die Kosten des Prüfungsverfahrens.

**Insolvenz,** →Zahlungsunfähigkeit.

**Insolvenzprognose,** Versuche, mit Hilfe ausgewählter →Kennzahlen, die z.T. auch mehr oder weniger systematisch verknüpft werden, mittels mathematisch-statistischer Verfahren unter Einsatz von EDV-Anlagen Anhaltspunkte für die Wahrscheinlichkeit von erheblichen Kapitalverlusten vorauszusagen.

**Insolvenzrechtsreform.** I. Ausgangssituation: 1. Die bestehenden insolvenzrechtlichen Regelungen (→Konkursordnung, →Vergleichsordnung) haben zu *wichtigen Einwänden* geführt: (1) In der Mehrzahl der Insolvenzfälle (ca. 80%) kann ein gerichtlich beaufsichtigtes Insolvenzverfahren nicht eröffnet werden, weil die um Aus- und Absonderungsrechte und um bestimmte Arbeitnehmeransprüche verkürzte Masse die Kosten der Abwicklung des Verfahrens nicht deckt. Damit werden wichtige Ziele gerichtlich beaufsichtigter Verfahren nicht erreicht. (2) Die durchschnittlichen Befriedigungsquoten ungesicherter Gläubiger sind so gering, daß die Frage nach der Bedeutung der Schutzfunktion des Insolvenzrechts für diese Gläubiger gestellt werden kann. (3) Weniger als 1% der Insolvenzen werden in ein Vergleichsverfahren überführt; weniger als 0,5% der Fälle beenden ein Vergleichsverfahren mit Erfolg. Die Frage nach einer zweckadäquaten Ausgestaltung des Vergleichsverfahrens wird deshalb zu Recht aufgeworfen. (4) Die den Aus- und Absonderungsberechtigten, also den gesicherten Gläubigern, zustehenden Herausgaberechte ermöglichen diesen den Entzug der Sicherungsgüter aus der Masse und können Teilfortführungen durch die Verwalter erheblich behindern. (5) Die zum Teil erheblichen Kosten der Sortierung der Sicherungsrechte, der Klärung von Rangfolgen etc. stellen Massekosten dar und werden somit von den ungesicherten Gläubiger getragen. – 2. *Weitere Gründe* für die I. sind die zwischen 1970 und 1984 stark ansteigenden Zahlen der jährlichen Insolvenzen, die beträchtlichen Summen der jährlichen Gläubigerverluste und die (stark variierenden Schätzungen über) konkursbedingten Freisetzungen von Arbeitnehmern.

II. Stand der I.: 1. Der Bundesminister der Justiz hat 1978 eine *Kommission für Insolvenzrecht* eingesetzt mit dem Auftrag, eine Konzeption für ein modernes, wirtschaftsnahes und zugleich soziales Insolvenzrecht zu erarbeiten. Die Kommission hat 1985 ihren „Ersten Bericht", 1986 den „Zweiten Bericht" vorgelegt. Zugleich sind Teilprobleme einer Reform sowohl in der juristischen als auch der betriebswirtschaftlichen Literatur intensiv und kontrovers diskutiert worden. – 2. Voraussichtlich 1988 wird das Bundesjustizministerium einen *Referentenentwurf für ein neues Insolvenzrecht* vorlegen mit folgenden Schwerpunkten: (1) neu zu konzipierendes „Reorganisationsverfahren" (das das bisherige Vergleichsverfahren ablösen wird); (2) Verzahnung von Reorganisationsverfahren und Liquidationsverfahren; (3) Definition der gesetzlichen Insolvenztatbestände (Zahlungsunfähigkeit und Überschuldung); (4) Behandlung der Ansprüche gesicherter Gläubiger im Reorganisations- und Liquidationsverfahren; (5) Anpassung Arbeitnehmer schützender Regelungen zu Kündigungsschutz. Sozialplan und Betriebsübernahme (§ 613 a BGB) in die Insolvenzsituation der Unternehmer; (6) Überarbeitung der Anfechtungsregeln.

III. Weitere Entwicklung: 1. Aus heutiger Sicht kann man erwarten, daß das neue Insolvenzrecht *folgende Eigenschaften* haben wird: (1) Die Zweispurigkeit in Konkurs- bzw. Vergleichsverfahren wird aufgegeben und durch ein einheitliches Eingangsverfahren ersetzt, in dessen Verlauf die von der Insolvenz Betroffenen entscheiden, ob ein Reorganisationsverfahren mit dem Ziel der Unternehmensfortführung oder ein Liquidationsverfahren mit dem Ziel der Veräußerung der Vermögensgüter des Unternehmens beschritten werden soll. (2) Das Reorganisationsverfahren wird im Gegensatz zum heutigen Vergleichsverfahren alle Gläubigergruppen am Verfahren beteiligen, Gruppenbildung, Abstimmungsregelung, Minderheitenschutz und Regeln der Zustimmungsersetzung werden zentrale Bestandteile des Verfahrens sein. Die Eröffnung eines Verfahrens wird automatisch eine Herausgabesperre auslösen, um (Teil) Fortführungen nicht zu unterbinden. (3) Gesicherte Gläubiger werden mit den ihnen zurechenbaren Sortierungs- und Verwertungskosten belastet werden. (4) Die Ansprüche der Arbeitnehmer auf Sozialplanleistungen werden in weit höherem Maß als bisher normiert werden, um die Zahl juristischer Auseinandersetzungen zu verkleinern. – 2. *Beurteilung:* Ob die herrschenden Überlegungen zur Neudefinition von Insolvenztatbeständen das bewirken werden, was viele Reformer hoffen, nämlich zeitlich frühere Verfahrensingangsetzungen, ist überaus zweifelhaft. Ob sich Regelungen durchsetzen werden, die die Übernahme insolventer Unterneh-

men („übertragende Sanierung") spürbar erleichtern, muß als offen bezeichnet werden.

**Literatur:** Dorndorf, E., Kreditsicherungsrecht und Wirtschaftsordnung, Heidelberg 1986; Drukarczyk, J., Unternehmen und Insolvenz, Wiesbaden 1987; Duttle, J., Ökonomische Analyse dinglicher Sicherheiten – Die Reform der Mobiliarsicherheiten und Probleme ihrer Behandlung in insolvenzrechtlichen Verfahren, Krefeld 1986; Flessner, A., Sanierung und Reorganisation, Tübingen 1982; Kommission für Insolvenzrecht, Erster Bericht, Köln 1985; Rieger, R., Unternehmensinsolvenz, Arbeitnehmerinteressen und gesetzlicher Arbeitnehmerschutz, Bern 1987.

Prof. Dr. Jochen Drukarczyk

**Insolvenzsicherung bei betrieblicher Altersversorgung,** →Betriebsrentengesetz II.

**Inspektion,** Maßnahme der →vorbeugenden Instandhaltung. I. ist die geplante oder ungeplante, laufende oder zufällige Überwachung von Anlagen. Sie dient der möglichst frühzeitigen Erkennung von potentiellen oder in absehbarer Zeit mit Sicherheit eintretenden Produktionsstörungen (Abweichungen vom Verfahrensstandard, fehlerhafte Produkte oder Produktionsunterbrechungen).

**Inspektionskosten,** →Instandhaltungskosten.

**Instandhaltung,** →vorbeugende Instandhaltung.

**Instandhaltungskosten.** 1. *Begriff:* →Kosten zur Erhaltung der Betriebsanlage in einsatzfähigem Zustand. – Entsprechend dem Instandhaltungsbegriff nach DIN-Norm 31051 Kosten für Wartungs- (Wartungskosten), Inspektions- *(Inspektionskosten)* und Instandsetzungsmaßnahmen *(Instandsetzungskosten)* bzw. nach dem Ziel der einzelnen Maßnahmenarten differenziert Kosten für anlagenbezogene Verschleißbeobachtung, Verschleißhemmung und Verschleißbeseitigung. – 2. *Arten:* a) *Fremd-I.:* Für von Unternehmensexternen erbrachte Instandhaltungsmaßnahmen. b) *Eigen-I.:* In Instandhaltungskostenstellen anfallende Kosten. – 3. *Kostenrechnerische Erfassung und Verrechnung:* Fremd-I. werden als →primäre Kostenart in der Kostenartenrechnung erfaßt und zumeist den die Leistungen nachfragenden →Kostenstellen direkt zugeordnet. Eigen-I. werden im Rahmen der →innerbetrieblichen Leistungsverrechnung instandhaltungsauftragsweise oder per →Umlagen weiterverrechnet. Kosten für werterhöhende Instandsetzungsmaßnahmen sind zu aktivieren und als →Abschreibungen periodenweise weiterzuverrechnen. – 4. *Steuerliche Behandlung/ Bilanzierung:* (Laufende) I. sind i. d. R. als →Erhaltungsaufwand zu qualifizieren und damit als →Betriebsausgaben oder →Werbungskosten absetzbar. Umfangreiche Instandsetzungskosten (Großreparaturen) sind dagegen i. d. R. als →Herstellungsaufwand zu aktivieren. – Es besteht Pflicht zur Bildung einer →Rückstellung für *unterlassene I.,* wenn sie innerhalb von drei Monaten nach dem Bilanzstichtag nachgeholt werden; bei Nachholung innerhalb von vier bis zwölf Monaten besteht ein Rückstellungswahlrecht, ebenso für unterlassene Großreparaturen (§ 249 I und II HGB).

**Instandhaltungsplanung,** systematische Vorbereitung und Festlegung aller Aktionen, die erforderlich sind, um die Funktionsfähigkeit der Produktionsanlagen einer Industrieunternehmung bis zum Ende der wirtschaftlichen Nutzungsdauer vor Beeinträchtigungen zu schützen bzw. bei Verschleiß und Störungen wiederherzustellen (→Instandhaltung). Die I. beinhaltet somit die zielorientierte Suche alternativer Instandhaltungsmaßnahmen, deren Beurteilung sowie die Auswahl der Instandhaltungsstrategie mit dem höchsten Zielerreichungsgrad. – *Monetäre Hauptziele der I.:* Minimierung der Instandhaltungskosten (→Instandsetzungskosten); Minimierung der →Stillstandskosten. – Die Instandhaltungsmaßnahmen lassen sich in zwei *grundsätzliche Vorgehensweisen* unterscheiden: (1) Maßnahmen →vorbeugender Instandhaltung; (2) Maßnahmen ausfallbedingter →Instandsetzung. Die Beurteilung der alternativen Vorgehensweisen im Hinblick auf die Erreichung der Ziele kann vornehmlich mit Hilfe der →Simulation vorgenommen werden.

**Instandsetzung,** grundsätzliche Vorgehensweise der Anlageninstandhaltung (→Instandhaltungsplanung). Die I. beinhaltet alle Maßnahmen zur Beseitigung von Schäden an Produktionsanlagen, die deren Nutzung beeinträchtigen (können). Die I. grenzt an den Ersatz ganzer Produktionsanlagen und erfaßt die Reparatur oder den Austausch von Baugruppen und einzelnen Anlagenteilen. – Vgl. auch →vorbeugende Instandhaltung.

**Instandsetzungskosten,** →Instandhaltungskosten.

**Instanz,** Element der →Aufbauorganisation. – 1. *Begriff:* Eine Leitungseinheit (→organisatorische Einheit) mit →Weisungsbefugnis gegenüber den ihr hierarchisch untergeordneten →organisatorischen Einheiten (z. B. →Stellen), die je nach dem I.aufbau der Unternehmung selbst I.charakter haben können. – 2. *Arten* nach der Zahl der Handlungsträger, mit denen eine I. besetzt ist: a) →Singularinstanz; b) →Pluralinstanz. – 3. *Instanzenaufbau:* Hierarchie der I.

**Instanzentiefe,** →Leitungstiefe.

**Instanzen-Verzögerung,** →Lag II 2 b) (2).

**Instanzenweg,** →Einliniensystem.

**Institut.** 1. Bezeichnung einer Einrichtung des Staates bzw. einer Selbstverwaltungskörperschaft mit wissenschaftlichem Charakter. – 2. Benutzung der Bezeichnung für gewerbliche Unternehmen, soweit sie überhaupt in Frage kommt, nur mit Hinweis auf den gewerblichen

Charakter gestattet (z. B. Beerdigungsinstitut); sonst als →irreführende Angabe unzulässig gemäß §§ 3, 4 UWG.

**Institut der Deutschen Wirtschaft e. V.,** von Verbänden und Unternehmen der privaten Wirtschaft getragenes Wirtschaftsforschungsinstitut (→Wirtschaftsforschungsinstitute); Sitz in Köln. – *Arbeitsgebiet:* Umweltschutz und Beschäftigung; Betriebliche Vermögensbeteiligung; Humanisierung der Arbeitswelt; internationale Vergleiche von Arbeitskosten, Rendite und Eigenkapitalausstattung; öffentliche Haushalte und Verwaltung.

**Institut der Wirtschaftsprüfer in Deutschland e. V. (IDW),** Fachorganisation der →Wirtschaftsprüfer und →Wirtschaftsprüfungsgesellschaften; Sitz in Düsseldorf. – 1. *Mitgliedschaft:* Das IDW ist eine Vereinigung auf der Grundlage freiwilliger Mitgliedschaft, der nahezu sämtliche Wirtschaftsprüfer und Wirtschaftsprüfungsgesellschaften im Bundesgebiet und in West-Berlin als unmittelbare ordentliche Mitglieder angehören. Außer der Ehrenmitgliedschaft ist die außerordentliche Mitgliedschaft möglich u. a. für ehemalige Wirtschaftsprüfer, Prüfungsstellen der Sparkassen- und Giroverbände und Vorstandsmitglieder, Gesellschafter und persönlich haftende Gesellschafter von Wirtschaftsprüfungsgesellschaften, die nicht Wirtschaftsprüfer sind. – 2. *Organe:* a) Der Wirtschaftsprüfertag ist die Mitgliederversammlung im Sinne des BGB. b) Dem Verwaltungsrat gehören von den Mitgliedern gewählte Vertreter an. c) Der fünfköpfige Vorstand wird vom Verwaltungsrat gewählt. Ihm obliegt die Geschäftsführung des IDW; er entscheidet und handelt, sofern nicht nach der Satzung andere Organe zuständig sind. d) Die Geschäfte führt ein hauptamtlicher Geschäftsführer. – 3. *Fachausschüsse:* Hauptfachausschuß für Fragen der Bilanzierung und Prüfung von grundsätzlicher Bedeutung. Für spezielle Fragen der Bilanzierung und Prüfung sowie Fragen der Beratung und des Treuhandwesens bestehen besondere Fachausschüsse (Bankenfachausschuß, Versicherungsfachausschuß, Fachausschuß für kommunales Prüfungswesen, Wohnungswirtschaftlicher Fachausschuß, Krankenhausfachausschuß, Fachausschuß für moderne Abrechnungssysteme, Steuerfachausschuß, Ausschuß für Aus- und Fortbildung, Fachausschuß Recht, Ausschuß für internationale Zusammenarbeit). Bei Bedarf werden weitere Sonderausschüsse errichtet. – 4. *Aufgaben:* Das IDW fördert die Fachgebiete des Wirtschaftsprüfers und tritt für die Interessen des Wirtschaftsprüferberufes ein; es hat insbes. für die fachliche Förderung der Wirtschaftsprüfer und des beruflichen Nachwuchses zu sorgen und für einheitliche Grundsätze der eigenverantwortlichen und fachgerechten Berufsausübung einzutreten. Mitglieder können sich in fachlichen

Zweifelsfällen von grundsätzlicher Bedeutung beraten lassen. Die Fachausschüsse geben Fachgutachten und Stellungnahmen ab, die die Auffassung des Berufes zu fachlichen Fragen darstellen und zur Entwicklung beitragen sollen. Das IDW kann zu Fach- und Berufsfragen, die den gesamten Wirtschaftsprüferberuf betreffen, auch gutachtlich Stellung nehmen. – 5. *Internationale Zusammenarbeit:* Das IDW ist an der internationalen Zusammenarbeit der Berufsorganisationen der wirtschaftsprüfenden Berufe beteiligt; es ist Mitglied der →International Federation of Accountants (IFAC), des →International Accounting Standards Committee (IASC) sowie der →Féderation des Experts Comptables Européens (FEE). – 6. *Wichtige Veröffentlichungen:* Zeitschrift „Die Wirtschaftsprüfung"; Fachnachrichten für Mitglieder; Herausgeber des Wirtschaftsprüfer-Handbuchs.

**Institute Cargo Clauses.** 1. *Begriff:* Vom Institute of London Underwriters herausgegebene Transportversicherungsbedingungen, nach denen auch bei Versicherern mit Geschäftssitz außerhalb Großbritanniens →Transportversicherung abgeschlossen werden kann. – 2. *Arten:* a) I.C.C. für →Kaskoversicherung. b) I.C.C. für Kargoversicherung, letztere sind am bekanntesten: (1) *I.C.C. (A):* Allgefahren-Deckung, die materiell der →vollen Deckung entspricht. (2) *I.C.C. (B):* Versicherungsschutz besteht bei einer ganzen Anzahl genannter Elementarereignisse. (3) *I.C.C. (C):* Mindestdeckung, die nur bei einigen genannten Elementarereignissen Versicherungsschutz bietet. (4) *Institute Commodity Trades Clauses:* Auf spezielle Versandformen oder Güter (z. B. Holz, Kohle, Erdöl, Luftgüter, Getreide, Kühlgut) abgestellte Warentransport-Versicherungsbedingungen. – Vgl. auch →F.P.A., →W.A.

**Institute of Electrical and Electronic Engineers,** →IEEE.

**Institut für Angewandte Geodäsie (IfAG),** Bundesbehörde im Geschäftsbereich des Bundesministers des Innern (BMI). (Zugleich Abteilung II des Deutschen Geodätischen Forschungsinstituts (DGFI), das von der Deutschen Geodätischen Kommission (DGK) betrieben wird.) Durch Verordnung der Bundesregierung vom 1.7.1952 wurde das IfAG mit Wirkung vom 1.4.1952 in die Bundesverwaltung überführt. – *Aufgabe:* Wissenschaftliche Forschung auf allen Gebieten des Vermessungswesens (Geodäsie, Photogrammetrie und Kartographie) sowie Aufbereitung deren Ergebnisse für die Praxis; Herstellung und Laufendhaltung der amtlichen topographischen Kartenwerke der Bundesrep. D. in den Maßstäben 1:200000 und kleiner; Durchführung von Sonderaufgaben auf Anforderung von Bundesbehörden.

**Institut für Angewandte Wirtschaftsforschung (IAW),** Forschungsinstitut mit Sitz in Tübingen. – *Aufgabe:* Anwendungsbezogene Analyse zu Fragen der Wirtschaft und Wirtschaftspolitik; wirtschaftstheoretische und ökonometrische Grundlagenforschung.

**Institut für Arbeitsmarkt- und Berufsforschung (IAB),** Forschungseinrichtung der →Bundesanstalt für Arbeit (BA); Sitz in Nürnberg. 1967 errichtet. – *Aufgabe:* Arbeitsmarkt- und Berufsforschung; im einzelnen: eigene Forschung, Erhebungen, theoretische und methodische Grundlagenarbeiten, Informationen und Dokumentation, Beiträge zur Umsetzung von Forschungsergebnissen, Politikberatung, Beiträge zur Abstimmung der einschlägigen Forschung, Förderung der Arbeitsmarktstatistik, Verbindung zur Hochschulwissenschaft, Forschungsaufträge, Vertragsforschung.

**Institut für Auslandsbeziehungen (IfA),** gegründet 1917 als Deutsches Auslands-Institut, Sitz in Stuttgart. – *Aufgabe:* Förderung des Kulturaustausches zwischen den Völkern. – Der Erfüllung dieser Aufgabe dienen die *Einrichtungen* des Instituts: a) Fachbibliothek b) Photothek; c) Buch- und Zeitschriftenversand; d) Ausstellungsabteilung (Veranstaltung von deutschen Ausstellungen im Ausland und ausländischen Ausstellungen im Inland); e) Auswandererberatung durch „gemeinnützige Auswandererberatungsstelle"; f) Öffentlichkeitsarbeit auf internationalen Messen; g) Vorbereitungsseminare für deutsche Wirtschaftskräfte; h) deutsche Sprachkurse für Ausländer; i) Regionalreferate: Nordamerika, Lateinamerika, Südosteuropa, Afrika, Nah-Mittelost und Asien. – 3. *Wichtige Veröffentlichungen:* „Zeitschrift für Kulturaustausch" (viertelj.), literarische Buchreihe „Geistige Begegnung", Ländermonographien, Dokumentationen zur auswärtigen Kulturpolitik.

**Institut für Begabtenförderung der Konrad-Adenauer-Stiftung e. V.,** Sitz in Sankt Augustin. – *Aufgabe:* Förderung durch Vergabe von Stipendien an überdurchschnittlich begabte Studenten und Graduierte (deutsche und ausländische).

**Institut für Internationalen wissenschaftlichen Austausch e. V. (IIWA),** Sitz in Berlin. – *Aufgabe:* Förderung wissenschaftlicher Kontakte und Austauschs von Fachleuten auf internationaler Ebene.

**Institut für Konjunkturforschung,** 1925 in Berlin von Ernst Wagemann ins Leben gerufene Forschungsstelle für empirische Konjunkturforschung und Konjunkturdienst; organisatorisch von öffentlichen Körperschaften und wirtschaftlichen Spitzenverbänden getragen und durch Personalunion mit dem

Statistischen Reichsamt verknüpft. 1941 in →Deutsches Institut für Wirtschaftsforschung (DIW) umbenannt.

**Institut für ökologische Wirtschaftsforschung (IÖW)**, Forschungsinstitut mit Sitz in Berlin. – *Aufgabe:* Forschung mit ökologischer Zielrichtung.

**Institut für Personalführung – Fortbildungsstätte für die öffentliche Verwaltung**, Sitz in Köln. – *Aufgabe:* Fort- und Weiterbildung von Führungskräften öffentlicher Verwaltungen im Rahmen von Seminaren v. a. auf den Gebieten Führung, Gesprächs- und Verhandlungsführung.

**Institut für sozial-wirtschaftliche Betriebsberatung (ISB)**, Zusammenschluß selbständig tätiger Unternehmensberater; Sitz in Düsseldorf. – *Aufgabe:* Förderung der Mitarbeiterbeteiligung in Industrie und Handel; Erfahrungsaustausch.

**Institut für Weltwirtschaft**, gegründet 1914. Unabhängiges, insbes. an der weltwirtschaftlichen Forschung orientiertes Forschungsinstitut an der Universität Kiel. Gehört mit seiner umfangreichen Forschungstätigkeit und seinem international bedeutenden Bibliotheks-, Archiv- und Dokumentationsbereich zu den fünf größten wirtschaftswissenschaftlichen Instituten der Bundesrep. D. (→Wirtschaftsforschungsinstitute). – *Arbeitsgebiete:* Außenwirtschaftspolitik und weltwirtschaftliche Entwicklung; Entwicklungspolitik und Integration der Entwicklungsländer; Wachstums- und Strukturpolitik; Rohstoff- und Energiepolitik. Regional- und Verkehrspolitik; Staat und Wirtschaft; Analyse und Prognose der deutschen und internationalen Konjunktur. – *Materialsammlungen:* a) Bibliothek (ca. 1,6 Mill. Bände, 20 000 Periodika und Jahrbücher); b) Archive (seit 1920 systematische Sammlung in- und ausländischer Presseausschnitte). – *Wichtige Veröffentlichungen:* Weltwirtschaftliches Archiv (vierteljährlich); Die Weltwirtschaft (halbjährlich); Kieler Studien, Kieler Vorträge, Kieler Diskussionsbeiträge, Kieler Arbeitspapiere.

**Institut für Wirtschaftsforschung**, →IFO-Institut für Wirtschaftsforschung, →HWWA-Institut für Wirtschaftsforschung.

**Institutional Investor**, →Länderrating II 3.

**institutionelle Förderung der beruflichen Bildung**, Förderung von der beruflichen Ausbildung, Fortbildung oder Umschulung dienenden Einrichtungen einschl. überbetrieblicher Lehrwerkstätten mit Darlehen und Zuschüssen durch die →Bundesanstalt für Arbeit. *Voraussetzung* ist angemessene Beteiligung der Träger an den Kosten und die Erfüllung anderer dem Förderungszweck entsprechenden Bedingungen.

**institutionelle Werbung**, *Firmenwerbung, Institutionenwerbung,* Pflege eines firmenspezifischen, alle einzelnen Werbemaßnahmen überlagernden Werbestils. Viele Unternehmen streben danach, den im Laufe der Jahre erworbenen Goodwill, der sich in einer positiven Grundhaltung der Umworbenen gegenüber dem Betrieb ausdrückt, für ihre Marketing-Aktivitäten zu nutzen (→Public Relations). Die i. W. nähert sich der →*corporate identity* an, sobald an die Stelle von zunächst eindimensionalen mehrdimensionale, an der Unternehmensphilosophie ausgerichtete Werbekonzeptionen treten.

**Institutionenlehre des Handels**, Teilgebiet der →Handelsbetriebslehre. Untersuchungsgegenstand sind alle Institutionen, deren wirtschaftliche Tätigkeit ausschließlich oder überwiegend auf die Beschaffung von Waren und deren Absatz ohne wesentliche Be- oder Verarbeitung ausgerichtet ist, z. B. die Unternehmen des Groß- und Einzelhandels, des Einfuhr- und Ausfuhrhandels sowie Börsen, Auktionen, Messen und Ausstellungen als Marktveranstaltungen.

**Institutionenwerbung**, →institutionelle Werbung.

**Institutionsprüfung**, →Prüfung.

**Institut zur Erlangung der Hochschulreife**, *Kolleg,* staatliche Bildungseinrichtung, die berufstätig gewesenen jungen Erwachsenen die Möglichkeit bietet, in 2 ½ bis 3 Jahren die allgemeine Hochschulreife im Rahmen des →zweiten Bildungsweges zu erlangen. – *Aufnahmebedingungen:* a) abgeschlossene Berufsausbildung, b) mittlerer Bildungsabschluß, c) Alter zwischen 19 und 28 Jahren, d) Aufnahmeprüfung. – Die *Inhalte* des I.z.E.d.H. decken sich weitgehend mit denen der gymnasialen Oberstufe; berufliche Inhalte finden kaum Berücksichtigung.

**Institut zur Förderung von Auslandsgeschäften und Auslandsprojekten e. V. (IFAA)**, 1986 gegründeter Verein, Sitz in Worms. – *Träger:* Landesvereinigung Rheinland-Pfälzischer Unternehmerverbände e. V. (LVU), Landesbank Rheinland-Pfalz-Girozentrale, Fachhochschule Rheinland-Pfalz sowie Unternehmen bzw. Unternehmer, insbes. aus Rheinland-Pfalz. – *Tätigkeitsbereich:* Die IFAA-Arbeit bezieht sich nicht nur auf alle Exportbelange, sondern auch auf alle anderen Erscheinungsformen des Auslandsgeschäfts (z. B. internationale Kooperation, Vertragsfertigung, Lizenzgeschäft, Joint Ventures) sowie internationale Beschaffung (Import).

**Instrumentalinformationen**, Informationen über die Reaktion der betrieblichen Umwelt (z. B. Abnehmer, Konkurrenten oder staatliche Stellen) auf den Einsatz →marketingpolitischer Instrumente. Es interessiert auch, wie die Unternehmung selbst auf Maßnahmen aus dem Bereich der Umwelt reagieren kann.

**Instrumentalismus,** philosophisch-erkenntnistheoretische Sichtweise, wonach wissenschaftliche Theorien keine Widerspiegelungen der natürlichen oder sozialen Realität, sondern ausschließlich Werkzeuge, Instrumente oder Mittel zu deren Beherrschung bzw. zur Voraussage von Ereignissen sind. Spezielle Ausprägung des →Pragmatismus. – *Gegensatz:* philosophisch-erkenntnistheoretischer *Realismus,* der in Theorien kognitive Mittel zur möglichst objektiven Erfassung der Realität erblickt.

**Instrumental lag,** →lag II 2 b) (5).

**Insuffizienz,** Schwäche, Minderwertigkeit, mangelnde Leistungsfähigkeit. Aus I. leiten sich häufig Minderwertigkeitskomplexe ab, die für A. Adler Grundlage eines ganzen psychologischen Systems wurden. – Vgl. auch →Tiefenpsychologie.

**In-supplier,** Kennzeichnung einer Anbieterposition im →Investitionsgütermarketing. Ein. I-S. ist bereits Lieferant beim nachfragenden Unternehmen; er wird versuchen, die Geschäftsbeziehungen auszubauen und die →Lieferantentreue des Abnehmers zu festigen. – *Gegensatz: Out-supplier:* Es besteht noch keine Lieferbeziehung mit dem nachfragenden Unternehmen; durch Ergänzung oder Verdrängung von I-S. versucht er, eine solche Position selbst zu erreichen.

**Insurance-Management,** →Risk-Management II.

**Integralfranchise,** →Franchise.

**Integralqualität,** jene Aspekte der →Qualität eines Investitionsgutes, die als technische Eigenschaften die Eignung des Gutes bezüglich seiner Integrierbarkeit bzw. →Kompatibilität mit anderen Maschinen/Anlagen des Kunden bestimmen. Je niedriger die I., desto größer die Kaufwiderstände bei den Kunden. Vgl. ergänzend →funktionale Qualität, →Dauerqualität.

**Integrated circuit,** →IC.

**Integrated database management system,** →IDMS.

**Integrated services digital network,** →ISDN.

**Integrated System of Classifications of Activities and Products (ISCAP),** →Integriertes System von Wirtschaftszweig- und Gütersystematiken.

**Integration,** Herstellung einer Einheit oder Eingliederung in ein größeres Ganzes.

I. Betriebswirtschaftslehre und Wettbewerbspolitik/-recht: Wirtschaftlicher oder rechtlicher Zusammenschluß mehrerer Unternehmen (→Unternehmungszusammenschlüsse). K. und →Konzentration werden häufig synonym verwendet. – *Arten:* a) *horizontale I.:* Zusammenschluß von Unternehmen derselben Produktionsstufe; b) *vertikale I.:* Zusammenschluß von Unternehmen unterschiedlicher Produktionsstufen. – Zur Bedeutung der I. für die *strategische Planung* vgl. →Wertschöpfungsstrategie.

II. Außenwirtschaftstheorie/-politik: Zusammenschluß mehrerer Staatsräume zu einem Wirtschaftsgebiet mit binnenmarktähnlichem Charakter. Verschiedene Stufen: a) Beseitigung der bestehenden Handelshemmnisse *(trade integration);* b) Ausdehnung der Liberalisierung auf die Faktorbewegungen *(factor integration);* c) Harmonisierung der Wirtschaftspolitik im Integrationsraum *(policy integration);* d) Vereinheitlichung der Wirtschaftspolitik im I.raum *(total integration).* Die Stufen a) und b) werden der Kategorie der funktionellen Integration zugeordnet, während bei der I. der Wirtschaftspolitik auch von *institutioneller I.* gesprochen wird.

III. Mathematik: Berechnung eines „Integrals" $\int_a^b f(x)\,dx$ über eine Funktion mit der Gleichung $y = f(x)$ im Intervall $[a; b]$. Dieses Integral bedeutet einen →Grenzwert der Form

$$\lim_{\Delta x \to 0} \sum_{i=1}^{n} f(x_i) \cdot \Delta x, \quad \Delta x = \frac{b-a}{n},$$

wobei summiert wird über alle $\Delta x$, die zusammen das Intervall von a bis b ausfüllen und die $x_i$-Werte aus den jeweiligen $\Delta x$-Intervallen stammen. Veranschaulichungsmöglichkeit in einfachen Fällen durch die hier schraffierte Fläche:

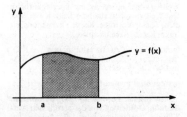

**Integrationstest,** →Testen 2 b).

**Integrierbarkeitsproblem,** tritt auf, wenn man vom System der →Nachfragefunktionen auf die zugrundeliegende →Präferenzordnung eines →Konsumenten rückschließen will. Besitzt ein System stetig differenzierbarer

Nachfragefunktionen eine symmetrische und negativ-semidefinite Substitutionsmatrix, dann ist das I. lösbar. Das heißt, es existiert eine →Nutzenfunktion, aus der sich dieses Nachfragesystem ableiten läßt.

**Integrierte Datenverarbeitung,** ablauforganisatorischer Begriff bei der elektronischen Datenverarbeitung, der die Verknüpfung von Aufgaben oder Arbeitsgebieten kennzeichnet. Daten (Ursprungsdaten oder Ergebnisse) aus einem Arbeitsgebiet gehen ohne manuelle Eingriffe oder erneute Eingabe (in die Datenverarbeitungsanlage) in ein anderes Arbeitsgebiet über. – *Beispiel:* Auftragsdaten (Kundenaufträge) lösen eine Reihe von elektronischen Verarbeitungsvorgängen aus und werden verarbeitet, wenn das Datenverarbeitungssystem automatisch die Verfügbarkeit der bestellten Waren festgestellt hat, die dem Anlieferungsort nächste Auslieferungsstelle ermittelt mit Hilfe der →Datenübertragung über eine →Datenstation Auslieferungsanweisung, Lieferschein und Rechnung (an der Lagerstelle) ausgeschrieben hat. Das System erfaßt die Daten für die Lagerbuchhaltung, verbucht den Rechnungsendbetrag auf dem Debitorenkonto, ermittelt daraus Werte für die Produktionsplanung und schreibt diverse Statistiken fort. Dieser Vorgang nimmt in integrierten Systemen u. U. nur wenige Sekunden in Anspruch.

**Integrierte Finanzplanung,** mit der →Gesamtplanung oder allein mit der →Erfolgsrechnung einer Unternehmung koordinierte →Finanzplanung. Koordination wegen der Interdependenz der Pläne der einzelnen Funktionsbereiche einer Unternehmung aus planungstechnischen Gründen notwendig, aber wegen hoher Planungskosten nur beschränkt möglich. Bei einer Integration von Finanz- und Erfolgsrechnung dient eine Planbilanz als Zwischenglied.

**Integriertes Rechnungswesen,** eng verbundenes, wechselseitige Abhängigkeiten berücksichtigendes (interdependentes) Gesamtsystem der verschiedenen Teile des →Rechnungswesens, dessen Teilrechnungen über ein →Informationssystem miteinander verknüpft sind und sich gegenseitig ergänzen. Die Integration der einzelnen Rechenzweige führt sowohl zu einer Reduktion der Erfassungskosten als auch zu einer Verbesserung der Aussagefähigkeit des Rechnungswesens. Wesentliche Hilfestellung in einer Integration leistet die EDV (→Kostenrechnungssoftware).

**Integriertes Service- und Datennetz,** →ISDN.

**Integriertes System von Wirtschaftszweig- und Gütersystematiken,** *Systeme intégré de nomenclatures d'actirités et de produits (SINAP), Integrated System of Classifications*

*of Activities and Products (ISCAP),* Revisions- und Harmonisierungskonzept für das gesamte Netzwerk der internationalen Wirtschaftszweig- und Gütersystematiken mit dem Ziel der Revision und Harmonisierung der Wirtschaftszweigsystematiken der UN und EG unter Berücksichtigung der wirtschaftlich-technischen Entwicklung, Verknüpfung der Wirtschaftszweigsystematiken mit den ihnen entsprechenden Gütersystematiken, Abstimmung zwischen Produktions- und Außenhandels-Gütersystematiken, der Entwicklung einer zentralen Gütersystematik sowie der Integration des →Harmonisiertes System zur Beschreibung und Codierung der Waren (HS) als Lieferant der kleinsten Bausteine. Die SINAP/ISCAP eine Arbeitsnomenklatur, die als Zwischenstufe die Bauelemente für die zu harmonisierenden Systematiken liefert; sie stellt insofern keine zusätzliche, unabhängige Systematik dar, sondern wird mit der Harmonisierung der internationalen Systematiken ihre Aufgabe erfüllt haben.

**Integriertes Text- und Datennetz,** →IDN.

**Intellektualismus,** erkenntnistheoretische Sichtweise, die einseitig den Stellenwert der Vernunft als Ursprung der Erkenntnis betont (daher auch: *Rationalismus*). *Hauptvertreter:* Descartes, Leibniz. I. kann als radikale Alternative zum →Empirismus interpretiert werden, für den eine Überbetonung des Stellenwerts von Erfahrungstatsachen charakteristisch ist. Eine Berücksichtigung beider Formen des Erkennens erfolgt im →Kritischen Rationalismus.

**intelligent computer assisted instructions (ICAI),** →CAI.

**intelligentes Terminal,** →Datenendgerät.

**Intelligenz,** in der methodischen und praktischen Psychologie die Denkbegabung, je nachdem, ob ausgegangen wird von I.-Leistung und biologischer Bedeutung des intelligenten Verhaltens (Leistungs- und Verhaltensaspekt) oder von Feststellung der dieses Verhalten bedingenden seelisch-geistigen Prozesse, wobei bald diese, bald jene Teilfunktion in den Vordergrund gerückt wird (Erlebnisaspekt).

I. Wichtigste Definitionen: a) *W. Stern:* Allgemeine Fähigkeit, das Denken bewußt auf neue Forderungen einzustellen; die allgemeine geistige Anpassungsfähigkeit an neue Aufgaben und Bedingungen des Lebens. Demnach ist unintelligent nicht nur, wer zu wenig denkt, wo mit mehr Denken Besseres erreicht werden könnte, sondern auch, wer dort zu viel denkt, wo mit weniger Denkaufwand Gleiches und Besseres erreicht werden könnte. – b) *K. Jaspers:* Unterscheidet „Vorbedingungen" der I. („Wer keine Gedächtnis besitzt, nicht sprechen kann, immer sofort in kürzester Zeit ermüdet, kann seine I. nicht zeigen."), geistigen Besitzstand (die erworbenen Kenntnisse) und eigentliche I., „das Ganze aller Begabungen, aller Talente, aller Werkzeuge, die zu irgendwelchen Leistungen in Anpassung an die Lebensaufgaben brauchbar sind". – c) *H. Rohracher:* I. als Leistungsgrad der psychischen Funktionen (Wahrnehmung, Gedächtnis, Denken) in der Bewältigung neuer Situationen. – d) G. D. *Stoddard:* I. ist die Fähigkeit, Tätigkeiten zu unternehmen, die charakterisiert sind durch Schwierigkeit, Kompliziertheit, Abstraktheit, Sparsamkeit, Anpassungsfähigkeit an ein Ziel, Sozialwert, Auftauchen von Ursprünglichem (Originalem), und solche Tätigkeiten unter Bedingungen aufrechtzuerhalten, die eine Konzentration der Energie und einen Widerstand gegen emotionale Kräfte erfordern. – e) *A. Wenzl:* I. als Fähigkeit zur Erfassung und Herstellung von Bedeutungen, Beziehungen und Sinnzusammenhängen.

II. A r t e n (I.-Typen) und grundlegende Eigenschaften: Die I. weist eine weitgehende Differenzierung und Spezialisierung auf. – 1. *Ältere Unterscheidungen der I.-Typen* (theoretisch-praktische I., spontan-schöpferische, reaktiv-kritische I., abstrahierend-analytische, kombinierend-synthetische I., technische, organisatorische, kaufmännische I. usw.) beruhen entweder auf einer logischen Analyse der Denkleistungen oder einer grob-empirischen Analyse der Denkvorgänge. – 2. Eine *systematische Einteilung gibt A. Wenzl.* Er unterscheidet in bezug auf die Fassungskraft (Kapazität der I.) *drei I.-Dimensionen:* a) Tiefendimension nach dem Grad des Tiefgangs der Erfassung des Wesens, des Wesentlichen und des Sinngehaltes aus und in der Anschauung; b) Höhendimension, d. i. Fähigkeit des Denkens an und in „Leerformen", Abstraktionskraft und c) Fassungskraft dem Umfang nach (Weitendimension), die „Fähigkeit zur Erfassung und Herstellung beziehungs- und sinngeladener umfassender Ganzheiten". d) Zu diesen drei I.-Formen tritt noch das I.-Temperament, die Eigenart der Ingangsetzung und Ablaufform der Denkprozesse. – 3. Umstritten ist gegenwärtig noch die Frage, wie weit und ob es sich bei I. um eine *einheitliche Anlage* handelt, die sich, geleitet durch das Interesse, mehr nach der theoretischen oder praktischen Seite entwickeln kann, oder ob es verschiedene grundlegende, voneinander unabhängige „I.-Faktoren" gibt, deren verschiedene anlagemäßige Stärke auch die Unterschiede in der Interessenrichtung mitbestimmt. Die Versuche, sie zu lösen, benutzen entweder den Weg einer vertieften Beobachtung und Analyse der den I.-Leistungen zugrunde liegenden Denkerlebnisse, oder sie schlagen den Weg der →Faktorenanalyse ein.

**Intelligenzalter,** Bezeichnung der praktischen Psychologie für die dem jeweiligen Lebensal-

ter von Kindern und Jugendlichen entsprechenden Anforderungen. Versagt ein Kind bei den für sein Alter angegebenen Aufgaben, so hat es gegenüber seinen Altersgenossen einen Intelligenzrückstand; kann es auch Aufgaben höheren Alters lösen, hat es einen Intelligenzvorsprung. – Vgl. auch →Intelligenzquotient.

**Intelligenzquotient (IQ),** *Entwicklungsquotient (EQ),* von W. Stern eingeführter Ausdruck für das Verhältnis von →Intelligenzalter (IA) oder Entwicklungsalter (EA) zum Lebensalter (LA):

$$IQ = \frac{IA}{LA} \cdot 100$$

Bei durchschnittlich Intelligenten ergibt sich ein IQ von 100. Zur verbalen Umschreibung einzelner IQ-Stufen wird häufig folgende *Klassifizierung* benutzt (IQ/verbal):

| | |
|---|---|
| 140 und höher | extrem hohe Intelligenz |
| 120–139 | sehr hohe Intelligenz |
| 110–119 | hohe Intelligenz |
| 90–109 | durchschnittliche Intelligenz |
| 80– 89 | niedrige Intelligenz |
| 70– 79 | sehr niedrige Intelligenz |
| unter 70 | extrem niedrige Intelligenz (schwachsinnig). |

**Intelligenztest,** psychologisches Verfahren zur Bestimmung der intellektuellen Leistungsfähigkeit. Der I. besteht aus einer Reihe von *Problemaufgaben,* die unter Standardbedingungen einer oder mehreren Personen (Probanden) zur Bearbeitung vorgelegt werden. Aus den richtigen Lösungen (Rohwert) wird durch Vergleich mit Normwerten (etwa der Leistungsverteilung einer für die Gesamtbevölkerung repräsentativen Stichprobe) das *relative Leistungsniveau* (Standardwert) ermittelt. Dieser Standardwert kennzeichnet die Position des einzelnen im Vergleich zu allen anderen Personen der jeweiligen Bezugsgruppe und wird zur Einschätzung seiner intellektuellen Leistungsfähigkeit benutzt; er ist also nicht ein direktes Maß der →Intelligenz. – Vgl. auch →Intelligenzquotient.

**Intensität.** 1. *Produktionstheorie:* Technische Leistung eines Aggregats, definiert durch:

$$\frac{\text{Anzahl Produktionseinheiten}}{\text{Zeit}}$$

2. *Volkswirtschaftstheorie:* Durchschnittliches Verhältnis der Einsatzmengen zweier →Produktionsfaktoren bei gegebener Produktionsmenge, z. B. →Arbeitsintensität, →Kapitalintensität.

**Intensitätsabweichung,** →Abweichungen I.

**Intensitätsgrad,** *Lastgrad,* neben dem →Zeitgrad eine Komponente des →Beschäftigungsgrades. Definiert durch:

$$\frac{\text{Ist-Intensität}}{\text{Plan-Intensität}} = \frac{x(i)}{t(i)} : \frac{x(p)}{t(p)}$$

*Beispiel:* x (p) = 10 000 Stück;
x (i) = 6 000 Stück; t (p) = 4 000 Stunden;
t (i) = 2 800 Stunden;

$$I. = \frac{6\,000}{2\,800} : \frac{10\,000}{4\,000} = 85{,}71\%$$

**Intensitätsmäßige Anpassung,** organisatorische Maßnahme zur Erhöhung oder Verringerung der Ausbringung bei unveränderter Arbeitszeit und konstanter Anzahl von begrenzt teilbaren Faktoreinheiten (i. d. R. Betriebsmittel) durch alleinige Variation der →Intensität. Anpassung nur zwischen Mindest- und Maximalintensität möglich. Da normalerweise bei i. A. von der Optimalintensität abgewichen wird, steigen die Kosten je nach Art der →Verbrauchsfunktion bei Beschäftigungsänderung an. Bei rückläufiger Beschäftigung werden entweder die Intensitätsgrade unter die Optimalintensität vermindert bei gleichbleibender Produktionszeit *(rein intensitätsmäßige Anpassung)* oder die Optimalintensität wird beibehalten und die Produktionszeit – wenn überhaupt möglich – entsprechend vermindert (→zeitliche Anpassung); wenn die Zeit nicht kontinuierlich reduzierbar ist, bietet sich auch eine Kombination *(zeitlich-intensitätsmäßige Anpassung)* an.

**interactive CORELAP,** →Layoutplanung II 4.

**Interaktion.** 1. *Begriff:* Wechselseitige Beziehung, die sich über unmittelbare oder mittelbare Kontakte zwischen zwei oder mehreren Personen ergibt, d. h. die Summe dessen, was zwischen Personen in Aktion und Reaktion geschieht (z. B. ein Wink des Fließbandarbeiters zu seinem Vorarbeiter, das Gespräch zwischen Arbeitskollegen). Auf I. baut das gesamte in einer Unternehmung ablaufende Geschehen auf. – 2. *Arten:* a) *Funktionale I.:* Ergibt sich vorwiegend aus Erfordernissen und Zusammenhängen der fomal geplanten Struktur und formalen Arbeitsabläufen in der Unternehmung; – b) *Optionale I.:* Vorwiegend zurückzuführen auf die in den persönlichen Bedürfnissen, Einstellungen und Zielen begründeten freien Wahlen der Organisationsteilnehmer zur Aufnahme interpersonaler Kontakte; Ergänzung zur funktionalen I. – 3. Quantitative und qualitative *Messung* von I. kann mittels eines *Interaktiogramms* (Atteslander) erfolgen.

**Interaktionsanalyse,** →Cross-impact-Analyse.

**Interaktionsansätze,** Erklärungsansätze des →organisationalen Kaufverhaltens, die wechselseitigen Beziehungen zwischen den verschiedenen Parteien auf der Anbieter- und Nachfrageseite analysierend. Die I. geben die isolierte Betrachtung einseitig beeinflußbarer Käuferorganisationen auf; sie sehen den Beschaffungsvorgang als Austauschprozeß, der durch das Verhalten von Anbieter- und Käuferorganisationen bestimmt wird (→Episodenkonzept). I. liegen als personale und organisationale Erklärungskonzepte vor.

**Interaktionshäufigkeit,** Anzahl der zwischen zwei oder mehreren Organisationsteilnehmern stattfindenden →Interaktionen funktionaler oder optionaler Natur. Erfassung durch die Methode der →Transaktionsanalyse.

**Interaktionstheorie,** im Rahmen der →Organisationstheorien verstärkt in den Vordergrund tretende Theorie, die →Interaktionen der Organisationsteilnehmer zum Gegenstand hat.

**Interaktionstheorie der Führung,** Ansatz der Führungsforschung und Führungslehre der davon ausgeht, daß Führung ein interaktiver Prozeß ist, beeinflußt von den Persönlichkeitsmerkmalen der Geführten und des Führers sowie der relevanten Situation. Insbesondere durch den →Weg-Ziel-Ansatz der Führung repräsentiert. – *Gegensatz:* →Eigenschaftstheorie der Führung.

**interaktiver Betrieb,** →Dialogbetrieb.

**Inter-american Development Bank (IaDB),** →Interamerikanische Entwicklungsbank.

**Interamerikanische Entwicklungsbank,** *Inter-american Development Bank (IaDB),* 1959 im Rahmen der Organisation der amerikanischen Staaten (OAS) gegründetes und seit 1960 arbeitendes internaionales Finanzierungsinstitut für Lateinamerika. Sitz in Washington/D.C. (USA). – *Aufgaben:* Die IaDB leistet technische Hilfe und finanziert unter Berücksichtigung der jeweiligen nationalen und regionalen Entwicklungsmöglichkeiten in enger Zusammenarbeit mit anderen nationalen und internationalen Institutionen öffentliche und private Projekte. – *Mitgliedschaft:* Zunächst nur unabhängige, amerikanische Länder; seit 1976 auch für nichtregionale Länder möglich. Ende 1985 hatte die IaDB 27 regionale und 16 nichtregionale Mitgliedsländer. – *Mittel* aus drei Fonds: Hauptfonds für Entwicklungskredite zu üblichen Konditionen; Fonds zur Finanzierung von technischer Hilfe und Entwicklungskrediten zu Bedingungen, die den Gegebenheiten der einzelnen Projekte und Nehmerländer jeweils besonders angepaßt werden; Fonds für den sozialen Fortschritt zur Durchführung von Infrastruktur- und sozialen Maßnahmen des Programms der Allianz für den Forschritt (dessen Mittel die IaDB treuhänderisch für die Regierung der USA verwaltet). – Vgl. auch →Entwicklungsbanken.

**Interbankengelder,** →Nostroguthaben.

**Interbank rate,** *Interbankrate,* Zinssatz, zu dem an einem Geldmarkt Geldgeschäfte *(Interbankgeschäfte)* unter Banken abgeschlossen werden. – Vgl. auch →Referenzzinssatz.

**Interbankverschuldung,** *Interbankverbindlichkeiten,* Gesamtheit aller von Geschäftsbanken bei anderen Geschäftsbanken aufgenommenen Mittel. Die I. ist ein Indikator für den horizontalen Abhängigkeitsgrad innerhalb des Geschäftsbankensektors, aber auch für den Emanzipationsgrad der Geschäftsbanken von der Zentralbank.

**Interbankverbindlichkeiten,** →Interbankverschuldung.

**Interconsultants,** *Internationaler Verband unabhängiger Wirtschaftsberater,* Sitz in Luxembourgh. – *Aufgaben:* Interessenvertretung und -wahrnehmung; Förderung des internationalen Erfahrungsaustauschs; Fort- und Weiterbildung.

**Intercontainer,** →Containerverkehr.

**interdependentes Modell,** →simultanes Gleichungssystem.

**Interdependenz,** gegenseitige Abhängigkeit.

I. Wirtschaftstheorie: Bezeichnung für die gegenseitige Abhängigkeit volks- oder betriebswirtschaftlicher Größen. – Vgl. auch →oligopolistische Interdependenz.

II. Entscheidungstheorie: 1. *Sachliche I. (horizontale I.):* Die bei einer Zeitpunktbetrachtung bestehenden Wechselbeziehungen zwischen verschiedenen →Entscheidungsfeldern in einer Unternehmung. – 2. *Zeitliche I. (vertikale I.):* Wechselbeziehungen zeitlich aufeinanderfolgender Entscheidungen (→mehrstufige Entscheidung).

III. Organisationstheorie: 1. *Begriff:* Gegenseitige Abhängigkeit von →organisatorischen Einheiten bei ihrer Aufgabenerfüllung. – 2. Praktisch bedeutsamste *Formen:* a) I. aufgrund einer *innerbetrieblichen Leistungsverflechtung* (Beispiel: die Einkaufsentscheidungen des Beschaffungsbereichs beeinflussen die Produktionsmöglichkeiten des Fertigungsbereichs); b) *Marktinterdependenzen* in Form von potentiellen Synergieeffekten (Beispiel: der Absatz der →Sparte A fördert den Absatz der Sparte B bei komplementären Produkten) oder bei Substitutionskonkurrenz (Beispiel: der Absatz der Sparte A beeinträchtigt den Absatz der ein ähnliches Produkt wie A herstellenden Sparte B). – 3. *Kosten:* Die →Koordination der Teilbereichshandlungen löst Kosten der →Kommunikation aus, die mangelnde Berücksichtigung von I. führt demgegenüber zu Autonomiekosten. Für die Lösung des hieraus resultierenden Optimierungsproblems gelten die generellen Grenzen der Messung →organisatorischer Effizienz.

**Interdependenzanalyse,** Sammelbegriff für einen Teil der Verfahren der statistischen Datenanalyse. Alle Methoden, die keine Partitionierung der Datenmatrix vornehmen, also eine Wechselwirkung der Variablen untereinander untersuchen und nicht wie die →Dependenzanalyse Abhängigkeiten analysieren. Am meisten verwendete Verfahren: →Faktorenanalyse, →conjoint measurement, →Clusteranalyse, →multidimensionale Skalierung.

**Interesse.** I. Handelsrecht: 1. *Begriff:* Für den beim →Schadenersatz aus →Vertrag geltend zu machenden Unterschied zwischen der Vermögenslage des Geschädigten vor und nach dem schädigenden Ereignis. – 2. *Arten:* a) Bisweilen, z. B. bei Anfechtung wegen Irrtums, ist nur das *negative I.* (*Vertrauensinteresse*) zu ersetzen, d. h. der Ersatzberechtigte ist in die Lage zu versetzen, in der er sich befinden würde, wenn der Vertrag nicht geschlossen worden wäre (z. B. Ersatz der Vertragskosten). – b) Beim *positiven I.* (*Erfüllungsinteresse*) (wenn Schadenersatz wegen Nichterfüllung verlangt wird), ist der Berechtigte in die Lage zu versetzen, in der er sich befinden würde, wenn der Vertrag ordnungsgemäß erfüllt worden wäre.

II. Versicherungswesen: Versichertes I. ist die versicherte Wertbeziehung einer bestimmten Person zu einem bestimmten Gut, kann auf einer dinglichen oder obligatorischen Rechtsposition, einer tatsächlichen Anwartschaft oder einer tatsächlichen Kausalbeziehung beruhen. Kennzeichnend ist, daß der Versicherungsnehmer oder Versicherte durch den Versicherungsfall einen Schaden erleidet, z. B. durch Beeinträchtigung des Sachwertes, Belastung des Vermögens mit Verbindlichkeiten oder Verminderung des Aktivvermögens bei anderen Versicherungszweigen.

**Interessenausgleich,** im Falle geplanter →Betriebsänderung in Betrieben mit mehr als 20 Arbeitnehmern gem. §§ 112 ff, III BetrVG vorgesehenes Verfahren. Arbeitgeber und Betriebsrat beraten, ob, wann und in welcher Form die vorgesehene unternehmerische Maßnahme durchgeführt werden soll. Der I. ist schriftlich niederzulegen und vom Unternehmer und Betriebsrat zu unterzeichnen (§ 112 I BetrVG). Kommt ein I. über die geplante Betriebsänderung nicht zustande, können Unternehmer oder Betriebsrat den Präsidenten des Landesarbeitsamts um Vermittlung ersuchen; geschieht dies nicht oder bleibt der Vermittlungsversuch ergebnislos, so können Unternehmer oder Betriebsrat die →Einigungsstelle anrufen (§ 112 II BetrVG). Bei einem I. über die unternehmerisch-wirtschaftliche Entscheidung als solche kann die Einigungsstelle nur auf eine gütliche Einigung hinwirken (§ 112 III BetrVG); verbindlich entscheidet diese über einen →Sozialplan zum Ausgleich nachteiliger Folgen unternehmerischer Maßnahmen für die Arbeitnehmer (§ 112 IV BetrVG). In der Praxis findet über beide Fragen meist in einheitliches Verfahren vor einer Einigungsstelle statt. Kommt vor der Einigungsstelle kein I. zustande, so kann der Unternehmer die geplante Betriebsänderung durchführen. – *Abweichung des Unternehmers vom I.:* Weicht er ohne zwingenden Grund ab, so können Arbeitnehmer, die infolge dieser Abweichung entlassen werden, beim Arbeitsgericht Klage erheben mit dem Antrag, den Arbeitgeber zur Zahlung von →Abfindungen zu verurteilen (§ 113 I BetrVG). Einen Anspruch auf einen solchen Nachteilsausgleich haben Arbeitnehmer nach § 113 III BetrVG auch, wenn der Unternehmer eine geplante Betriebsänderung durchführt, ohne einen I. mit dem Betriebsrat versucht zu haben, und infolge der Maßnahme Arbeitnehmer entlassen werden oder andere wirtschaftliche Nachteile erleiden.

**Interessengemeinschaft.** I. B e g r i f f : →Unternehmungszusammenschluß rechtlich selbständig bleibender Unternehmungen zur Wahrung und Förderung gemeinsamer Interessen, auf deren Gebieten die angeschlossenen Unternehmungen ihre wirtschaftliche Selbständigkeit aufgeben, häufig →Gesellschaften des bürgerlichen Rechts. – Zu *unterscheiden* sind Betriebs-, Verteilungs-, Produktions-, Rationalisierungs- und Gewinngemeinschaften (Gewinnverteilung nach bestimmtem Schlüssel). Die den zusammengeschlossenen Unternehmen viel Freiheit lassenden Gewinngemeinschaften werden oft zur →Finanzierungsgemeinschaft durch gemeinsame Kapitalbeschaffung für finanzschwache Mitglieder der I. – Die I. steht in der Stufenleiter der *Konzentrationsformen* zwischen →Kartell und →Konzern; Grenzen fließend. I. sind oft Vorläufer von →Trusts.

II. S t e u e r l i c h e B e h a n d l u n g : 1. *Einkommensteuer:* Liegt eine ernsthaft gemeinte Vereinbarung über den Ausgleich von Verlusten und Gewinnen vor, so sind die Ausgleichsleistungen bei den einzelnen Unternehmen als →Betriebsausgabe abzugsfähig. Bei den empfangenden Unternehmen sind diese Ausgleichsbeträge →Betriebseinnahmen. – 2. *Umsatzsteuer:* Vgl. →Arbeitsgemeinschaften II 2.

**Interessengemeinschaft der Lohnsteuerzahler e. V.**, Sitz in Heidelberg. – *Aufgabe:* Förderung und Realisierung von Lohnsteuergerechtigkeit.

**Interessengemeinschaft Deutscher Fachmessen und Ausstellungsstädte (IDFA)**, →Interessengemeinschaft der Messestädte Berlin, Dortmund, Essen, Friedrichshafen, Hamburg, Karlsruhe, Nürnberg, Pirmasens, Saarbrücken und Stuttgart; Sitz in Stuttgart. – *Aufgaben:* Interessenvertretung; Förderung von Erfahrungsaustausch; Lösung gemeinsamer Probleme.

**Interessengemeinschaft Konkursgeschädigter (IKG)**, Sitz in Reichshof. – *Aufgabe:* Koordinierung von Konkursförderungen der Mitglieder.

**Interessengruppen.** 1. *Begriff:* Organisierte Gruppen (z. B. Verbände), die versuchen, den Willensbildungsprozeß der staatlichen Entscheidungsträger zu beeinflussen, meist um gruppenspezifische Privilegien zu erwirken (→rent seeking). – 2. *Arten der Einflußnahme:* a) I. können *selbst* am Willensbildungsprozeß teilnehmen, wenn sie, durch öffentlich-rechtlichen Auftrag gebunden, in Kammern Hoheitsfunktionen wahrnehmen. – b) Zu politischen Entscheidungsträgern haben I. in einer pluralistischen Gesellschaft vielfältigen *formalen und informalen Zugang:* Legislative und Exekutive greifen bei Gesetzgebungsverfahren auf das Sachwissen der I. in Anhörungs- und Konsultationsverfahren zurück; Verbandsvertreter pflegen Kontakte zu Parteien, Parlamentariern, Regierung oder Beamten (Lobbyismus) oder besetzen Partei- und Staatsämter. – c) Auch über die *Beeinflussung der öffentlichen Meinung* oder durch den Einsatz von ökonomischer Macht (z. B. bei Marktverbänden) können I. auf den demokratischen Willensbildungsprozeß einwirken. – 3. *Probleme der Einflußnahme:* Interessen, die sich in Gruppen schlecht organisieren lassen, können sich nur schwer Geltung verschaffen (z. B. Verbraucherinteressen) und damit nicht zum Ausgleich der Partikularinteressen beitragen. Die verteilungswirksamen Privilegien behindern das marktmäßige Ausleseverfahren, verzerren die Allokation und sind schwer abzubauen, da die Aufhebung von Vergünstigungen politisch unattraktiv ist (→politischer Unternehmer).

**Interessentheorie**, →Äquivalenztheorie.

**Interessenwerte**, in der Börsensprache →Aktien, die Gegenstand von *Interessenkäufen* gewisser Personen oder Gruppen sind; Interessenkauf z. B. zur Erlangung der Majorität oder Sperrminorität (→Minderheitsrecht).

**interest rate futures**, →financial futures.

**Interfrigo**, →Kühlgut.

**Intergeneration-equity-Prinzip**, Bezeichnung für das →Play-as-you-use-Prinzip; von Haller verwendet im Zusammenhang mit der konjunkturpolitisch motivierten Anleihefinanzierung und deren gleichmäßiger Lastverteilung auf die Generation (→fiscal policy).

**Intergovernmental Committee for Migration**, →ICM.

**Intergovernmental fiscal relations**, →Finanzausgleich I 1.

**INTERGU**, Abk. für →Internationale Gesellschaft für Urheberrecht.

**Interimausschuß des IMF,** →IMF-Interimausschuß.

**Interimsbilanz,** →Zwischenbilanz.

**Interimskonto,** *Zwischenkonto,* Hilfskonto, das lediglich Verrechnungsfunktionen erfüllt.

**Interimsschein,** →Zwischenschein.

**Interkalarzinsen,** →Aktienzinsen.

**interlokales Privatrecht,** →Deutsches Interlokales Privatrecht.

**intermediäre Finanzgewalt,** Begriff für →Parafiskus, geprägt von F. K. Mann und W. Herrmann.

**intermediary,** Bank, die im Rahmen eines →Swapgeschäfts als „Vermittler" zwischen den Tauschpartnern eingeschaltet wird.

**Intermediavergleich,** →Intermediaselektion.

**Intermediaselektion,** *Intermediavergleich,* im Rahmen der →Mediaselektion durchgeführte Auswahl geeigneter Werbeträgergruppen bzw. -arten (z. B. Tageszeitung, Illustrierte, Plakatsäule, Fernsehen, Film, Funk). – *Kriterien* bei einer Entscheidung hinsichtlich der Werbeträgergruppen: (1) Situation, (2) Verhältnis Werbung/Medium, (3) Darstellungsmöglichkeit, (4) Zeitfaktor, (5) Auswahlmöglichkeiten (Zielperson), (6) Durchdringung / →Reichweite, (7) Erscheinungshäufigkeit, (8) Verfügbarkeit, (9) Kosten. – Vgl. auch →Intramediaselektion →Media, →Mediaanalyse, →Streuung, →Streuplan.

**Interministerieller Einfuhrausschuß (IEA),** ständiges, entscheidungsvorbereitendes Gremium, das dem →Bundesamt für Wirtschaft (BAW) angegliedert ist. – *Mitglieder:* Bundesminister für Wirtschaft, Bundesminister für Ernährung, Landwirtschaft und Forsten, Deutsche Bundesbank. – *Aufgaben:* Erlaß von Richtlinien, die von den zuständigen Stellen im Rahmen der Erteilung von →Einfuhrgenehmigungen zu beachten sind, wie z. B. die genauen Inhalte von →Einfuhrausschreibungen.

**intermodaler Transport,** →kombinierter Verkehr.

**Internalisierung,** Übernahme von Normen und Werten in die Motiv-, Willens- und Handlungsstruktur von Individuen, die so Teil der Persönlichkeit und der personalen Identität werden. Nur auf der Basis internalisierter Normen und Werte kann selbstbestimmtes Handeln auf Dauer gestellt werden. I. und damit das Verbindlich-Machen eines bestimmten Norm- und Wertsystems ist Ziel der Sozialisation und Erziehung.

**Internalisierung externer Effekte,** →Internalisierung sozialer Kosten.

**Internalisierung sozialer Kosten,** *Internalisierung externer Effekte,* Begriff der Volkswirtschafts- und Finanztheorie: Zurechnung →externer Effekte und dadurch verursachter →sozialer Kosten auf den Verursacher. I.s.K. erfolgt i. a. dadurch, daß die sozialen Kosten zum Bestandteil der einzelwirtschaftlichen Kostenrechnung gemacht werden. – Die I.s.K. bildet aus wirtschaftstheoretischer Sicht die theoretische Basis für umweltpolitische Maßnahmen (→Umweltökonomik, →Umweltpolitik II). Es wird versucht, über Preise die durch →Umweltbelastungen entstehenden Kosten dem Verursacher zuzurechnen und zum Bestandteil seiner Kostenrechnung zu machen (→Verursacherprinzip).

**International Accounting Standards Committee (IASC),** internationale Organisation mit dem Ziel, internationale Rechnungslegungsgrundsätze zu erarbeiten, zu veröffentlichen und ihre weltweite Anerkennung und Beachtung zu fördern. Dem IASC gehören viele nationale Berufsorganisationen an; Mitglieder sind auch das →Institut der Wirtschaftsprüfer in Deutschland e. V. und die →Wirtschaftsprüferkammer.

**International Air Transport Association (IATA),** internationale Körperschaft zur weltweiten Interessenvertretung des kommerziellen →Luftverkehrs. Tätig z. B. als Preis- und Konditionenkartell bei Genehmigung zuständiger staatlicher Behörden, auf den Gebieten der Rationalisierung, Standardisierung und Sicherheit im internationalen Luftverkehr und in der Ab- und Verrechnung von Forderungen und Verbindlichkeiten zwischen Luftverkehrsgesellschaften *(IATA Clearing House).*

**International Association for Research in Income and Wealth,** →Internationale Vereinigung zur Erforschung des Volkseinkommens und -vermögens.

**International Atomic Energy Agency (IAED),** →IAEA.

**International Banking Act,** 1978 in den USA verabschiedetes Bankengesetz, mit dem Auslandsbanken den inländischen Banken gesetzlich gleichgestellt werden.

**International Bank for Reconstruction and Development,** →IBRD.

**International Centre for Settlement of Investment Disputes,** →ICSID.

**International Chamber of Commerce (ICC),** →Internationale Handelskammer.

**International Civil Aviation Organization,** →ICAO.

**International commercial terms,** →Incoterms.

**International Cooperation Administration,** →ICA.

**International Data Corporation,** →IDC.

**International Development Association,** →IDA.

**Internationale Arbeitskonferenz (IAK),** →ILO.

**Internationale Arbeitsorganisation (IAO),** →ILO.

**internationale Arbeitsteilung. 1.** *Begriff:* Bezeichnung für die weltweite Struktur des Einsatzes der Produktionsfaktoren. Die Spezialisierung einzelner Länder auf die Produktion verschiedener Güter erfolgt unter den Annahmen der vollständigen Konkurrenz entsprechend dem Theorem der absoluten bzw. komparativen Kostenvorteile (→Theorem der komperativen Kostenvorteile). A. stellt sich ein mit Aufnahme des Außenhandels bzw. Beseitigung von Handelshemmnissen. Eine *Verzerrung* der i. A. durch →Handelshemmnisse beeinträchtigt die →Handelsgewinne. – **2.** *Wirkungen:* I. A. impliziert eine Verflechtung der Volkswirtschaften untereinander, die u. a. auch eine Übertragung von Konjunktur- und Preisniveauimpulsen positiver wie negativer Art mit sich bringen kann (→internationaler Konjunkturverbund, →importierte Inflation). Ziel internationaler Abkommen im Bereich der Handels- und Währungspolitik (→GATT, →IMF) ist es deshalb, solche negativen Wirkungen auszuschalten und eine volle Nutzung der Handelsgewinne zu erreichen. – **3.** *Bedeutung:* a) Für *Industrieländer* gilt der weitgehend unumstrittene Grundsatz, daß eine ungestörte i.A. allen Beteiligten Vorteile bringt; gleichwohl wird auch hier verschiedentlich staatlicher Einfluß auf die Entwicklung der i.A. befürwortet (→Protektionismus). b) Für *Entwicklungsländer* wird die Vorteilhaftigkeit stärker in Frage gestellt und oft für diese Länder mit verschiedenen Begründungen eine mehr oder weniger stark interventionistische →Außenwirtschaftspolitik bis hin zur Abkoppelung vom Weltmarkt empfohlen (vgl. auch →Protektionismus, →Dependencia-Theorie).

**Internationale Atomenergie-Organisation (IAEO),** →IAEA.

**Internationale Bank für Wiederaufbau und wirtschaftliche Entwicklung,** →IBRD.

**internationale Beschaffung,** Vorgang und System der →Beschaffung der →internationalen Unternehmung. Kennzeichnende gegenüber der nationalen Unternehmung ist höhere Komplexität, da sich die Orte des Bedarfs auf mehrere Staaten verteilen. Gestaltung des Beschaffungssystems insbes. durch folgende Entscheidungen charakterisiert: 1. *Eigenfertigung oder Fremdbezug (make or buy):* Bei der Versorgung einer ausländischen Tochtergesellschaft mit Bedarfsgütern ist einzuschließen die Frage; binnenwirtschaftliche (lokale) oder grenzüberschreitende Versorgung; letztere auch durch Konzern-Eigenfertigung, die aus

Kosten-, Qualitäts- oder Erlösgründen häufig präferiert wird. – Wahl des geeigneten Beschaffungssystems oft durch ökonomische oder staatliche Beschränkungen eingeengt (z. B. Schwächen der lokalen Lieferindustrie, insbes. unzulängliche Qualitätsstandards der Produkte; Einschränkung der lokalen Eigenfertigung durch Verfügbarkeits- und/oder Qualitätsdefizite der Faktormärkte; Behinderung der grenzüberschreitenden Versorgung durch einzelstaatliche Restriktionen wie Local-content-Auflagen, tarifäre und nichttarifäre Handelshemmnisse). Vorteile internationaler Verbundproduktionen lassen sich in der Realität häufig nicht voll nutzen. – **2.** *Zentralisierungsgrad der Beschaffungsentscheidungen:* Zentralisierung bei der Muttergesellschaft eröffnet Größenvorteile hinsichtlich Beschaffungsvolumen, Verhandlungsmacht und Kompetenz. Sie ist sinnvoll für Beschaffungsgüter, die wertmäßig ins Gewicht fallen und von einer Mehrheit von Konzerngesellschaften nachgefragt werden. Sie beeinträchtigt allerdings die beschaffungswirtschaftliche Flexibilität der Tochtergesellschaften und steht in gewissem Widerspruch zur gewollten Autonomie und Ergebnisverantwortung der Konzerngesellschaften. – **3.** *Beschaffungsradius (Reichweite der Lieferantenwahl):* Dimension der Lieferantensuche (lokal, regional oder global) wird mitbestimmt durch die Homogenität der Bedarfsstruktur, den Standardisierungsgrad der Beschaffungsgüter und die Transparenz der Beschaffungsmärkte. Globale Suche nach Beschaffungsquellen (global sourcing) eröffnet eher die Chance, den leistungsfähigsten Lieferanten zu finden, bedeutet jedoch höhere Informationskosten.

**internationale Devisenspekulation,** Kauf (Verkauf) ausländischer Währungen (→Devisen) in der Erwartung, daß ihr Wechselkurs steigt (sinkt) und sie mit Gewinn wieder verkauft (zurückgekauft) werden können. Die Devisentransaktion kann erfolgen am Markt für Kassadevisen (→Devisenkassahandel) oder am Markt für Termindevisen (→Devisenterminhandel) oder in Form eines Swapgeschäftes (→Swap). – *Folgen:* Im System fester Wechselkurse kann die i.D. destabilisierend wirken, da, die Notenbank aufgrund ihrer →Interventionspflicht gezwungen sein kann, in einem solchen Ausmaß Devisen gegen Hingabe inländischer Zahlungsmittel aufzukaufen oder gegen Hereinnahme inländischen Geldes abzugeben, daß die inländische Geldversorgung damit in einer unter binnenwirtschaftlichen Gesichtspunkten unvertretbaren oder unerwünschten Weise gestört wird. – Vgl. auch →internationale Kapitalbewegungen.

**internationale Einfuhrbescheinigung,** *Importzertifikat (IC),* Bescheinigung, auf Anforderung des ausländischen Käufers von den in seinem Land zuständigen Behörden ausgestellt. Das IC dient bei genehmigungs-

und überwachungspflichtigen Waren (→COCOM-Listen, →Länderliste D) der →end user control.

**Internationale Energie-Agentur,** →IEA.

**Internationale Entwicklungsorganisation,** →IDA.

**Internationale Finanz-Corporation,** →IFC.

**Internationale Föderation des Handwerks (IFH),** →Internationale Gewerbeunion (IGU).

**Internationale Gesellschaft für Urheberrecht e. V. (INTERGU),** Zusammenschluß fachkundiger Wissenschaftler, Juristen usw. aus 52 Nationen; Sitz in Berlin. – *Aufgaben:* Wissenschaftliche Erforschung der Rechte der Urheber mit dem Ziel der Schaffung eines modernen Urheberrechts.

**Internationale Gewerbeunion (IGU),** Sitz des Generalsekretariats in Bern. 1947 auf Initiative der Schweiz gegründeter Zusammenschluß der überfachlichen nationalen Verbände des Handerks, der Klein- und Mittelbetriebe, der Industrie und des Handels sowie der Dienstleistungsgewerbe von derzeit 25 Ländern Europas, Amerikas und Asiens, die insgesamt rd. 6 Mill. Betriebe vertreten. Korrespondierende Mitglieder sind neun nationale Forschungsinstitute (u. a. →Deutsches Handwerksinstitut). – *Ziele:* Verteidigung des selbständigen Unternehmertums; Förderung der Aus- und Fortbildung sowie der internationalen Zusammenarbeit; Vertretung gemeinsamer Interessen; Informations- und Erfahrungsaustausch sowie Öffentlichkeitsarbeit. – *Organe:* Internationaler Gewerbekongreß, Zentralvorstand, Geschäftsleitung, Generalsekretariat. – *Unterorganisationen:* Internationale Föderation des Handwerks (IFH); Internationale Vereinigung der Klein- und Mittelbetriebe der Industrie (IVKM); Internationale Vereinigung der Klein- und Mittelbetriebe des Handels (IVKMH).

**Internationale Handelskammer,** *International Chamber of Commerce (ICC)*, *Chambre de Commerce International (ICC)*, gegründet 1919, Sitz in Paris. – 1. *Organisation:* Zusammenschluß von Unternehmern und Unternehmerverbänden der westlichen Welt; private Organisation, die weder von den einzelnen Staaten unterstützt noch von diesen kontrolliert wird. 1984: *Mitglieder* in 58 Ländern (5000 Unternehmen und 1700 Organisationen). Ständige nationale Komitees bestehen in 58 Ländern sowie 50 weiteren Ländern, die nicht in der IHK vertreten sind. In der Bundesrep. D. ist die IHK durch die Deutsche Gruppe der IHK, Köln, vertreten. – 2. *Organe:* Oberstes Organ ist der ICC-Kongreß, der in dreijährigen Abständen tagt. In den dazwischenliegenden Jahren übernimmt die ICC-Konferenz mit begrenzter Teilnehmerzahl die Funktion des Kongresses. Der ICC-

Rat ist das ausführende Organ der Organisation, ihm zur Seite steht der Verwaltungsrat. Weitere Organe sind das ICC-Sekretariat sowie nationale Ausschüsse und Beiräte. – 3. *Aufgaben:* Die IHK arbeitet ständig an der Förderung und Verbesserung des Welthandels sowie an einer Harmonisierung und Liberalisierung der Handelsverfahren und Geschäftspraktiken. Sie befaßt sich unter Mitwirkung der verschiedenen nationalen Komitees und Geschäftsstellen mit allen wichtigen Fragen der Weltwirtschaft: Organisation der Produktion, Kartellfragen, internationale Güterverteilung, Absatz- und Vertriebsforschung, Absatzstatistik, Werbung, internationale Messen und Aussstellungen, Währungspolitik und Kreditwesen, Steuer- und Bankfragen einschließlich Banktechnik, Warenmärkte, internationale Versicherung, internationale Handelspolitik, Zolltechnik, internationale Probleme der Verkehrsnutzer, internationaler Tourismus, Vereinheitlichung der Handelsterminologie, Straßengüterverkehr, internationaler Güterkraftverkehr, Eisenbahnverkehr, Seeverkehr, Konnossemente, Binnenschiffahrt, Luftverkehr, Luftrecht, Koordination zwischen Luft- und Eisenbahnverkehr und zwischen Luft- und Seeverkehr, internationaler Telegraphen-, Telefon- und Postdienst (einschließlich Luftpost), Schiedsgerichtswesen, Schutz des gewerblichen Eigentums. Die IHK hat sich besondere Verdienste um das Schiedsgerichtswesen erworben. Bei ihr wird ein ständiger Gerichtshof für Handelsstreitigkeiten unterhalten. Wichtige Aktivitäten der IHK in den letzten Jahren waren die Veranstaltung der 6. IHK-Konferenz auf dem Gebiet des Bankwesens, die der Einführung moderner Technologien der Bankoperationen diente, ferner eine Weltindustriekonferenz über Umweltfragen sowie internationale Seminare über die künftige Entwicklung auf den Exportmärkten und bei der Exportkreditversicherung. Die IHK hat darüber hinaus wichtige Beiträge zu den GATT-Runden und dem in Vorbereitung befindlichen UN-Kodex über die Funktionsweise multinationaler Unternehmen, ferner den UN-Richtlinien für den Verbraucherschutz und der Pariser Konvention über den Schutz wirtschaftlichen Eigentums geleistet. Die IHK besitzt Konsultativstatus beim Wirtschafts- und Sozialrat der UN (→ECOSOC) und dem GATT. – 4. *Wichtige Veröffentlichungen:* ICC Business World vierteljährlich; Annual Report; Handbook.

**Internationale Handelsorganisation,** →ITO.

**internationale Kapitalbewegungen.** 1. *Begriff:* Transaktionen zwischen Volkswirtschaften, die i. d. R. Änderungen von Höhe und/oder Struktur ihrer Nettoauslandsposition bewirken. Sie werden in der →Zahlungsbilanz erfaßt. – 2. *Systematisierung* nach verschiedenen Kriterien: a) *Autonome versus induzierte i. K.:* Autonome i. K. beruhen auf

unabhängig gefaßten Entscheidungen, d. h.
werden losgelöst von anderen internationalen
Transaktionen bzw. anderen Zahlungsbilanz-
posten durchgeführt. (b) Induzierte i. K. resultieren aus Saldenänderungen anderer Positionen der Zahlungsbilanz (z. B. Finanzierung
eines Leistungsbilanzdefizits, Devisenmarkt-
interventionen der Zentralbank). – b) *Kurzfristige versus langfristige i. K.:* Als kurzfristige
i. K. zählen solche mit einer Laufzeit bis zu
einem Jahr, solche mit längerer Laufzeit gelten
als langfristige i. K.. Diese Abgrenzung ist
allerdings nicht unproblematisch, weil Positionen der einen Kategorie relativ leicht in die
andere umgewandelt werden können. Bei den
langfristigen i. K. wird weiter unterschieden
zwischen →Direktinvestitionen und Wertpa-
pieranlagen von Ausländern im Inland bzw.
Inländern im Ausland (→Portofolio-Investi-
tionen). – c) *Unentgeltliche versus entgeltliche
i. K.:* Im Gegensatz zu unentgeltlichen
i. K.(z. B. verlorene Zuschüsse im Rahmen von
Entwicklungshilfe, Beiträge an internationale
Organisationen; →einseitige Übertragungen)
ziehen entgeltliche (zweiseitige) i. K. kompensierende Leistungszuflüsse bzw. -verpflichtun-
gen nach sich. – d) *Nach der Erfassung in der
Zahlungsbilanz:* I. K. von privaten Wirtschaftssubjekten, Wirtschaftsunternehmen
und öffentlichen Haushalten werden in der
Bundesrep. D. in der →Kapitalbilanz bzw.
→Übertragungsbilanz erfaßt, solche der Zentralbank in der →Devisenbilanz. – 3. *Motive
für autonome I. K.:* a) Bei *entgeltlichen i. K.*
internationale Divergenzen der ökonomischen, sozialen und politischen Bedingungen,
z. B. hinsichtlich Geld- und Kapitalmarktzin-
sen, steuerlicher Behandlung, Wechselkurser-
wartungen →internationale Devisenspekulation, Grenzproduktivität des Kapitals in der
Gegenwart und deren erwarteter zukünftiger
Entwicklung, Marktzugangsbeschränkungen
durch →Zölle, →Kontingente u. a., sozialer
und politischer Stabilität (Sicherheit für Person und Eigentum, Verstaatlichungstenden-
zen), sonstiger wirtschaftspolitischer Maßnahmen (Gewährleistung monetärer Stabilität,
staatliche Lohn- und Preiskontrollen, →Devi-
senbewirtschaftung u. a.). – b) Bei *unentgeltlichen i. K.* politische, moralische, humanitäre,
aber auch wirtschaftliche Motive (→Entwick-
lungshilfe).

**Internationale Kooperation,** internationale
Zusammenarbeit auf staatlicher und unternehmerischer Basis, die in Anbetracht des
Umfangs der Programme oder im gemeinsamen Interesse verschiedener (mehrerer) Staaten (Länder) erforderlich ist. – Je nach Bedeutung von Programm- und Projektgröße, bedingt auch durch gezielte Partnerwahl (Nato,
EWG, EFTA – oder auch Entwicklungsländer), können bei der praktischen Abwicklung
der grenzüberschreitenden Zusammenarbeit
sich *Schwierigkeiten* ergeben: Vielfältige

Gesetze, Vorschriften, statistische Verfahren
und Meldepflichten, die einer nationalen Kontrolle dienen, müssen befolgt und erfüllt werden. In Anpassung an die Gegebenheiten des
modernen Geschäftsgebahrens ist in jedem
Einzelfall zu prüfen, ob bei besonders interes-
santen Programmen auf die eine oder andere
Vorschrift, deren Befolgung mit Anwendung
nationaler Verordnung überflüssen, doppelten
oder unzumutbaren Aufwand erfordern, verzichtet werden kann. Möglichkeiten für die
Schaffung von Vereinfachungen, von Verzicht
auf Einzelvorschrift oder zur Errichtung von
Sammel- und Globalverfahren oder spezifische Anpassung an das Vertragsgeschehen
sind auszuschöpfen. – Bei der Neuartigkeit der
in den letzten Jahren getroffenen internationalen Vereinbarungen, Regierungsabkommen
oder Wirtschaftsbündnissen kann in einigen
Fällen auch *Änderung nationaler Gesetze und
Vorschriften auf offizieller Ebene* notwendig
werden. Im Interesse der Durchführung von
internationalen Zielen werden daher die beteiligten Regierungen die Partner an i. K. zu
diesen Problemen hören und ggf. unter Einschaltung entsprechender Fachgremien
Lösungsmöglichkeiten erarbeiten. Es liegt im
Interesse jeder i. K., daß die Programmpartner
das Projekt so genau beschreiben und daß
wirtschaftliches Interesse jedes einzelnen
Landes an der Durchführung und der Notwendigkeit der internationalen Zusammenarbeit in der Programmabwicklung klar ersichtlich ist. – Die *Zuverlässigkeit der Programmpartner* ist Voraussetzung. Daher wird das
Engagement brachenorientierter Unternehmen, die eine ordnungsgemäße Druchführung
und Einhaltung aller geltenden Bestimmungen
garantieren, auch von den Regierungen
begrüßt. Die für die einzelnen Branchen bestehenden Fachverbände bieten ihrerseits über
Fachausschüsse entsprechende Arbeitsgremien, die als Arbeitsebene für die gesamte
Branche zur Verfügung stehen, so daß auch
die Einbindung mittlerer und kleinerer Unternehmen selbst in internationale Kooperatio-
nen möglich ist. I. d. R. wird der Ablauf
internationaler Programme über sog. Leitfir-
men oder Gremien gesteuert, die als Projekt-
führer auftreten oder über Konsortien auf
internationaler Basis als Steuerungsorgan
wirksam werden. – Vgl. auch →Kooperation,
→zwischenstaatliche Gemeinschaftspro-
gramme.

**Internationale Kreditmärkte,** →Euromärkte.

**International Electronical Commission,**
→IEC.

**Internationale Liquidität,** →Liquidität.

**Internationale Marktforschung,** *Export-
marktforschung.* 1. *Charakterisierung:* Eine
mit Hilfe wissenschaftlich-systematischer Verfahren betriebene Marktuntersuchung im

Ausland, wobei der Markt per definitionem international ist. Bedeutung der i. M. ist ständig gestiegen, v. a. als Folge des Wachstums internationaler Konzerne. I. M. grundsätzlich nach gleichen Regeln und Entwicklungsprozessen wie →Marktforschung im Inland. I. d. R. mit weniger verfeinerten und exakten Instrumenten, aber größerem Gewicht auf der Erforschung von Umweltfaktoren, die in jedem Land verschieden sind und nicht geändert werden können (→Länderrisikoanalyse). – 2. *Verfahren: Erster Schritt:* Erforschung der ökonomischen und politischen Gegebenheiten in dem entsprechenden Land. (Zielgruppen können Individuen, Firmen, Organisationen und Regierungen sein.) – *Zweiter Schritt:* Intensive Erforschung verschiedener Märkte mit dem Ziel, die Marktchancen bestehender oder modifizierter Produkte einzuschätzen. Hierbei handelt es sich meistens um Go/No-Go-Entscheidungen. – *Dritter Schritt:* Produkteinführung, Messung wesentlicher Marketingfaktoren ist wünschenswert. Ähnlich wie bei der nationalen Marktforschung Messung von Größen wie Erstkäuferrate, Wiederkäuferrate usw. – *Vierter Schritt:* Messung von Marketingfaktoren, v. a. der Konkurrenzbeziehungen zu einem bereits etablierten Produkt; identisch mit dem nationalen Marketing von Produkten.

**Internationale Messen,** →Messen, die dem zuständigen internationalen Verband (Union des Foires Internationales, UFI, Paris) angeschlossen und von ihm genehmigt worden sind und von zahlreichen Ländern beschickt werden. – *Anders:* →Auslandsmessen.

**Internationale Mietleitungen,** von der Deutschen Bundespost an private Nutzer vermietete, festgeschaltete Übertragungswege ins Ausland, z. B. Fernsprech-, Telegrafen-, Breitband- und digitale Mietleitungen.

**International Energy Agency,** →IEA.

**Internationale Normen.** 1. *Charakterisierung:* →Normen, die von einer internationalen normenschaffenden Körperschaft (Normungsorganisation) angenommen wurden. Die deutsche „nationale Normungsorganisation" ist das →Deutsche Institut für Normung e. V. (DIN). Die Mitglieder sind nicht zur Übernahme der i. N. in das nationale Normenwerk verpflichtet; sie stellen Empfehlungen zur Herausgabe entsprechender nationaler Normen dar. I. N., denen das Deutsche Institut für Normung e. V. (DIN) zugestimmt hat, werden i. d. R. ohne fachliche Überarbeitung in das deutsche Normenwerk (z. B. DIN-ISO-Norm) übernommen. – 2. *Ziel:* Harmonisierung nationaler Normen zur Beseitigung von Handelshemmnissen. – 3. *Zuständigkeit:* →ISO (International Standards Organization) und zu Normungsfragen auf dem Gebiet der Elektrotechnik und Elektronik →IEC (Internatio-

nal Electrotechnical Commission) sowie auf weiteren Gebieten u. a. OIML (Organisation Internationale de Métrologie (Légale), ILO (International Labour Organization), ICAD (International Civil Aviation Organization) und UIT (Union Internationale des Télécommunications). – Vgl. auch →europäische Normen.

**Internationale Organisation für Normung,** →ISO.

**Internationale Organisation für Seeschiffahrtsfragen,** →IMO.

**internationale Produktion,** Produktion in Auslandsniederlassungen. – Art- und intensitätsmäßig sind die im folgenden dargestellten Formen *zu unterscheiden:* Vorproduktion, Konfektionierung und Formulierung, Veredelung und komplette Auslandsfertigung.

I. V o r p r o d u k t i o n *(Teilefertigung):* 1. *Charakterisierung:* Die Auslandsniederlassung übernimmt für die Muttergesellschaft eine (mehrere) vorgelagerte Stufe(n) der Produktion eines Erzeugnisses oder die Herstellung von bestimmten Teilen des Endproduktes. Es handelt sich demzufolge um einen Zulieferbetrieb, der – neben dem Stammhaus – auch andere (Fremd-)Unternehmen des Gastlandes, das eigenen Wirtschaftsgebietes und aus Drittländern beliefern kann. Denkbar wäre auch die Belieferung des eigenen Montagewerks in gleichen Gastland oder in dessen geografischer Nähe (Anrainerstaaten). – 2. *Vorteile:* Kostenvorteile; Möglichkeit der Inanspruchnahme von Fördermaßnahmen des Gastlandes; Übergangsphase zur Vollproduktion im Gastland; Standortverlagerung zu Abnehmerfirmen hin, für die man ebenfalls als Zulieferant tätig ist. – 3. Die *Probleme* sind ähnlich gelagert wie im Falle des Montagewerks, wobei Absatzgesichtspunkten nur eine geringfügige Bedeutung zugemessen werden kann. Der Autonomiegrad kann sich auf die Kernaufgabe beschränken.

II. K o n f e k t i o n i e r u n g / F o r m u l i e r u n g: 1. *Charakterisierung:* Es lassen sich z. T. deutliche Parallelen zur Auslandsmontage ziehen – mit dem hauptsächlichen Unterschied, daß im Rahmen der Erstellung des markt- bzw. konsumreifen Erzeugnisses auch in gewissem Umfange eine Manipulationsfunktion ausgeübt wird, z. B. durch Farbund Formgebung, geschmackliche Zusätze und spezielle Aufbereitung. – 2. *Vorteile:* Umgehung bzw. Überwindung von Importrestriktionen des Ziellandes; Kostenvorteile; Übergangsphase zur Vollproduktion im Gastland; Fördermaßnahme des Gastlandes; Markt- und Wettbewerbsmotive; Vorschriften des Ziellandes (z. B. lokale Abfüllpflicht); bessere Möglichkeit zur genauen Beachtung der Auflagen des Ziellandes – bei Pharmazeutika z. B. im Hinblick auf Zusammensetzung, Konzentration, Verpackungsarten, -formen und -größen, Mengenabgaben, Dosierungen usw. (Vorschriften in bezug auf Produktspezialitäten). – 3. Die *Probleme* sind ähnlich wie im Falle der Montage – mit relativ starker Bedeutung der Absatz- bzw. Vertriebsaspekte. In dem Maße, wie dem Kundenbereich mehr Bedeutung zugemessen wird, müßte der Autonomiegrad erhöht werden u. u.

III. V e r e d e l u n g : Im Gegensatz zur passiven Veredelung, bei der ein gebietsfremder Vertragspartner eingeschaltet wird, übernimmt in diesem speziell gegebenem Fall ein Unternehmen diese Aufgabe selbst – und zwar über eine eigene Niederlassung im Ausland *(Eigenveredelung)*. Gleichzeitig ist es denkbar, daß man auch für andere Unternehmen, sei es aus dem Gastland oder aus dem eigenen Wirtschaftsgebiet oder aus Drittländern, ebenfalls veredeln tätig wird. Die Grenzen zwischen bestimmten Arten der Konfektionierung bzw. Formulierung und der Eigenveredelung sind fließend. U. E. Besteht jedoch der Hauptunterschied zwischen diesen beiden Formen des Auslandsgeschäfts darin, daß die Veredelung meistens mehr kostenorientiert ist, während bei der Konfektionierung und Formulierung auch Absatz- bzw. Vertriebsaspekte sowie Auflagen des Gastlandes mit ins Gewicht fallen. Auch hier müßten sich die Freiheitsgrade den Absatzerfordernissen anpassen.

IV. K o m p l e t t e   A u s l a n d s p r o d u k t i o n : Bei einer eigenen Produktion im Ausland werden alle oder zumindest die wichtigsten Fertigungsstufen eines Produktes im Gastland durchgeführt. Dies schließt Zulieferungen aus dem Mutterunternehmen nicht aus. Im Auslandsmarkt hat sich ein bis zur Endstufe reichendes Produktionssystem gebildet, sei es als Endstufe einer sukzessiven Entwicklung oder als eine von Anfang an angestrebte und bereits in der 1. Stufe realisierte Form der Betätigung in einem Zielland. Die Zusammenhänge zwischen den einzelnen Bestimmungsfaktoren der Art der eigenen Auslandsniederlassung (100%-ige Tochterfirma oder Zweigniederlassung) und des Autonomiegrades.

**Internationaler Agrarentwicklungsfonds,** →IFAD.

**Internationaler Antwortschein,** Gutschein für Postwertzeichen für einen Auslandsbrief; wird von Postämtern in Ländern, die dem Weltpostverein angehören, angenommen.

**Internationaler Demonstrationseffekt,** Einfluß, den die Information über die sozialen und wirtschaftlichen Gegebenheiten in Industrieländern auf das soziale und ökonomische Verhalten in Entwicklungsländern hat. Dem i. D. wird z. T. eine entwicklungshemmende, z. T. eine entwicklungsfördernde Wirkung zugesprochen: 1. Die *negativen Entwick-*lungswirkungen werden u. a. damit begründet, daß insbes. die oberen Einkommensgruppen, bei denen die höchste Sparneigung zu erwarten ist, die Konsumgewohnheiten in Industrieländern als Vorbild nehmen und nachzuahmen versuchen, wodurch sich nicht nur die Konsum- bzw. Nachfragestruktur verstärkt auf Importgüter ausrichtet, sondern auch die Konsumneigung steigt und demzufolge Ersparnisse und Investitionen beeinträchtigt werden. – 2. Die *positiven Entwicklungswirkungen* werden u. a. darin gesehen, daß zusätzlich geweckte Bedürfnisse die Leistungsbereitschaft steigern, da sie nur durch die Erzielung eines höheren Einkommens realisiert werden können; daß ferner vermehrte Auslandskontakte auch die Einstellung zur Arbeit (Arbeitsmoral und -disziplin) positiv beeinflußten sowie die Adaption technischer Neuerungen und organisatorischer Verbesserungen erleichterten.

**Internationaler Fernmeldeverein,** →ITU.

**Internationaler Fernmeldevertrag,** am 2. 10. 1947 in Atlantic City abgeschlossen. Grundlage der internationalen Zusammenarbeit der Telekommunikation; regelt den Status der →Fernmelde-Union als Unterorganisation der Vereinten Nationen (UN).

**Internationaler Fonds für landwirtschaftliche Entwicklung,** →IFAD.

**Internationaler Führerschein,** besonderer, für jeweils drei Jahre ausgestellter, im Ausland anerkannter →Führerschein. Zahlreiche Staaten sind dazu übergegangen, die Originalpapiere des Fahrers anzuerkennen. I. F. werden von den zuständigen Polizeidienststellen (Führerscheinstelle) ausgegeben. I. F. ist u. a. noch für folgende Länder erforderlich: Ägypten, Algerien, Island, Kanada, Kenia, Polen, UdSSR, Ungarn, USA (empfohlen).

**Internationaler Goldstandard.** 1. *Begriff:* Bis zum Ersten Weltkrieg geltende, auf Golddeckung basierende Währungsordnung, charakterisiert durch →feste Wechselkurse und freie Beweglichkeit des Goldes über die Landesgrenzen hinweg. – 2. *Funktionsweise:* Die Zentralbanken der Länder waren im Rahmen dieses Systems verpflichtet, Gold zu einem festen Preis zu kaufen und zu verkaufen; dadurch standen auch alle Währungen untereinander in einem festen Wertverhältnis *(Goldparität)* entsprechend dem Verhältnis zwischen dem Goldgehalt der nationalen Währungseinheiten. Überstieg die Nachfrage nach einer Währung in einem Land das Angebot, konnte der Preis der betreffenden Währung (→Wechselkurs) nur bis zum *Goldexportpunkt* bzw. *oberen Goldpunkt* steigen, da es ab diesem Punkt lohnender war, anstelle weiterer Devisennachfrage heimische Währung bei der Zentralbank in Gold umzutauschen, dieses in das betreffende Land zu transportieren und bei der dortigen Zentralbank in die gewünschte Währung umzuwechseln. Der obere Goldpunkt war also durch den Goldpreis zuzüglich Transportkosten des Goldes (Versand, Versicherung usw.) determiniert. Analog konnte bei einem Angebotsüberschuß am Devisenmarkt ein *unterer Goldpunkt* bzw. *Goldimportpunkt* nicht unterschritten werden. Der Wechselkurs konnte sich lediglich zwischen den beiden Goldpunkten bewegen. Zahlungsbilanzungleichgewichte lösten eine automatische Anpassung aus, die auf eine Wiederherstellung des Gleichgewichts hinwirkte *(Goldautomatismus):* Ein Defizitland gab Gold ab, was i. d. R. eine Schrumpfung der Geldmenge und einen Preisniveaurückgang bedeutete; umgekehrt nahm ein Überschußland Gold auf, was auf Steigerung von Geldmenge und Preisniveau hinwirkte. Dies induzierte steigende Exporte des Defizit- und sinkende Exporte des Überschußlandes, die bis zum Zahlungsbilanzausgleich führen konnten *(→Geldmengen-Preismechanismus).* – 3. *Beurteilung:* Unter den Bedingungen des i. G. war eine autonome nationale Wirtschaftspolitik kaum möglich *(Diktat der Zahlungsbilanz),* in vielen Fällen ergaben sich anstelle von sinkendem Preisniveau of Produktionsdrosselungen und Beschäftigungseinbrüche, wobei einem Gegensteuern durch Ausdehnung der Geldmenge aufgrund von unzureichenden Goldreserven bzw. Problemen der Golddeckung enge Grenzen gesetzt waren, so daß man schließlich vom i. G. abrückte.

**internationaler Konjunkturverbund,** internationale Übertragung von Konjunkturschwankungen. – Bei *→festen Wechselkursen* ist der i. K. stärker ausgeprägt. Nach der *Lokomotivtheorie,* überträgt sich ein Konjunkturaufschwung (über die Zunahme der Importe) auch auf die Partnerländer. – Bei *→flexiblen Wechselkursen* ist der i. K. schwach. – Vgl. auch →Laursen-Metzler-Effekt, →Einkommensmechanismus.

**internationaler Preiszusammenhang,** →importierte Inflation.

**internationaler Verband unabhängiger Wirtschaftsberater,** →INTERCONSULTANTS.

**internationaler Währungsfonds (IWF),** →IMF.

**internationaler Zahlungsverkehr,** *Auslandszahlungsverkehr.* 1. *Begriff:* Ein- und ausgehende Zahlungen im Zusammenhang mit dem Kapital-, Dienstleistungs- und Güterverkehr mit dem Ausland: a) Bei Ländern, mit denen freier Devisenverkehr besteht, werden die Zahlungen in konvertierbaren Währungen abgewickelt. Die Bezahlung erfolgt also in Devisen, deren Kurs im Devisenhandel festgestellt wird. – b) Bei →Devisenbewirtschaftung

(gebundenem Zahlungsverkehr) erfolgen die Zahlungen auf der Basis von Devisenzuteilungen oder über ein →Zahlungsabkommen im Verrechnungsweg. – 2. *Bestimmungen in der Bundesrep. D.:* Für den i. Z. bestehen nach dem deutschen Außenwirtschaftsrecht grundsätzlich keine Beschränkungen, aber gewisse *Meldepflichten:* a) →Gebietsansässige haben Zahlungen über 2000 DM, die sie von →Gebietsfremden oder für deren Rechnung von Gebietsansässigen entgegennehmen oder die sie an Gebietsfremde oder für deren Rechnung an Gebietsansässige leisten, zu melden. Die Meldepflicht besteht nicht bei Ausfuhrerlösen und bei Zahlungen im Zusammenhang mit Krediten mit einer Laufzeit bis zu zwölf Monaten (§ 59 AWV). – b) Gebietsansässige mit Ausnahme der Geldinstitute haben monatlich die bei gebietsfremden Geldinstituten unterhaltenen Guthaben zu melden (ab 500000 DM, § 62I AWV). – c) Die Meldungen sind der Deutschen Bundesbank bzw. der zuständigen Landeszentralbank zu erstatten (§ 63I AWV). – d) Die Angaben über den i. Z. bilden eine wesentliche Grundlage der →Zahlungsbilanzstatistik.

**internationaler Zulassungsschein,** besonderer, für jeweils drei Jahre ausgestellter, im Ausland anerkannter Zulassungsschein für Kraftfahrzeuge. Zahlreiche Länder sind dazu übergegangen, Orginalpapiere anzuerkennen. Werden von der zuständigen Zulassungsstelle ausgestellt.

**Internationales Arbeitsamt (IAA),** ständiges Sekretariat der Internationalen Arbeitsorganisation (→ILO). Sitz in Genf; Zweigamt in der Bundesrep. D. in Bonn. – *Aufgaben:* Funktionen des Sekretariats für alle Dienststellen der ILO. Überwachung der Anwendung und Durchführung der von der ILO verabschiedeten internationalen Konventionen, Empfehlungen und Programme. Bereitstellung der technischen Hilfe der UN innerhalb des Zuständigkeitsbereichs der ILO in den Entwicklungsländern. Wichtige Voraussetzung für die Tätigkeit der ILO sind die vom IAA auf allen Zuständigkeitsbereichen durchgeführten Untersuchungen und internationalen statistischen Erhebungen. – Als *Ergebnis* seiner Arbeiten auf dem Gebiet der Statistik hat das IAA ein umfassendes Programm von Standardempfehlungen der internationalen Arbeitsstatistiken entwickelt, das laufend aktualisiert wird und die Grundlage für international vergleichbare Erwerbstätigen-, Lohn-, Arbeitszeit- und Sozialstatistiken usw. bildet. Die für die Fortentwicklung des internationalen Systems der Arbeitsstatistiken zuständige *Internationale Konferenz der Arbeitsstatistiker (ICLS)* verabschiedete bei ihrem 13. Treffen im Oktober 1982 in Genf eine revidierte Fassung der ILO-Empfehlungen über Statistiken der erwerbstätigen Bevölkerung, der Beschäftigung, Arbeitslosigkeit und Unterbeschäftigung sowie über Statistiken der berufsbedingten Schädigungen (Resolution I: Statistics of the economically active population, employment, unemployment and underemployment; Resolution II: Statistics of occupational injuries). – *Organisation:* An der Spitze des IAA steht der Generaldirektor, der gleichzeitig Generalsekretär der Internationalen Arbeitskonferenz (IAK) ist. Bei seinen Arbeiten wird das Amt von Zweigämtern und Korrespondenten in ca. 40 Mitgliedstaaten unterstützt. – *Veröffentlichungen:* Vgl. Veröffentlichungsprogramm der →ILO.

**Internationale Schiedsklauseln,** Klauseln in Außenhandelsverträgen, die bei etwaigen Streitigkeiten die Unterwerfung unter einen Schiedsspruch vorsehen, der von einem zuvor vereinbarten →Schiedsgericht gefällt wird. Von der Bedeutung ist das Schiedsgericht der →Internationalen Handelskammer.

**Internationale Seeschiffahrtsorganisation,** →IMO.

**Internationales Einheitensystem (SI),** →Einheitensystem mit den Basiseinheiten: →Meter, →Kilogramm, →Sekunde, →Ampere, →Kelvin, →Mol und →Candela. Die abgeleiteten Einheiten werden aus den Basiseinheiten durch die Rechenoperationen Multiplikation und Division mit dem Zahlenfaktor 1 gebildet, z. B. m/s für die Geschwindigkeit.

**Internationales Finanzinstitut,** *International Finance Institute,* Evidenzzentrale, 1983 von 35 Großbanken aus Europa, den USA, Japan und Südamerika gegründet. Sitz in Washington D. C. – *Ziel:* Verbesserung der Verfügbarkeit und Qualität der finanziellen und wirtschaftlichen Informationen über Schuldnerländer, um in möglichst enger Zusammenarbeit mit dem Internationalen Währungsfonds und der Weltbank ein Höchstmaß an Informationen über finanzielle Lage, Entwicklungspläne, wirtschaftspolitische Zielsetzungen und Verschuldungssituation der potentiellen Kreditnehmer zusammentragen und den Mitgliedsbanken zur Verfügung stellen zu können.

**Internationales Güterverzeichnis für die Verkehrsstatistik,** *Commodity Classification for Transport Statistics in Europe (CSTE),* derzeit gültige CSTE von 1968 ist in drei Stufen gegliedert (20 Kategorien, 52 Divisionen, 170 Positionen). Es ist weitgehend vergleichbar mit dem →Einheitlichen Güterverzeichnis für die Verkehrsstatistik der EG (NST). Revidierte Fassungen der internationalen verkehrsstatistischen Güterverzeichnisse werden im Rahmen der →Integrierten Systeme von Wirtschaftszweig- und Gütersystematiken (ISCAP) erarbeitet.

**Internationales Institut für Politik und Wissenschaften,** *Hans Rissen,* Sitz in Hamburg. –

*Aufgaben:* Information von Führungskräften aus allen Bereichen über wirtschafts-, gesellschafts- und sicherheitspolitische Themen; Konferenzen über internationale Beziehungen.

**Internationales Kartell,** →Rohstoffkartell.

**Internationales Marketing,** von international tätigen Unternehmen vorgenommene Ausrichtung des →Marketings. Extrempunkte bilden *national marketing* (länderspezifische Anwendung von Markting-Strategien) und *global marketing* (Internationalisierung von Marketing-Strategien). – 1. *Grenzen des global marketings:* a) *Spezielle Ländereigenarten:* Diese sind im Rahmen der Planung, Gestaltung und Umsetzung von Marketing-Strategien auf einem Auslandsmarkt zu berücksichtigen, um auf die für einen Erfolg unabdingbaren Reaktionsbereitschaften zu stoßen, z. B. wirtschaftsgeografische, geologische, klimatische, soziodemografische und -ökonomische, infrastrukturelle, rechtliche sowie kulturelle bzw. anthropologische Besonderheiten. – b) *Arten und Erscheinungsformen der weltweiten Auslandsgeschäfte eines Unternehmens:* Diese stellen länderspezifisch nicht die gleichen Voraussetzungen für eine einheitliche Marketing-Strategie dar, z. B. bei indirektem Export (→Ausfuhrhandel) über inländische Firmen (Exporthaus u. ä.) in die Länder A, B, C, D und E im Vergleich zum indirekten Export über ausländische Firmen (Importeuere u. ä,) in die Länder F, G, H, I und K oder zur →Direktausfuhr in die Länder L, M, N, O und P oder zum →Joint Venture in den Ländern X, Y und Z. – 2. *Grenzen des national marketings:* In praxi werden Realisierbarkeit und Realisierungsgrad von Bestrebungen zu einer weltweit einheitlichen Marketing-Strategie durch ein sehr komplexes System interdependenter unternehmensinterner bzw. -individueller und unternehmensexterner Gegebenheiten determiniert. Es handelt sich hierbei – neben den unternehmensinternen Begrenzungsfaktoren – v. a. um die Art von real unterschiedlichen Marktfaktoren, deren Beeinflussung im Sinne der Schaffung einer einheitlichen Basis für eine Internationalisierung von Marketing-Strategien nicht oder nur unter betriebswirtschaftlich nicht mehr vertretbaren Kosten-/Nutzen-Relationen möglich wäre. – 3. *Mischsystem aus national und global marketing:* Dieses Mischsystem ist unternehmensindividuell zu gestalten. – a) *Partielle global marketing:* Die *nationalen* oder sogar *regionalen* Unterschiede müssen beachtet werden, die zugleich zielgruppen- und konzeptionell relevant sind. Beispiele: Spezielle Bestimmungen im Hinblick auf Normen, Verpackung, chemische Zusammensetzung, Wettbewerb, usw.; anthropologische Besonderheiten mit entsprechenden Konsequenzen für Produktgestaltung (z. B. Farbgebung, Geschmack, Marketing, Gebauchsanweisung), Absatzförderung, Public Relations, Werbung, Verkaufsförderung), Vertriebssystem (Beachtung spezifischer Einkaufs- u. Ordergewohnheiten) sowie Preis- und Konditionenpolitik (z. B. kalkulatorische Berücksichtigung von Zinsen in arabischen Ländern, Einstellung auf die Zahlungsgepflogenheiten in Brasilien). – b) *Partielles national marketing:* Neben partiellen nationalen bzw. regionalen Spezialitäten, die unabdingbar sind, kann eine *Standardisierung* angestrebt werden. Diese kann nicht weltweit erfolgen, sondern nach länderübergreifenden Gemeinsamkeiten, z. B. nach Ländergruppen mit gleichen bis ähnlichen konzeptionell relevanten Merkmalen (Kultur-, Mentalitäts- und Sprachverwandschaft, ideologische Gemeinsamkeiten, Entsprechungen in Wirtschaftssystem und -ordnung, Industrialisierungsgrad, technisch-wissenschaftlichen Entwicklungsstand, usw.). Von einer Standardisierung muß nicht das gesamte →Marketing-mix betroffen sein muß, sondern lediglich einzelne (Teil-)Instrumente.

**internationales Patentrecht,** →Patentrecht IV.

**internationales Privatrecht,** Rechtsregeln, die bestimmen, in welchen Fällen deutsche Gerichte ausländisches Recht anwenden (Art. 3–38 EGBGB). Weitere Anhaltspunkte für die Lösung von Kollisionen zwischen deutschem und ausländischem Recht bieten zwei- oder mehrseitige Abkommen, deren Regeln innerhalb der Vertragsstaaten den Vorschriften der Art. 3–38 EGBGB vorgehen (z. B. die verschiedenen EWG- und Haager Abkommen). Ferner können bestimmte Rechtsordnungen durch Willenserklärung für anwendbar erklärt werden, soweit diese mit deutschem Recht nicht absolut unvereinbar sind (Art. 6 EGBGB). – Vgl. auch →Deutsches Interlokales Privatrecht.

**internationales Prozeßrecht,** →Ausländersicherheit.

**internationales Schachtelprivileg,** →Schachtelprivileg III.

**Internationales Statistisches Institut (ISI),** *International Statistical Institute,* gegründet 1885; Sitz in Voorburg (Niederlande). – *Mitglieder:* Auf dem Gebiet der Statistik tätige Wissenschaftler aus allen Ländern. Ex-officio-Mitglieder sind i. d. R. die Leiter der nationalen Statistischen Zentralämter. 1985 ca. 1307 persönliche Mitglieder und ca. 30 korporative Mitglieder (nationale Statistische Zentralämter und sonstige mit Fragen der Statistik befaßten Institutionen) aus 101 Ländern. Als *eigenständige wissenschaftliche Sektionen* gehören dem ISI die Internationale Vereinigung der Erhebungsstatistiker (International Association of Survey Statisticians, IASS), die Bernoulli-Gesellschaft für mathematische Sta-

tistik (Bernoulli Society für Mathematical Statistics and Probability, BSMSP), die Internationale Vereinigung für Regional- und Städtestatistik (International Association for Regional and Urban Statistics, IARUS) und die Internationale Vereinigung für automatisierte Datenverarbeitung (International Association for Statistical Computing, IASC) und die 1985 gegründete Internationale Vereinigung für amtliche Statistik (International Association for Official Statistics, IAOS) an. – *Ziel:* Gemeinsam mit den UN und ihren Sonderorganisationen die Statistiken auf allen Gebieten zu fördern und zu vereinheitlichen. Breiten Raum nehmen Probleme der Wirtschaftsstatistik ein. – Die in zweijährigen Abständen stattfindenden *Tagungen* dienen dem Zweck, das Studium der statistischen Theorie zu fördern, statistische Methoden und Verfahren durch den Austausch wissenschaftlicher und beruflicher Kenntnisse weiterzuentwickeln und Lösungen für aktuelle Problemstellungen auf dem Gebiet der Statistik zu erarbeiten. Das ISI ist das einzige weltweite Forum, in dem Fachleute aus allen Gebieten der theoretischen und praktischen Statistik zusammenkommen und das sich darum bemüht, statistische Theorie und Praxis zusammenzuführen. Die umfangreiche wissenschaftliche Dokumentation des ISI deckt sämtliche Gebiete der theoretischen und praktischen Statistik ab und wird in den umfangreichen Proceedings über die zweijährlich stattfindenden ISI-Sitzungen dargeboten. Mit der Gründung der neuen ISI-Sektion IAOS wird sich das Institut künftig verstärkt mit theoretischen und praktischen Problemen der amtlichen Statistik befassen. 1985 (100jähriges Bestehen) verabschiedete das ISI einen internationalen Berufskodex für Statistiker (Declaration on Professional Ethics), dem weltweit große Bedeutung zur Stärkung und Förderung des Vertrauens der Öffentlichkeit in die amtliche Statistik zukommt. – *Wichtige Veröffentlichungen:* Bulletin of the International Statistical Institute (enthält umfangreiche wissenschaftliche Dokumentation und Diskussionsergebnisse der in zweijährigen Abständen stattfindenden weltweiten Tagungen); International Statistical Review (wissenschaftliche Beiträge und Abhandlungen über aktuelle statistische Fragen); Statistical Theory and Method Abstracts (vierteljährlich); International Statistical Information Newsletter; Directories (jährlich).

**internationales Steuerrecht.** I. Be g r i f f : 1. Das *i. St. i. e. S.* erfaßt alle dem →Völkerrecht zugehörigen steuerlich relevanten Normen des staatlichen Kollisionsrechts, d. h. diejenigen Normen, die die Abgrenzung der sich überschneidenen Steuerhoheiten zum Gegenstand haben. – 2. Das *i. St. i. w. S.* umfaßt neben den dem Völkerrecht zugehörigen steuerlich relevanten Normen des staatlichen Kollisionsrechts auch jene Normen des jeweils nationalen Steuerrechts, die die Abgrenzung der sich überschneidenden Steuerhoheiten regeln. – 3. *Abgrenzung* der Begriffe i. St. i. e. S. und i. St. i. w. S. einerseits und Außensteuerrecht andererseits: Vgl. →Außensteuerrecht II.

II. Q u e l l e n : 1. Das nicht kodifizierte *völkerrechtliche Gewohnheitsrecht,* soweit es für die Besteuerung von Bedeutung ist. – 2. Die bilateralen oder multilateralen →*Doppelbesteuerungsabkommen.* – 3. Andere bilaterale oder multilaterale *Abkommen* steuerlichen Inhalts, wie etwa Amts- und Rechtshilfeabkommen, die steuerlich relevanten Normen des EG-Vertrages oder des GATT usw. – 4. *Entscheidungen* internationaler Gerichte mit steuerlicher Bedeutung. – 5. Zum i. St. i. w. S. gehört darüber hinaus noch das seinem Ursprung nach *nationale Außensteuerrecht.*

III. P r i n z i p i e n : *Hauptanliegen* des i. St. ist es daher, einerseits →Doppelbesteuerungen zu vermeiden oder zu mildern und andererseits aus der Sicht der beteiligten Fiski unerwünschte steuersparende Gestaltungsmöglichkeiten abzubauen. Ob Überschneidungen der gegenseitigen Steueransprüche überhaupt entstehen können und inwieweit sie vermieden oder gemildert werden können, wird von den *Prinzipien* bestimmt, die den steuerbegründenden Ansprüchen der Staaten und den von ihnen angewandten Methoden zur Vermeidung der Doppelbesteuerung zugrunde liegen. Die wichtigsten Prinzipien des i. St.: 1. *Souveränitätsprinzip:* Grundprinzip des i. St. Es besagt, daß die souveränen Staaten in der Ausübung ihrer Steuergewalt und in der Festlegung ihrer Steueransprüche in ihrem Hoheitsgebiet autonom sind. Die Begrenzung der Souveränität auf das eigene Hoheitsgebiet schließt nicht aus, daß wirtschaftliche Sachverhalte, die im Ausland begründet sind, der inländischen Besteuerung unterliegen – 2. *Universalitäts-(Totalitäts-)prinzip und Territorialitätsprinzip:* Regeln den Umfang des Steueranspruches, den ein Staat für ein bestimmtes Steuergut geltend macht. – a) Beschränkt sich der Steueranspruch auf den inländischen Teil eines Steuergutes (z. B. inländisches Einkommen, inländisches Vermögen usw.), so spricht man vom *Territorialitätsprinzip.* – b) Erfaßt der Steueranspruch dagegen das weltweite (mondiale, universale) Steuergut (z. B. das Welteinkommen oder Weltvermögen) eines Steuerpflichtigen, so folgt dieser Steueranspruch dem *Universalitäts-* oder *Totalitätsprinzip.* – c) Dem Universalitätsprinzip entspricht die *unbeschränkte Steuerpflicht,* dem Territorialitätsprinzip entspricht die *beschränkte Steuerpflicht.* – 3. *Nationalitätsprinzip und Wohnsitzstaatprinzip:* Bestimmen den Kreis der Steuerpflichtigen, der der unbeschränkten Steuerpflicht und damit der Besteuerung nach dem Universalitätsprinzip unterliegt. – a) Knüpft die unbe-

schränkte Steuerpflicht an die Merkmale Wohnsitz oder gewöhnlicher Aufenthalt (bei natürlichen Personen) bzw. Sitz oder Ort der Geschäftsleitung (bei juristischen Personen) an, so spricht man von *Wohnsitzstaatprinzip.* – b) Ist die unbeschränkte Steuerpflicht dagegen an die Nationalität gebunden, so handelt es sich um das *Nationalitätsprinzip.* Die meisten Steuerordnungen folgen heute dem Wohnsitzstaatprinzip. – 4. *Wohnsitzprinzip und Ursprungsprinzip:* Regeln die Begrenzung der Steueransprüche zwecks Vermeidung oder Milderung der Doppelbesteuerung bei den Steuern vom Einkommen und Vermögen. – a) *Wohnsitzprinzp* bedeutet, daß die Erfassung eines Steuergutes grundsätzlich im Wohnsitzstaat erfolgt, und zwar unabhängig davon, in welchem Staat dieses Steuergut entstanden bzw. belegen ist (z. B. das weltweit erwirtschaftete Einkommen eines Steuerpflichtigen wird in seinem Wohnsitzstaat besteuert). – *Unterformen* des Wohnsitzprinzips sind für Einküfte und Vermögen aus dem Betrieb von Seeschiffen und Luftfahrzeugen das *Schiffahrtsprinzip* und für private Pensionen das *Pensionsprinzip.* – b) Die Begrenzung der Steueransprüche folgt dem *Ursprungsprinzip,* wenn die Erfassung des Steuergutes in dem Staat erfolgt, in dem das Steuergut entstanden ist bzw. belegen ist (z. B. das im Ausland erzielte Einkommen unterliegt in dem jeweiligen ausländischen Staat der Besteuerung, und das im Inland erzielte Einkommen unterliegt der inländischen Besteuerung). – *Unterformen* des Ursprungsprinzips sind für unbewegliches Vermögen und Einkünfte daraus das *Belegenheitsprinzip,* für Betriebsstättenvermögen und -einkünfte das *Betriebsstättenprinzip,* für Einkünfte aus selbständiger und unselbständiger Arbeit das *Tätigkeitsprinzip,* für Aufsichtsratsvergütungen das *Tantiemenprinzip,* für Arbeitsvergütungen einschl. Ruhegehältern aus öffentlichen Kassen das *Kasenprinzip* und für sonstige Einkünfte (z. B. Zinsen usw.) das *Quellenprinzip.* – 5. *Bestimmungslandprinzip und Ursprungslandprinzip:* Regeln die Begrenzung der Steueransprüche bei den indirekten Steuern, insbesondere bei der Umsatzsteuer. – a) Wird bei grenzüberschreitendem Warenverkehr das Recht auf Erhebung einer allgemeinen und/oder speziellen Verbrauchsteuer dem Bestimmungsland (Verbrauchsland) des Warenverkehrs zugewiesen, so folgt diese Zuteilung des Besteuerungsrechts dem *Bestimmungslandprinzip.* – b) Hat umgekehrt das Land, von dem der Warenverkehr ausgeht (Ursprungsland), das Besteuerungsrecht, so spricht man von *Ursprungslandprinzip.* Derzeit wird fast in allen Steuerordnungen bereits nach unilateralen Normen das Bestimmungslandprinzip angewandt, so daß Doppelbesteuerungskonflikte bei den indirekten Steuern selten bis gar nicht auftreten. – 6. *Freistellungsprinzip und Anrechnungsprinzip:* Betreffen die Frage, in welcher Weise der

Wohnsitzstaat eines Steuerpflichtigen die Doppelbesteuerung bei den Steuern vom Einkommen und Vermögen an Stelle oder in Ergänzung zu der nach den unter 4. genannten Prinzipien zur Begrenzung der Steueransprüche vermeiden oder zumindest mildern will. – a) *Freistellungsprinzip* bedeutet, daß der →Wohnsitzstaat die dem →Quellenstaat zugeteilten Steuergüter von der inländischen Besteuerung freistellt. – b) *Anrechnungsprinzip* bedeutet dagegen, daß der Wohnsitzstaat zwar das Besteuerungsrecht des Quellenstaates akzeptiert, jedoch auf sein eigenes Besteuerungsrecht nicht verzichtet. Er rechnet lediglich die bereits entrichteten Steuern nach verschiedenen Verfahren an (vgl. im einzelnen →Methoden zur Vermeidung der Doppelbesteuerung). – *Unterprinzipien* des Anrechnungsprinzips sind das Pauschalierungsprinzip und das *Abzugsprinzip.*

**Internationale Standardklassifikation der Berufe,** →ISCO.

**Internationales Währungssystem,** →Währungssystem III.

**Internationales Warenverzeichnis für den Außenhandel,** →Standard International Trade Classification (SITC).

**Internationale Systematik aller Waren und Dienstleistungen nach Herkunftsbereichen,** →International Standard Classification of all Goods and Services (ICGS).

**Internationale Systematik der Wirtschaftszweige,** →International Standard Industrial Classification of all Economic Activities (ISIC).

**Internationales Zentrum zur Beilegung von Investitionsstreitigkeiten,** →ICSID.

**internationale Unternehmensverfassung,** Verfassungsregelungen internationaler Unternehmungen; vgl. auch →Unternehmensverfassung IV.

**I.** Europäische Aktiengesellschaft: 1. Umfassendstes Modell einer i. U. stellt der geänderte Vorschlag einer VO über das *Statut für europäische Aktiengesellschaften* vom 30. 4. 1975 dar. – 2. *Inhalt:* Ein vollständiges modernes Aktienrecht mit betriebsverfassungs- und steuerrechtlichen Bezügen. Formal und inhaltlich stark am deutschen Aktienrecht orientiert. Europ. AG soll im Normalfall durch Verschmelzung zweier Gesellschaften aus verschiedenen Nationen entstehen. – Als *Leitungssystem* präferiert der Entwurf das →Aufsichtsratssystem gegenüber dem →Board-System. Der Aufsichtsrat soll sich pluralistisch zu je einem Drittel zusammensetzen aus Vertretern der Aktionäre, der Arbeitnehmer und des „allgemeinen Interesses". (Vgl. →Europäisches Gesellschaftsrecht.) – 3. *Unterschiede zum (deutschen)* →*Konzernrecht:* Das Statut differenziert nicht zwischen

Vertragskonzern und faktischem Konzern. Die Schutzrechte von Minderheitsaktionären, Gläubigern und Arbeitnehmern kommen ohne Rücksicht auf die Existenz von →Unternehmensverträgen zum Tragen. Dem herrschenden Unternehmen steht auch bei faktischer Abhängigkeit ein gesetzliches Weisungsrecht zu. – 4. Eine *Realisierung* dieses Modells ist in näherer Zukunft nicht zu erwarten.

II. Europäische Wirtschaftliche Interessenvereinigung (EWIV): 1. *Institution:* 1985 verabschiedete europäische Kooperationsform für Internatinale Unternehmen; steht ab 1. 7. 1989 zur Verfügung. – EWIV ist juristische Person. *Grundstruktur* ähnlich der →offenen Handelsgesellschaft; sie wird auch als personalistische Gesellschaft mit genossenschaftlicher Zielsetzung bezeichnet. *Mitglieder:* Gesellschaften oder andere juristische Einheiten sowie natürliche Personen. *Organe:* Gemeinschaftlich handelnde Mitglieder, der bzw. die Geschäftsführer; der Gründungsvertrag kann weitere Organe vorsehen. In Beschlüssen zur Verwirklichung des Unternehmensgegenstandes ist die Mitgliederversammlung unbeschränkt; ihr obliegt die Bestellung der Geschäftsführer. – Die Mitglieder der Vereinigung *haften* unbeschränkt und gesamtschuldnerisch. – 2. *Aufgaben:* Erleichterung und Entwicklung sowie Ergebnisverbesserung der wirtschaftlichen Tätigkeit ihrer Mitglieder. Aktivitäten der EWIV im Verhältnis zur Tätigkeit ihrer Mitglieder akzessorisch; ohne Absicht der Gewinnerzielung. Gewinne werden als Gewinne der Mitglieder betrachtet und von diesen versteuert. – 3. *Restriktionen:* EWIV darf sich nicht an den Kapitalmarkt wenden und nicht mehr als 500 Arbeitnehmer beschäftigen.

**internationale Unternehmungen. I.** Begriff: 1. I. U. sind dadurch gekennzeichnet, daß sie ihre Produktionspotentiale auf *mehrere* (mindestens zwei) *Staaten* verteilt haben und mit Aktivitäten, die über den bloßen Vertrieb hinausgehen, in verschiedene Volkswirtschaften dauerhaft integriert sind. Der Aufbau i. U. volzieht sich durch grenzüberschreitenden Kapitaltransfer (→Direktinvestitionen), begleitet von Personal- und Know-how-Transfers, und erfolgt als Neugründung oder Aufkauf von Betrieben. In der überwiegenden Mehrzahl der Fälle sind die Auslandsbetriebe rechtlich verselbständigt, so daß i. U. als Konzerne zu qualifizieren sind.

2. Das *Ausmaß der Internationalisierung* einzelner Unternehmungen läßt sich anhand des Auslandsanteils bestimmter Potentiale (Gesamtvermögen, Anlagevermögen, Beschäftigte), Leistungsmerkmale (Produktionsvolumen, Umsatz, Gewinn) oder Kostenarten (z. B. Personalkosten, F & E-Kosten) messen, wobei eine Kombination dieser und

anderer Merkmale die Aussagefähigkeit erhöht. Auf die Festlegung eines Mindestanteils von Auslandsaktivitäten sollte bei der konzeptionellen Definition der i. U. verzichtet werden. Weitere Merkmale wie die internationale Streuung des Grundkapitals der Obergesellschaft oder die internationale Besetzung des obersten Leitungsgremiums sind ebenfalls nicht begriffskonstitutiv und bislang auch nur von geringer empirischer Relevanz. – Zur Veranschaulichung des Internationalisierungsgrades einer Unternehmung können die verschiedenen Auslandsanteile in einem *Internationalisierungsprofil* graphisch dargestellt werden.

3. Eine *Klassifizierung* – im Sinne von Perlmutter – ihre Politik an den Bedingungen des Stammlandes (ethnozentrisch), der jeweiligen Gastländer (polyzentrisch) oder unter Vernachlässigung der Unterschiedlichkeit der Standortländer weltweit einheitlich (geozentrisch) ausrichten, ist zwar auch operational, aber theoretisch fruchtbar.

II. Betriebswirtschaftliche Problematik: 1. Die *Heterogenität der Umwelt* stellt in ihrer Einwirkung auf die Unternehmenspolitik das konstitutive Merkmal der i. U. dar. Die Umweltvielfalt eröffnet einerseits die Chance, länderspezifische Unterschiede hinsichtlich der Faktorkosten, der Besteuerung, der staatlichen Reglementierungen usw. im Sinne der Verfolgung der Unternehmensziele zu nutzen, und stellt andererseits die Unternehmensleitung vor komplexere, teils auch neuartige Entscheidungsaufgaben: Anders als bei den nationalen Unternehmung wird die Wahl der Umwelt (des Investitionslandes) für die i. U. zum Entscheidungsproblem, von dessen Lösung nachhaltige Wirkungen ausgehen. Die Tätigkeit in den verschiedenen Staaten erfordert ein gewisses Maß an Anpassung der betrieblichen Strukturen und Prozesse; die einzelnen Konzerngesellschaften müssen sich auf die Rechts-, Wirtschafts- und Währungsordnung des jeweiligen Staates einstellen und in ihrer Geschäftspolitik die ökonomischen und soziokulturellen Umweltbedingungen berücksichtigen. Andererseits liegt in der weltweiten Einheitlichkeit der Unternehmenspolitik eine Stärke der i. U.: Sie ist Voraussetzung für die Wahrnehmung von Synergieeffekten. Der Unternehmensleitung ist die schwierige Aufgabe gestellt, die geeignete Mischung von Differenzierung und Vereinheitlichung der Unternehmenspolitik zu finden, und zwar für jeden Funktionsbereich gesondert und im Zeitablauf immer wieder neu. Erfahrungsgemäß ist die Investitionspolitik in hohem Maße vereinheitlicht und organisatorisch zentralisiert, während etwa die Personalpolitik primär von der Umwelt geprägt und deshalb differenziert und organisatorisch dezentralisiert ist. – Der Umstand, daß die unternehmensinternen Austauschprozesse hinsichtlich Kapital,

Know-how, Personal und Sachgütern Grenzen zu überwinden haben und dabei von nationalstaatlichen Regelungen behindert oder gar verhindert werden, läßt ein weiteres Gestaltungsproblem i. U. entstehen. Eine zusätzliche Problemdimension der i. U. wird durch politische und Währungsrisiken aufgeworfen.

2. Unter den Motiven der Internationalisierung dominieren empirischen Erhebungen zufolge die Ziele der *Marktsicherung* (gegen Importrestriktionen und/oder Konkurrenz) *und Markterschließung:* Die Bearbeitung eines Auslandsmarktes wird durch den Aufbau einer Produktionsstätte in diesem Markt erheblich erleichtert, woraus in der Regel auch die am Internationalisierungsschritt nicht beteiligten Sparten einer Unternehmung Vorteile ziehen („Brückenkopfeffekt"). Mit deutlichem Abstand folgen *ressourcenorientierte Motive* (Sicherung des Zugangs zu Rohstoffen, Energie und neuer Technologie), deren Bedeutung in den letzten Jahren zugenommen hat. Für deutsche Unternehmungen mit arbeitsintensiven Fertigungen hat das hohe *Lohnniveau* im Inland im zurückliegenden Jahrzehnt vielfach Anlaß zum Aufbau von Produktionsstätten im Ausland gegeben.

III. Gesamtwirtschaftliche Problematik: 1. *Vom Stammland aus gesehen* beeinflussen i. U. durch Entscheidungen über die regionale Verteilung ihrer Produktionspotentiale und Aktivitäten das Sozialprodukt, die Beschäftigung, die Zahlungsbilanz, das Steueraufkommen, die Wettbewerbsintensität und dergl. einzelner Staaten. Diese sehen vielfach ihre Interessen gefährdet, da ihre eigene Einflußmacht territorial begrenzt ist, während internationale Unternehmungen weltweit operieren und sich tendenziell der einzelstaatlichen Wirtschaftslenkung zu entziehen vermögen. Von aktueller Bedeutung für Stammländer von i. U. ist insbesondere die Frage, ob die zunehmende Auslandsproduktion den Export ersetzt, stabilisiert oder gar fördert d. h. – beschäftigungspolitisch gesprochen – ob Arbeitsplätze verlorengehen, gesichert oder geschaffen werden. Eine empirische Überprüfung dieses Zusammenhangs läßt sich nicht prinzipiell, sondern nur für den Einzelfall vornehmen und ist mit erheblichen methodischen Schwierigkeiten belastet. Relativ unbestritten ist der positive Beitrag i. U. zur internationalen Diffusion moderner Technologien, zur weltweiten Verbesserung der Ressourcenallokation und zur Öffnung von Märkten mit hohen Eintrittsbarrieren.

2. Verständlicherweise ambivalent ist die *Einstellung der Gastländer* zu i. U.: Während die Verstärkung der binnenwirtschaftlichen Aktivitäten und der Zustrom an moderner Technologie begrüßt werden, sieht man vielfach mit Sorge auf die Entstehung wirtschaftlicher

Abhängigkeit von Unternehmungen, deren Entscheidungszentren außerhalb der Staatsgrenzen liegen. Auch die Belastung der Devisenbilanz durch notwendige Importe sowie die Zahlung von Zinsen, Dividenden und Lizenzgebühren ist für zahlreiche Staaten, insbesondere Entwicklungsländer, ein ernstes Problem.

3. Nationale und internationale Organisationen sind bemüht, Instrumente zur *Begrenzung und Kontrolle der wirtschaftlichen Macht* von i. U. zu entwickeln bzw. zu verbessern: Erweiterung und internationale Harmonisierung der Publizitätspflicht auf der Basis eines →Weltabschlusses; Erarbeitung international anerkannter Verhaltenskodizes für i. U.; Verbesserung der Information über i. U. durch das Centre on Transnational Corporations der UNO; Aufbau einer Gegenmacht durch internationale Kooperation von Gewerkschaften und dgl.

IV. Erklärungsansätze der Internationalisierung: Die Internationalisierung von Unternehmungen ist von verschiedenen Ansätzen her erklärt worden: von psychologischen, soziologischen und politologischen; besondere Bedeutung kommt den *ökonomischen* Erklärungsansätzen zu, deren wichtigste hier kurz charakterisiert werden.

1. *Argument des monopolistischen Vorteils* (Hymer, Kindleberger): Der Anstoß für eine Produktionsaufnahme im Ausland und Voraussetzung für deren Erfolg ist die Existenz unternehmensspezifischer (monopolistischer) Vorteile, insbesondere ein überlegenes technologisches und Management-Know-how, ein positives Produktimage, eingeführte Markennamen und Größenvorteile insbes. in den leistungswirtschaftlichen Funktionen. Diese Vorteile ermöglichen einen Ausgleich eventueller Nachteile auf einem fremden Markt wie Diskriminierung ausländischer Unternehmungen, politische Eingriffe, Transferrestriktionen, Wechselkursrisiken, hohe Kommunikations- und Koordinierungskosten etc.

2. *Theorie des internationalen Produktzyklus* (Vernon): Grundlage dieser Theorie ist das evolutorische Marktkonzept. Mit zunehmendem Reifegrad der Produkte wechselt die Dominanz der erfolgsbestimmenden Faktoren. Von entscheidender Bedeutung sind in der Innovationsphase die Nähe zum Verbraucher, eine flexible industrielle Struktur und Ingenieurleistungen; in der Reifephase die Lohnkosten. Parallel zur Veränderung der Erfolgsdeterminanten vollzieht sich der Verlagerung der Produktion zunächst in Niedriglohn-Industrieländer (Wachstumsphase) und dann in Entwicklungsländer (Reifephase).

3. *Theorie des oligopolistischen Parallelverhaltens* (Knickerbocker): Zahlreiche Märkte sind heute oligopolistisch strukturiert. Die Anbieter auf diesen Märkten beobachten bzw.

antizipieren die unternehmerischen Entscheidungen ihrer Konkurrenten sehr genau und versuchen, diesen keine Vorteile erwachsen zu lassen. Deshalb werden sie auf den Aufbau einer Auslandsproduktion eines Wettbewerbers ebenfalls mit Investitionen in diesem Land reagieren, um ihren Marktanteil und den Unternehmensbestand zu verteidigen.

4. *Theorie der Internalisierung* (Buckley/Casson, Rugman): Unternehmungen entstehen nach der Theorie der Firma dann, wenn Wirtschaftsprozesse auf (unvollkommenen) Märkten weniger effizient ablaufen als unternehmensintern. Die Leistungsfähigkeit des Marktes ist besonders eingeschränkt bei grenzüberschreitenden Ressourcentransfers, vornehmlich bei internationalen Transfers von technologischem und Management-Know-how, so daß sich hier als leistungsfähigere Alternative die unternehmensinterne Übertragung anbietet: Die unternehmensspezifische Technologie wird nicht an einen dritten verkauft, sondern auf dem ausländischen Markt durch eine eigene Tochtergesellschaft verwertet. Auf diese Weise werden die Schwierigkeiten bei der Bewertung eines Patents oder Know-how-Bündels, bei der Übertragung an ungeschulte Technologieempfänger sowie beim Technologieschutz vermieden. Unvollkommenheiten internationaler Märkte führen also zum Aufbau oder zur Übernahme ausländischer Betriebe.

5. *Portfoliotheorie:* Die von Markowitz entwickelte Hypothese einer durch branchenmäßige und/oder regionale Streuung von Wertpapieren erreichbaren Risikoreduktion des Gesamtwertpapierbestandes wird auf Sachinvestitionen übertragen. Ursache der Internationalisierung ist nun der bewußt angestrebte, durch regionale Streuung der Produktionsstandorte erreichbare konzerninterne Risikoausgleich. Dieser ist dabei um so stärker, je geringer die Korrelation zwischen den wirtschaftlichen Entwicklungen in den einzelnen Gastländern ist.

6. *Eklektischer Ansatz* (Dunning): Da die einzelnen Erklärungsansätze nicht ausreichend sind, sich aber ergänzen, erscheint es sinnvoll, diese in einen umfassenden Ansatz zu integrieren. Danach können Unternehmungen nur dann ausländische Märkte bedienen, wenn sie über spezifische (monopolistische) Vorteile verfügen. Die Bedienung des Auslandsmarktes durch Auslandsproduktion wird dem Export oder der Lizenzvergabe dann vorgezogen, wenn die Eigennutzung des Know-how Internalisierungsvorteile erbringt. Der vorzugswürdige Produktionsstandort bestimmt sich nach den relevanten Standortfaktoren und Exporthindernissen.

**Literatur:** Kindleberger, Ch. P. (Hrsg.), The International Corporation. 2nd ed., Cambridge (Mass.), London 1971; Knickerbocker, F. T., Oligopolistic Reaction and Multinational Enterprise, Boston 1973; Lück, W./Trommsdorff, V.

(Hrsg.), Internationalisierung der Unternehmung als Problem der Betriebswirtschaftslehre, Berlin 1982; Macharzina, K. (Hrsg.), Finanz- und bankwirtschaftliche Probleme bei internationaler Unternehmenstätigkeit, Stuttgart 1985; Pausenberger, E., Die internationale Unternehmung, Begriff, Bedeutung und Entstehungsgründe, in: Das Wirtschaftsstudium 1982; ders., Internationale Unternehmungen in Entwicklungsländern. Ihre Strategien und Erfahrungen, Düsseldorf, Wien 1983; ders. (Hrsg.), Internationales Management. Ansätze und Ergebnisse betriebswirtschaftlicher Forschung, Stuttgart 1981; ders./Völker, H., Praxis des internationalen Finanzmangement, Wiesbaden 1985; Perlmutter, H. V., L'entreprise international – trois conceptions, in: Revue Economique et Sociale, 1965; Rugman, A. M. (Hrsg.), New Theories of the Multinational Enterprise, London, Canberra 1982; ders./Lecraw, D. J./Booth, L. D., International Business. Firm and Environment, New York u. a. 1985; Vernon, R., Storm over the Multinationals. The Real Issues, Cambridge (Mass.) 1977; Wacker, W. H./Haussmann, H./Kumar, B. (Hrsg.), Internationale Unternehmensführung, Berlin 1981; Welge, M. K., Management in deutschen multinationalen Unternehmungen, Stuttgart 1980.

Prof. Dr. Ehrenfried Pausenberger

**Internationale Vereinigung der Klein- und Mittelbetriebe der Industrie (IVKM),** →Internationale Gewerbeunion (IGU).

**Internationale Vereinigung der Klein- und Mittelbetriebe des Handels (IVKMH),** →Internationale Gewerbeunion (IGU).

**Internationale Vereinigung zur Erforschung des Volkseinkommens und -vermögens,** *International Association for Research in Income and Wealth (IARIW),* 1947 gegründete Gesellschaft zur Förderung von Theorie und Praxis der →Volkswirtschaftlichen Gesamtrechnungen; Sitz in New Haven/Connecticut (USA). Aus zweijährlich stattfindenden Generalversammlungen treffen sich die Gesamtrechner aus allen Ländern zum Erfahrungsaustausch und zur Beratung internationaler Vorhaben (z. B. Revision der internationalen Gesamtrechnungssysteme). – *Wichtige Veröffentlichung:* The Review of Income and Wealth (vierteljährlich).

**Internationale Versicherungskarte,** →Versicherungskarte.

**Internationale Waren- und Güterverzeichnisse,** neben internationalen Wirtschaftszweigsystematiken (die die Struktur der Wirtschaft wiedergeben) wichtige Voraussetzungen für international vergleichbare Statistiken. – 1. Im Zug der steigenden internationalen Verflechtungen auch für nationale Zwecke zunehmende *Bedeutung.* I. d. R. werden die nationalen Statistiken für internationale Zwecke auf der Basis solcher Nomenklaturen umgeschlüsselt. Entwicklungsländer, die noch am Aufbau eines nationalen statistischen Systems arbeiten, führen die von den UN für weltweite Anwendung entwickelten Systematiken als nationale Nomenklaturen ein. Die von den EG entwickelten Systematiken verpflichten die Mitgliedstaaten zur Anwendung; sie beruhen teilweise auf Rechtsgrundlagen der EG. – 2. *Weltweite Waren- und Güterverzeichnisse:* (1) Internationale Systematik aller Waren- und Dienstleistungen nach Herkunftsbereichen (→International Standard Classi-

cation of all Goods and Services, ICGS) der UN; (2) Internationales Warenverzeichnis für den Außenhandel (→Standard International Trade Classification, SITC) der UN; (3) Internationale Systematik des letzten Verbrauchs der privaten Haushalte (Classification of household goods and services, SNA) der UN, identisch mit der Systematik der Verwendungszwecke des letzten Verbrauchs der privaten Haushalte der EG. – 3. *Regionale Waren- und Güterverzeichnisse:* (1) →Warenverzeichnis für die Statistik des Außenhandels der Gemeinschaft und des Handels zwischen ihren Mitgliedstaaten (NIMEXE); (2) →Gemeinsames Verzeichnis der industriellen Erzeugnisse (NIPRO); (3) →Einheitliches Güterverzeichnis für die Verkehrsstatistik (NST) der EG; (4) →Internationales Güterverzeichnis für die Verkehrsstatistik (CSTE) der ECE (Commodity Classification for Transport Statistics in Europe). – 4. Auf weltweiter Ebene sind *gemeinsame Arbeiten* der UN, EG und des Rates für Zusammenarbeit auf dem Gebiet des Zollwesens (RZZ) gegenwärtig im Gang mit dem Ziel, die internationalen Waren- und Güterverzeichnisse zu harmonisieren und gleichzeitig eng mit den internationalen Wirtschaftszweigsystematiken (NACE, ISIC) abzustimmen. Das in Vorbereitung befindliche →Harmonisierte System zur Beschreibung und Codierung der Waren (HS) des RZZ, das voraussichtlich 1988 weltweit in die internationalen und nationalen Außenhandelsstatistiken eingeführt wird und die bisherigen in diesem Bereich angewendeten Warenverzeichnisse ersetzen soll, ist gleichzeit Grundlage für eine Harmonisierung der internationalen Systematiken durch das →Integrierte System der internationalen Wirtschaftszweig- und Gütersystematiken (ISCAP, SINAP).

**Internationale Wirtschaftsorganisationen (IWO). I. Begriff:** Die Weltwirtschaft in der zweiten Hälfte des 20. Jh. ist gekennzeichnet durch das Bestehen und Miteinanderwirken zahlreicher internationaler Organisationen, die größtenteils von privaten Wirtschaftssubjekten und deren Verbänden *(nichtamtliche Organisationen),* in vielen Fällen aber auch von den Regierungen selbst gebildet wurden *(amtliche Organisationen).* Hier werden nur die zuletzt genannten IWO behandelt, von denen die stärksten Impulse auf die Weltwirtschaft ausgehen. Unter IWO sollen also verstanden werden: Auf völkerrechtlicher Grundlage geschaffene zwischenstaatliche Einrichtungen mit dem Ziel, mehr oder weniger begrenzte ökonomische Aufgaben gemeinsam oder koordiniert anzugehen und zu lösen. Ein Großteil der IWO ist nicht nur mit wirtschaftlichen, sondern darüber hinaus auch mit sozialen, kulturellen, humanitären und weiteren Problemen befaßt. Neben den hier als IWO definierten internationalen Einrichtungen gibt es auf allen Gebieten zahlreiche amtliche und nichtamtliche internationale Fachorganisationen. – Die Ausgabe 1984/85 des Yearbook of International Organizations der mit der Registrierung internationaler Organisationen befaßten Union of International Associations (Brüssel) weist (Stand von 1984) ca. 18 400 tätige amtliche und nichtamtliche internationale Organisationen aus.

II. Tätigkeitsbereiche (Im folgenden werden im wesentlichen IWO westlicher Staaten betrachtet; Ostblockstaaten sind v. a. in der UN und deren Sonderorganisationen vertreten, wichtigste →COMECON):

1. *Errichtung und Erhaltung eines organisierten Welthandels- und Zahlungssystems:* Der Zusammenbruch des internationalen Handels- und Zahlungsverkehrs nach den Weltkriegen und die Abkehr der nationalen Wirtschaftspolitik vom Vorbild der klassischen Liberalismus zugunsten eines bestenfalls marktkonformen Interventionismus, dessen Ziel die simultane Verwirklichung von Vollbeschäftigung und Preisniveaustabilität bei ausgeglichener Zahlungsbilanz und festen Wechselkursen ist, veranlaßen die Staaten zu einer autonomen Geld- und Kreditpolitik – die im System der Goldwährung bis 1914 unmöglich war – und zu einer aktiven Konjunktur- und Beschäftigungspolitik auch mit handelspolitischen Mitteln. Um gleichwohl ein Maximum an internationaler Arbeitsteilung, die v. a. durch mannigfaltige Handels- und Zahlungsrestriktionen stark beeinträchtigt wurde, zu erreichen, bedurfte und bedarf es einer ständigen Abstimmung und Verpflichtung der Nationalstaaten im Rahmen internationaler Vereinbarungen, die es ihnen erlaubt, im Vertrauen auf gleiches Verhalten der Partnerländer von diskriminierenden und restriktiven außenwirtschaftspolitischen Maßnahmen abzusehen und gleichzeitig die genannten Zielsetzungen zu verwirklichen. So stellen die zum UN-System gehörenden Organisationen, die →OECD und die →EG sowie weitere westeuropäische amtliche Organisationen heute den institutionellen Rahmen dar, innerhalb dessen sich eine freiheitliche Weltwirtschaftsordnung – relativer →Freihandel und →Konvertibilität – entwickeln soll, obwohl auf den Goldautomatismus verzichtet und aktive Konjunkturpolitik betrieben werden muß. Es ist offenkundig, daß diese modernen internationalen Organisationen in der Bindung und Beschränkung der nationalen wirtschaftspolitischen Autonomie weitergehen müssen als diejenigen des 19. Jh. Dennoch waren die Nationalstaaten bis 1914 in sehr ähnlicher Weise gebunden durch die selbstverständliche Anerkennung des relativen Freihandels auf der Grundlage der Meistbegünstigung und die Existenz der Goldwährung, die derartige IWO unnötig machten. Der Schwäche des Völkerbundes, dem die USA nicht angehörten, und der

Erschütterung durch die Weltwirtschaftskrise ist es zuzuschreiben, daß die mannigfaltigen Bemühungen um die Herstellung einer Weltwirtschaftsordnung auf der Grundlage der Meistbegünstigung und der Konvertierbarkeit (Wiedereinführung der Goldwährung) zwischen den beiden Kriegen nicht gelang und diese Aufgabe erst seit 1945 durch die Schaffung neuer Organisationen wirksam gefördert werden konnte.

2. *Zusammenschluß mehrerer Staaten zu einem einheitlichen Wirtschaftsgebiet unter Schaffung binnenmarktähnlicher Verhältnisse:* a) *Allgemein:* Dies erfordert einen weitgehenden Verzicht auf autonome nationale Wirtschaftspolitik und damit im mehr oder weniger großem Umfang die Übertragung von nationalen Hoheitsrechten auf die Organe der Wirtschafts- oder Zollunion. Als Beispiel sei auf die Wirtschaftsunion der BENELUX-Staaten hingewiesen. In weitgehendem Umfang sind nationale Hoheitsrechte auf die Organe der Europäischen Gemeinschaften (EG) von den Mitgliedstaaten übertragen worden; die EG werden auch als supranationale Organisationen bezeichnet. Im Gegensatz dazu können andere internationale Organisationen nur Beschlüsse in Form von nichtrechtsverbindlichen Empfehlungen fassen, die in ratifizierungspflichtige Konventionen umgewandelt werden müssen, wenn sie Verbindlichkeit für die Mitgliedstaaten erlangen sollen. – b) *Wirtschafts- oder Zollunionen:* Sie bedeuten eine Überwindung und Auflockerung des nationalstaatlichen Prinzips zugunsten weiträumiger internationaler Zusammenschlüsse. Sie sind daher als eine Fortentwicklung der Koordinierungsorganisationen anzusehen, ohne deren Existenz und Erfolge sie nicht denkbar wären. Im Gegensatz zu den lediglich koordinierende Tätigkeit ausübenden internationalen Organisationen umfaßt der Kompetenzbereich von Wirtschafts- oder Zollunion *alle* wirtschafts- und zollpolitischen Aufgaben, die den Nationalstaaten zukommen. Sie verpflichten sich daher i. d. R. zur formellen Delegation von Souveränitätsrechten an gemeinsame, übergeordnete Organe. Grundlage für die Bildung einer Wirtschaftsunion ist die *Zollunion*, deren gemeinsame Außenhandelspolitik (einheitlicher Außenzolltarif) die Wirtschaftsunion gegen die übrige Welt (Drittländer) abgrenzt. Gegenwärtig gibt es als europäische Wirtschaftsunion die →Benelux, ferner die →EG (→EWG, →EGKS, →EURATOM), die das Ziel einer vollständigen Wirtschafts- und Währungsunion und darüber hinaus einer →Europäischen Union noch nicht erreicht haben. – Eine Form der IWO, die zwischen Wirtschaftsunionen und Organisationen mit koordinierender Tätigkeit steht, sind die *Freihandelszonen*. Sie stellen Freihandelsgebiete ohne gemeinsame Außenhandelspolitik (ohne einheitlichen Außenzolltarif) dar. Sie bedeu-

ten jedoch aufgrund der Abschaffung der Zölle innerhalb der Zone gleichwohl einen engeren Zusammenschluß der Mitgliedstaaten untereinander und die Herstellung eines abgegrenzten Wirtschaftsraums gegenüber der übrigen Welt. Gegenwärtig bestehen zwei große Freihandelszonen: die →EFTA und die Lateinamerikanische Freihandelszone (→ALADI, früher LAFTA); neben einem zentralamerikanischen gemeinsamen Markt befinden sich ähnliche Zusammenschlüsse afrikanischer Staaten im Aufbau. Hinzuweisen ist auf die Gemeinsame Afro-Mauretanische Organisation (Organisation Commune africaine et mauricienne, →OCAM) und die Organization of African Unity (→OAU).

3. *Vermehrung und Verbreitung technischen Wissens, organisatorischen und gesellschaftspolitischen Wissen sowie Sozialpolitik:* Entstanden bereits im 18. und 19. Jh. als Folge der technischen Entwicklung und der Intensivierung des internationalen Wirtschaftsverkehrs wie auch zur Förderung und Erleichterung dieser beiden Tendenzen. In dieser Zeit spielte insbesondere die internationale Zusammenarbeit auf den Gebieten des Verkehrs-, Geld-, Gesundheits- und Sozialwesens, der Rechtssicherung und der Forschung eine Rolle. Der Weltpostverein (→UPU) und die Weltorganisation für geistiges Eigentum (→WIPO), die die internationalen Unionen für den Schutz gewerblicher Firmenrechte und des Urheberrechts zusammen erfaßt, seien als Beispiele für zahlreiche Organisationen dieser Art genannt.

4. *Entwicklungsförderung von Entwicklungsländern:* Wurde nach dem Zweiten Weltkrieg von IWO aufgenommen. Mit der Anerkennung der allgemeinen und politischen Gleichberechtigung aller (auch der farbigen) Völker sollen und müssen auch die wirtschaftlichen Grundlagen geschaffen werden, die es ihnen (und insbes. den ehemals abhängigen Gebieten der großen Kolonialreiche Großbritanniens und Frankreichs zugleich mit der Erlangung der nationalen Selbständigkeit) erlauben, auch selbständig am internationalen Handel teilzunehmen. Waren die oft beträchtlichen Investitionen der Kolonialmächte in diesen Gebieten bis zum Ende des Zweiten Weltkrieges nicht frei von Ausbeutungstendenzen, so werden heute durch zahlreiche IWO (UN mit UNDP und Sonderorganisationen, OECD, DAC, EG) bei der Behebung der wirtschaftlich technischen, insbes. aber der finanziellen Schwierigkeiten ihrer Eingliederung in die Weltwirtschaft zu unterstützen.

III. Gegenwärtig bestehende IWO:

Organisationen allgemeiner Art:

1. *Weltweite amtliche internationale Organisationen:* UN, OECD.

2. *Regionale amtliche internationale Organisationen:* EG, BENELUX, Europarat, EFTA, Nordischer Rat, COMECON.

3. *Regionale Kommissionen der UN:* ECA, ECE, ECLA, ESCAP, ECWA.

Fachorganisationen:

1. *Fachlich spezialisierte weltweite amtliche internationale Organisationen:*

a) Finanzbeziehungen: IMF, IBRD, IFC, IDA, IFAD.
b) Handelsbeziehungen: CCC, GATT, UNCTAD, Rohstoffabkommen.
c) Energie: IAEA.
d) Verkehr: ICAO, IATA, UPU, ITU, IMO.
e) Sozial- und Kulturpolitik: ILO, WHO, UNESCO, UNICEF.
f) Technisches Wissen: WMO.
g) Entwicklungshilfe: TAC. TAB, UNDP, DAC, Sonderorganisationen der UN.

2. *Fachlich spezialisierte regionale amtliche internationale Organisationen:*

a) Finanzbeziehungen: EZU, BIZ, Inter-American Development-Bank, Entwicklungsbanken für Latein-Amerika, Afrika und Asien.
b) Energie: NEA, IEA, EUROCHEMIC, CERN, EURATOM, EGKS, UCPTE, OPEC.
c) Verkehr: ECMT, EUROCONTROL, ZKR, Donaukommission (CD).
d) Sozialpolitik: ICM.
e) Technische Entwicklungsförderung: Colombo-Plan.
f) Raumfahrt: ELDO, ESRO, und ESA.

3. *Fachlich spezialisierte weltweite nichtamtliche internationale Organisationen, die eng mit den IWO zusammenarbeiten:*

a) Statistik: ISI.
b) Normung: ISO.

**Internationale Zahlungsabkommen,** →Zahlungsabkommen.

**Internationale Zivilluftfahrtorganisation,** →ICAO.

**Internationale Zollabkommen,** →Zollabkommen.

**International Federation for Information Processing,** →IFIP.

**International Federation of Accountants (IFAC),** Vereinigung von Angehörigen der wirtschaftsprüfenden Berufe, weltweit tätig. Ziel ist die Schaffung eines koordinierten internationalen Berufsstandes mit harmonisierten Grundsätzen. Die IFAC erarbeitet international gültige Leitsätze auf fachlichem und berufsethischem Gebiet und zur Aus- und Fortbildung und hält Kontakte mit regionalen Berufsorganisationen. Zu den Mitgliedern gehören das →Institut für Wirtschaftsprüfer in Deutschland e. V. und die →Wirtschaftsprüferkammer.

**International Federation of Operations Research Societies (IFORS)**, internationaler Dachverband von 41 nationalen Operations Research-Gesellschaften (für die Bundesrep. D. →Deutsche Gesellschaft für Operations Research e. V.) gegründet 1959. – *Ziele:* Entwicklung der →Operations Research als einheitliche Wissenschaft und deren Förderung. Publikation: „International Abstracts in Operations Research" (zweimonatlich).

**International Finance Corporation,** →IFC.

**International Finance Institute,** →Internationales Finanzinstitut.

**International Fund for Agricultural Development,** →IFAD.

**International Labor Organization,** →ILO.

**International Maritime Organization,** →IMO.

**International Monetary Fund,** →IMF.

**International Road Transport Union,** →IRU.

**International Standard Classification of all Goods and Services (ICGS),** *Internationale Systematik aller Waren und Dienstleistungen nach Herkunftsbereichen,* Entwurf in der Fassung von 1976. Von den Vereinten Nationen (UN) in Zusammenarbeit mit zahlreichen nationalen und internationalen Stellen entwickelte Systematik, in der die Waren nach ihrem Ursprung geordnet werden können und die auch alle Dienstleistungen umfaßt. Sie ermöglicht die Verknüpfung von Wirtschaftszweigen mit den von ihnen produzierten Waren. Die ICGS ist direkt mit der →International Standard Industrial Classification of all Economic Activities (ISIC) verknüpft, indem sie die 160 vierstelligen Wirtschaftszweig-Gruppen der ISIC aufgreift und ihr 160 vierstellige Gütergruppen als Ausgangsebene gegenüberstellt. Unterteilung in 1293 sechsstellige Klassen und 3480 achtstellige Unterklassen. Maßgebend für die Unterteilung sind der Ursprung der Güter nach ihrer Beschaffenheit, der Verwendungszweck, ihre wirtschaftliche Bedeutung und die Vergleichbarkeit mit der →Standard International Trade Classification.

**International Standard Classification of Occupation,** →ISCO.

**International Standard Industrial Classification of all Economic Activities (ISIC),** *Internationale Systematik der Wirtschaftszweige,* auf einer Empfehlung der Vereinten Nationen (UN) beruhende Wirtschaftszweigsystematik. Basis für die einheitliche Gliederung der Wirtschaftszweige in den Statistiken für eine weltweite Anwendung. Daher nicht so tief gegliedert wie die für Zwecke der EG entwickelte →Allgemeine Systematik der Wirtschaftszweige in den Europäischen Gemeinschaften. Die ISIC ist nach dem Dezimalsystem auf vier Ebenen gegliedert (Viersteller) und weist auf der untersten Ebene 160 Positionen aus. Mit der deutschen Wirtschaftszweigsystematik in groben Zügen vergleichbar. Die ISIC wird allen institutionell gegliederten internationalen Statistiken im Rahmen der UN und ihrer Sonderorganisationen sowie der OECD zugrunde gelegt. – Gegenwärtig sind Arbeiten zur *Revision der ISIC* im Gang, die in das →Integrierte System der Wirtschaftszweig- und Gütersystematiken (ISCAP) eingefügt werden soll. Die neue ISIC wird sehr weitgehend mit der neuen NACE vergleichbar sein. Besondere Bedeutung bei der Entwicklung dieser neuen internationalen Wirtschaftszweigsystematik kommt der weltweit anzuwendenden Klassifikation der Dienstleistungszweige zu, für die auf nationaler und internationaler Ebene Konzepte für umfassende Statistiken zu entwickeln sind. Die neue ISIC soll bis 1990 fertiggestellt sein und in die internationale Statistik eingeführt werden.

**International Standards Organization,** →ISO.

**International Statistical Institute,** →Internationales Statistisches Institut.

**International Telecommunication Union,** →ITU.

**International Trade Organization,** →ITO.

**interne Information,** →innerbetriebliche Werbung.

**interne Prüfung,** →Prüfung.

**interne Rendite,** →interner Zinsfuß.

**interne Revision.** 1. *Begriff:* a) *Funktional* entspricht i. R. einer →Prüfung durch unternehmungsangehörige (mit der Unternehmung durch arbeitsvertragliche Beziehungen verbundene), prozeßunabhängige (→Prozeßabhängigkeit) Personen. b) Im klassischen *institutionellen* Sinne ist i. R. eine mit der Durchführung von Prüfungsaufgaben befaßte Stelle oder Stellengesamtheit (z. B. Abteilung) in der Unternehmung; oft mit der Bezeichnung *Innenrevision.* Bei Konzernen spricht man von →Konzernrevision. – 2. *Abgrenzg:* Der Aufgabenbereich der i. R. besteht in Überwachung durch Prüfungen, nicht in →Kontrollen. – I. R. ist nicht mit →Controlling gleichzusetzen, dessen Tätigkeitsfeld sehr viel weiter zu fassen ist und keineswegs nur interne Prüfungen betrifft. Die Grenzen zwischen i. R. und Controlling sind schwimmend, eine exakte Abgrenzung ist nicht möglich; die Auffassungen über den Inhalt beider Bereiche gehen häufig auseinander. Evtl. kann die i. R. als Instrument des Controlling aufgefaßt werden. – 3. *Aufgaben:* Als organisatorische Einheit (Stelle, Stellenmehrheit) hat i. R. die Aufgabe, die Unternehmungsleitung in der Wahrnehmung ihrer Überwachungsfunktion zu unterstützen. Die Prüfungen dienen nicht nur der Einhaltung von Planvorgaben, sondern v. a. der *Information* von Entscheidungsträgern. Interne Prüfungen können beliebige Bereiche der Unternehmung betreffen, mit Ausnahe der Unternehmungsführung, die die Prüfungsaufträge erteilt (Weisungsbindung erzeugt Abhängigkeit). – Häufige Klassifizierung: a) *Hauptaufgaben:* (1) Prüfung im Finanz- und →Rechnungswesen *(financial auditing):* Im wesentlichen Ordnungsmäßigkeitsprüfungen, einschließl. der Prüfung auf dolose Handlungen. Der traditionelle Prüfungsbereich der i. R.; auch heute von großem Gewicht, da sich betriebliche Vorgänge im Rechnungswesen niederschlagen und dieses, einschl. der Kostenrechnung, einen wesentlichen Teilbereich des →Informationssystems der Unternehmung darstellt. (2) Prüfung im organisatorischen Bereich *(operational auditing):* Nicht nur Prüfung der Einhaltung von unternehmungsinternen Regeln, sondern auch deren Wirkungsweise auf ihre Zielentsprechung hin; die Bedeutung dieser Prüfungen nimmt ständig zu. Im wesentlichen Zweckmäßigkeitsprüfungen; zu prüfen ist die Zweckmäßigkeit der →Aufbauorganisation (Organisationsstruktur) und der →Ablauforganisation (Aufgabenabwicklung) im Hinblick auf die Aufgabenerfüllung, einschl. der Verbindungen und Beziehungen verschiedener Bereiche. – b) *Nebenaufgaben:* Verschiedene Dienstleistungsaufgaben, die oft nur in sehr losem Zusammenhang mit der eigentlichen prüferischen Tätigkeit stehen oder mit ihr nichts zu tun haben, z. B. Führung von Sonderstatistiken, Fachliteraturauswertungen, Beurteilung von Mitarbeitern für Personaldispositionen, Mitwirkung bei der Verwaltung von Beteiligungen, Ausbildung und Einarbeitung von neuen Mitarbeitern für das betriebliche Management, Mitarbeit bei Spitzenbelastungen im Personalgefüge, Inventurmitwirkung. – 4. *Verbindung zur Beratungs- und Begutachtungsfunktion:* →Beratung und →Begutachtung sind andere Funktionen als die der Prüfung; in der Praxis werden sie jedoch häufig von der i. R. wahrgenommen. Dadurch Nutzung der hohen fachlichen Qualifikation der Mitarbeiter der i. R.; problematisch ist aber der Verlust an Unabhängigkeit. – 5. *Organisatorische Einbindung:* Abhängig von den Aufgaben der betreffenden Unternehmung. Der Unterstützungsfunktion der i. R. entspricht die Einrichtung einer Stabsstelle bzw. -abteilung (→Stab) auf Unternehmungsleitungsebene, die einer →Instanz nebengeordnet ist. Bei Zuordnung zu Zwischeninstanzen kann die notwendige Unabhängigkeit verloren gehen. Die i. R. in Form einer Stabsabteilung kann ihrerseits unterschiedlich nach Verrichtungs- und Objektkriterien organisiert sein; die konkrete Ausgestaltung muß sich wiederum an Zweckmäßigkeitsaspekten der einzelnen Unternehmung orientieren. Die i. R. muß zur Erfüllung

ihrer Aufgaben weitreichende Informationsrechte erhalten. – 6. *Beziehung zur gesetzlich vorgeschriebenen* →*Jahresabschlußprüfung:* Dem Prüfer eines gesetzl. Jahresabschlusses ist es nicht gestattet, Prüfungsergebnisse der i. R. zu übernehmen oder mit ihr, z. B. im Wege der Arbeitsteilung, zusammenzuarbeiten; er würde gegen die ihm berufsrechtlich auferlegte Pflicht zur Eigenverantwortlichkeit (→Berufsgrundsätze für Wirtschaftsprüfer) verstoßen. Der Abschlußprüfer kann die Erkenntnisse der i. R. jedoch im Rahmen der zur Planung seiner Prüfung erforderlichen Informationsgewinnung, vor allem zur Erkundung von Schwachstellen, berücksichtigen.

**interner Speicher,** →Zentralspeicher.

**interner Zinsfuß,** Effektivverzinsung bzw. interne Rendite (Albach) einer Investition. Es ist der Zinsfuß, bei dem der auf den Kalkulationszeitpunkt bezogene Kapitalwert einer Investition gleich Null ist bzw. bei dem der Barwert der Auszahlungen gleich dem Barwert der Einzahlungen einer Investition ist. Der Kapitalwert aller Nettozahlungsüberschüsse einer Investition gleich dem Anschaffungsauszahlungen.

**internes Datenmodell,** →*Datenmodell,* das die physische Organisation der Daten auf ihren Speichermedien beschreibt (→Datenorganisation). – *Gegensatz:* →externes Datenmodell.

**internes Kontrollsystem (IKS),** *internes Überwachungssystem.* 1. *Begriff:* Teilsystem des Systems zur Überwachung einer Unternehmung, das die Gesamtheit der Mechanismen zur →Kontrolle enthält. Die internen Kontrollen können den Arbeitsabläufen vor-, gleich- oder nachgeschaltet sein. – 2. *Aufgaben:* a) Sicherung und Schutz des vorhandenen Vermögens vor Verlusten; b) Erstellung genauer, aussagefähiger und zeitnaher Aufzeichnungen; c) Verbesserung des betrieblichen Wirkungsgrades durch Auswertung von Aufzeichnungen; d) Unterstützung der innerbetrieblichen Durchsetzung der Geschäftspolitik (→Unternehmenspolitik). – 3. *Prinzipien:* a) *Funktionstrennung:* Im Arbeitsablauf sollen vollziehende, buchhalterische und sonstige verwaltende Funktionen nicht in einer organisatorischen Einheit (Stelle, Abteilung) vereint sein. b) Angemessene *organisatorische Regelungen:* Soweit möglich und sinnvoll, sind Arbeitsabläufe zu programmieren; die →Aufbauorganisation ist deutlich abzugrenzen. c) *Automatik der Kontrolle:* Zur Ausschaltung von Unwägbarkeiten sollte das System der betrieblichen Abläufe sich selbsttätig und zwangsläufig kontrollieren. – 4. *Instrumente:* Organisationsplan, Dienst- und Arbeitsanweisungen, Kontenplan einschließlich der Kontierungsrichtlinien, sämtliche der Dokumentation durchgeführter Kontrollen dienende Aufzeichnungen und Unterlagen, mechanische

Kontrollein- und -vorrichtungen (z. B. Stech-uhren, Geldschränke, Meß- und Rechenge-räte, EDV-Anlagen zur programmierten oder maschineninstallierten Kontrolle). – 5. *IKS bei Anwendung computergestützter Buchfüh-rungssysteme:* In diesem Fall insbes. wichtig die Kontrolle der Anlagenbedienung (Kon-trollen des Datenzugriffs, von Programmän-derungen u. ä.), der Dateneingabe (Kontrolle der Vollständigkeit, Richtigkeit, Korrektur-verfahren bei Fehlern usw.), der Datenverar-beitung (Kontrolle der Vollständigkeit des Verarbeitungssystemablaufs und bei System-ausfällen, maschinell erzeugter Buchungen u. ä.) und der Datenausgabe (Kontrolle der Richtigkeit, Vollständigkeit, des Zugriffs und der Sicherungsmaßnahmen). Nach Mög-lichkeit sind solche organisatorischen Rege-lungen und Verfahren einzusetzen, die maschinelle, fehlerverhindernde, zwangsläu-fige Kontrollen zur Folge haben. – 6. *Bezug zur externen →Jahresabschlußprüfung:* Im Rahmen der Abschlußprüfung durch unter-nehmunsexterne →Prüfer kann die Überprü-fung der Funktionsfähigkeit des IKS als Form der indirekten →Prüfung durchgeführt wer-den; im wesentlichen Konzentration auf das System der Buchführung. Die Prüfung des IKS kann wichtige Hinweise liefern, ob die Unternehmung ihre Geschäftvorfälle in chro-nologischer Reihenfolge vollständig, systema-tisch und rechnerisch richtig erfaßt; Haupt-anwendungsbereiche sind bei der Jahresab-schlußprüfung der Wareneingangsverkehr einschl. des innerbetrieblichen Materialflus-ses, der Lohn- und Gehaltsverkehr und der Finanzverkehr.

**Internes Rechnungswesen,** Teil des →Rech-nungswesens, dessen Adressaten primär unternehmensinterne Personen oder Stellen sind. Zum i. R. wird zumeist die →Kosten-rechnung und →Erlösrechnung gezählt. – *Gegensatz:* →externes Rechnungswesen.

**Internes Schema,** Darstellung eines →inter-nen Datenmodells in einer →Datenbeschrei-bungssprache.

**Internes Überwachungssystem,** →internes Kontrollsystem.

**Interne Subventionierung,** Ausgleich der Defizite einzelner Unternehmens- oder Ver-waltungsbereiche aus den Überschüssen ande-rer Teilbereiche der gleichen Organisations-einheit, z. B. die Finanzierung des defizitären Brief- und Paketdienstes der Deutschen Bun-despost durch Gewinne des Fernmeldebe-reichs. Auch (kalkulatorischer bzw. preispoli-tischer) Ausgleich der Defizite eines Erzeug-nisses durch Erlöse eines anderen Erzeugnis-ses; letzteres Erzeugnis trägt Kosten, die ihm nicht zurechenbar sind (→Mischkalkulation).

**Interne Varianz,** *Binnenklassenvarianz,* bei einer →klassierten Verteilung der Häufigkei-

ten die Größe $s_w^2 = \sum s_j^2 p_j$, wobei die →Vari-anz in der j-ten →Klasse und $p_j$ den →Anteils-wert der j-ten Klasse an der →Gesamtheit bezeichnet. Die i. V. ist also das mit den Klassenanteilen gewogene →arithmetische Mittel der Klassenvarianzen. Sie ergibt zusammen mit der →externen Varianz die *Gesamtvarianz* (→Varianz).

**Interne Zinsfußmethode,** →Investitions-rechnung III 2, →interner Zinsfuß.

**Interpellation,** bestimmter parlamentarischer Antrag. – Vgl. auch →Anfrage.

**Interpolation,** Verfahren zur näherungswei-sen Ermittlung eines unbekannten Funktions-wertes mit Hilfe von bekannten Funktions-werten an benachbarten Stellen. I. wird insbes. bei →Zeitreihen, bei →Summenfunktionen und bei statistischen Tabellen, etwa der der →Standardnormalverteilung, angewendet. Dabei kann graphisch oder rechnerisch vorge-gangen werden. I. wird meist als *lineare I.* durchgeführt, d. h. es wird unterstellt, daß die zu interpolierende Funktion linear ist. Die Vorgehensweise wird aus dem nachfolgenden Diagrammm ersichtlich.

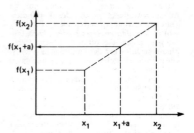

Man setzt also

$$f(x_1 + a) \approx f(x_1) + \frac{a}{x_2 - x_1} \cdot [f(x_2 - f(x_1)].$$

Statt des linearen kann auch ein anderer sinnvoll erscheinender Zusammenhang unter-stellt werden.

**Interpretation,** Erklärung und Auslegung, insbes. gesetzlicher Bestimmungen (→Gesetzesauslegung), zwecks Erforschung von Sinn und Zweck des Gesetzestextes. – *Authentische* I. nur durch den Gesetzgeber selbst.

**Interpreter,** →Systemprogramm, das die in einer höheren →Programmiersprache formu-lierten Anweisungen jeweils einzeln in →Maschinenbefehle übersetzt und diese direkt ausführt. Im Gegensatz zum →Compi-ler wird *kein Objektprogramm* (→Programm) erzeugt. – Vgl. auch →Übersetzer.

**intertemporales Gleichgewicht,** Form des →dynamischen Gleichgewichts. Hierbei ist unterstellt, für jedes Gut existiert ein vollständiges System von Gegenwarts- und →Zukunftsmärkten. Auf diesen werden zu Beginn des Zeithorizonts alle Pläne zu einem Gleichgewicht koordiniert. Danach werden die Märkte geschlossen und ausschließlich die beschlossenen Pläne durchgeführt. Es findet später keine neue Markteröffnung statt. Damit ist ein i. G. eine zeitliche Interpretation eines →statischen Gleichgewichtes. Ein realitätsnäheres Gleichgewichtskonzept, das insbes. die Wiedereröffnung von Märkten vorsieht, vgl. →temporäres Gleichgewicht und →myopisches Gleichgewicht.

**Intervallfixe Kosten,** *sprungfixe Kosten, Sprungkosten,* zwischen →variablen Kosten und →fixen Kosten stehende Kostenkategorie. S. K. verändern sich nicht mit jeder (geringen) Veränderung der zugrunde liegenden Bezugsgröße (z. B. Beschäftigung), sondern nur mit größeren Veränderungsquanten (z. B. zusätzliche Produktionsschicht). S. K. liegt eine treppenförmige Kostenfunktion zugrunde (→Kostenverlauf). Sie werden in den traditionellen Systemen der Kostenrechnung nur unzureichend berücksichtigt.

**Intervallschätzung,** Bezeichnung für die Schätzverfahren der Statistik, die auf die Angabe eines Intervalls gerichtet sind, in dem der zu schätzende →Parameter der →Grundgesamtheit zu vermuten ist. – Das *gebräuchlichste Verfahren* der I. ist die →Konfidenzschätzung. – *Gegensatz:* →Punktschätzung.

**Intervallskala,** in der Statistik eine →Skala, auf der alternative →Ausprägungen neben *Verschiedenheit* und einer *Rangordnung* auch einen *Abstand* zum Ausdruck bringen; z. B. Temperatur, gemessen in Grad Celsius, oder Länge, gemessen durch die Differenz zu einer Sollänge.

**Intervenierende Variable,** im Organismus ablaufende psychische Prozesse im Rahmen des S-O-R-Modells (→Käuferverhalten II 2), auch als *theoretische Konstrukt* (z. B. →Einstellungen, →Bedürfnisse, →Motive) bezeichnet, da sich ein i. V. einer direkten Beobachtung entziehen, dennoch aber indirekt gemessen werden können (→Einstellungsskalen).

**Intervention.** I. Wirtschaftspolitik: Staatlicher Eingriff in das Wirtschaftsgeschehen. Vgl. im einzelnen →Interventionismus.

II. Zivilprozeßordnung: *Streithilfe,* die Beteiligung eines dritten an einem anhängigen Prozeß (§§ 64 ff. ZPO). – 1. *Haupt-I.:* Inanspruchnahme des Streitgegenstandes des Prozesses durch einen Dritten. Beispiel: A klagt gegen B auf Herausgabe eines Wagens, C behauptet, dessen Eigentümer zu sein. Der Dritte muß beide Parteien des Hauptprozesses beim Gericht, bei dem dieser in erster Instanz

anhängig ist (oder war), verklagen; der Hauptprozeß kann bis zur Entscheidung der Klage des Dritten ausgesetzt werden. – 2. *Neben-I.:* Beitritt eines Dritten zur Unterstützung einer Prozeßpartei. Zulässig, wenn der Dritte ein →rechtliches Interesse an dem Obsiegen einer Partei hat (insbes. wenn er befürchten muß, im Falle des Unterliegens dieser Partei, im Wege des →Rückgriffs in Anspruch genommen zu werden). Beitritt *erfolgt* durch Einreichung eines Schriftsatzes bei dem Prozeßgericht, der Beitrittserklärung und deren Grund enthalten muß. Der Schriftsatz wird beiden Parteien vom Gericht zugestellt; widerspricht eine Partei dem Beitritt, so wird über dessen Zulässigkeit durch (mit →sofortiger Beschwerde anfechtbares) →Zwischenurteil entschieden. Der Dritte wird nicht Partei, sondern nur *Gehilfe* einer Partei für die Zeit nach seinem Beitritt; die bis dahin vorgenommenen Prozeßhandlungen bleiben ihm gegenüber wirksam. Er kann selbständig alle *Prozeßhandlungen* vornehmen (z. B. Tatsachen vortragen, Beweise antreten), darf aber dabei nicht in Widerspruch zu der von ihm unterstützten Partei treten (Ausnahme vgl. § 69 ZPO). Der Beitritt wird bedeutsam, wenn die unterstützte Partei unterliegt und gegen den Dritten *Rückgriff* nimmt; dieser kann dann nicht damit gehört werden, die Hauptpartei sei zu Unrecht verurteilt worden und habe den Prozeß schlecht geführt, und zwar insoweit, als er selbst wegen seiner Mitwirkungsmöglichkeit hätte abhelfen können *(I.-Wirkung).* –Vgl. auch →Streitverkündung.

III. Börsenwesen: Vgl. →Kursintervention.

IV. Wechselrecht: Eintreten des Notadressaten bei Nichtzahlung des Wechsels, durch Ehrenannahme oder Ehrenzahlung (→Ehreneintritt).

**Interventionismus,** ordnungsinkonforme staatliche Wirtschaftspolitik, die nicht nach einem allgemeinen und in sich schlüssigen wirtschafts- oder ordnungspolitischen Leitbild (→Ordnungspolitik) ausgerichtet ist, sondern sich aus einem Bündel punktueller, nachträglich fallweise korrigierender, relativ unzusammenhängender und wenig vorausschauender Maßnahmen zusammensetzt. – *Anders:* →Dirigismus.

**Interventionsklage,** →Drittwiderspruchsklage.

**Interventionspflicht,** Verpflichtung der Zentralbank im *System* →*fester Wechselkurse,* durch Devisenkäufe bzw. -verkäufe am Devisenmarkt einzugreifen (zu intervenieren), wenn der →Wechselkurs am Markt von der administrativ festgelegten →Parität abweicht bzw. die Grenzen der Bandbreite um die Parität (→Interventionspunkte) errreicht. – Im

*System* →*flexibler Wechselkurse* besteht keine I. der Zentralbank.

**Interventionspreis,** →Agrarpreise I 2, →EWG I 2 b) (3).

**Interventionspunkte,** in einem System →fester Wechselkurse die fixierten Grenzen der Bandbreite um die →Parität, bei deren Erreichen die Zentralbank verpflichtet ist, durch Devisenkäufe bzw. -verkäufe den Wechselkurs innerhalb der Bandbreite zu halten (→Interventionspflicht). – Vgl. auch →Kursintervention, →Kursstützung.

**Interview. 1.** *Begriff:* Form der →Befragung. Die Ausprägungen von Untersuchungsmerkmalen werden in einem Gespräch zwischen einem Fragesteller (Interviewer) und dem Befragten ermittelt. – 2. *Formen:* a) Nach den *Vorgaben:* (1) *Standardisiertes I.:* Die Reihenfolge und Formulierung der einzelnen Fragen ist schriftlich vorgegeben, um v. a. eine möglichst hohe Vergleichbarkeit der einzelnen I.ergebnisse sicherzustellen. (2) *Freies (unstrukturiertes) I.:* Ziel und Thema der Befragung werden vorgegeben. Reihenfolge und Formulierung der einzelnen Fragen sind dem Interviewer überlassen; der Einfluß des Interviewers ist entsprechend groß. (3) *Strukturiertes I.:* Neben Ziel und Thema der Befragung wird ein Fragegerüst vorgegeben; der Interviewer kann die Reihenfolge beeinflussen, ggf. Zusatzfragen. – b) Nach der *Anzahl der Befragten:* (1) Einzelinterview; (2) Gruppeninterview. – 3. *Störeffekt:* Vgl. →Konsistenzeffekt.

**Interviewer-Bias,** →Bias.

**interzonales Recht,** →Deutsches Interlokales Privatrecht.

**Interzonenhandelsabkommen,** Vereinbarungen zwischen den Währungsgebieten der DM-West und denen der DM-Ost über den Waren- und Dienstleistungsverkehr. Frankfurter Abkommen von 1949 wurde vom →Berliner Abkommen vom 10.9.1951 abgelöst. Danach werden jährlich genaue Warenlisten der handelbaren Güter nach Art und Umfang aufgestellt, die von Jahr zu Jahr erweitert wurden. – Vgl. auch →Innerdeutscher Handel.

**Interzonenhandelsverordnung,** →Innerdeutscher Handel.

**Intramediaselektion,** *Intramediavergleich,* Wahl eines spezifischen Werbeträgers (→Media) innerhalb der Werbeträgergruppe (z. B. Zeitschriftentitel, Fernsehspot). – *Haupteinflußgrößen:* (1) räumliche →Reichweite, (2) zeitliche Verfügbarkeit, (3) quantitative (globale)/qualitative (gruppenspezifische) Reichweite, (4) Nutzungspreis. – Vgl. auch →Intermediaselektion, →Mediaplanung, →Mediaanalyse, →Mediaselektion.

**Intramediavergleich,** →Intramediaselektion.

**Intrapreneuring,** Kunstwort, zusammengesetzt aus *Intra*organizational *Entrepreneuring.* Der Begriff I. soll ein Konzept beschreiben, das vorsieht, unternehmerisch denkende und handelnde Mitarbeiter im Unternehmen als eigene Unternehmer tätig werden zu lassen und somit ein spinn off (Ausgliederung) zu verhindern.

**Intrapreneurship,** →New Venture Management.

**intrinsische Motivation,** →Anreize.

**Invalidenrente,** früher: Leistung der Invalidenversicherung; jetzt: Rente wegen →Berufsunfähigkeit oder →Erwerbsunfähigkeit.

**Invalidenversicherung,** frühere Bezeichnung für die →Arbeiterrentenversicherung.

**Invalidität. 1.** *Gesetzliche Rentenversicherung:* Nach altem Recht (bis 1956) Versicherungsfall; an ihre Stelle sind →Berufsunfähigkeit und →Erwerbsunfähigkeit getreten. – 2. *Betriebliche Altersversorgung:* Mit geringen Modifikationen, die von der Versorgungszusage abhängen, der →Berufsunfähigkeit in der gesetzlichen Rentenversicherung gleichzusetzen. – 3. *Unfallversicherung:* Dauernde Beeinträchtigung der Arbeitsfähigkeit als Folge eines Unfalls (innerhalb eines Jahres nach dem Unfalltage eingetreten). Die I. ist in Abhängigkeit von dem Grad der Gebrauchsfähigkeit eines Körperteils oder Sinnesorgans gestaffelt („Gliedertaxe"); nach der Gliedertaxe richtet sich die Höhe der I.sentschädigung.

**Invaliditäts-Zusatzversicherung,** →Berufsunfähigkeits-Zusatzversicherung.

**Invarianzbehauptung,** →Gesetzesaussage.

**Inventar. 1.** *Umgangssprachlich:* Die zum Betrieb eines Unternehmens gehörigen Einrichtungsgegenstände. – 2. *Rechnungswesen:* Das im Anschluß an eine →Inventur über Vermögensgegenstände und Schulden aufgestellte Verzeichnis nach §240 HGB. Vgl. im einzelnen →Inventur.

**Inventur. 1.** *Begriff:* Körperliche Bestandsaufnahme des Vermögens und der Schulden eines Unternehmens (vgl. auch →effektive Inventur) zu einem gegebenen Zeitpunkt durch Messen, Wiegen, Zählen. Soweit Hilfsbücher zur Mengenkontrolle einzelner Vermögensteile geführt werden (Warenbücher, Effektenbücher, Wechsel- und Akzeptebücher), können sie die I. erleichtern; eine körperliche Bestandsaufnahme ist aber auch bei der Führung von Hilfsbüchern zur Aufdeckung von Verlusten, etwa durch Diebstahl, Schwund, erforderlich. Die Bestandsaufnahme findet ihren Niederschlag im →*Inventar.* – 2. *Gesetzliche Vorschriften:* a) § 240 HGB fordert für den Geschäftsbeginn und für jedes Geschäftsjahr neben der →Bilanz die Aufstellung eines Inventars, dessen Grundlage die durch die I. festgestellten Bestände (z. B. Geld, Wertpapiere, Warenvorräte) sind. Die ermittelten Mengen müssen sein (oder nach ) der I. bewertet werden. – b) Einer körperlichen Bestandsaufnahme der Vermögensgegenstände bedarf es nicht, soweit durch Anwendung eines den Grundsätzen ordnungsmäßiger Buchführung entsprechenden anderen Verfahrens gesichert ist, daß der Bestand der Vermögensgegenstände nach Art, Menge und Wert auch ohne die körperliche Bestandsaufnahme für diesen Zeitpunkt festgestellt werden kann (§ 241 II HGB). – 3. *Formen:* Die I. kann auf verschiedene Weise durchgeführt werden. – a) Die gebräuchlichste Methode ist die körperliche Bestandsaufnahme am Bilanzstichtag (wie ursprünglich vom Gesetz verlangt); vgl. im einzelnen →Stichtagsinventur. – b) Bei Vorhandensein einer Lagerbuchführung, die in der Lage ist, die Bestände „fortzuschreiben", besteht die Möglichkeit einer →laufenden Inventur (permanente I.). (Die Bestände werden während des ganzen Geschäftsjahres in unregelmäßigen Abständen überprüft und die Kontrollergebnisse mit der Lagerbuchführung verglichen bzw. diese berichtigt.) Die laufende I. ist nicht auf das Vorratsvermögen beschränkt. – c) Gem. § 241 III HGB brauchen in dem Inventar für den Schluß eines Geschäftsjahres Vermögensgegenstände unter folgenden Voraussetzungen nicht mehr verzeichnet zu werden: (1) Der Kaufmann muß ihren Bestand auf Grund einer körperlichen Bestandsaufnahme oder einer laufenden I. nach Art, Menge und Wert in einem besonderen Inventar verzeichnet haben, das für einen Tag innerhalb der letzten drei Monate vor oder der beiden ersten Monate nach dem Schluß des Geschäftsjahres aufgestellt ist; (2) aufgrund des besonderen Inventars muß durch Anwendung eines den Grundsätzen ordnungsmäßiger Buchführung entsprechenden Fortschreibungs- oder Rückrechnungsverfahrens gesichert sein, daß der am Schluß des Geschäftsjahres vorhandene Bestand der Vermögensgegenstände für diesen Zeitpunkt ordnungsgemäß bewertet werden kann (vor- oder nachverlegte Stichtagsinventur). – d) Bei der Aufstellung des Inventars darf der Bestand der Vermögensgegenstände auch mit anerkannten mathematisch-statistischen Methoden auf Grund von Stichproben ermittelt werden (§ 241 I HGB).

**Inventurbilanz,** Gegenüberstellung der durch →Rohbilanz und →Inventur ermittelten Akti-

ven und Passiven. – Vgl. auch →Hauptabschlußübersicht.

**Inventurdifferenzen,** im Handel Differenzen zwischen dem Wert des buchmäßig errechneten und dem durch körperliche Aufnahme am Inventurtag tatsächlich festgestellten Bestand an Handelswaren. – *Ursachen:* Diebstahl durch Kunden, Personal oder Lieferanten; Fehler bei Warenerfassung, Preisauszeichnung, Kassieren, im Rechnungswesen bei der körperlichen Bestandsaufnahme; Schwund; Verderb oder Bruch.

**Inventurprüfung,** Teil der jährlichen →Jahresabschlußprüfung. – 1. Die I. *umfaßt* insbes. die Prüfung der Bestände an Roh-, Hilfs- und Betriebsstoffen, Halb- und Fertigerzeugnissen sowie fertig bezogenen Waren, also des gesamten →Vorratsvermögens, darüber hinaus die Überprüfung aller Posten, die im →Inventar aufgeführt sind. – 2. *Durchführung:* Im Rahmen der jährlichen Abschlußprüfung durch freiberufliche Prüfer, bei Großbetrieben vorbereitet durch die innerbetriebliche Revision (→interne Revision). – 3. *Umfang:* a) Feststellung der Übereinstimmung des Vorratsvermögens mit den Ergebnissen der in Urschrift aufzubewahrenden →Inventur sowie der mengenmäßig und wertmäßig richtig errechneten Vorräte in Betrieben, Filialen und bei Dritten (z. B. bei Spediteuren oder Veredlern in der Texilindustrie). An Stelle der körperlichen Bestandsaufnahme (→effektive Inventur) kann bei ordnungsmäßiger Lagerbuchführung eine laufende Überprüfung und Berichtigung der Buchbestände (→laufende Inventur) treten. – b) Prüfung der von der Unternehmung errechneten Herstellungs- und Anschaffungskosten an Hand der Unterlagen (Eingangsrechnungen, Kostenrechnungen und Betriebsabrechnung) im Interesse einer genauen →Gewinn- und Verlustrechnung.

**Inventurrichtlinien,** von Mittel-, Groß- bzw. Konzernunternehmen aufgestellte Richtlinien zwecks Gewährleistung einer einheitlichen →Inventur (Stichtag, Termin- und Aufnahmeplan, Inventurorgane und Revision, Vorarbeiten u. ä.) und Rahmenregelung dabei auftretender Fragen (z. B. hinsichtlich zahlen- und mengenmäßiger Erfassung und Kontierung der Bestände, Erfassung des Maschinenbelags, des Fremdeigentums).

**Inventurverkauf,** Form einer Sonderveranstaltung aus Anlaß der →Inventur. Nur als →Schlußverkauf zulässig.

**Inverkehrbringen,** rechtlicher Begriff: Jedes Überlassen einer Sache, sei es mit, sei es ohne Entgelt, gleichgültig an wen. Eine Mehrheit von Abnehmern ist nicht erforderlich.

**inverse Nachfragefunktion,** *willingness to pay function,* Umkehrung der →Nachfragefunktion im folgenden Sinn: I.N. gibt den Preis p an, den die Konsumenten für eine Ausbringungsmenge y zu zahlen bereit sind: p = p(y).

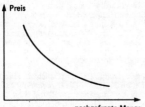

**inverser Handel.** 1. *Begriff:* In der realen Außenwirtschaftstheorie diskutierte Konstellation, in der die Struktur des Außenhandels verschiedener Länder nicht ihren komparativen Kostenvorteilen (→Theorem der komparativen Kostenvorteile) entspricht, indem z.B. Güter mit einem komparativen Kostenvorteil nicht exportiert, sondern importiert werden. Ursache dieses i.H. kann sein, daß ein Gut, das faktisch einen komparativen Vorteil aufweist, zu einem überhöhten Preis angeboten wird, etwa aufgrund von Faktorpreisen, die wesentlich über den gesamtwirtschaftlichen Opportunitätskosten liegen. – 2. Bei manchen Autoren wird von i.H. (z.T. auch von *Handel ohne komparative Kostenvorteile*) auch dann gesprochen, wenn die divergierenden Grenzkosten bzw. marginalen Opportunitätskosten sich aufgrund unterschiedlicher Nachfragefunktionen in den handeltreibenden Ländern und nicht in erster Linie aufgrund unterschiedlicher Transformationskurven ergeben.

**inverse Zinsstruktur,** höherer Zinssatz für kurzfristige Geldanlagen (Geldmarktzins) als für langfristiges Geld (Kapitalmarktzins). – Vgl. auch →Zins, →Zinsstruktur.

**Investition.** 1. *Begriff:* Zielgerichtete, i.d.R. langfristige Kapitalbindung zur Erwirtschaftung zukünftiger autonomer Erträge. – *Gegensatz:* →Desinvestition. – 2. *Arten:* a) Nach der Art des *Investitionsobjekts:* (1) →Realinvestition, (2) →Finanzinvestition, (3) →immaterielle Investition; b) nach dem *Zweck:* (1) →Gründungsinvestition (oder Errichtungsinvestition), (2) →Ersatzinvestition, (3) →Erweiterungsinvestition, (4) →Rationalisierungsinvestition, (5) →Desinvestition; c) nach den *Funktionen:* (1) Forschungsinvestition, (2) Fertigungsinvestition, (3) Absatzinvestition usw.; d) nach den *Interdependenzen:* (1) substitutive I., (2) komplementäre I. – 3. *Betriebswirtschaftliche Problematik:* Vgl. →Investitionsplanung, →Investitionsrechnung, →Investitionspolitik.

**Investitionen im Ausland,** →Auslandsinvestitionen, →Direktinvestitionen.

**Investitionsbilanz,** →Bewegungsbilanz, die für einen Betrachtungszeitraum die Kapitalbewegungen nach Herkunft und Verwendung ausweist.

**Investitionsfunktion,** funktionale Beziehung zwischen den Investitionseinflußgrößen und der Höhe der Investitionsausgaben in der makroökonomischen Theorie. Die wahrscheinlich älteste I. ist das →Akzelerationsprinzip von Clark (1917); weitere I. wurden aufgestellt u.a. von I. Tinbergen, L.R. Klein und A.S. Goldberg, R. Frisch.

**Investitionsgüter.** 1. *I.w.S.:* Leistungen materieller und immaterieller Art (Hard- und Software), die von Nichtkonsumenten direkt oder indirekt für die Leistungserstellung zur Fremdbedarfsdeckung (private und öffentliche Unternehmungen) bzw. zur kollektiven Deckung des Eigenbedarfs (öffentliche Haushaltungen) beschafft werden. I.d.R. sind mit der Beschaffung organisationale Kauf-Verkaufs-Interaktionen verbunden (→organisationales Kaufverhalten). – 2. Auch *engere Fassungen* des Begriffs, z.B. I. als gewerbliche Gebrauchsgüter (Anlagen, Maschinen).

**Investitionsgüterhandel,** Teil des →Produktionsverbindungshandels (vgl. im einzelnen dort).

**Investitionsgüterindex,** *Index der Bruttoproduktion für Investitionsgüter,* spezieller →Produktionsindex der amtlichen Statistik, Basis 1980 = 100. Zusätzlicher Indikator für die kurzfristige Konjunkturanalyse, bei dem die Waren nach ihrem vermutlichen Verwendungszweck gruppiert sind. Der I. hat die Aufgabe, monatlich die Entwicklung des Ausstoßes der vom Produzierenden Gewerbe hergestellten investitionsreifen Waren unter Ausschaltung der Preisveränderungen zu messen. Als Gewichtung dient der Bruttoproduktionswert (→Bruttoproduktion 2) des Jahres 1980.

**Investitionsgüter-Kreditversicherung,** →Warenkreditversicherung.

**Investitionsgüter-Marketing.** I. Begriff: Das I.-M. ist ein Gebiet des →Marketing, so daß viele Überlegungen dazu im Grundsatz auch für das I.-M. gelten. Dennoch unterscheidet sich I.-M. wesentlich vom Konsumgüter-Marketing: Konzeption und Darstellung der Lehre des I.-M. sind insoweit problematisch, als es zum einen um Marketing für außerordentlich heterogene Leistungen geht (z.B. Rohstoffe, Energie, Teile und Aggregate unterschiedlicher Komplexität sowie hochkomplexe Systeme) und zum anderen auch sehr unterschiedliche Käuferkreise wie Klein-, Mittel- und Großunternehmen, Verbände, Behörden, Regierungen usw. als Abnehmer in Frage kommen. – Die Abgrenzung des Faches hängt sehr eng mit dem *Begriff Investitionsgut* zusammen. Im wesentlichen wird dabei nach Art der Güter, Institutionen und Kaufprozesse differenziert: a) Von einem eher *gütertypologischen Standpunkt* her können Investionsgüter als →Produktionsfaktoren und zwar in weiter Sicht als →Potentialfaktoren und →Repetierfaktoren und in enger Sicht als Potentialfaktoren (z. B. Maschinen, Anlagen) beschrieben werden. b) Unter *institutionellen Aspekten* können Investitionsgüter als Wirtschaftsgüter bezeichnet werden, deren Absatz nicht an Konsumenten, sondern an privatwirtschaftliche und öffentlich-rechtliche Organisationen erfolgt. c) Aus *prozessualer Sicht* interessieren besonders die Strukturen der Entscheidungsprozesse in den beschaffenden sowie die Vermarktungsprozesse der absetzenden Organisationen; es gilt hierbei die Arten der Entscheidungsprozesse zu differenzieren (z. B. Routine- und Individualtransaktionen), um auf dieser Basis Marketingkonzepte für Investitionsgüter entwickeln zu können.

II. Erkenntnisgewinnung über Kaufverhaltensmodelle: 1. *Charakterisierung organisationaler Beschaffungsprozesse:* a) Sie sind meist mehr oder weniger *langwierige Entscheidungsprozesse,* deren Strukturen von der Komplexität und Neuartigkeit der Problemlösung, das damit verbundenen organisationalen Wandels sowie vom relativen Wert des Investitionsobjekts, aber auch von anderen Einflußfaktoren (z. B. rechtlicher Status und Größe der beschaffenden Organisation, Beschaffungsusancen) beeinflußt werden. – b) Außerdem sind an der Beschaffungsentscheidung i. d. R. *mehere Personen* aus verschiedenen Bereichen der Organisation mit durchaus unterschiedlichem Rollenverständnis beteiligt. Z. B. unterscheiden Webster/Wind in ihrem theoretischen Konstrukt →buying center die Rollen „user" (Verwender), „buyer" (Einkäufer), „influencer" (Beeinflusser), „decider" (Entscheider) und „gatekeeper" (Personen mit Informationsfilterungsaktivität); Kotler führt statt der Rolle „gatekeeper" die Rolle „initiator" (Anreger) ein und Witte differenziert zwischen den Rollen Macht- und Fachpromotoren. – c) Bei komplexeren Kaufprozessen (z. B. Systemkauf) können darüber hinaus sowohl auf der Beschaffungs- als auch auf der Anbieterseite *mehrere Organisationen* (z. B. auch Consulting Engineers) beteiligt sein. Da hier beide Marktseiten, was z. B. bei der Beschaffung schlüsselfertiger Anlagen (Systeme) besonders deutlich wird, nicht nur für die Aushandlung der Transaktionsbedingungen, sondern meist auch für die Konkretisierung der Leistung selbst interagieren müssen, liegen hier außerordentlich komplexe Kaufprozesse vor, die es zu erforschen gilt. – 2. *Kaufverhaltensmodelle:* Im I. M. wird das organisationale Kaufverhalten mit Hilfe monoorganisationaler Partial- oder Totalmodelle (Systemmo-

delle) oder aber zunehmend mit Hilfe multiorganisationaler Kaufverhaltensansätze (Interaktionsmodelle) zu beschreiben und zu erklären versucht. Der Weg über die Kaufverhaltensmodelle ist erforderlich, da sie zum einen die Entscheidungstrukturen (Strukturmodelle) und zum anderen den Ablauf des Entscheidungsprozesses (Phasenmodelle) offenlegen und die Eingriffsmöglichkeiten für die Marketing-Instrumente der Anbieter aufzeigen: a) Bei *Strukturmodellen* steht die Analyse der Einflußfaktoren des Kaufverhaltens im Vordergrund des Interesses. Hierbei werden Variablen aus den Bereichen Umwelt, Organisation, Gruppe und Individuum im Sinne eines neo-behavioristischen SOR-Paradigmas (→SOR-Modell) kombiniert und strukturiert. Dabei differenzieren z. B. Webster/Wind in ihrem Kaufverhaltensmodell diese Variablengruppen zusätzlich in aufgabenbezogene und nicht aufgabenbezogene Variablen (task/nontask variables). Bei den Interaktionsansätzen werden die Beziehungen zu den Interaktionspartnern in die Analyse einbezogen; in Anbetracht der hierdurch entstehenden sehr hohen Komplexität versucht man vorerst mit vereinfachten Strukturen zu arbeiten. – b) *Ablauf- oder Phasenmodelle* der Kaufentscheidung fassen funktionsgleiche Tatbestände systematisch zu einem idealen Phasenablauf (→Entscheidungsprozeß) zusammen oder versuchen das reale Ablaufgeschehen in zeitlicher Hinsicht zu gruppieren, um auch hier wiederum Marketingstrategien auf die in den einzelnen Phasen auftretenden Anforderungen in sachlicher und personeller Hinsicht abstimmen zu können. Struktur- und Phasenmodelle ergänzen sich so. – c) Bei internationaler Unternehmungstätigkeit müssen darüberhinaus *kultur- und mentalitätsbedingte Besonderheiten,* die das Verhandlungs- und Entscheidungsverhalten der potentiellen Käuferorganisation mehr oder weniger stark prägen, berücksichtigt werden.

III. Marketingkonzept des I.-M.: Im Investitionsgüterbereich (insbes. im Maschinen- und Anlagenbau) kann i. d. R. der Inlandsmarkt allein die Auslastung wirtschaftlich konkurrenzfähiger Kapazitäten in volumen- und zeitmäßiger Hinsicht nicht sicherstellen. Gründe hierfür liegen u. a. im meist sehr hohen Spezialisierungsgrad des Investitionsgütersektors sowie damit zusammenhängend im jeweiligen Nachfragevolumen und dem zeitlichen Bedarfsanfall des heimischen Marktes sowie im steigenden Druck der internationalen Konkurrenz. I. M. ist daher i. a. →*internationales Marketing.* Dabei wird der Anbieter investiver Leistungen ausgehend von einer Analyse seines technischen und wirtschaftlichen Potentials, seiner Ressourcen, seines techischen Know-hows sowie der potentiellen Kundengruppen und Märkte solche Problembereiche als Geschäftsfelder auswählen, für die er technisch und wirtschaftlich wettbewerbsfähige Lösungen auf den Markt bringen kann. Dabei handelt es sich meist um Produkte (Produkt-Marketing; →Produktmanagementorganisation) oder Produktverbunde (→Systemgeschäft), die mit entsprechenden Softwareleistungen (z. B. Projektierung, Service, Beratung, Schulung) angeboten werden. Da die Probleme von Nachfragern in verschiedenen Ländern häufig unterschiedlich strukturiert sind, muß unter wettbewerbsstrategischen Gesichtspunkten geklärt werden, inwieweit die Problemlösungen für die jeweiligen Ländermärkte bzw. -gruppen eine Differenzierung erfordern. Dabei hat die Unternehmung, die ausgewählten Kundensegmenten in selektierten Ländermärkten (Marktselektion) problemadäquate Technologien und Leistungen (Hard- und Software) unter Beachtung von Wettbewerbsstrukturen und -strategien anbietet, mit Hilfe eines strategischen Marketingkonzepts zwei Spannungsfelder des I. M. zu überbrücken: a) Das *äußere Spannungsfeld* besteht zwischen den Unternehmungsbedingungen (z. B. Zielen, Ressourcenpotentialen, Unternehmungskultur) und den technischen sowie ökonomischen Anforderungen heterogener Branchen und Länder unter Beachtung der jeweiligen Mentalitäten dieser Märkte. Die Problembewältigung erfolgt durch den Einsatz gezielter Instrumentalkombinationen. – b) Das *innere Spannungsfeld* besteht zwischen technischem und ökonomischem Denken in der Unternehmung, insbes. zwischen →Forschung und Entwicklung (F & E) und Marketing. Es bedarf eines bewußten Schnittstellenmanagements sowohl im Sinne der strategischen Unternehmungspolitik (→strategisches Management) als auch hinsichtlich der operativen Entscheidungen in diesen Bereichen. Hier bestehen häufig Disharmonien, verursacht durch Persönlichkeitsunterschiede von F & E- und Marketing-Personal, verbunden mit Differenzen in ihren Zielstrukturen, Unterschieden in den Anreizsystemen sowie Organisationsproblemen usw., die es durch entsprechende Maßnahmen aufzulösen oder abzuschwächen gilt. Anzusetzen ist hierbei zum einen an der personalen Ebene, indem Maßnahmen zur Steigerung der sozialen Fähigkeiten der Organisationsteilnehmer – der „interpersonalen Kompetenz" – ergriffen werden; zum anderen können auf der organisationalen Ebene eine Reihe sog. Verbindungseinrichtungen (z. B. Task Forces, Teams, Projektmanagement) zur Koordination von F & E und I.-M. beitragen. Auch die Planungs- und Kontrollsysteme sind für dieses Koordinationsvorhaben von Bedeutung. Eine zentrale Rolle kann hierbei ein entsprechend ausgestaltetes Controllingkonzept (→Controlling) übernehmen.

IV. I n s t r u m e n t e : Wie beim Marketing für Konsumgüter stehen auch dem I. M. mit Produkt- und Programmpolitik, Kommunikationspolitik, Distributionspolitik und Kontrahierungspolitik vier Instrumentalbereiche zur Verfügung (→marketingpolitische Instrumente). Allerdings weichen Gewichtung und inhaltliche Ausgestaltung sehr wesentlich vom Konsumgüter-Marketing ab. 1. Die *Leistungspolitik* ist im I.-M. von zentraler Bedeutung. Mit steigender Komplexität der Produkte und steigendem Technologieniveau gewinnt sie an Dominanz gegenüber den anderen Marketing-Instrumenten. Wichtige Entscheidungsbereiche sind hier Grad der Individualisierung bzw. Standardisierung, Spezialisierungsgrad der Produkte, Produktqualität und Integrierbarkeit in bestehende, zunehmend computergesteuerte Fertigungssysteme sowie Anteil der Softwareleistungen an der angebotenen Problemlösung. – 2. In der *Kommunikationspolitik* spielt die kommunikative Seite des →persönlicher Verkauf eine dominierende Rolle, da ein Verkauf der meist komplexen und in hohem Maße beratungs- und erklärungsbedürftigen Investitiosgüter des persönlichen Verkaufsgesprächs und personengebundener Verhandlungen bedarf. Der persönliche Verkauf wird hierbei durch das Instrument der →Verkaufsförderung mit Sachmitteln (z. B. Prospekten, Katalogen, Verkaufshandbüchern, Wirtschaftlichkeitsrechnungen, Referenzlisten, Tonbildschauen, Werbegeschenken) oder mit mehr personell betonten Maßnahmen (z. B. Schulung, Training, Betriebsbesichtigungen, Messen, Ausstellungen, Fachtagungen) direkt oder indirekt unterstützt. Gegenüber dem Konsumgüter-Marketing haben Verkaufsförderung und →Direktwerbung als eines ihrer Instrumente eine wesentlich bedeutsamere Position als die mediengestützte Werbung. Werbung, auch die in Fachzeitschriften, und →Public Relations (Öffentlichkeitsarbeit) sind im I. M. mehr als flankierende Maßnahmen der Kommunikationspolitik zu sehen. – 3. Im Rahmen der *Distributionspolitik* sind durch die Komplexität, Beratungs- und Verhandlungsbedürftigkeit der Hard- und Software-Kombinationen direkte Formen des Vertriebs (z. B. über Vertriebsingenieure oder Mitglieder der Geschäftsleitung) dominant. Aber auch Formen des indirekten Vertriebs, über unterschiedliche Absatzmittler (z. B. Handelsvertretungen oder Produktionsverbindungshandel), sind – speziell beim internationalen I. M. – von nicht zu unterschätzender Bedeutung. Auf internationaler Ebene sind, ausgehend vom strategischen Konzept, dem Ressourcenpotential und den Marktzutrittsbedingungen die →Markteintrittsstrategien, z. B. indirekter oder direkter Export, Servicestützpunkte, Lizenzabkommen, Montagebetriebe, Joint Ventures oder Verkaufs- und Produktionstochtergesellschaften, festzulegen. Logistische Fragen haben eher operativen Charakter. – 4. Von Bedeutung ist auch die *Kontrahierungspolitik,* die Fragen der

Vertragsgestaltung, insbes. alle Leistungspflichten von Verkäufer und Käufer, sowie die rechtlichen Grundlagen und Begrenzungen des Vertragswerks zum Gegenstand hat. Neben der Preis- und Rabattpolitik sind hier Lieferungs- und Zahlungsbedingungen, Finanzierungsfragen, Gegengeschäftsvereinbarungen, Gewährleistungsfragen usw. geregelt. Dabei sind Preishöhe und Preisgestaltung bei hochkomplexen Produkten und Systemen zwar nicht unbedeutend, aber kein dominierendes Marketing-Instrument, zumal preispolitische Entscheidungen nur auf der Grundlage der anderen Vertragsbestandteile sinnvoll festgelegt werden können. – *Informationsgrundlagen:* Auch im I. M. werden Markt- und Technologie-Informationen zunehmend zu einem Erfolgsfaktor der Unternehmung, denn Informationen lassen sich häufig in Wettbewerbssprünge umsetzen. Allerdings steht gegenüber dem Konsumgüter-Marketing die Sekundärmarktforschung stärker im Vordergrund; doch kann auch ein Investitionsgüter-Hersteller auf Primärinformationen nicht verzichten (→Marktforschung). Daher wird die systematische Gewinnung und Aufbereitung von Marktinformationen durch den Außendienst (Verkaufsingenieure, Servicepersonal usw.) zu einer immer dringenderen Notendigkeit. Im internationalen Geschäft erweitern sich – z.B. infolge unterschiedlicher soziokultureller und rechtlicher Bedingungen in den verschiedenen Märkten – die Informationsfelder erheblich.

V. Organisation: Das I. M.-Management wird durch ein mengen- und wertbezogenes Planungs- und Kontrollsystem (Controlingsystem) und eine auf die Gegebenheiten der Unternehmung und ihrer Betätigungsfelder zugeschnittene →Marketingorganisation unterstützt. Im internationalen I.M. sind dabei die Grenzen zum internationalen Management fließend, da aufgrund der Markteintrittsbedingungen vieler Märkte und der strategischen Erfordernisse z.T. umfangreiche Direktinvestitionen notwendig werden, die nicht an funktionaler Marketingsicht allein durchgeführt werden können.

*Literatur:* Backhaus, K., Investitionsgütermarketing, München 1982; Corey, R. E., Industrial Marketing: Cases And Concepts, Englewood Clifts 1983; Engelhardt, W. H./Günter, B., Investitionsgütermarketing, Stuttgart, Berlin, Köln, Mainz 1981; Hutt, M. D./ Speh, T. W., Industrial Marketing Management, Chicago 1981; Kirsch, Werner/Kutschker, Michael, Das Marketing von Investitionsgütern, Wiesbaden 1978; Schneider, D. J. G., Zur Auswahl strategisch interessanter Märkte – Ein Projektbericht, in: Strategische Planung, Band 2, 1986, Heft 3, S. 193 ff.; Schneider, D. J. G., Ansatzpunkte für ein internationales Marketingkonzept, in: Der Markt, 23. Jg., 1984, Heft 3, S. 69 ff.; Strothmann, Karl-Heinz, Investitionsgütermarketing, München 1979; Webster, Frederick E. jr., Industrial Marketing Strategy, New York 1979; Webster, Frederick E./Wind, Yoram, Organizational Buying Behavior, Englewood Cliffs, N.Y. 1972.

Prof. Dr. Dieter J. G. Schneider

**Investitionsgüter-Marktforschung,** →Marktforschung.

**Investitionsgüter produzierendes Gewerbe,** für die volkswirtschaftliche →Wertschöpfung neben dem →Grundstoff- und Produktionsgütergewerbe wichtigster Bereich des →Verarbeitenden Gewerbes, zu dem im einzelnen Stahlbau, Maschinen- und Fahrzeugbau, Schiffbau, Luft- und Raumfahrzeugbau, Elektrotechnik, Feinmechanik und Optik, Eisen-, Blech- und Metallwarenindustrie und Stahlverformung gehören.

### Investitionsgüter produzierendes Gewerbe

| Jahr | Beschäftigte in 1000 | Lohn- und Gehaltssumme | darunter Gehälter | Umsatz gesamt | darunter Auslandsumsatz | Nettoproduktionsindex 1980 = 100 |
|------|------|------|------|------|------|------|
| | | in Mill. DM | | | | |
| 1970 | 4 137 | 61 010 | 20 666 | 226 969 | 61 576 | |
| 1971 | 4 138 | 67 816 | 24 017 | 246 626 | 67 473 | |
| 1972 | 4 038 | 72 313 | 26 664 | 260 475 | 73 808 | |
| 1973 | 4 118 | 82 922 | 30 702 | 288 866 | 87 041 | |
| 1974 | 4 078 | 91 875 | 35 037 | 307 671 | 100 520 | |
| 1975 | 3 804 | 92 741 | 37 081 | 319 415 | 104 288 | |
| 1976 | 3 725 | 98 856 | 39 189 | 361 249 | 122 385 | |
| 1977 | 3 734 | 108 223 | 42 911 | 389 358 | 132 959 | |
| 1978 | 3 732 | 114 030 | 45 865 | 409 695 | 139 519 | |
| 1979 | 3 765 | 122 514 | 49 455 | 438 254 | 148 813 | |
| 1980 | 3 810 | 133 190 | 54 289 | 478 890 | 163 228 | |
| 1981 | 3 752 | 138 326 | 58 175 | 492 851 | 183 767 | |
| 1982 | 3 655 | 140 444 | 60 393 | 514 966 | 200 019 | 99,1 |
| 1983 | 3 511 | 140 210 | 61 875 | 531 471 | 202 096 | 98,7 |
| 1984 | 3 488 | 143 687 | 63 411 | 562 482 | 226 909 | 102,2 |
| 1985 | 3 600 | 154 686 | 67 493 | 627 431 | 254 535 | 112,7 |
| 1986 | 3 732 | 167 566 | 73 156 | 651 439 | 260 459 | 117,7 |

**Investitionsgüter-Typologie,** →Gütertypologie.

**Investitionskette.** 1. *Begriff:* Bei der →Investitionsplanung neben einem geplanten →Investitionsobjekt Einbeziehung auch seiner Nachfolger in die Betrachtung. – 2. *Arten:* a) *identische I.:* Die Investitionsobjekte sind identisch; b) *unterschiedliche I.* –Daneben können I. auch nach der Laufzeit unterschieden werden: c) *endliche I.:* Die Anzahl der Nachfolger ist begrenzt; d) *unendliche I.:* Die Anzahl der Nachfolger ist unbegrenzt.

**Investitionskontrolle,** Vergleich zwischen den geplanten Sollwerten und den Istwerten einer Investition für die Ermittlung von Planungsabweichungen und deren Ursachen sowie für die Verbesserung der betrieblichen Investitionsplanung (→Investitionsplan).

**Investitionskredit,** →Anlagekredit, →Mittelstandskredit.

**Investitionslenkung,** staatliche Einflußnahme auf die unternehmerische Investitionsentscheidung mit dem Ziel, Volumen und Struktur der privaten Investitionsausgaben in eine bestimmte Richtung zu lenken. Die Einflußnahme erfolgt indirekt durch Vergünstigungen (Subventionen, Steuer- und/oder Abschreibungserleichterungen) oder Belastungen (z. B. Investitionssteuer). Alle diese Maßnahmen gehen zwar in das Gewinnkalkül der Unternehmen, tangieren aber nicht die Unabhängigkeit der Investitionsentscheidung. Die Einflußnahme erfolgt direkt, wenn die Behörden etwa in der Ausrichtung auf die Befriedigung bestimmter gesellschaftlicher Bedürfnisse die privaten Investitionen bestimmten Anmeldungs- und Genehmigungsverfahren unterwerfen und damit die Unabhängigkeit der unternehmerischen Entscheidung aufheben.

**Investitionsmultiplikator,** die durch den reziproken Wert der marginalen →Sparquote bestimmte Meßzahl, die angibt, um wieviel das Volkseinkommen steigt, wenn die Investitionsausgaben steigen: $(dY = \frac{1}{s} \cdot dI$ $(dY =$ Änderung des Volkseinkommens, s = marginale Sparquote, dI = Investitionsänderung). – *Beispiel:* Beträgt die Konsumquote c = 0,8, so ist die Sparquote s = 0,2 (denn c + s = 1). Werden zusätzliche Investitionen dI in Höhe von 100 Mill. getätigt, so ergibt sich eine Einkommenssteigerung $dY = \frac{1}{0,2} \cdot 100 = 500$ Mill. Die so errechenbare Einkommenssteigerung dY (wenn dY positiv) erstreckt sich über mehrere Perioden (mathematisch exakt über unendlich viele) abnehmend, weil sich durch Ersparnis der Sickerbetrag erhöht. Folge: Durch eine einmalige Investition (dI) läßt sich keine dauerhafte Einkommenssteigerung erreichen.

**Investitionsobjekt,** wirtschaftliches Gut, das durch Kauf oder Miete/Pacht (→Leasing) zum Zweck der Nutzung vom Unternehmen beschafft wird. I. können alle wirtschaftlichen Güter sein (z. B. Grundstücke, Anlagen, Wertpapiere, Patente, Güter des Umlaufvermögens). Über die Anschaffung eines solchen Gutes entscheidet die →Investitionsplanung sowie das Ergebnis einer →Investitionsrechnung oder →Wirtschaftlichkeitsrechnung.

**Investitionsobjektplanung und -kontrolle,** Planungs- und Kontrollsystem für Investitionsobjekte, für die sich eine eigenständige →Projektplanung und -kontrolle nicht lohnt, aber zu wichtig sind, um sie summarisch im Rahmen der →Bereichsplanung und -kontrolle zu behandeln. Die I. legt für eine Klasse von Investitionsobjekten fest, wie auf den verschiedenen Stufen des Investitionsplanungs- und -kontrollprozesses (→Investitionsplanung) zu verfahren ist und welche Stellen einzuschalten sind. Ein einheitliches Investitionsantragsformular, festgelegte Verfahren der Informationserhebung und -bewertung usw. wird dabei eine weitgehende Formalisierung angestrebt. – Vgl. auch →Unternehmensplanung IV.

**Investitionsperiode,** Zeitraum, in dem die Kapitalbildung erfolgt.

**Investitionsplan,** Aufstellung der für einen bestimmten Zeitraum (meist mittel- und langfristig) geplanten →Investitionen einer Unternehmung aufgrund der Anforderungen der verschiedenen Betriebsabteilungen und der →Investitionsrechnung. Der I. geht in den →Finanzplan ein. – Vgl. auch →Investitionsplanung.

**Investitionsplanung,** Bestandteil der strategischen →Unternehmensplanung. I. ist der Prozeß der Erstellung des Investitionsprogramms; sie umfaßt die Planung von →Gründungsinvestitionen (oder Errichtungsinvestitionen), →Ersatzinvestitionen, →Erweiterungsinvestitionen, →Rationalisierungsinvestitionen und →Desinvestitionen. – Die I. steht in enger Beziehung zur →Finanzplanung, →Produktionsplanung und →Absatzplanung, das die Investitionsprogramm determinieren. – *Planungsmethoden:* V. a. die Methoden der Investitionsrechnung (→Investitionsrechnung II, III). – *Ergebnis der I.:* →Investitionsplan. – Vgl. auch →Investitionsobjektplanung und -kontrolle.

**Investitionspolitik,** Gesamtheit der realisierten und geplanten →Investitionen. I. bedeutet konkrete Zielsetzung für ein bestimmtes Unternehmen und Festlegung der Zielerreichung. Aufgabe der I. ist die langfristige Festlegung der Investitionen, um ein bestimmtes Unternehmensziel (→Unternehmungsziele) zu erreichen. – Vgl. auch →Unternehmenspolitik.

**Investitionsquote,** *Investitionsrate,* Anteil der →Bruttoinvestitionen am Bruttosozialprodukt zu Marktpreisen (→Sozialprodukt).

**Investitionsrate,** Bezeichnung für →Investitionsquote aufgrund des englischen Begriffs rate of investment.

**Investitionsrechnung,** Methoden, mit deren Hilfe die Vorteilhaftigkeit investitionspolitischer Maßnahmen geprüft und das im Hinblick auf die Zielsetzung des Unternehmens optimale Investitionsprogramm rechnerisch bestimmt werden soll. Das Ergebnis der I. bildet eine wesentliche Grundlage der Investitionsentscheidung.

I. **Aufgaben:** Folgende Fragen sucht die Investitionsrechnung zu beantworten: 1. *Vorteilhaftigkeit:* Ist ein bestimmtes Investitionsvorhaben unter dem Gesichtspunkt der Gewinnerzielung, gegebenenfalls auch unter Berücksichtigung des damit verbundenen Risikos, für das Unternehmen vorteilhaft oder nicht? – 2. *Wahlprobleme:* Welche von mehreren möglichen Investitionen ist die für das Unternehmen *günstigste?* –3. *Ersatzproblem:* Wann soll eine im Betrieb vorhandene Anlage durch eine neue, in der Regel kostengünstigere, ersetzt werden? – Diese drei Fragenkomplexe sind in der Wirklichkeit *eng miteinander verknüpft:* Eine Investition kann gleichzeitig

Ersatz- und Erweiterungsinvestition sein und mit anderen Investitionsmöglichkeiten um die knappen finanziellen Mittel des Unternehmens konkurrieren. Sie stellen Teilaspekte der Aufgabe dar, unter Berücksichtigung der Finanzierungsmöglichkeiten festzulegen, welche und wie viele Investitionsprojekte aus der Vielzahl der möglichen auszuwählen und in das Investitionsprogramm aufzunehmen sind.

II. V e r f a h r e n  d e r  I.: Zur Übersicht über die Verfahren der I. vgl. Sp. 2647/2648. – Die dynamischen, mehrperiodischen Verfahren (Kapitalwertmethode, Methode des internen Zinsfußes, Annuitätsmethode) gehen davon aus, daß den zu beurteilenden Investitionsmöglichkeiten jeweils eine Auszahlungs-(Ausgaben-)Reihe und eine Einzahlungs-(Einnahmen-)Reihe zugeordnet werden kann. Im Vergleich dieser Reihen, mit Hilfe eines vorzugebenden Kalkulationszinsfußes auf den gleichen Zeitpunkt diskontiert, zeigt, ob eine Investition vorteilhaft ist oder nicht; bei mehreren möglichen Investitionen unter bestimmten Voraussetzungen, welche davon die günstigste ist. Bei der Lösung des Ersatzproblems wird i. d. R. angenommen, daß die Einnahmenreihen der im Betrieb vorhandenen und der gegebenenfalls an ihre Stelle zu setzenden neuen Anlage gleich sind. In diesem Falle genügt es, die Ausgabenreihen der beiden Anlagen zu vergleichen.

III. A u f s t e l l u n g  d e s  I n v e s t i t i o n s p r o g r a m m s : 1. *Methoden der klassischen Investitionstheorie:* a) *Kapitalwertmethode:* Die möglichen Investitionsobjekte sind nach Maßgabe ihres Kapitalwertes je DM eingesetzten Kapitals (Anschaffungsausgaben) zu ordnen. Das Investitionsobjekt wird als das günstigste angesehen, das den höchsten Kapitalwert pro eingesetzter DM aufweist. Es ist als erstes in das Investitionsprogramm einzustellen. Es folgt das Projekt mit dem zweithöchsten Kapitalwert pro eingesetzter DM usw. Das Verfahren ist solange fortzusetzen, bis entweder kein Investitionsobjekt mit einem positiven Kapitalwert mehr vorhanden oder aber das für Investitionszwecke verfügbare Kapital aufgebraucht ist. – b) *Methode des internen Zinsfußes* (der möglichen Investitionsobjekte): Der Umfang des Investitionsprogramms wird – wie auch schon beim ersten Verfahren – bestimmt entweder durch die finanziellen Möglichkeiten des Unternehmens oder durch die vorhandenen Investitionsmöglichkeiten selbst. Verwirklicht werden nur solche, deren interner Zins über einer bestimmten, von der Unternehmensleitung geforderten Höhe liegt. – 2. *Voraussetzungen der Methoden der klassischen Investitionstheorie:* a) Jedem Investitionsobjekt muß eine Auszahlungs- und eine Einzahlungsreihe zugeordnet werden können. – b) Kapitalwertmethode: Die nach Durchführung der Investition zurückfließenden Beträge müssen sofort

wieder angelegt werden können und in dieser Anlage einen Gewinn in Höhe des Kalkulationszinsfußes erbringen. (Diese Annahme der Wiederanlage rückfließender Beträge gilt für einen Zeitraum, der der Lebensdauer des längstlebigen im Program enthaltenen Investitionsobjektes entspricht). – Methode des internen Zinsfußes: Die Rückflüsse können sofort wieder angelegt werden und erbringen einen Gewinn in Höhe des internen Zinsfußes (Zeitraum wie oben). – c) Die Liquidität des Unternehmens in den kommenden Jahren ist in jedem Falle, d. h. gleichgültig, welche Investitionen vorgenommen werden, gesichert. – d) Das Unternehmen kann zu einem bestimmten vorgegebenen Preis von seinen Erzeugnissen so viel absetzen, wie es will: es befindet sich in der Situation eines polypolitischen Anbieters auf vollkommenem Markte. – e) Der Verzicht auf eine an sich lohnende Investition heute mit dem Ziele, Mittel für ein bestimmtes Investitionsobjekt in der nächsten Periode aufzusparen, verbessert die Situation des Unternehmens nicht.

IV. N e u e r e  E n t w i c k l u n g : Die neuere Entwicklung in der I. geht dahin, Methoden zu finden, die es erlauben, das optimale Investitionsprogramm auch dann zu bestimmen, wenn die oben genannten, außerordentlich einengenden Voraussetzungen nicht oder nur zum Teil erfüllt sind. Mit Hilfe der *linearen Optimierungsrechnung* (→lineare Optimierung) konnten Investitionsmodelle entwickelt werden, die in ihren Prämissen wesentlich weniger einengend sind als die oben beschriebenen traditionellen Methoden. Die lineare Optimierung erlaubt es, eine Maximierungs- oder Minimierungsaufgabe unter Nebenbedingungen zu lösen, die auch in Form von Ungleichungen gegeben sein dürfen. Das zentrale Anliegen der I., nämlich die Bestimmung des optimalen Investitionsprogramms, besteht nun aber gerade darin, eine bestimmte Größe unter Berücksichtigung bestimmter in Form von Ungleichungen gegebener Nebenbedingungen zu maximieren. – Das Investitionsprogramm ist *optimal*, das in dem betrachteten Planzeitraum den höchsten Gewinn zu erwirtschaften erlaubt. Der Gewinn des Gesamtprogramms tritt bei dieser Betrachtung an die Stelle der Summe der Kapitalwerte, die das oben beschriebene Verfahren a) zu maximieren versuchte. Kann der Gesamtgewinn an Stelle der Summe der Kapitalwerte betrachtet werden, so erübrigt es sich, den einzelnen Investitionsobjekten Auszahlungs- und Einzahlungsreihen zuzuordnen. Die Voraussetzung 2 a) ist damit aufgehoben. – Die *Höhe des Gewinns* hängt davon ab, was produziert werden soll. Im Rahmen der hier beschriebenen *Integrationsmodelle* der Investitionsrechnung wird das Produktionsprogramm nicht vorgegeben, sondern simultan mit dem Investitionsprogramm ermittelt: Zu jedem möglichen Investitionsprogramm gehört ein gewinnmaximales Produktionsprogramm. Es wird *das* Investitionsprogramm ermittelt, dessen zugehöriges gewinnmaximales Produktionsprogramm den absolut höchsten Gewinn zu erbringen verspricht. Dabei können *Nebenbedingungen* mannigfacher Art berücksichtigt werden: Durch geeignete Finanzierungsbedingungen ist es möglich, die oben genannte Bedingung 2c), durch entsprechende Absatzbedingungen die oben genannte Voraussetzung 2d) aufzuheben. Weitere Nebenbedingungen, z. B. zur Berücksichtigung der Knappheit von Arbeitskräften u. ä., lassen sich leicht einfügen. [Um die zeitlich-vertikale Verflochtenheit der aufeinander folgenden Investitionsprogramme gebührend berücksichtigen zu können (Aufhebung der Voraussetzung 2e), umfaßt das Modell mehrere Perioden. Simultan werden für diese Perioden die optimalen Produktions- und die zugehörigen optimalen Investitionsprogramme errechnet.] Schließlich besteht die Möglichkeit, im Rahmen der hier beschriebenen Investitionsmodelle die Annahmen 2b) überflüssig werden zu lassen. An die Stelle des Kalkulationszinsfußes (bzw. des internen Zinses) tritt das Prinzip der Gewinnrückkopplung. Das Modell sorgt dafür, daß die Rückflüsse einer Periode zu Beginn der nächsten Periode als für Investitionszwecke zur Verfügung stehend behandelt werden. Sie werden mithin gemäß der effektiv gegebenen Möglichkeiten wieder angelegt und erbringen einen entsprechenden Ertrag. Ein Auf- bzw. Abzinsen der Zahlungen zum Kalkulationszinsfuß erübrigt sich; der Kalkulationszinsfuß wird überflüssig. – Modelle der hier beschriebenen Art erfordern verständlicherweise einen wesentlich *höheren Rechenaufwand* als die traditionellen Methoden. Aus Gründen der praktischen Durchführbarkeit der Rechnung sind bestimmte Grenzen im Hinblick auf die Zahl der Variablen und der Nebenbedingungen zu beachten.

V. Problem der Unsicherheit: Die bisher beschriebenen Methoden beurteilen Investitionen bzw. Investitionsprogramme nach ihrer Rentabilität. Wesentlich ist jedoch auch der Gesichtspunkt des Risikos, das mit einer Investition verbunden ist. Beide Charakteristika: Rentabilität und Risiko sind für die Beurteilung eines Investitionsvorhabens bedeutsam. – 1. Im Rahmen der *klassischen Methoden* der I. bestehen mehrere Möglichkeiten, dem Risikogesichtspunkt Rechnung zu tragen: a) Die einfachste Art und Weise, die Unsicherheit der Daten zu berücksichtigen, ist die, jeweils den *wahrscheinlichsten Wert* eines Datums der Rechnung zugrunde zu legen. Damit wird freilich das spezifische Problem der Unsicherheit ausgeklammert. – Außer mit den wahrscheinlichsten Werten kann die Rechnung für das gleiche Projekt ergänzt werden zum einen mit relativ *optimistischen,* zum anderen mit relativ *pessimistischen* (vorsichtigen) Werten, um die Wirkung günstiger oder ungünstiger Daten auf das Endergebnis sichtbar zu machen (→parametrische lineare Optimierung). – b) In einer Reihe von Fällen erweist sich das Konzept des „*kritischen" Wertes* als nützlich. Der Kapitalwert einer Investition hängt von einer Reihe von Größen ab, die im Falle der Unsicherheit unterschiedliche Werte annehmen können. Von diesen Größen wird nun eine (gegebenenfalls auch zwei oder mehr), für die der tatsächlich eintretende Wert nur innerhalb bestimmter Grenzen vorausgesagt werden kann, als variabel aufgefaßt, während für die anderen die prognostizierten Werte einzusetzen sind. Für die Variable (Variablen) ist der Wert (sind die Wertekombinationen) zu bestimmen, der (die) den Kapitalwert gerade Null werden läßt. Dieser Wert heißt kritischer Wert. Solange nicht zu befürchten ist, daß dieser kritische Wert über- oder unterschritten wird, der Unsicherheitsbereich also entweder oberhalb oder unterhalb dieses kritischen Wertes liegt, kann die Entscheidung eindeutig und unbehelligt von der Unsicherheit des als variabel angesetzten Datums getroffen werden. – c) Die wirkungsvollste Methode, der Unsicherheit der Daten explizit Rechnung zu tragen, besteht darin, neben das Kriterium für die Rentabilität ein *zweites Kriterium* zu stellen, das die Höhe des mit der betrachteten Investition verbundenen Risikos zum Ausdruck bringt. Die Entscheidung für oder gegen die Investition ist alsdann aufgrund beider Kriterien zu treffen. Eine erste Möglichkeit zur Charakterisierung des Risikos bietet die sogenannte *Pay-off-Periode.* Wesentlich aussagefähigere Kennziffern stellen die statistischen Streuungsmaße auf der Basis einer zu ermittelnden Wahrscheinlichkeitsverteilung, z. B. den Kapitalwert, dar. – 2. Im Rahmen der *Integrationsmodelle der I.* kann die Unsicherheit der Daten durch einen Chancen-Risikenvergleich berücksichtigt werden. Entscheidend für die Annahme oder Ablehnung eines Investitionsprogramms sind letztlich die Chancen und Risiken, also die jeweils mit der Eintrittswahrscheinlichkeit der zugrundeliegenden Datensituation gewichteten Gewinne und Verluste, die mit dem Programm im ganzen verbunden sind. Unter diesem Gesichtspunkt ist die Auswahl unter den möglichen Investitionsprogrammen zu treffen. Eine weitere Möglichkeit, der Datenunsicherheit entgegenzuwirken, besteht darin, das Investitionsprogramm so zu wählen, daß ein möglichst flexibler, d. h. ein auf die für möglich erachteten Datenkonstellationen anpassungsfähiger Produktionsapparat zustande kommt.

Literatur: Blohm, H./Lüder, K., Investition, 5. Aufl., München 1983; Dean, J., Capital Budgeting, 9. Aufl., New York 1978; Gutenberg, E., Grundlagen der Betriebswirtschafts-

**Übersicht: Investitionsrechnung – Verfahren**

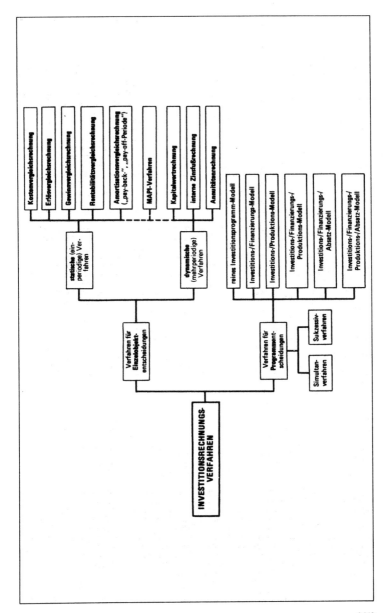

lehre, 3. Band: Die Finanzen, 8. Aufl., Berlin usw. 1980; Jacob, H., Investitionsplanung und Investitionsentscheidung mit Hilfe der Linearprogrammierung, 3. Aufl., Wiesbaden 1976; Jacob, H., Kurzlehrbuch Investitionsrechnung, 3. Aufl., Wiesbaden 1984; Kern, W., Investitionsrechnung, Stuttgart 1974; Olfert, K., Investition, 3. Aufl., Ludwigshafen/Rh. 1985; Scheer, A.-W., Die industrielle Investitionsentscheidung, Wiesbaden 1969; Schneider, E., Wirtschaftlichkeitsrechnung, 8. Aufl., Tübingen-Zürich 1973; Schulte, K.-W., Wirtschaftlichkeitsrechnung, 3. Aufl., Würzburg-Wien 1984; Swoboda, P., Investition und Finanzierung, 3. Aufl., Göttingen 1986.

Prof. Dr. Dr. h. c. Herbert Jacob

**Investitionsrisiko,** Möglichkeit, daß die zukünftigen Einzahlungsüberschüsse eines Investitionsobjekts, das nur mit →Eigenkapital finanziert ist, zu einer Verschlechterung der Vermögensposition des Investors führen. Das Risikoausmaß ist eine Funktion der Wahrscheinlichkeit und der Höhe der Verschlechterung. – Vgl. auch →Finanzierungsrisiko.

**Investitionsteuer,** in der wirtschaftlichen Umgangssprache verwendete Bezeichnung für die →Umsatzsteuer auf den →Selbstverbrauch.

**Investitionstheorie,** normative Theorie der Investitionsentscheidung, deren Ziel die Entwicklung von Entscheidungskriterien zur Optimierung von Investitionsentscheidungen ist. Als optimal werden dabei solche →Investitionen bezeichnet, die gesetzten Rendite- und Risikozielen am besten entsprechen (→Rendite, →Investitionsrisiko). In die I. gehen dabei Teile der Produktions-, Kosten- und Absatztheorie als Bausteine ein. – Vgl. auch →Finanzierungstheorie.

**Investitionszulage.** I. Begriff: Zulage, die Steuerpflichtigen für bestimmte Investitionen gewährt wird.

II. Gesetzliche Grundlagen: Investitionszulagengesetz 1986 (InvZulG 1986) i.d.F. vom 28.1.1986 (BGBl I 231), Gesetz über eine Investitionszulage in der Eisen und Stahlindustrie (StahlInvZulG) vom 22.12.1981 (BGBl I 1523, 1557), Gesetz zur Förderung der Berliner Wirtschaft (Berlin FG) i.d.F. vom 23.12.1982 (BGBl I 225).

III. Arten: 1. *Allgemeine Voraussetzungen:* a) →Steuerpflicht im Sinne des Einkommen- oder Körperschaftsteuergesetzes; b) Aufnahme der begünstigten Objekte in ein besonderes Verzeichnis; c) Antrag.

2. *I. für Investitionen im Zonenrandgebiet und in anderen förderungsbedürftigen Gebieten* (§ 1 InvZulG): a) *Begünstigte Maßnahmen:* Errichtung oder Erweiterung bzw. Umstellung oder grundlegende Rationalisierung einer gewerblichen Betriebsstätte. – b) *Örtliche Begrenzung:* →Zonenrandgebiet. – c) *Bemessungsgrundlage und andere förderungsbedürftige Gebiete* (§ 1 InvZulG): Anschaffungs- oder Herstellungskosten sowie Anzahlungen und Teilherstellungskosten von neuen abnutzbaren beweglichen Wirtschaftsgütern des Anlagever-

mögens; weiterhin die Herstellungskosten von abnutzbaren unbeweglichen Wirtschaftsgütern des Anlagevermögens sowie von Ausbauten und Erweiterungen an abnutzbaren unbeweglichen Wirtschaftsgütern des Anlagevermögens, die Gebäude, Gebäudeteile, Eigentumswohnungen oder im Teileigentum stehende Räume sind. Die Objekte müssen mindestens drei Jahre nach ihrer Anschaffung oder Herstellung in der Betriebsstätte verbleiben bzw. vom Steuerpfl. ausschließlich zu eigenbetrieblichen Zwecken verwendet werden; nicht begünstigt: →geringwertige Wirtschaftsgüter, Ersatzbeschaffungen. – d) *Höhe der I.:* 10 v.H. der Bemessungsgrundlage bei Investitionen im Zonenrandgebiet, in den übrigen Gebieten 8,75 v.H. – e) Die Maßnahmen müssen *volkswirtschaftlich besonders förderungswürdig* sein und den Zeilen und Grundsätzen der Raumordnung und Landesplanung entsprechen (Nachweis durch Bescheinigung).

3. *I. für Forschungs- und Entwicklungsinvestitionen* (§ 4 InvZulG): a) *Begünstigte Maßnahmen:* (1) Anschaffung und Herstellung von neuen abnutzbaren beweglichen Wirtschaftsgütern des Anlagevermögens (nicht: geringwertige Wirtschaftsgüter), die mindestens drei Jahre nach ihrer Anschaffung oder Herstellung im Betrieb des Steuerpfl. ausschließlich der Forschung oder Entwicklung dienen; (2) die Herstellung von abnutzbaren unbeweglichen Wirtschaftsgütern des Anlagevermögens sowie Aus- und Erweiterungsbauten an zum Anlagevermögen gehörenden Gebäuden, Gebäudeteilen, Eigentumswohnungen, wenn diese mindestens drei Jahre nach ihrer Herstellung im Betrieb des Steuerpfl. zu mehr als 66⅔ v.H. der Forschung oder Entwicklung dienen. Dienen die Wirtschaftsgüter zwischen 33⅓ v.H. und 66⅔ v.H. der Forschung oder Entwicklung, so werden die Herstellungskosten zur Hälfte bei der Bemessung der Investitionszulage berücksichtigt; (3) die Anschaffung von neuen abnutzbaren immateriellen Wirtschaftsgütern des Anlagevermögens, soweit die Aufwendungen nicht in laufenden und ihrer Höhe nach ungewissen Vergütungen bestehen. Die Wirtschaftsgüter müssen bestimmt und geeignet sein (lt. Bescheinigung von oberster Landesbehörde) im Betrieb des Steuerpfl. ausschließlich der Forschung oder Entwicklung zu dienen und mindestens drei Jahre nach ihrer Anschaffung im Betrieb des Steuerpf. verbleiben und keinem anderen Zweck dienen. – b) *Örtliche Begrenzung:* gesamtes Bundesgebiet. – c) *Bemessungsgrundlage:* Anschaffungs- oder Herstellungskosten, Anzahlungen und Teilherstellungskosten von begünstigten Maßnahmen; bei der Anschaffung von neuen abnutzbaren immateriellen Wirtschaftsgütern beschränkt auf Anschaffungskosten von 500 000 DM im Wirtschaftsjahr. – d) *Höhe der I.:* 20 v.H. der Anschaf-

fungs- oder Herstellungskosten bis zu 500 000 DM und 7,5 v. H. der diesen Betrag übersteigenden Anschaffungs- oder Herstellungskosten.

**4.** *I. für bestimmte Investitionen im Bereich der Energieerzeugung und -verteilung* (§ 4 a InvZulG): a) *Begünstigte Maßnahmen:* Anschaffung oder Herstellung von abnutzbaren Wirtschaftsgütern des Anlagevermögens sowie Aus- und Erweiterungsbauten an zum Anlagevermögen gehörenden Gebäuden, Gebäudeteilen, Eigentumswohnungen, wenn die sie für bestimmte Bereiche der Energieerzeugung oder -verteilung angeschafft oder hergestellt werden und mindestens drei Jahre nach ihrer Anschaffung oder Herstellung im Betrieb des Steuerpfl. verbleiben. Voraussetzung ist weiter, daß nach dem 30. 11. 1974 die Wirtschaftsgüter bestellt oder mit ihrer Herstellung begonnen worden ist und der Bundesminister für Wirtschaft die besondere Eignung der Investitionen zur Einsparung von Energie bestätigt hat. – b) *Örtliche Begrenzung:* gesamtes Bundesgebiet. – c) *Bemessungsgrundlage:* Anschaffungs- oder Herstellungskosten, Anzahlungen und Teilherstellungskosten der begünstigten Maßnahmen. – d) *Höhe der I.:* 7,5 v. H. der Bemessungsgrundlage.

**5.** *I. für Investitionen in der Eisen- und Stahlindustrie:* a) *Begünstigte Maßnahmen:* (§ 1 StahlInvZulG): (1) Anschaffung oder Herstellung neuer abnutzbarer beweglicher Wirtschaftsgüter des Anlagevermögens und nachträgliche Herstellungsarbeiten an abnutzbaren beweglichen Wirtschaftsgütern des Anlagevermögens, wenn die Wirtschaftsgüter für bestimmte Investitionsvorhaben im Bereich der Stahlproduktion angeschafft oder hergestellt werden (Nachweis durch Bescheinigung) und mindestens drei Jahre nach Anschaffung oder Herstellung in einer inländischen Betriebsstätte des Steuerpflichtigen verbleiben; (2) Herstellung von abnutzbaren unbeweglichen Wirtschaftsgütern des Anlagevermögens sowie Aus- und Erweiterungsbauten an zum Anlagevermögen gehörenden Gebäuden oder Gebäudeteilen, wenn die Wirtschaftsgüter oder die ausgebauten oder neu hergestellten Teile für bestimmte Investitionsvorhaben im Bereich der Stahlproduktion hergestellt wurden und mindestens drei Jahre nach Herstellung ausschließlich zu eigenbetrieblichen Zwecken verwendet werden. – b) *Zeitliche Begrenzung:* Voraussetzung ist, daß das Wirtschaftsgut nach dem 30. 7. 1981 bestellt bzw. mit der Herstellung begonnen worden ist und vor dem 1. 1. 1986 angeschafft oder hergestellt bzw. der Ausbau abgeschlossen worden ist; weiterhin anzuwenden auf vor dem 1. 1. 1986 geleistete Anzahlungen und entstandene Teilherstellungskosten für Wirtschaftsgüter, die vor dem 1. 1. 1989 angeschafft oder hergestellt werden. – c) *Örtliche Begrenzung:* Gesamtes Bundesgebiet. – d) *Bemessungsgrundlage:* Anschaf-

fungs- oder Herstellungskosten, Anzahlungen und Teilherstellungskosten der begünstigten Maßnahmen. – e) *Höhe der I.:* 20 v. H. der Bemessungsgrundlage.

**6.** *I. für Investitionen in Berlin (West)* (§ 19 BerlinFG): a) *Begünstigte Maßnahmen:* (1) Anschaffung oder Herstellung von neuen abnutzbaren beweglichen Wirtschaftsgütern, die zum Anlagevermögen eines Betriebs (Betriebstätte) in Berlin (West) gehören und mindestens drei Jahre nach ihrer Anschaffung oder Herstellung in einem solchen verbleiben; nicht begünstigt: →geringwertige Wirtschaftsgüter, Luftfahrzeuge; (2) Herstellung von abnutzbaren unbeweglichen Wirtschaftsgütern des Anlagevermögens sowie für Aus- und Erweiterungsbauten an zum Anlagevermögen gehörenden Gebäuden, Gebäudeteilen, Eigentumswohnungen, wenn sie in Berlin (West) errichtet bzw. vorgenommen werden und mindestens drei Jahre nach Herstellung zu mehr als 80% bestimmten Zwecken dienen. – b) *Örtliche Begrenzung:* Berlin (West). – c) *Bemessungsgrundlage:* Anschaffungs- oder Herstellungskosten, Anzahlungen und Teilherstellungskosten der begünstigten Maßnahmen. – d) *Höhe der I.:* Je nach Investitionsart 10–40% der Bemessungsgrundlage.

**IV. Besonderheit:** I. gehören nicht zu den →Einkünften im Sinne des Einkommensteuergesetzes. Sie mindern auch nicht die steuerlichen Anschaffungs- oder Herstellungskosten.

**V. Verfahren:** 1. *Antrag* bei dem für die Besteuerung des Einkommens (bei Personengesellschaften: für die einheitliche und gesonderte Feststellung der Einkünfte) zuständigen Finanzamt. – 2. *Zeitpunkt:* Innerhalb von neun Monaten nach Ablauf des Kalenderjahres, in dem das Wirtschaftsjahr der Anschaffung, Herstellung, Anzahlung oder Teilherstellung endet. – 3. *Festsetzung* der I. durch schriftlichen Bescheid (Rechtsbehelf: →Einspruch). – 4. *Fälligkeit:* Innerhalb eines Monats nach Bekanntgabe des Bescheids.

**VI. Aufhebung:** Gemäß Steuerreform 1990 werden I. nur noch für vor dem 1. 1. 1990 abgeschlossene Investitionen gewährt, im Falle längerfristiger Investitionen, die vor dem 1. 4. 1989 begonnen wurden und bis zum 31. 12. 1990 abgeschlossen werden.

**Investivlohn.** 1. *Begriff* aus der Sozial- bzw. Vermögenspolitik. Wie die →Erfolgsbeteiligung eine Form der Umverteilung des Vermögens über den Vermögenszuwachs. Der I. ist der Teil des →Arbeitsentgelts, der nicht bar an den Arbeitnehmer ausgezahlt wird, sondern im Unternehmen (betrieblich) oder in einem Fonds (überbetrieblich) für eine bestimmte Zeit festgelegt wird. Über die festgelegten Einkommensteile werden Zertifikate ausgestellt, die einen Anteil am Unternehmen oder am Fonds repräsentieren. – 2. Während von *Arbeitergeberseite* die betriebliche Festlegung des I. bevorzugt wird, lehnen die *Gewerkschaften* dies wegen der starken Bindung der Arbeitnehmer an die Unternehmen ab und fordern demgegenüber die Einrichtung von Fonds als zentrale Investmentgesellschaften. – 3. I.-vereinbarungen gibt es *bisher* nur auf freiwilliger Grundlage durch die Unternehmen sowie aufgrund tarifvertraglicher Regelungen mit betrieblicher Festlegung im Rahmen des 3. Vermögensbildungsgesetzes. – 4. *Gesamtwirtschaftliche Problematik:* a) Es wird die Meinung vertreten, daß der Verteilungsspielraum viel zu eng sei, als daß es zu einer substantiellen Verbesserung der Vermögenslage der Arbeitnehmer kommen könne. b) Es geht um mögliche Wachstumseinbußen durch Nachfrageausfälle von Seiten der Arbeitnehmer bzw. durch sinkende Investitionsfähigkeit und -bereitschaft der Unternehmer. c) Es wird eine Rückwälzung durch niedrige Lohnabschlüsse für möglich gehalten. d) Es stellt sich die Frage nach der eventuellen Überwälzung auf die Nachfrage durch Absatzpreiserhöhungen und damit nach der Gefahr inflationärer Tendenzen.

**Investment bank,** →Investitionsbank in den USA, überwiegend im Bereich der Unternehmensfinanzierung und im Wertpapiergeschäft tätig. – *Gegensatz:* →commercial bank.

**Investmentclub,** Vereinigung von Privatpersonen zum Zweck des gemeinsamen langfristigen Wertpapiersparens (Anlage in festverzinsliche Wertpapiere sowie Aktienspekulation); meist in der Rechtsform einer →Gesellschaft des bürgerlichen Rechts. – *Motiv:* insbes. an Finanzanlagen interessierte Privatpersonen mit den Eigenheiten und Techniken der Börse und der Wertpapieranlage vertraut zu machen. In der Bundesrep. D. gibt es ca. 3000 I. mit ca. 60000 Mitgliedern und ca. 300 Mill. DM Clubvermögen. – *Zentralorganisation:* Deutsche Schutzvereinigung für Wertpapierbesitz (Düsseldorf).

**Investmentfonds.** 1. *Begriff:* Sondervermögen einer →Kapitalanlagegesellschaft, das gemäß speziellen Anlagerungsgrundsätzen in den Vertragsbedingungen des Fonds in bestimmten Wertpapieren *(Wertpapierfonds)* oder als besondere Form in Immobilien *(Immobilienfonds)* angelegt wird (vgl. im einzelnen →Kapitalanlagegesellschaft II 4.–7.). Eine Kapitalanlagegesellschaft kann je nach Anzahl der von ihr aufgelegten Fonds mehrere Sondervermögen verwalten. – 2. *Arten:* a) Nach der Begrenztheit der auszugebenden Zertifikate: (1) *Offener I.:* Zahl der auszugebenden Zertifikate ist nicht begrenzt, es können unbeschränkt Anteile verkauft werden. Die Verkaufserlöse werden von den →Investmentgesellschaften zum Erwerb von Aktien

oder Renten verwendet. Die Zertifikate haben keinen Börsenkurs, sondern rechnerisch ermittelte Ausgabe- und Rücknahmepreise. (2) *Geschlossener I.:* Zahl der auszugebenden Zertifikate ist genau fixiert. – b) *Sonderform* (nach der Zielsetzung): →performance fund.

**Investmentgeschäfte,** Geschäfte der →Kapitalanlagegesellschaften; →Bankgeschäfte i.S. des KWG.

**Investmentgesellschaft,** →Kapitalanlagegesellschaft.

**Investment-Trust,** →Kapitalanlagegesellschaft.

**Investmentzertifikate,** →Anteilscheine.

**Investor,** Person oder Unternehmung, die →Investition betreibt.

**invisible hand,** →Tatonnement.

**invisibles,** →unsichtbarer Handel.

**in Vollmacht (i.V.),** →per 1.

**Involvement,** *Ich-Beteiligung,* Grad der subjektiv empfundenen Wichtigkeit eines Verhaltens. Mit steigendem I. wird eine wachsende Intensität des kognitiven und emotionalen Engagements eines Individuums angenommen, z.B. bei der Durchführung von Entscheidungsprozessen.

**Inzidentkontrolle,** die in bestimmten Fällen gegebene Befugnis der Zivilgerichte, die Rechtmäßigkeit von →Verwaltungsakten als Vorfrage für die Entscheidung eines →Zivilprozesses zu prüfen.

**Inzidenz.** 1. *Begriff:* Wirkungen einer finanzpolitischen Maßnahme (z.B. Steuererhöhung, Ausgabenvariation) auf die →Einkommensverteilung, wobei unterstellt wird, daß alle Überwälzungsvorgänge (→Überwälzung) abgeschlossen sind. Aufgabe einer I.analyse ist es entsprechend, alle Unterschiede in der Einkommensverteilung ohne und mit finanzpolitischem Eingriff darzustellen. – 2. *Formen:* a) nach der *Berücksichtigung von Überwälzungsvorgängen:* →effektive Inzidenz, →formale Inzidenz; b) nach der *Art der Ausgaben- oder Einnahmenänderung:* →differentielle Inzidenz, →spezifische Inzidenz; c) nach der *finanzpolitischen Maßnahme:* →Ausgabeninzidenz, →Budgetinzidenz, →Steuerinzidenz; d) nach dem *Betrachtungsraum:* →makroökonomische Inzidenz, →mikroökonomische Inzidenz.

**Inzidenzabbildung,** Abbildung, die einer Kante (bzw. einem Pfeil) jeweils zwei Knoten in einem →Graphen zuordnet.

**IÖW,** Abk. für →Institut für ökologische Wirtschaftsforschung.

**IPF,** →innovation possibility function.

**Irak,** *Republik Irak,* Staat im N der Arabischen Halbinsel mit schmalem Zugang zum Persischen Golf am (zwischen I. und Iran umstrittenen) Schatt-al-Arab. – *Fläche:* 434924 km², davon 434000 km² Landfläche; „Neutrale Zone" (3522 km²) gemeinsam mit Saudi-Arabien. – *Einwohner* (E): (1985, geschätzt) 15,9 Mill. (36,3 E/km²), davon vier Fünftel Araber, bedeutendste Minderheit sind die Kurden (ca. 1,2 Mill.). – *Hauptstadt:* Bagdad (1983: ca. 4 Mill. E); weitere wichtige Städte (E 1977): Basra (1,54 Mill. E.) und Mossul (1,22 Mill. E.). – *Unabhängig* seit 1932, konstitutionelle Monarchie bis 1958, seither demokratische Volksrepublik, provisorische Verfassung von 1970. *Verwaltungsgliederung:* 18 Provinzen, darunter 3 autonome kurdische Provinzen. – *Amtssprache:* Arabisch, in den autonomen kurdischen Gebieten Kurdisch.

**Wirtschaft:** Zur Verschlechterung der wirtschaftlichen Lage führten der 1980 ausgebrochene Krieg zwischen Iran und Irak und der drastische Rückgang der Erdölausfuhren. – Die *Landwirtschaft* verliert aufgrund des Industrialisierungsprozesses an Bedeutung. Mit dem Agrarreformgesetz von 1958 wurde der Großgrundbesitz eingeschränkt und der Aufbau von Genossenschaften gefördert. Zusätzlich entstanden Staatsfarmen. Hauptanbauzonen sind das Gebiet mit Regenfeldbau im Norden und die Bewässerungsgebiete am Euphrat, Tigris und deren Nebenflüssen. Wichtige Agrarerzeugnisse sind Weizen, Gerste, Reis, Baumwolle, Tabak, Ölfrüchte, Obst und Gemüse. Wichtigstes landwirtschaftliches Ausfuhrprodukt ist die Dattel. Der I. bestreitet ca. 80% des Welthandels mit Datteln. Unbedeutende Viehwirtschaft. – Aufforstungsmaßnahmen infolge fortschreitenden Raubbaus und starker Erosionsschäden. – *Fischerei* (Fangmenge 1983: 26219 t). Die Hochseefischerei kam aufgrund des Konflikts mit dem Iran fast völlig zum Erliegen. Für die Fischbestände der Binnengewässer gelten, wegen Überfischung, Schutzbestimmungen. Ausbau der Fischzucht in Teichen. – *Bergbau und Industrie:* I. ist der sechstgrößte Erdölproduzent der Welt (1985). Daneben umfangreiche Erdgasreserven und abbauwürdige Vorkommen von Zink, Blei, Kupfer, Chrom, Mangan, Eisenerz, Uran, Schwefel und Phosphat. Bedeutende Gewerbezweige außer den Erdölraffinerien sind die Nahrungs-, Genußmittel- und Getränkeindustrie, die Textil- und Bekleidungsindustrie, das Baugewerbe und die Herstellung von Baustoffen, Düngemitteln und Chemikalien. – Mäßig entwickelter Fremdenverkehr. –*BSP:* (1983, geschätzt) 25000 Mill. US-$ (1800 US-$ je E). – *Öffentliche Auslandsverschuldung:* (1983) 8,8% des BSP. – *Inflationsrate:* (Durchschnitt 1973–83) 1,7%. – *Export:* (1984) 9681 Mill. US-$, v.a. Erdöl und Erdölerzeugnisse (über 90%), landwirtschaftliche Produkte. – *Import:* (1984) 9806 Mill. US-$, v.a. Maschinenbau-, elektrotechnische Erzeugnisse und Fahrzeuge, bearbeitete Waren (u.a. Metallwaren, Eisen

und Stahl, Meß-, Prüf- und Kontrollgeräte) und Nahrungsmittel. – *Handelspartner:* EG-Länder (über 30%), Brasilien, Japan, Länder des Nahen Ostens.

**Verkehr:** 28840 km *Straßen,* davon 17639 km befestigt (1982). – 1727 km *Eisenbahnlinie* (1982), Strecke Mossul-Bagdad-Basra und Umm-Kasr. – Die irakische *Handelsflotte* verfügt über 153 Schiffe mit einer Gesamttonnage von 1,07 Mill. BRT. Wichtigster *Seehafen* bis zum Ausbruch des Krieges: Basra; Ausweichhäfen: Mina Saud (Kuwait), Dammam (Saudi-Arabien), Akaba (Jordanien). – *Flughäfen:* Bagdad, Basra, Mossul und Kirkuk. Eigene staatliche *Luftverkehrsgesellschaft.*

**Mitgliedschaften:** UNO, OAPEC, OIC, OPEC, UNCTAD u.a.; Arabische Liga, Gemeinsamer Arabischer Markt.

**Währung:** 1 Irak-Dinar (ID) = 1000 Fils.

**Iran,** *Islamische Republik Iran,* Staat in Vorderasien. – *Fläche:* 1648000 km². – *Einwohner* (E): (1985, geschätzt) 44,2 Mill. (26,8 E/km²), darunter iranische Perser ca. 66%, Aserbeidschaner 20%, Kurden 10%, Araber 2%, Armenier. – *Hauptstadt:* Teheran (1982: 5,7 Mill. E); weitere wichtige Städte: Isfahan (926000 E), Mesched (1,1 Mill. E), Täbris (852296 E), Schiras (438522 E), Kermanschah (531500 E). – Über 2500 Jahre alte Staatsgeschichte, 1979 Sturz des Kaiserreichs, seit 1979 islamische Republik, Verfassung von 1979, Einkammerparlament. *Verwaltungsgliederung:* 23 Provinzen (Ostan), 172 Gouvernements (Shajestán), 499 Distrikte (Bakhsh). – *Amtssprache:* Persisch.

**Wirtschaft:** Die kriegerischen Auseinandersetzungen mit dem Irak beeinträchtigen stark die wirtschaftliche Entwicklung des Landes. Ein weiteres Problem ergibt sich aus dem akuten Mangel an Fachkräften. – *Landwirtschaft:* Seit der Revolution Schwerpunkt der Wirtschaftspolitik. Anbau u.a. von Weizen, Gerste, Reis, Hülsenfrüchten, Baumwolle, Tabak und Tee. In der vorwiegend von Nomaden betriebenen Viehzucht dominieren die Schaf- und Ziegenhaltung. – *Forstwirtschaft:* Wälder bedecken 10% des Territoriums. Holzeinschlag: (1982) 6,7 Mill. m³, davon 4,4 Mill. m³ Nutzholz. – Die Fangmenge der *Fischerei* belief sich (1981) auf 44757 t. – *Bergbau und Industrie:* Vorkommen von Steinkohle, Eisenerz, Mangan, Kupfer, Blei, Zink, Chrom, Nickel, Wolfram, Kobalt, Gold, aber auch von Uran sowie nichtmetallischen Mineralien. Wichtigstes Bergbauprodukt ist das Erdöl, ferner Erdgas. Kapazitätseinbußen der Erdölraffinerien durch Kriegszerstörung. Während der Schahzeit rasche Industrialisierung durch den Erdölboom. Zu den modernen Zweigen gehören u.a. die Fahrzeugindustrie, die Eisen- und Stahlherstellung, die chemische und die Baustoffindustrie. Bedeutung haben nach wie vor die Textilindustrie (u. a. Teppichherstellung) sowie die Nahrungsmittel- und Tabakherstellung. – *BSP:* (1982, geschätzt) 80 000 Mill. US-$ (2000 US-$ je E). – *Öffentliche Auslandsverschuldung:* (1982) 20,8 % des BSP. – *Inflationsrate:* (Durchschnitt 1973–83) −0,5 %. – *Export:* (1983) 20 247 Mill. US-$, v. a. Erdöl und Erdölerzeugnisse (über 50 %), Teppiche, Garne, Gewebe und Spinnstoffe sowie Häute und Felle. – *Import:* (1983) 18 296 Mill. US-$, v. a. Maschinenbau-, elektrotechnische Erzeugnisse und Fahrzeuge, Nahrungsmittel, chemische Erzeugnisse. – *Handelspartner:* RGW-Staaten (bis 60 %), westliche Industrieländer.

V e r k e h r : *Straßennetz* im Ausbau, daneben Karawanenwege. – 1979 hatte das *Eisenbahnnetz* eine Länge von 4701 km; wichtigste Hauptlinie ist die ca. 1400 km lange Trans-Iranische-Eisenbahn vom Kaspischen Meer zum Persischen Golf. – Der I. verfügte (1982) über 235 *Handelsschiffe* (über 100 BRT) mit 1,31 Mill. BRT, darunter 23 Tanker mit 0,63 Mill. BRT. – Wichtigster *Flughafen* ist Teheran, daneben weitere internationale Flughäfen. Eigene *Luftverkehrsgesellschaft.*

M i t g l i e d s c h a f t e n : UNO, CCC, OIC, OPEC, UNCTAD u. a.; Colombo-Plan.

W ä h r u n g : 1 Rial (Rl.) = 100 Dinars (D.).

**Irische Zentralbank,** →Central Bank of Ireland.

**Irland,** Inselstaat im äußersten NW Europas. – *Fläche:* 70 283 km². – *Einwohner* (E): (1985) 3,55 Mill. (50,5 E/km²). – *Hauptstadt:* Dublin (Baile Átha Cliath, 422 786 E, Agglomeration 1 003 164 E); weitere Großstädte: Cork (266 121 E), Limerick (100 925 E). – Von Großbritannien *unabhängig* seit 1921, demokratisch-parlamentarische Republik seit 1949, Verfassung von 1937, Zweikammerparlament. *Verwaltungsgliederung:* 4 Provinzen, 26 Grafschaften (counties) und 4 „City Boroughs". – *Amtssprachen:* Irisch und Englisch.

W i r t s c h a f t . *Landwirtschaft:* Haupterzeugnisse sind Kartoffeln, Rüben, Hafer, Zuckerrüben, Weizen und Gerste. Ausgedehnte Weidewirtschaft: Rinder, Schafe, Pferde, Schweine. – *Bergbau und Industrie:* Zunehmender Abbau der bisher bekannten Bodenschätze (Zink, Blei, Kupfer, Schwerspat, Dolomit und Erdgas). Hauptgewerbezweige sind Mühlenbetriebe, Milchverarbeitung, Zuckerverarbeitung sowie die Textilindustrie (v. a. um Dublin). Wichtigste Industriestandorte sind Dublin, Cork und Limerick mit Metall-, chemischer und Textilindustrie, Fahrzeug- und Schiffbau. Förderung der Industrieansiedlung besonders exportorientierter Verarbeitungsbetriebe. – Fangmenge der

*Fischerei:* (1983) 203 000 t. – *Fremdenverkehr:* (1984) 479 Mill. US-$ Deviseneinnahmen. – *BSP:* (1985, geschätzt) 17 250 Mill. US-$ (4840 US-$ je E). – *Inflationsrate:* (Durchschnitt 1973–84) 14,4 %. – *Export:* (1986) 12 617 Mill. US-$, v. a. Vieh, Fleisch, Molkereiprodukte und sonstige Lebensmittel, Maschinen, Textilien, chemische Erzeugnisse. – *Import:* (1986) 11 571 Mill. US-$, v. a. Maschinen und Fahrzeuge, Erdöl und Erdölprodukte, Nahrungsmittel, chemische Erzeugnisse. – *Handelspartner:* EG-Länder, USA, Kanada.

V e r k e h r : 92 300 km *Straßen* (1982). – Die Streckenlänge der *Eisenbahnen* betrug (1983) 1791 km. – 730 km *Binnenwasserstraßen.* I. verfügte (1985) über 152 *Hochseeschiffe* (über 100 BRT) mit 194 000 BRT. Wichtigste *Seehäfen:* Dublin, Cork, Galway und Waterford. – Internationale *Flughäfen:* Dublin, Cork und Shannon. Shannon ist für die Nordatlantikflugroute wichtiger Luftstützpunkt. Zwei staatliche *Luftfahrtgesellschaften.*

M i t g l i e d s c h a f t e n : UNO, BIZ, CCC, EG, EWS, IEA, OECD, UNCTAD u. a.; Europarat.

W ä h r u n g : 1 Irisches Pfund (Ir£) = 100 New Pence (p).

**IRM,** →information ressource system.

**Irradiation,** Vorgang der Beeinflussung einer (Komplex-)→Qualität, ausgehend vom Detail. Teilqualitäten strahlen mit ihrem Ausdrucks-, Stimmungs- oder Bedeutungsgehalt auf das Gesamterlebnis aus. – *Beispiel:* Preis strahlt auf Produkterlebnis aus.

**irreführende Angaben,** im geschäftlichen Verkehr zur Irreführung geeignete Angaben über geschäftliche Verhältnisse, insbes. über Beschaffenheit, Ursprung (Herkunftsbezeichnung), Herstellungsart oder Preisbemessung der Waren oder gewerblichen Leistungen, zu Zwecken des Wettbewerbs. Nach §3 UWG unzulässig, unabhängig von den Mitteln, durch die der Irreführung erfolgt (z. B. wörtliche Angaben, bildliche Darstellungen). – *Zulässig* ist hingegen die Verwendung von →Gattungsbezeichnungen. – Die Rechtsprechung stellt hohe Anforderungen an die Richtigkeit von *Werbebehauptungen;* bereits die Irreführung eines nicht völlig unerheblichen Teils der angesprochenen Verkehrskreise reicht für die Anwendung des §3 UWG (irreführende Werbung) aus. – *Rechtsmittel:* Zivilrechtlich besteht →Unterlassungsanspruch; vorsätzliches Handeln in der Absicht, den Anschein eines besonders günstigen Angebots hervorzurufen, ist nach §4 UWG als →unlauterer Wettbewerb strafbar. – Vgl. auch →unrichtige Angaben.

**irreführende Firma,** dem Grundsatz der →Firmenwahrheit nicht entsprechende Firmenbezeichnung. Ist die i. F. im Handelsregister eingetragen, so wird sie hierdurch nicht zulässig. Meist liegt als →irreführende Angabe auch →unlauterer Wettbewerb vor. – *Gegen* i. F. kann das Registergericht auf Anregung von Organen des Handelsstandes, aber auch von Dritten mit Ordnungsgeldern einschreiten (§ 140 FGG) oder auch die Löschung der i. F. (§§ 141, 142 FGG) betreiben. Außerdem können Dritte i. a. auf Unterlassung klagen, wenn sie in ihren Rechten verletzt sind (→Unterlassungsanspruch). – Vgl. auch →unbefugter Firmengebrauch.

**Irreführende Firmenzusätze** über Art und Umfang des Geschäftes oder die Verhältnisse des Unternehmers, sind ebenso wie →irreführende Firmen unzulässig (§ 18 II HGB). Es genügt, wenn i. Z. zur Täuschung geeignet sind; ob Irreführungen vorgekommen oder beabsichtigt sind, ist gleichgültig. – *Beispiele:* a) Nach Art des Geschäftes: ,,Buttergroßhandlung", wenn auch Margarine vertrieben wird; ,,Maschinenindustrie", wenn nur Verkauf stattfindet. b) Nach Umfang des Geschäftes: ,,International" für ein kleineres Geschäft von örtlicher Bedeutung; ,,Werk", wo kein überwiegender Maschinenbetrieb vorhanden ist. c) Nach den Verhältnissen des Unternehmers: ,,Vereinigte" setzt eine wirkliche Vereinigung mehrerer Hersteller- bzw. Handwerksbetriebe voraus; ähnlich ,,Interessenvereinigung". – Auch ein →*Firmenzusatz*, der zur Unterscheidung der Person oder des Geschäftes dient, darf nicht gegen den Grundsatz der →Firmenwahrheit verstoßen.

**Irreführende Werbung**, objektiv unrichtige oder für einen nicht unbeträchtlichen Teil der →Zielgruppe (10–15% lt. Rechtsprechung) mißverständliche Werbeaussage; durch eine Diskrepanz von Realität und Werbeaussage charakterisiert. I. W. kann sich insbes. auf Beschaffenheit, Ursprung, Herstellungsart, Preisbemessung, Bezugsquellen von Waren, Qualitätsgutachten usw. beziehen (z. B. ,,Schwarzwälder Tannenhonig" aus Bayern); →irreführende Angaben. – Verstoß gem. §§ 3, 4 UWG, damit auch gegen die guten Sitten (→sittenwidrige Werbung). – In § 17 a des Eichgesetzes (,,Mogelpackungen"), in § 3 Heilmittelwerbegesetz sowie in §§ 17, 19 Lebensmittelgesetz wurde der Gedanke der i. W. aufgegriffen.

**Irreführungsverbot**, Bezeichnung für die Generalklausel des § 3 UWG. Vgl. im einzelnen →irreführende Angaben, →unlauterer Wettbewerb 2 b).

**Irreversibel vordisponierte Ausgabe**, *vordisponierte Ausgaben,* →Ausgaben, die durch eingegangene Verträge oder infolge faktischen Handelns (etwa bei steuerlichen Folgen) unwiderruflich festgelegt sind, wenn auch i. d. R. unter der Bedingung, daß die Gegenleistung vertragsgemäß erfüllt wird. Die festgelegten

Zahlungstermine sind für Finanzplanung und Gelddisposition sowie →finanzorientierte Deckungsbudgets relevant, für Entscheidungen und Dispositionskontrollen über die Verwendung der Gegenleistungen irrelevant und ab dem Zeitpunkt der irreversiblen Disposition →sunk costs. – Vgl. auch →Disponierbarkeit.

**Irrtum**, fehlerhafte Vorstellung über Tatsachen oder Rechtsfolgen.

I. Z i v i l r e c h t : I. bei Abschluß eines →Vertrages oder Vornahme eines anderen →Rechtsgeschäftes berührt Gültigkeit des Geschäfts i. d. R. nicht. – 1. →*Anfechtung* der Willenserklärung durch den Irrenden *möglich,* wenn er sich über den Inhalt (die Tragweite) seiner Erklärung im I. befand (z. B. sagt Leihe, meint Kauf) oder eine Erklärung dieses Inhalts überhaupt nicht abgeben wollte (z. B. unbewußtes Versprechen, Verschreiben), § 119 I BGB; ebenso, wenn der Bote oder die Post eine Erklärung (z. B. mündlich oder telegrafisch) unrichtig übermittelt hat (§ 120 BGB). Als I. über den Inhalt gilt auch der I. über verkehrswesentliche Eigenschaften der Person (z. B. Kreditwürdigkeit) oder Sache (z. B. den Stoff, Kupfer, Eisen) (§ 119 II BGB). – 2. *Voraussetzung* der Anfechtung stets, daß ohne I. die Erklärung bei verständiger Würdigung des Falles nicht abgegeben worden wäre. – 3. Anfechtung muß ohne schuldhaftes Zögern *erfolgen,* sobald der Irrende von dem I. Kenntnis erlangt (§ 121 BGB). – 4. Wer anficht, muß i. d. R. dem anderen Teil das →negative Interesse *ersetzen* (§ 122 BGB).

II. W i r t s c h a f t s s t r a f r e c h t : 1. Derjenige, der im unverschuldeten Irrtum über Bestehen oder Anwendbarkeit von *Steuervorschriften* gegen solche verstößt, bleibt straffrei (§ 395 AO). Beruht der I. auf →*Fahrlässigkeit:* Bestrafung wegen Fahrlässigkeit. – 2. Im Bereich des *allgemeinen Strafrechts* (§§ 16, 17 StGB) und der *Ordnungswidrigkeiten* (§ 11 OWiG) entfällt bei einem I. über Tatumstände der →Vorsatz, es kann nur wegen Fahrlässigkeit geahndet werden. Ein unvermeidbarer →Verbotsirrtum führt zum Ausschluß der Schuld. Ist der Verbotsirrtum vermeidbar, kann die Strafe gemildert werden.

**Irrtum im Motiv,** →Irrtum, der nicht den Inhalt des Vertrages selbst, sondern lediglich Umstände betrifft, die den Betreffenden zum Abschluß des Vertrages bewogen haben (z. B. I. über die Preiskalkulation). I. d. R. *keine* →*Anfechtung* möglich.

**Irrtumswahrscheinlichkeit,** →Signifikanzniveau.

**Irrtum vorbehalten,** häufig auf Kontoauszügen und Rechnungen verwendete Klausel, die dem Aussteller nachträgliche Berichtigung gestattet; vielfach überflüssig. – Vgl. auch →Irrtum.

**IRU, International Road Transport Union,** 1948 gegründete internationale Vereinigung der nationalen Straßentransportverbände; Sitz in Genf. – *Ziel:* Verwirklichung der Interessenlage des Straßentransports (gewerblicher Personen-, gewerblicher Güter- und Werkverkehr). – *Aufgaben:* Vereinheitlichung der Frachtbriefe (IRU-Frachtbrief), der Zollabfertigung und des Tarifsystems.

**ISAM, index sequential access method,** →Datenorganisation II 2 b) (2).

**ISB,** Abk. für →Institut für sozial-wirtschaftliche Betriebsberatung.

**ISCAP, Integrated System of Classifications of Activities and Products,** →Integriertes System von Wirtschaftszweig- und Gütersystematiken.

**ISCO, International Standard Classification of Occupations,** *Internationale Standardklassifikation der Berufe,* von der Internationalen Arbeitsorganisation (→ILO) als Hilfsmittel für die Bereitstellung international vergleichbarer berufs- und erwerbsstatistischer Daten entwickelt. Die gegenwärtig gültige Ausgabe 1968 wurde erstmalig in den Weltbevölkerungszählungen 1970 angewendet. Die ISCO gliedert sich auf vier Ebenen: 8 Berufshauptgruppen, 83 Berufsuntergruppen, 284 Berufsgattungen und 1506 Berufsfelder. Sie ist mit der deutschen Ausgabe der „Klassifizierung der Berufe", 1975, in der Bundesrep. D. weitgehend auf der Ebene der Berufsgattungen (unit groups) vergleichbar (→Berufssystematik). Die →ILO hat 1984 mit der Ausarbeitung einer revidierten Fassung der ISCO begonnen, um die v. a. den Entwicklungen im Bereich der Wirtschaft und des modernen Berufswesens anzupassen ist. Besondere Bedeutung kommt dabei der Erfassung der Berufe im Bereich des Dienstleistungsgewerbes zu, für den es weder auf nationaler noch internationaler Ebene Klassifikationen gibt, die als Grundlage dienen könnten. Die gleiche Problematik stellt sich auch bei der Neufassung der →Internationalen Wirtschaftszweigsystematiken sowie der Vorbereitung einer alle Wirtschaftsbereiche umfassenden Internationalen Gütersystematik (→Integriertes System von Wirtschaftszweig- und Gütersystematiken).

**ISDN, Integriertes Service- und Datennetz,** *integrated services digital network.* 1. *Begriff:* In den westlichen Industrienationen (in der Bundesrep. D. seit 1986/87) schrittweise im Aufbau befindliche *universelles digitales Fernmeldenetz der Deutschen Bundespost* mit zwei 64-Kb/s-Nutzkanälen und einem 16-Kb/s-Signalisierungskanal. – 2. *Verwendung:* Über dieses Netz sollen der *Fernsprech-,* der *Telefax-, Bildschirmtext-Dienst* sowie die *Bildübertragung von Festbildern* und weitere Dienste angeboten werden. Dabei ist sowohl →*Mischkommunikation* als auch →*Mehrfachkommunikation* (vgl. auch →Kommunikationssteckdose) sowie die Verwendung multifunktionaler Endgeräte (für Sprach-, Daten- und →Textkommunikation) möglich. – 3. *Realisierung:* Zunächst ist für die Realisierung die Verwendung der herkömmlichen →Koaxialkabel *(„Schmalband-ISDN")* vorgesehen. Später sollen →Glasfaserkabel *(„Breitband-ISDN")* auch die Übermittlung von Bewegtbildern gestatten (diesbezügliche Versuche laufen in einigen Großstädten der Bundesrep. D. unter der Bezeichnung „Breitbandiges integriertes Glasfaser-Fernmelde-Ortsnetz" *(BIGFON)).* International wird der Aufbau von Breitband-ISDN mit Übertragungsraten bis zu 1920 Kb/s vorbereitet. – 4. *Inhouse-ISDN-Systeme* (mit der Möglichkeit des späteren Anschlusses an das öffentliche ISDN) sind bereits heute verfügbar; vgl. →Inhouse-Netz.

**IS-Funktion,** →Keynessche Lehre III 1.

**ISI,** Abk. für →Internationales Statistisches Institut.

**ISIC,** Abk. für →International Industrial Classification of all Economic Activities.

**ISIS-Report.** 1. *Begriff:* Das umfangreichste Verzeichnis über den Softwaremarkt im deutschsprachigen Raum; halbjährlich herausgegeben von Nomina Gesellschaft für Wirtschafts- und Verwaltungsregister mbH, München. – 2. *Bände:* a) ISIS Software Report – Kommerzielle Programme (→kommerzielle Software 2), b) ISIS Software Report – Branchen-Programme (→Branchensoftware), c) ISIS Software Report – System-Programme (→Systemprogramm), d) ISIS Personal Computer Report: Anbieter und Softwareprodukte auf dem Markt für →Personal Computer, e) ISIS Firmen Report: Unternehmen, die als Anbieter auf dem Software- oder Hardwaremarkt tätig sind, f) ISIS Engineering Report: Softwareprodukte für den Ingenieursbereich, u. a. →CAD, →CAE, →CAM; speziell für die Schweiz: g) ISIS Firmen Report Schweiz, h) ISIS Personal Computer Report Schweiz.

**Island,** *Republik Island,* zweitgrößte Insel Europas mit zahlreichen Formen vulkanischer Tätigkeit und Inlandseisdecken, im Nordatlantik am nördlichen Polarkreis gelegen. – *Fläche:* 103 000 km$^2$. – *Einwohner* (E): (1985, geschätzt) 240 000. – *Hauptstadt:* Reykjavik (88 700 E); weitere wichtige Städte: Kopavógur, Akureyri, Hafnarfjördur, Keflavik, Garabae, Akranes, Vestmannaeyjar. Fast 90% der Bevölkerung leben in Städten. – *Unabhängig* seit 1944, nach der Verfassung von 1944 demokratisch-parlamentarische Republik, Zweikammerparlament. Verwaltungsmäßig *gegliedert* in 23 Landkreise (Syslur), 202 Gemeinden, 22 städtische

Gemeinden und bezirksfreie Städte. – *Amtssprache:* Isländisch.

W i r t s c h a f t : Wirtschaftliche Probleme I.s sind hohe Inflationsraten (1985: 34%), Auslandsverschuldung und Zahlungsbilanzdefizite. Seit dem Währungsschnitt von 1981 wurde die Krone noch mehrmals abgewertet. – *Landwirtschaft:* Nur 22,8% der Gesamtfläche der Insel sind bebaubares Land. Auf 0,1% der Gesamtfläche werden fast ausschließlich Heu, Kartoffeln und Rüben produziert. 22,7% der Gesamtfläche sind Weideland. – Wichtigste Produkte der umfangreichen Viehzucht sind Schaffleisch und -felle sowie Wolle. – Die *Fischerei,* der wichtigste Wirtschaftszweig, wies 1985 eine Fangmenge von 1,669 Mill. t. auf. – *Bergbau und Industrie:* Von den Bodenschätzen werden wegen Schwierigkeiten bei der Erschließung v. a. Kieselgur und Bimsstein abgebaut. Der mit Abstand bedeutendste Industriezweig ist die fischverarbeitende Industrie. Daneben gibt es kleinere Betriebe der Zement- und Düngemittelherstellung, Textilindustrie, Nahrungs- und Genußmittelherstellung, des Schiffbaus und der Aluminiumherstellung. Langfristig ist eine weitere Diversifizierung der Wirtschaft geplant. – *Fremdenverkehr:* 1984 reisten 85 000 Ausländer ein. – *BSP:* (1985, geschätzt) 2580 Mill. US-$ (10 720 US-$ je E). – *Export:* (1985) 814 Mill. US-$, v. a. Fisch und Fischprodukte, Aluminium. – *Import:* (1985) 903 Mill. US-$, v. a. Maschinenbau-, elektrotechnische Erzeugnisse und Fahrzeuge, bearbeitete Waren und mineralische Brennstoffe. – *Handelspartner:* EG-Staaten, USA, UdSSR.

V e r k e h r : Das *Straßennetz* hatte 1984 eine Länge von 12 699 km. Es ist im wesentlichen auf die Küstengebiete beschränkt und v. a. im SW ausgebaut. Hauptverkehrszweig ist die *Seeschiffahrt.* Wichtigster *Hafen:* Reykjavik. Reger *Inlandsflugverkehr;* die wichtigsten Strecken im In- und Auslandsflugverkehr bedient die nationale *Fluggesellschaft* „Icelandair". NATO-Stützpunkte.

M i t g l i e d s c h a f t e n : UNO, BIZ, CCC, EFTA, NATO, OECD, UNCTAD u. a.; Europarat, Nordischer Rat.

W ä h r u n g : 1 Isländische Krone (ikr) = 100 Aurar.

**IS-LM-Modell,** →Keynessche Lehre III 1.

**ISO, International Handards Organization,** *Internationale Organisation für Normung,* internationale Standardisierungsorganisation; Sitz in Genf. Gegründet 1946. – *Mitglieder:* Nationale Gremien für Normung in 90 Ländern. Für die Bundesrep. D. das →Deutsche Institut für Normung (DIN). – *Organe:* Vollversammlung (in dreijährigen Abständen), Rat (18 Mitglieder), Fachausschüsse, Zentralsekretariat mit angeschlossenen technischen Sekretariaten. – *Ziele:* Entwicklung internationaler Standardnormen in weltweitem Rahmen zwecks Erleichterung des Austausches von internationalen Waren- und Dienstleistungen und zur Förderung der gegenseitigen Zusammenarbeit im Bereich der wissenschaftlichen, technologischen und wirtschaftlichen Aktivitäten. – *Aufgaben und Arbeitsergebnisse:* Ca. 2300 Arbeitsgremien befassen sich mit der Entwicklung internationaler Standardnormen (→internationale Normen), vornehmlich im Bereich der Technologie. Die Ergebnisse dieser Arbeiten waren 1986 in ca. 3000 publizierten internationalen Standardnormen niedergelegt. Über 4000 Normenentwürfe in Vorbereitung. Das umfangreiche Arbeitsprogramm der ISO wird von über 100 000 Experten in allen Teilen der Welt in mehr als 2000 Fachgremien abgewickelt. Der Beitrag der ISO zur →technischen Hilfe besteht in der Schaffung eines speziellen Hilfsorgans, das seit 1974 in enger Zusammenarbeit mit UNIDO, UNCTAD und UNESCO Normungsprogramme in Entwicklungsländern fördert. Die als nichtamtliche Organisation gegründete ISO hat durch die intensive Mitarbeit von Vertretern der Regierungen in zahlreichen Normungsausschüssen den Charakter einer halbamtlichen internationalen Organisation angenommen. – *Wichtige Veröffentlichungen:* ISO-Bulletin (monatlich); ISO-Memento (jährlich); ISO International Standards; Annual Review; ISO Standards Handbooks.

**ISO-Container,** →Container.

**Isodapanen,** Begriff der →Standorttheorie für Linien auf einer Karte, auf denen solche Orte liegen, deren Transportkostenniveau insgesamt gleich hoch ist. Sie verlaufen meist als regelmäßige, konzentrische Ringe um ein Transportkostenminimum, es sei denn, es bestünden mehrere benachbarte Minima, die die Kreise zusammendrücken.

**Isodistanten,** Begriff der →Standorttheorie für Linien auf einer Karte, die Orte gleicher Entfernung von einem Punkt miteinander verbinden.

**Isoelastische Funktion,** Funktion, deren →Elastizität in jedem Punkt den gleichen Wert hat: $y = ax^b$ (b = konstanter Wert der Elastizität). – Einkommenselastizitäten von 1 sind in der Theorie des gleichmäßigen Wachstums (→Wachstumstheorie) eine notwendige Voraussetzung.

**Isokostenkurve,** *Isotime, Isokostenlinie, Kostenisoquante,* geometrischer Ort aller Faktormengenkombinationen, die eine Unternehmung bei gegebenem Kostenbetrag und bei gegebenen Faktorpreisen höchstens kaufen kann.

**Isokostenlinie,** →Isokostenkurve.

**Isomorphie,** →Modell, →Analogie.

**Isoquante,** Menge aller Inputvektoren, mit deren Hilfe bei gegebener →Technologie und →effizienter Produktion eine gegebene Ausbringungsmenge erstellt werden kann. I. im Zwei-Güter-Fall vgl. untenstehende Abb.

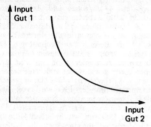

**Isotime,** →Isokostenkurve.

**Isovektoren,** Begriff der →Standorttheorie für Linien auf einer Karte, auf denen alle Orte liegen, die gleiche Transportkosten von einem und zu einem bestimmten Ort haben.

**Israel,** Staat an der O-Küste des Mittelmeers. – *Fläche:* 20 770 km². mit den seit 1967 besetzten und z. T. annektierten Gebieten von Teilen der syrischen Golanhöhen, dem Westjordanufer und dem Gazastreifen 28 163 km². – *Einwohner* (E): (1986, geschätzt) 4,3 Mill. (207 E/km²). – *Hauptstadt:* Jerusalem (428 700 E; nicht von allen Staaten anerkannt); weitere wichtige Städte: Tel Aviv–Jaffa (327 300 E), Haifa (225 000 E). – Auf Beschluß der UN (1947) Teilung Palästinas und Proklamation der Republik I. *Unabhängigkeit* seit der Staatsgründung 1948. Parlamentarische Republik ohne schriftliche Verfassung, die geltenden Grundgesetze sollen zu einer Verfassung vereinigt werden; Einkammerparlament (Knesset); Parteienvielfalt. *Verwaltungsgliederung:* 6 Distrikte, 12 Unterdistrikte, 36 Stadtgemeinden, 115 Gemeindebezirke. – *Amtssprachen:* Neu-Hebräisch (Irwrith) und Arabisch.

Wirtschaft. *Landwirtschaft:* Vorherrschende Betriebsformen der hoch mechanisierten, markt- und exportorientierten Landwirtschaft sind Kibbuzim und Moschawin. Zwei Drittel des Ackerlandes sind künstlich bewässert. Produkte des Ackerbaus sind Gerste, Weizen, Zuckerrüben, Kartoffeln, Futterpflanzen, ferner Gemüse. I. ist nach Spanien der zweitgrößte Exporteur von Zitrusfrüchten (Apfelsinen, Pampelmusen, Zitronen). In der Viehwirtschaft dominieren die Rinder- und Geflügelzucht. – *Fischerei:* bedeutende Teichwirtschaft und Seefischerei. – *Bergbau und Industrie:* Verschiedene, meist noch nicht voll erschlossene Bodenschätze: v. a. Kupfererze, Gips, Schwefel, Magnesium, Erdöl und Erdgas. Wirtschaftlich bedeutsam ist der Abbau der Phosphatlager sowie der Mineralsalzvorräte. Hoher Konzentrationsgrad in der Industrie. Hauptzweige sind metallverarbeitende Industrie, Textil- und Bekleidungsgewerbe und Nahrungs-, Genußmittel- und Getränkeindustrie. Zu den Wachstumsbranchen zählen Elektrotechnik und Elektronik. Die Diamanten- und Halbedelsteinverarbeitung, für die das Rohmaterial meist aus der Rep. Südafrika eingeführt wird, gehört zu den wichtigsten Exportindustrien. 1985 wurde der Stadt Eilat der Status einer Freihandelszone verliehen, um die Ansiedlung von Industrieunternehmen zu fördern und um Touristen anzulocken. – *Fremdenverkehr:* (1984) 1,26 Mill. Touristen; Deviseneinnahmen 1,1 Mrd. US-$. – *BSP:* (1985, geschätzt) 21 140 Mill. US-$ (4920 US-$ je E). – *Öffentliche Auslandsverschuldung:* (1984) 77,2% des BSP. – *Inflationsrate:* (Durchschnitt 1973–84) 84,4%. – *Export:* (1985) 6070 Mill. US-$, v. a. bearbeitete Waren, Maschinen und Fahrzeuge, chemische Erzeugnisse, Nahrungsmittel. – *Import:* (1985) 8070 Mill. US-$, v. a. Maschinen und Fahrzeuge, bearbeitete Waren, mineralische Brennstoffe. – *Handelspartner:* EG-Länder, USA.

Verkehr: 12482 km *Straßen* (1983). – Die staatliche Eisenbahngesellschaft verfügt über 536 km *Normal-* und 322 km *Schmalspurstrecken* (1983); wichtigste Strecke: Haifa–Tel Aviv–Beerscheba; der Ausbau bis Eilat ist geplant. – Die *Handelsflotte* verfügte (1984) über 64 Schiffe mit einer Gesamttonnage von 536 200 BRT. *Haupthäfen* sind Haifa, Aschdod und Eilat. – Die nationale *Fluggesellschaft* „El Al" fliegt nach allen Kontinenten. Die staatliche Fluggesellschaft „ARKIA" bedient das Inlandsnetz. Internationaler *Flughafen:* Ben Gurion bei Tel Aviv.

Mitgliedschaften: UNO, BIZ, CCC, UNCTAD u. a.

Währung: 1 Neuer Schekel (NIS) = 100 Agorot.

**Istanalyse.** 1. *Begriff:* Erste Phase im Phasenmodell der →Systemanalyse. Der Ist-Zustand des Problembereichs, für den ein computergestütztes →betriebliches Informationssystem (→Computersystem) entwickelt (bzw. ein bestehendes verändert) werden soll, wird erhoben, aufbereitet und kritisch analysiert. – 2. *Ziel:* Feststellung des Informationsbedarfs für das System, Erstellung einer Anforderungsdefinition, die als Basis für die nächste Phase (→Sollkonzept) dient. Vgl. auch →Informationsbedarfsanalyse. – 3. *Teilschritte:* Systemabgrenzung (Festlegung des zu analysierenden Bereichs), Systemerhebung, Systembeschreibung sowie die Fakten- und Schwachstellenanalyse.

**Isteindeckungszeit,** Zeitspanne, für die der zukünftige Bedarf aus dem Lagerbestand effektiv gedeckt werden kann. Rechnerisch ergibt sich die I. (in Tagen) bei konstantem Periodenbedarf als Quotient aus vorhandenem Lagerbestand und Tagesbedarf. – *Anders:* →Solleindeckungszeit. – Vgl. auch →Bestellpunktverfahren, →Eindeckung.

**Istkosten.** 1. *Allgemein:* Alle während einer bestimmten Abrechnungsperiode tatsächlich angefallenen →Kosten. – 2. In der Abweichungsanalyse in der *Plankostenrechnung:* Die zu Planpreisen bewertete Istverbrauchsmenge.

**Istkostenrechnung,** Form der →Kostenrechnung, bei der die während einer Abrechnungsperiode tatsächlich angefallenen Kosten ohne Korrekturen auf die produzierten und abgesetzten Kostenträger lückenlos weiterverrechnet werden (→Nachkalkulation). Manche Kostenarten, deren effektive Höhe erst später feststeht (z. B. Steuern, Gebühren usw.) müssen zu Normal- oder Planwerten angesetzt werden. – *Beurteilung:* I. ermöglicht weder eine Wirtschaftlichkeitskontrolle (den Istwerten werden keine Sollwerte gegenübergestellt) noch liefert sie durch ihre Vergangenheitsbezogenheit Grundlagen für dispositive Entscheidungen. Außerdem werden störende Zufallsschwankungen nicht isoliert.

**Ist-Objekt,** →Prüfung.

**Istspanne** die am Ende einer Abrechnungsperiode ermittelte, tatsächlich erzielte →Handelsspanne. I. dient als Vergleichsgröße, die zur Kontrolle des →Rohertrags der →Sollspanne gegenübergestellt wird.

**Istversteuerung,** Besteuerungsart der →Umsatzsteuer. Die Steuerschuld entsteht mit der Vereinnahmung der →Entgelte (§ 13 I Nr. 1 b UStG). I. gilt auf Antrag für Unternehmer, deren →Gesamtumsatz im Kalenderjahr nicht mehr als 250 000 DM betragen hat *oder* die von der Verpflichtung befreit sind, Bücher zu führen und aufgrund jährlicher Bestandsaufnahmen Abschlüsse zu machen. – *Wechsel zur* →Sollversteuerung: Der Unternehmer muß Entgelte, die für frühere Lieferungen oder sonstige Leistungen nachträglich eingehen (Außenstände), bei der Vereinnahmung versteuern.

**Istzahlen,** die tatsächlich zustande gekommenen Zahlen, i. a. aus der Buchführung, z. B. für Einnahmen, Ausgaben, Forderungen und Verpflichtungen. Verwendung der I. generell zur Abstimmung mit den entsprechenden Planwerken. Insbes. werden die I. im →Finanzplan den geschätzten Zahlen (→Sollzahlen) gegenübergestellt, um daraus die erforderlichen finanzpolitischen Maßnahmen ableiten zu können.

**Ist-Zeit,** tatsächlich vom Menschen und Betriebsmittel gebrauchte Zeit für die Ausführung bestimmter →Ablaufabschnitte in einem Arbeitssystem. – *I.-Z.-Ermittlung* durch

direkte Messung am Arbeitsplatz durch einen Beobachter (→Arbeitszeitstudie), durch Selbstaufschreibung bzw. Einsatz selbsttätiger Registrierinstrumente, ggf. auch durch Befragung. – *Gegensatz:* →Soll-Zeit.

**Italien,** *Italienische Republik,* südeuropäischer Staat mit den Haupteinheiten Apenninenhalbinsel, Sizilien, Sardinien. – *Fläche:* 301 252 $km^2$. – *Einwohner* (E): (1985, geschätzt) 57,1 Mill. (189 E/$km^2$). – *Hauptstadt:* Rom (2,83 Mill. E); weitere Millionenstädte: Mailand (1,56 Mill. E), Neapel (1,21 Mill. E), Turin (1,07 Mill. E). – Nationale Einheit in neuerer Zeit seit 1861, demokratisch-parlamentarische Republik seit 1946, Verfassung von 1948, Zweikammerparlament. *Verwaltungsgliederung:* 20 autonome Regionen (davon 15 Regionen mit Normalstatus und 5 Regionen mit Sonderstatus) und 96 Provinzen. – *Amtssprache:* Italienisch.

W i r t s c h a f t . *Landwirtschaft:* Es dominiert der Ackerbau. Haupterzeugnisse sind Weizen, Zuckerrüben, Kartoffeln, Mais, Reis, Tomaten, Olivenöl, Zitronen, Apfelsinen, Mandarinen, Tabak und Wein. Viehzucht (Rinder, Schafe, Ziegen, Schweine, Esel, Pferde und Maultiere). – Bedeutende *Küstenfischerei* (Sardinen, Thunfisch; Korallen). – *Bergbau:* Wenig Bodenschätze. Nur größere Vorkommen an Schwefel (Sizilien), Quecksilber (Monte Amiata). Wenig Kohle (Carbonia), aber Erdöl- und Erdgasvorkommen (obere Po-Ebene, Emilia); ferner Marmor (Carrara), Eisenerze (Elba), Bauxit. – *Industrie* ist vorwiegend in Norditalien angesiedelt; zunehmend industrielle Erschließung von Süditalien (Mezzogiorno; Bari u. a.) und Sizilien. Hauptzweige: Maschinen- und Transportmittelbau, chemische, elektronische, Elektro-, Textil-, Baustoff-, Schuh-, Lederwaren-, Nahrungs- und Genußmittelindustrie und Metallurgie. Große Erdölraffinerien. – Bedeutender *Fremdenverkehr.* – *BSP:* (1985, geschätzt) 371 050 Mill. US-$ (6520 US-$ je E). – *Inflationsrate:* (Durchschnitt 1973–84) 17,2%. – *Export:* (1985) 78 957 Mill. US-$, v.a. Maschinen, elektrotechnische Erzeugnisse und Fahrzeuge, Textilien und Bekleidung, Chemikalien, landwirtschaftliche Erzeugnisse. – *Import:* (1985) 90 994 Mill. US-$, v.a. Erdöl und Erdölprodukte, Maschinen und Ausrüstungen, Nahrungsmittel, Rohstoffe. – *Handelspartner:* Bundesrep. D., Großbritannien, Frankreich, USA, arabische Staaten, UdSSR.

V e r k e h r : 298 530 km *Straßen* (1982). – Die Streckenlänge der *Eisenbahn* betrug (1983) 16 100 km. – Wichtige *Häfen:* Genua, Neapel, Venedig, Triest, Bari. I. verfügte (1985) über 1573 *Hochseeschiffe* (über 100 BRT) mit 8,84 Mill. BRT. – 12 internationale *Flughäfen,* darunter Rom (Knotenpunkt im Weltluftverkehr) und Mailand; 90 Inlandsflughäfen. Staatliche *Fluggesellschaft* ist die ALITALIA.

Mitgliedschaften: UNO, BIZ, CCC, EG, EWS, IEA, NATO, UNCTAD, WEU u. a.; Europarat.

Währung: 1 Italienische Lira (Lit) = 100 Centesimi (Cent.).

**italienische Buchführung,** älteste Form der →doppelten Buchführung, die aus einem Grund- und einem Hauptbuch bestand. Die neuere Form verwendet zwei Grundbücher, ein Kassenbuch für Bargeschäfte und ein Tagebuch oder Memorial für sonstige, insbes. Kreditgeschäfte. Aus ihnen werden die Buchungsvorfälle in das Hauptbuch übertragen.

**ITC, Inland Transport Committee der ECE,** Nachfolger der *ECITO (European Central Inland Transport Organization). – Mitglieder:* Mitglieder der →ECE. Der Binnenausschuß der ECE gehört zu den 16 Hauptorganen der Wirtschaftskommission der Vereinten Nationen für Europa, die für die Entwicklung der politischen Programme für die verschiedenen Kompetenzbereiche der ECE zuständig sind. – *Aufgaben/Tätigkeit:* Koordinierung und Erleichterung des zwischenstaatlichen Straßen-, Wasserstraßen- und Eisenbahnverkehrs in Europa. Vereinheitlichung der Straßenverkehrszeichen, Weltkonvention für den Straßenverkehr, Sicherheit, Versicherung, Besteuerung, Verzollung im Verkehrswesen, Erleichterung und Vereinheitlichung der administrativen Formalitäten. – Der ITC ist das einzige Forum in Europa, in dem eine Abstimmung der Verkehrspolitik zwischen west- und osteuropäischen Staaten erfolgt. Die jährlichen Berichte der ECE-Hauptorgane an die ECE-Kommission geben einen Überblick über die vielfältigen politischen Vorhaben, an denen westliche und östliche Länder gemeinsam arbeiten. – *Wichtige Veröffentlichung:* Annual Report, Economic Commission für Europe, New York, 1986.

**Item,** Grundaufbauelement einer Skala (z. B. eines Tests, eines Index, eines Fragebogens). Inhalt eines I. können Fragen, Aussagen (statements), Meinungen o. ä. sein, die die Auskunftsperson zu einer als Indikator verwendeten Reaktion veranlassen. – Vgl. auch →Itemselektion.

**Itemselektion,** Auswahl und Zusammenstellung einer Reihe von →Items, z. B. in Form eines Fragebogens.

**Iteration,** Verfahren zur schrittweisen Lösung einer Gleichung oder eines Gleichungssystems. Mit Hilfe einer ersten Näherungslösung werden weitere Näherungslösun- gen berechnet, wobei diese Folge von Näherungslösungen unter gewissen Voraussetzungen gegen einen Grenzwert geht, der die Lösung des Gleichungssystems darstellt. Dieses Verfahren der I. wird bei der Berechnung der →Effektivverzinsung sowie gelegentlich bei →Zeitreihenanalyse, →geschichteten Zufallsstichprobenverfahren und bei Methoden des →Operations Research angewandt.

**Iterationsverfahren,** →innerbetriebliche Leistungsverrechnung II 2.

**iterative heuristische Verfahren,** →heuristische Verfahren, die schrittweise (iterativ) eine vorliegende Lösung verbessern.

**iterativer Algorithmus,** →Algorithmus, der nicht gegen eine zulässige oder optimale Lösung eines Problems konvergiert.

**ITO, International Trade Organization,** *Internationale Handelsorganisation, Organisation Internationale du Commerce* (OIC), gemäß Art. I der →Havanna-Charta vorgesehene Handelsorganisation der Vereinten Nationen (UN) zur Verwirklichung der in der Charta niedergelegten Ziele des Wiederaufbaus und der Integration der Weltwirtschaft auf handelspolitischem Gebiet. Infolge der Nichtratifizierung der Havanna-Charta wurde die ITO nicht institutionalisiert. Die der ITO, die als Mitglied der Sonderorganisationen der UN gegründet werden sollte, zugedachten handelspolitischen Aufgaben wurden vom →GATT übernommen. Das GATT mit der Interimistischen Kommission für die ITO (IC-ITO) als Sekretariat gehört anstelle der ITO zu den →Sonderorganisationen der UN.

**ITU, International Telecommunication Union,** *Internationaler Fernmeldeverein,* Sitz in Genf. Gegründet 1865 in Paris; seit 1947 Mitglied der →Sonderorganisationen der UN. *Mitglieder:* (1985) 159. – *Gesetzliche Grundlage:* 1973 in Torremolinos (Spanien) revidierter internationaler Fernmeldevertrag vom 22. 12. 1952. – *Organe:* a) Konferenz der Regierungsbevollmächtigten als oberstes Organ; b) Verwaltungskonferenzen für den Telegrafen-, Fernsprech- und Funkdienst; c) ständige Organe: Verwaltungsrat aus 36 von der Bevollmächtigtenkonferenz gewählten Mitgliedern als Exekutivorgan; Generalsekretariat; drei als autonome Organe tätige Ausschüsse: (1) Zwischenstaatlicher Ausschuß zur Registrierung der Frequenzen (International Frequency Registration Board – IFRB), (2) Zwischenstaatlicher beratender Ausschuß für den Telegrafen- und Fernsprechdienst (International Telegraph and Telephone Consultative Committee – CCITT), (3) Zwischenstaatlicher beratender Ausschuß für den Funkdienst (International Radio Consultative Committee – CCIR). Diese Organe verfügen ihrerseits über ein System autonomer Hilfsorgane. – *Ziele:* Zwischenstaatliche Zusammenarbeit auf den Gebieten des Fernmeldewesens, der Fernmeldetechnik, der Frequenzverteilung und Registrierung, der Gebührengestaltung und Forschung in den genannten Bereichen und in der technisch-wissenschaftlichen Dokumentation. – *Aufgaben und Arbeitsergebnisse:* Zahlreiche internationale Übereinkommen und Richtlinien, mit z. T. (z. B. auf dem Gebiet der Frequenzregistrierung) formaler internationaler Anerkennung. Technische Zusammenarbeit der ITU mit Entwicklungsländern als gesondertes Programm im Rahmen der →UNDP. – *Wichtige Veröffentlichungen:* Telecommunication Journal (monatlich); Conventions and Regulations; Documents of International Conferences; Charts of Telegraph and Radio Channels, Radio Frequency List.

**IUSSP,** Abk. für International Union for the Scientific Study of Population (→World Fertility Survey).

**i. V.,** Abk. für in Vollmacht (→per 1).

**IV-Ansatz,** →Informationsverarbeitungsansatz.

**IVW,** Abk. für →Informationsgemeinschaft zur Feststellung der Verbreitung von Werbeträgern e. V..

**IWF,** **Internationaler** **Währungsfonds,** →IMF.

**IWO,** Abk. für →internationale Wirtschaftsorganisationen.

# J

**J, Joule,** →gesetzliche Einheiten, Tabelle 1.

**Jackson-Methode.** 1. *Begriff:* →Softwareentwurfsmethode; von M. Jackson entwickelt und 1975 vorgestellt; eigene Terminologie. Ähnlichkeit mit der →Warnier/Orr-Methode. – 2. *Grundidee:* →Algorithmus wird anhand der Struktur der Eingabe- und Ausgabedaten entwickelt. Der Begriff →*Datenstruktur* wird nicht i. e. S. wie bei der →Programmentwicklung üblich verwendet, sondern i. S. einer allgemeineren Beschreibung der strukturellen Beziehungen zwischen den →Daten. – 3. *Vorgehensweise:* a) Entwicklung der „Eingabedatenstruktur" und der „Ausgabedatenstruktur"; b) Ableitung der „Programmstruktur" (des Algorithmus) aus den Datenstrukturen; c) Ermittlung von „Elementaroperationen" des zugrunde liegenden Problems; dies sind grundlegende Einzelfunktionen (z. B. Drucken einer Überschriftszeile; Zuordnung derselben zu den Komponenten der Programmstruktur; d) Formulierung der Programmstruktur und der Elementaroperationen in einem →Pseudocode (schematic logic). – 4. *Darstellungsmittel (gleiche* Darstellungsmittel für Daten- und Programmstruktur): a) *Baumdiagramme* zur Anordnung der Komponenten; b) konstrukte *Sequenz, Selektion und Iteration* (vgl. auch →Steuerkonstrukt) für die Beziehungen zwischen den Komponenten. – 5. *Einsatzgebiete:* geeignet für einfache Problemstellungen, bei denen z. B. aus einer Eingabedatei (→Datei) durch einfache Transformationen eine Druckliste oder Ausgabedatei erzeugt werden soll; verbreitet in der →betrieblichen Datenverarbeitung.

**Jagdhaftpflichtversicherung,** auf gesetzlicher Verpflichtung beruhende →Haftpflichtversicherung der Jäger.

**Jagdsteuer,** →Gemeindesteuern.

**Jahresabschluß.** I. K e n n z e i c h n u n g: Die nach den handelsrechtlichen Vorschriften von allen Kaufleuten aufzustellende →Jahresbilanz (vgl. auch →Bilanz) und →Gewinn- und Verlustrechnung (§§ 242 ff. HGB). Vgl. auch →Abschluß. – 1. *Generelle Vorschriften:* Im Rahmen der gesetzlichen Vorschriften sind sämtliche Vermögensgegenstände, Schulden, Rechnungsabgrenzungsposten, Aufwendungen und Erträge im J. auszuweisen. Der J. hat den →Grundsätzen ordnungsmäßiger Buchführung zu entsprechen, insbes. muß er klar und übersichtlich sein, Saldierungen zwischen Aktiva und Passiva, Aufwendungen und Erträgen sind unzulässig (vgl. →Bilanzgliederung, Gliederung der →Gewinn- und Verlustrechnung). Der J. ist in deutscher Sprache und in DM aufzustellen. J. ist vom Kaufmann bzw. dem persönlich haftenden Gesellschafter zu unterzeichnen und zehn Jahre aufzubewahren. – 2. Bei *Kapitalgesellschaften* ist der J. um einen →Anhang zu erweitern (§ 264 I HGB); zusätzlich ist ein →Lagebericht aufzustellen. Die gesetzlichen Vertreter von Kapitalgesellschaften haben den J. und den Lagebericht in den ersten drei Monaten des Geschäftsjahres für das vergangene Geschäftsjahr aufzustellen und den →Abschlußprüfern unverzüglich vorzulegen (§ 320 HGB). Ausnahmen für kleine Kapitalgesellschaften (→Größenklassen): Aufstellungsfrist bis zu sechs Monaten, keine Prüfungspflicht (→Abschlußprüfung). Zu den Veröffentlichungspflichten vgl. →Publizität. – 3. Bei *Aktiengesellschaften* hat der Vorstand den J. und den Lagebericht unverzüglich nach Aufstellung sowie den Prüfungsbericht des Abschlußprüfers unverzüglich nach dem Eingang dem Aufsichtsrat vorzulegen (§ 170 AktG). Billigt dieser nach eigener Prüfung den J., so ist dieser damit *festgestellt.* Die Hauptversammlung (HV) kann dann über die Verwendung des Bilanzgewinns beschließen; sie ist hierbei an den festgestellten J. gebunden (§ 174 I AktG); die Rechte der HV sind durch diese gesetzliche Regelung stark eingeschränkt. Wenn sich Vorstand und Aufsichtsrat nicht einigen oder die Feststellung des J. der HV überlassen wollen, ist dieser Punkt auf die Tagesordnung der HV zu setzen. – Entsprechende Regelungen für die *GmbH* in § 42a GmbHG. – Besondere Regelungen bestehen bezüglich Aufstellungsfristen für *Genossenschaften* gem. § 336 I HGB (fünf Monate), für *Kreditinstitute* gem. § 26 I KWG (drei Monate unabhängig von der Rechtsform), für *Versicherungsunternehmen* gem. § 55 VAG (vier Monate, Sonderfälle § 55 II VAG). – 4. Außerdem besteht gem. § 330 HGB eine Verordnungsermächtigung zum Erlaß von *branchenspezifischen Vorschriften* für Gliederung (Formblätter), Anhang und Lagebericht; diese Ermächtigung wurde bisher nicht genutzt. Eine entsprechende Regelung in § 161 AktG a. F. hatte zu Verordnungen für die Gliederung des J. von Kreditinstituten, Verkehrsunternehmen, Wohnungsunternehmen, Hypothekenbanken und Schiffspfandbriefbanken sowie Bausparkassen geführt; deren Anwendbarkeit ist gegenwärtig unklar. – 5. Durch Gesetz über die Rechnungslegung von Unternehmen und Konzernen vom 15.8.1969 (BGBl I 1189) sind die Verpflichtungen für *Großunternehmen,* die nicht Kapitalgesellschaften sind, bezüglich des J. zum Teil erweitert (→Rechnungslegung nach Publizitätsgesetz).

II. A u s s a g e f ä h i g k e i t : 1. Für Kapitalgesellschaften verlangt der Gesetzgeber (§264 II HGB), daß der J. unter Beachtung der GoB ein den tatsächlichen Verhältnissen entsprechendes Bild der Vermögens-, Finanz- und Ertragslage vermittelt. Welche *Aussagen* einem diesen Anforderungen genügender J. zu entnehmen sind, ergibt sich aus den Ergebnissen von →Bilanzanalyse und →Bilanzkritik (vgl. dort). Zu den grundsätzlichen Aussagemöglichkeiten und -grenzen von J. vgl. →Bilanztheorien. – 2. Zur interessenausgerichteten Gestaltung des J., um beim Empfänger des J. (z. B. Gläubiger, Kapitaleigner, Bilanzkritiker) einen bestimmten Eindruck zu erzielen, vgl. im einzelnen →Bilanzpolitik, →Jahresbilanz I 2.

## Jahresabschlußprüfung. I. I n h a l t : Die J. ist eine →Prüfung des am Ende des Geschäftsjahres aufzustellenden Jahresabschlusses durch einen →Abschlußprüfer (vgl. auch →Abschlußprüfung). Bei *freiwilliger J.* hängt deren Gestaltung im wesentlichen vom Prüfungsauftrag ab. Bei →*Pflichtprüfungen* sind die jeweiligen . gesetzlichen Bestimmungen maßgebend. I. d. R. werden bei der gesetzlichen J. neben der Prüfung des Jahresabschlusses (Bilanz, Gewinn- und Verlustrechnung und Anhang) auch andere Prüfungsobjekte einbezogen, z. B. der Lagebericht oder die besonderen Prüfungshandlungen bei der →genossenschaftlichen Pflichtprüfung.

II. G e s e t z l i c h e G r u n d l a g e n : Gesetzliche Vorschriften zur J. orientieren sich im wesentlichen an der Rechtsform, der Größe und der Branchenzugehörigkeit der Unternehmungen. – 1. *Rechtsform- und größenabhängige Prüfungspflichten bei Einzelabschlüssen:* Die Pflicht zur J. ist getrennt nach Kapitalgesellschaften und Nicht-Kapitalgesellschaften größenabhängig geregelt. Sie ergibt sich für Abschlüsse, die für Geschäftsjahre aufzustellen sind, die nach dem 31.12.1986 beginnen, aus dem Handelsgesetzbuch bzw. aus dem Gesetz über die Rechnungslegung von bestimmten Unternehmen und Konzernen (Publizitätsgesetz). Danach ist der Prüfungspflicht gegeben, wenn zwei von drei Kriterien für einen bestimmten Zeitraum erfüllt sind: a) Für *Nicht-Kapitalgesellschaften* sind laut §3I PublG: Bilanzsumme größer als 125 Mill. DM, Umsatz in den zwölf Monaten vor dem Abschlußstichtag größer als 250 Mill. DM,

durchschnittliche Zahl der Arbeitnehmer in den zwölf Monaten vor dem Abschlußstichtag größer als 5000. b) Für *Kapitalgesellschaften:* Bilanzsumme größer als 3,9 Mill. DM, Umsatz in den letzten 12 Monaten vor dem Abschlußstichtag größer als 8 Mill. DM, jahresdurchschnittliche Zahl der Arbeitnehmer größer als 50. AGs, die die Größenkriterien nicht erfüllen, sind nicht mehr (wie bisher nach dem AktG von 1965) prüfungspflichtig; Ausnahme bei Börsennotierung (§267 III HGB). GmbHs, die bisher nur bei Erfüllung der Größenkriterien bei PublG zu prüfen waren, werden nach dem HGB prüfungspflichtig, sofern sie die angegebenen Grenzen nicht unterschreiten. – 2. *Besondere Prüfungspflichten bei Einzelabschlüssen:* Zusätzlich zu den Prüfungsbestimmungen für den Jahresabschluß nach HGB und PublG gibt es weitere besondere Prüfungsregelungen, insbes. für Genossenschaften (§53–59 GenG), Versicherungsunternehmungen (§§57–64 VAG) und Kreditinstitute (§§27–29 und 31 KWG). – 3. *Prüfungspflichten für Konzerne* (→Konzernabschlußprüfung) gemäß §§316–324 HGB.

III. P r ü f u n g s u m f a n g bei gesetzlich vorgeschriebener J. für Einzelabschlüsse nach HGB und PublG: Prüfung des Jahresabschlusses (Bilanz, Gewinn- und Verlustrechnung, Anhang) und der einzubeziehenden Buchführung nach §317I 1 HGB daraufhin, ob die gesetzlichen Bestimmungen und sie ergänzende Bestimmungen der Gesellschaftsvertrages oder der Satzung beachtet wurden. §317I 2 HGB verlangt die Prüfung des Lageberichts nach §317I 2 HGB daraufhin, ob er im Einklang mit dem Jahresabschluß steht und ob die sonstigen Angaben nicht eine falsche Vorstellung von der Lage der Unternehmung erwecken.

IV. P r ü f u n g s h a n d l u n g e n : 1. *Buchführung:* →Abstimmungsprüfungen, Übertragungsprüfungen, rechnerische Prüfungen, Belegprüfungen. Die systematische Prüfung der Buchführung erfolgt meist in Stichproben (→Stichprobenprüfung). Schwerpunkte sind die Prüfung der Konten des Zahlungsverkehrs, der Konten des Warenverkehrs und der Personenkonten. Ergebnisse werden in den Arbeitspapieren und im Prüfungsbericht festgehalten.

2. *Bilanz:* Prüfung der Existenz und Vollständigkeit der Positionen und der Einhaltung der Bilanzierungs-, Bewertungs- und Gliederungsvorschriften. – a) Beim *Anlagevermögen* u. a. Prüfung, ob ein gesonderter Ausweis von Zu- und Abgängen sowie von Zuschreibungen und Abschreibungen vorgenommen wurde; u. U. Inaugenscheinnahme der Sachanlagegegenstände. Weiterhin Prüfung der immateriellen Anlagewerte und der Finanzanlagen. – b) Beim *Umlaufvermögen* Prüfung von Ansatz

und Bewertung der Vorräte, Forderungen, flüssiger Mittel und Wertpapiere; besondere Beachtung verdient die Prüfung der Ordnungsmäßigkeit der Inventur einschl. Kontrolle der Warenbewegungen zwischen Inventur und Bilanzstichtag. Prüfung der Herstellungskostenkalkulation, Ladenhüter müssen ausgesondert und abgeschrieben sein; dazu ist oft eine Durchsicht der Material- bzw. Warenkonten erforderlich. Prüfung der Debitoren kommt häufig auch einer Deliktsprüfung gleich; eine Durchsicht des ausgewiesenen Bestands auf unechte Debitoren (Filialsklaven, Kommissionslager, fiktive Debitoren usw.) und eine Beurteilung der Bonität sind erforderlich. Besondere Sorgfalt bei der Kassenprüfung (rückständige Buchungen unter Aufsicht; bei Kassenaufnahme muß der Verkehr ruhen; Geldbewegungen zwischen mehreren Kassen müssen ausgeschlossen sein; Rückrechnung vom Prüfungstag zum Bilanzstichtag). – Bei Prüfung der Bank- und Postscheckkonten ist auf Differenzen infolge zeitlicher Verschiebung besonders zu achten. – c) Bei der Prüfung der *Passiva* ist insbes. auf Vollständigkeit der Verbindlichkeiten auf Angemessenheit von vorgenommenen Rückstellungen und auf Berücksichtigung von erkennbaren Risiken zu achten. Zu prüfen sind auch das ausgewiesene Kapital, die Rücklagenentwicklung, die Sonderposten mit Rücklageanteil und die Eventualverbindlichkeiten.

3. *Gewinn- und Verlustrechnung:* Es ist zu prüfen, ob sämtliche Aufwendungen und Erträge vollständig und periodengerecht unter den richtigen Bezeichnungen ausgewiesen wurden; bedeutungsvoll ist die Prüfung von sonstigen Aufwendungen und Erträgen, die mit der Bilanzprüfung nur unzureichend erfaßbar sind. Meist Ergänzung der Bilanzprüfung; wegen des engen Bezugs zwischen Bilanzpositionen und Positionen der Gewinn- und Verlustrechnung ist eine intensive Prüfung kaum noch erforderlich. Reihenfolge meist entsprechend den gesetzlichen Gliederungsvorgaben.

4. *Anhang:* Prüfung, ob die angewandten Bilanzierungs- und Bewertungsmethoden und die Grundlagen der Währungsumrechnung angegeben und ob Abweichungen von den Bilanzierungs- und Bewertungsvorschriften angegeben und begründet wurden und ob deren Einfluß auf die Vermögens-, Finanz- und Ertragslage gesondert dargestellt wurde. Prüfung, ob Angaben über die Einbeziehung von Zinsen für Fremdkapital in die Herstellungskosten gemacht sind. Prüfung, ob weiteren Angabepflichten genügt wurde, wie zum Gesamtbetrag der Verbindlichkeiten mit einer Restlaufzeit von mehr als fünf Jahren, zum Gesamtbetrag der Verbindlichkeiten, die durch Rechte gesichert sind, unter Angabe von Art und Form der Sicherheiten, zu sonstigen finanziellen Verpflichtungen, die

nicht in der Bilanz erscheinen, zu nicht passivierten Pensionsverpflichtungen, zur Aufgliederung der Umsatzerlöse, zur Ergebnisbeeinflussung durch steuerrechtliche Bewertung, zur Aufteilung der Ertragsteuerbelastung auf das außerordentliche Ergebnis und das Ergebnis aus gewöhnlicher Geschäftstätigkeit, zur Zahl der Arbeitnehmer, zum Material- und Personalaufwand bei Anwendung des Umsatzkostenverfahrens, zu Bezügen der Organmitglieder, zu Mitgliedern von Organen, zu gehaltenen Beteiligungen, zur Bilanzposition „sonstige Rückstellungen", zu Gründen für die planmäßige Abschreibung des Geschäfts- oder Firmenwerts und zum Mutterunternehmen. – Bei AGs auch Prüfung der Angaben zum Bestand und Zugang von Aktien, die von einem Aktionär für Rechnung der Gesellschaft, eines abhängigen oder im Mehrheitsbesitz der Gesellschaft stehenden Unternehmens als Gründer oder Zeichner übernommen wurden, zum Bestand an eigenen Aktien, zu Zahl und Nennbetrag der Aktien, zum genehmigten Kapital, zur Zahl der Wandelschuldverschreibungen und dgl., zu Genußrechten, Rechten aus Besserungsscheinen usw., zu wechselseitigen Beteiligungen (Angabepflichten nach § 160 AktG) und auf Angaben zum Betrag bestimmter Gewinnrücklagenteile nach § 58 II a AktG, zum Ausweis von Zu- und Abgängen bei Posten „Kapitalrücklage" nach § 152 II AktG, zu einzelnen Posten der Gewinnrücklagen nach § 152 III AktG, zur Verwendung der Beträge aus Kapitalherabsetzung und Auflösung offener Rücklagen nach § 240 III AktG. – Bei GmbHs ist evtl. zu prüfen, ob Ausleihungen, Forderungen und Verbindlichkeiten gegenüber Gesellschaftern nach § 42 III GmbHG angegeben sind.

5. *Lagebericht:* Prüfung, ob dieser auf Vorgänge von besonderer Bedeutung, die nach Geschäftsjahresschluß eingetreten sind, auf die voraussichtliche Entwicklung der Gesellschaft und auf den Bereich Forschung und Entwicklung eingeht.

V. Bericht über die J.: Der →Prüfungsbericht enthält die detaillierte, schriftlich niedergelegte Berichterstattung des Prüfers über Verlauf und Ergebnis der J. *Umfang* nach § 321 HGB im einzelnen: a) Bericht über das Ergebnis der Prüfung; b) Feststellung, ob Buchführung, Jahresabschluß und Lagebericht den gesetzlichen Vorschriften entsprechen und ob die gesetzlichen Vertreter die verlangten Auskünfte und Nachweise erbracht haben; c) Aufgliederung und Erläuterung der Posten des Jahresabschlusses; d) Aufführung und Erläuterung von nachteiligen Veränderungen der Vermögens-, Finanz- und Ertragslage gegenüber dem Vorjahr und von Verlusten, die das Jahresergebnis nicht unwesentlich beeinflußt haben; e) vom Abschlußprüfer bei Wahrnehmung seiner Aufgaben festgestellte Tatsachen, die den Bestand der geprüften Unternehmung gefährden oder ihre Entwicklung wesentlich beeinträchtigen oder schwerwiegende Verstöße der gesetzlichen Vertreter gegen Gesetz, Gesellschaftsvertrag oder Satzung erkennen lassen (→Redepflicht des Abschlußprüfers); f) Unterschrift des Abschlußprüfers.

VI. Arbeitspapiere: 1. *Begriff:* Die Arbeitspapiere des Jahresabschlußprüfers bestehen aus den schriftlichen Aufzeichnungen des Prüfers, die im Verlauf seiner Prüfung entstanden sind, und allen beschafften Unterlagen zum Prüfungsobjekt. – 2. *Zwecke:* a) *Hauptzweck* ist Dokumentation der Prüfungsdurchführung. b) Erforderlichenfalls Nachweisfunktion über die Art und Weise der Prüfungshandlungen des Prüfers; sie sind ein wichtiges Beweismittel. c) Kontrollfunktion, wenn die Prüfung nicht vom Prüfungsleiter selbst durchgeführt wird. d) Informationsfunktion, wenn z.B. aus Krankheitsgründen ein anderer Prüfer die Prüfung fortsetzen muß oder wenn bei nachfolgenden Prüfungen eine schnelle Einarbeitung möglich sein soll. Arbeitspapiere, die für Folgeprüfungen bedeutungsvoll sind, werden häufig in einer →Dauerakte zusammengefaßt.

VII. Bestätigungsvermerk: Vgl. →Bestätigungsvermerk.

VIII. Planung der J.: 1. *Notwendigkeit und Begriff:* J. sind häufig komplex, so daß eine Planung unerläßlich ist. Die Planung der Prüfung ist ein gedanklicher Entwurf einer bestimmten Ordnung, nach der sich die Durchführung einer bestimmten Prüfung in sachlicher, personeller und zeitlicher Hinsicht zielgerichtet vollziehen soll. – 2. *Ziele:* Ergeben sich aus den Zielvorstellungen der an der Prüfungsunternehmung beteiligten Individuen. Der Zielbildungsprozeß ist der Planung der Prüfung vorgelagert. Die Planung der J. ist auf die Wirtschaftlichkeit der Planungsdurchführung gerichtet, wobei die vorgegebenen Ziele und weitere Datenkonstellationen, insbes. rechtliche bzw. vertragliche Bedingungen, zu beachten sind. Dabei sind auch die Voraussetzungen für eigenverantwortliches, sorgfältiges und gewissenhaftes Handeln der Prüfer zu schaffen. – 3. *Objekte:* Sachlich sind die Prüfungsobjekte festzulegen, →Prüffelder und →Prüffeldergruppen zu bilden, Prüfmethoden und sachliche Hilfsmittel zu bestimmen. Personell sind Prüfer auszuwählen, Prüfergruppen zu bilden und den Prüffeldergruppen zuzuordnen. Zeitlich sind die Reihenfolge der Prüfungshandlungen und die Zeitvorgabe unter Beachtung der Qualifikation der Prüfer zu planen. – 4. *Schwierigkeiten:* Die J. muß aus der Sicht einer Prüfungsunternehmung so durchgeführt werden, daß sie im Rahmen einer Gesamtplanung einen gewünschten Zielbeitrag erbringt. Solche Planungsmodelle wei-

sen jedoch erhebliche Probleme auf. Die Beachtung von u.U. vielfältigen Zielkomponenten kann schwierig sein. Geht man vereinfachenderweise von dem Ziel der Einkommensmaximierung aus und bedenkt, daß die Honorierung zeit- und wertabhängig sein kann, so müßte in der Planung ermittelbar sein, wie die optimale Mandantenzahl zu gewinnen ist, wie eine Optimierung der Mandantenstruktur im Hinblick auf Werthonorare vorgenommen werden kann, wie Prüferzeiten festzulegen sind, wie die Prüferzuordnung im Hinblick auf Zeithonorare optimal zu bestimmen ist und wie gleichzeitig die Zuverlässigkeit des Urteils gesichert werden kann. Will man realistischerweise die Unsicherheit einbeziehen, ergeben sich weitere Probleme. Modelle, die dies alles leisten, sind bisher nicht entwickelt worden; sie sind auch kaum zu erwarten. Vielmehr werden in Modellen zur Prüfungsplanung jeweils Teilprobleme zu lösen versucht.

**Literatur:** Egner, H., Betriebswirtschaftliche Prüfungslehre. Eine Einführung, Berlin und New York 1980; Fischer-Winkelmann, W. F., Entscheidungsorientierte Prüfungslehre, Berlin 1975; Glade, A., Rechnungslegung und Prüfung nach dem Bilanzrichtlinien-Gesetz. Systematische Darstellung und Kommentar, Herne-Berlin 1986; Gross, G./Schruff, L., Der Jahresabschluß nach neuem Recht. Aufstellung – Prüfung – Offenlegung, Düsseldorf 1986; Hagen, K., Revision und Treuhandwesen, Stuttgart usw. 1978; Havermann, H., Prüfungstechnik, in: Institut der Wirtschaftsprüfer in Deutschland e.V. (Hrsg.), Wirtschaftsprüfer-Handbuch 1985/86, Band I, 9. Aufl., Düsseldorf 1985, S. 945–1052; Korndörfer, W., und Peez, L., Einführung in das Prüfungs- und Revisionswesen. Lehrbuch für Studium und Praxis, Wiesbaden 1981; Leffson, U., Wirtschaftsprüfung, 3. Aufl., Wiesbaden 1985; Lück, W., Wirtschaftsprüfung und Treuhandwesen, Stuttgart 1986; Wysocki, K. v., Grundlagen des betriebswirtschaftlichen Prüfungswesens, 2. Aufl., München 1977; Zünd, A., Revisionslehre, Zürich 1982.

Dr. Elke Michaelis

**Jahresarbeitsverdienst,** in der Sozialversicherung das gesamte →Arbeitsentgelt, das der Arbeitnehmer im Laufe eines Jahres für seine geleisteten Dienste aus versicherungspflichtiger Beschäftigung bezieht. In den einzelnen Versicherungszweigen nicht einheitlich berechnet.

I. Krankenversicherung: Ermittlung des zukünftigen J. notwendig, weil die Versicherungspflicht der Angestellten davon abhängig ist, daß der J. die in §165 I Nr. 2 RVO festgesetzte Grenze (Jahresarbeitsverdienstgrenze, Versicherungspflichtgrenze) nicht übersteigt. Sie beträgt 75% der in der Rentenversicherung für die Arbeiter geltenden →Beitragsbemessungsgrenze. Zuschläge, die mit Rücksicht auf den Familienstand gezahlt werden, bleiben unberücksichtigt. – Bei der Ermittlung des für die Versicherungspflicht eines Angestellten maßgebenden regelmäßigen J. ist jeweils von den zu Beginn des Beschäftigungsverhältnisses zustehenden Bezügen auszugehen. Dies gilt auch dann, wenn Beschäftigungsverhältnisse von vornherein für kürzere Zeitdauer als ein Jahr abgeschlossen werden. Bei schwankenden

Bezügen wird der voraussichtliche J. im voraus gewissenhaft geschätzt; die darauf beruhende Entscheidung über die Versicherungspflicht gilt, bis die Schätzungsgrundlage sich ändert. – Eine *nachträgliche Berichtigung* unterbleibt, falls der tatsächliche Verdienst des Jahres hinter dem schätzungsweise angenommenen zurück bleibt oder diesen übersteigt.

II. Angestelltenversicherung/Arbeitslosenversicherung: Seit 1.1.1968 weggefallen. In diesen beiden Versicherungszweigen besteht nur noch eine →Beitragsbemessungsgrenze.

III. Unfallversicherung: Die Leistungen werden nach dem J. berechnet. Als J. gilt das Arbeitseinkommen des Verletzten im Jahr vor dem Arbeitsunfall (§ 571 RVO). Auch ein außerhalb des Unfallbetriebes erzieltes Arbeitseinkommen muß berücksichtigt werden. Hat z. B. ein Arbeitnehmer am 2.10.1987 einen Arbeitsunfall erlitten, so ermittelt der Unfallversicherungsträger den gesamten Arbeitsverdienst des Verletzten in der Zeit vom 2.10.1986 bis 1.10.1987 und legt ihn der Berechnung der Leistungen zugrunde. Maßgebend ist stets der Bruttoarbeitsverdienst. – Der J. beträgt *mindestens* das 300fache des für das Lebensalter des Verletzten in Betracht kommenden Ortslohns und höchstens 36 000 DM; die Satzung des Unfallversicherungsträgers kann auch einen höheren Betrag bestimmen (§ 575 RVO).

**Jahresarbeitszeitvertrag,** →Arbeitszeitmodell zur Flexibilisierung der Arbeitszeit. Die Dauer der →Arbeitszeit wird auf Jahresbasis festgelegt und zu Beginn eines jeden Jahres fixiert. Die Verteilung des Kontingents an abzuarbeitender Arbeitszeit während des Arbeitsjahres wird zwischen Arbeitgeber und -nehmer flexibel gestaltet.

**Jahresbilanz.** I. Handelsrechtliche J.: 1. *Charakterisierung:* Die durch § 242 I HGB vorgeschriebene Bilanz, die ein →Kaufmann für den Schluß eines Geschäftsjahres aufzustellen hat. In der J. sind sämtliche Gegenstände des →Anlagevermögens, →Umlaufvermögens, Bilanzierungshilfen, die →Schulden und →Rückstellungen sowie die aktiven und passiven Rechnungsabgrenzungsposten und als Saldo das →Eigenkapital gesondert auszuweisen und hinreichend aufzugliedern (§§ 246, 247 HGB). Die J. ist eine in Form eines →Kontos geführte Geldrechnung, die auf der Sollseite (Aktiva) die Vermögensgegenstände und auf der Habenseite (Passiva) die auf das Vermögen gerichteten Ansprüche der Gläubiger (Fremdkapital) und der Unternehmer (Eigenkapital) jeweils unter Berücksichtigung von Rechnungsabgrenzungsposten darstellt (vgl. auch →Bilanz). Die J. hat den →Grundsätzen ordnungsmäßiger Buchführung zu entsprechen; vgl. dazu auch →Jahres-

abschluß. Sie muß ggf. geprüft (→Abschlußprüfung) und veröffentlicht (→Publizität) werden. Nach dem →Maßgeblichkeitsprinzip ist die J. Grundlage für die aus ihr abzuleitende →Steuerbilanz (insbes. bei nicht zur Publizität verpflichteten Unternehmen wird vielfach für beide Zwecke nur eine Bilanz erstellt).

2. *Zwecke:* Form und Inhalt der J. hängen von den verfolgten Zwecken ab. In erster Linie sind die folgenden Bilanzzwecke zu unterscheiden: a) *Informationszweck:* Richtet sich zunächst auf die Selbstinformation des Kaufmanns über – wie der Gesetzgeber zumindest für Kapitalgesellschaften verlangt (§ 264 II HGB) – die tatsächliche Vermögens-, Finanz- und Ertragslage; bei Publizitätspflicht gehören zu den Informationsadressaten z. B. die Gläubiger, die Arbeitnehmer und insbes. die ggf. nicht geschäftsführungsberechtigten Kapitaleigner, in bezug auf letztere wird der Informationszweck zur Rechenschaftspflicht der Geschäftsführungsorgane. – b) *Ergebnisfeststellungszweck:* Mit der Feststellung der J. wird das Jahresergebnis (→Jahresüberschuß, →Jahresfehlbetrag) und die Rechnungsgrundlage für die →Gewinnverwendung festgelegt. – c) *Dokumentationszweck:* Durch Dokumentation und Aufbewahrung (→Aufbewahrungspflicht) soll Urkundenmaterial für mögliche Interessenkonflikte gesichert werden. Zur interessenausgerichteten Gestaltung der J. vgl. →Bilanzpolitik.

3. *Erstellung:* a) *Vorarbeiten:* Die J. ist grundsätzlich eine Inventurbilanz (vgl. →Bilanz), d. h. auf einer Inventur basierend. Zu dem Problem der körperlichen Bestandsaufnahme und zu den darauf zum Teil Rücksicht nehmenden Inventurformen vgl. →Inventur. Die Ergebnisse der Inventur (→Inventar) gehen in die Buchführung ein. Die J. ist neben der →Gewinn- und Verlustrechnung der rechnerische Abschluß der Konten der Buchführung. Zur Technik des Kontenabschlusses als vorbereitende Jahresabschlußmaßnahme vgl. →Hauptabschlußübersicht. – b) *Aufstellung:* Es sind immer drei Aufgaben zu lösen: (1) Die Bilanzierung dem Grunde nach, also die inhaltliche Bestimmung von Vermögen, Kapital, Rechnungsabgrenzungsposten; vgl. dazu im einzelnen →Aktivierungspflicht, →Aktivierungswahlrecht, →Passivierungspflicht, →Passivierungswahlrecht. – (2) Die Bewertung der Aktiva und Passiva; vgl. im einzelnen →Bewertung. – (3) Gliederung der J.; vgl. im einzelnen →Bilanzgliederung.

4. *Aussagefähigkeit:* Vgl. →Bilanzanalyse, →Bilanzkritik.

II. Sozialbilanz: Information eines Unternehmens über die Kapitaleigner, Kunden, Arbeitnehmer u. a. über seine gesellschaftlichen und physischen Umweltbeziehungen, ergänzend zur handelsrechtlichen J. auf freiwilliger Basis. Vgl. im einzelnen →Sozialbilanz.

**Jahresbruttolohn,** das in der Lohnsteuerstatistik ausgewiesene Arbeitseinkommen, in dem die den Lohnempfängern erstatteten Barauslagen für →Aufwandsentschädigung nicht enthalten sind, wohl aber →Werbungskosten, da diese mit einem dem Einkommensteuerrecht entsprechenden →Freibetrag im Lohnsteuertarif eingebaut sind. Deswegen ist ein zahlenmäßiger Vergleich zwischen dem J. und dem →Bruttoeinkommen aus selbständiger Arbeit nicht ohne Korrekturen möglich.

**Jahreseinzelkosten,** →Einzelkosten, die innerhalb eines Jahres abgebaut werden können (→Abbaufähigkeit von Kosten).

**Jahresfehlbetrag,** Begriff der handelsrechtlichen →Gewinn- und Verlustrechnung (§ 275 HGB) von Kapitalgesellschaften sowie der →Bilanz (§ 266 HGB). Der J. ergibt sich als Überschuß der →Aufwendungen über die →Erträge eines Geschäftsjahres. Gewinn-/Verlustvortrag, Entnahmen und Einstellungen aus/in offene Rücklagen werden bei der Ermittlung des J. nicht berücksichtigt. – *Gegensatz:* →Jahresüberschuß. – Vgl. auch →Bilanzgewinn (-verlust).

**Jahreslohn,** →Jahresarbeitsverdienst, →garantierter Jahreslohn.

**Jahresrohmiete,** Begriff des BewG: Der Faktor zur Ermittlung des →Ertragswerts im →Ertragswertverfahren für →Mietwohngrundstücke, →Geschäftsgrundstücke, →gemischtgenutzte Grundstücke, →Einfamilienhäuser und →Zweifamilienhäuser. – J. ist das gesamte Entgelt, das die Mieter (Pächter) für die Benutzung des Grundstücks aufgrund vertraglicher Vereinbarungen oder gesetzlicher Bestimmungen nach dem Stand im →Feststellungszeitpunkt für ein Jahr zu entrichten haben (§ 79 BewG). Dazu zählen die Barmiete, die Anrechnungsbeträge von Baukostenzuschüssen, Umlagen und sonstige Nebenleistungen der Mieter, nicht dagegen die Betriebskosten für Fahrstuhl, für Heizung und Warmwasserversorgung, Untermietzuschläge und außergewöhnliche Nebenleistungen. In besonderen Fällen gilt als J. die (ggf. zu schätzende) übliche Miete. Für bestimmte grundsteuerbegünstigte Grundstücke ist die Jahresrohmiete um 12% zu erhöhen, bei beihilfebegünstigten Arbeiterwohnstätten um 14%.

**Jahressondervergütung,** zumeist am Jahresende gezahlter Betrag, der an dem Gewinn des Unternehmens, des Betriebs oder einer Abteilung oder an die Leistung eines einzelnen Arbeitnehmers geknüpft ist. Den Parteien des Arbeitsvertrags steht es frei, an welche Voraussetzungen diese J. geknüpft werden. Die Zwecke können verschiedenartig sein.

**Jahresüberschuß,** I. Handelsrecht. Begriff der handelsrechtlichen →Gewinn- und Verlustrechnung (§ 275 HGB) sowie der →Bilanz (§ 266 HGB) von →Kapitalgesellschaften. Der J. ergibt sich als positive Differenz zwischen den →Erträgen und →Aufwendungen des betreffenden Geschäftsjahrs. Bei der Ermittlung des J. werden Gewinn-/Verlustvortrag, Entnahmen und Einstellungen aus/in offene Rücklagen nicht berücksichtigt. – *Gegensatz:* →Jahresfehlbetrag. – Vgl. auch →Bilanzgewinn (-verlust).

II. Lebensversicherung: Vgl. →Lebensversicherung V.

**Jahresverdiensterhebung,** Teil der amtlichen →Lohnstatistik, speziell der Verdiensterhebung in Industrie und Handel. Jeweils im Januar werden zusätzlich Jahreswerte der Lohn- und Gehaltssummen für das vergangene Jahr erfragt. Im Gegensatz zur Vierteljahresstatistik enthält die Lohn- und Gehaltssumme auch die einmalig und unregelmäßigen Zahlungen. Die Angaben werden getrennt für Arbeiter und Angestellte nach Wirtschaftsbereichen, -zweigen und Geschlecht nachgewiesen.

**Jahreswirtschaftsbericht,** nach dem →Stabilitätsgesetz ein von der Bundesregierung jährlich im Januar vorzulegender Bericht, in dem enthalten sein müssen: a) *Stellungnahme* zum Jahresgutachten des →Sachverständigenrats zur Begutachtung der gesamtwirtschaftlichen Entwicklung; b) *Jahresprojektion* (Darlegung der für das laufende Jahr von der Bundesregierung angestrebten wirtschafts- und finanzpolitischen Ziele), die sich der Mittel und der Form der →Volkswirtschaftlichen Gesamtrechnung bedienen soll, ggf. mit Alternativrechnung; c) *Darlegung* der für das laufende Jahr geplanten Wirtschafts- und Finanzpolitik.

**Jahrhundertvertrag,** Vereinbarung zwischen der Vereinigung Deutscher Elektrizitätswerke (VDEW) und dem Gesamtverband des deutschen Steinkohlebergbaus (GVSt) über den Einsatz von deutscher Steinkohle bei der Stromerzeugung. Ein erster, 1977 abgeschlossener Vertrag sichert, zusammen mit ergänzenden Vereinbarungen zwischen VDEW und industrieller Kraftwirtschaft sowie der Deutschen Bundesbahn, einen jahresdurchschnittlichen Absatz von 33 Mill. t SKE bis 1987. Eine 1980 zwischen VDEW und GVSt abgeschlossene Zusatzvereinbarung verlängert die Geltungsdauer bis 1995 und legt eine schrittweise Aufstockung der Menge auf zuletzt 47,5 Mill. t SKE pro Jahr fest. Die Durchführung des J. wird durch die Subventionierung des Kohleeinsatzes bei der Stromerzeugung im Rahmen des 3. Verstromungsgesetzes ermöglicht. – Vgl. auch →Kohlepolitik, →Ausgleichsabgabe.

**Jahrmarkt,** Form des →Markthandels: Im allg. regelmäßig in größeren Zeitabständen wiederkehrende, zeitlich begrenzte Veranstaltung, auf der eine Vielzahl von Anbietern Waren aller Art feilbieten (§ 68 GewO).

**Jamaika,** Inselstaat im Karibischen Meer. – *Fläche:* 10991 km² (einschließlich der Inseln Morant Cays und Pedro Cays). – *Einwohner* (E): (1985, geschätzt) 2,34 Mill. (213 E/km²), darunter Schwarze (ca. 77%), Mulatten (ca. 20%), Inder (1,2%), Weiße (1,1%), Chinesen (0,4%). – *Hauptstadt:* Kingston (431 700 E); weitere wichtige Städte: Montego Bay (126 200 E), Spanish Town (227 100 E). – *Unabhängig* seit 1962, parlamentarische Demokratie innerhalb des Commonwealth of Nations, Zweikammerparlament. *Verwaltungsgliederung:* 14 Bezirke (Parishes), Gemeinden. – *Amtssprache:* Englisch.

Wirtschaft: *Landwirtschaft:* Stark exportorientierte landwirtschaftliche Produktion: Zuckerrohr, Bananen, Zitrusfrüchte, Kakao, Kokosnüsse, Kaffee und Gewürze (Piment). Hauptnahrungsmittel sind Mais, Reis, Kartoffeln, Gemüse und Jamsknollen. Vorwiegend Rinderhaltung. – *Forstwirtschaft:* Brände und Raubbau erforderten Aufforstungsprogramme und Schutzmaßnahmen der Regierung. – Planmäßiger Aufbau des *Fischereiwesens.* – *Bergbau und Industrie:* Drittgrößter Bauxitproduzent der Erde. Abgebaut werden ferner Phosphate, Kalk und Gips. Der Schwerpunkt der Verarbeitenden Industrie liegt in der Nahrungs-, Genußmittel- und Getränkeherstellung (u. a. Zucker, Rum, Konserven). – Bedeutender *Fremdenverkehr* (1982: 467 700 Touristen). – *BSP:* (1985, geschätzt) 2090 Mill. US-$ (940 US-$ je E). *Öffentliche Auslandsverschuldung:* (1984) 104,9% des BSP. – *Inflationsrate:* (Durchschnitt 1973–84) 16,6%. – *Export:* (1985) 564 Mill. US-$, v. a. Aluminiumoxid, -erze und -konzentrate, Zucker. – *Import:* (1985) 1110 Mill. US-$, v. a. Erdöl und Erdölerzeugnisse, Maschinen und Fahrzeuge, Nahrungsmittel, chemische Erzeugnisse. – *Handelspartner:* USA, Venezuela, Großbritannien, Kanada, Norwegen.

Verkehr: 16 425 km *Straßen* (1978). – Das *Eisenbahnnetz* beträgt 293 km. – Wichtigste Häfen: Kingston, Port Antonio, Port Morat, Montego Bay, Savanna-la-Mar. J. verfügte (1982) über 13 *Handelsschiffe* (über 100 BRT) mit 9794 BRT. – Internationale *Flughäfen:* Kingston, Montego Bay. Eigene *Luftfahrtgesellschaft.*

Mitgliedschaften: UNO, AKP, CARCOM, CCC, SELA, UNCTAD u. a.; Commonwealth.

Währung: 1 Jamaika-Dollar (J$) = 100 Cents.

**Japan,** Inselreich im NW des Stillen Ozeans, der ostasiatischen Festlandsküste vorgelagert. – *Fläche:* 377 769 km², davon entfallen auf die Inseln Honshu 230 966 km², Hokkaido 83 514 km², Kyushu 42 114 km² und Shikoku 18 798 km², weitere ca. 3900 kleine Inseln. Die von Japan beanspruchten und von der UdSSR seit dem Zweiten Weltkrieg besetzten Kurilen-Inseln mit ca. 5000 km² sind in der Gesamtfläche nicht enthalten. – *Einwohner* (E): (1986) 120 Mill. (322,4 E/km². – *Hauptstadt:* Tokio (8,43 Mill. E); weitere wichtige Städte: Jokohama (2,98 Mill. E), Osaka (2,63 Mill. E), Nagoja (2,12 Mill. E), Kioto (1,49 Mill. E), Sapporo (1,54 Mill. E), Kobe (1,41 Mill. E), Fukuoka (1,16 Mill. E), Kitakjuschu (1,06 Mill. E), Kawasaki (1,09 Mill. E), Hiroschima (1,04 Mill. E). – Kaiserreich seit 660 v. Chr., konstitutionelle Monarchie seit 1889, parlamentarisch-demokratische Monarchie seit dem Zweiten Weltkrieg; Verfassung von 1947: Zweikammerparlament, bestehend aus Abgeordneten- und Oberhaus. *Verwaltungsgliederung:* 44 Präfekturen (ken), 2 Stadtpräfekturen (fu; Osaka und Kioto), Hauptstadtbereich (to; Tokio) und Provinz Hokkaido. – *Amtssprache:* Japanisch.

Wirtschaft: J. zählt zu den höchstentwickelten Industriestaaten der Welt. Neben London und New York ist Tokio bedeutendster Bankplatz der westlichen Welt. – *Landwirtschaft:* Mehr als die Hälfte der landwirtschaftlich genutzten Fläche dient dem Reisanbau. Daneben Anbau von Weizen, Gerste, Sojabohnen, Kartoffeln, Süßkartoffeln und Obst. Die Landwirtschaft ist in Zwergbetriebe aufgesplittert. Der Schwerpunkt der von Futtermittelimporten abhängigen Viehhaltung liegt in der Schweine- und Geflügelzucht. Die Seidenraupenzucht verliert an Bedeutung. – Geregelte *Forstwirtschaft,* 70% des Landes sind mit Wald bedeckt. Holzeinschlag: (1983) 32,8 Mill. m³, daneben andere forstwirtschaftliche Produkte (Baumfrüchte, Bambussprossen, Pilze). – Führende *Fischereination,* Fangmenge: (1983) 11,9 Mill. t, Perlenzucht. – *Bergbau und Industrie:* Reich an Kupfer und Schwefel, ferner Kalkstein, Kaolin, Silber, Kobalt, Kohle, Erdöl, Erdgas, Eisen-, Blei- und Zinkerz, Gold und Salz. Die mineralischen Bodenschätze können den industriellen Bedarf nicht decken. J. ist das am stärksten industrialisierte Land Asiens. Der Anteil des Produzierenden Gewerbes am BIP betrug 1983 42%. Nach dem Zweiten Weltkrieg vollzog sich ein Strukturwandel zugunsten der Grundstoff- und Investitionsgüterindustrie (u. a. Stahlproduktion, chemische Erzeugnisse, Maschinen-, Schiffs- und Kraftfahrzeugbau), die traditionellen Leichtindustrien (besonders Textilindustrie) verloren an Bedeutung. Wachstumsbereiche sind v. a. Elektrotechnik/Elektronik und der Feinmaschinenbau. J. nimmt eine führende Position auf dem

Gebiet Mikroelektronik und Robotertechnik ein. Bedeutendste Industriegebiete: Tokio–Jokohama, Osaka–Kobe, Nagoja und der Norden der Insel Kiuschu. – *Fremdenverkehr:* (1984) 2,1 Mill. Auslandsgäste, darunter 1,2 Mill. Touristen. Deviseneinnahmen aus dem Reiseverkehr: 970 Mill. US-$. – *BSP:* (1985, geschätzt) 1 366 040 Mill. US-$ (je E 11 330 US-$). – *Inflationsrate:* (Durchschnitt 1973–84) 4,5%. – *Export:* (1985) 175 683 US-$, v.a. Kraftfahrzeuge (18,1%), elektrische Maschinen und Ausrüstungen, Eisen und Stahl sowie übrige Maschinen. – *Import:* (1985) 129 480 Mill. US-$, v.a. mineralische Brennstoffe (44,4%), Rohstoffe (14,5%), Nahrungsmittel (11,1%), bearbeitete Waren aus Eisen und Stahl sowie Aluminium, Maschinenbau-, elektrotechnische Erzeugnisse und Fahrzeuge. – *Handelspartner:* USA, Saudi-Arabien, EG-Länder, Indonesien, VR China, Süd-Korea.

Verkehr: J. verfügt außer einem *Straßennetz* mit einer Gesamtlänge von 1123 Mill. km, über ein Schnellstraßennetz mit 3200 km (1983). – 54 847 km *Eisenbahnlinien,* davon 44 973 km von der Staatsbahn betrieben (1983). – *Haupthäfen:* Chiba, Jokohama, Nagoja, Kawasaki, Kobe und Kita-Kiuschu. Große *Handelsflotte:* 10 288 Schiffe mit 39,9 Mill. BRT. – Tokio ist Mittelpunkt des Fernost- und Nordpazifischen *Luftverkehrs.* Ein weiterer Großflughafen soll im südöstlichen Teil der Bucht Osaka entstehen.

Mitgliedschaften: UNO, BIZ, CCC, IEA, OECD, UNCTAD u.a.; Colombo-Plan.

Währung: 1 Yen (Y) = 100 Sen.

**JCL,** Abk. für →job control language.

**J/D,** Abk. für Juni/Dezember; im Bankwesen: Zinstermin bei Anleihen (1. 6. und 1. 12.).

**Jemen.** I. Arabische Republik Jemen *(Nordjemen):* Staat im SW der Arabischen Halbinsel mit ca. 500 km langer Küste zum Roten Meer. – *Fläche:* 195 000 km². – *Einwohner* (E): (1985, geschätzt) 8,56 Mill. (43,9 E/km²), davon 1,39 Mill. im Ausland. – *Hauptstadt:* Sana (1981: 211 200 E; 1985, geschätzt: 440 000 E); weitere wichtige Städte (E geschätzt 1985): Hodeida (140 000 E), Taiz (220 000 E). – *Unabhängig* seit 1918, seit 1962 Militärregime, seit 1974 Arabisch-Islamische Republik, provisorische Verfassung von 1974 suspendiert und durch „Nationale Charta" ersetzt (neue Verfassung geplant), keine Parteien. Vereinigungsbestrebungen mit der Demokratischen Volksrepublik J. *Verwaltungsgliederung:* 11 Provinzen (Mouhafaza), Unterprovinzen (Quada), Distrikte (Nahiya), Unterdistrikte (Quzla), Stadt- bzw. Dorfgemeinden (Garyah). – *Amtssprache:* Arabisch.

Wirtschaft: Der Staat gehört zu den am wenigsten entwickelten Ländern der Erde. –

*Landwirtschaft:* 66% (1981) der Erwerbspersonen arbeiten in der seit Jahren stagnierenden Landwirtschaft. Angebaut werden v.a. Sorghum, Weizen, Mais, Gerste, Obst, Gemüse, Tabak und Kat. Pflanzliche Exportgüter sind Kaffee, Baumwolle, Rosinen und Sesam. Hauptsächlich von Nomaden betriebene Viehzucht. – Wirtschaftlich relativ unbedeutende *Fischerei* (Fangmenge 1982: 22 000 t). – *Bergbau und Industrie:* Bekannte bzw. vermutete Vorkommen an Kohle, Kupfer, Kobalt, Nickel, Eisenerz, Magnesium, Schwefel, Zink, Gold, Silber und Uran. Abgebaut werden Steinsalz (1983: 151 000 t) und für die Zementproduktion geeigneter Kalkstein (1982: 529 000 t). Erdölförderung in geringem Umfang seit 1984. Eine moderne Industrie ist erst im Entstehen. Wichtigste Wirtschaftsbereiche sind bisher die Lebens-, Genußmittel- und Getränkeindustrie und das Textil- und Bekleidungsgewerbe. – *Fremdenverkehr:* (1982) 61 627 Auslandsgäste. – *BSP:* (1985, geschätzt) 4140 Mill. US-$ (520 US-$ je E). – *Öffentliche Auslandsverschuldung:* (1984) 44,4% des BSP. – *Inflationsrate:* (Durchschnitt 1973–84) 12,6%. – *Export:* (1983) 27 Mill. US-$, v.a. Nahrungsmittel; Maschinenbau-, elektrotechnische Erzeugnisse und Fahrzeuge; Garne, Gewebe und fertiggestellte Spinnstofferzeugnisse; Häute und Felle. – *Import:* (1983) 1593 Mill. US-$, v.a. Maschinen und Straßenfahrzeuge. Nahrungsmittel, Erdölerzeugnisse, Eisen und Stahl. – *Handelspartner:* EG-Länder, Saudi-Arabien, Demokratische Volksrepublik J., Japan.

Verkehr: 22 598 km *Straßen,* davon 2086 km asphaltiert. – *Keine Eisenbahn.* – Wichtigste *Häfen:* Hodeida, Mocha (Mokka) und Salif. 10 *Handelsschiffe* (über 100 BRT) mit einer Gesamttonnage von 3200 BRT. – Internationale *Flughäfen:* Sana, Hodeida und Taiz. Der jemenitische Staat (51%) und Saudi-Arabien sind gemeinsam Betreiber der nationalen *Fluggesellschaft* „Yemen Airways".

Mitgliedschaften: UNO, OIC, UNC-TAD u.a.; Arabische Liga.

Währung: 1 Jemen-Rial (Y.RI) = 100 Fils.

II. Demokratische Volksrepublik Jemen *(Südjemen):* Küstenstaat im S der Arabischen Halbinsel. – *Fläche:* 332 968 km² (einschließlich der Inselgruppe Kamaran, der Insel Perim sowie der Insel Sokotra mit Nebeninseln und einiger strittiger Gebiete). – *Einwohner* (E): (1986, geschätzt) 2,36 Mill. (7,1 E/km²). – *Hauptstadt:* Aden (285 000 E); weitere wichtige Städte: Makalla, Al Hawtah, Asch-Schaich Uthman. – *Unabhängig* seit 1967, zuvor „Südarabische Föderation" und britische Kolonie Aden; seit 1970 demokratische Volksrepublik; Verfassung von 1978, sozialistischer Einparteienstaat; Vereinigungsbestrebungen mit der Arabischen Republik J.

*Verwaltungsgliederung:* 6 Provinzen (Governorate). – *Amtssprache:* Arabisch.

Wirtschaft: Der Staat gehört zu den am wenigsten entwickelten Ländern der Erde. – *Landwirtschaft:* 41% der Erwerbstätigen sind im landwirtschaftlichen Sektor beschäftigt (1983). Wichtigste Anbauprodukte sind Hirse, Weizen, Mais, Baumwolle, Sesam, Früchte (u.a. Melonen, Datteln, Bananen), Gemüse, Tabak und Kat. Hauptsächlich von Beduinen betriebene Viehwirtschaft. – Bedeutende *Fischerei* (Fangmenge 1983: 74 200 t). – *Bergbau und Industrie:* Bisher vorwiegend Salzgewinnung. Erdöl- und Erdgasvorkommen werden vermutet. Größter Produktionsbetrieb ist die Erdölraffinerie von Aden. Neben Reparaturwerften gibt es eine Anzahl kleinerer Betriebe, die v.a. einheimische agrarische und industrielle Rohstoffe verarbeiten. – *BSP:* (1985, geschätzt) 1030 Mill. US-$ (540 US-$ je E). – *Öffentliche Auslandsverschuldung:* (1984) 106,9% des BSP. – *Inflationsrate:* (1980) 10%. – *Export:* (1984) 467 Mill. US-$, v.a. Erdölprodukte, Fisch, landwirtschaftliche und Industrieprodukte. – *Import:* (1984) 820 Mill. US-$, v.a. Nahrungsmittel, Erdöl, Maschinen und Fahrzeuge, chemische Erzeugnisse. – *Handelspartner:* EG-Länder, UdSSR, Indien, Vereinigte Arabische Emirate, Arabische Republik J.

Verkehr: 1650 km *Asphaltstraßen* (1983). – *Keine Eisenbahn.* – Wichtigster *Hafen* ist Aden. 36 *Handelsschiffe* (ab 100 BRT) mit einer Gesamttonnage von 14000 BRT. – Internationale *Flughäfen* in Aden und Makalla. Eigene *Luftfahrtgesellschaft.*

Mitgliedschaften: UNO, OIC, UNCTAD u.a.; Arabische Liga, Gemeinsamer Arabischer Markt.

Währung: 1 Yemen-Dinar (YD) = 1000 Fils.

**Jevons,** William Stanley, 1835–1882, bedeutender englischer Logiker und Nationalökonom. Berühmt durch seine Ausarbeitung des Grenznutzen-Gedankens (→Grenznutzen, →Grenznutzenschule) in Anlehnung an Gossen, gleichzeitig mit Menger und Walras. Nach J. entspricht das Austauschverhältnis zweier Güter dem reziproken Wert des Verhältnisses der Grenznutzung der beiden Gütermengen, die nach erfolgtem Tausch erhältlich sind. Die Theorie von J. erklärt nur ungenügend die Einwirkung der Kosten auf das Angebot. – *Hauptwerke:* „Pure Logic" 1864; „The Theory of Political Economy" 1871.

**J/J,** Abk. für Januar/Juli, im Bankwesen: Zinstermin bei Anleihen (2.1. und 1.7.).

**Job.** I. Kaufmännische Umgangssprache: Meist vorübergehende Anstellung mit geringen berufsqualitativen Voraussetzungen.

II. Datenverarbeitung: 1. *Begriff:* Gesamtheit der →Kommandos (Betriebssystem-Anweisungen), →Programme, →Dateien, →Datenträger usw. zur Lösung einer Aufgabe, ursprünglich beim →Stapelbetrieb geprägter Begriff. – Wird auch als *Auftrag* bezeichnet. – *Begriffsverwendung:* v.a. in Zusammenhang mit dem →Closed-shop-Betrieb eines Rechenzentrums gebräuchlich; der →Benutzer übergibt der →Arbeitsvorbereitung im Rechenzentrum seinen J. und erhält später die Ergebnisse zurück. – 2. *Gliederung* des J. in einzelne J.steps (Unteraufträge), z.B. Übersetzen (→Übersetzer), Binden (→Binder), Laden (→Lader). Ausführen eines →Programms, Ausdrucken einer Ergebnisdatei (→Datei).

**job accounting,** Abrechnung der Leistungen eines →Rechenzentrums. – *Zweck:* Verursachungsgerechte Weiterbelastung der Kosten des Rechenzentrums an die →Benutzer, damit eine genaue Kontrolle der Eigenkosten des Rechenzentrums und eine effiziente Nutzung des →Computersystems ermöglicht wird. – *Kostenaufteilung:* a) Bei →Stapelbetrieb werden die einzelnen Kostenarten auf die Aufträge (→Job) der Benutzer aufgeteilt; b) bei →Dialogbetrieb werden die Kostenarten direkt auf die Benutzer aufgeteilt, jeweils nach verschiedenen Kriterien, z.B. in Abhängigkeit von der Nutzung der →Zentraleinheit, Belegung der externen Speichergeräte (z.B. →Magnetplattenspeicher, →externer Speicher), Inanspruchnahme der →Drucker.

**Jobber,** *Dealer,* die an der Londoner Börse tätigen Händler, die nur für eigene Rechnung kaufen oder verkaufen dürfen. – *Gegensatz:* →Broker.

**job control language (JCL),** *Kommandosprache,* spezielle Sprache, in der die Kommandos zur Ausführung eines →Jobs an das →Betriebssystem eines Computers formuliert werden. – *Ablauf:* a) Beim →Stapelbetrieb müssen u.a. der Name des Jobs, die benötigten →Peripheriegeräte und die gewünschte maximale Bearbeitungszeit für den Job angegeben werden; b) beim →Dialogbetrieb werden die eingegebenen Kommandos direkt ausgeführt, u.U. nach Eingabe weiterer vom Betriebssystem angeforderter Angaben. – Nach der Ausführung meldet das Betriebssystem evtl. dem Benutzer die erfolgreiche Durchführung oder einen Fehler.

**job description,** →Stellenbeschreibung.

**job design,** Ausdruck für die auf die personalen Aufgabenträger abgestimmten Maßnahmen der →Arbeitsgestaltung. J.d. schließt sowohl personenorientierte Aufbauaspekte der Organisation als auch Probleme der organisatorischen Gestaltung von Abläufen mit ein.

**job diagnostic survey,** Instrument der psychologischen →Arbeitsgestaltung. J.d.s., als standardisierter Fragebogen aufgebaut. Ziel der Befragung ist es, das vom Stelleninhaber wahrgenommene Motivationspotential der Stelle zu erkunden, als Maß für den intrinsischen Wert einer Arbeit für das befragte Individuum (→Anreize). Aufgrund der differenzierten Ergebnisse der Erhebung werden Veränderungen des Arbeitsinhaltes vorgenommen.

**job discrimination,** *Benachteiligung am Arbeitsplatz.* 1. *Begriff:* Erscheinung, daß bestimmte Personen im Arbeitsleben benachteiligt (diskriminiert) werden, mit der Folge von Arbeitslosigkeit, Anstellung für die unangenehmsten Arbeiten, Anstellung in untergeordneten Positionen, Versagen von Aufstiegsmöglichkeiten, Unterbezahlung. – 2. Die *Schärfe* der Diskriminierung ist abhängig von der jeweiligen Lage am Arbeitsmarkt: In der Hochkonjunktur mildern sich die Diskriminierungen, in der Depression nehmen sie wieder zu. – 3. Das *Problem* ist international und in jeder Volkswirtschaft akut, etwa durch Diskriminierungen von Frauen, Jugendlichen, älteren Leuten, Gewerkschaftlern, bzw. Nichtgewerkschaftlern, Ausländern, religiösen, politischen und rassischen Gruppen. – 4. Die *Motive* der Diskriminierung liegen meist in außerwirtschaftlichen Bereichen (z. B. Erziehung, Kirche, politische Gemeinschaften) und können darum nicht vom Betrieb allein überwunden werden. Bei der Bekämpfung der j. d. ist an ihre Entstehungsursachen anzuknüpfen, mit deren Beseitigung die Voraussetzungen für eine Arbeitsgemeinschaft zwischen den Gruppen zu schaffen sind.

**job enlargement,** *Arbeitserweiterung,* *Arbeitsfeldvergrößerung,* Arbeitsgestaltungsmaßnahme, die durch Vergrößerung der Vielfältigkeit des Arbeitsvollzüge auf eine Verringerung der horizontalen Arbeitsteilung und der →Monotonie abzielt. – Vgl. auch →job diagnostic survey, →job rotation, →job enrichment.

**job enrichment,** *Arbeitsbereicherung,* Maßnahme der →Arbeitsgestaltung, die durch eine Erweiterung des Entscheidungs- und Kontrollspielraums auf eine Verminderung der Arbeitsteilung abzielt. Verbindet sich häufig mit Förderung der →Arbeitsmotivation und →Arbeitszufriedenheit.

**job evaluation,** Verfahren zur Festlegung des relativen Arbeitswerts (→Arbeitsbewertung). Es beruht auf der Gewichtung spezifischer Anforderungs- und Leistungsmerkmale. J. e. ist notwendige Voraussetzung für Zufriedenheit bei Angestellten und Arbeitern durch

Gerechtigkeit innerhalb der Lohn- und Gehaltsskalen.

**job rotation.** 1. *Systematischer Arbeitsplatzwechsel* zur Entfaltung und Vertiefung der Fachkenntnisse und Erfahrungen geeigneter Mitarbeiter oder zur Vermeidung von Arbeitsmonotonie und einseitiger Belastung im Sinne einer →Humanisierung der Arbeit. – 2. Methode zur *Förderung des Führungsnachwuchses* und zur Weiterbildung betrieblicher Führungskräfte. Dauer der Versetzung soll dem Anforderungsgrad der Stelle entsprechen. Während und am Ende des Austauschzeit empfiehlt sich eine Beurteilung des Versetzten durch den direkten Vorgesetzten zur Kontrolle des Austauscherfolgs.

**Job-sharing,** *Arbeitsplatzteilung,* besondere Form des →Teilzeitarbeitsverhältnisses. Dem Arbeitsverhältnis liegt ein zwischen dem Arbeitgeber und zwei oder mehreren Arbeitnehmern geschlossener Arbeitsvertrag zugrunde, in dem diese sich verpflichten, sich die Arbeitszeit an einem Vollarbeitsplatz zu teilen. – *Gesetzliche Grundlage:* Art. 1 § 5 BeschFG. – Für den Arbeitgeber liegt ein entscheidender Vorteil gegenüber dem reinen Teilzeitarbeitsverhältnis darin, daß der Arbeitsplatz während der gesamten betriebsüblichen Arbeitszeit besetzt ist. Die Frage, ob der Arbeitnehmer den Partner im Falle einer vorübergehenden Verhinderung vertreten muß, richtet sich nach der für den einzelnen Vertretungsfall geschlossenen Vereinbarung (Art. 1 § 5 I 1 BeschFG). Die Pflicht zur Vertretung kann auch vorab für den Fall eines dringenden betrieblichen Erfordernisses vereinbart werden; dann ist der Arbeitnehmer zur Vertretung nur verpflichtet, soweit sie ihm im Einzelfall zumutbar ist. – Wegen des *Ausscheidens eines Partners* ist die →Kündigung der anderen Arbeitnehmer nicht zulässig (Art. 1 § 5 II BeschFG).

**jobshop sequencing,** →Kapazitätsbelegungsplanung.

**Jöhr,** Walter Adolf, 1910–87, schweizerischer Nationalökonom, war seit 1944 Professor an der Hochschule St. Gallen. J. erlangte v. a. weltweite Geltung durch seine Begründung der Konjunkturbewegungen, in denen er „kumulative Prozesse" sah, ausgelöst u. a. durch wechselseitige Ansteckung des Handelns einzelner Wirtschaftssubjekte. – *Hauptwerke:* „Die Konjunkturschwankungen", 1952; „Die Nationalökonomie im Dienste der Wirtschaftspolitik", 1957, mit H. W. Singer; „Konjunktur", in: Handwörterbuch der Sozialwissenschaften, Bd. 6, 1973: „Galbraith und die Marktwirtschaft", 1975; „Zur Arbeitslosigkeit der Gegenwart", 1986. Hrsg. des „Wörterbuch der Wissenschaftstheorie", 1974, mit G. Schwarz.

**joint ownership venture,** →Joint Venture.

**joint products,** →Kuppelprodukte.

**Joint Venture. I. Begriff: 1.** *Im weiteren Sinne (joint venturing):* Zusammenarbeit von nicht gebietsansässigen Unternehmen mit Partnern aus dem Gastland (Auslandsmarkt), d. h. alle Formen der →Kooperation, einschl. Lizenzvergabe, Vertragsmanagement, Vertragsfertigung und Gemeinschaftsunternehmen (J. V. i. e. S.). – 2. *Im engeren Sinne* (auch als *Beteiligungs-, Gemeinschafts-Partnerschaftsunternehmen* oder *joint ownership ventures* bezeichnet): Unternehmen, die durch folgende Charakteristika gekennzeichnet sind: a) kapitalmäßige Beteiligung und Tragung anteiligen Risikos seitens aller Partner; b) Investoren aus verschiedenen Wirtschaftsgebieten, wobei die J. V.-Partner in Land A ein gemeinsames Unternehmen in Land C gründen bzw. ein bestehendes Unternehmen in Land C erwerben oder die J. V.-Partner aus Land A (und B) sowie aus dem Gastland C ein Unternehmen gründen bzw. erwerben; c) längerfristige bzw. dauerhafte Zusammenarbeit auf vertraglicher Basis (vertragliche Regelung u. a. der Rechtsform, der Risiko- und Gewinnverteilung, Möglichkeit zur Anteilsverlagerung, Ziele und Inhalte des J. V. Verteilung der Kompetenzen, Vertragsdauer, Schiedsgerichtsbarkeit).

**II. Struktur, Zweck und Handlungsspielraum:** J. V. können nach den Hauptkriterien technologischer und wirtschaftlicher Entwicklungsstand des Gastbzw. Ziellandes, Wirtschaftssystem des Ziellandes, Beteiligungshöhe des ausländischen Partners, Zweck und Gegenstand des J. V., Dauer, Partnerstruktur nach Nationalität und politischer bzw. Wirtschaftsebene und Freiheitsgrad des J. V. unterschieden werden.

**1.** *Technologischer und wirtschaftlicher Entwicklungsstand des Ziellandes:* a) *Entwicklungsländer:* Zunehmende Devisen- und Verschuldungsprobleme sowie Nationalisierungstendenzen und Bestrebungen zur Verbesserung des Entwicklungsniveaus bewirken in vielen Entwicklungsländern Importbeschränkungen oder -stops sowie ein Verbot der Mehrheitsbeteiligungen durch Gebietsfremde; J. V., überwiegend in der Form einer Minderheitsbeteiligung, sind möglich. Verschiedene Gruppierungen sowohl auf ausländischer Seite (in der Bundesrep. D. z. B. 34% Privatinvestoren sowie 15% Deutsche Entwicklungsgesellschaft) als auch auf Seiten des Gastlandes (Regierungsstellen zu 20% und in gegenseitiger Abstimmung Finanzierungsgruppen zu 31%, da i. d. R. gebietsansässiges Privatinvestoren das notwendige Kapital fehlt) sind an J. V. beteiligt. – Die *inhaltlichen Schwerpunkte* liegen insbes. in: (1) Forschung und Entwicklung; (2) Projekt- und Arbeitsgemeinschaften bzw. Konsortien, um in Drittländern erfolgreicher arbeiten zu können; (3) Spezial-J. V., um im ausländischen Markt ein bestimmtes Marktsegment zu erschließen. – b) *Industrieländer:* Unternehmen aus Industrieländern mit höherem Industrialisierungsgrad und technologischem Entwicklungsstand suchen in zunehmendem Maße nach effiziente(re)n Wegen grenzüberschreitender Arbeitsteilung bzw. Kooperation wegen: (1) Austausch, wechselseitige Nutzung und kostengünstigere Verbesserung von technischem und Marketing-Know-how; (2) Rationalisierung (hinsichtlich Produktion, Marketing-Mix, Distribution sowie Forschung und Entwicklung); (3) Vergrößerung der Basis, um Großprojekte übernehmen und mit Mindestrisiko realisieren zu können. – Die *inhaltlichen Schwerpunkte* liegen insbes. in: (1) Erringung von Größenvorteilen (economies of large scale) im Rahmen von Leistungserstellung, Know-how-Entwicklung und -anwendung sowie Marketing-Organisation; (2) Erreichung einer größeren Marktnähe, einschl. des Images eines gebietsansässigen Unternehmens; (3) Erschließung von „Problemmärkten" im Zielland.

**2.** *Wirtschaftssystem des Ziellandes:* a) In Ländern mit *marktwirtschaftlicher Wirtschaftsordnung* werden J. V. staatlich durch einen indirekt beeinflußt. – b) J. V. in *Staatshandelsländern* unterliegen i. d. R. stärkeren Reglementierungen in bezug auf Inhalt, Beteiligungsverhältnisse, Absatzmöglichkeiten im Zielland usw.; in diesen Ländern ist (zumindest in der Gründungsphase) eine staatliche Beteiligung unumgänglich. Bei dieser speziellen Form des J. V. *(mixed venture)* treten staatliche Betriebe, Ministerien, Behörden und Außenhandelsorganisationen als J. V.-Partner auf. Dies kann die Realisierung eines J. V. aus ideologischen Gründen und wegen unterschiedlicher Zielvorstellungen u. U. komplizieren. Die Möglichkeiten zum Erwerb von Eigentum am Grundkapital von J. V. durch ausländische Unternehmen ist in praxi nahezu in allen Staatshandelsländern gegeben, die J. V. als Beteiligungsform zulassen. Eigentumsrechte und Beteiligungsverhältnisse der ausländischen Partner werden durch entsprechende Ländergesetze und -verordnungen geregelt. Im einzelnen z. B.:

*Bulgarien:* Seit dem 13. 04. 1986 besteht zwischen der Bundesrep. D. und Bulgarien ein Investitionsabkommen, das der Bundesregierung die Möglichkeit gibt, für Investitionen deutscher Firmen in Bulgarien Hermes-Bürgschaften zu übernehmen.

– *Eigentumsrechte:* (theoretisch) Staats- und Privateigentum; genaue Regelungen erfolgen durch den J. V.-Vertrag.

– *Beteiligungsverhältnis des ausländischen Partners:* über 50% möglich.

– *Jugoslawien:* In Jugoslawien wird die Managementstruktur eines J. V. durch das dortige System der Arbeiterselbstbestimung von 1950 entscheidend beeinflußt. Im Rahmen der Rechtsform einer „Arbeitergesellschaft" (mit dem Arbeiterrat als dem üblichen Hauptorgan) wurde durch das Gesetz zur Regelung von ausländischen Investitionen 1978 ein Partnerschaftsrat eingesetzt, dem sowohl jugoslawische Vertreter als auch Repräsentanten des ausländischen Partners mit einem Anteil bis zu 50% angehören. Dem ausländischen Investor soll vom Gesetz her die größtmögliche Chance zur Mitbestimmung und -entscheidung eingeräumt werden.

– *Eigentumsrechte:* Offiziell gibt es in Jugoslawien nur Gemeineigentum, dessen Umfang vom Vertrag abhängt;

– *Beteiligungsverhältnis des ausländischen Partners:* jeder Betrag (mindestens 1,5 Mill. Dinar), der die Anteile des jugoslawischen Partners nicht übersteigt, ist möglich. Die ausländischen Kapitalanteile sind vertraglich abgesichert.

*Rumänien:* In Rumänien sind die Schwerpunkte für ausländische Engagements festgelegt; es sind die Bereiche Industrieerzeugung, Agrarsektor und Ernährungsindustrie, Baugewerbe, Tourismus, Transportwesen, Technologieentwicklung und Dienstleistungssektor. Da in Rumänien kein gesondertes Gesellschaftsrecht besteht, wird die Vertragsgestaltung den Partnern frei überlassen. Der rumänische Staat garantiert, daß sich die Zahl der vom ausländischen Investor in den Vorstand zu entsendenden Repräsentanten an den Kapitalanteilen orientiert, die diese an der AG oder GmbH hält. Dies gilt auch für die Hauptversammlung als dem weiteren Organ der J. V. Der J. V.-Vertrag wird von den Partner unter beratender Einschaltung von Finanzministerium, Außenhandelsministerium, Arbeitsministerium sowie der Außenhandels- und Investmentbank von Rumänien erarbeitet. Nach seiner Billigung und offiziellen Bekanntgabe durch den Staatsrat wird das J. V. Vorhaben in „Official Gazetta" veröffentlicht. Damit ist der J. V.-Vertrag rechtsverbindlich und wird Bestandteil der rumänischen Gesetzesgrundlagen.

– *Eigentumsrechte:* (theoretische) Staats- und Privateigentum; genaue Regelungen erfolgen durch den J. V.-Vertrag;

– *Beteiligungsverhältnis des ausländischen Partners:* bis zu 49%.

*UdSSR:* Seit 1987 sind in der UdSSR J. V. möglich. Rechtsgrundlage ist ein im Januar 1987 verabschiedeter Richtlinienkatalog zur Gründung von Gemeinschaftsunternehmen mit ausländischen Partnern. Dieser Katalog sieht Minderheitsbeteiligungen mit Rechtsgarantie für die als AG zu errichtenden Gemein-

schaftsunternehmen vor. Vorsitz von Vorstand und Aufsichtsrat, die nach Kapitalanteilen besetzt werden, muß ein sowjetischer Staastsbürger innehaben. Ausländische Partner dürfen ihre Kapitalanteile nur mit der Genehmigung der zuständigen Sowjetbehörde an Dritte veräußern, wobei ein Vorkaufsrecht der sowjetischen Seite besteht. J. V. unterliegen sowjetischem Recht. Ausländische J. V.-Partner müssen in Streitfragen sowjetische Gerichte bzw. Schiedsstellen akzeptieren. Für die Gemeinschaftsunternehmen gelten keine planwirtschaftlichen Vorgaben; sie unterliegen dem Prinzip der eigenverantwortlichen bzw. selbst zu gestaltenden Finanzierung, genießen Vertragsautonomie, tragen das Absatzrisiko. Investitionsgüter können zollfrei eingeführt werden. Steuerliche Regelungen sehen vor, daß Gewinne nach zwei Freijahren zu 30% versteuert werden; bei Gewinntransfer werden zusätzlich 20% vom Nettogewinn erhoben. Ausländische Arbeitskräfte sind offiziell nicht vorgesehen (Ausnahme: Spezialisten).

– *Eigentumsrechte:* (theoretisch) Staats- und Privateigentum; genauere Regelungen erfolgen durch eine bis Ende 1987 zu erwartende Verordnung sowie durch J. V.-Vertrag.

– *Beteiligungsverhältnis des ausländischen Partners:* bis 49%.

*Ungarn:* Das Gesetz zur Regelung ausländischer Investitionen bestimmt für J. V. die Rechtsform der AG oder GmbH. Der Finanzminister muß den Vertrag genehmigen. Im Rahmen des planwirtschaftlichen Systems wird den J. V. unabhängige Arbeit gewährt. Es besteht die Möglichkeit zu einer Mehrheitsbeteiligung, die aber meistens gesplittet ist.

– *Eigentumsrechte:* (theoretisch) Staats- und Privateigentum; genaue Regelungen erfolgen durch den J. V.-Vertrag;

– *Beteiligungsverhältnis des ausländischen Partners:* bis zu 49% in Ausnahmefällen bis zu 100%.

*Polen:* Analog zu Ungarn geregelt.

*Volksrepublik China:* J. V. werden als Kapitalgesellschaften des chinesischen Rechts mbH errichtet. Die Organisationsstruktur ist vorgeschrieben mit: Generaldirektor (ohne Nationalitätsvorschrift) stellvertretenden Direktoren, die alle vom Vorstand ernannt werden; Vorstand mit mindestens drei Mitgliedern, dessen Vorsitzender von chinesischer Seite ernannt wird. Berufung des stellvertretenden Vorsitzenden obliegt dem ausländischen Partner.

– *Eigentumsrechte:* (theoretisch) Staats- und Privateigentum, genaue Regelungen erfolgen durch den J. V.-Vertrag;

– *Beteiligungsverhältnis des ausländsichen Partners:* über 25%, bis zu 50%.

*DDR und CSSR:* Gem. gesetzlicher Grundlage sind offiziell J.V. nicht möglich.

3. *Beteiligung des ausländischen Partners:* Es werden Minoritätsbeteiligungen *(minority joint venture)*, Mehrheitsbeteiligungen *(majority joint venture)* und Gleichheitsbeteiligungen *(equity joint venture)* des ausländischen Partners unterschieden.

4. *Zweck* und *Gegenstand:* a) *Produktions-J.V.:* Gegenstand des J.V. können sein Vorproduktion, Montage bzw. Konfektionierung oder Formulierung, Veredelung oder Gesamtfertigung. Zweck sind Erreichung von Kostenvorteilen sowie einer geographischen und „anthropologischen" Nähe zu Absatzmärkten. – b) *Vertriebs-J.V.:* Unternehmen aus fremden Wirtschaftsgebieten gründen mit einheimischen Partnern eine Vertriebsgesellschaft im Zielland oder erwerben eine bereits bestehende Vertriebsorganisation. Insbes. in Staatshandelsländern und in vielen Entwicklungs- und Schwellenländern ist ein Vertriebs-J.V. oft die einzige Möglichkeit, um den dortigen Absatzmarkt kontrolliert bearbeiten zu können. In Industrieländern überwiegen Wettbewerbs-, Marketing- und Rationalisierungsziele. – c) *J.V. in Forschung und Entwicklung:* Durch gemeinsame Zweckforschung und Entwicklung soll den Erfordernissen des technischen Fortschritts besser und kostengünstiger entsprochen werden, als dies bei individuellem Vorgehen möglich wäre.

5. *Dauer der Zusammenarbeit:* a) *Befristete, projektbezogene J.V. (contractual joint venture)* gehören nicht zu J.V. i.e.S., da der dauerhafte Charakter fehlte. – b) *Langfristiges J.V. („echtes" J.V.):* J.V. mit dauerhaftem bzw. längerfristigem Charakter; die Regelvertragsdauer beträgt 10 bis 15 Jahre. Die Partner verfolgen strategische Zielsetzungen. Z.T. ist die Vertragsdauer begrenzt (in der Volksrepublik China maximal 50 Jahre).

6. *Partnerstruktur nach Nationalität bzw. Herkunftsland:* a) Partner aus dem *gleichen fremden Wirtschaftsgebiet:* Da beide Investoren aus dem gleichen Wirtschafts- und Mentalitätsraum entstammen, kann eine gewisse gemeinsame Basis vorausgesetzt werden. Zahlreiche Konfliktpotentiale sind somit ausgeschlossen. – b) Partner aus *verschiedenen fremden Wirtschaftsgebieten* gründen ein Unternehmen im Zielland. – c) Partner *aus dem Gastland und aus einem fremden Wirtschaftsgebiet:* Entspricht der eigentlichen Begriffsdefinition des J.V.

7. *Freiheitsgrad des J.V.:* Die politisch bestimmten Zielsetzungen einzelner Länder schlagen sich in den für ausländische Investoren geltenden Investitionsgesetzen und -verordnungen nieder. Hierdurch können nicht nur der Zwang zur Beteiligung eines Partners aus dem Gastland und die Beteiligungsverhältnisse vorgeben werden, sondern auch der Handlungsspielraum, u.a. in bezug auf Vermarktung der im Rahmen des J.V. produzierten Erzeugnisse, Geld- und Kapitaltransfer, Devisen, Aufenthaltsgenehmigung und Arbeitserlaubnis des Gastlandes für ausländische Mitarbeiter, Behandlung durch Behörden, Zulieferanten, Interessengemeinschaften usw. sowie Managementstruktur (in Abhängigkeit von Landesvorschriften, Rechtsform und Beteiligungsverhältnisse den Partner).

III. Vorteile: 1. Durch J.V. kann eine Verbesserung der *Situation der ausländischen Anbieter-Seite* herbeigeführt werden, da die mit →Lizenzvergabe, →Vertagsmangement, →Vertragsfertigung und →indirektem Export verbundenen *Nachteile z.T. kompensiert* oder in ihrer negativen Auswirkung abgeschwächt werden können. – 2. Überwindung von Importrestriktionen oder -verboten einzelner Zielländer. – 3. Minderung von *Kapitalbedarf* und *Risiko* im Vergleich zu einer 100%igen Auslandsbeteiligung. – 4. *Imagevorteile des quasi-heimischen Unternehmens im Zielland* wegen der vergleichsweise höheren Akzeptanz z.B. auf Seiten von Regierungsstellen, politischen Gremien mit Einflußmöglichkeiten auf Wirtschafts-, Gewerbe- und v.a. auf Industrialisierungs- und Industrieentwicklungspolitik, Behörden (Abbau bürokratischer Hemmnisse), Interessengemeinschaften der Wirtschaft (auf Arbeitgeber- und Arbeitnehmerseite), Banken, Marktpartner (Zulieferer, Wiederverkäufer, Endnachfrager), öffentliche Meinung (Medien, Bevölkerung, Endverbraucher). – 5. Nutzung von *Förderprogrammen des Gastlandes* für ausländische Investoren oder/und gebietsansässige Firmen, einschl. der Berücksichtigung bei der Vergabe von Staatsaufträgen oder bei öffentlichen Ausschreibungen durch staatliche und parastaatliche Einrichtungen, Körperschaften des öffentlichen Rechts und durch die Wirtschaft des Ziellandes. – 6. *Wettbewerbsvorteile im Gastland* durch technisches oder/und Marketig- bzw. Management-Know-how des ausländischen Investors sowie (gleichzeitiger) Marktkenntnisse, Landeserfahrung und Kontakte zu potentiellen Kunden und zur administrativen Seite des Partners im Zielland. – 7. Verbesserung der Möglichkeiten zur *Erschließung und Erweiterung weiterer Auslandsmärkte* (Nachbarländer des selben Kulturkreises oder/und der gleichen Wirtschaftsgemeinschaft). – Eigenarten einzelner Länder sowie geltende Vorschriften bestimmen entscheidend Struktur, Zweck und Handlungsspielraum des ausländischen Partners und des J.V., so daß o.g. Vorteile nicht gleichermaßen auf alle J.V. zutreffen.

IV. Nachteile: 1. *Partnerstruktur* und *Entscheidungsbefugnisse:* Know-how und Erfahrungsgefälle zwischen lokalem und ausländischem Partner. – b) *Ungenügende Selektionsmöglichkeiten* bei der Partnerwahl im Hinblick auf Qualifikation und Leistungspotential, Grad der komplementären bzw. synergetischen Eignung (Wirkungssteigerung) sowie Entwicklungs- und Anpassungs- bzw. Lernfähigkeit des Partners aus dem Zielland. – c) *Differenzen zwischen den Partnern* in bezug auf Zielsetzung, Investitionspolitik, v. a. Vorstellungen hinsichtlich Gewinnverwendung, Schwerpunkte in der Marktbearbeitung. – d) Problem der *Gastland-Dominanz* im Management (häufig gesetzlich im Gastland vorgeschrieben). – e) *Unterschiede ideologischer und anthropologischer Art* mit Auswirkung auf Wirtschaftsmentalität, Entscheidungsverhalten, Durchsetzungsmöglichkeiten bestimmter Strategievorstellungen des ausländischen Investors, Zielorientierung, Führungsstil und Managementverhalten. – 2. *Ausnahmeregelungen seitens des ausländischen Partners bezüglich der sonst gewohnten Vorgehensweisen:* Um den Zugang zum Auslandsmarkt zu erreichen werden spezielle Anforderungen bzw. Auflagen des Gastlandes, die von den üblichen Gepflogenheiten abweichen, akzeptiert mit der Gefahr der Beeinträchtigung einer bisher verfolgten einheitlichen internationalen Strategie von Produktion und Marketing. – 3. *Einschränkungen des Handlungsspielraums des ausländischen Partners,* z. B. in bezug auf Vertrieb der Produkte im Gastland, Devisen- und Geldtransfer, Personalentscheidungen, Finanzierungs- und Investitionsentscheidungen usw. – 4. (Fallweise) *Erhöhung von Kapitalbindung und Risiko* im Vergleich zu anderen Erscheinungsformen des Auslandsgeschäfts (insbes. Exports).

**Literatur:** Berekoven, L., Internationales Marketing, Wiesbaden 1978; Beuttel, W./Simmerl, J., Eportgemeinschaften, in: Marketing ZFP, Heft 2, Juni 1980; Bundesstelle für Auslandsinformation – BfAI (Hrsg.), Auslandsaktivitäten deutscher Unternehmen – Chancen der Zukunftssicherung, Köln 1983; Brunner, F., Joint Ventures in Entwicklungsmärkten, in: Management-Zeitschrift, Nr. 11, 45. Jg. (1976); Kotler, Ph., Marketing Management, 5. ed., Englewood Cliffs, N. J, 1984; Kulhavy, E., Internationales Marketing, Linz 1981; Kumar, B., Joint Ventures, in: Wirtschaftswissenschaftliches Studium, Heft 6, 4 Jg. (1975); Lamers, E. A., Yougoslavia: A labourmanaged market economy with special reference to joint ventures between Yougoslavia and foreign enterprises, Tillbourg 1975; Macharzina, K.: Zum Stabilitätsproblem internationaler Joint Venture Direktinvestitionen, in: Bayer, F. F., u. a. (Hrsg.), Aktuelle Fragen multinationaler Unternehmen, ZfbF – Sonderheft 4/1975; ders., Gemeinschaftsunternehmen in internationaler wettbewerbsrechtlicher und betriebswirtschaftlicher Sicht, in: Internationales Management, hrsg. v. E. Pausenberger, Stuttgart 1981; Meffert, H./Althans, J., Internationales Marketing, Stuttgart 1982; Meissner, H. G., Zielkonflikte in internationalen Joint Ventures, in: Internationales Management, hrsg. v. E. Pausenberger, Stuttgart 1981; ders./Gerber, S., Die Auslandsinvestition als Entscheidungsproblem, in: Betriebswirtschaftliche Forschung und Praxis, Heft 3, 32. Jg. (1980); Seibert, K., Joint Venture als strategisches Instrument im internationalen Marketing, Berlin 1981; Seidel, H., Erschließung von Auslandsmärkten, Berlin 1977; Simmerl, J., Die Gestaltung des internationalen Absatzsystems, eine problemadäquate Darstellung, München 1981; Simon, H., Zur Vorteilhaftigkeit von Auslandsinvestitionen, in: Zeitschrift für Betriebswirtschaft, Heft Nr. 5, 50. Jg. (1980); Stahr, G., Auslandsmarketing, Band I, Stuttgart 1979; Suzuki, T., Joint-Venture Enterprises in Socialist Countries,

in: Co-existence, Vol. 18 o. O. 1979; Walldorf, E. G., Auslandsmarketing – Theorie und Praxis des Auslandsgeschäfts, Wiesbaden 1987.

Prof. Dr. Erwin G. Walldorf

Dipl.-Kff. Ute Arentzen

**joint venturing,** →Joint Venture.

**Jordanien,** *Haschemitisches Königreich Jordanien,* Binnenland im NW der arabischen Halbinsel, geteilt durch den Jordangraben; vorwiegend Wüste. – *Fläche:* 97 740 km², davon etwa 5900 km² (Westjordanland) seit 1967 von Israel besetzt. – *Einwohner* (E): (1985, geschätzt) 3,5 Mill. (35,9 E/km²), davon 2,6 Mill. E in Ostjordanien. – *Hauptstadt:* Amman (777 500 E); weitere wichtige Städte: As-Sarka (265 700 E), Irbid (136 200 E). – *Unabhängig* seit 1946 (vollständig seit 1957), zuvor britisches Mandat; laut Verfassung von 1952 konstitutionelle Erbmonarchie; Einkammerparlament. Verbot politischer Parteien seit 1963. *Verwaltungsgliederung:* 8 Verwaltungseinheiten, davon 3 unter israelischer Verwaltung. – *Amtssprache:* Arabisch.

Wirtschaft: Umfangreicher Dienstleistungssektor (einschließlich Tourismus), dessen Anteil am BIP (1983) 61 % betrug. Abhängig von ausländischer Finanzhilfe. – *Landwirtschaft:* 1983 wurden 4,3% der Gesamtfläche (4160 km²) als Acker- und Dauerkulturland genutzt. Um die landwirtschaftliche Produktion zu erhöhen, will die Regierung die künstlich bewässerten Flächen (1983: 380 km²) ausweiten. Der Feldanbau und die Anbauflächen für Obst- und Nutzbaumanlagen zeigen eine leicht rückläufige Tendenz; dagegen wurden die Flächen für den Gemüseanbau erweitert. – Die Viehhaltung erwirtschaftete etwa ein Drittel der Produktionswerte der Landwirtschaft. – Verstärkte Aufforstungsmaßnahmen. – Unbedeutende *Fischerei.* – *Bergbau und Industrie:* Abbau von Phosphat (1985: 6,1 Mill. t), Salz (1984: 21 700 t), Pottasche (volle Produktionskapazität von 1,2 Mill. t jährlich für Ende 1986 angestrebt). Förderung von Erdöl bisher noch unbedeutend. – Einige Großunternehmen, z. B. in den Bereichen Phosphat- und Pottascheverarbeitung, Zementproduktion und Erdölverarbeitung. Überwiegend kleinere und mittlere Industrieunternehmen, die hauptsächlich chemische Produkte, Haushaltsgeräte und Textilien herstellen. Um die Industrialisierung des Landes voranzutreiben, fördert der Staat u. a. die Errichtung von Industriezonen. – Der *Fremdenverkehr* ist eine der wichtigsten Devisenquellen (1983: 512 Mill. US-$). – *BSP:* (1985, geschätzt) 4010 Mill. US-$ (1560 US-$ je E). – *Öffentliche Auslandsinvestitionen:* (1984) 62,0% des BSP. – *Inflationsrate:* (Durchschnitt 1973–84) 9,6%. – *Export:* (1985) 830 Mill. US-$, v. a. Phosphate (40%), landwirtschaftliche Produkte. – *Import:* (1985) 2656 Mill. US-$, v. a. bearbeitete Waren verschiedener Art (u. a. Eisen, Stahl, Metallwaren, Zement) mineralische Brennstoffe, Nahrungsmittel. – *Handelspartner:* Saudi-Arabien, EG-Länder, USA, Libanon, Syrien, Irak, Japan, Kuwait.

V e r k e h r : J. verfügte (1982) über 5227 km befestigte *Straßen.* – Die Streckenlänge der *Eisenbahn* betrug (1983) 618 km. – Über den *Hafen* Akaba Anschluß an den Seeverkehr. – Zwei internationale *Flughäfen* bei Amman; nationale *Fluggesellschaft* „ALIA". – Erdölleitungen von den irakischen und saudiarabischen Feldern nach den Levantehäfen Saida und Haifa. Geplant ist der Bau einer Erdölleitung von der Pumpstatioin Haditha im W des Iraks zum Hafen Akaba.

M i t g l i e d s c h a f t e n : UNO, CCC, OIC, UNCTAD u. a.; Arabische Liga, Gemeinsamer Arabischer Markt.

W ä h r u n g : 1 Jordan-Dollar (JD) = 1000 Fils (FLS).

**Joule (J),** →gesetzliche Einheit, Tabelle 1.

**Journal,** Name für das Tagebuch als Grundbuch der →Buchführung, das chronologisch in beschreibender Form die Eintragungen der Geschäftsvorfälle übernimmt; auch das zusätzliche Grundbuch, das beim Vorhandensein von vier und mehr Grundbüchern die Sammlung der Grundbuchposten für die Übertragung in das →Hauptbuch durchführt.

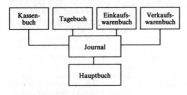

**Journalbilanzen,** Form des Abschlusses (→Bilanz), v. a. in der →funktionalen Kontorechnung.

**Journalist,** Mitarbeiter von Zeitungen, Zeitschriften oder Nachrichtendiensten entweder im Angestellten-Verhältnis (Schriftleiter) oder als freie Mitarbeiter. Letztere sind nach Umsatzsteuerrecht zu behandeln wie →freie Berufe (gelten als Unternehmer). Auf Antrag kann die Vorsteuer mit Durchschnittsatz von 3,3% des Umsatzes angesetzt werden.

**Joystick,** Gerät zur Cursorsteuerung (→Cursor) auf dem Bildschirm. Der Cursor bewegt sich in die Richtung, in die man einen kleinen Steuerungshebel hält.

**Jubilarehrung,** 1. *Ehrung* der Mitarbeiter, die einem Unternehmen ununterbrochen (bzw. mit geringen Unterbrechungen) 25, 40 oder 50 Jahre angehört haben, die entweder am Jubiläumstag selbst oder in einer für alle gemein-

sam veranstalteten Feier stattfindet. – 2. *Anläßlich* der J. wird den Jubilaren i. d. R. eine *Ehrenurkunde* der →Industrie- und Handelskammer und ein *Ehrengeschenk* des Unternehmens überreicht, häufig außerdem ein Geldgeschenk (nach der Dauer der Firmenzugehörigkeit gestaffelt). Statt Bargeld können Sparkassenbücher oder Sachpreise überreicht werden – oft Waren der eigenen Produktion. Auch Sondervergünstigungen (zusätzlicher Urlaub, Fortzahlung der Bezüge im Krankheitsfalle u. ä.) werden eingeräumt. – *Steuerliche Behandlung:* Vgl. →Jubiläumszuwendungen.

**Jubiläumsgeschenke (-gaben)** des Arbeitgebers an Arbeitnehmer. 1. *Lohnsteuer:* J. sind steuerfrei bei folgenden Anlässen: a) *Arbeitsjubiläum* (Zugehörigkeit des Arbeitnehmers zum Betrieb): Bis zu 600 DM bei 10jähriger Zugehörigkeit, bis zu 1200 DM bei 25jähriger, bis zu 2400 DM bei 40-, 50- oder 60jähriger Zugehörigkeit; übersteigende Beträge sind der Lohnsteuer zu unterwerfen. b) *Firmenjubiläum:* Bis zu 1200 DM für jeden Arbeitnehmer bei 25jährigem Firmenbestehen oder einem Mehrfachen von diesem (§ 4 LStDV). – *Voraussetzung* für die Steuerfreiheit ist, daß der Arbeitgeber bei der Berechnung der maßgebenden Zeiträume und bei allen Jubilaren nach einheitlichen Grundsätzen verfährt. – Vgl. auch →sonstige Bezüge. – 2. *Erbschaftsteuer:* J. sind i. d. R. als steuerfreie Gelegenheitsgeschenke (§ 13 I Nr. 14 ErbStG) zu behandeln.

**Jubiläumsverkauf,** nach § 7 III Nr. 2 UWG zulässige →Sonderveranstaltung für die Dauer von zwölf Werktagen zur Feier des Bestehens eines Unternehmens im selben Geschäftszweig nach Ablauf von jeweils 25 Jahren (§ 3 Anordnung zur Regelung von Verkaufsveranstaltungen besonderer Art vom 4. 7. 1935).

**Jubiläumszuwendung,** Zuwendung des Arbeitgebers aus Anlaß eines Arbeitnehmeroder Firmenjubiläums. Steuerfrei sind Zuwendungen in Höhe von 600 DM für 10jährige, 1200 DM für 25jährige, 2400 DM bei 40-, 50- und 60jähriger Firmenzugehörigkeit. Soweit J. diese Grenzen übersteigen, muß nur der übersteigende Betrag versteuert werden.

**Jugendamt,** Behörde der Jugendwohlfahrt, die grundsätzlich bei den Landkreisen und den kreisfreien Städten errichtet wird (§§ 2, 12 JWG). Das J. nimmt im wesentlichen die Aufgaben nach dem Jugendwohlfahrtsgesetz (v. a. der →Jugendhilfe) und im Vormundschaftswesen wahr. Obere Jugendbehörde ist das *Landesjugendamt.* Organisation und Aufsicht der J. unterliegen weitgehend dem Landesrecht.

**Jugendarbeitsschutz,** →Arbeitsschutz für Kinder und Jugendliche.

I. Gesetzliche Grundlage: Gesetz zum Schutze der arbeitenden Jugend (Jugendarbeitsschutzgesetz) vom 12.4.1976 (BGBl I 965), geändert durch Gesetz vom 15.10.1984 (BGBl I 1277).

II. Geltungsbereich: Das Gesetz gilt a) für die Beschäftigung von Kindern und ohne Rücksicht auf die Wirksamkeit des Arbeits- oder Dienstvertrages für jede Form der Beschäftigung von Jugendlichen, und zwar in der Berufsausbildung (→Auszubildende, →Praktikanten, →Volontäre), als →Arbeitnehmer und →Heimarbeiter, b) für sonstige →Dienstleistungen, die der Arbeitsleistung der unter a) genannten Personen ähnlich sind. – Kinder sind Personen, die noch nicht oder noch zum Besuch einer Schule mit vollem Unterricht verpflichtet oder noch nicht 14 Jahre alt sind; Jugendliche sind die übrigen noch nicht 18 Jahre alten Personen. – Ausnahmen: a) gelegentliche geringfügige Hilfeleistungen aus Gefälligkeit, aufgrund familienrechtlicher Vorschriften, in Einrichtungen der Jugendhilfe und in Einrichtungen zur Eingliederung Behinderter; b) Beschäftigung durch die Personensorgeberechtigten im Familienhaushalt. – Bei Beschäftigung im Vollzug einer Freiheitsentziehung gilt das Gesetz entsprechend (§ 62 JArbSchG).

III. Kinderarbeit: 1. Die Beschäftigung von Kindern ist verboten. – 2. Ausnahmen können von der Aufsichtsbehörde unter gewissen Voraussetzungen und Auflagen zugelassen werden: a) Kinder zwischen drei und sechs Jahren können bei Musikaufführungen und anderen Aufführungen, Werbeveranstaltungen, Aufnahmen im Rundfunk auf Ton- und Bildträger und Film- und Fotoaufnahmen in der Zeit von 8.00 bis 17.00 Uhr bis zu zwei Stunden täglich beschäftigt werden. – b) Kinder über sechs Jahre können bei Theatervorstellungen in der Zeit von 10.00 bis 23.00 Uhr bis zu vier Stunden täglich und bei den unter a) genannten Aufführungen und Veranstaltungen in der Zeit von 8.00 bis 22.00 Uhr bis zu drei Stunden täglich beschäftigt werden. – Nach Beendigung der Beschäftigung ist den Kindern eine ununterbrochene Freizeit von 14 Stunden zu gewähren. – c) Kinder über 13 Jahre dürfen (1) durch Personensorgeberechtigte in der Landwirtschaft bis zu drei Stunden täglich; (2) mit Einwilligung der Personensorgeberechtigten bei der Ernte bis zu drei Stunden werktäglich, mit dem Austragen von Zeitungen und Zeitschriften bis zu zwei Stunden werktäglich und mit Handreichungen beim Sport bis zu zwei Stunden täglich, soweit die Beschäftigung leicht ist, beschäftigt werden, nicht jedoch zwischen 18.00 und 8.00 Uhr, vor dem Schulunterricht oder während des Schulunterrichts. – 4. Das Verbot der Kinderarbeit gilt nicht zum Zwecke der Beschäftigungs- und Arbeitstherapie, im Rahmen des Betriebspraktikums während

Vollzeitschulpflicht und in Erfüllung einer richterlichen Weisung. Das Verbot gilt ferner nicht für die Beschäftigung von Jugendlichen über 15 Jahren während der Schulferien für höchstens vier Wochen im Jahr (§ 5 IV JArbSchG).

IV. Arbeitszeit der Jugendlichen: 1. Allgemeine Arbeitszeit: Höchstens acht Stunden täglich und 40 Stunden wöchentlich. Es gilt die Fünftagewoche. – 2. Besondere Arbeitszeitregelung: a) Allgemein: Wenn in Verbindung mit Feiertagen an Werktagen nicht gearbeitet wird, darf zur Verteilung der ausgefallenen Arbeitszeit, die tägliche Arbeitszeit auf 8 ½ Stunden heraufgesetzt werden, jedoch darf die durchschnittliche Wochenarbeitszeit von 40 Stunden nicht überschritten werden. Wenn an einzelnen Werktagen die Arbeitszeit auf weniger als acht Stunden verkürzt ist, können Jugendliche an den übrigen Werktagen derselben Woche 8 ½ Stunden beschäftigt werden (§ 8 II a JArbSchG); damit ist die 4 ½-Tage-Woche auch für Jugendliche erreichbar. – b) Erntezeit: Jugendliche über 16 Jahre dürfen in der Landwirtschaft bis zu neun Stunden täglich und 85 Stunden in der Doppelwoche beschäftigt werden. – c) Vorübergehende und unaufschiebbare Arbeiten in Notfällen: Die Mehrarbeit muß durch Arbeitszeitverkürzung innerhalb der folgenden drei Wochen ausgeglichen werden (§ 21 JArbSchG). – 3. Dem Jugendlichen ist die Zeit zum Besuch der Berufsschule zu gewähren. Zeiten des Unterrichts einschl. Pausen werden auf die Arbeitszeit angerechnet. An Tagen, an denen die Unterrichtszeit mit Pausen mindestens fünf Stunden beträgt, ist der Jugendliche ganz von der Arbeit freizustellen sowie in Berufsschulwochen mit einem planmäßigen →Blockunterricht von mindestens 25 Stunden an mindestens fünf Tagen. Vor einem vor 9.00 Uhr beginnenden Unterricht darf der Jugendliche nicht beschäftigt werden. Durch den Berufsschulbesuch darf kein Entgeltausfall eintreten. – 4. Bei einer Arbeitszeit von mehr als 4 ½ Stunden müssen Ruhepausen von 30 Minuten, bei mehr als sechs Stunden von 60 Minuten gewährt werden; die Ruhepausen müssen mindestens je 15 Minuten betragen. – 5. Nach Beendigung der täglichen Arbeit ist eine ununterbrochene Freizeit von zwölf Stunden zu gewähren. – 6. Nachtruhe: a) In der Zeit von 20.00 bis 6.00 Uhr dürfen Jugendliche nicht beschäftigt werden. b) Ausnahmen im Gaststättengewerbe und in Familienbetrieben des Schaustellergewerbes (über 16 Jahre bis 22.00 Uhr), mehrschichtigen Betrieben (über 16 Jahre bis 23.00 Uhr), in Bäckereien und Konditoreien ab 5.00 Uhr (über 16 Jahre) bzw. ab 4.00 Uhr (über 17 Jahre), aufgrund besonderer Bewilligung der Aufsichtsbehörde für Musikaufführungen, Theater usw. (§ 14 VII JArbSchG). – 7. An Samstagen dürfen Jugendliche nicht, und am 24. und 31.12.

dürfen Jugendliche nicht nach 14.00 Uhr beschäftigt werden. Ausgenommen sind bestimmte Wirtschaftszweige, bei denen die Beschäftigung üblich ist; mindestens zwei Samstage sollen in jedem Monat beschäftigungsfrei sein. Zulässige Beschäftigung an Samstagen ist durch Arbeitsfreistellung an anderen Werktagen auszugleichen. An *Sonn- und Feiertagen* dürfen Jugendliche nicht beschäftigt werden. Ausnahmen sind zulässig für Gast- und Schankwirtschaften, Theater usw. und in Notfällen. Zum Ausgleich ist Freizeit an anderen Arbeitstagen zu gewähren.

V. Urlaub für Jugendliche: Der Urlaub, den der Arbeitgeber Jugendlichen für jedes Kalenderjahr zu gewähren hat, beträgt jährlich (1) mindestens 30 Werktage, wenn der Jugendliche zu Beginn des Kalenderjahres noch nicht 16 Jahre alt ist, (2) mindestens 27 Werktage, wenn der Jugendliche zu Beginn des Kalenderjahres noch nicht 17 Jahre alt ist, (3) mindestens 25 Werktage, wenn der Jugendliche zu Beginn des Kalenderjahres noch nicht 18 Jahre alt ist. Soweit der Urlaub nicht in den Berufsschulferien gegeben wird, ist für jeden Berufsschultag, an dem die Berufsschule während des Urlaubs besucht wird, ein weiterer Urlaubstag zu gewähren.

VI. J. und Tarifvertrag: Ein Schwerpunkt des Änderungsgesetzes zum JArbSchG vom 15.10.1984 (BGBlI 1277) war, daß für Tarifvertragsparteien (→Tarifvertrag) die Möglichkeit geschaffen wurde, in bestimmten Fällen vom JArbSchG abweichende Regelungen zu treffen (§ 21a JArbSchG). Durch Delegation der Normsetzungsbefugnis können die Tarifvertragsparteien die Konkretisierung von Ausnahmeregelungen durch →Betriebsvereinbarung zulassen. Nicht tarifgebundene Arbeitgeber können im Geltungsbereich eines Tarifvertrages die abweichenden tarifvertraglichen Regelungen durch Betriebsvereinbarung oder, soweit ein →Betriebsrat nicht besteht, durch schriftliche Vereinbarung zwischen dem Arbeitgeber und dem Jugendlichen übernehmen.

VII. Beschäftigungsverbote/beschränkungen für Jugendliche: Jugendliche dürfen nicht mit Arbeiten beschäftigt werden, die ihre Leistungsfähigkeit übersteigen, bei denen sie sittlichen Gefahren ausgesetzt sind, die mit Unfallgefahren verbunden sind, bei denen ihre Gesundheit durch außergewöhnliche Hitze oder Kälte oder starke Nässe gefährdet wird und bei denen sie schädlichen Einwirkungen von Lärm, Erschütterungen, Strahlen oder von giftigen, ätzenden oder reizenden Stoffen ausgesetzt sind. Grundsätzlich dürfen Jugendliche weiterhin nicht a) mit Akkord- und Fließarbeiten, bei denen durch ein gesteigertes Arbeitstempo ein höheres Entgelt erzielt wer-

den kann, b) mit allen Arbeiten, bei denen das Arbeitstempo nicht nur gelegentlich vorgeschrieben, vorgegeben oder auf andere Weise erzwungen wird, c) in einer Arbeitsgruppe mit erwachsenen Arbeitnehmern, die Arbeiten nach a) verrichten, d) mit Arbeiten unter Tage und e) durch Personen, die zu Freiheitsstrafen verurteilt worden sind und die gegen bestimmte Strafvorschriften verstoßen haben, beschäftigt werden.

VIII. Fürsorgepflicht: Leben, Gesundheit und Sittlichkeit der Kinder und Jugendlichen sind dem Schutz des Arbeitgebers anvertraut. Er hat sie über die Unfall- und Gesundheitsgefahren des Betriebes aufzuklären, darf sie nicht züchtigen und hat den Kindern und Jugendlichen, die er in die häusliche Gemeinschaft aufgenommen hat, im Krankheitsfalle Pflege und ärztliche Betreuung zu gewähren. Kindern und Jugendlichen unter 16 dürfen kein Alkohol und keine Tabakwaren gegeben werden, über 16 kein Branntwein usw. Vor Beginn der Beschäftigung eines Jugendlichen und vor dem Ende des ersten Beschäftigungsjahres muß der Jugendliche ärztlich untersucht werden (unterbleiben die Untersuchungen, ist der Beginn der Beschäftigung und die Weiterbeschäftigung verboten); ebenso wenn der Arzt eine Nachuntersuchung anordnet. Der Arbeitgeber hat dem Jugendlichen die für die Untersuchung erforderliche Freizeit zu gewähren, die Kosten der Untersuchung trägt das Land. – *Gesetzlich geregelt* durch VO über ärztliche Untersuchungen nach dem Gesetz vom 2.10.1961 (BGBlI 1789) mit späteren Änderungen.

IX. Durchführung: Das JArbSchG und die dazu ergehenden Vorschriften sind im Betrieb auszulegen oder auszuhändigen. Der Arbeitgeber hat ein genaues Verzeichnis der beschäftigten Jugendlichen mit Angaben über Urlaub, Tag des Beginns der Beschäftigung sowie Samstags- und Sonntagsarbeit zu führen. Zur Aufklärung über Jugendschutz werden bei der obersten Landesbehörde Ausschüsse gebildet. Verstöße gegen das Gesetz werden als Straftaten oder Ordnungswidrigkeiten verfolgt.

**jugendgefährdende Schriften,** →Jugendschutz 3.

**Jugendhilfe,** Bezeichnung für die Gesamtheit der Leistungen, die Jugendlichen zur Erziehung, Bildung und Entwicklung gewährt werden. – 1. *Gesetzliche Grundlage:* J. ist für die Aufnahme in das →Sozialgesetzbuch vorgesehen (vgl. § 27 SGB 1); zur Zeit gesetzlich geregelt im →Jugendwohlfahrtsgesetz (JWG), das nach Art. II § 1 Nr. 16 SGB 1 als besonderer Teil des Sozialgesetzbuches gilt. – 2. *Aufgaben:* Die J. geht davon aus, daß jedes Kind ein Recht auf Erziehung zur leiblichen, geistigen und seelischen Tüchtigkeit hat (§ 1 JWG). Gegen den Willen der Erziehungsberechtigten ist ein Eingreifen staatlicher Stellen nur zulässig, wenn das JWG dies erlaubt. Als Maßnahmen der J. kommen v.a. →Erziehungsbeistandschaft, →freiwillige Erziehungshilfe und →Fürsorgeerziehung in Betracht. – 3. *Träger* der öffentlichen J. sind in erster Linie die Jugendämter und Landesjugendämter, die auch die Kosten zu tragen haben für die →Erziehungshilfen, soweit dem Jugendlichen und seinen Eltern die Aufbringung der Mittel aus ihrem Einkommen und Vermögen nicht zuzumuten ist (§ 81 JWG).

**Jugendliche**, Kinder von 14 bis 18 Jahren, v.a. auch in gesetzlichen Vorschriften (→Jugendarbeitsschutz,       →Jugendschutz, →Jugendstrafrecht 2, →Lebensalter).

**Jugendschutz.** 1. Vgl. →*Jugendarbeitsschutz.* – 2. Durch das Gesetz zum Schutze der Jugend in der Öffentlichkeit, *Jugendschutzgesetz,* i.d.F. vom 25.2.1985 (BGBl I 425), das Kinder und Jugendliche vor sittlicher Gefährdung und Verwahrlosung bewahren soll. Enthält Vorschriften über den Besuch von Gaststätten, Tanzveranstaltungen, Kino, Varieté, Spielhallen usw. durch Jugendliche. – 3. Durch das Gesetz über die Verbreitung *jugendgefährdender Schriften* i.d.F. vom 12.7.1985 (BGBl I 502) und DVO i.d.F. vom 23.8.1962 (BGBl I 597).

**Jugendschutzgesetz**, →Jugendschutz 2.

**Jugendstrafe**, strengste Strafe im →Jugendstrafrecht; auszusprechen, wenn wegen der in der Tat hervorgetretenen schädlichen Neigungen →Erziehungsmaßregeln oder →Zuchtmittel nicht ausreichen oder wegen der Schwere der Schuld. – *Dauer:* Sechs Monate bis fünf Jahre, bei Verbrechen bis zehn Jahre. – *Vollzug* in Jugendstrafanstalten durch erzieherisch befähigte Beamte unter besonderen auf den Erziehungszweck ausgerichteten Gesichtspunkten.

**Jugendstrafrecht**, die für die Jugend geltenden besonderen strafrechtlichen und strafverfahrensrechtlichen Vorschriften. – 1. *Regelung* im Jugendgerichtsgesetz (JGG) i.d.F. vom 11.12.1974 (BGBl I 3427) mit späteren Änderungen. – 2. Das Gesetz gilt für *Jugendliche* und *Heranwachsende,* soweit diese im Einzelfall aufgrund ihres Reifegrades oder der Art ihrer Tat einem Jugendlichen gleichzustellen sind (§ 105 JGG). Jugendlicher ist, wer zur Zeit der Straftat 14, aber noch nicht 18 Jahre, Heranwachsender, wer zur Zeit der Tat 18, aber noch nicht 21 Jahre alt ist (→Strafmündigkeit). – 3. *Inhalt:* Das J. ist am *Erziehungsgedanken* orientiert. Es kennt nicht die im Erwachsenenstrafrecht vorgesehenen →Strafen. An ihre Stelle treten →Erziehungsmaßregeln, →Zuchtmittel und →Jugendstrafe. – 4. *Jugendstrafverfahren* weicht vom allgemeinen Strafprozeßrecht erheblich ab (§§ 43–81 JGG), ist v.a. nicht öffentlich (§ 48 JGG).

**Jugendversammlungen**, kann die →Jugendvertretung vor oder nach jeder →Betriebsversammlung im Einvernehmen mit dem →Betriebsrat einberufen. Die Leitung der J. obliegt der Jugendvertretung und dem →Betriebsrat (§ 71 BetrVG).

**Jugendvertretung**, im BetrVG vorgesehene Interessenvertretung für alle Betriebe, die mindestens fünf Jugendliche unter 18 Jahren beschäftigen (§§ 60 ff. BetrVG). Die J. soll den zum Betriebsrat nicht wahlberechtigten jugendlichen Arbeitnehmern Gelegenheit geben, ihre besonderen Belange im Betrieb selbst zu vertreten. – *Amtszeit:* Zwei Jahre. – *Rechte:* Die J. kann zu allen Sitzungen des Betriebsrats einen Vertreter entsenden. – Nach dem Gesetz zum Schutze in Ausbildung befindlicher Mitglieder von Betriebsverfassungsorganen vom 18.1.1974 (BGBl I 85, § 78a BetrVG) gelten für alle Auszubildenden, die während ihrer Ausbildungszeit zum Mitglied des Betriebsrats, der J. usw. gewählt worden sind, besondere Schutzvorschriften.

**Jugendwohlfahrtsgesetz (JWG)**, Gesetz für die Jugendwohlfahrt i.d.F. vom 25.4.1977 (BGBl I 633, 795) mit späteren Änderungen, regelt insbes. die öffentliche →Jugendhilfe.

**Juglar-Zyklus**, →Konjunkturzyklus.

**Jugoslawien**, *Sozialistische Föderative Republik Jugoslawien,* südosteuropäischer Vielvölkerstaat. – *Fläche:* 255 804 km². – *Einwohner* (E): (1985, geschätzt) 23,12 Mill. (90,4 E/km²); stärkste Völker sind Serben und Kroaten. – *Hauptstadt:* Belgrad (Beograd, 1,49 Mill. E); weitere Großstädte: Zagreb (1,2 Mill. E). Skopje (506 547 E), Sarajewo (448 500 E), Ljubljana (305 211 E), Novi Sad (257 685 E). – 1918 Gründung des Gesamtstaats; bis 1945 Monarchie; danach Föderative Sozialistische Republik, bestehend aus sechs Teilrepubliken (Bosnien und Herzegowina, Kroatien, Mazedonien, Montenegro, Serbien, Slowenien) und zwei autonomen Provinzen (Kosovo, Vojvodina); nach der neuen Verfassung von 1974 Zweikammerparlament (Föderativer Rat und Rat der Republiken). – *Landessprachen:* Serbokroatisch, Slowenisch, Mazedonisch (Alabnisch, Ungarisch in den autonomen Gebieten).

Wirtschaft: Maßnahmen zur Konsolidierung der Wirtschaft, die u.a. gekennzeichnet ist durch hohe Außenverschuldung und inflationäre Tendenzen, müssen ihre Wirksamkeit erst noch beweisen. – *Landwirtschaft:* Seit Beginn der 70er Jahre beträchtliche Intensivierung der Agrarproduktion. Haupterzeugnisse: Getreide (insbes. Mais), Futterpflanzen, Obst, Gemüse und Wein. Bedeutende Viehwirtschaft (Schafe und Ziegen, Rinder, Schweine, Pferde). – *Forstwirtschaft:* Holzeinschlag (1982) 14,9 Mill. m³. – *Fischerei:* Fischfang (1982) 66 841 t. – *Bergbau und Industrie:* Reich an Bodenschätzen, Abbau von Steinkohle, Braunkohle, Lignit, Eisen-, Kupfer-, Blei-, Zink-, Antimonerz, Schwefelkies und Bauxit. Förderung von Erdöl und Erdgas sowie Gewinnung von Salz. Neben der rohstoffverarbeitenden Industrie entwickelten sich wichtige Produktionszweige, z. B. Schiffbau, Maschinenbau, Herstellung von Lkw, Pkw u. a. Transportmitteln, Elektroindustrie und chemische Industrie. – *Fremdenverkehr:* (1983) 5,9 Mill. Auslandsgäste, 35,3 Mill. Übernachtungen. – *BSP:* (1985, geschätzt) 47900 Mill. US-$ (2070 US-$ je E). – *Öffentliche Auslandsverschuldung:* (1984) 21,5% des BSP. – *Inflationsrate:* (1985) 95%. – *Export:* (1985) 10641 Mill. US-$, v. a. Maschinen und Fahrzeuge, chemische Erzeugnisse, Schuhe, Bekleidung. – *Import:* (1985) 12164 Mill. US-$, v. a. Maschinen und Fahrzeuge, Erdöl, chemische Erzeugnisse. – *Handelspartner:* UdSSR, Bundesrep. D.

V e r k e h r : 115174 km *Straßen*, davon 84% befestigt (1982). – Die Streckenlänge der *Eisenbahn* betrug (1982) 9389 km, darunter ist die wichtige Verbindungslinie Ljubljana–Zagreb–Belgrad–Niš–Skopje. – Ca. 2300 km *Binnenwasserstraßen;* größter Binnenschiffahrtsweg ist die Donau (588 km). – J. verfügte (1983) über 454 *Schiffe* mit 2,5 Mill. BRT. Wichtige *Häfen:* Rijeka, Split, Pula, Kardeljevo, Šibenik, Dubrovnik und Bar. – Wichtige *Flughäfen:* Belgrad, Zagreb und Dubrovnik. Drei *Fluggesellschaften.* – Erdöl- und Erdgasleitungssystem.

M i t g l i e d s c h a f t e n : UNO, BIZ, CCC, OECD (Sonderstatus), UNCTAD u. a.; Komitee für wirtschaftliche Zusammenarbeit mit der UdSSR, Abkommen mit der EG.

W ä h r u n g : 1 Jugoslawischer Dinar (Din) = 100 Para.

**Juliusturm,** Bezeichnung für die für Verteidigungsausgaben angehäuften Kassenreserven des Bundes in den 50er Jahren; genannt nach einem Turm der ehemaligen Zitadelle in Spandau, in dem bis 1914 ein Teil der französischen Kriegsentschädigung als „Kriegsschatz" aufbewahrt wurde.

**Junctim,** Verbindung zweier Beratungsgegenstände, von denen der eine nicht ohne den anderen erledigt werden darf; auch Abreden u. ä.

**Junge Aktien,** *neue Aktien,* die bei einer →Kapitalerhöhung neu ausgegebenen →Aktien im Gegensatz zu den alten Aktien. Die Inhaber *alter Aktien* erhalten i. d. R. ein →Bezugsrecht auf die j. A. oder auf einen Teil davon. Sobald die j. A. den alten hinsichtlich →Dividende usw. gleichstehen, entfällt die Bezeichnung j. A. und die gesonderte Notierung im Börsenverkehr. →Freiaktien. – Der Bezug j. A. unterliegt als Ersterwerb nicht der *Börsenumsatzsteuer* (§ 22 Nr. 2 KVStG), und

zwar auch dann nicht, wenn der Bezug über ein Kreditinstitut oder (Banken-)Konsortium erfolgt, das die j. A. vertragsgemäß den Aktionären anzubieten hat.

**Jungfern-Inseln,** →Vereinigte Staaten von Amerika.

**Junghandwerker-Sparen,** 1954 eingeführte Form des Sparens für Junghandwerker mit dem Zweck, durch regelmäßige Sparbeiträge eine Anwartschaft auf einen zinsgünstigen Investitionskredit zu erwerben.

**Jungscheinverkehr,** →Treuhandgiroverkehr b).

**Juniorenfirma,** Lernort zur Ergänzung der →betrieblichen Ausbildung, an dem kaufmännische Auszubildende weitgehend selbständig und in eigener wirtschaftlicher Verantwortung, jedoch im rechtlichen Rahmen des Ausbildungsbetriebes, einen Miniaturbetrieb führen, der i. d. R. Gegenstände vertreibt, die in der gewerblichen Ausbildung gefertigt werden. – *Ziel:* Förderung der beruflichen Handlungs- und Problemlösefähigkeit durch die kooperative Bewältigung realer, ganzheitlicher Arbeitsaufgaben im Rahmen einer überschaubaren, aber komplexen Organisationseinheit.

**Juniorenkreise der deutschen Unternehmerschaft,** Sitz in Bonn, dem →Deutschen Industrie- und Handelstag angeschlossene Vereinigung junger Unternehmer und des unternehmerisch tätigen Führungsnachwuchses der gewerblichen Wirtschaft. Seminar, Diskussion und Erfahrungsaustausch in den regionalen Juniorenkreisen (in Anlehnung an den zuständigen Bezirk der →Industrie- und Handelskammer) gewähren Fortbildung für spätere Leitungsaufgaben. Zwischenstaatlicher Erfahrungsaustausch mit anderen europäischen Juniorenkreisen.

**Junior Management,** →Lower Management.

**Junk bond,** →Anleihe von Emittenten mit schlechter →Bonität (Rating-Gruppe B und schlechter). J. B. sind hochverzinslich wegen des hohen Ausfallrisikos (Risikoprämien) sowie hochspekulativ. In den USA verbreitet.

**JURIS,** →Rechtsberatungsinformationssystem.

**Jurist,** Bezeichnung für die mit Rechtsanwendung befaßten Berufe, in dieser allgemeinen Formulierung weder gesetzlich geregelt noch als Titel usw. geschützt. Üblicherweise versteht man unter einem J. einen *Volljuristen,* der nach Studium und praktischer Ausbildung durch die Ablegung zweier Prüfungen die Befähigung zum Richteramt erworben hat.

I. A u s b i l d u n g : Die Grundzüge sind in den §§ 5 bis 7 DRG enthalten, Einzelheiten sind in den Vorschriften des →Landesrechts (Juristische Ausbildungs- und Prüfungsordnungen) geregelt. – 1. Nach bestandener Reifeprüfung *Studium der Rechtswissenschaft.* Als Mindestdauer sind 7 Semester vorgeschrieben, davon mindestens 4 auf einer Universität der Bundesrep. D. oder in West-Berlin. Der Student hat Vorlesungen über alle Gebiete der Rechtswissenschaft zu hören (Bürgerliches Recht, Strafrecht, Verfahrensrecht, Handels- und Wirtschaftsrecht, Arbeits- und Sozialrecht, Verwaltungs- und Staatsrecht, Kirchenrecht, Rechtsgeschichte und Rechtsphilosophie usw.). Außerdem ist die Teilnahme an Übungen vorgeschrieben. – 2. Nach Beendigung des Studiums *1. Staatsprüfung.* Sie erstreckt sich auf alle Rechtsgebiete und besteht aus schriftlichen Arbeiten und einer mündlichen Prüfung. – 3. Nach Bestehen der 1. Staatsprüfung Zulassung zum *Vorbereitungsdienst* unter Berufung in das Beamtenverhältnis (Rechtsreferendar). Der Vorbereitungsdienstdauer 2 ½ Jahre. In dieser Zeit wird der Rechtsrefererendar bei den verschiedenen →Gerichten, →Staatsanwaltschaft, Verwaltungsbehörden, bei einem →Rechtsanwalt oder in weiterer, seiner Ausbildung dienenden Weise beschäftigt. Der Rechtsreferendar erhält nach Maßgabe des Landesrechts einen Unterhaltszuschuß. – 4. Nach Beendigung der Vorbereitungszeit *2. (große) juristische Staatsprüfung.* Ihr Ziel ist die Feststellung, ob dem Referendar nach seinen fachlichen und allgemeinen Kenntnissen, seinem praktischen Geschick in der Erledigung der Geschäfte und nach dem Gesamtbild seiner Persönlichkeit die Befähigung zum Richteramt und zum höheren Verwaltungsdienst zuzusprechen ist (vgl. unten II). Auch diese Prüfung ist in einen schriftlichen und mündlichen Teil gegliedert und erstreckt sich auf alle Rechtsgebiete. – 5. *Einstufige Juristenausbildung* mit einer Mindestdauer von 5 ½ Jahren ist in einzelnen Bundesländern erprobt worden; sie besteht in einer Zusammenfassung des Universitätsstudiums mit der praktischen Vorbereitung (Ausbildung bei Gerichten, Verwaltungsbehörden und Rechtsanwälten) und endet mit einer der 2. juristischen Staatsprüfung gleichwertigen Abschlußprüfung, während die 1. Staatsprüfung durch eine Zwischenprüfung oder durch ausbildungsbegleitende Leistungskontrollen zu ersetzen ist. Bis zum 15. 9. 1985 konnten Studierende in einer einstufigen Juristenausbildung aufgenommen werden. Derzeit gilt nur noch die zweistufige Ausbildung. – 6. *Freizügigkeit:* Wer in einem Land der Bundesrep. D. die 1. Prüfung bestanden hat, kann in jedem anderen Land zum Vorbereitungsdienst und zur 2. Prüfung zugelassen werden.

II. Befähigung zum Richteramt: Sie wird erworben durch das Bestehen der 2. Staatsprüfung und berechtigt zur Führung des Titels *Assessor.* Sie ist Voraussetzung für die Tätigkeit als Richter, Staatsanwalt, →Rechtsanwalt und →Notar.

III. Juristische Berufe: Der umfassenden und weitreichenden Ausbildung entspricht eine Vielfalt von Berufsmöglichkeiten. Neben Richter, Staatsanwalt, Rechtsanwalt und Notar werden in der gesamten öffentlichen Verwaltung sehr viele Juristen beschäftigt (Bund, Länder, Kreise, Gemeinden, öffentlich-rechtliche Anstalten, Bahn, Post, Sozialversicherung). Auch in der Privatwirtschaft, namentlich in den Rechtsabteilungen größerer Betriebe, sind J. notwendig. →Justitiar, →Syndikus.

IV. Promotion zum *Dr. iuris* nach Maßgabe der Promotionsordnungen der einzelnen Fakultäten.

**juristische Person,** Personenvereinigung oder Zweckvermögen mit vom Gesetz anerkannter rechtlicher Selbständigkeit. J.P. ist Träger von Rechten und Pflichten, hat Vermögen, kann als Erbe eingesetzt werden, in eigenem Namen klagen und verklagt werden. 1. J.P. des *Privatrechts* sind unter anderem: →eingetragene Vereine, →Aktiengesellschaften, →Gesellschaften mit beschränkter Haftung, →Kommanditgesellschaften auf Aktien, eingetragene →Genossenschaften, →bergrechtliche Gewerkschaften. Teilnahme am Wirtschaftsleben durch gewählte oder mittels Satzung bestimmte Organe. Keine persönliche Haftung der beteiligten Gesellschafter oder Vereinsmitglieder. Anmeldung zum Handelsregister erfolgt ggf. durch sämtliche vertretungsberechtigten Vorstandsmitglieder bzw. Geschäftsführer. – J.P. sind nicht deliktfähig, also auch strafrechtlich nicht verantwortlich. An ihrer Stelle können ihre Organträger (Vorstand, Geschäftsführer und dgl.) bestraft werden. Sonderregelung im →Ordnungswidrigkeitengesetz (§§ 29, 30 OWiG). – 2. J.P. des *öffentlichen Rechts,* sog. →Körperschaften des öffentlichen Rechts, wie Staat, Gemeinden, Gemeindeverbände, öffentliche Sparkassen usw. – Auch →Anstalten oder →Stiftungen des öffentlichen Rechts, die als selbständige Träger von Rechten und Pflichten Verwaltungsaufgaben außerhalb der durch die →Behörden dargestellten unmittelbaren Staatsverwaltung erledigen. J.P. des öffentlichen Rechts können sich hoheitlicher Mittel (z. B. Erlaß von →Verwaltungsakten oder Anwendung des Verwaltungszwangs) bedienen. Sie unterliegen der *Staatsaufsicht* durch die zuständige Verwaltungsbehörde.

**Justi,** Johann Heinrich Gottlob, von 1717 bis 1771, führender Kameralist im 18. Jh. J. führt das Wachstum des nationalen Reichtums auf Bevölkerungswachstum, Außenhandel und den Bergbau zurück. Sein „System" enthält die erste systematische Behandlung der Finanzwissenschaft in Deutschland. Beeinflußt von Wolff und Pufendorf. – *Hauptwerke:* „Staatswirtschaftliche oder systematische Abhandlung aller ökonomischen und Cameralwissenschaft" 1755, „Die Chimäre des Gleichgewichts von Europa" 1758, „System des Finanzwesens" 1766.

**Just-in-time-Prinzip.** 1. *Begriff:* Neueres Prinzip zur dezentralen Planung und Steuerung der Produktion. – 2. *Grundidee:* Anpassung der kurzfristigen Kapazitäts- und Materialbedarfsplanung an die aktuelle Fertigungs- und Auftragssituation so, daß die Produktion auf allen Fertigungsstufen, beginnend mit der Rohmaterialbeschaffung bis zur Ablieferung der Endprodukte, *auf Abruf* erfolgt. Maßeinheit für die Periodenlänge der den einzelnen Stufen ist i. a. ein Tag. – 3. *Ziele:* Verringerung der Lagerbestände; Verringerung der →Durchlaufzeiten der Fertigungsaufträge. – 4. *Anwendungsbereich:* Unternehmen mit Großserienfertigung, bis hin zur Kleinserienfertigung. – 5. *Varianten:* a) *Synchronproduktion* bei bedarfsorientierter Planung, d. h. es wird heute produziert, was morgen benötigt wird; b) das *Kanban-Prinzip* bei verbrauchsorientierter Planung, d. h. es wird heute produziert, was gestern verbraucht wurde (vgl. im einzelnen →Kanban).

**Justitiar,** der ständig mit der Bearbeitung der Rechtsangelegenheiten eines Unternehmens, eines Verbandes, einer Behörde usw. betraute →Jurist. – Vgl. auch →Syndikus.

**Justiz.** 1. *I. w. S.:* Die rechtsprechende Gewalt (→Gewaltenteilung). – 2. *I. e. S.:* Die →ordentliche Gerichtsbarkeit.

**Justizgericht,** neuere Bezeichnung für die Gerichte der →ordentlichen Gerichtsbarkeit.

**Justizstaat,** Staatsform, in der Nachprüfung von →Verwaltungsakten durch Anrufung der ordentlichen Gerichte möglich ist. In der Bundesrep. D. sind i. a. die →Verwaltungsgerichte zuständig; für bestimmte Einzelfälle die ordentlichen Gerichte, z. B. für Entschädigungsstreitigkeiten bei der →Enteignung.

**Justizverwaltungsakt.** I. Begriff: →Verwaltungsakt der Justizverwaltung. – *Gegensatz:* a) Entscheidungen der Gerichte, die ihnen als sachlich und persönlich unabhängigen Rechtsprechungsorganen zugewiesen sind, z. B. Entscheidung von Rechtsstreitigkeiten, Eintragungen im Handelsregister oder Grundbuch, Anordnung einer Vormundschaft usw.; b) Selbstverwaltung der Gerichte (Geschäftsverteilung). – *Dazu gehören:* a) Maßnahmen, die der Rechtsprechung dienen oder mit ihr zusammenhängen, wie Personalsachen einschl. Ausbildung, Dienstaufsicht, Beschaffung des Bürobedarfs; b) Maßnahmen

im Rahmen der →Rechtshilfe, Gewährung von Akteneinsicht; c) Anerkennung ausländischer Ehescheidungsurteile; d) Verwaltungsaufgaben, z. B. Strafvollstreckung, Führung des Strafregisters, Durchführung der Hinterlegung, Aufsicht über Stiftungen, Befreiung von Ehehindernissen usw.; e) Maßnahmen beim Vollzug der Kostenvorschriften, insbes. Einforderung und Rückzahlung der Kosten.

II. Rechtsschutz gegen I.: Über die Rechtmäßigkeit der J. und die Verpflichtung zum Erlaß eines abgelehnten oder unterlassenen J. entscheiden die Gerichte der →ordentlichen Gerichtsbarkeit (§§ 23 ff. EGGVG). – *Verfahren:* 1. Auf *Antrag* des Betroffenen, wenn der Antragsteller geltend macht, durch den J. oder seine Ablehnung oder Unterlassung in seinen Rechten verletzt zu sein. Soweit J. der →Beschwerde oder anderen förmlichen Rechtsbehelfen unterliegen, kann der Antrag auf gerichtliche Entscheidung erst nach vorausgegangenem Beschwerdeverfahren usw. gestellt werden. – 2. *Frist:* Der Antrag auf gerichtliche Entscheidung muß innerhalb eines Monats nach Zustellung oder der schriftlichen Bekanntgabe des J. oder nach Zustellung des Bescheides des vorgeschriebenen Vorverfahrens schriftlich oder zur Niederschrift der Geschäftsstelle des →Oberlandesgerichts oder eines →Amtsgerichts eingelegt werden. Wiedereinsetzung in den vorherigen Stand ist bei Fristversäumnis möglich. – 3. Der Antrag auf gerichtliche Entscheidung kann auch gestellt werden, wenn über einen Antrag auf Erlaß eines J. oder über eine Beschwerde oder einen förmlichen Rechtsbehelf ohne zureichenden Grund innerhalb von drei Monaten noch *nicht entschieden* ist. Bei Vorliegen besonderer Umstände kann das Gericht schon vorher angerufen werden. Nach Ablauf eines Jahres seit Einlegung der Beschwerde oder Stellung des Antrags auf Erlaß eines J. ist der Antrag nicht mehr zulässig. – 4. Über den Antrag auf gerichtliche Entscheidung entscheidet das *Oberlandesgericht endgültig.* – 5. Das *Verfahren* vor dem Zivilsenat bestimmt sich im übrigen nach den Beschwerdevorschriften des Gesetzes über die →Freiwillige Gerichtsbarkeit, vor dem Strafsenat nach den Vorschriften der StPO über das Beschwerdeverfahren. – 6. Die *Kosten* bestimmen sich nach der Kostenordnung, →Prozeßkostenhilfe kann bewilligt werden. – 7. *Sonderregelung* für J. im Kostenrecht (vgl. oben I 2 d): Anfechtung durch Antrag auf gerichtliche Entscheidung (Art. XI, §§ 1 und 2 des Gesetzes vom 26. 7. 1957, BGBl I 861), gestützt auf Beeinträchtigung des Antragstellers in seinen Rechten, Überschreitung der gesetzlichen Grenzen des →Ermessens oder Gebrauch des Ermessens in einer nicht der Ermächtigung entsprechenden Weise. Zuständig ist das →Amtsgericht, weitere Beschwerde zum →Oberlandesgericht. – 8. Weitere Sondervorschriften im *Beamten- und Disziplinar-recht.*

**justum pretium,** (lat. = gerechter Preis), von den mittelalterlichen Scholastikern vertretene Lehre, wonach derjenige Preis als gerecht anzusehen ist, der die Produktionskosten des betreffenden Gutes deckt, wobei die Produktionskosten aber auf der Grundlage des „standesgemäßen Unterhalts" der Produzenten kalkuliert sein müssen. Die normative Lehre vom j. p. ist demnach eine Kostentheorie des Preises ohne Berücksichtigung der Nachfrageseite.

**Juwelen-, Schmuck- und Pelzsachenversicherung,** unter verschiedenen Bezeichnungen betriebene → Wertsachenversicherung.

# K

**K¹-Wert,** →Reichweite.

**KAB,** Abk. für →Bundesverband der Katholischen Arbeitnehmer-Bewegung Deutschlands.

**Kabelanschluß,** Anlage zum Empfang von Hörfunk- und Fernsehprogrammen über Kupferkoaxialkabel. Einspeisung der Programme ins örtliche Kabelnetz durch eine Kopfstelle.

**Kabelbuch,** öffentliches Register beim Amtsgericht Berlin-Schöneberg *(Kabelbuchamt)* zur Eintragung von Pfandrechten an privaten Seekabeln, die dem Verkehr mit dem Ausland dienen; Gesetz vom 31.3.1925 (RGBl I 37) mit späteren Änderungen.

**Kabotage. I. Modernes Seeverkehrsrecht:** 1. Seerechtliche Unterscheidungen als Grundlage für das Recht der einzelnen Staaten, die Küstenschiffahrt der eigenen Flagge vorzubehalten. – 2. *Formen:* (1) *Große K.:* Schiffahrt zwischen Häfen der gleichen Staates, auch zwischen Mutterland und Kolonien. – (2) *Kleine K.:* Schiffahrt zwischen Häfen desselben Staates und Meeres. – (3) *Fluß-K.:* Schiffahrt zwischen Binnenhäfen eines Staatsgebiets.

**II. Internationales Luftverkehrsrecht:** Recht eines Staates zur Genehmigung der Beförderung von Flugpassagieren und Fracht durch Flugzeuge innerhalb des eigenen Staatsgebiets.

**III. Kabotagevorbehalt:** Im Falle des zwischen zwei Orten des gleichen Staatsgebiets (Binnenverkehr) von ausländischen, also nicht in diesem Staat ansässigen Verkehrsunternehmern durchgeführten Verkehrs behält sich i.d.R. ein Staat das Recht vor, solchen Verkehr auszuschließen.

**Kaduzierung,** Ausschluß von Mitgliedern einer Gesellschaft bei Verzug mit der Einzahlung ihres Kapitalanteils (ggf. der →Nachschüsse). Die säumigen Mitglieder werden ihres Anteils für verlustig erklärt: a) Bei der *GmbH* nach fruchtlosem Ablauf der durch Einschreibebrief gesetzten Nachfrist von mindestens einem Monat (§21 GmbHG). – b) Bei der *AG* nach dreimaliger fruchtloser Aufforderung in den Gesellschaftsblättern, bei Namensaktien auch durch Aufforderung des betreffenden Aktionärs; Nachfrist beträgt

einen Monat von letzter Bekanntmachung oder Aufforderung an (§64 AktG). Jeder im Aktienbuch eingetragene Vormann (→Zwischenaktionär) eines gem. §64 AktG ausgeschlossenen Aktionärs haftet für den Rückstand (§65 AktG).

**Kaffeefahrten,** →Haustürgeschäfte.

**Kaffeesteuer. 1.** *Begriff:* →Verbrauchsteuer auf Roh- und Röstkaffee, Kaffeeauszüge und -essenzen sowie Kaffeeanteil in bestimmten kaffeehaltigen Waren. Wird von der Zollverwaltung des Bundes erhoben und verwaltet, fließt dem Bund zu. K. ist eine →Mengensteuer. – 2. *Gesetzliche Grundlage:* Kaffee- und Teesteuergesetz vom 30.7.1953 i.d.F. v. 5.5.1980 (BGBl I 497). – 3. *Steuerbefreiungen* im Reiseverkehr gem. Einreise-Freimengen-Verordnung: 750 g Kaffee aus EG-Mitgliedsstaaten, 250 g aus sonstigen Staaten; bei Kaffeeauszügen oder Essenzen 300 g bzw. 100 g. – 4. *Steuersätze:* a) nach *Kaffeeart:* 3,60 DM bis 4,55 DM je kg Eigengewicht; b) bei *Kaffeeauszügen:* 9,35 DM bis 9,90 DM je kg Eigengewicht *(feste Auszüge)* bzw. je kg darin enthaltener Trockenmasse *(flüssige Auszüge);* c) bei *Kaffeemischungen:* Summe der auf die einzelnen Kaffeeanteile entfallenden Steuerbeträge; d) bei *kaffeehaltigen Waren:* nach bestimmten Prozentsätzen der unter a) und b) genannten Steuerbeträge. – 5. *Steuerschuldner, Haftung* und *Steuerentstehung* richten sich grundsätzlich nach dem →Zollrecht. – 6. *Verfahren:* Bei der Einfuhr ist eine *Steuererklärung* abzugeben, aufgrund derer die Zollstelle die K. erhebt. – 7. *Steuererstattung* und *-vergütung* auf Antrag, wenn a) Händler Kaffee unverändert wiederausführen, b) Hersteller Kaffee nach der Herstellung ausführen oder c) Abfälle nicht gerösteten Kaffees vernichtet werden; Ausfuhr bzw. Vernichtung muß zollamtlich überwacht werden und bei der Ausfuhr dem Händler bzw. Hersteller eine entsprechende Zusage erteilt worden sein. – 8. *Steueraufsicht:* Für die unter 7. a)–c) aufgeführten Sachverhalte. – 9. *Finanzwissenschaftliche Beurteilung:* K. wird neben dem Eingangszoll und der →Einfuhrumsatzsteuer erhoben; steuersystematisch bedauerliche *doppelte fiskalische Belastung.* – Von den Entwicklungsländern bekämpft, doch von den Einfuhrländern gerechtfertigt mit Hinweis auf die *geringe Belastung;* die Abschaffung der K. würde den Import nur geringfügig steigen lassen, demgegenüber einen Einnahmeverlust verursachen. – Im Rahmen der EG-Steuerharmonisierung wird die Abschaffung angestrebt. – Ergänzung durch die →Teesteuer zur Vermeidung von →Substitutionseffekten. – 10. *Aufkommen:* 1986: 1657 Mill. DM (1985: 1567 Mill. DM, 1980: 1478 Mill. DM, 1970: 1057 Mill. DM, 1960: 689 Mill. DM, 1950: 356 Mill. DM).

**Kahlpfändung,** →Pfändung und →Verwertung aller Vermögensgegenstände eines Schuldners. Zur Verhinderung der K. sind in § 811 ZPO gewisse Vermögensstücke für unpfändbar erklärt und dadurch der Zwangsvollstreckung entzogen (→Unpfändbarkeit); auch das Arbeitseinkommen ist nur teilweise pfändbar (→Lohnpfändung). – *Rechtsmittel:* Gegen K. kann der Schuldner →Erinnerung einlegen; vgl. auch →Vollstreckungsschutz.

**Kai-Teilschein,** Form des →Konnossement-Teilscheins. Die Lieferscheine werden vom Besitzer des Original-/Gesamtkonnossements (Importeur) ausgestellt, gegen die am Kai die Ware erst dann ausgeliefert wird, wenn das Kannossement ausgestempelt durch die Reederei (Schiffsmakler) der Kaiverwaltung vorliegt.

**Kaldor-Modell,** →Wachstumstheorie III 1 f).

**Kalenderjahr,** Zeitraum vom 1. 1. bis 31. 12. eines jeden Jahres. – *Anders:* →Wirtschaftsjahr.

**Kalenderzeitanalyse,** auf Mc Dougall und Neal zurückgehende Betrachtungsweise in der betrieblichen Planung und Kostenlehre, durch die das Problem einer geeigneten zeitlichen Differenzierung gelöst werden soll (→Fristigkeit). Nach der K. kann der jeweilige Planungszeitraum willkürlich gewählt werden. Im Gegensatz zur →Kurzperiodenanalyse sind auch in abgegrenzten Teilperioden grundsätzlich alle Entscheidungen und Variationen aller Produktionsfaktoren zulässig, wenn nur die Auswirkungen, die diese Entscheidungen in anderen Teilperioden nach sich ziehen, bei der Bewertung der Alternativen entsprechend berücksichtigt werden. Diese Bewertung bedeutet allerdings erhebliche Schwierigkeiten, so daß eine echte zeitliche Zerlegung letztlich nicht erreicht wird.

**Kalkül,** im wissenschaftstheoretischen Sinn ein System von Zeichen und Operationsregeln, bei dem die Bedeutung der Zeichen keine Rolle spielt. Daher auch *formaler K.* bzw. *abstrakter K.*

**Kalkulation,** *Selbstkostenrechnung.* I. B e g r i f f : 1. *Im weiteren Sinn:* Jede Art der rechnungsbezogenen Zusammenfassung von Kosteninformationen (z. B. K. der Kosten eines Fertigungsverfahrens), d. h. K. wird gleichgesetzt mit →*Auswertungsrechnung.* – 2. *Im engeren Sinn:* Teilgebiet der →Kostenträ-

gerrechnung; K. i. d. S. ist gleichbedeutend mit *Kostenträgerstückrechnung.*

II. A u f g a b e n : Die K. hat als Kostenträgerstückrechnung das Ziel, die Kosten einzelner Einheiten der produzierten und abgesetzten →Kostenträger zu ermitteln. Einheit ist dabei nicht stets ein Stück gleichzusetzen, sondern kann z. B. auch Charge, Partie oder Auftrag bedeuten: Kostenträgereinheitsbezogene Kosteninformationen werden insbes. für die *Preisfindung* benötigt. Bei bestimmten Arten öffentlicher Aufträge sind Kostenpreise rechtlich vorgeschrieben (→Leitsätze für die Preisermittlung auf Grund von Selbstkosten). Beim Angebot neuer Produkte oder auf monopolistischen Märkten sind Stückkosten neben nachfragebezogenen Informationen das relevante Datengerüst zur Preisfestsetzung. Im Falle bestehender Marktpreise muß die K. die Auskömmlichkeit dieser Preise für das Unternehmen überprüfen und zur Ermittlung des preispolitischen Spielraums kostenmäßige →Preisuntergrenzen ermitteln. – Schließlich können Stückkosten auch zum *Vergleich mit den Bezugspreisen* vergleichbarer Konkurrenzprodukte (Handelswaren oder eigene Produktion?) oder zur Verrechnung von Leistungsbeziehungen in verflochtenen Unternehmen dienen.

III. V e r f a h r e n : Die Art des verwendeten Kalkulationsverfahrens hängt wesentlich von der Art der Leistungserstellung ab: 1. Bei der Fertigung *homogener oder nur geringfügig differierender Produkte* lassen sich Verfahren der →Divisionskalkulation heranziehen. – 2. *Heterogene Leistungsstrukturen* erfordern Verfahren der →Zuschlagskalkulation oder →Bezugsgrößenkalkulation. – 3. Das Vorliegen von *leistungswirtschaftlicher Verbundenheit* in Form von Kuppelproduktion macht weitere andere Kalkulationsverfahren erforderlich (→Kuppelprodukte). Hinsichtlich des Umfangs der insgesamt auf die einzelnen Kostenträgereinheiten verrechneten Kosten lassen sich →*Vollkostenkalkulationen* und →*Teilkostenkalkulationen* unterscheiden.

**Kalkulation im Außenhandel.** 1. *Exportkalkulation:* Zu den im Binnenverkehr üblichen Kosten sind zusätzliche Aufschläge für bes. Verpackung, längeren Transport, Gebühren aller Art und größere Risiken einzurechnen. – 2. *Importkalkulation:* Nach Möglichkeit ist vom Preisniveau des Binnenmarktes auszugehen. Ausländische Offerten sind daraufhin zu überprüfen, ob sie unter Berücksichtigung der zusätzlichen Kosten, wie Transport, Zoll, Steuern, noch Gewinn versprechen.

**Kalkulation öffentlicher Aufträge,** →Leitsätze für die Preisermittlung auf Grund von Selbstkosten (LSP).

**Kalkulationsaufschlag im Handel,** Erhöhung des →Wareneinstandspreises um einen prozentualen Aufschlag zur Ermittlung des Verkaufspreises (= →Handelsaufschlag). – *Berechnung:* Vgl. →Handelsspanne.

**Kalkulationsfaktor,** der Kalkulationsaufschlag auf den Bezugspreis, bezogen auf eine DM: bei 25% = 1,25, bei 12,5% = 1,125 usw.

**Kalkulationskartell,** →Kartell, bei dem neben →Lieferungsbedingungen auch Preise aufgrund einer einheitlichen Selbstkostenrechnung festgelegt werden. Daher kann ein K. leicht zu einem →Preiskartell führen. In Zeiten staatlicher Preiskontrolle wurden K. häufig gebildet, speziell bei der Vergabe öffentlicher Großaufträge.

**Kalkulationsschema,** für jedes Kalkulationsverfahren (→Kalkulation III) standardisiertes Vorgehen zur Kalkulation, von dem im Einzelfall jedoch abgegangen werden kann.

**Kalkulationsverfahren,** →Kalkulation III.

**Kalkulationszeitpunkt,** *Bezugszeitpunkt,* Bezeichnung des Stichtags, auf den kalkulatorische Berechnungen (z. B. Investitionsrechnungen) bezogen werden. Der K. ist Bezugspunkt für die Diskontierung der erwarteten Umsätze und Kosten bzw. der erwarteten Einnahmen und Ausgaben, die durch das Kalkulationsobjekt (Investitionsobjekt) verursacht werden.

**Kalkulationszinsfuß,** →Zinsfuß IV.

**Kalkulation von Kuppelprodukten,** →Kuppelprodukte.

**kalkulatorische Abschreibungen,** kalkulatorische Kostenart (→kalkulatorische Kosten), die sich als →Anderskosten aus den bilanziellen →Abschreibungen herleiten. Divergenzen zu diesen können zurückzuführen sein auf einen unterschiedlichen →Abschreibungsbetrag (→Wiederbeschaffungskosten anstelle von →Anschaffungskosten), eine unterschiedliche →Abschreibungsmethode (proportional statt z. B. degressiv) oder einen anderen Abschreibungszeitraum (tatsächliche Einsatzdauer des betreffenden Potentials versus steuerlich normierte Nutzungsdauer; →Absetzungen für Abnutzung). – *Kritik:* Vgl. →Abschreibungen VI.

**kalkulatorische Buchhaltung,** Bezeichnung für im wesentlichen nur noch in Klein- und Mittelbetrieben vorfindbaren Formen der →doppelten Buchführung, in denen die Kosten nach Kostenarten und Kostenstellen in den Kontenklassen so gruppiert sind, daß die Buchhaltung die Grundlage der Kalkulation bildet. – Vgl. auch →Betriebsabrechnung, →innerbetriebliche Leistungsverrechnung, →Betriebsabrechnungsbogen, →Betriebsbuchhaltung, →Gemeinschaftskontenrahmen.

**kalkulatorische Erlöse,** Erlöse für nicht für den Markt bestimmte, innerbetriebliche Leistungen. K. E. werden zumeist aus den Kosten der Leistungserstellung ermittelt (→innerbetriebliche Leistungsverrechnung), jedoch sind auch andere Wertansätze möglich (z. B. Marktpreis einer identischen oder ähnlichen Fremdleistung, wie einer Handwerkerstunde).

**kalkulatorische Kosten,** Oberbegriff für →Anderskosten und →Zusatzkosten.

**kalkulatorischer Ausgleich,** →Mischkalkulation.

**kalkulatorischer Gewinn,** nach den →Leitsätzen für die Preisermittlung auf Grund von Selbstkosten (vgl. dort II 3k) Gewinn, der a) das allgemeine →Unternehmerwagnis abgeltet und b) bei Vorliegen einer besonderen unternehmerischen Leistung einen Leistungsgewinn (nur bei vorheriger Vereinbarung zwischen Auftraggeber und -nehmer) umfaßt.

**kalkulatorischer Unternehmerlohn,** Zusatzkostenart (→Zusatzkosten), mit der das Entgelt für die leitende Tätigkeit der Unternehmer, die ohne feste Entlohnung sind (z. B. bei Einzelkaufleuten und Gesellschafter-Geschäftsführern in Personengesellschaften) erfaßt werden soll. Auch für Angehörige des Unternehmers, die ohne feste Entlohnung mitarbeiten, kann ein entsprechendes Entgelt kalkulatorisch erfaßt werden. Mit dem Ansatz von k. U. soll der Nutzenentgang des Einsatzes des Unternehmers in einem anderen Tätigkeitsfeld berücksichtigt werden (→Opportunitätskosten, →wertmäßiger Kostenbegriff). – Die *Bestimmung des k. U.* bereitet Schwierigkeit. Gem. den →Leitsätzen für die Preisbildung auf Grund von Selbstkosten ist k. U. in Höhe des durchschnittlichen Gehaltes eines Angestellten mit gleichwertiger Tätigkeit in einem Unternehmen gleichen Standorts, gleichen Geschäftszweiges und gleicher Bedeutung zu bemessen. Als Näherungswert verwendet man häufig die →Seifenformel. – Systeme *entscheidungsorientierter Kostenrechnung* setzen keinen k. U. an.

**kalkulatorische Wagnisse** →Wagnisse.

**kalkulatorische Zinsen,** Kostenart, die sich z. T. aus →Anderskosten, z. T. aus →Zusatzkosten zusammensetzt. – 1. Mit k. Z. soll das *zur Erfüllung des Betriebszwecks notwendige, in Vermögensgegenständen gebundene Kapital* (→betriebsnotwendiges Kapital) verzinst werden. Aufgrund des Nebeneinanders diverser Finanzierungsquellen (Eigenkapital, unterschiedliche Fremdkapitalarten) löst man sich üblicherweise von den tatsächlichen (pagatorischen) Finanzierungskosten und setzt für die gesamte Kapitalbindung einen einheitlichen Kapitalkostensatz an. – 2. *Begründung* der Einbeziehung des Eigenkapitals – ähnlich der Argumentation beim Ansatz →kalkulatorischen Unternehmerlohns – unter Verweis auf entgehende Nutzen einer anderweitigen Anlage der Mittel (→Opportunitätskosten). Wie bei jeder Zusatzkostenart entstehen aus dieser Annahme Probleme bei der Verwendung der Kosteninformationen zur Fundierung und Kontrolle von Entscheidungen (→entscheidungsorientierte Kostenrechnung). – 3. *K. Z. für Material- und Warenbestände* sind eine zentrale Komponente der →Logistikkosten. Ihre exakte Zurechnung auf einzelne Lagermengen bereitet allerdings Schwierigkeiten..

**Kalorie (cal),** veraltete Energieeinheit. 1 cal = 4,1868 Joule.

**Kaltstart,** Systemstart eines →Computers; nach Einschalten der Stromzufuhr wird das →Betriebssystem neu gestartet. Vgl. auch →Booten. – *Gegensatz:* →Warmstart.

**Kalveram,** Wilhelm, 1882–1951, bedeutender Vertreter der →normativen Betriebswirtschaftslehre. Nach langjähriger erfolgreicher Lehrtätigkeit an allgemeinbildenden und Handelsschulen habilitierte K. 1922 an der Universität Frankfurt a. M. mit einer Schrift über „Kreditbilanzen". Er wurde 1924 als Extraordinarius und 1925 als Ordinarius nach Frankfurt a. M. berufen, wo er bis zu seinem Tod lehrte und zugleich ein Institut für Betriebswirtschaft leitete, durch das er seine umfassenden betriebswirtschaftlichen Kenntnisse und die Ergebnisse seiner Lehre und Forschung über den Kreis der Studierenden hinaus der wirtschaftlichen Praxis zur Verfügung stellte. – *Lehrgebiet:* K. wandte sich, ausgehend von den aktuellen Fragen der Goldmarkbilanzierung, zunächst der Bankwirtschaft und den Fragen der Finanzierung zu und dann, nach 1930, den Problemen der Industriewirtschaft, ihrer Organisation und ihres Rechnungswesens. – Das größte *Verdienst* erwarb K. um die Entwicklung der Betriebswirtschaftslehre durch die stete Bemühung, Theorie und Praxis durch Herausgabe von Lehrbüchern zusammenzuführen, in denen er die Probleme der Praxis systematisch darstellte. – *Hauptwerke:* „Bankbilanzen", Leipzig 1922; „Die kaufmännische Rechnungsführung unter dem Einfluß der Geldentwertung", Berlin 1923; „Praxis der Goldmarkbilanzierung", Berlin 1924 (2. Aufl. unter d. Titel: „Goldmarkbilanzierung und Kapitalumstellung", Berlin 1925); „Bankbuchhaltung", Leipzig 1926; „Die Prüfung der Kreditwürdigkeit", Berlin 1937; „Bankbetriebslehre", Berlin 1939; „Der zwischenbetriebliche Kostenvergleich und seine Grenzen", Berlin 1939; „Kaufmännische Buchhaltung", in „Die Handelshochschule", Berlin 1929, Wiesbaden 1949–1951 neu aufgelegt, auch als Sonderdruck; „Kaufmännisches Wirtschaftsrechnen", Berlin 1929, Wiesbaden 1948, auch als Sonderdruck; „Finanzierung der Unterneh-

mung", Berlin 1929, Wiesbaden 1953; „Industriebetriebslehre", in „Die Handelshochschule", Wiesbaden 1949–50 (8. Aufl., Wiesbaden 1972); „Industrielles Rechnungswesen", 3 Bände, Wiesbaden 1949, 1950, 1951 (6. Aufl., Wiesbaden 1970); „Der christliche Gedanke in der Wirtschaft", Köln 1949; „Die Effektenbörse", Wiesbaden 1950.

**Kambodscha,** →Kamputschea.

**Kameralismus,** deutsche Ausprägung des →Merkantilismus (vgl. im einzelnen dort II 3), die insbes. mit ihren Verwaltungsgrundsätzen bleibenden Einfluß auf die deutsche Finanzwissenschaft gewonnen hat.

**Kameralistik,** *kameralistische Buchführung,* Rechnungsstil der öffentlichen Verwaltung (Gebietskörperschaften) und mit ihr verbundener Unternehmen (→öffentliche Unternehmen). Einerseits ist „finanzwirtschaftlich" mit Hilfe der „Verwaltungsbuchführung" abzurechnen: Nachweis der Einhaltung des Haushaltsrechts und -plans sowie der tatsächlich erreichten Deckung der wirklichen Ausgaben (Überschuß- und Fehlbetragsermittlung) ist wichtigstes Rechnungsziel; daneben Darlegung der Vermögensentwicklung. Andererseits muß bei öffentlichen Unternehmen mit Hilfe einer „Betriebskameralistik" das *Wirtschaftsergebnis* nach kaufmännischer Art ermittelt werden, wenn man sich nicht der Doppik bedient. In der Verwaltung eingegliederte „Anstalten" und „Einrichtungen" mit eigenen Einnahmen aus Gebühren („Gebührenhaushalte") werden zunehmend nicht nur finanz-, sondern auch betriebswirtschaftlich im Kameralstil abgerechnet (Schlachthöfe, Krankenhäuser u. a. m.).

**kameralistische Buchführung,** →Kameralistik.

**Kameralwissenschaft,**    →Kameralistik, →Kameralismus.

**Kamerun,** *Republik Kamerun,* zentralafrikanischer Küstenstaat am Golf von Guinea. – *Fläche:* 475442 km². – *Einwohner* (E): (1986) 10,4 Mill. (22 E/km²), über 180 ethnische Gruppen. – *Hauptstadt:* Jaunde (488000 E), daneben wichtigste Stadt: Duala (713000 E). – *Unabhängig* seit 1960; seit 1972 präsidiale Republik (zuvor Bundesrepublik); Verfassung von 1972; Einkammerparlament; Einparteisystem. Dualismus zwischen dem ehemaligen britischen West- und französischen Ost-Kamerun. – *Verwaltungsgliederung:* 10 Provinzen, 49 Departements, 182 Arrondissements. – *Amtssprachen:* Französisch und Englisch.

Wirtschaft: K. zählt zu den Entwicklungsländern. – *Landwirtschaft:* Plantagenwirtschaft meist in Küstennähe. Eingeborenenhackbau mehr im Innern. Grundnahrungsmittel sind Maniok, Hirse, Mais, Kartoffeln und Süßkartoffeln, Reis und Bohnen. Zu den wichtigsten Agrarerzeugnissen gehören Kaffee, Kakao, Bananen und Baumwolle. Seit 1974 Förderung der Viehwirtschaft („Plan viande"). – Ansätze einer geregelten *Forstwirtschaft;* Wälder nehmen 54% der Landfläche ein (Edelhölzer, Harze). – *Fischfang:* (1982) 83 100 t. – *Bergbau und Industrie:* Bekannt sind Vorkommen an Bauxit, Eisen-, Zinn-, Titanerz, Gold, ferner Kupfer- und Uranerz sowie Diamanten. Von wirtschaftlicher Bedeutung ist die Erdölförderung. Industrielle Großunternehmen des Landes sind eine Erdölraffinerie und ein Aluminiumwerk. Kleine und mittlere Betriebe der Nahrungs-, Genußmittel- und Getränkeindustrie, chemischen Industrie, Textilbranche sowie holzverarbeitenden und Baustoffindustrie. – *BSP:* (1985, geschätzt) 8300 Mill. US-$ (810 US-$ je E). – *Öffentliche Auslandsverschuldung:* (1984) 23,2% des BSP. – *Inflationsrate:* (Durchschnitt 1973–84) 12,8%. – *Export:* (1984) 882 Mill. US-$, v. a. Erdöl, Kaffee, Kakao, Kakaobutter, Baumwolle, Holz, Aluminium. – *Import:* (1984) 1106 Mill. US-$, v. a. Maschinenbau- und elektrotechnische Erzeugnisse sowie Fahrzeuge, chemische Erzeugnisse sowie Garne, Gewebe und Spinnstofferzeugnisse. – *Handelspartner:* EG-Länder, USA.

Verkehr: 63781 km *Straßen,* davon lediglich 2500 km geteert. – Die Streckenlänge der *Eisenbahn* betrug (1983) 1115 km. – Wichtigster *Seehafen* ist Duala. Die *Handelsflotte* verfügte (1983) über 45 Schiffe (über 100 BRT) mit einer Gesamttonnage von 42300 BRT. – Drei internationale *Flughäfen:* Duala, Jaunde, Garua. Eigene *Luftfahrtgesellschaft.*

Mitgliedschaften: UNO, AKP, CCC, OAU, UDEAC, UNCTAD u. a.

Währung: 1 CFA-Franc = 100 Centimes.

**Kammer.** 1. *Berufsständische Vertretung* auf gesetzlicher Grundlage, z. B. →Industrie- und Handelskammer, →Handwerkskammer, →Landwirtschaftskammer, →Wirtschaftsprüferkammer →Steuerberaterkammer. – 2. *Kollegialer Spruchkörper* eines *Gerichts* z. B. →Kammer für Baulandsachen, →Kammer für Handelssachen, →Kammer für Steuerberater- und Steuerbevollmächtigtensachen, →Kammer für Wirtschaftsprüfersachen.

**Kammer für Baulandsachen,** Kammer des Landgerichts, die in der Besetzung mit drei Richtern des Landgerichts und zwei Richtern des Verwaltungsgerichts in einem besonderen Verfahren über den Antrag auf gerichtliche Entscheidung gegen betimmte Verwaltungsakte nach dem Baugesetzbuch entscheidet (§§ 217–232 BauGB).

**Kammer für Handelssachen,** i. d. R. an Stelle der →Zivilkammer beim Landgericht geschaffene Kammer zur Entscheidung von Handelssachen. – Als *Handelssachen* gelten insbes. Klagen, die betreffen: a) Ansprüche gegen einen Kaufmann aus beiderseitigem Handelsgeschäft; b) Ansprüche aus Wechseln, Schecks oder kaufmännischen Orderpapieren; c) Streitigkeiten zwischen Mitgliedern einer Handelsgesellschaft oder zwischen dieser und ihren Mitgliedern; d) Streitigkeiten über den Gebrauch der Firma, den Schutz von Warenzeichen, Mustern und Modellen; Ansprüche wegen unlauteren Wettbewerbs (§ 95 GVG). – *Besetzung:* Die K. f. H. ist besetzt mit einem Berufsrichter als Vorsitzendem und zwei →Handelsrichtern (bezüglich ihrer Ernennung vgl. dort). – *Verfahren:* Ein Rechtsstreit kommt nur vor die K. f. H., wenn der Kläger es in der Klageschrift, ggf. im Mahnbescheid, beantragt oder der Beklagte den Antrag auf Verweisung an die K. f. H. stellt, wenn die Klage vor einer Zivilkammer anhängig geworden ist. – An Stelle der Kammer entscheidet der Vorsitzende u. a. bei Säumnis der Partei, über Kosten, im Prozeßkostenhilfeverfahren, in Wechsel- und Scheckprozessen und in Sachen im Einverständnis der Parteien (§ 349 ZPO).

**Kammer für Steuerberater- und Steuerbevollmächtigtensachen,** Kammer des Landgerichtes am Sitz der →Steuerberaterkammer, die im ersten Rechtszug im berufsgerichtlichen Verfahren entscheidet (§ 95 StBerG).

**Kammer für Wirtschaftsprüfersachen,** Kammer des Landgerichts am Sitz der →Wirtschaftsprüferkammer, die im ersten Rechtszug im berufsgerichtlichen Verfahren entscheidet (§ 72 WPO).

**Kampagnebetrieb,** Betrieb mit einer von der Erntezeit abhängigen Produktionsweise; Kompensation ist nicht möglich. – *Arbeitsrechtliche Regelung:* Analog zu →Saisonbetrieb.

**Kampfparität,** →Arbeitskampf.

**Kampfzölle,** →Retorsionszölle.

**Kamputschea,** *Volksrepublik Kamputschea,* früher *Kambodscha,* südostasiatischer Staat im südlichen Teil von Indochina mit Zugang zum Golf von Siam. – *Fläche:* 181035 km². – *Einwohner* (E): (1985) 7,3 Mill. (40,2 E/km²); Staatsvolk der Khmer (93%), Vietnamesen (4%), Chinesen (3%). – *Hauptstadt:* Phnom Penh (650000 E); weitere wichtige Städte: Battambang, Kampong Cham, Kampong Chhnang, Kampong Som. – *Unabhängig* seit 1954; Volksrepublik seit 1981, zuvor konstitutionelle Monarchie; Verfassung von 1981. – *Verwaltungsgliederung:* 18 Provinzen, 2 Städte. – *Amtssprache:* Khmer.

Wirtschaft: Das Agrarland K. erholt sich von den Kriegs- und Bürgerkriegsfolgen nur langsam. – *Landwirtschaft:* Hauptanbaugebiete liegen im Tiefland des Mekong und Bassac sowie um den Tonle-Sap. Ca. 70% der landwirtschaftlichen Fläche sind mit Reis bebaut, sonstige Anbauprodukte: Kautschuk, Mais, Bohnen, Sojabohnen, Sesam, Erdnüsse u. a. Ölfrüchte, Maniok, Bataten, Bananen,

Orangen, Wassermelonen, Gewürze, Jute, Kenaf, Baumwolle und Tabak. – Erfolgreicher Wiederaufbau der Viehwirtschaft (Büffel, Rinder, Schweine, Hühner). – Aufgrund der unzureichenden Infrastruktur bescheidene Nutzung der reichen Waldbestände (u. a. Teak, Mahagoni, Ebenholz). – *Fischerei:* Fangmenge (1983) 63 750 t, davon 58 550 t Süßwasserfische. Größter Süßwasserfischbestand Südostasiens. – *Bergbau und Industrie:* Bekannt sind Vorkommen an Eisenerz, Kalkstein, Phosphaten, Edelsteinen. Gefördert wird derzeit nur Phosphat. Industrie im Aufbau, u. a. Betriebe der Nahrungsmittel- und Holzindustrie, Textilbranche und Metallbearbeitung. Zahlreiche Handwerksbetriebe. – *BSP:* (1982) 770 Mill. US-$ (113 US-$ je E). – *Öffentliche Auslandsverschuldung:* (1982) 30% des BSP. – *Export:* (1983) 6,42 Mill. US-$, v. a. Rohkautschuk. – *Import:* (1983) 102,39 Mill. US-$, v. a. Maschinenbau- und elektronische Erzeugnisse sowie Fahrzeuge, Erdöl- und Erdölprodukte, Nahrungsmittel, Garne und Gewebe. – *Wichtigster Handelspartner:* UdSSR.

Verkehr: Das *Straßen*- und *Eisenbahnnetz* wurde durch die Kriegshandlungen schwer beschädigt. – *Hauptbinnenwasserstraßen* sind der Mekong und der Tonle Sap. Moderner *Seehafen* in Kompong Som; 3 *Handelsschiffe* (über 100 BRT) mit einer Gesamttonnage von 3558 BRT (1984). – Internationaler *Flughafen* bei Phnom Penh sowie mehrere kleine Flugplätze und Landepisten. Eigene *Luftfahrtgesellschaft.*

Mitgliedschaften: UNO, UNCTAD u. a.; Colombo-Plan.

Währung: 1 Riel = 100 Sen.

**Kanada,** Staat im Norden des amerikanischen Kontinents. – *Fläche:* 9 976 139 km², einschl. 755 180 km² Binengewässer. – *Einwohner* (E): (1985) 25,44 Mill. (2,6 E/km²), davon britischer 44,6%, französischer 28,7%, u. a. europäischer Abstammung 23%; ferner Indianer 1,3% und Eskimos 0,1%. – *Hauptstadt:* Ottawa (Agglomeration 717 978 E); weitere wichtige Städte: Montreal (Agglomeration 2,8 Mill. E), Toronto (Agglomeration 3,0 Mill. E), Vancouver (Agglomeration 1,3 Mill. E). – Autonomes Dominion seit 1867, volle *Unabhängigkeit* durch das Westminsterstatut von 1931. Parlamentarische Monarchie im Commonwealth of Nations. 1982 wurde der seit 1867 gültige British North America Act durch eigene Verfassung abgelöst. – *Verwaltungsgliederung:* 11 Provinzen, 1 Territorium. – *Amtssprachen:* Englisch und Französisch.

Wirtschaft: *Landwirtschaft:* Von der Gesamtfläche ist nur etwa ein Sechstel landwirtschaftlich nutzbar. Bebaut werden nur 4,8%. Über 35% des Landes sind von Wäldern bedeckt; hoher Ödlandanteil. Weizenan-

baugebiete: Provinzen Alberta, Manitoba und Saskatchewan (früher Prärien). K. ist nach den USA und der VR China der drittgrößte Weizenproduzent der Erde (20 Mill. t). Weitere Erzeugnisse der Landwirtschaft: Hafer, Gerste, Leinsamen, Tabak, Kartoffeln, Heu. Bedeutende Viehzucht: Rinder, Schweine, Schafe, Pferde, Milchwirtschaft besonders in den Provinzen Ontario und Quebec. Ertragreiche *Fischerei* in den Küsten- und Binnengewässern. *Holzwirtschaft.* – *Bergbau* besonders in Labrador, Ontario und Alberta; große Vorkommen an Kohle (v. a. im O der Rocky Mountains). Erdöl und Erdgas (Edmonton, Calgary), Eisenerze (Knob Lake, Schefferville, Ungava Bay), Kupfer und Zink (Flin Flon), Uran (Uranium City, Port Radium), Asbest, Nickel, Antimon, Magnesit, Gold, Silber u. a. – *Industrie* expandiert stark. Hauptzweige der gewerblichen Wirtschaft: Nahrungsmittel- und Getränkeindustrie, Zellstoff-, Papier- und Papierwarenerzeugung, Automobil- und Maschinenbau sowie Holzwarenfabrikation. Bedeutende Pelzjägerei. – *Fremdenverkehr:* (1982) 12,2 Mill. ausländische Touristen, Einnahmen 2,39 Mrd. US-$. – *BSP:* (1985, geschätzt) 347 360 Mill. US-$ (13 670 US-$ je E). – *Inflationsrate:* (Durchschnitt 1973–84) 9,2%. – *Export:* (1985) 87 502 Mill. US-$, v. a. Maschinen, Fahrzeuge, Papier, Holz, Zellstoff, Getreide und Getreideerzeugnisse, Aluminium, Nickel, Uran, Asbest, Kupfer, Erdöl, Edelmetalle, Eisenerze, Blei, Chemikalien, Fischereiprodukte. – *Import:* (1985) 76 908 Mill. US-$, v. a. Kraftfahrzeuge, Maschinen, Erdöl, Nahrungs- und Genußmittel. – *Handelspartner:* USA (ca. 70%), Japan, Großbritannien, Bundesrep. D., Venezuela.

Verkehr: Über 94 000 km *Eisenbahnen* (1983). – 308 662 km *Teerstraßen* (Alaska Highway von Dawson Creek nach Fairbanks). – *Binnenschiffahrt* mit über 3200 km schiffbaren Flüssen, Kanälen und Seen. Die Wasserwege (St.-Lorenz-Strom) zwischen den großen Seen und dem Atlantik haben für Seeschiffe ausreichende Tiefe. Die *Handelsflotte* verfügte (1984) über 1310 Schiffe (über 100 BRT) mit 3,4 Mill. BRT. – Wichtige internationale *Flughäfen:* Toronto, Montreal, Vancouver und Halifax. Vier internationale *Fluggesellschaften.*

Mitgliedschaften: UNO, BIZ, CCC, ECE, IEA, NATO, OECD, UNCTAD u. a.; Commonwealth, Colombo-Plan (assoziiert), Rahmen-Kooperations-Abkommen mit der EG.

Währung: 1 Kanadischer Dollar (kan$) = 100 Cents.

**Kanal.** 1. *Nachrichtentechnik/elektronische Datenverarbeitung:* Vgl. →Ein-/Ausgabe-Kanal. – 2. *Operations Research:* Vgl. →Abfertigungseinheit.

**Kanaltunnel,** Verkehrsinfrastrukturprojekt zur Herstellung einer festen Verbindung zwischen Großbritannien und dem europäischen Festland durch Untertunnelung des Ärmel-Kanals. – 1. *Geschichte:* Der erste konkrete Plan einer Tunnelverbindung wird dem Ingenieur Mathieu zugeschrieben, der Napoleon 1802 vorschlug, für pferdegezogene Frachten- und Personenwagen einen mit künstlichen Entlüftungsinseln versehenen Tunnel von Cap Gris Nez nach Folkestone zu bauen. In den folgenden Jahrzehnten wurden wiederholt Tunnelprojekte vorgelegt (darunter ab den 60er Jahren Pläne für Eisenbahntunnel) und 1882 erste Probebohrungen durchgeführt, bevor 1883 sich die britische Regierung aus strategischen Gründen gegen eine Tunnelverbindung aussprach. In den 20er und 30er Jahren dieses Jh. wiederbelebte Tunnel-Pläne, blieben erneut ohne Erfolg; zwischen 1965 und 1975 führten britische und französische Unternehmen zahlreiche Studien über die Realisierbarkeit eines Tunnel-Projektes durch und machten erneute Probebohrungen. Trotzdem sich die britische Regierung 1975 aus Kostengründen gegen ein solches Projekt ausgesprochen hatte, werden in der Folgezeit weitere Projektstudien vorgelegt (darunter gemeinsame Pläne der britischen und französischen Eisenbahnen sowie von bilateralen Banken-Konsortien). 1984 erklärten sich die britische und französische Regierung bereit, für die notwendigen politischen Rahmenbedingungen zu sorgen, sofern die Realisierung eines Tunnel-Projekts ohne öffentliche Mittel möglich ist. Aus einer 1985 durchgeführten Ausschreibung geht Anfang 1986 das „Eurotunnel"-Projekt, das aus zwei Eisenbahntunneln bestehen soll, als Sieger hervor. Im März 1986 erhält das anglo-französische Eurotunnel-Konsortium von den beiden Regierungen eine 55jährige Konzession für den Bau und Betrieb eines K. Nach Abschluß der jeweiligen parlamentarischen Beratungen wurde 1987 ein britisch-französischer Kanalvertrag ratifiziert. – 2. *Durchführung:* Die Konzeption sieht die Bohrung von drei im Abstand von jeweils 15 m parallel verlaufenden Tunnelröhren vor; die beiden äußeren, für den Eisenbahnverkehr ausgelegten Tunnel sollen einen Durchmesser von 7,6 m haben; der dazwischen liegende Servicetunnel (Durchmesser 4,5 m) soll u. a. aus Sicherheitsgründen alle 375 m Verbindungsgänge zu den beiden Haupttunnel erhalten. Die Länge des zwischen Cheriton (Folkstone) und Frethun (Sagatte) geplanten Tunnels wird 49,4 km betragen; rd. 38 km davon werden unter dem Meer (zwischen 25 und 100 m unter dem Meeresspiegel; teilweise 40 m unter dem Meeresgrund) verlaufen. Fertigstellung und Inbetriebnahme ist für 1993 geplant. – 3. *Betrieb:* Vorgesehen sind neben durchgehenden Fracht- und Reiseverbindungen (z. B. zwischen London und Paris) die Einrichtung eines bes. Pendelzugverkehrs zur Beförderung

von Pkw und Lkw. Die eigens dafür konstruierten Pendelzüge (Gesamtlänge: 750 m Kapazität: bis zu 250 Pkw) sollen in Spitzenzeiten alle 10–12 Minuten verkehren und bei einer Spitzengeschwindigkeit von bis zu 160 km/h den Tunnel in 35 min. passieren. – 4. *Verkehrsprognose:* Studien gehen davon aus, daß anfangs 1000 Fahrzeuge pro Stunde durch den Tunnel befördert werden; im Endausbau soll eine stündliche Kapazität von 3000 Fahrzeugen erreicht werden. Für 1993 werden im Trans-Kanal-Verkehr 67 Mill. Passagiere und 84 Mill. t Fracht erwartet; angenommen wird, daß 44% der Personen den Tunnel nutzen und 17% des Frachtaufkommens durch ihn befördert werden. – 5. *Finanzierung:* Das Tunnel-System einschl. der Terminals soll ausschl. privat finanziert werden. Z. Zt. werden die gesamten Kosten für den Bau und die Ausstattung des Tunnels auf 4,63 Mrd. Pfund veranschlagt; 1 Mrd. davon soll durch Zeichnung von Aktien, der Rest durch Bankkredite aufgebracht werden.

**Kanban-System.** 1. *Begriff:* In Japan entwikkeltes System zur flexiblen, dezentralen →Produktionsprozeßsteuerung; bei allen Fertigungsstufen wird eine „Produktion auf Abruf" (→Just-in-time-Prinzip) angestrebt, damit Materialbestände reduziert und hohe Termintreue erreicht werden können. – 2. *Elemente:* a) Vermaschte, selbststeuernde Regelkreise zwischen erzeugenden und verbrauchenden Fertigungsbereichen; b) „Hol-Prinzip" für nachfolgende Fertigungsstufe, Material wird „just in time" von der vorhergehenden Stufe mit Hilfe der *Kanban-Karte* angefordert; c) flexibler Personal- und Betriebsmitteleinsatz, kurzfristige Steuerung durch Mitarbeiter in der Produktion. – 3. *Anwendungsbereich:* V. a. bei Großserien- und Massenproduktion. K. kann als Steuerungsprinzip zur Eigenproduktion und für Zulieferer, insbes. zur fertigungssynchronen Anlieferung verwendet werden.

**Kannibalismus-Effekt,** negativer →Spillover-Effekt einer Marke auf andere Marken eines Unternehmens. Marktanteilsgewinne einer Marke (z. B. eines neuen Produktes) gehen zu Lasten anderer Marken; insbes. dadurch begründet, daß differenziert geplante Produktangebote vom Verbraucher als identisch erlebt werden und sich entsprechend die Angebote auf dem gleichen Teilmarkt gegenseitig Konkurrenz machen („eine Marke frißt eine andere auf"). – Vgl. auch →Umbrella-Effekt.

**Kannkaufmann,** jemand, der erst durch Eintragung ins Handelsregister (→Eintragung im Handelsregister) die Kaufmannseigenschaft, und zwar als →Vollkaufmann, erlangt, aber im Gegensatz zum →Sollkaufmann oder →Mußkaufmann zur Eintragung nicht verpflichtet ist. Zu den K. gehören Land- und

Forstwirte, a) soweit das land- oder forstwirtschaftliche Unternehmen nach Art und Umfang einen in kaufmännischer Weise eingerichteten Geschäftsbetrieb erfordert oder b) soweit ein mit der Land- oder Forstwirtschaft verbundenes →Nebengewerbe betrieben wird, das nach Art und Umfang einen in kaufmännischer Weise eingerichteten Geschäftsbetrieb erfordert (§ 3 HGB). – *Löschung:* Ist Eintragung ins Handelsregister erfolgt, so ist →Löschung nur nach den allgemeinen Vorschriften möglich (nicht nach Belieben), erforderlich also z. B. Geschäftsaufgabe oder Herabsinken zum Kleinbetrieb.

**Kannleistungen,** in der Sozialversicherung Leistungen, deren Gewährung im Einzelfall in das Ermessen des →Versicherungsträgers gestellt ist *(Ermessungsleistungen).*

**kanonische Form.** 1. K. F. eines *linearen Gleichungssystems:* Jedes zu dem betrachteten linearen Gleichungssystem äquivalente →kanonische lineare Gleichungssystem. – 2. K. F. eines *→linearen NN-Gleichungssystems:* Jedes zu dem betrachteten NN-Gleichungssystem äquivalente NN-Gleichungssystem, bei dem das Teilsystem, das ein lineares Gleichungssystem ist, in kanonischer Form vorliegt. – 3. K. F. eines *→linearen Optimierungssystems in Normalform:* Jedes →kanonische lineare Optimierungssystem, das sich zu einem linearen Optimierungssystem in Normalform mit Hilfe →lösungsneutraler Umformungen erzeugen läßt.

**kanonisches lineares Gleichungssystem,** *lineares Gleichungssystem in kanonischer Form.* 1. *Begriff:* Jedes →lineare Gleichungssystem der Form

$$(1) \begin{cases} x_1 & +a_{1\,m+1}x_{m+1} \\ & +a_{1\,m+2}x_{m+2}+\ldots+a_{1\,n}x_n=b_1 \\ & x_2 & +a_{2\,m+1}x_{m+1} \\ & +a_{2\,m+2}x_{m+2}+\ldots+a_{2\,n}x_n=b_2 \\ & \vdots \\ & x_m+a_{m\,m+1}x_{m+1} \\ & +a_{m\,m+2}x_{m+2}+\ldots+a_{mn}x_n=b_m \end{cases}$$

bzw. jedes System, das sich durch Umstellen der Reihenfolge von Gleichungen und/oder Umnumerieren von Variablen auf diese Form (1) bringen läßt. D. h. ein kanonisches Gleichungssystem zeichnet sich dadurch aus, daß in jeder Gleichung (mindestens) eine Variable vorkommt, deren Koeffizienten nur in dieser Gleichung den Wert Eins, in den übrigen dagegen den Wert Null annehmen (im System (1) die Variablen $x_1, x_2, \ldots, x_m$). – 2. *Bezeichnungsweisen:* a) Genau m Variablen, die die vorstehend aufgeführte Eigenschaft besitzen, bezeichnet man als *gebundene Variablen* oder *Basisvariablen,* die übrigen als *freie Variablen* oder *Nichtbasisvariablen.* Weisen mehr als m Variablen die betreffende Eigenschaft auf, so

muß u. U. erst festgelegt werden, welche dieser Variablen Basisvariable sein sollen. – b) Von einem linearen Gleichungssystem in *natürlicher kanonischer Form* spricht man, wenn – wie im vorstehenden System (1) – die ersten m Variablen Basisvariable sind. – 3. *Lösungen:* Aus einem k. l. G. läßt sich sofort die →Lösungsmenge des Systems angeben:

$$(2) \quad \begin{pmatrix} x_1^* \\ x_2^* \\ \cdot \\ \cdot \\ x_n^* \end{pmatrix}, \quad x_i^* = \begin{cases} b_i - a_{ij}t_i, & \text{für } i \in B \\ t_i, & \text{für } i \in NB \end{cases}$$

mit B = Menge der Indizes der Basisvariablen; NB = Menge der Indizes der Nichtbasisvariablen; $t_i$ = eine beliebige, noch nicht numerisch spezifizierte reelle Zahl, die der Nichtbasisvariablen $x_i$ ($i \in NB$) zugeordnet ist. Als Lösungsmenge eines linearen Gleichungssystems in natürlicher kanonischer Form (1) erhält man speziell:

$$(3) \begin{cases} b_1 - a_{1\,m+1}t_{m+1} \\ \quad - a_{1\,m+2}t_{m+2} - \ldots - a_{1n}t_n \\ b_2 - a_{2\,m+1}t_{m+1} \\ \quad - a_{2\,m+2}t_{m+2} - \ldots - a_{2n}t_n \\ \vdots \\ b_m - a_{m\,m+1}t_{m+1} \\ \quad - a_{m\,m+2}t_{m+2} - \ldots - a_{mn}t_n \\ t_{m+1} \\ t_{m+2} \\ \vdots \\ t_n \end{cases},$$

$$t_{m+1}, t_{m+2}, \ldots, t_n \in R.$$

Die Lösung, die man aus einem kanonischen linearen Gleichungssystem dadurch erhält, daß man den Nichtbasisvariablen den Wert 0 zuordnet, also:

$$(4) \quad \begin{pmatrix} x_1^* \\ x_2^* \\ \cdot \\ \cdot \\ x_n^* \end{pmatrix}, \text{mit (5)} \quad x_i^* = \begin{cases} b_i \text{ für } i \in B \\ 0 \text{ für } i \in NB \end{cases}.$$

nennt man eine *Basislösung* des Systems. Darüber hinaus nennt man auch die Basislösung eines jeden k. l. G., das aus einem anderen linearen Gleichungssystem (ursprüngliches System) durch →lösungsneutrale Umformungen gewonnen werden kann, eine Basislösung dieses ursprünglichen Systems. – 4. *Bedeutung:* Die Tatsache, daß man aus einem k. l. G. sofort die Menge aller Lösungen des Systems angeben kann, macht man sich etwa bei Lösungsverfahren für →lineare Gleichungssysteme zunutze. Bei Anwendung des →modifizierten Gauss-Algorithmus etwa formt man das ursprüngliche Gleichungssystem systematisch und mit Hilfe lösungsneutraler Umformungen in Richtung auf eine kanonische Form um, aus der man dann die Lösungsmenge des ursprünglichen Systems ablesen kann.

**kanonisches lineares Optimierungssystem,** *lineares Optimierungssystem in kanonischer Form.* I. Charakterisierung: Jedes →lineare Optimierungssystem der Form

$$
\begin{cases}
(1) & x_0 \quad\; +a_{0\,m+1}\,x_{m+2} \\
& \quad\quad +a_{0\,m+2}\,x_{m+2}+\ldots+a_{0n}\,x_n=b_0 \\
& \quad x_1 \quad +a_{1\,m+1}\,x_{m+1} \\
& \quad\quad\quad +a_{1\,m+2}\,x_{m+2}+\ldots+a_{1n}\,x_n=b_1 \\
& \quad\quad x_2 \;+a_{2\,m+1}\,x_{m+1} \\
& \quad\quad\quad +a_{2\,m+2}\,x_{m+2}+\ldots+a_{2n}\,x_n=b_2 \\
(2) & \quad\quad \ddots \\
& \quad\quad\quad x_m+a_{mm+1}\,x_{m+1} \\
& \quad\quad\quad +a_{mm+2}\,x_{m+2}+\ldots+a_{mn}\,x_n=b_m
\end{cases}
$$

(3)    $x_1, x_2, \ldots, x_m,$
     $x_{m+1}, \; x_{m+2}, \ldots, x_n \geqq 0$

(4)    $x_0 \longrightarrow$ Max!   oder   $x_0 \longrightarrow$ Min!

bzw. jedes Optimierungssystem, das sich durch Umstellen der Reihenfolge von Restriktionen und/oder Umbenennen von Variablen auf diese Form bringen läßt. – *Merkmale:* a) In jeder der Gleichungen des Systems ((1), (2)) kommt (mindestens) eine Variable vor, deren Koeffizienten nur in dieser Gleichung den Wert Eins, in den übrigen Gleichungen den Wert Null annehmen (d. h. im System ((1), (2)) die Variablen $x_0, x_1, x_2, \ldots, x_m$). $x_0$ tritt stets in der Gleichung (1) mit dem Koeffizienten 1 auf, deshalb können die übrigen Variablen (hier $x_1, x_2, \ldots, x_m$) mit der beschriebenen Eigenschaft in der Gleichung (1) nur mit dem Koeffizienten Null auftreten. – b) Im Teilsystem (3) ist für jede der Variablen $x_1, x_2, \ldots, x_n$, nicht aber für $x_0$ eine Nichtnegativitätsbedingung angegeben.

II. Bezeichnungsweisen: 1. Genau m Variablen, die in bezug auf das System (2) die unter Punkt I. a) aufgeführte Eigenschaft aufweisen, bezeichnet man als *gebundene Variablen* oder *Basisvariablen,* die übrigen als *freie Variablen* oder *Nichtbasisvariablen* (→kanonisches lineares Gleichungssystem). – 2. Gleichung (1) nennt man die zu dem kanonischen Optimierungssystem gehörende *modifizierte Zielgleichung,* die Koeffizienten $a_{0j}, j = 1, 2, \ldots, n$ *modifizierte Zielkoeffizienten.*

III. Zulässige und optimale k.l.O.: 1. Ein k.l.O. nennt man *(primal) zulässig,* wenn alle rechten Seiten $b_1, b_2, \ldots, b_m$ des Systems (2) nicht negativ sind. – 2. Ein kanonisches lineares Maximierungssystem (Minimierungssystem) nennt man *dual zulässig,* wenn die modifizierten Zielkoeffizienten $a_{0i}, j = 1, \ldots, n$ kleiner (größer) oder gleich Null sind. – 3. Ein k.l.O. nennt man *optimal,* wenn es primal und dual zulässig ist.

IV. Lösungen: Aus einem primal zulässigen k.l.O. läßt sich sofort eine →zulässige Lösung des Systems, die zugehörige *Basislö-*

*sung,* in bezug auf das System ((1), (2), (3), (4)) ablesen:

$$
(2)\quad
\begin{pmatrix}
x_1^* \\ x_2^* \\ \vdots \\ x_m^* \\ x_{m+1}^* \\ x_{m+2}^* \\ \vdots \\ x_n^*
\end{pmatrix}
=
\begin{pmatrix}
b_1 \\ b_2 \\ \vdots \\ b_m \\ 0 \\ 0 \\ \vdots \\ 0
\end{pmatrix}
$$

Der Zielwert $x_0$ dieser Lösung ist gleich $b_0$. Ist das kanonische System primal und dual zulässig (d. h. optimal), so handelt es sich bei (2) um eine →optimale Lösung des Systems ((1), (2), (3), (4)).

V. Ökonomische Bedeutung: Bei der Bestimmung von optimalen Lösungen für lineare Optimierungsprobleme (etwa mit Hilfe der →Zwei-Phasen-Simplexmethode) erstellt man für die betreffenden Optimierungssysteme bzw. für geeignete Hilfssysteme nach gewissen Regeln eine Folge von linearen Optimierungssystemen in kanonischer Form. Dabei gelangt man nach der Konstruktion einer endlichen Anzahl derartiger Systeme entweder zu der Erkenntnis, daß keine optimale Lösung existiert, oder aber zu einem optimalen kanonischen Optimierungssystem, aus dem sich eine optimale Lösung des ursprünglichen Systems sowie der zugehörige Zielwert ablesen lassen.

**Kanten,** →Graph 2a).

**kantenorientierte Tourenplanung,** →Tourenplanung IV.

**Kantine,** *Werkküche,* Speise-, Verkaufs- und Aufenthaltsraum in Betrieben. – *Kostenrechnerische Erfassung und Verrechnung:* Aufwendungen für Einrichtungen, Unterhaltung und Leistungen der K. in der Gruppe der freiwilligen sozialen Aufwendungen (→Sozialkosten) zu erfassen. Bei Selbstbeteiligung der Arbeitnehmer sind die Erträge aus dem Verkauf von Essenbons von den Aufwendungen abzusetzen. Umlage im →Betriebsabrechnungsbogen erfolgt zweckmäßig nach der Kopfzahl der in den →Kostenstellen beschäftigten Personen, wenn die K. von allen Betriebsangehörigen benutzt wird.

**Kapazität,** *Nutzungspotential,* maximales Produktionsvermögen eines Potentialfaktors bzw. eines Potentialfaktorsystems (Arbeitssystems) in quantitativer (→quantitative Kapazität) und qualitativer Hinsicht (→qualitative, Kapazität) für eine definierte Bezugsperiode. In Abhängigkeit vom technischen oder organisatorischen Verbund der Potentialfaktoren bzw. Potentialfaktorsysteme läßt sich die K. einer Produktionsstelle, einer Produktionsstufe, eines Produktionswerkes (-betriebes) und einer ganzen Untenehmung unterscheiden. – Vgl. auch →Kapazitätsbemessung, →Kapazitätsauslastungsmaximierung.

**Kapazitätsabgleich,** →PPS-System II 7.

**Kapazitätsausgleich,** →PPS-System II 7.

**Kapazitätsauslastungsgrad,** →Auslastungsgrad.

**Kapazitätsauslastungsmaximierung,** *Leerzeitenminimierung, Leerkostenminimierung,* Ziel der →Produktionsprozeßplanung, →Produktionsprozeßsteuerung und →Produktionsprozeßkontrolle. Durch die Maximierung der Kapazitätsauslastung wird eine Minimierung der Leerzeiten und damit verbunden der →Leerkosten angestrebt. Die K. tritt als Ziel zunehmend in den Hintergrund, da zum Zwecke der Erhöhung der Flexibilität Überkapazitäten bewußt in Kauf genommen oder sogar gezielt aufgebaut werden.

**Kapazitätsausnutzungsgrad,** Kennzahl im Rahmen der →Kapazitätsmessung. Die →Kapazität wird durch die maximal mögliche zeitliche und intensitätsmäßige Verwendbarkeit der Potentialfaktoren bzw. Potentialfaktorsysteme bestimmt, der K. ergibt sich aus dem Produkt von Lastgrad und Zeitgrad. Der Lastgrad bringt das Verhältnis von erbrachter Produktionsmenge zu maximal möglicher Produktionsmenge in einer bestimmten Zeiteinheit zum Ausdruck. Der Zeitgrad spiegelt das Verhältnis von effektiver Arbeitszeit zu maximal verfügbarer Arbeitszeit in einer Kalenderperiode wieder.

**Kapazitätsbelegungsplanung,** *Maschinenbelegungsplanung,* Teilbereich der →Produktionsprozeßplanung. Die anlagenorientierte K. führt die für die Auftragsabwicklung erforderliche Belegung der Kapazitäten auf allen Produktionsstufen durch. Den Kapazitätsbedarfsdaten je Auftrag nach Art, Menge, Zeitdauer und Termin werden Kapazitätsangebotsübersichten gegenübergestellt, aus denen die maximal verfügbare Kapazität und die bereits erfolgte Kapazitätsbelegung je Kapazitätsträger ersichtlich wird. Anschließend werden zeitliche, intensitätsmäßige und quantitative Anpassungsmöglichkeiten geprüft. – K. bei *computergestützten Produktionsplanungs- und -steuerungssystemen:* Vgl. →PPS-System II 9.

**Kapazitätserweiterungseffekt,** →Lohmann-Ruchti-Effekt.

**Kapazitätsgebirge,** in der Produktionsplanung und -steuerung bei der Kapazitätsplanung (→PPS-System II 7) verwendete graphische Übersicht über die Kapazitätsbelastung einer Kapazitätseinheit (Maschine, Maschinengruppe, Werkstatt o. ä.). In einem Säulen- oder Balkendiagramm (eine Achse:

Periodeneinteilung; andere Achse: Maschinenstunden o. ä.) wird der durch die →Fertigungsaufträge verursachte Kapazitätsbedarf aufgetragen. – Bei schwankender Auslastung kann ein *Kapazitätsabgleich* erfolgen (vgl. →PPS-System II 7).

**Kapazitätsmessung,** nach D. Hahn, G. Laßmann und R. Steffen die Bestimmung der quantitativen und qualitativen →Kapazität eines Potentialfaktors bzw. eines Potentialfaktorsystems. Die K. erfolgt für Produktionsanlagen mit aktiver Beteiligung am Produktionsprozeß durch Ermittlung von Output- oder Prozeßgrößen bezogen auf eine bestimmte Periode. Outputgrößen sind z. B. Stückzahlen, Masse (Tonnen, Kilogramm), Volumen (Kubikmeter, Liter), Fläche, Länge. Prozeßgrößen sind z. B. Maschinenstunden, Fertigungsstunden, Materialdurchsatz. Von der Dimension her wird jede K. durch eine Mengen- und eine Zeitkomponente bestimmt:

$$\text{Kapazität} = \frac{\text{max. Produktionsvermögen}}{\text{Bezugsperiode}}.$$

Kann ein Potentialfaktor bzw. ein Potentialfaktorsystem mehrere Produktarten realisieren, d. h. ist die qualitative Kapazität größer als eins, gibt es bei der K. insoweit Probleme, als es so viele Formen der quantitativen Kapazität gibt, wie es unterschiedliche Produktarten gibt. Die quantitative Kapazität wird dann alternativ gemessen durch die jeweils maximal herstellbare Menge einer jeden Produktart. Hier werden Umrüstzeiten vernachlässigt, die durch Produktartenwechsel entstehen können. Bei Vorliegen eines heterogenen Produktionsprogramms erfolgt die K. hilfsweise mit Prozeßgrößen, i. d. R. mit max. verfügbaren Produktionsstunden je Potentialfaktor bzw. Potentialfaktorsystem. Als Bezugsperiode für die K. wird die Kalenderzeit in Form von Tagen, Wochen, Dekaden, Monaten, Quartalen und/oder Jahren herangezogen.

**kapazitätsorientierte variable Arbeitszeit (KAPOVAZ),** →Arbeit auf Abruf.

**Kapazitätsplanung,** Bestimmung der Planbezugsgrößen (→Bezugsgrößen) aufgrund der vorhandenen Kapazität, ausgehend von der theoretischen Maximalkapazität. Um Kapazitätswerte zu erhalten, die als Grundlage der Gemeinkostenplanung geeignet sind, müssen von den theoretischen Maximalkapazitäten der einzelnen Kostenstellen folgende Abschläge gemacht werden: a) Umrechnung auf die geplanten Schichtzeiten, b) Berücksichtigung der optimalen →Intensitäten, c) Berücksichtigung von Leerzeiten (→Kapazitätsauslastungsmaximierung), d) Berücksichtigung von technischen Engpässen des Produktionsablaufes. – *Sonderform nach Auler:* Bezugsgrößenplanung aufgrunde der Optimalbeschäftigung (Beschäftigung, bei der die Kosten pro Bezugsgrößeneinheit minimal sind). – Vgl. auch →Kapazität, →Engpaßplanung, →Kostenplanung.

**Kapazitätsterminierung**, in der Produktionsplanung und -steuerung uneinheitlich verwendeter Begriff für die zeitliche Abstimmung zwischen Kapazitätsangebot und -bedarf. – 1. Synonym für *Feinterminierung* (→PPS-System II 9), Feinplanung, Ablaufplanung oder Maschinenbelegungsplanung. – 2. Synonym für Durchlaufterminierung und Kapazitätsplanung.

**Kapazitätswirtschaft**, in der Produktionsplanung und -steuerung verwendete Bezeichnung für die Koordination des Kapazitätsbedarfs, der durch die →Fertigungsaufträge verursacht wird, mit den verfügbaren Produktionskapazitäten. Häufig mit der →Zeitwirtschaft zusammengefaßt. – Vgl. auch →PPS-System III.

**Kapital.** I. Volkswirtschaftstheorie: 1. →*Produktionsfaktor* neben →Arbeit und →Boden. Unter K. wird in diesem Zusammenhang der Bestand an Produktionsausrüstung verstanden, der zur Güter- und Dienstleistungsproduktion eingesetzt werden kann. – 2. *Geld für Investitionszwecke:* Es spielt dabei keine Rolle, aus welchen Quellen Ersparnis, Unternehmergewinn, Krediten – das K. zur Verfügung gestellt wird. Kurzfristig ist für die Bildung von Produktionsausrüstung (Realkapital) nur die Finanzierung, nicht aber eine vorausgehende Ersparnis notwendig. Im Gleichgewicht müssen allerdings geplante Realkapitalbildung (Investition) und Ersparnis übereinstimmen. Vgl. auch →Nominalkapital, →Realkapital. – 3. K. als Kategorie der *Außenwirtschaftslehre:* Vgl. →internationale Kapitalbewegungen, →Kapitalbilanz.

II. Betriebswirtschaftslehre: 1. Die auf der Passivseite der →Bilanz einzelner Unternehmen ausgewiesenen Ansprüche an das Vermögen (einschl. Abgrenzungsposten). Es wird unterschieden: a) Nach *Dauer* und *Gewinnanspruch:* (1) →*Eigenkapital:* Grundsätzlich unbefristet, mit Gewinnbeteiligung nur im Falle eines vom Unternehmen erzielten →Reingewinns. (2) →*Fremdkapital:* Lang-, mittel- oder kurzfristiger Kredit mit festem Anspruch auf Verzinsung, auch im Falle eines ausgewiesenen Verlustes, ggf. mit darüber hinausreichendem Gewinnanspruch. – b) Nach der betriebswirtschaftlichen *Funktion* des K. im Unternehmen: (1) →betriebsnotwendiges Kapital, (2) Ergänzungskapital, also für den eigentlichen Betriebszweck nicht notwendiges K. – 2. *Ausweis* des K. *in der Bilanz* (Passiv-Seite): a) *Eigenkapital*, abhängig von der Unternehmungsform: (1) Bei Einzelunternehmungen und Personengesellschaften in den →Kapitalkonten (diese verändern sich je nach Zugang oder Abgang bei

Entnahmen, Einlagen, Gewinnen und Verlusten). Bei Überschuldung erscheint ein *negatives K.-Konto (Unterbilanzkonto)* auf der Aktivseite. (2) Bei Kapitalgesellschaften auf den Konten: Grund-K. bzw. Stamm-K. sowie zusätzlich auf den Konten →Rücklagen, Gewinnvortrag und Jahresüberschuß. K.-Verluste dürfen das gezeichnete Kapital nicht mindern, sondern müssen, soweit sie nicht mit Rücklagen verrechnet werden, gesondert ausgewiesen werden; vgl. →Verlustvortrag, →Jahresfehlbetrag, →Fehlbetrag. – b) *Fremdkapital* (unabhängig von der Unternehmungsform) als: →Verbindlichkeiten, →Rückstellungen. – c) Rechnungsabgrenzungsposten (→Rechnungsabgrenzung) und Aufwandsrückstellungen (→Rückstellungen).

**Kapitalabfindung.** I. Schadenersatz: Für einen dauernden Schaden wird ein einmaliger Kapitalbetrag gewährt. – *Gegensatz:* →Geldrente. – Bei →unerlaubten Handlungen ist für Beeinträchtigung der Erwerbstätigkeit oder Tötung des Unterhaltspflichtigen grundsätzlich Geldrente zu entrichten; der Verletzte kann jedoch bei wichtigem Grund K. verlangen (§§ 843, 844 BGB).

II. Sozialleistung: 1. *Krankenversicherung:* Abfindung des Anspruchs auf →Krankenhilfe bei Auslandsaufenthalt (§ 217 RVO). – 2. *Unfallversicherung:* Vgl. →Abfindung. – 3. *Rentenversicherung:* Vgl. →Abfindung. – 4. *Kriegsopferversorgung:* K. an Beschädigte i. S. des BVG (§ 72 ff. BVG) und für Witwen (§ 78 a BVG). Vgl. →Witwenabfindung.

III. Beamtenrecht: Witwenabfindung bei Wiederheirat (§ 124 a BBG).

IV. Grundsteuervergünstigung für K., die Kriegsbeschädigten zum Erwerb oder zur wirtschaftlichen Stärkung ihres Grundbesitzes aufgrund des →Bundesversorgungsgesetzes gewährt wird. Der Besteuerung ist der um die K. verminderte →Einheitswert zugrunde zu legen, solange die Versorgungsgebührnisse wegen der K. in der gesetzlichen Höhe gekürzt werden (§ 30 GrStG).

V. Steuerliche Behandlung: Vgl. →Abfindung.

**Kapitalanlagebetrug**, spezieller Tatbestand des →Betruges im Zusammenhang mit dem Vertrieb von Wertpapieren, Bezugsrechten oder von Anteilen, die eine Beteiligung an dem Ergebnis eines Unternehmens gewähren sollen oder dem Angebot, die Einlage auf solche Anteile zu erhöhen. Tathandlung ist unrichtige vorteilhafte Angabe oder das Verschweigen nachteiliger Tatsachen in Prospekten oder in Darstellungen oder Übersichten über den Vermögensstand hinsichtlich der für die Entscheidung über den Erwerb oder die Erhöhung erheblichen Umstände gegenüber einem größeren Kreis von Personen (§ 264 a StGB). –

*Strafe:* Freiheitsstrafe bis zu drei Jahren oder Geldstrafe (§ 264a StGB).

**Kapitalanlagegesellschaft,** *Kapitalverwaltungsgesellschaft,* *Investmentgesellschaft,* *investment trust.*

I. Allgemein: 1. *Begriff:* Wirtschaftsorganisation, die dem Investment-Sparen dient und bei der das Prinzip der Risikomischung im Vordergrund steht. – 2. *Strukturprinzipien:* a) *Körerschaftliches Prinzip* (in Frankreich): AG, die sowohl Verwaltungs- als auch Verwahrungsgesellschaft ist. Als wichtigstes Aktivum erscheint bei ihr ein Effektenportefeuille. Wirtschaftlich gesehen ist der Aktionär der Société Nationale d'Investissement durch seinen Aktienbesitz Miteigentümer an diesem Portefeuille. – b) *Fondsprinzip* (Schweiz und Bundesrep. D.): Es besteht a) eine Gesellschaft als ausschließliches Verwaltungsorgan, b) ein Fonds (Investmentfonds) als Organ zur Zusammenfassung der Eigentumsrechte, c) ein Kreditinstitut als Organ der Verwahrung; a) und b) können vereint werden. – 3. *Formen:* a) →fixed trust; b) →management trust.

II. K. in der Bundesrep. D.: 1. *Rechtsgrundlage:* Gesetz über die K. vom 14.1.1970 – Investmentgesetz (BGBl I 127). Vgl. auch →Auslands-Investmentgesetz. – 2. *Begriff:* K. sind Unternehmen, deren Geschäftsbereich darauf gerichtet ist, bei ihnen eingelegtes Geld im eigenen Namen für gemeinschaftliche Rechnung der Einleger nach dem Grundsatz der Risikomischung in Wertpapieren, Grundstücken oder Erbbaurechten gesondert vom eigenen Vermögen anzulegen und über die hieraus sich ergebenden Rechte der Einleger (Anteilinhaber) Urkunden (Anteilscheine) auszustellen (§ 1). – 3. *Rechtsform:* Die K. darf nur in der Rechtsform der AG oder GmbH betrieben werden und muß über ein Mindestnennkapital von 500 000 DM verfügen. Sie unterliegt als Kreditinstitut einer weitgehenden Überwachung durch die →Bankenaufsicht. – 4. *Sondervermögen:* Die Gesellschaft muß das bei ihr gegen die Ausgabe von Anteilscheinen eingelegte Geld, die damit angeschafften Wertpapiere und Bezugsrechte und alle Ansprüche, die daraus entstehen, z. B. Ansprüche auf Dividende, auf Verkaufserlös veräußerte Papiere, einem oder mehreren Sondervermögen zuführen, die von dem eigenen Vermögen der K. getrennt zu halten sind. Mit der Verwahrung des Sondervermögens hat die K. ein anderes Kreditinstitut, die Depotbank, zu beauftragen. Diese muß die zum Sondervermögen gehörenden Wertpapiere in ein gesperrtes Depot nehmen und die dazugehörigen Geldbeträge auf einem gesperrten Konto verbuchen. Das Sondervermögen steht rechtlich regelmäßig den Anteilinhabern als →Miteigentum nach Bruchteilen zu. Es haftet nicht für die Schulden der K. und fällt auch nicht in deren Konkursmasse. – 5. *Grundstückssonder-*

*vermögen:* Die Gesellschaft darf nur Miet-, Geschäfts- und gemischtgenutzte Grundstücke im Zustand der Bebauung oder (in Höhe von 10% des Sondervermögens) Grundstücke, mit deren Bebauung in angemessener Zeit zu rechnen ist. Unbebaute Grundstücke dürfen nur 10% des Sondervermögens betragen. Das gleiche gilt für Erbbaurechte. Unter bestimmten Voraussetzungen dürfen auch andere Grundstücke, Erbbaurechte, Wohnungs- und Teileigentum erworben werden. Das Grundstücks-Sondervermögen muß aus mindestens zehn Grundstücken bestehen, von denen keines den Wert von 15% des Wertes des Sondervermögens übersteigen darf. Die laufende Überwachung ist einem anderen Kreditinstitut (Depotbank) zu übertragen. Sie darf nur mit Zustimmung der Depotbank über die Gegenstände verfügen. Die Verfügungsbeschränkung ist in das →Grundbuch einzutragen. Erträge dürfen nur ausgeschüttet werden, wenn die künftige Instandsetzung der Gegenstände des Sondervermögens sichergestellt ist. – 6. *Risikomischung:* Dem Sondervermögen dürfen grundsätzlich nur börsengängige Wertpapiere zugeführt werden. Die Risikomischung wird dadurch gesichert, daß jedes Sondervermögen nur 5% seines Wertes in Wertpapieren ein und desselben Ausstellers enthalten darf, wobei Wertpapiere von Konzernunternehmen als Wertpapiere desselben Ausstellers gelten. Ausnahmsweise kann diese Quote mit Genehmigung der Bankenaufsichtsbehörde auf 10% ausgedehnt werden. Die K. dürfen für alle von ihnen jeweils verwalteten Sondervermögen nur bis zu 5% des Aktienkapitals einer einzelnen Aktiengesellschaft erwerben. – 7. *Verwaltung:* Die Verwaltung des Sondervermögens ist Sache der K. Sie hat unter weitgehender Kontrolle der Depotbank das Sondervermögen mit der Sorgfalt eines ordentlichen Kaufmanns für gemeinschaftliche Rechnung der Anteilinhaber zu verwalten und deren Interessen zu wahren. Die →Stimmrechte hat die K. grundsätzlich selbst auszuüben, und zwar so, wie es die Interessen der Anteilinhaber gebieten. – 8. *Anteilinhaber:* Die Anteilinhaber können durch Rechtsgeschäfte der K. persönlich nicht verpflichtet werden. Sie haften selbst nicht für die Ansprüche der K. aus den für gemeinschaftliche Rechnung der Anteilinhaber getätigten Geschäften. Nach Maßgaben der Vertragsbedingungen kann der Anteilinhaber gegen Rückgabe des Anteilscheins verlangen, daß ihm sein Anteil am Sondervermögen ausgezahlt wird. Die Aufhebung der an dem Sondervermögen bestehenden Miteigentumsgemeinschaft kann weder der Anteilinhaber noch z. B. sein Pfandgläubiger oder Konkursverwalter begehren. – 9. *Anteilscheine* verbriefen die Ansprüche der Anteilinhaber gegenüber der K. und sind →Wertpapiere. Das Investmentsparen kann nur dann weitere Verbreitung erlangen, wenn die Miteigentumsanteile der Anteilinhaber ohne Schwierigkeiten jederzeit auch wieder veräußert und auf eine andere Person übertragen werden können. Diesen Erfordernissen kann nur ein Wertpapier gerecht werden. Deshalb hat die K. Anteilscheine auszugeben. Sie können als Inhaberpapiere ausgegeben werden oder auf den Namen des Anteilinhabers lauten, sie sind dann entweder durch bloße →Übergabe oder durch →Indossament übertragbar. Mit der Übertragung des Anteilscheins geht auch der Anteil des Veräußerers an den zum Sondervermögen gehörerenden Gegenständen automatisch auf den Erwerber über (Traditionspapier). Der erstmalige Ausgabepreis eines Anteilscheins muß dem Wert des Anteils am Sondervermögen entsprechen, der aufgrund der jeweiligen Kurswerte zu ermitteln ist. Auch ist ein Rücknahmepreis festzulegen. – 10. *Besteuerung:* a) Das Sondervermögen ist als →Zweckvermögen im Sinne des KStG und des VStG zu behandeln. Durch diese Fiktion wird das Sondervermögen steuerlich zu einem eigenen Rechtssubjekt. Dieses Zweckvermögen ist von der Körperschaftsteuer, der Gewerbesteuer und der Vermögensteuer befreit. Die von den steuerabzugspflichtigen Kapitalerträgen des Sondervermögens einbehaltene →Kapitalertragsteuer (§ 43 EStG) wird erstattet. – b) Ausschüttungen auf Anteilscheine sowie die von dem Sondervermögen vereinnahmten nicht zur Kostendeckung oder Ausschüttung verwendeten Zinsen und Dividenden sind →Einkünfte aus Kapitalvermögen im Sinne des § 20 I Nr. 1 EStG, es sei denn, daß die Anteilscheine zu einem Betriebsvermögen gehören. In diesem Falle zählen sie zu der jeweils in Frage kommenden Einkunftsart. Die nicht ausgeschütteten Zinsen und Dividenden gelten mit dem Ablauf des Geschäftsjahres als zugeflossen (§ 21 InvestmentG). – c) Für die →Vermögensteuer werden die Anteilscheine als Wertpapiere mit dem →gemeinen Wert oder ggf. dem →Steuerkurswert bewertet. – d) Der Erwerb von Anteilscheinen unterliegt der →Kapitalverkehrsteuer, und zwar der →Börsenumsatzsteuer (§ 19 KVStG), ausgenommen: der Erwerb durch den ersten Erwerber sowie der Rückerwerb der Anteilscheine durch die K. für Rechnung des Sondervermögens (§ 22 KVStG). Steuersatz: 2 v. T. (§ 24 KVStG). – e) Aufwendungen für den Ersterwerb von Anteilscheinen an K. sind nach dem Spar-Prämiengesetz begünstigt; vgl. →steuerbegünstigtes Sparen.

**Kapitalanlagen im Ausland,** i. d. R. die verschiedenen Formen der →Direktinvestitionen deutscher Unternehmungen im Ausland einschl. →Kapitalanlagen in Entwicklungsländern. – *Absicherung* gegen spezielle Risiken durch Garantien für Kapitalanlagen im Ausland.

**Kapitalanlagen in Entwicklungsländern,** Investitionen in →Entwicklungsländern

(→Direktinvestitionen). *Steuerliche Behandlung:* Kapitalanlagen (K.) werden nach dem Entwicklungsländer-Steuergesetz i. d. F. vom 21. 5. 1979 (BGBl I 564) gefördert, allerdings nur, wenn sie *vor dem 1. 1. 1982 vorgenommen* wurden. – 1. *K. sind:* a) Beteiligungen an Kapitalgesellschaften in Entwicklungsländern anläßlich Gründung oder Kapitalerhöhung. – b) Darlehen an Kapitalgesellschaften in Entwicklungsländern anläßlich deren Gründung oder erheblichen Erweiterung, die vor Ablauf von sechs Jahren nicht (auch nicht teilweise) zurückzuzahlen sind; der Darlehensgeber muß mit mindestens 15 v. H., im Bereich der Gewinnung von Bodenschätzen mit mindestens 5 v. H., am Darlehensnehmer beteiligt sein, oder anstelle einer Verzinsung muß ausschließlich eine Gewinnbeteiligung gewährt werden, oder aber vom Darlehensnehmer müssen mindestens für sechs Jahre Wirtschaftsgüter unter Benutzung gewerblicher Schutzrechte u. ä. hergestellt bzw. unter einem Warenzeichen des Darlehensgebers vertrieben werden. – c) Einlagen in Personengesellschaften in Entwicklungsländern zwecks Gründung oder erheblicher Erweiterung. – d) Betriebsvermögen zur Gründung oder Erweiterung eines Betriebes oder einer Betriebsstätte des Steuerpflichtigen. Diese Kapitalanlagen sind auch dann begünstigt, wenn sie vom Steuerpflichtigen nicht unmittelbar, sondern über die Zwischenschaltung einer Holdinggesellschaft vorgenommen werden. – 2. Die *Begünstigung* liegt in der Bildung einer steuerfreien →Rücklage bis zur Höhe von 100 v. H. der →Anschaffungskosten oder →Herstellungskosten der K. der Gruppe 1 und 40 v. H. (bzw. 60 v. H. im Rohstoff- und Energiebereich) der Anschaffungs- oder Herstellungskosten der K. der Gruppe 2 (Gruppierung gem. § 6 Entwicklungsländer-Steuergesetz). Die Rücklage ist grundsätzlich vom sechsten auf ihre Bildung folgenden Wirtschaftsjahr an bei K. in Ländern der Gruppe 1 und bei K. der Gruppe 2, die in besonders beschäftigungswirksamen Unternehmen vorgenommen werden, mindestens mit einem Zwölftel, im übrigen mit mindestens einem Sechstel gewinnerhöhend *aufzulösen.* →Sacheinlagen können mit →Buchwert angesetzt werden. – Die *Erwerbskosten von Beteiligungen* an Kapitalgesellschaften in Entwicklungsländern über die Entwicklungsgesellschaft können ebenfalls bis zu 100%, bzw. 40% in eine gewinnmindernde Rücklage eingestellt werden. – 3. *Verbürgung* vom K. durch die Bundesrep. D. nur, soweit mit dem betreffenden Land ein Investitionsschutzabkommen besteht, in dem Enteignungsschutz und Transfer der Erträge und Liquidationserlöse der K. garantiert werden.

**Kapitalanteil.** 1. *Begriff:* Gesetzlicher Maßstab für die wirtschaftliche Beteiligung des einzelnen Gesellschafters am →Gesellschaftsvermögen einer Personengesellschaft. Die Summe der K. ergibt meist das (vom wahren Wert oft abweichende) buchmäßige Gesellschaftsvermögen. Einen quotenmäßigen Anteil bedeutet der K. nicht, da das Gesellschaftsvermögen Gesamthands-Eigentum aller Gesellschafter ist. Von der Beteiligung des Gesellschafters ist der K. nicht zu trennen, also nicht selbständig übertragbar. – 2. *Nach dem K.* errechnet sich der Gewinnanspruch (→Gewinn- und Verlustbeteiligung), die →Entnahme oder bei →Auflösung der Anspruch auf das Reinvermögen. – 3. *Buchung:* Der K. wird auf dem →Kapitalkonto des Gesellschafters in der Passivspalte geführt, er kann aber auch aktiv werden, z. B. durch Verluste (→negatives Kapitalkonto). K. ist streng zu scheiden vom →Privatkonto des Gesellschafters.

**Kapitalausfuhr,** →internationale Kapitalbewegungen, →Kapitalverkehr, →Kapitalflucht.

**Kapitalbedarf,** *Finanzbedarf,* Summe der für die Durchführung der verschiedenen unternehmerischen Teilpläne erforderlichen finanziellen Mittel einer Periode. Die Differenz zwischen (Gesamt-)F. und den aus der →Innenfinanzierung zur Verfügung stehenden Mitteln der Periode ist der Betrag, der durch →Außenfinanzierung beschafft werden muß. – Vgl. auch →Finanzierung, →Finanzdecke, →Finanzplan, →Finanzplanung, →Finanzentscheidung, →Kapitalbedarfsrechnung.

**Kapitalbedarfsrechnung,** Ermittlung des einmaligen und/oder laufenden →Kapitalbedarfs eines Unternehmens zwecks Errichtung, Erweiterung u. ä. – *Verfahren der K.:* a) →Finanzplanung; b) grobe Berechnung bzw. Schätzung meist in Form der Kapitalgebundenheitsrechnung, seltener nach Art der Deckungsrechnung (auch berichtigte Liquiditätsrechnung).

**Kapitalberichtigungsaktien,** →Freiaktien.

**Kapitalbeschaffung,** alle Maßnahmen zur →Finanzierung von Unternehmungen mit dem Ziel, den erforderlichen →Kapitalbedarf auf der Grundlage eines →Finanzplans zu decken. – 1. *Zu unterscheiden:* a) Nach *Form des Kapitals:* (1) Beschaffung von Geld, (2) Beschaffung von Sachgütern. – b) Nach *Herkunft des Kapitals:* (1) Beschaffung von Eigenkapital (Beteiligungen, Einlagen), (2) Beschaffung von Fremdkapital (Kredite, Darlehen, Anleihen). – 2. *Besondere gesetzliche Regelung* für K. bei AG und KGaA gem. AktG: K. durch →Kapitalerhöhung sowie Ausgabe von →Wandelschuldverschreibungen und →Gewinnschuldverschreibungen.

**Kapitalbeteiligung,** materielle Mitarbeiterbeteiligung. Der Arbeitnehmer ist nicht aufgrund seiner Mitarbeitereigenschaft, sondern als Kapitalgeber am Gewinn des arbeitgebenden Unternehmens beteiligt. Das Aufbringen einer Kapitaleinlage durch den Mitarbeiter kann erfolgen durch eine →Erfolgsbeteiligung, Unternehmenszuwendungen; staatliche Prämien und Eigenleistungen. Die Verwendungsseite der K., also die Form der K., ist abhängig von der rechtlichen Situation der Unternehmung; es gibt eine Vielzahl von Modellen der K.

**Kapitalbeteiligungsdividende,** →Kapitaldividende der Genossenschaft.

**Kapitalbeteiligungsgesellschaft,** Gesellschaft, die ihre Mittel in nichtemissionsfähigen Unternehmungen anlegt, wodurch diesen mittelbar der Kapitalmarkt zugängig wird.

**Kapitalbewegungen,** →internationale Kapitalbewegungen.

**Kapitalbilanz,** *Kapitalverkehrsbilanz,* Teil der →Zahlungsbilanz. Gegenüberstellung aller Kapitalbewegungen einer Periode, durch die die Forderungen und Verbindlichkeiten des Inlands gegenüber dem Ausland verändert werden (→internationale Kapitalbewegungen), mit *Ausnahme* der Veränderung der Auslandsposition der Zentralbank, die in der →Devisenbilanz erfaßt wird. Die K. wird gegliedert in die *Bilanz des kurz- und langfristigen Kapitalverkehrs* (Fristigkeitsgrenze: i. d. R. ein Jahr).

**Kapitalbildung.** 1. *Begriff:* a) In der *älteren Wirtschaftstheorie:* Spar- und Investitionsvorgang insgesamt. K. bedeutet demnach Konsumverzicht und dadurch ermöglichte Vergrößerung der volkswirtschaftlichen Produktionsausrüstung. Das Angebot an Geldkapital sorgt für Investitionen (→Saysches Theorem). – b) In der *modernen Wirtschaftstheorie:* Spar- und Investitionsvorgang werden zerlegt, da die Spar- und Investitionspläne von zwei verschiedenen Personenkreisen aufgestellt werden und damit geplantes Sparen und geplantes Investieren voneinander unabhängig sind und in ihrer Größe voneinander abweichen können. – 2. *Formen:* a) K. aus bereits verteiltem Einkommen (Lohn, Gehalt, Zins- oder Unternehmereinkommen): die Ersparnissen werden als langfristige Kredite (direkt oder über Kreditinstitute) oder als Beteiligung (z. B. durch Erwerb von Aktien) der Wirtschaft zur Verfügung gestellt. – b) K. aus noch nicht verteiltem Einkommen oder Selbstfinanzierung: Gewinne der Unternehmung (Unternehmereinkommen) werden nicht ausgeschüttet, sondern verbleiben in der Unternehmung (Erhöhung des Eigenkapitals, Bildung offener oder stiller Reserven).

**Kapitalbudget,** finanzwissenschaftlicher Begriff. Erfassung aller vermögenswirksamen Maßnahmen der staatlichen Ausgabenpolitik. Budgetdefizite erscheinen als Verringerung des Vermögensstatus. – *Zweck:* Das K. soll

Auskunft über die effiziente Verausgabung der finanziellen Mittel geben. *Nachteil:* Nur Sachanlagen werden erfaßt, andere wichtige, nicht vermögenswirksame Investitionsausgaben (Bildungsinvestitionen) dagegen nicht. Es besteht die Gefahr, daß die Ausgabenpolitik der Regierung zu einseitig auf Sachinvestitionen abgestellt wird. – Vgl. auch →Haushaltssystematik 5. – *Gegensatz:* →laufendes Budget.

**Kapitaldeckungsverfahren.** I. Gesetzliche Rentenversicherung: Berechnungsmethode für Schadenrückstellung in der Rentenversicherung, bei der nur der Kapitalwert aus bereits eingetretenen Rentenversicherungsfällen ermittelt wird, der einschließlich der Zinsen ausreicht, um alle daraus erwachsenden Ansprüche dauernd zu befriedigen. Noch nicht eingetretene Versicherungsfälle bleiben unberücksichtigt. – *Andere Methoden:* →Anwartschaftsdeckungsverfahren, →Umlageverfahren.

II. Betriebliche Altersversorgung: Vgl. →betriebliche Ruhegeldverpflichtung II 2.

**Kapitaldienst,** Zahlungen von Zinsen und Tilgungen für aufgenommene Kredite. Bei *Investitionen* ist der K. durch Multiplikation der jeweiligen Summe mit dem →Wiedergewinnungsfaktor zu ermitteln.

**Kapitaldienstfaktor,** →Wiedergewinnungsfaktor.

**Kapitaldispositionsrechnung,** statische Interpretation der Bilanz: Auflösung aller Bilanzpositionen in Kapitalbegriffe. Vermögen = Sachform des Kapitals: die Aktiv(Vermögens-)seite der Bilanz gibt Aufschluß über die Kapitaldisposition der Unternehmung (Gewinn- und Verlustrechnung = Kapitalbewegungsrechnung).

**Kapitaldividende der Genossenschaft,** *Kapitalbeteiligungsdividende, Geschäftsguthabendividende,* aus dem Gewinn des Geschäftsjahres gezahlte Dividende auf die →Geschäftsguthaben, die die Mitglieder zu Beginn des abgeschlossenen Geschäftsjahres auf ihren Geschäftsanteil eingezahlt hatten. – *Ausschüttung* einer K. meist in Form einer angemessenen Verzinsung der Geschäftsguthaben. – Vgl. auch →Rückvergütung.

**Kapitalerhaltung,** →nominelle Kapitalerhaltung, →substantielle Kapitalerhaltung.

**Kapitalerhöhung,** Maßnahme der →Finanzierung der Unternehmung durch Erhöhung des →Eigenkapitals.

I. Personengesellschaften: 1. →Selbstfinanzierung (Nichtverbrauch von Rein gewinnen). – 2. *Zusätzliche Kapitaleinlagen bisheriger oder neuer Gesellschafter:* K. ist nur mit Zustimmung aller Gesellschafter statt-

haft, soweit Vertrag oder Satzung nichts anderes bestimmt. Maßgebend für die Höhe der K. ist der →Kapitalbedarf des Unternehmens.

II. Kapitalgesellschaften: 1. *Aktiengesellschaften:* a) *Effektive K.:* Ausgabe →junger Aktien zu einem festgelegten Bezugskurs. – (1) *Ordentliche K.* (§§ 182–191 AktG): Von der Hauptversammlung mit 3/4-Mehrheit oder einer anderen, in der Satzung festzuschreibenden Mehrheit zu beschließen. Die →Unter-Pari-Emission ist verboten; bei Über-Pari-Emission ist der Mindestbezugskurs im Beschluß festzusetzen. Die Altaktionäre erhalten ein →Bezugsrecht auf die jungen Aktien; dieses kann mit mindestens ¾-Mehrheit ausgeschlossen werden. Duch die zugeflossenen Mittel erhöht sich das Grundkapital entsprechend dem Nennwert der jungen Aktien, das →Agio ist gemäß § 272 II HGB in die →Kapitalrücklage einzustellen. – (2) *Bedingte K.* (§§ 192–201 AktG): Es werden junge Aktien, die den Inhabern von →Wandelschuldverschreibungen aufgrund ihres Umtausch- bzw. Bezugsrechts (Optionsanleihe) bzw. Arbeitnehmern aufgrund von Gewinnbeteiligungen zustehen, gebildet. Das Bezugsrecht der Altaktionäre ist in diesen Fällen ausgeschlossen. Auch zur Vorbereitung von Unternehmenszusammenschlüssen wird die bedingte K. durchgeführt, um die Eigentümer des übernommenen Unternehmens auszuzahlen. – (3) →*Genehmigtes Kapital* (§§ 202–206 AktG): Ermächtigung des Vorstandes durch Satzung oder Beschluß der Hauptversammlung, K. durchzuführen; Durchführung erfordert dann die Zustimmung des →Aufsichtsrats. Vorteil: Schnellere Reaktion und Anpassung von Emissionsvolumen und Bezugskurs an Kapitalmarktgegebenheiten. – b) *Nominelle K.:* Umwandlung von →Gewinnrücklagen und →Kapitalrücklage in Grundkapital; kein Zufluß finanzieller Mittel, nur Angleichung des nominellen Grundkapitals, (→Kapitalerhöhung aus Gesellschaftsmitteln). Aktionäre erhalten →Freiaktien. – 2. *Gesellschaften mit beschränkter Haftung:* a) *Formelle K.:* Nominelle Erhöhung des Stammkapitals durch Vergrößerung einzelner Stammanteile. – b) Aufruf von →*Nachschüssen.* – c) →*Kapitalerhöhung aus Gesellschaftsmitteln.*

III. Andere Unternehmensformen: 1. *Bergrechtliche Gewerkschaften:* a) Umwandlung von Reingewinnen (Selbstfinanzierung); b) Aufruf von Zubußen (→Nachschuß); c) Ausgabe neuer →Kuxe (in der Bundesrep. D. nicht mehr üblich). – 2. *Genossenschaften:* a) *Unmittelbare K.:* (1) →Selbstfinanzierung; (2) Aufruf von →Nachschüssen; (3) Aufnahme neuer Genossen; (4) Zukauf neuer Anteile von bisherigen Genossen. – b) *Mittelbare K.:* Erhöhung der →Nachschußpflicht; dient der Erweiterung des Kreditspielraums.

IV. Steuerliche Auswirkungen: 1. *K. durch Einlagen:* Bewertung der Bar- oder Sacheinlagen vgl. →Einlagen II. – 2. Bei K. durch Ausgabe von *Gratisaktien* gilt deren Ausgabe als →Gewinnausschüttung. Der Bilanzgewinn wird durch die Ausgabe von Gratisaktien nicht beeinflußt, wenn den Aktionären die Beträge zur Erlangung der jungen Aktien von der AG aus →Rücklagen zur Verfügung gestellt werden. – 3. Sonderregelung bei der →*Kapitalerhöhung aus Gesellschaftsmitteln* – 4. K. mit Ausnahme der →Kapitalerhöhung aus Gesellschaftsmitteln unterliegt als Ersterwerb von Gesellschaftsrechten der →*Gesellschaftsteuer.*

**Kapitalerhöhung aus Gesellschaftsmitteln.**
I. Begriff: Besondere Form der →Kapitalerhöhung bei Kapitalgesellschaften. →Kapitalrücklagen und →Gewinnrücklagen werden in Grund- bzw. Stammkapital umgewandelt.

II. Durchführung: 1. Bei *Aktiengesellschaften* (§§ 207–220 AktG): a) *Voraussetzungen:* Beschluß der →Hauptversammlung mit ¾-Mehrheit. Anmeldung des Beschlusses zur Eintragung in das →Handelsregister. Uneingeschränkter Betätigungsvermerk des Prüfers für die zugrunde gelegte Bilanz (nicht älter als acht Monate). – b) *Umwandlungsfähigkeit:* Gewinnrücklagen können, soweit sie nicht zweckbestimmt sind, in vollem Umfang umgewandelt werden; die Kapitalrücklage und die →gesetzliche Rücklage nur, soweit sie den zehnten oder den in der Satzung bestimmten höheren Teil des bisherigen Grundkapitals übersteigen. Weist die zugrunde liegende Bilanz einen Verlust oder Verlustvortrag aus, so ist eine Umwandlung von Kapital- und Gewinnrücklage unabhängig. – c) *Verfahren:* Mit der Eintragung in das Handelsregister gilt das Grundkapital als erhöht. Die Aktionäre erhalten die neuen Aktien (→Freiaktien) im Verhältnis ihrer Anteile am bisherigen Grundkapital. – d) →*Bedingtes Kapital* erhöht sich in gleichem Maß wie das Grundkapital, eigene Aktien nehmen an der Erhöhung des Grundkapitals teil. – 2. Bei *Gesellschaften mit beschränkter Haftung:* a) *Voraussetzungen:* Gesellschaftsbeschluß mit ¾-Mehrheit der abgegebenen Stimmen, öffentliche Beurkundung des Beschlusses, Anmeldung zur Eintragung in das Handelsregister. – b) *Verfahren:* Mit Eintragung ist das Nennkapital erhöht. Bildung neuer Anteile für die Gesellschafter oder Erhöhung des Nennbetrages der Anteile im Verhältnis der Anteile am bisherigen Nennkapital.

III. Steuerliche Sonderregelung: Nach dem Gesetz über steuerrechtliche Maßnahmen bei der Erhöhung des Nennkapitals aus Gesellschaftsmitteln (Kapitalerhöhungssteuergesetz) vom 10.10.1967 (BGBl I 977) unterliegt die K. a. G. nicht den Steuern vom Einkommen und Ertrag (§ 1 KapErtrStG),

auch nicht der Gesellschaftsteuer (§ 7 III Nr. 2 KVStG).

IV. Beurteilung: 1. *Nachteile:* Neue Anteilsrechte sind ab dem Zeitpunkt des Beschlusses (i. d. R. für das ganze laufende Geschäftsjahr) dividendenberechtigt. Im Gegensatz dazu mußte das entsprechende Kapital als Rücklage nicht bedient werden. – 2. *Vorteile:* Durch die sinkenden Kurse wird die Fungibilität der Aktie erhöht; auch erhöht sich dadurch die Dividendenrendite der Aktionäre. Im Gegensatz zur Bindung in den Gewinnrücklagen ist die Ausschüttung der entsprechenden Mittel als Grundkapital nur unter bestimmten Bedingungen (bei einer →Kapitalherabsetzung) möglich; die Kreditwürdigkeit des Unternehmens wird dadurch erhöht.

**Kapitalertragsbilanz,** Begriff der Außenhandelspolitik für die Gegenüberstellung der von einem Land in der Periode empfangenen bzw. geleisteten Zahlungen (Zinsen, Dividenden, Gewinne aus Geschäftsanteilen, Mieten und Erträge aus Patenten usw.; ein- oder ausschließlich der nicht transferierten Erträge) aus →Investitionen im Ausland bzw. Investitionen des Auslandes im Inland. Die K. ist Bestandteil der →Dienstleistungsbilanz, da man erhaltene bzw. gezahlte Zinsen, Dividenden usw. als (laufendes) Entgelt für Kapitalleistungen ansehen kann. Einmalige Zahlungen werden in der Kapitalverkehrsbilanz (→Kapitalbilanz) erfaßt.

**Kapitalertragsteuer.** I. Begriff: K. ist eine besondere Erhebungsform der →Einkommensteuer (§ 43 I EStG). Der für die K. haftende Schuldner des Kapitalertrags behält den K.-Betrag an der Quelle und führt ihn an das Finanzamt ab. *Kein Steuerabzug,* wenn der Steuerpflichtige eine Bescheinigung nach § 44 a II EStG vorlegt. Beim Gläubiger der Kapitalerträge wird die einbehaltene K. auf die Einkommensteuerschuld angerechnet (§ 36 I Nr. 2 EStG) bzw. erstattet (§§ 44 b, c EStG).

II. Bemessungsgrundlage: Ein Steuerabzug erfolgt bei a) Kapitalerträgen i. S. v. § 20 I Nr. 1, 2 EStG (§ 43 I Nr. 1 EStG), b) Zinsen aus Wandelanleihen, Gewinnobligationen (§ 43 I Nr. 2 EStG), c) Einnahmen aus der Beteiligung als (typischer) stiller Gesellschafter und Zinsen aus partiarischen Darlehen (§ 43 I Nr, 3 EStG), d) außerrechnungsmäßigen und rechnungsmäßigen Zinsen aus →Lebensversicherungen (§ 43 I Nr. 4 EStG), e) bestimmten vor dem 1.1.1955 ausgegebenen festverzinslichen Wertpapieren (§ 43 I Nr. 5 EStG) und f) Einnahmen aus der Vergütung der →Körperschaftsteuer nach §§ 36 e EStG, 52 KStG (§ 43 I Nr. 6 EStG) und zwar von den Bruttobeträgen.

III. Bemessung: Die Höhe der K. richtet sich nach der Art der Kapitalerträge. Sie beträgt: a) 25% bei Kapitalerträgen i. S. v. §43 I Nr. 1–4 EStG *(allgemeine K.);* b) 30% bei den in §43 I Nr. 5 EStG genannten Zinsen *(Kuponsteuer alter Art);* c) 25% auf die Vergütung der Körperschaftsteuer i. S. v. §43 I Nr. 6 EStG *(Kuponsteuer neuer Art).*

IV. Z i e l e : 1. In *fiskalischer* Hinsicht soll die K. die Erträge aus mobilem Kapital (Geldkapital) periodengerecht und vollständig erfassen (→Quellensteuer, →Steuerabzug) und dadurch eine →Steuerhinterziehung erschweren. Eine Zweifachbelastung der Erträge wird durch die →Anrechenbarkeit von Steuern ausgeschlossen, die im Rahmen der →Einkommensbesteuerung vorgenommen wird. Allerdings ist in dem nicht durchgeführten Quellenabzug für Erträge aus festverzinslichen Wertpapieren (im Gegensatz zu Dividendenerträgen) sowie aus Spareinlagen der Privaten ein Verstoß gegen die Prinzipien der Allgemeinheit und Gleichmäßigkeit zu erblicken. – 2. *Kapitalmarktpolitisch* kann zur Vermeidung allokativ nachteiliger Wirkungen der Kapitalertragsbesteuerung von Ausländern (Behinderung internationaler Kapitalbewegungen, Anhebung des Zinsniveaus) eine Steuerbefreiung der Erträge für Ausländer vorgesehen werden. – Vgl. auch →körperschaftsteuerliches Anrechnungsverfahren II 4.

V. A u f k o m m e n : 1986: 8121 Mill. DM (1985: 6206 Mill. DM, 1980: 4175 Mill. DM, 1977: 3381 Mill. DM, 1974: 2574 Mill. DM, 1970: 2021 Mill. DM, 1963: 1138 Mill. DM, 1955: 341,3 Mill. DM, 1950: 31,8 Mill. DM).

**Kapitalflucht,** Transfer von liquiden Mitteln ins Ausland, ohne deren Rücktransfer in absehbarer Zeit zu beabsichtigen. *Nicht* zur K. zählen dementsprechend normale →internationale Kapitalbewegungen, wie →Direktinvestitionen. K. aus Deutschland in der Zeit der Weltwirtschaftskrise in großem Umfang, bekämpft u. a. durch →Devisenbewirtschaftung. Heute findet K. aus →Entwicklungsländern statt. Gründe: Allgemeine politische Unsicherheit; Inflation oder →Abwertung im Inland; Vermeidung inländischer Besteuerung des Kapitals (Steuerflucht). – *Beurteilung:* K. bewirkt Beeinträchtigung der wirtschaftlichen Entwicklung und ist somit unerwünscht. Maßnahmen zur Vermeidung dürfen nicht an den Symptomen, sondern müssen an den Ursachen ansetzen, d. h. Verbesserung der allgemeinen Rahmenbedingungen.

**Kapitalflußrechnung,** *funds statement, Finanzflußrechnung,* eine verfeinerte →finanzwirtschaftliche Bewegungsbilanz. – 1. *Kennzeichnung:* a) Eine K. wird im Gegensatz zur Bewegungsbilanz nicht nur aus der Anfangs- und Schlußbilanz eines Geschäftsjahres (oder einer kürzeren Periode) abgeleitet, vielmehr sollen unter zusätzlicher Verwendung der Aufwands- und Ertragspositionen die Investitions- und Finanzierungsströme sowie ihre

Auswirkungen auf die Liquidität dargestellt werden. Bei Erstellung einer *internen K.* wird auf das Informationsmaterial der Finanzbuchhaltung zurückgegriffen, bei *externen K.* auf die →Gewinn- und Verlustrechnung, das →Anlagegitter sowie den →Anhang. – *Beispiel* für den möglichen Aufbau einer K.:

**Kapitalflußrechnung** 1. 1.–31. 12.
(in Mill. DM)

|  | Mittel-her-kunft | Mittel-verwen-dung |
|---|---|---|
|  | a | b |
| **I. Umsatzüberschuß** (Cash flow) |  |  |
| Gewinn/Verlust | 15 |  |
| Rücklagen (+/−) | 10 |  |
| Abschreibungen | 70 |  |
| Wertberichtigungen (+/−) | 8 |  |
| Rückstellungen (+/−) | 11 |  |
| Rechnungs-Abgrenzungen (+/−) | 6 |  |
| Cash flow (a./.b) | (120) | – |
| **II. Anlagebereich** |  |  |
| Sachvermögen (+/−) |  | 85 |
| Beteiligungen (+/−) |  | 32 |
| Eigenkapital (+/−) | 8 |  |
| Langfr. Verbindlichkeiten (+/−) | 2 |  |
| Langfr. Forderungen (+/−) |  | 12 |
| Zwischensumme | (10) | (129) |
| **III. Umlaufbereich** |  |  |
| Warenvorräte (+/−) |  | 10 |
| Kurzfr. Forderungen (+/−) |  | 4 |
| Kurzfr. Verbindlichkeiten (+/−) | 7 |  |
| Liquide Mittel (+/−) | 6 |  |
| working capital (b ./. a) | (13) | (14) |
| **Kapitalfluß** | 143 | 143 |

Mit +/− gekennzeichnete Positionen geben die Erhöhungen/Verminderungen im Geschäftsjahr an.

*Gestaltungsunterschiede* können beispielsweise bestehen bezüglich der Darstellung und Abgrenzung des letzten Bereichs (III.), dem Kapitalfonds, der sich als Saldo der in den übrigen Bereichen ausgewiesenen Investitions- und Finanzströme ergibt. Die im Beispiel gewählte Form der K. (Darstellung des →working capital) ist in den USA seit längerem gebräuchlich, auch in der Bundesrep. D. wird sie von publizitätspflichtigen Unternehmen gelegentlich auf freiwilliger Basis veröffentlicht. Bei anderen Formen der K. wird der letzte Bereich enger abgegrenzt (bei entsprechender Erweiterung der übrigen Bereiche); z. B. Darstellung der kurzfristigen Geldforderungen plus Geldbestände minus kurzfristige Verbindlichkeiten oder nur Darstellung der liquiden Mittel. Die K. kann als *retrospektive* (so bei Veröffentlichung als Ergänzung zum Jahresabschluß und im Rahmen der →Bilanzanalyse) oder als *prospektive* (dann Planungsinstrument) Rechnung aufgestellt werden. – 2. *Aussagefähigkeit:* a) Durch K. wird der Investitions- und Finanzprozeß mit seinen Liquiditätswirkungen grundsätzlich umfassend und gegliedert aufgezeigt, wobei die Aussagefähigkeit von der Art der Gliederung beeinflußt wird. Im Gegensatz zur Bewegungsbilanz zeigt die K. die finanziellen Ströme auch dann auf, wenn – als gedanklicher Extremfall – Anfangs- und Schlußbilanz einer Abrechnungsperiode trotz wirtschaftlicher Betätigung gleich sind. Die Aussagefähigkeit der *retrospektiven, extern erstellten K.* wird allerdings dadurch begrenzt, daß die Trennung von bewertungs- und liquiditätswirksamen Bewegungen nicht vollständig gelingt (z. B. bei Forderungen), anders bei der *internen K.* – b) Grundsätzlich gilt, daß eine *aus dem Jahresabschluß abgeleitete K.* (Regelfall) nur eine Interpretation der in diesem enthaltenen Informationen darstellt und daher wie der Jahresabschluß nur begrenzt Aussagen über die – eigentlich interessierende – künftige Finanzlage einer Unternehmung machen kann.

**Kapitalfonds,** Gesamtheit der finanziellen Mittel, die einer Unternehmung zu einem bestimmten Zeitpunkt zur Verfügung stehen, um den →Kapitalbedarf zu decken. Der K. besteht aus dem gebundenen (investierten) und dem nicht gebundenen (nicht investierten) Teil.

**Kapitalforderungen.** I. B e g r i f f : Forderungen, die auf Zahlung von Geld gerichtet sind (z. B. Darlehens- und Hypothekenforderungen, Spar- und Bankguthaben, Geldforderungen aus Warenlieferungen, Vermögenseinlage des stillen Gesellschafters, Tantiemeforderungen). – *Gegensatz:* Forderungen auf nichtmonetäre Leistungen (z. B. Forderungen auf Waren, auf Wertpapiere, Dienstleistungen).

II. S t e u e r b i l a n z : 1. *Grundsätze:* K. können nach Wahl des Bilanzierenden im Einzel-, im Pauschal- oder im gemischten Verfahren bewertet werden, soweit dies mit den →Grundsätzen ordnungsmäßiger Buchführung übereinstimmt. Das Einzelverfahren ergibt die zutreffendsten Werte. Das Pauschalverfahren darf nur angewendet werden bei K., die nach ihrer Art, der Person des Schuldners und/oder ihrer Laufzeit zusammengefaßt werden können. Pauschalwertberichtigungen beruhen auf einer Schätzung des Ausfallrisikos auf der Grundlage der Erfahrungen der Vergangenheit. K. sind grundsätzlich mit den →*Anschaffungskosten* anzusetzen (§ 6 I Nr. 2 EStG), das ist i. d. R. der Nennbetrag, der von dem Schuldner bei Fälligkeit gefordert werden kann. Ein →Agio gehört zu den Anschaffungskosten. – 2. Anstelle der Anschaffungskosten können K. mit dem niedrigeren →*Teilwert* angesetzt werden. Die Wertminderung muß, auf objektive Verhältnisse gestützt, geschätzt werden. Gehört die K., was die Regel sein dürfte, zum Umlaufvermögen und ermittelt der Steuerpflichtige seinen Gewinn

durch →Betriebsvermögensvergleich (§ 5 I EStG), so besteht für den Bilanzierenden eine Verpflichtung zur →Teilwertabschreibung. Durch die Wertberichtigung können berücksichtigt werden: das allgemeine Ausfallwagnis bei Zahlungsunfähigkeit des Schuldners, Porto, Reklamationen, Zinsverluste durch verspäteten Geldeingang, Beitreibungskosten, Zinsverlust einer zinslosen oder unterverzinslichen K., Skontoabzug durch Kunden. – 3. K. in ausländischer Währung sind mit dem Kurs am Bilanzstichtag in DM umzurechnen.

III. B e w e r t u n g s g e s e t z : K. können nicht in Betracht kommen als Teile von →land- und forstwirtschaftlichem Vermögen und von →Grundvermögen, wohl aber als Teile des →Betriebsvermögens und des →sonstigen Vermögens. – 1. *Allgemeine Bewertungsmaßstäbe:* a) K. sind nach den tatsächlichen Verhältnissen am Bewertungsstichtag *grundsätzlich mit dem Nennbetrag* anzusetzen (§ 12 BewG). Das ist i. d. R. der Betrag, der nach dem Inhalt des →Schuldverhältnisses bei Fälligkeit von dem Schuldner gefordert werden kann. Ein Agio ist zusätzlich im Nennbetrag zu erfassen, ein →Disagio rechtfertigt für sich allein noch keinen Ansatz unter dem Nennbetrag. Eine am Stichtag bereits teilweise getilgte K. ist nur noch mit dem Rest-Nennbetrag anzusetzen. Passive Wertberichtigungsposten von K. (Delkredere) sind unmittelbar bei der Wertansatz auf der Aktivseite zu berücksichtigen. – b) Die Bewertung kann vom Nennbetrag abweichen, wenn besondere Umstände einen geringeren oder höheren Wert rechtfertigen. Geringerer Ansatz: bei unverzinslichen K., uneinbringlichen K. (vgl. d), zweifelhafter Realisierung, besonders niedrigem Zinssatz, durch Kündigungsbeschränkungen auf lange Zeit eingeschränkter oder ausgeschlossener Realisierung. Zur Ermittlung des Werts von bestimmten K. sind dem Vermögensteuerrichtlinien die Hilfstafeln 1 (für die Berechnung des Gegenwartswerts einer unverzinslichen Betriebsteile 1 a K.) und 1 a (Aufstellung der Vervielfältiger zur unmittelbaren Ermittlung des Gegenwartswerts einer zinslosen, in gleichen Raten zu tilgenden K. mit Laufzeit bis zu 100 Jahren) angefügt. Sie sind auf das Kapital abgestellt, das am Bewertungsstichtag noch zu tilgen ist, ebenso auf die Laufzeit, die am Stichtag noch besteht, unter Verwendung eines Kalkulationszinssatzes von 5,5%. Höherer Ansatz (selten): langfristige, dinglich gesicherte und hochverzinsliche K., hohe Verzinsung der Einlage des stillen Gesellschafters bei Nichtteilnahme am Verlust. – c) K. in *ausländischer Währung* sind nach den amtlichen Umrechnungskursen auf DM umzurechnen. – d) *Besonderheiten:* Uneinbringliche K. bleiben außer Ansatz. Entscheidend ist die Lage am Stichtag. – Hängt die Fälligkeit vom Tod einer Person ab, so wird die Laufzeit entsprechend der mittleren Lebenserwartung angenommen.

– e) K. im Betriebsvermögen sind mit dem Wertansatz der Ertragsteuerbilanz zu erfassen (§ 109 IV BewG). – 2. Noch nicht fällige *Ansprüche aus Lebens-, Kapital- oder Rentenversicherungen* werden bei Nachweis des Rückkaufwerts mit diesem, sonst mit ⅔ der eingezahlten Prämien oder Kapitalbeiträge bewertet.

**Kapitalfreisetzungseffekt,** →Lohmann-Ruchti-Effekt.

**Kapitalgebundenheitsrechnung,** Verfahren der →Kapitalbedarfsrechnung. – *Vorgehensweise:* 1. Ermittlung des (bei Erweiterung zusätzlichen) Anlagevermögens (Grundstücke, Gebäude, Maschinen usw.). – 2. Ermittlung der (zusätzlichen) Kosten der Kapitalbeschaffung und Ingangsetzung (Gehälter, Steuern, Gebühren, Einführungswerbung u.a.). – 3. Ermittlung des (zusätzlichen) Umlaufvermögens: a) bezüglich der täglichen Kostenvorlagen (Arbeits-, Material-, Zins- u.a. Kosten) entsprechend den technischen Daten der Anlagen und unter Berücksichtigung eines bestimmten Beschäftigungsgrades; b) bezüglich seiner zeitlichen Gebundenheit (in Tagen) nach Produktions-, Lagerdauer, Debitorenziel; c) Umlaufvermögen = tägliche Kostenvorlagen × (zeitliche Gebundenheit + Rohstofflager + Kassen- und Bankbestände zur Abwicklung laufender Geschäfte ′/. durchschnittliches Debitorenziel). – 4. Die Addition der Ergebnisse von 1 bis 3 ergibt den Kapitalbedarf (ohne Berücksichtigung der Lieferantenkredite).

**Kapitalgesellschaften.** I. Begriff: Eine Gruppe der möglichen Unternehmungsformen der →Handelsgesellschaften. Im Gegensatz zu →Personengesellschaften steht die kapitalmäßige Beteiligung der Gesellschafter im Vordergrund. Eine Beteiligung ohne Kapitaleinlage ist nicht möglich, eine persönliche Mitarbeit der Gesellschafter nicht erforderlich. Das Zurücktreten persönlicher Gesichtspunkte wird begünstigt durch die der K. eigene Rechtsform der →juristischen Person, die der K. Rechtsfähigkeit verleiht und für Vertretung und Geschäftsführung besondere (nicht notwendig mit den Gesellschaftern personengleiche) →Organe erfordert. Die Anteile der Gesellschafter der K. sind regelmäßig übertragbar, ohne daß durch Gesellschafterwechsel oder Ausscheiden bzw. Eintritt von Gesellschaftern der Bestand der K. beeinflußt wird. Die Willensbildung (Beschlußfassung) erfolgt i.d.R. nach dem Verhältnis der Kapitalbeteiligung. Das persönliche Vermögen der Gesellschafter haftet nicht für die Schulden der Gesellschaft (Ausnahme: →Komplementär der KGaA).

II. Arten: 1. *Handelsrecht:* I. S. des 3. Buchs des HGB (2. Abschnitt) gehören zu den K. die →Aktiengesellschaft, die →Kommanditgesellschaft auf Aktien und die →Gesellschaft

mit beschränkter Haftung. Die Ausgestaltung im einzelnen ist in der Praxis verschieden, die Übergänge zwischen den einzelnen Gesellschaftsformen sind flüssig. Bei der AG ist ausschließlich die Kapitalbeteiligung maßgebend, die durch die z.T. große Zahl von Gesellschaftern (→Aktionären) und die wertpapiermäßige Verbriefung der Gesellschaftsrechte in →Aktien (und damit leichte Übertragbarkeit) besonders in Erscheinung tritt. Demgegenüber läßt die GmbH gewisse personenrechtliche Züge (z.B. Erschwerung der Übertragbarkeit der Anteile, Geschäftsführer meist Gesellschafter) erkennen. Allerdings kann eine AG mit mehreren →Großaktionären nach ihrer praktischen Ausgestaltung viel weniger kapitalistisch gestaltet sein als eine GmbH. – Eine *Mischform,* die nicht zu den →Handelsgesellschaften zählt, aber gleichwohl juristische Person und weitgehend vereinsrechtlich ausgestaltet ist: die →Genossenschaft. – 2. *Gesellschaftsteuerrecht:* Als K. gelten AG, KGaA, GmbH sowie vergleichbare, nach dem Recht eines EG-Staates gegründete Gesellschaften sowie KGs, zu denen Komplementären eine der vorbezeichneten Gesellschaften gehört (§ 5 KVStG).

III. Steuerliche Behandlung: K. unterliegen der →Gewerbesteuer, der →Körperschaftsteuer, →Vermögensteuer usw.; für verteilte Gewinne hat die K. →Kapitalertragsteuer einzubehalten. Wirtschaftsgüter im Besitz von inländischen K. gehören nach § 97 BewG ausschl. zum →Betriebsvermögen.

**Kapitalherabsetzung,** Verringerung des Grund- bzw. des Stammkapitals einer Kapitalgesellschaft. – Zu *unterscheiden:* 1. *Nominelle K.:* Ausgleich von Verlusten oder Wertminderungen durch Anpassung des Eigenkapitals (→Sanierung). – 2. *Effektive K.:* Rückzahlung eines Teils des Grundkapitals oder Umwandlung von Grundkapital in Rücklagen.

I. Aktiengesellschaft (gesetzlich geregelt): 1. *Ordentliche K.* (§§ 222–228 AktG): a) *Voraussetzungen:* Beschluß der Hauptversammlung nur mit ¾- oder höherer Mehrheit. Im Beschluß ist der Zweck der K. festzulegen, insbes., ob Rückzahlungen an die Aktionäre erfolgen sollen. – b) *Verfahren:* Herabsetzung des Nennbetrags pro Aktie (Aktienherabsetzung) oder, wenn dadurch der gesetzlich vorgeschriebene Mindestnennwert unterschritten würde, durch eine Zusammenlegung von Aktien (→Aktienzusammenlegung) realisiert. Mit der Eintragung des Beschlusses im Handelsregister ist das Grundkapital herabgesetzt. – c) Den Gläubigern, die sich binnen sechs Monaten nach Bekanntmachung der Eintragung melden, ist *Sicherheit* zu leisten, soweit sie nicht Befriedigung verlangen können. Zahlungen an Aktionäre sind erst nach

Gewährung dieser Sicherheiten gestattet. – d) Eine *K. unter dem Mindestnennbetrag des Grundkapitals* ist nur zulässig, wenn zugleich eine →Kapitalerhöhung ohne →Sacheinlage beschlossen wird. Ziel ist Verlustausgleich bei gleichzeitigem Mittelzufluß. – 2. *Vereinfachte K.* (§§ 229–236 AktG): Es dürfen keine Zahlungen an die Aktionäre erfolgen. Die K. ist zulässig zur Verlustdeckung, Einstellung von Beträgen in die →Kapitalrücklage. Die →Gewinnrücklagen sind vorher ganz aufzulösen, die gesetzliche und Kapitalrücklage insoweit, als sie 10% des nach Herabsetzung verbleibenden Grundkapitals übersteigen. Gewinne dürfen erst wieder ausgeschüttet werden, wenn die gesetzliche und die Kapitalrücklage 10% des Aktienkapitals erreichen; höhere Ausschüttung als 4% auf das Grundkapital ist erst nach Befriedigung oder Sicherstellung der Gläubiger zulässig. – 3. *Einziehung von Aktien* (§§ 237–239 AktG): a) Erwerb eigener Aktien oder b) zwangsweiser Einzug. Letzterer ist nur möglich, wenn er in der Satzung vorgesehen ist. Gläubigerschutz wie bei der ordentlichen K. Vgl. in einzelnen →Aktieneinziehung.

II. G e s e l l s c h a f t  m i t  b e s c h r ä n k t e r  H a f t u n g : Beschluß auf die K. muß dreimal in den Geschäftsblättern bekanntgemacht werden, verbunden mit der Aufforderung an die Gläubiger, sich bei der Gesellschaft zu melden (§§ 58 GmbHG). Gläubiger, die der K. nicht zustimmen, sind zu befriedigen oder sicherzustellen.

III. S t e u e r l i c h e  A u s w i r k u n g e n : a) Bezüge, die aufgrund einer K. anfallen, gehören beim Anteilseigner zu den Einnahmen aus Kapitalvermögen (→Einkünfte), soweit für die Rückzahlung →verwendbares Eigenkapital mit Ausnahme des Teilbetrages EK 04 als verwendet gilt (§ 20 I Nr. 2 EStG); dies ist dann der Fall, wenn das verwendete →Nominalkapital aus Rücklagen resultiert, die aus Gewinnen eines nach dem 31.12.1976 abgelaufenen Wirtschaftsjahres gebildet worden sind (§ 29 III KStG). Die Rückzahlung von Nennkapital, das durch Umwandlung von Rücklagen aus der Zeit vor der →Körperschaftsteuerreform entstanden ist, unterliegt dagegen beim Gesellschafter nicht der Besteuerung. – b) *Sonderregelung* aufgrund des Gesetzes über steuerrechtliche Maßnahmen bei Erhöhung des Nennkapitals aus Gesellschaftsmitteln (Kapitalerhöhungssteuergesetz) vom 10.10.1967 (BGBl I 1977). Erfolgt die K. innerhalb von fünf Jahren nach einer →Kapitalerhöhung aus Gesellschaftsmitteln, für die Gewinne eines vor dem 1.1.1977 abgelaufenen Wirtschaftsjahres verwendet wurden, so gilt die Rückzahlung dieses Teils des Nennkapitals als Gewinnanteil (§ 5 I KapErhStG). Die Einkommensteuer im Wege der Pauschalbesteuerung erhoben und beträgt 30% des Gewinnanteils (§ 5 II KapErhStG).

**Kapitalhilfe,** *finanzielle Zusammenarbeit,* Beitrag zur Finanzierung von Entwicklungsmaßnahmen durch günstige Kredite bzw. nichtrückzahlbare Zuschüsse im Rahmen der →Entwicklungshilfe. Finanziert werden sowohl Sachgüter und Anlageinvestitionen wie auch damit zusammenhängende Leistungen (Evaluierungsstudien, Beratung u.a.). – *Formen:* a) finanzielle Leistungen der Industrieländer an Entwicklungsländer im Rahmen der Verhandlungen um eine →Neue Weltwirtschaftsordnung (wie die Finanzierung von →Bufferstocks); b) vom →IMF gewährte sowie die durch die →Lomé-Abkommen geleistete Ausgleichsfinanzierung.

**Kapitalintensität,** Verhältnis zwischen Kapitaleinsatz (K) und Arbeitseinsatz (A).

Zwischen K., →Kapitalproduktivität $\left(\dfrac{Yr}{K}\right)$

und →Arbeitsproduktivität $\left(\dfrac{Yr}{A}\right)$ existiert

folgende tautologische Beziehung:

$$\frac{K}{A} = \frac{Yr}{A} : \frac{Yr}{K}.$$

– *Kehrwert:* →Arbeitsintensität.

**kapitalintensiv,** kennzeichnende Bezeichnung für die Bedeutung des Produktionsfaktors →Kapital in einem Unternehmen oder Industriezweig. Die Kostenstruktur der Unternehmen ist durch einen im Vergleich zu anderen Kostenarten hohen Anteil an (fixen) Kapitalkosten (Abschreibungen, kalkulatorische Zinsen usw.) gekennzeichnet. Im Zuge zunehmender Mechanisierung und Automatisierung nimmt die Kapitalintensität zu. – *Anders:* →lohnintensiv, →anlageintensiv, →arbeitsintensiv, →materialintensiv.

**Kapitalisierung,** Umrechnung eines laufenden Ertrags oder einer regelmäßigen Geldleistung (Verzinsung, Rente) auf den gegenwärtigen →Kapitalwert, d. h. Diskontierung von in der Zukunft liegenden Erträgen auf den Berechnungszeitpunkt mit Hilfe eines Kapitalisierungsfaktors (→Ertragswert). – *Berechnung:*
a) *endliche Laufzeit:*

$$\text{Kapitalwert} = \sum_{t=1}^{n} \frac{E}{(1+p)^t};$$

b) *ewige Rente:*

Kapitalwert

$$(\text{ohne Ertragswert}) = \frac{\text{Ertrag} \times 100}{p};$$

$\dfrac{100}{p}$ = Kapitalisierungsfaktor mit t = Laufzeit, E = konstanter Ertrag pro Jahr, p = zugrunde gelegter (meist landesüblicher) Zinssatz.

**Kapitalismus. I. Charakterisierung: 1.** *Begriff:* Historisierende und, insbes. durch die Vertreter des →Marxismus, wertende Bezeichnung für die neuzeitlichen →*privatwirtschaftlichen Marktwirtschaften* mit dominierendem Privateigentum an den Produktionsmitteln und dezentraler Planung des Wirtschaftsprozesses. Entstanden im deutschsprachigen Raum zu der Zeit, als angenommen wurde, daß die einzelnen Volkswirtschaften je nach Entwicklungsstufe eine nicht wiederholbare Spezifik aufwiesen und die einzelnen Stufen mit einer gewissen oder mit zwingender Gesetzmäßigkeit aufeinanderfolgten (→Historische Schule, →historischer Materialismus). – In der Literatur *nicht einheitlich definiert:* Z. B. sei er bestimmt a) durch das Privateigentum an den Produktionsmitteln, verstanden als gesellschaftliches Verhältnis, daß den Kapitalisten die unentgeltliche Aneignung der durch die arbeitenden Nichteigentümer hervorgebrachten Wertschöpfung ermögliche (Marxismus); b) durch das Vorherrschen der „kapitalistischen" Gesinnung, d. h. Erwerbsprinzip, Rationalität und Individualismus (W. S. Sobart), bzw. durch die rationale Arbeitsorganisation zur Gewinnerzielung auf Basis eines formalisierten Rechnungskalküls (M. Weber); c) durch das Vorherrschen von Großbetrieben (G. F. Knapp) oder d) durch die Dominanz des freien und dynamischen Unternehmertums (J. A. Schumpeter). – 2. Auch die Ableitung unterschiedlicher *Phasen des K.* selbst geschieht nicht einheitlich: a) Sombart unterscheidet z. B. Früh-, Hoch- und Spät-K.; b) die marxistische Theorie unterscheidet eine Periodisierung in Früh-, →Konkurrenzkapitalismus, →Monopolkapitalismus, →Imperialismus und →Staatsmonopolkapitalismus bzw. →Spätkapitalismus.

**II. Wirkungen:** Der K. sei, so die prinzipiell übereinstimmende Auffassung in den einzelnen Theorien, eine *Übergangserscheinung* und zerstöre sich mit *systemimmanenter Zwangsläufigkeit* selbst: 1. Für Schumpeter führen die zunehmende Bürokratisierung des Wirtschaftsprozesses und die „Automatisierung" des technischen Fortschritts in immer größer werdenden Unternehmen sowie die zunehmende Zurückdrängung der Vertragsfreiheit durch kollektive Absprachen zu einem Funktionsverlust des unternehmerischen Privateigentums und zu seiner zunehmenden Sozialisierung. – 2. *Sombart* sieht in der anwachsenden Marktvermachtung, in der Ersetzung des Individual- durch das Kollektivprinzip sowie in den zunehmenden Staatseingriffen in den Wirtschaftsprozeß Indizien für die zukünftige zwangsläufige Vorherrschaft des Sozialismus. – 3. Die *marxistische Theorie* leitet aus dem Entwicklungsschema des historischen Materialismus den Übergangscharakter des Kapitalismus ab.

**III. Beurteilung:** Die den zahlreichen Abgrenzungs- und Periodisierungsversuchen zugrundeliegenden Klassifikationsmerkmale (dies gilt auch für den Begriff des →Sozialismus) sind nicht logisch zwingend und beruhen auf der individuellen Wertung des einzelnen Wissenschaftlers. Bei den Versuchen zur Periodisierung der Wirtschaftsgeschichte wird nicht beachtet, daß es Grundsachverhalte und -probleme des Wirtschaftens gibt, die in jeder →Wirtschaftsordnung existieren bzw. gelöst werden müssen. Die marxistischen Kapitalismus-Definitionen und -Analysen sind durch die Falsifizierung der geschichtsphilosophischen und wirtschaftstheoretischen Grundannahmen ebenfalls widerlegt. Da schließlich wissenschaftslogisch keine zwingenden Aussagen über die zukünftige geschichtliche Entwicklung abgeleitet werden können, ist die im K.-Begriff implizierte Annahme des Übergangscharakters nicht zu beweisen. – An Grundsachverhalte und -probleme des Wirtschaftens anknüpfend können die wertenden Begriffe K. und Sozialismus ersetzt werden durch wertfreie Bezeichnung wie →*Marktwirtschaft* und →*zentralgeleitete Wirtschaft*. An die Stelle der Ableitung vermeintlich zwangsläufiger Entwicklungsstufen kann dann eine ordnungstheoretische Analyse der Gestaltbarkeit des Wirtschaftsprozesses treten.

**kapitalistische Unternehmensverfassung.** 1. *Begriff:* →Unternehmensverfassung, in der die Eigentümer (der Produktionsmittel) mit ihren Interessen die Richtung der Unternehmenspolitik alleine bestimmen sollen (Prinzip der Einheit von Risiko, Kontrolle und Gewinn). *Rechtlicher Rahmen:* Gesellschaftsrecht. *Begründung* für die alleinige Auszeichnung der Eigentümer in der Unternehmensverfassung durch das Gesellschaftsmodell des (Wirtschafts-) →Liberalismus sowie von ökonomischer Seite die →klassische Lehre (Klassik) bzw. →Neoklassik. – 2. *Entstehung der kapitalistischen Unternehmung* als produktives System durch eine Vielzahl von Verträgen zwischen den sich am Wirtschaftsprozeß beteiligenden Individuen *(Vertragsmodell der Unternehmung)*. Der auf dem Gesellschaftsvertrag basierende Eigentümerverband (Gesellschaft) schließt mit den für die Leistungsherstellung erforderlichen Personen, den Inhabern der Rohstoffe und Vorprodukte und den Abnehmern der Produkte und Dienstleistungen Verträge ab: a) Arbeitsverträge (§ 611 BGB), in denen sich Arbeitnehmer verpflichten, für die Dauer des Arbeitsvertrages den Weisungen des Arbeitgebers Folge zu leisten (→Direktionsrecht); b) Kaufverträge (§ 433 BGB) zur Verteilung produzierter Güter. – 3. *Annahmen der k.U.:* Die Interessen von Konsumenten und Arbeitnehmern gleichen sich in einer Wettbewerbswirtschaft im Markt und nicht in der U. mit den Interessen der Kapitaleigner ab; rechtlich durch die Annahme der *Richtigkeitsgewähr* von freiwillig zustande gekommenen *Verträgen* ausgedrückt. Das öffentliche Interesse wird gewährt durch einen über die Einhaltung bestimmter Regeln im Wirtschaftsverkehr (→Wettbewerbsrecht, →Publizität) ein Gemeinwohl produzierenden Interessenausgleich zwischen den Marktpartnern. Die Herrschaft des Eigentümers in der Unternehmung wird als funktional für das Wohl aller (→Pareto-Effizienz) gedacht; der Eigentümer-Unternehmer erfüllt eine „vikarische Funktion". – 4. *Kritik der k.U.:* a) Diverse Entwicklungen in Wirtschaft und Recht können als Kritik verstanden werden, insbes. →*Arbeitsrecht,* →*Verbraucherpolitik* und Publizitätsgesetz; (→Publizität II 4) dadurch sollen die ungleichen Startpositionen der Marktpartner ausgeglichen und dem öffentlichen Interesse verstärkt Geltung verschafft werden. – Ökonomische Tauschvorgänge vollziehen sich im Markt *nicht machtfrei,* die Annahme der Richtigkeitsgewähr der Verträge ist somit korrekturbedürftig. – Die Fundamente der k.U., Eigentum und Vertrag, bleiben von diesen Korrekturen allerdings unberührt. Erst durch die →Mitbestimmung der Arbeitnehmer und ihre Inkorporation in die zentralen Entscheidungsorgane der Gesellschaft (→Aufsichtsrat, →Vorstand) beginnt sich die interessenmonistische k.U. zu einer interessendualistischen zu entwickeln. – b) Vgl. →Managerherrschaft.

**Kapitalkoeffizient,** Verhältnis zwischen Kapitaleinsatz (K) und gesamtwirtschaftlichem Produktergebnis ($Y_r$). Der (durchschnittliche) K. wird gemessen als Relation zwischen dem →Kapitalstock und dem Bruttoinlandsprodukt (→Sozialprodukt). – *Marginaler K.:* Kapitaleinsatzerhöhung für eine zusätzliche Produktionsmengeneinheit. – *Kehrwert:* →Kapitalproduktivität.

**Kapitalkonto.** 1. Das das →Eigenkapital der *Personenunternehmungen* (→Einzelkaufmann, →offene Handelsgesellschaft und →Kommanditgesellschaft) ausweisende Konto auf der Passivseite der →Bilanz. *Negatives K.* (auf der Aktivseite) bei buchmäßiger Überschuldung der Unternehmung. Das K. wird in der Klasse 3 des →Industriekontenrahmens geführt. *Veränderungen des K.:* a) auf der Habenseite durch geleistete Einlagen und am Ende des Geschäftsjahres ggf. durch Gewinngutschrift (bei →Kommanditisten bis zur Volleinzahlung der Kommanditeinlage auf Kontokorrentkonto); b) auf der Sollseite durch Belastung mit evtl. Verlustanteilen (→Gewinnbeteiligung und →Verlustbeteiligung); c) durch Übernahme des Saldos des →Privatkontos am Ende des Geschäftsjahres. – 2. In der Bilanz von →*Kapitalgesellschaften* unveränderliches Konto des →Gundkapitals oder →Stammkapitals.

**Kapitalkosten.** 1. *Begriff:* Kosten für das zur Verfügung gestellte Kapital. – 2. *Arten:* a) *Explizite K.:* Effektive Zahlungen für Zinsen bei Aufnahme von Fremdkapital an den Gläubiger. Ist der Rückzahlungsbetrag gleich dem Kreditbetrag, so bestehen die K. nur aus den zu zahlenden Zinsbeträgen. Wird dagegen bei Auszahlung des Kredits ein →Disagio eingehalten, so erhöht dies die K. des Kreditnehmers. Der K.-Satz des Fremdkapitals entspricht nun dem →internen Zinsfuß der Kreditzahlungsreihe. Da die Zinszahlungen für Fremdkapital steuerlich abzugsfähig sind, werden die Fremd-K. nach Steuern $r (1 - s)$ ermittelt (s = relevanter Steuersatz). – b) *Implizite K.:* →Opportunitätskosten, die dadurch entstehen, daß der Kapitalgeber durch die Zurverfügungstellung gar eine bestimmte Rendite, die mit einem anderen Objekt erzielbar gewesen wäre, verzichtet. – 3. Im Rahmen der →Investitionsrechnung werden die K. als *Kalkulationszinsfuß* (→Zinsfuß IV) zur Ermittlung des Kapitalwerts eines Investitionsobjekts verwendet: Die Einzahlungsüberschüsse eines Objekts werden mit dem durchschnittlichen K.-Satz, einer gewichteten Zusammenfassung der K. für Fremdkapital (explizite K.) und derjenigen für Eigenkapital (implizite K.) abdiskontiert. Dabei entspricht die Gewichtung der einzelnen Kapitalarten ihrem Anteil am gesamten Kapitaleinsatz für das betrachtete Objekt.

**Kapitalmarkt.** 1. *Charakterisierung:* Markt für langfristige (Laufzeit von mehr als vier Jahren), durch Wertpapiere verbriefte Kredite (Aktien und festverzinsliche Wertpapiere). Der Unterschied zwischen dem Kapitalmarkt und dem Bankenkredit-/Einlagenmarkt, auf dem ebenfalls langfristige Mittel gehandelt werden, besteht darin, daß die am K. entstehenden Forderungen bsonders fungibel sind. – 2. *Arten:* a) *Organisierter K.,* dessen ausgeprägteste Form die Börse ist: I.d.R. alle längerfristigen Transaktionen unter Einschaltung von Kreditinstituten und anderen Kapitalsammelstellen. Der organisierte K. wird durch Staat und Bundesbank beaufsichtigt sowie zur Erreichung gesamtwirtschaftlicher Ziele beeinflußt; vgl. auch →Offenmarktpolitik, →monetäre Theorie und Politik. – b) *Nichtorganisierter K.:* Dazu zählen v.a. Kreditbeziehungen zwischen Unternehmen (z.B. langfristiger Lieferantenkredit) und zwischen privaten Haushalten sowie zwischen Unternehmen und Haushalten. – Vgl. auch →Effizienz des Kapitalmarkts.

**Kapitalmarktkommission,** →Zentraler Kapitalmarktausschuß.

**Kapitalmarktlinie,** →capital asset pricing model I 3.

**Kapitalmarktstatistik,** zusammenfassender Begriff für die von der Deutschen Bundesbank durchgeführte Emissionsstatistik, die Investmentstatistik, die Statistik über geschlossene Immobilienfonds, die Renditenstatistik festverzinslicher Wertpapiere und die Börsenumsatzstatistik. Dazu gehört ferner die vom statistischen Bundesamt durchgeführte Statistik der Effektenkurse mit der Berechnung des Index der Aktienkurse (→Aktienindex). Nachgewiesen werden u. a. Umlauf, Absatz und Tilgung festverzinslicher Wertpapiere inländischer Emittenten, Anleihen ausländischer Emittenten, Absatz von Aktien zu Nominal- und Kurswerten, Aktienumlauf, Wertpapierumsätze über amtlich notierte Börsenkurse für ausgewählte festverzinsliche Wertpapiere, Durchschnittskurse für Aktien, Renditen, Mittelaufkommen bei den Kapitalgesellschaften und ihr Fondsvermögen, Geldmittel und Vermögensanlagen der Versicherungsunternehmen. Veröffentlichung durch die Deutsche Bundesbank in „Monatsberichte" und „Statistische Beihefte zu den Monatsberichten, Reihe 2: Wertpapierstatistik."

**Kapitalmarkttheorie.** I. G e g e n s t a n d : Die K. untersucht den Zusammenhang zwischen Risiko und Ertrag der Geldanlage in risikobehafteten Vermögensgütern, z. B. Aktien, auf einem vollkommenen Kapitalmarkt. Die K. ist aus der Theorie der Portefeuilleauswahl (→Portfolio Selection) entwickelt worden und fragt, welche Aktienkurse bzw. Aktienrenditen sich im Gleichgewicht einstellen, wenn sich die einzelnen Anleger am Kapitalmarkt rational verhalten und wenn sich am Markt Angebot und Nachfrage ausgleichen.

II. E f f i z e n t e  P o r t e f e u i l l e s  u n d  M a r k t p o r t e f e u i l l e : Rationale Anleger halten Portefeuilles, die im Hinblick auf den Ertrag, gemessen durch die erwartete Rendite E(r), und auf das Risiko, gemessen durch die Varianz der Rendite $\sigma^2$ (r), effizient sind. *Effizient* ist ein Portefeuille, wenn es kein anderes gibt, das bei gleichem Ertrag ein geringeres Risiko oder bei gleichem Risiko einen höheren Ertrag aufweist. Besteht die Möglichkeit, Geld risikolos zum Zinssatz $r_f$ anzulegen oder zu leihen, gilt das *Separationstheorem:* Die Zusammensetzung des risikobehafteten Portefeuilles (des „Aktienportefeuilles") eines Anlegers ist unabhängig von seiner Risikoneigung. Diese bestimmt nur, welchen Teil seines anzulegenden Vermögens ein Anleger riskant (in „Aktien") und welchen risikolos (in „Staatspapieren") investiert. Unterstellt man, wie es in der einfachen Form der K. üblich ist, daß alle Anleger gleiche Erwartungen über Ertrag und Risiko der einzelnen „Aktien" haben, und daß für alle das Separationstheorem gilt, dann ist die Zusammensetzung des risikobehafteten Portefeuilles für alle Anleger auch gleich. Im Gleichgewicht muß das wertmäßige Verhältnis der von jedem Anleger in die einzelnen

„Aktien" investierten Geldbeträge gleich dem Verhältnis der Marktwerte der „Aktien" (= Kurs mal Zahl der umlaufenden „Aktien") sein. Das Portefeuille, das alle „Aktien" zu ihren Marktwerten – bzw. zu einem Bruchteil davon – enthält, nennt man das *Marktportefeuille*. Das Marktportefeuille ist definitionsgemäß effizient.

III. R i s i k o m e s s u n g : Bei einem vollkommen diversifizierten Portefeuille wie dem Marktportefeuille ist ein Teil des Risikos der einzelnen „Aktien" verschwunden. Der trotz Diversifikation verbleibende Teil des Risikos einer „Aktie" ist dessen Beitrag zum Risiko des Marktportefeuilles. es läßt sich messen als Kovarianz der Rendite einer Aktie mit der Rendite des Marktportefeuilles oder – nach einer einfachen mathematischen Umformung – als Empfindlichkeit der erwarteten Rendite der „Aktie" i, $E(r_i)$ gegenüber unerwarteten Abweichungen der Rendite des Marktportefeuilles von ihrem erwarteten Wert $E(r_M)$. Das Empfindlichkeitsmaß, der sog. *Beta-Koeffizient*, ist im Durchschnitt aller „Aktien" gleich 1. Als riskant (bzw. risikoarm) gelten „Aktien", deren Beta-Koeffizient größer (bzw. kleiner) als 1 ist, d. h. die auf unerwartete Änderungen der Marktrendite überproportional (bzw. unterproportional) zu reagieren tendieren.

IV. G l e i c h g e w i c h t s v e r z i n s u n g . Renditeunterschiede zwischen Aktien ergeben sich nur daraus, daß verschiedene Aktien verschiedene Riskobeiträge zum Marktportefeuille enthalten, also verschiedene Beta-Koeffizienten aufweisen. Die erwartete Gleichgewichtsrendite einer Aktie i setzt sich aus zwei Komponenten zusammen: einem risikolosen Basiszinssatz $r_f$ und einer Risikoprämie. Diese ist das Produkt aus der für alle Aktien gleichen Risikoprämie pro Risikoeinheit des Marktes, $[E(r_M) - r_f]/\sigma(r_M)$ und dem für die Aktie i individuellen Maß des systematischen Risikos $\beta_i$; es gilt:

$$R(r_i) = r_f + \frac{E(r_M) - r_f}{\sigma(r_M)} \cdot \beta_i.$$

Die Gleichung gilt nur für die erwartete Rendite. Die Rendite, die sich in einer Zeitperiode wirklich einstellt, kann natürlich von ihrem Erwartungswert abweichen. Im einzelnen zum mathematischen Modell vgl. →capital asset pricing model.

V. E m p i r i s c h e  P r ü f u n g  u n d  p r a k t i s c h e  B e d e u t u n g : Die empirische Geltung der von der K. behaupteten *Beziehung zwischen Ertrag und Risiko* einzelner Aktien ist extrem schwer zu überprüfen. Das liegt zum einen daran, daß der Kreis der risikobehafteten Vermögensgüter, in denen Anleger ihr Geld investieren können, mehr umfaßt als Aktien und Staatspapiere und daß es demgemäß schwierig ist, das empirische Pendant zu dem theoretischen Begriff des Marktportefeuilles zu finden. Zum anderen ist die empirische Prüfung der K. dadurch erschwert, daß sich ihre zentrale Aussage nur auf Erwartungen bezieht, die sich nicht beobachten lassen. Gleichwohl ist die Risio-Ertrags-Beziehung der K. der *Kern der gesamten modernen Investitions- und Finanzierungstheorie.* – Eine für die Lehre von der *Kapitalmarktanlage* (Investment) unmittelbar praktische Folgerung aus der empirischen Geltung der K. wäre, daß alle Versuche, durch subtile Methoden der Portefeuillebildung besonders gute Anlageerfolge zu erzielen, aussichtslos wären. Damit erschüttert die K. in Verbindung mit der sog. Effizienzthese die herkömmlichen Grundlagen der Lehre von der Kapitalmarktanlage.

**Literatur:** B. Rudolph, Zur Theorie des Kapitalmarktes, in: Zeitschrift für Betriebswirtschaft, 49 Jg. 1979, S. 1034–1967; D. Schneider, Investition und Finanzierung, 5. Aufl., Wiesbaden 1986, S. 566–608; W. F. Sharpe, Portfolio Theory and Capital Markets, New York u.a. 1970; ders.; Investments, 2. Aufl., Englewood Cliffs N.J. 1981.

Prof. Dr. Reinhard H. Schmidt

**Kapitalmarktzins,** Zins für langfristige Kredite (K.i.w.S.) oder für langfristige Wertpapiere (K.i.e.S.), häufig gemessen an der →Umlaufrendite festverzinslicher Wertpapiere. Der K. ist abhängig von Angebot und Nachfrage, seine Obergrenze wird von den erwarteten Renditen der Investitionen bestimmt. – Vgl. auch →Zins.

**Kapitalproduktivität,** Verhältnis zwischen gesamtwirtschaftlichem Produktionsergebnis (Yr) und Kapitaleinsatz (K). – *Durchschnittliche K.:* Die pro eingesetzter Einheit des Faktors Kapital erzielte Produktionsmenge $\left(\dfrac{Yr}{K}\right)$. – *Marginale K. (Grenzproduktivität des Faktors Kapital):* Produktionsmengenzuwachs, der auf den Einsatz einer zusätzlichen Einheit des Faktors Kapital zurückzuführen ist. In der →Grenzproduktivitätstheorie der Verteilung ist die Grenzproduktivität des Faktors Kapital im Gleichgewicht gleich dem Zinssatz. – *Reziproker Wert:* →Kapitalkoeffizient.

**Kapitalprofit,** Begriff der Wirtschaftstheorie, der zumeist synonym mit dem Profitbegriff der Klassiker und (bei Ausschaltung des Unternehmerlohns) mit dem ursprünglichen Kapitalzins bei Böhm-Bawerk gebraucht wird. Der Ausdruck K. wird i.a. dann verwandt, wenn Unternehmerfunktion und Kapitalbesitz in einer Person vereinigt sind (Unternehmerkapitalisten, z.B. bei den Klassikern); sind sie auf zwei Personen verteilt, so bezieht der Kapitalbesitzer den →Leihzins, der Unternehmer →Unternehmerlohn + Unternehmergewinn.

**Kapitalrendite,** →return on investment.

**Kapitalrückflußdauer,** →payback period 1.

**Kapitalrücklage,** von Kapitalgesellschaften zu bildende →Rücklage. Als K. sind gemäß § 272 II HGB *auszuweisen:* 1. Der Betrag, der bei der Ausgabe von Anteilen einschl. von Bezugsanteilen über den Nennbetrag hinaus erzielt wird. 2. Der Betrag, der bei der Ausgabe von Schuldverschreibungen für Wandlungsrechte und Optionsrechte zum Erwerb von Anteilen erzielt wird. 3. Der Betrag von Zuzahlungen, die Gesellschafter gegen Gewährung eines Vorzugs für ihre Anteile leisten. 4. Der Betrag von anderen Zuzahlungen, die Gesellschafter in das Eigenkapital leisten.

**Kapitalsammelstellen,** Sammelbegriff für Institutionen, bei denen in erheblichem Umfang Einlagen erfolgen bzw. deren Geschäftstätigkeit mit Reservenhaltung verbunden ist und die mit diesem Kapital als Anbieter auf dem Geld-, vorwiegend aber auf dem →Kapitalmarkt auftreten. Zu den K. zählen v.a. Kreditinstitute, Versicherungen, Sozialversicherungsanstalten und Bausparkassen.

**Kapitalsättigungsgrad,** jene Kapitalhöhe, bei der sich unter der Vorraussetzung wirtschaftlicher Arbeitsweise ein optimaler Ertrag erzielen läßt.

**Kapitalstock,** Teil des →Produktivvermögens. Wert des für Produktionszwecke im Jahresdurchschnitt eingesetzten reproduzierbaren Bruttoanlagevermögens an Ausrüstungen und Bauten. Die Relation K. zu Bruttoinlandsprodukt ergibt den →*Kapitalkoeffizient,* der reziproke Wert die *Kapitalproduktivität.* K. je Erwerbstätiger ist ein Maß für die →*Kapitalintensität.*

**Kapitalstockanpassungsprinzip,** Modifikation des →Akzelerationsprinzips, das eine lineare Beziehung zwischen Veränderungen der Nachfrage (→Volkseinkommen) und der induzierten Nettoinvestition (→induzierte Größen) unterstellt. Bei statistischen Überprüfungen des Akzelerationsprinzips konnte diese Linearität nicht bestätigt werden. Das K. unterstellt für die induzierten Investitionen eine Abhängigkeit von der Nachfrage (Volkseinkommen) und vom *vorhandenen* →Kapitalstock, wobei Nettoinvestitionen und Volkseinkommen positiv und Nettoinvestition und Kapitalstock negativ miteinander verknüpft sind. An der prinzipiellen Nachfrageabhängigkeit der Investitionen wird durch diese Formulierung nichts geändert, wohl aber an der Interpretation der vorhandenen Kapitalstocks. Beim einfachen Akzelerationsprinzip entspricht der vorhandene Kapitalstock dem gewünschten Kapitalstock der Vorperiode, beim K. hingegen nicht zwangsläufig. Der Akzelerator (Verhältnis zwischen induzierter Nettoinvestition und Einkommensveränderung) ist daher beim K. variabel. Empirische Tests haben für das K. wesentlich bessere

Ergebnisse als für den einfachen Akzelerator erbracht.

**Kapitalstruktur,** Bezeichnung für Aufbau und Zusammensetzung von Kapitalrechten einer Unternehmung (Passivseite der Bilanz). Die Kenntnis der K. ist notwendig für eine Beurteilung der Finanzierung. Untersuchung der K. u. a. durch →Bilanzanalyse und →Bilanzkritik. – Vgl. auch →Modligiani-Miller-Theorem.

**Kapitalstrukturregel,** →Finanzierungsregel II 1.

**Kapitaltheorie,** Disziplin der Volkswirtschaftslehre, die sich mit der Frage nach der zeitlichen Entwicklung einer Volkswirtschaft, insbes. der Erklärung von intertemporalen Preissystemen, der zeitlichen Veränderung von Kapitalgüterbeständen und technologischem Wandel beschäftigt; die K. ist bis heute durch heftige Kontroversen um die Begriffe Kapital, Preise und Zinssatz, insbes. aber die Methoden der Analyse gekennzeichnet. Unabhängig von den verschiedenen Positionen gilt aber, daß die K. auf dem Konzept der →allgemeinen Gleichgewichtstheorie basiert.

**Kapitalumschlag,** Kennzahl für das Verhältnis von Umsatz zu Eigenkapital – bzw. besser zu (durchschnittlichem) Gesamtkapital –, und zwar Kennzahl für Umschlagsdauer oder Umschlagshäufigkeit. Durch Rationalisierung kann der K. beschleunigt werden, was besonders für fremdfinanzierte Unternehmen bedeutungsvoll ist. Bei hohem K. genügt eine geringe →Gewinnspanne, um eine hohe →Rentabilität zu erzielen.

**Kapitalverkehr,** Gesamtheit der finanziellen Transaktionen, die nicht direkt durch den Waren- und Dienstleistungsverkehr bedingt sind, (vgl. auch →internationale Kapitalbewegungen, →Kapitalmarkt). Der K. ist auch als →Außenwirtschaftsverkehr frei. Rechtsgeschäfte zwischen →Gebietsansässigen und →Gebietsfremden können jedoch beschränkt werden, wenn sie Grundstücksrechte, Wertpapiere, Guthaben bei Geldinstituten in →fremden Wirtschaftsgebieten oder die Gewährung von Darlehen oder sonstigen Krediten zum Gegenstand haben (§§ 22, 23, AWG).

**Kapitalverkehrsbilanz,** →Kapitalbilanz.

**Kapitalverkehrsteuern,** →Verkehrsteuern, die den Kapitalverkehr unter Lebenden erfassen. – 1. *Rechtsgrundlagen:* Kapitalverkehrsteuergesetz (KVStG) vom 17.11.1972 (BGBl I 2130), zuletzt geändert durch Steuerbereinigungsgesetz 1986 vom 19.12.1985 (BGBl I 2436); Kapitalverkehrsteuer-Durchführungsverordnung (KVStDV) vom 20.4.1960 (BGBl I 243), geändert durch Gesetz vom 4.7.1980 (BGBl I 836). – 2. *Arten:* a) Belastung der Eigenkapitalzuführung (Kapitalbildung im Unternehmen): →*Gesell-*

*schaftsteuer;* b) Belastung der Kapitalbewegung: →*Börsenumsatzsteuer,* ggf. neben der Gesellschaftsteuer (§ 26 KVStG). – 3. *Abschaffung* der K. z. Z. in der Diskussion. – 4. *Aufkommen:* 1986: 1233 Mill. DM (1981: 393 Mill. DM, 1975: 360 Mill. DM, 1970: 374,1 Mill. DM, 1960: 132,5 Mill. DM, 1955: 121,3 Mill. DM, 1950: 17,0 Mill. DM).

**Kapitalvernichtung,** Begriff der →Konjunkturtheorie. K. tritt in Phasen der wirtschaftlichen Kontraktion ein, wenn ökonomisch und technisch noch verwendbare Produktionsmittel wie Gebäude, Maschinen, Verkehrsanlagen auf Dauer stillgelegt werden. – Nach der *Marxschen* →*Krisentheorie* eine typische Erscheinungsform der Krise, durch die der →tendenzielle Fall der Profitrate vorübergehend aufgehalten wird.

**Kapitalversicherung,** Versicherungsform, bei der die Versicherungsleistung in der Auszahlung eines bestimmten, im Versicherungsvertrag festgelegten Kapitals besteht. – Vgl. auch →Lebensversicherung, →Unfallversicherung.

**Kapitalverwaltungsgesellschaft,** →Kapitalanlagegesellschaft.

**Kapitalverwässerung bei Aktiengesellschaften,** →Kapitalerhöhung durch Ausgabe von →Gratisaktien oder Aktien unter dem Kurs der alten Aktien (jedoch nicht unter pari, da gesetzlich unzulässig). Sie wird vorgenommen, wenn Aktien zu „schwer" geworden sind, d. h. wenn der Kurs infolge sehr großer Reserven der AG (durch →Selbstfinanzierung entstanden) unverhältnismäßig hoch ist. – Vgl. auch →Kapitalerhöhung aus Gesellschaftsmitteln.

**Kapitalwert,** Summe aller nach dem Zeitpunkt t anfallenden, auf t abdiskontierten Einzahlungsüberschüsse (Nettoeinzahlungen). Die nach t folgenden Zahlungszeitpunkte seien t + 1, t + 2, ..., t + n; der Kalkulationszinsfuß (→Zinsfuß IV) sei i und die folgenden Einzahlungsüberschüsse $b_{t+1}$, $b_{t+2}$..., $b_{t+n}$. Es gilt:

$$K. = b_{t+1}(1+i)^{-1} + b_{t+2}(1+i)^{-2} + ... b_{t+n}(1+i)^{-n}.$$

Der Kalkulationszinsfuß gibt die beste mögliche Anlagealternative wieder (Opportunitätskosten). Aus der K.gleichung ist ersichtlich, daß der K. umso kleiner (größer) wird, je größer (kleiner) der Kalkulationszinsfuß ist. – Der K. ist für Entscheidungen über die Vorteilhaftigkeit von Investitionsobjekten geeignet. Durch die Gegenüberstellung von Anschaffungsauszahlungen und K. läßt sich die Veränderung der Vermögensposition zum Entscheidungszeitpunkt bei Durchführung des Objekts ermitteln. Vgl. im einzelnen →Kapitalwertmethode, →Investitionsrechnung.

**Kapitalwertmethode,** *Barwertmethode,* Verfahren zur → Investitionsrechnung (vgl. dort III 1) zur Ermittlung der Vorteilhaftigkeit von Investitionsobjekten. Durch Diskontierung der Nettoeinzahlungen auf den Entscheidungszeitpunkt (→ Barwert) und Summierung wird der → Kapitalwert berechnet. Dieser wird mit den Anschaffungsauszahlungen für das Objekt verglichen. – *Gegensatz:* → Vermögensendwertmethode.

**Kapitalzusammenlegung,** Begriff des Aktienrechts für die Durchführung einer → Kapitalherabsetzung bei Aktiengesellschaften im Falle der → Sanierung.

**Kapitel,** Teil eines Haushaltseinzelplans in der → Haushaltssystematik.

**Kapovaz, kapazitätsorientierte variable Arbeitszeit,** → Arbeit auf Abruf.

**Kapverden,** *Republik der Kapverden,* Inselstaat vor der Küste W-Afrikas; besteht aus zwei Inselgruppen vulkanischen Ursprungs (Barloventogruppe, 2230 km² mit 1980: 107 968 E, im Luv, und Sotaventogruppe, 1803 km² mit 1980: 188 125 E, im Lee). – *Gesamtfläche:* 4033 km². – *Einwohner* (E): (1985) 330 000 (81,8 E/km²); 70% Mischlinge, 28% Afrikaner und 2% Europäer (insbes. Portugiesen); ca. 20% der Bevölkerung leben in Städten; jährliches Bevölkerungswachstum: 1,3%. – *Hauptstadt:* Praia (auf São Tiago; 40 000 E); weitere wichtige Städte: Mindelo (Wirtschaftszentrum auf São Vicente; 41 800 E); São Filipe (auf Fogo; 11 000 E). – *Amtssprache:* Portugiesisch. – 1503–1975 portugiesische Kolonie; 30. 6. 1975 unabhängig.

Wirtschaft: Die K. gehören zu den am wenigsten entwickelten Ländern. Obwohl die *Landwirtschaft* durch ständigen Mangel an Süßwasser und starke Bodenerosion behindert wird, beschäftigt sie 55% der Erwerbspersonen (Beitrag zum BSP 1984: 15%); Hauptanbauprodukte: Mais, Hirse, Bananen, Maniok, Zuckerrohr, Bohnen und Kartoffeln. – Die *Industrie* ist schwach entwickelt und weitgehend auf die Herstellung und Weiterverarbeitung von Nahrungs- und Genußmitteln orientiert (z. B. fischverarbeitende Industrie). In der Industrie mit einem Anteil von 5% am BSP arbeiten 3% der Erwerbstätigen. – *BSP:* (1985, geschätzt) 140 Mill. US-$ (430 US-$ je E). – *Öffentliche Auslandsverschuldung:* (1982) 50% des BSP. – *Export:* (1980) 4 Mill. US-$, v. a. Fische und Fischprodukte (über 50%), Bananen, Pflanzenöle. – *Import:* (1980) 68 Mill. US-$, v. a. Getreide, Tiere und Tierprodukte, Milch, Weizenmehl. – *Handelspartner:* Portugal (bis 60%), Niederlande, USA, Großbritannien.

Verkehr: Etwa 700 km *Straßen,* davon ca. 350 km befestigt. Wichtigster *Hafen:* Mindelo auf São Vicente. Internationeler *Flughafen* auf

Sal; regelmäßiger Flugverkehr zwischen den Inseln der K.

Mitgliedschaften: UNO, AKP, CEDEAO, ECA, IPU, OAU, UNCTAD.

Währung: 1 Kap-Verde-Escudo (KEsc) = 100 Centavos.

**Karat.** 1. Masseneinheit für *Edelsteine.* 1 *(metrisches)* K. = 0,2 g. – 2. Früher übliche Bezeichnung für den *Goldgehalt* einer Goldlegierung. 24 K. entsprachen einem 100%igen Goldgehalt. Heutige Bezeichnung: → Feingehalt.

**Kardinalskala,** *metrische Skala,* Sammelbegriff für → Intervallskala und → Verhältnisskala.

**Karenzentschädigung,** Entschädigung, die der Arbeitgeber nach Beendigung des Arbeitsverhältnisses für die Dauer eines vereinbarten → Wettbewerbsverbots an den Arbeitnehmer zu entrichten hat.

**Karenzzeit.** 1. *Allgemein:* Vgl. → Ausfallzeit I. – 2. Bei *Versicherungsverträgen:* Vgl. → Wartezeit.

**Kargoversicherung,** *Cargoversicherung,* Versicherung der *Ladung* bei Transporten. – *Anders:* → Kaskoversicherung. – Vgl. auch → Transportversicherung.

**Karibische Freihandelsorganisation,** *Caribbean Free Trade Association (CARIFTA),* 1968 als → Freihandelszone von Barbados, Guyana, Jamaika, Trinidad und Tobago und weiteren früher unter britischer Oberhoheit stehenden Inseln im karibischen Raum gebildet. Die Mitgliedsstaaten entschieden sich 1972 für die Weiterentwicklung der Freihandelszone zum → gemeinsamen Markt; daher erfolgte 1973 Umwandlung in die → Karibische Gemeinschaft (→ CARICOM).

**Karibische Gemeinschaft (CARICOM),** aus der → Karibischen Freihandelsorganisation (CARIFTA) hervorgegangen. Gegründet 1973 mit dem Ziel der Zollunion mit gemeinsamem Markt *(Caribbean Common Market, CCM);* Sitz: Georgetown (Guyana). – *Mitglieder:* Anguilla, Antigua und Barbuda, Bahamas, Barbados, Belize, Dominica, Guyana, Jamaika, Montserrat, Saint Christopher und Nevis, Saint Lucia, Saint Vincent und die Grenadinen, Trinidad und Tobago, Grenada (vorläufige Suspendierung der Mitgliedschaft 1983).

**Karl-Bräuer-Institut,** wissenschaftliches Institut des → Bundes der Steuerzahler, am 11. 7. 1965 gegründet, nach dem Mitbegründer und langjährigen Präsidenten des Bundes der Steuerzahler, Prof. Dr. Karl Bräuer, benannt. Eingetragener Verein und gemeinnützige Vereinigung i. S. des steuerlichen Gemeinnützigkeitsrechts. – *Arbeitsgebiet:* Öffentliches Finanz- und Abgabewesen. Durch wissenschaftliche Forschung und wissenschaftlich begründete Gutachten und Stellungnahmen fördert es insbes. Bestrebungen zur Verbesserung des öffentlichen Haushalts- und Abgabewesens.

**Karmakar-Verfahren,** Verfahren zur Lösung linearer Optimierungsprobleme, bei dem es sich nicht um eine →Simplexmethode handelt. Vgl. im einzelnen Karmakar, N., A new Polynomial-Time Algorithm for Linear Programming, in: Combinatoria 4 (1984), S. 373–396.

**Karriereplanung,** Teil der langfristigen →Personalplanung im Bereich des Führungsnachwuchses mit dem Ziel, den zukünftigen Bedarf an Führungskräften durch rechtzeitige personalpolitische Entscheidungen sicherzustellen (→Personalmanagement). Grundlage der K. bildet die →Mitarbeiterbeurteilung. Instrumente sind u. a. Aus- und Weiterbildungsmaßnahmen, job rotation. Sichtbarer Niederschlag der K. sind personenbezogene Laufbahn- oder Karrierepläne über Tätigkeitsart, -ort und -dauer eines Mitarbeiters, d. h. zugleich Regelung des →Personaleinsatzes auf längere Sicht. Die individuelle K. wird ergänzt durch Aufstellung normierter Laufbahnen. – K. dient auch als *Instrument der Anreizpolitik* einer Organisation. Die Aufstiegs- und Ausbildungsanreize sind die dynamische Komponente einer individuellen Anreiz-Beitrags-Struktur. Wirkung (Verhaltensrelevanz) v. a. dann, wenn diese Karriereanreize in verbindlicher Form vermittelt werden. – Vgl. auch →Personalentwicklung, →Anreizsystem.

**Karrierestrategie,** spezifische Denk- und aktive Verhaltensweise, die Karriere nicht nur als hierarchisches Höherstreigen und Entgeltsteigerung begreift, sondern v. a. als Nutzen des eigenen Verhaltens für andere. Über den Nutzen für andere macht man sich für diese unentbehrlich; damit steigt auch die Möglichkeit, mehr zu verdienen. – *Instrumente der K.* sind die →Zielgruppen-Kurzbewerbung, berufliche Profilierung und soziale Spezialisierung, die Stärkenentwicklung und die aktive Zielgruppenansprache.

**Kartei,** Sammlung einzelner, auswechselbarer Karten oder Blätter, die nach einem Ordnungsprinzip geordnet sind und bestimmte Aufzeichnungen enthalten. Es ist jederzeit möglich, eine K. nach anderen Gesichtspunkten umzuorganisieren. – Vgl. auch →Datei.

**Karteibuchführung,** eine →Durchschreibebuchführung, bei der die →Sachkonten (Hauptbuch) aus einer Kontenkartei bestehen. Die Kontenblätter werden mit Hilfe von Leitkarten, die unter Anlehnung an den →Kontenplan entwickelt werden, so eingeordnet, daß sie mühelos zur Buchung ausgewählt werden können. *Buchung* zumeist in der

Weise, daß auf einen eingespannten Journalbogen mit aufliegendem Blaubogen die zur Buchung gehörenden Kontenblätter aufgelegt werden. Urschrift auf das Kontenblatt, Durchschrift in den Journalbogen (selten umgekehrt).

**Kartell.** 1. *Begriff:* Vereinbarung von Unternehmen oder Vereinigungen von Unternehmen zu einem gemeinsamen Zweck, die geeignet ist, die Erzeugung oder den Verkehr von Waren oder gewerblichen Leistungen durch Beschränkung des Wettbewerbs zu beeinflussen. K. unterliegen dem →Kartellgesetz. – 2. *Arten:* (1) →Frühstückskartell, (2) →Gentlemen's Agreement, (3) →abgestimmte Verhaltensweisen, (4) →Preiskartell, (5) →Quotenkartell, (6) →Syndikat, (7) →Normen- und Typenkartell, (8) →Angebots- und Kalkulationsschematakartell, (9) →Exportkartell, (10) →Konditionenkartell, (11) →Rabattkartell, (12) →Spezialisierungskartell, (13) →Einkaufskartell. – 3. *Steuerliche Behandlung:* K. unterliegen je nach Rechtsform der Einkommensteuer oder der Körperschaftsteuer sowie der Gewerbesteuer und der Vermögensteuer, und zwar nach den allgemeinen Regeln.

**Kartellgesetz,** *Gesetz gegen Wettbewerbsbeschränkungen (GWB)* vom 27.7.1957 (BGBl I 1081) mit späteren Änderungen.

I *Ziel:* Das K. wendet sich gegen private Störungen des Wettbewerbs durch Wettbewerbsbeschränkungen verschiedenster Art, z. B. durch Verträge, Beschlüsse, tatsächliche Verhaltensweisen von Einzelnen oder Gruppen. *Politisches Ziel* ist es, den Wettbewerb als Mittel zur Leistungssteigerung und bestmöglichen Marktversorgung einzusetzen (→Wettbewerbspolitik).

II. G e s e t z g e b u n g s g e s c h i c h t e : Das K. löste 1957 das alliierte Recht der →Dekartellierung und →Entflechtung ab; es enthielt ein Kartellverbot (vgl. VII) und ein Verbot kartellrechtlicher Austauschverträge (vgl. VIII) sowie eine Mißbrauchsaufsicht über marktbeherrschende Unternehmen (vgl. IV). – *Novellen:* 1973 wurde das K. um eine Fusionskontrolle über marktbeherrschende Unternehmen (vgl. III) ergänzt, die Preisbindung wurde grundsätzlich für unzulässig erklärt (vgl. VIII 3); 1976 wurde die Fusionskontrolle für Presseunternehmen ausgeweitet; 1980 wurden Fusionskontrolle und Diskriminierungsverbot (vgl. V) verstärkt.

III. F u s i o n s k o n t r o l l e (Zusammenschlußkontrolle): 1. *Begriff und Reichweite:* Das →Bundeskartellamt kann einen Unternehmenszusammenschluß untersagen, wenn zu erwarten ist, daß durch ihn eine marktbeherrschende Stellung (→Marktbeherrschung) entsteht oder verstärkt wird, es sei denn, die beteiligten Unternehmen weisen nach, daß durch den Zusammenschluß auch Verbesserungen der Wettbewerbsbedingungen eintreten und diese die Nachteile der Marktbeherrschung überwiegen, sog. Abwägungsklausel (§ 24 I). Entgegen der Untersagung des Bundeskartellamtes kann auf Antrag des Bundesminister für Wirtschaft die Erlaubnis zum Zusammenschluß erteilen (Ministererlaubnis, vgl. III 3). Ausnahmen von der Fusionskontrolle regelt eine Bagatellklausel (§ 24 VIII). – 2. *Tatbestandsmerkmale:* a) *Unternehmensbzw.* →*Unternehmungszusammenschluß:* Nach § 24 II gelten als Zusammenschluß der Vermögenserwerb, der Erwerb von Anteilen ab 25 v. H., der Abschluß eines Unternehmensvertrages, personelle Verflechtungen oder sonstige Verbindungen, die einen beherrschenden Einfluß eines Unternehmens ermöglichen. – *Anzeigepflicht:* Nach § 24a müssen die Vorhaben von Großfusionen angezeigt werden. Soweit die Größenordnungen des § 24a nicht erreicht werden, sind vollzogene Zusammenschlüsse nach § 23 I anzeigepflichtig. – b) *Marktbeherrschung:* Die Prognose des Entstehens oder der Verstärkung einer marktbeherrschenden Stellung setzt voraus, daß entweder die zusammengeschlossenen Unternehmen keinem wesentlichen Wettbewerb ausgesetzt sind (§ 22 I 1) oder daß sie eine im Verhältnis zu ihren Wettbewerbern überragende Marktstellung erlangen oder verstärken (§ 22 I 2). Nach § 22 II sind auch mehrere Unternehmen marktbeherrschend, soweit zwischen ihnen kein wesentlicher Wettbewerb besteht (Innenverhältnis) und sie nach außen marktbeherrschend sind (marktbeherrschendes Oligopol). Für die Fusionskontrolle gilt neben der allgemeinen Marktbeherrschungsvermutung ein besonderer Vermutungstatbestand nach § 23a, durch den Großfusionen verhindert und das Eindringen von Großunternehmen in mittelständisch strukturierte Märkte unterbunden werden sollen. – 3. *Ministererlaubnis:* Vom Bundesminister für Wirtschaft erteilte Erlaubnis zum Zusammenschluß, wenn im Einzelfall die Wettbewerbsbeschränkung von gesamtwirtschaftlichen Vorteilen des Zusammenschlusses aufgewogen wird oder dieser durch ein überragendes Interesse der Allgemeinheit gerechtfertigt ist. Sie hängt von einer gerichtlich nicht überprüfbaren Bewertung ab; der Minister entscheidet politisch. Die Ministererlaubnis kann vor oder nach der Erschöpfung der Rechtsmittel (vgl. III 4) beantragt werden. Sie kann mit Auflagen versehen werden, die sich jedoch nicht auf eine laufende Verhaltenskontrolle der Unternehmen erstrecken darf (§ 24 III). – 4. *Rechtsmittel:* Gegen die Untersagung des Zusammenschlusses sind die →Beschwerde beim Kammergericht in Berlin (West) und die Rechtsbeschwerde beim Bundesgerichtshof zulässig. Ein rechtskräftig untersagter Zusammenschluß ist aufzulösen. – 5. *Beurteilung:* Die Zahl der Unternehmenszusammenschlüsse steigt seit 1973 an. Die Fusionskontrolle greift nur punktuell ein.

Nachträgliche Entflechtungen von Zusammenschlüssen sind derzeit nicht zulässig, werden aber von der Monopolkommission empfohlen.

IV. **Mißbrauchsaufsicht** (über marktbeherrschende Unternehmen): 1. *Begriff:* Soweit marktbeherrschende Unternehmen ihre Marktposition mißbräuchlich ausnutzen, kann das Bundeskartellamt dieses Verhalten untersagen (§ 22 IV und V). Ein Verstoß gegen eine Mißbrauchsverfügung ist eine Ordnungswidrigkeit. – 2. *Tatbestandsmerkmale:* a) *Marktbeherrschung:* Vgl. III 2 b). – b) *Mißbrauch:* Unbestimmter, also auslegungsbedürftiger Begriff. 1980 wurden in § 22 IV Beispielsfälle eingeführt: (1) sachlich nicht gerechtfertigte Beeinträchtigung von Konkurrenten (Nr. 1); (2) Ausbeutung in Bezug auf Preise oder Geschäftsbedingungen, sog. Ausbeutungsmißbrauch (Nr. 2); (3) Diskriminierung (Nr. 3), sog. Behinderungsmißbrauch. – 3. *Beurteilung:* Das Bundeskartellamt erläßt kaum Mißbrauchsverfügungen, da Marktbeherrschung und Mißbrauch nur schwer nachzuweisen sind. Da § 22 IV nicht als Schutzgesetz betrachtet wird, können Private nicht gegen mißbräuchliches Verhalten von marktbeherrschenden Unternehmen klagen.

V. **Diskriminierugnsverbot:** 1. *Begriff:* Marktbeherrschende und -starke Unternehmen dürfen andere Unternehmen in einem Geschäftsverkehr, der gleichartigen Unternehmen üblicherweise zugänglich ist, weder unmittelbar noch mittelbar unbillig behindern oder diskriminieren (§ 26 II). *Marktstark* sind Unternehmen, von denen Anbieter oder Nachfrager so abhängig sind, daß ausreichende und zumutbare Möglichkeiten, auf andere Unternehmen auszuweichen, nicht bestehen (§ 26 II 2). – Im Rahmen des objektiven Untersagungsverfahrens (vgl. V 4) ist das Behinderungsverbot ausgeweitet. – 2. *Veranlassungsverbot:* Marktbeherrschende und -starke Unternehmen dürfen ihre Marktstellung nicht dazu ausnutzen, andere Unternehmen zu sachlich nicht gerechtfertigten Vorzugsbedingungen zu veranlassen (§ 26 III). – 3. *Beurteilung:* Das Diskriminierungsverbot wird als Schutzgesetz betrachtet, d. h. jeder Betroffene kann gegen das diskriminierende Unternehmen auf Schadenersatz oder Unterlassung klagen (§ 35). Deshalb ist es die wichtigste kartellrechtliche Vorschrift. Es bedeutet marktbeherrschenden und -starken Anbietern oder Nachfragern gegenüber ein Willkürverbot bzw. eingeschränktes Gleichbehandlungsgebot.

VI. **Boykott:** Unternehmen dürfen einander nicht zu Liefer- oder Bezugssperren auffordern, um ihnen Wettbewerber unbillig zu beeinträchtigen (§ 26 I).

VII. **Kartellverbot und Ausnahmen:** 1. *Begriff und Reichweite:* Kartellvereinbarungen, die geeignet sind, die Erzeugung oder die Marktverhältnisse für den Verkehr mit Waren oder gewerblichen Leistungen durch Beschränkung des Wettbewerbs zu beeinflussen (→Kartell), sind nach § 1 unwirksam. Es gilt also das Verbotsprinzip. Dies ist eine Abkehr von dem schwächeren Mißbrauchsprinzip der Weimarer Zeit. – Die Wettbewerbsbeschränkung muß *spürbar* sein. Verbotene Vereinbarungen sind auch →Frühstückskartelle oder →Gentlemen's Agreement; aufeinander →abgestimmte Verhaltensweisen sind nach § 25 I ebenfalls verboten. Klassische Kartelle sind →Preiskartell und →Quotenkartell. Unter das Kartellverbot fallen auch identifizierende Preismeldestellen und Kartellverbot fallen auch identifizierende Preismeldestellen und Torsosyndikate (→Syndikat). – 2. *Rechtsfolgen und Sanktionen:* Kartellvereinbarungen sind nichtig (§ 1). Die Beteiligten handeln ordnungswidrig und können mit Geldbuße bis 1 Mill. DM oder bis zur dreifachen Höhe des Mehrerlöses (§ 38) belegt werden. – 3. *Ausnahmen:* a) *Anmeldekartelle:* Sie werden wirksam, wenn sie ordnungsgemäß angemeldet sind. Hierzu gehören: (1) →Normen- und Typenkartell (§ 5 I), (2) →*Angebots- und Kalkulationsschematakartell* (§ 5 IV) und (3) reines →Exportkartell ohne Inlandswirkung (§ 6 I). Die Durchbrechung des Kartellverbots wird damit gerechtfertigt, daß die Wettbewerbsbeschränkung bzw. die Rückwirkungen auf den Inlandsmärkten gering sind. – b) *Widerspruchskartelle:* Sie werden erlaubt, wenn die Kartellbehörde nicht innerhalb einer bestimmten Frist widerspricht. Hierzu gehören: (1) →Konditionenkartell (§ 2): Die Genehmigung wird großzügig gehandhabt, obwohl sie zu schwerwiegenden Wettbewerbsbeschränkungen führen kann; ausgeschlossen sind jedoch Klauseln, die sich auf Preise oder Preisbestandteile beziehen. (2) →Rabattkartell (§ 3 I): Sie werden genehmigt, wenn die Rabatte Leistungsentgelte darstellen und von dem Kartell keine diskriminierenden Wirkungen ausgehen; Gesamtumsatzrabattkartelle werden nicht mehr genehmigt. (3) →Spezialisierungskartell (§ 5): Sie werden trotz möglicherweise erheblicher Wettbewerbsbeschränkungen großzügig erlaubt, da i. d. R. die Rationalisierung wirtschaftlicher Vorgänge unterstellt wird (§ 5 a); zusätzlich wird das Bestehenbleiben wesentlichen Wettbewerbs geprüft. (4) →Kooperationserleichterungen für kleine und mittlere Unternehmen (§ 5 b) (Mittelstandskartell): Sie werden im Rahmen der →Mittelstandspolitik als Gegengewicht gegen →Großunternehmen gefördert, auch wenn damit erhebliche Wettbewerbsbeschränkungen verbunden sind. – c) *Erlaubniskartelle:* Sie werden erst mit der kartellbehördlichen Genehmigung wirksam; die Behörde ist nicht an die Einhaltung einer bestimmten Widerspruchsfrist gebunden. Die Erlaubnis soll auf höchsten drei Jahre erteilt

werden und kann an Bedingungen und Auflagen gekoppelt sein. Ein Anspruch auf Erlaubnis kann bestehen, wenn bestimmte Tatbestandsvoraussetzungen erfüllt sind; die Erlaubnis kann auch in das politische Ermessen der Kartellbehörde gestellt sein. – (1) *Erlaubniskartelle mit Anspruch auf Erlaubnis:* Höherstufiges Rationalisierungskartell (→Rationalisierungsverband) (§§ 5 II, III); Exportkartell mit Inlandsregelungen (§ 6 II); beide Kartellarten beinhalten i. d. R. sehr starke Wettbewerbsbeschränkungen; sie werden nur unter sehr engen Voraussetzungen erlaubt (wesentliche Verbesserung der Kostenstruktur; Kartellpreise liegen spürbar unter den Wettbewerbspreisen; Rationalisierungserfolge wiegen die Nachteile der Wettbewerbsbeschränkungen auf; Wettbewerbsbeschränkung ist unerläßlich). – (2) *Erlaubniskartelle ohne Anspruch auf Erlaubnis:* Importkartell (§ 7); →Strukturkrisenkartell (§ 7) und →Ministerkartell (§§ 8 I, II), bei denen gesamtwirtschaftliche und Gemeinwohlerwägungen den Ausschlag geben. Die Erlaubnisse werden sehr restriktiv gehandhabt, Ministerkartelle sind unüblich, Strukturkrisenkartelle setzen einen längerfristig zu erwartenden Nachfragerückgang, einen vollständigen Kapazitätsabbauplan und die vertragliche Sicherung der Kapazitätsanpassung voraus. – d) *Gemeinsames zu Form und Inhalt:* Wirksame Kartelle müssen schriftlich abgeschlossen werden (§ 34). Sie können aus wichtigem Grund fristlos gekündigt werden (§ 13). Anmelde- und Widerspruchskartelle unterliegen einer Mißbrauchsaufsicht (§ 12). Ein Mißbrauch ist insbes. anzunehmen, wenn ein Kartell seine Macht dazu einsetzt, Außenseiter zu bekämpfen oder weitere Märkte zu monopolisieren.

VIII. Verbot kartellrechtlicher Austauschverträge (sonstiger Verträge): 1. *Begriff und Reichweite:* Wettbewerbsbeschränkende Verträge, die keinen gemeinsamen Zweck haben, insbes. Austauschverträge, unterliegen dem Verbot des § 15. Das Verbot gilt auch für Umgehungsgeschäfte (§§ 25 I, 38 I Nr. 11 und 12). Derartige Verträge sind nichtig, soweit sie einen Vertragsbeteiligten in der Freiheit der Gestaltung von Preisen oder Geschäftsbedingungen bei solchen Verträgen beschränken, die er mit Dritten über die gelieferten Waren, über andere Waren oder über gewerbliche Leistungen schließt (§ 15). – 2. *Preisbindungen für Verlagserzeugnisse* sind nach § 16 zulässig, unterliegen jedoch einer Mißbrauchsaufsicht (§ 17). – 3. *Preisbindungen für Markenwaren* sind seit 1973 nicht mehr zulässig. *Unverbindliche Preisempfehlungen* sind zulässig, unterliegen jedoch einer Mißbrauchsaufsicht (§ 38 a). – 4. *Ausschließlichkeitsbindungen:* Bezieht sich der Vertragsinhalt auf Geschäftsbedingungen, sind zu unterscheiden: (1) Vertriebsbindungen, bei denen selektive Vertriebssysteme durch Ausschließlichkeitsbindungen abgesichert werden, (2) ausschließliche Bezugsbindungen, (3) Koppelungsabreden zu Lasten eines Vertragsbeteiligten und (4) Verwendungsbeschränkungen (§ 18). Die Bedeutung der Vorschrift steht hinter der des Diskriminierungsverbots zurück. – 5. *Lizenzverträge:* Verträge über Patente, Gebrauchsmuster, Sortenschutzrechte, Betriebsgeheimnisse und Pflanzenzüchtungen (§§ 20, 21) sind unwirksam, soweit sie dem Bewerber oder Lizenznehmer Beschränkungen auferlegen, die über den Inhalt des Schutzrechts hinausgehen. Die wirtschaftliche Verwertung der durch das Patent bzw. Gebrauchsmuster erlangten Monopolstellung wird gewährleistet. Vertragliche Bindungen, die durch das Interesse an der Leistungsverwertung nicht gerechtfertigt sind, sollen jedoch verhindert werden. Erlaubniserteilung durch die Kartellbehörde gem. §§ 20, 21. – Vgl. auch →Wettbewerbsregeln.

IX. K a r t e l l r e c h t l i c h e  A u s n a h m e b e r e i c h e : 1. *Energieversorgung:* Für Unternehmen der öffentlichen Versorgung mit Elektrizität, Gas oder Wasser (§ 103) sind Demarkations- (Abgrenzungs-), Konzessions-, Preisbindungs- und Verbundverträge (→Demarkationsvertrag, →Konzessionsvertrag) erlaubt. Eine Verweigung des Versorgungsmonopols zu verhindern, werden die Verträge nach § 103 a I seit 1980 nur noch auf höchstens 20 Jahre zugelassen. Nicht ausgenommen sind die Versorgungsunternehmen von der Fusionskontrolle (§ 24) und vom Diskriminierungsverbot (§ 26 II und III). – 2. *Weitere Ausnahmen* gelten für die Kredit- und Versicherungswirtschaft (§ 102), die Verkehrswirtschaft (§ 99), die Land- und Forstwirtschaft (§ 100), die Urheberrechtsverwertungsgesellschaften (§ 102 a) und die in § 101 genannten Staatsmonopole.

X. K a r t e l l v e r f a h r e n : 1. *Kartellbehörden:* Die Kartellbehörden können ihre umfassenden Auskunfts- und Prüfungsrechte (§ 46) mit den Mitteln des Verwaltungszwangs und des Ordnungswidrigkeitenrechts durchsetzen. Sie führen ihre Verfahren von Amts wegen durch. – 2. *Rechtsmittel:* Beschwerde vor dem zuständigen Oberlandesgericht und Rechtsbeschwerde vor dem Bundesgerichtshof gegen Untersagungs- bzw. Verbotsverfügungen. In der Beschwerdeinstanz werden auch Tatsachen, in der Rechtsbeschwerdeinstanz nur Rechtsfragen überprüft. – 3. *Private Klagebefugnisse* auf Schadenersatz und Unterlassung, wenn ein Schutzgesetz (§ 35) verletzt ist. – 4. Das *objektive Untersagungsverfahren* (§ 37 a) setzt kein Verschulden der Beteiligten voraus.

XI. E G - K a r t e l l r e c h t : 1. *Begriff und Reichweite:* Wettbewerbsbeschränkende Verträge und der Mißbrauch einer beherrschenden Stellung auf dem gemeinsamen Markt sind nach Artikel 85 und 86 des EWG-Vertrags von 1957 verboten (Kartell- und Mißbrauchsverbot; vgl. XI 2 und 3). Voraussetzung ist, daß diese Verhaltensweisen den Handel zwischen Mitgliedstaaten der EG zu beeinträchtigen geeignet sind. – Das EG-Kartellrecht ist *neben* dem nationalen Kartellrecht anwendbar. Ein bestimmtes Verhalten kann jedoch nur einmal geahndet werden. Das strengere Recht geht vor. – *Ausnahmen* vom Kartell- und Mißbrauchsverbot der Artikel 85 und 86 durch Einzel- oder Gruppenfreistellungen (vgl. XI 3) nach in EG-Verordnungen geregeltem Verfahren. Aus der wichtigsten Verordnung Nr. 17 von 1962 folgt u. a., daß das EG-Kartellrecht unmittelbar geltendes Recht in den Mitgliedstaaten ist. Die Kommission kann eine Negativattest (Artikel 2) ausstellen, Geldbußen verhängen (Artikel 15), Zwangsgelder festsetzen (Artikel 16) und Kartelle freistellen (Artikel 9). – 2. *Mißbrauchsverbot:* Mißbräuchliche Verhaltensweisen nach Artikel 86 EWG-Vertrag sind unmittelbar verboten (Artikel 1 der Verordnung Nr. 17). Im Gegensatz zum Kartellgesetz (§ 22 IV) bedarf es keiner Mißbrauchsverfügung der Kartellbehörde. Verboten ist die mißbräuchliche Ausnutzung einer beherrschenden Stellung auf dem gemeinsamen Markt oder auf dem wesentlichen Teil desselben durch ein oder mehrere Unternehmen, soweit dies dazu führen kann, den Handel zwischen den Mitgliedstaaten der EG zu beeinträchtigen. Nach Artikel 86 sind zu unterscheiden: Behinderungs- und Ausbeutungsmißbrauch, insbes. auch Preis- und Konditionenmißbrauch; ein Preis gilt als mißbräuchlich überhöht, wenn zwischen ihm und den Kosten des Produkts ein übertriebenes oder unvernünftiges Mißverhältnis besteht (Konzept der Gewinnspannenbegrenzung). – 3. *Kartellverbot:* Trifft Verträge und sonstige Vereinbarungen zu einem gemeinsamen Zweck sowie kartellrechtliche Austauschverträge; es faßt also die Verbote von §§ 1 und 15 GWB zusammen. Beispielhaft werden aufgezählt: Quotenkartelle, Aufteilung der Märkte oder Versorgungsquellen, diskriminierende Vereinbarungen, Kopplungsgeschäfte, Preiskartelle und mittelbare Preisfestsetzung (Preisbindung). – Die Kommission kann *Einzel- oder Gruppenfreistellungen* zulassen, wenn unter angemessener Beteiligung der Verbraucher an dem entstehenden Gewinn zur Verbesserung der Warenerzeugung oder -verteilung oder zur Förderung des technischen oder wirtschaftlichen Fortschritts in der Kartellvereinbarung den beteiligten Unternehmen keine Beschränkungen auferlegt werden, die für die Verwirklichung dieser Ziele nicht unerläßlich sind, und keine Möglichkeiten eröffnet werden, für einen wesentlichen Teil der betreffenden Waren den Wettbewerb auszuschalten (Artikel 85 Abs. 3). Es gibt Gruppenfreistellungen für Alleinvertriebsbindungen, Alleinbezugsbindungen, Spezialisierungskartelle, Forschungskooperationen und für Vertrieb sowie Kunden im Automobilbereich. – 4. Bislang gibt es *keine Fusionskontrolle.* In Ausnahmefällen untersagt der Europäische Gerichtshof Fusionen, wenn sie Teil einer Mißbrauchsstrategie (Artikel 86) sind. – 5. *Montanbereich (EGKS-Vertrag):* Im Vertrag zur Gründung der europäischen Gemeinschaft für Kohle und Stahl (→EGKS) gibt es für den Montanbereich in Artikel 65 ein Kartellverbot mit Erlaubnisvorbehalt ähnlich dem des Artikels 85 EWG-Vertrag. Artikel 66 enthält eine Regelung, wonach Fusionen der Erlaubnis der Kommission bedürfen.

Literatur: Cox, H./Jens, U./ Markert, K., Handbuch des Wettbewerbs, München 1981; Emmerich, V., Kartellrecht, 4. Aufl., München 1982; EG-Kartellrecht, in: Fikentscher, W., Wirtschaftsrecht, Bd. 1, München 1983; Deutsches Kartellrecht, in Wirtschaftsrecht, Bd. 2, München 1983; Immenga, U./Mestmäcker, E. J., Gesetz gegen Wettbewerbsbeschränkungen, Kommentar, München 1981; Langen, E./Niederleithinger, E./Rittner, L./Schmidt, U., Kommentar zum Kartellgesetz, 6. Aufl., Neuwied 1982; Möschel, W., Recht der Wettbewerbsbeschränkungen, Köln 1983; Monopolkommission, Hauptgutachten I–V., Baden-Baden 1976, 1978, 1980, 1982, 1984, 1986; Nagel, B., Kann die Fusionskontrolle ihren Anspruch einlösen? in: Der Betrieb 1979, S. 1019ff.; ders., Der Schutz von Arbeitsplätzen im Kartell- und Wettbewerbsrecht, in: Kittner, M. (Hrsg.), Arbeitsmarkt, ökonomische, soziale und rechtliche Grundlagen, Heidelberg 1982; Reich, N., Markt und Recht, Neuwied 1977; Schmidt, I., Wettbewerbstheorie und -politik, Stuttgart 1981; Ulmer, P., Die neuen Vorschriften gegen Diskriminierung und unbillige Behinderung, WuW 30 (1980).

Prof. Dr. Bernhard Nagel

**Kartellpolitik,** →Kartellgesetz, →EWG I 6 b).

**kartellrechtliche Ausnahmebereiche,** Ausnahmen vom Verbot der Kartelle und sonstigen Verträgen, insbes. im Bereich der Energieversorgung, der Kredit- und Versicherungswirtschaft sowie des Verkehrswesens. Vgl. →Kartellgesetz IX.

**Kartellverbot,** Verbot von Vereinbarungen von Unternehmen, die geeignet sind, die Erzeugung oder die Marktverhältnisse für den Verkehr mit Waren oder gewerblichen Leistungen durch Beschränkung des Wettbewerbs *spürbar* zu beeinflussen (→Kartell). – Nach dem Kartellrecht *zu unterscheiden:* a) Verträge zu einem gemeinsamen Zweck, gegen die sich das K. richtet (→Kartellgesetz VII); b) sonstige Verträge, die ebenfalls grundsätzlich verboten sind (→Kartellgesetz VIII). Artikel 85 EWG-Vertrag faßt beide Arten von Verträgen unter dem Begriff der K. zusammen (→Kartellgesetz XI). – *Ausnahmen vom K.:* a) Anmeldekartelle; b) Widerspruchskartelle, wenn vom Bundeskartellamt kein Widerspruch erfolgt; c) Erlaubniskartelle, wenn gesondert erlaubt. – Vgl. auch →Kartellgesetz VII 3.

**Kartellverträge,** Verträge, durch die sich (rechtlich und wirtschaftlich selbständig bleibende) →Unternehmen, insbes. zum Zweck Marktbeeinflussung zu einem →Kartell zusammenschließen. K. bedürfen der →Schriftform und sind regelmäßig anmelde-

und genehmigungspflichtig. – Vgl. auch →Kartellgesetz.

**kartengesteuerte Zahlungssysteme,** innovative Form des beleglosen Zahlungsverkehrs: (1) Eurocheque-Karte, (2) →Geldausgabeautomat, (3) Point-of-Sale (POS)-Installationen (→point of sale banking) und (4) →Chipkarte. In den nächsten Jahren wird ein Ausbau k. Z. erwartet.

**Kartenleser,** →Lochkartenleser.

**Kartenlocher,** →Lochkartenlocher.

**Kartenstanzer,** →Lochkartenstanzer.

**Kartentelefon,** öffentlicher Fernsprechapparat, der anstatt mit Münzen mit einer →Chipkarte (Telefonkarte) bedient wird; verschiedene Systeme z. Z. (1987) im Test.

**kartesisches Produkt,** →Record.

**Kasino,** *Betriebskasino,* Speise- und Aufenthaltsraum in Betrieben. Steht meist nur den Führungskräften zur Verfügung. – Vgl. auch →Kantine.

**Kaskadensteuer,** *Lawinensteuer,* Steuer, die auf mehreren Stufen erhoben wird; führt zu Steuer von Steuer (→Kaskadenwirkung), z. B. bei der Brutto-Allphasen-Umsatzsteuer (→Umsatzbesteuerung II).

**Kaskadenwirkung,** *Lawinenwirkung,* Steuerwirkung, die darauf beruht, daß auf jeder Handelsstufe die Steuer im Ankaufspreis enthalten, der seinerseits bei jedem weiteren Verkaufsakt die neue Bemessungsgrundlage für die Preiskalkulation bildet. →Kaskadensteuer. – *Anders:* →Kumulativwirkung.

**Kaskoversicherung.** 1. Begriffe für die Versicherung der *Transportmittel.* – *Anders:* →Kargoversicherung. – 2. In der →*Transportversicherung:* a) Schiffskasko (Seeschiffe, Flußfahrzeuge, Sportboote); b) Landkasko (Bahnwagen, Möbelwagen ohne Motor, Kessel-, Kühl- und sonstige Spezialfahrzeuge); c) Luftkasko. – 3. Verselbständigt in der *Autokaskoversicherung:* Verselbständigt in der *Autokaskoversicherung;* →Kraftverkehrsversicherung III 1 b).

**Kassadevisen,** sofort fällige Auslandsguthaben; in der Praxis werden die K. allgemeiner Usance folgend dem Käufer erst am zweiten Werktag nach Vertragsabschluß zur Verfügung gestellt. – Vgl. auch →Devisen.

**Kassageschäfte,** Abschlüsse an der →Börse, die sofort oder ganz kurzfristig erfüllt werden müssen. An Warenbörsen: →Lokogeschäfte oder →Effektivgeschäfte. – *Gegensatz:* →Termingeschäfte.

**Kassakonto,** →Kassekonto.

**Kassakurs,** →Kurs 2.

**Kassamarkt,** Börsenmarkt der Wertpapiere, die nur im →Kassageschäft behandelt werden, zum Terminhandel also nicht zugelassen sind. – *Kassakurs:* Börsenkurs (→Kurs), für die Umsätze am K.

**Kassationskollegialität,** Abstimmungsmodus im Rahmen des →Kollegialprinzips. Die multipersonale organsiatorische Einheit besteht aus gleichberechtigten Handlungsträgern, die sämtliche Entscheidungen einstimmig treffen müssen, so daß jedes Mitglied der Einheit über ein Vetorecht verfügt. – Vgl. auch →Abstimmungskollegialität, →Primatkollegialität.

**Kassationsverfahren,** gerichtliches Verfahren, bei dem das angerufene Gericht die angefochtene Rechtsvorschrift, den angefochtenen →Verwaltungsakt oder das →Urteil nur aufheben (kassieren), nicht aber abändern darf.

**Kasse.** 1. *Barmittelbestand* in Industrie-, Handels- und Handwerksunternehmungen und sonstigen wirtschaftlichen Betrieben sowie in Kreditinstituten; liquide Mittel ersten Ranges. – *Umfang:* a) Für Kreditinstitute besteht die Vorschrift, im Interesse ihrer Liquidität eine bestimmte Barreserve zu halten (§ 11 KWG). b) Für sonstige wirtschaftliche Unternehmungen ergibt sich der Umfang dieser zinslosen Bestände aus den Anforderungen für die →Zahlungsbereichschaft; im übrigen Liquiditätsreserven durch Bank- und Postgiroguthaben. – Vgl. auch →Kassenhaltung. – 2. In der *Buchführung:* Kurzbezeichnung für das →Kassekonto.

**Kasse gegen Dokumente,** *cash against documents (c.a.a.),* im Außenhandel und im →Innerdeutschen Handel häufig vereinbarte Zahlungsbedingung. – Vgl. auch →documents against payment.

**Kassekonto,** aktivisches Konto der Buchführung, das die Barmittel der →Kasse (einschl. etwaiger Hilfskassen, z. B. Portokasse ) ausweist. Passivsalden (Minusbestände) führen steuerrechtlich zur →Verwerfung der Buchführung. – *Aufteilung* des K. ist schon bei Klein- und Mittelbetrieben lohnend; Beispiel (mit Angabe der Kontonummer nach dem IKR: 2880–2889 Hauptkassen und 2890–2899 Nebenkassen (z. B. Portokassen). Am Bilanzstichtag werden die Bestände (Salden) der einzelnen K. auf den Konten 288 und 289 zusammengezogen.

**Kassenarzt,** für die Behandlung von Mitgliedern der gesetzlichen →Krankenkassen und deren Familienangehörigen zugelassener Arzt. – *Zulassungsausschuß* wird von den Kassenärztlichen Vereinigungen und den Landesverbänden der Krankenkassen gebildet. – Der K. darf von den Versicherten selbst nur dann sein *Vergütung* verlangen, wenn ein Behandlungsschein (Krankenschein, Überweisungsschein

u. a.) nicht vorgelegt wird. Die Vergütung des K. erfolgt über die Kassenärztlichen Vereinigungen, die mit den Krankenkassen Gesamtverträge über die Kassenärztliche Versorgung abschließen. Die Gesamtvergütung wird von den Kassenärztlichen Vereinigungen entsprechend den Leistungen des einzelnen K. aufgeteilt. – Das K.-Recht ist geregelt in §§ 368 ff. RVO.

**Kassenärztliche Vereinigungen,** Körperschaften des öffentlichen Rechts. Die K.V. haben die Rechte der →Kassenärzte gegenüber den →Krankenkassen wahrzunehmen, insbes. die Honorare auszuhandeln und die ärztliche Versorgung sicherzustellen.

**Kassenbericht,** Nachweis der täglichen Bargeldein- und Ausgänge. – *Muster:*

| Nr. . . . .     Kassenbericht vom . . . . . . . . . . . . . | |
|---|---|
| Kassenbestand bei Geschäftsschluß | . . . . . . |
| Ausgaben im Laufe des Tages: | |
| 1. Zahlungen für Wareneinkäufe u. Warennebenkosten (Frachten, Verpackung usw.) . . . . . . . . . | . . . . . . |
| 2. Geschäftsausgaben . . . . . . . . | . . . . . . |
| 3. Privateinnahmen . . . . . . . . . . | . . . . . . |
| 4. Sonstige . . . . . . . . . . . . . . . . | . . . . . . |
|                Zusammen | . . . . . . |
| abzüglich Kassenbestand des Vortags . . . . . . . . . . . . . . . . | . . . . . . |
| = Kasseneingang . . . . . . . . . . . . . | . . . . . . |
| 5. abzüglich: sonstige Einnahmen | . . . . . . |
| = Bareinnahmen (Tageslosung) . . . | . . . . . . |
| Kundenzahl . . . . . .         Unterschrift | |

**Kassenbuch,** →Grundbuch der →italienischen Buchführung, in Kontoform geführt. Durch Einstellen des jeweiligen Bargeldbestandes am Beginn eines Tages oder eines Wirtschaftsabschnitts weist das K. gleichzeitig durch Aufaddieren der Kasseneinnahmen und Ausgaben und Saldieren den jeweiligen Kassenbestand nach und erfüllt auf diese Weise die Aufgaben eines →Hilfsbuchs mit. Falls K. nicht geführt wird, ist Kassenkladde erforderlich, aus der Übertragung ins →Journal erfolgt. Zum Festhalten der Wareneinnahmen und -ausgaben genügen auch Lochkarten, Lochstreifen, Magnetbänder oder -platten, Disketten u. ä. (vgl. →Buchführung VI 4).

**Kassenbudget,** Begriff der Finanzwissenschaft. Erfassung der tatsächlichen Einnahmen und Ausgaben des Staates; streng auf den Jahresabschluß abgestellt (vgl. →Haushaltssystematik 6). – *Gegensatz:* →Zuständigkeitsbudget.

**Kassendefizit,** →Kassenmanko.

**Kassenfehlbetrag,** →Kassenmanko.

**Kassenhaltung.** 1. *Begriff:* Halten von Bar- und Buchgeldbeständen, um zukünftige Zahlungsverpflichtungen termin- und betragsgenau erfüllen zu können. – 2. *Problem der* *optimalen K.:* Ergibt sich, da diese Verpflichtungen bezüglich des Zeitpunkts ihres Eintreffens und ihrer Höhe teilweise unsicher sind. Ist der Kassenbestand höher als die anfallenden Auszahlungen, so entstehen dem Unternehmen →Opportunitätskosten; ist er niedriger als die anfallenden Auszahlungen, treten Verzugszinsen oder Fehlmengenkosten auf. Die dann notwendige Anpassung des Kassenbestandes verursacht zusätzlich Transferkosten (Gebühren, Provisionen). – 3. *Lösungsansätze:* Ein Lösungsansatz besteht in der Anwendung zweiseitiger →Bestellpunktverfahren: Überschreitet der Kassenbestand eine vorher festgelegte Obergrenze, so wird der überschießende Teil kurzfristig investiert; unterschreitet er eine Untergrenze, so wird er (z. B. durch Auflösung anderer Guthaben) erhöht. Liegt der Kassenbestand zwischen den Bestellpunkten, so ist wegen der zu hohen Transaktionskosten Nichtstun optimal. Das Problem der Festlegung der Bestellpunkte kann durch Schätzung der Wahrscheinlichkeitsverteilung der zukünftigen Geldnachfragen aus Vergangenheitsdaten der Unternehmung gelöst werden.

**Kassenhaltungskoeffizient,** Begriff der Geldnachfragetheorie, gibt die durchschnittlich gewünschte Kassenhaltung in Relation zum Volkseinkommen an, entspricht dem reziproken Wert der Einkommenskreislaufgeschwindigkeit. – Vgl. auch →monetäre Theorie und Politik IV.

**Kassenhaltungspolitik,** →Kassenhaltung.

**Kassenkredite,** Buch- und Schatzwechselkredite der Deutschen Bundesbank an den Bund (begrenzt auf maximal 6 Mrd. DM) und die Länder (maximal 40 DM pro Kopf) sowie Bundesbahn, Bundespost, Lastenausgleichsfonds ERP-Sondervermögen (insgesamt max. 1,204 Mrd. DM) zur vorübergehenden Überbrückung von Ausgabenüberschüssen.

**Kassenmanko,** *Kassendefizit, Kassenfehlbetrag,* Fehlbetrag der →Kasse, festgestellt durch →Kassenprüfung. K. kann *entstehen* a) durch Fehler beim Buchen, b) durch Versehen in der Annahme und Zahlung von Bargeld, c) durch Diebstahl und Unterschlagung. Klärt sich das K. nicht durch Nachprüfen der Eintragungen auf und kann vom Kassierer auch nicht der Ausgleich gefordert werden, dann ist der Fehlbetrag über Gewinn- und Verlustkonto auszubuchen. – Vgl. auch →Fehlgeldentschädigungen.

**Kassenobligation,** festverzinsliche →Schatzanweisung mittlerer Laufzeit, die von der Deteuschen Bundesbank im Auftrag der öffentlichen Hand per Ausschreibung (→Tender-Verfahren) verkauft wird.

**Kassenprüfung,** Prüfung der Übereinstimmung von Kassekonto und dem tatsächlichen Bestand der →Kasse. – 1. *Grundsätze:* K. soll

möglichst überraschend durchgeführt werden und *erstreckt* sich auf den Vergleich der Bargeld-Istbestände mit den -Sollbeständen. Größere Posten sollten lückenlos, die übrigen stichprobenweise geprüft werden. Besondere Aufmerksamkeit ist Vertretungszeiten (Urlaub oder Krankheit des verantwortlichen Kassierers und des Buchhalters) zu widmen. Bei grundlegender K. ist auch die Angemessenheit bestimmter Ausgaben zu untersuchen. – 2. *Hilfsmittel* der K. sind →Belege, Tagesauszüge, Verkehr mit Nebenkassen (z. B. Porto-, Frachtenkasse). – Auch die *Bank- und Postgirobestände* sind unter Vorlage der neuesten Tagesauszüge zu prüfen. – Bei Handelsgesellschaften ist an Bilanzstichtagen für Hauptgeschäft und Filialen ein unterschriebenes *Kassenprotokoll* anzufertigen. – Vgl. auch →Kassensturz.

**Kassenrechnung,** Nachweis von Bargeldeinnahmen und -ausgaben, z. B. durch →Kassenbuch oder →Kassekonto.

**Kassensturz,** Zählung des tatsächlich vorhandenen Kassenbestandes zu einem bestimmten Zeitpunkt; als Maßnahme der →Kassenprüfung (→Außenprüfung) verbunden mit anschließendem Vergleich des buchmäßigen Kassensollbestandes, um Ordnungsmäßigkeit der Kassenführung festzustellen.

**Kassenterminal,** *Datenkasse, point of sale terminal,* elektronische Registrierkasse, die als Ein-/Ausgabegerät die Endstation eines Datenverarbeitungsvorgangs bildet. Die Dateneingabe erfolgt manuell auf einer Tastatur oder mittels →Scanner. Als stand alone terminal wird die Datenspeicherung auf einem kasseninternen Datenträger vorgenommen. Die Datenverarbeitung erfolgt auf einer getrennten EDV-Anlage (→Offline-Betrieb). Als Verbund-K. ist die Kasse nur Datenerfassungsgerät, das online mit einer EDV-Anlage verbunden ist, wo Datenspeicherung und -verarbeitung sofort durchgeführt werden (→Online-Betrieb). – Vgl. auch →computergestütztes Warenwirtschaftssystem.

**Kassenvereine,** →Wertpapiersammelbanken.

**Kassenzahnarzt,** →Kassenarzt.

**Katalogisierungsverfahren,** *Klassifikationsverfahren,* Verfahren der →Arbeitsbewertung. Arbeitsbeispiele werden in Katalogform zusammengestellt. Die anfallenden Arbeiten werden in diese Beispiele eingeordnet.

**Katalogschauraum,** *catalog showroom,* Betriebsform des Einzelhandels: Der Kunde kann an Hand der Muster im Schauraum die durch Katalog angebotene Ware besichtigen und prüfen. Die ausgewählte Ware kann aus angeschlossenem Lager mitgenommen werden oder wird – wie beim →Versandhandel – zugestellt. – Vgl. auch →Bedienungsformen.

**Katar,** *Staat Katar,* an der NO-Küste der Arabischen Halbinsel gelegener Wüstenstaat am Persischen Golf. − *Fläche:* 11 427 km², einschl. einiger Inseln. − *Einwohner* (E): (1985) 301 000 (26,3 E/km²). Infolge des erhöhten Arbeitskräftebedarfs wies K. 1984 einen Ausländeranteil von 59% (Pakistaner, Iraner, Inder u. a.) auf. − *Hauptstadt:* Ad-Dauha (Doha; 83 299 E). Von 1916 bis zur *Unabhängigkeit* 1971 war K. britisches Protektorat. Absolute Monarchie mit „beratender Versammlung", vorläufige Verfassung von 1970, keine Parteien. − *Verwaltungsgliederung:* 5 Regionen. − *Amtssprache:* Arabisch (Handelssprache überwiegend Englisch).

W i r t s c h a f t : K. zählt zu den kleineren Erdölproduzenten der Erde (Anteil an der Weltförderung unter 1%). Trotz des Verfalls der Erdölpreise seit 1985 ist mittelfristig keine negative Handelsbilanz zu erwarten. Das Auslandsguthaben der Regierung und der Banken beliefen sich 1984 auf über 5 Mrd. US-$, denen nur geringe Schulden von 385 Mill. US-$ gegenüberstehen. − *Landwirtschaft:* Beschränkt auf Oasen und bewässerte Farmen. Staatliche Aktivitäten zielen auf eine Erhöhung des Selbstversorgungsgrades von ca. 20%. Die Bedeutung der Nomaden für die Viehwirtschaft sinkt durch den Aufbau von Farmen. − Der *Fischereisektor* verspricht größere Entwicklungschancen. Zwei neue Fischereihäfen mit den zugehörigen Verarbeitungskapazitäten sind geplant. Fangmenge: (1983) 2114 t. − *Produzierendes Gewerbe:* K. erlangte wirtschaftliche Bedeutung durch die Erdölfunde an der W-Küste bei Dukhan. Förderung und Export seit 1949. Die Erdölindustrie ist seit 1976 verstaatlicht. Beim gegenwärtigen Stand der Förderungen wird mit einem Versiegen der bekannten Erdölquellen in den nächsten 30 Jahren gerechnet. In den neunziger Jahren ist die Erschließung einer der größten nicht assoziierten Erdgaslagerstätten der Erde geplant. Die Fördermenge von Erdöl betrug (1984) 18 Mill. t und von Erdgas 6114 Mill. m³. K. strebt eine Diversifizierung der Wirtschaft an. Ein Ausbau der Petrochemie sowie der Schwerindustrie (Eisen- und Stahlverarbeitung) wird beabsichtigt. Staatliche Förderungsprogramme sollen privatwirtschaftliche Initiativen im Bereich der Leichtindustrie unterstützen. − *BSP:* (1985 geschätzt) 5110 Mill. US-$ (15 980 US-$ je E, das zweithöchste der Erde). − *Export:* (1984) 4513 Mill. US-$, v. a. Erdöl. − *Import:* (1984) 1147 Mill. US-$, v. a. Investitionsgüter, langlebige Konsumgüter, Nahrungsmittel. − *Handelspartner:* Japan (ca. 30%), EG-Länder, USA, Thailand.

V e r k e h r : *Straßennetz* umfaßt eine Länge von 1287 km davon sind über 900 km asphaltiert. − *Keine Eisenbahn.* − Bedeutende *Seeschiffahrt.* Wichtige *Häfen* sind Umm Said und Ad-Dauha. − Moderner internationaler

*Flughafen* bei Ad-Dauha. Beteiligung K.s an der *Fluggesellschaft* „Gulf Air".

M i t g l i e d s c h a f t e n : UNO, OAPEC, OPEC, OIC, UNCTAD u. a.; Arabische Liga.

W ä h r u n g : 1 Katar-Riyal (QR) = 100 Dirhams.

**Kataster,** Grundstücksverzeichnis, zuerst in Preußen zu Zwecken der Grund- und Gebäudesteuer eingerichtet, auf Vermessung beruhend und in einer Sammlung der K.-Karten niedergelegt. Bei Einrichtung des →Grundbuchs wird K. zugrunde gelegt, in dem das Land in Gemarkungen aufgeteilt ist. Für jede Gemarkung besteht ein Flurbuch. Dieses setzt sich zusammen aus Kartenblättern, auf denen die Parzellen eingezeichnet und mit laufenden Nummern bezeichnet sind. Die katastermäßige Bezeichnung findet sich auch im Grundbuch. − Das K. wird in der Bundesrep. D. geführt von den *Katasterämtern* oder den *Vermessungsämtern.* − Vgl. auch →Weinbaukataster.

**Katastersteuern,** →direkte Steuern 1.

**Katastrophenwagnis,** unvorhersehbare Verlustmöglichkeit durch außergewöhnliche Schadensfälle großen Ausmaßes. K. läßt sich i. d. R. nicht kalkulieren, da Eintritt, Häufigkeit und Umfang nicht bestimmbar sind. Es wird daher im allgemeinen →Unternehmerwagnis abgegolten.

**Kathedersozialisten,** ursprünglich zur polemischen Abgrenzung gegenüber den Vertretern des →Marxismus verwendete Bezeichnung für eine Reihe deutscher Nationalökonomen innerhalb der →Historischen Schule. Die drückende soziale Lage der Arbeiterschaft (→soziale Frage) und die unterschiedlichen Auffassungen über die richtige Gesellschafts- und Wirtschaftspolitik führten zu einem relativ starken politischen Engagement einiger Universitätsprofessoren (u. a. Brentano, Schäffle, Schmoller, Schönberg, Wagner), v. a. im Bereich der →Sozialpolitik. Ausdruck hierfür war u. a. die Gründung des Vereins für Socialpolitik 1873, dessen Bemühungen lange Zeit bes. Fragen der industriellen Organisation, der sozialen Lage der Arbeiter sowie der Sozialgesetzgebung und -verwaltung galten. Forschungsleitend waren für die K. zumeist nicht wissenschaftlich hinterfragte sozialpolitische Forderungen und ethische Werturteile. Diese Verdrängung positiver Analyse von Zielen und Instrumenten der Wirtschaftspolitik durch Wertungen wirkte sich auf die wirtschaftstheoretische Forschung und Lehre in Deutschland lange nachteilig aus. Die von M. Weber in diesem Zusammenhang aufgeworfene Frage, ob ethische Normen Gegenstand einer Erfahrungswissenschaft wie der Nationalökonomie sein könnten, lösten den jüngeren →Methodenstreit (Werturteilsdebatte) aus; dabei hat sich Webers Auffassung, Werturteile seien nicht beweisbar und hätten deshalb in der wissenschaftlichen Analyse keinen Platz, durchgesetzt.

**Kauf,** →Kaufentscheidung.

**Kaufabsicht,** Begriff der Theorie des →Konsumentenverhaltens und der →Marktforschung. Größe, um die Absicht einer Person zu erfassen, von einer bestimmten Marke eine bestimmte Menge in einem vorgegebenen Zeitraum zu kaufen. – *Bezug zu anderen Variablen des Konsumentenverhaltens:* Die K. wird beeinflußt von den →Einstellungen gegenüber der betreffenden Marke (Image) und der Einschätzung bestimmter Faktoren, die voraussichtlich die Kaufsituation charakterisieren (z. B. dem erwarteten Preis, der Verfügbarkeit der Ware in einem Geschäft, der für den Kauf verfügbaren Zeit). – K. dienen der Prognose zukünftigen Kaufverhaltens; sie gelten als zuverlässigere Prädiktoren als Einstellungen.

**Kauf auf Abruf,** →Abschluß eines Kaufvertrags unter der Bedingung, daß die Lieferung innerhalb einer angemessenen Frist nach Aufforderung zu erfolgen hat (→Abruf).

**Kauf auf Probe,** Abschluß eines →Kaufvertrags unter der Bedingung, daß der Käufer die Ware billigt. Ist für Billigung oder Mißbilligung keine Frist vereinbart oder aus der Verkehrssitte zu entnehmen, kann der Verkäufer dem Käufer eine angemessene Frist zur Erklärung setzen. Gibt der Käufer innerhalb der Frist keine Erklärung ab, gilt die Ware als gebilligt, wenn sie dem Käufer zur Probe oder Besichtigung übergeben war; andernfalls ist i. d. R. Mißbilligung anzunehmen (§§ 495, 496 BGB). – *Anders:* →Kauf zur Probe, →Kauf nach Probe.

**Kauf auf Umtausch,** gesetzlich nicht geregelter →Kaufvertrag, bei dem der Käufer das Recht hat, die gekaufte Sache gegen eine andere umzutauschen. Häufig kraft Verkehrssitte beim Verkauf im Laden an Verbraucher. Anders als beim →Kauf auf Probe ist der Käufer an den Kaufvertrag gebunden, kann aber binnen bestimmter, vielfach aus dem Kassenzettel ersichtlicher Frist gegen Rückgabe der unversehrten Sache eine andere zum Verkauf stehende gleich- oder höherwertige (dann Zuzahlung) wählen. Bestimmte Waren sind aus hygienischen Gründen grundsätzlich vom Umtauschrecht ausgenommen.

**Kauf auf Ziel,** →Zielkauf.

**Kaufeigenheim,** ein Grundstück mit einem Wohngebäude, das nicht mehr als zwei Wohnungen enthält und von einem Bauherrn mit der Bestimmung geschaffen worden ist, es einem Bewerber als Eigenheim zu übertragen. Die zweite Wohnung kann eine gleichwertige Wohnung oder eine Einliegerwohnung sein. (§ 9 WobauG). – Vgl. auch →Wohnungsbau.

**Kaufeigentumswohnung,** Wohnung, die von einem Bauherrn mit der Bestimmung geschaffen worden ist, sie einem Bewerber als eigengenutzte Eigentumswohnung zu übertragen. (§ 12 II WobauG). – Vgl. auch →Wohnungsbau.

**Kaufentscheidung.** 1. *Begriff:* a) *K. i. w. S.:* Der gesamte Prozeß von der Produktwahrnehmung bis zur Produktauswahl; b) *K. i. e. S.:* Zustandekommen des Kaufentschlusses. K. können individuell oder kollektiv (→organisationales Kaufverhalten, K. von Familien) getroffen werden. – 2. *Arten* nach dem Grund der psychischen →Aktivierung, der gedanklichen Steuerung und des automatischen reizgesteuerten Handelns: a) *Impulsive K.:* Gekennzeichnet durch geringe gedankliche Steuerung, verbunden mit starken Reizsituationen. – b) *Habituelle K. (habitualisierte K.):* Weitgehend „automatisch" ablaufend; gedankliche Steuerung und psychische Aktivierung des Konsumenten sind gering (vgl. auch →Lieferantentreue, →Markentreue). – c) *Vereinfachte K.:* Produktwahl mittels bewährter Entscheidungskriterien (z. B. nach der Höhe des Preises); gedankliche Steuerung ist begrenzt; psychische Aktivierung und Reizsituation beeinflussen die K. kaum. – d) *Extensive K.:* Für den Konsumenten einen Lernprozeß darstellend; situationsbedingte Reize spielen eine geringe Rolle, Kaufsituation ist mit einer großen psychischen Aktivierung verbunden. Extensive K. spielen v. a. bei neuen Kaufsituationen, die für den Konsumenten eine große wirtschaftliche Belastung darstellen, eine Rolle. (Idealtypische) Phasen der extensiven K.: (1) Problemerkenntnis, (2) Informationssuche, (3) Bildung von Alternativen, (4) Bewertung der Alternativen, (5) Entscheidung, (6) Bewertung der K. – Vgl. auch →Kaufverhalten, →Konsumentenverhalten. – 3. *Bezug der K. zu anderen Variablen des Konsumentenverhaltens:* Die K. wirkt sich in Form eines Rückkopplungsprozesses auf die →Zufriedenheit und die →Einstellung aus.

**Käuferland,** Land, in dem der →Gebietsfremde ansässig ist, der von dem →Gebietsansässigen die Waren erwirbt. Im übrigen gilt als K. das →Verbrauchsland (§ 8 IV 4 AWG).

**Käufermarkt,** Marktsituation sinkender Preise. Ursache eines K. ist ein Angebotsüberschuß (excess supply), der sich bei steigendem Angebot und konstanter Nachfrage ergibt, bzw. ein Nachfragedefizit, das sich bei sinkender Nachfrage und konstantem Angebot ergibt. Generell kann man formulieren: Ein Angebotsüberschuß (Nachfragedefizit) und damit ein K. entsteht, wenn das Angebot schneller wächst (langsamer sinkt) als die Nachfrage. – *Gegensatz:* →Verkäufermarkt.

**Käuferstrukturanalyse,** Methode der Marktforschung, bei der Mehrfachkäufer auf ihre soziodemographischen Merkmale untersucht werden. Vom Interesse ist dabei, die Käufer einer bestimmten Marke anhand ihrer Merkmale (Alter, Einkommen usw.) zu identifizieren. – Vgl. auch →Käuferwanderung →Marktsegmentierung.

**Käufertypologie,** *Konsumententypologie,* Typenbildung (→Typologie) auf Basis kaufrelevanter Kriterien zur →Marktsegmentierung nach soziodemographischen (Alter, Geschlecht, Einkommen usw.) und psychographischen (produktgruppenbezogene →Einstellungen, Persönlichkeitsmerkmale, →Käuferverhalten usw.) Merkmalen. Es werden allgemeine und spezielle Typen, die die spezifischen Merkmale von Kunden eines Unternehmens bzw. einer Branche erfassen. – *Ziel:* Ausrichtung der →Marketingstrategie und der →marketingpolitischen Instrumente auf typenspezifische Besonderheiten. – *Verfahren zur Bildung von K.:* →AID, →Clusteranalyse usw.

**Käuferverhalten.** I. B e g r i f f : Käufer sind private Haushaltungen (Konsumenten) und Organisationen (private und öffentliche Unternehmungen und öffentliche Haushalte); entsprechend gliedert sich das K. in →*Konsumentenverhalten* und →*organisationales Kaufverhalten.* K. erstreckt sich auf verschiedene Aspekte des Einkaufsverhaltens (in quantitativer, qualitativer, räumlicher, zeitlicher und personeller Hinsicht), aber auch auf andere Verhaltensweisen, wie insbes. das den Kaufprozeß begleitende Informationsverhalten (einschl. des Beschwerdeverhaltens). – *Theorien des K.* beschreiben die verschiedenen Verhaltensweisen von Konsumenten bzw. Käufern und erklären ihr Zustandekommen.

II. A n s ä t z e : 1. *Stimulus-Response-Konzept (SR-Konzept):* Das Modell entspricht der *behavioristischen Forschungsauffassung* (→Behaviorismus). – In Hypothesen werden nur Größen verknüpft, die sich auf *direkt beobachtbare Gegenstände* der Wirklichkeit beziehen; es handelt sich dabei a) um Reize aus der Umwelt, die auf die Sinne des Menschen einwirken *(Stimuli),* z.B. Werbemaßnahmen einer Unternehmung, und b) um *verschiedene Aspekte* des K. Das Verhalten des Menschen wird als *Reaktion auf Reize* gesehen. – 2. *Stimulus-Organismus-Response-Konzept (SOR-Konzept):* Das Modell entspricht der *neobehavioristischen Forschungsauffassung.* Es werden zusätzlich noch Größen hinzugenommen, die abbilden, wie die Reize aus der Umwelt im Inneren des Menschen (Insystem) verarbeitet werden *(intervenierende Variablen* oder *hypothetische Konstrukte);* diese Größen beziehen sich auf nicht unmittelbar beobachtbare Sachverhalte. Deswegen wird auch vom *SIR-Konzept (Stimulus-Insystem-Response-Konzept)* gesprochen. – Häufig verwendete Größen für das Insystem sind:

Kaufabsicht, →Einstellung, →Zufriedenheit, Bedürfnisse (→Motive), empfundenes →Kaufrisiko, →Markenkenntnis, →Involvement, →Aktivierung, →Aufmerksamkeit. Diese Größen müssen definiert werden; es sind Regeln anzugeben, wie sie gemessen werden können. Die Auswahl von geeigneten Indikatoren für diesen Meßprozeß nennt man Operationalisierung.

**Käuferwanderung,** Untersuchung der Käuferbewegungen zwischen einzelnen Marken, insbes. von Bedeutung bei Produktneueinführungen (→Gain-and-loss-Analyse, →Markentreue).

**Kauffrau,** →Kaufmann.

**Kaufhaus,** Betriebsform des Einzelhandels. Angeboten wird ein sehr tief gegliedertes, branchenhomogenes Sortiment (außer Lebensmitteln) in ausgedehnten Verkaufsräumen. Es gibt sowohl Fachabteilungen mit Beratung als auch Abteilungen mit weitgehender →Selbstbedienung. Standort bevorzugt in innerstädtischen Hauptlagen. Verbreitet sind K. für Textilien, Bekleidung, Möbel, Kinderspielzeug. – *Anders:* →Warenhaus.

**Kaufklassen,** im →Investitionsgütermarketing Begriff für unterschiedliche Kaufsituationen zwecks Erstellung kaufklassenadäquater Marketinglehren, z.B. Marketing für Individual- und für Routinetransaktionen: 1. K. nach *Komplexität der Kaufsituation* bzw. Routinisierungsgrad des Kaufprozesses (u.a. Robinson/Faris und Wind): (1) Erst- bzw. Neukauf (new task); (2) modifizierter Wiederkauf (modified rebuy); (3) reiner Wiederholungskauf (straight rebuy). Ordinal skalierte Charakterisierungsmerkmale dieser K.: Neuigkeitsgrad des Entscheidungsproblems, Informationsbedarf, Berücksichtigung von Alternativen. – 2. *Ansatz von Kutschker* mit drei ordinal skalierten Merkmalen (K.): (1) Neuartigkeit der Problemdefinition; (2) relativer Wert des Investitionsobjekts; (3) Ausmaß des hervorgerufenen organisationalen Wandels.

**Kaufkraft.** 1. *Allgemein:* Geldsumme, die einem Wirtschaftssubjekt je Zeiteinheit zur Verfügung steht (Einkommen zuzüglich aufgenommenem Kredit abzüglich zu tilgender Schulden). – 2. *Wirtschaftstheorie:* K. des Geldes; vgl. →Geldwert.

**Kaufkraft der Exporterlöse,** →incometerms of trade.

**Kaufkraftparität,** intervalutarischer →Kurs, bei dem die →Kaufkraft zweier Währungen in zwei verschiedenen Ländern gleich ist. – Vgl. auch →Kaufkraftparitätentheorie.

**Kaufkraftparitätentheorie,** Versuch, den →Wechselkurs durch die Kaufkraftverhältnisse in den entsprechenden Ländern zu erklären. – 1. *Naive K.:* Entwicklung der Wechselkurse zwischen zwei Ländern wird durch die Entwicklung des Verhältnisses des Inlandspreisniveaus zum Auslandspreisniveau determiniert. Die Schwäche dieses Ansatzes liegt z. B. a) in der Vernachlässigung nationaler Güter (Grundstücke, Wohnungsmieten, Dienstleistungen), die sehr wohl das Preisniveau, aber nicht den Wechselkurs beeinflussen können; b) in der Ausblendung anderer Faktoren neben Exporten und Importen, die Devisenangebot und -nachfrage beeinflussen. – 2. *Modifizierte K.*: Veränderung des Wechselkurses pro Zeiteinheit entspricht längerfristig der Veränderung der Preisniveaurelation der betrachteten Länder, ohne daß der Wechselkurs in jedem Zeitpunkt unbedingt mit dem Verhältnis des Preisniveaus übereinstimmen muß. Steigt z. B. das Inlandspreisniveau, so sinkt der Wechselkurs (d. h., der Preis für eine ausländische Währungseinheit, ausgedrückt in heimischen Währungseinheiten, steigt). Vgl. auch →Wechselkursdeterminanten. – 3. *Kritik:* Der grundlegende Einwand gegen die K. stellt darauf ab, daß Devisenangebot und -nachfrage und der Wechselkurs zwischen zwei Währungen nicht nur von Preisentwicklungen und Güterströmen bestimmt wird, sondern wesentlich von Spekulationen (→internationale Devisenspekulation) und politischen Faktoren.

**Kaufkraftüberhang,** →Geldüberhang.

**Kaufkraftvergleich,** statistisches Verfahren für den internationalen Preisvergleich, bei dem die nationalen Angaben mit Hilfe von Paritäten, die die Unterschiede in der Kaufkraft widerspiegeln, in eine gemeinsame Recheneinheit umgerechnet werden. Verwendung hauptsächlich bei internationalen Organisationen. Unterschiedliche Methoden zur Berechnung bilateraler oder multilateraler K., K. für den privaten Verbrauch oder für andere Teile des Bruttoinlandsprodukts. Der K. bezieht sich also weder auf den außerwirtschaftlichen Wechselkurs noch auf die →Verbrauchergeldparität. Der K. ist rechnerisch im Zusammenhang mit der Berechnung und Bewertung des →Sozialprodukts möglich und erforderlich. Unterschiede der Verbrauchsstruktur und Verschiedenheiten in der Entwicklung der Wirtschaft der Staaten, die sich in der →volkswirtschaftlichen Gesamtrechnung niederschlagen, können nicht über den →Wechselkurs ausgeglichen werden, weil dieser durch Transaktionen auf dem Geld- und Kapitalmarkt beeinflußt wird. Wichtigste statistische Grundlage für die Berechnung von K. sind Waren- und Dienstleistungspreise. Als Wägungsschemata dienen Angaben über die Verwendung des Sozialprodukts in möglichst tiefer Gliederung.

**Kaufkraftwährung,** →Indexwährung.

**Kaufmann, Kauffrau.** 1. *Begriff:* Im Sprachgebrauch jeder kaufmännische Tätige, im Rechtssinne nur, wer selbständig ein →Handelsgewerbe betreibt (nicht z. B. der Handlungsgehilfe). *Ausnahme:* Formkaufmann, für das Bestehen eines Handelsgewerbes nicht Voraussetzung ist. Jede natürliche und juristische Person kann K. sein, auch Geschäftsunfähige und beschränkt Geschäftsfähige (→Geschäftsfähigkeit). Während beschränkt Geschäftsfähige mit Ermächtigung des →gesetzlichen Vertreters und der Genehmigung des Vormundschaftsgerichts das Handelsgewerbe selbständig betreiben können, ist für Geschäftsunfähige dies nur durch gesetzlichen Vertreter möglich. – 2. *Arten:* a) Nach Art der Entstehung der Kaufmannseigenschaft: →Mußkaufmann, →Sollkaufmann, →Kannkaufmann und →Formkaufmann. b) nach Art oder Umfang des Gewerbebetriebes: →Vollkaufmann und →Minderkaufmann. Beginn und Ende der Kaufmannseigenschaft ist bei den einzelnen Gruppen verschieden. – Wer im Rechtsverkehr als K. auftritt, ohne es zu sein, wird als solcher behandelt (→Scheinkaufmann).

**kaufmännische Angestellte,** Arbeitnehmer, die in einem Handelsgewerbe zur Leistung kaufmännischer Dienste angestellt sind; aus dem Kreis der →gewerblichen Arbeitnehmer ausgegliedert. (Es gelten die Vorschriften der §§ 59 ff. HGB über →Handlungsgehilfen). Arbeitgeber muß →Kaufmann sein. Die Abgrenzung der kaufmännischen Dienste von anderen richtet sich nach der Verkehrsauffassung: Kaufmännische Dienste sind z. B. Büroarbeit (z. B. Buchhaltung) sowie einkaufende und verkaufende Tätigkeit. Nicht dazu gehört die Beschäftigung als Techniker.

**kaufmännische Anweisung,** Wertpapier, von einem Kaufmann oder Nichtkaufmann ausgestellt, an Order lautend (→Orderklausel), mit dem ein anderer Kaufmann angewiesen wird, Geld, Wertpapiere oder andere vertretbare Sachen zu leisten, ohne die Leistung von einer Gegenleistung abhängig zu machen. Die k. A. gehört zu den →kaufmännischen Orderpapieren. – Vgl. auch →kaufmännischer Verpflichtungsschein.

**kaufmännische Arbeitnehmer,** →kaufmännische Angestellte.

**kaufmännische Buchhaltung,** →Finanzbuchhaltung.

**kaufmännische Dienste,** nach Sprachgebrauch des Handelsrechts die durch den →Handlungsgehilfen geleistete Tätigkeit. K. D. erfordern nach der Rechtsprechung eine Beschäftigung, die gewisse kaufmännische Kenntnisse und Erfahrungen voraussetzt. Rein mechanische Arbeiten sind nicht k. D., auch nicht, wenn sie mit Schreibarbeiten oder Abrechnungen verbunden sind (z. B. bei Kellnern, Kartenverkäuferinnen im Theater usw.); ebensowenig gewerbliche Tätigkeit (z. B. Pakken usw).

**kaufmännische Orderpapiere,** die in § 363 HGB aufgezählten gewillkürten →Orderpapiere, nämlich: →kaufmännische Anweisung (§ 363 I HGB), →kaufmännischer Verpflichtungsschein, →Konnossement (§ 642 HGB), Ladeschein (§ 444 HGB), Lagerschein einer staatlich ermächtigten Anstalt (§ 424 HGB) und Transportversicherungspolice (§ 784 HGB). – Für die Form des →Indossaments, die Legitimation des Besitzers, ihre Prüfung und die Verpflichtung des Besitzers zur Herausgabe gelten die Art. 13, 14, 16 und 40 III WG entsprechend; die Urkunden können für kraftlos erklärt werden (§ 365 HGB). – Das Indossament hat Übertragungswirkung (Transportfunktion, d. h. es gibt dem neuen Gläubiger (Indossatar) eine schriftgemäße von Einreden aus der Person des Vormanns befreite Stellung. Dagegen fehlt ihm die Haftung des Übertragenden (Indossanten) für Annahme und Zahlung (§ 364 HGB). – Konnossement, Lagerschein und Ladeschein sind außerdem →*Traditionspapiere.*

**kaufmännischer Geschäftsbetrieb,** der für den kaufmännisch eingerichteten →Gewerbebetrieb. Voraussetzung ist vollkaufmännische Betriebsführung; hierzu gehört u. a. eine nach gewissen Grundsätzen eingerichtete Buchführung, geordnete Aufbewahrung der Geschäftskorrespondenz, regelmäßig wiederkehrende Inventur und Bilanz, Beschäftigung genügenden Personals. Der Umsatz ist nicht entscheidend, Kleinbetriebe scheiden aber auf jeden Fall aus. Die Eintragung des →Sollkaufmanns in das Handelsregister setzt voraus, daß der Gewerbebetrieb nach Art und Umfang einen in kaufmännischer Weise eingerichteten Geschäftsbetrieb erfordert, nicht daß das Unternehmen einen solchen hat (§ 2 HGB).

**kaufmännischer Verpflichtungsschein,** schriftlich an Order (→Orderklausel) gestelltes Versprechen eines Kaufmanns auf Leistung von Geld, Wertpapieren oder anderen →vertretbaren Sachen, unabhängig von einer Gegenleistung (§ 363 HGB). K. V. kommen vielfach bei Ausgabe von Anleihen vor, zur Umgehung der bei Inhaberschuldverschreibungen notwendigen staatlichen Genehmigung: Wer eine Anleihe aufnehmen will, stellt über die einzelnen Teilbeträge k. V. aus, auf denen als erster Nehmer die Emissionsbank benannt ist, die die Scheine mit ihrem →Blanko-Indossament versieht, so daß sie wie →Inhaberpapiere übertragen werden können.

**kaufmännisches Rechnen,** →Wirtschaftsrechnen.

**kaufmännisches Zurückbehaltungsrecht,** ein gegenüber den Regeln des BGB verstärktes →Zurückbehaltungsrecht (§§ 369–372 HGB). Pfandartiges Befriedigungsrecht eines Kaufmanns bei beiderseitigen Handelsgeschäften an Waren oder Wertpapieren des Vertragsgegners (§ 369 HGB). – 1. *Voraussetzungen:* a) Die Forderung des Gläubigers, für die zurückgehalten wird, muß unter Kaufleuten aus einem beliebigen zwischen Gläubiger und Schuldner abgeschlossenen beiderseitigen Handelsgeschäft entstanden (nicht durch →Forderungsabtretung erworben) sowie fällig sein (anders →Notzurückbehaltungsrecht). – b) Gegenstand des k. Z. sind nur Waren oder Wertpapiere, die aufgrund eines Handelsgeschäfts (einseitiges genügt) mit Willen des Schuldners, der selbst nicht unmittelbar Besitzer sein darf, in den →Besitz des Gläubigers gelangt und i. a. Eigentum des Schuldners sind. →Gutgläubiger Erwerb des k. Z. ist im Gegensatz zum →Pfandrecht nicht möglich. – c) Das k. Z. darf nicht durch Vertrag ausgeschlossen sein (§ 369 III HGB), z. B. durch die Verpflichtung, die Ware zur jederzeitigen Verfügung des Schuldners zu halten. Auch der Verkaufskommissionär hat kein k. Z. an der zum Verkauf übergebenen Waren. – 2. *Wirkungen:* a) Das k. Z. wirkt als persönliches Recht nur gegen den Schuldner, nicht gegen den Dritten, insbesondere den Eigentümer, es sei denn, der Dritte hat das Eigentum später durch Abtretung des Herausgabeanspruchs oder ein sonstiges dingliches Recht erlangt (§ 986 II BGB). – b) Das k. Z. gibt ein pfandartiges Befriedigungsrecht. Die Befriedigung erfolgt durch Verkauf aufgrund eines vollstreckbaren Titels im Wege der →Zwangsvollstreckung oder des →Pfandverkaufs (§ 371 HGB). – c) Im Konkurs des Schuldners gewährt das k. Z. ein Recht zur abgesonderten Befriedigung (§ 49 I Nr. 4 KO).

**Kaufnachlaß,** *buying allowance,* Maßnahme der →Verkaufsförderung. Der K. wird i. d. R. nach Abnahme einer bestimmten Einkaufseinheit gewährt und hat nur für eine begrenzten Zeitraum Gültigkeit. Er wird entweder auf der Rechnung ausgewiesen oder in Form eines Schecks zugestellt und soll den Wiederverkäufer dazu anregen, ein Produkt in sein Sortiment aufzunehmen, das er sonst unter Umständen nicht gekauft hätte. Üblich sind K. bei der Einführung eines neuen Produktes.

**Kauf nach Muster,** →Kauf nach Probe.

**Kauf nach Probe,** *Kauf nach Muster,* →Kaufvertrag, der aufgrund einer Warenprobe oder eines Warenmusters abgeschlossen wird, deren Eigenschaften als zugesichert gelten (§ 494 BGB). – *Anders:* →Kauf auf Probe, Kauf zur Probe.

**Kaufphasen(ansatz),** Versuch einer Systematisierung der Ablaufstrukturen des Kaufentscheidungsprozesses im →Investitionsgütermarketing. *Phasen* (u. a. nach Robinson/Faris und Wind): (1) Erkennen eines Bedürfnisses und einer allgemein möglichen Lösung; (2) Feststellung des Bedarfs (Art und Menge); (3) Genaue Spezifikation des Beschaffungsgutes; (4) Suche nach potentiellen Bezugsquellen; (5) Einholung und Analyse von Angeboten; (6) Bewertung der Angebote und Lieferantenauswahl; (7) Festlegung eines Bestellverfahrens; (8) Leistungsfeedback und Neubewertung.

**Kaufpreis,** beim →Kaufvertrag von den Parteien i. d. R. frei zu vereinbarendes Entgelt. Mangels Vereinbarung ist der angemessene, übliche K. maßgebend. Soll →Marktpreis entscheiden, ist i. d. R. der für den Erfüllungsort zur Erfüllungszeit geltende Marktpreis maßgeblich (§ 453 BGB).

**Kaufpreisrente,** auf bestimmte Zeit oder auf Lebenszeit des Rentenberechtigten laufende Rente als Entgelt für den Erwerb von Grundstücken, Unternehmungen oder Unternehmensanteilen. Der kapitalisierte Barwert der Rente unter Berücksichtigung von Zwischenzinsen ist der Kaufpreis. – *Steuerliche Behandlung:* Vgl. →Rentenbesteuerung.

**Kaufpreissammlungen,** Verzeichnis der Finanzämter zur Ermittlung des →gemeinen Werts von unbebauten Grundstücken. Aus tatsächlich gezahlten Preisen werden Rückschlüsse auf den gemeinen Wert gezogen.

**Kaufreihenfolge-Konzept,** →Markentreue.

**Kaufrisiko,** die vom Konsumenten als nachteilig empfundenen Folgen seines Verhaltens, die für ihn nicht sicher vorhersehbar sind; mit dem Kauf von Gütern oder Dienstleistungen verbundene finanzielle, psychologische, produktbezogene, gesundheitsbeeinträchtigende und soziale K. – *Messung:* a) eindimensionale Messung; b) mehrdimensionale Messung, bei der mehrere relevante Merkmale von Kaufobjekten erfaßt werden. – *Bezug zu anderen Variablen des Konsumentenverhaltens:* Das K. beeinflußt die Informationsaufnahme (→Aufmerksamkeit, →Wahrnehmung) und wirkt auf die →Kaufabsicht.

**Kaufschein,** Berechtigungsscheine, Ausweise oder sonstige Bescheinigungen zum Bezug von Waren, die zu scheinbaren oder wirklichen Vorzugspreisen angeboten werden. – Vgl. auch →Kaufscheinhandel.

**Kaufscheinhandel,** Form des Handels, bei der an Letztverbraucher sog. →Kaufscheine ausgegeben werden. Gem. § 6 UWG seit 1969 verboten; ausgenommen Bescheinigungen, die nur zu einem einmaligen Einkauf berechtigen und für jeden Einkauf einzeln ausgegeben werden (zulässig gem. § 6 b UWG). – Zulässig ist das sog. *Unterkundengeschäft,* bei dem kleinere Einzelhandelsgeschäfte oder Handwerker ihren Kunden Kaufscheine ausstellen,

wenn sich das eigene Angebot als nicht ausreichend erweist und diesen Kunden die Warenauswahl im Lager des Lieferanten (Großhändler, Hersteller) ermöglicht werden soll.

**Kaufverhalten,** kennzeichnend für einen Kauf ist es, daß einerseits Waren oder Dienstleistungen auf ein anderes Wirtschaftssubjekt übertragen werden, andererseits eine finanzielle Verpflichtung (nur im Ausnahmefall werden →Kompensationsgeschäfte getätigt) entsteht. K. äußert sich v. a. in den *Aspekten:* (1) Wahl unter verschiedenen Marken (Ausmaß der →Markentreue), (2) →Diffusion bestimmter Verhaltensweisen (z. B. Ausbreitung von Marktneuheiten), (3) →Einkaufsstättenwahl, (4) Art der einkaufenden Person (familiale Kaufentscheidung) und (5) Quantität und Qualität der gekauften Güter.

**Kaufverhaltensforschung,** Teilgebiet der →Marktforschung, das die Erfassung des →Kaufverhaltens einer bestimmten Zielgruppe zum Gegenstand hat. Einsatzgebiete sind Konsumgüter- und Investitionsgütermarktforschung. Untersuchungsgegenstände sind u. a. der Einfluß von Zeit, Erfahrung und Risikobewußtsein auf das Kaufverhalten. Mit Hilfe der K. können die einzelnen Phasen einer Kaufentscheidung identifiziert werden und z. B. für jede einzelne Phase dem Bedürfnis der Zielgruppen entsprechende Entscheidungshilfen angeboten werden.

**Kaufvertrag. I. Charakterisierung: 1.** *Begriff:* →Gegenseitiger Vertrag, durch den sich der Käufer zur Zahlung des in Geld bestehenden →Kaufpreises (sonst →Tausch), ggf. zur →Abnahme der Sache, der Verkäufer zur →Übereignung und →Übergabe einer Sache oder zur Übertragung eines Rechts verpflichtet (→Forderungskauf). Gegenstand des K. können alle verkehrsfähigen Sachen und Rechte sein (z. B. Grundstücke, bewegliche Sachen, Gesellschaftsanteile, Wertpapiere, ein Geschäft usw.). Der Kaufgegenstand kann konkret (→Stückkauf) oder nur der Gattung nach (→Gattungskauf) bestimmt sein. – 2. *Form:* Der K. ist i. d. R. formfrei, bedarf aber bisweilen der →öffentlichen Beurkundung (z. B. beim Grundstückskauf gem. § 313 BGB). – 3. *Wirkung:* Abgesehen von den Geschäften des täglichen Lebens, bei denen K. und Übereignung zusammenfallen (→Handkauf), wird der Käufer durch Abschluß des K. noch nicht Eigentümer der verkauften Sache. Auch braucht der Verkäufer nicht Eigentümer der Sache zu sein (→gutgläubiger Erwerb).

**II. Vertragsinhalt: 1.** *Pflichten des Verkäufers:* a) Übergabe der verkauften Sache einschl. etwaigen Zubehörs (§ 314 BGB) an den Käufer und Übertragung des Eigentums. – b) Bei Verkauf eines Rechts Verschaffung des Rechtes und, soweit es zum →Besitz einer Sache berechtigt, Übergabe der Sache (§ 433 BGB), und zwar jeweils frei von Rechten

Dritter, die gegen den Käufer geltend gemacht werden könnten (§ 434 BGB), wenn nicht das Recht des Dritten durch gutgläubigen Erwerb des Käufers erlischt. Der Verkäufer eines Rechts haftet für dessen Bestand, nicht aber für die Betreibbarkeit; bei Wertpapieren haftet er auch dafür, daß sie nicht zur Kraftloserklärung im →Aufgebotsverfahren aufgeboten sind (§ 437 BGB). – c) Der Verkäufer eines Grundstücks muß auch nicht bestehende, aber im →Grundbuch eingetragene Rechte, die im Falle ihres Bestehens das dem Käufer zu verschaffende Recht beeinträchtigen würden, auf seine Kosten zur →Löschung bringen (§ 435 BGB); der Verkäufer haftet aber nicht für die Freiheit des Grundstücks von öffentlichen Abgaben oder Lasten, die zur Eintragung im Grundbuch nicht geeignet sind (§ 436 BGB). – Der Verkäufer hat über die rechtlichen Verhältnisse des Kaufgegenstandes Auskunft zu geben und die zum Beweise des Rechts dienenden, in seinem Besitz befindlichen Urkunden dem Käufer auszuliefern, z. B. Mietverträge (§ 444 BGB). – 2. *Pflichten des Käufers:* Zahlung des Kaufpreises und ggf. →Abnahme der verkauften Sache (§ 433 II BGB). – 3. *Gefahrübergang:* I. d. R. mit der Übergabe der Sache an den Käufer, beim →Versendungskauf schon mit der Übergabe an die Beförderungsperson (§§ 446, 447 BGB). Ab Gefahrübergang bzw. beim Grundstückskauf mit der Eintragung, sofern diese vorausgeht, gebühren dem Käufer die Nutzungen und trägt er die Lasten der Sache (§ 446 BGB). Der Kaufpreis ist auch ohne besondere Abrede zu verzinsen, wenn er nicht gestundet ist (§ 452 BGB). – 4. *Kosten* der Übergabe, insbes. des Messens und Wiegens, bei Kauf eines Rechtes die Kosten der Begründung und Übertragung, gehen zu Lasten des Verkäufers. Kosten der Abnahme und der Versendung nach einem anderen Ort als dem →Erfüllungsort trägt der Käufer. Beim Grundstückskauf oder Kauf eines Rechts an einem Grundstück hat der Käufer alle Kosten der Beurkundung, →Auflassung und der Eintragung im Grundbuch zu tragen (§§ 448, 449 BGB). – 5. Bei einem *Verkauf im Wege der Zwangsvollstreckung oder Pfandverwertung usw.* dürfen die mit dem Verkauf Beauftragten sowie die von diesen herangezogenen Gehilfen (auch Protokollführer) weder für sich noch für andere kaufen; andernfalls ist die Gültigkeit der Genehmigung der am Verkauf Beteiligten abhängig (§§ 456–458 BGB). – 6. Den Verkäufer trifft eine wichtige gesetzliche Pflicht zur *Gewährleistung* für Rechts- und Sachmängel des Kaufgegenstandes (→Rechtsmängelhaftung, →Sachmängelhaftung), die vielfach durch →Allgemeine Geschäftsbedingungen (→Lieferungsbedingungen, →Zahlungsbedingungen), →Freizeichnungsklauseln und →Garantien eingeschränkt wird. – 7. *Besonderheiten* bestehen beim →Abzahlungsgeschäft und Verkauf

unter Eigentumsvorbehalt, ebenso beim Verkauf von Tieren hinsichtlich der sog. →Viehmängelhaftung. – 8. Im übrigen sind auch für den K. die allgemeinen *Vorschriften für →gegenseitige Verträge* insbes. hinsichtlich des →Zurückbehaltungsrechts, des →Schuldnerverzugs und der →Unmöglichkeit maßgebend. – 9. Bei *internationalem Kauf* und *Abschluß von internationalen Kaufverträgen* über bewegliche Sachen sind Gesetze vom 17.7.1973 (BGBl I 856 und 868) zu beachten.

**Kauf zur Probe,** bedingungsloser →Kaufvertrag mit unbeachtlicher Angabe des Motivs. – *Anders:* →Kauf auf Probe, →Kauf nach Probe.

**Kausalanalyse.** 1. Erforschung ursächlicher Zusammenhänge (→Kausalität). – 2. Analyse, die gegebene Hypothesen zu einem Modell verbindet und es mit empirischen Daten zu bestätigen versucht. Auch als *konfirmatorische Analyse* bezeichnet. – Vgl. auch →multivariate Analyseverfahren, →univariate Analyseverfahren →LISREL, →Pfadanalyse.

**Kausalerklärung,** →Erklärung.

**Kausalität,** Beziehung zwischen Ursache und Wirkung. Die Annahme eines strengen *Kausalitätsprinzips (Determinismus)* besagt, daß nichts ohne Ursache geschieht. Ohne Bindung an diese strenge Fassung, die u. a. durch Entdeckung des *Indeterminismus* automarer Vorgänge in Frage gestellt wird, ist Kausalitätsvorstellung im Zusammenhang mit wissenschaftlichen →Erklärungen bedeutsam.

**Kausalmonismus,** Bezeichnung für Konjunkturtheorien, die →Konjunktur im wesentlichen aus einer einzigen Grundursache zu erklären versuchen. Aufgrund der daraus folgenden gewaltsamen Isolierung eines Verursachungsfaktors wird K. von modernen, praktisch-orientierten Forschern nur als methodischer Ansatz angesehen; bei der Komplexität des heutigen Wirtschaftslebens ist mit K. keine allgemeingültige Lösung des Konjunkturproblems zu erbringen. – *Gegensatz:* →pluralistische Theorien.

**Kausalnexus,** Ursache-Wirkungs-Zusammenhang (→Kausalität).

**Kausalprinzip. I.** K o s t e n r e c h n u n g : (Kosten-) →Verursachungsprinzip, das Kosten einer bestimmten →Bezugsgröße dann zurechnet, wenn diese Ursache für den Kostenanfall ist.

II. S o z i a l p o l i t i k : Prinzip bezüglich der organisatorischen Grundlegung sozialpolitischer Maßnahmen. Im Gegensatz zum →Finalprinzip (vgl. dort II) nimmt das K. die Ursache zum Anhaltspunkt und gründet auf diesen Tatbestand (z. B. Unfall) einen Anspruch auf Transferleistungen als Ausgleich für einen Einkommensausfall oder eine

Schädigung. Zwischen K. und Finalprinzip bestehen enge Wechselbeziehungen.

**Kaution,** *Garantiesumme,* von Vertragspartnern zur Sicherung der Einhaltung eines →Vertrages verlangte Haftsumme, insbes. für eine evtl. später entstehende Forderung. Häufigste K. in Form der *Miet-K.* Möglich auch als *Personal-K.,* verlangt von Personen, die Vertrauensstellungen bekleiden sollen. – Vgl. auch →Kautionsversicherung.

**Kautionseffekten,** eigene →Effekten einer Bank, die bei Behörden und dgl. im Interesse eines Kunden als Sicherheit für die Erfüllung von Verträgen hinterlegt werden; während der Dauer der Hinterlegug beschränkt verfügbar.

**Kautionskredit,** →Kredit unter Bestellung von Pfändern und dgl., aus denen sich der Gläubiger bei Nichterfüllung befriedigen kann. – *Anders:* →Avalkredit.

**Kautionsversicherung,** *Bürgschaftsversicherung,* Übernahme einer selbstschuldnerischen Bürgschaft (seltener Ausfallbürgschaft) oder einer Garantie durch einen Versicherer nach Prüfung der Vermögensverhältnisse des Versicherungsnehmers, z. B. für die ordnungsmäßige Erfüllung von Kauf-, Werks- und Lieferverträgen, für gestundete Steuern und Zölle. Im Schadenfall Rückgriffsrecht des Versicherers gegen den Versicherungsnehmer. – *Urkunden:* Versicherungsvertrag mit dem Schuldner, Bürgschaftsvertrag (hinterlegter Bürgschein) gegenüber dem Gläubiger.

**Kautschuk- und Asbestindustrie,** →Gummiverarbeitung.

**Kaveling,** im kaufmännischen Sprachgebrauch Mindestmenge (Los), die ein Ersteigerer auf einer →Auktion erwerben kann.

**Kb,** Abk. für →Kilobit.

**KB,** Abk. für →Kilobyte.

**KBA,** Abk. für →Kraftfahrt-Bundesamt.

**KDBS, kompatible Datenbank-Schnittstelle,** →kompatible Schnittstellen 3 c.

**KDCS, kompatible Datenkommunikations-Schnittstelle,** →kompatible Schnittstellen 3 b.

**KE,** Abk. für →knowledge engineering.

**KEE, knowledge engineering environment,** Knowledge-Engineering-Sprache (→knowledge engineering) mit zugehöriger Umgebung. KEE unterstützt modularen Entwurf (→Modularisierung) eines →wissensbasierten Systems sowie mehrere Formen der →Wissensrepräsentation (→Frames, →Regeln usw.), somit ein Werkzeug für die Entwicklung von →Hybridsystemen. – K. stellt →Vorwärtsverkettung und →Rückwärtsverkettung als Inferenzmechanismen zur Verfügung. Die Entwicklungsumgebung enthält u. a. einen →Debugger. – K. wurde Anfang der 80er

Jahre von der Firma IntelliCorp., eine der ersten Firmen im Bereich des Knowledge Engineering, entwickelt; implementiert (→Implementierung) in dem Lisp-Dialekt Interlisp (→Lisp).

**Keller,** Begriff der Betriebsinformatik. Vgl. im einzelnen →stack.

**Kellerpolice,** →Mitversicherung.

**Kellerwechsel,** ein auf eine fingierte oder insolvente Person gezogener →Wechsel. Der K. ist grundsätzlich gültig, es kann jedoch →Betrug oder →Urkundenfälschung vorliegen.

**Kelvin (K),** Einheit der thermodynamischen Temperatur (→gesetzliche Einheiten, Tabelle 1). 1 K ist der 273,16te Teil der thermodynamischen Temperatur des Tripelpunktes des Wassers.

**Kenia,** *Republik Kenia,* ostafrikanischer Staat am Indischen Ozean. – *Fläche:* 582 646 km², darunter 13 397 km² Binnengewässer. – *Einwohner* (E): (1986, geschätzt) 21,16 Mill. (36,3 E/km²); zahlreiche ethnische Gruppen, die u. a. zu Bantu-, nilotischen und Kushito-Stämmen gehören, 32 600 Asiaten, 18 900 Araber, 4500 Europäer. – *Hauptstadt:* Nairobi (1,2 Mill.E); weitere Großstadt: Mombasa-Kilindi (400 000 E). – *Unabhängig* seit 1963, präsidiale Republik im Commonwealth of Nations seit 1964, Verfassung von 1963, Einkammerparlament, Einheitspartei. – *Verwaltungsgliederung:* Verwaltungsgebiet Nairobi, 7 Provinzen, 40 Distrikte. – *Amtssprachen:* Englisch und Suaheli.

Wirtschaft: K. gehört zu den am wenigsten entwickelten Ländern der Erde. – *Landwirtschaft:* Im feuchten Küstenland gedeihen Mais, Sisal und Baumwolle. Im Hochland ausgedehnte Viehzucht, Weizen-, Kaffee- und Teeanbau. – Der *Bergbau* spielt eine untergeordnete Rolle. Nennenswert ist lediglich die Gewinnung von Sodaasche, Flußspat, Kalkstein und Salz. Relativ entwickelte *Industrie,* v.a. in den Bereichen Nahrungsmittelherstellung, Textil- und Bekleidungsgewerbe, Fahrzeugbau und -reparatur, Metallwarenverarbeitung und chemische Industrie. – Beliebtes *Reiseland.* – *BSP:* (1985, geschätzt) 5960 Mill. US-$ (290 US-$ je E). – *Öffentliche Auslandsverschuldung:* (1984) 45,8% des BSP. – *Inflationsrate:* (Durchschnitt 1973–84) 10,8%. – *Export:* (1985) 958 Mill. US-$, v.a. Erdölerzeugnisse, Kaffee, Tee, Gemüse. – *Import:* (1985) 1437 Mill. US-$, v.a. Erdöl, Industrieausrüstungen, Maschinen und sonstige Investitionsgüter. – *Handelspartner:* EG-Länder, Japan, USA, Uganda, Saudi-Arabien.

Verkehr: Gute *Kraftverkehrswege.* Nairobi ist durch eine *Eisenbahnlinie* mit dem Haupthafen Mombasa verbunden. Eisenbahnverbindung mit Uganda und Tansania. Nairobi ist wichtigster Knotenpunkt im ostafrikanischen *Luftverkehr,* ferner Mombasa (auch *Seehafen*).

M i t g l i e d s c h a f t e n : UNO, AKP, CCC, OAU, UNCTAD u. a.; Commonwealth.

W ä h r u n g : 1 Kenia-Schilling (K.Sh.) = 100 Cents.

**Kennedy-Runde,** sechste Verhandlungsrunde im Rahmen des →GATT (1964–67); benannt nach ihrem Initiator, US-Präsident Kennedy. Die 54 Teilnehmerländer verhandelten im Gegensatz zu den vorhergehenden Runden nicht über individuelle Zollsenkungen bei einzelnen Produkten, sondern strebten eine *lineare Zollreduktion* von 50% an. Dieses Ziel wurde nicht erreicht: Für viele Produkte, insbes. im Agrarbereich, wurden Ausnahmen gemacht; in vielen Fällen belief sich die Zollsenkung auf weniger als 50%. Im Durchschnitt wurden die Zölle auf Industriegüter um ca. ein Drittel gesenkt; insofern wurde die K.-R. als großer Erfolg auf dem Weg zur Liberalisierung des Welthandels angesehen. – *Weitere Versuche* in dieser Richtung wurden im Rahmen der →Tokio-Runde unternommen und werden auch Gegenstand der →Uruguay-Runde sein.

**Kenn-Nummerung,** ein in die Form einer Zahl gekleideter Begriff oder Tatbestand zu dem Zweck, diesen erfaßbar und zählbar zu machen, z. B. Kennzeichnung einer Wirtschaftsgruppe, Berufsbezeichnung, Warenart oder ähnlicher Teilmassen durch eine Nummer, Beispiel: Konten-Nummerung, Personal-Nummerung. So gibt es – vor allem zum Zwecke der Lohnkartenbearbeitung: Konten-Nummern-Schlüssel, Berufgruppen- Waren-, Werkstoff-, Kunden-Nummern Schüssel usw. – *Anders:* →Kennzahlen.

**Kennzahlen,** *betriebliche Kennziffern.* I. C h a r a k t e r i s i e r u n g : Maßstabwerte für den innerbetrieblichen (*betriebsindividuelle K.*) und zwischenbetrieblichen (*Branchen-K.*) Vergleich. K. setzen in einem leicht faßbaren Zahlenausdruck verschiedene Größen in ein sinnvolles Verhältnis zueinander. K. im Zeitvergleich (Kennzahlensysteme) auch von Bedeutung im Rahmen der →operativen Frühaufklärung. – Zu *unterscheiden:* a) →Gliederungszahlen, b) →Beziehungszahlen, c)→Indexzahlen. – *Beispiele:* →Liquiditäts-Kennzahl, →Umschlags-Kennzahlen (Lager, Anlagen, Forderungen, Verbindlichkeiten); Kosten im Verhältnis zu Umsatz, zu Erlös; Umsatz je Verkaufskraft, je Kunde, je Auftrag; Reingewinn zu Kosten, zu Eigenkapital usw. Besonders aussagefähig sind K. der Leistung, Wirtschaftlichkeit, Rentabilität und Liquidität. →Kostenkennzahlen, →Richtzahlen; →Umsatzzahlen; Anlageintensität oder Anlagendeckung. – Vgl. auch →Bilanzanalyse, →Deckungsgrad.

II. K . im H a n d e l : Grundzahlen (z. B. absolute Zahlen wie Einzelwerte, Summen, Differenzen, Mittelwerte) oder Verhältniszahlen (z. B. relative Zahlen wie Gliederungszahlen, Beziehungszahlen, Indexzahlen ), die einzelnen Ergebnisse handelsbetrieblicher Tätigkeit dokumentieren. K. werden genutzt für →Betriebsvergleiche oder für Steuerung betrieblicher Prozesse durch das →Handelsmanagement. Die üblichen K. i. H. knüpfen an den →Produktionsfaktoren des Handels (Ware, Personen, Betriebsmittel, insbes. Raum) an. – 1. Zur Steuerung der *Warenwirtschaft* ist folgende Kette geeignet, deren einzelne Teile mit unterschiedlichen Instrumenten der Unternehmenspolitik beeinflußt werden können:

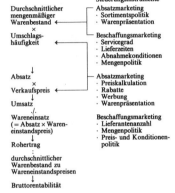

Bei der Bruttorentabilität bleiben sämtliche →Handlungskosten unberücksichtigt. Korrigiert man den →Rohertrag um die einer Ware direkt zurechenbaren Kosten, so erhält man einen →Deckungsbeitrag zur Abdeckung des mit zurechenbaren Blocks der restlichen Kosten. Dieser Deckungsbeitrag, bezogen auf den durchschnittlichen Warenbestand zu Wareneinstandspreisen, ergibt die Nettorentabilität. – 2. Zur Steuerung des *Personaleinsatzes* dienen: Umsatz pro Verkäufer Person (pro Verkaufskraft) oder Anzahl der Kunden pro Verkaufskraft. – 3. Zur Steuerung des *Betriebsmitteleinsatzes* sind gebräuchlich: Umsatz pro qm Verkaufsfläche, Umsatz pro laufenden Regalmeter, Umsatz pro Kasse, Deckungsbeitrag pro laufenden Regalmeter. – 4. Für einen *Kostenvergleich* und eine globale *Kostenkontrolle* dienen K. d. H., gebildet aus einer Gegenüberstellung einzelner Kostenarten zu den Gesamtkosten, z. B. Anteil der Personal- oder Lagerkosten an den Gesamtkosten. Die Aussagefähigkeit dieser K. d. H., ist abhängig von der Betriebsform und der Branche. – 5. Als eine *zusammenfassende* K. d.

H., kann der →return on investment (RoI) angesehen werden.

III. K. im Personalwesen: In quantitativen Größen ausgedrückte Daten bzw. Datenkombinationen, die nach verschiedenen Merkmalen näher gekennzeichnet werden können. – *Zwecke:* K. werden meist als Verhältnis- oder Relativzahlen gebildet, die über ein spezifisches Kriterium im Vergleich zu einem Normkriterium Auskunft geben sollen. – *Beispiele:* Arbeitsproduktivität = effektive Arbeitsleistung/Normalleistung; Auslastungsgrad der Belegschaft = effektive Arbeitsstunden/Normalarbeitsstunden; Fluktuation = Austritt/Personalbestand + Zugänge zu Periodenbeginn. – *Problematik:* K. können nur gebildet werden für quantitativ erfaßbare Größen. Im Personalbereich sind jedoch die qualitativen Gößen (z. B. →Motivation, →Führungsstil) von weitaus größerem Interesse; hierüber lassen sich jedoch keine K. bilden.

**Kennzeichen,** *Kraftfahrzeug-Kennzeichen,* amtliches K. laut Straßenverkehrsrecht, nach Umfang und Inhalt gesetzlich festgelegt; erforderlich für die zum Verkehr zugelassenen Kraftfahrzeuge (Kfz) oder Anhänger (§ 60 StVZO). Das K. (eine →Urkunde) wird für ein Kfz auf Antrag von der Kraftfahrzeugzulassungsstelle mit der →Betriebserlaubnis zugeteilt und bedarf noch der →Abstempelung. Antrag auf K. unter Vorlage der Kfz-Papiere und Nachweis der abgeschlossenen →Haftpflichtversicherung. Eigenmächtige Veränderung eines K. ist strafbar. Die Einführung fälschungssicherer K. ist vorgesehen. Für Probe- und Überführungsfahrten kann ein besonderes rotes K. erteilt werden, das zu anderen Fahrten nicht benutzt werden darf. – Nationalitätszeichen, Wappen u. a. m. sind keine K.

**Kennziffern,** →Kennzahlen.

**Kern,** Begriff der →allgemeinen Gleichgewichtstheorie und →Spieltheorie. K. bezeichnet die Menge aller zulässigen Allokationen, die durch keine Koalition von Wirtschaftssubjekten verbessert werden kann.

**Kernarbeitszeit,** →gleitende Arbeitszeit.

**Kernenergierisiko,** Versicherung des K., d. h. der Risiken aus der Erzeugung oder friedlichen Verwendung von Kernenergie. – 1. In den Sachversicherungszweigen und in der Transportversicherung *Ausschluß der Schäden durch Kernenergie;* in der Feuer-, und Einbruchdiebstahl- Raub-, Leitungswasser-, Sturm- und in der Maschinenversicherung können Schäden, die als Folge eines versicherten Gefahr durch auf dem Versicherungsgrundstück befindliche radioaktive Isotope entstehen, mitversichert werden. – 2. *Sachversicherung von kerntechnischen Anlagen* gegen Feuer- und Kernenergieschäden bei der →Deutschen Kernreaktor-Versicherungsgemeinschaft (DKVG); zusätzliche Deckung von Maschinen-, Leitungswasser- und Sturmschäden ist möglich. – 3. Der Ersatz von Schäden durch Kernenergie richtet sich in der Bundesrep. D. einschl. des Landes Berlin nach dem →*Atomgesetz.* Die Betreiber von Kernanlagen sind zur Deckungsvorsorge verpflichtet und schließen hierfür Haftpflichtversicherungen ab, meist über die DKVG. Haftpflichtversicherungen gibt es auch für a) die genehmigte Tätigkeit mit Kernbrennstoffen und sonstigen radioaktiven Stoffen außerhalb von Atomanlagen und b) Kernbrennstofftransporte in den Fällen des § 25 (2) Atomgesetz. – 4. In der *Allgemeinen Unfallversicherung und der Unfall-Zusatzversicherung der Lebensversicherer* sind Gesundheitsschädigungen durch energiereiche Strahlen mit einer Härte von mindestens 100 Elektronen-Volt, durch Neutronen jeder Energie, durch Laser- oder Maserstrahlen und durch künstlich erzeugte ultraviolette Strahlen ("Strahlenwagnis") ausgeschlossen. – 5. In der *Lebensversicherung und Krankenversicherung* besteht nach dem Grundsatz der universellen Deckung uneingeschränkte Leistungspflicht, auch wenn der Versicherungsfall auf die Auswirkungen von Kernenergie zurückzuführen ist, jedoch ist für den Katastrophenfall die Einschränkung oder Streckung der Versicherungsleistungen mit Zustimmung des Bundesaufsichtsamtes für das Versicherungswesen zum Schutz vor Illiquidität der Versicherer denkbar.

**Kernfamilie,** i. S. d. →Familienstatistik eine Gemeinschaft von Blutsverwandten. – *Zu unterscheiden:* (1) *Vollfamilien:* Beide Eltern leben mit ihren Kindern zusammen in einem gemeinsamen Haushalt; (2) *Halbfamilien:* Verwitwete und geschiedene Ehepartner sowie unverheiratete bzw. getrennt lebende Mütter und Väter, die in ihrem Haushalt für ihre Kinder sorgen. – Vornehmlich die Vollfamilien sind von der →Bevölkerungspolitik her wichtig.

**Kerngruppe,** an der Zielbildung (z. B. einer Unternehmung) beteiligte Gruppe von →Organisationsmitgliedern, die Kraft gesetzlicher oder vertraglicher Legitimierung zur Zielfestlegung vorgesehen ist. – Vgl. auch →Koalition.

**kernphysikalische Produktion,** Elementartyp der Produktion (→Produktionstypen), der sich aus dem Merkmal der naturgegebenen Grundlagen der Prozeßtechnologie ergibt. – *Beispiel:* Wärmeerzeugung durch Kernspaltung in Atomkraftwerken. – Vgl. auch →biologische Produktion, →chemische Produktion, →physikalische Produktion.

**Kernsortiment,** →Sortiment.

**Ketteler,** Wilhelm Emanuel Freiherr von, 1811–1877, katholischer Kirchenfürst und -politiker. K. war zunächst Jurist, schied aus dem preußischen Staatsdienst aus als Protest gegen den Kölner Kirchenstreit, wurde Bischof von Mainz, 1871 bis 1873 Reichstagsabgeordneter. Seine soziale Haltung war von größtem Einfluß auf die katholische Sozialethik und -politik. K. trat für Sozialreformen und die Gewerkschaften ein, kritisierte den wirtschaftlichen →Liberalismus als Verfechter des Ständestaates. Im Kulturkampf trat K. für die Freiheit der Kirche ein. – *Hauptwerke:* „Die Arbeiterfrage und das Christentum" 1864; „Die Arbeiterbewegung und ihr Streben im Verhältnis zur Religion und Sittlichkeit" 1869; „Fürsorge der Kirche für die Fabrikarbeiter" 1869.

**Kettenabschluß,** *Reihenabschluß,* →Termingeschäft, bei dem die gleiche Warenpartie mittels Geschäft und Gegengeschäft durch eine Reihe von Kontrahenten gehandelt wird. Die effektive Abwicklung erfolgt nur zwischen dem letzten Käufer und dem ersten Verkäufer; die Zwischenglieder rechnen nur die Differenzen ab.

**Kettenarbeitsvertrag,** →Kettenvertrag.

**Kettendrucker,** Zeilendrucker (→Drucker), der wie ein →Typenbanddrucker funktioniert; statt des Typenbandes wird eine Kette mit Typen verwendet. Das Druckbild ist schlechter als das des Typenbanddruckers und eine Typenkette ist umständlicher auszuwechseln als ein Typenband; deshalb wird der K. heute nur noch selten eingesetzt.

**Kettenprüfung,** →kontinuierliche Stichprobenprüfung.

**Kettenvertrag,** *Kettenarbeitsvertrag,* Aufeinanderfolge (Kettung) von →befristeten Arbeitsverhältnissen (Beendigung nicht durch Kündigung, sondern durch Zeitablauf). K. sind unzulässig, wenn für ihren Abschluß in den wirtschaftlichen und sozialen Verhältnissen der Parteien kein vernünftiger Grund vorliegt. Es wird Umgehung der gesetzlichen Kündigungsschutzbestimmungen angenommen mit der Folge, daß das Arbeitsverhältnis als auf unbestimmte Dauer übergegangen gilt und nur durch Kündigung aufzulösen ist. Auch durch das →Beschäftigungsförderungsgesetz wird nur die einmalige Befristung von Arbeitsverhältnissen erleichtert (vgl. im einzelnen →befristetes Arbeitsverhältnis).

**Key-account-Management,** Form der →Marketing-Organisation, und zwar nach Kunden: Das Tätigkeitsfeld der Key-account-Manager ist auf einen (oder wenige) Großkunden begrenzt, dessen (deren) Machtposition im →Absatzkanal als besonders hoch eingeschätzt wird. Z. B. haben manche Markenartikelproduzenten K. a. M., die nur die Zentralen von (einigen) Filialunternhmen besuchen

und diese gezielt und dauerhaft mit sämtlichen Instrumenten des Marketing bearbeiten.

**Keyman-Versicherung,** →Lebensversicherung VIII 2 b) (3).

**Keynes,** John Maynard, 1883–1946, Politiker und bedeutender britischer Nationalökonom. K. leitete als Berater des britischen Schatzamtes dessen Delegation auf der Friedenskonfernz von Versailles, hielt die Reparationsforderungen für nicht vertretbar („The economic consequences of peace", 1919), forderte eine Revision der Versailler Verträge („A revision of the treaty", 1922). K. war 1909–1946 Mitglied des Lehrkörpers des King's College in Cambridge, gleichzeitig Publizist (1911 1945 Hrsg. des Economic Journal, 1913–1945 Sekretär der Royal Economic Society). Er entwickelte im Zweiten Weltkrieg einen Plan zur Kriegsfinanzierung („How to pay for the war", 1940) und für eine neue internationale Währungsordnung („Proposals for an International Clearing Union", 1943). Diese „Allgemeine Theorie" („General theory of employment, interest and money, 1936) brachte eine grundlegende Neuorientierung des ökonomischen Denkens. Unter dem Eindruck der Weltwirtschaftskrise gelang es K. zu zeigen, daß andauernde Unterbeschäftigung auch bei gesamtwirtschaftlichem Gleichgewicht möglich ist. Vgl. →Keynessche Lehre. – *Hauptwerke:* „A treatise on probability" 1921; „Tract on monetary reform" 1923; „A treatise on money" 1930; „Essays in persuasion" 1931.

**Keynes-Effekt,** auf →Keynes zurückgehender →Vermögenseffekt des Geldes. Dem K. E. zufolge erhöht eine Senkung des Preisniveaus den Realwert der Geldbestände mit der Folge eines Überangebots am Geldmarkt, der nur bei einem niedrigeren Zinssatz wieder zum Gleichgewicht finden kann. Der niedrigere Zinssatz wird wiederum die Unternehmungen nach Maßgabe der →Grenzleistungsfähigkeit des Kapitals und damit der Zinselastizität der Investitionsgüternachfrage zu verstärkten Investitionen anregen. Der K. E. stellt in erster Linie auf die Veränderung der Investitionsnachfrage ab.

**keynesianische Positionen,** Weiterentwicklungen von Wirtschaftstheorie und -politik in der Folgezeit und aus Anlaß der 1936 erschienenen „Allgemeinen Theorie" von J. M. Keynes (→Keynessche Lehre).

1. Auf theoretischem Gebiet sind insbes. *zwei Ausprägungen der keynesianischen Theorie* von Bedeutung, beide im wesentlichen auf J. Hicks zurückgehend: a) Das *IS-LM-Schema* (→Keynessche Lehre III 1), in dem die keynessche Analyse auf eine kurzfristige Theorie zur Bestimmung des Gleichgewichtseinkommens reduziert wird. Nach Ansicht vieler Keynesianer (J. Robinson, N. Kaldor, H. P. Minsky u. a.) wird

damit der Kerngehalt der Keynesschen Lehre nicht getroffen. Insbes. fehlen die Aspekte: Unsicherheit und Erwartung, Rolle des Lohnniveaus im Konjunkturablauf, Bedeutung historischer, institutioneller und sozialpsychologischer Faktoren, Dynamik. Das IS-LM-Modell reduziert die Keynessche Lehre auf eine Theorie zur Ableitung des Gleichgewichts bei Unterbeschäftigung. Die von Keynes analysierten Zusammenhänge zwischen Löhnen, Preisen und Beschäftigung werden nicht aufgenommen. Daher bot die IS-LM-Darstellung Anlaß für viele „keynesianische" Interpretationen monetaristisch orientierter Autoren, die das Gegenteil von dem besagen, was Keynes ursprünglich abgeleitet hatte. – b) Formalisierung der *Konjunkturzyklen:* Mit Hilfe eines Multiplikator-Akzelerator-Modells wird versucht zu zeigen, daß es in einer Marktwirtschaft stets zu zyklischen Entwicklungen kommen muß. Zwar wird die konjunkturelle Instabilität des privaten Sektors explizit formal abgeleitet, die keynessche Gedanken zur Konjunkturtheorie werden dadurch aber nur unvollständig beschrieben.

2. Die keynesianische Konzeption der *Globalsteuerung* mit dem Ansatzpunkt der gesamtwirtschaftlichen Nachfrage: Die ursprünglich von Keynes als reine Vollbeschäftigungspolitik geplante Strategie wird erweitert zur antizyklischen Steuerung je nach Konjunkturlage. Die Ziele sind für die Bundesrep. D. im →Stabilitätsgesetz fixiert. Insbes. *zwei grundsätzliche Probleme* behindern den Erfolg dieser Strategie: *Vollbeschäftigungspolitik* in Rezessionen geht auch zu Lasten höherer Inflationsraten, die unter Umständen akzelerieren, insbes. wenn die Inflation konzentrationsbedingt verstärkt wird (Stabilitätsdefizit der Globalsteuerung); *Antiinflationspolitik* führt i. d. R. erst zu Mengenanpassungen bei konstanten oder sogar steigenden Preisen (Stagflation, Stabilisierungskrise) und erst später zu Preissenkungen. Wegen dieser Probleme fordern die Keynesianer wettbewerbs- und einkommenspolitische Absicherungen in zahlreichen Varianten, wie diskretionäre ad-hoc-Maßnahmen, Regelmechanismen, regelgebundenes Verhalten, Feinsteuerung nach Regionen bzw. Sektoren. – Die eher vordergründig verfahrenstechnische Diskussion dieser Varianten führte am Kern der Problematik (endogene Instabilitätstendenz des Systems) vorbei und war einerseits Anlaß zur Ablösung keynesianischer Strategien durch →Monetarismus, →Angebotsökonomik und andererseits Grund zur Erweiterung der theoretischen Grundlagen keynesianischer Analyse in Richtung →Neue keynesianische Makroökonomik, →Ungleichgewichtstheorie und Konflikttheorie (→Antigleichgewichtstheorie II 3), aber auch Grund zur Rückbesinnung auf Keynes durch den →Postkeynesianismus.

**Keynesianismus,** →Keynessche Lehre.

**Keynessche Lehre,** *Keynesianismus.*

I. Einleitung: 1936 erschien die „Allgemeine Theorie der Beschäftigung, des Zinses und des Geldes" von J. M. →Keynes, in der er die damals herrschende Wirtschaftstheorie grundlegend angriff. Die traditionelle gleichgewichtsorientierte Vollbeschäftigungstheorie wird ersetzt durch die Ableitung der Möglichkeit von „Unterbeschäftigungsgleichgewichten". Die *Zurückweisung der klassischen Gleichgewichtstheorie* durch Keynes betrifft sämtliche Grundannahmen: (1) Die *Markträumungsannahme* (Saysches Gesetz, Stabilität, Preisflexibilität) wird ersetzt durch Mengenungleichgewichte und Instabilitätstendenzen (kumulative Prozesse, Krisen). (2) Die Annahme über das *Maximierungsverhalten* wird z. T. und insbes. bei Vorliegen von Unsicherheit ergänzt um andere (rationale) Verhaltensweisen. (3) An die Stelle der Annahme *vollständiger Konkurrenz* tritt unvollkommener Wettbewerb, insbes. auf dem Arbeitsmarkt. (4) Die Annahme der *vollständigen Voraussicht* wird ersetzt durch die Hypothese, daß in vielen Fällen Unsicherheit vorherrscht. – Insofern weist Keynes die herrschende →allgemeine Gleichgewichtstheorie zur Erklärung der Realität zurück. Die klassische Hoffnung auf Selbststabilisierung des Systems wird abgelöst durch die Keynessche Botschaft der *Steuerungsnotwendigkeit* und *Steuerungsmöglichkeit.* Dabei ist die wirtschaftspolitische Therapie der bekannteste Teil geworden: Intervention des Staates über Beeinflussung der Gesamtnachfrage *(Globalsteuerung)* und Stabilisierung des Investorenverhaltens bei Vorliegen von Unsicherheit *(Investitionssteuerung).* – Die Bausteine seines theoretischen Systems gemäß der „Allgemeinen Theorie" sind: Konsumfunktion und Multiplikator, Unterbeschäftigungsgleichgewicht, Erwartungen und Unsicherheit, Konjunktur- und Investitionstheorie, Instabilitätstendenz und Steuerungsnotwendigkeit – die im folgenden kurz vorgestellt werden.

II. Konsumfunktion und Multiplikatorprinzip: Die gesamtwirtschaftliche Konsumnachfrage (C) hänge nach Keynes im wesentlichen von der Höhe des Einkommens (Y) ab: C = C(Y). Dabei nimmt er an, daß die Konsumneigung

$$\frac{dC}{dY} = c$$

positiv und kleiner als eins ist. Vereinfacht wird die *Konsumfunktion* häufig in linearer Form dargestellt: $C = cY + \bar{C}$; $0 < c =$ konst. $< 1$, $\bar{C} =$ autonomer Konsum $< 0$. Für eine geschlossene Wirtschaft ohne staatliche Aktivität gilt für die gesamtwirtschaftliche Nachfrage (Z): $Z = C + I_0$; $I_0 =$ autonom gegebene Investitionsausgaben. Damit folgt: $Z = cY + \bar{C} + I_0$, die einkommensabhängige Nachfrage (vgl. Abb. 1). Für die Annahme eines Kreislaufgleichgewichts (Y = Z) folgt:

$Y = \bar{C} + I_0 + cY$ bzw. das Gleichgewichtseinkommen ($Y_0$) als:

$$Y_0 = \frac{\bar{C} + I_0}{1 - c}.$$

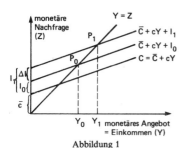

**Abbildung 1**

Das Kreislaufgleichgewicht liegt im Schnittpunkt zwischen Nachfragefunktion und 45°-Linie, die alle Punkte abbildet, in denen Kreislaufgleichgewicht gilt. Steigen nun die autonomen Investitionen um $\Delta I$ auf $I_1$ folgt ein neues Gleichgewicht in $P_1$ (vgl. Abb. 1) und damit ein neues Gleichgewichtseinkommen:

$$Y_1 = \frac{\bar{C} + I_1}{1 - c}.$$

Die Einkommensänderung $\Delta Y = Y_1 - Y_0$ ergibt sich aus:

$$\Delta Y = \frac{\Delta I}{1 - c}; \quad \Delta I = I_1 - I_0.$$

Dabei stellt $\frac{1}{1-c}$ den *Multiplikator* dar, der umso größer ist, je größer die Konsumquote c ist.

III. K e y n e s s c h e G l e i c h g e w i c h t e b e i U n t e r b e s c h ä f t i g u n g : Vor allem zwei Einwände führt Keynes gegen die vollbeschäftigungsorientierte Arbeitsmarktanalyse ins Feld. Der erste Einwand ersetzt die Flexibilitätsannahme durch mögliche Starrheiten (Lohnstarrheit und Liquiditätstheorie). Der zweite (fundamentalere) Einwand richtet sich gegen die „klassische" Beschäftigungstheorie insgesamt. Die Lehrbuchdarstellungen greifen häufig nur den ersten Einwand auf.

1. *Starrheiten und Liquiditätstheorie:* Dieser Aspekt der K. L. wird traditionell mit Hilfe des IS-LM-Modells dargestellt und analysiert. Das *IS-LM-Modell* zeigt die simultane Bestimmung eines *Gleichgewichts auf Geld- und Gütermarkt* (vgl. Abb. 2). In einer geschlossenen Volkswirtschaft gilt für ein Gütermarktgleichgewicht ohne staatliche Aktivität: monetäres Angebot (Y) = monetäre Nachfrage, die

aus Konsumausgaben (C) und Investitionsausgaben (I) besteht. Mit $C = C(Y)$ und $I = I(i, r)$, wobei $i$ = Zinssatz und $r$ = Rentabilität (Grenzleistungsfähigkeit des Kapitals) folgt $Y = C(Y) + I(i, r)$ bzw. mit $S = Y - C(Y)$ $S(Y) = I(i, r)$. Bei gegebenem r stellt die *IS-Funktion* alle i/Y Kombinationen dar, für die ein *Gütermarktgleichgewicht* gilt.

Die *LM-Funktion (Geldmarktgleichgewicht)* kann folgendermaßen zusammengefaßt werden: $M = L^{s'}(i) + k \cdot Y$; $k$ = Kassenhaltungskoeffizient, $k$ = konstant > 0. Dabei bedeuten: M = die durch die Zentralbank vorgegebene Geldmenge, $L^{s'}(i)$ = zinsabhängige Spekulationsnachfrage, $k \cdot Y$ = Transaktionsnachfrage. Bei gegebener Geldmenge (M) und konstantem k stellt de LM-Funktion (vgl. Abb. 2) alle i/Y-Kombinationen dar, für die ein Geldmarktgleichgewicht gilt.

IS ist normalerweise negativ geneigt, da mit steigendem Einkommen ein geringerer Zinssatz erforderlich wird, um die höheren Ersparnisse durch Investitionsausgaben auszugleichen. Wegen der Annahme $L^{s'}(i) < 0$ folgt eine positiv geneigte LM-Kurve. Im Schnittpunkt beider Kurven sind *Geld- und Gütermarkt im Gleichgewicht.* Dieses Systemgleichgewicht ist ohne weiteres mit Unterbeschäftigung vereinbar; z. B. $Y_0 < Y_v$ = Vollbeschäftigungseinkommen. Um dies zu demonstrieren, muß das System um eine einfache *Arbeitsmarktanalyse* mit keynesscher Lohnstarrheit ergänzt werden. Es gelten: $R = R(A)$; $R' > 0$; $R'' < 0$, eine Produktionsfunktion bei vorgegebenem Kapitalstock, wobei R = Realeinkommen, A = Arbeitseinsatz bedeuten,

$$l/p = \frac{\partial R}{\partial A}(A),$$

die Grenzproduktivitätsregel, die nach A aufgelöst die gewinnmaximale Beschäftigung

$$A^N = A^N\left(\frac{l}{p}\right)$$

darstellt und $l = l_0 + g(A)$; $g' > 0$, eine nominallohnabhängige Arbeitsangebotsfunktion mit Lohnstarrheit nach unten. – Die Konstellation der Abb. 2 zeigt trotz *Güter-, Geld- und Arbeitsmarktgleichgewicht* dauerhafte Unterbeschäftigung in Höhe von $A_1 - A_0$, die nach Keynes durch Eingriffe der Wirtschaftspolitik (expansive Geld- und/oder Fiskalpolitik) zu beseitigen ist. In Abb. 2 führt eine expansive Geldpolitik (LM$_1$) zu Einkommenserhöhungen ($Y_1$ bei Zinssenkung (i$_1$). Gleichzeitig steigt das Preisniveau auf p$_1$. Wegen der Reallohnsenkung (bei konstantem Nominallohnsatz) wird ein Gleichgewicht bei Vollbeschäftigung möglich. Expansive Fiskalpolitik (IS$_1$ führt zu $Y_1$/i'$_1$. Preis- und Beschäftigungseffekte erfolgen analog dem Fall Geldpolitik. – Abb. 3 zeigt die mögliche *Impotenz der Geldpolitik* bei Vorliegen der sogenannten Liquiditätsfalle (Zinsstarrheit nach unten)

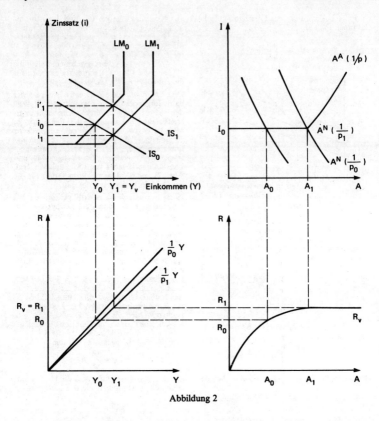

Abbildung 2

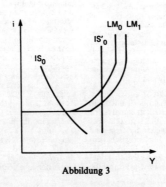

Abbildung 3

bzw. bei zinsunelastischen Investitionen. –
*Bedeutung: Unterbeschäftigungsgleichgewichte*
werden von Keynes im wesentlichen auf Starrheiten zurückgeführt. Die für Vollbeschäftigung notwendigen Reallohnsenkungen „müssen" danach über eine inflationäre Expansions-
politik erreicht werden. Für die praktische
Wirtschaftspolitik ist dies sicher ein wichtiges
Argument (Akzeptanzproblem), als Begründung einer allgemeinen Theorie aber nicht
ausreichend.

2. *Effektive Nachfrage und Beschäftigung:* Das
Hauptanliegen der Allgemeinen Theorie ist
der Versuch nachzuweisen, daß die neoklassische Funktionsweise des Arbeitsmarktes
unhaltbar ist. Keynes bezweifelt die umfassende Markträumungsannahme via Reallohn-
flexibilität. Er bestreitet die expansiven Wirkungen von Nominallohnsenkungen. Seine
Begründung erfolgt in zwei Schritten: a) Nach
Keynes wird die tatsächliche Beschäftigung
nicht durch ein Arbeitsmarktgleichgewicht
bestimmt, sondern durch die Höhe der „effektiven Nachfrage". Dabei ist die effektive
Nachfrage festgelegt durch ein Gütermarktgleichgewicht (vgl. Abb. 4). Das zugehörige
Reallohnniveau

$$\left(\frac{1}{p}\right)_0$$

ist größer als das „Grenzleid der Arbeit", das
bei $A_0$ dem Reallohnniveau

$$\left(\frac{1}{p}\right)'$$

entspricht. Es existiert unfreiwillige Arbeitslosigkeit in Höhe von $\bar{A} - A_0$. – b) Es wird
untersucht, inwieweit Nominallohnsenkungen
geeignet sind, die Unterbeschäftigung zu
beseitigen. Dazu werden die Effekte von
Lohnsenkungen auf die effektive Nachfrage
(u. a. Kaufkraft-, Investitions- und Zinsef-
fekte) untersucht. Keynes kommt insgesamt
zum Schluß, daß i. d. R., insbes. wenn weitere
Lohnsenkungen erwartet werden, ein expansiver Effekt von Nominallohnsenkungen hinreichend schnell nicht zu erwarten ist.

IV. Erwartungen und Unsicherheit:
Keynes unterscheidet, wie Knight, zwischen
den Fällen Risiko und Unsicherheit. Der Fall
*Unsicherheit* liegt dann vor, wenn Wahrscheinlichkeitsverteilungen nicht bekannt
sind. Es gibt keine wissenschaftliche Methode,
relevante Wahrscheinlichkeiten festzustellen.
Insofern gelingt die Reduktion auf den Fall
bekannter Wahrscheinlichkeiten nicht. „We
simply do not know" (Keynes, 1937, S. 214).
Bei Vorliegen von Unsicherheit im Keynes-
Knight-Sinn existieren weder subjektive noch
objektive Wahrscheinlichkeitsverteilungen, da
erstens die relevante, zeitinvariante Theorie
nicht zur Verfügung steht und zweitens den
Wirtschaftssubjekten nur wenige Beobachtungen zur Verfügung stehen, sie also statistische
Verteilungen nicht bilden können. Jede wahr-

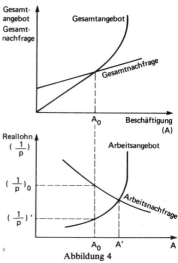

Abbildung 4

scheinlichkeitstheoretische Formulierung der
Entscheidungen bei Unsicherheit muß als
inadäquate Beschreibung der Realität erscheinen. Eine andere Sicht ergibt sich, wenn man,
wie die Rationalisten es tun, die Gleichgewichtstheorie als hinreichend gute Beschreibung der Realität akzeptiert. Wegen dieser
Unsicherheit sind nach Keynes gerade *Investitionsentscheidungen* in einer Marktwirtschaft
häufig höchst willkürlich und zwar nicht weil
die Investoren irrational entscheiden und handeln, sondern weil – obwohl die Wirtschaftssubjekte alle erhältlichen Informationen verarbeiten – das System ungewünschte, errati-
sche und unvorhersehbare Ergebnisse liefert.
Unsicherheit umfaßt nicht alle Bereiche der
Ökonomie und führt nicht notwendig zu chao-
tischen Verhaltensweisen und verhindert nicht
jede Markteffizienz, aber Unsicherheit ist eine
*entscheidende Ursache für ökonomische Pro-
bleme,* wie Instabilitäten und dauerhafte
Unterbeschäftigung. Die Annahme Unsicherheit stellt auch den Realitätsbezug und damit
die Relevanz der Gleichgewichtstheorie in
Frage.

V. Konjunktur- und Investitionstheorie, der dynamische Charakter der K.
L.: Keynes wollte die Basis für die Erklärung
tatsächlicher, sozial relevanter Entwick-
lungsprozesse in einer komplexen und sich
ständig ändernden Welt erarbeiten. Diese
Zielsetzung läßt sich nur im Rahmen einer
*dynamischen, historischen Theorie* erreichen.
Dabei liegt nach Keynes die Hauptbegrün-
dung für die inhärenten Instabilitäten dezentralisiert organisierter Marktwirtschaften in

der *Unberechenbarkeit des Investorenverhaltens bei Unsicherheit* begründet. Für Investitionsentscheidungen ist nach Keynes die Kalkulation einer internen Verzinsung (Grenzleistungsfähigkeit des Kapitals = marginal efficiency of capital) erforderlich, die wiederum bestimmt wird durch die Erwartungen über zukünftige Erlöse und Kosten. Bei Vorliegen von Zukunftsunsicherheit ist die Investitionsfunktion hochgradig unstabil und hängt von den langfristigen Erwartungen der Investoren ab. Dabei ist auch mit der Möglichkeit von Spekulationseffekten und psychologischen Wellen (Optimismus, Pessimismus) zu rechnen. „The theory can be summed up by saying that given the psychology of the public, the level of output and employment as a whole depends on the amount of investment ... that factor which is most prone to sudden and wide fluctuations" (Keynes, 1937, S. 121). Durch die Trennung von Sparen und Investieren (S $\neq$ I) tritt die Rolle des autonomen Investorenverhaltens in den Vordergrund der Keynesschen *Konjunkturerklärung*. Konsequenterweise setzt nach Keynes Stabilisierung ebenfalls bei den Investitionen an.

VI. Das wirtschaftspolitische Programm von J. M. Keynes: Nach Keynes ist die dezentral organisierte Marktwirtschaft nicht in der Lage, die Instabilitätstendenzen des Systems endogen auszugleichen, insbes. weil Lohnsenkungen i.d.R. keinen Weg zur Wiedergewinnung von Vollbeschäftigung darstellen. Außerdem zeigt er, daß die neoklassische Vorstellung des automatischen Ausgleichs von Erspardnis und Investitionen nicht in jedem Fall zutrifft.

1. *Geld- und/oder Fiskalpolitik:* Wegen der fehlenden endogenen Stabilisierungsmechanismen besteht nach Keynes eine Steuerungsnotwendigkeit. Wegen der Grenzen der *Geldpolitik* müssen nach Keynes auch die Staatsausgaben und -einnahmen konjunkturpolitisch eingesetzt werden, um Einkommen und Beschäftigung zu steuern (Fiskalpolitik).

2. *Investitionssteuerung:* Wegen des destabilisierenden Investorenverhaltens bei Unsicherheit als Ursache für die Instabilitäten setzt Keynessche Stabilisierung bei den Investitionen an. Keynes sieht in diesem Zusammenhang die Möglichkeit eines direkten staatlichen Engagement bei der Investitionsplanung (vgl. Keynes, 1936. S. 164 und 378 und Keynes, 1937a, S. 368ff.). Einer solcher Politik räumt Keynes größere Erfolgschancen ein als einer Investitionsstimulierung via Zinspolitik. Dieser unter dem Schlagwort „Sozialisierung der Investitionstätigkeit" bekannte Vorschlag impliziert aber keinesfalls eine vollständige Verdrängung von Privatinitiativen. Vielmehr soll durch staatliche Einflußnahme ein für die Vollauslastung der Kapazitäten notwendiges Investitionsvolumen angestrebt wer-

den. Dieser Eingriff ist zuletzt auch deshalb nötig, weil nicht von einem automatischen Erreichen des „optimalen Investitionsvolumens" ausgegangen werden kann. Für eine konkrete Ausgestaltung sieht Keynes folgende Ansatzpunkte: Risikobeteiligung bei Bauinvestitionen, öffentliche Investitionen, Investitionsmeldestellen. Insgesamt strebt er eine staatliche Mitverantwortung für das Gesamtvolumen der Investitionen an. Durch notwendige Reformen soll der dezentral organisierte Kapitalismus erhalten werden. Die Nachfragesteuerung soll global sein und mit indirekten Mitteln erfolgen, um die Effizienzvorteile der marktlichen Mikrosteuerung zu bewahren. Durch die staatliche Makropolitik soll die Tendenz zur chronischen Arbeitslosigkeit unterbunden werden. Hinzu kommt die Forderung nach Umverteilung zugunsten der Bezieher niedriger Einkommen mit hoher Konsumquote und nach Zinssenkungen. Eine bloße Dämpfung der Fluktuation ist in keinem Fall ausreichend.

VII. Beurteilung: Die Bedeutung der K. L. für Wirtschaftstheorie und -politik ist kaum zu überschätzen. Auf *theoretischem Gebiet* wird sei 1936 an Weiterentwicklung der Keynesschen Sicht gearbeitet (→keynesianische Positionen, →neue keynesianische Makroökonomik, →Postkeynesianismus). Auch die *Wirtschaftspolitik* ist von Keynes nachhaltig beeinflußt worden, →keynesianische Positionen, Fiskalpolitik (→fiscal policy).

Literatur: Literatur: Hicks, J. R., Mr. Keynes and the classics, Econometrica, Vol. 5, S. 147–159, 1937; Keynes, J. M., A treatise on probability, 1921, in: Collected writings of J. M. Keynes, VIII, London, Basingstoke 1973; ders. A teatise on money, 1930, in: ebd., V und VI, London, Basingstoke 1971; ders., The General Theory of Employment, QJE Februar 1937; in: Collected writings of J. M. Keynes, XIV, London, Basingstoke 1973, S. 109–123; ders., How to avoid a slump, The times 12.–14. Januar 1937, 1937a, in: Collected writings of J. M. Keynes, XXI, London, Basingstoke 1982, S. 384–396; Kromphardt, J., Konzeptionen und Analysen des Kapitalismus, Göttingen 1980; Leijonhufvud, A., On Keynesian Economics and the economics of Keynes, New York 1968.

Prof. Dr. Hermann Bartmann

**Kfz,** Abk. für →Kraftfahrzeuge.

**KG,** Abk. für →Kommanditgesellschaft.

**KGaA,** Abk. für →Kommanditgesellschaft auf Aktien.

**Khachiyan-Verfahren,** →Ellipsoid-Verfahren.

**KI,** Abk. für →künstliche Intelligenz.

**Kilo (k),** Vorsatz für das Tausendfache ($10^3$fache) der Einheit. Vgl. →gesetzliche Einheiten, Tabelle 2.

**Kilobit (kb),** Abk. für $2^{10}$ (1024) →Bits.

**Kilobyte (KB),** Abk. für $2^{10}$ (1024) →Bytes.

**Kilogramm (kg),** Masseneinheit (→gesetzliche Einheiten, Tabelle 1). 1 K. ist die Masse des Internationalen K. – Prototyps im Bureau

International des Poids et Mesures in Sèvres bei Paris. 1 kg = 1000 Gramm (g).

**Kilometerpauschale,** →Fahrtkosten.

**Kilopond (kp),** früher übliche Einheit der Kraft. 1 kp = 9,806 65 Newton.

**Kinder.** I. B e g r i f f : 1. *Bürgerliches Recht:* Eigene Abkömmlinge einer bestehenden Ehe (→eheliche Kinder) und im Haushalt lebende Kinder aus einer früheren Ehe eines der Eheleute. – In mehrfacher rechtlicher Beziehung ihnen *gleichgestellte* etwaige →Adoptivkinder und →Pflegekinder. – 2. *Einkommenund Lohnsteuerrecht* (§ 32 I EStG): a) im ersten Grad verwandte K. (leibliche K., Adoptivkinder); b) Pflegekinder. – 3. In bezug auf das Lebensalter i. d. R. Personen, die noch nicht 14 Jahre alt sind; dann →Jugendliche.

II. S t e u e r l i c h e   B e h a n d l u n g : 1. *Unterhaltsaufwendungen* a) Der normale Unterhalt von K. gilt durch das →Kindergeld nach dem Bundeskindergeldgesetz vom 21. 1. 1986 (BGBl I 222) als abgegolten. b) Steuerpflichtigen, denen ein Kinderfreibetrag zusteht, wird für Aufwendungen der Berufsausbildung des K. ein →Ausbildungsfreibetrag gewährt (§ 33a II EStG); im einzelnen vgl. dort. c) Aufwendungen für den Unterhalt und eine etwaige Berufsbildung von K., für die dem Steuerpflichtigen kein Kinderfreibetrag zusteht, sind als →außergewöhnliche Belastung bis zu 2484/4500 DM abzugsfähig (§ 33a I EStG). Dieser Betrag verringert sich um die 4500 DM übersteigenden Einkünfte der Bezüge des K. – 2. *Körperbehinderung von K.:* Ein von dem K. des Steuerpflichtigen nicht in Anspruch genommener Pauschbetrag für Körperbehinderung kann auf Antrag auf den Steuerpflichtigen übertragen werden (§ 33b V EStG). – 3. *Aufwendungen zur Pflege des Eltern-Kind-Verhältnisses* für ein K. das dem anderen Elternteil zugeordnet ist und für das der Steuerpflichtige einen →Kinderfreibetrag erhält, werden auf Antrag in Höhe von 600 DM als →außergewöhnliche Belastung abgezogen. – 4. →*Kinderbetreuungskosten Alleinstehender* gelten unter bestimmten Voraussetzungen als außergewöhnliche Belastung (§ 33c EStG); Höhe des abzugsfähigen Betrages vgl. dort. – 5. Vom →Einkommen wird für jedes berücksichtigungsfähige K. ein →*Kinderfreibetrag* von 1242/2484 DM abgezogen (§ 32 VI EStG). – 6. *Darüber hinaus* sind K., soweit sie gem. § 32 III–V EStG zu berücksichtigen sind, in folgenden Fällen von Bedeutung: a) für die Gewährung des erhöhten →Haushaltsfreibetrag; b) für die Höhe der bei außergewöhnlichen Belastungen den Steuerpflichtigen →zumutbare Belastung; c) für die Höhe der Prämiensätze und der Einkommensgrenze nach dem Spar-Prämiengesetz (→steuerbegünstigtes Sparen) und dem Wohnungsbau-Prämiengesetz; d) für Steuern, bei denen die Einkommensteuer/Lohnsteuer als Maßstab-

steuer (insbes. bei der Kirchensteuer) dient; in diesem Fall gilt als Maßstabsteuer die festgesetzte Einkommensteuer oder die Jahreslohnsteuer nach Abzug von 600 /300 DM für jedes Kind; e) für Steuerermäßigung bei Inanspruchnahme erhöhter Absetzungen für Wohngebäude; Verminderung der Einkommensteuerschuld um 600 DM für das zweite und jedes weitere Kind. – 7. *Tätigkeit von K. im elterlichen Betrieb:* Wenn alle Voraussetzungen eines echten Arbeitsverhältnisses vorliegen (wirksamer Arbeitsvertrag, regelmäßig gezahlter, nicht überhöhter Arbeitslohn, Lohnsteuerabzug, Sozialversicherungspflicht), wird dieses auch steuerlich anerkannt; vgl. →mithelfende Familienangehörige.

**Kinderarbeit,** →Jugendarbeitsschutz II und III.

**Kinderbetreuungskosten.** 1. *Begriff* des Einkommensteuerrechts: Aufwendungen, die einem Alleinstehenden für Dienstleistungen zur Betreuung eines zu seinem Haushalt gehörenden Kindes entstehen (§ 33c EStG). – 2. *Voraussetzungen* für den Abzug: Die Aufwendungen müssen wegen Erwerbstätigkeit oder körperlicher, geistiger oder seelischer Behinderung oder Krankheit des Steuerpflichtigen erwachsen. Sie können nur berücksichtigt werden, soweit sie den Umständen nach notwendig sind und einen angemessenen Betrag nicht übersteigen. – 3. *Abzug* als →außergewöhnliche Belastung i.S. des § 33 EStG, jedoch höchstens 4000 DM im Kalenderjahr bei Alleinstehenden mit einem Kind, für jedes weitere Kind weitere 2000 DM. Liegen die Voraussetzungen nicht während des ganzen Kalenderjahres vor, so sind der Höchst- und Erhöhungsbetrag zu zwölfteln. Halbierung der Beträge, wenn das Kind gleichzeitig zum Haushalt zweier Alleinstehender gehört. – 4. *Mindestbetrag:* Bei Alleinstehenden mit einem Kind wird mindestens ein Pauschbetrag von 480 DM im Kalenderjahr abgezogen; für jedes weitere Kind 480 DM (§ 33c IV EStG).

**Kindererziehungszeit,** mit dem Hinterbliebenenrenten- und Erziehungszeiten-Gesetz v. 11. 7. 1985 (BGBl I 1450) mit Wirkung v. 1. 1. 1986 neu eingeführte Versicherungszeit in der gesetzlichen Rentenversicherung. – 1. Auf die →Wartezeit und auf die Berechnung der Höhe der Rente werden Zeiten der Kindererziehung von dem 1. 1. 1986 angerechnet, wenn die Mutter (oder der Vater) das Kind im Geltungsbereich der Reichsversicherungsgesetze erzogen hat oder sich mit ihm dort gewöhnlich aufgehalten hat und nach dem – 31. 12. 1920 geboren ist. Ab 1. 10. 1987 werden die Geburtsjahrgänge vor 1907, ab 1. 10. 1988 die Geburtsjahrgänge 1907–1911, ab 1. 10. 1989 die Geburtsjahrgänge 1912–1916 und ab 1. 10. 1990 die Geburtsjahrgänge 1917–1920 einbezogen. – a) *Anrechnung:* Angerechnet werden die ersten 12 Monate nach der Geburt des Kindes; bei mehreren erzogenen Kindern im gleichen Zeitraum (Zwillinge) verlängert sich die anrechnungsfähige Versicherungszeit für jedes weitere Kind entsprechend. Die Anrechnung erfolgt bei der Mutter, doch können beide Elternteile übereinstimmend und unwiderruflich erklären, daß der Vater das Kind überwiegend erzogen hat; Anrechnung auf jeden Fall nur bei einem Elternteil. Ist die Mutter vor dem 1.1.1986 verstorben, erfolgt die Anrechnung beim Vater. – *Ausgeschlossen* sind versicherungsfreie Personen gemäß § 1229 RVO, § 6 AVG, wenn nicht eine Nachversicherung durchgeführt wurde, sowie Abgeordnete, Minister und Parlamentarische Staatssekretäre, wenn sie ohne Anspruch auf Versorgung ausscheiden. – b) *Bewertung:* Für K. ist ein Wert zugrundezulegen, der 75% des Durchschnittsverdienstes aller Versicherten entspricht. Treffen Beitrags-, Ersatz-, Ausfall- und Zurechnungszeiten mit K. zusammen, sind diese Zeiten auf den Wert der K. anzuheben; übersteigen die Werte der genannten Zeiten den Wert der K., wirkt sich die K. für diese Zeiten nicht aus. – c) *Anerkennung:* Die vor dem 1.1.1986 liegende K. wird bei allen Versicherungsfällen nach dem 31.12.1985, spätestens aber bei Vollendung des 65. Lebensjahres angerechnet, wenn die sonstigen Leistungsvoraussetzungen erfüllt sind und ein entsprechender Antrag gestellt wurde. – 2. K. *nach dem 1.1.1986* begründen nach § 1227a RVO, § 2a AVG eine *Pflichtversicherung* für den erziehenden Elternteil. Im wesentlichen gelten die gleichen Grundsätze wie unter 1. Grundsätzlich ist die Mutter versichert, wenn von den Eltern nicht die Erklärung abgegeben wird, daß der Vater versichert sein soll. Versichert sind nur Mütter uind Väter, die ihr Kind in der Bundesrep. D. einschl. Berlin (West) erziehen, und zwar in den ersten 12 Kalendermonaten nach Ablauf des Monats der Geburt des Kindes. Ausnahmsweise auch Väter und Mütter, die ihr Kind außerhalb der Bundesrep. D. und Berlin (West) erziehen. Die Anrechnung für die Höhe der Rente erfolgt ebenfalls entsprechend dem Verdienst von 75% des Durchschnittsverdienstes. – 3. *Zuständig* für die Durchführung der Versicherung ist der Rentenversicherungsträger, zu dem der letzte wirksame Beitrag entrichtet wurde. Bestand noch keine Versicherung, kann der Versicherte zwischen →Arbeiterrentenversicherung und →Angestelltenversicherung wählen. – Die *Kosten* für die Anrechnung der K. werden vom Bund aus den allgemeinen Steuermitteln getragen.

**Kinderfreibetrag**, vom →Einkommen abzuziehender →Freibetrag, der für jedes zu berücksichtigende →Kind des Steuerpflichtigen gewährt wird. Der K. beträgt (ab Veranlagungszeitraum 1986) 1242 DM, bei →Zusammenveranlagung von Ehegatten 2484 DM,

wenn das Kind zu beiden Ehegatten in einem Kindschaftsverhältnis steht.

**Kindergeld**, aus öffentlichen Mitteln für jedes Kind an Erziehungsberechtigte gewährte Leistung.

I. Entwicklung: 1. K. wurde erstmals durch das *Kindergeldgesetz 1954* eingeführt, und zwar zunächst für alle dritte und weitere Kinder von →Arbeitnehmern, Selbständigen und →mithelfenden Familienangehörigen, die nach der RVO bei einer →Berufsgenossenschaft versichert waren, sich versichern konnten oder nach § 541 Nr. 5 und 6 RVO versicherungsfrei waren. Die Mittel wurden durch Beiträge der Arbeitgeber aufgebracht. – 2. In den folgenden Jahren wurde die Regelung des K. laufend *verbessert*, der Kreis der Berechtigten wurde vergrößert, nach Erstrekkung auf Zweitkinder wird nunmehr für jedes Kind K. gewährt. – 3. Umfassende Neuregelung durch das *Bundeskindergeldgesetz* vom 14.4.1964 – BKGG – (BGBl I 265) mit späteren Änderungen, vor allem durch das Einkommensteuerreformgesetz vom 5.8.1974 (BGBl I 1769); Neufassung des Bundeskindergeldgesetzes vom 21.1.1982 (BGBl I 13) mit späteren Änderungen.

II. Allgemeines: Das K., das der Familie die finanzielle Unterhaltslast für die Kinder erleichtern soll, ist am 1.1.1975 verbessert – und vereinheitlicht worden. Die unterschiedlichen finanziellen Vergünstigungen für Kinder (Steuerermäßigungen, Kinderzuschläge für öffentliche Bedienstete, staatliches Kindergeld) werden durch ein für alle Familien gleiches und vom ersten Kind an zu zahlendes K. ersetzt.

III. Voraussetzungen: 1. *Anspruch auf K.* hat, wer im Bundesgebiet oder West-Berlin wohnt, aber lediglich von seinem Arbeitgeber zur vorübergehenden Arbeitsleistung ins Ausland entsandt oder als Entwicklungshelfer im Ausland tätig ist. Die Eltern können bestimmen, wer von ihnen das K. für die im gemeinsamen Haushalt lebenden Kinder erhalten soll. Solange sie keine solche Bestimmung treffen, ist dem Elternteil das K. zu zahlen, der das Kind überwiegend unterhält. Ist der Mutter das alleinige Sorgerecht für ein Kind übertragen, so steht ihr auch das K. für dieses Kind zu. Für Kinder, die nicht bei den Eltern leben, erhält im allgemeinen der das K., in dessen Haushalt sich das Kind befindet oder der für den Unterhalt des Kindes sorgt. – 2. Das K. *wird gezahlt für:* a) eheliche und für ehelich erklärte Kinder, b) nichteheliche Kinder, c) adoptierte Kinder, d) Stiefkinder, die im Haushalt des antragsberechtigten Stiefelternteils leben, e) Pflegekinder, die im Haushalt der antragsberechtigten Pflegeeltern leben und mit diesen durch ein familienähnliches, auf längere Dauer berechnetes Band verbunden sind, f) Enkelkinder, die im Haushalt der

Großeltern leben oder von diesen überwiegend unterhalten werden; das gleiche gilt unter entsprechenden Voraussetzungen für Geschwister. – 3. K. wird grundsätzlich *bis zur Vollendung des 16. Lebensjahres* eines Kindes gezahlt. Bis zum vollendeten 27. Lebensjahr kann K. beansprucht werden für Kinder, die sich in Schul- oder Berufsausbildung befinden oder ein freiwilliges soziales Jahr leisten oder sich wegen eines Gebrechens nicht selbst unterhalten können. Unter bestimmten Voraussetzungen kann K. auch für Kinder, die im elterlichen Haushalt mithelfen, bis zum 27. Lebensjahr gezahlt werden. Die Altersgrenze von 27 Jahre verlängert sich bis zu zwei Jahren um Zeiten des gesetzlichen Grundwehrdienstes oder Zivildienstes sowie um vergleichbare Dienstzeiten (z. B. im Polizeivollzugsdienst oder als Entwicklungshelfer). Eine Verlängerung der Altersgrenze tritt ferner ein, wenn sich die Ausbildung aus Mangel an Studienplätzen oder infolge berufsbedingten Wohnortwechsels eines Elternteils verzögert. Für gebrechliche Kinder, die ledig oder verwitwet sind oder deren Ehegatte zum Unterhalt außerstande ist, haben die Eltern auch über das 27. Lebensjahr hinaus einen Anspruch auf K. Kinder, die das 16., aber noch nicht das 18. Lebensjahr vollendet haben, werden auch berücksichtigt, wenn sie eine Berufsausbildung mangels Arbeitsplatzes nicht beginnen oder fortsetzen können oder nicht erwerbstätig sind und weder Arbeitslosengeld noch Arbeitslosenhilfe beziehen und der Arbeitsvermittlung zur Verfügung stehen. – 4. K. wird grundsätzlich nur für Kinder gezahlt, die im Bundesgebiet wohnen. *Im Ausland lebende Kinder* werden bei Antragsberechtigten berücksichtigt, die a) sich mindestens 15 Jahre lang im Bundesgebiet aufgehalten haben oder Rechte nach dem Bundesvertriebenengesetz beanspruchen können und für die Kinder regelmäßig Unterhalt in bestimmter Höhe leisten, b) als entsandte Arbeitnehmer oder Bedienstete oder als Entwicklungshelfer im Ausland tätig sind, sofern die Kinder in ihrem Haushalt leben. Weitere Ausnahmen enthalten das Recht der Europäischen Gemeinschaft sowie zwischenstaatliche Abkommen für Arbeitnehmer, die im Bundesgebiet beschäftigt sind und deren Kinder im Herkunftsland wohnen.

IV. H ö h e: 1. Das K. *beträgt* für das erste Kind 50 DM; für das zweite Kind mindestens 70 DM (Sockelbetrag), höchstens 100 DM; für das dritte Kind mindestens 140 DM, höchstens 220 DM, für das vierte und weitere Kinder mindestens 140 DM, höchstens 240 DM. – 2. Bemessung des K. wird ab dem zweiten Kind nach der *Einkommenshöhe* und dem Familienstand des Berechtigten; es vermindert sich um jeweils 20 DM pro 480 DM, die das Jahreseinkommen den Freibetrag übersteigt; das Berechnungsverfahren des Jahreseinkom-

mens ist im Haushaltsbegleitgesetz 1983 geregelt. – 3. Bezieher von *Versichertenrenten* aus den gesetzlichen Rentenversicherungen und von Schwerbeschädigtenrenten aus der Unfallversicherung erhalten die Leistungen des Familienlastenausgleichs aus der Rentenversicherung; die zu den Renten gezahlten →Kinderzuschüsse und →Kinderzulagen sind meist höher, mindestens aber ebenso hoch wie das K.

V. A u f b r i n g u n g   d e r   M i t t e l / D u r c h f ü h r u n g: Die Aufwendungen für das K. einschließlich der Verwaltungskosten trägt der Bund. Die Durchführung des Bundeskindergeldgesetzes obliegt der Bundesanstalt für Arbeit nach den fachlichen Weisungen des Bundesministers für Jugend, Familie und Gesundheit. Über die Anträge auf Kindergeld entscheiden die Arbeitsämter, während die Auszahlung von der Bundesanstalt zentral erfolgt.

**Kindergeldkasse,** rechtsfähige →Anstalt des öffentlichen Rechts, gegründet 1961 als Träger des Zweitkindergeldes; ab 1. 1. 1964 aufgelöst (→Kindergeld I). Jetzt führt die →Bundesanstalt für Arbeit bei der Durchführung des Bundeskindergeldgesetzes die Bezeichnung K.

**Kinderrente,** →Waisenrente.

**Kinderzulage,** Leistung aus der gesetzlichen Unfallversicherung. – 1. *Voraussetzung:* Anspruch vor dem 1.1.1984 (§ 583 RVO i. d. F. des Haushaltsbegleitgesetzes 1984 v. 22.12.1983, BGBl I 1532). K. wird gezahlt, solange der Verletzte eine Rente von mindestens 50% der Vollrente oder mehrere Verletztenrenten, die zusammen eine →Minderung der Erwerbsfähigkeit von 50% erreichen, bezieht. – 2. *Höhe:* Die Verletztenrente erhöht sich für jedes Kind bis zur Vollendung des 18. Lebensjahres um 10%. Würde ohne den Anspruch auf K. Anspruch auf →Kinderzuschuß nach den Vorschriften der gesetzlichen Rentenversicherung bestehen, so ist die Kinderzulage mindestens in Höhe des Kinderzuschusses zu gewähren. – 3. *Dauer:* K. wird längstens bis zur Vollendung des 25. Lebensjahres für ein Kind gewährt, das sich in Schul- oder Berufsausbildung befindet, das ein freiwilliges soziales Jahr leistet oder das infolge körperlicher oder geistiger Gebrechen außer Stande ist, sich selbst zu unterhalten. Wird die Schul- oder Berufsausbildung durch die Erfüllung einer gesetzlichen Dienst- oder Wehrpflicht unterbrochen oder verzögert, so wird die K. für einen der Zeit dieses Dienstes entsprechenden Zeitraum über das 25. Lebensjahr hinaus gezahlt. Zahlung über das 18. Lebensjahr hinaus erfolgt nicht, wenn das Kind sich in Ausbildung befindet und ihm deswegen Bruttobezüge in Höhe von wenigstens 750 DM monatlich zustehen, auch, wenn dem Kind Unterhaltsgeld von wenigstens 580 DM monatlich oder ein Übergangsgeld zusteht, dessen Bemessungsgrundlage wenigstens 750 DM monatlich beträgt. – 4. Als *Kinder* gelten auch die in den Haushalt des Verletzten aufgenommenen Stiefkinder. Kinder, die mit dem Ziel der Adoption aufgenommen sind und für die die zur Annahme erforderliche Einwilligung der Eltern erteilt ist, gelten als Kinder des annehmenden und nicht mehr als Kinder der leiblichen Eltern. Die frühere Fassung des § 583 V RVO hatte den Kindsbegriff noch weiter gefaßt. Bei mehreren Berechtigten wird die K. für dasselbe Kind nur dem gewährt, der das Kind überwiegend unterhält.

**Kinderzuschlag,** Leistung der *Kriegsopferversorgung* (§ 33 b BVG). – 1. *Voraussetzungen:* K. wird für jedes Kind eines Schwerbeschädigten in Höhe des Kindergeldes monatlich gezahlt, außer, wenn für dasselbe Kind Anspruch auf Kindergeld besteht. K. ist zu kürzen um Kinderzuschüsse o. ä. Leistungen, die für das Kind gezahlt werden oder zu gewähren sind. Empfänger einer →Pflegezulage erhalten den K. ungekürzt. Zur Gewährung von K. gelten im übrigen (mit geringen Abweichungen) die gleichen Voraussetzungen wie bei der Gewährung der →Kinderzulage. – 2. *Dauer:* Seit 1.1.1983 wird K. grundsätzlich nur noch bis zur Vollendung des 16. Lebensjahres gewährt. Weitergewährung bis längstens zur Vollendung des 27. Lebensjahres ist möglich, wenn sich das Kind in einer Schul- oder Berufsausbildung befindet, ein freiwilliges soziales Jahr leistet oder infolge körperlicher oder geistiger Gebrechen außerstande ist, sich selbst zu unterhalten.

**Kinderzuschuß,** Leistung der gesetzlichen Rentenversicherung. – 1. *Voraussetzungen:* Erhöhung der Rente wegen →Berufsunfähigkeit oder wegen →Erwerbsunfähigkeit oder des →Altersruhegeldes für jedes Kind, für das der Rentenberechtigte vor dem 1.1.1984 einen Anspruch auf K. gehabt hat. Seit dem 1.11.1984 wird der K. nur noch zu den Halbwaisenrenten gezahlt; im übrigen ersetzt das Kindergeld die bisherigen K. Der K. wird jedoch weiter gewährt, wenn der Rentenberechtigte einen Anspruch auf K. vor dem 1.1.1984 gehabt hat. – 2. Den einzelnen *Kindern* stehen hier u. a. die in den Haushalt aufgenommenen Stiefkinder, adoptierte und nichteheliche Kinder gleich. Für Pflegekinder, Enkel oder Geschwister besteht kein Anspruch auf K., selbst wenn sie in den Haushalt aufgenommen oder überwiegend unterhalten werden. – 3. *Datum:* Der K. wird bis zur Vollendung des 18. Lebensjahres gewährt, darüber hinaus bis zur Vollendung des 25. Lebensjahres für ein Kind, das sich in Schul- oder Berufsausbildung befindet, das ein freiwilliges soziales Jahr ableistet oder das infolge körperlicher oder geistiger Gebrechlichkeit außerstande ist, sich selbst zu unter-

halten. Bei Unterbrechung der Schul- oder Berufsausbildung durch Ableistung von Wehr- oder Zivildienst verlängert sich diese Zeit um den Zeitraum des Wehr- oder Zivildienstes. – 4. *Höhe:* Jährlich 1834,80 DM (monatlich = 152,90 DM). Der K. unterliegt nicht mehr den jährlichen allgemeinen Anpassungen, sondern wird von Zeit zu Zeit durch besonderes Gesetz erhöht.

**Kindschaftssachen,** Rechtsstreitigkeiten, welche zum Gegenstand haben: a) Feststellung des Bestehens oder Nichtbestehens eines Eltern-Kindes-Verhältnisses einschließlich der Feststellung der Wirksamkeit oder Unwirksamkeit einer Anerkennung der Vaterschaft; b) Anfechtung der Ehelichkeit eines Kindes; c) Anfechtung der Anerkennung der Vaterschaft; d) Feststellung des Bestehens oder Nichtbestehens der elterlichen Gewalt der einen Partei über die andere (§ 640 II ZPO). – *Zuständig* für K. ist das →Amtsgericht. *Rechtsmittel:* Berufung zum →Oberlandesgericht. – Einzelheiten in §§ 640–641 ZPO.

**Kinky-demand-Modell,** Oligopolmodell der geknickten →Preis-Absatz-Funktion, das die Preisstarrheit im Oligopol erklären soll. Der Marktgleichgewichtspreis wird als gegeben und bekannt vorausgesetzt. Der einzelne Oligopolist erwartet, daß bei Preissenkungen die Konkurrenten mitziehen. Der individuelle Preisabsatzfunktion verläuft daher unterhalb des Gleichgewichtspreises relativ steil. Bei Preiserhöhungen erwartet er hingegen keine Reaktionen der Konkurrenten, so daß die Preisabsatzfunktion oberhalb des Gleichgewichtspreises relativ flach verläuft. Beim Gleichgewichtspreis entsteht somit ein Knick in der Preisabsatzfunktion. Der einzelne Oligopolist kann durch einige preispolitische Maßnahmen daher nur geringe Gewinnzuwächse erwarten, so daß er den Gleichgewichtspreis beibehalten wird. Aber auch bei Veränderungen der Kostensituation (Verschiebungen der Grenzkostenkurve z.B. infolge von Steuerveränderungen) kann der Gleichgewichtspreis unverändert bleiben. Wegen des Knicks in der Preisabsatzfunktion entsteht eine Unstetigkeitsstelle in der Grenzerlöskurve. Findet die Verschiebung der Grenzkostenkurve innerhalb dieses Bereichs statt, ändern sich das gewinnmaximale Menge und der gewinnmaximale Preis nicht. – *Beurteilung:* Das K.-d.-M. kann als theoretisches Erklärungsmodell nicht befriedigen, da das Zustandekommen des Gleichgewichtspreises nicht erklärt wird.

**Kinosteuer,** →Vergnügungsteuer.

**Kiosk,** Betriebsform des Einzelhandels. Enges Sortiment von Artikeln des kurzfristigen Bedarfs (Tabakwaren, Süßigkeiten, Zeitungen u. a.; häufig kombiniert mit Getränkeausschank, Eisverkauf und Imbißecke. Bevorzugte Standorte sind Plätze mit dichten Passantenströmen, z. B. Bahnhöfe, Marktplätze, Haltestellen, an Ausfallstraßen (oft in geschlossenen ehemaligen Tankstellen). Wegen der möglichen Befreiung von den gesetzlich vorgeschriebenen →Ladenschlußzeiten häufig ein Ort der Versorgung in den Abend- oder Nachtstunden.

**KI-Programmiersprachen,** →Programmiersprachen, die sich für die Realisierung von KI-Systemen (→künstliche Intelligenz) eignen. Am bekanntesten: →Lisp, →Prolog.

**Kirchenfiskus.** 1. *Ursprünglich:* Kirchenvermögen. – 2. *Heute:* Synonym für die Kirche als besteuernde Institutionen (→Kirchensteuer). Aufgrund dieses Rechts wird die Kirche zu den →Parafisci gerechnet.

**Kirchensteuer,** eine zur Deckung des allgemeinen Kirchenbedarfs von steuerberechtigten Religionsgemeinschaften erhobene Steuer. – 1. *Höhe und Bemessungsgrundlage:* In den einzelnen Bundesländern verschieden; i. d. R. besteht die K. in einem Prozentsatz der →Einkommensteuer bzw. →Lohnsteuer (z. Zt. 8 oder 9%, bei →Pauschalierung der Lohnsteuer 6 oder 7%) unter Berücksichtigung von Kinderfreibeträgen; höchstens jedoch ein bestimmter Prozentsatz des Einkommens (ca. 3,35–4%; sog. *Kirchensteuerkappung*. – 2. *Erhebung.* a) *Allgemein:* Von Arbeitnehmern wird die K. im →Lohnabzugsverfahren einbehalten, überzahlte Beträge werden im →Lohnsteuer-Jahresausgleich ausgeglichen. – b) *Glaubensverschiedene Ehen* (nur ein Ehegatte gehört einer steuererhebenden Religionsgemeinschaft an): Berechnung der K. nicht nach den zusammengerechneten Einkünften der Ehegatten (Grundsatz der Individualbesteuerung); maßgebend dürfen nur die tatsächlichen Einkünfte des steuerpflichtigen Ehegatten sein. Regelung in den K.-Gesetzen. – c) *Konfessionsverschiedene Ehen* (Ehegatten gehören verschiedenen steuererhebenden Religionsgemeinschaften an): Bei Zusammenveranlagung gilt der Halbteilungsgrundsatz, d. h. zur Errechnung der K. kann die gemeinsame Einkommensteuer halbiert und auf jede Hälfte der volle K.satz der entsprechenden Religionsgemeinschaft erhoben werden. Bei betragsmäßiger Übereinstimmung der jeweiligen Steuersätze der Religionsgemeinschaften kann die K. zunächst so errechnet werden, als ob beide Ehegatten der gleichen Gemeinschaft angehörten und dann auf jede der beteiligten Gemeinschaft aufgeteilt werden. – 3. *Abzugsfähigkeit:* Gezahlte K. sind in vollem Umfange als →Sonderausgaben abzugsfähig.

**Kirchensteuerkappung,** →Kirchensteuer.

**Kirchlicher Dienst in der Arbeitswelt – Industrie – und Sozialarbeit in der EKD,** Sitz in Boll. – *Aufgaben:* Informations- und Erfahrungsaustausch der Mitglieder; Mitwirkung innerhalb der EKD zu sozialpolitischen und ethischen Fragen; Kontakt zu Sozialpartnern und staatlichen und wissenschaftlichen Einrichtungen; Fort- und Weiterbildung von Mitarbeitern des landeskirchlichen Dienstes und vergleichbarer Einrichtungen.

**kirchliche Zwecke,** steuerlicher Begriff für Zweckbestimmung von →Spenden. K. Z. begründen (wie auch →gemeinnützige Zwecke) bei der steuerlichen →Einkommensermittlung Abzugsfähigkeit der geleisteten Beträge als →Sonderausgaben (→Betriebsausgaben bei Körperschaften), wenn als Zweck die unmittelbare und ausschließliche Förderung einer Religionsgemeinschaft des öffentlichen Rechts erkennbar ist. Die Abzugsfähigkeit unterliegt jedoch Beschränkungen im Rahmen von Höchstbeträgen.

**Kiribati,** *Republik Kiribati,* Staat im Stillen Ozean nördlich von Fidschi. K. besteht aus 33 (davon 17 bewohnt) weit im S-Pazifik verstreuten Atollen, die den Gilbert-, Linien- und Phönixinseln zugerechnet werden. – *Fläche:* 886 km$^2$ (nach anderen Angaben 906 bzw. 717 km$^2$); Gesamtfläche mit Wasserfläche: 5,2 Mill km$^2$. – *Einwohner* (E): (1985) 64 000 (72,2 E/km$^2$); Mikronesier sowie Mischlinge zwischen Mikronesiern, Polynesiern und Europäern. – *Hauptstadt:* Bairiki auf Tarawa (18 000 E). – *Amtssprachen:* Gilbertesisch und Englisch. – Zwischen 1977 und 1979 wurde K. unabhängig.

Wirtschaft: Unterentwickelte, häufig von Dürre heimgesuchte *Landwirtschaft.* Haupteinnahmequelle war bis 1979 der Abbau von Phosphat, der jedoch erschöpft ist. Hauptdevisenquelle ist seitdem Kopra. Mit dem Aufbau einer *Fischzucht* insbes. in den Salzwasserteichen der Christmas-Inseln wurde begonnen. – *BSP:* (1984) 30 Mill. US-$ (460 US-$ je E). – *Export:* (1984) 4,8 Mill. US-$, v. a. Kopra (90%). – *Import:* (1984) 15,6 Mill US-$, v. a. Nahrungsmittel (30%), Kleidung, Maschinen. – *Handelspartner:* Australien, Großbritannien, USA, Neuseeland, Niederlande.

Verkehr: *Straßenlänge* etwa 640 km. Der wichtigste *Hafen* liegt auf Tarawa. K. unterhält einer Flotte von sechs Passagier- und Frachtschiffen. Luftverbindung durch Fiji Airlines. Internationaler *Flughafen* auf Tarawa. Flugverkehr besteht außerdem zwischen Tarawa und acht anderen Inseln des Staates.

Mitgliedschaften: IDA, UPU, WHO, AKP, ESCAP u. a.; Commonwealth.

Währung: 1 Australischer Dollar (A$) = 100 Cents.

**Kitchin-Zyklus,** →Konjunkturzyklus a).

**KKDS, kompatible komplexe Datenbank-Schnittstelle,** →kompatible Schnittstellen 3 c) (2).

**KKV,** Abk. für →Verband der Katholiken in Wirtschaft und Verwaltung e. V.

**Kladde,** *Strazze, Vorbuch,* Buch, in dem die Geschäftsvorfälle kurz notiert werden, um erst später in die →Grundbücher eingetragen zu werden.

**Klage.** 1. *Begriff:* Das an das Gericht gerichtete Begehren um Rechtsschutz; Verlangen nach einem günstigen Urteil. – 2. Zu *unterscheiden:* a) →*Leistungsklage:* K. auf Tun oder Unterlassen. – b) →Feststellungsklage: K. auf Feststellung des Bestehens (positive Feststellungsklage) oder Nichtbestehens (negative Feststellungsklage) eines Rechtsverhältnisses. – c) →Gestaltungsklage: K. auf Änderung eines bestehenden Rechtszustandes. – *Anders:* →Privatklage. – Vgl. auch →Klageerhebung, →Widerklage.

**Klageänderung,** jede wesentliche Abweichung von dem in der Klageschrift angegebenen Klageantrag und Klagegrund (§§ 263 ff. ZPO, § 91 VwGO, § 67 FGO, z. B. Stützung des Anspruchs, unter Vortrag anderer Tatsachen, statt auf Geschäftsführung ohne Auftrag auf Darlehen). K. ist i. d. R. auch bei Wechsel einer Prozeßpartei gegeben. K. ist nach Eintritt der →Rechtshängigkeit nur mit Zustimmung des Gegners zulässig, oder wenn das Gericht sie für sachdienlich hält (insbes. zur Vermeidung eines weiteren Prozesses).

**Klageerhebung,** Einleitung eines Prozesses durch Erhebung einer →Klage. – 1. *Zivilprozeßordnung:* K. erfolgt im Zivilprozeß i. d. R. durch →Zustellung einer von dem Kläger bei Gericht in zweifacher Ausfertigung eingereichten Klageschrift (§ 253 ZPO). Die Ladung zum Termin und dem Beklagten nach Zahlung des Kostenvorschusses (→Gerichtskosten) mit der Klageschrift vom Gericht zugestellt. Diese muß enthalten: genaue Bezeichnung der Parteien, bei juristischen Personen des gesetzliches Vertreters und des Gerichts, einen bestimmten Antrag und Angabe des Klagegrundes d. h. der Gesamtheit der Tatsachen, die nach Auffassung des Klägers den Antrag rechtfertigen; über Streitwert und Beweismittel sollen Angaben gemacht werden. – Im *Laufe eines Prozesses* kann eine Klage (→Widerklage, →Zwischenfeststellungsklage) ebenso durch Einreichung und Zustellung eines entsprechenden Schriftsatzes oder Antragstellung in der mündlichen Verhandlung erhoben oder der Klageantrag erweitert werden (§ 261 II ZPO). – 2. *Finanz- und Verwaltungsgerichtsordnung:* K. geschieht in der Verwaltungsgerichtsbarkeit und in der Finanzgerichtsbarkeit durch Einreichung eines Schriftsatzes bei Gericht oder durch Erklärung zur Niederschrift des Urkunds-beamten der Geschäftsstelle (§ 81 VwGO, § 64 FGO). Die Klageschrift ist dem Beklagten von Amts wegen zuzustellen.

**Klageerzwingungsverfahren,** Verfahren zur Erzwingung der öffentlichen Klage. Voraussetzung ist die Einstellung des Verfahrens durch die Staatsanwaltschaft nach Abschluß der Ermittlungen, soweit nicht für die Staatsanwaltschaft das →Opportunitätsprinzip gilt oder bei Privatklagesachen (§ 172 StPO). Die Einleitung des Verfahrens erfolgt durch Beschwerde des Verletzten an die vorgesetzte staatsanwaltschaftliche Behörde. Gegen deren Entscheidung ist Anrufung des Gerichts (→Oberlandesgericht) zulässig.

**Klagefrist,** →Ausschlußfrist zur Klageerhebung. – 1. *Allgemein:* Nur ausnahmsweise gesetzlich vorgeschrieben: a) z. B. Nichtigkeits-, Restitutionsklage (§ 586 ZPO), Anfechtungsklage in Entmündigungssachen (§ 664 ZPO); b) Monatsfrist bei →Anfechtungsklagen in Verwaltungs-, Finanz- und Sozialstreitigkeiten (vgl. § 24 VwGO, § 47 I FGO, § 87 SGG). – 2. Für *Versicherungsansprüche* festgelegt im →Versicherungsvertragsgesetz (6 Monate) und in den Versicherungsbedingungen (→Allgemeine Versicherungsbedingungen). K. beginnt mit Ablehnung des Anspruchs durch den Versicherer unter Angabe der mit dem Ablauf der Frist verbundenen Rechtsfolge (Leistungsfreiheit); allerdings hat die ständige Rechtsprechung Entschuldigungsbeweis des Versicherungsnehmers zugelassen.

**Klagerücknahme.** 1. *Zivilprozeßordnung:* Bis zur →Rechtskraft des Urteils möglich, nach Einlassung (Verhandeln) des Beklagten zur Hauptsache in der mündlichen Verhandlung aber nur mit dessen Einwilligung (§ 269 ZPO). K. hat zur Folge, daß der Prozeß als nicht anhängig geworden gilt; ein (noch nicht rechtskräftiges) Urteil wird ohne weiteres bedeutungslos; die Kosten des Rechtsstreits hat der Kläger zu tragen. – Der Kläger kann die *Klage von neuem* erheben; der Beklagte kann dem jedoch widersprechen, solange die Kosten des Vorprozesses nicht erstattet sind (§ 269 IV ZPO). – 2. *Finanz-/Verwaltungsgerichtsordnung:* In der Verwaltungsgerichtsbarkeit (§ 92 VwGO) und Finanzgerichtsbarkeit (§ 72 FGO) ähnliche Regelung wie in der ZPO.

**Klageverzicht,** →Verzichturteil.

**Klarschrift,** Optisch lesbarer Code; kann wegen seiner Übereinstimmung mit gebräuchlicher Hand- oder Schreibmaschinenschrift vom Menschen gelesen werden. – *Maschinell lesbare K.:* →Magnetschrift.

**Klarschrift-Codierer,** Gerät zur Beschriftung mit optisch lesbaren Codes (→Klarschrift).

**Klarschriftleser,** →Belegleser für mit der Hand (Handschriftleser) oder durch einen →Drucker ausgefüllte Belege. Die Konturen der zu lesenden Zeichen, die mit streng stilisierter Handschrift bzw. durch einen Drucker in Standardschrift an definierter Stelle eingetragen sein müssen. (→Klarschrift), werden durch einen Lichtstrahl abgetastet und als ein Zeichen des möglichen Zeichenvorrats des K. zu identifizieren versucht. Die durch den K. nicht erkennbaren Zeichen können nach ihrer Ausgabe auf einem Bildschirm von dem Bediener des K. visuell bestimmt werden. – Vgl. auch →optische Zeichenerkennung.

**Klasse.** I. **S t a t i s t i k :** Bezeichnung für eines der Intervalle, die bei metrisch skalierten Merkmalen (→Kardinalskala) zur Bildung einer →klassierten Verteilung festgelegt werden, z. B. Einkommensklassen (etwa „bis 1000"; „1000 bis unter 1500"; ...) bei einer Einkommensverteilung. →Klassenbildung.

II. **S o z i o l o g i e :** Gesamtheit derjenigen Individuen, die sich aufgrund gleicher bzw. ähnlicher ökonomischer Existenzbedingungen (die v. a. durch Besitz an Produktionseigentum bestimmt sind) in vergleichbarer Lage (Soziallage) befinden. – Vgl. auch →Klassentheorie.

**Klassenbildung,** *Gruppenbildung,* Verfahren der →Aufbereitung einer Liste von Einzelwerten (→Urliste) eines metrisch skalierten Merkmals (→Kardinalskala) durch Bildung von Intervallen (→Klassen), die aneinander grenzen und denen →Häufigkeiten zugeordnet werden. K. ist Grundlage einer →klassierten Verteilung. K. *dient* der übersichtlichen Darstellung empirischer statistischer Befunde. Zwischen Übersichtlichkeit der Darstellung und Verzicht auf Einzelinformationen muß abgewogen werden. Meist sind 5 bis 20 Klassen angemessen. Eine K. mit vielen unterschiedlichen →Klassenbreiten ist nicht zu empfehlen, weil die Vergleichbarkeit der Häufigkeiten erschwert wird. – Mit K. wird gelegentlich auch die *Zusammenfassung von Ausprägungen* eines qualitativen (→Nominalskala) oder ordinal (→Ordinalskala) skalierten Merkmals bezeichnet.

**Klassenbreite,** Differenz aus Klassenobergrenze und Klassenuntergrenze. – Vgl. auch →Klassenbildung.

**Klassendurchschnitt,** →arithmetisches Mittel der Merkmalswerte der Elemente einer →Gesamtheit laut →Urliste, die in eine →Klasse (→Klassenbildung) einfallen. Häufig wird die Klassenmitte, also das arithmetische Mittel aus Klassenober- und -untergrenze, als Näherungswert für den K. verwendet.

**Klassenkampf,** in der Theorie des →Marxismus das bewegende Moment der geschichtlichen Entwicklung (→Klassentheorie, →historischer Materialismus).

**klassenlose Gesellschaft,** ein nahezu allen sozialistischen Richtungen gemeinsamer Begriff für die anzustrebende Ziel: (als Substanz aufgefaßte) Gesellschaft, in der es keine sozialen Gruppen gibt, zwischen denen →Klassenkampf bestünde. – Vgl. auch →Bolschewismus, →Kommunismus, →Marxismus, →Diktatur des Proletariats.

**Klassenmuster,** →Standard.

**Klassentheorie.** 1. *Charakterisierung:* Die ökonomische Theorie der →Physiokratie, der →Klassiker und des →Marxismus unterteilen die Gesellschaftsmitglieder nach unterschiedlichen Klassifikationsmerkmalen in einzelne *Klassen* (soziale Gruppen) und (inbes. der Marxismus) ananlysiert die ökonomischen Beziehungen zwischen diesen. – 2. *Theorien:* a) *Physiokratischer Ansatz:* Ausgehend von der Rolle der einzelnen Gesellschaftsmitglieder im Prozeß der gesellschaftlichen Wertschöpfung und deren Verteilung wird auf dieser Basis zwischen →classe productive, →classe sterile und →classe distributive unterschieden. Dieser Ansatz teilt die Schwächen der zugrundeliegenden physiokratischen Wertschöpfungstheorie. – b) *Klassische Theorie* (insbes. bei Ricardo): Die einzelnen Klassen werden nach der Art der Einkommenserzielung voneinander unterschieden; als Klassen ergeben sich Lohn-Gewinn- und Bodenrentenempfänger. Diese funktionale, faktorbezogene Unterscheidung stimmt jedoch in einer Gesellschaftsordnung mit breitgestreuter →Vermögensverteilung und mit der personellen →Einkommensverteilung überein. – c) *Marxistische K.:* Die Klassen werden nach deren eigentumsrechtlicher Stellung in bezug auf die Produktionsmittel unterteilt, und zwar in die der *Eigentümer* und *Nichteigentümer.* Im →Kapitalismus sind dies die *Arbeiterklasse (Proletariat)* und die *Kapitalistenklasse (Bourgeoisie).* Entsprechend der Lehre über die →Ausbeutung führt das Privateigentum an den Produktionsmitteln dazu, daß die Kapitalisten den Arbeitern die von ihnen geschaffene Wertschöpfung vorenthalten (→Mehrwerttheorie). Hieraus folgten widersprüchliche Klasseninteressen, die sich im →Klassenkampf zwischen Ausbeutern und Ausgebeuteten manifestierten. Dieser Kampf beziehe sich auf die Macht im Staat, der hier als Instrument der Unterdrückung der ausgebeuteten durch die ausbeutende Klasse aufgefaßt wird. Da die Klassenauseinandersetzung wird als der bewegende *Motor der geschichtlichen Entwicklung* angesehen: Entsprechend der Theorie des →historischen Materialismus verschärft er sich immer mehr, bis die über alle Maßen ausgebeutete und verelendete Arbeiterklasse den Kapitalismus revolutionär beseitigt und das Privat- in Gemeineigentum überführt. Da dann alle Gesellschaftsmitglieder zusammen Eigentümer sind, kann es per definitionem keine unterschiedlichen Klassen und damit auch keine Ausbeutung mehr geben. In diesem Endzustand der geschichtlichen Entwicklung kann der Staat dann „absterben", d. h. an die Stelle der „Herrschaft über Menschen" trete dann die „Verwaltung von Sachen" (Produktions- und Konsumgüter). In einer Übergangsphase müsse die Arbeiterklasse nach der sozialistischen Revolution jedoch eine →Diktatur des Proletariats errichten, um die widerstrebende Kapitalistenklasse umzuerziehen bzw. zu „zerschlagen" und die →Produktionsweise (in nicht-marxistischer Terminologie: →Wirtschaftsordnung) rechtlich-organisatorisch umzugestalten. − Die marxistische K. teilt die Schwächen der zugrundeliegenden geschichtsphilosophischen und ökonomischen Lehren des Marxismus. − Vgl. auch →dialektischer Materialismus, →Arbeitswertlehre, →Mehrwerttheorie, →Krisentheorie.

**klassierte Verteilung,** tabellarisch oder graphisch darstellbares Ergebnis der →Aufbereitung einer →Urliste von Merkmalswerten auf dem Wege der →Klassenbildung. Die k. V. umfaßt die →Klassen und ihre →Häufigkeiten.

**Klassifikation,** *Klassifizierung,* Einstufung von Schiffen nach Größe, Bauart, Tragfähigkeit und Ladetüchtigkeit in bestimmte Gruppen (Gefahrenklassen) durch besondere Institute (z. B. Germanischer Lloyd, Norske, Veritas). Bestimmend für die Versicherungsprämie in der →Kaskoversicherung. →Klassifikationsattest.

**Klassifikationsattest,** *Revisionsattest,* Bescheinigung über die erfolgte →Klassifikation eines Schiffes.

**Klassiker.** 1. *Begriff:* Gruppe vorwiegend angelsächsischer Ökonomen, die mit ihren Forschungen und Erkenntnissen etwa von 1750 bis 1850 die Grundlagen der modernen Nationalökonomie geschaffen haben; u. a. *D. Ricardo, A. Smith, D. Hume, Th. R. Malthus, John St. Mill,* aber auch *J.-B. Say* und *H. v. Thünen.* − 2. *Lehre der K.:* Vgl. →klassische Lehre.

**klassische Lehre.** I. B e g r i f f u n d E i n o r d n u n g : Als k. L. bezeichnet man die ökonomischen Vorstellungen der →Klassiker. Die Abgrenzung ist weder nach Personen noch nach Lehrinhalten völlig eindeutig. Z. T. werden in der ökonomischen Literatur auch die Physiokraten als Klassiker bezeichnet. Keynes zählte die in der Tradition Ricardos stehenden Ökonomen (z. B. Marshall und Pigou) zur klassischen Schule. − Im folgenden wird unter k. L. die *Theorie der englischen*

*Klassiker* (insbes. →Smith, →Ricardo, J. →Mill, J. St→Mill und →Malthus) verstanden. Das *wichtigste Werk* der k. L. ist Smith's „The Wealth of Nations".

II. I n h a l t : 1. *Grundlagen: Objekt* der klassischen Analyse ist das Individuum bzw. dessen wirtschaftliches Handeln, das v. a. durch Eigennutz erklärt wird *(utilitaristischer Ansatz).* Präzisiert wird diese Vorstellung durch das Bild des →homo oeconomicus. A. Smith versuchte zu zeigen, daß das eigennützig handelnde Individuum nicht nur die eigene Wohlfahrt vermehrt, sondern dabei auch dem allgemeinen Wohl dient. Auf diese Sicht gründet sich die Forderung des klassischen Liberalismus nach *individueller Freiheit* bei weitestgehender Zurückhaltung des Staates *(laissez-faire-Prinzip),* dessen Hauptaufgabe in der Sicherung der Freiheit des einzelnen sowie der Schaffung eines ordnungspolitischen Rahmens besteht. − Voraussetzung dafür, daß das individuelle Streben nach Eigennutz tatsächlich auch das Gemeinwohl fördert, ist das Vorhandensein eines wirksamen *Konkurrenzmechanimus,* von A. Smith mit dem Bild der unsichtbaren Hand („invisible hand") veranschaulicht, die die Individuen bei ihrem Handeln dazu anleitet, das allgemeine Wohl zu fördern, obwohl sie sich nur am Eigennutz orientieren. − *Zentrales Anliegen* der k. L. ist die langfristige Analyse, der Trend, nicht die kurzfristige Abweichungen von diesem. − *Schwerpunktmäßig* befaßt sich die k. L. mit Produktion, Preisbildung, Verteilung, Beschäftigung und Wachstum.

2. *Produktion und Preisbildung:* Produktion und *Angebot* stehen im Vordergrund, nicht Konsum und Nachfrage. Zwar müssen die produzierten Güter für die Nachfrager Nutzen stiften, jedoch wird dies als selbstverständlich angesehen und nicht weiter ananlysiert. Die k. L. unterscheidet die drei →*Produktionsfaktoren* Arbeit, Kapital und Boden. Das Bild der Wirtschaft ist stark durch die Produktionsbedingungen der Landwirtschaft geprägt, Rohstoffvorräte und Lebensmittel, die zur Versorgung der Arbeiter während der Produktionsperiode dienen, werden zum Kapitel gezählt. Dem entspricht die Unterscheidung zwischen einem fixen und einem variablen Teil des *Kapitalstocks;* letzterer als *Lohnfonds* bezeichnet. Solange noch kein Kapital angehäuft und der Boden ein freies Gut ist, sind nach k. L. die Tauschrelationen (relative Preise) ausschließlich durch die Menge der bei der Produktion eingesetzten Arbeit erklärt: den Preis, der sich aufgrund der eingesetzten Arbeitsmenge ergibt, bezeichnet die k. L. als →*natürlichen Preis.* Der *Marktpreis* kann nur temporär um diesen schwanken, falls es zu Abweichungen von Angebot und Nachfrage kommt; langfristig muß er mit dem natürlichen Preis übereinstimmen. Die Tauschrelationen verändern sich, wenn *Kapi-*

taleigentümer und *Grundbesitzer* auftreten, weil diese Kapital und Boden nur dann für die Produktion zur Verfügung stellen, wenn sie dafür entschädigt werden. Für die ökonomische Analyse ist dies aber ohne prinzipielle Bedeutung. – Die *Nachfrage* spielt bei der Preisbestimmung keine Rolle; sie beeinflußt lediglich die getauschten Mengen. Während also die relativen Preise durch die Produktionssphäre bestimmt werden, wird das *Preisniveau* durch die Geldmenge bestimmt. Nach k. L. bildet das *Geld* einen *Schleier*, der die realwirtschaftlichen Vorgänge verdeckt, aber nicht beeinflußt. Da das Geld keinen direkten Nutzen stiftet, hat eine Veränderung von Geldmenge oder Umlaufgeschwindigkeit lediglich eine Veränderung des Preisniveaus zur Folge, aber keinen Einfluß auf Beschäftigung und Produktion.

3. *Verteilung, Beschäftigung und Wachstum:* Die *Güternachfrage* ist nicht nur für die Preisbestimmung unbedeutend; sie hat auch keinen Einfluß auf die Höhe des Gesamteinkommens, sondern bestimmt lediglich den relativen Umfang der einzelnen Produktionsbereiche. Die Frage, ob die Gesamtnachfrage ausreicht, um die produzierte Gütermenge aufzunehmen, stellt sich nicht. Die k. L. argumentiert hier mit dem →*Sayschen Theorem,* nach dem sich jedes Angebot seine eigene Nachfrage schafft. Die Ursache für die Produktionstätigkeit ist der Wunsch nach Bedürfnisbefriedigung. Das durch die Produktionstätigkeit erzielte Einkommen fließt entweder in den Konsum oder es wird gespart. Die *Ersparnis* wird direkt oder indirekt (via Kreditgewährung) zur Bildung von Sachkapital verwendet, stellt also keinen Nachfrageausfall dar. In einer Naturalwirtschaft ist ein solcher unmöglich. In einer Geldwirtschaft kann es zu einem gesamtwirtschaftlichen Nachfragedefizit nur kommen, wenn das Einkommen weder verausgabt noch als Kredit zur Verfügung gestellt wird. Die Möglichkeit der →*Hortung* wird von k. L. mit der Begründung zurückgewiesen, daß das Halten von Geld keinen Nutzen stifte. Es können nur Nachfragedefizite auf einzelnen Märkten auftreten, denen jedoch Überschußnachfragen auf anderen Märkten gegenüberstehen. Wegen des Konkurrenz- und Preismechanismus werden diese partiellen Ungleichgewichte jedoch nicht dauerhafter Natur sein. – Die Höhe des *Arbeitslohns* ergibt sich aus der Aufteilung des Lohnfonds auf die Arbeiter. Falls der Lohnfond groß genug ist, um die Subsistenz der Bevölkerung zu garantieren, führt die Konkurrenz der Arbeitsanbieter untereinander dazu, daß der Lohnsatz sich auf eine Höhe einstellt, die mit der Beschäftigung aller Arbeitswilligen vereinbar ist. Steigt der Kapitalstock rasch genug, kann die Vollbeschäftigung mit steigenden Reallöhnen und sinkenden Profiten einhergehen. Eine positive

Differenz zwischen tatsächlichem Lohnsatz und Existenzminimum führt nach k. L. zu einer Zunahme von Bevölkerung und Arbeitsangebot. Dies hat einen wachsenden Konkurrenzdruck zwischen den Arbeitnehmern zur Folge, so daß der Lohnsatz schließlich auf das Existenzminimum absinkt. – Der den Lohn übersteigende Teil des Produkts der Arbeit (Mehrwert) fällt den Produktionsmittelbesitzern als *Profit* bzw. *Rente* zu. Die Profite bleiben trotz der Konkurrenz auf dem Gütermarkt bestehen, weil der Konkurrenzdruck auf dem Arbeitsmarkt langfristig immer dafür sorgt, daß der Reallohn das Existenzminimum nicht übersteigt (→natürlicher Lohn).

III. W ü r d i g u n g : Die k. L. ist keine wirklich einheitliche Theorie. Während etwa A. Smith eine grundsätzlich optimistische Sicht vertritt, nimmt z. B. Malthus eine pessimistische Position ein. *Gemeinsam* ist den Klassikern eine *utilitaristische Auffassung* und die Vorstellung eines *ökonomischen Gleichgewichts,* das entweder nicht oder nur vorübergehend verlassen wird. – Beide Punkte sind auch zentraler Gegenstand der *Kritik:* Am utilitaristischen Menschenbild wird u. a. kritisiert, daß es von unrealistischen Voraussetzungen ausgeht: dem Individuum müssen die Handlungsalternativen bekannt sein, seine Präferenzen müssen stabil sein und dürfen von anderen nicht beeinflußt werden, es wird von jedem sozialen Verhalten abstrahiert. Die etwa von J. St. Mill geforderte Konkretisierung des Konzepts durch Einbeziehung anderer Motive und von Umwelteinflüssen blieb weitgehend aus. Die auf dem Sayschen Theorem aufbauende Gleichgewichtsidee wird umfassend im Rahmen der →*Keynesschen* Lehre kritisiert. – *Weiterentwicklung* der k. L. durch die →*Neoklassik.*

**klassisches Transportproblem.** I. C h a r a k t e r i s i e r u n g : Standardproblem des →Operations Research, das ein spezielles →Transportproblem ist. *Problembeschreibung:* Es existiert eine Menge von Orten *(Vorratsorte),* an denen jeweils ein gewisser Gütervorrat vorhanden ist; sowie eine Menge von Orten *(Bedarfsorte),* an denen jeweils ein gewisser Güterbedarf vorhanden ist. Sämliche Vorräte und Bedarfe beziehen sich auf die gleiche Güterart *(homogene Güter).* Zur Befriedigung der Bedarfe sollen Güter von den Vorratsorten zu den Bedarfsorten transportiert werden. Sämliche Vorräte sollen aufgebraucht, sämtliche Bedarfe befriedigt werden, d. h. die an allen Vorratsorten insgesamt vorhandene Gütermenge stimmt mit der an den Bedarfsorten insgesamt nachgefragten Gütermenge überein. Von jedem Vorratsort existiert zu jedem Bedarfsort genau ein Transportweg, der keinen anderen Vorrats- bzw. Bedarfsort berührt; Vorratsorte bzw. Bedarfsorte sind untereinander nicht verbunden. Die Ausführung der Transporte verursacht

        

Kosten; auf jedem Transportweg verhalten sich die Transportkosten proportional zu der darauf transportierten Gütermenge. Kapazitätsbeschränkungen der Transportmittel werden nicht wirksam *(unkapazitiertes Transportproblem)*; zu kapazitiertem Transportproblem vgl. V. *Gesucht* ist ein Transportplan, der unter diesen Bedingungen angibt, wieviele Mengeneinheiten des Gutes jeweils auf den verschiedenen Wegen transportiert werden sollen, wobei möglichst geringe Gesamttransportkosten angestrebt werden.

II. Mathematische Formulierung: Minimiere

(1) $$x_0 = \sum_{i \in I} \sum_{j \in J} c_{ij} x_{ij}$$

unter den Restriktionen:

(2) $$\sum_{j \in J} x_{ij} = a_i, \quad i \in I$$

(3) $$\sum_{i \in I} x_{ij} = b_j, \quad j \in J$$

(4) $$x_{ij} \geq 0, \quad i \in I, \quad j \in J$$

mit

(5) $$\sum_{i \in I} a_i = \sum_{j \in J} b_j$$

wobei I = Indexmenge der Vorratsorte (hier: $I = \{1, 2, \ldots, n\}$); J = Indexmenge der Bedarfsorte (hier: $J = \{1, 2, \ldots, n\}$); $a_i$ = Vorratsmenge am Vorratsort $i$ ($i \in I$); $b_j$ = Bedarfsmenge am Bedarfsort $j$ ($j \in J$); $c_{ij}$ = Kosten für den Transport einer Mengeneinheit des Transportgutes vom Vorratsort $i$ ($i \in I$) zum Bedarfsort $j$ ($j \in J$); $x_{ij}$ = (zu bestimmende) Anzahl der vom Vorratsort $i$ ($i \in I$) zum Bedarfsort $j$ ($j \in J$) zu transportierende Gütermengeneinheiten; $x_0$ = Gesamtkosten aller Transporte.
Das Optimierungssystem ((1), (2), (3), (4), (5)) nennt man auch *klassisches Transportsystem,* die Restriktion (5) auch *Gleichgewichtsrestriktion.*

III. Eigenschaften: 1. Genau eine beliebige Gleichung des Restriktionssystems ((2), (3)) ist überflüssig und kann ersatzlos gestrichen werden. – 2. Das Restriktionssystem ((2), (3), (4)) ist genau dann lösbar, wenn (5) gilt. – 3. Ist das Restriktionssystem ((2), (3), (4)) lösbar, so besitzt das Optimierungssystem ((1), (2), (3), (4)) auch eine →optimale Lösung. – 4. Sind sämtliche rechten Seiten $a_i$ und $b_j$ von (2) bzw. (3) ganzzahlig, so ist auch jede Basislösung von ((2), (3)) ganzzahlig.

IV. Lösungsverfahren: a) Die *klassische Simplexmethode* und ihre Varianten sind grundsätzlich anwendbar, führen aber im Vergleich zu speziellen, für k.T. entwickelten Lösungsverfahren zu einem höheren Rechenaufwand. – b) Spezielle, wenig rechenaufwendige *Eröffnungsverfahren,* die zulässige, aber

i.d.R. keine optimalen Basislösungen liefern, sind z.B. das Nordwestecken-, Kostenminimum- und Spaltenminimumverfahren. Bessere, oft nahezu optimale Lösungen lassen sich mit Hilfe des allerdings rechenaufwendigeren Vogelschen Approximationsverfahrens ermitteln. – c) *Spezielle Optimierungsverfahren,* die eine zulässige, etwa mit Hilfe eines Eröffnungsverfahrens gefundene Lösung voraussetzen und daraus iterativ eine optimale Lösung ermitteln, sind etwa das Stepping-Stone-Verfahren oder MODI-Verfahren.

V. Kapazitätsbeschränkungen *(kapazitiertes k.T.)* lassen sich in die mathematische Formulierung einarbeiten, indem die betreffenden Nichtnegativitätsrestriktionen (4) durch

(4') $$\underline{x}_{ij} \leq x_{ij} \leq \bar{x}_{ij}$$

(mit $x_{ij} \geq 0$) ersetzt werden, wobei $\underline{x}_{ij}$ eine untere und $\bar{x}_{ij}$ eine obere Schranke für den Wert der Variablen $x_{ij}$ bedeutet. Untere Schranken $\underline{x}_{ij}$ können durch einfache Modifikationen, mit denen man das Optimierungssystem wieder in ein k.T. überführt, berücksichtigt werden. In den speziellen Lösungsverfahren lassen sich obere Schranken $\bar{x}_{ij}$ durch entsprechende Verfahrensmodifikationen berücksichtigen.

VI. Ein linerares Zuordnungssystem liegt vor, wenn die Restriktionen (4) durch

(4'') $$x_{ij} \in \{0, 1\}, \quad i \in I, \quad j \in J$$

ersetzt sind und außerdem gilt:

(6) $$a_i = 1, \quad i \in I, \quad b_j = 1, \quad j \in J,$$

(7) $$|I| = |J|$$

(Sämtliche rechten Seiten von (2) und (3) gleich Eins; die Anzahl $|I|$ der Elemente in I stimmt mit der Anzahl $|J|$ der Elemente in J überein.)

VII. Ökonomische Anwendungen: K.T. bilden die Grundstruktur einer Vielzahl von Transportproblemen der Praxis ab. Sie dienen in diesem Zusammenhang v.a. als Vorbild bei der Modellierung derartiger Probleme. Darüber hinaus lassen sich auch für gewisse andere Planungsprobleme (z.B. →Transit-Transportproblem, →Umladeproblem, →Transportproblem mit Schlupf, →lineares Zuordnungsproblem) formulierte lineare Optimierungssysteme in k.T. überführen.

**klassisches Transportsystem,** →klassisches Transportproblem II.

**klassisches Wertparadoxon,** theoretisches Problem im Zusammenhang mit den rein kosten- bzw. aufwandsbezogenen „objektiven" Wertlehren der Klassischen und Marxschen Wirtschaftstheorie (→Arbeitswertlehre): Mit ihnen kann nicht abgeleitet werden, warum ein Gut mit hohem gesellschaftlichen Gesamtnutzen einen geringen Preis (z. B. Wasser) und ein Gut mit geringem gesellschaftlichen Gesamtnutzen dagegen einen hohen Preis haben kann. – Das k. W. ist *lösbar* im Rahmen der „subjektiven" Wertlehre der Grenznutzentheorie, die vom individuellen Nutzen in Abhängigkeit von der zur Verfügung stehenden Menge unter der Annahme abnehmender Grenznutzen ausgeht: Reichlich vorhandenes Wasser verschafft einen geringen individuellen Grenznutzen und hat einen entsprechend niedrigen Preis, während ein einmaliges Gemälde einen hohen Grenznutzen stiftet, woraus ein hoher Preis resultiert (vgl. →Grenznutzen).

**Klausel.** 1. Nebenabrede bei *Verträgen* (→Handelsklauseln). – 2. Einzelbestimmung des *Versicherungsvertrags* zur Abänderung (Erweiterung, Beschränkung) des Deckungsumfangs zwecks Anpassung an den individuellen Versicherungsbedarf. – *Arten:* a) Standard-K. (feste K.), werden für eine unbestimmte Vielzahl zukünftiger Fälle formuliert und sind rechtlich →Allgemeine Versicherungsbedingungen; b) auf den Einzelfall zugeschnittene K. (wilde K.), die nicht der Aufsicht unterliegen und nicht revisibel sind; rechtlich: →Besondere Versicherungsbedingungen, insbes. Makler-K.

**KLDS, kompatible lineare Datenbank-Schnittstelle,** →kompatible Schnittstellen 3 c) (1).

**Kleiderordnung,** →Ordnung des Betriebs.

**Kleidung, –** →Berufskleidung.

**Kleinaktie,** →Aktie mit niedrigem →Nennwert. Mindestnennbetrag: 50 DM (§ 8 AktG). – Vgl. auch →baby bond, →Volksaktie.

**Kleinaktionär,** →Aktionär, der auf Grund seiner geringen Kapitalbeteiligung und des dementsprechend geringen Stimmrechts als Einzelner keinen nennenswerten Einfluß auf die Gesellschaft ausübt. – *Gegensatz:* →Großaktionär.

**Kleinauftragszuschlag,** Preisaufschlag für eine Abnahmemenge pro Auftrag, die unter der vom Lieferanten festgelegten Mindestmenge liegt. – Vgl. auch →Mindermengenaufschlag, →Kost-Plus-System.

**Klein-Ausfuhrerklärung (Klein-AE),** als →Ausfuhrschein in →Ausfuhrverfahren bei der Ausfuhr von Waren im Wert von 500 DM bis zu 3000 DM der Versandzollstelle vorzulegen. Die K.-A. besteht aus Urschrift (zugleich statistischer Anmeldeschein) und Durchschrift für den Ausführer. – Vgl. auch →Ausfuhrerklärung.

**Kleinbelege,** *Rechnungen über Kleinbeträge,* Begriff des Umsatzsteuerrechts für Rechnun-

gen mit einem Bruttobetrag bis zu 200 DM. K. brauchen, um als Rechnungen i. S. d. § 14 UStG anerkannt zu werden, lediglich folgende Angaben zu enthalten: Namen und Anschrift des liefernden oder leistenden Unternehmers, Menge und handelsübliche Bezeichnung der gelieferten Gegenstände oder Art und Umfang der sonstigen Leistungen, Entgelt und Steuerbetrag in einer Summe, sowie Steuersatz (§ 32 UStDV). – *Beispiel:* Die im Gaststättengewerbe üblicherweise erteilten Quittungen für Speisen.

**Kleinbeträge,** →Kleinbelege.

**Kleinbetrieb.** I. A r b e i t s r e c h t : Für K. gelten manche arbeitsrechtlichen Gesetze nicht: 1. Nach § 23 KSchG gilt das *Kündigungsschutzgesetz* nur in Betrieben, in denen i. d. R mehr als fünf Arbeitnehmer (ausschließlich der Auszubildenden) beschäftigt sind. – 2. Das *Betriebsverfassungsgesetz* gilt nicht in Betrieben, die i. d. R. weniger als fünf Arbeitnehmer beschäftigen (§ 1 BetrVG). Mitbestimmung des Betriebsrats bei →personellen Einzelmaßnahmen (§ 99 BetrVG) und bei →Betriebsänderungen (§§ 111 ff. BetrVG) nur in Betrieben mit i. d. R. mehr als 20 Beschäftigten.

II. S t e u e r r e c h t : Einteilungskriterium für die →Außenprüfung. Vgl. im einzelnen →Betriebsgrößenklassifikation.

**Kleinbetriebsunterbrechungsversicherung,** →Betriebsunterbrechungsversicherung.

**Kleincomputer,** →Rechnergruppen.

**kleine Haverei,** →Havarie.

**Kleineinfuhren,** Einfuhren im erleichterten →Einfuhrverfahren. →Gebietsansässige und →Gebietsfremde dürfen ohne →Einfuhrgenehmigung Waren der gewerblichen Wirtschaft bis zu einem Wert von 1000 DM je →Einfuhrvorgang und Waren des Agrarsektors (außer Saatgut) bis zu einem Wert von 250 DM einführen; weitere Fälle z. T. mit Wertgrenzen in §32 I AWV. Das erleichterte Verfahren *gilt nicht* für Einfuhren aus einem Zollfreigebiet oder einem Zollverkehr (Zollager) und nicht für genehmigungsbedürftige Waren, die zum Handel oder einer anderen gewerblichen Verwendung berstimmt sind.

**Kleineinkommen,** statistisch nicht erfaßbare Gelegenheits- oder Nebeneinkünfte von unständig oder geringfügig beschäftigten Personen, die von keiner gesetzlichen Meldepflicht betroffen sind. – Vgl. auch →Erwerbstätigkeit.

**kleine Kasse,** →Nebenkassen.

**kleinere Körperschaften,** Körperschaften mit geringem steuerpflichtigem Einkommen, von deren Einkommen ein Freibetrag von 5000 DM, höchstens jedoch in Höhe des Einkommens abzuziehen ist (→Freibeträge

II). Übersteigt das Einkommen 10 000 DM, wird der Freibetrag um die Hälfte des übersteigenden Betrages gekürzt (§ 24 KStG). Diese Regelung gilt nicht für Körperschaften, deren Leistungen bei den Empfängern zu den Einnahmen aus Kapitalvermögen gem. § 20 I Nr. 1 oder 2 EStG gehören, sowie für Vereine.

**kleiner Grenzverkehr,** Verkehr zwischen Personen, die in benachbarten, durch zwischenstaatliche Abkommen festgelegten →Zollgrenzzonen oder in benachbarten →Zollgrenzbezirken ansässig sind. – *Keine Einfuhr-/ Ausfuhrbeschränkungen bei k. G:* a) wenn von diesen Personen mitgeführte Waren nicht zum Handel bestimmt sind und 500 DM nicht übersteigen; b) wenn diesen Personen als Teil des Lohnes für innerhalb des Wirtschaftsgebiets geleistete Arbeit oder aufgrund von gesetzlichen Unterhalts- oder Altenteilsverpflichtungen Waren gewährt werden (§ 19 32. AWV, § 32 28.AWV).

**Kleingarten,** Garten, der zur Gewinnung von Gartenbauerzeugnissen für den Eigenbedarf und zur Erholung dient und in einer Anlage liegt. Einzelheiten geregelt im Bundeskleingartengesetz vom 28. 2. 1983 (BGBl I 210).

**Kleingewerbetreibender.** 1. *Begriff:* Teilnehmer am gewerblich-industriellen Erwerbsleben, dessen Betrieb nach Art und Umfang keinen →kaufmännischen Geschäftsbetrieb erfordert, also gegensätzl. Voraussetzungen im Vergleich mit dem →Sollkaufmann. Allein auf den Umsatz des Betriebes kommt es nicht an, obwohl dieser einen Anhaltspunkt geben kann. Weitere Anhaltspunkte: Höhe des Betriebskapitals, Organisation des Betriebes usw. Die Landesregierungen können die Abgrenzung nach steuerlichen Gesichtspunkten oder anderen Merkmalen bestimmen. – 2. *Rechtsstellung:* Der K. ist →Minderkaufmann, wenn er überhaupt →Kaufmann ist, d.h. wenn er ein →Grundhandelsgeschäft betreibt, z. B. kleine Warenhändler, Gastwirte, Fuhrunternehmer, →Handelsvertreter, Buch- und Kunsthändler. Nicht: Inhaber einer kleinen Pension, Bootsverleiher usw., da für diese zur Erlangung der Kaufmannseigenschaft die Eintragung ins →Handelsregister erforderlich ist, die nur für einen kaufmännisch eingerichteten Geschäftsbetrieb erfolgen kann. – 3. *Umsatzsteuer:* Vgl. →Kleinunternehmer.

**Kleingruppe,** →Gruppe 1.

**Kleingut,** →Stückgut mit relativ geringem Gewicht (bis ca. 30 kg) bei häufig relativ hohem materiellen oder immateriellen Wert je Einheit, das als Brief, Päckchen, Paket oder in Kleinbehältern von der Deutschen Bundespost, den Deutschen Bundesbahn u. a. teilweise hierauf spezialisierten Verkehrsbetrieben im Rahmen von Post-, Paket- und Kurierdiensten befördert wird.

**Kleinkraftrad,** →Kraftrad (auch mit Beiwagen) mit einem Hubraum bis 50 ccm und einer durch die Bauart bestimmten Höchstgeschwindigkeit von nicht mehr als 40 km/h. Die Lenkung eines K. erfordert →Fahrerlaubnis der Klasse 4. Die Straßenverkehrs-Zulassungs-Ordnung (→Straßenverkehrsrecht) gilt auch für K. – Vgl. auch →Fahrräder mit Hilfsmotor, →Leichtkraftrad, →Moped, →Mofa.

**Kleinkredit,** *persönlicher Kleinkredit,* →Personalkredit von Universalbanken und Teilzahlungsbanken, bis 2000 DM, Laufzeit 6–24 Monate; meist →Konsumentenkredite. K. wird dem Kreditnehmer (vorwiegend private Haushalte, auch Kleinbetriebe) zur Beschaffung von Maschinen, Kraftfahrzeugen u. a. bar ausgezahlt; rückzahlbar in gleichen Raten. – Vgl. auch →Anschaffungsdarlehen.

**Kleinlebensversicherung,** Lebensversicherung mit niedrigen Versicherungssummen und vereinfachten Versicherungsbedingungen, z. B. →Sterbegeldversicherung, →Volksversicherung. – Vgl. auch →Lebensversicherung II 7 e).

**Kleinmaterial,** zusammenfassende Bezeichnung für kleine Beschaffungsgüter eines Betriebes, die von anderen Betriebe gekauft werden. Zum K. gehören z. B. Nägel, Schrauben, Beschläge. – *Kostenabrechnungstechnische Erfassung/Verrechnung:* Nur in kleinen Betrieben werden die Beschaffungsmengen sofort als Verbrauch behandelt, also keine Bestände geführt; in größeren Betrieben Behandlung wie fertig →bezogene Teile.

**Kleinpreisgeschäft,** historische Betriebsform des Einzelhandels, hervorgegangen aus dem →Einheitspreisgeschäft. Kennzeichnend ist ein flaches Sortiment qualitativ eher geringwertiger Waren zu möglichst niedrigen Preisen. In Deutschland früher an →Warenhäuser angegliedert zur Versorgung von Kunden mit äußerst begrenztem Einkaufsbudget. Heute durch →Discountgeschäfte, →Fachmärkte bzw. →Selbstbedienungswarenhäuser weitgehend verdrängt. – Vgl. auch →Dynamik der Betriebsformen.

**Kleinsparen,** Sparen in kleinen Beträgen. Die Kreditinstitute sind bestrebt, auch kleinste Sparbeträge heranzuziehen (z. B. Spardosen, Sparschränke in Betrieben, Gaststätten und Vereinen).

**Kleinste-Quadrate-Regressionsgerade,** Begriff der →Regressionsanalyse. Man erhält die K.-Q.-R. $\hat{y} = a + bx$, wenn eine Gerade derart aus einem empirisch Befund von n Beobachtungswertepaaren $(x_i; \hat{y}_i)$ gewonnen wird, daß die Summe der quadrierten vertikalen Abweichungen der Punkte $(x_i; \hat{y}_i)$ von der K.-Q.-R. minimal ist. Die Koeffizienten a und b werden also durch Minimierung von $\sum (y_i - a - bx_i)^2$ bezüglich a und b festgelegt.

**Kleinstzeitverfahren;** →Systeme vorbestimmter Zeiten.

**Kleinunternehmer,** Begriff des Umsatzsteuerrechts (§ 19 UStG). 1. →Unternehmer, deren →Gesamtumsatz, gekürzt um die Umsätze von Wirtschaftsgütern des →Anlagevermögens einschl. der darauf entfallenden Steuer im vorhergehenden Kalenderjahr 20 000 DM nicht überstiegen hat und im laufenden Kalenderjahr 100 000 DM nicht übersteigen wird, werden von ihrer Steuerschuld vollständig *befreit.* In diesem Fall entfällt der →Vorsteuerabzug und die Möglichkeit, einen →Verzicht auf Steuerbefreiungen auszusprechen. Der Unternehmer kann allerdings erklären, daß er auf die Anwendung dieser Sonderregeln verzichten will. – 2. Unternehmer, deren Gesamtumsatz zuzüglich der entsprechenden Umsätze, die der Unternehmer außerhalb des Inlands ausführt, 60 000 DM nicht übersteigt und auf die auch die unter 1. genannten Regeln nicht anwendbar sind, erhalten einen *Steuerabzugsbetrag.* Berechnet nach dem Vomhundertsatz der Steuerschuld, vermindert um abziehbare →Vorsteuern und Kürzungsbeträge nach § 13 Berlin FG (→Förderung der Wirtschaft von Berlin (West) I 4) und nach entsprechenden Verwaltungsvorschriften für Leistungen aus der DDR (→innerdeutscher Handel V). Der Vomhundertsatz beträgt maximal 80% (bei einem Umsatz von höchstens 20 500 DM) und sinkt um einen Prozentpunkt für jeweils angefangene 500 DM, so daß er bei Umsätzen über 60 000 DM entfällt.

**Klubtheorie,** →ökonomische Theorie der Clubs.

**Klumpen,** in der Statistik Ausdruck für →Teilgesamtheiten (Primäreinheiten) beim →Klumpenstichprobenverfahren.

**Klumpeneffekt,** beim →Klumpenstichprobenverfahren die Erscheinung, daß eine vergleichsweise wenig wirksame (→Wirksamkeit) →Schätzung von →Parametern der →Grundgesamtheit dadurch zustande kommt, daß die Primäreinheiten (Klumpen) bezüglich der →Untersuchungsmerkmale homogen sind. Der K. wird durch Bildung möglichst inhomogener Klumpen vermieden.

**Klumpenstichprobenverfahren,** Spezialfall eines →höheren Zufallsstichprobenverfahrens. Wird eine →Grundgesamtheit in →Teilgesamtheiten (Primäreinheiten; „Klumpen") zerlegt und gelangen sämtliche Elemente der zufällig ausgewählten Klumpen in die Stichprobe, so liegt ein K. vor. Ein K. ist umso vorteilhafter, je inhomogener die Klumpen bezüglich der Untersuchungsmerkmale sind (→Klumpeneffekt).

**knappe Güter,** →wirtschaftliche Güter.

**Knappheit,** bedeutet, daß nicht alle Güter im ausreichenden Maß zur Verfügung stehen, um kostenlos alle →Bedürfnisse zu befriedigen. D. h., es besteht die Notwendigkeit, durch wirtschaftliches Handeln eine optimale Versorgung mit Gütern zu erreichen. K. ist ein ökonomisches Kernproblem. – Vgl. auch →wirtschaftliche Güter.

**Knappheitspreise,** →Verrechnungspreise 3.

**Knappschaften,** Träger der →Knappschaftsversicherung. Bis Mai 1945 die Reichsknappschaft. Die Durchführung der Versicherung war einzelnen Verwaltungsstellen übertragen. Durch das Knappschaftsversicherungs-Anpassungsgesetz vom 30. 7. 1949 wurden diese Verwaltungsstellen zu selbständigen Versicherungsträgern regional gegliedert: Aachener Knappschaft (Sitz Aachen), Brühler K. (Sitz Köln), Hannoversche K. (Sitz Hannover), Hessische K. (Sitz Kassel), Niederrheinische K. (Sitz Moers), Ruhrknappschaft (Sitz Bochum), Süddeutsche K. (Sitz München), Saarknappschaft (Sitz Saarbrücken). – Durch das Bundesknappschaft-Errichtungsgesetz v. 28. 7. 1969 (BGBl I 974) wurde eine *Bundesknappschaft* als einheitlicher Versicherungsträger für die Durchführung der →Knappschaftsversicherung geschaffen. Die bisherigen K. verlieren damit wieder ihre Stellung als selbständige Versicherungsträger. Sie gelten jetzt wieder als Verwaltungsstellen.

**knappschaftliche Rentenversicherung,** →Knappschaftsversicherung.

**Knappschaftsausgleichsleistung,** Sonderleistung eigener Art, eingeführt durch Gesetz vom 23. 5. 1963. (BGBl I 359) mit Wirkung vom 1. 6. 1963. K. erhält auf Antrag der Versicherte in der knappschaftlichen Rentenversicherung, wenn er das 55. Lebensjahr vollendet hat und seine Tätigkeit im Bergbau aufgibt (§ 98 a RKG). Für die K. gelten die für die Errechnung der Knappschaftsrente maßgeblichen Vorschriften. Jedes anrechnungsfähige Versicherungsjahr wird mit 2% der für den Versicherten maßgebenden Bemessungsgrundlage entschädigt. – *Neben* der K. wird eine Rente nicht gewährt. Besteht Anspruch auf eine →Knappschaftsrente oder die →Knappschaftsruhegeld, entfällt die K. – Die Verrichtung einer Tätigkeit außerhalb eines knappschaftlichen Betriebs schließt den Anspruch auf K. nicht aus.

**Knappschaftsrente,** Rente der knappschaftlichen Rentenversicherung (→Knappschaftsversicherung). – 1. *Rentenleistungen* an Versicherte sind: a) Bergmannsrente wegen verminderter bergmännischer Berufsfähigkeit (§ 45 I Nr. 1 und II RKG); b) Bergmannsrente wegen Vollendung des 50. Lebensjahres und Erfüllung besonderer Voraussetzungen (§ 45 I Nr. 2 RKG); c) Rente wegen →Berufsunfähig-

keit (§ 46 RKG); d) Rente wegen →Erwerbsunfähigkeit (§ 47 RKG); e) →Knappschaftsruhegeld (§ 48 RKG). – 2. *Voraussetzung:* Erfüllung der →Wartezeit von 60 Kalendermonaten und (seit 1.1.1984) von den letzten 60
Monaten vor Eintritt der Berufsunfähigkeit
oder Erwerbsunfähigkeit Belegung von mindestens 36 Monaten mit Pflichtbeiträgen oder
Berufs- bzw. Erwerbsunfähigkeit nach § 52
RKG (für →Knappschaftsruhegeld gelten je
nach Art Besonderheiten). – 3. *Jahresbetrag*
(in % der für den Versicherten maßgebenden
Rntenbemessungsgrundlage, § 53 RKG): a)
Bergmannsrente: für jedes anrechnungsfähige
Versicherungsjahr 0,8%; b) Rente wegen
→Berufsunfähigkeit: 1,2 bzw. 1,8%; c) Rente
wegen →Erwerbsunfähigkeit 2,0%; d)
→Knappschaftsruhegeld: 2,0%. Diese Renten
erhöhen sich noch ggf. um →Kinderzuschuß
und →Leistungszuschlag.

**Knappschaftsruhegeld,** Leistung der knappschaftlichen Rentenversicherung (→Knappschaftsversicherung). – 1. *Gewährung* an Versicherte, die ein bestimmtes Lebensalter erreicht
und die →Wartezeit (180 Beitragsmonate)
bzw. 60 Beitragsmonate beim K. nach Vollendung des 65. Lebensjahres) erfüllt haben.
Nach Vollendung a) des 60. Lebensjahres,
wenn eine Versicherungszeit von 300 Kalendermonaten mit ständigen Arbeiten unter
Tage oder diesen gleichgestellten Arbeiten
zurückgelegt worden ist (§ 48 Abs. 1 Nr. 2
RKG); b) des 60. Lebensjahres für Frauen, die
in den letzten 20 Jahren überwiegend (mindestens 121 Monate) Pflichtbeiträge entrichtet
haben und einer Beschäftigung nicht mehr
nachgehen (§ 48 Abs. 3 RKG); c) des 60.
Lebensjahres für Frauen und Männer, wenn
sie mindestens 52 Wochen innerhalb der
letzten eineinhalb Jahre arbeitslos waren und
in den letzten 10 Jahren mindestens 8 Jahre
Pflichtbeiträge gezahlt haben; anrechenbare
Zeiten der Arbeitslosigkeit stehen diesen
gleich (§ 48 Abs. 2 RKG); d) des 60. Lebensjahres erhalten Schwerbehinderte, Berufsunfähige und Erwerbsunfähige das K., wenn sie
mindestens 35 Versicherungsjahre nachweisen
(§ 48 Abs. 1 Nr. 1 RKG); e) des 63. Lebensjahres erhält K., wer 35 Versicherungsjahre nachweist (§ 48 Abs. 1 Nr. 1 RKG); f) des 65.
Lebensjahres genügt seit 1.1.1984 die Erfüllung der Wartezeit von 60 Monaten. Der
Versicherte kann bestimmen, daß ein späterer
Zeitpunkt als das genannte Lebensalter für die
Erfüllung der Voraussetzungen maßgebend
sein soll. – 2. *Jahresbetrag:* Für jedes anrechnungsfähige Versicherungsjahr 2% der für
den Versicherten maßgebenden →Rentenbemessungsgrundlage (§ 53 Abs. 4 RKG). Das
K. erhöht sich ggf. noch um →Kinderzuschuß
und →Leistungszuschlag. – 3. *Verdienstgrenzen:* Für K. vor dem 65. Lebensjahr ist
notwendig, daß die Beschäftigung aufgegeben
oder nur noch in begrenztem Umfang aus

geübt wird. Vgl. im einzelnen →Altersruhegeld.

**Knappschaftssold,** jetzt: →Bergmannsrente.

**Knappschaftsversicherung,** Zweig der deutschen Sozialversicherung.

I.  R e c h t s g r u n d l a g e n :  Reichsknappschaftsgesetz v. 23.6.1923, das am 1.1.1924 in
Kraft trat, wiederholt geändert und ergänzt,
u.a. durch die Novelle vom 25.6.1926, Verordnung über die Neuregelung der Rentenversicherung im Bergbau vom 4.10.1942. Durch
das Knappschaftsrentenversicherungs-Neuregelungsgesetz vom 21.5.1957 (BGBl I 533) ist
mit Wirkung vom. 1.1.1957 das Reichsknappschaftsgesetz weitgehend neugestaltet und in
den Grundzügen den Gesetzen der Rentenversicherung der Arbeiter und Angestellten angeglichen worden, soweit nicht der berufsständische Charakter der K. besondere, abweichende Regelungen erforderlich machte.

II.  U m f a n g :  Krankenversicherung und
knappschaftliche Rentenversicherung für alle
in knappschaftlichen Betrieben oder Berufsständischen Organisationen des Bergbaus
beschäftigten Arbeiter und Angestellten,
durchgeführt von den aus der Reichsknappschaft hervorgegangenen Bundesknappschaft.
– 1. *Krankenversicherung:* Im wesentlichen
nach den Vorschriften der RVO durchgeführt.
Für die Beurteilung der Versicherungspflicht
und der Versicherungsberechtigung sowie für
Art und Umfang der Leistungen sind die
Bestimmungen des zweiten Buches der RVO
maßgeblich. Nach § 16 RKG kann abweichend von den Bestimmungen der RVO die
Satzung der →Knappschaften die Versicherungspflicht auch auf Angestellte erstrecken,
deren Jahresarbeitsverdienst den in § 165 RVO
festgesetzten Betrag übersteigt, die aber den
knappschaftlichen Rentenversicherung als
versicherungspflichtige Mitglieder angehören.
Von dieser Ermächtigung ist Gebrauch
gemacht worden, daher sind alle rentenversicherungspflichtigen Angestellten auch krankenversicherungspflichtig. – 2. *Rentenversicherung:* Entspricht nur teilweise den Bestimmungen der →Angestelltenversicherung und
→Arbeiterrentenversicherung. – 3. →*Knappschaftsausgleichsleistungen.*

III.  G e l t u n g s b e r e i c h :  1. *Pflichtversichert*
sind alle in Bergbaubetrieben beschäftigten
Arbeiter und Angestellten ohne Rücksicht auf
die Höhe des Verdienstes. – 2. *Freiwillig
Versicherte:* Die Entrichtung freiwilliger Beiträge unter bestimmten Voraussetzungen
möglich; →freiwillige Versicherung III. – 3.
*Nicht versicherungspflichtig:* Personen a) bei
vorübergehender Dienstleistung (→Nebentätigkeit), b) bei Versorgungsanspruch auf
Grund ihrer Tätigkeit (Beamte). Beim Vorliegen bestimmter Voraussetzungen besteht
Befreiungsmöglichkeit.

IV. L e i s t u n g e n : 1: *Maßnahmen* zur Erhaltung, Besserung und Wiederherstellung der Erwerbsfähigkeit. – 2. *Versichertenrenten:* →Bergmannsrente, →Knappschaftsrente bei a) →Berufsunfähigkeit, b) →Erwerbsunfähigkeit; →Knappschaftsruhegeld. – 3. *Hinterbliebenenrenten:* Witwenrente, Witwerrente, →Waisenrente und Rente an die frühere Ehefrau. – 4. →*Beitragserstattung.* – 5. →*Knappschaftsausgleichsleistung.*

V. B e i t r ä g e : Die Pflichtversicherten der knappschaftlichen Rentenversicherung zahlen monatlich vom Bruttoverdienst 24%, wovon der Arbeitnehmer 9% und der Arbeitgeber 15% zu tragen haben. Die Beiträge werden zusammen mit den Krankenkassenbeiträgen an die Knappschaft abgeführt (§ 130 RKG).

VI. G e s e t z l i c h e   U n f a l l v e r s i c h e r u n g : Gehört nicht zur K. Sie wird gemäß Reichsversicherungsverordnung von der Bergbauberufsgenossenschaft in Bochum durchgeführt.

**Knappschaftsvollrente,** jetzt: →Knappschaftsrente.

**Knapsack-Problem,** →Rucksackproblem, →Ladungsproblem.

**Knebelungsvertrag,** →Vertrag, der den Vertragspartner in unzumutbarer Weise der wirtschaftlichen Freiheit beraubt. K. kann gem. § 138 I BGB wegen →Sittenwidrigkeit nichtig sein. Beschränkung der wirtschaftlichen Freiheit ist grundsätzlich nicht verboten. Abgrenzung nur im Einzelfall möglich. Auch die →Sicherungsübereignung des gesamten Warenlagers kann als K. angesehen werden (vgl. auch →Kredittäuschungsvertrag). – Vgl. auch →Globalabtretung.

**Knoten.** I. M e ß w e s e n : Einheit der Geschwindigkeit im Schiffsverkehr (km): →Seemeilen pro Stunde. 1 kn = 1,852 km/h.

II. O p e r a t i o n s   R e s e a r c h : Elemente eines →Graphen. Bei *ungerichteten Graphen* nennt man die einer Kante zugeordneten K. *Endknoten;* bei *gerichteten Graphen* werden *Anfangsknoten* i (Pfeil geht von Knoten i aus) und *Endknoten* j (Pfeil mündet in Knoten j) unterschieden.

**knotenorientierte Tourenplanung,** →Tourenplanung IV.

**Knotenrechner,** →Computer, die sowohl in öffentlichen als auch in privaten →Netzen eingesetzt werden, wenn diese vermascht werden sollen. K. übernehmen für die Übertragung der →Daten die Wegfindung durch das Netz, die Pufferung von Daten für Geschwindigkeitsanpassungen usw. Sie melden bzw. beheben aufgetretene Übertragungsfehler.

**Know-how,** Spezialwissen aus betrieblichen oder technischen Erfahrungen, z. B. Produktionserfahrungen, besondere Absatzerfahrun-

gen und dgl. Das K. kann im Wege der Erfahrenshingabe vertraglich (*Know-how-Vertrag*) einem anderen Betriebe, ähnlich wie bei der →Lizenz, zur Verfügung gestellt werden.

**Know-how-Referenz,** →Referenzanlagen.

**knowledge engineer,** *Wissensingenieur,* Berufsbezeichnung für die Person, die das Wissen eines oder evtl. mehrerer →domain experts zu erfassen und durch eine geeignete Form der →Wissensrepräsentation in ein →Expertensystem zu integrieren versucht.

**knowledge engineering (KE),** Forschungsgebiet, das die Prinzipien und Methoden der →künstlichen Intelligenz für den Entwurf und die Konstruktion von →wissensbasierten Systemen (insbes. →Expertensystemen), v. a. für den Wissenserwerb und die →Wissensrepräsentation zu nutzen sucht.

**knowledge engineering tool,** →Softwarewerkzeug, das einen →Knowledge Engineer bei der Ermittlung, Erfassung und/oder Darstellung des →Expertenwissens unterstützt.

**knowledge-representation-Sprachen,** →KR-Sprachen.

**Koalition.** I. O r g a n i s a t i o n : Erweiterung einer →Kerngruppe um eine oder mehrere Satelitengruppen. Sämtliche Mitglieder der Kern- und Satelitengruppe sind unmittelbar an der Bildung der Unternehmungsziele beteiligt (z. B. Teilnahme des Aufsichtsrats an Beratungen des Vorstands).

II. A r b e i t s r e c h t : 1. *Begriff:* Vereinigungen von Arbeitnehmern oder -gebern zur Wahrung ihrer Interessen bei der Gestaltung von Arbeits- und Wirtschaftsbedingungen. Es braucht sich nicht um Zusammenschlüsse von Angehörigen eines Berufs zu handeln (→Berufsverbände, →Berufsverbandsprinzip). In der Bundesrep. D. grenzen sich die Arbeitnehmer- und Arbeitgeberverbände (→Berufsverbände) ganz überwiegend nach Industriezweigen (→Industrieverbandsprinzip, →Industriegewerkschaften) ab. – 2. *Bedeutung:* K. genießen einen besonderen verfassungsrechtlichen Schutz (Art. 9 III GG), →Koalitionsfreiheit. Nur Koalitionen sind tariffähig (§ 2 I TVG), zusätzlich der einzelne Arbeitgeber (→Tariffähigkeit). Grundsätzlich können nur K. einen rechtmäßigen →Arbeitskampf führen („Streikmonopol der Gewerkschaften", →Streik). Sie dürfen ihre Mitglieder vor den →Arbeitsgerichten vertreten (→Arbeitsgerichtsbarkeit). – 3. *Geschichte:* Zunächst bildeten sich im 19. Jh. die Gewerkschaften, um der Übermacht der Arbeitgeberseite entgegenzuwirken. Darauf antworteten die Arbeitgeber mit der Gründung eigener Verbände. Vgl. näher →Gewerkschaft. – 4. *Voraussetzungen* aufgrund der Entstehungsgeschichte: a) freiwillige Zusammenschlüsse (Ausnahmsweise ist den Innungen Tariffähigkeit verliehen worden, § 54 III Nr. 1 HandwO); b) einen Zusammenschluß für eine gewisse Dauer (Bestandsgarantie), nicht für einen einmaligen Zweck (ad-hoc-K.), um etwa das Verbot des wilden Streiks (→Streik II 2 a)) zu umgehen; c) eine Vereinigung, deren Zweck die Wahrung und Förderung von Arbeits-und/oder Wirtschaftsbedingungen auf der Grundlage des geltenden Tarifrechts (→Tarifautonomie, →Tarifvertrag) ist; d) eine gegnerfreie Vereinigung, d. h. eine, die den Arbeitgeber und -nehmer umfaßt, ist keine K.; e) eine von der Gegenseite unabhängige Vereinigung, was nur bei überbetrieblicher Organisation gewährleistet ist (Ausnahme: Gewerkschaften der Eisenbahner und Postbediensteten sind wegen ihrer Größe K.). – *Nicht erforderlich:* Rechtsfähigkeit. Die Gewerkschaften sind meist als nicht rechtsfähige Vereine organisiert. – 5. *Aufnahmeanspruch:* Wegen überragender Machtstellung erkennt die Rechtsprechung grundsätzlich einen solchen Anspruch an. – 6. *Bestehende K.:* Vgl. →Gewerkschaften, →Berufsverbände.

**Koalitionsfreiheit,** Recht für jedermann und alle Berufe, zur Wahrung und Förderung der Arbeits- und Wirtschaftsbedingungen Vereinigungen zu bilden (Art. 9 III GG). – 1. *Individuelle K.:* Die K. steht „jedermann" zu, auch Ausländern. K. gilt für alle Berufe, auch für Beamte, Richter, Ärzte (hier aber Einschränkung oder Ausschluß des Streikrechts, →Arbeitskampf). Die individuelle K. beinhaltet auch, sich für die Koalition, der man beigetreten ist, zu betätigen. – 2. *Kollektive K.:* Auch die Koalition als solche ist geschützt; dazu gehören: a) *Bestandsgarantie für die Verbände.* b) *Betätigungsgarantie:* Recht, durch spezifisch koalitionsgemäße Betätigung die durch Art. 9 III GG gestellten Aufgaben zu erfüllen, z. B. Abschluß von Tarifverträgen (→Tarifautonomie), Mitwirkung im Bereich der Betriebsverfassung, Anhörung im Gesetzgebungsverfahren, Vertretung der Mitglieder der Koalition vor den Arbeitsgerichten, Verteilung von Werbe- und Informationsmaterialien durch betriebsangehörige Gewerkschaftsmitglieder außerhalb der Arbeitszeit und während der Pausen. Jede Betätigung der Koalition ist geschützt, die für die Erhaltung und Sicherung der Koalition unerläßlich ist. c) *Schutz der Koalitionszwecke und der Kampfmittel:* Der Gesetzgeber hat ein Tarifvertragssystem zur Verfügung zu stellen und muß den Arbeitskampf zulassen. Umstritten ist, ob die bestehenden Kampfmittel →Streik, →Aussperrung und →Boykott auch verfassungsrechtlich (Art. 9 III GG) garantiert sind. – 3. *Drittwirkung:* Das Grundrecht der K. gilt auch im Privatrechtsverfahren (Art. 9 III 2 GG). Danach sind Abreden, die die K. einschränken, nichtig; hierauf gerichtete Maßnahmen sind rechtswidrig (Beispiel: Eine Aussperrung, die gezielt nur Gewerkschaftsmit-

glieder erfaßt, Nichtorganisierte dagegen ausnimmt). Der einzelne wie die Koalition können wegen der Verletzung der K. Schadenersatzansprüche geltend machen. – 4. *Negative K.:* Freiheit des einzelnen, einer K. fernzubleiben. Sie ist nach überwiegender Meinung ebenfalls durch Art. 9 III GG geschützt, da sie die Kehrseite des Rechts ist, sich zu einer Koalition zusammenzuschließen. Das Prinzip des →closed shop, nach dem nur organisierte Arbeitnehmer eingestellt werden dürfen (Organisationsklausel), darf nicht vereinbart werden.

**Koaxialkabel,** Medium für die Übertragung von →Daten, bei dem die Daten mittels elektromagnetischer Wellen über zwei ineinanderliegende (koaxial angeordnete) Kupferleiter übertragen werden. Hohe Sicherheit gegen Störungen durch elektrische Felder und Breitband-Übertragung ist dadurch möglich (→Breitband). – *Nachteile* gegenüber →Glasfaserkabel: geringere Breite des Übertragungsbands und geringere Sicherheit (einfach anzapfbar); *Vorteil:* billiger.

**Kodierung,** →Codierung.

**Kodifikation,** Zusammenfassung von Rechtsvorschriften eines bestimmten Rechtsgebiets in einem einheitlichen Gesetz (= codex), z. B. dem Bürgerlichen Gesetzbuch (BGB), der Reichsversicherungsordnung (RVO) u. a.

**Koeffizient,** Zahl, die als Faktor bei eiem →Term mit Variablen steht, z. B. 2 und 5 bei dem Term $2x^3 + 5x$.

**Koeffizientenmatrix,** Matrix, in der die Koeffizienten eines linearen Gleichungs-, Ungleichungs- bzw. Optimierungssystems zusammengestellt sind (→lineares Gleichungssystem, →lineares Optimierungssystem).

**Koexistenz,** politischer Begriff für ein friedliches Nebeneinanderleben von Völkern oder Menschen verschiedener politischer Weltanschauungen.

**Kofinanzierung,** Darlehen der Weltbank, gewährt in Zusammenarbeit mit anderen Institutionen: v. a. Regierungen und Regierungsstellen, Exportkreditorganisationen sowie private Finanzinstitutionen (insbes. Geschäftsbanken). Die vertragliche Ausgestaltung ist unterschiedlich. In Zusammenhang mit der Verschuldungskrise hat die K. an Bedeutung gewonnen.

**kognitive Dissonanz.** 1. *Begriff:* Psychischer Spannungszustand eines Individuums aufgrund von Widersprüchen zwischen Elementen seines kognitiven Systems (Meinungen und →Einstellungen). Erklärungsansatz

menschlichen Verhaltens durch Motivations-
effekte (→Motivation, →Motiv): K.D. motiviert das Individuum, die Widersprüche zu
reduzieren und ein kognitives Gleichgewicht
zu erreichen. – 2. *Beispiel:* Das Wissen über ein
erhöhtes Krebsrisiko kann bei Rauchern k.D.
hervorrufen, denn die positive Einstellung
zum Rauchen steht im Widerspruch zu den
unerwünschten Konsequenzen. – 3. *Möglichkeiten der Dissonanzreduktion:* a) Vermeidung von k.D. durch Nichtwahrnehmung
oder Leugnen von Informationen; b) Änderung von Einstellungen oder Verhalten (Verzicht auf das Rauchen, Abwerten der Glaub-
würdigkeit medizinischer Forschungsergeb-
nisse); c) selektive Beschaffung und Interpretation dissonanzreduzierender Informationen
/z. B. ein starker Raucher wurde 96 Jahre alt).
– 4. *Bedeutung für das Marketing:* K.D. kann
vor und nach wichtigen Kaufentscheidungen
auftreten. Sie entsteht sehr oft, wenn die
betrachteten Alternativen sowohl Vor- als
auch Nachteile haben. Dies führt zu einem
kognitiven Konflikt für den Entscheider,
wodurch es – bezogen auf den Kaufprozeß –
zu einer Verzögerung oder gar zu einem
Nichtkauf bzw. Rücktritt vom Kauf kommen
kann. Ziel des Marketing muß es deshalb sein,
k.D. zu verhindern bzw. zu reduzieren. Möglichkeiten: Vermindern der Bedeutung einer
Entscheidung, Nachkauf-Werbung auf
Gebrauchsanweisungen usw.

**Kohäsion,** durchschnittliche Attraktivität der
→Gruppe bei den Gruppenmitgliedern, wobei definitionsgemäß die Attraktivität v. a.
in den Befriedigungswert der sozialen Interaktion an sich liegt. Gruppen-K. ist mit der
→Arbeitszufriedenheit positiv, mit der
Fehlzeitenrate (→Fehlzeiten) negativ verbunden. – *Bedeutung:* Ein positiver Zusammenhang zwischen Gruppen-K. und Grup-
penleistung besteht im Widerspruch zu den
Annahmen der →human relations bestenfalls
dann, wenn die Quelle der Gruppenattraktivi-
tät zugleich in dem Befriedigungswert des
Arbeitsinhalts (→Zweifaktoren-Theorie)
liegt.

**Kohlenbergbau,** der Industrie nahestehender
Wirtschaftsbereich, umfassend den Abbau
und die Lieferung von Kohle, Zechenkoks,
Rohbraunkohle und Braunkohlenbriketts
sowie daneben von Kohlenwertstoffen. Förderung 1986: Steinkohle 80,8 Mill. t, Braunkohle (roh) 114,3 Mill. t. *Sonderstellung* neben
den Industriezweigen: a) wegen der großen
volkswirtschaftlichen Bedeutung dieser Urpro-
duktion und Grundstoffindustrie; b) wegen
der Schwierigkeit der Arbeit unter Tage. –
Gesetzliche tägliche *Arbeitszeit* im Bergbau
7½ Stunden. Bezüglich der Fördertechnik vgl.
→Bergbau. – Für die Eisenhüttenindustrie
unterliegt der K. der *Sondergesetzgebung:* (1)
→Mitbestimmungsgesetz; (2) Vertrag über die

EGKS (Montanunion), dessen Bestimmungen
ggfs. den Vertragsbestimmungen über die
→EG (Europäische Gemeinschaft) vorgehen.
– Vgl. auch →Kohlepolitik.

## Kohlenbergbau

| Jahr | Be-schäf-tigte in 1000 | Lohn- und Gehalts-summe | darun-ter Ge-hälter | Um-satz ge-samt | darun-ter Aus-lands-umsatz | Netto-produk-tions-index[1] 1980 =100 |
|------|------|------|------|------|------|------|
| | | in Mill. DM | | | | |
| 1977 | 205 | 6 491 | 1 755 | 16 484 | 3 369 | 96,9 |
| 1978 | 209 | 6 546 | 1 803 | 18 812 | 4 218 | 93,2 |
| 1979 | 205 | 6 953 | 1 910 | 22 336 | 4 723 | 96,3 |
| 1980 | 207 | 7 699 | 2 073 | 24 024 | 4 340 | 100 |
| 1981 | 210 | 8 358 | 2 234 | 26 105 | 4 370 | 101,1 |
| 1982 | 209 | 8 684 | 2 358 | 27 066 | 3 798 | 99,1 |
| 1983 | 204 | 8 454 | 2 343 | 26 260 | 3 555 | 89,4 |
| 1984 | 194 | 8 379 | 2 378 | 28 716 | 4 305 | 85,5 |
| 1985 | 189 | 8 567 | 2 406 | 29 162 | 3 593 [1] | 90,2 |
| 1986 | 186 | 8 706 | 2 467 | 27 780 | 3 109 | 88,6 |

[1]) Ohne Braunkohlenbergbau

**Kohlepfennig,** →Ausgleichsabgabe.

**Kohlepolitik,** Gesamtheit von Maßnahmen
der →Energiepolitik, die die Sicherung des
Absatzes deutscher Steinkohle bezwecken.
Derartige Maßnahmen sind erforderlich, weil
durch ungünstige Abbaubedingungen
Steinkohle mit Förderkosten von rd.
250 DM je t ungefähr 100 DM je t teurer ist als
Importkohle, der Steinkohlenbergbau jedoch
aus Gründen der →Arbeitsmarktpolitik und
der →Versorgungssicherheit nicht aufgegeben
werden soll. Der Steinkohleneinsatz in der
Elektrizitätserzeugung wird durch →Verstro-
mungsgesetze und →Jahrhundertvertrag
abgesichert; die Verwendung heimischer
Steinkohle in der Stahlindustrie regelt der
→Hüttenvertrag. Die Maßnahmen der K.
stellen eine erhebliche Belastung der Haushalte von Bund (1986 wurden 1,87 Mrd. DM
aus allgemeinen Haushaltsmitteln und 2,5
Mrd. DM aus dem Aufkommen der →Aus-
gleichsabgabe (Kohlepfennig) aufgewendet)
und Bergbauländern dar.

**Kohorte,** Begriff der →Bevölkerungsstatistik
für eine Personengruppe, die innerhalb eines
Zeitraumes dasselbe Ereignis erlebt, z. B. ein
Geburtsjahrgang oder die Personen, die innerhalb eines Monats arbeitslos geworden sind.

**Kohortenanalyse,** Methode der →Bevölke-
rungsstatistik und der →Demometrie zur
Erfassung, Beschreibung und Messung von im
Lebenslauf eintretenden Ereignissen (z. B.
Geburten, Eheschließungen, Sterbe- oder
Wanderungsfälle) in ihrer Auswirkung auf
Bestand und Zusammensetzung einer Gesamtheit „gleichaltriger" Personen (→Gene-
ration). Personen sind dann „gleichaltrig", wenn sie
vom gleichen Zeitpunkt an dem Risiko des
betreffenden Ereignisses ausgesetzt waren,
z. B. Angehörige eines Geburts- oder Heirats-

jahrgangs in bezug auf die „Risiken" einer Niederkunft und/oder des Todes. Im Gegensatz zur statistischen Querschnittsanalyse (→Fertilitätsmaße, →Sterbetafeln usw.) wird mit der K. eine Längsschnittbetrachtung (Verlaufsstatistik) möglich. – *Vorteil:* Die K. läßt die wirklichen demographischen Trends besser als die Querschnitts- oder Periodenanalyse erkennen. – *Nachteil:* Die K. läßt nur eine historische Betrachtung zu, die zudem lange Zeitreihen erforderlich macht.

**Kokskohlenbeihilfe,** →Subvention, durch die der Preis deutscher Kokskohle annähernd an den Preis von Kokskohle aus Drittländern (von der EG-Kommission als „Indikativpreis" ermittelt) angeglichen wird. Den durch die K. nicht abgedeckten Teil des Preisunterschieds tragen Bergbau und Stahlindustrie in Form eines „Selbstbehalts". – Vgl. auch →Hüttenvertrag.

**kollationieren,** abstimmen, vergleichen (z. B. in der Buchhaltung, im Warenverkehr) von Eintragungen desselben Inhalts in zwei Listen, Büchern, Texten usw., um Richtigkeit von Eintragungen und Übertragungen zu kontrollieren; z. B.: Listen des Wareneingangs nach Fakturen und nach Frachtbriefen. Übereinstimmung wird durch Häkchen oder Punkte neben den Zahlen vermerkt. – Vgl. auch →Abstimmung III.

**Kollegialbehörde,** Behörde, deren Entscheidungen von mehreren Beamten als Kollegium getroffen werden (sonst üblich; von einzelnem, verantwortlichem Beamten).

**Kollegialprinzip. 1.** *Begriff:* Verfahren der gemeinsamen Willensbildung in →organisatorischen Einheiten, in denen mehrere Handlungsträger zusammengefaßt sind (*Kollegialsystem*). Entscheidungen, die die multipersonale organisatorische Einheit als Ganzes betreffen, werden von sämtlichen zur Einheit gehörenden Handlungsträgern getroffen. – **2.** *Abstimmungsmodi:* (1) →Primatkollegialität, (2) →Abstimmungskollegialität und (3) →Kassationskollegialität. – *Gegensatz:* →Direktorialprinzip.

**Kollegialsystem,** →Kollegialprinzip.

**Kollegium,** →Gremium.

**Kollegschule,** Schulform in Nordrhein-Westfalen zur Integration von allgemeinem und beruflichem Lernen in der Sekundarstufe II, deren Absolventen bei einem differenzierten Bildungsangebot einen allgemeinen und einen berufsqualifizierenden Abschluß erwerben können *(Doppelqualifikation)*. Kennzeichnend für die K. sind Lernorteverbund von Schule, Lehrwerkstatt, Betrieb und Studio, Bildung von drei Lernbereichen (Pflicht-, berufsbezogener Schwerpunkt, Wahlbereich) sowie Ausrichtung der Curriculumentwicklung am Strukturgittermodell der Münste-

raner Schule um Blankertz (→wirtschaftsberufliche Cirriculumentwicklung, →Cirriculum). – *Ähnlich:* →Berufskolleg, →Fachakademie.

**kollektierender Großhandel,** →Aufkaufhandel.

**Kollektion,** in einer Auswahlsendung zusammengestelltes Warenangebot eines Herstellers oder eines Groß- bzw. Einzelhändlers.

**Kollektionskosten,** →Beschaffungskosten.

**Kollektiv,** →Grundgesamtheit.

**Kollektivarbeitsrecht,** →Arbeitsrecht II.

**Kollektivbedürfnisse,** *Gemeinbedürfnisse.* **1.** *Historisch:* →Bedürfnisse, die aus dem Zusammenleben in einer Gesellschaft entstehen und durch diese ausgedrückt werden. – In der *neuen* Forschung: a) →*individuelle Bedürfnisse,* die nicht über den Markt befriedigt werden können, somit nur durch öffentliche Güter; b) *meritorische Bedürfnisse,* die sich prinzipiell über den Markt befriedigen lassen, wegen deren Bedeutung die zugehörenden Güter aber vom Staat bereitgestellt werden. Die K. werden als Rechtfertigung für staatliche Eingriffe in die Marktwirtschaft und die Finanzwirtschaft (→Finanzwissenschaft) angesehen. – Vgl. auch →öffentliche Güter.

**Kollektiventscheidung,** kollektive Entscheidung, →Entscheidung einer Personenmehrheit als →Entscheidungsträger. Die Beziehungen zwischen den beteiligten Personen sind zu berücksichtigen (interpersonale Prozesse), die sich in Konflikten, Koalitionsbildungen, Machtbeziehungen u. ä. äußern. Beschreibung und Erklärung der K. erfolgen meist mit Hilfe sozialpsychologischer Ansätze. Schwerpunkte bei der Gestaltung der K. liegen v. a. bei der Koordination, Zielbildung und Information. – *Erklärungsansätze und Analysen:* Bekannter Idealtyp: →Teamtheorie; insbes. in der Ökonomik: →Public-choice-Theorie, →Abstimmungsverfahren, →Politische Ökonomie. – *Gegensatz:* →Individualentscheidung.

**kollektive Preispolitik,** bewußt oder unbewußt gleiches Verhalten einer Gruppe von Anbietern oder Nachfragern in ihren preispolitischen Maßnahmen auf einem gemeinsamen Markt. Eine Unternehmung treibt bewußt k.P., wenn sie ihre Preise abhängig von anderen Unternehmen setzt, d. h. sich der →Preisführerschaft eines stärkeren Unternehmens unterwirft. *Schärfste Form* der k.P. ist der Zusammenschluß zu einem →Kartell. Aber auch ohne festen Zusammenschluß kann die Gewißheit, zu einer maßgeblichen Gruppe von Anbietern zu gehören, die Preispolitik derart beeinflussen, daß k.P. entsteht.

**kollektives Arbeitsrecht,** →Arbeitsrecht II.

**kollektives Handeln,** →ökonomische Theorie des kollektiven Handelns.

**Kollektivgüter,** →öffentliche Güter.

**Kollektivismus,** dem →Individualismus entgegengesetztes gesellschaftspolitisches Gestaltungsprinzip. Es beruht auf der Annahme, daß die Menschen sich bei selbstinteressiertem Handeln nicht freiwillig so verhalten, wie dies dem Wohl der Gesamtgruppe (des Staates) entspricht. An Stelle der Selbstbezogenheit muß daher, ggf. durch Erziehungs- und Zwangsmaßnahmen, die Gruppenbezogenheit treten; der Mensch ist der Gruppe (Kollektiv) unterzuordnen. Die dabei implizierte These, eine Gruppe sei mehr als die Summe ihrer Mitglieder und sie habe ein eigenständiges, übergeordnetes Interesse, das gegen die Menschen, jedoch in ihrem eigenen (von ihnen nicht erkannten) Interesse durchzusetzen sei, wird von den Vertretern des →Liberalismus bestritten. Wie groß die Gefahr ist, daß politische Führer ihre eigenen Ziele in den Rang von Gemeinwohlinteressen stellen und unter Berufung hierauf die anderen Menschen unterjochen, zeigen die Erfahrungen mit den totalitären Herrschaftsformen des 20. Jh. – Vgl. auch →methodologischer Kollektivismus.

**Kollektivmaße,** in der Statistik Bezeichnung für Kenngrößen der →Verteilung in einer →Gesamtheit, etwa →Mittelwerte, →Streuungsmaße, →Konzentrationskoeffizient.

**Kollektivmonopol,** Bezeichnung der Marktformenlehre für eine Sonderform des →Kartells. K. liegt vor, wenn sich mehrere ursprünglich wirtschaftlich und rechtlich selbständige Unternehmungen durch →Kartellvertrag verpflichten, gemeinsame →Preispolitik zu treiben, um oligopolistischen Preiskämpfen und ruinöser Konkurrenz zu entgehen. Da K. *wirkt* auf dem Markt wie ein →Monopol. Im Innern des K. spielen sich oftmals *Quotenkämpfe* ab (die einzelnen Unternehmungen versuchen, innerhalb des Kartells eine Erhöhung ihrer Produktionsquote zu Lasten der anderen Kartellmitglieder zu erreichen), die den Bestand der K. gefährden.

**Kollektivprokura,** →Gesamtprokura.

**Kollektivsparen,** →Gemeinschaftssparen.

**Kollektivversicherung,** Bezeichnung für Versicherung einer Mehrheit von Personen, als →Versicherungsnehmer oder als →Versicherte. – Vgl. auch →Gruppenversicherung.

**Kollektivvertrag,** Oberbegriff für →Tarifvertrag und →Betriebsvereinbarung bzw. (im öffentlichen Dienst) →Dienstvereinbarung.

**Kollektivwerbung,** →kooperative Werbung.

**Kollinearität,** →Multikollinearität.

**Kollisionsschaden,** Schaden durch Zusammenstoß, etwa von Fahrzeugen.

**Kollusion-Lösung,** Oligopolmodell, in dem die Anbieter ihre Aktionen so aufeinander abstimmen, daß sie den Gesamtgewinn der Branche maximieren. Sie verhalten sich wie ein Monopolist und betrieben gemeinsame Gewinnmaximierung. Problematisch ist die spätere Gewinnaufteilung (→Kollektivmonopol).

**Kolmogorow,** Andrej N., 1903–1987, russischer Mathematiker. Erhielt 1929 Professur am Mathematischen Institut Moskau. K. gilt als Begründer der modernen Wahrscheinlichkeitstheorie; verfaßte daneben bedeutende Arbeiten zur Theorie der reellen Funktionen, zur Maßtheorie und zur instutionistischen Logik. – *Hauptwerk:* „Grundbegriffe der Wahrscheinlichkeitsrechnung" 1933.

**Kölner Schule,** Kurzbezeichnung für die von →Schmalenbach begründete betriebswirtschaftliche Tradition; benannt nach dem Wirkungsort Schmalenbachs. – Vgl. auch →Betriebswirtschaftslehre, →Geschichte der Betriebswirtschaftslehre.

**Kolumbien,** *Republik Kolumbien,* Staat im NW Südamerikas mit Zugang zur Karibik und zum Pazifik. – *Fläche:* 1138914 km². – *Einwohner* (E): (1986, geschätzt) 29,19 Mill. (25,6 E/km²); darunter Mestizen (65%), Weiße und helle Kreolen (20%), Indianer (2%), Schwarze, Mulatten und Zambos. – *Hauptstadt:* Bogota (4,58 Mill. E); weitere wichtige Städte: Medellin (1,66 Mill. E), Cali (1,45 Mill. E), Barranquilla (0,92 Mill. E). – *Unabhängig* seit 1819, präsidiale Republik seit 1886, Verfassung von 1886, Zweikammerparlament. – *Verwaltungsgliederung:* 23 Provinzen (Departamentos), 5 Intendanturen, 5 Kommissariate. – *Amtssprache:* Spanisch.

*Wirtschaft: Landwirtschaft:* Zweitgrößter Kaffeeproduzent der Erde, daneben Anbau von Bananen und Blumen. Anbauprodukte für die Ernährung der Bevölkerung sind Mais, Kartoffeln, Weizen, Hirse, Reis, Bananen, Zuckerrohr und Sojabohnen. Rinder-, Schafund Schweinezucht. – *Bergbau und Industrie:* Reich an Bodenschätzen. Abgebaut werden Stein- und Braunkohle, Nickel, Kupfer, Edelmetalle, Edelsteine sowie Erdöl und Erdgas. Wichtigste Zweige des Verarbeitenden Gewerbes sind Nahrungsmittel- und Getränkeherstellung, Textilindustrie, chemische Industrie und Metallverarbeitung. – Einnahmen aus dem *Fremdenverkehr:* (1982) 219 Mill. US-$. – *BSP:* (1985, geschätzt) 37610 Mill. US-$ (132 US-$ je E). – *Öffentliche Auslandsverschuldung:* (1984) 21,8% des BSP. – *Inflationsrate:* (Durchschnitt 1973–84) 23,8%. – *Export:* (1985) 3552 Mill. US-$, v.a. Kaffee (50%), Bananen, Bekleidung, Blumen. – *Import:* (1985) 3732 Mill. US-$, v.a. Maschinen, Erdöl und Erdölerzeugnisse, Kraftfahrzeuge. – *Handelspartner:* USA (⅓), Bundesrep. D., Japan, Venezuela, Niederlande.

V e r k e h r : Bedeutendste *Binnenschifffahrtsstraße* ist der Magdalenenstrom, der fast 1500 km weit schiffbar ist; *Eisenbahnlinien* bestehen in einer Länge von nur (1981) 3403 km, *Straßen* in einer Länge von 102074 km. Wichtigstes Teilstück der Carretera Panamericana (Pan American Highway). Bahn- und Straßenbau sind im gebirgigen Kolumbien sehr kostspielig, daher eine große Ausbreitung des *Luftverkehrs* mit eigenen *Gesellschaften:* z. B. AVIANCA. – *Haupthäfen:* Buenaventura und Tumaco am Stillen Ozean, Barranquilla, Cartagena und Santa Marta am Karibischen Meer. K. verfügte (1983) über 82 *Handelsschiffe* (über 100 BRT) mit 358900 BRT.

M i t g l i e d s c h a f t e n : UNO, ALADI, OAS, SELA, UNCTAD u.a.; Andenparlament, Amazonas-Vertrag, Contadora-Gruppe.

W ä h r u n g : 1 Kolumbianischer Peso (kol\$) = 100 Centavos.

**Kombinat.** 1. In der DDR gebräuchliche *Bezeichnung* für den organisatorischen Zusammenschluß →volkseigener Betriebe (VEB) unter einheitlicher Leitung; seit Beginn der 80er Jahre sind nahezu alle VEB in K. zusammengefaßt. (In der UdSSR als einem anderen Land mit staatssozialistischer Zentralplanwirtschaft werden gleichartige Zusammenschlüsse *Industrie-* bzw. *Produktionsvereinigungen* genannt.) – 2. Unterschieden werden können: a) *vertikal gebildete K.:* Zusammenschluß von VEB, die im Produktionsprozeß über nachfolgende Verarbeitungsstufen miteinander verbunden sind, einschl. Zulieferer, Absatz- und Forschungseinrichtungen *(Reproduktionsprinzip)*; b) *horizontal gebildete K.:* Zusammenschluß von VEB, die der gleichen Branche angehören *(Branchenprinzip)*. – 3. *Entwicklung/Bedeutung:* Bis Ende der 70er bzw. Anfang der 80er Jahre waren die VEB zumeist, bei Wahrung ihrer (im Vergleich zu Unternehmen in →Marktwirtschaften reltiv eng begrenzten) juristischen und ökonomischen Selbständigkeit, in (nach dem Branchenprinzip gebildeten) *Vereinigungen Volkseigener Betriebe* (VVB) zusammengeschlossen. Seitdem wurde die Bildung von K. entsprechend dem Reproduktionsprinzip forciert, um so einen *engeren Informations- und Planungszusammenhang* zwischen den VEB unterschiedlicher Verarbeitungsstufen herzustellen und um damit die *Anpassungsflexibilität* an neue wissenschaftlich-technische Entwicklungen und veränderte Absatzbedingungen (insbes. auf den Weltmärkten) zu erhöhen. Das K. ist heutzutage nach DDR-Publikationen „die grundlegende Wirtschaftseinheit der materiellen Produktion": Adressat der zentralen Planungs- und Leitungsanweisungen ist somit nicht mehr der VEB,

sondern das K., das diese in eigener Verantwortung für die VEB aufschlüsselt. – 4. *Organisation:* Der Generaldirektor des K. wird von der übergeordneten Leitungsinstanz, dem zuständigen Minister, ernannt und ist ihm gegenüber für die Planerfüllung der unterstellten VEB verantwortlich. Er setzt die Direktoren der VEB ein und ist gegenüber weisungsbefugt. Er schlüsselt die Planauflagen der VEB auf und entscheidet u.a. über deren Produktionsprofil und ihre Ausstattung mit Produktionsfaktoren. Unter derartigen Bedingungen haben die VEB ihre formell weiterhin bestehende Eigenständigkeit realiter verloren und sind heute faktisch unselbständige K.-Betriebe. – 5. *Problematisch* ist die Bildung derartiger K., die kaum Austauschbeziehungen in bezug auf Güter und Dienstleistungen untereinander haben, deswegen, weil hierdurch die gesamtwirtschaftliche Arbeitsteilung unterbrochen wird.

**Kombination,** Ausdruck der →Kombinatorik. →Teilmenge aus einer vorgegebenen Grundmenge, ohne Beachtung der Anordnung und ohne daß die Elemente mehrmals auftreten. Zu einer Grundmenge mit N Elementen gibt es

$$\frac{N!}{n!\,(N-n)!}$$

Möglichkeiten, aus ihr eine Teilmenge mit n Elementen auszuwählen. – *Beispiel:* Aus der Menge der Zahlen 1, 2, 3, 4, 5 kann man zehn verschiedene Teilmengen zu je zwei Elementen auswählen: {1, 2}, {1, 3}, {1, 4}, {1, 5}, {2, 3}, {2, 4}, {2, 5}, {3, 4}, {3, 5}, {4, 5}. – Vgl. auch →Permutation, →Variation.

**Kombinationsprozeß,** Zusammenwirken der einzelnen →Elementarfaktoren (objektbezogene Arbeit, Betriebsmittel, Werkstoffe) unter der Leitung des →dispositiven Faktors, um einen bestimmten Ertrag zu erzielen. I. d. R. sind mehrere Kombinationsmöglichkeiten gegeben, die zum gleichen Ertrag führen. – Der *optimale* K. ist derjenige, der den gewünschten Ertrag mit den geringsten Kosten erzielt (→Minimalkostenkombination).

**Kombinatorik,** Teilgebiet der Mathematik, bei dem es um die Berechnung der Anzahl von gewissen Möglichkeiten geht. Beispiele: Auf wie viele verschiedene Weisen kann man die Zahlen 1, 2, 3, 4, 5 hintereinander anordnen? – Wie viele Möglichkeiten gibt es, aus diesen fünf Zahlen je zwei auszuwählen? – Vgl. auch →Kombination, →Permutation, →Variation.

**kombinatorischer Algorithmus,** Anordnung, Gruppierung oder Auswahl von diskreten (i.d.R. endlich vielen) Objekten. – Vgl. auch →Algorithmus.

**kombinierter Verkehr.** I. B e g r i f f : Verkehrstechnische Bezeichnung für den Transport von Gütern mit zwei oder mehr Verkehrsträgern ohne Wechsel des Transportgefäßes. Das

Vorliegen eines einheitlichen Beförderungsvertrages (Durchfrachtvertrag) ist i.a. nicht zwingende Voraussetzung. Ziel des k.V ist es, durch Verknüpfung verschiedener Transportmittel durchgängige Transportketten vom Versender zum Empfänger (Haus-zu-Haus-Verkehr) zu bilden. Unterscheidung zwischen der Beförderung von Gütern in austauschbaren Ladeeinheiten ohne Auflösung beim Umschlag und dem Transport eines Verkehrsmittels zusammen mit seiner Ladung durch ein anderes Verkehrsmittel.

II. Arten/Formen: 1. *K.V.* mit *austauschbaren/unselbständigen Ladeeinheiten:* Ladungsträger, die ohne Hilfsmittel nicht zur Ortsveränderung von Gütern geeignet sind. Als Ladeeinheiten kommen in Betracht a) Packstücke, Pakete, paketierte Ladeeinheiten (Bündelung von der Form nach gleichartigen Gütern unter Verwendung von Hilfsmitteln); b) Collico (kleinere, dauerhafte Transportbehältnisse in Form von Metall-Faltkisten); c) Container in unterschiedlicher Form (Übersee-, ISO-, Binnen- und Luftverkehrscontainer) und Größe (Klein-, Mittel- und Großcontainer). Für den k.V von besonderer Bedeutung sind die Großcontainer, die in bezug auf ihre Eckbeschläge auf Straßen- und Schienenfahrzeuge ausgelegt sind. – Im k.V mit austauschbaren Ladeeinheiten sind (bei Eignung der Ladungsträger) im Prinzip *Kombinationen zwischen allen Verkehrsträgern* denkbar (Schiene/Staße, Straße/Flugzeug, Schiene/Flugzeug, Schiene/Schiff, Straße/Schiff). Binnencontainer z.B. sind nicht für den Schiffstransport geeignet; außerdem führen Wirtschaftlichkeitsaspekte zur Präferenzierung bestimmter Kombinationen. – Eine *Sonderstellung* nehmen die für den k.V. Schiene/Straße entwickelten *Wechselaufbauten* ein; dabei handelt es sich um Container vergleichbare Ladegefäße (allerdings nicht stapelbar), die i.d.R. mit vier ausklappbaren Stützbeinen ausgerüstet sind. Wechselaufbauten können von besonders ausgerüsteten Straßenfahrzeugen ohne fremde Hilfe abgesetzt und aufgenommen werden. – 2. *K.V.* mit *selbständigen Ladeeinheiten (Hucke-pack-Verkehr i.w.S.):* Transport eines Verkehrsmittels durch ein anderes. – a) *Hucke-pack-Verkehr (i.e.S.):* Umschlagung und Beförderung von Straßenfahrzeugen auf Schienenfahrzeugen; im Hucke-pack-Verkehr der Deutschen Bundesbahn Beförderung von Wechselaufbauten, Sattelaufliegern und LkW mittels besonderer Wippen- und Taschenwaggons. – Eine Sonderform des k.V. Schiene/Straße bildet die „*Rollende Landstraße*", bei der auf Spezialtiefladewaggons mit durchgehendem Boden ganze Lastzüge oder Sattelzüge (i.d.R.- mit Fahrer) befördert werden. – b) *Roll-on/Roll-off-Verkehr (Ro-Ro-Verkehr):* K.V. von Landfahrzeugen auf Wassertransportmitteln, Kraftfahrzeuge und/oder Schienenfahrzeuge (Tra-

jet-*Verkehr*) fahren über spezielle Laderampen mit eigener Kraft auf ein Ro-Ro-Schiff bzw. ein Fährschiff und verlassen es auf dieselbe Weise. I.w.S. umfaßt dieser Begriff auch die Beförderung rollender Ladung ohne eigenen Antrieb (z.B. Trailer), die mit besonderen Umschlagsgeräten auf das Schiff gebracht werden. – c) *Barge-Verkehr:* K.V. von schwimmfähigen, antriebslosen Ladebehältern auf Seeschiffen; entwickelt zur Bildung von Transportketten Binnengewässer-See-Binnengewässer. Lash-Leichter (Bargen) werden im Binnenverkehr als Teile von Schubverbänden befördert und in Seehäfen als ganzes auf Seeschiffe verladen. – d) Nach unterschiedlich gebräuchlichen Abgrenzungen werden außerdem zum k.V. gezählt: (1) Beförderung von Normalspurschienenfahrzeugen auf Schmalspurschienenfahrzeugen und umgekehrt (Rollwagen), (2) Schienenfahrzeuge auf Straßenfahrzeugen (Culemeyer-Transport, Straßenroller), (3) Transport von Pkw auf ein- oder mehrstöckigen Lkw-Autotransportern und (4) Pkw auf Autoreisezügen.

III. Durchführung: V.a. im k.V. Schiene/Straße sind besondere Unternehmen mit der Abwicklung des k.V. betraut. Den Großcontainer-Binnenverkehr der Bahn organisiert z.B. die Transfracht GmbH (Tochtergesellschaft der Deutschen Bundesbahn); zuständig für den europäischen Schienenverkehr mit Großcontainern ist die Intercontainer (Gesellschaft, an der 23 europäische Eisenbahnen beteiligt sind); den Huckepack-Verkehr der Deutschen Bundesbahn organisiert die 1969 gegründete Kombiverkehr KG, an der neben der Deutschen Bundesbahn interessierte Verbände und Unternehmen des Straßenverkehrs- und Speditionsgewerbes beteiligt sind.

IV. Umschlag: Die Wirtschaftlichkeit des k.V. hängt entscheidend vom Vorhandensein optimaler Schnittpunkte in der Transportkette zwischen den Verkehrsträgern ab. Als besondere Infrastruktureinrichtungen für den k.V. haben sich zunehmend sog. Terminals herausgebildet, z.B. Hafen-Containerterminals und Container-Bahnhöfen mit besonderen Einrichtungen (Hebe- und Förderzeuge) für den Vertikalumschlag sowie Huckepack-Bahnhöfe mit speziellen Kopf- und Seitenrampen.

V. Vorteile: Beim k.V. können Umladezeiten und Umschlagskosten eingespart und eine sichere und schonende Behandlung des Transportgutes gewährleistet werden. Weiterhin können der Energieverbrauch reduziert, vorhandene Kapazitäten der Schienen- und Binnenschiffsverkehrswege besser genutzt, Straßen mit positiven Auswirkungen auf den Verkehrsfluß, den Umweltschutz und die Verkehrssicherheit entlastet und innerhalb der Transportkette die jeweiligen Vorteile der verkehrsträgerspezifischen →Verkehrswertigkeiten ausgeschöpft werden.

VI. Förderung: Der k.V. wird von der Bundesregierung durch flankierende ordnungspolitische Maßnahmen gefördert. Der Ausbau des k.V. Schiene/Straße geschieht zum einen aus wirtschaftlichen Gründen (Stärkung der Position der Deutschen Bundesbahn), zum anderen zur Straßenentlastung, zur Erhöhung der Verkehrssicherheit und zur Energieeinsparung sowie aus Gründen des Umweltschutzes. Im einzelnen wird der k.V. u.a. gefördert durch Ausnahmeregelungen bei der →Kraftfahrzeugsteuer, den Gesamtgewichten von Straßenfahrzeugen (bis 44 t), die Container und Wechselbehälter im Nahverkehr von und zum Umschlagplatz befördern, dem Wochenend-Fahrverbot sowie der Genehmigungspflicht im internationalen k.V.

VII. Entwicklung: Nachdem zunächst die wichtigsten Impulse zum Aufbau des k.V. vom Überseeverkehr ausgingen und dort der Containerverkehr mit Stückgütern eine stürmische Entwicklung erfuhr, gewann in den letzten Jahren auch der kombinierte Binnenverkehr eine immer größere Bedeutung. Dies gilt insbes. für den Ende der 60er Jahre aufgenommenen Binnencontainer- und Huckepack-Verkehr der Deutschen Bundesbahn. Das Aufkommen im k.V. Schiene/Straße z.B. hat sich seit 1976 mehr als verdoppelt; gemessen am Anstieg des BSP stieg diese Art des Verkehrs überproportional an, wobei der Huckepack- stärker als der Containerverkehr an diesem Zuwachs beteiligt ist. 1985 wurden insgesamt 16,1 Mill. t Güter befördert; die Transportleistungen der Deutschen Bundesbahn beliefen sich auf 7575 Mill. Tariftonnenkilometer (dies waren rd. 11,3% des gesamten frachtpflichtigen Ladungsverkehrs). Die Zahl der im internationalen Seetransport in deutschen Häfen umgeschlagenen Container (beladene und leere) stieg zwischen 1975 und 1985 von 512200 auf 1624400, das Gewicht der damit beförderten Ladung von 4,582 Mill. t auf 16,09 Mill. t. In den Binnenhäfen wurden 1986 rd. 2 Mill. t Güter in Containern umgeschlagen. – Vgl. untenstehende Übersicht.

**kombinierte Versicherung,** Versicherung, die aufgrund eines Versicherungsantrags und unter Anwendung einheitlicher Versicherungsbedingungen (→Allgemeine Versicherungsbedingungen) eine Mehrzahl von Gefahren deckt. Ausfertigung nur *eines* Versicherungsscheins; rechtlich handelt es sich um *einen* Versicherungsvertrag. – *Beispiele:* →verbundene Hausratversicherung gegen die Gefahren Feuer, Einbruchdiebstahl und Raub, Vandalismus, Leitungswasser und Sturm; →verbundene Wohngebäudeversicherung gegen Feuer, Sturm und Leitungswasser. – *Vorteile:* geringere Betriebskosten, keine Deckungslücken. – *Anders:* →gebündelte Versicherung.

**Kombiverkehr KG,** →Hucke-pack-Verkehr.

**Komitee,** →Gremium.

### Entwicklung des kombinierten Verkehrs

| | 1970 | 1975 | 1980 | 1985 |
|---|---|---|---|---|
| **Container-Verkehr der DB** | | | | |
| Beförderte Großcontainer [1] | 263000 | 418000 | 726200 | 926125 |
| dar. Beladene Container | 162200 | 273300 | 504900 | 605089 |
| Beförderte Güter (1000 t) [2] | 2132 | 3269 | 6200 | 7928 |
| Tariftonnen-km (Mio. tkm) | | 1351 | 2761 | 3747 |
| **Huckepack-Verlauf der DB** | | | | |
| Wechselbehälter | 16700 | 79100 | 197900 | 308400 |
| Sattelanhänger | 27700 | 43900 | 87600 | 104400 |
| Lastzüge | 5500 | 7600 | 7000 | 72900 |
| Sendungen insgesamt | 49800 | 130600 | 292500 | 485731 |
| dar. Binnenverkehr | 49150 | 120450 | 230000 | 338000 |
| grenzüberschreitend | 650 | 10150 | 53000 | 134700 |
| Beförderte Güter (1000 t) [3] | 844 | 2049 | 4589 | 8150 |
| Tariftonnen-km (Mio. tkm) | – | 1017 | 2122 | 3828 |
| **Seehäfen-Containerverkehr [4]** | | | | |
| Containerumschlag (Anzahl) | 200700 | 515200 | 1112300 | 1624400 |
| Gewicht der Ladung (1000 t) | 1776 | 4582 | 10502 | 16090 |

[1] Beladene und leere Container mit mehr als 2 cbm Inhalt bzw. ab 6 m Länge; [2] bis 1979 einschl. Containergewicht der Gütersendungen, die im grenzüberschreitenden Schienenverkehr befördert wurden; [3] ohne Gewicht der Kraftfahrzeuge; [4] Container (ohne Trailer) von 20 Fuß und darüber. Ohne Verkehr zwischen Häfen der Bundesrep. D. sowie ohne Container auf Lkw oder Eisenbahnwagen im Fährverkehr.
Quelle: Bundesminister für Verkehr (Hrsg.): Verkehr in Zahlen 1984 und 1986.

**Kommanditaktionäre,** →Aktionäre einer →Kommanditgesellschaft auf Aktien.

**Kommanditeinlage,** →Einlage des →Kommanditisten. K. ist zugleich die →Haftsumme (Hafteinlage).

**Kommanditgesellschaft (KG).** I. Wesen: K. ist eine Personengesellschaft, deren Zweck – ebenso wie bei der OHG – auf den Betrieb eines →Handelsgewerbes unter gemeinschaftlicher →Firma gerichtet ist. Sie besteht aus einem oder mehreren persönlich haftenden Gesellschaftern (→Komplementären) und mindestens einem Gesellschafter, dessen Haftung auf die Einlage beschränkt ist (→Kommanditist). Auch →juristische Personen können Kommanditist oder Komplementär sein. Die →Haftsumme des Kommanditisten ist ins →Handelsregister einzutragen; die Einlage kann in Geld, Sachwerten, mitunter in Diensten bestehen. *Rechtsgrundlage:* §§ *161–177 HGB, ergänzend gelten Vorschriften über* →offene Handelsgesellschaft und →Gesellschaft des bürgerlichen Rechts.

II. Errichtung: Erfolgt durch Gesellschaftsvertrag, der u. a. Dauer, Kündigungsmöglichkeit und Haftsumme des Kommanditisten bestimmt. Für Entstehung und Wirksamkeit der KG gilt Entsprechendes wie bei der OHG. – Einlagen (auch Kommanditanteile) unübertragbar, sofern nicht im Gesellschaftsvertrag abweichend bestimmt, z. B. Übertragbarkeit der Kommanditanteile bei Zustimmung a) der Komplementäre, b) einer Mehrheit der Gesellschafter. Herabsetzung der Kommanditeinlage(n) möglich, jedoch gegenüber den Gesellschaftsgläubigern unwirksam, solange nicht im Handelsregister eingetragen und verlautbart. Das Innenverhältnis der Gesellschafter bestimmt sich weitgehend nach dem Kommanditvertrag, sonst gemäß §§ 163 ff. HGB. Ein gesetzliches →Wettbewerbsverbot besteht nur für die Komplementäre, § 165 HGB, doch ergeben sich auch für die Kommanditisten Einschränkungen aus der Treuepflicht des Gesellschafters.

III. Firmenbezeichnung: Die Firma enthält den Namen (mit oder ohne Vornamen) mindestens eines Komplementärs mit einem auf das Bestehen einer Gesellschaft hinweisenden Zusatz (§ 19 HGB). Aufnahme von Kommanditistennamen ist unzulässig. →Firmenzusätze sind, wie auch sonst, erlaubt. Einschränkungen gelten bei der GmbH u. Co KG.

IV. Geschäftsführung/Vertretung: Grundsätzlich nur durch die Komplementäre, also für Kommanditisten ausgeschlossen; Gesellschaftsvertrag kann Mitgeschäftsführung oder (selten) Alleingeschäftsführung vorsehen. Auch kann der Kommanditist durch Erteilung von →Handlungsvollmacht oder →Prokura Vertretungsmacht erhalten. Zustimmung der Kommanditisten ist zur Vornahme eines Geschäfts, das über den gewöhnlichen Betrieb des Handelsgewerbes der Gesellschaft hinausgeht, erforderlich, so i. d. R. bei Erwerb, Veräußerung oder Belastung von Grundstücken, Anschaffung hochwertiger Einrichtungen, Eingehen größerer Verbindlichkeiten (strittig, eine andere Meinung billigt dem Kommanditisten nur ein Widerspruchsrecht zu).

V. Stimmrecht der Kommanditisten: 1. *Gesetzliche Regelung:* Bei grundlegenden Gesellschafterbeschlüssen, wie Abänderung des Gesellschaftsvertrages, Aufnahme neuer Gesellschafter, Auflösung der Gesellschaft, hat der Kommanditist gleichberechtigt mitzuwirken; bei außergewöhnlichen Geschäften hat er auch Einfluß auf die Geschäftsführung (s. IV). – 2. Durch *Vertrag* können dem Komplementär Vorrechte eingeräumt werden; Beschränkung der Kommanditistenrechte (z. B.: mehrere Kommanditisten sind durch einen ihnen zu Bestimmenden zu vertreten). – 3. Bei *größeren KG* kann – analog zur AG – für wichtige Beschlüsse Abstimmung nach Kapitalbeteiligung mit einfacher, $^2/_3$-, $^3/_4$-, $^4/_5$-Mehrheit vereinbart werden, mitunter bei gleichzeitiger Einräumung von Stimmrechtsvorteilen für die Komplementäre.

VI. Bilanz/Kontrollrecht: 1. *Aufstellung* der Bilanz ist Aufgabe der Komplementäre; Beteiligung der Kommanditisten vertraglich zu vereinbaren. – 2. *Kontrollrecht* der Kommanditisten: a) Nach Gesetz auf Erhalt einer Abschrift der Jahresbilanz und Prüfung ihrer Richtigkeit durch Einsicht in Bücher und Schriften. – b) Durch Vertrag (1) auf jederzeitige Einsichtnahme in das Rechnungswesen durch einen beauftragten Dritten zu erweitern, (2) Ausübung des Kontrollrechts beschränkt auf jährliche Prüfung und Berichterstattung durch Wirtschaftsprüfer oder Bücherrevisor, ggfs. ergänzt durch Bestimmung über die Feststellung des Jahresabschlusses durch die Gesellschafterversammlung.

VII. Gewinn- und Verlustverteilung: 1. *Gesetzlich:* Verzinsung des Kapitals mit 4% oder, sofern der Jahresgewinn hierzu nicht ausreicht, niedrigerem Satz; Restgewinn bzw. Jahresverlust nach einem angemessenen Verhältnis. – 2. *Vertraglich:* a) Angemessene Gewinnbeteiligung der Komplementäre für Geschäftsführung und volles Risiko, u. U. in Form eines festen, monatlich unabhängig vom Jahresertrag zu gewährenden Bezugs oder bei Gewinnverteilung gem. Kapitalbeteiligung durch gesonderte Tantieme. Gewinngutschrift beim Kommanditisten auf Sonder-(Darlehens-)konto, beim Komplementär auf Privat- oder Kapitalkonto. – b) Verlustverteilung nach Anteilen; der Kommanditist nimmt am Verlust nur bis zur Höhe seines Kommanditanteils und etwaiger Rückstände auf die Einlage teil. Darüber hinausgehende Verlustanteile auf Kapitalkonto (negativer Saldo) sind durch spätere Gewinne zu tilgen, bedeuten aber keine Schuld des Kommanditisten gegenüber der KG. – Vgl. auch →Gewinn- und Verlustbeteiligung.

VIII. Z w a n g s v o l l s t r e c k u n g   i n   d a s  Gesellschaftsvermögen: Es ist ein Titel gegen die KG erforderlich; soll gegen einzelne Gesellschafter vollstreckt werden, bedarf es eines Titels gegen diese.

IX. A u f l ö s u n g / A b w i c k l u n g: Aus den gleichen Gründen und wie bei der OHG. Ebenso gelten die Grundsätze der OHG für das Ausscheiden eines Gesellschafters oder Ausschließung aus der KG. Der Tod eines Kommanditisten ist jedoch kein Auflösungsgrund. In seine Rechte rücken, falls der Kommanditvertrag nichts anderes bestimmt, sodann die →Erben ein, die ihre Haftung jedoch auf den Nachlaß beschränken können (§§ 2058 ff. BGB).

X. S t e u e r r e c h t: 1. *Allgemeines:* Die K. entsteht steuerrechtlich mit dem Geschäftsbeginn; sie gilt i.d.R. als →Mitunternehmerschaft. – 2. *Einkommensteuer:* Die K. als solche unterliegt nicht der Einkommensteuer. Die Gewinne werden einheitlich und gesondert festgestellt und bei den Gesellschaftern zur →Einkommensteuer herangezogen. Der Bescheid enthält den Gewinn(Verlust) der K. sowie die Beteiligten auf jeden einzelnen entfallenden Gewinn-(Verlust-)Anteile. Er bildet die bindende Grundlage für die Einkommensteuerveranlagung der Beteiligten. Die Gewinnanteile sind →Einkünfte aus Gewerbebetrieb. (Besonderheiten: vgl. →negatives Kapitalkonto.) – 3. *Gewerbesteuer:* Die K. ist selbständiges Steuersubjekt, wenn die Gesellschafter als Mitunternehmer eines Gewerbebetriebes anzusehen sind. – 4. *Umsatzsteuer:* Die K. ist Unternehmer und hat ihre Umsätze zu versteuern. Unentgeltliche Leistungen an die Gesellschafter oder diesen nahestehenden Personen werden als →Gesellschafterverbrauch versteuert. Umsätze zwischen der K. und ihren Gesellschaften sind umsatzsteuerbar (→Gesellschaftsleistungen). – 5. *Einheitsbewertung des Betriebsvermögens:* Die K. kann nur →Betriebsvermögen haben (kein Privatvermögen). Für dieses wird von dem Betriebsfinanzamt ein →Einheitswert festgestellt. Der Bescheid enthält nicht nur den Wert des Betriebsvermögens, sondern zugleich die Verteilung des Einheitswerts auf die einzelnen Mitgesellschafter nach dem Verhältnis ihrer Anteile. – 6. *Besonderheiten* bestehen bei der →GmbH u. CO KG.

**Kommanditgesellschaft auf Aktien (KGaA).** I. C h a r a k t e r i s i e r u n g: 1. *Begriff:* Handelsrechtliche Unternehmensform, Mischform von →Kommanditgesellschaft und →Aktiengesellschaft. – 2. *Rechtliche Grundlagen:* §§ 278–290 AktG. – 3. *Rechtliche Gestaltung:* a) Die KGaA ist eine →juristische Person, hat also eigene Rechtspersönlichkeit. Ein oder mehrere Gesellschafter haften persönlich mit ihrem gesamten Vermögen (→Komplementäre), die übrigen (→Kommanditisten, Kommandit-Aktionäre) nur mit ihrer Einlage, die durch die →Aktie verbrieft ist. – b) Die Vorschriften über →Gründung und Verwaltung sind mit gewissen, durch das Hinzutreten der Komplementäre bedingten Abweichungen die gleichen wie bei der AG: Die Komplementäre (auch Geschäftsinhaber genannt) bilden den →Vorstand der KGaA. Die Beschlüsse der →Hauptversammlung bedürfen der Zustimmung der Komplementäre bei Angelegenheiten, für die auch bei der KG das Einverständnis der Komplementäre und Kommanditisten erforderlich ist. Die Komplementäre dürfen Aktien übernehmen und können selbständige →Einlagen neben dem Kommanditkapital machen. Sie haben in der HV nur ein Stimmrecht für ihre Aktien, keines in den Fällen des § 285 I AktG. Rechtsstellung der Komplementäre untereinander und gegenüber den Kommanditaktionären entspr. §§ 161 ff. HGB. – c) →*Umwandlung* in eine KG ist durch HV-Beschluß mit Zustimmung aller Komplementäre möglich. Soweit Sondervorschriften nichts anderes bestimmen, gelten sämtliche Bestimmungen für die AG sinngemäß, insbes. bezüglich der →Publikationspflicht, des →Jahresabschlusses usw. – 4. *Wirtschaftliche Bedeutung:* Die KGaA hat nur geringe Verbreitung gefunden. Doch kann die Persönlichkeit der Komplementäre, die durch die persönliche Haftung aufs engste mit dem Geschick des Unternehmens verknüpft sind, der KGaA besonderes Vertrauen verschaffen.

II. S t e u e r l i c h e   B e h a n d l u n g: 1. *Gesellschaftsebene:* Die KGaA unterliegt als Kapitalgesellschaft der →Körperschaftsteuer und damit den allgemeinen Besteuerungsregeln. Die Gewinnanteile und Geschäftsführungsvergütungen der Komplementäre sind bei der →Einkommensermittlung abzuziehen (§ 9 Nr. 2 KStG). Bei der →Gewerbesteuer stellen sie Hinzurechnungen dar (§ 8 Nr. 4 GewStG). – 2. *Gesellschafterebene:* Der Komplementär einer KGaA wird steuerlich wie der einer normalen KG behandelt. Der Gewinnanteil und Leistungsvergütungen des persönlich Haftenden sind →Einkünfte aus Gewerbebetrieb. Die Gewinnausschüttung wird beim Kommandit-Aktionär als Einnahme aus Kapitalvermögen erfaßt.

**Kommanditist,** Gesellschafter einer →Kommanditgesellschaft. – 1. *Haftung des K.:* Nur beschränkt mit seinem Vermögen, nämlich bis zur Höhe der in dem →Handelsregister eingetragenen →Kommanditeinlage (→Haft-

summe). Hat ein K. dem *Begin der Gesellschaft vor Eintragung* zugestimmt, so haftet er
für die in der Zeit vor der Eintragung begrün-
deten Verbindlichkeiten unbeschränkt, es sei
denn, der Gläubiger kannte die Beteiligung als
K. (§ 176 I HGB). Das gleiche gilt auch, wenn
K. *in eine bestehende Handelsgesellschaft eintritt,* für die Zeit bis zur Eintragung als K. in
das Handelsregister (§ 176 II HGB). Bis zur
Höhe seiner Einlage haftet der neueintretende
K. auf jeden Fall auch für die vor seinem
Eintritt begründeten Verbindlichkeiten (§ 173
HGB). – 2. *Eingeschränkte Rechtsstellung des
K. innerhalb der Gesellschaft:* Keine Befugnis
zur →Geschäftsführung (§ 164 HGB), auch
nicht zur →Vertretung (§ 170 HGB). Ihm steht
lediglich ein →Überwachungsrecht zu. Erteilung von →Prokura gegenüber Kommanditisten ist zulässig und gebräuchlich. – 3. *Steuerliche Behandlung:* Vgl. →Kommanditgesell-
schaft.

**Kommanditscheck,** *Filialscheck,* →Scheck,
der von einer Niederlassung auf eine andere
Niederlassung des Austellers gezogen wird.
Der K. ist die einzige Form, in der trassiert-
eigene Schecks zugelassen sind (Art.6 III
SchG).

**Kommanditvertrag,** →Gesellschaftsvertrag,
mit dem eine Kommanditgesellschaft errichtet
wird. Der K. muß die Höhe der →Einlage
bestimmen, zumal diese für die Eintragung im
→Handelsregister erforderlich ist. Im übrigen
freie Gestaltung. – Vgl. auch →Kommandit-
gesellschaft, →Kommanditist.

**Kommanditwechsel,** →trassiert-eigener
Wechsel, der i. a. von der Hauptniederlassung
als Aussteller auf die Zweigniederlassung als
Bezogene gezogen wird.

**Kommando,** *Betriebssystemkommando,*
Anweisung an ein →Betriebssystem. K. sind
in der entsprechenden →job control language
zu formulieren.

**Kommandosprache,** →job control language.

**Kommentar.** 1. Erläuterung oder kritische
Anmerkungen zu einem Druckwerk oder ähn-
lichem (v. a. zu Gesetzestexten). – 2. Bei der
→Programmentwicklung eine Erläuterung,
die im Text eines Quellprogramms (→Pro-
gramm 3) steht. K. dienen nur der Verständ-
lichkeit und sind für den menschlichen Leser
vorgesehen. – 3. Kritische Stellungnahme in
Presse, Rundfunk oder Fernsehen; urheber-
rechtliche Behandlung vgl. →Zeitungsartikel.

**kommerzieller     innergemeinschaftlicher
Reiseverkehr,** →Reiseverkehr IV.

**kommerzielle Software.** 1. *Allgemein:*
→Softwareprodukte, die in der →betriebli-
chen Datenverarbeitung eingesetzt werden. –
2. *Speziell* im Softwaremarkt (v. a. als Kategorie im →ISIS-Report): Software, die *branchen-
unabhängig* eingesetzt wird, z. B. Finanz-

buchhaltung, Fakturierung, →Textverarbei-
tung.

**Kommission.** 1. In der *Organisation:* →Gre-
mium (vgl. dort). – 2. In der *EG:* Vgl.
→Kommission der Europäischen Gemeinschaften.

**Kommissionär,** derjenige, der es gewerbsmä-
ßig unternimmt, Waren oder Wertpapiere für
Rechnung eines anderen (*Kommittenten*) im
eigenen Namen zu kaufen oder zu verkaufen
(→Kommissionsgeschäft gem. § 383 HGB).
K. ist stets →Kaufmann.

I. Pflichten des K.: 1. Beim *Ausführungsgeschäft:* a) Sorgfältige und im Zweifel persönliche Ausführung mit dem Streben nach den
günstigen Bedingungen für den Kommittenten. Übersteigt der Kaufpreis das →Limit des
Verkäufers oder bleibt der Ankaufspreis
dahinter zurück, so hat den Unterschied dem
Kommittenten vergüten (§ 387 HGB). Haftung bei Verlust und Beschädigung des Kom-
missionsgutes; Pflicht zur Entlastung; zur
Versicherung des Gutes ist er berechtigt, aber
nur bei Anweisung oder Handelsbrauch verpflichtet (§ 390 HGB). b) Der K. muß den
Weisungen des Kommittenten folgen und darf
nur bei besonderen Umständen abweichen
(vgl. § 385 HGB). Bei unberechtigtem Abweichen hat der Kommittent das Recht, Schadenersatz zu fordern und das Geschäft zurückzu-
weisen (§ 385 HGB). Bei Abweichung von
einer Preisbegrenzung muß der Kommittent
nach dem Empfang der Ausführungsanzeige
unverzüglich das Geschäft zurückweisen,
sonst gilt die Abweichung als genehmigt (§ 386
I HGB). Erbietet sich der K. sogleich mit der
Ausführungsanzeige zur Deckung des Preisunterschieds, kann der Kommittent nicht
zurückweisen; eventuell besonderer Schaden
ist ihm zu ersetzen (§ 386 II 2 HGB). – 2. Beim
*Abwicklungsgeschäft:* a) unverzügliche Anzeige des Ausführungsgeschäftes (Ausführungsanzeige § 384 II HGB) und Benennung
des neuen Vertragspartners, sonst haftet der
K. persönlich auf Erfüllung (§ 384 III HGB);
b) Rechenschaftsablegung und Herausgabe
alles aus der Geschäftsbesorgung Erlangten
(§ 384 II HGB); c) Haftung für die Erfüllung
der Verbindlichkeit des Vertragsgenossen gegenüber dem Kommittenten nur dann persönlich, wenn der K. die Haftung (→Delkredere)
übernommen hat oder sie an seinem Nieder-
lassungsort handelsüblich ist (§ 394 I HGB); in
diesem Fall Anspruch auf besondere Delkre-
dere-Provision (§ 394 II HGB); d) über die
besonderen Anforderungen an die *Buchführung* des Kommissionärs zur Herausgabe
des Eigentums des Kommittenten vgl.
→Kommissionsgeschäft.

II. Rechte des K.: 1. *Vergütung:* a) Der K.
erhält →Provision. Der Anspruch entsteht
grundsätzlich erst, wenn das von ihm mit dem
Dritten abgeschlossene Geschäft zur Ausführung gekommen ist (§ 396 I HGB); b) Ersatz

der Aufwendungen erhält der K. auch bei Nichtabschluß oder Nichtausführung des Geschäfts mit dem Dritten, sofern er schuldlos ist. Zu den Aufw. gehört die Vergütung für die Benutzung eigener Lagerräume und Beförderungsmittel (§ 396 II HGB); dagegen grundsätzlich nicht für die eigene Arbeitsleistung und die seiner Leute; c) für den Fall der Haftungsübernahme kann zusätzlich eine Delkredereprovision gem. § 394 HGB entstehen. – 2. *Sicherungsrechte:* a) K. hat eine →gesetzliches Pfand- bzw. Befriedigungsrecht am Kommissionsgut, soweit es in seinem Besitz ist, insbes. er mittels Lager-, Ladeschein oder Konnossement darüber verfügen kann, wegen aller Forderungen aus laufender Rechnung in Kommissionsgeschäften (§§ 397 f. HGB). →Gutgläubiger Erwerb des Pfandrechts ist möglich (§ 366 II HGB). K. darf sich wegen dieser Ansprüche bevorzugt aus der Forderungen gegen Dritte aus dem Ausführungsgeschäft befriedigen (§ 399 HGB); b) ein kaufmännisches Zurückbehaltungsrecht steht dem K. zu, wenn der Kommittent →Kaufmann ist (§ 369 HGB); c) Recht zum Notverkauf: bei Säumnis des Kommittenten, über das Kommissionsgut zu verfügen, oder bei Gefahr für das Gut (§§ 388 II, 389 HGB); →Hinterlegung u. →Selbsthilfeverkauf. – 3. Bei einer *Einkaufskommission,* die beiderseitiges Handelsgeschäft ist, hat der K. wegen der abgelieferten Waren in bezug auf die *Rüge- und Aufbewahrungspflicht* des Kommittenten die günstige Stellung eines *Käufers* (vgl. § 391 HGB; →Handelskauf). – 4. *Selbsteintritt* des K.: Bei der Einkaufs- oder Verkaufskommission von Waren, die einen Markt- oder Börsenpreis haben oder Börsenpapieren, die einen amtlich festgestellten Börsen- oder Marktpreis haben, kann der K. Kraft ausdrücklicher Erklärung, die gleichzeitig mit der Ausführungsanzeige abgesandt werden muß, selbst als Käufer oder Verkäufer auftreten (§§ 400, 405 HGB). Der K. tritt dem Kommittenten nicht nur als Käufer oder Verkäufer gegenüber, er behält vielmehr anders als beim Eigengeschäft auch seine Rechtsstellung als K. in veränderter Form. Auch bei Selbsteintritt muß der K. die Interessen des Kommittenten wahren (§ 401 I HGB). Er behält Anspruch auf die gewöhnliche Provision und Aufwendungsersatz (§ 403 HGB), ebenso auf sein Pfandrecht und das kaufm. Zurückbehaltungsrecht (§ 404 HGB).

III. Umsatzsteuerrecht: K. gilt als selbständiger →Unternehmer. Bei einer Warenkommission erbringt der K. Lieferungen an Abnehmer bzw. Kommittenten (§ 3 III UStG) im Gegensatz zum →Handelsvertreter, der eine sonstige (Vermittlungs-)Leistung erbringt. Zur Leistungskommission vgl. →Besorgungsleistung.

**Kommission der Europäischen Gemeinschaften,** durch den Fusionsvertrag vom

8. 4. 1965 (in Kraft getreten am 1. 7. 1967) geschaffene Kommission an Stelle der *Hohen Behörde* der Europäischen Gemeinschaften für Kohle und Stahl, der Kommission der Europäischen Wirtschaftsgemeinschaft und der Kommission der Europäischen Atomgemeinschaft. Zahl der Mitglieder 1987: 17 Personen. – *Ziel* der Zusammenfassung der einzelnen Exekutivorgane ist die Erleichterung und Fortführung der politischen Integration der EG. – Vgl. auch →EG III 1 c).

**Kommissionieren.** 1. *Begriff:* Alle warenbezogenen Tätigkeiten im Lager. Im Versand- sowie im Groß- und Einzelhandel eine personalintensive Durchführungstechnik, bei der z. B. die Waren pro Auftrag, pro Kunde gesammelt und zum Ausstell- bzw. Versandplatz transportiert werden. Das K. von Waren kann auf den Kunden übertragen werden, z. B. im →Cash-and-Carry-Großhandel, oder voll automatisch aus Durchlaufregalen erfolgen. – 2. *Grundprinzipien:* a) Die Kommissionierer suchen die Waren an ihren Lagerplätzen aus und stellen sie nach Aufträgen zusammen. b) Die Waren werden in ihren Lagereinheiten am Kommissionierer vorbeigeführt, der Waren gemäß den zu bearbeitenden Aufträgen entnimmt.

**Kommissionsagent,** *Kommissionsvertreter,* →Kaufmann, der ständig damit betraut ist, Waren im eigenen Namen für Rechnung eines anderen zu kaufen oder zu verkaufen. – *Stellung* der K. in seinen persönlichen Beziehungen zu dem Unternehmer gleich der des →Handelsvertreters, während im übrigen die durch die Geschäftsbesorgung begründeten Beziehungen nach den Vorschriften betr. →Kommissionär (§§ 383 ff. HGB) zu beurteilen sind. Auf den K. sind z. B. die Kündigungsvorschriften (§§ 89, 89a HGB) oder für den K. mit ausschließlicher Verkaufsbefugnis die Vorschriften über den →Bezirksvertreter (§ 87 II HGB) entsprechend anzuwenden. – Dritten gegenüber *haftet* der K. als Kommissionär, wenn er nicht erkennbar als Agent abgeschlossen hat.

**Kommissionsbetrug,** Sondertatbestand des Betrugs und der →Untreue bei Abschluß von →Handelsgeschäften durch einen →Kommissionär, insbes. für den Börsenverkehr (§ 89 BörsG). K. begeht ein Kommissionär, der, um sich oder einem Dritten einen Vermögensvorteil zu verschaffen, a) das Vermögen des →Kommittenten dadurch schädigt, daß er hinsichtlich eines abzuschließenden Geschäfts wider besseres Wissen unrichtigen Rat oder unrichtige Auskunft erteilt, oder b) bei der Abwicklung eines Geschäfts absichtlich zum Nachteil des Kommittenten handelt. – *Strafe:* Freiheitsstrafe bis zu 5 Jahren oder Geldstrafe.

**Kommissionsgeschäft.** I. Begriff: Die geschäftliche Betätigung eines →Kaufmanns im eigenen Namen für fremde Rechnung, geregelt in §§ 383–406 HGB: *Rechtlich* ist das K. ein auf eine Geschäftsbesorgung i.S. des § 675 HGB gerichteter →gegenseitiger Vertrag.

II. A r t e n : 1. Nach dem *Objekt:* a) *echtes K.*: Einkaufs- oder Verkaufsgeschäft von →Waren oder →Wertpapieren eines Kommissionärs; b) *unechte K.*: sonstige kommissionsweise übernommene Geschäfte des Kommmissionärs, z. B. →Inkassokommission. – 2. Nach dem *Wirkungsbereich:* a) K. im *Überseehandel:* Ausführung von Exportkommissionen (→Konsignationshandel) und Importkommissionen; b) K. im *Binnenhandel* auf dem Gebiet der Effektenkommission sowie im Kunst- und Antiquitätenhandel; bei sonst. Wirtschaftsgütern nur ausnahmesweise.

III. D u r c h f ü h r u n g : 1. Vom Kommissionsvertrag ist zu unterscheiden der Verkauf selbst (sog. *Ausführungsgeschäft*) und das darauffolgende *Abwicklungsgeschäft*, durch das der Kommissionär dem Auftraggeber das Ergebnis des Ausführungsgeschäfts gutbringt. Da der Kommissionär das Ausführungsgeschäft in eigenem Namen abschließt, wird er nach außen im Verhältnis zu seinem Vertragspartner allein berechtigt und verpflichtet. Im Innenverhältnis zwischen Kommissionär und Kommittent geht das Geschäft aber auf Rechnung des Kommittenten. – 2. Deswegen darf der Kommissionär von seinem Vertragspartner ggf. auch den *Schaden* des Kommittenten (→Drittschaden) verlangen, den dieser durch Nicht- oder Schlechterfüllung des Ausführungsgeschäfts erleidet (Gewohnheitsrecht). – 3. Die *Forderungen* aus dem Ausführungsgeschäft stehen dem Kommissionär zu. Erst mit der →Forderungsabtretung gehen sie auf den Kommittenten über und kann dieser sie selbst geltend machen (§ 292 I HGB). Um aber diese Forderungen schon vorher vor dem Zugriff der Gläubiger des Kommissionärs zu schützen, gelten nach § 392 II HGB die Forderungen des Kommissionärs aus dem Ausführungsgeschäft im Verhältnis von Kommittent zu Kommissionär und dessen Gläubiger als solche des Kommittenten. Deswegen darf der Kommissionär die Forderungen nicht an andere abtreten oder verpfänden. Der Kommittent kann bei einer Einzelvollstreckung in eine solche Forderung widersprechen (§ 771 ZPO), →Drittwiderspruchsklage). – Im Konkurs des Kommissionärs hat er ein Recht auf →Ausssonderung (§ 43 KO). – 4. Dagegen bleibt der Kommissionär im Verhältnis zum Vertragspartner des Ausführungsgeschäfts *Gläubiger*. Dieser kann also mit Gegenansprüchen aus anderen Geschäften, die er mit dem Kommissionär getätigt hat, aufrechnen, so daß insoweit der Kommittent nicht geschützt ist.

IV. R e c h t e / P f l i c h t e n : Vgl. →Kommissionär.

V. E i g e n t u m s v e r h ä l t n i s s e  a m  K o m m i s s i o n s g u t : 1. Bei dem *Veraufs-K.* bleibt das Eigentum beim Kommittenten, bis der Kommissionär es kraft seiner Ermächtigung wirksam auf den Ankäufer überträgt. Beim Konkurs des Kommissionärs hat der Kommittent Recht auf →Aussonderung, bei Vollstreckung in das Kommissionsgut durch Gläubiger des Kommissionärs die →Drittwiderspruchsklage. – 2. Beim *Einkaufs-K.* wird der Kommissionär Eigentümer der im eigenen Namen gekauften Waren und Wertpapiere und bleibt es bis zur Übereignung an den Kommittenten, zu der er gem. § 384 II HGB verpflichtet ist. – 3. Für das *Effekten-K.* sind im →Depotgesetz bestimmte Schutzvorschriften erlassen.

IV. W i r t s c h a f t l i c h e  B e d e u t u n g : Besonders groß im Effektengeschäft; im Außenhandel; hier ist K. vor allem bei Waren üblich, deren Verkaufschancen von vornherein nicht allzu hoch veranschlagt werden können.

VII. B u c h f ü h r u n g s p f l i c h t : Bei Durchführung von K. strengen Vorschriften unterworfen, weil das Eigentum von Kommittenten auf besonderen Konten ausgewiesen werden muß, mindestens dadurch, daß neben die vom →Kontenplan entnommene Kontonummer ein K. gesetzt wird. – 1. Bei der *Einkaufskommission* erwirbt der Kommissionär das Eigentum an den durch den Kommissionsauftrag erworbenen Waren. Der Kommittent wird Eigentümer erst durch die Übereignung der Waren, bei Wertpapieren schon mit der Absendung des →Stückeverzeichnisses. Trotzdem wrd jeder Kommissionsauftrag auf einem besonderen Konto dargestellt. Die Durchführung einer Einkaufskommission wird gebucht:

### Kommittentenkonto

| Einkaufsrechnung Barspesen des K. Provision des K. | Begleichung durch den Kommittenten |
| --- | --- |

Der Kommittent bucht die Beträge auf einem Kontokorrentkonto des Kommissionärs entgegengesetzt. – 2. Bei *Verkaufskommission* bleibt die Ware bis zu ihrem Verkauf Eigentum des Kommittenten; der Kommissionär bucht:

### Kommissionswarenkonto

| Wareneingang Saldo z. Gutschrift a. d. Kontokorrent-Konto des Kommittenten | Warenverkauf |
| --- | --- |

### Kontokorrentkonto des Kommittenten

| Frachten und Spesen des K. Provision und ggfs. Delkredereprovision des K. Überweisung an den Kommittenten | Gutschrift für eingegangene Waren Gutschrift des Saldos aus d. Kommissionswarenkonto |
| --- | --- |

VIII. Umsatzsteuerrecht: Bei der Verkaufskommission gilt der Kommissionär, bei der Einkaufskommission der Kommittent als Abnehmer und Steuerpflichtiger (§ 3 III UStG).

**Kommissionshandel,** Geschäftsabschluß im eigenen Namen für fremde Rechnung. – *Gegensatz:* → Eigenhandel.

**Kommissionstratte,** *Kommissionswechsel.* 1. *Betrifft:* Für Rechnung eines Dritten gezogener → Wechsel (Art. 3 WG). Beispiel: Im → Remboursgeschäft zieht der Exporteur für Rechnung des ausländischen Käufers auf dessen Bank (die dem Käufer eine entsprechende Kreditzusage gegeben hat). – 2. *Haftung* des Ausstellers wird dadurch nicht ausgeschlossen oder eingeschränkt. Die Deckungsklausel („und stellen ihn auf Rechnung des N.N."), die das den Rechtsverhältnis zugrunde liegende Rechtsverhältnis kennzeichnet, ist wechselrechtlich ohne Bedeutung; der Aussteller haftet trotz des Vermerkes.

**Kommissionsvertreter,** → Kommissionsagent.

**Kommissionswechsel,** → Kommissionstratte.

**Kommittent,** beim → Kommissionsgeschäft der Vertragspartner des → Kommissionärs, für dessen Rechnung die Kommission ausgeführt wird.

**Kommunalabgaben,** aufgrund eigener → Finanzhoheit von den Gemeinden erhobene → Abgaben, i. d. R. Grundlage der → Gemeindefinanzen. Zu den K. gehören v. a. die → Gemeindesteuern und die sonstigen an die Gemeinden zu entrichtenden Abgaben (z. B. Konzessionsabgaben). Die entsprechenden K.gesetze sind zu beachten.

**Kommunalanleihe,** → Kommunalobligation.

**Kommunalaufsicht,** Staatsaufsicht über → Gemeinden und → Gemeindeverbände auf der Grundlage der von den Ländern erlassenen Gemeindeordnungen. Die K. darf nicht in die Selbstverwaltungsbefugnisse der Gemeinden eingreifen; sie hat nur die Einhaltung der bestehenden Gesetze zu kontrollieren.

**Kommunalbetrieb,** gewerbliche Unternehmungen der Gemeinden und der Kreise. K. befriedigen allgemeine Bedürfnisse der Bevölkerung wie z. B. Wasser- und Energieversorgung, Unterhaltung und Einrichtung von Nahverkehrsmitteln (vgl. auch → Versorgungsbetriebe). K. sollen keine Aufgaben übernehmen, die von der Privatwirtschaft besser gelöst werden könnten.

**Kommunaldarlehen,** → Kommunalkredit.

**kommunale Gebietsreform,** die 1968–1978 in der Bundesrep.D. zwecks Erhöhung der Verwaltungseffizienz durchgeführte Neuabgrenzung der Gemeinden und Gemeindeverbände. Die Zahl der Gemeinden verminderte sich von 24 282 auf 8660.

**kommunaler Finanzausgleich,** Summe der (vertikalen) Finanzbeziehungen zwischen einem Bundesland und seinen Gemeinden und Gemeindeverbänden und der (horizontalen) Finanzbeziehungen zwischen den Gemeinden und Gemeindeverbänden untereinander. Im Mittelpunkt stehen die vertikalen → Ausgleichszuweisungen in Form von → Schlüsselzuweisungen des Landes an seine Gemeinden, durch die Unterschiede in den → Deckungsrelationen zwischen den Gemeinden ausgeglichen bzw. verringert werden sollen. – Vgl. auch → Ausgleichsmeßzahl, → Finanzbedarf, → Finanzausgleich V 3 und 4.

**kommunale Sammelanleihe,** → Sammelanleihe.

**kommunale Unternehmen,** → öffentliche Unternehmen.

**Kommunalkredit,** *Kommunaldarlehen,* an Gemeinden und Gemeindeverbände gewährte → Kredite. *Kurzfristige K.* werden – v. a. von Sparkassen bereitgestellt, nach deren Mustersatzung auch Kredite an Institutionen gewährt werden, die nicht Gemeinden oder Gemeindeverbände sind, wenn für diese Darlehensnehmer eine öffentlich-rechtliche Körperschaft selbstschuldnerisch bürgt. *Mittel- und langfristige K.* werden v. a. bei Realkreditinstituten oder unmittelbar durch Emission von Schuldverschreibungen aufgenommen.

**Kommunalobligationen,** *Kommunalanleihe, Kommunalschuldverschreibung,* von privaten Hypothekenbanken und öffentlich-rechtlichen Grundkreditanstalten ausgegebene → Anleihen. Sie dienen der Refinanzierung von Kommunaldarlehen bzw. mit Darlehen mit Kommunaldeckung. K. besitzen → Mündelsicherheit. Bezüglich des Gläubigerschutzes bestehen strenge gesetzliche Regelungen. Ihre Ausgabe ist an Umlaufgrenzen gebunden.

**Kommunalschuldverschreibung,** → Kommunalobligation.

**Kommunalsteuern,** → Gemeindesteuern.

**Kommunalsteuersystem,** → Gemeindesteuersystem.

**Kommunalverschuldung,** Kapitalbeschaffung der Gemeinden und Gemeindeverbände, denen der direkte Weg zur Notenbank und meist auch der zum organisierten Kapitalmarkt versperrt ist; daher vorwiegend durch Direktkredite (meist in Form von → Schuldscheindarlehen). – *Schuldenpolitische Sonderregelungen für Gemeinden:* a) Sie dürfen Kredite nur dann aufnehmen, wenn eine andere Finanzierung nicht möglich oder wirtschaftlich unzweckmäßig ist und nur für genau definierte Zwecke (Investitionen, Investitionsförderung, Umschuldung). – b) Der Gesamtbetrag der Kreditaufnahme bedarf der Genehmigung durch die Kommunalaufsicht und ist zu versagen, wenn die kommunale Verschuldung zu der dauernden Leistungsfähigkeit der Gemeinden im Widerspruch steht. – Vgl. auch →öffentliche Kreditaufnahme.

**Kommunalwirtschaft,** *Gemeindewirtschaft,* Sammelbegriff für diejenigen kommunalen Einrichtungen, die Entgelte für die von ihnen erbrachte Versorgungs- oder Entsorgungsleistung erheben, v. a. Stadtwerke, →kostenrechnende Einrichtungen der Gemeinde (z. B. Straßenreinigung, Entwässerung, Müllabfuhr) sowie wirtschaftliche Unternehmen mit eigener Rechtspersönlichkeit (→Eigengesellschaften).

**Kommune,** →Gemeinde.

**Kommunikation.** I. O r g a n i s a t i o n / K o m m u n i k a t i o n s w i s s e n s c h a f t : 1. *Begriff:* a) *I. w. S.:* Prozeß der Übertragung von Nachrichten zwischen einem Sender und einem oder mehreren Empfängern. b) *I. e. S.:* Soziale K., die Verständigung zwischen verschiedenen Personen. In der wissenschaftlichen Analyse werden die kommunizierenden Personen meist *Kommunikator* und *Rezipient* genannt, die zwischen beiden vermittelnde Nachricht auch *Mitteilung* oder (allgemein) *Zeichen.* Ein abstrakter Ansatz zur Analyse von Kommunikations- und Zeichenprozessen ist die →Semiotik. – 2. *Inhalt/Inhaltsaspekte:* Der Ausdruck „Mitteilung" verweist darauf, daß Kommunikator und Rezipient etwas miteinander teilen, etwas gemeinsam haben (lat. communis = gemeinsam). Dieses Gemeinsame ist zunächst der „Inhalt" der Mitteilung. Es können drei Inhaltsaspekte analytisch unterschieden werden (nach Karl Bühler): (1) ihren Bezug auf Objekte oder Sachverhalte (*Darstellungsfunktion*), (2) den Bezug auf Eigenschaften oder Absichten des Kommunikators (*Ausdrucksfunktion*) und (3) den Bezug auf Reaktionen der Rezipienten (*Appellfunktion*). Darüber hinaus hat jede Mitteilung auch einen *Beziehungsaspekt.* Sie definiert und reguliert das soziale Beziehung zwischen Kommunikator und Rezipient. – 3. Zum Wesen der Mitteilung gehört auch, daß sie *sinnlich erfahrbar* ist. Nur über die üblichen, der Wahrnehmung dienenden Sinnesmodalitäten ist eine Teilhabe am Kommunikationsprozeß möglich. Eine dominierende Rolle in der sozialen K. spielen die visuelle und die auditive Modalität. Zum Verständnis von Kommunikationsvorgängen tragen dementsprechend die psychologischen Erkenntnisse über Vorgänge der Wahrnehmung und der Verarbeitung von visueller, auditiver, audiovisueller Information bei. – Mitteilungsinhalte werden *nach bestimmten Regeln in eine sinnlich erfahrbare Modalität umgesetzt.* Diese Regeln steuern

z. B. die stimmliche Artikulation oder die Handmotorik, so daß „Sprache" oder „Schrift" entsteht. Die Regeln für Sprache, Schrift und andere Zeichensysteme beruhen auf gesellschaftlichen Konventionen. Ihre Anwendung auf seiten des Kommunikators wird Encodierung genannt, der entsprechende Vorgang des Entzifferns und Interpretierens auf seiten des Rezipienten heißt Decodierung. – 4. Man unterscheidet i. a. zwischen digitalen und ikonischen, verbalen und non-verbalen Zeichensystemen: a) *Digitale Zeichensysteme* betehen aus einer begrenzten Zahl von Elementen, aus denen sich eine unbegrenzte Zahl von Mitteilungen konstruieren läßt. Die Buchstaben des Alphabets sind ein solches System, ebenso z. B. der ASCII-Code in der Datenverarbeitung. Die Zeichen eines digitalen Codes sind vollkommen arbiträr, sie haben keine Wahrnehmungsähnlichkeit mit dem Codierten. *Ikonische (oder analoge) Zeichen* reproduzieren demgegenüber bestimmte Ähnlichkeiten in der Wahrnehmung eines codierten Objekts, Ereignisses, Merkmals usw. Beispiel sind Bilddarstellungen wie Graphiken, Gemälde, Photographien, Film- und Video-Aufzeichnungen. – b) Gesprochene Sprache und Schrift (Text) werden auch als *verbale Zeichen* zusammengefaßt. *Non-verbale Zeichen* sind demgegenüber alle nicht-sprachlichen und nicht-schriftlichen Verständigungsmittel wie Bilder, Musik oder z. B. auch politische und religiöse Symbole, ferner die im sozialen Umgang oder auch künstlerisch eingesetzte „Körpersprache" (Mimik, Gestik, Körperhaltung, Körperkontakt) und „Parasprache" (Stimmqualität, Sprachmarkierungen und begleitende nichtsprachliche Äußerungen wie z. B. Räuspern). – Vgl. auch →Kommunikationsforschung, →Kommunikationspolitik, →Kommunikationswissenschaft.

II. B e t r i e b s i n f o r m a t i k / B ü r o k o m m u n i k a t i o n : 1. *Begriff:* Prozeß, bei dem Informationen zum Zwecke der aufgabenbezogenen Verständigung ausgetauscht werden. – 2. *Typen:* a) nach dem *Inhalt der Aufgabe,* in deren Rahmen die K. durchgeführt wird: einzelfallbezogene (individualisierte), sachfallbezogene und routinefallbezogene (programmierte) K.; b) nach der *formalen Regelung des K.-weges:* (dienstweggebundene und ungebundene K.; c) nach der *organisatorischen Eingliederung der K.-partner:* innerorganisatorische uund organisationsübergreifende K.; d) nach dem *auslösenden Kriterium:* formelle (d. h. durch den Organisationsplan bestimmte) und informelle (d. h. im Rahmen zwischenmenschlicher Kontakte stattfindende) K.; e) nach dem *Empfänger* der zu übermittelnden Information: →Individualkommunikation und →Massenkommunikation. f) nach der *Richtung des Informationsflusses:* ein- und wechselseitige K.; g) nach der *zeitlichen Abstimmung der K-.partner* und des damit verbundenen Erfordernisses einer Zwischenspeicherung der übermittelten Informationen: synchrone und asynchrone K.; h) nach den *organisatorischen Ebenen*, denen die K.-partner zugeordnet sind: horizontale und vertikale K.

**Kommunikationsbeziehung**, jeder kommunikative Zusammenhang zwischen zwei oder mehreren →Kommunikationspartnern. – 1. *Vertikale K.* (veraltet auch *Befehlsweg):* Zwischen →Vorgesetzten und Untergebenen oder umgekehrt; dient v. a. der Übermittlung von →Weisungen von oben sowie von Kontrollinformationen nach oben. – 2. *Horizontale K.:* Zwischen →Handlungsträgern gleicher Ebene der Hierarchie. – Vgl. →Interaktion, →Kommunikation.

**Kommunikationsdienst**, Form des Informationsaustauschs. – *Merkmale:* (1) Die →Kommunikation zwischen den Kommunikationspartnern erfolgt auf der Basis festgelegter Standards (Prozeduren, Sprache, technische Einrichtungen usw.). (2) Der Träger des zugehörigen Kommunikationsnetzes (→Netz) garantiert eine bestimmte Übertragungsgüte (Qualität, Geschwindigkeit). (3) Es existiert ein Verzeichnis der Teilnehmer des K. – Als *öffentlichen K.* bezeichnet man einen K., der prinzipiell allen Personen zugänglich ist, z. B. Bildschirmtext-, DATEX-P-, DATEX-L-, Fernsprech-, Telebox-, Telefax-, Telex- oder Teletexdienst (→Bildschirmtext, →DATEX-P, →DATEX-L, →Telefax-Dienst →Telex-Dienst →Teletex-Dienst).

**Kommunikationsforschung.** I. E n t w i c k l u n g : Eine wissenschaftliche Beschäftigung mit →Kommunikation, die nach heutigen Ansprüchen diesen Namen verdient, läßt sich erst in der *zweiten Hälfte des 19. Jahrhunderts* erkennen, obwohl Druckmedien – zuerst Bücher und Flugblätter, dann auch Zeitungen und Zeitschriften – seit der Mitte des 15. Jahrhunderts verbreitet sind und zumindest zeitweise (etwa während der Reformation) großen Einfluß auf die gesellschaftliche Entwicklung hatten. Dieser Einfluß nahm erheblich zu mit der Entwicklung der Massenpresse im 19. Jahrhundert, ermöglicht und begünstigt durch technische und ökonomische Innovationen (z. B. Rotationsdruck, Finanzierung der Presse aus Werbung und dadurch Senkung der Bezugspreise); zugleich wurde mit der Durchsetzung der demokratischen Saatsform und dem Prinzip konkurrierender Willensbildung der Presse eine zentrale politische Rolle zugewiesen, und dadurch drängten sich ihre Inhalte und Wirkungen als wissenschaftliches Problem auf. – Der Nationalökonom *Karl Bücher* hielt seit 1884 *Zeitungskollegs* und wurde 1916 Leiter der ersten, an der Universität Leipzig gegründeten *zeitungswissenschaftlichen Instituts.* – Es folgten *ähnliche Gründun-*

*gen* in den zwanziger Jahren in Münster, Köln, Nürnberg, München und Berlin. Die Leistungen der frühen Zeitungswissenschaft, die vielfach im rein Definitorischen und „bloßer antiquarischer Geschichtsschreibung" lagen, werden heute eher kritisch gesehen. Gleichschaltung und Indienstnahme durch die Nationalsozialisten trugen dazu bei, daß dieser Ansatz – von Ausnahmen abgesehen – nach 1945 nicht fortgeführt wurde. – Stattdessen knüpften deutsche Wissenschaftler *in der Nachkriegszeit* an die empirische, sozialwissenschaftlich orientierte K. an, die in den *USA* in den dreißiger und vierziger Jahren ihren Aufschwung nahm – mit bahnbrechenden Untersuchungen wie den Payne Fund Studies, der Erie County-Studie unter der Leitung von Paul Lazarsfeld, Hovlands „Experiments on Mass Communication" und den daran anschließenden Yale Studies. Für die *deutsche Rezeption* dieser Forschung war eine Publikation von *Gerhard Maletzke* (1963) bestimmend, dann v. a. auch der wissenschaftliche Einfluß von *Elisabeth Noelle-Neumann und ihres Mainzer Instituts für Publizistik* (Noelle-Neumann & Schulz, 1971; Noelle-Neumann, 1977).

II. G e g e n s t a n d s b e r e i c h : Der Gegenstandsbereich der K. läßt sich immer noch ganz gut mit der sogenannten Lasswell-Formel des Kommunikationsprozeses systematisieren, die der Amerikaner Harold D. Lasswell (1948) prägte (Wer sagt was über welchen Kanal zu wem und mit welcher Wirkung?). Die K. untersucht: a) *Kommunikatoren,* ihre Merkmale, v. a. ihre Einstellungen und ihr Verhalten, ihre Position und Rolle in Medienorganisationen; b) *Medieninhalte* auf Themen und Tendenzen, auf die Präsentation von Realität und Fiktion (Unterhaltung), vor allem auch mit dem Ziel der Inferenz auf Kommunikationsabsichten und Beeinflussungspotentiale; c) *Medien* als einzelne Institutionen und als Mediensystem, ihre Struktur und Organisation, ihre historische und gegenwärtige Entwicklung, unter technischen, ökonomischen, rechtlichen, politischen Aspekten; d) *Publikum der Medien,* seine Merkmale, Motive und die Muster des Mediennutzungsverhaltens, wobei teils mit hohem finanziellen Aufwand in der sog. Mediaforschung die Publika der verbreiteten Medien regelmäßig für die Zwecke der Werbung charakterisiert werden; e) *Wirkung der Medien* auf Wissen und Vorstellungen, Einstellungen und Verhalten, auf Individuen, soziale Gruppen und gesellschaftliche Subsysteme, auf Normen, Werte und gesamtgesellschaftliche Strukturen und Prozesse. – Die Forschungsentwicklung hat einerseits zu immer engeren Fragestellungen, zu speziellen theoretischen und methodischen Ansätzen innerhalb dieser Felder geführt, andererseits aber auch häufiger zu Multimethoden- und Mehrebenenanalysen, die den gesamten Kommunikationsprozeß übergreifen.

III. Institutionalisierung/Studien-gänge: Allgemein wächst die Disziplin auch personell sehr stark, parallel zur wachsenden Bedeutung der Massenkommunikation in der Gesellschaft. Die bedeutendste Vereinigung von Kommunikationsforschern, die *„International Communication Association"*, zählt rund 2500 Mitglieder, vorwiegend US-Amerikaner. Die *„Deutsche Gesellschaft für Publizistik- und Kommunikationswissenschaft"* hat etwas über 300 Mitglieder. – In der Bundesrep. D. wurde in letzter Zeit durch *Einrichtung von Journalistik-Studiengängen* der Praxisbezug von Forschung und Lehre verstärkt. Gegenwärtig gibt es an den Universitäten Berlin, Dortmund, Mainz und München größere Institute für Kommunikationswissenschaft/Publizistik/ Journalistik und rund ein Dutzend weiterer Universitäten mit mindestens einem einschlägigen Lehrstuhl.

Literatur: Bausch, H., (Hrsg.), Rundfunk in Deutschland, 5 Bde., München 1980; Berg, K./Kiefer, M.-L., Massenkommunikation III. Die Langzeitstudie zur Mediennutzung und Medienbewertung 1964–1985, Frankfurt a.M. 1987; Deutsche Forschungsgemeinschaft, Medienwirkungsforschung in der Bundesrepublik Deutschland, Weinheim 1986; Dovifat, E./Wilke, J.; Zeitungslehre, Berlin 1976; Früh, W., Inhaltsanalyse, München 1981; Hess, E.-M.; Leserschaftsforschung in Deutschland, Offenburg 1981; Kepplinger, H. M. (Hrsg.), Angepaßte Außenseiter. Was Journalisten denken und wie sie arbeiten, Freiburg/München 1979; ders. Massenkommunikation. Rechtsgrundlagen, Medienstrukturen, Kommunikationspolitik, Stuttgart 1982; Koszyk, K./Pruys, K. H. (Hrsg.) Handbuch der Massenkommunikation, München 1981; Laswell, H. D., The Structure and Function of Communication in Society, in: Bryson, L. (ed.), the Communication of Ideas, New York 1948, S. 37–51; Lowery Sh./de Fleur, M. L., Milestones in Mass Communication Research, New York & London 1983; Many Voices, One World. Unesco, Paris 1980; Merten, K., Inhaltsanalyse, Opladen 1983; Meyn, H., Massenmedien in der Bundesrepublik Deutschland, Berlin 1979; Noelle-Neumann, E., Öffentlichkeit als Bedrohung. Beiträge zur empirischen Kommunikationsforschung, Freiburg/München 1977; dies./Schulz, W. (Hrsg.). Das Fischer Lexikon Publizistik, Frankfurt a.M. 1988; Ratzke, D., Handbuch der Neuen Medien, Stuttgart 1982; Ronneberger, F., Kommunikationspolitik, 3 Bde., Mainz 1978; Schulz, W., Ausblick am Ende des Holzweges. Eine Übersicht über die Ansätze der neuen Wirkungsforschung, in: Publizistik 27 (1982), S. 49–73.

Prof. Dr. Winfried Schultz

**Kommunikationsmittel,** technische Einrichtungen, die → Informationsübermittlung dienen (Telefon, Fernschreiber u.a.). – Vgl. auch → Kommunikation.

**Kommunikations-mix,** Ergebnis des Entscheidungsprozesses über den kombinierten Einsatz der Kommunikationsinstrumente. – Vgl. auch → Kommunikationspolitik.

**Kommunikationsmodell,** in der → Bürokommunikation ein Modell zur Darstellung von Kommunikationsbeziehungen.

**Kommunikationsnetz,** Gesamtheit der zwischen einigen oder allen betrieblichen Handlungsträgern bestehenden strukturierten → Kommunikationsbeziehungen. – *Darstel-*

*lung* mit Hilfe von → Graphen, wobei die Knoten die einzelnen → Kommunikationspartner und die sie verbindenden Kanten die → Kommunikationswege bzw. → Kommunikationskanäle symbolisieren.

**Kommunikationspartner,** Subjekte und/oder Objekte, zwischen denen eine → Kommunikationsbeziehung besteht. Bei der Interpretation der Unternehmung als Mensch-Maschinen-System sind drei *Kontakte* von K. möglich: a) zwischen Mensch und Mensch (z.B. Telefongespräch), b) zwischen Mensch und Maschine (z.B. Programmierung einer EDV-Anlage), c) zwischen Maschine und Maschine (z.B. automatisierte Fertigung). – Vgl. auch → Kommunikation.

**Kommunikationspolitik. I. Marketing: 1.** *Begriff:* Wichtiges → marketingpolitisches Instrument. Ziel- und Maßnahmenentscheidungen zur Gestaltung der Marktkommunikation als integriertes Element aktiver → Marketingpolitik. – 2. *Zweck:* Findung der zielgruppengerechten Kommunikations-Mixe als jener Kombination von informations- und kommunikationsbezogenen Instrumenten zur Übermittlung von Informationen und Bedeutungsinhalten, die der Steuerung und Beeinflussung von Meinungen, Einstellungen, Erwartungen und Verhaltensweisen gemäß spezifischer Zielsetzungen dienen. – 3. *Elemente:* a) *Werbung (Media-Werbung, Advertising):* Absichtliche und zwangsfreie Form der Beeinflussung, die die Umworbenen zur Erfüllung der → Werbeziele veranlassen soll. W. hat die Aufgabe, durch zielorientiert eingesetzte Informationsmittel und Kommunikation gegenüber Marktpartnern Leistungsprogramme bekanntzumachen sowie deren Absatz zu fördern. – b) *Verkaufsförderung (sales promotion):* Zeitlich gezielt und marktsegmentspezifisch einzusetzendes Instrument der K. Verkaufsförderung informiert und beeinflußt v.a. kurzfristig Verkaufsorganisationen, Absatzmittler und Käufer durch personen- und sachbezogene erweiterte Leistungen zum Angebot. Durch Verkaufsförderung soll insbes. die Media-Werbung ergänzt und koordiniert werden sowie die Effektivität der Absatzhelfer und -mittler erhöht werden. Käufer werden am Verkaufsort (POS) mit speziellen Maßnahmen und Methoden direkt angesprochen. – c) Öffentlichkeitsarbeit (→ *Public Relations*): Die Politik des Werbens um das Vertrauen der Öffentlichkeit. Sie wendet sich an die gesamte Öffentlichkeit und dient der Schaffung und Gestaltung des Firmenimage, um Unternehmensziele besser realisieren zu können. – d) *Persönlicher Verkauf* (personal selling, sales force): Auf dem unmittelbaren Kontakt zwischen Verkäufer und Käufer beim Absatz von Waren und Dienstleistungen beruhend. Große Bedeutung insb. beim Angebot erklärungsbedürftiger Waren (z.B. Investitionsgüter).

II. Kommunikationswissenschaft:
1. *Begriff:* Durch die wachsende Bedeutung von →Information und →Kommunikation in der Gesellschaft fühlen sich der Staat und die verschiedensten Interessengruppen zunehmend herausgefordert, auf diesen Sektor gestaltend einzuwirken. Seit Ende der sechziger Jahre hat sich die Bezeichnung K. (neuerdings häufig auch *Medienpolitik*) eingebürgert für Aktivitäten, die auf die Ordnung der gesellschaftlichen Kommunikation gerichtet sind, speziell auf die Organisation des Mediensystems. – 2. Die K. steht in *enger Wechselbeziehung zur allgemeinen staatlichen Ordnung,* zur Art der Herrschaftsstruktur, politischen Willensbildung und Repräsentation. Sie ist daher einerseits Ausdruck des in der staatlichen Ordnung angelegten Wertsystems, andererseits bestimmt sie die Verwirklichung der Grundwerte entscheidend mit. Aus diesem Grunde kommt dem Art. 5 GG, der Meinungs-, Informations- und Pressefreiheit verbrieft, eine Schlüsselrolle für unsere staatliche Ordnung zu. Das Bundesverfassungsgericht hat diese Auffassung in mehreren Grundsatzentscheidungen bekräftigt. – 3. *Kommunikationspolitische Ordnung der Bundesrep. D.:* Kommunikationspolitische Auffassungen, Absichten, Maßnahmen konkretisieren sich vielfältig, u.a. in Memoranden, Parteiprogrammen, Gesetzen und Verordnungen. Für die kommunikationspolitische Ordnung der Bundesrep. D. sind, neben verschiedenen Artikeln des Grundgesetzes, v.a. die Landespressegesetze und die Rundfunkgesetze bzw. -staatsverträge bestimmend. Auf die Entwicklung der K. haben auch einschlägige Entscheidungen des Bundesverfassungsgerichts einen großen Einfluß. In der öffentlichen Diskussion spielen ferner die Berichte verschiedener Regierungskommissionen eine große Rolle, etwa der Bericht der „Kommission für den Ausbau des technischen Kommunikationssystems (KtK)", sowie die von Zeit zu Zeit herausgebrachten Berichte der Bundesregierung über die Lage der Medien (Medienbericht). – 4. *Kommunikationspolitische Ordnung auf internationaler Ebene:* Entsprechendes gibt es auf internationaler Ebene. Für die Ordnung der internationalen Kommunikation sind besonders die Ergebnisse der regelmäßigen „World Administrative Radio Conference" bedeutsam, auf der sämtliche Frequenzzuteilungen für Radio, Fernsehen und Satellitenfunk geregelt werden. Auf anderen Handlungsebenen, v.a. in den Gremien der UNESCO, wird schon seit Jahen der Plan einer „Neuen Internationalen Informationsordnung" kontrovers diskutiert. In diesem Zusammenhang entstand auch der viel beachtete Bericht der MacBride-Kommission, der eine Bestandsaufnahme des internationalen Kommunikationssystems zu geben versucht. – 5. *Perspektiven:* K. entwickelte sich zu einem eigenständigen Teilgebiet der Politik, zugleich auch zu einer kommunikationswissenschaftlichen Teildisziplin, einer „Solldisziplin", die sich mit den Zielen und Mitteln der gesellschaftlichen Organisation von Kommunikation befaßt.

**Kommunikationsprofil,** in der →Bürokommunikation eine Darstellung charakteristischer Merkmale des Kommunikationsverhaltens, bezogen auf eine einzelne Bürotätigkeit, einen Büroarbeitsplatz (vgl. →Büroarbeit), eine im Bürobereich tätige Person oder eine bestimmte Gruppe solcher Personen.

**Kommunikationsprotokoll,** →Protokoll.

**Kommunikationsprozeß,** Gesamtheit der kommunikativen Beziehungen und deren Ablauf im betrieblichen →Kommunikationssystem. Abgesehen von informalen Erscheinungen im wesentlichen mit dem Begriff →Informationsprozeß identisch.

**Kommunikationsrechner,** Sammelbegriff für Computer mit speziellen Aufgaben der →Datenübertragung in Datenübertragungsnetzen (→Netzwerk).

**Kommunikationssteckdose,** im Zusammenhang mit →ISDN entstandener Begriff, der darauf hinweist, daß alle zur Verfügung stehenden →Kommunikationsdienste über einen Anschluß genutzt werden können und dieser auch in jedem Dienst über dieselbe Teilnehmernummer angesprochen wird.

**Kommunikationsstrategie,** grundlegende Maßnahmen zur Erreichung von Kommunikationszielen bei einer vorgegebenen →Zielgruppe. – *Voraussetzung* ist eine →Marketing-Konzeption auf Basis einer Marktanalyse und die Entwicklung eines strategischen Werbeplans (→Werbeplanung) zur Festlegung der grundsätzlichen Aussagen der Werbebotschaft gemäß den →Werbezielen. – *Ausgangspunkt* ist die Marktsituation mit besonderer Berücksichtigung der Produktlebenszyklen (→Lebenszyklus), des Konkurrenzverhaltens und der Marktlage.

**Kommunikationssubstitution,** Ersetzung eines →Kommunikationswegs durch einen anderen.

**Kommunikationssystem,** Summe aller möglichen →Kommunikationsbeziehungen und →Kommunikationswege zwischen betrieblichen Aufgabenträgern. – Vgl. im einzelnen →Kommunikation IV.

**Kommunikationstechnik,** Oberbegriff für alle technischen Hilfsmittel, die den Prozeß der →Kommunikation unterstützen.

**Kommunikationsweg,** jede →Kommunikationsbeziehung zwischen zwei →Kommunikationspartnern im Rahmen des betrieblichen →Kommunikationssystems. – 1. *Vertikale K.* berühren mehrere Ebenen der →Hierarchie (auch „Befehlskette"); *horizontale K.* verlaufen auf derselben Hierarchieebene. – 2. *Formale K.* sind in der →Organisation geplant (→Informationsweg); *informale K.* entstehen spontan zwischen Betriebsangehörigen. – Die *Leistungsfähigkeit* des Kommunikationssystems hängt von der Anzahl der K. und deren Kapazität ab. – Vgl. auch →Kommunikation. →Weisung.

**Kommunismus.** I. Begriff: 1. K. steht zumeist für *umfassende Gütergemeinschaft* und *Gleichheit der Lebensbedingungen* aller Gesellschaftsmitglieder. Derartige Ideen finden sich zwar bereits bei Platon („Politeia"), Campanella („Der Sonnenstaat") und Morus („Utopia") und wurden auch z. B. von den urchristlichen Gemeinden, religiösen Sekten des Mittelalters oder im Jusuitenstaat in Paraguay (1609–1769) praktiziert; jedoch entstehen sie als ein ausdrücklicher Gegenentwurf zur bestehenden Gesellschaftsordnung erst mit und in der Folge der Französischen Revolution. Diese Ideen zielen im 19. und beginnenden 20. Jh. auf die Abschaffung der durch Laissez-faire-Liberalismus (→Liberalismus) und die damit einhergehenden sozialen Mißstände geprägten privatwirtschaftlichen →Wirtschaftsordnung. – 2. In diesem Zusammenhang werden *K. und* →*Sozialismus* oft synonym verwandt. – Eine *Abgrenzung zwischen beiden* erfolgt gelegentlich dahingehend, daß der K. die radikale Form der Ziele und der Mittel zu deren Erreichung beschreibt. Kommunisten nennen sich auch diejenigen Vertreter des →Marxismus, die die angestrebte neue Ordnung nicht durch evolutionäre Reformen, sondern durch einen revolutionären Umsturz errichten wollen (→Bolschewismus, →Marxismus-Leninismus). – Im Marxismus selbst werden K. und Sozialismus *geschichtsphilosophisch voneinander abgegrenzt* (→historischer Materialismus): Der K. bildet dabei den Endzustand der zwangsläufigen geschichtlichen Entwicklung. Er wird beschrieben als eine Überflußgesellschaft mit Gemeinschaftseigentum an den Produktionsmitteln, in der Arbeitsteilung, Leistungsdruck und der Gegensatz von geistiger und körperlicher Arbeit aufgehoben sind, die Arbeit keine Fron, sondern ein Bedürfnis ist, in der die gesellschaftliche Produktion auf Grund unmittelbarer gesellschaftlicher Absprachen in und zwischen den Produktionsassoziationen in Übereinstimmung mit den gesellschaftlichen Bedürfnissen erfolgt und in der die Konsumgüter entsprechend den individuellen Bedürfnissen verteilt werden („Jeder nach seinen Fähigkeiten, jedem nach seinen Bedürfnissen", K. Marx). Der Sozialismus wird dagegen als eine den K. vorbereitende Übergansphase („niedere Form des K.") nach der revolutionären Beseitigung des →Kapitalismus aufgefaßt.

II. Kritik: Der K. als Gesellschaftskonzeption enthält ausgesprochen menschenfreundliche Ideale (Überfluß, Abwesenheit von Zwang usw.). Wie er jedoch entstehen soll, wie die Koordination des Wirtschaftsprozesses unter kommunistischen Bedingungen konkret zu erfolgen hat und unter welchen Ordnungsbedingungen dieser Zustand erhalten werden kann, wurde bis heute nicht schlüssig abgeleitet. Insbes. das Koordinationsprolem wurde, abgesehen von einigen vagen Hinweisen, von Marx und Engels nicht analysiert. Das Menschenbild nicht mehr selbstinteressierten, sondern ausschl. gruppenbezogenen und gesellschaftlich bewußten Individuums widerspricht allen bisherigen Erfahrungen über die Natur des Menschen. Die notwenidge Umerziehung, mit deren Hilfe auch ggf. andere konzeptionelle Mängel einer kommunistischen Ordnung kompensiert werden sollen, birgt die große Gefahr, daß sich das humane Charakter des K. sehr leicht in sein Gegenteil verkehrt.

**Komoren,** *Islamische Bundesrepublik Komoren,* im Nordausgang der Straße von Mosambik gelegene Inselgruppe mit den Hauptinseln Grande Comore, Anjouan, Moheli. – *Fläche:* 1862 km². – *Einwohner (E):* (1985, geschätzt) 440 000 (236,3 E/km²). – *Hauptstadt:* Moroni auf Grande Comore (22 000 E); weitere wichtige Städte: Mutsamudu auf Anjouan (14 000 E), Fomboni auf Moheli (4500 E). – Unabhängig seit 6. 7. 1975, Islamische Bundesrepublik seit Oktober 1978. *Verwaltungsgliederung:* Drei Inseln mit Autonomierechten. – *Amtssprachen:* Französisch und Arabisch.

Wirtschaft: Wichtigster Wirtschaftszweig ist die *Landwirtschaft,* in der ca. 65% der Erwerbspersonen, v. a. in der Subsistenzwirtschaft, tätig sind. Für die Versorung der Bevölkerung werden Maniok, Süßkartoffeln, Jams, Taro, Reis, Mais sowie Gemüse und Bananen angebaut. Die moderne Landwirtschaft produziert v. a. für den Export: Ylang-Ylang, Vanille, Gewürznelken, Kopra, ferner Kakao, Kaffee, Zimt. Unbedeutende Viehwirtschaft. – *Forstwirtschaft:* Die weitgehende Vernichtung der Waldbestände (u. a. Mahagoni, Palisander, Takamaka) erfordert umfangreiche Wiederaufforstungsmaßnahmen (bisher hauptsächlich mit Eukalyptus, Kasurinen, Zypressen). – Traditionell betriebene *Fischerei* (Fangmenge 1982: 4000 t, jährliches Potential ca. 12 000 t). – Erste Ansätze einer *Industrialisierung* beruhen auf der Verarbeitung heimischer Agrarprodukte. – *Fremdenverkehr:* Ausbau der touristischen Infrastruktur. – Die Mehrheit der 1983 eingereisten 11 441 Auslandsgäste waren Geschäftsleute und ausländisches Hilfspersonal. – *BSP:* (1985) 110 Mill. US-$ (280 US-$ je E). – Öffentliche Auslandsverschuldung: (1982) 153,3 Mill. US-$. – *Export:* (1982) 19 688 Mill. US-$, v. a. Vanille, Parfümessenzen und -öle, Gewürznelken, Kopra. – *Import:* (1982) 32 819 Mill. US-$, v. a. Nahrungsmittel, Erdöl und -produkte, Maschinen und Fahrzeuge, chemische Produkte, Baumaterialien. – *Handels-partner:* Frankreich u.a. EG-Länder, Kanada, USA.

Verkehr: 1982 verfügte das Land über 406 km befestigte *Straßen.* – Der wichtigste *Hafen* Mutsamudu auf Anjouan soll zum Tiefseehafen ausgebaut werden. – Jede Insel hat einen vorwiegend für den Inlandsverkehr genutzten Flugplatz. Internationaler *Flughafen* Hahaya auf Grande Comore. Halbstaatliche Luftverkehrsgesellschaft „Air Comores".

Mitgliedschaften: UNO, AKP, OAU, UNCTAD u.a.

Währung: 1 Komoren-Franc (FC) = 100 Centimes.

**komparative Kosten,** von Ricardo in die reale →Außenwirtschaftstheorie eingeführter Kostenbegriff. Die Produktionskosten eines Gutes A werden im Verhältnis zu den Produktionskosten eines Gutes B ausgedrückt. Auf diese Weise lassen sich für alle Güter k. K. bilden. Ist das Kostenverhältnis des Gutes A zum Gut B kleiner als im Ausland, besitzt das betrachtete Land in der Produktion des Gutes A einen komparativen Vorteil (→Theorem der komparativen Kostenvorteile).

**komparativ-statische Analyse,** Form der wirtschafttheoretischen Analyse, bei der zwei verschiedene Zustände eines ökonomischen Systems miteinander verglichen werden. Aus diesem Vergleich werden dann Schlußfolgerungen gezogen, ohne den Übergang zwischen den verschiedenenen Zuständen zu verfolgen oder zu erklären. – *Gegensatz:* →dynamische Analyse.

**Komparativwerbung,** →vergleichende Werbung.

**Kompatibilität.** 1. *Allgemein:* Verträglichkeit verschiedener Objekte oder Sachverhalte. – 2. *Datenverarbeitung:* V.a. die Möglichkeit, verschiedene Hardwarekomponenten (z.B. Geräte unterschiedlicher Hersteller) bzw. verschiedene →Softwareprodukte zusammen oder aufeinander abgestimmt zu benutzen. – 3. *Wirtschaftswissenschaften:* Vereinbarkeit unterschiedlicher Zielsetzungen (Unternehmungsziele, wirtschaftspolitische Ziele).

**kompatile Datenbank-Schnittstelle (KDBS),** →kompatible Schnittstellen 3 c).

**kompatible Datenkommunikations-Schnittstelle (KDCS),** →kompatible Schnittstellen 3 b).

**kompatible komplexe Datenbank-Schnittstelle (KKDS),** →kompatible Schnittstellen 3 c) (2).

**kompatible lineare Datenbank-Schnittstelle,** →kompatible Schnittstellen.

**kompatible Schnittstellen,** *K-Schnittstellen.* 1. *Begriff:* Im Auftrag des Kooperationsaus-

schusses ADV Bund/Länder/Kommunaler Bereich (KoopA ADV) von der Arbeitsgruppe „Komptible Anwendungsprogrammierung" (→Kompatibilität, →Anwendungsprogramm, →Programmierung) in Abstimmung mit Softwareherstellern (→Softwarehaus) und unter Berücksichtigung von Normungsarbeiten entwickeltes Konzept definierter →Schnittstellen, z.T. schon als Norm verabschiedet. – 2. *Ziel:* Die Entkopplung der Anwendungsprogramme von den Basissystemen (Dateiverwaltungs-, Datenbank- und Datenkommunikationssysteme), so daß Anwendungs- und Basissoftware unabhängig voneinander weiterentwickelt werden können und die Abhängigkeit von bestimmter Hardware und Basissoftware entfällt. – 3. *Schnittstellentypen* nach der Art der Basissoftware: a) kompatible Systemdatei-Schnittstelle (KSDS, z.T. 1984 in DIN 66263 genormt); b) kompatible Datenkommunikations-Schnittstelle (KDCS, für transaktionsorientierte Anwendungssysteme 1986 in DIN 66265 genormt), vgl. auch →Transaktion; c) kompatible Datenbank-Schnittstellen (KDBS): (1) kompatible lineare Datenbank-Schnittstelle (KLDS, 1984 in DIN 66263 genormt) und (2) kompatible komplexe Datenbank-Schnittstelle (KKDS).

**kompatible Systemdatei-Schnittstelle (KSDS),** →kompatible Schnittstellen 2 a).

**Kompensationsgeschäft.** I. Wertpapiergeschäft: Verrechnung von entgegengesetzt lautenden Aufträgen durch eine Bank, ohne daß diese über eine Börse abgewickelt werden, Kauf- oder Verkaufsaufträge von Kunden für amtlich notierte Aktien müssen aufgrund der Allgemeinen Geschäftsbedingungen über eine Börse abgewickelt werden, falls keine andere Weisung vorliegt.

II. Außenhandel: 1. *Begriff:* Warenaustausch ohne Transfer von Zahlungsmitteln zum Gegenstand hat. Die zwischenstaatlichen Wertübertragungen finden nur in Form von Gütern (Dienstleistungen) statt. Wird auch als *Bartergeschäft, Parallelgeschäft* oder *Switch-Geschäft* bezeichnet. – *Anders:* →Gegenseitigkeitsgeschäft. – 2. *Arten:* a) *Einfaches K.:* Geschäft zwischen zwei Partnern, je einer in einem Land. – b) *Erweitertes K.:* In jedem Lande je zwei Partner, z.B. Exporteur des A-Landes (Partner 1) liefert an Importeur des B-Landes (Partner 2), Exporteur des B-Landes (Partner 3) liefert an Importeur des A-Landes (Partner 4); Partner 2 zahlt an Partner 3, Partner 4 an Partner 1.

**Kompensationskalkulation,** →Mischkalkulation.

**Kompensationskriterien,** Begriff der →Wohlfahrtstheorie. Von Kaldor, Hicks, Scitovsky und Little entwickelte Kriterien, mit deren Hilfe Veränderungen der wirtschaftli-

chen Lage und deren Einfluß auf die gesamtwirtschaftliche Wohlfahrt gemessen werden
sollen. Nach den Pareto-Kriterien (→Pareto-
Effizienz) ist der Wechsel von einer wirtschaft-
lichen Lage zur anderen dann durchzuführen,
wenn die Wohlfahrt mindestens eines Indivi-
duums erhöht wird, ohne daß die anderen
Individuen Wohlfahrtseinbußen erleiden.
Diese restriktive Forderung macht jeden wirtschaftlichen Wechsel unmöglich. Die K. stellen demgegenüber auf die Gewinne der
Gewinner und die Verluste der Verlierer ab.
Nach dem Kaldor-Hicks-Kriterium ist ein
Wechsel von einer Situation A zu einer neuen
Situation B dann zu vollziehen, wenn die
Nutznießer dieser Veränderung auf der Basis
der neuen Einkommensverteilung, die sich in
B. ergibt, die Verlierer entschädigen (kompensieren) könnnten. (Die Umverteilung wird
nicht faktisch gefordert, sie muß nur *hypothetisch* möglich sein.) Scitovsky hat nachgewiesen, daß eine Rückkehr von B nach A
vorteilhaft sein kann, wenn die alte Verteilung, die in A bestand, auch für B zugrunde
gelegt wird. Er empfiehlt daher nur dann den
Wechsel, wenn B der Situation A auf der Basis
beider Einkommensverteilungen vorzuziehen
ist. Little wählt als zusätzliches Kriterium die
„Vorteilhaftigkeit" der Verteilungsänderung.
Danach ist auch dann ein Wechsel der wirtschaftlichen Situation vorzunehmen, wenn
lediglich die Verteilungsänderung von Vorteil
ist, ohne daß Kompensation möglich ist.

**Kompensationskurs,** →Liquidationskurs.

**Kompensationsteuer,** bis 1959 für →Kom-
pensationsgeschäfte erhobene Zusatzsteuer
zur →Börsenumsatzsteuer.

**kompensatorische Finanzierung,** →Lomé-
Abkommen, →IMF-Kompensationszah-
lungen bei Exporterlösausfällen.

**kompensatorische Kosten,** Kosten, die in
ihrer Wirkung die Gegenwirkung einer anderen →Kostenart ausgleichen. – *Beispiel:* Mit
steigender Produktionsmenge seien die
Kosten je Leistungseinheit rückläufig. Der
Verkauf dieser steigenden Erzeugung bedinge
ansteigende Werbekosten je zusätzlich zu ver-
kaufendem Stück. Die Kostensenkung der
Produktion wird durch diesen Anstieg der
Werbekosten kompensiert.

**kompensierte Nachfragefunktion,** →Nach-
fragefunktion.

**Kompetenz. I.** Öffentli~hes Recht:
Zuständigkeit zum Erlaß von →Hoheitsakten,
insbes. die K. zur Gesetzgebung (→Gesetzge-
bungskompetenz).

**II.** Organisation: 1. *K.i.e.S.:* Befugnis,
Maßnahmen zur Erfüllung von →Aufgaben
zu ergreifen, die deren Bewältigung der Kom-
petenzträger die →Verantwortung trägt. – 2.
*K.i.w.S.:* Sämtliche organisatorischen, d.h.

offiziellen, generell und dauerhaft wirksamen
Vorschriften für Handlungen in organisatorischen Einheiten. – 3. *Arten:* →Entscheidungs-
kompetenz, →Realisationskompetenz, →Kon-
trollkompetenz.

**Kompetenzabgrenzung,** organisatorische
Formulierung von →Kompetenz durch
→Segmentierung und →Strukturierung. –
Vgl. auch →Stellenbildung.

**Kompetenzbereich,** →Delegationsbereich.

**Kompetenzsystem,** im Rahmen der →Auf-
bauorganisation System der für die einzelnen
→organisatorischen Einheiten formulierten
→Kompetenz.

**Komplement,** Begriff der →Mengenlehre.
Von einer vorher vereinbarten Grundmenge G
ausgehend, versteht man unter dem K. M
einer →Menge M die Menge aller Elemente
aus G, die nicht zu M gehören. M ist also die
→Differenzmenge G/M.

**Komplementär,** natürliche oder juristische
Person, die als Gesellschafter einer →Kom-
manditgesellschaft oder einer →Kommandit-
gesellschaft auf Aktien für deren Verbindlichkeiten mit ihrem vollen Vermögen haftet.
Rechtsstellung entspricht der eines Gesellschafters der OHG. Umstritten ist die K.-
Eigenschaft bei einer GmbH u. Co.

**komplementäre Werbung,** →kooperative
Werbung.

**Komplementärgüter** Erzeugnisse, deren Verwendung zwangsläufig die Verwendung eines
anderen Gutes bedingt, so daß sich beide im
Absatz ergänzen und gegenseitig fördern (z. B.
Briefpapier – Briefumschläge; Schuhe –
Schuhputzmittel). Steigt der Preis eines, und
zwar des für den Ge- oder Verbrauch „primären" Gutes, so nimmt u. U. nicht nur die
Nachfrage nach diesem Gut, sondern – in
gleichem Maße – die Nachfrage nach allen K.
ab.

**Komplementärinvestition,** →Differenzinve-
stition.

**Komplementarität.** 1. *Ergänzungsverhältnis
zwischen zwei Gütern* (komplementäre Güter)
derart, daß der isolierte Besitz eines Gutes
keinen oder nur einen geringen →Nutzen
verschafft. Ist bei Produktionsfaktoren das
Zuordnungsverhältnis derart, daß keine Möglichkeit besteht, das quantitative Verhältnis
zweier Produktionsfaktoren zu variieren, so
spricht man von →limitationalen Faktoreinsatzmengen. – 2. Im *Verhältnis von Zielen* die
Eigenschaft, daß das Erreichen des einen Ziels
auch das Erreichen eines anderen Ziels fördert.

**komplette Auslandsproduktion,** →interna-
tionale Produktion IV.

**Komplex,** Verknüpfung von Einzelheiten zu einem ganzheitlich bestimmten Gebilde oder Gefüge.: In der allgemeinen *Psychologie:* Nicht gestaltete Ganzheiten seelischer Gebilde; in der *Pathopsychologie:* Unbenannte, gefühlsbetonte, affektgeladene Gedanken- oder Vorstellungsgruppen von starker psychodynamischer Wirksamkeit. – *Bedeutung:* K. können die Arbeitsfähigkeit des Menschen hemmen.

**komplexe Prüfung,** →Prüfung.

**Komplexionsgrad,** →optimaler Komplexionsgrad.

**Komplexionstheorie,** →Informatik II 2 e).

**Komponenten einer Zeitreihe,** in der →Zeitreihenanalyse zusammenfassende Bezeichnung für die Bestandteile einer →Zeitreihe, nämlich: Die glatte Komponente (→Trend), die →Konjunkturkomponente, die Saisonkomponente (→Saisonschwankungen) und die zufällige Komponente (Restkomponente), die die verbleibenden Schwankungen (→Zufallsschwankungen) enthält. Ein Zeitreihenwert wird i. d. R. als Summe der Werte der K. aufgefaßt.

**Komponentenmethode,** →Bevölkerungsvorausrechnung 3.

**Kondiktion,** Anspruch auf Rückgabe einer →ungerechtfertigten Bereicherung.

**Konditionalität,** Bezeichnung für die Tatsache, daß der Internationale Währungsfonds (→IMF) seinen Mitgliedern Kredite zur Finanzierung von Zahlungsbilanzdefiziten, die die →Reservetranche übersteigen, nur unter wirtschafts- und währungspolitischen Auflagen gewährt. Bezweckt wird, daß das kreditnehmende Land Maßnahmen zum Abbau seines Zahlungsbilanzdefizits ergreift und damit längerfristig weder sich übermäßig verschulden muß noch Veranlassung zur Sanierung der Zahlungsbilanz durch Einsatz protektionistischer Instrumente (z. B. →Devisenbewirtschaftung) hat. – *Inhalt der Auflagen:* Da die Zahlungsbilanzdefizite i. d. R. aus einer Überbewertung der Währung des betreffenden Landes resultieren, beinhalten die Auflagen v. a. eine Währungsabwertung sowie eine Bekämpfung der Ursachen der Überbewertung, i. d. R. die hohe Inflation. Da diese besonders in →Entwicklungsländern oft auf Defizite im Staatshaushalt zurückzuführen ist, die durch geldmengenwirksame Zentralbankkredite finanziert werden, zielen die Auflagen ferner auf eine Haushaltssanierung durch Ausgabenkürzungen und Einnahmensteigerungen. – Vgl. auch →Bereitschaftskreditabkommen.

**Konditionen,** →Geschäftsbedingungen, →Allgemeine Geschäftsbedingungen, →Lieferungsbedingungen, →Zahlungsbedingungen.

**Konditionenbeitrag,** Marge, die sich als Differenz der mit dem Kunden vereinbarten Kondition und dem am Geld- und Kapitalmarkt gültigen Zins für Gelder gleicher Laufzeit errechnet.

**Konditionenkartell,** →Kartell zur Regelung allgemeiner Geschäfts-, Lieferungs- und Zahlungsbedingungen. Nach §2 GWB Widerspruchskartell (vgl. →Kartellgesetz VII 3 b).

**Konditionenpolitik,** Teilbereich der →Kontrahierungspolitik. K. umfaßt vertragliche Regelungen über →Rabatte, →Lieferungsbedingungen und →Zahlungsbedingungen sowie →Garantieverpflichtungen.

**Konditorei,** →Bäckerei.

**kondizieren,** Zurückfordern einer Leistung (z. B. Übertragung des →Eigentums, Abgabe eines →Anerkenntnisses) als →ungerechtfertigte Bereicherung.

**Kondratieff-Zyklus,** →Konjunkturzyklus c).

**Konfektionierung,** im Rahmen der →unmittelbar kundenorientierten Produktion letzte Fertigungsstufe eines Erzeugnisses, das aus einer größeren Roh- oder Grundstoffmenge bzw. Produkteinheit gewonnen wird, z. B. Herstellung von Bekleidungsstücken, Abfüllvorgänge. – *Ähnlich:* →Formulierung.

**Konferenz.** 1. *Allgemein:* In gleichmäßigem Turnus wiederkehrende oder aus besonderem Anlaß anberaumte Sitzung zum allgemeinen Erfahrungsaustausch oder zwecks Diskussion über ein bestimmtes Problem. – 2. In der *Organisation:* Vgl. →Gremium.

**Konferenzanlagen,** Fernsprechanlagen, meist für den innerbetrieblichen Sprechverkehr, die über Telefonapparate oder Tischmikrofone und Lautsprecher die Unterhaltung mehrerer (bis zu 50) Gesprächsteilnehmer gestatten, wobei jeder jeden hören und mit ihm sprechen kann. Bei Zusammenschaltung mehrerer Kreise läßt sich die Teilnehmerzahl vervielfältigen. Abschaltung einzelner Leitungen vom Zentral-(Direktions-)apparat aus ist möglich.

**Konferenz der Akademien der Wissenschaften in der Bundesrep. D.,** Zusammenschluß der deutschen wissenschaftlichen Akademien (Göttingen, München, Heidelberg, Mainz und Düsseldorf); Sitz in Mainz. – *Aufgaben:* Durchführung gemeinsamer Forschungsvorhaben, Koordination der Arbeiten der Mitglieder, Förderung der Zusammenarbeit auf nationaler und internationaler Ebene.

**Konferenz für internationale Wirtschaftliche Zusammenarbeit (KIWZ),** Konferenz von 19 Entwicklungsländern und 8 Industriestaaten (Dezember 1975–Juni 1977). Die Arbeit der KIWZ wird im Rahmen der UN fortgesetzt.

**Konferenzgespräch,** gleichzeitiger telefonischer Kontakt von maximal 15 Gesprächsteilnehmern an verschiedenen Orten im In- und Ausland zu dem vom Anmelder angegebenen Zeitpunkt. Anmeldung beim Fernamt.

**Konferenz über Sicherheit und Zusammenarbeit in Europa (KSZE),** *Conference on Security and Co-operation in Europe (CSCE),* vom 3.7.1973 bis 21.7.1975 in Helsinki und Genf. Die *KSZE-Schlußakte* wurde am 1.8.1975 in Helsinki von 35 Staaten aus Ost und West unterzeichnet. Sie ist in vier große Abschnitte *(Körbe)* gegliedert und stellt einen Kodex von Regeln für die Verbesserung und Stärkung der Beziehungen zwischen den Völkern, zur Sicherung des Friedens in Europa und für eine verbesserte Zusammenarbeit zwischen den Unterzeichnerstaaten und mit anderen Staaten der Welt dar. Korb I: Fragen der Sicherheit in Europa; Korb II: Zusammenarbeit in den Bereichen der Wirtschaft, Wissenschaft und Technik sowie Umwelt; Korb III: Fragen der Sicherheit und Zusammenarbeit im Mittelmeerraum; Korb IV: Zusammenarbeit in humanitären und anderen Bereichen. Von besonderer Bedeutung für die Wirtschaft sind die Regeln in Korb II. Gefördert werden soll eine Ausweitung des internationalen Handels, die industrielle Kooperation, u.a. durch gemeinsame Projekte, die Zusammenarbeit auf dem Gebiet der Wissenschaft und Technik, die Zusammenarbeit auf dem Gebiet des Umweltschutzes und die Entwicklung des Verkehrswesens sowie des Tourismus. – *Erste Nachfolgekonferenz* 1977–79 in Belgrad mit der Aufgabe, die bei Anwendung der KSZE-Schlußakte erzielten Fortschritte zu überprüfen. – Die 1980–83 mit Unterbrechungen in Madrid durchgeführte *Zweite KSZE-Folgekonferenz* befaßte sich insbes. mit den Möglichkeiten einer weiteren Verwirklichung der in Korb II niedergelegten Zielsetzungen. Von östlicher Seite wird u.a. eine intensivierte Zusammenarbeit in den Sektoren Handel, Industrie, Energie und Technologie angestrebt; von westlicher Seite u.a. Bemühungen, durch eine liberale Haltung des Ostens die Grundlagen für eine echte Kooperation in allen Bereichen des Korbes II zu verbessern. Eine weitere wichtige Zielsetzung dieses Folgetreffens war die Verabschiedung eines Mandats für eine Konferenz über Abrüstung in Europa (KVAE); dabei sind Fortschritte erzielt worden. Die im Schlußdokument der zweiten KSZE-Folgekonferenz niedergelegten Zielsetzungen haben in weiteren KSZE-Treffen 1985 in Ottawa über Fragen der Menschenrechte und Grundfreiheiten sowie zu einem KSZE-Kulturforum in Budapest geführt. 1986 fand ferner ein KSZE-Expertentreffen über menschliche Kontakte in Bern statt. Diese Treffen dienten vornehmlich der Förderung der praktischen Anwendung der in Korb III niedergelegten Menschen-

rechte sowie der Ausbalancierung der Sicherheitsanforderungen aus Korb I. – Die *Dritte KSZE-Folgekonferenz* begann im November 1986 in Wien. Große Bedeutung für die Vorbereitung der Wiener Folgekonferenz kommt den Schlußresolutionen der 6. Interparlamentarischen KSZE-Konferenz im Mai 1986 in Bonn zu, die Fragen der Sicherheit und Zusammenarbeit in Europa, des Umweltschutzes, des Mittelmeerraums, der humanitären Bereiche, der Information und von Kultur und Erziehung zum Gegenstand haben. Als wichtiges *Ergebnis* der KSZW-Konferenzen ist ferner die Veranstaltung einer zweistufigen Konferenz über „Vertrauens- und Sicherheitsbildende Maßnahmen und Abrüstung in Europa" (KVAE) herauszustellen, deren erste Phase im September 1986 in Stockholm abgeschlossen wurde. – Die *Problematik* des schwierigen Verhandlungsprozesses in den KSZE-Folgekonferenzen und Treffen ist v.a. in einer gleichgewichtigen Förderung der KSZE-Bestandteile Sicherheit (Korb I), Wirtschaft (Korb II) und Menschenrechte (Korb III) zu sehen.

**Konfidenzintervall,** *Mutungsintervall, Vertrauensbereich,* Intervall, das im Wege der →Konfidenzschätzung eines →Parameters der →Grundgesamtheit ermittelt wurde und dem ein bestimmtes →Konfidenzniveau (z.B. 0,95) zugeordnet ist.

**Konfidenzkoeffizient,** →Konfidenzniveau.

**Konfidenzniveau,** *Konfidenzkoeffizient,* bei der →Konfidenzschätzung der Prozentsatz, der das „Vertrauen" (die Konfidenz) angibt, mit welchem das →Konfidenzintervall den wahren Wert des zu schätzenden →Parameters einschließt. Das K. wird meist mit einem Wert knapp unter 100 angesetzt.

**Konfidenzschätzung,** die (bei weitem) gebräuchlichste Methode der →Intervallschätzung von →Parametern einer →Grundgesamtheit. Hat man eine qualifizierte und speziell erwartungstreue (→Erwartungstreue) →Schätzfunktion U für einen Parameter $\theta$ mit Varianz $\sigma_U^2$, so kommt es oft vor, daß die zu U gehörende standardisierte (→Standardtransformation) Variable $(U - \theta)/\sigma_U$ eine von $\theta$ unabhängige →Verteilung hat. Dann kann man Werte $u_1$ und $u_2$ derart finden, daß für alle Werte $\theta$ des zu schätzenden Parameters

$$W\left(u_1 \leq \frac{U - \theta}{\sigma_U} \leq u_2\right)$$
$$= W(U + u_2 \sigma_U \leq \theta \leq U + u_1 \sigma_U) = 1 - \alpha$$

ist. Der Wert $(1 - \alpha)$ heißt →Konfidenzniveau (Konfidenzkoeffizient) und wird i.d.R. mit einem Wert knapp unter 1 festgelegt. Ergibt die Stichprobe den Wert u von U, dann ist $[u + u_2 \sigma_U; u + u_1 \sigma_U]$ das →Konfidenzintervall für $\theta$ mit dem Konfidenzniveau $(1 - \alpha)$;

        

verkürzt kann man sagen: In $(1 - \alpha) \cdot 100$ Fällen schließt dieses den zu schätzenden Parameter ein.

**Konfiguration.** 1. *Aufbau eines konkreten* →*Computers* in einem bestimmten Betrieb; gemeint sind i. d. R. die ausgewählten Geräte bzw. Baueinheiten. – 2. Teilweise die *Art der Speicherorganisation* der →Systemprogramme, d. h., an welcher Stelle im Speicher diese jeweils abgelegt sind.

**Konfigurationsmanagement.** 1. *Begriff:* Planung und Weiterentwicklung der Hardware- und Software-Infrastruktur (→Hardware, →Software) eines Unternehmens als ständige Managementaufgabe für die Leitung der Organisations-/EDV-Abteilung. – 2. *Arten:* a) *Strategisches K.:* Umfaßt Entscheidungen hinsichtlich der Organisation der Datenverarbeitung (Zentralisierung/Dezentralisierung von →Anwendungen), die damit verbundenen Konfigurierungsalternativen (→Konfiguration), die Herstellerpolitik (Beschaffung von einem oder mehreren Herstellern) sowie die Auswirkungen auf die interne →EDV-Aufbauorganisation des Unternehmens. b) *Operatives K.:* Erstreckt sich auf Entscheidungen über den →Systembetrieb, die Durchführung der Wartung, kleinere Ersatzbeschaffungen u. ä.

**konfirmatorische Analyse,** →Kausalanalyse 2.

**Konfiskation** Entziehung des →Eigentums zugunsten des Staates (→Fiskus) ganz ohne oder ohne ausreichende Entschädigung. *Sonderfall:* →Einziehung von Gegenständen, mit denen eine strafbare Handlung begangen wurde oder die durch eine strafbare Handlung erworben wurden. – *Anders:* →Enteignung.

**Konflikt.** I. Allgemein: 1. *Begriff:* Universeller, in allen Gesellschaften vorfindbarer Prozeß der Auseinandersetzung, der auf unterschiedlichen Interessen sozialer Gruppierungen beruht und in unterschiedlicher Weise institutionalisiert ist und ausgetragen wird. K. können als Auseinandersetzung, Spannung, Gegnerschaft, Gegensätzlichkeit zwischen Individuen, Individuen und Gruppen, Gruppen und Gruppen, Verbänden, Gesellschaften, Staaten und allen sozialen Assoziationen stattfinden. – 2. *Arten:* a) *manifester K.:* Gewollte Auseinandersetzung; b) *latenter K.:* Permanente Spannung, ohne das es zum offenen K.-Austrag kommt; c) *umgeleiteter K.:* Der K.-Austrag wird in Bereiche verschoben, die für den K. nicht ursächlich sind.

II. Soziologie: Von soziologischem Interesse sind *soziale K.*, d. h. Auseinandersetzungen, die nicht individualpsychologisch begründet sind; zu berücksichtigen ist, daß K. zwischen Individuen ihre eigentlichen Ursachen häufig in sozialen und sachlichen Gegebenheiten haben. – 1. Der Vielfältigkeit sozialer Beziehungen entspricht die *Vielfältigkeit der Erscheinungsformen sozialer K.:* Kriege, Streiks, Aussperrungen, Verteilungs-, Macht-, Status- und Tarifauseinandersetzungen. – Für die Form des *K.-Austrags* sind Intensität, Ausmaß des Einsatzes von Macht und Gewalt und Art, Umfang und Verbindlichkeit von K.-Regelungen entscheidend. – 2. *Ursachen sozialer K.:* a) Nach *Thomas Hobbes* (1588–1679): Destruktive, menschliche Antriebskräte, die nur durch eine gesellschaftliche Herrschaftsordnung kanalisiert werden können. – b) Nach *Karl Marx* (1818–83): Grundsätzliche Interessengegensätze zwischen sozialen Klassen, die ihrerseits aus dem privaten Eigentum an Produktionsmitteln resultieren. – c) Nach *Vilfredo Pareto* (1848–1923): Grundgesetz der Gesellschaft überhaupt, die sich im permanenten – auch mit Gewalt ausgetragenen – Machtkampf zwischen jeweils herrschender und nicht herrschender Elite ausdrückt. – d) Nach *Georg Simmel* (1858–1918) (Begründer der modernen K.-Theorien): Er hat die sozial positiven Funktionen von K. hervorgehoben. – *Positive Funktion des K.:* Der K. führt zur Anpassung sozialer Normen bzw. der Entwicklung neuer sozialer Normen und Regeln. Dadurch entstehen neue soziale Strukturen und Assoziationen und das K.-Geschehen macht den beteiligten Gruppen diese bewußt und ermöglicht damit die sozialverträgliche K.-Lösung. Hinter dieser Position, die K. letztendlich als funktional für die Gesellschaft definiert, steht ein K.-Modell von Gesellschaft, das auf der Annahme eines Pluralismus unterschiedlicher und auch kontroverser Interessen, Einstellungen und Werte beruht und in dem die gewaltfreie Regelung von K. die zentrale Integrationsleistung darstellt. Soziale K. können jedoch nicht grundsätzlich als funktional im Sinn sozialer Integration begriffen werden (v. a. Kriege, Revolutionen, Bürgerkriege) u. a. – 3. *Beurteilung:* Hinsichtlich der Bewertung des sozialen K. wird immer die Form seiner Regelung von besonderer Bedeutung sein. Komplexe Gesellschaften hochindustrialisierten und demokratischen Typs haben ein breites Spektrum von Verfahrensweisen zur K.-Regelung entwickelt (Beispiel: System der rechtlich geregelten Auseinandersetzung der Tarifparteien in der Bundesrep. D.

**Konfliktkurve,** →Kontraktkurve.

**Konflikttheorien,** →Antigleichgewichtstheorie II 3.

**Konformität,** Maß der Einengung der Variabilität im Denken und Handeln innerhalb einer Arbeitsgruppe, ausgelöst durch vorausgehenden Uniformitätsdruck. K. ist bei hoher →Kohäsion wahrscheinlich.

**Konglomerat,** →Mischkonzern.

**Kongo,** *Volksrepublik Kongo,* Staat in Zentralafrika mit Zugang zum Atlantischen Ozean. –

*Fläche:* 342000 km². – *Einwohner* (E): (1985, geschätzt) 1,76 Mill. (5,2 E/km²). – *Hauptstadt:* Brazzaville (480 544 E); weitere wichtige Städte: Pointe Noire (236 584 E), Nkayi (46 727 E), Loubomo (35 566 E). – Seit 1958 autonome Republik innerhalb der Französischen Gemeinschaft; entstanden aus der französischen Kolonie Mittelkongo, die 1910 Teil von Französisch-Äquatorialafrika wurde. *Unabhängig* seit 1960, Volksrepublik, Verfassung von 1979, Einheitspartei. – *Verwaltungsgliederung:* 9 Regionen, Hauptstadtdistrikt Brazzaville, 46 Distrikte. – *Amtssprache:* Französisch.

W i r t s c h a f t : Der K. zählt zu den industrialisierten Ländern Afrikas und ist Mitglied der afrikanischen Franc-Zone, deren gemeinsame Währungseinheit, der CFA-Franc, in einem festen Wertverhältnis zum Französischen Franc steht und nicht konvertierbar ist. – Die *Landwirtschaft* kann aufgrund der niedrigen Produktivität den einheimischen Bedarf an Nahrungsmitteln nicht decken. Insbes. die ungenügende Reis- und Gemüseproduktion macht Importe erforderlich. Wichtige Grundnahrungsmittel sind Maniok, Yams und andere Knollengewächse. Vorwiegend für den Export werden Kaffee, Kakao, ferner Ölfrüchte und Tabak erzeugt. Trotz staatlicher Förderung Stagnation des Viehbestands. – Zentralgelenkte *Holzwirtschaft* durch starken Rückgang der äquatorialen Waldzone schwer betroffen. Laubholzeinschlag: (1983) 2,24 Mill. m³. – Bedeutende *Fischerei* (Fangmenge 1983: 31 926 t). – *Bergbau und Industrie:* Wichtigstes Exportprodukt des Bergbaus ist das Erdöl. Weitere Bodenschätze sind Kalisalze, Gold, Kupfererz, Bleierz, Eisenerz, Manganerz, Phosphate, Diamanten und Kalksteinvorkommen. Am besten entwickelt ist die Nahrungsmittelindustrie (Zuckerfabriken, Mühlenwerke, Brauerein). Die holzverarbeitende Industrie umfaßt 24 Sägewerke und 4 Furnierschälwerke. U. a. gibt es Betriebe der chemischen Industrie, Tabakverarbeitungsbetriebe, eine Textilfabrik, eine Flußschiffswerft; seit 1983 eine Erdölraffinerie. Bedeutendste Industrieprojekte sind die Erweiterung des Zementwerkes in Loutete und der Bau einer Zellulosefabrik. – Um den *Fremdenverkehr* zu fördern, soll die touristische Infrastruktur ausgebaut werden. – *BSP:* (1985, geschätzt) 1910 Mill. US-\$ (1020 US-\$ je E). – *Öffentliche Auslandsverschuldung:* (1984) 76,2% des BSP. – *Inflationsrate:* (Durchschnitt 1973–84) 12,3%. – *Export:* (1983) 1066 Mill. US-\$, v. a. Erdöl, Holz, Diamanten, ferner Kaffee, Kakao. – *Import:* (1983) 806 Mill. US-\$, v. a. Fertigwaren, Investitionsbedarf, Nahrungsmittel. – *Handelspartner:* EG-Länder, USA.

V e r k e h r : 1983 hatte das *Straßennetz* eine Länge von 11 000 km, davon waren 547 km asphaltiert. Vorgesehen ist der Bau von 1340 km asphaltierten Straßen. – Die Streckenlänge

der *Eisenbahn* betrug (1981) 1040 km. Wichtigste Verbindungen sind die Strecke Pointe Noire–Brazzaville und die in Privatbesitz befindliche Linie Mbinda–Mont Bélo, die fast ausschl. dem Abtransport von Manganerz aus dem Gabun dient. – Die *Handelsflotte* zählte (1984) 21 Schiffseinheiten mit einer Gesamttonnage von 8458 BRT. *Häfen* der See- und Küstenschiffahrt: Pointe Noire (Ausbau geplant) und Djeno. Bedeutende *Binnenschiffahrt.* – Das *Inlandsflugnetz* wird von der nationalen *Fluggesellschaft* „Lina Congo" betrieben. Beteiligung an der Luftverkehrsgesellschaft „Air Afrique". Internationale *Flughäfen:* Brazzaville und Pointe Noire.

M i t g l i e d s c h a f t e n : UNO, AKP, CCC, OAU, UNCTAD u. a.

W ä h r u n g : 1 CFA-Franc = 100 Centimes.

**Kongruenzprinzip,** →Bilanzidentität.

**konjekturale Anpassung,** Anpassung der Absatzmenge an den „vermuteten" Preis oder Anpassung des Preises an die erwartete Absatzmenge. Die konjekturale →Preis-Absatz-Funktion bildet i. d. R. eine fallende *Kurve,* deren Ordinate der Preis und deren Abszisse die Absatzmenge ist.

**Konjunktion,** im aussagenlogischen Sinn Verknüpfung von zwei oder mehreren Aussagen. Wird auch als *logisches Produkt* bezeichnet und symbolisch dargestellt durch $p \wedge q$ (sprich *p* und *q*). Die Kombination der Wahrheitswerte von Aussagen führt zu einer *Wahrheitsmatrix.*

**Konjunktur,** die durch das Zusammenwirken sämtlicher ökonomischen Bewegungsvorgänge zu einer von ihrer Richtung und Intensität bestimmten wirtschaftlichen Gesamtlage. – 1. Im *allgemeinen Sprachgebrauch* wird der Begriff K. als Aufschwung bzw. Aufschwungphase verwendet. – 2. In der *Konjunkturtheorie* wird der Begriff K. verwendet, um die Existenz von zyklischen Bewegungen (→Konjunkturzyklus) anzuzeigen und die wirtschaftliche Lage eines Sektors oder der gesamten Wirtschaft im Verlauf eines solchen Zyklus zu beschreiben. Die Konjunkturtheorie ist bestrebt, Erklärungsansätze für die Existenz von K.-Zyklen zu liefern; die →Konjunkturpolitik ist die Gesamtheit aller wirtschaftspolitischen Maßnahmen zur Abschwächung der →Konjunkturschwankungen. – Vgl. auch →Mengenkonjunktur, →Preiskonjunktur.

**Konjunkturausgleichsrücklage,** bei der Deutschen Bundesbank angesammelte unverzinsliche Guthaben des Bundes und der Länder. Nach näherer Maßgabe des Haushaltsplans oder einer Rechtsverordnung der Bundesregierung haben bei einer die volkswirtschaftliche Leistungsfähigkeit übersteigenden Nachfrageausweitung Bund und Länder zur Erreichung der Ziele des Stabilitätsgesetzes als

Operationalisierung einer →antizyklischen Finanzpolitik (→finanzpolitische Stabilisierungsfunktion) der K. Mittel zuzuführen ist zu 3 v. H. der jährlich erzielten Steuereinnahmen (§§ 15 ff. StabG). – *Zweck:* Die K. soll bei einer Abschwächung der allgemeinen Wirtschaftstätigkeit im Interesse des gesamtwirtschaftlichen Gleichgewichts zusätzliche Ausgaben ermöglichen. – *Zuführungen* 1969, 1970 und 1971 bis zur Höhe von 4,1 Mrd. DM; *Verausgabungen* 1972 und 1974 bis 1976 führten die K. auf Null zurück.

**Konjunkturbarometer,** *Wirtschaftsbarometer,* methodisches Verfahren zur Vorhersage des konjunkturellen Verlaufs (→Konjunkturprognose). Das K. beruht auf der Annahme, daß das *mehrfach* beobachtete Aufeinanderfolgen statistischer Indikatoren invariant ist. Wenn also in der Vergangenheit bestimmte Zeitreihen der allgemeinen konjunkturellen Entwicklung *immer* vorangeeilt sind, wird postuliert, daß das auch in Zukunft der Fall ist. Aus der Entwicklung dieser Zeitreihen kann dann die Entwicklung der allgemeinen Konjunktur vorhergesagt werden. K., die sich auf nur eine Zeitreihe stützen, haben im allgemeinen versagt, bessere Prognosen konnten mit den →Mehrkurven-Barometern erreicht werden (vgl. auch →Barometersystem). – Ein genereller *Nachteil* von K. ist die Tatsache, daß nur die Wendepunkte der konjunkturellen Entwicklung, nicht aber die Stärke der Amplituden, d. h. die Abweichungen der wirtschaftlichen Entwicklung von der Normalentwicklung, vorausgesagt werden können.

**Konjunkturdiagnose.** 1. *Begriff:* Bestimmung des konjunkturellen Ist-Zustands einer Wirtschaft. – *Anders:* →Konjunkturprognose. – 2. *Methoden:* a) →Zeitreihenanalyse: Zeitreihen bestimmter makroökonomischer Größen (z. B. Bruttosozialprodukt, Volkseinkommen, Konsum und Investitionen) können herangezogen werden. Zu einer differenzierteren K. wird eine Vielzahl weiterer Zeitreihen verwendet; b) →Konjunkturindikatoren, die mittels Zeitreihen konstruiert werden können; c) Befragungen zahlreicher Unternehmen über den gegenwärtigen Konjunkturzustand: In der Bundesrep. D. werden solche Befragungen vom →IFO-Institut für Wirtschaftsforschung durchgeführt (vgl. auch →Konjunkturtest, →Tendenzbefragung); d) Vergleich von →Produktionspotential und tatsächlicher Produktion: Aus diesem Verlgeich wird der konjunkturelle Zustand einer Wirtschaft abgeleitet (vgl. auch →Auslastungsgrad). – Besondere Probleme weist die Diagnostizierung des unteren und oberen Wendepunktes (→Konjunkturphasen) auf: Nach dem unteren (oberen) Wendepunkt müssen die gesamtwirtschaftlichen Aktivitäten zu(ab-)nehmen, so daß die Diagnose dieser Wendepunkte die Prognose des zukünftigen Kon-

junkturverlaufs impliziert. – 3. *Anwendung:* Wichtig für die →Konjunkturpolitik, da eine genaue Kenntnis des gegenwärtigen Konjunkturzustands notwendig ist, um geeignete wirtschaftspolitische Maßnahmen nach Art, Höhe und zeitlichem Einsatz ergreifen zu können. – Vgl. auch →Gemeinschaftsdiagnose.

**Konjunkturdienst,** periodische, wirtschaftliche Berichterstattung mit der Absicht, Ergebnisse der →Konjunkturforschung für die Einzelwirtschaften nutzbar zu machen. Dem K. dienen im Bundesgebiet z. B. folgende *Veröffentlichungen:* „IFO-Schnelldienst" des IFO-Instituts für Wirtschaftsforschung, München; „iw-eil" des Instituts der Deutschen Wirtschaft, Köln; „Außenhandelsdienst" des Deutschen Wirtschaftsdienstes, Köln, sowie die Publikationen anderer Wirtschaftsforschungsinstitute.

**konjunkturelle Arbeitslosigkeit,** →Arbeitslosigkeit II 1.

**konjunktureller Impuls,** Begriff der Finanzwissenschaft: Die konjunkturelle Wirkung des →Budgets. – Vgl. auch →Budgetkonzepte.

**konjunkturelles Defizit,** der Teil des Gesamtdefizits der öffentlichen Haushalte, der eindeutig konjunkturell entstanden ist, v. a. über konjunkturbedingte Steuerausfälle auf der Einnahmenseite des Haushalts. Das k. D. wird bei der Ermittlung des →strukturellen Defizits einbezogen.

**konjunkturelle Verstärkereffekte,** Bezeichnung der Konjunkturtheorie für die Kräfte, die den konjunkturellen Auf- oder Abschwung verstärken. K. V. können z. B. aus dem Zusammenwirken von →Multiplikator und →Akzelerator oder aus sich verändernden Erwartungen entstehen.

**Konjunkturempfindlichkeit,** die nach Wirtschaftszweigen, Industriegruppen oder Gütern unterschiedliche Beeinträchtigung des Geschäftserfolgs durch konjunkturelle Schwankungen. In der Depressionsperiode (→Depression) erleidet zuerst die Investitionsgüter-Industrie Einbußen, da sich deren Abnehmer wegen der verschlechterten Ertragsbedingungen auf die dringlichsten Ersatzbeschaffungen beschränken. Im weiteren Verlauf des konjunkturellen Abschwungs wird auch die Konsumgüter-Industrie durch den Kaufkraftrückgang betroffen, je nach Maßgabe der Nachfrageelastizitäten ihrer Produkte. Nur wenige Branchen (z. B. Produktion lebenswichtiger Güter) können ihre Kapazität auch in der →Depression voll ausnutzen.

**Konjunkturforschung.** 1. *Begriff:* Wissenschaftlich-methodisches Bemühen, die konjunkturelle Entwicklung der Wirtschaft zu analysieren, zu erklären und zu prognostizieren. Man versteht unter K. zumeist die *empi-*

*risch* orientierte Konjunkturbetrachtung im Unterschied zu der rein theoretischen Konjunkturlehre (vgl. →Konjunktur, →Konjunkturtheorien). – 2. *Arbeits-Teilgebiete* u. a.: →Branchenbeobachtung, →Konjunkturdiagnose, →Konjunkturprognose sowie die Verfolgung der jeweiligen konjunkturellen Entwicklung in einzelnen Ländern, Regionen und weltweit. – 3. *Verfahren:* a) die mit →Konjunkturindikatoren arbeitenden Verfahren; b) analytische Verfahren, die am Instrumentarium der →Volkswirtschaftlichen Gesamtrechnungen (VGR) ansetzen; c) ökonometrische Konjunkturmodelle (→Ökonometrie II). – 4. *Träger:* →Sachverständigenrat zur Begutachtung der gesamtwirtschaftlichen Entwicklung, →Wirtschaftsforschungsinstitute, Universitätsinstitute, Verbände, Banken und private Beratungsgesellschaften.

**Konjunkturforschungsinstitute,** →Wirtschaftsforschungsinstitute.

**konjunkturgerechter Haushalt,** Weiterentwicklung des Konzepts des →konjunkturneutralen Haushalts; ein →Budgetkonzept. Der k. H. stellt deutlicher auf einen notwendigen →konjunkturellen Impuls der öffentlichen Haushalte ab; die gemäß dem konjunkturneutralen Haushalt ermittelten tatsächlichen expansiven oder kontraktiven Impulse werden mit denjenigen verglichen, die notwendig wären, wenn bei einer gegebenen Abweichung vom Gleichgewichtspfad die Haushaltspolitik ein Nachfragedefizit oder -überschuß ausgleichen sollte. Der k. H. zeigt die quantitativen Effekte der jeweiligen Haushaltspläne auf.

**Konjunkturgeschichte,** chronologische Darstellung der Wirtschaftsbewegungen seit Erkenntnis ihres rhythmischen Ablaufs. K. löste die nicht an Periodizität gebundene →Krisengeschichte ab. – 1. *Voraussetzungen:* Echte →Konjunkturen konnten sich erst in einer ausgebildeten Marktwirtschaft – mit weitgehender Entfaltung der privat- und weltwirtschaftlichen Arbeitsteilung – einstellen. Wirtschafts- und Sozialgeschichte lehren, daß sich dieser enge Zusammenhang aller Wirtschaftselemente im Laufe des 18. Jh. einspielte und anfangs des 19. Jh. zu klaren Konjunkturbildungen führte. – 2. Als *Ausgangsstellung* für periodische Wirtschaftszyklen gilt nach Tugan Baranowski die englische Krise von 1825. Dafür spricht, daß danach drei gleich lange – 10- bis 11jährige – Zyklen (Krisen von 1836, 1847, 1857) folgten; andererseits lassen die Goldfelderentdeckungen und sprunghaften organisatorisch-technische Fortschritt um 1850 erkennen, in welch hohem Maße die Konjunkturverläufe von äußeren Datenveränderungen beherrscht werden. – 3. *Wendejahre des Aufschwungs* nach der Krise von 1857 waren: 1866/67, 1873, 1882, 1890, 1900, 1907, 1913 (aufgefangen durch den Ersten Weltkrieg). Die Intervalle weisen eine deut-

liche Tendenz zu immer kürzeren Zyklen auf, eine Folge des allgemein verschärften Tempos und der weltwirtschaftlichen Verflechtung. – 4. *Nach 1920:* Im wesentlichen durch kriegs- und nachkriegsbedingte Störungen (Politik der Siegermächte) bestimmt; aus ihnen folgte die von ungewöhnlich hoher Arbeitslosigkeit begleitete Krise und langandauernde Depression der 30er Jahre. Alle bedeutenden kapitalistisch organisierten Volkswirtschaften versuchten, durch staatliche Eingriffe und verschiedenartige Lenkungsmaßnahmen den Konjunkturzyklus durch Konjunkturstabilisierung unwirksam zu machen. – 5. *Nach 1945:* Die Konjunkturen verlaufen gleichfalls stark staatlich gesteuert, mit dem bisherigen Ergebnis, die früher mit großen sozialen Härten und zahllosen Unternehmungszusammenbrüchen verbundene Depressionsphase wesentlich zu mildern bzw. in eine Abschwungperiode umzuwandeln. Politische Ereignisse (v. a. Kriege) erschweren eine rein marktwirtschaftliche →Konjunkturpolitik.

**Konjunkturindikatoren.** 1. *Begriff:* Ökonomische Zeitreihen und aus ihnen abgeleitete Meßgrößen, die den Konjunkturverlauf anzeigen. – 2. *Konstruktion:* a) Die gebräuchlichste Konstruktion von K. geht auf ein Verfahren, das von W. C. Burns und F. Mitchell für das →National Bureau of Economic Research (NBER) entwickelt wurde, zurück, entsprechend auch als *NBER-Indikatoren* bezeichnet. Danach werden 21 Zeitreihen in drei Gruppen zusammengefaßt: vorlaufende, gleichlaufende und nachlaufende Reihen (leading, coinciding, and lagging series, auch leaders, laggers und coinciders genannt), die dem „eigentlichen" Konjunkturverlauf, dargestellt durch den Referenzzyklus (hypothetischer Vergleichszyklus), zeitlich vorauseilen, mit ihm zusammenfallen und ihm hinterhereilen. – b) Auf den →Sachverständigenrat zur Begutachtung der gesamtwirtschaftlichen Entwicklung zurückgehende Konstruktion eines Gesamtindikators: Das arithmetische Mittel aus den von eins bis vier reichenden „Noten", mit denen jede von zwölf Einzelreihen bewertet wurde. – 3. *Anwendung:* Unbestritten kann mit K. der vergangene Konjunkturverlauf gemessen werden. Ob und inwieweit mit K., insbes. mit vorlaufenden Indikatoren der zukünftige Konjunkturverlauf prognostiziert werden kann, ist umstritten. (→Konjunkturdiagnose, →Konjunkturprognose). – Vgl. auch →Diffusionsindex, →Hardvard-Barometer.

**Konjunkturkartelle,** →Kartellgesetz.

**Konjunkturkomponente,** in der Zeitreihenanalyse →Komponente einer Zeitreihe, die meist in den →Trend aufgenommen wird.

**Konjunkturmodell,** Erklärung der Existenz von →Konjunkturschwankungen durch das Erstellen eines formalen →Modells. Um formal als K. gelten zu können, muß ein Modell Differenzen- und/oder Differentialgleichungen 2. Ordnung aufweisen. Zu unterscheiden: →endogene Konjunkturmodelle und →exogene Konjunkturmodelle. Zur Darstellung von Einzelmodellen vgl. →Konjunkturtheorie II.

**konjunkturneutraler Haushalt,** Konzept des →Sachverständigenrates zur Begutachtung der gesamtwirtschaftlichen Entwicklung (1967/68). Haushalt, bei dem durch finanzpolitische Maßnahmen (→Finanzpolitik) der Auslastungsgrad des Produktionspotentials nicht verändert wird. Der. k. H. ist ein →Budgetkonzept. – Aus der Konstruktion des k. H. resultierende *Regeln:* a) Konjunkturneutral sind die →*öffentlichen Ausgaben* dann, wenn sie, auf ein Basisjahr bezogen, proportional zum Produktionspotential zu- oder abnehmen. (Als Basisjahr wird der Zeitraum angenommen, in dem die öffentlichen Ausgaben eine den allokativen und distributiven Zielinhalten gemäße Quote aufweisen.) – b) Konjunkturneutral sind *Steuereinnahmen,* die den gleichen prozentualen Zuwachs wie das →Volkseinkommen haben (Aufkommenselastizität der Einnahmen = 1). – c) Konjunkturneutral ist die *öffentliche Verschuldung* (→öffentliche Kreditaufnahme), insoweit ihre Zuwachsrate des Produktionspotentials entspricht. – Vgl. auch →konjunkturgerechter Haushalt.

**Konjunkturphasen.** I. **Begriff:** Von der Konjunkturtheorie vorgenommene Einteilung des →Konjunkturzyklus in markante Abschnitte.

II. **Arten:** 1. *Klassifikation nach Haberler:* Es werden zwei Phasen unterschieden: Expansion (Prosperität) und Kontraktion (Depression). Die Kontraktionsphase wird durch den oberen Wendepunkt (Krise) eingeleitet.

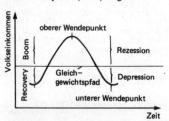

2. *Klassifikation nach Schumpeter:* Er geht von einem störungsfreien Normalverlauf der wirtschaftlichen Entwicklung aus und unterscheidet neben dem oberen und unteren Wendepunkt vier K. Solange sich die Wirtschaft unterhalb der Gleichgewichtslinie in der Aufschwungszone befindet, liegt die Erholungs- oder Recovery-Phase vor. Nach Überschrei-

ten der Normallinie wird der Boom erreicht, der nach dem oberen Wendepunkt in die Rezession übergeht. Im Gebiet unterhalb der Normallinie und vor dem unteren Wendepunkt liegt die Depressionsphase.

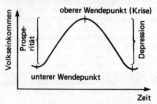

3. *Klassifikation der modernen Theorie:* Diese faßt die Konjunkturschwankungen als zyklische Bewegungen um einen exponentiellen Wachstumstrend auf. Sie unterscheidet neben oberem und unterem Wendepunkt vier K. Die Aufschwungsphase nach dem unteren Wendepunkt wird als *Expansionsphase,* gekennzeichnet durch verbesserte Kapazitätsauslastung, steigende private Investitionen und Lohnsumme, zunehmendes Volkseinkommen und erhöhten privaten Konsum, bezeichnet. Die Expansionsphase geht in den *Boom* über, sobald die Produktionsfaktoren voll beschäftigt sind, eine Erhöhung des realen Volkseinkommens ist nicht mehr möglich, es kommt zu starken Preissteigerungen und erheblichen Störungen des Geld- und Kapitalmarktes. Nach Erreichen des oberen Wendepunktes geht die Entwicklung in die *Kontraktion* über, die in der Boomphase bei überhöhtem Zinsniveau durchgeführten Investitionen erweisen sich bei jetzt vorherrschender relativer Preisstabilität als unrentabel, es kommt zu einem Rückgang der privaten Investitionen und zu einem Stillstand des privaten Konsums. Gewinne und Lohnsumme sinken, zahlreiche Unternehmen geraten in Schwierigkeiten. (Die Theorie unterscheidet in diesem Stadium zwei Ausprägungsformen des Abschwungs. Wenn das Volkseinkommen absolut sinkt, wird diese Phase als *Kontraktion,* wenn lediglich die Wachstumsrate des Volkseinkommens sinkt, wird sie als *Rezession* bezeichnet.) Die Phase kurz vor dem unteren Wendepunkt ist die *Depressionsphase,* gekennzeichnet durch Arbeitslosigkeit, fallende Kapazitätsauslastung, geringe Investitionstätigkeit und hohe Bankenliquidität. Die moderne Theorie bemüht sich, mit dieser Einteilung eine für alle K. brauchbare Klassifikation zu geben.

4. *Weitere Einteilungen:* Das Harvard-Institut unterscheidet fünf K., das Institut für Konjunkturforschung vier K.

**Konjunkturpolitik.** I. **Begriff:** 1. *I. e. S.:* Jener Teil der staatlichen →Wirtschaftspolitik, der die Dämpfung oder Vermeidung von

→Konjunkturschwankungen zur Aufgabe hat. Im Vordergrund steht hierbei die Vermeidung konjunktureller →Arbeitslosigkeit (→Beschäftigungspolitik). – 2. *I. w. S.:* Die K. hat zur Aufgabe, im Konjunkturverlauf ein Bündel gesamtwirtschaftlicher Ziele zu erreichen, wie Stabilisierung des Preisniveaus, Vollbeschäftigung, ausgeglichene Zahlungsbilanz. Hierfür hat sich weitgehend der Begriff →Stabilitätspolitik (Stabilisierungspolitik) durchgesetzt.

II. Theoretische Fundierung: 1. Bis zur Weltwirtschaftskrise ging man von der *grundsätzlichen Stabilität des privaten Sektors einer Marktwirtschaft* aus. Nach dieser Anschauung sorgte der Marktmechanismus für Gleichgewicht auf allen Märkten, einschl. des Arbeitsmarktes. – Unter dem Eindruck der Weltwirtschaftskrise und der von J. N. Keynes entwickelten Lehre der Unterbeschäftigung (→Keynessche Lehre) wurde die Vorstellung von den Selbstregulierungsmechanismen einer Marktwirtschaft weitgehend aufgehoben. Das *Konzept der Instabilität des privaten Sektors (Konzept der keynesianischen K.)* trat in den Vordergrund mit der daraus resultierenden Verpflichtung des Staates, stabilisierend in den Wirtschaftsablauf einzugreifen. Hierbei stand zumeist die Vermeidung konjunktureller Arbeitslosigkeit im Vordergrund. Mangelnde private Nachfrage auf den Gütermärkten wurde als die eigentliche Ursache dieser Arbeitslosigkeit betrachtet, so daß zusätzliche staatliche Nachfrage notwendig wurde, um die Arbeitslosigkeit zu beseitigen. Staatlicher Interventionismus wurde damit zum Kennzeichen einer keynesianischen K. Da zusätzliche staatliche Güternachfrage nur durch zusätzliche Staatsausgaben zu realisieren ist, ist diese K. fiskalpolitisch orientiert. Die Bedeutung der Geldpolitik als Instrument der K. tritt in den Hintergrund. – Die Vorstellung, daß der Staat in einem Konjunkturabschwung (→Konjunkturphasen) stabilisierend einzugreifen habe, wurde *ausgebaut zum Konzept der antizyklischen K.:* Hiernach sind vom Staat im Abschwung expansive und im Aufschwung kontraktive Maßnahmen zu ergreifen, so daß im Idealfall die wirtschaftliche Entwicklung ohne konjunkturelle Abweichungen vom langfristigen Wachstumspfad (→Wachstumstheorie) erfolgen kann. – Die auf diesen theoretischen Überlegungen aufbauende praktische K. konnte nach dem Zweiten Weltkrieg in vielen westlichen Ländern bedeutende Erfolge erzielen: In der Bundesrep. D. war die Überwindung der Rezession von 1966/67 der markanteste Erfolg dieser so konzipierten K.

2. Bereits in den fünfziger Jahren kamen Zweifel an der Richtigkeit dieser theoretischen Fundierung einer staatlichen K. auf, die durch die Mißerfolge keynesianischer K. in den siebziger Jahren in vielen westlichen Ländern,

darunter auch in der Bundesrep. D., verstärkt wurden. Die mit dem Namen M. Friedman untrennbar verbundenen Überlegungen des →*Monetarismus* knüpften an den klassischen Vorstellungen der *grundsätzlichen Stabilität des privaten Sektors* an. Nach diesen Vorstellungen sind die in der Realität zu beobachtenden konjunkturellen Fehlentwicklungen nicht so sehr das Ergebnis endogener Marktprozesse, als vielmehr das Ergebnis staatlicher Interventionen. Da nämlich Ausmaß und zeitliche Wirkung staatlicher Maßnahmen exante nicht genau bekannt sind, kann eine staatliche K., die antizyklisch wirken soll, genau das erzeugen, was sie zu verhindern trachtet, nämlich konjunkturelle Fehlentwicklungen. Die Konsequenz dieser Anschauung besteht darin, daß der Staat sich möglichst einer K. enthalten solle. An Stelle der diskretionären Maßnahmen einer K. keynesianischer Prägung tritt somit die Vorstellung von der *Verstetigung der K.* – Eine zentrale Rolle kommt hierbei einer verstetigten Geldpolitik zu. Hintergrund hierfür ist der nach Meinung der Monetaristen nicht exakt vorhersehbare Zeitbedarf, den monetäre Impulse benötigen, um auf den güterwirtschaftlichen Bereich einzuwirken (Transmissionsmechanismus). Eine antizyklische Geldpolitik würde faktisch eher destabilisierend als stabilisierend wirken. Deswegen soll nach monetaristischer Auffassung eine verstetigte Geldpolitik so betrieben werden, daß die Geldmenge mit einer konstanten Wachstumsrate zunimmt. Die Bedeutung fiskalpolitischer Maßnahmen wird relativ gering eingeschätzt. Diese führen höchstens zu einer Verschiebung von Kaufkraft zwischen dem privaten und staatlichen Sektor, und damit entfallen inflationäre Wirkungen. Auch seien die Beschäftigungswirkungen dieser Maßnahmen, sofern sie überhaupt existieren, höchstens kurzfristiger Natur.

3. In den letzten Jahren wurden neokeynesianische und neoklassische Begründungen für eine K. erarbeitet: a) In der *neokeynesianischen Theorie* spielen durch Ungleichgewichte hervorgerufene Mengenrationierungen auf den Märkten eine zentrale Rolle. Je nach Art des Ungleichgewichts ergibt sich eine andere Kombination von geld- und fiskalpolitischen Maßnahmen (policy mix) zur Beseitigung konjunktureller Ungleichgewichte. – b) In der *neoklassischen Theorie*, die auch große Teile monetaristischen Gedanken beinhaltet, spielen rationale →Erwartungen eine wesentliche Rolle. Werden demzufolge wirtschaftspolitische Maßnahmen, insbes. Maßnahmen der Geldpolitik, von den Wirtschaftssubjekten antizipiert, so sind sie *real* wirkungslos, da sie in steigenden Zinsen, Löhnen und Preisen vorweggenommen werden. Reale Effekte treten nur ein, wenn die Wirtschaftssubjekte von der konjunkturellen Maßnahme überrascht werden. – Eine besondere Richtung der neo-

klassischen Theorie bildet die →*Angebotsökonomik*. Hier wird die Rolle der Angebotsseite der Wirtschaft betont. Durch Beseitigung institutioneller Hemmnisse (Deregulierung) und Förderung geeigneter marktwirtschaftlicher Rahmenbedingungen sollen die Renditeerwartungen der Unternehmer erhöht werden mit der Folge, daß durch daraufhin steigende Investitionen eine Unterbeschäftigung abgebaut werden kann.

III. Z i e l e : 1. Allgemein besteht das Ziel der K. darin, Konjunkturausschläge zu mindern bzw. zu vermeiden und insbes. Vollbeschäftigung sicherzustellen. Im Zuge der Entwicklung von der K. zur Stabilisierungspolitik wurde der Zielkatalog erweitert. Zu den Zielen der K. gehören heute auch Preisstabilität sowie eine ausgeglichene Zahlungsbilanz und – mit Einschränkungen – angemessenes Wirtschaftswachstum. – a) *Vollbeschäftigung:* Die Vermeidung konjunkturell bedingter Arbeitslosigkeit gehört zu den ursprünglichen und wichtigsten Aufgaben der K. Auf diese Weise sollen die sozialen und wirtschaftlichen Nachteile der Arbeitslosigkeit für die Betroffenen sowie Produktionsausfälle und Wachstumsverluste für die Gesamtwirtschaft vermieden werden. – b) *Preisstabilität:* Werden anhaltende Steigerungen des Preisniveaus (→Inflation) von den Wirtschaftssubjekten nicht korrekt antizipiert, so führen sie in einer Marktwirtschaft zu Fehlallokationen knapper Ressourcen und zu sozial unerwünschten Verteilungswirkungen. Eine Bekämpfung inflationärer Tendenzen, wie sie insbes. mit der Boomphase eines Konjunkturzyklus oft einhergehen, gehört deswegen zu den Hauptaufgaben der K. – c) *Ausgleich der →Zahlungsbilanz:* Dieses Ziel operationalisiert die Vorstellung, daß offene Volkswirtschaften sich im außenwirtschaftlichen Gleichgewicht befinden müssen, wenn sie ungehindert an der internationalen Arbeitsteilung (→Außenwirtschaftspolitik) teilnehmen wollen. – d) *Angemessenes Wirtschaftswachstum:* Dieses Ziel ist strenggenommen bereits der →Wachstumspolitik zuzuordnen. Doch weist die angebotsorientierte Stabilitätspolitik Elemente auf, die sie in die Nähe der Wachstumspolitik rücken.

2. Diese Ziele können im Regelfall nicht alle gleichzeitig erreicht werden, d. h. zwischen ihnen bestehen teilweise *trade offs*. Die Unvereinbarkeit der drei Ziele Vollbeschäftigung, Preisniveaustabilität und außenwirtschaftliches Gleichgewicht wird als →magisches Dreieck bezeichnet; werden weitere Ziele hinzugefügt, spricht man auch vom →magischen Vieleck. – Eine wichtige Rolle spielt der trade off zwischen *Preisniveaustabilität und Vollbeschäftigung.* Dieser Zielkonflikt wird in der →Phillips-Kurve zum Ausdruck gebracht: Eine sinkende Unterbeschäftigung ist mit einem steigenden Preisniveau verbunden. Zwar wurde dieser Zusammenhang für mehrere Länder empirisch nachgewiesen, doch ist seine Existenz für die lange Frist sowohl theoretisch als auch empirisch umstritten. – Ein gleichgerichteter Zusammenhang besteht zwischen den Zielen *Vollbeschäftigung und angemessenes Wirtschaftswachstum.* Nach dem →Okunschen Gesetz führt eine Verringerung der Arbeitslosigkeit zu einer zunehmenden Auslastung (→Auslastungsgrad) des →Produktionspotentials und damit i. d. R. zu einem höheren Wirtschaftswachstum.

IV. M i t t e l : 1. *Fiscal policy:* Änderungen der Staatseinnahmen und -ausgaben können gezielt als Mittel der K. eingesetzt werden; in diesem Fall spricht man von →fiscal policy. Nach den hier entwickelten Vorstellungen kann ein Konjunkturabschwung gemildert oder sogar vermieden werden, wenn der Staat für zusätzliche Nachfrage sorgt, indem er beispielsweise zusätzliche Staatsausgaben tätigt. Entsprechend wäre in der Hochkonjunktur ein Teil der privaten Nachfrage über Steuererhöhungen o. ä. abzuschöpfen, wobei diese Mittel natürlich stillzulegen sind und keinesfalls vom Staat selbst wieder ausgegeben werden dürfen. Auf diese Weise ergibt sich über einen Konjunkturzyklus hinweg eine antizyklische K. – Ob vom Budget des Staates ein kontraktiver oder expansiver konjunktureller Impuls ausgeht, wird für die Bundesrep. D. vom →Sachverständigenrat zur Begutachtung der gesamtwirtschaftlichen Entwicklung mit Hilfe des →*konjunkturneutralen Haushalts* überprüft. Der konjunkturelle Impuls, der von einem tatsächlichen Haushalt ausgeht, ist gleich der Differenz zwischen den tatsächlichen und „konjunkturneutralen" Ausgaben. – Die *Wirksamkeit* der fiscal policy war nach dem Zweiten Weltkrieg lange Zeit unbestritten. Doch insbes. seit den siebziger Jahren verstärken sich die Zweifel sowohl an der theoretischen Begründung als auch an der empirischen Relevanz der fiscal policy. Trotz dieser Zweifel spielt die fiscal policy eine wichtige Rolle in der staatlichen K. fast aller marktwirtschaftlich orientierten Länder und so auch in der Bundesrep. D.

2. *Geldpolitik:* Geldpolitische Maßnahmen wie Änderungen der Geldmenge oder Zinssatzänderungen können als Mittel der K. verwendet werden. Die Wirksamkeit dieser Maßnahmen hängt von der Verknüpfung von monetärem und realem Bereich einer Wirtschaft ab. – Die *theoretischen Erklärungen des Transmissionsmechanismus geldpolitischer Maßnahmen* teilen sich im wesentlichen in die folgenden zwei Gruppen auf: (1) Die *keynesianische Erklärung* betont die Liquiditätskomponente geldpolitischer Maßnahmen. Veränderungen der Bankenliquidität beeinflussen die Zinssätze und somit die Kreditkosten, so daß sich die realen Investitionen ändern. (2) Die *monetaristische Erklärung* betont hingegen die Vermögenskomponente. Veränderungen des

Geldmengenangebots führen zu Substitutionseffekten der Vermögensanlagen auf allen miteinander verbundenen Märkten, also auch auf Gütermärkten. – *Instrumente der Geldpolitik:* (1) Mindestreservepolitik, (2) Refinanzierungspolitik, (3) Offenmarktpolitik und (4) Einlagenpolitik. Vgl. im einzelnen →monetäre Theorie und Politik. – *Konjunkturpolitische Wirkungen:* Während einer konjunkturellen Abschwungphase kann eine Ausweitung des Kreditangebots der Banken zu einer Reduktion der Kreditkosten führen und somit eine größere Zahl von Investitionsprojekten rentabel werden lassen; eine Verknappung der Liquidität in einer Aufschwungphase kann dazu führen, daß die Investitionsnachfrage gebremst wird. Auf diese Weise können nach keynesianischer Auffassung die Konjunkturschwankungen gemildert werden. Die monetaristische Sichtweise betont hingegen die Unsicherheit bei der Einschätzung der zeitlichen Länge des Transmissionsmechanismus. Eine Geldpolitik, die antizyklisch wirken soll, kann wegen der Unsicherheit prozyklisch und somit destabilisierend wirken. Nach monetaristischer Auffassung sollte daher die Geldpolitik sich auf eine Verstetigung des Geldmengenwachstums beschränken.

3. *Außenwirtschafts- und Währungspolitik:* Das konjunkturpolitische Ziel des außenwirtschaftlichen Gleichgewichts wird am ehesten in einem Währungssystem mit flexiblen Wechselkursen erreicht. Abweichungen vom Gleichgewicht können durch Interventionen der Zentralnotenbank auf dem Devisenmarkt („schmutziges Floaten") verringert werden. Darüber hinaus können außenwirtschafts- und währungspolitische Maßnahmen für die Realisierung anderer Ziele verwendet werden. – a) *Währungspolitische Maßnahmen:* (1) Falls der Binnenwirt vor konjunkturellen Einflüssen aus dem Ausland geschützt werden soll, kann die Zentralnotenbank versuchen, durch Interventionen auf dem Devisenmarkt die Binnenwährung auf- oder abzuwerten, um über Export- und Importänderungen die Produktion im Inland zu stabilisieren. (2) Durch Devisenan- und -verkäufe kann die Zentralbankgeldmenge (→Geldmenge) beeinflußt werden, so daß über den Transmissionsmechanismus die Beschäftigung und das Preisniveau sich ändern. – b) *Protektionistische Maßnahmen* wie die Erhebung von Importzöllen (→Zoll) oder die →Exportförderung durch beispielsweise Steuererleichterungen können zwar kurzfristig konjunkturpolitische Wirkungen haben, sie stellen jedoch eine Einschränkung des internationalen Handels dar und sind aus wohlfahrtstheoretischen Gründen abzulehnen.

V. Diagnose- und Prognoseprobleme: Die Wirksamkeit der K. hängt entscheidend von der Richtigkeit der →Konjunkturdiagnose und der →Konjunkturprognose

ab. Nur wenn eine hinreichend genaue Bestimmung der unteren und oberen Wendepunkte möglich ist, kann der Zeitpunkt konjunkturpolitischer Maßnahmen sinnvoll festgelegt werden. Aufgrund einer falschen Konjunkturdiagnose kann z. B. eine konjunkturdämpfende Maßnahme einen bereits eingetretenen Konjunkturabschwung noch verstärken. Eine falsche Konjunkturprognose wird die Auswahl, die Höhe und den zeitlichen Einsatz konjunkturpolitischer Maßnahmen möglicherweise derart festlegen, daß es nicht zu einer Dämpfung, sondern zu einer Verstärkung der Konjunkturschwankungen kommt.

VI. Träger der K. in der Bundesrep. D.: Die fiscal policy obliegt der Bundesregierung durch die Bundesfinanz- und Bundeswirtschaftsminister. Die rechtliche Grundlage ist durch das →Stabilitätsgesetz gegeben. I. w. S. dazu gerechnet werden können die beratenden Institutionen wie der Sachverständigenrat zur Begutachtung der gesamtwirtschaftlichen Entwicklung sowie der →Konjunkturrat. – Für die Geldpolitik ist die →Deutsche Bundesbank zuständig. Rechtsgrundlage ist das Gesetz über die Deutsche Bundesbank vom 26.7.1957. – Währungspolitische Maßnahmen wie Devisenan- und -verkäufe werden von der Deutschen Bundesbank durchgeführt. Veränderungen der Währungsrelationen innerhalb des Europäischen Währungssystems werden von den Regierungen der Mitgliedsländer festgelegt.

**Literatur:** Bombach, G./Gahlen, B./Ott, A. E. (Hrsg.), Makroökonomik heute: Gegensätze und Gemeinsamkeiten, Tübingen 1983; Cassel, D./Thieme, H. J., Stabilitätspolitik, in: Vahlens Kompendium der Wirtschaftstheorie und Wirtschaftspolitik, 2. Aufl., Bd. 2, München 1985, S. 293–359; Giersch, H., Konjunktur- und Wachstumspolitik in der offenen Wirtschaft, Wiesbaden 1977; Hesse, H., Theoretische Grundlagen der „Fiscal Policy", München 1982; Pätzold, J., Stabilisierungspolitik, Bern-Stuttgart 1985; Schmahl, H.-J., Globalsteuerung der Wirtschaft, Hamburg 1970; Schneider, H. K., Beschäftigungs- und Konjunkturpolitik, in: Handwörterbuch der Wirtschaftswissenschaften, Bd. 1, S. 478–499, Stuttgart 1977; Teichmann, U., Grundriß der Konjunkturpolitik, 3. Aufl., München 1981.                    Prof. Dr. Günter Gabisch

**Konjunkturprognose. I. Begriff:** Bedingte Vorhersage über den Verlauf der künftigen konjunkturellen Entwicklung. K. basiert auf der →Konjunkturdiagnose und stützt sich auf die Erfahrung, daß im Verhalten der Menschen oder den übrigen das Wirtschaftsgeschehen beeinflussenden Faktoren Regelmäßigkeiten vorhanden sind, deren Auftreten auch in der Zukunft mit einer gewissen Wahrscheinlichkeit erwartet werden kann. Im Gegensatz zu Prophezeiungen zeichnen sich die im Rahmen der empirischen →Konjunkturforschung abgegebenen K. dadurch aus, daß sie sowohl *theoretisch* als auch *empirisch* fundiert sind und auf bestimmten *Annahmen* (z. B. über den zukünftigen Kurs der inländischen Wirtschaftspolitik und die weitere Entwicklung der Wechselkurse und der Konjunktur im Ausland) beruhen.

*II. I n h a l t : Gegenstand* der K. ist das Zahlenwerk der →Volkswirtschaftlichen Gesamtrechnungen (VGR), das ein Gesamtbild der Wirtschaftslage vermittelt. Einzelne Größen, denen im Rahmen der K. besondere Aufmerksamkeit zukommt, sind die Veränderungsraten des realen Bruttosozialprodukts, des privaten Verbrauchs, der Investitionen, der Aus- und Einfuhr, der Preise, der Einkommen und der Beschäftigung. – Der *Zeithorizont* der K. umfaßt zu 6–8 Quartale. In der Öffentlichkeit genießen jene K. besondere Beachtung, die am Ende des laufenden für das folgende Kalenderjahr abgegeben werden. Vermutlich entspricht dies am stärksten dem Bedarf der Nachfrager von K., die K. als Informationsbasis für eigene Planungen heranziehen. – *Ziel* der K. ist es aber v. a., die Umkehrpunkte im Zyklus und die Stärke der konjunkturellen Wende zu prognostizieren und zu untersuchen, mit welchem Kurs in der Geld-, Finanz-, Sozial- und Lohnpolitik verhindert werden kann, daß es zu stärkeren Abweichungen von den gesamtwirtschaftlichen Zielen kommt. Wendeprognosen sind *Zeitpunktprognosen;* sie sind damit wesentlich schwieriger, als die üblichen *Zeitraumprognosen,* die eine Aussage über die Entwicklung im Jahresdurchschnitt enthalten.

III. V e r f a h r e n : Für die kurzfristige K. (bis zu einem Quartal) haben sich *extrapolative Verfahren,* die bestimmte Regelmäßigkeiten der zu prognostizierenden Zeitreihe in der Vergangenheit erfassen, als durchaus nützlich erwiesen (→Zeitreihenanalyse). Die traditionelle K. stützt sich v. a. auf geeignete →Konjunkturindikatoren, die gegenüber der wirtschaftlichen Aktivität einen zeitlichen Vorlauf aufweisen. Konjunkturindikatoren ermöglichen jedoch nur *qualitative K.* – Ökonometrische Modelle (→Ökonometrie II) lassen dagegen auch *quantitative* Schätzungen zu. Neben sehr stark disaggregierten Modellen (200 und mehr Gleichungen) werden auch hoch aggregierte Modelle, meist monetaristischer Provenienz, verwandt. So schätzt das Institut für Weltwirtschaft die inländischen Konsum- und Investitionsausgaben mit einem *monetären Eingleichungsmodell.* Ihm liegt die Hypothese zugrunde, daß eine nachhaltige Änderung im Tempo der monetären Expansion mit einer Verzögerung von zwei bis drei Quartalen zu einer gleichgerichteten Veränderung der inländischen Konsum- und Investitionsausgaben und mit einer Verzögerung von etwa zwei Jahren zu einer Veränderung der Inflationsrate führt. – In der *praktischen* K. finden zumeist alle beschriebenen Verfahren gleichzeitig Anwendung. – *Prognosewerte* für die wichtigsten Größen der Volkswirtschaftlichen Gesamtrechnungen (VGR) werden zumeist in *iterativen Verfahren* erstellt. Zunächst werden die bereits weitgehend vergangenheitsdeterminierten Variablen (z. B. zukünftige

Staatsausgaben aufgrund eines bereits verabschiedeten Budgets) und die Annahmen über exogene Variablen zusammengestellt. Dann wird eine erste Schätzung der Nachfrage- und Verteilungsrechnung vorgenommen. Anschließend erfolgt eine Berücksichtigung der Rückkopplungseffekte, bis eine konsistente Schätzung aller Variablen des Systems erreicht ist.

IV. B e u r t e i l u n g : Niemand kann sicher wissen, was sich in Zukunft ereignen wird. K. müssen daher zwangsläufig *Prognosefehler* aufweisen. Diese können beruhen auf a) einer Fehlspezifikation des Prognosemodells, b) falschen Annahmen über die exogenen Variablen, c) exogenen Störungen (z. B. Ölpreisschock, Schuldenkrise) und d) einer Revision des der Schätzung zugrunde liegenden statistischen Datenmaterials. Die Rückwirkung von *Reaktionen der Öffentlichkeit* auf eine K. sollte nicht überschätzt werden. Es läßt sich nicht beobachten, daß K. sich selbst bestätigen, weil sie das Verhalten der Entscheidungsträger in eine bestimmte Richtung lenken. Auch ist es selten, daß K. sich selbst zerstören, weil wirtschaftspolitische Maßnahmen die prognostizierte Gefahr abwenden.

Literatur: Langfeldt, E./Trapp, P., Zur Problematik und Treffsicherheit von Konjunkturprognosen für die Bundesrep. D., in: Die Weltwirtschaft, Heft 1, 1986, S. 26 37; Rothschild, K. W., Wirtschaftsprognose – Methoden und Probleme, Berlin–Heidelberg–New York, 1969; Tichy, G., Konjunkturschwankungen-Theorie, Messung, Prognose, Berlin–Heidelberg–New York, 1976.

Dr. Enno Langfeldt

**Konjunkturrat.** 1. *Begriff:* 1967 nach § 18 StabG errichtete Institution (Beratungsgremium) zur konjunkturpolitischen Koordinierung von Bund, Ländern und Gemeinden, um eine konsistente Konjunkturpolitik auf allen Ebenen des föderativen Staates zu sichern. Der K. teilte sich bald nach Errichtung in einen eigentlichen K. und einen mehr technisch orientierten K. „Kredit". Aus letzterem ging 1975 der Ausschuß für Kreditfragen der öffentlichen Hand als selbständiges Gremium hervor, bei der Abstimmung der öffentlichen Kreditpolitik von großer Bedeutung. – 2. *Besetzung:* Die Bundesminister für Wirtschaft (Vorsitz) und Finanzen, je ein Vertreter eines Landes und vier Vertreter der Gemeinden und Gemeindeverbände. Die Deutsche Bundesbank hat das Recht, an den Sitzungen teilzunehmen. – 3. *Schwerpunkt/Aufgabenbereich:* Prinzipiell alle Aspekte der Stabilisierungspolitik (wie im StabG kodifiziert); insbes. Möglichkeiten der Deckung des Kreditbedarfs der öffentlichen Haushalte (→debt management). Der K. ist zu hören, wenn über eine Begrenzung der öffentlichen Kreditaufnahme befunden wird (§§ 19–25 StabG). – 4. *Bedeutung:* Zusammen mit den übrigen Instrumenten der zurückgedrängten Stabilisierungspolitik keynesianischer Prägung hat der K. an Bedeutung verloren.

**Konjunkturschwankungen,** *Konjunkturwellen*, „wirtschaftliche Wechsellagen", wellenähnliche Bewegung wirtschaftlicher Variablen im Zeitablauf. Die Erklärung des Zustandekommens von K. ist Gegenstand der →Konjunkturtheorie. – Vgl. auch →Konjunkturzyklus.

**Konjunkturstabilisierung,** →Stabilitätspolitik.

**Konjunkturtest,** Verfahren der Wirtschaftsbeobachtung. Vom →IFO-Institut für Wirtschaftsforschung entwickelte Methode, seit 1950 praktisch angewandt. – 1. *Methode:* Eine monatliche Postbefragung von z. Z. 6000 Unternehmern der Industrie, des Groß- und des Einzelhandels im Bundesgebiet über rd. 300 besonders ausgewählte Industrieerzeugnisse bzw. Warengruppen des Handels. – a) Die *Fragen* erstrecken sich auf in dem jeweiligen Berichtsmonat eingetretene tendenzielle Veränderungen u. a. von Produktion, Umsatz, Auftragseingang, Lagerbeständen und Verkaufspreisen sowie auf Einschätzung dieser Vorgänge durch die Unternehmer und auf ihre Zukunftspläne. Abgesehen von den monatlich wiederkehrenden Fragen stellt das IFO-Institut je nach Bedarf *Zusatzfragen,* um Informationen zu aktuellen Problemen der Konjunkturentwicklung zu erhalten. – b) Drei Alternativmöglichkeiten der *Beantwortung:* gestiegen/ unverändert/gefallen bzw. gut/befriedigend/ schlecht. Die Antworten werden entsprechend der Marktbedeutung des jeweiligen Betriebes gewichtet. Die so ermittelten Entwicklungstendenzen für ein bestimmtes Erzeugnis werden in farbigen graphischen Übersichten (Konjunkturspiegeln) dargestellt, die an dieser Umfrage beteiligten Unternehmen erhalten. – 2. *Bedeutung:* Wichtig ist die Schnelligkeit, mit der die Ergebnisse gewonnen werden, v. a. aber die Möglichkeit, Aussagen über Vorgänge zu machen, die bisher der Statistik weitgehend verschlossen waren, wie über Beurteilung von Umsatz, Lager- und Auftragsbeständen sowie insbes. Erwartungen, d. h. Dispositionen der Unternehmer. Die an dem K. teilnehmenden Unternehmen benutzen die Ergebnisse als Ergänzung oder Erweiterung ihrer eigenen →Marktbeobachtung. Das IFO-Institut verwendet die Ergebnisse für seine laufenden →Konjunkturdiagnosen und →Konjunkturprognosen; darüber hinaus werden anhand der vorliegenden Daten ökonometrische Studien über das Verhalten der Unternehmer in den einzelnen Konjunkturphasen durchgeführt. – Die vom IFO-Institut entwickelte Methode wurde von *anderen Ländern* z. T. mit Änderungen übernommen; z. B. von Schweden , den Niederlanden, Belgien, Luxemburg, Frankreich, der Schweiz, Österreich, Italien, der Rep. Südafrika, Japan.

**Konjunkturtheorie,** derjenige Teil der Volkswirtschaftstheorie, der sich mit dem Erklären des Zustandekommens von zyklischen Bewegungen (→Konjunktur, →Konjunkturschwankungen) meist makroökonomischer Größen beschäftigt.

I. G e s c h i c h t e : Nach Haberler (1955) lassen sich die wichtigsten K. im 19. und frühen 20. Jh. wie folgt einteilen:

1. *Monetäre K.* (Hauptvertreter: R. G. Hawtrey): Verwantwortlich für einen Aufschwung ist eine Senkung des Diskontsatzes mit nachfolgender erhöhter Lagerhaltung, steigenden Auftragseingängen und erhöhter Produktion. Institutionelle Hemmnisse führen dazu, daß die Kreditexpansion nicht aufrechterhalten werden kann oder sogar eingeschränkt werden muß. Der Rückgang der Nachfrage veranlaßt eine Senkung der Preise, damit eine Senkung der Lagerhaltung und einen Rückgang der Produktion. Ein unterer Wendepunkt ist erreicht, wenn die Bankenliquidität soweit angewachsen ist, daß die Zinssätze gesenkt werden müssen.

2. *Überinvestitionstheorien* (Hauptvertreter: v. Hayek und Spiethoff): Ausgangspunkt ist das empirisch belegbare Phänomen, daß bei der Aufteilung einer Wirtschaft in zwei Sektoren der Investitionsgütersektor stärkeren Konjunkturschwankungen unterliegt als der Konsumgütersektor. Während eines Aufschwungs wird der Investitionsgütersektor stärker ausgebaut als der Konsumgütersektor. Es entsteht nach einiger Zeit ein bemerkbares Ungleichgewicht zwischen der Kapazität der Investitionsgüterindustrie und den Investitionserfordernissen der Konsumgüterindustrie. Investitionsprojekte in der Investitionsgüterindustrie werden nicht beendet, und ein Abschwung wird eingeleitet. Als auslösendes Momemnt der Konjunkturbewegung werden angesehen entweder a) monetäre Effekte wie eine Diskrepanz zwischen „natürlichem" (Gleichgewichts-) Zinssatz und Marktzinssatz *(monetäre Überinvestitionstheorie)* oder b) nicht-monetäre Effekte wie Erfindungen, Erschließung neuer Märkte *(nicht-monetäre Überinvestitionstheorie).*

3. *Unterkonsumtionstheorien* (Hauptvertreter: Malthus, v. Hayek): Konzentration auf die Erklärung des oberen Wendepunktes im Konjunkturverlauf. Die im Konjunkturaufschwung erfolgte Kapitalakkumulation ermöglicht eine drastische Erhöhung der Konsumgüterproduktion. Da Löhne und Gehälter nicht im gleichen Ausmaß wie die Konsumgüterpreise steigen, fehlt den privaten Haushalten an Kaufkraft, so daß dem vermehrten Konsumgüterangebot eine zu geringe Nachfrage gegenübersteht. Eine ungleiche Einkommensverteilung kann die zu geringe Nachfrage verstärken. Bezieher hoher Einkommen spa-

ren (und investieren) im Aufschwung zuviel und konsumieren somit zu wenig.

4. *Schumpetersche K.*: Im Mittelpunkt dieser soziologische, technologische und wirtschaftliche Erwägungen miteinander verknüpfenden K. steht der „dynamischene Unternehmer". Er ist derjenige, der aufgrund seiner Persönlichkeitsstruktur neue Erfindungen, die in gewisser Regelmäßigkeit auftreten, als erster wirtschaftlich nutzt. Die entstehenden Monopolgewinne veranlassen andere Unternehmer, seinem Beispiel zu folgen. Der durch ihren Marktzutritt einsetzende Rückgang der Gewinne führt schließlich zu einem Konjunkturabschwung. Ein neuer Aufschwung setzt erst wieder ein, wenn neue Erfindungen wirtschaftlich umgesetzt werden. Die Schumpetersche K. ist von besonderer Bedeutung.

II. Moderne Theorien: Während die unter I. genannten K. den Konjunkturablauf überwiegend verbal erklären, stehen seit Beginn der fünfziger Jahre solche K. im Vordergrund, die mit Hilfe formaler →Modelle den Konjunkturverlauf erklären. Diese Modelle sind so aufgebaut, daß sie zu einem zyklischen Verhalten der ökonomischen Variablen führen. Unter formalen Gesichtspunkten bestehen daher die meisten dieser Konjunkturmodelle aus →Differenzengleichungen oder →Differentialgleichungen zweiter oder höherer Ordnung oder aus →Differentialgleichungssystemen.

1. *Deskriptive Konjunkturmodelle:* In diesen theoretischen Modellen werden Konjunkturschwankungen auf Zeitverzögerungen (→lag) bzw. auf eine geeignete zeitliche Struktur zurückgeführt, wie sie in Differenzen- oder Differentialgleichungen zum Ausdruck kommen. Optimierungsansätze und Zufallseinflüsse spielen in diesen Modellen keine Rolle, vielmehr wird die Erklärung des Konjunkturphänomens auf das simultane Zusammenwirken (meist makro-)ökonomischer Größen zurückgeführt. – a) *Lineare Konjunkturmodelle:* Ein Konjunkturmodell heißt linear, wenn seine zugrundeliegenden dynamischen Gleichungen linear sind oder wenn seine Eigenschaften nicht von denen linearer Systeme abweichen. Zu den bekanntesten linearen Konjunkturmodellen zählen die →*Multiplikator-Akzelerator-Modelle* von *P. A. Samuelson* (1939) und *J. Hicks* (1950). Das Zusammenwirken von linearem Multiplikator (über die Konsumfunktion) und linearem Akzelerator (über die Investitionsfunktion) führt zu einer linearen Differenzengleichung zweiter Ordnung, deren qualitative Lösungen abhängig sind von den Werten der unterstellten Parameter des Systems. Weitere wichtige lineare Modelle stammen von *Metzler* (Lagerhaltung), *Kalecki* (Investitionsverhalten) und *Phillips* (stetiges Multiplikator-Akzelerator-Modell). Als Lösungen werden unterschieden:

(1) gedämpfte Schwingungen (die →Amplituden der Variablen verschwinden im Zeitverlauf), (2) harmonische Schwingungen (die Amplituden der Variablen sind konstant im Zeitverlauf) und (3) explosive Schwingungen (die Amplituden steigen beständig, so daß die Werte der Variablen über alle Grenzen anwachsen). Vom Standpunkt der K. sind lediglich gedämpfte Schwingungen relevant, da explosive Schwingungen in der Realität nicht vorkommen und harmonische Schwingungen nur für exakt eine Parameterkonstellation denkbar sind. Da gedämpfte Schwingungen den Konjunkturverlauf im Zeitablauf verschwinden lassen, sind in solchen linearen Modellen andauernde exogene →Schocks notwendig, um persistente Konjunkturschwankungen zu erzeugen. Damit wird letztlich die Erklärung des Konjunkturphänomens auf exogene Faktoren zurückgewälzt. – Zu den linearen Konjunkturmodellen zählen auch die *mittelfristigen Modelle mit rationalen Erwartungen*. Eine besondere Rolle kommt hierbei den Modellen der →Neuen Klassischen Makroökonomik zu. Rationale Erwartungen im Zusammenhang mit Informationsdefiziten und Störungen im monetären Bereich sind für die Auslösung und das Andauern von Konjunkturschwankungen verantwortlich (Lucas 1975). – b) *Nichtlineare Konjunkturmodelle:* Ermöglichen die Erzeugung von Schwingungen, die nicht auf exogene Einflüsse angewiesen sind. Die mathematische Struktur der Modelle ist allein für das Auftreten von anhaltenden Konjunkturschwankungen verantwortlich. Zu den frühesten nicht-linearen Modellen zählen die Modelle von *Kaldor* (1940), *Hicks* (1950) und *Goodwin* (1951). Unterschieden werden können sie nach der Art des verwendeten mathematischen Instrumentariums: (1) *Modelle unter Verwendung des →Poincaré-Bendixson-Theorems:* Grundlage ist ein zwei-dimensionales →Differentialgleichungssystem mit instabilem Gleichgewicht. Wird die Dynamik durch ein abgeschlossenes Gebiet begrenzt, entstehen →Grenzzyklen. – (2) *Modelle unter Verwendung von Bifurkationstheorien:* Grundlage ist ein zwei- und mehrdimensionales Differential- oder Differenzengleichungssystem. Wird ein Parameter des Modells beständig erhöht, kann ein zunächst stabiles Gleichgewicht instabil werden. Beim Übergang vom stabilen zu instabilen Gleichgewicht entstehen (Konjunktur-)Schwankungen. – (3) *Räuber-Beute-Modelle:* Die Variablen eines Konjunkturmodells verhalten sich zueinander wie Räuber- und Beute-Populationen in biologischen Modellen (z. B. Lohn- und Beschäftigungsquote). Die Anfangswerte der Variablen bestimmen die (konstante) Amplitude des entstehenden Zyklus. – (4) *Neuere Ansätze*, die in mittelfristigen makroökonomischen Modellen die mathematische Eigenschaft des →Chaos nachweisen (→Chaos-

theorie) sowie jene ökonomischen Modelle, in denen sog. Katastrophen, d. h. große plötzliche Sprünge der Variablen auftreten. – c) *Stochastische Ansätze:* Die Bedeutung zufallsbedingter Einflüsse für den Konjunkturverlauf wird in praktisch allen K. erkannt, ohne daß sie in jedem Einzelfall explizit berücksichtigt werden. Es gibt jedoch Erklärungsansätze, die gerade diese Zufallseinflüsse in das Zentrum der Konjunkturerklärung rücken. *Slutzky* (1937) zeigte bereits, daß Konjunkturschwankungen sich in ihrer zeitlichen Struktur genauso verhielten wie stochastische Zeitreihen, ohne daß damit jedoch eine *Erklärung* der Konjunkturschwankungen geliefert wurde. *Krelle* (1959) entwickelte allerdings ein Konjunkturmodell, in dem Entstehung, Frequenz und Amplitude der Konjunkturschwankungen rein stochastisch bedingt sind.

2. *Optimierungsansätze:* In diesen Modellen werden Konjunkturschwankungen aus dem Optimierungsverhalten von Entscheidungsträgern abgeleitet. Im Vordergrund stehen hierbei Modelle der Neuen →Politischen Ökonomie. Die Regierung eines demokratischen Staates maximiert z. B. die Anzahl der Wählerstimmen bei einer Wahl unter Berücksichtigung ökonomischer Nebenbedingungen, z. B. der →Phillips-Kurve. Die Lösung dieses Optimierungsansatzes führt zu einem zyklischen Verlauf von Inflationsrate und Arbeitslosenquote, so daß diese (Konjunktur-)Schwankungen letztlich durch das politische System bedingt sind. In neuester Zeit wurde gezeigt, wie das Optimierungsverhalten im Rahmen einer staatlichen Wirtschaftspolitik Konjunkturausschläge verstärken kann.

3. *Ökonometrische Konjunkturmodelle:* Für die vergangene konjunkturelle Entwicklung einer Wirtschaft wird auf der Basis theoretischer Überlegungen ein dynamisches ökonometrisches Modell statistisch geschätzt (→Ökonometrie). Ist die Schätzung hinreichend gut, kann dieses ökonometrische Konjunkturmodell zur →Konjunkturprognose herangezogen werden.

**Literatur:** Bombach, G. u. a. (Hrsg.), Perspektiven der Konjunkturforschung, Tübingen; Frey, B. S., Politico-Economic Models and Cycles, in: Journal of Public Economics 9 (1978), pp. 203–220; Gabisch, G./Lorenz, H.-W., Business Cycle Theory, Berlin–Heidelberg–New York (1987); Goodwin, R. M., The Non-linear Accelerator and the Persistence of Business Cycles, in: Econometrica 19 (1951), pp. 1–17; Haberler, G., Prosperität und Depression, 2. Aufl., Tübingen (1955); Hicks, J. R., A Contribution to the Theory of the Trade Cycle, 2nd. ed., Oxford (1965); Kaldor, N., A Model of the Trade Cycle, in: Economic Journal 50 (1940), pp. 78–92; Krelle, W., Grundlagen einer stochastischen Konjunkturtheorie, in: Zeitschrift für die gesamte Staatswissenschaft 115 (1959), pp. 472–494; Kromphardt, J., Wachstum und Konjunktur, 2. Aufl., Göttingen (1977); Lucas, R. E., An Equilibrium Model of the Business Cycle (1975), in: Lucas, R. E., Studies in Business Cycle Theory (1981), pp. 179–214; Nordhaus, W. D., The Political Business Cycle, in: Review of Economic studies 42 (1975), pp. 169–190; Samuelson, P. A., Interactions Between the Multiplier Analysis and the Principle of Acceleration, in: Review of Economic Statistics 21 (1939), pp. 75–78; Slutzky, E., The Summation of Random Causes as the Source of Cyclic Processes, in: Econometrica 5 (1937), pp. 105–146; Tichy, G., Konjunkturschwankungen, Berlin–Heidelberg–New York (1976); Vosgerau, H.-J., Konjunkturtheorie, in: Handwörterbuch der Wirtschaftswissenschaften, Bd. 4 (1978).

Prof. Dr. Günter Gabisch

**Konjunkturwellen,** →Konjunkturschwankungen.

**Konjunkturzuschlag,** konjunkturdämpfende Maßnahme (→Konjunkturpolitik). Im Konjunkturaufschwung wird ein Teil des steuerpflichtigen Einkommens abgeschöpft und bei der →Deutschen Bundesbank stillgelegt; im Konjunkturabschwung soll der K. zurückgezahlt werden.

**Konjunkturzyklus,** Bezeichnung für den Zeitabschnitt zwischen Beginn der ersten →Konjunkturphase und Ende der letzten. Die Konjunkturtheorie unterscheidet K. verschiedener Länge: a) *Kitchin-Zyklus* (3–4 Jahre), auch als *Mitchell-Zyklus* bezeichnet; 1923 von J. Kitchin in den USA und Großbritannien festgestellt; Existenz umstritten. b) *Juglar-Zyklus* (7–11 Jahre); 1860 von C. Juglar festgestellt. c) *Kondratieff-Zyklus* (50–60 Jahre); 1926 von N. D. Kondratieff festgestellt. – Vgl. auch →Konjunkturgeschichte, →politischer Konjunkturzyklus.

**konkludente Handlungen,** Handlungen, die nach der Lebenserfahrung den Schluß zulassen, daß der Handelnde ein bestimmtes →Rechtsgeschäft abschließen will, ohne daß der Wille dazu ausdrücklich erklärt wird, z. B. kann Verbrauch unbestellt zugesandter Waren Annahme des Kaufangebotes sein. Soweit für das →Rechtsgeschäft keine →Formvorschriften bestehen, kann jede →Willenserklärung durch k. H. abgegeben werden.

**Konklusion,** →Deduktion, →Prämisse.

**Konkordat,** Vertrag zwischen dem Heiligen Stuhl und einem Staat zur Regelung von Kirchenfragen, Schulfragen usw. Ein K. unterliegt dem →Völkerrecht. Für die Bundesrep. D. gilt heute noch das Reichskonkordat vom 12. 7. 1933.

**konkrete Fahrlässigkeit,** Verletzung der →Sorgfalt in eigenen Angelegenheiten; vgl. auch →Fahrlässigkeit.

**konkrete Rechengrößen,** →originäre Rechengrößen.

**Konkurrenz.** 1. *Wirtschaftlicher Sprachgebrauch:* →Wettbewerb zwischen Nachfragern und Anbietern; setzt mehr als einen Anbieter bzw. Nachfrager voraus. – 2. *Marktformenlehre:* a) →Marktform, die bei Vorhandensein von homogenen Gütern eine unendlich große Anzahl von Marktteilnehmern auf beiden Seiten unterstellt; d. h., kein Marktteilnehmer hat direkten Einfluß auf das Marktgeschehen, Preise werden von allen Marktteilnehmern als gegeben betrachtet, sie verhalten sich als

→Mengenanpasser. b) Alternative Marktformen mit monopolistischer, polypolistischer und oligopolistischer Konkurrenz. In diesen Fällen können die Marktteilnehmer direkt Einfluß auf das Marktgeschehen und die Marktpreise nehmen.

**Konkurrenzanalyse,** *Konkurrenzuntersuchung, Wettbewerbsanalyse.* 1. *Begriff* der Marktforschung: Ermittlung a) der Anbieter einer Ware auf dem Absatzmarkt (gewöhnliche Konkurrenz), b) der Ersatzartikel der Ware (Surrogatkonkurrenz), c) der bedürfnisfremden (oder entfernt verwandten) Anbieter (vertikale Konkurrenz). – 2. *Verfahren:* In den verbandlich organisierten Wirtschaftszweigen liefert die →Verbandstatistik (bzw. →Branchenstatistik) Anhaltspunkte oder sogar Branchenkennziffern (→Branchenbeobachtung), im übrigen können auch die von Konjunkturinstituten veröffentlichten →Marktanalysen herangezogen werden. – 3. *Zweck:* Die K. soll a) langfristige Entscheidungen ermöglichen (→Investitionspolitik), b) durch Beobachtung der Verschiebungen und Veränderungen in der Konkurrenzlage kurzfristige Dispositionen erleichtern.

**Konkurrenzforschung,** →Marktforschung.

**Konkurrenzgleichgewicht,** →Marktgleichgewicht.

**Konkurrenzgrenze,** Linie, die zwei Absatzgebiete voneinander trennt. Begriff aus der →Standorttheorie (Launhardtscher Trichter).

**Konkurrenzkapitalismus.** 1. *Begriff* des →Marxismus für die →privatwirtschaftlichen Marktwirtschaften während der Industriellen Revolution bis etwa 1870. – 2. *Charakterisierung:* Im Gegensatz zur Harmoniethese des →Liberalismus, der auf die „invisible hand" des freien Marktwettbewerbs als bestmöglicher Koordinationsform des Wirtschaftsprozesses vertraut, analysieren Marx und Engels den Wettbewerb vor dem Hintergrund einer Konflikttheorie: Er erscheint dabei als ein „anarchischer", d. h. gesamtgesellschaftlich ungeplanter Kampf *der Unternehmer gegeneinander,* die alleine um des Profits willen und nicht zur gesellschaftlichen Knappheitsminderung produzieren. Dabei komme es zu einer fortwährenden Vermachtung der Märkte (→Zentralisation des Kapitals), sich periodisch verschärfenden Wirtschaftskrisen (→Krisentheorie), dabei zu einer andauernden Verschwendung von Ressourcen sowie zu Arbeitslosigkeit und →Verelendung der Lohnabhängigen. – 3. *Beurteilung:* Diese These wurde unter dem Eindruck des Manchester-Liberalismus (→Liberalismus II 3) formuliert. Zwar kann die der Analyse zugrundeliegende marxistische Wirtschaftstheorie als widerlegt gelten; unabhängig davon zeigen jedoch die Erfahrungen aus dieser Epoche, in der der Wirtschaftsprozeß durch keine staatliche Ord-

nungskonzeption beeinflußt wurde, wie wichtig die staatliche Setzung einer Rahmenordnung ist, innerhalb derer der freie Wettbewerb erst seine gesamtgesellschaftlich wohlfahrtsfördernde Wirung entfalten kann.

**Konkurrenzklausel,** →Wettbewerbsklausel.

**Konkurrenzreaktion,** →oligopolistische Interdependenz.

**Konkurrenzsozialismus.** 1. *Begriff:* Konzeptionen einer Wirtschaftsordnung, in denen (bei Staatseigentum an den Produktionsmitteln) die staatliche Planung der gesamtwirtschaftlichen Entwicklung und Proportionen (Wachstumsrate, Branchenstruktur, Investitionsquote usw.) mit der Koordination der einzelwirtschaftlichen Aktivitäten der Unternehmer und privaten Haushalte über Märkte verbunden werden sollen; als *realisiertes Modell* gilt die →staatssozialistische Marktwirtschaft in Ungarn. – 2. *Theoretische Modelle:* Die u. a. von *F. M. Taylor, A. P. Lerner* und insbes. von *O. Lange* formulierten Modelle des K. sollen das theoretische →Unmöglichkeitstheorem von L. v. Mises widerlegen und den Nachweis erbringen, daß trotz fehlender Wettbewerbsmärkte bei Staatseigentum an den Produktionsmitteln eine rationale Güterallokation möglich, wenn nicht sogar besser als in einer →privatwirtschaftlichen Marktwirtschaft durchführbar ist. Die Notwendigkeit der Wirtschaftsrechnung auf der Basis von Güter- und Faktorpreisen wird dabei prinzipiell anerkannt, diese Preise sollen jedoch durch staatliche Instanzen ermittelt werden: Sie sollen von letzteren jeweils so lange variiert werden, bis von den nach dem →Gewinnprinzip arbeitenden Staatsunternehmen bei Befolgung der Gewinnmaximierungsregeln das optimale Güterbündel produziert wird. – 3. *Beurteilung:* Die theoretischen Modelle sind denjenigen der vollständigen Konkurrenz nachgebildet und teilen dessen Schwächen (u. a. statische Wettbewerbstheorie, unterstellt unendliche Reaktionsgeschwindigkeit der Akteure). Sie basieren darauf, daß sowohl die Staatsbürokratie (die jeweiligen Branchenbürokratien) als auch die Betriebsleiter keine eigenen Interessen verfolgen und die Staatsunternehmen reine Reaktionsautomaten sind, was als unrealistisch zu werten ist.

**Konkurrenzsystem,** Regelungsform der →Ertragshoheit zwischen öffentlichen Aufgabenträgern im aktiven Finanzausgleich. Beim K. kann jeder Aufgabenträger nach Belieben auf jede Einnahmequelle zugreifen und Bemessungsgrundlage, Abgabepflicht, Tarifverlauf und -niveau frei wählen. Das K. bietet den Aufgabenträgern damit das höchste Maß an Einnahmenautonomie, erlaubt andererseits keine Koordination der Einnahmewirkungen der gesamten öffentlichen Hand. – Vgl. auch →Mischsystem, →Trennsystem.

**Konkurrenzuntersuchung,** →Konkurrenzanalyse.

**Konkurrenzverbot,** →Wettbewerbsverbot.

**Konkurrenzwährung,** *entnationalisiertes Geld, Parallelwährung,* ein von v. Hayek stammender Begriff mit dem Vorschlag, das internationale →Währungssystem zu reformieren. – 1. *Charakterisierung:* Durch Beseitigung des gesetzlichen Annahmezwangs der jeweiligen Währungen sollen die nationalen Geldschöpfungsmonopole überwunden werden. Die privaten Kreditbanken dürfen ihre eigenen Zahlungsmittel ausgeben, deren Tauschwert sich über die freie Preisbildung als Kurswert fortlaufend nach Angebot und Nachfrage bestimmt. Eine expansive Kreditvergabe durch einzelne Privatbanken würde wegen der dann eintretenden Kursverluste automatisch nach oben begrenzt sein. Auch die Zentralbanken und die nachgelagerten Institute, die durchaus weiterhin bestehen können, müßten dann dem Wunsch des Publikums nach wertstabilen Zahlungsmitteln nachkommen, da sie andernfalls mit einem Verlust an Marktanteilen zu rechnen hätten. – 2. *Begründung:* Die Notwendigkeit eines K. wird mit der These begründet, daß das Geldschöpfungsmonopol durch die Regierungen bzw. Zentralbanken unter dem politischen Druck marktmächtiger Gruppen fortwährend mißbraucht wird.

**konkurrierende Gesetzgebungskompetenz,** →Gesetzgebungskompetenz, die sowohl dem Bund als auch den Ländern zusteht (Art. 72, 74, 74a GG). Auf den in Art. 74 GG aufgeführten Gebieten, z.B. Bürgerliches Recht, Arbeitsrecht, Sozialversicherung, Recht der Wirtschaft (Gewerbe, Handel, Bank- und Börsenwesen) hat der Bund die Gesetzgebungskompetenz, soweit ein Bedürfnis nach bundesgesetzlicher Regelung besteht (→ausschließliche Gesetzgebungskompetenz des Bundes). Solange und soweit der Bund von seiner G. keinen Gebrauch macht, haben die Länder die Befugnis zur Gesetzgebung.

**Konkurs.** I. Begriff: Ein besonderes gerichtliches Vollstreckungsverfahren, das der Verwertung des gesamten, dem Schuldner im Zeitpunkt der →Konkurseröffnung gehörenden pfändbaren Vermögens zum Zweck der gleichmäßigen Befriedigung aller an dem Verfahren teilnehmenden persönlichen Gläubiger (→Konkursgläubiger) dient. Vgl. →Konkursverfahren. – *Strafbar* nur bei Vorliegen von →Konkursdelikten. – *Reformbestrebungen:* Vgl. →Insolvenzrechtsreform.

II. Steuerliche Auswirkung: 1. *Einkommensteuer:* Der K. wird wie eine →Abwicklung behandelt. – 2. *Gewerbesteuer:* Die Gewerbesteuerpflicht eines Betriebes

erlischt *nicht* durch die Eröffnung des K.verfahrens (§ 4 II GewStDV), sondern erst mit der Schließung des Geschäfts. Wenn der Konkursverwalter die Bestände nach und nach versilbert, bleibt die Steuerpflicht bestehen, anders als im Fall der Einstellung des Betriebes außerhalb des K. Die Aufhebung des K.verfahrens (§ 163 KO) beendet die Steuerpflicht nur dann, wenn der Betrieb nicht weitergeführt wird. Eine Kapitalgesellschaft bleibt selbst dann steuerpflichtig, wenn der K.verwalter den Betrieb stillegt. Im K. wird der vom Tag der K.eröffnung bis zur Beendigung des Verfahrens erzielte →Gewerbeertrag auf die einzelnen Jahre verteilt, und zwar in gleicher Weise wie bei →Abwicklung eines Gewerbebetriebes (§ 16 GewStDV).

III. Familienrechtliche Folgen im Fall eines K. der Eltern: Vgl. →Vermögensverwaltung.

IV. Umfang: Die Zahl der K. und Vergleichsverfahren (→Vergleich) ist von 1950 bis 1962 ständig zurückgegangen; seit 1970 ist ein starkes Ansteigen der Zahl der K. zu beobachten.

**Anzahl der Konkurse und Vergleichsverfahren im Bundesgebiet einschl. Berlin (West)**

| Jahr | Konkurse | | Vergleichs-verfahren | Insolvenzen insgesamt |
|------|-----------|-----------|------|------|
| | insgesamt | darunter mangels Masse abgelehnt | | |
| 1950 | 4 466 | 1 207 | 1 707 | 5 694 |
| 1951 | 4 575 | 1 443 | 1 612 | 5 759 |
| 1952 | 4 327 | 1 624 | 1 221 | 5 244 |
| 1953 | 4 352 | 1 508 | 1 312 | 5 338 |
| 1954 | 4 461 | 1 521 | 1 226 | 5 417 |
| 1955 | 4 023 | 1 564 | 867 | 4 647 |
| 1956 | 3 732 | 1 323 | 715 | 4 271 |
| 1957 | 3 406 | 1 208 | 770 | 4 027 |
| 1958 | 3 078 | 1 034 | 569 | 3 535 |
| 1959 | 2 691 | 921 | 430 | 3 025 |
| 1960 | 2 689 | 947 | 343 | 2 958 |
| 1961 | 2 549 | 859 | 348 | 2 823 |
| 1962 | 2 531 | 958 | 296 | 2 786 |
| 1963 | 2 862 | 1 009 | 333 | 3 132 |
| 1964 | 3 029 | 1 219 | 309 | 3 281 |
| 1965 | 2 928 | 1 269 | 267 | 3 157 |
| 1966 | 3 301 | 1 261 | 382 | 3 615 |
| 1967 | 3 930 | 1 531 | 530 | 4 337 |
| 1968 | 3 582 | 1 676 | 331 | 3 827 |
| 1969 | 3 578 | 1 727 | 304 | 3 809 |
| 1970 | 3 943 | 1 862 | 324 | 4 201 |
| 1971 | 4 255 | 2 168 | 251 | 4 437 |
| 1972 | 4 410 | 2 397 | 209 | 4 575 |
| 1973 | 5 277 | 2 681 | 301 | 5 515 |
| 1974 | 7 352 | 3 870 | 462 | 7 722 |
| 1975 | 8 942 | 5 886 | 355 | 9 195 |
| 1976 | 9 221 | 6 519 | 181 | 9 362 |
| 1977 | 9 444 | 6 837 | 147 | 9 562 |
| 1978 | 8 639 | 6 411 | 104 | 8 722 |
| 1979 | 8 253 | 6 047 | 81 | 8 319 |
| 1980 | 9 059 | 6 639 | 94 | 9 140 |
| 1981 | 11 580 | 8 418 | 107 | 11 653 |
| 1982 | 15 807 | 11 764 | 152 | 15 876 |
| 1983 | 15 999 | 12 252 | 145 | 16 114 |
| 1984 | 16 698 | 12 826 | 91 | 16 760 |
| 1985 | 18 804 | 14 512 | 105 | 18 876 |
| 1986 | 18 793 | 14 695 | 82 | 18 842 |

Von den (1986) 18 842 Insolvenzen entfielen 11,4% auf das Verarbeitende Gewerbe (ohne Bau), 16,0% auf das Baugewerbe, 18,8% auf den Handel (Großhandel 7,6%, Einzelhandel 10,8%, Handelsvermittlung 0,4%), 20,9% auf das Dienstleistungsgewerbe. Verhältnismäßig stark beteiligt waren innerhalb des Verarbeitenden Gewerbes die Herstellung von ADV-Einrichtungen, Elektrotechnik, Feinmechanik und EBM-Warenherstellung sowie das Holz-, Papier- und Druckgewerbe.

**Konkursanfechtung**, Recht des →Konkursverwalters, gewisse kurz vor →Konkurseröffnung von oder mit dem →Gemeinschuldner zum Nachteil der →Konkursgläubiger vorgenommene Rechtshandlungen in ihren Wirkungen rückgängig zu machen und die veräußerten Vermögenswerte zur →Konkursmasse zu ziehen (§§ 29 bis 42 KO). – *Zweck:* Um eine gleichmäßige Befriedigung aller Konkursgläubiger zu erreichen, soll verhindert werden, daß der Schuldner bei drohendem →Konkurs Rechtshandlungen zu seinem persönlichen oder zum Vorteil einzelner Gläubiger vornimmt; einzelnen Gläubigern soll die Möglichkeit genommen werden, sich im letzten Augenblick auf Kosten der Gesamtheit der Gläubiger zu sichern.

I. Allgemeine Voraussetzungen: 1. Von dem Gemeinschuldner oder ihm gegenüber muß vor Konkurseröffnung eine wirksame *Rechtshandlung* vorgenommen worden sein, z. B. Verfügungs- und Verpflichtungsgeschäft, benachteiligende Prozeßhandlung, auch die Unterlassung der Ausübung eines Rechts. – 2. Die anteilige Befriedigung der Konkursgläubiger muß durch Minderung der Konkursmasse *beeinträchtigt* sein.

II. Einzelfälle: 1. *I. e. S.:* Anfechtbar sind: a) Rechtsgeschäfte des Gemeinschuldners, die er nach →Zahlungseinstellung oder Stellung des →Konkursantrags vorgenommen hat; ferner die Sicherung oder Befriedigung aus Forderungen innerhalb dieser Zeit, wenn die Gläubiger darauf einen Anspruch hatten. Erforderlich ist, daß dem Geschäftsgegner die Zahlungseinstellung oder der Konkursantrag bekannt war, was der Konkursverwalter beweisen muß (§ 30 Nr. 1 KO); b) Rechtshandlungen nach Zahlungseinstellung bzw. Stellung des Eröffnungsantrags oder in den letzten zehn Tagen davor, wenn durch sie ein Gläubiger Sicherung oder Befriedigung erhielt, die ihm nicht oder noch nicht zustand. Der Gläubiger muß beweisen, daß ihm weder Zahlungseinstellung oder Eröffnungsantrag noch die Absicht des Gemeinschuldners, ihn vor den übrigen zu begünstigen, bekannt war (z. B. Bezahlung noch nicht fälliger Schulden, jede durch Pfändung erlangte Sicherheit; § 30 Nr. 2 KO). – 2. *Absichtsanfechtung:* Anfechtbar sind: Rechtshandlungen des Gemeinschuldners, die in der dem Geschäftsgegner

bekannten Absicht vorgenommen sind, die Gläubiger zu benachteiligen (§ 31 KO). Wann sie vorgenommen wurden, ist gleichgültig. Es genügt das Bewußtsein, daß nach dem gewöhnlichen Verlauf der Dinge eine Benachteiligung der Gläubiger zu erwarten ist. Der Konkursverwalter braucht die Benachteiligungsabsicht des Gemeinschuldners und Kenntnis des Geschäftsgegners nicht zu beweisen, wenn es sich um im letzten Jahr vor Konkurseröffnung mit nahen Angehörigen geschlossene entgeltliche Verträge handelt. – 3. *Schenkungsanfechtung:* Anfechtbar sind: unentgeltliche Verfügungen, die im letzten Jahr (zugunsten des Ehegatten in den letzten zwei Jahren) vorgenommen wurden, ausgenommen gebräuchliche Gelegenheitsgeschenke (§ 32 KO).

II. Durchführung: Falls keine Einigung zu erzielen ist, Geltendmachung der K. nur durch Erhebung der Klage seitens des Konkursverwalters, und zwar binnen Jahresfrist seit Konkurseröffnung (§ 41 KO). *Anfechtungsgegner* ist derjenige, der anfechtbar empfangen hat, oder dessen Gesamtrechtsnachfolger. Dieser ist verpflichtet, das aus dem Vermögen des Gemeinschuldners Weggegebene zur Konkursmasse *zurückzugewähren* (§ 37 KO), und zwar so, als wenn die Weggabe nicht erfolgt wäre (grundsätzlich Rückgabe in Natur; Geldersatz nur, wenn Rückgewähr in Natur nicht möglich ist, auch infolge Veräußerungen der Sache). Eine eingeschränkte *Haftung des Einzelrechtsnachfolgers* besteht nur, wenn er unentgeltlich erworben hat oder beim Erwerb die Umstände kannte, die den Erwerb seines Vorgängers anfechtbar machten (§ 40 KO). Hatte der Gegner eine *Gegenleistung* erbracht und ist diese noch unterscheidbar vorhanden oder ist die Masse um den Wert der Gegenleistung bereichert, so kann der Gegner seine Leistung voll zurückverlangen, und zwar als →Massegläubiger (andernfalls nur →Konkursforderung; § 38 KO). Wird das zu Befriedigung einer Verbindlichkeit Geleistete aufgrund der K. zur Masse zurückgewährt, so lebt die *Forderung* wieder auf.

**Konkursantrag**, formelle Voraussetzung zur →Konkurseröffnung, neben dem Vorliegen eines →Konkursgrundes. – *Antragsberechtigt* sind der Schuldner und jeder →Konkursgläubiger (§ 103 KO). – *Verpflichtet* zur Stellung eines K. sind der Vorstand der AG und Genossenschaft, organschaftliche Vertreter einer OHG und KG, sofern prsönlich haftender Gesellschafter eine natürliche Person ist, und der Geschäftsführer der GmbH (§ 92 AktG, § 99 GenG, § 130a HGB, § 64 GmbHG). – *Frist:* Der Antrag auf Konkurs oder →Vergleichseröffnung muß zur Vermeidung von Schadenersatzansprüchen und strafrechtlicher Verfolgung innerhalb von drei Wochen nach Eintreten des →Konkursgrundes gestellt werden. – Keine *Formvorschrift.* K.

kann schriftlich oder zu Protokoll des zuständigen Amtsgerichts gestellt werden. – Der Schuldner als Antragsteller hat eine *Vermögensübersicht* (→Konkursbilanz) und ein *Verzeichnis* der Gläubiger und Schuldner einzureichen oder unverzüglich nachzureichen (§ 104 KO). →Glaubhaftmachung ist gesetzlich nicht vorgesehen, doch *eröffnet* das Gericht das *Verfahren* nur, wenn es von der Richtigkeit der Angaben, insbes. hinsichtlich des →Konkursgrundes und der vorhandenen Masse, überzeugt ist. – Der Konkursgläubiger als Antragsteller muß *glaubhaft* machen: a) daß ihm eine Forderung gegen den Schuldner zusteht (meist durch Vorlage eines Schuldtitels, Wechsels, Kontoauszugs; b) daß ein →Konkursgrund vorliegt (Bescheinigung über fruchtlose →Pfändung, Wechselprotest, Mitteilung des Schuldners über →Zahlungseinstellung, notfalls auch eine →eidesstattliche Versicherung). – Der Antrag kann bis zur Veröffentlichung oder Zustellung des Eröffnungsbeschlusses *zurückgenommen* werden. – Entscheidung über den K. ist *anzusetzen*, solange ein vom Schuldner beantragtes →Vergleichsverfahren schwebt (§ 46 VerglO).

**Konkursausfallgeld,** durch Gesetz v. 17.7.1974 (BGBl I 1481) für Arbeitnehmer eingeführte Leistung der Bundesanstalt für Arbeit bei Zahlungsunfähigkeit des Arbeitgebers (§§ 141 a ff. AFG). – 1. *Gewährung* auf Antrag, der binnen einer →Ausschlußfrist von zwei Monaten nach →Konkurseröffnung zu stellen ist. Der Konkurseröffnung stehen die Abweisung des Antrags mangels Masse gleich und auch die vollständige Beendigung der Betriebstätigkeit, wenn ein Antrag auf Konkurseröffnung mangels Masse nicht in Betracht kommt. – 2. *Anspruchsberechtigt* sind die Arbeitnehmer, die bei Konkurseröffnung noch für die letzten drei Monate vor Eröffnung Ansprüche auf Arbeitsentgelt haben. – 3. *Höhe:* Das K. ist so hoch wie der Teil des um die gesetzlichen Abzüge verminderten Arbeitsentgelts für die letzten drei Monate vor Konkurseröffnung, den der Arbeitnehmer noch zu beanspruchen hat. – 4. *Mittel* für das K. sind im Weg der Umlage von den Arbeitgebern durch besondere, für diesen Zweck bestimmte Beiträge an die Berufsgenossenschaften jährlich nachträglich aufzubringen (§§ 186 b ff. AFG).

**Konkursbeschlag,** Inbegriff der Wirkungen, die die →Konkurseröffnung in Ansehung der →Konkursmasse ausübt, insbes. Bindung des gesamten, dem →Gemeinschuldner z. Z. der Kokurseröffnung gehörenden pfändbaren Vermögens zugunsten der →Konkursgläubiger, Wegfall des Verwaltungs- und Verfügungsrechts des Gemeinschuldners und Übergang auf den →Konkursverwalter.

**Konkursbilanz,** *Konkursstatus,* eine Vermögensübersicht, in der der →Konkursverwalter

gem. § 124 KO die Lage des →Gemeinschuldners darzulegen hat. Den Vermögensteilen, die mit ihrem mutmaßlichen Veräußerungswert anzusetzen sind, werden die Ansprüche der Gläubiger zum Zweck der Ermittlung der Konkursquote gegenübergestellt. – Prinzipielle *Gliederung* der K. in: I. Aktiva: 1. Nicht verfügbares Vermögen: a) auszusondernde Vermögensteile, b) abzusondernde Vermögensteile, c) Aufrechnungsbeträge. 2. Verfügbare Vermögensteile: a) eigentliche Konkursmasse, b) Ergänzungsposten (persönliches Vermögen. Nachschußverpflichtungen, Ansprüche aus Bürgerschaften). II. Passiva: 1. Gesicherte Forderungen von a) Gläubigern mit Aussonderungsrechten, b) Gläubigern mit Absonderungsrechten, c) Aufrechnungsbeträgen. 2. Ungesicherte Forderungen von a) Masseglaubigern, b) Konkursgläubigern (bevorzugte und andere).

**Konkursdelikte,** Straftaten im Zusammenhang mit der Eröffnung oder Durchführung eines →Konkursverfahrens (§§ 283 bis 283 d StGB). Die strafrechtlichen Bestimmungen der KO bezwecken teils den Schutz der Gläubiger gegen böswillige oder leichtsinnige Schuldner, teils die Ermöglichung einer ordnungsgemäßen Durchführung des Konkursverfahrens.

I. K. des Schuldners: 1. *Bankrott* (§§ 283, 283a StGB) liegt vor, wenn der Schuldner bei →Überschuldung oder bei drohender oder eingetretener →Zahlungsunfähigkeit: a) Bestandteile seines Vermögens, die im Fall der Konkurseröffnung zur Konkursmasse gehören, beiseiteschafft oder verheimlicht oder in einer den Anforderungen einer ordnungsgemäßen Wirtschaft widersprechenden Weise zerstört, beschädigt oder unbrauchbar macht; b) in einer den Anforderungen einer ordnungsgemäßen Wirtschaft widersprechenden Weise Verlust- oder Spekulationsgeschäfte oder Differenzgeschäfte mit Waren oder Wertpapieren eingeht oder durch unwirtschaftliche Ausgaben, Spiel oder Wette übermäßige Beträge verbraucht oder schuldig wird; c) Waren oder Wertpapiere auf Kredit beschafft und sie oder die aus diesen Waren hergestellten Sachen erheblich unter ihrem Wert in einer den Anforderungen einer ordnungsgemäßen Wirtschaft widersprechenden Weise veräußert oder sonst abgibt; d) Rechte anderer vortäuscht oder erdichtete Rechte anerkennt; e) Handelsbücher, zu deren Führung er gesetzlich verpflichtet ist (§§ 238 ff. HGB; §§ 160 ff. AO), zu führen unterläßt oder so führt oder so verändert, daß die Übersicht über seinen Vermögensstand erschwert wird; f) Handelsbücher oder sonstige Unterlagen, zu deren Aufbewahrung er als Kaufmann nach Handelsrecht verpflichtet ist, vor Ablauf der für Buchführungspflichtige bestehenden Aufbewahrungsfristen beiseite schafft, verheimlicht, zerstört oder beschädigt und dadurch die

Übersicht über seinen Vermögensstand erschwert; g) entgegen dem Handelsrecht Bilanzen so aufstellt, daß die Übersicht über seinen Vermögensstand erschwert wird, oder es unterläßt, die Bilanz seines Vermögens oder das Inventar in der vorgeschriebenen Zeit aufzustellen; h) in einer anderen, den Anforderungen einer ordnungsgemäßen Wirtschaft grob widersprechenden Weise seinen Vermögensstand verringert oder seine wirklichen geschäftlichen Verhältnisse verheimlicht oder verschleiert; i) durch eine unter a) bis h) bezeichnete Handlung seine Überschuldung oder Zahlungsunfähigkeit herbeiführt. Eine Strafbarkeit ist nur dann gegeben, wenn der Schuldner seine Zahlungen eingestellt hat oder über sein Vermögen das Konkursverfahren eröffnet oder der Eröffnungsantrag mangels Masse abgewiesen worden ist. – *Strafe:* Freiheitsstrafe bis zu fünf Jahren oder Geldstrafe, bei →Fahrlässigkeit Freiheitsstrafe bis zu zwei Jahren oder Geldstrafe, in besonders →schweren Fällen Freiheitsstrafe von sechs Monaten bis zu zehn Jahren. – 2. *Verletzung der Buchführungspflicht* (§ 283 b StGB) liegt vor, wenn jemand: a) Handelsbücher, zu deren Führung er gesetzlich verpflichtet ist, zu führen unterläßt oder so führt oder verändert, daß die Übersicht über seinen Vermögensstand erschwert wird; b) Handelsbücher oder sonstige Unterlagen, zu deren Aufbewahrung er nach Handelsrecht verpflichtet ist, vor Ablauf der gesetzlichen Aufbewahrungsfristen beiseite schafft, verheimlicht, zerstört oder beschädigt und dadurch die Übersicht über seinen Vermögensstand erschwert; c) entgegen dem Handelsrecht Bilanzen so aufstellt, daß die Übersicht über seinen Vermögensstand erschwert wird, oder es unterläßt, die Bilanz seines Vermögens oder das Inventar in der vorgeschriebenen Zeit aufzustellen. – *Strafe:* Freiheitsstrafe bis zu zwei Jahren oder Geldstrafe. – 3. →*Gläubigerbegünstigung* (§ 283 c StGB) liegt vor, wenn der Schuldner nach Zahlungseinstellung oder Konkurseröffnung einen Gläubiger mit der Absicht der Bevorzugung unberechtigterweise sichert oder befriedigt und wenn die Gläubigerbegünstigung absichtlich oder wissentlich tatsächlich herbeigeführt worden ist. – *Strafe:* Freiheitsstrafe bis zu zwei Jahren oder Geldstrafe.

II. K. anderer Personen: Sog. *Schuldnerbegünstigung* (§ 283 d StGB) liegt vor, wenn jemand in Kenntnis der einem anderen drohenden Zahlungsunfähigkeit oder nach Zahlungseinstellung, in einem Konkursverfahren, in einem gerichtlichen Vergleichsverfahren zur Abwendung des Konkurses oder in einem Verfahren zur Herbeiführung der Entscheidung über die Eröffnung des Konkurs- oder gerichtlichen Vergleichsverfahrens eines anderen Bestandteile des Vermögens eines anderen, die im Fall der Konkurseröffnung zur Konkursmasse gehören, mit dessen Einwilligung

oder zu dessen Gunsten beiseiteschafft oder verheimlicht oder in einer den Anforderungen einer ordnungsgemäßen Wirtschaft widersprechenden Weise zerstört, beschädigt oder unbrauchbar macht. Eine Strafbarkeit ist nur dann gegeben, wenn der Gemeinschuldner seine Zahlungen eingestellt hat oder über sein Vermögen das Konkursverfahren eröffnet oder der Eröffnungsantrag mangels Masse abgewiesen worden ist. – *Strafe:* Freiheitsstrafe bis zu fünf Jahren oder Geldstrafe, in besonders schweren Fällen Freiheitsstrafe von sechs Monaten bis zu zehn Jahren.

**Konkursdividende,** *Konkursquote,* der vom →Konkursverwalter auf die Forderungen der →Konkursgläubiger nach Verwertung der →Konkursmasse ausgeschüttete Prozentsatz. In jüngster Zeit erhalten die nicht →bevorrechtigten Gläubiger wegen des weitgehenden Vorrechtes des Fiskus oft keine oder nur eine niedrige K. – Bei *Abschlagsverteilungen* bestimmt der Konkursverwalter (oder auf seinen Antrag ggf. der →Gläubigerausschuß) die Höhe der K. Über die voraussichtliche *Höhe* der K. erhalten die Gläubiger meist schon in der ersten Gläubigerversammlung einen Überblick.

**Konkurseröffnung.** 1. *Voraussetzung:* →Konkursantrag. – 2. *Vor K.* prüft das →Konkursgericht: (1) seine Zuständigkeit, (2) Zulässigkeit des →Konkursantrags, (3) Vorliegen eines →Konkursgrundes, (4) Vorhandensein einer den Kosten des Verfahrens entsprechenden →Konkursmasse. Fehlt letztere und wird kein Kostenvorschuß gezahlt, wird der Antrag „mangels Masse" abgewiesen und der Schuldner in das Schuldnerverzeichnis eingetragen (§ 107 KO). Sind die Voraussetzungen zu (1) – (4) erfüllt, so ist das Verfahren nach Anhörung des Schuldners zu eröffnen. – 3. *Eröffnungsbeschluß:* a) Hauptsächlicher *Inhalt:* Stunde der Eröffnung, Ernennung des →Konkursverwalters, evtl. Bestellung eines vorläufigen →Gläubigerausschusses, Berufung der ersten →Gläubigerversammlung auf einen nicht über einen Monat hinaus anzuberaumenden Termin (der häufig mit dem allgemeinen Prüfungstermin verbunden wird), →offener Arrest und Frist zur →Anmeldung der →Konkursforderungen. – b) *Veröffentlichung* im Bundesanzeiger. Besondere Mitteilung an die ihrem Wohnort nach bekannten Gläubiger und Schuldner. – 4. *Beschwerde gegen K.:* Steht nur dem →Gemeinschuldner, gegen die Ablehnung dem Antragsteller zu (einzulegen binnen zwei Wochen nach öffentlicher Bekanntmachung oder Zustellung des Beschlusses, § 76 KO). Sie hat keine aufschiebende Wirkung. Hebt das Beschwerdegericht den Eröffnungsbeschluß auf, treten die mit der Eröffnung verknüpften Rechtsfolgen rückwirkend außer Kraft, jedoch bleiben die vom

Konkursverwalter vorgenommenen Rechtshandlungen gültig.

**Konkursforderung,** die einem Konkursgläubiger zustehende Forderung (Gegensatz: Anspruch auf →Aussonderung, →Absonderung und Masseanspruch). *Anmeldung* beim →Konkursgericht unter Angabe des Betrages, Schuldgrundes und beanspruchten Vorrechts. K. wird im Prüfungstermin *geprüft* und ist *festgestellt,* wenn weder der Konkursverwalter noch ein anwesender Konkursgläubiger widerspricht oder ein erhobener Widerspruch beseitigt ist (§ 144 KO). Die Feststellung der K. *wirkt* wie ein rechtskräftiges Urteil gegenüber allen Konkursgläubigern; sie ist auf Wechseln, Schuldscheinen oder ähnlichen Urkunden zu *vermerken* (§ 145 KO).

**Konkursgericht,** gerichtliche Instanz zur Abwicklung des →Konkursverfahrens.

I. Z u s t ä n d i g k e i t : Zuständig ist das →Amtsgericht, bei dem der →Gemeinschuldner seine gewerbliche →Niederlassung hat; bei mehreren Niederlassungen entscheidet der Sitz der Hauptniederlassung. Fehlt eine gewerbliche Niederlassung, bestimmt sich das Gericht nach dem allgemeinen →Gerichtsstand (Wohnsitz) des Gemeinschuldners (§ 71 KO). Die Zuständigkeit ist zwingend.

II. A u f g a b e n : 1. *Entscheidende Funktionen:* a) Eröffnung und Beendigung des →Konkursverfahrens, b) Berufung und Leitung der →Gläubigerversammlung, c) Gewährung der Stimmrechte, falls in der Gläubigerversammlung keine Einigung erzielt wird, d) Ernennung des →Konkursverwalters und Festsetzung seiner Vergütung, Bestellung des vorläufigen →Gläubigerausschusses und e) auf Antrag Untersagung der Durchführung zweckwidriger Beschlüsse der Gläubigerversammlung (§ 99 KO). – 2. *Beaufsichtigende Funktionen:* a) Überwachung des Gläubigerausschusses und des Konkursverwalters, den das K. durch Ordnungsstrafen zur Erfüllung seiner Pflichten anhalten kann (§ 84 KO), b) Genehmigungsrecht hinsichtlich einiger Handlungen des Konkursverwalters, wie Unterstützung des Gemeinschuldners, Ausschüttung an →bevorrechtigte Gläubiger, → Schlußverteilung (§§ 129, 161, 170 KO); c) die →Konkursforderungen sind bei K. anzumelden, das den →Prüfungstermin im Konkursverfahren durchführt, dessen Ergebnis in die →Konkurstabelle eingetragen wird. – 3. Das K. *entscheidet nicht* über Bestand und Vorrecht von Forderungen, über Rechte auf →Aussonderung und →Absonderung, Masseansprüche oder die Konkursanfechtung. Diese Streitigkeiten sind im Prozeßweg auszutragen.

III. R e c h t s m i t t e l : Gegen Beschlüsse des K. ist →sofortige Beschwerde gegeben, sofern nicht eine Entscheidung ausdrücklich als unanfechtbar bezeichnet ist. Einlegung binnen zwei Wochen nach →Zustellung (oder öffentlicher Bekanntmachung) beim Amts- oder Landgericht. Die Beschwerde steht jedem zu, der durch die Entscheidung beschwert ist (§ 73 III KO).

**Konkursgläubiger.** I. B e g r i f f : Gläubiger, denen zur Zeit der →Konkurseröffnung ein begründeter Vermögensanspruch an den Gemeinschuldner zusteht (§ 3, auch §§ 17, 26–28 KO). – 1. *Keine Konkursforderungen sind:* Ansprüche rein familienrechtlicher Art auf eine persönliche Leistung, nicht durch →Zwangsvollstreckung erzwingbare Ansprüche, Zinsen und Kosten für die Zeit nach Konkurseröffnung, Rechte auf →Aussonderung oder →Absonderung, →Masseansprüche. – 2. Behandlung der *einzelnen Ansprüche:* a) Neben der Kapitalforderung werden mit demselben Rang eingesetzt die vor Konkurseröffnung erwachsenen Kosten, Vertragsstrafen und Zinsen (§ 62 KO); b) →betagte Forderungen gelten als fällig, betagte unverzinsliche werden um Zwischenzinsen gekürzt (§ 65 KO); c) Forderungen, die nicht auf Geld lauten, deren Geldbetrag unbestimmt oder ungewiß ist, sind mit dem Schätzungswert einzusetzen, wiederkehrende fällige Leistungen werden kapitalisiert (§§ 69, 70 KO); auflösend bedingte Forderungen werden wie unbedingte behandelt, aufschiebend bedingte berechtigen nur zur Sicherung (§§ 66, 67, 154, 168 KO); e) haften mehrere Gemeinschuldner als →Gesamtschuldner, so kann der Gläubiger die Forderung in jedem Verfahren geltend machen (§ 68 KO).

II. V e r f a h r e n : 1. *Anmeldung:* Jeder K. hat das Recht, die Einleitung des →Konkursverfahrens zu beantragen, jedoch rechtfertigt grundsätzlich nur eine über 1000 DM liegende Vollstreckungsforderung ein Konkursverfahren. Es besteht keine Pflicht, sich an dem Verfahren zu beteiligen. Wer die Anmeldung beim →Konkursgericht unterläßt, wird bei den Verteilungen nicht berücksichtigt. Ein bestätigter →Zwangsvergleich wirkt auch für und gegen ihn. – Kein K. kann Einzelvollstreckungen während des Konkursverfahrens in die Masse oder das konkursfreie Vermögen des Gemeinschuldners betreiben (§ 14 KO). – 2. *Befriedigung* der K., wenn die Teilungsmasse nach Ausscheidung der nicht zur Masse gehörenden Gegenstände, Geltendmachung der Absonderungsrechte und Vorwegbefriedigung der Masseansprüche ermittelt ist, nach einer bestimmten Reihenfolge (§ 61 KO) in aus sozialen und fiskalischen Gründen bevorrechtigten *Rangklassen:* (1) Ansprüche wegen Rückständen für das letzte Jahr vor Konkurseröffnung, sofern keine Masseschulden (→Massegläubiger II 2) vorliegen: (a) der Arbeitnehmer, der im Rahmen betrieblicher Berufsbildung und in →Heimarbeit Beschäftigte sowie der ihnen Gleichgestellte auf die ihnen zustehenden Bezüge; (b) der Arbeitnehmer auf Entschädigung aus einer →Wettbewerbsabrede; c) der Handelsvertreter (§ 92 a HGB) auf Vergütung und Provision, wenn der monatliche Durchschnitt einschl. der sozialen Abgaben 1000 DM nicht übersteigt; d) der Berechtigte auf Leistungen aus einer betrieblichen Altersversorgung. – (2) Öffentliche Abgaben des Bundes, Landes, der Gemeinden und Gemeindeverbände aus dem letzten Jahr vor Konkurseröffnung (z. B. Lastenausgleichsabgaben). – (3) Forderungen der Kirchen und anderer Körperschaften des öffentlichen Rechts aus dem letzten Jahr vor Konkurseröffnung. – (4) Forderungen der Ärzte, Apotheker, Krankenanstalten, Hebammen aus dem letzten Jahr vor Konkurseröffnung. – (5) Forderungen der Kinder oder anderer Pflegebefohlener für Ansprüche aus der gesetzlichen Vermögensverwaltung. – (6) Alle übrigen (nicht bevorrechtigten) Forderungen. Zu diesen gehören auch Ansprüche auf →Arbeitsentgelt entsprechend (1), soweit sie aus weiter zurückliegender Zeit stammen; ebenso Ansprüche von Vorstandsmitgliedern oder anderen Organpersonen. Die Forderungen in einer Klasse haben untereinander gleichen Rang. Gleichrangige Forderungen werden nach dem Verhältnis ihrer Beträge berichtigt. – Oft *erschöpft* sich die Masse schon bei Verteilung an die K. der ersten und zweiten Rangklasse (darum Vorrecht des →Fiskus erheblich angegriffen).

**Konkursgrund,** Anlaß zur Eröffnung eines →Konkursverfahrens.

I. Rechtliche Gründe: 1. *Zahlungsunfähigkeit,* das ist ein auf Mangel an Zahlungsmitteln beruhendes, nach außen erkennbares und voraussichtlich dauerndes Unvermögen eines Schuldners, seine fälligen Geldschulden zu erfüllen; *dagegen nicht* a) bei voraussichtlich vorübergehender Zahlungsstockung, b) wenn sich der Schuldner trotz etwaiger Überschuldung ausreichende Mittel im Kreditweg beschaffen kann, c) wenn der Schuldner sich weigert, Zahlungen zu bewirken. Zahlungsunfähigkeit kann auch vorliegen, wenn der Schuldner zwar wertvolles, aber unveräußerliches Vermögen besitzt (Illiquidität). Wichtigste Erscheinungsform der Zahlungsunfähigkeit: →Zahlungseinstellung. – 2. *Überschuldung:* Überwiegen der Schulden über das Vermögen. – 3. K. und *Gesellschaftsformen:* a) Zahlungsunfähigkeit ist K. bei natürlichen Personen, OHG und KG; b) Zahlungsunfähigkeit oder Überschuldung K. bei AG, GmbH, Verein (§§ 207, 213 KO) sowie bei OHG und KG, falls kein persönlich haftender Gesellschafter eine natürliche Person ist (§ 209 KO), →Gesellschaftsformen; c) im →Nachlaßkonkurs lediglich Überschuldung als K. (§ 215 KO); d) bei Genossenschaften ist K. stets Zahlungsunfähigkeit, nach Auflösung auch Überschuldung (§ 98, GenG) →Genossenschaftskonkurs.

II. Wirtschaftliche Gründe (nach einer Zusammenstellung des →Rationalisierungs-Kuratoriums der Deutschen Wirtschaft): 1. *Typische K.:* a) zu hohe Entnahmen, b) Absatzschwierigkeiten, insbes. c) unwirtschaftliche Produktionsleistungen. – 2. *Untypische K.:* a) schwache, unfähige Unternehmensleiter, b) Überentwicklung der Unternehmens-bzw. Vertriebsverwaltung, c) organisatorisches Auseinanderklaffen der einzelnen Betriebszweige, d) fehlendes Gleichgewicht in der Produktion (insbes. Mitschleppen von Ballastprodukten), e) schlechte Leistungskonstitution der Belegschaft, f) technische und bauliche, besonders auch energiewirtschaftliche Rückständigkeit des Betriebs, g) veraltete innerbetriebliche Arbeits- und Transportorganisation, h) ungenügende oder auch nur unzuverlässige innerbetriebliche Kostenkontrolle, i) ungeschickte Zusammensetzung und Anordnung des Sortiments, k) Vernachlässigen von Marktvorschau und -pflege, l) Vernachlässigen der Betriebsstatistik in ihren verschiedenen Aufgaben, m) mangelhafte Kapitaldisposition, v. a. Fehler in der vorausschauenden Kapitalbeschaffung.

**Konkursmasse,** das gesamte einer →Zwangsvollstreckung unterliegende Vermögen des →Gemeinschuldners im Zeitpunkt der →Konkurseröffnung (§ 1 KO).

I. Umfang: Bewegliche Sachen; Grundstücke und grundstücksgleiche Rechte; Forderungen; das Geschäft des Gemeinschuldners; Arbeitseinkommen bis zur Konkurseröffnung, soweit eine →Lohnpfändung zulässig ist; Ansprüche aus Versicherungsverträgen; Urberrechte an Werken der Literatur, Tonkunst, bildenden Kunst und Fotografie gehören nur zur K., wenn der Gemeinschuldner die Einbeziehung bewilligt; bei Erfinderrechten (Patenten, Gebrauchsmustern), soweit schon Vorbereitungen zu ihrer Verwertung getroffen sind, kann auch die Anmeldebefugnis zur K. gehören; das Warenzeichen fällt mit dem Geschäftsbetrieb, zu dem es gehört, in die Masse und kann mit diesem ohne Zustimmung des Gemeinschuldners veräußert werden.

II. Ausgeschlossen: Alles, was der Gemeinschuldner nach Konkurseröffnung erwirbt; die nach § 811 ZPO unpfändbaren Sachen mit Ausnahme der (unpfändbaren) Geschäftsbücher und des Betriebsinventars landwirtschaftlicher Güter, Apotheken usw.; Familien- und Persönlichkeitsrechte; im Konkurs der Personengesellschaft das Privatvermögen der Gesellschafter; Sachen Dritter, die der Aussonderung unterliegen.

II. Verfahren: 1. Streitigkeiten zwischen Gemeinschuldner und Konkursverwalter über die *Zugehörigkeit* von Gegenständen zur K. sind im Prozeßweg zu entscheiden. – 2. Der Konkursverwalter ist verpflichtet, die Masse in *Besitz* zu nehmen; dies kann er bei dem Gemeinschuldner mit einer vollstreckbaren Ausfertigung des Eröffnungsbeschlusses unter Mithilfe eines →Gerichtsvollziehers erwirken. Weigert ein Dritter die Herausgabe, so ist der Konkursverwalter auf Klage und Vollstreckung angewiesen. – 3. Über die vorhandene K. muß der Verwalter (grundsätzlich in Gegenwart eines Urkundsbeamten oder Gerichtsvollziehers) ein *Inventar* aufstellen und die Gegenstände bewerten (§ 123 KO). Auf seinen Antrag muß der Gemeinschuldner beschwören, keine Kenntnis von zur K. gehörendem, nicht im Inventar angegebenem Vermögen zu haben (§ 125 KO). – 4. Über die *Art der* →*Verwertung* der K. entscheidet der Konkursverwalter nach pflichtmäßigem Ermessen; zu einigen wichtigen Handlungen bedarf er der Zustimmung von →Konkursgericht, →Gläubigerausschuß oder →Gläubigerversammlung (§§ 133, 134 KO). – 5. Die K. kann durch →Absonderung und →Aufrechnung *gemindert*, durch →Konkursanfechtung *vermehrt* werden.

**Konkursordnung,** i. d. F. vom 20. 5. 1898, in Kraft seit 1.1.1900 mit verschiedenen Änderungen, Grundlage des *Konkursrechts*. Konkursrechtliche *Sonderbestimmungen* in Einzelgesetzen, z. B. Genossenschaftsgesetz (für →Genossenschaftskonkurs), BGB (für →Nachlaßkonkurs). Ergänzung des Konkursrechts durch →Vergleichsordnung.

**Konkursquote,** →Konkursdividende.

**Konkursstatus,** →Konkursbilanz.

**Konkurstabelle,** Verzeichnis der beim Konkursgericht angemeldeten Konkursforderungen, das im Prüfungstermin (→Prüfungstermin im Konkursverfahren) vom Konkursrichter verlesen und in dem das Ergebnis der Prüfung vermerkt wird. – Zwecks streitiger Feststellung einer nicht wie beantragt festgestellten Forderung durch →Klageerhebung gegen den Bestreitenden hat das Gericht dem Gläubiger einen *Auszug* aus der K. zu erteilen (§ 146 KO). – Die *Eintragung* der Feststellung in die K. wirkt wie ein rechtskräftiges →Urteil gegenüber allen →Konkursgläubigern (§ 145 KO). Diese können mit einem beglaubigten Auszug nach Beendigung des Verfahrens wegen ihres Ausfalls gegen den →Gemeinschuldner vollstrecken, wenn nicht der Gemeinschuldner im Prüfungstermin der Feststellung ausdrücklich widersprochen hat (§ 164 KO).

**Konkursverfahren,** in der →Konkursordnung geregeltes Verfahren zur bestmöglichen und gleichmäßigen Befriedigung der →Konkursgläubiger durch →Verwertung des gesamten pfändungsfreien Vermögens des →Gemeinschuldners.

I. B e t e i l i g t e : 1. →*Konkursgericht:* Zuständig das →Amtsgericht, bei dem der Gemein-

schuldner seine gewerbliche Niederlassung (bei mehreren die Hauptniederlassung) hat, ohne solche das Gericht des Wohnsitzes. Es hat alle das Verfahren betreffenden Verhältnisse aufzuklären und teils entscheidende, teils beaufsichtigende Aufgaben. – 2. →*Konkursverwalter:* Er verwaltet, verwertet und verteilt die →Konkursmasse. – 3. →*Gläubigerversammlung:* Oberstes, vom Konkursgericht einzuberufendes Organ im K., entscheidet grundsätzlich mit absoluter Mehrheit, Stimmrecht haben nur Konkursgläubiger. Wichtigste Aufgabe: Vorschlag und Wahl des Gläubigerausschusses sowie eines anderen als des vom Konkursgericht bestellten Konkursverwalters. – 4. →*Gläubigerausschuß:* Ein grundsätzlich fakultatives Organ, das den Konkursverwalter unterstützt und überwacht. – 5. →*Konkursgläubiger:* Persönliche Gläubiger zur Zeit der →Konkurseröffnung. – 6. →*Gemeinschuldner:* Der mit Konkurseröffnung der Verwaltung über sein Vermögen verlierende Schuldner.

II. A b l a u f : 1. *Eröffnungsverfahren:* →Konkurseröffnung. – 2. *Feststellung der Vermögens- und Schuldenmasse:* Der Konkursverwalter hat a) die zur Masse gehörenden Gegenstände in Besitz zu nehmen und zu verwerten; b) die, die nicht zur Konkursmasse gehören, auszusondern (→Aussonderung); c) Absonderungsberechtigten Befriedigung zu gestatten (→Absonderung); vgl. auch →Konkursanfechtung, →Anmeldung, →Prüfungstermin im Konkursverfahren. – 3. *Verteilung der Masse:* a) Während des Verfahrens, soweit ausreichende Masse vorhanden ist (→Abschlagsverteilung), b) nach vollständiger Verwertung (→Schlußverteilung) c) nach deren Ausführung (→Nachtragsverteilung). – Die Anordnung, Vorbereitung und Durchführung ist grundsätzlich Sache des Konkursverwalters (§§ 149–172 KO). Vor den Konkursgläubigern sind die →Massegläubiger zu befriedigen. – *Gegensatz:* →Zwangsvergleich. III. A u f h e b u n g : Nach Abhaltung des →Schlußtermins durch gerichtlichen Beschluß. →Öffentliche Bekanntmachung im Bundesanzeiger und Amtsblatt. Ggf. auch →Einstellung des K.

IV. R e c h t s m i t t e l : 1. Gegen *Konkurseröffnung* kann der Gemeinschuldner, gegen *Ablehnung* der Eröffnung der Antragsteller →sofortige Beschwerde einlegen (binnen zwei Wochen beim Amts- oder Landgericht, Fristbeginn bei Zustellung oder öffentlicher Bekanntmachung). – 2. Gegen alle *anderen gerichtlichen Entscheidungen* sofortige Beschwerde eines jeden, der durch den Beschluß benachteiligt wird, sofern im Gesetz nicht ausdrücklich etwas anderes bestimmt ist.

**Konkursverwalter,** derjenige, der während des →Konkursverfahrens das dem Gemeinschuldner entzogene Verwaltungs- und Verfügungsrecht ausübt.

I. Ernennung: 1. Durch das *Gericht* bei →Konkurseröffnung. In der Auswahl ist das Gericht frei. Es ist eine geschäftskundige, von den →Konkursgläubigern und dem →Gemeinschuldner unabhängige Person zu bestellen, deren Fähigkeiten (juristisch und wirtschaftlich) den jeweiligen Aufgaben entsprechen sollen. – 2. Die erste →*Gläubigerversammlung* hat Vorschlags- und Wahlrecht über die Ernennung eines anderen K. – 3. *Entlassung* nur auf Antrag der Gläubigerversammlung oder des Gläubigerausschusses (§§ 80,84 KO).

II. Aufgaben: 1. *Allgemein:* Der K. hat die →Konkursmasse in Besitz zu nehmen, nicht zugehörige Teile auszuscheiden (→Aussonderung), Verträge abzuwickeln, die Masse zu verwerten und den Erlös an die Gläubiger zu verteilen. Ihm obliegt die Durchführung der →Konkursanfechtung. Er untersteht der Aufsicht des →Konkursgerichts. – 2. Im *einzelnen:* a) Der K. hat nach Konkurseröffnung die Bücher dem Gericht zur Schließung vorzulegen und ein Inventarverzeichnis der einzelnen Gegenstände mit Wertangabe, die erforderlichenfalls durch Sachverständige zu ermitteln ist, zu fertigen (§ 123 KO). Bei der Verwertung der Masse ist er grundsätzlich frei, in einigen wichtigen Fällen – z. B. bei freihändigem Grundstücksverkauf, Anhängigmachung von Prozessen (§§ 133, 134 KO) bedarf er der Zustimmung des Gläubigerausschusses, der Gläubigerversammlung oder in seltenen Fällen auch des Gerichtes. b) Bei der Feststellung der →Konkursforderungen ist entscheidend, ob K. diese anerkennt. Bestreitet er, kann der Gläubiger gegen ihn auf Feststellung der Forderung klagen (§ 146 KO). c) Prozesse für die Masse führt er als Partei kraft Amtes. d) Bei →gegenseitigen Verträgen, die noch von keiner Seite vollständig erfüllt sind (z. B. Lieferung unter →Eigentumsvorbehalt), hat er ein Wahlrecht (§ 17 KO). e) Über die Ausschüttung der Masse an die Gläubiger vgl. →Verteilungsverfahren. f) Bei Abschluß des Verfahrens hat K. der Gläubigerversammlung Rechnung zu legen. Werden keine Einwendungen erhoben, ist er entlastet. Für die Erfüllung seiner Pflichten ist er allen Beteiligten verantwortlich (§ 82 KO). g) Die Festsetzung der Vergütung und der Auslagen erfolgt durch das Konkursgericht (§ 85 KO) nach der VO 25.5.1960 (BGBl I 329) mit späteren Änderungen.

III. Haftung: Der K. haftet für Ansprüche, die nach der Konkurseröffnung entstanden sind und zu deren Erfüllung die Konkursmasse nicht ausreicht, nur dann, wenn er bei Beginn oder im Laufe der Fortführung des Betriebs bei Anwendung der Sorgfalt eines ordentlichen und gewissenhaften Geschäftsleisters hätte erkennen können und müssen, daß er die aus der Masse zu erfüllenden Verbind-

lichkeiten nicht werde tilgen können (Az. IX ZR 47/86).

**Konkursvorrecht,** →bevorrechtigte Gläubiger.

**Konkurswarenverkauf,** Verkauf von Waren, die aus einer →Konkursmasse stammen, aber nicht mehr zum Bestand der Konkursmasse gehören. Herkunft dieser Waren darf weder angekündigt noch werblich herausgestellt werden (§ 6 UWG).

**Konnexitätsprinzip,** verfassungsrechtliche und finanzwissenschaftliche Regel, nach der die Kosten für die Erfüllung einer öffentlichen Aufgabe (→Finanzierungshoheit) von demjenigen Aufgabenträger zu tragen sind, der über Art und Intensität der Aufgabenerfüllung entscheidet. *Anwendung* des K. (in der Praxis) wegen der nicht kongruenten Aufteilung von →Gesetzgebungskompetenz und →Verwaltungshoheit (→Politikverflechtung) und wegen der Existenz von →Gemeinschaftsaufgaben häufig schwierig und führt zu politischen Auseinandersetzungen zwischen den beteiligten Aufgabenträgern.

**Konnossement.** 1. *Begriff:* Im →*Seefrachtgeschäft* eine auf Verlangen dem Ablader (auch in mehreren Exemplaren) vom Verfrachter (bzw. Schiffer) ausgestellte Urkunde, in der er den Empfang der Güter bescheinigt und ihre Auslieferung an die Berechtigten verspricht (§§ 642ff. HGB). a) Dabei wird das *Bord-K.* erst nach Abladung der Güter an Bord ausgestellt. b) Das *Übernahme-K.* bestätigt nur die Übernahme zur Beförderung, ohne daß eine Abladung an Bord stattgefunden hat. – 2. Das K. ist →*Wertpapier,* und zwar regelmäßig durch Orderklausel →Orderpapier; es gelten zahlreiche wechselrechtliche Regeln. Es kann auch →Rektapapier sein. – 3. Das K. bestimmt die *Rechtsstellung des Empfängers;* es ist nicht wie der →Frachtbrief Begleitpapier der Ware, sondern Empfangspapier und zugleich Traditionspapier (seine Übergabe ersetzt i. a. Übergabe des Gutes). – 4. Solange das Schiff *unterwegs* ist, kann der Befrachter (Ablader) nur Anweisungen an den Schiffer wegen Rückgabe oder Auslieferung des Gutes erteilen, wenn er ihm sämtliche Ausfertigungen des K. zurückgibt. Andererseits kann der legitimierte K.-Inhaber (der Empfänger) bereits jetzt solche Anweisungen geben, wenn er sämtliche Ausfertigungen vorlegt. – 5. Mit *Ankunft* des Schiffes in dem Löschungshafen erwirbt der legitimierte K.-Inhaber einen selbständigen Anspruch auf Auslieferung der Güter. – 6. Soweit das K. Auskunft gibt, besteht eine (widerlegbare) *Vermutung* für die Richtigkeit seines Inhalts. Diese Vermutung bezieht sich hauptsächlich darauf, daß der Verfrachter die Güter so übernommen hat, wie sie im K. beschrieben sind. Dies gilt jedoch nur im Verhältnis zum Empfänger; im Verhältnis zum Befrachter ist der Frachtvertrag maßgebend. Nimmt der Empfänger das Gut an, so wird er dadurch zur Befriedigung des Verfrachters nach Maßgabe des K. verpflichtet.

**Konnossement-Anteilsschein,** Form der →Konnossement-Teilscheine. Das Konnossement geht auf den Konnossementshalter (Bank, Spediteur, Lagerhalter usw.) über, der mit der Aufteilung beauftragt worden ist; das Konnossement wird nicht wie bei den anderen Formen der Konnossement-Teilscheine (→Reederei-Lieferschein, →Kai-Teilschein) aus dem Verkehr gezogen.

**Konnossementsgarantie,** Form der →Garantie im Rahmen von Importgeschäften. Eine K. wird vereinbart, wenn bei Warenankunft noch kein →Konnossement vorliegt, der Importeur die Ware jedoch erhalten möchte. Die K. wird i.d.R. durch den Importeur auf Verlangen der Reederei oder Spedition (Garantienehmer) erstellt, häufig mit der Auflage, diese durch eine Bankgarantie zu ergänzen (K.-Gegengarantie der Bank zu einer vom Importeur bereits selbst erstellten Garantie). Der →Garantiebrief enthält gegenüber dem Garantienehmer die Verpflichtung, Schäden und Kosten zu ersetzen, die sich aufgrund der Aushändigung der Ware an den Importeur ohne Vorlage des Konnossements ergeben können sowie zur Nachreichung des Konnossements, sobald es zugegangen ist. Üblich v.a. bei leicht verderblichen Waren.

**Konnossements-Klauseln,** zusätzlich auf Konnossementsvordrucken neben den Eintragungen auf der Vorderseite (Markierung, Anzahl, Inhalt, Maße/Gewichte, Art der Verpackung usw.) auf der Rückseite aufgeführt. Es handelt sich um die Beförderungsbedingungen mit einigen speziellen Klauseln (z.B. Himalaya-(Cargo-)Klausel, Both-to-blame-collission-Klausel, Paramount-Klausel und Neue Jason-Klausel).

**Konnossement-Teilschein,** Aufteilung eines (Gesamt-) →Konnossements in Teilscheine. K.-T. werden eingesetzt, wenn ein Importeur für eine Lieferung mehrere Abnehmer hat. – *Formen:* a) →Kai-Teilschein; b) →Reederei-Lieferschein; c) →Konnossements-Anteilsschein.

**Konrad-Adenauer-Stiftung e.V.,** Sitz in Sankt Augustin. – *Aufgaben:* politische Bildung; Förderung der wissenschaftlichen Aus- und Fortbildung junger Menschen; Förderung internationaler Zusammenarbeit und europäischer Einigung. – *Angeschlossene Einrichtungen:* Archiv für Christlich-Demokratische Politik; Bildungswerk (Wesseling-Eichholz); Heimvolkshochschule Eichholz (Wesseling-Eichholz); Institut für Begabtenförderung; Institut für Kommunalwissenschaften; Internationales Institut; Politische Akademie (Wesseling-Eichholz); Sozialwissenschaftliches Forschungsinstitut.

**Konsensprinzip,** *abstraktes Konsensprinzip,* Begriff des Grundbuchrechts, der die Frage

betrifft, inwieweit der Grundbuchrichter bei einer Eintragung materiell-rechtliche Grundlagen des einzelnen Rechtsgeschäfts nachzuprüfen hat. K. baut auf einer Abstraktion (Loslösung) des →Erfüllungsgeschäftes vom →Verpflichtungsgeschäft auf. Das Erfüllungsgeschäft erfordert im Grundstücksrecht außer der Eintragung der Rechtsänderung im →Grundbuch die abstrakte, d.h. vom Verpflichtungsgeschäft losgelöste →Einigung der Vertragspartner über den Eintritt der Rechtsänderung, den →dinglichen Vertrag (§873 BGB). – Soweit Einigung vor Eintragung nachgewiesen werden muß, spricht man vom →*materiellen Konsensprinzip,* sonst (soweit →Eintragungsbewilligung ausreicht) vom →*formellen Konsensprinzip.*

**Konsequenzeffekt,** →Konsistenzeffekt.

**konservatives Testen,** bei →statistischen Testverfahren mit diskreten Prüfverteilungen, bei denen ein vorgegebenes →Signifikanzniveau nicht exakt eingehalten werden kann, die Verfahrensweise, ein faktisches Signifikanzniveau zu wählen, das kleiner, jedoch möglichst wenig kleiner ist als das vorgegebene. K.T. bewirkt eine Tendenz zur Aufrechterhaltung der zu prüfenden →Nullhypothese.

**Konsignationshandel,** *Konsignationsverkauf,* Form des →Kommissionsgeschäftes. – 1. *Verfahren:* Die Ware wird vom Konsignanten (Export-Kommissionär) in das Konsignationslager des ausländischen Konsignators (überseeischer Verkaufs-Kommssionärs) gegeben, der häufig Makler der Konsignanten ist. Die Ware bleibt Eigentum des Konsignanten. Der Konsignator versucht, die Waren zu einem möglichst günstigen (hohen) Preis für Rechnung des Konsignanten zu verkaufen. Er selbst erhält eine Provision. In gewissen Zeitabschnitten, die in Ländern mit →Devisenbewirtschaftung aus Gründen der Devisenkontrolle amtlicherseits auf einen nicht allzu großen Zeitraum beschränkt sind, muß der Konsignator über die aus dem Lager entnommene Ware abrechnen und die Zahlung leisten. Er sorgt dann für Wiederauffüllung des Lagers. Wird das Konsignationslager als Freilager (z.B. im Gebiet eines →Freihafens) geführt, so braucht nur die zum Verkauf entnommene Ware verzollt zu werden. Der Konsignator kann unverkäufliche Ware zurückschicken, ohne die oft sehr erschwerte Zollrückerstattung beantragen zu müssen. Da er für seine Auslagen in der Sendung selbst Deckung hat, ist sein Risiko nicht groß. – 2. *Bedeutung:* Der Absatz auf dem Konsignationsweg durch Makler ist ein wirksames Mittel zur Umsatzbeschleunigung, wenn Sofortkäufer nicht verfügbar sind. K. ist besonders bei Waren üblich, die nur nach Besichtigung gekauft werden (z.B. Teppiche, Schmuck). Er kommt aber auch bei verderblichen Waren vor. Seit die großen Firmen im

Ausland eigene Verkaufsorganisationen mit eigenen Vertretern unterhalten, ist der K. stark zurückgegangen.

**Konsignationslager.** 1. Spezialfall der →*Lagerwirtschaft:* Ein vom Lieferanten auf seine Kosten beim Besteller bereitgestellter Warenbestand (auch als →Auslieferungslager bezeichnet). – *Vorteile:* Verminderung der Kapitalbindung und der Lagerkosten für den industriellen Verbraucher bei gleichzeitiger Sicherung des reibungslosen Fertigungsablaufs. Die Entnahmen werden dem Lieferanten monatlich mitgeteilt; Abrechnung erfolgt mit Hilfe einer Konsignations-Faktura. – 2. Entsprechend im →*Konsignationshandel.*

**Konsignationsverkauf,** →Konsignationshandel.

**konsistentes Restriktionssystem,** *lösbares Restriktionssystem, widerspruchfreies Restriktionssystem,* →Restriktionssystem, das mindestens eine →Lösung besitzt. – *Gegensatz:* →inkonsistentes Restriktionssystem.

**Konsistenz.** I. S t a t i s t i k: In der →Inferenzstatistik Bezeichnung für eine wünschenswerte Eigenschaft einer →Schätzfunktion. Eine Schätzfunktion $U_n$ heißt *konsistent* für einen zu schätzenden →Parameter der →Grundgesamtheit, wenn die Folge $(U_n)$ von Schätzfunktionen mit steigendem Stichprobenumfang n gegen den Parameter *stochastisch konvergiert,* d. h., daß die →Wahrscheinlichkeit, daß sich der Parameter und der →Schätzwert um mehr als eine beliebig kleine positive Größe unterscheiden, mit wachsendem Stichprobenumfang gegen 0 geht.

II. W i s s e n s c h a f t s t h e o r i e / W i r t -
s c h a f t s t h e o r i e: Begriff zur Kennzeichnung bestimmter Eigenschaften von Annahmesystemen. Annahmen sind konsistent, wenn sie widerspruchsfrei sind. – Vgl. auch →Konsistenzpostulat.

**Konsistenzeffekt,** *Konsequenzeffekt,* innerer Störeffekt beim →Interview. Der Befragte sieht seine Antworten im Zusammenhang und bemüht sich, sie widerspruchsfrei (konsistent) aufeinander abzustimmen.

**Konsistenzpostulat,** Forderung nach Widerspruchsfreiheit innerhalb der verschiedenen Aussagen eines theoretischen Systems (→Theorie). K. erlangt insbes. im Zusammenhang mit der Axiomatisierung von Theorien Bedeutung (→Axiom).

**Konsole,** *Steuerkonsole, Bedienungskonsole,* Baueinheit bei größeren →Computern, die es dem Bedienungspersonal (→Operator) ermöglichen, den →Systembetrieb zu überwachen und zu steuern; i. d. R. ein spezielles →Bildschirmgerät.

**Konsolidation,** →Konsolidierung.

**konsolidierte Deckungsbeitragsrechnung.** I. K. D. in Konzernen: Die Umsätze zwischen den einzelnen Konzerngesellschaften (Innenumsätze, konzerninterne Lieferungen und Leistungen) werden i. d. R. zu Marktoder marktnahen Preisen oder kostenorientierten Preisen (Gemeinkosten- und Gewinnzuschläge, Opportunitätskosten und/oder Soll-Deckungsbeiträge enthaltend) verrechnet. Sie enthalten im Zeitpunkt des internen Umsatzes (aus Konzernsicht) nicht realisierte Erlöse und Gewinne (genauer: „Zwischen-Deckungsbeiträge"), die bei der empfangenen Gesellschaft als Kosten in Erscheinung treten. Dies führt zu falschen Vorstellungen über die Erfolgsquellen und zu Fehlentscheidungen bei den Subgesellschaften. Koordination und Ausrichtung auf das Gesamtinteresse erfordern eine konsolidierte, entscheidungsorientierte Erlös-, Kosten- und Deckungsbeitragsrechnung. – Der *entscheidungsrelevante Konzerndeckungsbeitrag (konsolidierter Deckungsbeitrag)* ist der Überschuß des relevanten Konzernaußenumsatzes über die relevanten Konzernkosten. Dazu müssen die echten Einzelkosten der Zwischenprodukte (wie bei einem unabhängigen Unternehmen) nach dem Identitätsprinzip ermittelt und den im Außenmarkt erzielten Einzelerlösen gegenübergestellt werden (analog zur mehrstufigen →Deckungsbeitragsrechnung kann nach Produktgruppen usw. differenziert werden). Auch die Periodenbeiträge der einzelnen Konzerngesellschaften können konsolidiert werden. – Hält man für andere Zwecke an den üblichen →Verrechnungspreisen fest, sollten die darin enthaltenen Teile echter →Gemeinkosten sowie der überschießende Rest abgespalten und parallel (analog zur →Primärkostenrechnung) über alle Stufen hinweg weiterverrechnet werden. Entsprechendes gilt, wenn die Lenkpreise von den Einzelkosten abweichen. Die (echten) Gemeinkosten werden teils im Rahmen übergeordneter Bezugsobjekte (z. B. Kuppelproduktbündel, Produktgruppen) durchgerechnet, teils bleiben sie dort, wo sie entstanden bzw. disponiert worden sind. – Soweit konzerninterne Leistungen bei der empfangenen Konzerngesellschaft nicht direkt in die für den Markt bestimmten Produkte oder deren Komponenten eingehen, sondern in die Bereitschaftskosten, tritt analog zur →innerbetrieblichen Leistungsverrechnung mit Einzelkosten ein Kategoriewechsel ein, so daß sie nicht in den konsolidierten Einzelkosten und Deckungsbeiträgen der Marktleistungen bzw. Außenumsätze erscheinen.

II. K. D. in d i v i s i o n a l i s i e r t e n
U n t e r n e h m u n g e n: Es muß eine analoge Aufspaltung der unternehmensinternen Verrechnungspreise vorgenommen werden, soweit diese nicht auf die (echten) →Einzelkosten beschränkt, sondern an Marktpreisen

orientiert sind oder für Lenkungszwecke noch Soll-Deckungsbeiträge, Deckungssätze, Opportunitätskosten, Standardgrenzerfolgssätze usw. oder anteilige Gemeinkosten enthalten. – Vgl. auch →Deckungsbeitrag, →Deckungsbeitragsrechnung.

**konsolidierter Abschluß,** *konsolidierte Bilanz,* Zusammenfassung der Einzelbilanzen und Gewinn- und Verlustrechnungen von Unternehmungen, die zu einem Konzern gehören. Vgl. im einzelnen →Konzernabschluß (Konzernbilanz).

**konsolidierter Deckungsbeitrag,** →konsolidierte Deckungsbeitragsrechnung.

**Konsolidierung,** *Konsolidation.* I. F i n a n z - w i s s e n s c h a f t : Die Begrenzung und Rückführung von →Defiziten in den Haushalten der Gebietskörperschaften und →Parafisci.

II. B e t r i e b s w i r t s c h a f t s l e h r e : 1. Transformation von Schulden in Eigenkapital oder langfristige Verbindlichkeiten. – 2. Aufrechnung konzerninterner Vorgänge (z. B. Beteiligungen, interne Warenströme). Vgl. →Konzernabschluß.

III. B a n k w e s e n : Zusammenziehung unterschiedlicher →Anleihen zu einer einheitlichen; auch als *Unifizierung* bezeichnet.

**Konsols,** →Consols.

**Konsorten,** Mitglieder eines →Konsortiums.

**Konsortialgeschäfte,** Geschäfte, die von mehreren Banken, meist unter Führung einer einzelnen Bank (Konsortialführer) getätigt werden, i. d. R. bei größeren Emissionsgeschäften, Börseneinführungen, Kreditgewährungen und Bürgschaftsübernahmen. Das Geschäft wird nach vereinbarten Quoten (Konsortialquoten) auf die Mitglieder das Konsortiums aufgeteilt; übernommene Wertpapiere werden zum Gesamtvermögen. Aufgrund der Neuerungen an den internationalen Finanzmärkten (→Finanzinnovationen) v. a. im Revolving-Geschäft von zunehmender Bedeutung. – *Alternative am Euromarkt:* →transferable loan facility.

**Konsortium.** 1. *Begriff:* Vereinigung mehrerer Banken (Konsorten) zur gemeinsamen Durchführung eines →Konsortialgeschäfts in Form einer Gesellschaft des bürgerlichen Rechts. Regelung aller Einzelheiten im Gesellschaftsvertrag. – 2. *Zweck:* a) Risikoverminderung bei →Aktivfinanzierungen; b) leichtere Aufbringung des benötigten Kapitals. – 3. *Häufigste Form* ist das *Emissions-K.;* vornehmlich zur Kapitalbeschaffung für große Unternehmungen mittels Aktien- oder Anleiheemissionen. Zu unterscheiden: (1) *Übernahme-K:* Die Gesamtheit der auszugebenden Effekten werden übernommen und weitergegeben bzw. in eigenen Bestand aufgenommen; (2) *Plazie-*

*rungs-K. ( Verwertungs-K.):* Die neuen Wertpapiere werden kommissionsweise übernommen und untergebracht.

**Konstante.** 1. *Mathematik:* Größe, deren Wert sich nicht ändert. – 2. *Datenverarbeitung:* In der →Programmentwicklung ein →Datenelement (seltener auch eine →Datenstruktur), dessen Wert einmal festgelegt wird und bei der Ausführung des →Programms nicht verändert werden kann. Eine K. gehört →Datentyp an. – *Gegensatz:* →Variable.

**konstante Kosten.** 1. Fixe Gesamtkosten (auf die Periode bezogen konstant). – 2. Feste durchschnittliche Produktionskosten (auf das Stück bezogen konstant).

**konstante Preise,** die für Zwecke des Zeitvergleichs statistischer Größen (z. B. Bruttoproduktionswert, Sozialprodukt) vorgenommene rechnerische Standardisierung der realen oder jeweiligen Werte, indem man das Produkt (Menge und Qualität × Preis) der Preis auf Höhe eines Referenzzeitraums fixiert wird, so daß der Volumenausdruck also jeweils deflationiert oder inflationiert erscheint.

**konstante Skalenerträge.** Die Technologie einer Ein-Produkt-Unternehmung weist k. S. auf, wenn bei einer Ver-n-fachung der Faktoreinsatzmengen die Ausbringungsmenge ebenfalls um das n-fache steigt ($n > 0$). Formal: Ist x ein Bündel von Inputs und f eine →Produktionsfunktion, so gilt $f(nx) = nf(x)$ für alle $n > 0$, d. h. $f(x)$ ist homogen vom Grad 1 (→Homogenität vom Grade r).

**konstantes Kapital,** Bezeichnng der Wirtschaftstheorie des Marxismus für die im Produktionsprozeß eingesetzten Kapitalgüter (Anlage- und Umlaufgüter), die dieser Theorie zufolge keine zusätzlichen Werte schaffen, sondern nur ihren eigenen Wert auf neue Produkte übertragen. – *Gegensatz:* →variables Kapital. – Vgl. auch →organische Zusammensetzung des Kapitals.

**Konstantsummenspiel,** →Spieltheorie 8.

**konstitutive Entscheidung,** →Metaentscheidung.

**Konstruktion,** →Forschung und Entwicklung.

**Konstruktionskosten,** besondere Art der →Entwicklungskosten, die für Entwurf und Durchführung von technischen Neuerungen, etwa auf dem Gebiet des Maschinenbaus oder des Stahlbaus durch Ingenieure in betriebseigenen oder auch in Spezial-Konstruktionsbüros entstehen. In vielen Fällen ist *Belastung* unmittelbar auf die einzelnen Aufträge möglich (→Sondereinzelkosten der Fertigung). Wo dies nicht möglich ist, werden die K. anteilig als →Fertigungsgemeinkosten den jeweils beteiligten Fertigungsstellen belastet. In größeren Betrieben mit eigenen Konstruktionsbüros sind zu diesem Zweck die Kosten in einer →Hilfskostenstelle zu sammeln; Kosten für Angebotsentwürfe sind den →Vertriebskosten zuzuschlagen.

**Konstruktionsstellen,** i. S. der Kostenrechnung Kostenstellen im Entwicklungs- und Konstruktionsbereich. K. erbringen Leistungen, deren Kosten entweder direkt den hausinternen Produkten (zumeist als →Sondereinzelkosten der Fertigung) zugerechnet oder in der →innerbetrieblichen Leistungsverrechnung Kostenstellen belastet werden.

**Konstruktionsstückliste,** →Stückliste.

**Konstruktionszeichnung,** technische Zeichnung, die technische Gebilde als zweidimensionale Modelle darstellt und Bestandteil des technischen Informationsflusses einer →Industrieunternehmung ist. In K. werden die Grundeigenschaften technischer Gebilde modelliert. Diese sind die Formen, die Abmessungen, die Oberflächenbeschaffenheit, die Stoffeigenschaften, die Strukturen und die Funktionen, die als Ergebnisse des Konstruierens in der K. graphisch gespeichert werden. – *Anwendung:* K. werden als Entwurfszeichnungen im Rahmen der →Produktplanung und als Angebotszeichnungen bei →unmittelbar kundenorientierten Produkten benötigt. Aus K. werden →Stücklisten abgeleitet. Sie dienen als technische Produktionsunterlagen der →Produktionsprozeßplanung, →Produktionsprozeßsteuerung, -durchführung und →Produktionsprozeßkontrolle.

**Konstruktivismus,** von dem Erlanger Philosophen Paul Lorenzen begründete Konzeption, in der die Idee der Begründung wiederbelebt wird; insofern partielle Alternative zum →Kritischen Rationalismus. – Zentrale Bestandteile sind das *Transsubjektivitätsprinzip* („transzendiere Deine Subjektivität") und ein spezielles *Diskursmodell,* das einen rationalen Dialog im Sinn von Sanktionsfreiheit, Sachkundigkeit, Aufrichtigkeit u. v. m. vorsieht. Wird unter diesen (idealen) Bedingungen ein Konsens erzielt, so gilt das vorgebrachte Argument als begründet. – Begründungsbasis: Die *natürlichen Bedürfnisse,* selbst nicht begründungsbedürftig, da die natürlichen Bedingungen des Lebens darstellend. – In der Folge wird eine eigenständige (kulturwissenschaftliche) *Erklärung menschlichen Handelns* (→Kulturwissenschaft) entwickelt sowie die *Notwendigkeit des Normativismus* betont (→normative Betriebswirtschaftslehre, →Wertfreiheitspostulat).

**Konsul,** zur Wahrung wirtschaftlicher Interessen eines Staates berufener und durch →Exequatur zugelassener amtlicher Vertreter eines Landes. Der K. genießt im Gegensatz zum →Botschafter nur beschränkte Vorrechte, ist aber meist befugt, für den vertretenen Staat auf dem Gebiet des Urkunds- und Paßwesens tätig zu werden. – *Rechtsgrundlage* für die Bundesrep. D.: Konsulargesetz vom 11. 9. 1974 (BGBl I 2317).

**Konsulargut,** nach den Zollvorschriften Waren, die bei der Einfuhr zum persönlichen Ge- oder Verbrauch durch den Leiter, die konsularischen Mitglieder und das Geschäftspersonal der Konsularvertretungen in der Bundesrep. D. bestimmt sind (§ 68 AZO). Zollfreiheit wie für →Diplomatengut.

**Konsulatsfakturen,** für Einfuhrsendungen, v. a. bei mittel- und südamerikanischen Staaten sowie den USA – teils unter Beschränkung auf bestimmte Mindestwerte oder Versandarten – auf vorgeschriebenen, häufig wechselnden Formularen erforderliche beglaubigte Fakturen (vgl. auch →Konsulats- und Mustervorschriften). K. dienen als Unterlage für die Verzollung im Bestimmungsland und müssen vielfach zusammen mit Handelsrechnungen, Ursprungszeugnissen, →Konnossementen und →Einfuhrlizenzen des Einfuhrlandes eingereicht werden. Eine Reihe von Seehafenspediteuren hat sich auf diese Materie spezialisiert; die Kosten ergeben sich aus dem →Seehafen-Speditions-Tarif (SST).

**Konsulatsgebühren,** Gebühren für Amtshandlungen konsularischer Vertreter insbes. des Bestimmungslandes bei der Ausfuhr, z. B. Beglaubigung von Rechnungen (→Konsulatsfakturen). K. können wegen z. T. unverhältnismäßig hoher Sätze v. a. Kleinexporte erschweren.

**Konsulats- und Mustervorschriften,** Bestimmungen der am Welthandel teilnehmenden Staaten über Aufmachung, Inhalt und Beglaubigung von Fakturen (→Konsulatsfakturen) sowie von →Einfuhrlizenzen, →Ursprungszeugnissen und sonstigen Begleitpapieren, die bei der Einfuhr gefordert werden, ferner über →Konsulatsgebühren, Vorschriften über die Zollbehandlung von Warenmustern, von nicht abgenommenen Waren u. a. m. Zusammenstellung der K.- u. M. herausgegeben von der Handelskammer Hamburg.

**Konsum,** *Konsumtion,* Verbrauch und/oder Nutzung (Gebrauch) materieller und immaterieller Güter durch Letztverwender. – *Theorie des Käuferverhaltens:* Untersuchungsgegenstand sind insbes. die Einflußfaktoren der Höhe des K. in einzelnen Güterbereichen, der Produktwahl und der →Einkaufsstättenwahl. Vgl. auch →Kaufverhalten, →Käuferverhalten.

**Konsument,** *Endverbraucher,* Einzelperson, Haushalt oder größere Gruppe mit gemeinsamer Zielsetzung. K. wird unterstellt, daß ein K. einen Punkt seiner Konsummenge, seinen →Konsumplan oder seine →Nachfrage, unter Berücksichtigung physiologischer und ökonomischer Beschränkungen auswählt (→Präferenzmaximierung).

**Konsumentenkredit,** →Kredit, der zur Finanzierung des Konsums, d. h. zur Befriedigung des Bedarfs an Gütern für den Lebensunterhalt, i. d. R. an Privatleute gewährt wird. K. wird überwiegend in Form des →Ratenkredits als →Teilzahlungskredit, →Kleinkredit, →Anschaffungsdarlehen gegeben. Wegen der erheblichen Bedeutung des K. für die private Nachfrage und der damit verbundenen konjunkturpolitischen Wirkung müssen die Kreditinstitute seit 1963 vierteljährlich der Deutschen Bundesbank nach bestimmtem Schema die Höhe der K. melden.

**Konsumentenrente,** *consumer's surplus,* nach Marshall Differenz zwischen dem Preis, den ein Käufer höchstens zu zahlen gewillt ist (Nachfragepreis), und dem tatsächlich gezahlten Marktpreis, multipliziert mit der gekauften Menge. Die K. ist folglich ein zurückbehaltener, nicht ausgegebener Betrag bzw. ein Nutzengewinn. Der Grenzkäufer erzielt keine K. Die K. ist somit das Integral unter der Nachfragekurve abzüglich der Gesamtausgabe. Sie dient als Maßstab für eine kardinale Nutzenmessung und findet vornehmlich in der →Kosten-Nutzen-Analyse Anwendung.

**Konsumentensouveränität,** Begriff der →Politischen Ökonomie und →Preistheorie. K. ist gegeben, wenn die Nachfrageseite einer Wirtschaft dezentralisiert ist und durch die unabhängigen Nachfrageentscheidungen der Haushalte indirekt, d. h. durch ihre Auswirkungen auf die Konsumgütermengen, auch die Zusammensetzung der Produktion in einer Wirtschaft bestimmt wird. – *Gegensatz:* →Wählersouveränität.

**Konsumententypologie,** →Käufertypologie.

**Konsumentenverhalten.** 1. *Begriff:* Einkaufs-, Konsum- und Informationsverhalten von privaten Haushaltungen. – Gegenstand der *Analyse des K.* sind die verschiedenen Aspekte dieser Verhaltensweisen, insbes. Art der gekauften Güter und Dienstleistungen, bevorzugte Einkaufsstätten, Rolle einzelner Haushaltsmitglieder bei Kauf und Konsum sowie die diesen Prozeß beeinflussenden Faktoren. – *Erklärung des K.:* Häufig werden hypothetische Konstrukte bzw. intervenierende Variablen herangezogen, mit denen erfaßt wird, wie die von außen wirkenden stimuli im Insystem der Konsumenten verarbeitet werden und das Verhalten beeinflussen (→Käuferverhalten II 2, →Kaufentscheidung). – 2. *Phasen des K.* (idealtypisch): (1) Bewußtwerden eines Mangelzustandes, (2) Suche nach Alternativen, (3) Bewertung der Alternativen, (4) Treffen der Auswahlentscheidung, (5) Kauf, (6) Bewertung der Kaufentscheidung. – 3. *Bezug zu anderen Variablen des Insystems:* Das K. wird insbes. durch →Bedürfnisse, wahrgenommenes Kaufrisiko, →Einstellungen, →Markenkenntnisse und →Kaufabsichten der Konsumenten beeinflußt.

**Konsumerismus,** aus Verbraucherbewegungen in den USA hervorgegangenes Phänomen, das die bewußte Kritik breiterer Verbraucherschichten an Mißständen in den Güter- und Dienstleistungen umfaßt. *Angestrebt* wird Verbraucheraufklärung (Produkttests) und -erziehung (mit Hilfe der Medien) sowie Erwirkung gesetzlicher Maßnahmen im Hinblick auf Gesundheit und Sicherheit (Waschmittel, Arzneimittel, Zigaretten) des Verbrauchers. – *Institutionalisierung* in der Bundesrep. D.: Arbeitsgemeinschaft der Verbraucher, Bonn; Stiftung Warentest, Berlin (West); Verbraucherzentralen in den Bundesländern.

**Konsumfunktion,** die funktionale Abhängigkeit der Konsumausgaben von verschiedenen Einflußfaktoren wie Einkommen, Preise, Vermögen, Zinsniveau. – 1. Annahmen über die *Bestimmungsgründe der Konsumnachfrage* stellen aufrund der Zweiteilung des Einkommens (Y) auf Konsum (C) und Sparen (S), d. h. Y = C + S, zugleich Hypothesen über das Sparverhalten dar. Die einfachste Konsumhypothese besagt, daß der Konsum vom laufenden Einkommen abhängt, und zwar so, daß mit steigendem Einkommen die Konsumnachfrage steigt: $C = c(Y)$; mit $0 < \dfrac{dC}{dY} < 1$. Die Ableitung $\dfrac{dC}{dY}$ repräsentiert die marginale Konsumquote. Wegen $Y = C + S$ folgt die Sparfunktion $S = Y - C(Y) = S(Y)$, mit $\dfrac{dS}{dY} = 1 - \dfrac{dC}{dY}$. – 2. Die *einkommensabhängige K.* kann als wesentlicher Bestandteil der →Keynesschen Lehre betrachtet werden. Keynes unterstellte einen speziellen Verlauf der K.: Nach seinem „fundamentalen psychologischen Gesetz" nimmt die marginale Konsumquote mit zunehmendem Einkommen ab. – 3. Vereinfachend wird in der ökonomischen Theorie häufig mit einer *linearen K.* gearbeitet: $C = C_0 + cY$ ($C_0$ = Basiskonsum $> 0$, $0 < c = $ konst. $< 1$). Das psychologische Gesetz von Keynes gilt jetzt nur noch für die durchschnittliche Konsumquote: $\dfrac{C}{Y} = \dfrac{C_0}{Y} + c$. Graphisch ergibt sich folgendes Bild:

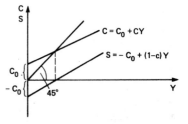

4. Empirische Untersuchungen (insbes. von S. Kuznets, 1946) zeigen eine *langfristig konstante durchschnittliche Konsumhyote*. Erklärungen liefern Duesenberrey (relative Einkommenshypothese, 1949), Friedman (permanente Einkommenshypothese, 1957) und Modigliani (Lebenszeit-Einkommenshypothese, 1954 und 1963). – a) Nach Duesenberry und Friedman wird der *kurzfristige Konsum* nicht nur vom laufenden, sondern auch vom höchsten jemals erreichten Einkommen bestimmt *(relative Einkommenshypothese)*. Wenn das Volkseinkommen abnimmt, geht der Konsum nur unterproportional zurück, da das höchste erzielte Einkommen bremsend auf die Kontraktion wirkt. Die kurfristige durchschnittliche Konsumquote ist damit variabel. *Langfristig* hängt der Konsum von der Stellung des Individuums in der sozialen Schicht ab. Steigt das Einkommen eines einzelnen Individuums, ohne daß das Einkommen seiner sozialen Schicht zunimmt, wird es seine Konsumgewohnheiten nicht ändern. Eine Änderung erfolgt lediglich, wenn die gesamte soziale Schicht eine Einkommenserhöhung erfährt oder wenn das Individuum in eine höhere soziale Schicht infolge der Einkommenserhöhungen aufrückt. Bei relativ gleichmäßigen Einkommenserhöhungen, die allen Individuen zugute kommen, ist die langfristige durchschnittliche Konsumquote daher konstant. – b) Friedman unterscheidet zwischen permanenten und transitorischen Einkommen *(permanente Einkommenshypothese)*. Das *permanente,* d. h. das langfristige erwartete *Einkommen* ist für die *langfristigen* Konsumgewohnheiten entscheidend. Hier ist das Verhältnis zwischen Konsum und Einkommen konstant. Das *transitorische Einkommen* entsteht kurzfristig und fällt überraschend an. Das Individuum ist geneigt, diesen Teil des Einkommens voll zu sparen. Die *kurzfristige* durchschnittliche Konsumquote ist daher variabel. – c) Nach der *Lebenszeit-Einkommens-Hypothese* sind die Konsumausgaben vom erwarteten Lebenseinkommen abhängig. Gespart wird, um das gewünschte Konsumniveau auch dann realisieren zu können, wenn das aktuelle Einkommen niedriger ist als die notwendige Konsumsumme (Jugend, Alter). Die laufenden Konsumausgaben hängen ab vom Bestand an realem Vermögen und dem erwarteten realen Arbeitseinkommen. – d) In den letztgenannten Ansätzen wird das *Vermögen* als Konsumdeterminante explizit berücksichtigt. In der Literatur wird darüber hinaus ein spezifischer realer Vermögenseffekt diskutiert, der das Konsumverhalten im Konjunkturverlauf stabilisiert (Pigou, 1941): Bei einem Anstieg des Vermögensbestandes durch eine Preissenkung (etwa im Abschwung) steigen die Konsumausgaben bei gegebenem Einkommen, weil die geplante Ersparnis reduziert werden kann. Dadurch wird der Abschwung gebremst. – 5. Die *Abhängigkeit der Konsum-*

*quote von der Einkommensverteilung* wird auf Keynes zurückgeführt und wurde von Kaldor formalisiert. Die Konsumausgaben (C) bestehen aus Ausgaben aus Lohneinkommen ($C_L = c_L L$) und Ausgaben aus Gewinneinkommen ($C_G = c_G G$): $C = c_L + c_G G$. Mit der Verteilungsgleichung $Y = L + G$ folgt:

$$C = (c_L - c_G)L + c_G Y = \left\{(c_L - c_G)\frac{L}{Y} + c_G\right\} Y.$$

Dabei ist der Ausdruck in der eckigen Klammer die lohnquotenabhängige Konsumquote, wobei gilt $0 < c_G < c_L < 1$. Mit steigender Lohnquote steigen die Konsumausgaben (Kaufkrafteffekt). – 6. In dynamischen Modellen werden verschiedene *zeitliche Verzögerungen* →(lags) in die K. eingebaut; etwa in der Form: $c_t = c_0 Y_t + c_1 Y_{t-1} + c_2 Y_{t-2}$, mit $0 < c_0 + c_1 + c_2 < 1$. Zudem wird zwischen kurz- und langfristigen Funktionen unterschieden, wobei argumentiert wird, daß die kurzfristige K. flacher als die langfristige verläuft.

**Konsumgenossenschaft,** *Konsumverein.* 1. *Begriff:* Verbrauchergenossenschaft, die ihren Mitgliedern durch Großeinkauf, ggf. auch durch eigene Fertigung, preisgünstige Konsumgüter beschafft. Ursprünglich nur Lebensmittel, später Ausdehnung auf Gebrauchsgegenstände wie Textilien, Schuhe, Haushaltswaren und Möbel; auch eigene Herstellungsbetriebe, in denen Nährmittel, Gemüse- und Obstkonserven, Fleischwaren, Spirituosen, Süßwaren, Tabakwaren, Waschmittel, Seife usw. erzeugt werden. Häufig sind den einzelnen K. eigene Schlachtereien und Bäckereien angegliedert. – 2. Die Abgabe von *Waren an Nichtmitglieder* war den K. früher untersagt. Dieses Verbot wurde nach dem Zweiten Weltkrieg suspendiert und mit Wirkung vom 21.7.1954 endgültig aufgehoben. Dafür Beschränkung der Warenrückvergütung auf 3% nach dem Rabattgesetz. – 3. *Entwicklung:* Bereits 1894 Gründung der Großeinkaufs-Gesellschaft Deutscher Konsumgenossenschaften mbHG (GEG) in Hamburg als Einkaufszentrale, die auch zur Eigenproduktion überging. Die ständige Aufwärtsentwicklung der K. wurde nach 1933 unterbrochen. – Nach 1945 Neugründung von K. und erfolgreicher Wiederaufbau im Bundesgebiet mit der Tendenz zur Änderung der Rechtsform. Im Gefolge des sektoralen Strukturwandels errichteten die K. 1974 zusammen mit den Gewerkschaften die co op AG, Frankfurt a. M., die nicht mehr wettbewerbsfähige K. zu einem bundesweiten Einzelhandelsunternehmen verschmolz. Die gesamte co-op-Gruppe umfaßt (1985) 3066 Verkaufseinrichtungen mit einem Gesamtumsatz von über 14 Mrd. DM oder einem Marktanteil am Gesamt-Lebens- und Genußmittelumsatz in der Bundesrep. D. von 10%. – 4. *Aufbau:* co op AG, Frankfurt a. M. und ihre Tochterunternehmen betreiben das Großhandels-, Agentur-,

Import- und Exportgeschäft sowie die Produktion für den gesamten co op Einzelhandel. Bund deutscher Konsumgenossenschaften GmbH, (BDK), Hamburg, vertritt die politischen Interessen der Unternehmensgruppe co op im nationalen und internationalen Bereich und führt die Geschäfte für verschiedene Verbrauchergremien. Revisionsverband deutscher Konsumgenossenschaften e.V. (RdK), Hamburg, als gesetzliche Prüfungsorganisation (→Prüfungsverbände). – Vgl. auch →Genossenschaftswesen I 3.

**Konsumgewohnheiten,** →Verbrauchsgewohnheiten.

**Konsumgüter,** *Konsumwaren,* alle Güter, die von Konsumenten (Letztverbrauchern) verbraucht (→Verbrauchsgüter) oder genutzt (→Gebrauchsgüter) werden.

**Konsumgütergewerbe,** →Verbrauchsgüter produzierendes Gewerbe.

**Konsumgütermarktforschung,** →Marktforschung.

**Konsumklimaindex,** von der Forschungsstelle für empirische Sozialökonomik, Köln, und der Gesellschaft für Konsumforschung (GfK), Nürnberg, aus repräsentativen Befragungen von privaten Haushalten ermittelte Einschätzung der Konsumneigung. Erfragt werden die Beurteilung der allgemeinen wirtschaftlichen Lage, der vergangenen und zukünftigen persönlichen Haushaltslage und die Einstellung zur vergangenen und zukünftigen Einkommensentwicklung. – Vgl. auch →Konjunkturindikatoren.

**Konsum-lag,** →Robertson-lag.

**Konsummenge,** Menge aller möglichen →Konsumpläne eines →Konsumenten. Formal wird die K. dargestellt durch eine Teilmenge des positiven Orthanten des n-dimensionalen euklidischen Raumes, wobei n die Zahl der Güter angibt, die ein →Konsument begehrt. Ein Punkt der K. heißt Nachfrage.

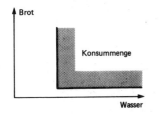

Konsumorientierung, Begriff der →Standorttheorie für die Wahl des Standorts von Unternehmungen nach überwiegend absatzwirtschaftlichen Gesichtspunkten. Ausschlaggebend v.a. bei der Standortwahl im Einzelhandel und bei bestimmten Großhandelsformen, während bei Industriebetrieben andere Faktoren (Transportkosten für Materialien, Arbeitskosten) meist ausschlaggebend sind.

**Konsumplan,** *Güterbündel,* Spezifikation aller Mengen von Inputs und Outputs eines →Konsumenten. Unter *Input* versteht man in diesem Zusammenhang alles, was einem Wirtschaftssubjekt zur Verfügung gestellt wird; unter *Output* alles, was ein Wirtschaftssubjekt zur Verfügung stellt. Formal wird ein K. dargestellt durch einen Punkt des Güterraums.

**Konsumprogramm,** Mengen bestimmter Warenmarken, die ein Konsument (i. S. von Letztverbraucher) in einer vorgegebenen Planungsperiode zum Verbrauch oder Gebrauch beschafft. a) Für den *Konsumenten* ist Kenntnis seines (optimalen oder befriedigenden) K. erforderlich, um seine wirtschaftlichen Handlungen (Verteilung der Finanz- und Zeitbudgets, Lager- und Aggregatskapazitäten) festzulegen. b) Für die *Konsumwarenproduzenten* ist Kenntnis des K. Voraussetzung für Planung des Produktionsprogramms und des →absatzpolitischen Instrumentariums (vgl. auch →marketingpolitische Instrumente).

**Konsumpsychologie,** →Konsum- und Marktpsychologie.

**Konsumquote,** Begriff der →Makroökonomik. Der Konsum hängt von verschiedenen Einflußfaktoren ab. Als primärer Einflußfaktor wird jedoch das Volkseinkommen angesehen (→Konsumfunktion). Die *durchschnittliche K.* wird durch $\dfrac{C}{Y}$ (C = Konsum, Y = Volkseinkommen) gegeben. Die *marginale K.* wird aus der 1. Ableitung der Konsumfunktion nach dem Volkseinkommen, d.h. $\dfrac{dC}{dY}$ entwickelt. Sie gibt an, um welchen Betrag der Konsum steigt, wenn das Volkseinkommen um einen infinitesimalen Betrag (näherungsweise 1 Einheit) steigt. Ihr Wert liegt i.d.R. unter 1. Durchschnittliche K. und durchschnittliche →Sparquote sowie marginale K. und marginale Sparquote ergänzen sich zu 1, wenn von der →Hortung abgesehen wird (→Multiplikator).

**Konsumtheorie,** Lehre von den Bestimmungsfaktoren des Konsums, seiner kurz- und langfristigen Abhängigkeit. Maßgebend sind ökonomische, soziologische und psychologische Faktoren; sie werden jeweils als Schwerpunkt in den verschiedenen K. hervorgehoben. Ein geschlossenes, verifiziertes Gesamtkonzept existiert noch nicht.

**Konsumtion,** →Konsum.

**Konsum- und Marktpsychologie,** Teilbereich der →Wirtschaftspsychologie. – *Begriff/Entwicklung:* Nach dem Zweiten Weltkrieg entstandener Forschungsbereich in Anbetracht der in Erscheinung tretenden Absatzprobleme (Übergang von Verkäufermarkt zum Käufermarkt). Ökonomische Modelle zur Erklärung individuellen Kaufverhaltens, die v. a. den Preis als entscheidenden Faktor und den Konsumenten als rational nutzenmaximierend (→Homo oeconomicus) ansehen, reichten nicht aus; aufgrund des gestiegenen Wohlstands verringerte sich der Zwang zum ökonomisch-rationalen Verhalten. – a) Aufbauend auf der psychologischen →Marktanalyse wurden zunächst v. a. *psychologische Marktinterventionsstrategien* entwickelt: u. a. →Werbepsychologie, →Produktgestaltung, Verpackungsgestaltung, Preisgestaltung, Verhandlungsführung hinsichtlich Verkaufsgespräche. – b) Von kurzer Bedeutung war die →*Motivforschung*, die von einem irrationalen Käuferbild ausging. – c) Versuche, *Konzepte der allgemeinen Sozialpsychologie* zur Erklärung von Käuferverhalten heranzuziehen (z. B. Erwartungs-Valenz-Konzeption, Leistungsmotivationstheorie (Risikovermeidung beim Kauf)) sowie *kognitionspsychologische Konzepte* (Der Mensch als informationsverarbeitendes Wesen); vgl. auch →Theorie des Käuferverhaltens, →kognitive Dissonanz. – d) *Totalmodelle* (Howard-Sheth u. a.).

**Konsumverein,** frühere Bezeichnung für die →Konsumgenossenschaft, im vorigen Jahrhundert auch für die landwirtschaftlichen Bezugsgenossenschaften von Haas.

**Konsumwaren,** →Konsumgüter.

**Kontaktbewertungskurve,** →Werbewirkungsfunktion.

**Kontaktbildschirm,** *touch screen, berührungssensitiver Bildschirm,* →Bildschirm eines →Personal Computers oder →Bildschirmgeräts, der die Auswahl von Kommandos aus einem Menü (→Menütechnik) oder anderen angezeigten →Daten durch Berührung der entsprechenden Bildschirmposition mit dem Finger oder einem spitzen Gegenstand erlaubt.

**Kontakter,** →Werbeberufe I 1.

**Kontaktfrage,** →Eisbrecher.

**Kontakt-Service,** →Werbeberufe I 1.

**Kontaktsperregesetz,** Gesetz zur Änderung des Einführungsgesetzes zum Gerichtsverfassungsgesetz vom 30. 9. 1977 (BGBl I 1877), verbietet unter bestimmten Voraussetzungen jedwede Verbindung von Gefangenen, die wegen des Verdachtes einer mit der Tätigkeit terroristischer Vereinigungen zusammenhängenden →Straftat einsitzen, untereinander und mit der Außenwelt einschl. des schriftlichen und mündlichen Verkehrs mit dem Verteidiger zur Abwehr einer gegenwärtigen Gefahr für Leben, Leib oder Freiheit einer Person.

**Konten. I. Begriff:** In der →*Buchführung* die zur Aufnahme und wertmäßigen Erfassung von Geschäftsvorfällen bestimmten Rechnungen. Jedes Konto hat eine Soll- und eine Habenseite (auch: Debet- und Kreditseite). – a)Bei *Aktivkonten* (K. der Aktivseite der →Bilanz und der Aufwandseite der →Gewinn- und Verlustrechnung) stehen Anfangsbestand und Zugänge im Soll, Abgänge und Endbestand im Haben. – b) Bei *Passivkonten* (Konten auf der Passivseite der Bilanz bzw. der Ertragsseite der G.- und V.-Rechnung) stehen umgekehrt Anfangsbestand und Zugang im Haben, Minderung und Endbestand im Soll.

**II. Arten: 1.** *Bestands-K.:* K. für einzelne Vermögens- oder Schuldenteile, die nur reine Ein- und Ausgänge, also weder Gewinn noch Verlust ausweisen: z. B. Kassekonto, Bankkonto, K. für Kunden und Lieferanten. Die K. beginnen mit dem aktiven oder passiven Anfangsbestand, zeigen die Vermehrungen oder Verminderungen und ergeben aus der Addition der Seiten und Berechnung des Saldos den Endbestand. Sie schließen über →Bilanz ab. – 2. *Erfolgs-K.:* K. für Aufwendungen und Erträge; sie schließen über Gewinn- und Verlust-K. ab. – 3. *Gemische K. (Bestands-Erfolgs-K.):* Sie verrechnen sowohl Bestand auch als Erfolg vereint, z. B. das Waren-K. alter Prägung, indem das Soll den Anfangsbestand und die Einkaufswerte der Waren ausweist, das Haben die Veräußerungswerte, in denen Gewinn und Verlust enthalten sein kann. Der Endbestand dieser gemischten K. wird durch →Inventur ermittelt und zum Abschluß des K. auf der Habenseite eingestellt. Erst danach ergibt der Saldo zwischen Soll und Haben den Warenrohgewinn oder Warenrohverlust. Durch Einführung der Kontenrahmen sind die gemischten K. praktisch beseitigt. – 4. Als *gemischte Konten* werden auch *Erfolgskonten* bezeichnet, die sowohl Aufwendungen als auch Erträge aufnehmen (z. B. Zinskonto). Durch das →Verrechnungsverbot gemäß §246 II HGB grundsätzlich unzulässig. Ebenfalls verboten sind K., in denen sowohl geschäftliche als auch private Vorgänge erfaßt werden.

**III. Kontengliederung:** Die Ordnung bzw. Gliederung der K. eines Betriebes erfolgt nach einem →Kontenplan; die deutschen und die meisten ausländischen →Kontenrahmen sehen K.klassen vor, die nach der Dezimalklassifikation in Gruppen, Arten und Unterarten je nach den Bedürfnissen eines Betriebes weiter aufgeteilt werden. Vgl. →Einzelhandelskontenrahmen, →Großhandelskontenrahmen, →Gemeinschafts-Kontenrahmen der Industrie, →Industrie-Kontenrahmen.

**Kontenanruf,** →Buchungssatz.

**Kontenkalkulation,** kalkulatorische Untersuchung der Kostenrechnung in Kreditinstituten, aus der sich ergibt, ob die durch Führung eines bestimmten Kundenkontos entstehenden Kosten aus dem Ertrag des gleichen Kontos gedeckt werden. Problem der Gemeinkostenzuordnung und damit einer aussagefähigen →Deckungsbeitragsrechnung. Investitionslasten für Hard- und Software sowie Personal stehen Erträge durch den Wertstellengewinn beim →Float und die niedrige Guthabenverzinsung entgegen.

**Kontenklassen,** Ergebnis einer Systematisierung der →Buchführung nach dem →Kontenrahmen. In Deutschland und vielen anderen europäischen Ländern nach der →Dezimalklassifikation: Die einzelnen →Bestandskonten und →Erfolgskonten (Aufwands- und Ertragskonten) sowie die Abschlußkonten werden einer der 10 Klassen zugeteilt. K. im Rahmen des Kontenrahmens vgl. →Einzelhandelskontenrahmen, →Großhandelskontenrahmen, →Gemeinschaftskontenrahmen, →Industriekontenrahmen. Die K. können je nach den Bedürfnissen der einzelnen Wirtschaftsgruppen *weiter untergliedert* werden, und zwar im Zehnersystem in sog. *Kontengruppen* (01 bis 09 oder 21 bis 29) bzw. in *Kontenarten* (010 bis 019) und schließlich in *Kontenunterarten* (0100 bis 0199).

**Kontenkontrolle,** Überprüfung der Buchung auf den →Konten. K. *erfolgt* durch Vergleichen (→kollationieren): 1. In der *Übertragungsbuchhaltung* a) der Buchungsbelege mit der Grundbucheintragung, b) der Grundbucheintragung mit Übertragung in das Hauptbuch. – 2. Bei der →*Durchschreibebuchführung* nur zwischen Beleg und Urschrift, da die Durchschrift Übertragungsfehler ausschließt. – Eine zahlenmäßige K. der Eintragungen ergibt sich bei der →doppelten Buchführung *zwangsläufig* aus der Seitenaddition der Soll- und Habenspalten, namentlich bei der →amerikanischen Buchführung. Bei Unachtsamkeit sind allerdings Kontenverwechslungen möglich. – 3. Bei *rechnenden Buchungsmaschinen, Lochkarten- und EDV-Anlagen* ist K. nur bei der Dateneingabe erforderlich. Rechenfehler und Datentransportfehler (z. B. Über- und Vortragsfehler) sind – von technischen Versagen abgesehen – i. d. R. ausgeschlossen.

**kontenlose Buchführung,** →Offene Posten-Buchführung.

**Kontenplan,** die systematische Gliederung aller →Konten der Buchführung, zugeschnitten auf den individuellen Geschäftsbetrieb eines Unternehmens. Seit Einführung des →Kontenrahmens (Einheits- oder Fachkontenrahmen) für Zwecke des →Betriebsvergleichs vereinheitlicht: a) durch →*Dezimalklassifikation,* die die Konten der Finanz- und Betriebsbuchhaltung – Bestands- und Erfolgskonten (Aufwands- und Ertragskonten) – innerhalb des Kontenrahmens in 10 →Kontenklassen 0 bis 9 systematisch einord-

net; b) durch *Differenzierung* des Kontenrahmens für Fertigungsbetriebe, Großhandels- und Einzelhandelsbetriebe (Schemata der Kontenrahmen: Vgl. →Gemeinschafts-Kontenrahmen der Industrie, →Industrie-Kontenrahmen, →Großhandelskontenrahmen und →Einzelhandelskontenrahmen).

**Kontenrahmen,** Systematik der Gliederungsgrundsätze für die Ordnung des Rechnungswesens (zuerst durch Schär und Schmalenbach), in den europäischen Staaten überwiegend nach der →Dezimalklassifikation. Staatliche Regelung in Deutschland seit 1937 entsprechend den Forderungen der →Grundsätze ordnungsmäßiger Buchführung (sog. Buchführungsrichtlinien), entworfen von den damaligen Wirtschaftsgruppen unter Mitwirkung des RKW. *Anwendung heute* nicht mehr verbindlich vorgeschrieben (vgl. →Buchführungsrichtlinien). – *Einteilung der Konten* in 10 →Kontenklassen (0–9), die wiederum nach dem Dezimalsystem in Gruppen unterteilt sind. Für die Aufteilung der Klassen in Gruppen und die Unterteilung der Gruppen in Untergruppen bestehen z. T. weitgehende Empfehlungen der Wirtschafts- und Fachverbände. In diese Klassen und Gruppen sind die einzelnen Konten einzuordnen; dadurch sind sie branchenweise einheitlich numeriert. Falls einzelne Konten in einem Betrieb nicht gebraucht werden, sind die Nummern nicht anderweit zu besetzen. – Die vom Staat angeordnete *Einführung* des K. in Deutschland verursachte die Schaffung zahlreicher Fach-K., die sodann in →Kontenplänen durch die Gruppen der Industrie und des Handels verbreitet wurden. – Vgl. auch →Einzelhandelskontenrahmen, →Großhandelskontenrahmen, →Handwerkskontenrahmen, →Gemeinschafts-Kontenrahmen der Industrie, →Industrie-Kontenrahmen.

**Kontenspalte,** die mit „Soll" oder „Haben", „Debet", oder „Kredit", „Aktiva" oder „Passiva" bzw. mit „Soll"/„Ist"/„Rest" überschriebenen Kolonnen auf den →Konten der kaufmännischen doppelten oder der kaufmännischen kameralistischen →Buchführung.

**Kontentheorien,** →Buchhaltungstheorien.

**Konterbande,** einfuhrverbotene oder zollpflichtige Güter, die geschmuggelt werden.

**Konter-Effekt. 1.** *Begriff:* Nach der K.-E.-Theorie, die v. a. auf Myrdal zurückgeht, die negativen Folgewirkungen in den weniger entwickelten (inferioren) Gebieten, die Expansion und Entwicklung in den fortgeschritteneren Regionen bzw. Ländern beim freien Spiel der Kräfte nach sich ziehen; d. h. die weltweit wirtschaftliche Integration ergibt K.-E. (*Backwash-Effekte*) zu Lasten der Entwicklungsländer. – 2. *Erklärung* des K.-E.: a) Arbeitskräfte wandern in die entwickelteren Länder, u.a. weil dort Arbeitsnachfrage und Löhne höher sowie Sozialleistungen besser sind. Besonders problematisch ist dabei, daß die Abwanderung selektiv erfolgt, d.h., es wandern v.a. jüngere und qualifizierte Arbeitskräfte ab (→Brain-Drain). b) Kapital fließt ab, weil in Industrieländern die Rendite u.a. aufgrund der überlegenen Technologie, der größeren Nachfrage und sonstigen Agglomerationsvorteile höher ist. c) Der freie Handel bewirkt eine Verdrängung entwicklungswirksamer Industrieproduktion durch Unterlegenheit im Wettbewerb. d) Ferner verstärken die K.-E. durch die verursachte Entwicklungsbeeinträchtigung in den unterentwickelten Ländern bzw. Regionen die Entwicklungsabweichungen verstärkt und dadurch werden weitere K.-E. induziert usw. (zirkuläre und kumulative Verursachung). – 3. *Schlußfolgerung:* Weitgehend interventionistische →Außenwirtschaftspolitik, die Abwanderung von Produktionsfaktoren und unbehinderten Verdrängungswettbewerb durch Kontrollen und Handelsrestriktionen vermeidet (vgl. →Protektionismus).

**Kontierung.** 1. Die Feststellung (Vorschreibung) der Konten zur Buchung eines *Geschäftsvorfalls.* Die *Vorkontierung* mit Angabe der zur Buchung benötigten Konten auf dem Buchungsbeleg erfolgt i.a. durch den Chef oder den Buchführungsleiter, gewöhnlich mittels Stempels, der leere Räume für die Eintragung der Konten vorsieht. K. erleichtert die Buchungsdurchführung und gewährleistet die Gleichmäßigkeit bei der Buchung gleichartiger Fälle. – 2. Eine K. erfolgt ferner bei der betrieblichen *Uraufzeichnung,* d.h. bei der zahlen- und mengenmäßigen Erfassung der Lagerbestände, der Zwischenprodukte, des Maschinenbelags, der Fremdware usw. in Inventurlisten.

**Kontingent,** vom Staat festgesetzte wert- oder mengenmäßige Quote zur Begrenzung eines Warenangebots, etwa bei der Aus- oder Einfuhr oder im Zug planwirtschaftlicher Maßnahmen. – Im internationalen Handel haben v.a. *Einfuhrkontingente* (→Einfuhrkontingentierung) handelspolitische Bedeutung. Diese werden entweder autonom fixiert oder in zwischenstaatlichen Verhandlungen vereinbart (→Handelsabkommen). – Vgl. auch →Außenwirtschaftspolitik.

**Kontingentierung,** Festlegung von →Kontingenten.

**Kontingentierungskartell,** ein →Kartell höherer Ordnung, bei dem a) die Aufträge und/oder b) die Angebote für die Mitglieder nach Beteiligungsquoten aufgeteilt werden. Im Falle der *Auftragsverteilung* werden die Bestellungen bei einer zentralen Stelle gesammelt und den Mitgliedsfirmen nach ihrem Schlüssel-

anteil zugewiesen. Im Falle der *Angebotsverteilung* wird nach einer →Marktanalyse die Gesamtmenge der Jahres-(Quartals-)Produktion festgelegt; die Mitgliedsfirmen erhalten eine nach ihrer technischen Kapazität und nach den vorgelegten Unterlagen der →Kostenrechnung bemessene Zuweisungsquote über die von jedem herzustellende, anzubietende oder zu verkaufende Menge.

**Kontingentschein-Verfahren,** →Zollkontingent 2 b).

**Kontingenz,** in der →deskriptiven Statistik und in der →Inferenzstatistik Bezeichnung für den Zusammenhang zweier →Merkmale, die entweder →qualitative Merkmale mit mehr als zwei Ausprägungen oder →quantitative Merkmale mit →Klassenbildung sind; z.B. Zusammenhang zwischen Automarke und Alter bei einer Gesamtheit von Autobesitzern. Zur Quantifizierung von K. können *Kontingenzkoeffizienten* ermittelt werden. – Die *Prüfung* der Existenz von K. erfolgt mit Hilfe →statistischer Testverfahren.

**Kontingenztabelle,** Tabelle, in der die →Häufigkeiten der möglichen Kombinationen von →Ausprägungen zweier oder mehrer interessierender →Merkmale verzeichnet sind; mit ihrer Hilfe wird die →Kontingenz von Merkmalen untersucht.

**Kontingenztheorie der Führung,** →Führungstheorie von F. E. Fiedler. Wichtiges Kennzeichen der K.d.F. ist es, daß situativen Einflüssen *(Kontingenzfaktoren)* auf den Führungserfolg eine zentrale Bedeutung eingeräumt wird. Fiedler unterscheidet einen aufgaben- und einen mitarbeiterorientierten →Führungsstil. Der Führungserfolg sowohl von mitarbeiter- als auch aufgabenorientierten Führern wird nach Fiedler von der situativen Günstigkeit bestimmt: hier wirken die Positionsmacht des Vorgesetzten, die Aufgabenstruktur sowie die interpersonellen Beziehungen als Kontingenzfaktoren. – Fiedler zufolge ist es bei unzureichendem Führungserfolg zweckmäßig, entweder situative Bedingungen zu verändern oder Führungspersonen anders einzusetzen. Änderungen des individuellen Führungsstils erscheinen hingegen nicht sinnvoll, da dieser eher als überdauerndes Persönlichkeitsmerkmal denn als kurzfristig veränderbares Verhaltensmuster interpretiert wird. – Vgl. auch →Leader-match-Konzept.

**Kontingenzverteilung,** →Verteilungsverfahren.

**kontinuierliche Produktion,** Elementartyp der Produktion (→Produktionstypen), der sich aus dem Merkmal der Kontinuität des Materialflusses ergibt. Bei k. P. erfolgen Transporttätigkeiten und Produktionstätigkeiten simultan und ohne zeitliche Unterbrechung; die Produktionsvorgänge werden also während der Förderung von Werkstoffen, Halbfabrikaten, Bauteilen usw. ausgeführt. – *Beispiel:* Brennen von Zement im Drehrohrofen. – *Gegensatz:* →diskontinuierliche Produktion.

**kontinuierliches Optimierungsproblem,** *kontinuierliches Programmierungsproblem,* mathematisches Optimierungsproblem, bei dem – im Gegensatz zu einem →ganzzzahligen Optimierungsproblem – die Variablen (in dem durch das Restriktionssystem gesetzten Rahmen) beliebige reelle Zahlenwerte annehmen dürfen.

**kontinuierliches Programmierungsproblem,** →kontinuierliches Optimierungsproblem.

**kontinuierliche Stichprobenprüfung,** *Kettenprüfung,* stellt eine Verbindung zwischen →Abnahmeprüfung und →Produktionskontrolle dar. Durch eine ununterbrochene, aber in ihrer Intensität wechselnde Kontrolle soll sichergestellt werden, daß der Ausschußanteil nach der Kontrolle einen vorgegebenen Wert nicht überschreitet. Kennzeichnend ist der vom Fehleranteil abhängige Übergang von der Stichprobenkontrolle zur Vollkontrolle und umgekehrt. Die Prüfergebnisse der k. S. liefern auch Informationen für die Korrektur des Produktionsprozesses.

**Kontinuitätsprinzip,** →Bilanzkontinuität.

**Konto,** →Konten.

**Kontoabrechnung,** Abrechnung der Bank gegenüber ihrem Kunden in bestimmten Zeitabständen (i. d. R. vierteljährlich). Für den Kunden ersichtlich werden belastete bzw. gutbeschriebene Gebühren und Zinsen.

**Kontoauszug.** 1. Halb- oder vierteljährlich für die Gesamtheit der Kunden erstellter Rechnungsauszug zur Aufrechnung gegenseitiger Last- und Gutschriften. – 2. Abschrift oder Durchschrift der täglichen Umsätze auf den Kontokarten zur Unterrichtung über Kontenbewegungen und letzten Saldo, kann täglich (Tagesauszug), wöchentlich (Wochenauszug) oder monatlich (Monatsauszug) erfolgen.

**Kontoeinrichtung,** →Bankkonto 2.

**Kontoführungskosten,** →Arbeitsentgelt V.

**Konto für Sonderverwendungen,** Kreditfazilität des →IMF. Auf das K. f. S. werden die Erlöse aus Goldverkäufen des IMF, die deren Buchwert übersteigen, übertragen. Verwendung des Guthabens für Zahlungsbilanzkredite an IMF-Mitglieder, z. T. auch für rückzahlungsfreie Zuschüsse an →Entwicklungsländer.

**Kontokorrent.** 1. *I. w. S.* jede Geschäftsverbindung, bei der Leistung und Gegenleistung in Rechnung gestellt und in regelmäßigen Zeitabschnitten ausgeglichen werden. – 2. Ein häufig in Karteiform geführtes *Hilfsbuch* der

→doppelten Buchführung, das die Einzelkonten der Kunden (Debitoren) und Lieferanten (Kreditoren) enthält (→Kundenkartei). Das K. gehört i. d. R. zur ordnungsmäßigen Buchführung. – Vgl. auch →Kontokorrentvertrag.

**Kontokorrentkonto,** →Personenkonto.

**Kontokorrentkredit,** *Kredit in laufender Rechnung,* →Kredit, den der Kreditnehmer innerhalb der festgesetzten Laufzeit durch Verfügungen über sein Konto bis zur vereinbarten →Kreditlinie in Anspruch nehmen kann. Der K. an Unternehmen ist ein →Betriebskredit, der der Finanzierung der Gütererzeugung und Güterbereitstellung dient (→Betriebsmittelkredit, →Saisonkredit, →Überziehungskredit, →Zwischenkredit). Der K. an Privatpersonen wird als →Dispositionskredit zur Verfügung gestellt und dient der Konsumfinanzierung (→Konsumentenkredit). – *Rechtsgrundlagen für die Abwicklung des K.* sind neben dem →Kreditvertrag die Allgemeinen Geschäftsbedingungen (AGB), die Bestimmungen des HGB über das Kontokorrentkonto (§§ 356 ff. HGB) und die Bestimmungen des BGB über das Darlehen (§§ 607 ff. BGB). – *Kosten für den Kreditnehmer:* a) Für die Kreditzusage →Kreditprovision; b) auf den in Anspruch genommenen Kredit die allgemeinen →Kreditkosten; c) beanspruchen Kunden mehr Kredit als ihnen zugesagt ist, so berechnet die Bank einen Zinszuschlag (→Überziehungsprovision).

**Kontokorrentrechnung,** die auf das Kontokorrent angewandte →Zinsrechnung.

**Kontokorrentvertrag,** Vertrag zur Erleichterung des Zahlungs- und Abrechnungsverkehrs zwischen Personen, die in laufender Geschäftsverbindung stehen.

I. Voraussetzungen des kaufmännischen K. (§§ 355–357 HGB): 1. Kaufmannseigenschaft eines Vertragsteils; 2. dauernde Geschäftsverbindung zwischen den Parteien, aus der beiderseitige Geldansprüche entstehen können; 3. die Abrede, die beiderseitigen Geldansprüche und Zahlungen in Rechnung zu stellen und in regelmäßigen Zeitabschnitten durch Verrechnung und Feststellung des sich für einen der Partner ergebenden Überschusses auszugleichen *(Kontokorrentabrede).*

II. Wirkungen: Die beiderseitigen Forderungen und Leistungen werden durch den K. gebunden und zu bloßen Rechnungsposten. Sie verlieren ihre Selbständigkeit, wobei die einzelnen bestellten Sicherheiten bestehenbleiben: 1. Keine Partei kann über ihre einzelnen Forderungen gesondert verfügen, sie verpfänden, abtreten, zur →Aufrechnung benutzen oder einklagen. 2. Die Ansprüche gelten als gestundet, kein →Verzug. 3. Die →Verjährung ist gehemmt. 4. Die Zahlungen innerhalb des Kontokorrents wirken nicht schuldtilgend und werden nur als verzinsliches Guthaben gebucht. Abrechnung am Schluß der Periode.

III. Verrechnung und Saldofeststellung: 1. *Vollzug:* Eine Partei stellt die beiderseitig im Laufe der Rechnungsperiode entstandenen Ansprüche und Leistungen nebst Zinsen in Rechnung und teilt der anderen Partei den ganzen Rechnungsabschluß und den sich ergebenden Saldo mit. Die Verrechnung ist bis zum Schluß der Rechnungsperiode aufgeschoben. Nach § 355 HGB beträgt sie beim Fehlen einer anderen Abrede (selten) ein Jahr; i. a. kann jede Partei den K. aber jederzeit kündigen mit der Folge, daß sofort ein Rechnungsabschluß anzufertigen und der Überschuß dem Berechtigten herauszuzahlen ist. – 2. *Rechtliche Wirksamkeit* erlangt der Saldo erst durch seine vertragliche Anerkennung beider Parteien (Saldovertrag), die ausdrücklich oder auch stillschweigend z. B. durch Fortsetzung des Kontokorrentverkehrs erfolgen kann. a) Verweigert der Empfänger die Anerkennung des Saldos entsteht ein abstraktes →Schuldanerkenntnis (§§ 781, 782 BGB), das formlos gültig ist und einen selbständigen Verpflichtungsgrund erzeugt. Verjährung tritt in 30 Jahren ein. c) Zugunsten des Saldos bleiben nach § 356 HGB die mit den einzelner Forderungen verbundenen Sicherheiten →Pfandrechte, →Bürgschaften und Konkursvorrechte für den Saldo weiter bestehen, soweit sich dieser mit der gesicherten Forderung deckt. d) Das Saldoguthaben kann aufgrund der Anerkennung selbständig eingeklagt werden. e) Vom Ablauf der Kontokorrentperiode ist der Saldo, auch soweit die einzelnen Posten unverzinslich sind oder sie Zinsen erhalten, mit 5% zu verzinsen (§ 355 HGB). – 3. *Saldovortrag:* Übertragung des Saldos als erster Kreditposten auf neue Rechnung bei der Fortsetzung des Kontokorrentverhältnisses (bloßer Rechnungsposten).

IV. Pfändung: Gläubiger einer Vertragspartei können 1. einzelne in das Kontokorrent fallende Forderungen nicht pfänden, da die Abtretung unmöglich ist (§ 851 ZPO); 2. den künftigen Saldo pfänden, wie er sich ergibt, wenn im Zeitpunkt der Pfändung abgerechnet würde, oder den Saldo zum Schluß der Rechnungsperiode (strittig, vgl. § 357 HGB).

V. Kein K.: →Offene Rechnung oder die →laufende Rechnung unter Nichtkaufleuten.

**Kontokorrentvorbehalt,** →erweiterter Eigentumsvorbehalt.

**Kontologie,** Sonderform der Buchführung, bei der die Grundsätze der →funktionalen Kontorechnung verwirklicht sind. Die Aufstellung von Bilanzen wird ohne speziellen Kontoabschluß als Summen- und Saldenbilanz möglich.

**Kontorwissenschaften,** von der →Handelswissenschaft gepflegter Teil der →Betriebswirtschaftslehre. K. *umfaßten* v. a. Buchhaltung und Korrespondenz, Handelslehre, Wirtschaftsrechnen, Geographie und Warenkunde. Sie waren demnach eine rein auf das Kaufmännisch-Technische ausgerichtete →Kunstlehre.

**kontrahieren,** einen →Vertrag schließen.

**Kontrahierungspolitik,** Ziel- und Maßnahmenentscheidungen zur vertraglichen Absicherung der Transaktionsbedingungen bei einem Verkauf. K. ist ausgerichtet auf die Gestaltung des *Kontrahierungsmix* mit den Entscheidungsbereichen →Preispolitik und →Konditionenpolitik.

**Kontrahierungszwang,** *Abschlußzwang,* gesetzliche Pflicht zum Abschluß eines Vertrages, bei dem u. U. auch der Inhalt festgelegt ist (z. B. für Eisenbahn, Post, Energieversorgungsunternehmen); Ausnahme von der →Vertragsfreiheit. K. wird allgemein dann bejaht, wenn eine öffentliche Versorgungsaufgabe (Versorgung mit lebenswichtigen Gütern) besteht.

**Kontrakt,** →Vertrag.

**Kontrakteinkommen,** zusammenfassende Bezeichnung der Wirtschaftstheorie für diejenigen →Einkommen, deren Höhe von vornherein durch Vertragsabschluß (Kontrakt) festgelegt wird, unabhängig vom Ergebnis der Produktion, z. B. Löhne, Gehälter, Fremdkapitalzinsen, Pachten. – Es wird *unterschieden* zwischen Kontrakteinkommen i. S. eines →statischen Einkommens einerseits und Residualeinkommen i. S. des dynamischen Einkommens (→Unternehmergewinn) andererseits. – *Gegensatz:* →Überschußeinkommen.

**Kontraktion,** →Konjunkturphasen.

**Kontraktkurve,** *Konfliktkurve,* geometrischer Ort aller Pareto-effizienten Allokationen (→Pareto-Effizienz) in einer →Edgeworth-Box. K. sind dadurch gekennzeichnet, daß die →Grenzraten der Substitution für alle Beteiligten übereinstimmen.

**Kontrakt-Management,** *Management-Verträge, management contracting.* 1. *Begriff:* Eine spezielle Form der Zusammenarbeit im Auslandsgeschäft. Ein Unternehmen aus einem fremden Wirtschaftsgebiet (z. B. Bundesrep. D.) stellt, als „contracting firm", Management-Know-how – fallweise gemeinsam mit der erforderlichen personellen Basis – zur Verfügung, während die Partnerseite („managed firm") aus dem Gastland (z. B. Frankreich) oder aus fremdem Wirtschaftsgebiet (z. B. Schweiz) die Direktinvestition trägt. Bei der „contracting firm" kann es sich – je nach Aufgabenstellung und Zielsetzung der Kooperation – um ein eigenständiges Unternehmen handeln, das auf dem über K.-M.

abzudeckenden Problembereich bzw. in der vom Investor gewählten Branche bereits tätig ist (z. B. im Hotelsektor, im Schiffsbau, im Speditionswesen), oder um Dienstleistungsunternehmen mit entsprechend fachlicher Ausrichtung, die sich auf solche Projekte spezialisiert haben (z. B. consulting engineers, sonstige Consultingfirmen, Speditionen) – 2. *Bedeutung:* Diese Form der Zusammenarbeit bietet sich besonders für Unternehmen an, wenn sie Branchen bzw. Wirtschaftsstufen von geringer bzw. keiner überregionalen Marktbedeutung angehören. Außerdem sollten die auf organisatorischer und technischer Ebene zu lösenden Management-Probleme weniger komplex, zum größeren Teil standardisierbar sein und sich auf einfacherem Niveau befinden; Aufgaben mit administrativem und Kontrollcharakter sind für K.-M. besonders geeignet. K.-M. ist auch auf anderen Ebenen einsetzbar (z. B. im Rahmen von Lizenzgeschäften bei Vertragsfertigung und Joint Ventures). – 3. *Vertragsregelung:* Das Management- bzw. Dienstleistungs-Unternehmen erhält – neben einem Kostensatz (für Personal und sonstige Aufwendungen) – eine ebenfalls vertraglich festgelegte Ertrags- bzw. Erfolgsbeteiligung. – K.-M. hat Projektcharakter, ist also von begrenzter Dauer und in vielen Fällen endergebnisorientiert. – Oft ist für eine Herstellerfirma aus dem Ausland damit die Einleitung eines geplanten eigenen Direktengagements im Gastland verbunden. In diesem Fall müßte sich der fachspezifisches Management-Know-how epxortierende ausländische Partner vertraglich durch eine Option zum Erwerb von Anteilen an der „managed firm" spätestens nach Ablauf des Management-Vertrages absichern; andernfalls besteht die Gefahr, daß die „contracting company" mit Auslauf des Management-Vertrages und einer Nicht-Verlängerung hieraus keinen weiteren (Folge-)Nutzen ziehen kann.

**Kontraktmarketing,** *Kontraktvertrieb,* Absatz von Produkten und Dienstleistungen auf Basis von Verträgen, die für einen bestimmten Zeitraum oder für eine bestimmte Zahl von Verkaufsvorgängen gelten. K. ist Ausdruck einer →Kooperation. – *Erscheinungsformen:* →Rahmenvereinbarung, →Vertriebsbindung, →Alleinvertrieb, →Franchise u. a.

**Kontraktproduktion,** →unmittelbar kundenorientierte Produktion.

**Kontraktvertrieb,** →Kontraktmarketing.

**Kontraprotest,** Wechselprotest wegen unterbliebener Ehrenzahlung (→Ehreneintritt). – Vgl. auch →Protest.

**Kontrastgruppenanalyse,** →AID-Verfahren.

**Kontrollbudget,** Budget, das der reinen buchhalterischen Kontrolle der staatlichen Aktivi-

tät dient, ohne Rücksicht auf Effizienzkriterien.

**Kontrolle.** I. C h a r a k t e r i s i e r u n g : 1. *Begriff:* Durchführung eines Vergleichs zwischen geplanten und realisierten Größen sowie die Analyse der Abweichungsursachen, nicht aber die Beseitigung der festgestellten Mängel. K. ist eine Form der →Überwachung, durchgeführt von direkt oder indirekt in den Realisationsprozeß einbezogenen Personen oder Personengesamtheiten. – *Abgrenzung:* a) Zum *Controlling:* →Controlling umfaßt auch die Mängelbeseitigung. b) Zur *internen Revision:* V. a. dadurch, daß K. ein ständiger Vorgang ist, der laufende Prozesse möglichst lückenlos überwacht und meist von (vorgesetzten) Mitarbeitern des gleichen Unternehmens durchgeführt wird. c) Zur *Prüfung:* Der Überwachungsträger ist in den Prozeß der K. einbezogen (→Prozeßabhängigkeit). – 2. *Entscheidungsprozeß-Phase:* a) *I.e.d.S.:* Letzte Phase des →Entscheidungsprozesses, d. h. der Prozeß der Sicherstellung, daß die Durchführung mit dem Geplanten übereinstimmt. b) *I.w.S.:* Alle Phasen des Entscheidungsprozesses, d. h. ein überlagernder Prozeß der Willensbildung und -durchsetzung. – 3. *Grundsätzliche Zwecke:* a) Kontrollinformationen können Daten für nachfolgende Planungen liefern (sachlogische Dimension). b) Kontrollinformationen können für die Mitarbeiterbeurteilung herangezogen werden (motivationale Dimension). Aus den teilweise verschiedenen und konfliktären Kontrollanforderungen dieser Dimensionen ergeben sich die besonderen Gestaltungsprobleme der K. – 4. K. ist häufig in ein ausdifferenziertes *Planungs- und Kontrollsystem* eingebunden. Auf diese Weise wird versucht, die K. so vollständig wie möglich durchzuführen, und frühzeitig in die laufenden Prozesse einzugreifen.

II. A r t e n : 1. *Plan-K.:* Dient der Willenssicherung. Eine Kritik am Plan ist unzulässig und würde zu einer Auflösung des dahinter stehenden Commitments führen. *Prämissen-K.:* Überwachung und ggf. Revision der Plannahmen. Daraus entsteht das →Dilemma der Kontrolle (vgl. auch dort), daß man einerseits zum Zweck der Durchsetzung am Plan festhalten und andererseits eine Planveränderung aufgrund von Lernprozessen möglich sein muß. – 2. *Strategische K.:* Überwachung der Realisierung von →strategischen Programmen; stellt aufgrund der nur teilweise möglichen Quantifizierung von strategischen Plänen die Unternehmensführung vor besondere Probleme. *Operative K.:* Überwachung der operativen Programme und der entsprechenden Bereiche. – 3. *Indirekte K.* der strategischen Pläne und Prämissen erfolgt im Rahmen der aus den Strategien abgeleiteten operativen Pläne und Prämissen. So können die im Rahmen des üblichen operativen Kontrollprozesses gewonnenen Informationen gleichzeitig für eine Überprüfung der Strategien und ihrer Planannahmen herangezogen werden (Beispiel: Bei der Durchsprache von Preis- oder Mengenabweichungen im Rahmen einer flexiblen Plankostenrechnung können sich Hinweise ergeben, daß die Ursachen nicht bei dem Kostenstellenleiter, sondern in den unzutreffenden Planerwartungen des strategischen Programms liegen). Es können sich Konsequenzen für die weitere Aufrechterhaltung der strategischen Planannahmen ergeben. *Direkte K.* bezieht sich dagegen explizit auf die Überwachung strategischer oder operativer Planaussagen. Dort gibt es eine autonome K., die (laufend) kalendergesteuert oder (ad hoc) ereignisgesteuert sein kann. – 4. *Verfahrens-K.* überprüft, ob nach den vorgeschriebenen Richtlinien gehandelt worden ist. *Ergebnis-K.* bezeichnet dagegen den Vergleich der Plandaten mit den realisierten Daten. – 5. *Ex-ante-K.:* Es wird versucht, Soll-*Wird*-Abweichungen zu antizipieren. *Ex-post-K.:* Es wird auf Soll-*Ist*-Abweichungen abgestellt.

III. K. in der Buchhaltung: 1. *Zweck:* Sicherung der Ordnungsmäßigkeit des Rechnungswesens, Schutz vor Vermögensverlusten durch unbefugte Zugriffe, z.B. in Kassen-, Wertpapier- oder Materialbeständen, Falschbuchungen, Mißbrauch und Fälschung von →Belegen. Die Summe aller organisatorischen Kontrollmaßnahmen wird als →internes Kontrollsystem bezeichnet. – 2. Schutz gegen *formelle Buchhaltungsfehler* durch Prüfung der Richtigkeit und Vollständigkeit der Buchungen (Kontierungsfehler, Doppelbuchungen, fehlende Buchungen), der Rechenoperationen (Additionen, Salden) und der Datentransportvorgänge (Übertragungsfehler, Konten-, Spalten- und Zahlenverwechslungen) durch →Kontenkontrolle, mechanische oder maschinelle Hilfsmittel bei Buchungsmaschinen, Testläufe bei EDV-Programmen u.ä., soweit nicht maschinelle oder sonstige zwangsläufige Kontrollen das Auftreten von Fehlern bereits verhindern. – 3. K. der *materiellen Übereinstimmung* buchmäßig ausgewiesener Bestände mit den tatsächlich vorhandenen erfordert die Durchführung von →Inventuren (z.B. →Kassenprüfung, →Kassensturz).

IV. K. im strategischen Management: Vgl. →strategische Kontrolle.

**Kontrolleinheit,** →organisatorische Einheit mit Kontrollkompetenz.

**Kontrollexemplar,** Zollpapier für den Nachweis, daß die in ihm aufgeführten Waren einer darin angegebenen Verwendung oder Bestimmung zugeführt worden sind, z.B. als Ausfuhrnachweis für erstattungsfähige Marktordnungswaren, als innergemeinschaftliche Verbleibskontrolle bei ausfuhrbeschränkten Waren oder zur Überwachung einer zweckgebundenen Zollbegünstigung bei besonderer Verwendung der Waren. K. bei unmittelbarer Ausfuhr nach Drittländern sowie bei Ausfuhr von Waren nach Drittländern, die zuvor ein EG-Mitgliedsland durchquert haben, bei Waren zur Bevorratung von Seeschiffen oder Luftfahrzeugen, für internationale Organisationen oder ausländische Streitkräfte.

**Kontrollfrage,** Frage, die der Prüfung, ob bei der Beantwortung von →Fragebogen die Befragten ausweichende oder gar falsche Antworten gegeben haben, dient. Durch Vergleich der Antworten auf Fragen und K. werden systematische Fehler des Materials erkannt, so daß sie ggf. bei der Auswertung ausgeschaltet werden können.

**kontrollierbare Kosten,** *controllable costs.* 1. *Im engeren Sinn:* →Kosten, die direkt bei einer Aktivität (Handlung, Maßnahme) oder Kostenstelle durch einen Verantwortlichen an einer bestimmten Stelle der Organisationshierarchie (innerhalb der betrachteten Periode und beim betrachteten Bezugsobjekt) gesteuert oder maßgeblich beeinflußt werden können. Gegebenenfalls muß zwischen →Kontrollierbarkeit der Art, der Maßnahme, der Mengen- oder Preiskomponente usw. unterschieden werden. – Vgl. auch →verantwortungsorientiertes Rechnungswesen. – 2. *Im weiteren Sinn:* Es werden auch Natureinflüsse oder (durch den Staat, Geschäftspartner, Konkurrenten) fremdgesteuerte Einflußfaktoren, soweit deren Einfluß quantifizierbar ist, einbezogen. – Vgl. auch →Kontrollierbarkeit.

**Kontrollierbarkeit.** I. Begriff: 1. *Im weiteren Sinn (neuere Begriffsauffassung):* →Disponierbarkeit (Beherrschbarkeit, Beeinflußbarkeit). – 2. *Im engeren Sinn (ältere Begriffsauffassung):* Nachprüfbarkeit. Letztere Bedeutung überwiegt im Rechnungswesen. Zu unterscheiden sind: a) K. der Ordnungsmäßigkeit und formalen Richtigkeit, b) K. als Beurteilung aufgrund qualitativer Kriterien und c) K. als materielle Nachprüfbarkeit auf Basis quantitativer Kriterien. Entscheidungs-, Planungs- und Prognosekontrolle, Ermittlung der Entscheidungswirkungen und des Erreichens vorgegebener Ziele gewinnen gegenüber der bloßen Ausführungs- oder Verhaltenskontrolle an Bedeutung.

II. Allgemeine Grundregeln/Voraussetzungen: 1. Allgemein setzt eine quantitative materielle Kontrolle voraus: eine *objektive, intersubjektiv nachprüfbare Abbildung des Betriebsgeschehens* mit einer Differenzierung der Daten nach ihrer Beeinflußbarkeit (→Disponierbarkeit) durch die kontrollierenden Verantwortlichen und Abhängigkeit von hinzunehmenden Einflußgrößen sowie der materiellen, logischen Richtigkeit und Genauigkeit der rechnerischen Abbildung der Ist-Daten bzw. der Vorgabe- und Prognosesicherheit bei Soll- und Wird-Daten. – 2. Häufig werden nur *gemessene Daten* als kontrollierbar angesehen, nicht errechnete Konstrukte (→abgeleitete Rechengrößen), weil: (1) die Bewertung grundsätzlich subjektive Spielräume läßt (→entscheidungsorientierter Kostenbegriff, →Ausgabenverbundenheit) und (2) die Mengenkomponente oft nicht existiert oder nicht gemessen werden kann (Riebel). – a) Die Meßgröße sollte mit dem eigentlich zu erfassenden Vorgang übereinstimmen oder dazu in einer eindeutigen mathematisch-funktionalen Beziehung stehen. – b) Die Messung sollte beim →originären Bezugsobjekt erfolgen, über das die Information benötigt wird (z. B. Erfassung als originäre Einzelkosten) und nicht aggregiert als unechte Gemeinkosten bei einem übergeordneten umfassenderen Bezugsobjekt, weil der Grad der Annäherung des zugeschlüsselten Wertes an den wahren Wert ungewiß ist und deshalb zugeschlüsselte unechte Gemeinkosten sich nicht kontrollieren lassen. – c) Voraussetzung sind ereignis- und problemadäquate Meß- und Kontrollzeitpunkte oder -perioden. Bei einmaligen und kurzfristig wechselnden Vorgängen sollte die Messung zeitgleich bzw. fortlaufend erfolgen; bei sich entwickelnden oder sequentiell verknüpften Vorgängen ist eine fortlaufende K. gegeben, die milaufende Kontrolle aussagefähiger als eine Endkontrolle. – d) Vorgänge, die zufälligen Einflüssen unterliegen, (z. B. Ausschußquoten), lassen sich nicht am einzelnen Ereignis kontrollieren, sondern über eine größere Zahl von Beobachtungen, die eine Anwendung statistischer Methoden und Aussagen über die Streuung und deren mutmaßliche Abhängigkeit von sekundären Einflußgrößen (z. B. Wetterverhältnisse, Materialherkunft) erlaubt. Entsprechendes gilt für Meßsymptome, die nur in einer stochastischen Beziehung zu dem zu erfassenden Vorgang stehen.

III. Personelle und zeitliche Teilung des Entscheidungsfeldes: Bei den einzelnen Verantwortlichen sind nur solche Vorgänge und Rechengrößen kontrollierbar, die sie für oder während des betrachteten Zeitraums maßgeblich beeinflussen konnten. Dies erfordert a) eine Differenzierung nach der „örtlichen" und zeitlichen Verteilung der Entscheidungswirkungen eines Verantwortlichen und (2) eine Kennzeichnung der erfaßten Vorgänge nach den zuständigen Verantwortungsträgern bei den einzelnen Erfassungsbereichen (z. B. Kosten- und Leistungsstellen).

**Kontrollkartentechnik,** statistisches Instrument der →Produktionskontrolle. Die K. kann sowohl für die →Variablenkontrolle als auch für die →Attributenkontrolle eingesetzt werden. Die Kontrollkarte bzw. Qualitätsregelkarte ist ein Formblatt zur graphischen Darstellung von Werten, die bei der Qualitätsprüfung einer fortlaufenden Reihe von Stichproben aus dem Produktionsprozeß anfallen. Die Prüfergebnisse werden mit Grenzlinien auf der Qualitätsregelkarte verglichen und bei einer Überschreitung werden vorab definierte Maßnahmen bezüglich des Produktionsprozesses und ggf. auch bezüglich der folgenden Prüfungen ausgelöst. Als Grenzlinien werden Warn- und Eingriffsgrenzen unterschieden, die nach statistischen Gesichtspunkten festgelegt werden. Die Überschreitung einer Warngrenze führt zu einer stärkeren Überwachung des Prozeses, während der Zweck der Eingriffsgrenzen die rechtzeitige Auslösung von Korrekturmaßnahmen zur Prozeß-Verbesserung ist.

**Kontrollkompetenz,** →Kompetenz für die Vornahme von →Kontrollen.

**Kontrollmitteilungen,** Auswertungen von Feststellungen, die ein Außenprüfer anläßlich der →Außenprüfung über die Verhältnisse dritter Personen trifft (§ 8 BpO-St). K. sind insoweit zulässig, als die Feststellungen für die Besteuerung dieser Personen von Bedeutung sind oder eine unerlaubte →Hilfeleistung in Steuersachen betreffen (§ 194 III AO). Sie dienen insbes. zur stichprobenhaften Überwachung der Ordnungsmäßigkeit der Buchführung, der Aufdeckung nicht verbuchter und nicht versteuerter Geschäftsvorfälle.

**Kontrollratsgesetze,** die nach Beendigung des Zweiten Weltkriegs erlassenen (und z. T. als deutsches Recht noch geltenden) Gesetze des Alliierten Kontrollrates mit unmittelbarer Gültigkeit in allen vier Besatzungszonen.

**Kontrollspanne,** →Leitungsspanne.

**Kontrollstelle,** Einrichtung bei Verdacht bestimmter Straftaten gegen die öffentliche Ordnung (Tötungsdelikte, Unterstützung terroristischer Vereinigungen, →erpresserischer Menschenraub, →Geiselnahme, →Raub mit Waffen u. a. m.) aufgrund richterlicher Anordnung oder bei Gefahr im Verzug durch Anordnung der Staatsanwaltschaft und ihrer Hilfsbeamten. An den K. auf öffentlichen Straßen und Plätzen und an anderen öffentlich zugänglichen Orten muß jedermann seine Identität feststellen und sich sowie mitgeführte Sachen durchsuchen lassen (§ 111 StPO).

**Kontrollsteuer,** Steuer, die die Nachprüfung von Angaben (→Steuererklärung) bei einer anderen Steuer ermöglicht. – *Beispiel:* Umsatzsteuer als K. der Einkommensteuer, Erbschaftsteuer als K. der Vermögensteuer.

**Kontrollstruktur,** →Steuerkonstrukt.

**Kontrolluhr,** →Stempeluhr.

**Konventionalstrafe,** →Vertragsstrafe.

**Konventionaltarif,** →Gebrauchstarif.

**konventionelle Datenorganisation,** Synonym für Dateiorganisation (→Datenorganisation II).

**Konvergenztheorie.** 1. *Charakterisierung:* Der K. zufolge sind industriell entwickelte →Wirtschaftsordnungen, die anfänglich unterschiedlich strukturiert sind, gleichen technischen und wirtschaftlichen Sachzwängen ausgesetzt und müssen daher ähnliche Lösungswege einschlagen: a) Für →*privatwirtschaftliche Marktwirtschaften* wird ein wachsender staatlicher Einfluß auf den Wirtschaftsprozeß und ein Funktionsverlust des Privateigentums bei sich ausweitender Managerherrschaft unterstellt. b) Für →*staatssozialistische Zentralplanwirtschaften* wird eine Entideologisierung der Wirtschaftslenkung, die Dezentralisierung der Planungsrechte und ebenfalls ein Machtzuwachs der Manager abgeleitet. Dies führe zu einer Annäherung der institutionellen, politischen und ökonomischen Strukturen und Strategien. – 2. *Ansätze:* In welcher Richtung dieser Angleichungsprozeß erfolgt und in welchem Umfang er die unterschiedlichen wirtschaftlichen Teilordnungen (→Morphologie) erfaßt, wird unterschiedlich gesehen: a) Eine Position geht davon aus, daß die privatwirtschaftliche Marktwirtschaft den *„Marsch in den Sozialismus"* antreten muß (J. A. Schumpeter, →Kapitalismus). b) Dagegen wird einem anderen Ansatz zufolge angenommen, daß die sozialistischen Zentralplanwirtschaften sich den privatwirtschaftlichen Marktwirtschaften annähern müssen (W. W. Rostow, E. Boettcher). c) Bei der *„umfassenden"* K. wird unterstellt, daß beide Wirtschaftsordnungen sich gleichzeitig auf ein einheitliches, gemischtes System hinbewegen und daß dessen Ordnung die optimale Mischung der einzelnen Teile der ursprünglichen Wirtschaftsordnungen ist (J. Tinbergen, J. K. Galbraith). d) Die *„partielle"* K. beinhaltet, daß nur einzelne Teilordnungen sich angleichen, während die anderen weiterhin systemspezifisch unterschiedlich bleiben (P. Wiles, E. Küng). – 3. *Kritik:* Gegen diese Annahmen wird eingewendet, daß es sich hierbei um ein nur oberflächliches Verständnis unterschiedlich organisierter Wirtschafts- und Gesellschaftssysteme handelt und die Diagnose und Erklärung institutionellen Wandels methodologische Schwächen beinhaltet. Die insbes. von den Ansätzen c) und d) hervorgehobene Annäherung der Planungstechniken sage nichts darüber aus, wie diese jeweils angewendet würden. Einer fundierten ordnungstheoretischen Analyse könnten sie so insgesamt nicht standhalten. – Vgl. auch →gemischte Wirtschaftsordnung.

**Konversion.** I. Bürgerliches Recht: Richterliche Umdeutung des Parteiwillens aus der Interessenlage heraus: Entspricht ein (z. B. wegen Nichtwahrung der vorgeschriebenen Form) nichtiges →Rechtsgeschäft den Erfordernissen eines anderen Rechtsgeschäfts, so gilt das letztere, wenn anzunehmen ist, daß die Parteien es bei Kenntnis der →Nichtigkeit gewollt hätten (§ 140 BGB).

II. Bankwesen: 1. *Begriff:* Umwandlung der Schuldbedingungen einer →Anleihe durch Umwandlung in eine neue (Konvertierungsanleihe) mit verändertem Zinsfuß, veränderter Laufzeit und/oder veränderten Tilgungsbedingungen, meist nach vorheriger Kündigung. Wird auch als *Konvertierung* bezeichnet. – 2. *Zweck:* K. soll dem Schuldner günstigere Bedingungen für Verzinsung und Tilgung der Schulden verschaffen, wenn die Bedingungen der alten Anleihe den veränderten Kapitalmarktverhältnissen nicht mehr entsprechen. – Im Rechtsstaat erfolgen K. auf freiwilliger Basis, d.h., der Gläubiger hat die Wahl zwischen Annahme der Zinsherabsetzung seines Papiers oder Rückzahlung des Anleihebetrages. K. mit Heraufsetzung des Zinsfußes kommt vor, wenn z. B. bei Fälligkeit die zur Einlösung erforderlichen Mittel nicht zur Verfügung stehen und Ersatz durch eine Anleihe nur mit erhöhtem Zinsfuß möglich ist, bzw. wenn eine langfristige, nachhaltige Erhöhung des Marktzinses zu verzeichnen ist.

**Konversionskasse für deutsche Auslandsschulden,** öffentlich-rechtliche Körperschaft, aufgrund des Gesetzes über Zahlungsverbindlichkeiten gegenüber dem Ausland am 9. 9. 1933 in Berlin errichtet, in Verbindung mit der Reichsbank stehend. – 1. *Funktionen und Entwicklung:* An die K. f. d. A. waren alle Zinsen und Tilgungsbeträge auf ausländische Vermögensanlagen zum amtlichen Kurs umgerechnet in RM zu zahlen. Der inländische Schuldner war befreit, neuer Schuldner wurde die K. f. d. A. Über die eingezahlten Beträge gab die K. f. d. A. auf RM lautende, unverzinsliche Schuldverschreibungen (→scrips) und verzinsliche (3% und 4%) Schuldverschreibungen (Fundierungsbonds) aus. Der Anteil der bar zu transferierenden Beträge, zuerst 50%, wurde mehrmals verringert; 1934 wurde der Bartransfer eingestellt; die Gläubiger, die bis dahin für den nicht transferierten Teil Scrips erhielten, bekamen nunmehr Fundierungsbonds, über deren Verwertung bestimmte Modalitäten festgesetzt wurden. – 2. *Nachkriegsregelungen:* Auf der →Londoner Schuldenkonferenz konnte sich die deutsche Auffassung von der schuldenbefreienden Wirkung der Zahlungen an die K. f. d. A. nicht durchsetzen. Der deutsche Schuldner muß also gegebenenfalls nochmals zahlen, wird aber von der Bundesrep. D. entschädigt.

**Konversionsschuldverschreibung,** →Young-Anleihe.

**Konvertibilität,** *Konvertierbarkeit.* 1. *Begriff:* Element liberaler →Außenwirtschaftspolitik, bei der das Recht besteht, Währungsguthaben in andere Währungen umzutauschen und zu transferieren. *Realisierung der K.* ist eines der Ziele des →IMF. – Im System der Goldwährung bedeutete K. *(Gold-K.)* das Recht, eine Währung unbeschränkt zum fixierten Goldpreis gegen Gold einzutauschen. – 2. *Arten:* a) *Volle K.:* K. ohne jede Einschränkung, d. h. für in- und ausländische natürliche und juristische Personen, für laufende Zahlungen und Kapitaltransaktionen sowie sämtliche Währungen. – b) *Beschränkte K.:* (1) Bezogen auf Person bzw. Institution: Das Recht zum Umtausch inländischer in fremde Währung kann auf Ausländer bzw. ausländische Zentralbanken beschränkt werden (→*Ausländerkonvertibilität*). (2) Bezogen auf Verwendungszweck: Die K. gilt lediglich für Zahlungen aus laufenden Transaktionen (Waren- und Dienstleistungsverkehr) sowie Schuldendienste; Kapitaltransaktionen unterliegen dagegen Beschränkungen. (3) Bezogen auf Währungen: Nur bestimmte Währungen können gegen einheimische Währung eingetauscht werden. – 3. *Wirtschaftliche Bedeutung:* Förderung der internationalen Arbeitsteilung durch Verzicht auf Beeinträchtigung des Waren- und Dienstleistungsaustausches sowie Ermöglichung internationaler Kapitalbewegungen.

**Konvertierbarkeit,** →Konvertibilität.

**Konvertierung,** →Konversion.

**Konvertierungsanleihe,** →Konversion II.

**Konvertierungsrisiko,** →Transferrisiko.

**konvex,** Eigenschaft einer Punktmenge (Figur), wenn jede Verbindungsstrecke zweier ihrer Punkte ganz in der Punktmenge (Figur) enthalten ist. – *Beispiel:* Dreiecksfläche; *Gegenbeispiel:* Neumondsichel.

**konvexe nichtlineare Optimierung,** →nichtlineare Optimierung 3 a), →konvexes nichtlineares Optimierungsproblem.

**konvexe Optimierung,** *konvexe Programmierung,* Teilgebiet der →mathematischen Optimierung, in dessen Mittelpunkt solche mathematischen Optimierungsprobleme stehen, deren Zielfunktionen und Restriktionen sämtlich konvexe Funktionen sind. Wichtigstes Teilgebiet der k. O. ist die →lineare Optimierung. – Vgl. auch →konvexes nichtlineares Optimierungsproblem.

**konvexe Programmierung,** →konvexe Optimierung.

**konvexes nichtlineares Optimierungsproblem.** 1. *Charakterisierung:* Problem der →mathematischen Optimierung (genauer →nichtlinearen Optimierung), das sich auf die Standardform ((1)–(4)) eines →nichtlinearen Optimierungsproblems bringen läßt und bei dem dann sämtliche Funktionen $f_i$ (i = 0, 1, 2, ..., m) konvex sind (d. h. bei zweimaliger

Differenzierbarkeit gilt $f_i''$ ($x_i$, $x_2$, ..., $x_n$) = 0 für i = 0, 1, 2, ..., m). – *Sonderform:* →quadratisches Optimierungsproblem. – 2. *Lösung:* Die →Kuhn-Tucker-Bedingungen sind notwendige und hinreichende Bedingungen für eine →optimale Lösung k. n. O. in Standardform. – *Verfahren:* Neben Gradientenverfahren, die sich allenfalls für quadratische Optimierungsprobleme als effizient erwiesen haben, lassen sich Strafkosten- und →Schnittebenenverfahren einsetzen (zu den Verfahren vgl. →nichtlineare Optimierung 4).

**Konvexitätsaxiom** (der →Präferenzordnung), besagt, daß die →Konsummenge konvex ist. Diese Annahme ist erforderlich, um die Stetigkeit der →Nachfragefunktion abzuleiten. Sie ist problematisch bei unteilbaren Gütern. – Vgl. auch →Präferenzordnung.

**Konzentration.** I. Begriff: 1. *Ursprüngliche Wortbedeutung:* Das Wort stammt aus dem Lateinischen und bedeutet „Vereinigung um einen Mittelpunkt". – 2. *Wirtschaftlicher Begriff:* Der Begriff der wirtschaftlichen K. ist nicht eindeutig. – Er wurde von *Karl Marx* benutzt, um die kapitalistische Produktionsweise zu erklären. Marx unterscheidet zwischen →Konzentration des Kapitals und →Zentralisation des Kapitals: Die K. soll darin bestehen, daß der Kapitalist den Mehrwert akkumuliert, den er aus dem Produktionsprozeß herausgezogen hat, die Zentralisation darin, daß bereits gebildete Kapitale zusammengefaßt, d. h. „konzentriert" werden (→Konzentrationstheorie). – In der *herkömmlichen Ökonomie* und im *täglichen Sprachgebrauch* werden beide Begriffe zusammengefaßt. Als wirtschaftliche K. wird vor allem das interne und externe Unternehmenswachstum betrachtet (→Fusionskontrolle), allgemein kann sich die Untersuchung der K. auf alle Tatbestände erstrecken, in denen wirtschaftliche Macht den Ablauf wirtschaftlicher Vorgänge beeinflussen kann. – 3. *Weitere Grundbegriffe:* Der *Konzentrationsprozeß* ist der Vorgang, bei welchem die Verfügungsmacht einzelner Wirtschaftseinheiten über die Produktionsmittel wächst. Die *Konzentrationsstruktur* besteht in der Ballung ökonomischer Größen, die auch zu einer Ballung von Mitteln und Gestaltungsmöglichkeiten führt. – *Konzentrationsanalyse:* a) *Formale Konzentrationsanalyse:* Sowohl bei der Erfassung des Konzentrationsprozesses als auch bei der Analyse der Konzentrationsstruktur kann man die Veränderungen der Zahl von Wirtschaftseinheiten in einer Grundgesamtheit (z. B. in einer Branche) messen *(Messung der absoluten K.),* oder die Größenunterschiede der Wirtschaftseinheiten und ihre Veränderung in bezug auf die Grundgesamtheit untersuchen *(Messung der relativen K).* Als Wirtschaftseinheiten kann man Betriebsstätten (technische Einheiten), Unternehmen (rechtliche Einheiten) und Kapitalgruppen (wirtschaftliche und recht-

liche Verflechtungen von Unternehmen)
untersuchen. – Vgl. im einzelnen III. – b) Im
Gegensatz zu der formalen untersucht den
*materielle Konzentrationsanalyse*, welches
Markt- und Branchenverhalten sich aus diesen Handlungspotentialen ergibt. Die materielle Analyse der Unternehmenskonzentration untersucht z. B. bei der kartellrechtlichen
Fusionskontrolle (→Kartellrecht, →Fusions-
kontrolle) die Marktanteile, die Finanzkraft
der beteiligten Unternehmen, die Zugangs-
möglichkeiten zu den Beschaffungs- oder
Absatzmärkten, die Marktzutrittsschranken
für Dritte und die Verflechtungen mit anderen
Unternehmen. Neben den Kapitalverflechtun-
gen können hier auch personelle Verflechtungen über Aufsichtsratsmandate, Depotstimm-
rechte der Banken oder Abhängigkeiten zwischen Lieferanten und Abnehmern untersucht
werden.

II. Arten der K. von Betrieben und
Unternehmen: Man kann die Konzentrationsarten nach der Stufe des Produktionsprozesses gliedern, in die konzentriert wird, und
nach dem geografischen Gebiet, in dem die
konzentrierenden Betriebe bzw. Unternehmen
produzieren oder ihre Produkte absetzen. – 1.
*Konzentrationsarten nach der Stufe des Pro-
duktionsprozesses:* Wirtschaftseinheiten gleicher Produktionsstufe können sich horizontal
integrieren, man spricht von *horizontaler K.*
Einheiten aufeinanderfolgender Produktionsstufen (z. B. Halbfabrikate und Fertigpro-
dukte) können sich vertikal integrieren, man
spricht von *vertikaler K.* Wirtschaftseinheiten, deren Produkte weder von der Produk-
tions- noch von der Absatzseite her gesehen
miteinander zu tun haben, können sich (z. B.
aus Gründen ihrer Finanzpolitik) konglomerat integrieren, man spricht von *konglomera-
ter* oder *diagonaler K.* – 2. *Konzentrationsarten
nach dem geografischen Gebiet:* Von *regionaler
K.* spricht man, wenn nur ein bestimmter Teil
eines Staates erfaßt ist. Unter *nationaler K.*
erfaßt man die Konzentration innerhalb eines
Landes. Die *internationale K.* erfaßt die Ausdehnung von Unternehmen und (multinationalen Konzernen über die Ländergrenzen
hinweg.

III. Statistische Erfassung/Mes-
sung der K.: 1. *Statistische Erfassung:* Im
Hinblick auf Messung werden relative und
absolute K. unterschieden. Hohe relative K.
(Disparität) liegt vor, wenn ein kleiner Anteil
der Elemente der →Gesamtheit einen großen
Anteil am →Gesamtmerkmalsbetrag auf sich
vereinigt (z. B. 2% der Einkommensempfänger beziehen 50% des Gesamteinkommens).
Hohe *absolute K.* liegt vor, wenn der überwiegende Teil des Gesamtmerkmalsbetrages auf
eine geringe Anzahl von Elementen entfällt
(z. B. 2 Unternehmungen haben einen Marktanteil von 60%). Bezüglich Messung lassen
sich absolute und relative K. nicht vollständig

verselbständigen. – *Vollständige Nicht-K.* liegt
vor, wenn der Gesamtmerkmalsbetrag gleichmäßig auf eine aus sachlichen Gründen wünschenswerte Anzahl von Elementen aufgeteilt
ist. – *Vollständige K.* ist gegeben, wenn der
Gesamtmerkmalsbetrag auf einen einzigen
→Merkmalsträger entfällt. – 2. *Messung:* Die
*absolute K.* der Produktion wird mit der Zahl
der Betriebsstätten in einer Branche erfaßt.
Die *relative K.* in der Produktion wird mit der
Einteilung dieser Betriebe in Betriebsgrößenklassen und dem Vergleich ihrer Produktions-
anteile erfaßt. – Die absolute und relative K.
der Unternehmen kann in gleicher Weise
erfaßt werden. Die statistischen Unterlagen
sind in diesem Punkt jedoch in der Bundesrep.
D. unzureichend, da nicht alle Unternehmen
publizitätspflichtig sind. Die →Monopolkom-
mission erfaßt daher sog. Konzentrationsra-
ten, d. h. die Umsatzanteile der größten 3, 6,
10, 25, und 50 Unternehmen in einer Branche.
Nimmt dieser Anteil zu, so steigt der Konzentrationsgrad. – Will man mit der Messung der
Betriebs- und Unternehmenskonzentration
die *wirtschaftlichen Machtverhältnisse in einer
Branche* erfassen, so sind die Meßergebnisse
jedoch wenig aussagekräftig. Ein Unternehmen kann mehrere Betriebe haben. Die Zahl
der Betriebsstätten sagt also über die wirtschaftlichen Machtverhältnisse wenig aus.
Mehrere Unternehmen können zu Konzernen
verbunden sein. Die fehlende Berücksichtigung der Konzernverflechtungen führt also
dazu, daß die K. der wirtschaftlichen Machtgruppen zu niedrig ausgewiesen wird. – 3. Die
*statistische Veranschaulichung und Messung*
der relativen K. von Wirtschaftseinheiten
erfolgt mit Hilfe der →*Lorenzkurve.* Auf der
Abszisse wird die kumulierte Anzahl der
Unternehmen, geordnet nach Marktanteil,
und auf der Ordinate der kumulierte Marktanteil abgetragen. Entsteht als Verbindungslinie eine Gerade, herrscht völlige Gleichvertei-
lung. Der Umsatz konzentriert sich auf um so
weniger Unternehmen, je stärker die Verbindungslinie von der Geraden nach unten
abweicht.

Zieht man den Quotienten aus dem Verhältnis der Fläche A zur Gesamtfläche, so entsteht der →Gini-Koeffizient. Je größer dieser Koeffizient ist, desto höher ist der Konzentrationsgrad. (Vgl. auch →Konzentrationskoeffizient.) Bei einer materiellen Konzentrationsanalyse können auch die Wertschöpfung, die Sachanlagen und Beteiligungen, der Cashflow und die personellen Verflechtungen von Unternehmen bzw. Konzernen untersucht werden. – Ein Indiz dafür, daß die Einführung der →Fusionskontrolle in der Bundesrep. D. die Unternehmenskonzentration nicht aufhalten konnte, ist die *stetige Erhöhung der Zahl der meldepflichtigen Unternehmenszusammenschlüsse* nach §§ 23 und 24a GWB.

IV. Ursachen: Die Ursachen für eine Unternehmenskonzentration, also z. B. für die Fusion zweier Unternehmen, können vielfältiger Natur sein. Infolge der technischen Entwicklung kann sich die Notwendigkeit ergeben, →optimale Betriebsgrößen zu entwikkeln. Der Übergang zu größeren Betrieben und Serien hängt freilich nicht nur von der technischen Entwicklung, sondern auch von der Absatzentwicklung ab. Durch K. können Unternehmen Nachfrageschwankungen ausgleichen und dadurch ihr Risiko verringern. So können K. in andere Märkte hinein *diversifizieren* (→Diversifikation), um die Stagnation in einem bestehenden Markt aufzufangen. Die K. kann rein machtbedingt sein, wenn ein Unternehmen ein anderes unter seine Kontrolle bringen und sich dadurch eine bessere Stellung, unter Umständen ein Monopol am Markt verschaffen will. Konzentrationsursache können auch spekulative Überlegungen sein, wenn z. B. ein Unternehmen ein anderes aufkauft, um es mit Gewinn weiterveräußern zu können.

V. Wirkungen: Die K. von Wirtschaftseinheiten kann zu einer Monopolisierung der Märkte und zu einer Ausbeutung der Lieferanten bzw. Nachfrager führen. Diese Abhängigkeitsverhältnisse können zu einer Beschränkung oder Aufhebung der unternehmerischen Entscheidungsfreiheit vieler führen. Dadurch können sich Stagnation und Immobilismus in der Wirtschaft ergeben. Auch die Konsumenten können durch überhöhte Preise und schlechte Qualität der von Monopolisten verkauften Produkte geschädigt werden. Schließlich kann die ökonomische Macht, die als Konzentrationsfolge entsteht, als politische Macht auch gegenüber staatlichen Entscheidungsträgern mißbraucht werden.

VI. Antikonzentrationspolitik: Nach der *Position von Karl Marx* müßte Antikonzentrationspolitik rückschrittlich sein. Da der gesellschaftliche Konzentrations- und Zentralisationsprozeß ohnehin nicht aufzuhalten sei, müsse man zu einer gesamtgesellschaftlichen Lösung, zur Vergesellschaftung der Produktionsmittel, kommen. Bisherige

Vergesellschaftungskonzepte der sozialistischen Staaten haben sich in der Praxis allerdings als teilweise sehr ineffizient erwiesen. – Die Antikonzentrationspolitik in der *Bundesrep. D.* verfolgt heute in erster Linie das prozessuale Ziel, den Wettbewerb zu schützen oder wiederherzustellen. Daneben verfolgt die →Wirtschaftspolitik jedoch inhaltliche Ziele im Rahmen der Struktur- und Konjunkturpolitik (→Strukturpolitik, →Konjunkturpolitik). Zwischen der *Antikonzentrationspolitik und der allgemeinen Wirtschaftspolitik* kann es zu einem Dilemma kommen, wenn die Ziele miteinander in Konflikt geraten (→Zielbeziehungen). So kommt z. B. die Forschungsförderung bisher in erster Linie den Großunternehmen zugute; damit werden die Wettbewerbsstrukturen verschlechtert. In diesem Dilemma werden die inhaltlichen Zielsetzungen der Wirtschaftspolitik meist bevorzugt. Wettbewerbspolitisch wird dies damit gerechtfertigt, daß die internationale Wettbewerbsfähigkeit der deutschen Unternehmen geschützt werden müsse. – Zielkonflikte zwischen *Antikonzentrationspolitik und →Arbeitsmarktpolitik bzw. allgemeiner Gesellschaftspolitik* können dann auftreten, wenn wirtschaftliche Effizienzgesichtspunkte in einen Gegensatz zu sozial- und gesellschaftspolitischen Überlegungen geraten. Ein typisches Feld dieser Zielkonflikte ist die Bekämpfung der Arbeitslosigkeit. – In den Zielkonflikten wird deutlich, daß Antikonzentrationspolitik nicht unabhängig von der Wirtschafts- und Gesellschaftspolitik betrieben werden kann. Sie steht neben anderen Konzepten zur Bekämpfung wirtschaftlicher Macht, wie z. B. der →Mitbestimmung im Unternehmensinnern und der Wirtschaftsaufsicht als Kontrolle von außen. – Vgl. auch →Wettbewerbstheorie, →Wettbewerbstheorie.

Literatur: Arndt, H. (Hrsg.), Die Konzentration in der Wirtschaft, 3 Bände, Berlin 1960; ders., Wirtschaftliche Macht, 3. Aufl., München 1980; Böhm, F., Wettbewerb und Monopolkampf, Berlin 1933; Bornscheuer, F., Wachstum Konzentration und Multinationalisierung von Industrieunternehmen, Zürich 1976; Cox, H./Jens, U./Markert, K., Handbuch des Wettbewerbs, München 1981; Eucken, W., Grundsätze der Wirtschaftspolitik, Bern 1952; Huffschmid, J., Die Politik des Kapitals, 6. Aufl., Frankfurt a. M. 1971; Marx, K./Engels, F., Werke (MEW), Bände 21–23, Berlin (Ost) 1970; Monopolkommission, Hauptgutachten I–VI, Baden-Baden 1976, 1978, 1980, 1982, 1984, 1986; Nagel, B., Der Schutz von Arbeitsplätzen im Kartell- und Wettbewerbsrecht, in: Kittner, M. (Hrsg.), Arbeitsmarkt, ökonomische, soziale und rechtliche Grundlagen, Heidelberg 1982; Schmidt, I., Wettbewerbspolitik und Kartellrecht, 2. Aufl., Stuttgart 1987.

Prof. Dr. Bernhard Nagel

**Konzentration des Kapitals,** in der Wirtschaftstheorie des Marxismus das interne Unternehmenswachstum. Aufgrund des unterstellten →tendenziellen Falls der Profitrate müßten die Unternehmer ihre Gewinne im größtmöglichen Umfang reinvestieren, um das Sinken der Kapitalrentabilität durch eine größere, vom Kapitaleinsatz abhängige Gewinnsumme zu kompensieren. Dies führe zur Herausbildung großer, kapitalkräftiger

Unternehmen, die, um im Wettbewerb bestehen zu können, immer mehr kleinere und
kapitalschwächere Unternehmen übernehmen
müßten (→Zentralisation des Kapitals bzw.
externes Unternehmenswachstum).

**Konzentrationsfähigkeit,** Fähigkeit zur
Zusammenfassung der geistigen Kräfte, d. h.
zur Bereitstellung der frei verfügbaren Energie, um diese für eine auszuführende Leistung
aufmerksam und durchhaltend einzusetzen. –
*Gemessen* wird K. häufig mit dem →Arbeits-
versuch. Die vorhandene K. wird in Form
einer Arbeitskurve festgehalten.

**Konzentrationsformen des Handels.** 1.
*Begriff:* →Betriebsformen des Handels, deren
Betriebsstätten von einer Zentrale einheitlich
geführt werden, z. B. bei Filialunternehmen.
Sämtliche von den Managern der Zentral-
ebene getroffenen Entscheidungen können
aufgrund der Weisungsrechte dezentral gegen-
über den Filialleitern durchgesetzt werden. –
*Gegensatz:* →Kooperation. – 2. *Vorteile:*
Erhebliche Rationalisierungsvorteile, z. B. bei
Bestellmengenpolitik; Realisierung einheitlicher Marketingkonzepte; Voraussetzung für
rasche Entscheidungsfindung. – 3. *Nachteile:*
Gefahr der Bürokratisierung; zu geringe
Anpassung an die regional unterschiedlichen
Konsumbedürfnisse in den →Einzugsgebieten
der Filialen; Demotivation und daraus folgend mangelnde Initiative der Filialleiter.
Abbau der Nachteile erfordert u. U. hohen
Kontrollaufwand. – 4. *Formen:* Neben Filial-
betrieben werden →Warenhäuser und →Kon-
sumgenossenschaften zu den K. d. H. gerechnet, obwohl hier die Leiter u. U. weitergehende Entscheidungsbefugnisse haben. Manche →kooperative Gruppe entwickelt sich in
Richtung einer K. d. H. Regiebetriebe und
Kooperationskaufleute sind *Beispiele* für den
fließenden Übergang von Kooperation zu
Konzentration im Handel. – 5. *Volkswirtschaftliche Bedeutung:* Die Konzentration im
Handel insgesamt hat bis 1976 zugenommen,
dann abgenommen; im wesentlichen begründet im positiven Gründungssaldo von Handelsunternehmen (Ausnahme: Einzelhandel mit
Nahrungs- und Genußmitteln; dort nahm die
K. weiter zu). – Die empirische Überprüfung
der Konzentration im Handel bereitet Schwierigkeiten, da als statistisches Datenmaterial
nur die in großen zeitlichen Abständen
erscheinende →Handels- und Gaststättenzählung, die →Arbeitsstättenzählung und die im
2-Jahresrhythmus veröffentlichten Ergebnisse
der →Umsatzsteuerstatistik zur Verfügung
stehen, die Mängel (u. a. Wirtschaftsbereichs-
zuordnung nach dem Schwerpunkt wirtschaftlicher Tätigkeit, Erfassung der abhängigen
Unternehmen bei der Organmutter; Erfassung
von Unternehmen und nicht der Anzahl der
Verkaufsstellen sowie deren regionale Verteilung) beinhalten.

**Konzentrationskoeffizient,** *Konzentrationsmaß,* in der Statistik Koeffizient zur Messung
der absoluten bzw. relativen →Konzentra-
tion. Für die Messung der *relativen Konzentration* wird oft der →Gini-Koeffizient verwendet, dessen Ermittlung u. a. mit Hilfe der
→Lorenzkurve möglich ist. *Absolute Konzentration* wird z. B. mit Hilfe des →Herfindahl-
Koeffizienten gemessen. I. d. R. ist der Werte-
bereich von K. auf das Intervall von 0 bis 1
eingeschränkt. Man kann zeigen, daß K.
i. d. R. als spezielle relativierte →Streuungs-
maße zu interpretieren sind.

**Konzentrationsmaß,** →Konzentrationskoef-
fizient.

**Konzentrationsmessung,** →Konzentration
III, →Konzentrationskoeffizient.

**Konzentrationsprinzip,** Prinzip, das in der
Statistik einen Spezialfall einer →bewußten
Auswahl (→Auswahlverfahren) kennzeichnet.
Entfällt ein Großteil des →Gesamtmerkmals-
betrages auf wenige Elemente, dann werden
nach dem K. nur die Elemente (voll) erhoben,
die einen erheblichen Merkmalsbetrag besitzen. – *Beispiel:* Zur Erfassung der Entwicklung des Bierabsatzes in Bayern werden nur
die (geeignet abgegrenzten) Großbrauereien
berücksichtigt und die Hausbrauereien mit
ihren sehr kleinen Absatzzahlen werden außer
acht.

**Konzentrationstheorie.** 1. *Begriff:* Bestandteil des →wissenschaftlichen Sozialismus. Im
System von Marx die Konzentration des
neuzubildenden und bereits vorhandenen
Kapitals zu wenigen übergroßen →Monopo-
len, die die gesamte Güterversorgung für eine
Volkswirtschaft übernehmen (→Konzentra-
tion). Zusammen mit anderen Faktoren führt
dies schließlich zum Zusammenbruch des
→Kapitalismus. – 2. *Beurteilung:* a) Die Aussagefähigkeit einer Theorie kann nur nach
gezielten Falsifizierungsversuchen beurteilt
werden. Als Theorie der zukünftigen Entwicklung entzieht sich die Marxsche Theorie weitgehend solchen Falsifizierungsversuchen, da
Marx in keinem Fall den Zeitpunkt des
Eintretens seiner Prognosen fixiert hat. – b)
Empirisch läßt sich für alle Bereiche der
Wirtschaft eine zunehmende Konzentration
nachweisen, v. a. in Produktion, Handel sowie
im Banken- und Versicherungswesen Großunternehmen mit hohem Kapitaleinsatz; daneben jedoch noch sehr viele kleine und mittlere
Unternehmen in diesen Branchen, so daß eine
Konzentration im Sinne der Marxschen Prognosen nicht entstanden ist. – c) Dennoch
wird die Unternehmenskonzentration in jüngster Zeit zunehmend als Problem der Wettbewerbspolitik erkannt und durch gesetzliche
Regelungen (u. a. der Bundesrep. D. →Kartell-
gesetz) kontrolliert.

**Konzeption,** geistiger oder künstlerischer Einfall; Auffassung bzw. Planung, die einem Werk oder einer Lehrmeinung zugrunde liegt. – Vgl. auch →wirtschaftspolitische Konzeption.

**konzeptionelles Datenmodell,** *konzeptuelles Datenmodell, logisches Datenmodell,* →Datenmodell, das die globale logische Struktur aller →Daten eines Unternehmens (oder zumindest eines mit einem →Datenbanksystem erfaßten Teilbereichs) beschreibt (Beziehungen der Daten zueinander).

**konzeptionelles Schema,** *konzeptuelles Schema, logisches Schema,* Darstellung des →konzeptionellen Datenmodells in einer →Datenbeschreibungssprache. – *Beschreibung:* Vgl. →Bachmann-Diagramm.

**Konzeptionskonformität,** Kriterium, das angibt, ob ein wirtschaftspolitischer Mitteleinsatz (→wirtschaftspolitische Konzeption) sich in Übereinstimmung mit den an gesellschaftlichen Werten ausgerichteten Zielen der wirtschaftspolitischen Konzeption befindet.

**Konzeptqualität,** *Entwurfsqualität,* Ausmaß der Anpassung des Entwurfs eines Produktes an die Kundenanforderungen und die Produktionsmöglichkeiten. Die K. ist im Gegensatz zur →Ausführungsqualität die geplante →Qualität eines Produktes. – Vgl. auch →Qualitätssicherung.

**konzeptuelles Datenmodell,** →konzeptionelles Datenmodell.

**konzeptuelles Schema,** →konzeptionelles Schema.

**Konzern. 1.** *Begriff:* Die unter einheitlicher Leitung eines →herrschenden Unternehmens stehende Zusammenfassung mit einem oder mehreren →abhängigen Unternehmen, insbes. bei Bestehen eines Beherrschungsvertrages oder Eingliederung. Sind rechtlich selbständige Unternehmen, ohne daß das eine Unternehmen von den anderen abhängig ist, unter einheitlicher Leitung zusammengefaßt, bilden auch sie einen K. (§ 18 AktG). – Vgl. auch →Konzernunternehmen, →verbundene Unternehmen. – 2. *Konzernarten:* a) Aufgrund der im Konzern überwiegenden *Bindung:* →Beteiligungskonzern, →Vertragskonzern. b) Nach den die Konzernierung verursachenden *Interessen:* →Finanzkonzern, →Sachkonzern. c) Nach der Art der *produktionstechnischen* Zusammenfassung: Horizontalkonzern, Vertikalkonzern, diagonaler Konzern; →Mischkonzern. d) Nach Art des *Abhängigkeitsverhältnisses:* →Koordinationskonzern, →Subordinationskonzern. – 3. *Auswirkungen:* Die Konzentration des Kapitals oder auch der Managerleistung durch Personalunion im Vorstand und in den gegenseitigen Aufsichtsräten bewirkt die Koordination der Gesamt-

fertigung sämtlicher zum K. gehöriger Betriebe und Unternehmungen, die ähnlich wie im Trust horizontal oder vertikal miteinander verbunden sein können. – 4. *Ziel:* Rationalisierung des technischen Produktionsablaufs, nicht Marktbeherrschung oder Zentralisierung der Finanzierung. Das gegenseitige Interesse an der Wirtschaftlichkeitssteigerung und Rationalisierung wird durch Gewinnpoolung oder gegenseitige Dividendenzusage gesichert. – 5. *Mitbestimmung:* Vgl. →Mitbestimmung im Konzern, →Konzernbetriebsrat.

II. R e c h n u n g s l e g u n g s - S o n d e r v o r - s c h r i f t e n : Gelten insbes. für den →Konzernabschluß, den Konzernlagebericht und die →Konzernabschlußprüfung (§§ 290–324 HGB); weitere Vorschriften im Gesetz über die Rechnungslegung von bestimmten Unternehmen und K. (→Rechnungslegung nach Publizitätsgesetz).

**Konzernabschluß. 1.** *Kennzeichnung:* K. ist der →Jahresabschluß der wirtschaftlichen Einheit →Konzern, bestehend aus Konzernbilanz, Konzern-Gewinn- und Verlustrechnung und Konzernanhang (konsolidierter Abschluß). Nach Inkrafttreten des →Bilanzrichtlinien-Gesetzes ist die Aufstellung eines K. (einschl. Konzernlagebericht) grundsätzlich *vorgeschrieben* (1) für Mutterunternehmen im Sinne des HGB, d. h. für inländische Kapitalgesellschaften gem. § 290 I HGB (Ausübung von einheitlicher Leitung über Konzerntochtergesellschaften) und gemäß § 290 II HGB (Ausübung von beherrschendem Einfluß, z. B. durch Mehrheitsbeteiligung), (2) für inländische Mutterunternehmen im Sinne des Publizitätsgesetzes (→Rechnungslegung nach Publizitätsgesetz), (3) für Mutterunternehmen in der Rechtsform der bergrechtlichen Gewerkschaft gem. § 28 EGAKtG. – In den K. sind grundsätzlich *inländische und ausländische Konzerntöchter* einzubeziehen (→Weltabschluß). Die größenabhängigen Befreiungen (→Größenklassen) und die Befreiungen gem. §§ 291, 292 HGB sind zu beachten. Bei ausländischen sowie inländischen Mutterunternehmen, die nicht unter (1) bis (3) fallen, ist ggf. ein *Teilkonzernabschluß* anstelle eines Gesamtkonzernabschlusses aufzustellen. – K. sind durch *Konzernabschlußprüfer* (→Abschlußprüfer, →Wirtschaftsprüfer) zu prüfen und wie der Jahresabschluß von großen Kapitalgesellschaften (→Größenklassen) zu veröffentlichen (→Publizität). – *Anwendung* der HGB-Vorschriften für den K. erstmals für die Geschäftsjahre, die nach dem 31. 12. 1989 beginnen, freiwillig jedoch schon vorher; vgl. →Siebte EG-Richtlinie; geltendes Recht: §§ 329–338 AktG a. F.

**2.** *Zweck:* Da die wirtschaftliche Einheit Konzern in bezug auf den K. wie ein rechtlich einheitliches Unternehmen (§ 297 III HGB;

Einheitstheorie) zu behandeln ist, werden durch den K. grundsätzlich die gleichen Ziele verfolgt wie durch den →Jahresabschluß: Der K. soll im Rahmen der →Grundsätze ordnungsmäßiger Buchführung ein den tatsächlichen Verhältnissen entsprechendes Bild der Vermögens-, Finanz- und Ertragslage vermitteln. – Der K. ist allerdings *nicht* Basis für die Gewinnverteilung (→Jahresbilanz) und die Besteuerung (→Steuerbilanz), ferner hat der K. keinen Einfluß auf die Stellung der Gläubiger (der einzelnen Konzernunternehmen).

3. *Aufstellung:* Aus der Einheitstheorie ergibt sich, daß der K., der aus der Zusammenfassung der Jahresabschlüsse der Konzernunternehmen zu erstellen ist, ein *konsolidierter Abschluß* sein muß, d. h. daß die Doppelerfassung der Ergebnisse wirtschaftlicher Beziehungen zwischen den Konzernunternehmen zu eliminieren ist (= Konsolidierung). – Folgende *Konsolidierungsmaßnahmen* sind erforderlich: (1) Aufrechnung des Beteiligungsbuchwertes gegen das Eigenkapital der Beteiligungsgesellschaft (Kapitalkonsolidierung), (2) Aufrechnung von Forderungen und Schulden zwischen den Konzernunternehmen (Schuldenkonsolidierung), (3) Eliminierung von Gewinnen und Verlusten aus wirtschaftlichen Beziehungen der Konzernunternehmen untereinander, da sie aus der Sicht des Konzern unrealisierte Ergebnisse (Zwischenergebniseliminierung) sind, (4) Aufrechnung von Aufwendungen und Erträgen aus Beziehungen zwischen den in den K. einbezogenen Unternehmen (Aufwands- und Ertragskonsolidierung). – Das Konsolidierungsverfahren wird beeinflußt von der Intensität der *Beherrschungsmöglichkeit* zwischen den verbundenen Unternehmen; danach ist zu unterscheiden: (1) *Vollkonsolidierung:* Unter den Voraussetzungen von § 290 werden Vermögensgegenstände, Schulden, Aufwendungen, Erträge aus den Jahresabschlüssen der Tochterunternehmen voll in den K. einbezogen. (2) *Quotenkonsolidierung:* Führt ein Konzernunternehmen gemeinsam mit einem Nichtkonzernunternehmen ein anderes Unternehmen, so dürfen dessen Jahresabschlußposten entsprechend der Beteiligungsquote in den K. einbezogen werden. (3) *Equity-Konsolidierung:* Bezieht sich auf die assoziierten Unternehmen, das sind nicht in den K. einbezogene Unternehmen, auf deren Geschäftspolitik ein Konzernunternehmen aber maßgeblichen Einfluß ausübt (dies wird vermutet bei einer Beteiligung von mindestens 20%). Einzelheiten zum Konsolidierungsverfahren vgl. →Equity-Methode. – *Gesetzliche Regelung* der Konsolidierung: §§ 300–312 HGB, allerdings viele Verfahrenswahlrechte (z. B. bei der Kapitalkonsolidierung gem. § 301 I Nr. 1. oder Nr. 2., § 302 in bezug auf § 301 HGB) und Ermessensspielräume (z. B. bei der Schuldenkonsolidierung gem. § 303 II HGB, bei Zwischenergeb-

niseliminierung gem. § 304 II und III HGB, bei der Aufwands- und Ertragseliminierung gem. § 305 II HGB).

4. *Aussagefähigkeit:* Der K. ist eine wesentliche Ergänzung zu den Jahresabschlüssen der Konzernunternehmen, denn er beseitigt durch die Konsolidierung der konzerninternen Beziehungen die möglicherweise in den Einzelabschlüssen bestehenden Verfälschungen der Vermögens-, Finanz- und Ertragslage. Diese Berichtigung wird allerdings nur für den K., nicht also für die Einzelabschlüsse vorgenommen. – Die Aussagefähigkeit des K. wird grundsätzlich durch Wahlrechte und Ermessensspielräume *eingeschränkt*, sofern dies nicht durch entsprechende Berichterstattung im Konzernanhang ausgeglichen wird.

**Konzernabschlußprüfer,** →Konzernabschlußprüfung, →Abschlußprüfer.

**Konzernabschlußprüfung.** 1. *Bedeutung:* →Pflichtprüfung des Abschlusses und Lageberichts (→Jahresabschlußprüfung) eines Konzerns gemäß §§ 316–324 HGB. – 2. *Prüfung der Rechnungslegung des Konzerns:* Die Prüfung des Konzernabschlusses hat sich darauf zu erstrecken, ob die gesetzlichen Vorschriften und ggf. Satzungsbestimmungen der Obergesellschaft über die Aufstellung des Konzernabschlusses beachtet wurden. Der Konzernlagebericht ist daraufhin zu prüfen, ob er mit dem Konzernabschluß in Einklang steht und ob die sonstigen Angaben im Konzernlagebericht nicht eine falsche Vorstellung von der Lage des Konzerns erwecken. – 3. *Einbeziehung der Einzelabschlüsse:* Der →Abschlußprüfer des Konzernabschlusses hat auch die im Konzernabschluß zusammengefaßten Jahresabschlüsse darauf zu prüfen, ob sie den Grundsätzen ordnungsmäßiger Buchführung entsprechen und ob die für die Übernahme in den Konzernabschluß maßgeblichen Vorschriften beachtet wurden. – 4. *Prüfungsträger:* Der Prüfer des Konzernabschlusses wird von den Gesellschaftern des Mutterunternehmens gewählt. Falls kein anderer Prüfer bestellt wird, gilt als Konzernabschlußprüfer bestellt, wer als Prüfer des in den Konzernabschluß einbezogenen Jahresabschlusses des Mutterunternehmens bestellt worden ist. Als Konzernabschlußprüfer können nur →Wirtschaftsprüfer und →Wirtschaftsprüfungsgesellschaften fungieren.

**Konzernbetriebsrat,** kann für einen →Konzern i. S. von § 18 I AktG durch Beschlüsse der →Gesamtbetriebsräte errichtet werden, zusammengesetzt aus je 1 bis 2 Mitgliedern aller Gesamtbetriebsräte. Der K. ist für Angelegenheiten *zuständig,* die den Gesamtkonzern oder mehrere Konzernunternehmen betreffen (§§ 54 ff. BetrVG). – Vgl. auch →Mitbestimmung im Konzern.

**Konzernbilanz,** →Konzernabschluß.

**Konzernbilanzrichtlinie,** →Siebte EG-Richtlinie.

**Konzerndeckungsbeitrag,** →Deckungsbeitrag, →konsolidierte Deckungsbeitragsrechnung.

**Konzernmitbestimmung,** →Mitbestimmung im Konzern, →Konzernbetriebsrat.

**Konzernorganisation,** Gestaltung der →Organisation eines →Konzerns. Die Besonderheiten der K. im Vergleich zur Organisation einer rechtseinheitlich verfaßten Einheitsunternehmung beruhen insbes. darauf, daß sich die organisatorischen Gestaltungsimplikationen des →Organisationsrechts bei Konzernunternehmungen durch die Existenz mehrerer rechtlicher Einheiten (Konzernunternehmen) vervielfältigen und durch das Auftreten spezieller Regelungen für die (rechtsformübergreifenden) Beziehungen zwischen den Konzernunternehmen intensivieren. Dabei variiert der organisationsrechtliche Datenkranz für die K. v. a. mit den jeweils gewählten bzw. zur Wahl stehenden Rechtsformen der einzelnen Konzernunternehmen (z. B. AG oder GmbH) und den zugrunde gelegten Unternehmensverbindungen, z. B. faktische (§§ 311 ff. AktG), beherrschungsvertragliche (§§ 291 ff. AktG) oder eingliederungsvermittelte (§§ 319 ff. AktG) Konzernbindung.

**Konzernprüfung,** →Außenprüfung VII 3.

**Konzernrecht,** Bezeichnung für das im →Aktiengesetz geregelte Recht der →verbundenen Unternehmen (§§ 291–337 AktG), insbes. die Bestimmungen über die Rechnungslegung im →Konzern (§ 337 AktG).

**Konzernrevision,** →interne Revision im Rahmen eines Konzerns, die Überwachungsaufgaben der Konzernleitung wahrnimmt. Aufgaben und Probleme sind analog der internen Revision in Unternehmungen zu sehen.

**Konzernunternehmen,** Begriff des Konzernrechts für Unternehmen unter einheitlicher Leitung (§ 18 AktG).

**Konzernvorbehalt,** →erweiterter Eigentumsvorbehalt.

**konzertierte Aktion.** 1. *Begriff:* a) *Allgemein:* Versuch, das Verhalten unterschiedlicher Interessengruppen auf freiwilliger Basis miteinander abzustimmen; gem. § 3 StabG vorgesehen, aber ohne Angaben, ob und in welcher Form die K. A. zu institutionalisieren ist. – b) *Institution:* Ein vom Bundesminister für Wirtschaft ausgewählter und einberufener Gesprächskreis *(Konzertierte Aktion):* 1967 erstmalig einberufen, seit 1976 faktisch aufgelöst. – 2. *Zweck:* Die K. A. diente zur Absicherung einer „offenen Flanke" (K. Schiller) der im Stabilitätsgesetz kodifizierten →fiscal policy keynesianischer Prägung; v. a. der einkommenspolitischen Koordination zwischen

Bundesregierung und Tarifpartnern (informelle Abstimmung), da nur eine einkommenspolitische Absicherung die fiscal policy davor bewahrt, durch lohnpolitisches „Fehlverhalten" unterlaufen zu werden. Durch die K. A. sollten zudem wichtige gesellschaftliche Gruppen in die konjunkturpolitische Willensbildung und Verantwortung einbezogen werden. – 3. *Bedeutung:* Die K. A. war in den Aufschwungsphasen recht erfolgreich, geriet bei der Verteilung des Mangels in den Rezessionen der 70er Jahre unter Druck, die Fronten verhärteten sich. Seit der Klage der Arbeitgeber zum Mitbestimmungsgesetz ist die K. A. nicht mehr einberufen worden.

**Konzertierte Aktion im Gesundheitswesen,** zweimal jährlich tagendes Gremium aus Vertretern von Staat, Trägern und Anbietern im Gesundheitswesen, Industrie und Sozialpartnern mit dem Ziel der Kostendämpfung im Gesundheitswesen durch Empfehlungen zu Gesamtvergütungen, Krankenhauspflegekosten und Arzneimittelpreisen.

**Konzertzeichner,** Zeichner von Neuemissionen, die die Absicht haben, das neu ausgegebene Papier sobald als möglich mit Gewinn zu verkaufen. Da die Emissionsbanken, denen sie meist als K. bekannt sind, ihnen möglichst wenig Stücke zuteilen, pflegen sie wesentlich höhere Beträge zu zeichnen, als sie zu nehmen beabsichtigen. – Vgl. auch →Zeichnen.

**Konzession.** 1. *Befristete behördliche Genehmigung* zur Ausübung eines konzessionspflichtigen Gewerbes oder Handels, z. B. Güterfernverkehrsgenehmigung (→Genehmigung). – 2. *Verleihung eines besonderen Rechts an einer öffentlichen Sache,* z. B. an einer Straße, einem Wasserlauf, etwa zum Betrieb einer Eisenbahn, Straßenbahn oder einer Fähre.

**Konzessionsabgabe,** Entgelt, das ein Nahverkehrsunternehmen oder ein Versorgungsunternehmen an eine Gebietskörperschaft (Gemeinde, Gemeindeverband, Zweckverband) für die Nutzung der Verkehrsräume, zur Verlegung von Verkehrsräumen bzw. Versorgungsleitungen oder für den Verzicht auf eine anderweitige Regelung der Versorgung im Gebiet der Gebietskörperschaft entrichten muß. Rechtsgrundlage der K. ist der privatrechtliche →Konzessionsvertrag.

**Konzessionsvertrag,** Vertrag, durch den eine Gebietskörperschaft einem Versorgungs- oder Verkehrsunternehmen das ausschließliche Recht einräumt, die Einwohner mit Strom, Gas, Wasser oder Verkehrsleistung zu versorgen und dabei erlaubt, öffentliche Straßen, Plätze usw. für die Verlegung der Verkehrswege bzw. Versorgungsleitungen zu benutzen. Regelt zudem die Entrichtung einer →Konzessionsabgabe. – Der K. ist nach § 103 I GWB vom Kartellverbot freigestellt (→Kartellgesetz IX 1).

**Kooperation,** *zwischenbetriebliche Kooperation.*

I. B e g r i f f : Zusammenarbeit zwischen meist wenigen, rechtlich und wirtschaftlich selbständigen Unternehmungen zur Steigerung der gemeinsamen Wettbewerbsfähigkeit. – *Intensitätsstufen der Zusammenarbeit:* (1) Informationsaustausch; (2) Erfahrungsaustausch; (3) Absprachen; (4) Gemeinschaftsarbeiten ohne Ausgliederung einer (mehrerer) Unternehmensfunktion(en); (5) Gemeinschaftsarbeiten mit Ausgliederung einer (mehrerer) Unternehmensfunktion(en); (6) Gütergemeinschaft; (7) Bildung eines Kooperationsmanagements; (8) Gemeinschaftsgründung; (9) Rechtliche Ausgliederung des Kooperationsmanagements. – Die Intensitätsstufen (7) und (9) beziehen sich auf die gesamte Kooperationsinstitution und deren Organisationsgrad, die restlichen Intensitätsstufen auf die Art und Weise der Kooperationsbeziehungen.

II. F o r m e n : 1. Nach den *beteiligten Wirtschaftsstufen:* a) *Horizontale K.:* Zusammenarbeit zwischen Wettbewerbern der gleichen Wirtschaftsstufe, die gleichartige oder eng substituierbare Güter anbieten, z. B. zwischen Herstellern von Haushaltsgeräten oder zwischen Lebensmittel-Einzelhändlern. Die Horizontal-K. kann die gesamte Branche (Branchen-K.) oder nur wenige Unternehmen eines Wirtschaftszweiges umfassen (Gruppen-K.). b) *Vertikale K.:* Zusammenarbeit zwischen Betrieben, die unterschiedlichen Wirtschaftsstufen angehören, z. B. K. zwischen Industrie und Handel bei Vertriebsbindungen, bei der vertikalen Preisbindung oder innerhalb des Handels, etwa zwischen Großhandel und gewissen Einzelhändlern bei den freiwilligen Ketten. – 2. Nach den *gemeinschaftlich durchgeführten Funktionen:* a) Die K. kann sich auf nahezu alle betrieblichen Funktionen erstrecken, z. B. auf Beschaffung, Produktion, Absatz und Finanzierung: *gesamtfunktionelle K.* b) Meist bleibt die Zusammenarbeit auf einzelne Funktionen beschränkt: *teilfunktionelle bzw. sektorale K.,* z. B. Beschaffungs-, Produktions-, Absatz-, Verwaltungs- und Finanz-K. – 3. Nach dem *Marktgebieten, auf die sich die kooperative Tätigkeit erstreckt:* a) Zusammenarbeit auf – regionalen oder überregionalen – *Inlandsmärkten.* b) Zusammenarbeit auf *Auslandsmärkten,* und zwar im Hinblick auf die Beschaffung (Import-K.) und bezüglich des Absatzes (Export-K.). – 4. Nach der *beabsichtigten Dauer kooperativer Aufgabenerfüllung:* a) Zusammenarbeit beim Erhalt bzw. der Erfüllung eines Einzelauftrags *(Auftrags-K.).* b) Zusammenarbeit in bestimmten Bereichen auf längere Sicht *(kurz-, mittel- oder langfristige K.).*

III. K a r t e l l r e c h t l i c h e B e u r t e i l u n g : Mit der K. von Unternehmungen sind vielfältige volks- und betriebswirtschaftliche sowie steuer-, gesellschafts- und kartellrechtliche Probleme verbunden. Über die nach dem Gesetz gegen Wettbewerbsbeschränkungen (GWB) (→Kartellgesetz) zulässigen Arten gab die sog. Kooperationsfibel des Bundeswirtschaftsministeriums vom 29. 10. 1963 Aufschluß. – Nach wesentlichen Erleichterungen für zwischenbetriebliche K. durch Änderungsgesetz v. 15. 9. 1965 (BGBl I 1363) (z. B. Erlaubnis von Verträgen und Beschlüsse, die lediglich die einheitliche Anwendung von Normen und Typen oder die Rationalisierung wirtschaftlicher Vorgänge durch Spezialisierung zum Gegenstand haben) brachte die am 5. 8. 1973 in Kraft getretene Zweite Novelle zum GWB eine *Erleichterung für jegliche Art von Verträgen über zwischenbetriebliche Zusammenarbeit,* z. B. Einkauf, Produktion, Verkauf und Werbung, vorausgesetzt, daß die Verträge eine Rationalisierung wirtschaftlicher Vorgänge zum Gegenstand haben, den Wettbewerb nicht wesentlich beeinträchtigen und dazu dienen, die Leistungsfähigkeit kleiner und mittlerer Unternehmen zu fördern. Preisabsprachen ohne gleichzeitige Erreichung einer Rationalisierung sind dagegen unzulässig (§ 5 b GWB).

IV. K. i m A u s l a n d s g e s c h ä f t : Vgl. →internationale Kooperation.

**Kooperationsabkommen,** Abkommen zwischen zwei Staaten oder Staatengemeinschaften, geht über die in Handelsabkommen üblichen Vereinbarungen über eine Förderung des gegenseitigen Warenaustausches hinaus und umfaßt außerdem Absprachen über eine wirtschaftliche, finanzielle und technische Zusammenarbeit in den Bereichen der industriellen Fertigung, der landwirtschaftlichen Erzeugung und des Handels.

**Kooperationserleichterungen für kleine und mittlere Unternehmen,** Förderung zwischenbetrieblicher Zusammenarbeit kleiner und mittlerer Unternehmen bei allen Betriebsfunktionen durch Zulassung von Vereinbarungen (Mittelstandskartell) seitens des Bundeskartellamtes (§ 5 b GWB). Vereinbarungen mit dem Ziel der Spezialisierung sind ausgeschlossen. Vgl. →Kartellgesetz VII 3 b).

**Kooperationsformen des Handels,** verschiedene Formen der →Kooperation von Handelsunternehmen (→kooperative Gruppen des Handels). Historisch stets eine Gegenbewegung zur Konzentration im Handel in Form von Großbetrieben und zur Konzentration auf der Herstellerstufe. Handelsbetriebe gliedern Teilaufgaben aus, die in der Kooperation gemeinsam rationeller durchgeführt werden, z. B. bei der Beschaffung: →Einkaufsgenossenschaften, →Einkaufskontore; bei der gesamten Unternehmensführung: →Full-service-Kooperation, →freiwillige Kette, →Kooperationskaufmann, →Franchise, →Vertragshändler. – Das *Grundproblem* der Kooperationsgruppen ist, einerseits die Willensbildung innerhalb der Kooperation so zu vereinheitlichen, daß eine Wettbewerbsfähigkeit mit den →Konzentrationsformen des Handels erreicht wird; andererseits die Selbständigkeit der Kooperationsmitglieder so weitgehend zu erhalten, daß ihre Initiative nicht unterbunden wird.

**Kooperationskaufmann.** 1. *Begriff:* Grundmodell zur Realisierung einer intensiven Partnerschaft innerhalb einer Kooperation (→Kooperationsformen des Handels). – 2. *Zielsetzung* ist die Hilfe bei der Existenzgründung, z. B. bei Reprivatisierung von →Regiebetrieben oder Errichtung bzw. Anmietung neuer Läden. – 3. *Zentrale Ideen:* Finanzierung des Vorhabens durch die Zentrale/Großhandlung, verbunden mit der Verpflichtung zur alsbaldigen Rückzahlung aus den erwirtschafteten Gewinnen. Erfolg durch Eigeninitiative des Einzelhändlers, dem die alleinige Geschäftsführung übertragen wird, verbunden mit einer vertraglichen Absicherung, deren Verpflichtungen zu einer möglichst hohen →Einkaufskonzentration führen. In der Praxis existieren vielfältige Varianten eines *Grundmodells,* dessen rechtliche Konstruktion das untenstehende Schaubild verdeutlicht. –4. *Funktionsweise:* Gesellschafter der Komplementärs-GmbH sind zu gleichen Teilen die Tochtergesellschaft der Großhandlung und der K. Auf der Gesellschafterversammlung wird der K. zum alleinigen Geschäftsführer der Komplementärs-GmbH gewählt. Er führt somit gleichzeitig die Geschäfte der KG. Kommanditisten sind mit Kapitaleinlagen im Verhältnis 80:20 die Großhandlung und der K. Gegebenenfalls sind die Ehefrau oder sonstige Kapitalgeber beteiligt. Auch stille Beteiligungen werden eingeräumt. Der K. ist verpflichtet, die Kommanditeinlagen der Großhandlung abzulösen, und zwar aus zurückbehaltenen Gewinnen, die umgekehrt im Verhältnis 20:80 verteilt werden. Die Großhandlung verzichtet also auf Gewinngutschriften zugunsten eines raschen Kapitalrückflusses. Damit die Gewinne in erster Linie aus Warenbezügen bei der Großhandlung erzielt werden, finden sich im Anstellungsvertrag, dem Kapitalüberlassungsvertrag sowie Miet- und Pachtverträgen Klauseln, die zur Einkaufskonzentration führen. Erst mit Rückzahlung der Kommanditanteile sowie sonstiger Darlehen verliert die Großhandlung ihre vertraglichen Rechte zur Beeinflussung des Beschaffungsverhaltens des K. Dann kann sie nur noch über ihr Gesellschafterverhältnis Einfluß ausüben; besser sollte sie durch eine erfolgversprechende Sortiments- und Preispolitik überzeugen.

**Kooperationskonzept,** ein mögliches Konzept im Bürobereich für die Nutzung neuer Kommunikationstechnologien, das von der Beibehaltung arbeitsteiliger Prozesse in der Büroorganisation ausgeht. Durch den Technikeinsatz können alle Beteiligten eines Kooperationsverbunds ihre Aufgaben schneller und besser erledigen, wodurch Kapazitäten für zusätzliche (kooperativ zu lösende) Aufgaben frei werden; zur Folge hat das K. damit, daß die Gesamtheit aller anfallenden Aufgaben in *horizontaler* Richtung integriert wird. –

**Kooperationskaufmann**

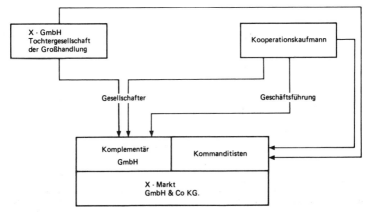

Gesellschafter      Geschäftsführung

*Gegensatz:* →Autarkiekonzept. – Vgl. auch →Bürokommunikation.

**Kooperationsmechanismen,** Erscheinungsformen der Zusammenarbeit immanenter Einrichtungen, die gewährleisten sollen, daß die Kooperationspartner miteinander bzw. untereinander erfolgreich in Kooperation treten können. K. bedingen, fördern und koordinieren die Beziehungen zwischen den einzelnen Kooperationsträgern im Hinblick auf einen gemeinsam verfolgten Zweck. Die wesentlichsten K. sind: institutionale Verknüpfung (z. B. Schaffung gemeinsamer Einrichtungen), kooperative Integration (Förderung der Zusammenarbeit durch selbständige, aber aufeinander abgestimmte Maßnahmen der beteiligten Kooperationspartner) und funktionale Verknüpfungen, die auf eine funktionale Integration der Partner abzielen.

**Kooperationsmethode,** angewandtes Verfahren, das Grundlagen und Voraussetzungen für gemeinsames Handeln schafft und das bereits zur Erreichung bestimmter Kooperationszielsetzungen führen kann. Zu den K. zählen alle Formen einer institutionalisierten Kommunikation (v. a. Konsultationen, Absprachen, Konferenzbeschlüsse und Verträge), deren sich die Kooperationspartner bedienen, um (1) gemeinsame Zwecke und Ziele zu bestimmen, (2) Realisierungs- bzw. Handlungsvoraussetzungen zu schaffen und (3) einen bestimmten Kooperationserfolg zu erringen.

**Kooperationsprinzip,** Grundsatz der staatlichen →Umweltpolitik in der Bundesrep. D.. Nach dem K. sollen alle gesellschaftlichen Kräfte frühzeitig am umweltpolitischen Willensbildungs- und Entscheidungsprozeß beteiligt werden, ohne Einschränkung der Verantwortlichkeit von Parlament und Regierung. *Zweck:* Hilfestellung für umweltpolitische Entscheidungsträger bei Zielfindung und Zielerreichung; besserer Informationsstand aller Beteiligten; Förderung des Umweltbewußtseins der Bevölkerung. Teilweise durch die →Arbeitsgemeinschaft für Umweltfragen e. V. (AGU) institutionalisiert.

**kooperative Gruppen des Handels,** Oberbegriff für alle →Kooperationsformen des Handels. Die Mitglieder dieser Gruppen stehen untereinander im Wettbewerb und müssen sich gegenüber den Konzentrationsformen des Handels (Warenhäuser, Konsumgenossenschaften, Filialunternehmen, Versandhandel) behaupten. Daher spricht man auch vom *Gruppenwettbewerb im Handel:* Die Gruppen konkurrieren untereinander und tragen den Wettbewerb beschaffungsseitig mittels Einkaufskontoren bzw. Zentralorganisationen und absatzseitig über die lokalen Verkaufsstätten, differenziert nach Betriebsformen, aus.

**kooperativer Förderalismus,** Mitte der 60er Jahre in der Bundesrep. D. entstandener Begriff zur Beschreibung der (damals zunehmenden) Tendenz und Neigung, öffentliche Aufgaben durch Bund und Länder gemeinsam zu erfüllen (→Gemeinschaftsaufgaben). – Gedanke des k. F. fand in Form der Art. 91 a, 91 b und 104 a (4) GG seinen Niederschlag in der Finanzverfassung.

**kooperativer Führungsstil,** →Führungsstil 6.

**kooperative Werbung,** *Kollektivwerbung.* 1. *Begriff:* Alle Formen kooperativer Zusammenarbeit mehrerer Anbieter auf dem Gebiet der →Werbung. – 2. *Grundformen:* a) Nach der *Stufenzugehörigkeit* der kooperierenden Unternehmungen (Zugehörigkeit zur gleichen oder zu hintereinanderfolgenden Wirtschaftsstufen): (1) *horizontale Werbung;* (2) *vertikale Werbung.* – b) Nach der *Art der Bekanntgabe der Werbetreibenden:* (1) *Gemeinschaftswerbung;* (2) *Sammelwerbung.* – 3. *Kombinationen:* a) *horizontale Gemeinschaftswerbung:* I. d. R. kooperieren Unternehmen der gleichen Branche (Wirtschaftsstufe) werblich miteinander. Zustandekommen und Bestand hängen naturgemäß stark davon ab, inwieweit die überwiegende Mehrzahl der Branchenmitglieder für eine Mitwirkung gewonnen werden können. Formen: (1) *Gruppenwerbung:* Von Beginn an wird eine Begrenzung der Zahl der Teilnehmer angestrebt; diese beschränkende Anzahl konkurrierender Anbieter wirbt gegen den Rest der eigenen Branche. (2) *Verbundwerbung (komplementäre Werbung):* Unternehmungen der gleichen Wirtschaftsstufe, aber unterschiedlicher Branchen betreiben gemeinsam Werbung; charakteristisch im Falle bedarfsverwandter Erzeugnisse (z. B. Fluggesellschaft/Reisebekleidung). – b) *Vertikale Gemeinschaftswerbung:* K. W. von Partnern unterschiedlicher Wirtschaftsstufen, z. B. die als am weitesten verbreitete Form von freiwilligen Gruppen. Ketten der Groß- und Einzelhändler. – c) *Sammelwerbung:* Alle sonstigen Formen der k. W., in denen Unternehmungen im Gegensatz zur Gemeinschaftswerbung unter Namensnennung gemeinsam werblich auftreten (Einzelhändler einer Ladenstraße). Differenzierung in eine horizontale oder vertikale Variante ist denkbar. – Vgl. auch →Werbung, →Handelswerbung, →institutionelle Werbung.

**Koopmans-Beckmann-Problem,** →quadratisches Zuordnungsproblem III 1.

**Koordinatensystem,** das von Descartes (1596–1650) entwickelte System zur Veranschaulichung der Lage eines Punktes im zweidimensionalen Raum. Im K. mit zwei im Nullpunkt senkrecht aufeinanderstehenden Achsen (senkrechte Achse, Ordinate; waagerechte Achse, Abszisse) können alle Punkte mit den Koordinatenwerten (x, y) dargestellt werden. – Im *dreidimensionalen Raum* sind drei Koordinaten (x, y, z) erforderlich.

**Koordination.** I. O r g a n i s a t i o n : 1. *Begriff:* Abstimmung von Teilaktivitäten in Hinblick auf ein übergeordnetes Ziel. Anlaß zu K. besteht, wenn zwischen den arbeitsteiligen (→Arbeitsteilung) Handlungen der organisatorischen Einheiten →Interdependenzen existieren. – 2. *Vorgehen:* Da die Art der →Kompetenzabgrenzung das Interdependenzprofil einer →Organisationsstruktur in gewissem Ausmaß beeinflußt (vgl. z. B. bei der →Funktionalorganisation, →Spartenorganisation und →Regionalorganisation), kann die jeweilige Festlegung der →Kompetenz zu einer Vereinfachung bzw. Erschwerung der K. führen. Bei gegebener Kompetenzverteilung erfolgt die K. durch →Kommunikation zwischen den betroffenen Einheiten. – 3. Daraus, daß der Austausch von Informationen Kommunikationskosten verursacht, bei einem Verzicht auf K. hingegen Autonomiekosten (z. B. durch Lieferverzögerungen und entgangene Kundenaufträge) anfallen, ergibt sich das – nur bedingt lösbare (→organisatorische Effizienz) – Problem der Bestimmung des *optimalen Umfangs* der K..

II. W i r t s c h a f t s p o l i t i k : 1. *Begriff:* Abstimmung von Wirtschaftsplänen in einer arbeitsteiligen Wirtschaft. Realgüterwirtschaftlich betrachtet besteht ein K.sbedarf hinsichtlich a) der Konsumpläne der Haushalte und der Produktionspläne der Unternehmen sowie b) der Produktionspläne der Unternehmen untereinander, die in Zulieferbeziehungen stehen. – 2. *Arten:* a) *Ex-post-K.* (marktmäßige K.): Die bei juristischer (→Vertragsfreiheit) und planerischer Selbständigkeit gefällten Wirtschaftspläne werden schrittweise einander angepaßt, nachdem die im Regelfall zu erwartenden Ungleichgewichte Preisbewegungen auslösen und auf die Wirtschaftspläne korrigierend zurückwirken. Eine K. ergibt sich allmählich nach Ablauf einiger Perioden. Überwiegendes K.sprinzip in der Marktwirtschaft. – b) *Ex-ante-K.* (K. auf zentrale Anweisung): Die Abstimmung der Wirtschaftspläne aufeinander erfolgt vor ihrer späteren Durchführung. Eine K.sinstanz erarbeitet, ausgehend von einer wirtschaftlichen Zielsetzung, die Leistungsbeiträge der beteiligten Wirtschaftseinheiten und weist sie als verbindliche Planvorgaben zu. Die K. ist bei der Planausführung ohne spätere Korrekturnotwendigkeit somit gewährleistet. Überwiegendes K.sprinzip in der Zentralverwaltungswirtschaft und in der Organisation.

**Koordinationskonzern,** →Konzern, bei dem der Zusammenschluß der konzernierten Unternehmen als gleichberechtigte Partner erfolgt, z. B. durch paritätische Beteiligung bzw. Interessengemeinschafts-, Gewinnpoo-

lungsvertrag u. ä. – *Gegensatz:* →Subordinationskonzern.

**Koordiniertes Investitionsprogramm (KIP),** im März 1977 vom Bundeskabinett beschlossenes mittelfristiges Programm zur Fortschreibung des vom →Bundesverkehrswegeplan 1. Stufe (1973) abgeleiteten langfristigen Investitionsprogramms. Mit dem KIP sollte den aufgrund der energiepolitischen Ereignisse 1973 eingetretenen nachhaltigen Änderungen der gesamtwirtschaftlichen Rahmenbedingungen Rechnung getragen werden. Das KIP bezog sich auf den Zeitraum 1976–1985; es sah insgesamt Verkehrswegeinvestitionen in Höhe von 110 Mrd. DM vor. Überarbeitung und Weiterentwicklung des Zielkataloges entsprechend der inzwischen gewonnenen theoretischen und praktischen Erkenntnisse; Heranziehung des Instrumentariums der Kosten-Nutzen-Analyse zur Bewertung der Investitionsvorhaben; als Maßstab für die verkehrsübergreifende Dringlichkeitsreihung Verwendung der für alle Maßnahmen zu ermittelnden Nutzen-Kosten-Verhältnisse. Umfang und Struktur des Investitionsprogramms sollten sicherstellen, daß die einzelnen Teile des Verkehrssystems noch besser miteinander verknüpft und damit die Effizienz und Attraktivität des Verkehrs erhöht werden.

**koordinierte Weltzeit (UTC),** →mitteleuropäische Zeit.

**Kopfmehrheit,** Begriff des Konkurs- und Vergleichsverfahrens: Eine nach Kopfzahl, nicht nach dem Betrag der →Konkursforderungen berechnete Mehrheit. – Vgl. auch →Abstimmung.

**Kopfschaden,** Begriff aus der Versicherungstechnik; nach Lebensalter, Geschlecht und Tarif unterschiedlich hohe durchschnittliche jährliche Leistungsbeanspruchung durch eine versicherte Person. Stimmt mit Risikoprämie überein.

**Kopfsteuer,** in Ansatz und Wirkung primitivste Form der Steuern. K. trifft z. B. jedes erwerbsfähige Steuersubjekt ohne Rücksicht auf seine steuerliche Leistungsfähigkeit (→Leistungsfähigkeitsprinzip).

**Kopie,** *Abschrift,* Durchschlag (Schreibmaschine) oder mittels Kopierer hergestellte Fotokopie eines Schriftstücks. Jeder →Kaufmann ist gemäß § 238 II HGB verpflichtet, K. der von ihm abgesandten →Geschäftsbriefe anzufertigen und sie geordnet aufzubewahren (→Aufbewahrungspflicht).

**Kopieren.** 1. *Allgemein:* Nachbilden bzw. Nachahmen einer Situation, eines Vorgangs, eines Gegenstandes usw. – 2. Im Bereich der *Reproduktion* von Bild und/oder Text das Vervielfältigen durch Bilderzeugung in einem sensiblen Material (z. B. Fotokopieren). – 3. In der *Datenverarbeitung* das in Hinblick auf →Datensicherung erwünschte und erlaubte Erstellen neuer Dateien, Programme, Texte und Programmbefehle, ohne die ursprünglichen Daten zu vernichten. – 4. *Urheberrecht:* Urheberrechtlich geschützte Daten und Programme dürfen nur mit Erlaubnis des Urhebers kopiert werden.

**Koppelprodukte,** →Kuppelprodukte.

**Kopplungsgeschäfte,** →Ausschließlichkeitsbindungen, →Kartellgesetz VIII 4.

**Korea.** I. Republik Korea, *Süd-Korea,* ostasiatischer Staat im S der Koreanischen Halbinsel. – *Fläche:* 98 484 km². – *Einwohner* (E): (1986, geschätzt) 41,84 Mill. (424,8 E/ km²). – *Hauptstadt:* Seoul (9,2 Mill. E); weitere wichtige Städte: Busan (3,4 Mill. E), Daegu (2,0 Mill. E), Incheon (1,2 Mill. E). – Nach Beendigung der japanischen Herrschaft Gründung der Republik K. 1948, seit August 1948 demokratische Republik; nach dem Koreakrieg (1950–53) wurde der 38. Breitengrad zur Grenze zwischen der Republik K. und der Demokratischen Volksrepublik K. bestimmt; Verfassung von 1980, Einkammerparlament. – *Verwaltungsgliederung:* 13 Provinzen, Landkreise (Gun), kreisfreie Städte (Si). – *Amtssprache:* Koreanisch.

Wirtschaft: Rasche Industrialisierung des Landes seit der Militärrevolution von 1961. – *Landwirtschaft:* Ein umfassender Maßnahmenkatalog (u. a. Flurbereinigung, Einführung neuer Produktionstechniken) bezüglich des landwirtschaftlichen Sektors schloß auch die Verbesserung der kommunalen Infrastruktur und der Wohnverhältnisse auf dem Land mit ein. Das Gesamtbild der Bodennutzung wird, trotz verschiedener Diversifizierungsbestrebungen, vom Reisanbau geprägt. Geplant ist der Bau von sieben Staudämmen, die, neben der Elektrizitätsgewinnung, der Bewässerung dienen sollen. Die Viehwirtschaft erfuhr insbes. bei der Milchwirtschaft, Schweine- und Hühnerzucht einen Aufschwung. Starke Einbrüche dagegen bei der Seidenraupenzucht. – *Forstwirtschaft:* Systematische Aufforstung. Forstwirtschaftliche Erzeugnisse sind, neben geringen Mengen an Nutz- und Brennholz, Heilpflanzen, Champignons und Wildgemüsearten. – *Fischerei:* Fangmenge (1982) 2,6 Mill. t. – *Bergbau und Industrie:* Abbau von Stein- und Braunkohle, Eisen-, Zink-, Blei- und Wolframerzen, ferner von Kupfer, Gold, Silber u. a. Mineralien. Von zentraler Bedeutung für die florierende Wirtschaft sind Textil- und Nahrungsmittelindustrie, Maschinen- und Schiffbau, Elektrotechnik/Elektronik, Kraftfahrzeugbau sowie Chemie- und Bauindustrie. – Einnahmen aus dem *Reiseverkehr:* (1983) 596 Mill. US-$. – *BSP:* (1985, geschätzt) 9384 Mill. US-$ (2180 US-$ je E). – *Öffentliche Auslandsverschuldung:* (1984) 30,4% des BSP. – *Inflations-*

rate: (Durchschnitt 1973-84) 17,6%. – *Export:* (1985) 30 283 US-$, v. a. Textilien, Maschinenbau-, elektronische Erzeugnisse und Fahrzeuge, Chemikalien, Rohstoffe, Nahrungsmittel. – *Import:* (1985) 31 136 Mill. US-$, v. a. Maschinenbau- und elektronische Erzeugnisse sowie Fahrzeuge, mineralische Brennstoffe, Rohstoffe, Nahrungsmittel. – *Handelspartner:* USA, Japan, EG-Länder, Saudi-Arabien.

Verkehr: 53 936 km *Straßen,* davon 38% mit fester Decke. – Streckenlänge der *Eisenbahn:* (1982) 6113 km. – Wichtige *Häfen:* Busan, Pohang und Incheon. Die *Handelsflotte* verfügte (1983) über 1733 Schiffe mit einer Gesamttonnage von 6,39 Mill. BRT. – Internationaler *Flughafen* bei Seoul. Eigene *Luftverkehrsgesellschaft.*

Mitgliedschaften: FAO, GATT, IMF, CCC, UNCTAD u. a.; Colombo-Plan.

Währung: 1 Won (W) = 100 Chon.

II. Demokratische Volksrepublik Korea, *Nord-Korea,* umfaßt den Nordteil der in Ost-Asien gelegenen Halbinsel Korea. – *Fläche:* 120 538 km². – *Einwohner* (E): (1985, geschätzt) 20,38 Mill. (169 E/km²). – *Hauptstadt:* Pjöngjang (Agglomeration 1,7 Mill. E); weitere wichtige Städte: Tschöngdschin, Wönsan, Sinuidschu, Käsong, Nampo, Kanggje, Hamhung, Hungnam, Hädschu. – Bis 1945 unter japanischer Herrschaft, 1945–48 unter sowjetischer Besatzung, seit 1948 *unabhängig,* Demokratische Volksrepublik, Verfassung von 1972, Volkskammer. – *Verwaltungsgliederung:* 9 Provinzen (Do), 5 Stadtbezirke, kreisfreie Städte (Si), Landkreise (Gun), Landgemeinden (Ri). – *Amtssprache:* Koreanisch.

Wirtschaft: Die Demokratische Volksrepublik K. ist das am stärksten industrialisierte Land unter den sozialistischen Staaten Asiens (ohne UdSSR). Die Landeswährung ist nicht konvertibel. – *Landwirtschaft:* Große Bedeutung für die Gesamtwirtschaft. Landwirtschaftliche Produktionsgenossenschaften und staatseigene Güter produzieren: Reis, Hirse, Mais, Hülsenfrüchte, Kartoffeln, Tabak, Ginseng. – In der Viehwirtschaft Aufbau industrieller Mastanlagen. – Geregelte *Forstwirtschaft,* seit 1954 systematische Aufforstung, Holzeinschlag: (1984) 4,462 Mill. m³. – Expandierende *Fischereiwirtschaft* (Fangmenge 1983: 1,6 Mill. t). – *Bergbau und Industrie:* Vorkommen fast aller wichtigen Mineralien bilden die Voraussetzung für die stark entwickelte Grundstoffindustrie (Bergbau, Hüttenwesen, chemische Industrie). Leistungsfähige Investitionsgüterindustrie, Zuwachsraten verspricht die elektrotechnische bzw. elektronische Industrie, eigene Rüstungsindustrie. Die breitgefächerte Konsumgüterindustrie kann den Eigenbedarf des Landes nicht decken. Infolge der Industrialisierung rascher Aufschwung des Baugewerbes. – *BSP:*

(1982, geschätzt) 25 100 Mill. US-$ (1360 US-$ je E). – *Export:* (1983) 1200 Mill. US-$, v. a. Gold, bearbeitete Waren, Nahrungsmittel, NE-Metalle. – *Import:* (1983) 1600 Mill. US-$, v. a. Maschinenbau-, elektrotechnische Erzeugnisse und Fahrzeuge, bearbeitete Waren, chemische Erzeugnisse. – *Handelspartner:* UdSSR, VR China, westliche Industrieländer (v. a. Japan).

V e r k e h r : Hauptverkehrsträger ist die *Eisenbahn* mit einer Streckenlänge von 5000 km (1981); drei Viertel der Strecke elektrifiziert. – Der *Straßenverkehr* gewinnt an Bedeutung. – Verstärkter Ausbau des Überseeverkehrs. *Häfen:* Nampo an der Westküste sowie Wönsan, Hungnam, Tschöngdschin und Nadschin an der Ostküste. – *Flugverbindungen* nur mit Peking und einigen sowjetischen Flughäfen: unregelmäßig bedientes Inlandsflugnetz; bei Pjöngjang einziger *internationaler Flughafen;* eine kleine nationale Fluglinie „Chosonminhang".

M i t g l i e d s c h a f t e n : FAO, UNESCO, WHO, UNCTAD u. a.

W ä h r u n g : 1 Won = 100 Chon.

**Körperbautypen,** →Typenpsychologie.

**Körperbeschädigte,** Gruppe von Sozialleistungsempfängern, deren Renten oder Fürsorgeanspruch auf Verletzung bzw. andere Beschädigung in der Ausübung beruflicher oder auch militärischer Pflichten gestützt wird. Vgl. auch →Kriegsopfer, →Beschädigtenrente. – *Steuerlich:* Vgl. →Pauschbeträge I.

**Körperersatzstücke,** Begriff der Sozialversicherung. Vgl. →Hilfsmittel.

**körperliche Bestandsaufnahme,** →effektive Inventur.

**körperliche Durchsuchung,** →Leibesvisitation, →Werkschutz.

**Körperschaft.** 1. *Begriff:* Zusammenschluß, der als juristische Person eigene Rechtsfähigkeit besitzt und durch →Organe vertreten wird. – 2. Zu *unterscheiden:* a) *K. des Privatrechts:* →Aktiengesellschaft, →Kommanditgesellschaft auf Aktien, →Gesellschaft mit beschränkter Haftung, →Genossenschaft, →bergrechtliche Gewerkschaft, →rechtsfähiger Verein; b) *K. des öffentlichen Rechts.* Vgl. →Körperschaften des öffentlichen Rechts. – 3. *Besteuerung:* K. unterliegen der →Körperschaftsteuer.

**Körperschaft des öffentlichen Rechts.** 1. *Begriff:* Verband des öffentlichen Rechts, der außerhalb der durch die Behörden dargestellten unmittelbaren Staatsverwaltung öffentliche Aufgaben unter staatlicher Aufsicht und ggf. unter Einsatz hoheitlicher Mittel wahrnimmt. – Im *Unterschied zur* →*Anstalt des öffentlichen Rechts* hat sie einen Mitgliederbestand. – 2. *Errichtung einer bundesunmittelba-*

ren *K. d. ö. R. im Bundesgebiet* bedarf eines Bundesgesetzes nach Art. 87 GG. – 3. *Rechtsstellung:* K. d. ö. R. sind →juristische Personen, können daher Träger von Rechten und Pflichten sein, im eigenen Namen klagen und verklagt werden. Sie genießen verschiedene Vorrechte, ihre Bediensteten sind Beamte und Angestellte des öffentlichen Dienstes. – 4. *Beispiel:* Gemeinden, Kreise, Ortskrankenkassen, Landesversicherungsanstalten, Berufsgenossenschaften. – Eine Sonderstellung nehmen die *Kirchengemeinden* ein.

**Körperschaft eigenen Rechts,** selten benutzter Begriff, →juristische Person mit aufgrund eines besonderen Gesetzes einer von den üblichen Gesellschafts- und Körperschaftsformen abweichenden Rechtsform. Üblich bei der Errichtung von Monopolverwaltungen.

**Körperschaftsteuer.** I. C h a r a k t e r i s i e r u n g : Erstmals erging 1920 im Rahmen der →Erzbergerschen Finanzreform ein Körperschaftsteuergesetz. – *Zweck* der K. ist die Besteuerung des →zu versteuernden Einkommens der Kapitalgesellschaften oder anderer juristischer Personen des Privatrechts und der Betriebe gewerblicher Art von juristischen Personen des öffentlichen Rechts. →Gewinnermittlung nach den Vorschriften des EStG und des KStG. – Mit der Einführung des körperschaftsteuerlichen Anrechnungsverfahrens zum 1. 1. 1977 (sog. *Körperschaftsteuerreform)* wurde die bisherige Doppelbelastung ausgeschütteter Gewinne mit Einkommen- und Körperschaftsteuer aufgehoben und durch eine Einfachbelastung entsprechend den individuellen Gegebenheiten des begünstigten Anteilseigners ersetzt. Die K. als eigenständige Steuer wurde nicht beseitigt, sondern die volle Anrechnung der K.belastung der ausgeschütteten Gewinnanteile eingeführt.

II. G e l t e n d e  K . : 1. *Gesetzliche Grundlagen:* Für die Veranlagungszeiträume, die vor dem 1. 1. 1977 enden: Körperschaftsteuergesetz 1975 (KStG 1975) i. d. F. vom 18. 7. 1975 (BGBl I 1934). – Für nach dem 1. 1. 1977 endende Veranlagungszeiträume: Körperschaftsteuergesetz 1984 (KStG 1984) i. d. F. vom 10. 2. 1984 (BGBl I 217); Körperschaftsteuer-Durchführungsverordnung (KStDV 1984) i. d. F. vom 31. 7. 1984 (BGBl I 1055). – K. ist eine →Gemeinschaftsteuer.

2. *Steuerpflicht:* a) *Beginn und* endet im Prinzip mit der →Rechtsfähigkeit juristischer Personen: (1) *Beginn* mit Vertragsabschluß. (2) *Ende* mit der völligen →Abwicklung, bei Kapitalgesellschaften mit Ausschüttung des Vermögens, frühestens mit Ablauf des Sperrjahres. – b) *Umfang:* (1) →Unbeschränkte Steuerpflicht: Sämtliche Einkünfte bei Kapitalgesellschaften, Erwerbs- und Wirtschaftsgenossenschaften, Versicherungsvereinen auf Gegenseitigkeit, sonstigen juristischen Perso-

nen des privaten Rechts, nicht rechtsfähigen Vereinen, Stiftungen, Anstalten, Zweckvermögen, Betrieben gewerblicher Art von juristischen Personen des öffentlichen Rechts, die Sitz oder Geschäftsleitung im Inland haben. Bei nichtrechtsfähigen Personenvereinigungen, Anstalten, Stiftungen und Zweckvermögen nur dann, wenn deren Einkommen weder nach dem KStG noch nach dem EStG unmittelbar bei einem anderen Steuerpflichtigen zu versteuern ist. (2) →Beschränkte Steuerpflicht: Inländische Einkünfte.

3. *Steuerbefreiung:* a) *Subjektive:* Z. B. ganz oder teilweise namentlich bei gewissen Unternehmen des Bundes, bei Staatsbanken, bei Verfolgung kirchlicher, gemeinnütziger oder mildtätiger Zwecke, bei sozialen Kassen, bei Berufsverbänden, bei öffentlich rechtlichen Versicherungs- und Versorgungseinrichtungen von Berufsgruppen. – b) *Objektive:* Gewinne aus Anteilen an einem steuerpflichtigen Betrieb gewerblicher Art einer juristischen Person des öffentlichen Rechts (§ 8 V KStG), Mitgliederbeiträge rechtsfähiger und nichtrechtsfähiger Personenvereinigungen (§ 8 VI KStG).

4. *Besteuerungsgrundlage:* a) Nach § 7 I KStG bemißt sich die K. nach dem →*zu versteuernden Einkommen,* das sich aus dem →Einkommen, vermindert um die →Freibeträge für kleinere Körperschaften und landwirtschaftliche Betriebsgenossenschaften errechnet (§ 7 II KStG); das Einkommen wiederum ermittelt sich nach den Bestimmungen des EStG und den besonderen Vorschriften des KStG (vgl. →Einkommensermittlung). Für unbeschränkt steuerpflichtige Körperschaften, die nach den Vorschriften des HGB zur Führung von Büchern verpflichtet sind, gelten alle Einkünfte als Einkünfte aus Gewerbebetrieb (→Einkommen). – b) Neben dem zu versteuernden Einkommen auch die →*Gewinnausschüttungen.* Für sie ist auf der Gesellschaftsebene eine →Ausschüttungsbelastung von 36% des ausgeschütteten Gewinns vor Abzug der K. herzustellen. In Abhängigkeit von den für Ausschüttungen als verwendet geltenden Teilbeträgen des →verwendbaren Eigenkapitals macht die Herstellung der Ausschüttungsbelastung eine →Körperschaftsteuer-Änderung erforderlich, die Bestandteil der K.schuld ist (§ 23 VI KStG). Die Ausschüttungsbelastung ist für alle Gewinnausschüttungen herzustellen, soweit nicht der Teilbetrag EK 04 als verwendet gilt. Dies gilt auch für *Kapitalrückzahlungen* und *Liquidationsraten,* soweit für Leistungen dieser Art verwendbares Eigenkapital mit Ausnahme des Teilbetrages EK 04 als verwendet gilt.

5. *Steuertarif:* a) Im *Regelfall* 56% (§ 23 I KStG); dieser Satz findet Anwendung für die in das Anrechnungsverfahren einbezogenen Kapitalgesellschaften, Erwerbs- und Wirt-

schaftsgenosenschaften und daneben für Realgemeinden und wirtschaftliche Vereine unter bestimmten Bedingungen. Auch Stiftungen des privaten Rechts unterliegen dem Regelsteuersatz. – b) *50%* (§ 23 II KStG) bei VVaGs, sonstigen juristischen Personen des privaten Rechts, nichtrechtsfähigen Vereinen, Anstalten und anderen Zweckvermögen des privaten Rechts, Betrieben gewerblicher Art von juristischen Personen des öffentlichen Rechts und beschränkt steuerpflichtigen Körperschaften. – c) Ein *besonderer Steuersatz* von 8% (§ 23 VII KStG) gilt für das ZDF für die Veranstaltung von Werbesendungen. – d) Für die in das →körperschaftsteuerliche Anrechnungsverfahren (vgl. dart) einbezogenen Körperschaften beträgt der *Ausschüttungssteuersatz* 36% des ausgeschütteten Gewinns vor Abzug der K. (§ 27 I KStG).

6. *Steuerfestsetzung und -erhebung:* a) Die *festzusetzende K.* resultiert aus der tarifmäßigen K. (56% bzw. 50%) und der →Körperschaftsteuer-Änderung für Ausschüttungen (§ 23 VI KStG). Bei offenen →Gewinnausschüttungen tritt die Minderung und/oder Erhöhung für den Veranlagungszeitraum ein, in dem das Wirtschaftsjahr endet, für das die Ausschüttung erfolgt, bei anderen Ausschüttungen in dem Wirtschaftsjahr, in dem die Ausschüttung erfolgt (§ 27 III KStG). – b) Für die *Veranlagung und Entrichtung* der K. sind die einkommensteuerlichen Vorschriften entsprechend anzuwenden. Auf die festgesetzte K. werden angerechnet (1) die →Vorauszahlungen des Veranlagungszeitraums, (2) die einbehaltene →Kapitalertragsteuer, wenn es sich nicht um Kuponsteuer handelt, (3) die anzurechnende K. und (4) die anzurechnenden festgesetzten und entrichteten ausländischen K. (§ 26 I KStG).

III. Finanzwissenschaftliche Beurteilung: 1. *Charakteristik und Steuersystematik:* a) *Grundlegend:* Zur theoretischen Grundlegung der Körperschaftsbesteuerung vgl. →Unternehmensbesteuerung. Danach ist gemäß der *„Integrationstheorie"* eine K. überflüssig, weil die Besteuerung der Körperschaftserträge in die Einkommensbesteuerung zu integrieren sei. Gemäß der *„Separationstheorie"* aber sei die K. als eine Sondersteuer auf Erträge juristischer Personen, in Sonderheit der Kapitalgesellschaften, immer zu erheben wegen ihrer besonderen *„Leistungsfähigkeit".* Die heute geltende K. von 1977 ist zwar der Separationstheorie folgend eine *Sondersteuer* auf die Rechtsform der Unternehmung, aber keine auf ökonomischen Vorstellungen beruhende allgemeine *„Unternehmensteuer",* denn sie erfaßt nicht alle in einer Wirtschaft anfallenden Gewinne und Kapitaleinkünfte; sie ist ferner – trotz Anrechnungsverfahren – keine reine Einkommensteuer. Vielmehr hält sie einen Mittelweg ein und vereinigt zwei gänzlich verschiedene Steuern in sich: Eine

Teilgewinn- oder Sonderunternehmungsteuer (überdies mit dem Charakter einer „Großunternehmensteuer", da die wenigen Unternehmen, die über 20 Mill. DM Einkünfte haben und nur unter 1% der Steuerpflichtigen ausmachen, ca. 60% des Aufkommens erbringen) und eine Quellensteuer der Einkommensteuer. – b) *Steuersätze:* Die zwei Steuersätze unterschiedlicher Höhe sind Ausdruck völlig verschiedener Steuerarten: (1) Der *„Regelsteuersatz"* in Höhe von 56% (ermäßigte Sätze gibt es für VVaG u. a. juristische Personen) ist eine „Personensteuer" allenfalls in rechtsformaler Hinsicht, nämlich als Besteuerung der „juristischen Personen". (2) Demgegenüber ist der *Ausschüttungssteuersatz* in Höhe von 36% auch ökonomisch eine Personensteuer, da das Anrechnungsverfahren die Überleitung dieser Steuer in die persönliche Einkommensteuer herstellt. Das gilt letztlich auch für Beteiligungsverhältnisse, bei denen die Ausschüttungssteuer zunächst auf die K. angerechnet wird. Die Ausschüttungssteuer ist letztlich eine Gliedsteuer der Einkommensteuer (→mehrgliedrige Steuer), erhoben als →*Quellensteuer.* – c) *Bemessungsgrundlage:* Steuergegenstand der K. mit dem Regelsteuersatz ist der Unternehmensgewinn, bemessen nach dem „zu versteuernden Einkommen" des Einkommensteuergesetztes. Das macht aber die K. keineswegs zur „Einkommensteuer der juristischen Personen". Ökonomisch ist die K. eine *Ertragsteuer* (Tipke). Das Leistungsfähigkeitsprinzip spielt bei ihr keine Rolle. Im Ergebnis kann man die K. als *„Ertragsteuer auf das zu versteuernde Einkommen des Einkommensteuergesetzes"* definieren.

2. *Wirkungen:* Die Wirkungen der K. auf die Verhaltensweisen der Wirtschaftssubjekte und auf die gesamtwirtschaftlichen Größen sind v. a. unter dem Aspekt der Reformziele zu beurteilen, die man mit Hilfe des Anrechnungsverfahrens und der Steuersatzfestlegung erreichen wollte: a) Wegen des erhöhten Steuersatzes auf einbehaltene Gewinne ist die *Selbstfinanzierung* teurer geworden als vorher (alter Steuersatz 51%) und auch unter bestimmten Umständen teurer als bei Anwendung des Einkommensteuergesetzes. – b) *Kapitalmarktpolitisch* versprach die Beseitigung der Zweifachbelastung über die Finanzierungsstrategie des „Schütt aus – Hol zurück" eine günstige Entwicklung der *Eigenkapitalbildung* in den Unternehmen und zugleich der vermehrten und gleichmäßigeren *Vermögensbildung* in privater Hand; dieser Erfolg hat sich nicht eingestellt, obgleich die Ausschüttungsbelastung bei einigen Anteilseignern je nach Ausschüttungsbetrag und Grenzsteuersatz günstiger war. – c) das *„Ausländerprivileg"* wurde dadurch eingeschränkt, daß der Ausschüttungssteuersatz von 15 auf 36% erhöht wurde. Der negative Ausländereffekt erhöht sich durch die gleichzeitig erho-

bene Kapitalertragsteuer. – d) Nach wie vor ist die K. eine *rechtsformneutrale* Steuer, wobei der Kapitalgesellschaft eine von vornherein höhere Ertragsfähigkeit als anderen Rechtsformen unterstellt wird. Jedoch hängt die Ertragsfähigkeit von vielen ökonomischen Faktoren ab. Dem Gebot der Allokationsneutralität der Besteuerung entspräche es, die besondere Ertragsbelastung durch höhere Steuern zu demotivieren. – e) Hinsichtlich der *Überwälzung* der K. in den Preisen liegen widersprüchliche Berechnungsergebnisse und Annahmen vor; tendenziell wird unterstellt, daß die K. überwälzbar ist. – f) Als Maßnahme der *Verteilungspolitik* erscheint die K. auch nach der Reform ungeeignet, da sich das Aktiensparen unter den Kleinaktionären nicht durchgesetzt hat. – g) Die K. gilt wie die Einkommensteuer als Instrument der →*Konjunkturpolitik* bzw. →*Stabilitätspolitik.*

3. Die *Ertragshoheit* der K. besitzen Bund und Länder; →Gemeinschaftsteuern.

4. Eine *grundlegende Reform* der K. ist alsbald nicht zu erwarten, insbes. nicht in Richtung einer Fortentwicklung zu einer allokations- und rechtsformneutralen →Unternehmensbesteuerung. Im Zusammenhang mit der Reform der Einkommensteuer wird die Herabsetzung des Steuersatzes auf einbehaltene Gewinne auf 40% gefordert.

– 5. Im Zuge der *EG-Steuerharmonisierung* wird auch eine Angleichung der Systeme direkter Steuern angestrebt. Beseitigt werden sollen die Doppelbelastungen und die großen Steuersatzunterschiede (angestrebt ist eine Bandbreite von 45–55%). In Aussicht genommen ist ferner eine Anerkennung der Steuergutschriften für den Bereich der Gemeinschaftsländer und eine Harmonisierung der Vorschriften über die Fassung der Bemessungsgrundlagen für Steuern auf Unternehmensgewinne. Tatsächlich in Angriff genommen ist aber nichts davon.

IV. **A u f k o m m e n**: 1986: 32,3 Mrd. DM (1985: 31,8 Mrd. DM, 1981: 20,2 Mrd. DM, 1979: 22,2 Mrd. DM, 1977: 16,83 Mrd. DM, 1976: 11,8 Mrd. DM, 1974: 10,4 Mrd. DM, 1972: 8,5 Mrd. DM, 1969: 10,9 Mrd. DM, 1963: 7,7 Mrd. DM, 1955: 3,1 Mrd. DM, 1950: 10,4 Mrd. DM).

**Körperschaftsteuer-Änderung**, Begriff des →körperschaftsteuerlichen Anrechnungsverfahrens. K. ergibt sich bei Anpassung der →Tarifbelastung an die körperschaftsteuerliche →Ausschüttungsbelastung. – Sie kann bestehen: 1. In einer *Körperschaftsteuer-Minderung,* soweit für eine Ausschüttung verwendbares Eigenkapital als verwendet gilt, dessen Tarifbelastung 36% überschreitet (EK 56). – 2. In einer *Körperschaftsteuer-Erhöhung,* wenn das für Ausschüttungen als verwendet geltende verwendbare Eigenkapital mit einer

Tarifbelastung von weniger als 36% belastet ist und nicht aus EK 04 stammt.

**Körperschaftsteuer-Befreiung,** →Körperschaftsteuer II 3.

**Körperschaftsteuer-Durchführungsverordnung (KStDV),** Rechtsverordnung, durch die Ermächtigungen des Körperschaftsteuergesetzes ausgefüllt werden. Die KStDV enthält im wesentlichen formelle und materielle Ergänzungen zum Körperschaftsteuergesetz. Die KStDV 1984 beschränkt sich in ihrem materiellen Teil auf Regelungen zu den sozialen Kassen und VVaGs. Derzeitige Fassung: KStDV 1984 v. 31. 7. 1984 (BGBl I 1055).

**Körperschaftsteuer-Erhöhung,** →Körperschaftsteuer-Änderung.

**körperschaftsteuerliches Anrechnungsverfahren,** durch die →Körperschaftsteuerreform in das KStG eingeführtes neues Anrechnungssystem.

I. Grundlagen. 1. *Ziel:* Mit der Einführung des k. A. verfolgte der Gesetzgeber die Zielsetzung, die Mehrfachbelastung des Einkommens von Körperschaften exakt zu beseitigen und die ausgekehrten Gewinnanteile ausschl. mit dem individuellen Einkommensteuersatz der begünstigten Anteilseigner zur Steuer heranzuziehen. Zur Erreichung dieser Zielsetzung, die gegenüber der früheren Konzeption (KStG 1975) zu einschneidenden Änderungen auf der Gesellschafts- und Gesellschafterebene führt, hat sich der Gesetzgeber eines Systems der Vollanrechnung mit gespaltenem Steuersatz bedient. – 2. Das Anrechnungsverfahren ist gekennzeichnet durch *vier Grundentscheidungen:* a) Der Steuersatz beträgt im Regelfall 56% und auf das zu versteuernde Einkommen anzuwenden. – b) Die Belastung ausgeschütteter Gewinne auf der Gesellschaftsebene beläuft sich auf 36% vor Abzug der Körperschaftsteuer. – c) Diese →Ausschüttungsbelastung wird auf der Gesellschafterebene auf die Einkommen- oder Körperschaftsteuer der Anteilseigner angerechnet. – d) Die →Kapitalertragsteuer wird beibehalten. – 3. *Wirkung:* Das k. A. bewirkt, daß die Körperschaftsteuer ihren eigenständigen Charakter nicht verliert und als Aufwandsposition auf der Gesellschaftsebene erhalten bleibt. Die Herstellung einer einheitlichen Ausschüttungsbelastung auf der Gesellschaftsebene hat zur Folge, daß Steuerermäßigungen oder -befreiungen nicht von der Gesellschaft an den Gesellschafter weitergereicht werden können. Der Rechtsform der Kapitalgesellschaft kommt insoweit eine Abschirmwirkung zu. Steuerermäßigungen und -befreiungen haben nur noch den Effekt einer Steuerstundung, die im Ausschüttungsfall aufgehoben wird. – 4. Die *Entlastung von Körperschaftsteuer* vollzieht sich im Ausschüttungsfall in zwei Stufen: a) Die Herstellung der Ausschüttungsbelastung auf der Gesellschaftsebene macht eine Anpassung der →Tarifbelastung an die →Ausschüttungsbelastung erforderlich, was zu einer →Körperschaftsteuer-Änderung führt, soweit die Tarifbelastung der für Ausschüttungen als verwendet geltenden Teilbeträge des verwendbaren Eigenkapitals nicht mit der Ausschüttungsbelastung übereinstimmt. – b) Die zweite Stufe der Entlastung vollzieht sich auf der Gesellschafterebene durch Anrechnung der Ausschüttungsbelastung auf die Steuerschuld des begünstigten Anteilseigners. Der Anrechnungsanspruch ist auf der Gesellschafterebene Einkommensbestandteil.

II. Gesellschafterebene: 1. *Anrechnungsfähig* ist ausschließlich inländische Körperschaftsteuer, die nach dem 31. 12. 1976 angefallen ist. – 2. *Anrechnungsberechtigt* sind nur Anteilseigner, bei denen die Ausschüttungen der inländischen Besteuerung unterliegen, da nur insoweit die Notwendigkeit einer Eliminierung der Doppelbelastung mit inländischer Steuer besteht. – *Nichtanrechnungsberechtigt* sind insbes.: a) ausländische Anteilseigner, soweit sie nicht ihre Anteile in einer inländischen Betriebsstätte halten, b) Körperschaften des öffentlichen Rechts, soweit die Anteile nicht in →Betrieben gewerblicher Art gehalten werden, c) steuerbefreite Körperschaften, soweit die Befreiung reicht. – 3. *Anrechnungsvorgang:* Der →Anrechnungsanspruch, der $^{9}/_{16}$ der →Bardividende ausmacht, kann grundsätzlich unabhängig von der Zahlung der Körperschaftsteuer auf der Gesellschaftsebene geltend gemacht werden. Erforderlich ist jeodch die Vorlage einer speziellen Bescheinigung, die von der ausschüttenden Körperschaft oder einem Kreditinstitut ausgestellt wird. Um die Zahl der Veranlagungsfälle nicht unnötig aufzublähen, kann der Anrechnungsanspruch auf Antrag auch im Vergütungsverfahren geltend gemacht werden. – 4. Für *nichtanrechnungsberechtigte Anteilseigner* erlangen grundsätzlich sowohl die Ausschüttungsbelastung als auch die einbehaltene →Kapitalertragsteuer Definitivcharakter, was zu einer erheblichen Steuerbelastung insbes. der ausländischen Anteilseigner führen kann, da auch die ausländische Steuer berücksichtigt werden muß.

III. Gesellschaftsebene: 1. *Prinzip:* Zur exakten Beseitigung der Doppelbelastung muß auf der Gesellschaftsebene sichergestellt werden, daß die ausgeschütteten Gewinnanteile exakt mit 36% des ausgeschütteten Gewinns vor Abzug der Körperschaftsteuer belastet sind. Die dazu erforderliche Angleichung der →Tarifbelastung an die →Ausschüttungsbelastung macht eine besondere Rechnung erforderlich, da die Bezugsgrößen der Tarif- und Ausschüttungsbelastung, das zu versteuernde Einkommen und die Ausschüttungen, weder in sachlicher noch in zeitlicher Hinsicht übereinstimmen. Der intertemporale Zusammenhang zwischen der Einkommensentstehung und →Einkommensverwendung (Ausschüttungen) wird durch das →verwendbare Eigenkapital hergestellt, das in seinen unterschiedlich belasteten Teilbeträgen die Vermögensmehrungen in Abhängigkeit von ihrer steuerlichen Vorbelastung aufnimmt. Dem verwendbaren Eigenkapital werden neben den belasteten Einkommensteilen auch steuerfreie Vermögensmehrungen zugeführt. – 2. Die in §28 III KStG enthaltene Fiktion verknüpft die Ausschüttungen in eindeutiger Weise mit den Teilbeträgen des verwendbaren Eigenkapitals. Nach dieser *Abgangsregel* gelten die am höchsten belasteten Teilbeträge zuerst als für Ausschüttungen verwendet. Die unbelasteten Teilbeträge des verwendbaren Eigenkapitals gelten erst dann als für Ausschüttungen verwendet, wenn kein belastetes verwendbares Eigenkapital vorhanden ist. Die Körperschaftsteuer-Minderung gilt als Bestandteil der Ausschüttungen. – 3. →Nicht abzugsfähige Aufwendungen sind Bestandteile des →zu versteuernden Einkommens und erhöhen insoweit den Bestand an verwendbarem Eigenkapital. Um eine Eliminierung der Körperschaftsteuer-Belastung dieser Einkommensteile zu vermeiden, sieht §31 KStG eine *Verrechnung der nichtabziehbaren Aufwendungen* mit den Teilbeträgen des verwendbaren Eigenkapitals vor, was bewirkt, daß die auf den nichtabziehbaren Ausgaben lastende Körperschaftsteuer Definitivcharakter erlangt. Die mit den ungemildert belasteten Einkommensteilen zu verrechnenden sonstigen nichtabziehbaren Ausgaben (z. B. Vermögensteuer) weisen keine körperschaftsteuerliche Definitivbelastung in Höhe von 127,27% auf. Das verwendbare Eigenkapital als spezifisch steuerrechtliche Größe ist nicht identisch mit dem Ausschüttungsvolumen der Gesellschaft, da a) das Ausschüttungsvolumen nur aufgrund der Handelsbilanz bestimmt werden kann und b) die Körperschaftsteuer-Minderungen das Ausschüttungspotential erhöhen, während es durch erforderliche Körperschaftsteuer-Erhöhungen gemindert wird. – 5. Die Herstellung der Ausschüttungsbelastung auf der Gesellschaftsebene ist auch für *Kapitalrückzahlungen* und *Liquidationsraten* erforderlich, soweit im Rahmen dieser Leistungen verwendbares Eigenkapital mit Ausnahme von EK 04 als verwendet gilt. Durch die Einbeziehung dieser Vorgänge in das Anrechnungsverfahren soll gewährleistet werden, daß sich die körperschaftsteuerliche Entlastung in einem geschlossenen System vollzieht, das in allen Fällen der Beseitigung der Doppelbelastung Rechnung trägt.

IV. S t e u e r p o l i t i k : Durch die Einführung des k. A. sind für wesentliche Bereiche der Unternehmenspolitik neue Daten gesetzt worden. – 1. *Rechtsformwahl:* Die Höhe der Steuerbelastung wird auch →weiterhin durch die Rechtsform mitbestimmt, da a) die Doppelbelastung im Substanz- und Gewerbeertragsteuerbereich weiter besteht, b) Leistungsvergütungen nur bei Kpaitalgesellschaften mit steuerlicher Wirkung abgesetzt werden können, c) Steuerbegünstigungen der Kapitalgesellschaft nicht an die Anteilseigner weitergeleitet werden können. – 2. *Finanzierungsbereich:* a) Durch die Wahl des Tarifsteuersatzes von 56% hat sich die Selbstfinanzierung gegenüber dem früheren Rechtszustand (Thesaurierungssteuersatz 51%) verteuert. – b) Durch den Einsatz der →Schütt-aus-Hol-zurück-Politik kann eine höhere Tarifbelastung auf der Gesellschaftsebene auf eine niedrigere Ertragsteuerbelastung im Gesellschafterbereich herabgeschleust werden. Der kritische Grenzsteuersatz beim Anteilseigner ist durch die →Körperschaftsteuerreform erhöht worden, was zu einer größeren Verbreitung des Verfahrens beitragen kann.

**Körperschaftsteuer-Minderung,** →Körperschaftsteuer-Änderung.

**Körperschaftsteuerreform. 1.** *Gesetzliche Grundlagen:* Das Körperschaftsteuer-Reformgesetz vom 31. 8. 1976 umfaßt im Artikel 1 das völlig neugefaßte Körperschaftsteuergesetz (KStG 1977) und in Artikel 2 die notwendigen Änderungen des Einkommensteuergesetzes. Zur Ergänzung erging das am 6. 9. 1976 verkündete Einführungsgesetz (BGBl I 2641), das zahlreiche andere Gesetze (insbes. das Umwandlungsteuergesetz) an die neue Rechtslage anpaßt. – 2. *Ziele:* Ausgangspunkt der K. waren die unerwünschten Folgen der Doppelbelastung ausgeschütteter Gewinnanteile von Kapitalgesellschaften durch Einkommen- und Körperschaftsteuer, wie insbes.: a) Interessengegensatz zwischen Groß- und Kleinaktionär, b) steuerliche Begünstigung der Fremd- gegenüber Eigenfinanzierung. c) Behinderung einer breiten Vermögensstreuung durch Diskriminierung der Aktie, d) fehlende Rechtsformneutralität der Besteuerung, e) positiver Ausländereffekt. – 3. *Eingeführt wurde* das Vollanrechnungssystem mit gespaltenem Steuersatz: die →Tarifbelastung beträgt im Regelfall 56%, die →Ausschüttungsbelastung dagegen grundsätzlich 36% des ausgeschütteten Gewinns vor Abzug der Körperschaftsteuer (→körperschaftsteuerliches Anrechnungsverfahren).

**Körperschaftsteuer-Richtlinien 1985 (KStR)** i. d. F. vom 30. 12. 1985 (BStBl 1986 Sondernummer 1), enthalten im wesentlichen Verwaltungsanordnungen sowie Entscheidungen der →Finanzgerichtsbarkeit und Erörterungen von Zweifelsfragen bei der Gesetzesauslegung. Die KStR sind für die →Finanzverwaltung (im Gegensatz zu den Gerichten und den Steuerpflichtigen) bindend.

**Körperschaftsteuer-Statistik,** Teil der amtlichen Steuerstatistik (→Finanzstatistik), erfaßt dreijährlich aus Durchschriften aller Körperschaftsteuerbescheide und Angaben aus den Steuerakten, die den Statistischen Landesämtern von den Finanzämtern zur Verfügung gestellt werden, Einkünfte, Einkommen, festgesetzte Körperschaftsteuer, Vergünstigungen u.a. der juristischen Personen in sachlicher und wirtschaftssystematischer Gliederung.

**Korrektheit,** Merkmal der →Softwarequalität; Fehlerfreiheit eines →Softwareprodukts. Völlige Fehlerfreiheit läßt sich bei größeren →Programmen oder →Softwaresystemen i.d.R. nicht erreichen und nicht nachweisen (→Programmverifikation); als Ersatz dient deshalb die →Zuverlässigkeit.

**Korrektheitsbeweis,** →Programmverifikation.

**Korrektivposten,** Begriff der Buchhaltung für Berichtigungsposten zur Abänderung fehlerhafter Eintragungen (Radieren ist unzulässig!).

**Korrekturfaktor,** in der Statistik der Faktor $(N-n)/(N-1)$ mit N als Umfang der →Grundgesamtheit und n als Umfang der →Stichprobe, der den Unterschied der →Varianzen des Stichprobendurchschnitts (→Stichprobenfunktion) beim Modell mit bzw. ohne Zurücklegen (→Urnenmodelle) ausdrückt. Der K. tritt speziell auch auf als Unterschied der Varianzen einer binomialverteilten und einer hypergeometrisch verteilten →Zufallsvariablen (→Binomialverteilung; →hypergeometrische Verteilung) an analogen Gegebenheiten bezüglich →Parametern. Bei kleinem →Auswahlsatz n/N nimmt der K. fast den Wert 1 an. Bei der →Konfidenzschätzung und bei →statistischen Testverfahren bezüglich des →Erwartungswertes der Grundgesamtheit braucht der K. daher nur berücksichtigt zu werden, falls beim Modell ohne Zurücklegen der Auswahlsatz erheblich ist.

**Korrektur von Steuerverwaltungsakten,** Aufhebung oder Änderung von →Steuerbescheiden und ihnen gleichgestellten Bescheiden nach §§ 164, 165, 172–177 AO vor Ablauf der →Festsetzungsverjährung; Korrektur sonstiger Steuerverwaltungsakte (z.B. →Stundung, →Erlaß, Buchführungserleichterungen) durch Rücknahme (§ 130 AO) oder Widerruf (§ 131 AO); Korrektur von →offenbaren Unrichtigkeiten (§ 129 AO). K. ist auch während des außergerichtlichen und gerichtlichen Rechtsbehelfsverfahrens möglich (§ 132 AO).

**Korrelation,** in der Statistik Bezeichnung für einen mehr oder minder intensiven Zusammenhang zweier →quantitativer Merkmale bzw. →Zufallsvariablen. *Positive K.* liegt vor, wenn zu einem hohen Wert des einen Merkmals tendenziell auch ein hoher Wert des zweiten Merkmals gehört; *negative K.,* wenn zu einem hohen Wert des einen Merkmals tendenziell ein niedriger Wert des anderen Merkmals gehört. *Messung* der K. zweier Merkmale aus vorliegenden Wertepaaren durch →Korrelationskoeffizienten, in die allerdings bestimmte Modellvorstellungen eingehen, die auf das Intervall −1 bis +1 normiert sind. Bei qualitativen Variablen wird statt von K. von →Assoziation bzw. →Kontingenz gesprochen.

**Korrelationsanalyse,** in der →deskriptiven Statistik und →Inferenzstatistik Bezeichnung für die Untersuchung der Stärke des Zusammenhanges von zwei →quantitativen Merkmalen. Zur K. gehören insbes. die Berechnung von →Korrelationskoeffizienten, die →Punktschätzung und →Intervallschätzung dieser Koeffizienten und →statistische Testverfahren zur Prüfung von Werten dieser Koeffizienten. Dabei hat der Fall der Prüfung der Hypothese, ein bestimmter Korrelationskoeffizient sei 0 (Prüfung der Existenz von Korrelation), eine besondere Bedeutung.

**Korrelationsdiagramm,** →Streuungsdiagramm.

**Korrelationskoeffizient,** *Korrelationsmaß,* Maß, mit dem in der →Korrelationsanalyse die „Stärke" eines positiven oder negativen Zusammenhanges zwischen zwei →quantitativen Merkmalen bzw. →Zufallsvariablen gemessen werden kann. Ein aus einer →Stichprobe berechneter K. stellt jeweils eine →Punktschätzung für den entsprechenden Koeffizienten in der →Grundgesamtheit dar.

1. *Bravais-Pearsonscher linearer K.:* Sind $(x_i, y_i)$ die n beobachteten Wertepaare zweier Merkmale, so ist der Bravais-Pearsonsche K. durch

$$r = \frac{\sum (x_i - \bar{x})(y_i - \bar{y})}{\sqrt{\sum (x_i - \bar{x})^2 \sum (y_i - \bar{y})^2}}$$

$$= \frac{\sum x_i y_i - n \bar{x} \bar{y}}{\sqrt{(\sum x_i^2 - n \bar{x}^2)(\sum y_i^2 - n \bar{y}^2)}}$$

definiert, wobei $\bar{x}$ und $\bar{y}$ die →arithmetischen Mittel der Werte der beiden Variablen bezeichnen (K. der Stichprobe). Dieser K., der eng mit der →Kovarianz verwandt ist, liegt, anders als diese, immer zwischen −1 und +1. Falls die $(x_i; y_i)$ alle auf einer Geraden mit positiver (negativer) Steigung liegen, ist $r = +1$ $(r = -1)$. Der K. der Stichprobe hat wünschenswerte Eigenschaften als →Schätzwert für den K. der Grundgesamtheit dann, wenn letztere eine zweidimensionale →Normalverteilung aufweist. Ist (X, Y) eine zweidimensionale Zufallsvariable, wobei cov X, Y deren Kovarianz ist und var X, var Y die →Varianzen der beiden Variablen sind, dann ist deren Bravais-Pearsonscher K.

$$r_{X,Y} = \frac{\operatorname{cov} X, Y}{\sqrt{\operatorname{var} X \cdot \operatorname{var} Y}}.$$

2. *Spearman-Pearsonscher Rangkorrelationskoeffizient:* Es sei $R_{xi}(R_{yi})$ der →Rang des Wertes $x_i (y_i)$ innerhalb der n Werte des ersten (zweiten) Merkmals. Falls die $(x_i, y_i)$ alle auf einer streng monoton steigenden (fallenden) Kurve liegen, ist $r_s = +1$ ($r_s = -1$). Der Spearman-Pearsonsche Rangkorrelationskoeffizient ist der Bravais-Pearsonsche Koeffizient dieser Rangwerte und ergibt sich als

$$r_s = 1 - \frac{6 \sum (R_{xi} - R_{yi})^2}{n(n^2 - 1)}$$

Er kann auch bei nur ordinal skalierten Merkmalen (→Ordinalskala) berechnet werden.

**Korrelationsmatrix.** 1. Bei einer *mehrdimensionalen* →*Zufallsvariablen* $(x_1, \ldots, x_n)$ die Zusammenfassung der →Korrelationskoeffizienten $r_i$ $(i, j = 1, \ldots, n)$ in einem quadratischen Schema; die K. ist symmetrisch und weist in der Diagonalen Einsen auf. – 2. Bei einem *Mehrfachregressionsansatz* (→Regressionsanalyse) die Zusammenfassung der (deskriptiven) Korrelationskoeffizienten der →exogenen Variablen in einem quadratischen Schema.

**Korrespondenz,** gesamter Schriftverkehr eines Unternehmens. Zur Aufbewahrungspflicht hinsichtlich der K. vgl. →Aufbewahrungspflicht und →Geschäftsbriefe; zur Gestaltung vgl. →Briefkopf, →Brieftext-Anordnung, →Korrespondenzanalyse.

**Korrespondenzanalyse,** Vorbereitungsschritt für die Entwicklung eines Texthandbuchs in der →programmierten Textverarbeitung. Ziele sind a) Herausfiltern jener Texte aus einem Aufgabengebiet, für die sich ein Programm lohnt, b) Zusammentragen von „Grobmaterial" für die Entwicklung kombinationsfähiger →Textbausteine. K. erfolgt durch Auswertung von Korrespondenzkopien, Interviews, Aufgabenanalysen.

**Korrespondenzversicherung,** →Versicherungsvertrag einer Person, die ihren gewöhnlichen Aufenthalt im Inland hat, mit einem Versicherungsunternehmen im Ausland, der ohne geschäftsmäßig handelnden Vermittler zustande kommt.

**kosmetische Mittel,** nach dem Lebensmittel- und Bedarfsgegenständegesetz Stoffe oder Zubereitungen aus Stoffen, die dazu bestimmt sind, äußerlich am Menschen oder in seiner Mundhöhle zur Reinigung, Pflege oder Beeinflussung des Aussehens oder des Körpergeruchs oder zur Vermittlung von Geruchsein-

drücken angewendet zu werden, ausschl. medizinischer Heilmittel (§ 4 LMBGG). *Verboten* ist u. a. die Herstellung solcher k. M., die geeignet sind, die Gesundheit zu schädigen oder bei denen ohne Zulassung verschreibungspflichtige Stoffe im Sinne des Arzneimittelrechts verwendet werden, sowie k. M. unter irreführender Bezeichnung in den Verkehr zu bringen. Vgl. im einzelnen KosmetikVO i. d. F. vom 19. 6. 1985 (BGBl I 1082). – *Verstöße* werden als →Straftat (Geldstrafe oder Freiheitsstrafe bis →zwei Jahre) oder als →Ordnungswidrigkeit (Gelbuße bis 50 000 DM) geahndet.

**Kostbarkeiten,** juristischer Begriff für Sachen, deren Wert im Verhältnis zu ihrem Umfang und Gewicht besonders hoch ist (z. B. Schmucksachen, Geräte aus Edelmetallen, Kunstwerke) und die deshalb zur →Hinterlegung geeignet sind. Ob eine Sache zu K. gehört, ist nach →Verkehrsanschauung zu entscheiden.

**Kosten.** I. B e t r i e b s w i r t s c h a f t s l e h r e: 1. *Begriff:* Bewerteter Verzehr von wirtschaftlichen Gütern materieller und immaterieller Art zur Erstellung und zum Absatz von Sach- und/oder Dienstleistungen sowie zur Schaffung und Aufrechterhaltung der dafür notwendigen Teilkapazitäten. K. werden üblicherweise aus dem Aufwand hergeleitet (→Abgrenzung). – 2. *Begriffsausprägungen:* (1) →wertmäßiger Kostenbegriff, (2) →pagatorischer Kostenbegriff und (3) →entscheidungsorientierter Kostenbegriff. – 3. *Ermittlung:* Aus den →Aufwendungen der Finanzbuchhaltung (1) durch Ausscheiden der neutralen Aufwendungen, (2) durch Einfügung der nicht als Aufwand verbuchten →Zusatzkosten (z. B. kalkulatorischer Unternehmerlohn, kalkulatorische Zinsen auf Eigenkapital) und (3) durch Umformung kalkulatorisch ungeeigneten Aufwandes in →kalkulatorische Kosten (kalkulatorische Abschreibungen, kalkulatorische Zinsen auf Fremdkapital, kalkulatorische Wagnisse). (→Anderskosten). – Vgl. auch →Kostenrechnung, →Abgrenzung. –

II. V o l k s w i r t s c h a f t s l e h r e: Vgl. →soziale Kosten.

**Kostenabweichung,** →Abweichungen.

**Kostenanteilsprinzip,** →Prinzip der Gemeinkostenanteilsgleichheit.

**Kostenarten,** nach der Art der ver- bzw. gebrauchten Güter oder Dienstleistungen gebildete Teilmengen der Gesamtkosten. *Anders:* →Kostenkategorien. – Zu unterscheiden: (1) *primäre K. (originäre K.):* Die Kostengüter werden von Unternehmensexternen bezogen (→primäre Kostenarten); in der →Kostenartenrechnung erfaßt; (2) *sekundäre K. (abgeleitete K.):* Die Kostengüter werden als →innerbetriebliche Leistungen selbst erstellt (→sekundäre Kostenarten); in der →Kostenstellenrechnung erfaßt.

**Kostenartenrechnung.** 1. *Begriff:* Teilbereich der traditionellen →Kostenrechnung, in der die Kosten nach →primären Kostenarten gegliedert erfaßt werden. Die K. stellt das wesentliche Bindeglied der Kostenrechnung zu anderen betrieblichen Informationssystemen (z. B. Finanz-, Material-, Personal- und Anlagenbuchhaltung) dar. – 2. *Aufgaben:* Die K. dient zumeist ausschl. als Datenlieferant für die nachgelagerten Teilrechnungen (→Kostenstellenrechnung, →Kostenträgerrechnung); sie kann Auskunft über die betragsmäßige Entwicklung einzelner Kostenarten im Zeitablauf und über die →Kostenstruktur des Unternehmens geben. – 3. *Grundsätze:* a) *Eindeutigkeit:* Sämtliche Kostenarten müssen klar definiert werden, damit über ihren Inhalt kein Zweifel aufkommen kann. b) *Überschneidungsfreiheit:* Es muß klar sein, zu welcher Kostenart ein Kostenbetrag zuzuordnen ist. c) *Vollständigkeit:* Jeder Kostenbetrag muß einer bestimmten Kostenart zuordenbar sein. – 4. *Aufbau:* Die Form der K. wird maßgeblich von den sie speisenden Informationssystemen geprägt, da es unwirtschaftlich und zu zeitaufwendig wäre, sämtliche Kostendaten jeweils neu zu erfassen. Aufgrund des hohen Anteils der →Grundkosten an den Gesamtkosten folgt der Aufbau der K. wesentlich dem für die Finanzbuchhaltung maßgeblichen →Kontenrahmen (→Gemeinschafts-Kontenrahmen industrieller Verbände).

**Kostenartenverfahren,** →innerbetriebliche Leistungsverrechnung III 1.

**Kostenartenvergleich,** →Kostenvergleich.

**Kostenauflösung,** *Kostenspaltung.* I. Begriff: 1. *K. i. w. S.:* Methode der Zerlegung der Gesamtkosten eines bestimmten Bezugsobjekts (→Bezugsgröße) nach der Abhängigkeit von bestimmten Kosteneinflußgrößen. – 2. *K. i. e. S.:* Spaltung der Kosten einer →Kostenstelle, eines Kostenstellenbereichs (z. B. der Fertigung) oder des Gesamtunternehmens in von der jeweiligen →Beschäftigung abhängige Kosten (→variable Kosten, →proportionale Kosten) und davon kurzfristig unbeeinflußte Kosten (→fixe Kosten).

II. Bedeutung: K. ist eine zentrale Voraussetzung dafür, Daten der Kostenrechnung für die Fundierung und Kontrolle von Entscheidungen heranziehen zu können (→entscheidungsorientierte Kostenrechnung). Ein Teil der Mängel der traditionellen →Vollkostenrechnung ist auf das Fehlen eines K. zurückzuführen.

III. Grundsätzliches Vorgehen: 1. Eine exakte K. sollte stets kostenstellen- oder noch differenzierter kostenplatzbezogen erfolgen (→Kostenplatz). Eine häufig vorfindbare, bereits in der →Kostenartenrechnung erfolgende K. (z. B. Materialkosten = variable Kosten, Mieten = fixe Kosten, Stromkosten = X% variable Kosten, (1 – X)% fixe Kosten) ist sehr ungenau, kann lediglich grobe Richtwerte liefern (so sind etwa Stromkosten in einer Produktionskostenstelle zumeist überwiegend variabel, in einer Verwaltungskostenstelle überwiegend fix). – 2. Die kostenstellen- bzw. kostenplatzbezogene Kostenabhängigkeit kann entweder rein auf Erfahrungen der Vergangenheit bezogen oder aufgrund theoretischer Erkenntnisse über die technischen Beziehungen zwischen Leistungsmengen und Kostengütereinsatzmengen ermittelt werden.

IV. Verfahren: 1. *Mathematische K.:* Verwendet in der Vergangenheit beobachtete Gesamtkostenhöhen bei unterschiedlichen Beschäftigungsgraden.

$$k_f = \frac{K_1 - K_2}{k_v \cdot (x_1 - x_2)}$$

($x_1, x_2$ = Beschäftigungsgrade; $K_1, K_2$ = zu den Beschäftigungsgraden $x_1, x_2$ gehörende Gesamtkosten; $k_v$ = variable (proportionale) Kosten pro Beschäftigungseinheit; $k_f$ = fixe Kosten). Diese spezielle Form der K. in fixe und variable Elemente wird auch als *proportionaler Satz* (auf Schmalenbach zurückgehend) bezeichnet. – Komplexere Verfahren der mathematischen K. beziehen (z. B. unter Verwendung von Verfahren der Regressionsrechnung) eine größere Anzahl von Beobachtungswerten ein und sind nicht auf die Lieferung linearer Kostenabhängigkeiten beschränkt. – Die Genauigkeit der mathematischen K. hängt wesentlich von der Konstanz der Kostenabhängigkeitsbeziehungen im Zeitablauf ab. – 2. *Planmäßige K. (buchtechnische K.):* Die einzelnen Kostenarten werden kostenstellen- oder kostenplatzbezogen jeweils gesondert auf ihre Abhängigkeit von der Leistungsmenge bzw. Beschäftigung hin untersucht. Basis der Untersuchung sind technische und darauf aufbauende kostentheoretische Zusammenhänge (z. B. →Verbrauchsfunktionen). Zwar baut die planmäßige K. auf Erfahrungen der Vergangenheit auf, bezieht aber explizit zu erwartende oder geplante Veränderungen in der Zukunft mit in die Analyse ein.

**Kostenauswertung,** →Kostenrechnung.

**Kostenbegriff,** →Kosten, →entscheidungsorientierter Kostenbegriff, →pagatorischer Kostenbegriff, →wertmäßiger Kostenbegriff.

**Kostenbestimmungsfaktoren,** *Kosteneinflußgrößen,* alle Faktoren, die auf die Höhe der →Kosten einwirken bzw. die Funktionsgesetze von Kostenfunktionen (→Kostenverlauf) festlegen. Zu den K. zählen z. B. Art, Zusammensetzung und Umfang der Kapazität (vgl. auch →fixe Kosten), Fertigungsverfahren (z. B. Intensität, Ausbeutegrad, Seriengröße) und qualitative Auftragszusammensetzung (vgl. auch →variable Kosten), Arbeitsweise der Arbeitskräfte.

**Kostenbewertung als Zurechnung,** →Bewertung III 2.

**Kostenbudget,** für ein bestimmtes Bezugsobjekt (Bezugsgröße) periodenbezogen (z. B. monatlich) vorgegebene, nicht zu überschreitende Kostensumme.

**Kostendeckung,** Deckung der einem Bezugsobjekt (Bezugsgröße) zugerechneten →Kosten durch die durch dieses erwirtschafteten →Erlöse. – *Kostendeckungsprinzip:* Vgl. →Tragfähigkeitsprinzip.

**Kostendeckungsbeitrag,** →Deckungsbeitrag.

**Kostendeckungsprinzip,** →Tragfähigkeitsprinzip.

**Kostendegression,** →Degression I.

**Kosten der Lebensführung,** einkommensteuerrechtlicher Begriff für Aufwendungen des täglichen Bedarfs (der Lebensführung) des Steuerpflichtigen und seiner Familienangehörigen. K. d. L. sind grundsätzlich weder bei der →Einkünfteermittlung noch bei der →Einkommensermittlung abzugsfähig (§ 12 Nr. 1 EStG). – *Ausnahme:* zugelassener Abzug als →Sonderausgaben, →Spenden oder →außergewöhnliche Belastungen.

**Kostendruckinflation,** →Inflation IV 2 b) (2).

**Kosteneinflußgrößen,** →Kostenbestimmungsfaktoren.

**Kosteneinwirkungsprinzip,** Variante des (Kosten-) →Verursachungsprinzips, nach dem zur Ermittlung der Kosten zu prüfen ist, welcher Güterverzehr auf den Prozeß der Leistungserstellung zwangsläufig einwirkt, so daß dieser ohne ihn nicht zustande kommt.

**Kostenelastizität,** →Elastizität II 5.

**Kostenentscheidung.** 1. *Begriff:* Entscheidung insbes. des Gerichts über die Verpflichtung, die →Prozeßkosten zu tragen. – 2. *Zivilprozeß:* Im →Urteil enthalten, das den Prozeß beendet (§ 308 II ZPO). Die zur Tragung der Kosten verurteilte Partei muß die Gerichtskosten und die außergerichtlichen Kosten, soweit sie notwendig waren (insbes. Rechtsanwaltsgebühren), bezahlen. – a) *Grundsätzlich* sind die Kosten der *unterlegenen Partei* aufzuerlegen (§ 91 ZPO); anders nur, wenn der Beklagte keine Veranlassung zur Klageerhebung gegeben hat und den Anspruch sofort anerkennt (§ 93 ZPO). Bei teilweisem Obsiegen und Unterliegen einer Partei sind die Kosten verhältnismäßig zu teilen, außer wenn die Zuvielforderung der Partei gering oder entschuldbar ist (§ 92 ZPO). – b) *Sonderregelung* bei Erledigung der Hauptsache (§ 91 a ZPO) und Räumungsklagen (§ 93 b ZPO). – c) *Rechtsmittel:* K. ist nur zusammen mit der Entscheidung in der Hauptsache anfechtbar. Ausnahme: Bei Erledigung der Hauptsache und →Anerkenntnisurteil →sofortige Beschwerde. – d) *Festsetzung:* Der Betrag der zu erstattenden Kosten wird durch Kostenfestsetzungsbeschluß festgesetzt (vgl. im einzelnen →Kostenfestsetzung. – 3. *Verwaltungshandeln mit der Sachentscheidung:* Festsetzung nach § 14 Verwaltungskostengesetz.

**Kostenerfassung.** I. C h a r a k t e r i s i e r u n g: 1. *Begriff:* Kostenartenbezogene Aufzeichnung der Kosten (→Kostenarten), differenziert nach Kostenbetrag und für Auswertungsrechnungen relevanten Merkmalen. – 2. *Bedeutung:* Der K. kommt für die Genauigkeit, Aussagefähigkeit, Flexibilität, Aktualität und Wirtschaftlichkeit der →Kostenrechnung eine zentrale Bedeutung zu; sie verursacht einen erheblichen Teil der für diese anfallenden Kosten. Die Weiterentwicklung der Kostenrechnung wird aktuell mehr durch die Verbesserung der K. (z. B. Verknüpfung der K. mit Betriebsdatenerfassungssystemen) als durch die Verbesserung der Kostenauswertung bestimmt.

II. P r i n z i p i e n: 1. Die in einer Abrechnungsperiode anfallenden Kosten sind vollständig und einmalig zu erfassen. – 2. Die Kostenerfassung sollte möglichst unabhängig vom Kostenverursacher erfolgen, um interessenbedingte Abbildungsfehler zu vermeiden. – 3. Genauigkeit, Aktualität und Differenzierung der K. müssen Ergebnis einer Wirtschaftlichkeitsüberlegung sein. – 4. Die K. muß intersubjektiv nachprüfbar sein.

III. Z u e r f a s s e n d e M e r k m a l e: Zahl und Art der zu erfassenden Merkmale der Kosten hängen stark vom verwendeten Kostenrechnungssystem (→Kostenrechnung) ab: 1. In der *Vollkostenrechnung* genügt prinzipiell die Erfassung des Kostenbetrags (ggf. getrennt in Mengen- und Wertkomponente), der betreffenden Periode und der Zurechenbarkeit zu einem Kostenträger (→Einzelkosten) oder einer Kostenstelle (→Gemeinkosten). – 2. In der *entscheidungsorientierten Kostenrechnung* kommen als weitere Merkmale u. a. hinzu die Zurechenbarkeit zu anderen Bezugsobjekten bzw. -größen (z. B. Kunden, Vertriebswegen), zeitliche →Abbaufähigkeit; vgl. auch →Kostenkategorien.

IV. E r f a s s u n g s t e c h n i k e n: 1. *Erfassung der Mengenkomponente:* a) *Direkte Erfassung* der Mengenkomponente durch Wiegen, Zählen oder Messen führt zu den genauesten Ergebnissen. Sie wird typischerweise bei betragsmäßig bedeutsamen Kostenarten angewandt (z. B. Rohstoffeinsatz) und erfordert einen z.T. erheblichen Erfassungsaufwand (u.a. Materialentnahmescheine, Lohnscheine). Automatisierung der Datenerfassung (z.B. Scanning, Betriebsdatenerfassungssysteme) wird zu einer Ausweitung der direkten K. führen. – b) Methoden *indirekter Erfassung* der Verbrauchsmengen stützen sich auf leicht erfaß- bzw. auswertbare Hilfsgrößen, z.B. bei der Ableitung von Materialverbräuchen aus Stücklisten, von Personaleinsatzzeiten aus Arbeitsgangplänen oder von Betriebsstoffverbräuchen aus Verbrauchsfunktionen. Sie sind stets mit Ungenauigkeiten behaftet. – 2. *Erfassung der Wertkomponente:* a) *Direkte Übernahme aus der Finanzbuchhaltung* (→Grundkosten); b) *Umbewertung* aufgrund unterschiedlicher Bewertungsprinzipien (→Anderskosten) oder aus Vereinfachungs-, Steuerungs- oder Kontrollgründen (z.B. Verwendung von Standard- oder Verrechnungspreisen); c) *Neubewertung* (→Zusatzkosten).

**Kostenerstattungsprinzip,** in der Krankenversicherung *Gegensatz* zum grundsätzlich vorherrschenden Sachleistungsprinzip. Der Versicherte legt die entstandenen Kosten selbst vor und erhält nach Einreichung der quittierten Rechnungen von der Versicherung die Kosten zurückerstattet; in voller Höhe oder teilweise je nach den Versicherungsbedingungen. – Vgl. auch →Selbstbeteiligung.

**Kostenfaktoren,** →Kostenbestimmungsfaktoren.

**Kostenfestsetzung,** Begriff des Zivilprozeßrechts. Die K. soll der obsiegenden Partei ohne neuen Prozeß einen →Vollstreckungstitel wegen der vom Gegner zu erstattenden Prozeßkosten verschaffen. Erforderlich ist ein bei der Geschäftsstelle des Gerichts erster Instanz anzubringendes Gesuch unter Beifügung einer Kostenberechnung (zweifach) und der Belege bzw. →Glaubhaftmachung des Ansatzes. Die K. erfolgt, sobald die Hauptentscheidung (z.B. das Urteil) vollstreckbar ist, durch →Kostenfestsetzungsbeschluß (§§ 103 ff. ZPO). – *Rechtsanwälte* können die K. auch gegen die eigene Partei betreiben bzw. müssen es, wenn die Partei die Berechnung beanstandet (§ 19 RAGebO). – Vgl. auch →Kostenentscheidung.

**Kostenfestsetzungsbeschluß,** im Zivilprozeß im Kostenfestsetzungsverfahren (→Kostenfestsetzung) auf Antrag von den Urkundsbeamten des Gerichts erster Instanz erlassen (§§ 103–107 ZPO). Der K. stellt den ziffernmäßigen Betrag der nach der →Kostenentscheidung vom Gegner etwa zu erstattenden →Prozeßkosten fest. K. ist →Vollstreckungstitel. – Dagegen *Erinnerung* binnen zwei Wochen seit →Zustellung, gegen die Entscheidung des Gerichts u.U. sofortige Beschwerde.

**Kostenführerschaft,** →Wettbewerbsstrategie III 2a) (1).

**Kostenfunktion. 1.** *Theorie der Unternehmung/Produktionstheorie:* Die K. gibt die Kosten an, die mindestens anfallen, wenn eine Menge eines Gutes mit gegebenen Faktorpreisen w produziert wird. Formal: $c(w, x) = \min wx$ für alle x in der Menge der Inputerfordernis. Die K. ist in w nicht abnehmend, linear homogen, konkav und stetig. Man kann zeigen, daß jede linear homogene, nicht abnehmende, konkave Funktion der Faktorpreise eine K. für eine sich wohlverhaltende neoklassische Technologie darstellt. Wird aus der →Produktionsfunktion hergeleitet. – 2. *Haushaltstheorie:* Vgl. →Ausgabenfunktion.

**kostengleicher Aufwand,** →Zweckaufwand.

**Kostengutschriften,** Begriff der Betriebsbuchhaltung. K. entstehen bei Ansetzung *verrechneter* Kosten in der →Kostenrechnung auf den Habenseiten der Konten für verrechnete →Kostenarten in Kontenklasse 5 des →Gemeinschafts-Kontenrahmens. Die Belastung erfolgt am Periodenende mit den *effektiv entstandenen* Kosten, wobei sich fallweise eine Über- oder Unterdeckung ergibt.

**Kosteninformationssystem,** →computergestützte Kosten- und Leistungsrechnung.

**Kostenisoquante,** →Isokostenkurve.

**Kostenkategorien. 1.** *K. i.e.S.:* Auf Schmalenbach zurückgehende Einteilung von →Kosten nach ihrem Verhalten bei Ausbringungs- und Beschäftigungsschwankungen. Zu unterscheiden: (1) →fixe Kosten, (2) →proportionale Kosten, (3) →degressive Kosten, (4) →progressive Kosten und (5) →regressive Kosten. – 2. *K. i.w.S.:* Einteilung der Kosten nach beliebigen Merkmalen. – 3. *K. der Einzelkostenrechnung:* (1) →Leistungskosten und (2) →Bereitschaftskosten. – *Anders:* →Kostenarten.

**Kostenkennzahlen,** Meßzahlen, meist als →Gliederungszahlen, zur Darstellung des Verhältnisses der Kosten einzelner →Kostenarten, →Kostenstellen und →Kostenträger zu den Gesamtkosten bzw. ihres Anteils am Kostenaufbau eines Leistungsbereichs als Kostenstatistik. Besonders aussagefähig sind K. über das Verhältnis von Kostenarten je Arbeitnehmer, Produkteinheit, Maschinenstunde, Ist-Kosten zu Soll-Kosten u.a. Bei erheblichen Abweichungen einzelner Kostenarten von den etwa aus dem internen Zahlen- oder externen →Betriebsvergleich gewonnenen →Richtzahlen wird entsprechendes Eingreifen übergeordneter Betriebs-(Leitungs-)Stellen erforderlich. – Vgl. auch →Kostenkontrolle.

**Kostenkontrolle. 1.** *Kontrolle durch externe Stellen:* Erfolgt z.B. bei Festlegung der Angemessenheit von Selbstkostenpreisen für öffentliche Aufträge gem. VO über die Preise bei öffentlichen Aufträgen. – 2. *Kontrolle der Kostenwirtschaftlichkeit:* Erfolgt durch →Kostenvergleich.

**Kostenkurve,** →Kostenverlauf I.

**kostenlose Probe,** *sample,* Maßnahme der →Verkaufsförderung. Ein Produkt wird Konsumenten kostenfrei zur Probe bzw. zum Test angeboten. Je nach Produktgattung (convenience, shopping, specialty und bulk goods) unterschiedliche Art und Weise; z. B.: a) Proben von *unverderblichen bzw. länger haltbaren convenience goods* (Kaffee, Tee, Wasch- und Putzmittel, Haar- und Körperpflegemittel usw.) in entsprechender Aufmachung über Hauswurfsendungen (Briefkasteneinwurf), durch Postversand, durch Befestigung an der Verpackung eines anderen Produktes (cross sampling), durch Einkleben der Verpackung mit der Probe auf der Inseratseite, die z. B. in einer Zeitschrift geschaltet wird, oder/und über den einschlägigen Fachhandel direkt an Verbraucher. – b) *Leicht verderbliche und nur besonders schwer in kleineren Mengen verteilbare convenience goods* (Lebensmittel, Nahrungs- und Genußmittel u. ä.) über den eingeschalteten Einzelhandel, am zweckmäßigsten in Verbindung mit einer Verkaufsschau bzw. Demonstration (mit Verprobung), die von geschulten Händlern bzw. Propagandisten des Herstellers getragen werden. – c) Bei *shopping goods* kostenlose Proben kaum möglich; bei bestimmten *specialty goods* (Elektrogeräte, Kfz u. ä.) für eine bestimmte Zeit kostenlose Überlassung zu Testzwecken.

**kostenlose Produkte,** *free good,* Naturalrabatt (→Rabatt) bei Überschreiten einer vorgegebenen Bestellmenge (Einkaufseinheit). K. P. können als Maßnahme der →Verkaufsförderung eingesetzt werden.

**kostenmäßige Preisuntergrenze,** →Preisuntergrenze II 1.

**Kostenminimum,** Begriff der Kostentheorie: Beschäftigungspunkt, bei dem die →Stückkosten ihr Minimum erreichen. Bei linearem Kostenverlauf liegt das K. bei der höchstmöglichen Ausbringungsmenge (Grenze der →Kapazität). – Vgl. auch →Kostenoptimum.

**Kostenminimumverfahren,** →klassisches Transportproblem IV.

**kostenniveauneutrale Lohnpolitik,** →Lohnpolitik III 2.

**Kosten-Nutzen-Analyse,** *Cost-Benefit-Analysis, Nutzen-Kosten-Analyse, Benefit-Cost-Analysis,* auf der Wohlfahrtstheorie beruhendes, v. a. in öffentlichen Haushaltswirtschaften angewendetes Verfahren zur vergleichenden Bewertung von Objekten oder Handlungsalternativen, insbes. öffentlicher Infrastruktur-Investitionsvorhaben. – *Darstellung:* Die zukünftigen, auf den gegenwärtigen Zeit-

punkt abdiskontierten Kosten und Nutzen (Erträge) des einzelnen Projekts werden bestimmt und mit den entsprechenden Größen alternativer Investitionsobjekte verglichen. Gewählt wird die Alternative mit der größten Differenz zwischen Nutzen (Erträgen) und Kosten. – Begründung dieses Entscheidungskriteriums in der →Wohlfahrtstheorie, nach der die Kosten eines Investitionsobjektes als Minderung, seine Erträge als Zuwachs gesellschaftlicher Wohlfahrt verstanden werden. Die Sicherung der Rationalität staatlicher Investitionsentscheidungen mittels K.-N.-A. hängt u. a. davon ab, ob die einzelnen Kosten- und Nutzendeterminanten ausreichend quantifiziert werden können. – *Hauptproblem:* Da die Bewertungsmaßstäbe der Kosten und Nutzen, der Umfang der in das Kalkül einbezogenen »externen Effekte, die Bestimmung des Diskontfaktors sowie die Berücksichtigung von Nebenwirkungen nicht „objektiv" festgelegt werden können, ist die K.-N.-A. manipulationsanfällig. – *Wichtige Anwendungsgebiete:* Umwelt- und Entwicklungsökonomik. – Vgl. auch →Nutzwertanalyse, →Kosten-Wirksamkeits-Analyse.

**Kostenoptimum,** Begriff der Kostentheorie: Produktausbringung eines Betriebs oder eines Betriebsteils, bei der der Quotient

$$\frac{K}{x}$$

(K = Gesamtkosten; x = Anzahl der Ausbringungseinheiten) minimal ist. Im K. stimmen bei bestimmten Kostenverläufen →Durchschnittskosten und →Grenzkosten überein. – Vgl. auch →Kostenminimum, →Kostenverlauf.

**Kostenordnung,** Gesetz über die Kosten in Angelegenheiten der →freiwilligen Gerichtsbarkeit vom 26.7.1957 (BGBl I 960) mit späteren Änderungen. Regelt die Kosten auf dem Gebiet des Freiwilligen Gerichtsbarkeits-Gesetzes (FGG) einschl. der Notare.

**Kostenplanung,** Planung der Einzel- und Gemeinkosten in der Plankostenrechnung. – *Planungszeitraum:* Je nach Besonderheiten der Unternehmungen und Branchen, allgemein monatlich. – 1. *Beschäftigungsplanung (Bezugsgrößenplanung):* Bestimmung der Planbezugsgrößen (→Bezugsgröße) aufgrund der zukünftig zu erwartenden Durchschnittsproduktion. – *Verfahren:* a) →Kapazitätsplanung und b) →Engpaßplanung. – 2. *Einzelkostenplanung:* Unterschiedlich nach Einzelmaterial-, Einzellohnkosten und Sondereinzelkosten der Fertigung und des Vertriebs (→Einzelkosten, →Sondereinzelkosten). Die Planung erfolgt kostenträgerweise aufgrund exakter technischer Messungen und Kalkulationen. – 3. *Gemeinkostenplanung:* Planmäßige Festlegung der einzelnen Gemeinkostenarten je Kostenstelle mit Hilfe von Bezugsgrößen

(→Gemeinkosten). – 4. *Kontrolle der K.:* Vgl.
→Kostenkontrolle, →Soll-Ist-Vergleich.

**Kostenplatz,** elementare Abrechnungsbezirke
innerhalb von →Kostenstellen. K. werden
insbes. dann eingerichtet, wenn innerhalb
einer Kostenstelle unterschiedliche Leistungsarten erbringende Leistungsstellen (z. B. einzelne Produktionsanlagen oder Arbeitsplatz-
bereiche) vorhanden sind, die gesondert kalkuliert werden sollen. – *Formen:* →Logistik-
kostenplatz. – Vgl. auch →Kostenplatzrech-
nung.

**Kostenplatzrechnung,** *Platzkostenrechnung,*
Verfeinerung der →Kostenstellenrechnung,
die die einer Kostenstelle zugerechneten
Kosten auf einzelne, diese Kostenstelle bildende Kostenplätze (→Kostenplatz) aufteilt,
für diese kalkuliert und gesondert weiterverrechnet.

**Kostenpräkurrenz,** zeitliches Voreilen der
Kosten, z. B. durch Lernprozesse erklärbar. –
*Gegensatz:* →Kostenremanenz.

**Kostenpreis. 1.** Verwaltungswirtschaftlicher
*Begriff* für einen gesteuerten Preis. – *Gegensatz:* →Marktpreis; Hilfsmittel staatlicher
Wirtschaftspolitik. K. wurde besonders in der
Zeit der Preisbildungsvorschriften angewandt,
mit denen zwischen 1938 und 1948 das
innerdeutsche Preisniveau stabil gehalten werden sollte. – *Heutige gesetzliche Grundlage* (in
Form des Selbstkostenpreises): →Leitsätze für
die Preisermittlung auf Grund von Selbstkosten (LSP) vom 21.11.1953. Der K. orientiert
sich an den Selbstkosten, zu denen ein bestimmter Satz für Wagnis, Unternehmerlohn
und Gewinn zugeschlagen werden darf. – 2.
Zu *unterscheiden:* a) *Individueller K.:* nach den
Selbstkosten des einzelnen Betriebes festgesetzt, b) →*Gruppenpreis:* je nach den Kosten
einer bestimmten Erzeugergruppe (Handwerk, Industrie, Spezialherstellung u. ä.) festgelegt, c) →*Einheitspreise:* unabhängig von
Standort und individuellen Erzeugungsbedin-
gungen verordnet.

**Kostenprogression,** →progressive Kosten.

**kostenrechnende Einrichtungen,** öffentliche
Einrichtungen auf kommunaler Ebene
(→Kommunalwirtschaft), die ganz oder teil-
weise aus Entgelten finanziert werden. Sie
entsprechen den →Gebührenhaushalten wie
Stadtentwässerung, Straßenreinigung, Müll-
abfuhr, Schlachthöfe und Friedhöfe. Für die
Gebührenkalkulation der K. tritt an die Stelle
der finanzwirtschaftlichen Rechnung
(→Kameralistik) eine betriebswirtschaftliche
→Kostenrechnung.

**Kostenrechnung. I.** C h a r a k t e r i s i e -
r u n g : Zentrales Teilgebiet des internen
→Rechnungswesens, in dem Kosten erfaßt
(→Kostenerfassung), gespeichert, den verschiedensten Bezugsgrößen (z. B. Produkten)

zugeordnet und für spezielle Zwecke ausgewertet, d. h. selektiert, verknüpft und/oder
verdichtet (Kostenauswertung) werden. Die
einzelnen Rechnungszwecke (vgl. V) sind
nicht isoliert voneinander zu sehen, z. B. werden die Kosten einer Zwischenproduktherstel-
lung für Make-or-buy-Entscheidungen, Planungen anzuwendender Fertigungsverfahren,
Festlegungen herzustellender und abzusetzen-
der Produkte sowie für Absatzpreisentschei-
dungen benötigt. Wirtschaftlich erscheint es
somit, die Erfassung von Kosten und Erlösen
streng von der Verrechnung dieser Informationen zu trennen, d. h. eine Grundrechnung
zu bilden, auf die *vielfältige →Auswertungs-
rechnungen* zugreifen. Zur *Unterstützung der
K. durch elektronische Datenverarbeitung* vgl.
→Kostenrechnungssoftware. – Angesichts
wachsenden Wettbewerbsdrucks und größerer
Dynamik der Umwelt kommt einer aussagefähigen, flexiblen und zeitnahen K. eine immer
*größere Bedeutung* zu.

**II.** A d r e s s a t e n  d e r  K . : Anders als das
→externe Rechnungswesen liefert die K. nur
in Ausnahmefällen Informationen für Unter-
nehmensexterne (z. B. Staat im Rahmen der
Kalkulation der Selbstkosten bei öffentlichen
Aufgaben). Hauptsächliche Adressaten sind
interne Stellen, von der Unternehmensleitung
(z. B. periodenbezogene →Deckungsbeitrags-
rechnungen) bis hin zu einzelnen Kostenstel-
lenleitern (Vorgabe von →Plankosten und
→Abweichungsanalysen) und Disponenten
(z. B. Instandhaltungskosten zur Bestimmung
des optimalen Ersatzzeitpunktes von Anlagen).

**III.** T e i l b e r e i c h e : 1. →*Kostenartenrechnung:* Erfassung der Kosten, gegliedert nach
den primären Kostenarten. – 2. →*Kostenstellenrechnung:* Erfassung der Kosten für Verrechnung zwischen Kostenstellen; Erfassung
in detaillierter Form, d. h. für Kostenplätze,
im Rahmen der →*Kostenplatzrechnung.* – 3.
→*Kostenträgerrechnung:* Kostenausweis je
Kostenträger. – Vgl. auch →Erfassungstech-
nik der Kostenrechnung.

**IV.** K . s y s t e m e : K.ssysteme sind eine zur
Erfüllung bestimmter Rechnungszwecke (vgl.
V) bzw. -bereiche konzipierte Gesamtheit von
Regeln zur Erfassung, Speicherung und Auswertung von Kosten. I. d. R. erfolgt die Differenzierung anhand der *Kriterien:* a) Zeitbezug
der Kostengrößen: Es werden →Istkosten-
rechnung, →Normalkostenrechnung und
→Plankostenrechnung unterschieden; b) Art
und Umfang der Kostenverrechnung: Es werden →Vollkostenrechnung und →Teilkosten-
rechnung unterschieden. Durch Kombination
beider Kriterien ergeben sich die Varianten
von K.ssystemen.

**V.** Z w e c k / Z w e c k b e r e i c h e : Ursprünglich diente die K. primär der Preiskalkulation
und der Wirtschaftlichkeitskontrolle einzelner

Betriebsteile; zunehmend wird sie jedoch als Instrument zur Fundierung und Kontrolle von Entscheidungen angesehen. – 1. *Unternehmerische Grundsatzentscheidungen:* Kosten- und Erlösinformationen sind insbes. für periodenbezogene Planung, Kontrolle und Analyse des Erfolgs des Gesamtunternehmens notwendig; diese Informationen sind „standardmäßig" laufend bereitzustellen. Andere unternehmerische Grundsatzentscheidungen (z. B. Diversifikation, Standortwahl) erfordern fallweise ermittelte Kosten- und Erlösdaten. – 2. *Preispolitik:* Kosten- und Erlösdaten werden zur Festlegung und Überprüfung der Angebotspreise benötigt. Angebotspreise können nicht direkt aus der Kostensituation eines Unternehmens abgeleitet werden (Ausnahme: Preisbildung für bestimmte öffentliche Aufträge); Aufgabe der K. ist die Ermittlung von →Preisuntergrenzen. – 3. *Vertriebspolitik:* Dient der Analyse und Überwachung von Verkaufsgebieten, Kundengruppen, Kunden und Vertriebswegen; der differenzierte Ausweis von Kosten, Erlösen und Deckungsbeiträgen läßt Stärken und Schwächen der absatzwirtschaftlichen Potentiale erkennen, gezielte absatzpolitische Maßnahmen werden ermöglicht. – 4. *Produktionsprogrammplanung:* K. zeigt detailliert die Erfolgsstruktur der einzelnen Programmkomponenten auf, u. a. die genaue kostenmäßige Abbildung der einzelnen zur Leistungserstellung erforderlichen Produktionsvorgänge. – 5. *Ablaufplanung:* K. ermittelt die erfolgsmäßigen Wirkungen unterschiedlicher Fertigungsverfahren, Bearbeitungsreihenfolgen, Bearbeitungsquanten (Losgrößen) und unterschiedlicher Fertigungstermine; sie liefert somit die informatorische Grundlage für Optimierungsrechnungen und Vorgaben für die bzw. Kontrollen der Kostenstellenleiter. – 6. *Beschaffungs- bzw. Bereitstellungsplanung:* z. B. Kostenvergleiche zur Lösung von Make-or-buy-Problemen, Ermittlung von →Preisobergrenzen im Einkauf. – Vgl. auch →Kostenrechnungsgrundsätze, →Kostenrechnungsrichtlinien.

**Kostenrechnungsgrundsätze,** Abkürzung für die *Allgemeinen Grundsätze der Kostenrechnung* vom 16. 1. 1939; ein von der Organisation der gewerblichen Wirtschaft gerichteter Regierungserlaß, mit dem der einheitliche Aufbau, die richtige Ausgestaltung und Auswertung der →Kostenrechnung gesichert werden sollte. – *Inhalt:* a) Mindestanforderungen für Erfassung und Verrechnung der Kosten; b) Hinweise für den Aufbau der Kostenarten-, Kostenstellen- und Kostenträgerrechnung. – Vgl. auch →Kostenrechnungsrichtlinien.

**Kostenrechnungsrichtlinien,** aufgrund der →Kostenrechnungsgrundsätze vom 16. 1. 1939 und der Kostenrechnungsregeln der ehemaligen Reichsgruppe Industrie vom 7. 3. 1942 für die verschiedenen Wirtschaftsgruppen aufgestellt. Die K. dienten dem Aufbau der →Kostenrechnung und der →Betriebsabrechnung nach Bedürfnissen der einzelnen Industriezweige unter besonderer Beachtung der Kostenstellen- und Kostenträgerrechnung.

**Kostenrechnungssoftware,** Programme zur EDV-gestützten Durchführung der →Kostenrechnung, z. B. →computergestützte Kosten- und Leistungsrechnung.

I. B e d e u t u n g : Bis auf wenige Kleinbetriebe ist eine manuelle Erstellung der Kostenrechnung nicht wirtschaftlich, in der Praxis nicht vorfindbar. Mit Unterstützung der Datenverarbeitung lassen sich die Anforderungen Aktualität, Flexibilität, vielfältige Auswertbarkeit und Wirtschaftlichkeit gleichermaßen verwirklichen. Die schnelle Weiterentwicklung der DV und dadurch angestoßene Veränderungen der Leistungserstellung (insbes. CIM) bedingen in Zukunft noch engere Kopplungen der Kostenrechnung mit anderen betrieblichen Informationssystemen, speziell Betriebsdatenerfassungssystemen, die nur bei vollständigem DV-Betrieb der Kostenrechnung möglich sind.

II. E n t w i c k l u n g s s t u f e n : 1. *(Betriebsindividuelle) Eigenprogrammierung:* Im Unternehmen selbst konzipierte, gewartete und weiterentwickelte K., zumeist für spezielle Teilbereche (z. B. Erfassung und Abrechnung der Personalkosten); noch heute dominierend (aufgrund des hohen Umstellungsaufwands) in Großunternehmen. – 2. →*Standardsoftware:* Steht seit Anfang der 80er Jahre zur Verfügug; hat inzwischen einen Leistungsstandard erreicht, der eine vollständige Eigenprogrammierung i. d. R. unwirtschaftlich macht. – *Leistungsmerkmale:* (1) *Enger Verbund zur* →*Finanzbuchhaltung:* Hierdurch werden u. a. Erfassungskosten gesenkt. In einigen Systemen ist der Rückgriff bis auf den einzelnen Buchungsbeleg möglich („Einzelpostennachweis"). – (2) *Parallelkalkulation:* Parallel können die Softwaresysteme die →Vollkosten und die →Teilkosten (→variable Kosten, →Einzelkosten) der Kostenträger ermitteln. – (3) *Dialogisierung* (→Dialogbetrieb): Dem Benutzer wird i. a. diese Möglichkeit bzgl. Datenerfassung und -auswertung eingeräumt; ein erheblicher Teil der Datenverarbeitung (z. B. Durchführung der Betriebsabrechnung) erfolgt weiterhin im →Stapelbetrieb. – (4) *Weiterentwicklungsbedürftigkeit der Kostenträgerrechnung,* die in den meisten Standardsoftwarekonzepten noch Schwächen aufweist. – 3. *K. für Personal Computer:* Im Rahmen der PC-Unterstützung der Kostenrechnung lassen sich Softwarepakete, die die gesamte Kostenrechnung auf PC durchführen und insbes. auf Kleinbetriebe zugeschnitten sind, von Standardsoftware unterscheiden, die einzelnen Stellen im Unternehmen von der zentralen Kostenrechnung autonome Kostenanalysen ermöglicht. Hilfsmittel hierzu sind insbes. →Tabellenkalkulationsysteme.

III. Weiterentwicklungstrends: 1. Die K. wird stärker *datenbankorientiert* gestaltet (→Datenbank; vgl. auch →Datenorganisation). Diese, vom Grundprinzip her mit dem Aufbauprinzip Kostenrechnung (Konzept der Bildung einer Grundrechnung und Anwendung vielfältiger Auswertungsrechnungen, →Kostenrechnung I) deckungsgleiche Form der Datenorganisation ermöglicht eine universelle Auswertbarkeit der gespeicherten Daten, stößt derzeit jedoch noch an Grenzen der Verarbeitungsgeschwindigkeit und Wirtschaftlichkeit. – 2. *Stärkere Einbeziehung des Endbenutzers in die Erstellung von Auswertungen:* Es erfolgt eine Kopplung von PC an die in der zentralen DV geführte Kostenrechnung. – 3. *Stärkere Kopplung* der Kostenrechnung *als kaufmännisches Informationssystem an technische Informationssysteme.*

**Kostenrechnungssystem,** →Kostenrechnung IV.

**Kostenremanenz,** *Kostenresistenz,* Kostenverlauf im Falle rückläufiger Beschäftigung, bei der die Gesamtkosten vielfach nicht auf der gleichen Kostenkurve $K_a$ zurücklaufen, mit der sie vorher bei steigender Beschäftigung zugenommen haben. Sie fallen entsprechend einer darüberliegenden Kostenkurve $K_r$. Die höheren Kosten werden als remanente Kosten bezeichnet. Die K. kann als Remanenzschleife (Hysteresis-Schleife, Abb. a) und als remanenter Kostensprung (Abb. b) auftreten. – *Ursachen:* Andersartige Anpassung bei Beschäftigungsabnahmen als bei Beschäftigungszunahmen aus arbeitsrechtlichen, wirtschaftlichen, sozialen, betriebspolitischen, arbeitsorganisatorischen oder psychologischen Gründen. Die K. sollte deshalb nicht unbedingt als ein Nachhinken der Kosten bei Beschäftigungsrückgang, sondern als ein Wirksamwerden anderer →Kostenbestimmungsfaktoren aufgefaßt werden. – *Gegensatz:* →Kostenpräkurrenz.

**Kostenresistenz,** →Kostenremanenz.

**Kostenschätzungsmodelle.** 1. *Begriff:* Im →Software Engineering verwendete Modelle zur Prognose der Kosten, die für die *Entwicklungsphase* eines →Softwareprodukts (z.T. auch für den ganzen →software life cycle) zu erwarten sind. – 2. *Arten:* Zahlreiche Modelle in Literatur und Praxis entwickelt; z.T. sehr einfache Vorgehensweisen (z.B. Analogieschluß aufgrund früherer Projekte); oft Schätzung aufgrund des Umfangs der →Programme *(→lines of code);* z.T. auch differenzierte Schätzverfahren. – 3. *Bewertung:* Prinzipiell wichtige Hilfsmittel für das →Projektmanagement, aber meist ungenau aufgrund vieler nicht ausreichend quantifizierbarer Faktoren.

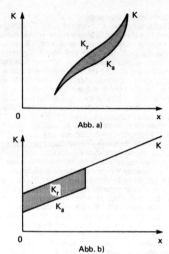

Abb. a)

Abb. b)

Kritisch ist die Basis „lines of code", da schlechte Maßgröße für alle Phasen des Software life cycle außer der Phase der →Implementierung.

**Kostenschlüssel,** →Gemeinkostenschlüsselung.

**Kostenschwelle,** →Break-even-Punkt.

**Kostenspaltung,** →Kostenauflösung.

**Kostenspirale,** Kostenverlauf bei Kombination von Maßnahmen →zeitlicher Anpassung und →quantitativer Anpassung. Es treten aufsteigende (absteigende) K. dann auf, wenn das Faktorpreisniveau steigt (sinkt) und bei Beschäftigungsrückgang der Abbau von fixen Kosten nicht in vollem Umfang geschieht.

**Kostenstatistik,** →betriebswirtschaftliche Statistik 4.

**Kostenstelle.** 1. *Begriff:* Spezielle →Bezugsgröße der Kostenrechnung. K. sind als Orte der Kostenentstehung funktionell, nach Verantwortungsbereichen, nach räumlichen Gesichtspunkten, nach Kostenträgergesichtspunkten, nach speziellen abrechnungs- oder leistungstechnischen Gesichtspunkten rechnungsmäßig abgegrenzte institutionelle Teile des Gesamtbetriebs, für die Kosten separat erfaßt werden. – 2. *Bestandteile:* (1) →Kostenstelleneinzelkosten und (2) →Kostenstellengemeinkosten. – 3. *Arten:* a) →Vorkostenstelle oder →Endkostenstelle; b) →Hauptkostenstelle oder →Nebenkostenstelle; c) →Hilfskostenstelle. – 4. *Prinzipien der Bildung von K.:* Innerhalb einer K. sollte stets eine eindeutige Beziehung zwischen den anfallenden Kosten und den erzeugten Leistungen bestehen. – Zur Wirtschaftlichkeitserzielung und -kontrolle sollte eine Identität zwischen Kostenstelle und Verantwortungsbereich vorliegen. – K. sollten klar voneinander abgegrenzt sein. – Der Grad der Kostenstellendifferenzierung sollte Gegenstand einer Wirtschaftlichkeitsüberlegung sein. – Vgl. auch →Kostenplatz, →Erfassungskostenstellen, →Kostenstellenrechnung.

**Kostenstellenausgleichsverfahren,** →innerbetriebliche Leistungsverrechnung III 2.

**Kostenstelleneinzelkosten,** *Stelleneinzelkosten,* Kosten, die sich für eine einzelne →Kostenstelle exakt erfassen lassen (z. B. Kosten des Kostenstellenleiters). In der Vollkostenrechnung umfassen die K. keine Kostenträgereinzelkosten (→Einzelkosten 2), z. B. Kosten des in einer Fertigungskostenstelle verbrauchten Rohstoffs. Auslegungsvariante des Begriffs →Einzelkosten; vgl. auch →relative Einzelkosten. – *Gegensatz:* →Kostenstellengemeinkosten.

**Kostenstellengemeinkosten,** *Stellengemeinkosten,* Kosten, die sich nur mehreren →Kostenstellen gemeinsam exakt zurechnen lassen, z. B. Kosten des Werksleiters, bezogen auf die ihm untergeordneten Fertigungskostenstellen. Sie können nur durch Schlüsselung (→Gemeinkostenschlüsselung) auf die einzelnen Kostenstellen umgelegt werden. Auslegungsvariante des Begriffs →Gemeinkosten; vgl. auch →relative Gemeinkosten. – *Gegensatz:* →Kostenstelleneinzelkosten.

**Kostenstellenrechnung,** Teilbereich der →Kostenrechnung, in dem Kosten für →Kostenstellen erfaßt und zwischen diesen verrechnet werden. – *Aufgaben der K.* in den meisten Kostenrechnungssystemen: (1) Erfassung und ggf. Planung der den Kostenträgern nicht direkt zurechenbaren Kostenträgergemeinkosten (→Gemeinkosten) am Ort des Kostenanfalls (Kostenstelle); eine Wirtschaftlichkeitskontrolle soll somit ermöglicht werden (vgl. auch →Plankostenrechnung). (2) Verrechnung der kostenstellenbezogen erfaßten Kosten vollständig (→Vollkostenrechnung) oder nur zum Teil (→Teilkostenrechnung) auf die Kostenstellen (→innerbetriebliche Leistungsverrechnung →Betriebsabrechnung), die unmittelbar an der Erstellung der Produkte mitwirken (→Endkostenstellen), um von diesen in der →Kostenträgerrechnung eine Weiterwälzung auf die Kostenträger vornehmen zu können. – *Verfeinerung:* →Kostenplatzrechnung.

**Kostenstellenumlageverfahren,** →innerbetriebliche Leistungsverrechnung II 3.

**Kostenstellenvergleich,** →Kostenvergleich.

**Kostensteuern.** 1. *Kalkulation:* Steuern, die als Kostenbestandteile in die Kalkulation eingehen, insbes. alle gewinnunabhängigen, vom Betrieb zu tragenden Steuern. – Berücksichtigung von Steuern im Falle *öffentlicher Aufträge:* Vgl. →Leitsätze für die Preisermittlung auf Grund von Selbstkosten (LSP) II 3 e). – 2. *Amtliche Statistik:* Steuern, die bei Ermittlung des Gewinns abgesetzt werden dürfen. K. werden in den →Kostenstrukturstatistiken gesondert erfaßt sowie im Zusammenhang mit Ermittlung der →Wertschöpfung und Berechnung des →Sozialprodukts geschätzt.

**Kostenstruktur,** Verhältnis von Teilen einer Kostensumme untereinander. K. werden insbes. auf Kostenarten (relativer Anteil der Materialkosten, Anlagenkosten, Personalkosten usw.) und auf Kostenabhängigkeiten bezogen (relativer Anteil der variablen Kosten und der fixen Kosten) betrachtet.

**Kostenstrukturstatistik,** laufende, vom Statistischen Bundesamt zentral durchgeführte →Repräsentativerhebungen: a) Jährlich mit Auskunftspflicht bei Unternehmen des →Produzierenden Gewerbes, b) vierjährlich auf freiwilliger Basis in den Bereichen Handwerk, soweit nicht zum Produzierenden Gewerbe rechnend (→Handwerksstatistik), Verkehrsgewerbe (→Verkehrsstatistik), Freie Berufe, Handelsvertreter und Handelsmakler, Großhandel, Buch- u. ä. Verlage (bei Verlagen, die Zeitungen und Zeitschriften herstellen, im Rahmen der →Pressestatistik zweijährlich), Einzelhandel (→Handelsstatistik), Gastgewerbe. – *Gesetzliche Grundlage:* KoStrukStatG vom 12. 5. 1959 (BGBl I 245) i. d. F. der Bekanntmachung vom 30. 5. 1980 (BGBl I 641). – *Hauptsächliche Erhebungstatbestände:* Kosten nach Kostenarten, ausgewählte Posten des Jahresabschlusses, Umsatz, Beschäftigte. Gliederung und Darstellung der Ergebnisse nach Wirtschafts- und Größenklassen.

**Kostensubstitution,** aus der Preistheorie von Cassel in die moderne Wirtschaftstheorie übernommener Begriff zur Überwindung der statischen Kostentheorie. K. wird durch die dispositive Leistung der Geschäftsleitung ausgelöst im Interesse quantitativer oder qualitativer →Anpassung an die Faktorkosten an die Marktlage.

**Kostentabelle für Zivilprozesse,** tabellarische Zusammenstellung der nach dem Gerichtskostengesetz bzw. der Gebührenordnung für Rechtsanwälte errechneten Gerichtskosten und Rechtsanwaltsgebühren (auszugsweise). Eine Gebühr (sog. $^{10}/_{10}$-Gebühr, weil zum Teil auch $^{15}/_{10}$- oder $^{3}/_{10}$- usw. -Gebühren vorgesehen sind) beträgt: Vgl. Sp. 3017. Wesentlich höher sind die i. d. R. mehrere Gebühren und andere Kosten umfassenden →Prozeßkosten.

### Kostentabelle für Zivilprozesse

| Streit-<br>wert<br>bis DM | Gerichts-<br>kosten<br>DM | Gebühr des<br>Rechtsanwalts<br>DM |
|---|---|---|
| 300 | 15 | 40 |
| 600 | 24 | 55 |
| 900 | 33 | 70 |
| 1 200 | 42 | 85 |
| 1 500 | 51 | 100 |
| 1 800 | 60 | 115 |
| 2 100 | 69 | 130 |
| 2 400 | 78 | 145 |
| 2 700 | 87 | 160 |
| 3 000 | 96 | 175 |
| 3 500 | 105 | 201 |
| 4 000 | 114 | 227 |
| 4 500 | 123 | 253 |
| 5 000 | 132 | 279 |
| 5 500 | 132 | 305 |
| 6 000 | 150 | 331 |
| 6 500 | 159 | 357 |
| 7 000 | 168 | 383 |
| 7 500 | 117 | 409 |
| 8 000 | 186 | 435 |
| 8 500 | 195 | 461 |
| 9 000 | 204 | 487 |
| 9 500 | 213 | 513 |
| 10 000 | 222 | 539 |
| 11 000 | 234 | 570 |
| 12 000 | 246 | 601 |
| 13 000 | 258 | 632 |
| 14 000 | 270 | 663 |
| 15 000 | 282 | 694 |
| 16 000 | 294 | 725 |
| 17 000 | 306 | 756 |
| 18 000 | 318 | 787 |
| 19 000 | 342 | 849 |
| 20 000 | 342 | 849 |
| 25 000 | 378 | 914 |
| 30 000 | 414 | 979 |
| 35 000 | 450 | 1 044 |
| 40 000 | 486 | 1 109 |
| 45 000 | 522 | 1 174 |
| 50 000 | 558 | 1 239 |
| 100 000 | 918 | 1 889 |
| 500 000 | 3 438 | 3 869 |
| 1 000 000 | 6 318 | 5 789 |

**Kostentheorie. I. Betriebswirtschafts-lehre:** Teilgebiet der →Produktions- und Kostentheorie. Die K. untersucht a) die Wirkung der →Kostenbestimmungsfaktoren, die für die Höhe der Kosten maßgeblich sind, und b) den Kostenverlauf in Abhängigkeit von den Einflußgrößen, Beschäftigung und Kapazität. – Der Ursprung der K. lag in der Erklärung des Ertragsgesetzes und seiner Umkehrung zum Kostengesetz.

**II. Volkswirtschaftslehre:** Hat sich im Gegensatz zur betriebswirtschaftlichen K. nicht entwickelt. Für das Faktoreinsatzverhältnis sind letztlich nur die Faktorpreisrelationen, nicht aber die absoluten Faktorpreise relevant. Da die Faktorpreisrelationen zusammen mit den eingesetzten Faktormengen die Verteilungsquoten (→Lohnquote, →Gewinnquote) determinieren, ist die funktionelle →Verteilungstheorie an die Stelle der K. getreten.

**Kostentragbarkeitsprinzip,** →Tragfähigkeitsprinzip.

**Kostenträger,** wichtige Art von →Bezugsgröße. Als K. werden die Absatzleistungen

oder →innerbetrieblichen Leistungen bezeichnet, denen in der →Kostenträgerrechnung bzw. →Kalkulation oder →Kostenstellenrechnung bzw. →innerbetrieblichen Leistungsverrechnung Kosten zugerechnet werden. – Vgl. auch →Kostenarten, →Kostenstellen.

**Kostenträgereinzelkosten,** →Einzelkosten 2.

**Kostenträgergemeinkosten,** →Gemeinkosten.

**Kostenträgerrechnung,** Teilbereich der →Kostenrechnung, der Kosten für →Kostenträger direkt aus der →Kostenartenrechnung (→Einzelkosten) oder mit Hilfe von Kalkulationsverfahren (→Kalkulation) aus der →Kostenstellenrechnung übernimmt und pro Kostenträger für die gesamte Abrechnungsperiode (→Kostenträgerzeitrechnung) oder pro Einheit eines Kostenträgers (Kostenträgerstückrechnung, →Kalkulation) ausweist.

**Kostenträgerstückrechnung,** →Kalkulation.

**Kostenträgerverfahren,** →innerbetriebliche Leistungsverrechnung III 3.

**Kostenträgervergleich,** →Kostenvergleich.

**Kostenträgerzeitrechnung,** Teilgebiet der →Kostenträgerrechnung, das die für die →Kostenträger in der betrachteten Abrechnungsperiode (z. B. Monat, Quartal oder Jahr) jeweils angefallenen Kosten ausweist. – *Abgrenzung der K. zur Kostenträgerstückrechnung* (→Kalkulation): Vom grundsätzlichen Vorgehen her bestehen keine Unterschiede; spezifische Erfassungsprobleme treten nur durch die Berücksichtigung von Lagerbeständen und -bestandsveränderungen auf (→Gesamtkostenverfahren, →Umsatzkostenverfahren). – *Erweiterung:* Kostenträgererfolgsrechnung (Einbeziehung von →Erlösen).

**Kostentragfähigkeitsprinzip,** →Tragfähigkeitsprinzip.

**Kostenüberdeckung,** Sachverhalt, daß die in einem Abrechnungszeitraum innerhalb der →Kostenrechnung weiterverrechneten Kosten höher sind als die tatsächlich entstandenen. K. ergeben sich (1) in der →Kostenstellenrechnung insbes. als Unterschied zwischen Soll- und Istkosten, (2) in der →Kostenträgerrechnung als Unterschied zwischen normalen und effektiven Zuschlagssätzen. K. werden am Periodenende entweder entsprechend dem tatsächlichen Kostenanfall nachverrechnet oder gehen direkt in das →Betriebsergebnis ein. – *Gegensatz:* →Kostenunterdeckung.

**Kostenüberwälzung,** →innerbetriebliche Leistungsverrechnung, →Gemeinkostenschlüsselung.

**Kostenumlage,** pauschale Verrechnung von Gemeinkosten in der Kostenstellenrechnung (innerbetriebliche Leistungsverrechnung) mit Hilfe von Schlüsseln (→Gemeinkostenschlüsselung).

**Kosten- und Leistungsrechnung,** *Betriebsergebnisrechnung,* i. a. mit →Kostenrechnung deckungsgleich verwandter Begriff, der nicht beinhaltet, eine eigenständige Teilrechnung zur Erfassung, Speicherung und Auswertung von Leistungsinformationen zu implementieren. Leistungen werden nur insofern berücksichtigt, als sie häufig Zurechnungsobjekte von Kosten sind (z. B. innerbetriebliche Leistungsverrechnung). – Vgl. auch →computergestützte Kosten- und Leistungsrechnung.

**Kostenunterdeckung,** Sachverhalt, daß die in einem Abrechnungszeitraum innerhalb der →Kostenrechnung weiterverrechneten Kosten niedriger sind als die tatsächlich entstandenen. K. ergeben sich (1) in der →Kostenstellenrechnung als Unterschied zwischen Soll- und Istkosten, (2) in der →Kostenträgerrechnung als Unterschied zwischen normalen und effektiven Zuschlagssätzen. K. werden am Periodenende entsprechend dem tatsächlichen Anfall nachverrechnet oder gehen direkt in das →Betriebsergebnis ein. – *Gegensatz:* →Kostenüberdeckung.

**Kostenvergleich,** Kontrollinstrument zur Überwachung des Kostenanfalls und damit zur Steigerung der →Wirtschaftlichkeit. – *Arten:* 1. *Zeitvergleich:* Vergleich der Kosten eines Zeitabschnitts mit den Kosten eines anderen Zeitabschnitts. – 2. *Zwischenbetrieblicher Vergleich:* Vergleich der in einer Periode anfallenden Kosten mehrerer Unternehmungen, a) unmittelbar mit denen eines anderen Betriebs gleicher Branche, Größe und Struktur; b) mittelbar nach Kenn- bzw. Richtzahlen; c) ausschl. der beeinflußbaren (variablen) Kosten. – 3. *Innerbetrieblicher Vergleich:* Vergleich von angefallenen Kosten innerhalb einer Unternehmung, der sich auf unterschiedliche Perioden und auf die Kosten derselben Periode beziehen kann. Der K. erstreckt sich prinzipiell auf alle Bezugsgrößen: Kostenarten-, Kostenstellen- und Kostenträgervergleich. Vgl. im einzelnen →Betriebsvergleich.

**Kostenvergleichsrechnung,** statisches Verfahren der →Investitionsrechnung (vgl. dort II). Beurteilung der Vorteilhaftigkeit von →Investitionen durch Gegenüberstellung der relevanten Kosten der einzelnen Investitionsalternativen.

**Kostenverlauf.** I. **Begriff:** Wirtschaftstheoretische Darstellung der Abhängigkeit zwischen Kostenentwicklung und mengenmäßiger Ausbringung (Output). Als *Kostenkurve* unter der Voraussetzung konstanter Faktorpreise. – Der K. ergibt sich aufgrund der →Kostenbestimmungsfaktoren.

II. **Der gekrümmte Gesamtkostenverlauf** wird erklärt: (1) indem gesagt wird,

die *Kostenfunktion sei die Umkehrfunktion zur Ertrags-Funktion* (Spiegelung), also müsse die Kurve der Gesamtkosten auch „umgekehrt" wie die Kurve des Gesamtertrags verlaufen, d. h. S-förmig; (2) als *intensitätsmäßiger Anpassungsprozeß.*

1. Die Veränderung der Gesamtkosten K bei Änderung der Ausbringung um kleinste Mengen ergibt die *Grenzkosten* K'. Sie sind mathematisch die erste Ableitung der Gesamtkostenfunktion. Die Grenzkosten sind das Verhältnis der Kostenzunahme $\Delta K$ zu der zugehörigen Ausbringungszunahme $\Delta x$. $K' = \Delta K : \Delta x$. $\Delta x$ wird immer kleiner angesetzt, d. h. geht gegen Null, wird aber doch nicht Null. Die Produktmengenzunahme wird infinitesimal. Statt $\Delta K$ und $\Delta x$ heißt es nun dK und dx:

$$K' = \frac{dK}{dx}$$

Dieses ist aber nichts anderes als der Tangens des Winkels, den die Tangente an einen Punkt der Gesamtkostenkurve mit der positiven Richtung der x-Achse bildet.

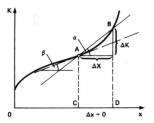

Mit dem Übergang vom $\Delta K : \Delta x$ nach dK : dx wird der Sekantenwinkel tg$\alpha$ zum Tangentenwinkel tg$\beta$. Die Größe tg$\beta$ stellt die →Grenzkosten für den Kostenpunkt A bei der Ausbringung OC dar. Für jeden Punkt der Kostenkurve lassen sich die Grenzkosten ermitteln; sie geben die Steigung der Gesamtkosten wieder, die Gesamtkosten weisen bis zum Wendepunkt der Gesamtkosten fallende bzw. abnehmende Grenzkosten auf. Danach nehmen die Grenzkosten wieder zu. Ihr Minimum liegt dort, wo die Gesamtkostenkurve ihren Wendepunkt W hat. Die Gesamtkosten K setzen sich aus fixen Kosten $K_f$ und variablen Kosten $K_v$ zusammen. $K = K_f + K_v$. Zuwachs oder Abnahme der fixen Kosten bei Beschäftigungsänderungen = O. Nur die variablen Gesamtkosten $K_v$ beeinflussen und bestimmen die Grenzkosten.

2. Die Gesamtkosten K dividiert durch die Ausbringung x ergeben die *Durchschnitts-* oder *Stückkosten* k [k = K : x]. Diese Größe ist der Tangens des Winkels, den der →Fahr-

strahl (Verbindungslinie) vom Koordinatenursprungspunkt zu einem Punkt der Gesamtkostenkurve mit der positiven Richtung der x-Achse bildet. Die Stückkosten fallen mit zunehmender Ausbringung bis zu dem Punkt, an dem der Fahrstrahl die Gesamtkostenkurve tangiert. Von nun an steigen die Stückkosten bei weiter zunehmender Ausbringung. Dort, wo der Fahrstrahl die Gesamtkostenkurve tangiert, liegt das Minimum der Durchschnittskostenkurve. In diesem Punkt ist der Fahrstrahl gleichzeitig Tangente. Der Tangentenwinkel gibt die Höhe der Grenzkosten an, also müssen Grenzkosten und Durchschnittskosten gleich sein: die Kurve der Grenzkosten schneidet die der Durchschnittskosten in ihrem Minimum. K' schneidet k von unten kommend, da der Tangentenwinkel bis zum Schnittpunkt von k und K' immer kleiner ist als der Winkel des Fahrstrahls.

3. Die variablen Gesamtkosten der $K_v$, dividiert durch Ausbringung x, ergeben die *variablen Durchschnitts- oder Stückkosten* $k_v$ [$k_v$ = $K_v : x$]. $K_v x$ ist der Tangens des Winkels, den der Fahrstrahl vom Schnittpunkt der K-Kurve mit der Ordinatenachse zu einem Punkt der Gesamtkostenkurve mit der positiven Richtung der x-Achse bildet. Die variablen Stückkosten fallen mit zunehmender Ausbringung bis zu dem Punkt, an dem der Fahrstrahl die Gesamtkostenkurve tangiert. Hier liegt das Minimum der variablen Durchschnittskosten. Von nun an steigen die variablen Stückkosten bei weiter zunehmender Ausbringung. Im Minimum der variablen Durchschnittskosten ist der Fahrstrahl zur Tangente geworden. Tangenten- und Fahrstrahlwinkel sind gleich, also schneiden die Grenzkosten der variablen Stückkosten von unten kommend die variablen Durchschnittskosten im Minimum.

4. Die fixen Kosten $K_f$, dividiert durch die Ausbringung x, ergeben die *durchschnittlich fixen* Kosten $k_f$ [$k_f$ = $K_f : x$]. $K_f : x$ ist der Tangens des Winkels, den der Fahrstrahl vom Koordinatenursprungspunkt zu einem Punkt der Kurve der fixen Kosten mit der positiven Richtung der x-Achse bildet. Je größer die Ausbringung, desto kleiner wird $k_f$ und nähert sich der x-Achse. – Die Addition von $k_f$ und $k_v$ ergibt k. Die variablen Stückkosten $k_v$ sind immer kleiner als die durchschnittlichen Kosten k. Da $k_f$ mit steigender Ausbringung weniger stark sinkt als $k_v$ wächst, muß die Differenz zwischen k und $k_v$ immer kleiner werden. Die variablen Durchschnittskosten und die gesamten Durchschnittskosten nähern sich einander.

5. *Vier-Phasen-Schema:*. Schematisch ist der Zusammenhang aller Kostenkurven in Sp. 3022 dargestellt.

**III. Der lineare Gesamtkostenverlauf.** Für diesen Fall gibt es fixe Gesamtkosten $K_f$ und proportionale variable Kosten $K_v$.

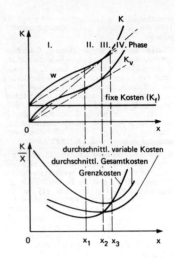

I. Phase: Beschäftigung 0 bis Beschäftigung
$x_1$
(beim Wendepunkt)
K steigt (Degressionszone)
$K_v$ steigt
$K_f$ konstant
k fällt
$k_v$ fällt
$k_f$ fällt
K' fällt (bei $x_1$ Minimum erreicht)

II. Phase: Beschäftigung $x_1$ bis Beschäftigung
$x_2$
(Fahrstrahl an variable Gesamtkosten wird zur Tangente)
K steigt (Progressionszone)
$K_v$ steigt
$K_f$ konstant
k fällt
$k_v$ fällt (bei $x_2$ Minimum erreicht)
$k_f$ fällt
K' steigt

III. Phase: Beschäftigung $x_2$ bis Beschäftigung
$x_3$
(Fahrstrahl an Gesamtkosten wird zur Tangente)
K steigt (Progressionszone)
$K_v$ steigt
$K_f$ konstant
k fällt (bei $x_3$ Minimum erreicht)
$k_v$ steigt
$k_f$ fällt
K' steigt

IV. Phase: Beschäftigung über $x_3$
K steigt (Progressionszone)
$K_v$ steigt
$K_f$ konstant

k　steigt
$k_v$　steigt
$k_f$　fällt
K′　steigt

Die Durchschnittskosten fallen mit zunehmender Ausbringung. Die durchschnittlichen fixen Kosten fallen ebenfalls. Die durchschnittlich variablen Kosten sind konstant. Die Grenzkosten sind konstant. Sie decken sich mit den variablen Durchschnittskosten. Es gibt keine Minima, keinen Wendepunkt, keine Progressionszone und somit kein Vier-Phasen-Schema. Vgl. untenstehende Abbildungen.

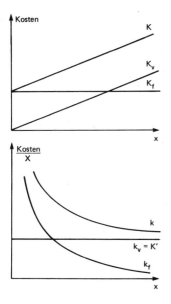

**Kostenverrechnung,** *Kostenverteilung,* Weiterbelastung der bzw. eines Teils der einer bestimmten Bezugsgröße zugeordneten Kosten auf eines oder mehrere andere Bezugsgröße(n). Wichtige Beispiele für K. sind die Entlastung von Vorkostenstellen im Rahmen der →innerbetrieblichen Leistungsverrechnung oder von Endkostenstellen im Rahmen der →Kalkulation. – Vgl. auch →Kostenverteilungsprinzipien, →Gemeinkostenschlüsselung.

**Kostenverteilung,** →Kostenverrechnung.

**Kostenverteilungsprinzipien,** *(Kosten-) Anlastungsprinzipien, (Kosten-)Zurechnungsprinzipien, (Kosten-)Zuordnungsprinzipien,*

Prinzipien, die die Verteilung bzw. Verrechnung von Kosten zwischen unterschiedlichen Bezugsgrößen (→Kostenverrechnung) regeln. Unterschiedliche K. führen zu unterschiedlichen Ergebnissen der Kostenverrechnung. – *Wichtige Prinzipien:* (1) →Verursachungsprinzip (Finalprinzip), (2) →Identitätsprinzip, (3) →Proportionalitätsprinzip, ähnlich das Prinzip der minimalen Gemeinkostenstreuung, (4) →Leistungsentsprechungsprinzip, (5) →Durchschnittsprinzip und (6) →Tragfähigkeitsprinzip, (7) →Prinzip der Gemeinkostenanteilsgleichheit (Kostenanteilsprinzip, Nutzungsprinzip), (8) Anlastung unter unternehmenspolitischen Gesichtspunkten (→Deckungsbudget, →Deckungslast, →Deckungssatz). – Die *Auswahl eines K.* sollte hinsichtlich der zu erfüllenden Rechnungszwecke der →Kostenrechnung (vgl. dort) erfolgen.

**Kostenverteilungsschlüssel,** →Gemeinkostenschlüsselung.

**Kostenverursachungsprinzip,** →Verursachungsprinzip.

**Kostenvoranschlag,** ausführliche fachmännische Berechnung der voraussichtlichen Kosten der im →Werkvertrag versprochenen Arbeit. – *Zweifache Bedeutung:* 1. *Verpflichtung* des Unternehmers (z.B. Handwerkers), das Werk zu der im K. genannten Summe zu erstellen. Keine Mehrforderung möglich, auch wenn die Ausführung wider Erwarten teurer wird. 2. K. zur *Information* des Bestellers, höherer Vergütungsanspruch also nicht ausgeschlossen. Der Besteller kann kündigen (Unternehmer muß anzeigen), wenn sich herausstellt, daß das Werk nicht ohne erhebliche Überschreitung des K. ausführbar ist (§ 650 BGB), andernfalls schuldet er erhöhte Vergütung.

**Kostenwert,** veralteter Begriff für die in Geld ausgedrückten Mengen an Kostengütern (z.B. Material, Fremdleistungen). – *Wichtige Wertansätze:* →Anschaffungskosten, →Herstellkosten, →Herstellungskosten, →Selbstkosten.

**Kostenwerttheorien. I. Wirtschaftstheorie:** Objektivistische Werttheorien, die als Grundlage des Wertes die objektive Brauchbarkeit (= objektiver →Gebrauchswert) eines Gutes und als Maßstab des Wertes die zur Herstellung des Gutes aufgewendeten Kosten ansehen. Die zeitlich vor den →Nutzwerttheorien auftretenden Kostenwerttheorien *scheitern* an der sog. klassischen Wertantinomie (contradiction économique, nach Proudhon): Es gibt viele Güter mit hohem Gebrauchs- und niedrigem Tauschwert (= Preis), z.B. Brot, andererseits Güter mit niedrigem Gebrauchs- und hohem Tauschwert, z.B. Diamanten. Also besteht kein Zusammenhang in dem Sinne, daß ein hoher objektiver Gebrauchswert auch zu einem hohen Preis führt. Aus diesem Dilemma hilft nur die Berücksichtigung des subjetiven Gebrauchswerts (= Nutzen) in Abhängigkeit von der vorhandenen Menge (→Grenznutzen).

II. Kostentheorie: Teilgebiet, das aufbauend auf der Produktionstheorie, die das Mengengerüst der Kosten analysiert, aufzeigen soll, welche Größen die Wertkomponente der Kosten determinieren. Im Mittelpunkt steht hierbei die Frage, wie die Kostenwerte im Hinblick auf die jeweilige Bewertungszwecke festzulegen sind. Kostenwerttheoretische Probleme wurden in der Kostenlehre intensiv erst mit der Entwicklung der modernen Entscheidungstheorie diskutiert.

**Kosten-Wirksamkeits-Analyse,** in öffentlichen Haushaltswirtschaften angewendetes Verfahren zur vergleichenden Bewertung von Objekten oder Handlungsalternativen, bei dem Elemente der →Kosten-Nutzen-Analyse mit solchen der →Nutzwertanalyse verbunden werden. – *Darstellung:* Als Kostenbarwert werden die direkten Kosten der jeweiligen Alternative erfaßt; →externe Effekte bzw. nicht in Geld bewerteter Nutzeneinbußen werden als Negativposten auf der – nicht monetär bewerteten – Nutzenseite berücksichtigt. Die Nutzenmessung erfolgt wie in der Nutzwertanalyse. Gewählt wird diejenige Handlungsalternative, bei der entweder für einen vorgegebenen Nutzwert die geringsten Kosten anfallen oder bei der ein vorgegebener Kostenrahmen den höchsten Nutzwert erzielt.

**Kostenzuordnungsprinzipien,** →Kostenverteilungsprinzipien.

**Kostenzurechnung.** 1. Zuordnung eines primär erfaßten Kostenbetrags zu einer Bezugsgröße. – 2. Oftmals Synonym für →Kostenverrechnung.

**Kostenzurechnungsprinzipien,** →Kostenverteilungsprinzipien.

**Kost-Plus-System,** *Cost-plus-System.* 1. *Begriff:* Verfahren der Kostenumlage; auf einen Basispreis werden – je nach zusätzlich entstehenden Kosten – Aufschläge berechnet. Üblich in →kooperativen Gruppen des Handels, um die Handlungskosten auf die Mitglieder zu verteilen, die die Kosten verursacht haben. *Beispiele:* →Mindermengenaufschläge, →Kleinauftragszuschläge, Zuschläge für zeitlich gesonderte Anlieferung oder Zustellung in räumlich schwer zu erreichende Gebiete. – 2. *Auswirkungen des K.-P.-S.:* Veränderungen des Bestellrhythmus, →Auftragskonzentration. – 3. *Wettbewerbsrechtliche Beurteilung:* Gefahr, daß an sich schon benachteiligte (Klein-)Betriebe zu Einstandspreisen beliefert werden, die aufgrund – überhöhter – Kostenzuschläge deutlich höher liegen als die den Großabnehmern berechneten Einstands-

preise, z.B. aufgrund der Mengenrabattstaffeln (→Wareneinstandspreis, →Mengenrabatt, →Mischkalkulation).

**Kotierung,** Zulassung eines Wertpapiers zur amtlichen Börsennotiz.

**Kovarianz,** in der →deskriptiven Statistik und →Inferenzstatistik Kenngröße für die Stärke des Zusammenhangs zweier →quantitativer Merkmale bzw. →Zufallsvariablen. Sind ($x_i$, $y_i$) die n beobachteten Wertepaare zweier Merkmale, so ist deren K. durch

$$s_{xy} = \frac{1}{n} \sum (x_i - \bar{x})(y_i - \bar{y})$$

definiert, wobei $\bar{x}$ und $\bar{y}$ die beiden →arithmetischen Mittel sind. Die K. kann beliebige Werte annehmen. Sie geht wesentlich in den Zähler des Bravais-Pearsonschen →Korrelationskoeffizienten ein. Ist (X, Y) eine zweidimensionale Zufallsvariable, so ist deren K. durch cov X,Y = E(X−EX)(Y−EY) (→Erwartungswert) gegeben.

**Kraftfahrt-Bundesamt (KBA),** →Bundesoberbehörde im Geschäftsbereich des Bundesministers für Verkehr (BMV); Sitz in Flensburg. Errichtet durch Gesetz vom 4.8.1951 (BGBl I 488). – *Aufgaben:* Erteilung der Allgemeinen Betriebserlaubnis für Fahrzeuge und Bauartgenehmigungen für Fahrzeugteile; Führung des Zentralen Fahrzeugregisters (ZFR), des →Verkehrszentralregisters (VZR) sowie seit dem 1.11.1986 die Fahranfängerdatei; Registrierung aller →Führerscheine und →Fahrzeugbriefe.

**Kraftfahrtunfallversicherung,** →Kraftverkehrsversicherung.

**Kraftfahrtversicherung,** →Kraftverkehrsversicherung.

**Kraftfahrzeugbesteuerung,** Sonderbelastung der im →Straßenverkehr zugelassenen →Kraftfahrzeuge, aufgrund verkehrs-energie- und umweltpolitischer Ziele erhoben. – 1. *Kraftfahrzeugsteuer:* Steuer auf die Haltung eines Kfz; im wesentlichen durch die Kosten der Bereitstellung öffentlicher Straßen motiviert. Wegen der fehlenden unmittelbaren Zweckbindung eine echte Steuer. Novelliert durch Gesetz vom 22.5.1985 (BGBl I 784) über „Maßnahmen zur Förderung des schadstoffarmen Personenkraftwagens"; am 1.7.1985 in Kraft getreten. – 2. →*Mineralölsteuer:* Seit 1930 neben der Kfz-Steuer erhoben; sie wird u.a. für den Straßenbau verwendet; vgl. auch →Treibstoffsteuer. – 3. Die verschiedenen *Reformabsichten,* z.B. die Kraftfahrzeugsteuer in die Mineralölsteuer zu integrieren, statt der Hubraumbesteuerung eine Gewichtsbesteuerung oder eine PS-Besteuerung einzuführen oder die K. gleich beim Erwerb des Kraftfahrzeugs durch eine Kaufsteuer zu regeln, möglichst auch den verwaltungsaufwendigen Steuereinzug durch Übergang zum Plakettenverfahren zu rationalisieren, wurden bisher nicht verwirklicht.

**Kraftfahrzeugbrief,** →Fahrzeugbrief.

**Kraftfahrzeugdichte,** *Fahrzeugdichte,* Maßgröße für den örtlichen und zeitlichen Vergleich von Motorisierungsgraden: Zahl der Kfz (Pkw und/oder Lkw usw.) je Quadratkilometer, je Kilometer Straßenlänge oder je Einwohner. – *Kapazität des Straßennetzes* wird meist durch das Verhältnis Kfz je 1 km Straße ausgedrückt. – Bestand und Dichte an Kraftfahrzeugen in einigen Ländern: Vgl. Übersicht Kraftfahrzeugbestand und -dichte Sp. 3029/3030.

**Kraftfahrzeuge (Kfz).** 1. *Begriff:* Alle maschinell angetriebenen, nicht an Schienen oder Fahrleitungen gebundenen Landfahrzeuge. K. bestehen aus mehreren ungleichartigen, körperlich zusammenhängenden und verbundenen Teilen, wie z. B. Motor, Fahrgestell. K. dürfen auf öffentlichen Straßen und Plätzen nur in Betrieb genommen werden, wenn sie zum Verkehr zugelassen und pflichtversichert sind. – Die →*Zulassung* erfolgt durch →Betriebserlaubnis. – 2. *Arten:* →Krafträder (Krad), →Personenkraftwagen (Pkw), →Kraftomnibusse (Kom), →Lastkraftwagen (Lkw), Zugmaschinen, Sattelschlepper, Arbeitsmaschinen. – 3. *Kostenrechnerische Erfassung und Verrechnung:* Kraftwagen und sonstige K., die dem Betriebszweck zu dienen bestimmt sind, werden in der Buchführung in der Klasse 0 aktiviert und mit ihren Abschreibungen entsprechend der Nutzungsdauer in die Kostenrechnung übernommen. I. d. R. sind die Abschreibungen auf die Kostenbereiche Material, Verwaltung und Vertrieb zu verteilen. – 4. *Bestand der Kfz* in der Bundesrep. D. und im Ausland: Vgl. Übersicht Kraftfahrzeugbestand und -dichte Sp. 3029/3030.

**Kraftfahrzeughaftpflichtversicherung,** →Kraftverkehrsversicherung II.

**Kraftfahrzeughaftung,** besondere Haftung für die durch den Betrieb eines →Kraftfahrzeuges (ausgenommen →Kleinkrafträder und →Fahrräder mit Hilfsmotor) verursachten Schäden.

I. H a f t u n g  s e i t e n s  d e s  H a l t e r s : 1. Der →Halter des Kraftfahrzeuges unterliegt einer →*Gefährdungshaftung* gemäß §§ 7 ff. StVG: Wenn beim Betrieb des Kraftfahrzeugs ein Mensch getötet, der Körper oder die Gesundheit eines Menschen verletzt oder eine Sache beschädigt wird, hat er dem Verletzten den daraus entstehenden Schaden zu ersetzen. Haftung gegenüber Insassen nur bei entgeltlicher, geschäftsmäßiger →Personenbeförderung (§ 8a StVG). – 2. *Höchstbeträge* (§ 12 StVG: a) bei Tötung oder Verletzung eines Menschen Haftung bis zu einem Kapitalbetrag von 500 000 DM oder einer jährlichen

Rente von 30 000 DM; b) bei Tötung oder Verletzung mehrerer Menschen durch ein Ereignis erhöhen sich die Höchstbeträge auf 750 000 DM und 45 000 DM; sind jedoch die zu leistenden Entschädigungen höher, so verringern sie sich im Verhältnis zum Höchstbetrag, ausgenommen Haftung gegenüber Insassen; c) bei Sachbeschädigung bis zu 100 000 DM. – 3. *Ausschluß* der Haftung, wenn der Unfall durch ein unabwendbares Ereignis verursacht wird, das weder auf einem Fehler in der Beschaffenheit des Fahrzeugs noch auf einem Versagen seiner Verrichtungen beruht, insbes., wenn er auf das Verhalten eines nicht bei dem Betrieb beschäftigten Dritten oder eines Tieres zurückzuführen ist und sowohl der Halter als auch der Fahrer des Fahrzeuges jede nach den Umständen des Falles gebotene Sorgfalt beobachtet hat. Vgl. →Ausschluß. Der Nachweis für diese Voraussetzungen obliegt dem Halter (aber: →Beweis des ersten Anscheins). – 4. *Sonderregelung* für die Haftung bei →*Schwarzfahrt.* – 5. Wird ein *Schaden durch mehrere Kraftfahrzeuge* verursacht, so hängt die Ersatzpflicht der haftenden Fahrzeughalter im Verhältnis zueinander und der Umfang des zu leistenden Ersatzes von den Umständen, insbes. davon ab, inwieweit der Schaden vorwiegend von dem einen oder anderen Teil verursacht ist (§ 17 StVG). – 6. Bei →*Mitverschulden* des Verletzten gilt Entsprechendes (§ 9 StVG). – 7. *Verwirkung* der Schadenersatzansprüche, wenn der Ersatzberechtigte nicht spätestens binnen zweier Monate, nachdem er von dem Schaden und der Person des Ersatzpflichtigen Kenntnis erhalten hat, dem Ersatzpflichtige den Unfall anzeigt. Anzeige nicht erforderlich, wenn der Ersatzpflichtiger innerhalb der Frist anderweitig Kenntnis von dem Unfall erhalten hat (§ 15 StVG). – 8. *Verjährung:* Drei Jahre seit Kenntnis von Schaden und Ersatzpflichtigem; solange zwischen den Beteiligten Verhandlungen über den zu leistenden Schadenersatz schweben, ist die Verjährung gehemmt, bis ein Teil die Fortsetzung der Verhandlungen verweigert (§ 14 StVG, § 852 BGB).

II. H a f t u n g  s e i t e n s  d e s  F ü h r e r s : Der Führer eines Kraftfahrzeuges haftet in gleicher Weise wie der Halter. Die Haftung ist aber schon dann *ausgeschlossen,* wenn er den Nachweis erbringt, daß der Schaden nicht durch sein Verschulden verursacht ist (§ 18 StVG). Im übrigen gilt Entsprechendes wie oben I. für den Halter ausgeführt.

III. W e i t e r e  H a f t u n g s r e g e l u n g : Bei *Verschulden* haften Halter und/oder Führer daneben nach den allgemeinen Grundsätzen über →*unerlaubte Handlungen* (§§ 823 ff. BGB). Der Nachweis des Verschuldens obliegt hier dem Verletzten; vgl. aber →Beweis des ersten Anscheins. Die Haftung ist der Höhe nach unbegrenzt.

# Übersicht: Kraftfahrzeugbestand und -dichte

| Land | Jahr | Insgesamt | Darunter | | | | Personen- | Last- |
|---|---|---|---|---|---|---|---|---|
| | | | Personen-kraftwagen | Kraft-omnibusse | Last-kraftwagen | Motorräder und Motorroller | kraftwagen | |
| | | | | | 1 000 | | je 1 000 Einwohner | |
| **Europa** | | | | | | | | |
| Bundesrep. D. . . . . . . . . . | 1985 | 28 789 | 26 099 | 69 | 1 281 | 1 340 | 428 | 21 |
| Dt. Demokr. Rep. u. Berlin (Ost) . . . . . . . | 1985 | 4 902 | 3 306 | 56 | 221 | 1 319 | 199 | 13 |
| Belgien . . . . . . . . . . . . . . | 1985 | 3 791 | 3 342 | 17 | 273 | 130 | 350 | 27 |
| Dänemark . . . . . . . . . . . . | 1985 | 1 952 | 1 564 | 8 | 195 | 41 | 306 | 38 |
| Finnland. . . . . . . . . . . . . | 1985 | 1 779 | 1 546 | 9 | 177 | 51 | 316 | 36 |
| Frankreich . . . . . . . . . . . | 1985 | 24 996 | 20 940 | 64 | 3 225 | 630 | 379 | 58 |
| Griechenland . . . . . . . . . . | 1985 | 2 054[1] | 1 264 | 19 | 602 | 169 | 130 | 62 |
| Großbritannien[2] . . . . . . . | 1984 | 20 773[1] | 16 104 | 67 | 2 242 | 776 | 293 | 40 |
| Irland . . . . . . . . . . . . . . . | 1985 | 834[3] | 709 | 5 | 93 | 26 | 202 | 26 |
| Island . . . . . . . . . . . . . . . | 1985 | 116[1][4] | 103 | 1 | 12 | | 426 | 48 |
| Italien . . . . . . . . . . . . . . | 1985 | 20 096 | 22 398 | 75 | 1 788 | 1 796 | 392 | 31 |
| Luxemburg. . . . . . . . . . . . | 1985 | 168 | 152 | 1 | 9 | 3 | 414 | 25 |
| Niederlande . . . . . . . . . . | 1985 | 5 431 | 4 901 | 12 | 364 | 128 | 338 | 25 |
| Norwegen . . . . . . . . . . . . | 1985 | 1 809[1] | 1 514 | 17 | 233 | 45 | 364 | 56 |
| Österreich. . . . . . . . . . . . | 1985 | 2 850 | 2 530 | 9 | 207 | 85 | 334 | 27 |
| Polen. . . . . . . . . . . . . . . . | 1985 | 6 081[1] | 3 671 | 83 | 780 | 1 546 | 98 | 21 |
| Portugal . . . . . . . . . . . . . | 1984 | 2 345[5] | 1 601 | 10 | 492 | 102 | 171 | |
| Schweden . . . . . . . . . . . . | 1985 | 3 560 | 3 151 | 14 | 218 | 26 | 377 | 26 |
| Schweiz. . . . . . . . . . . . . . | 1985 | 156[5] | 2 617 | 11[6] | 201 | 218 | 402 | 31 |
| Spanien. . . . . . . . . . . . . . | 1985 | 11 623 | 9 274 | 42 | 1 529 | 739 | 240 | 40 |
| Tschechoslowakei . . . . . . | 1981 | 3 670 | 2 476 | 32 | 298 | 670 | 162 | 20 |
| Türkei . . . . . . . . . . . . . . . | 1983 | 1 812[3] | 698 | 112 | 377 | 195 | 15 | 8 |
| Ungarn . . . . . . . . . . . . . . | 1985 | 2 055 | 1 436 | 25 | 167 | 396 | 135 | 16 |
| **Afrika** | | | | | | | | |
| Ägypten . . . . . . . . . . . . . | 1985 | 1 259 | 719 | 28 | 265 | 247 | 15 | 5 |
| Äthiopien . . . . . . . . . . . . | 1985 | 62[1] | 41 | 4 | 16 | 1 | 4 | 0 |
| Algerien . . . . . . . . . . . . . | 1981 | 857 | 574 | 8 | 248 | 18 | 30 | 13 |
| Kenia . . . . . . . . . . . . . . . | 1982 | 171 | 115 | 6 | 24 | 17 | 7 | 1 |
| Marokko . . . . . . . . . . . . . | 1983 | 721 | 477 | 8 | 181 | 18 | 24 | 9 |
| Sudan . . . . . . . . . . . . . . . | 1985 | 125[1] | 99 | 13 | 4 | 8 | 5 | 0 |
| Südafrika . . . . . . . . . . . . | 1985 | 4 804[3][5] | 2 936 | 149[6] | 1 079 | 336 | 107 | 39 |
| Tunesien . . . . . . . . . . . . . | 1985 | 355[1][7] | 175 | 6 | 172 | | 25 | 25 |
| **Amerika** | | | | | | | | |
| Argentinien . . . . . . . . . . | 1985 | 5 930[1] | 3 774 | 57 | 1 339 | 760 | 123 | 43 |
| Brasilien . . . . . . . . . . . . . | 1984 | 12 013[1] | 10 008 | 129 | 952 | 923 | 76 | 7 |
| Chile . . . . . . . . . . . . . . . . | 1985 | 886[1] | 640 | 20 | 195 | 31 | 53 | 16 |
| Dominikanische Republik | 1981 | 262 | 102 | 6 | 57 | 94 | 19 | 11 |
| Kanada . . . . . . . . . . . . . . | 1984 | 14 350 | 10 781 | 52 | 3 047[8] | 470 | 431 | 122 |
| Kolumbien . . . . . . . . . . . | 1981 | 840[1][7] | 672 | 57 | 111 | | 23 | 4 |
| Mexiko . . . . . . . . . . . . . . | 1982 | 7 620[1] | 5 221 | 87 | 1 891 | 420 | 73 | 27 |
| Uruguay . . . . . . . . . . . . . | 1981 | 518 | 281 | 4 | 43 | 187 | 101 | 16 |
| Venezuela . . . . . . . . . . . . | 1985 | 3 383[1][7] | 2 289 | 44 | 1 050 | | 153 | 70 |
| Vereinigte Staaten . . . . . . | 1984 | 171 977[4] | 127 867 | 584 | 38 047[8] | 5 480[4] | 539 | 162 |
| **Asien** | | | | | | | | |
| China (Taiwan) . . . . . . . . | 1982 | 6 026[1] | 592 | 19 | 315 | 5 100 | 33 | 18 |
| Honkong . . . . . . . . . . . . . | 1985 | 301 | 191 | 13 | 75 | 19 | 35 | 13 |
| Indien . . . . . . . . . . . . . . . | 1983 | 5 975[5] | 1 061 | 178 | 648 | 3 512 | 2 | 1 |
| Israel . . . . . . . . . . . . . . . . | 1981 | 591 | 459 | 8 | 96 | 26 | 115 | 24 |
| Japan . . . . . . . . . . . . . . . . | 1985 | 49 778 | 27 845 | 231 | 18 088 | 3 571 | 230 | 149 |
| Jordanien . . . . . . . . . . . . | 1982 | 174 | 119 | 4 | 44 | 6 | 51 | 19 |
| Kuwait . . . . . . . . . . . . . . | 1985 | 518 | 395 | 10 | 106 | 4 | 242 | 64 |
| Malaysia . . . . . . . . . . . . . | 1985 | 3 780 | 1 152 | 18 | 233 | 2 290 | 74 | 15 |
| Pakistan . . . . . . . . . . . . . | 1985 | 776[1] | 248 | 27 | 44 | 456 | 3 | 0 |
| Saudi-Arabien . . . . . . . . . | 1985 | 4 132[1][7] | 2 166 | 41 | 1 926 | | 283 | 252 |
| Sri Lanka . . . . . . . . . . . . . | 1985 | 446 | 149 | 38 | 93 | 161 | 9 | 6 |
| Thailand. . . . . . . . . . . . . . | 1983 | 1 202[1][7] | 412 | 221 | 569 | | 9 | 12 |
| **Australien und Ozeanien** | | | | | | | | |
| Australien. . . . . . . . . . . . . | 1985 | 9 072[3] | 7 875 | 80 | 643 | 362 | 496 | 40 |
| Neuseeland . . . . . . . . . . . | 1985 | 1 924 | 1 500 | 5 | 297 | 122 | 456 | 90 |

\*) Ohne Sonderkraftfahrzeuge, die nicht zur Lastenbeförderung dienen (Feuerwehrfahrzeuge u. ä.), ohne landwirtschaftliche Zugmaschinen, sowie ohne Mopeds und Mofas. - Stand in der Regel Jahresende.
[1]) Ohne Straßenzugmaschinen.
[2]) Ohne Nordirland.
[3]) Einschl. Mopeds.
[4]) Ohne Motorroller
[5]) Einschl. landwirtschaftlicher Zugmaschinen.
[6]) Einschl. Personenkraftwagen mit Kleinbusaufbau.
[7]) Ohne motorisierte Zweiräder.
[8]) Einschl. Straßenzugmaschinen

*Quelle:* Statistisches Jahrbuch 1987, S. 702.

**Kraftfahrzeughalter,** →Halter eines Kraftfahrzeuges.

**Kraftfahrzeugschein,** →Fahrzeugschein.

**Kraftfahrzeugsteuer,** aus steuerrechtswissenschaftlicher Sicht eine →Verkehrssteuer (der K. liegt i. d. R. die Anmeldung eines Kfz als Vorgang des öffentlichen Rechtsverkehrs zugrunde) bzw. aus finanzwissenschaftlicher Sicht eine →Verbrauchsteuer, die auf das Halten von Fahrzeugen erhoben wird. Die K. wird von der Landesfinanzverwaltung erhoben und fließt dem Land zu. – 1. *Rechtsgrundlagen:* a) Kraftfahrzeugsteuergesetz vom 1. 2. 1979 (BGBl I 132), geändert durch Steuerentlastungsgesetz 1984 vom 21. 12. 1983 (BGBl I 1583), Gesetz über steuerliche Maßnahmen zur Förderung des schadstoffarmen Personenkraftwagens vom 22. 5. 1985 (BGBl I 784) und Steuerbereinigungsgesetz vom 19. 12. 1985 (BGBl I 2436). – b) Kraftfahrzeugsteuer-Durchführungsverordnung vom 3. 7. 1979 (BGBl I 901), geändert durch Erste Verordnung zur Änderung der KraftStDV vom 10. 12. 1985 (BGBl I 2185). – 2. *Steuerbare Vorgänge:* Insbes. das Halten von Fahrzeugen (Kraftfahrzeuge und Kraftfahrzeuganhänger). Die *Steuerpflicht* beginnt mit der Zulassung und endet mit der Abmeldung des Fahrzeugs bei der Zulassungsbehörde. – 3. *Steuerbefreiungen,* insbes.: a) nach *Art der Nutzung,* z. B. Feuerlösch- und Krankentransportfahrzeuge sowie Zugmaschinen eines land- und forstwirtschaftlichen oder schaustellergewerblichen Betriebes; b) nach der *Zulassung,* z. B. bestimmte Fahrzeuge von Bund, Ländern und Gemeinden; c) nach *technischen Merkmalen;* v. a. sog. schadstoffarme Personenkraftwagen (zeitlich befristet): (1) *Schadstoffarme Pkw* (der Stufe A und B): (a) Pkw mit einem Hubraum von 1400–2000 ccm, die vor dem 1. 10. 1991 als schadstoffarm anerkannt werden; (b) Pkw über 2000 ccm, die vor dem 1. 10. 1988 als schadstoffarm anerkannt werden. Die Steuerbefreiung erstreckt sich je nach Motorart (Hubkolben oder Drehkolben), je nach Hubraum und je nach Beginn der Steuerbefreiung von maximal sechs Jahren und zehn Monaten bis mindestens sechs Monate. – (2) *Bedingt schadstoffarme Pkw* (der Stufe C) werden für eine Zeitspanne von der Steuer befreit, die von drei Jahren und sechs Monaten bis zu einem Jahr und drei Monaten reicht, je nach Hubraum und Beginn der Steuerbefreiung. – (3) *Elektrofahrzeuge* sind steuerbefreit für max. sechs Jahre und zehn Monate bis mind. drei Jahre und fünf Monate. – 4. *Steuerberechnung* (jährlich): a) *Krafträder:* 3,60 DM je 25 ccm; – b) *Personenkraftwagen:* (1) Für *nicht schadstoffarme oder nicht bedingt schadstoffarme Pkw:* Bei erstmaliger Zulassung vor 1. 1. 1986: 18,80 DM (Diesel-Pkw ab 1. 1. 89: 27,20 DM), nach dem 31. 12. 85: 21,60 DM (Diesel-Pkw ab 1. 1. 89: 30,00 DM). (2) Für *schadstoffarme oder be-*

*dingt schadstoffarme Pkw* 13,20 DM (Diesel-Pkw ab 1. 1. 89: 21,60 DM). – c) *Andere Fahrzeuge:* Je nach zulässigem Gesamtgewicht und Achsenzahl 22 DM bis 166 DM je nach 200 kg Gesamtgewicht, insgesamt jedoch nicht mehr als 11 000 DM. – 5. *Steuerschuldner:* I. d. R. die Person, für die ein Fahrzeug zugelassen ist. – 6. *Verfahren:* Der Halter hat der Zulassungsbehörde eine ggf. mit der Fahrzeuganmeldung identische →*Steuererklärung* abzugeben. Das zuständige Finanzamt setzt die K. durch →*Steuerbescheid* jährlich im voraus fest. – 7. *Kostenrechnung:* Die zu entrichtende K. wird typischerweise der Hilfskostenstelle Fuhrpark belastet. – 8. *Finanzwissenschaftliche Beurteilung:* a) Nach dem früheren Luxussteuergedanken dürfte heute im Vordergrund der Begründung der K. stehen, daß diese Steuer einen *Beitrag zur den öffentlichen Lasten* einer Verkehrsnetzbereitstellung leistet. Sie wird daher auch als „Beitragssteuer" (Haller) bezeichnet. Dafür spricht auch die de facto-Zweckbindung in den Länderhaushalten, derzufolge das Aufkommen für den Verkehrswegebau eingesetzt wird. – b) Die in den verschiedenen Reformabsichten immer angestrebte *„benutzungsgerechte"* Besteuerung, wurde ersetzt durch die in der Reform von 1985 angestrebte *Vermeidung externer Kosten* durch die kraftstoffbedingten *Umweltschäden.* – c) Dadurch hat sich das Ziel einer Erhöhung der *Nettoergiebigkeit* in der K. nicht erreichen lassen. Durch die Reform von 1985 ist aus einer relativ einfachen „tariflichen" (wenngleich sehr verwaltungsintensiven), „Kataststersteuer" eine *komplizierte Veranlagungssteuer* geworden, die verschiedene Kategorien der Erstzulassung, der Motorenart, des Hubraums und der Schadstoffstufen zu berücksichtigen hat. Diese Einbuße an Nettoergiebigkeit gilt als der notwendige Preis für Ziele der Umweltpolitik; ebenso die jüngsten erfolgte Steuersenkung für unverbleites Benzin. – 8. *Aufkommen:* 1990: 9356 Mill. DM (1985: 7350 Mill. DM; 1980: 6585 Mill. DM; 1975: 5303 Mill. DM; 1970: 3830 Mill. DM; 1965: 2624 Mill. DM; 1960: 1475 Mill. DM; 1955: 728,2 Mill. DM; 1950: 348,9 Mill. DM).

**Kraftfahrzeugversicherung,** →Kraftverkehrsversicherung.

**Kraftloserklärung von Wertpapieren.** 1. K. durch →*Aufgebotsverfahren,* d. h. durch richterliches Ausschlußurteil, vor allem bei →abhanden gekommenen Wertpapieren. Die für kraftlos erklärte Urkunde legitimiert dann nicht mehr, auch gutgläubige Erwerber sind nicht mehr geschützt, an Stelle der Urkunde legitimiert das Ausschlußurteil. Der Berechtigte kann Ausstellung neuer Urkunde auf seine Kosten verlangen. K. kommt in Frage auch für verlorengegangene oder vernichtete →*Hypothekenbriefe* (§ 1162 BGB). Auch kann der unbekannte Gläubiger im Aufgebotsverfahren mit seinen Rechten ausgeschlossen werden (§§ 1170/71 BGB). – 2. Daneben Kraftloserklärung von →*Aktien*, und zwar durch die AG a) im Falle der →Kaduzierung (die AG gibt an Stelle der alten Urkunde eine neue aus); b) im Falle der →Kapitalherabsetzung bei den trotz Aufforderung nicht zu Umtausch, Abstempelung oder dgl. eingereichten Aktien (§ 226 AktG); die an Stelle der für kraftlos erklärten ausgegebenen neuen Aktien sind unverzüglich an der Börse für Rechnung der Beteiligten zu verkaufen; c) bei Aktien, deren Inhalt unrichtig geworden ist (§ 73 AktG). – Vgl. auch →Wertpapierbereinigung.

**Kraftomnibusse (KOM)** →Kraftfahrzeuge, die nach ihrer Bauart und Ausstattung zur Personenbeförderung bestimmt und geeignet sind und einschl. Führersitz mehr als acht Sitzplätze haben. Die Motorleistung muß mindestens 8 PS je Tonne des zulässigen Gesamtgewichts betragen. – Für K. mit mehr als 14 Fahrgast- (Sitz- und Steh-)Plätzen ist eine Begrenzung der Arbeitszeit des Kraftfahrzeugführers und die Führung eines →Fahrtennachweises vorgeschriebene (§ 15a StVZO). – Vgl. auch →Personenbeförderung.

**Kraftpostgut,** paketartiges Gut bis 50 kg mit Anschrift, aber ohne Begleitpapiere zur Beförderung mit Kraftposten. Einlieferung und Abholung am Kraftwagen.

**Kraftrad (Krad),** ein durch Maschinenkraft bewegtes, nicht an Gleise gebundenes, auf nicht mehr als zwei Rädern laufendes Landfahrzeug (auch mit Beiwagen) mit einem Hubraum von mehr als 50 ccm oder mit einer durch die Bauart bestimmten Höchstgeschwindigkeit von mehr als 40 km/h. Lenkung eines K. erfordert →Fahrerlaubnis der Klasse 1. – Vgl. auch →Kraftfahrzeuge, →Kleinkraftrad, →Leichtkraftrad.

**Kraftverkehrsordnung (KVO),** seit Einführung des Güterkraftverkehrsgesetzes in der Rechtsgültigkeit kaum noch angefochtene Zusammenstellung der Beförderungsbedingungen für die im Güterfernverkehr am Beförderungsvertrag beteiligten Absender, Frachtführer und Empfänger. Entsprechend der EVO des Bahnverkehrs aufgestellt, unter Berücksichtigung der spezifischen Eigenart des Kraftverkehrs. Die KVO enthält den →Reichskraftwagentarif (RKT), dessen grundsätzliche Tarifbestimmungen gültig geblieben sind. – Vgl. auch →KVO-Versicherung.

**Kraftverkehrsversicherung,** *Kraftfahrtversicherung, Kraftfahrzeugversicherung, Autoversicherung.*

**I. Allgemeines: 1.** *Geltungsbereich:* Versicherungsschutz für die aus der Gefahr durch Gebrauch eines Kraftfahrzeugs (KfZ) oder Anhängers entstehenden Schäden;

gilt grundsätzlich nur in Europa, soweit keine Erweiterung (z. B. auf außereuropäische Anliegerstaaten des Mittelmeers) vereinbart. – 2. *Rechtsgrundlagen:* Vorschriften des BGB und VVG; Gesetz über die Pflichtversicherung für Kraftfahrzeughalter (Pflichtversicherungsgesetz, PflVG) vom 5.4.1965, Stand vom 29.3.1983; Gesetz über die Haftpflichtversicherung für ausländische Kraftfahrzeuge und Kraftfahrzeug-Anhänger nach Stand vom 18.3.1975 (AuslPflVG); Verordnung über die Tarife in der Kraftfahrzeug-Haftpflichtversicherung vom 5.12.1984 (BGBl I 1437). Allgemeine Bedingungen für die Kraftfahrtversicherung (AKB). – 3. *Versicherungsarten:* Kraftfahrzeug-Haftpflichtversicherung (KH), Fahrzeugvoll- (KFV) und Fahrzeugteilversicherung (KFT) (auch *Kaskoversicherung* genannt), Kraftfahrtunfallversicherung (KU). Daneben bestehen auf Kfz-Gebrauch bezogene Kraftfahrt-Strafrechtsschutzversicherung, Kraftfahrt-Pannenversicherung bzw. neuerdings Verkehrsserviceversicherung, Reparaturkostenversicherung. – 4. *Wirtschaftliche Bedeutung:* Auf dem KH-Markt konkurrieren ca. 110 Unternehmen; der Marktanteil der AGs ist zugunsten der VVaGs, der öffentlich-rechtlichen Versicherungsanstalten sowie der Direktversicherer von (1961) 80,1% auf (1984) 59,5% zurückgegangen. Die K. hatte (1984) in der Bundesrep. D. mit 18,532 Mrd. DM 39,3% Anteil an der Gesamt-Bruttobeitragseinnahme der Schaden- und Unfallversicherer, davon wurden 90,4%, bezogen auf die verdienten Beiträge (also unter Berücksichtigung der Beitragsüberträge), als Schadenaufwand (Zahlungen und Rückstellungen) ausgewiesen.

**II. Kraftfahrzeug-Haftpflichtversicherung (KH): 1.** *Versicherungspflicht:* Der →Halter eines Kfz oder Anhängers mit regelmäßigem Standort im Inland ist verpflichtet, zur Deckung eines durch den Gebrauch des Fahrzeuges verursachten Personen-, Sach- oder sonstigen Vermögenschadens eine KH abzuschließen und aufrechtzuerhalten, wenn und solange das Kfz auf öffentlichen Wegen und Plätzen (§ 1 StVG) verwendet wird. Kfz bestimmter öffentlich-rechtlicher Körperschaften und nach ihrer Bauart langsame Kfz sowie bestimmte Anhänger sind von der Versicherungspflicht befreit, können aber freiwillig versichert werden. – 2. *Annahmezwang:* Abschluß der vorgeschriebenen KH-Versicherung ausschließlich bei im Inland dazu befugten Kraftfahrtversicherern, die andererseits verpflichtet sind, sie im gesetzlich festgelegten Rahmen zu gewähren. – 3. *Versicherungssummen:* Mindesthöhen seit 1.7.1981 1 000 000 DM für Personenschäden, 400 000 DM für Sachschäden und 40 000 DM für sonstige/reine Vermögensschäden, die weder mittelbar noch unmittelbar mit einem Personen- oder Sachschaden zusammenhängen.

Für den Fall der Verletzung mehrer Personen beträgt die Mindestversicherungssumme für Personenschäden 1 500 000 DM; bei Omnibussen erhöhen sich diese Summen ab 10. Platz entsprechend der im Fahrzeugbrief eingetragenen Anzahl der Sitze und Stehplätze. Höhere Summenkombinationen und Pauschalversicherungssummen (überwiegend verbreitet) und seit 1.1.1979 Illimité-Deckung sind möglich. – 4. *Beiträge (Prämien):* Die Beiträge für KH unterliegen gem. §§8, 9 PflVG, §2 TVO dem Preisrecht und sind den einzelnen Versicherern von der zuständigen Aufsichtsbehörde als Unternehmenstarife zu genehmigen. Grundlage für Beitragsrückerstattungen und Entgelte der Vermittler ist die TVO. – *Beitragsrückvergütung:* Die Kraftfahrtversicherer haben dem BAV jährlich bis zum 31. Mai nach einem vorgeschriebenen Abrechnungsschema in KH jeweils getrennt die Erträge und Aufwendungen gegenüberzustellen. Ein verbleibender technischer Überschuß (TÜ) wird im Geschäftsjahr als Rückstellung für die gesetzliche Beitragsrückerstattung bilanziert; Modalitäten seiner Ermittlung, Verteilung und Auszahlung an die Versicherungsnehmer in §§22 – 28 TVO; TÜ-Ausschüttungen sind ein Wettbewerbselement. – 5. *Versicherungsnachweis:* a) Nach §29a StVZO ist beim zuständigen Straßenverkehrsamt das Bestehen einer dem PflVG entsprechenden KH-Versicherung durch Versicherungsbestätigung (Muster in StVZO vorgeschrieben) eines Kraftfahrzeugversicherers nachzuweisen; wegen der anhängenden Durchschrift für die Amtsantwort wird sie meist *Doppelkarte* genannt. Die Aushändigung gilt zugleich als vorläufige →Deckungszusage; sie kann nach PflVG und soll auf BAV-Weisung von der Erstbeitragszahlung abhängig gemacht werden. – b) Mopeds/ Mofas, Kleinkrafträder und Krankenfahrzeuge mit bauartlich begrenzter Höchstgeschwindigkeit benötigen nach §29e StVZO *Versicherungskennzeichen* und *Versicherungsbescheinigung* für das jeweils vom 1. März bis Ende Februar laufende Verkehrsjahr; beides geben die Kraftfahrtversicherer aus. – c) Internationaler Versicherungsschutz durch sog. „Grüne Karte"; vgl. →Versicherungskarte. – 6. *Direktanspruch/Nachhaftung:* a) Ein geschädigter Dritter kann seinen Schadenersatzanspruch auf Geldleistung auch unmittelbar gegen den Kraftfahrtversicherer geltend macht *(action directe)*. Dieser haftet dann mit dem ersatzpflichtigen Versicherten gesamtschuldnerisch. Für die Geltendmachung wie für die Verjährung des Direktanspruchs bestehen nach PflVG Besonderheiten. Der geschädigte Dritte ist – soweit keine anderweitige Ersatzmöglichkeit besteht (z. B. Sozialversicherungsträger) – auch dann geschützt, wenn der Versicherer im Verhältnis zum versicherten Schädiger von der Leistungspflicht frei ist (z. B. Obliegenheitsverletzung, vgl.

III 3). – b) Nachdem der Kraftfahrtversicherer dem Straßenverkehrsamt gemäß §29c StVZO angezeigt hat, daß das Versicherungsverhältnis nicht mehr besteht, währt dessen gesetzliche Leistungspflicht gegenüber dem geschädigten Dritten für ein Schadenereignis allemal noch einen Monat *(Nachhaftung)*. – 7. *Entschädigungsfonds:* Verkehrsopferhilfe e. V., Hamburg. Vereinsmitglieder sind alle Mitglieder des HUK-Verbandes. Die Schadenaufwendungen tragen die KH-Versicherer. – *Anspruchsvoraussetzungen:* Anspruch aus geltend machen, wer im Geltungsbereich des PflVG durch ein nicht ermittelbares Fahrzeug oder eines ohne Versicherungsschutz oder wenn der Unfall vorsätzlich herbeigeführt wurde und die Versicherung des Schädigers nicht zu zahlen braucht, Personen- und Sachschäden erleidet. Entschädigung so, als wäre der Schuldige mit der gesetzlichen Mindestdeckungssume versichert. Die Verkehrsopferhilfe darf nur dann eintreten, wenn der Geschädigte anderweitig (Privatvermögen des Schädigers, Krankenkasse, Vollkaskoversicherung usw.) keinen Ersatz erhalten kann. – Besonderheiten bei Unfällen mit Fahrerflucht: Schäden am Auto werden nicht ersetzt; bei sonstigen Sachschäden (Kleidung, Ladung, Gepäck) werden die 1.000,-- DM übersteigenden Kosten erstattet. Wurden Personen verletzt oder getötet, zahlt die Verkehrsopferhilfe bis zu 1,5 Mio. DM; Schmerzensgeld nur bei besonders schweren Verletzungen, die zu Dauerschäden führen. – 8. *Versicherungspflicht für Ausländer:* Ausländische Kfz und Anhänger dürfen im Geltungsbereich des AuslPflVG nur benutzt werden, wenn eine KH-Versicherung mit einem Leistungsumfang nach den AKB besteht. Der Führer des ausländischen Kfz hat eine Versicherungsbescheinigung darüber mitzuführen und insbes. den Kontrollstellen auf Verlangen zur Prüfung auszuhändigen. Diese Versicherungsbescheinigung kann sein eine *grüne internationale Versicherungskarte* oder ein *rosa Grenzversicherungsschein*. Das AuslPflVG gilt nicht für Fahrzeuge der alliierten Streitkräfte; für deren Privatfahrzeuge bestehen besondere Vorschriften im NATO-Truppenstatut.

III. Versicherungsschutz nach AKB: 1. *Versicherte Gefahren:* a) *Kraftfahrzeughaftpflichtversicherung:* Befriedigung begründeter (d. h. Freistellung) und Abwehr unbegründeter (d. h. Rechtsschutz) Schadenersatzansprüche, die aufgrund gesetzlicher Haftpflichtbestimmungen privatrechtlichen Inhalts (z. B. §§823 ff. BGB, §7 StVG) gegen den Versicherungsnehmer oder mitversicherte Personen (insbes. Halter, Eigentümer, Fahrer, Omnibusschaffner) erhoben werden, wenn durch Gebrauch des im Versicherungsschein bezeichneten Fahrzeugs Personen verletzt oder getötet werden, Sachen beschädigt oder zerstört werden oder abhanden kommen, Vermögensschäden herbeigeführt werden, die weder mit einem Personen- noch mit einem Sachschaden mittelbar oder unmittelbar zusammenhängen (§ 10 AKB). Im Zivilrechtstreit gegen eine versicherte Person führt der Versicherer den Prozeß. Bestimmte Haftpflichtansprüche sind jedoch von der Versicherung ausgeschlossen (z. B. der Sachschadenersatzanspruch des Versicherungsnehmers gegen mitversicherte Personen – § 11 AKB). – b) *Fahrzeugversicherung (Kaskoversicherung):* Entschädigungsleistung bei Schädigung, Zerstörung und Verlust des Fahrzeugs und seiner unter Verschluß verwahrten oder an ihm befestigten Teile sowie bestimmter Zubehörteile (§ 12 AKB). Die Grenze zwischen Fahrzeugvollversicherung (KFV) und Fahrzeugteilversicherung (KFT) setzt die Schadenursache. Für beide besteht Versicherungsschutz bei Brand, Explosion, Entwendung, unbefugtem Gebrauch durch betriebsfremde Personen, Raub, bestimmten Elementarereignissen, Zusammenstoß mit Haarwild sowie Glasbruch- und Schäden der Verkabelung durch Kurzschluß; bei der KFV-Versicherung außerdem Versicherungsschutz für Schäden am versicherten Fahrzeug bei selbstverschuldeten Unfällen sowie für mut- und böswillige Handlungen betriebsfremder Personen. Grundsätzlich wird ein Sachschaden bis zum Wiederbeschaffungswert ersetzt; für nicht gewerblich genutzte Pkw und Kombinationswagen Zusatzleistung von 25% auf Zeitwert, höchstens Neupreis des Fahrzeugs (§ 13 AKB). Verschiedenartige Formen der Selbstbeteiligung; bei Reparaturkostenersatz erfolgt Abzug „neu für alt". – c) *Kraftfahrtunfallversicherung* (auch als *Insassenunfallversicherung* bezeichnet): Gesundheitsschädigungen im ursächlichen Zusammenhang mit Gebrauch eines versicherten Kfz, die berechtigte Insassen durch ein plötzlich von außen auf ihren Körper einwirkendes Ereignis unfreiwillig erleiden. Leistung nach den vereinbarten Versicherungssummen für Tod und/oder vorübergehende und/oder dauernde Unfallfolgen (Vereinbarung von Pauschal- oder Platzsystem). – 2. *Risikoausschlüsse:* In der KH-Versicherung sind verschiedene Haftpflichtansprüche von der Versicherung ausgeschlossen (vgl. oben III 1 a); ferner sind nicht gedeckt behördlich genehmigte Fahrtveranstaltungen, bei denen es auf Erzielung von Höchstgeschwindigkeiten ankommt; für die einzelnen Versicherungsarten finden sich in den AKB spezifische Risikoausschlüsse; allgemein wird in der Fahrzeug- und Kraftfahrtunfallversicherung kein Versicherungsschutz gewährt für Schäden durch Aufruhr, innere Unruhen, Kriegsereignisse, Erdbeben (§ 2 AKB). – 3. *Obliegenheiten:* a) Der Versicherungsnehmer hat nach dem AKB vor und nach Eintritt des Versicherungsfalls etliche Verhaltensnormen einzuhalten, z. B. *vor* Versicherungsfall: Verwendung des Fahrzeugs zu dem im Antrag

gegebenen Zweck, Fahrer mit vorgeschriebener Fahrerlaubnis; *nach* Versicherungsfall: Anzeige des Versicherungsfalls, Aufklärung des Sachverhalts. – b) Mißachtet bzw. verletzt er diese, so kann der Versicherer unter gewissen Voraussetzungen den Versicherungsschutz versagen oder sich dem Versicherten gegenüber auf Leistungsfreiheit berufen. In der KH bleibt er dem geschädigten Dritten gegenüber grundsätzlich eintritts- bzw. vorleistungspflichtig (§ 3 PflVG). Die Leistungsfreiheit des KH-Versicherers ist allerdings bei Obliegenheitsverletzung *nach* Eintritt des Versicherungsfalls auf 1000 DM bzw. 5000 DM beschränkt; besteht trotz voller Leistungsfreiheit des Versicherers; bei Obliegenheitsverletzung *vor* Eintritt des Versicherungsfalls ein Regreßverzicht auf den Betrag, der 5000 DM überschreitet.

IV. K r a f t f a h r z e u g v e r s i c h e r u n g s v e r t r a g : 1. *Versicherungsbeginn:* Der Versicherungsschutz beginnt grundsätzlich mit Einlösung des Versicherungsscheins durch Erstbeitragszahlung. In der KH-Versicherung erfolgt regelmäßig vorläufige Deckungszusage durch Aushändigung der Doppelkarte (vgl. oben II 5), die aber rückwirkend außer Kraft tritt, wenn der dem Antrag entsprechende Versicherungsschein schuldhaft nicht innerhalb von 14 Tagen eingelöst wird. Ein Versicherungskennzeichen darf nur gegen Zahlung ausgehändigt werden. – 2. *Versicherte Personen:* Vertragspartner des Kraftfahrzeugversicherers ist der Versicherungsnehmer; dessen ungeachtet besteht für die einzelnen Versicherungsarten unterschiedlicher Kreis mitversicherter Personen (vgl. oben III 1). In der KH- und in der KU-Versicherung können diese selbst Ansprüche gegen Versicherer geltend machen, sonst nur der Versicherungsnehmer. – 3. *Vertragsbeendigung:* Sofern bei unterjährigen Verträgen nicht ohnehin zeitliche Begrenzung, beträgt die Kündigungsfrist drei Monate zum Vertragsablauf, andernfalls Verlängerung um jeweils ein Jahr. Sonderregelung für Mopeds usw. (vgl. oben II 5). – *Außerordentliche Kündigungsrechte* nach VVG und gemäß AKB, dort insbes. nach Eintritt des Versicherungsfalls, bei Veräußerung des Kfz und bei Tarifänderung, sofern der Beitrag für die Kraftfahrthaftpflichtversicherung innerhalb von zwölf Monaten jeweils um mehr als 20% erhöht wird (§ 9 a AKB). – *Vorübergehende Fahrzeugstillegung* beendet den Vertrag grundsätzlich nicht; der Versicherungsnehmer kann jedoch ausdrücklich Unterbrechung des Versicherungsschutzes verlangen, dann eingeschränkter Versicherungsschutz für KH und KFT.

**Kraftwagendichte,** →Fahrzeugdichte.

**Krämermakler,** Vermittler von Warengeschäften (nicht andere) im Kleinverkehr. Auf den K. finden alle Vorschriften, die für den

→Handelsmakler zutreffen, Anwendung, mit Ausnahme der über Schlußnoten und Tagebücher. Ist der K. →Vollkaufmann, so muß er Geschäftsbücher führen, aber keine Tagebücher, sofern das nicht vertraglich vereinbart ist.

**Krankenbehandlung,** in der gesetzlichen Unfallversicherung Leistung zur Beseitigung einer durch Unfall hervorgerufenen Gesundheitsstörung oder Körperbeschädigung und Beseitigung durch Unfall verursachter →Erwerbsunfähigkeit bzw. Verhütung einer Verschlimmerung (weiter gezogene Grenzen als bei →Krankenpflege). – *Gewährung,* wenn und solange eine Linderung der Beschwerden erreichbar ist, also auch bei unheilbaren Leiden zum Zweck der Erleichterung von Schmerzen. – Die K. *umfaßt:* ärztliche Behandlung, Versorgung mit Arzneien und anderen Heilmitteln, Ausstattung mit Körperersatzstücken, orthopädischen und anderen Hilfsmitteln und Gewährung von Pflege (→häusliche Krankenpflege, →Anstaltspflege).

**Krankengeld.** I. Gesetzliche Krankenversicherung, auch →Ersatzkasse oder Privatkasse (→Privatversicherung): 1. *Berechtigte:* Versicherte, die infolge von →Krankheit arbeitsunfähig sind; dies bescheinigt der behandelnde Kassenarzt dem Versicherten. K. wird nur gewährt, wenn der Arbeitnehmer während der Arbeitsunfähigkeit keinen Lohn oder Gehalt vom Arbeitgeber erhält, als Ersatz für Lohnausfall. – 2. *Voraussetzung:* K. für je fünf Arbeitstage an Versicherte, wenn sie wegen der Beaufsichtigung, Betreuung oder Pflege eines erkrankten Kindes unter acht Jahren ihrer Arbeit fernbleiben müssen und dadurch einen Verdienstausfall erleiden. Anspruch in jedem Kalenderjahr und für jedes Kind während fünf Arbeitstage (§ 185 c RVO). – 3. *Höhe:* K. beträgt 80% des wegen Arbeitsunfähigkeit entgangenen regelmäßigen Entgelts (→Regellohn); darf aber das Nettoarbeitsentgelt nicht überschreiten. K. wird für Kalendertage gezahlt (§ 182 IV RVO). Nach Ablauf eines Jahres wird das K. entsprechend der letzten Rentenanpassung der Höhe nach angepaßt. – 4. *Dauer:* K. wird bei einem →Arbeitsunfall oder einer →Berufskrankheit von dem Tage an gewährt, an dem die →Arbeitsunfähigkeit vom Arzt festgestellt wird, in allen übrigen Fällen von dem darauffolgenden Tag an (§ 182 III RVO). K. wird bei Arbeitsunfähigkeit wegen derselben Krankheit für höchstens 78 Wochen innerhalb von je drei Jahren gezahlt. Tritt während der Arbeitsunfähigkeit eine weitere Krankheit hinzu, so wird die Leistungsdauer dadurch nicht verlängert. Ist der Versicherte wieder arbeitsfähig und wird er wegen einer neuen Krankheit arbeitsunfähig, so hat er wiederum Anspruch auf K. für längstens 78 Wochen. – Der Ansprch auf K. endet, wenn dem Versi-

cherten Rente wegen →Erwerbsunfähigkeit oder →Altersruhegeld zugebilligt wird. – 5. Rente wegen →Berufsunfähigkeit wird auf das K. *angerechnet* (§ 183 III RVO). Sind Rentenempfänger krankenversicherungspflichtig beschäftigt, so erhalten sie Rente und K. nebeneinander, jedoch Erwerbsunfähigkeitsrentner und Altersruhegeldempfänger nur bis zu höchstens sechs Wochen (§ 183 IV RVO). – 6. Ist nach ärztlichem Gutachten der Versicherte als erwerbsunfähig anzusehen, so kann ihm die Kasse eine Frist von zehn Wochen setzen, innerhalb deren er einen Antrag auf Maßnahmen zur →Rehabilitation bei einem Träger der gesetzlichen Rentenversicherung zu stellen hat. Stellt er den Antrag innerhalb der Frist nicht, entfällt der Anspruch auf K. nach Ablauf der Frist (§ 183 Abs. 7 RVO). – 7. Der Anspruch auf K. *entfällt,* solange Übergangsgeld, Verletztengeld, Versorgungskrankengeld, Arbeitslosengeld, Arbeitslosenhilfe, Unterhaltsgeld, Kurzarbeitergeld oder Schlechtwettergeld gewährt wird (§ 183 VI RVO).

II. Gesetzliche Unfallversicherung: Vgl. →Verletztengeld.

**Krankenhausökonomik,** Teilbereich der →Gesundheitsökonomik, der sich mit den betriebswirtschaftlichen Fragestellungen von Krankenhäusern befaßt. Gegenstand der K. ist die Erklärung und Analyse von wirtschaftlichen Entscheidungen im Krankenhausbereich.

**Krankenhauspflege,** *Krankenhausbehandlung.* I. Gesetzliche Krankenversicherung: 1. *Rechtsanspruch* auf zeitlich unbegrenzte Leistung, wenn dies erforderlich ist, um die Krankheit zu erkennen oder zu behandeln oder Krankheitsbeschwerden zu lindern (§ 184 I RVO). Für mitversicherte Familienangehörige K. wie für den Versicherten. – 2. Der Versicherte kann unter den nächsterreichbaren *Krankenhäusern wählen,* die in den Krankenhausbedarfsplan aufgenommen sind oder deren Bereiterklärung zur Behandlung von Kassenpatienten von den Landesverbänden der Krankenkassen angenommen wurde. Wird ohne zwingenden Grund ein anderes als ein solches nächsterreichbares Krankenhaus gewählt, hat der Versicherte die Mehrkosten zu tragen (§ 184 II RVO). – Seit 1983 *Zuzahlung* des Versicherten (außer Kinder bis zum 18. Lebensjahr) in Höhe von 5 DM täglich für höchstens 14 Tage pro Kalenderjahr.

II. Unfallversicherung: Über die Bewilligung von K. bzw. die Notwendigkeit hierfür entscheidet der →Durchgangsarzt.

III. Kriegsopferversorgung: Ersatzleistung an Stelle von →Heilbehandlung nach dem →Bundesversorgungsgesetz.

**Krankenhilfe.** 1. *Gesetzliche Krankenversicherung:* Sammelbegriff für die im Fall der →Krankheit zu gewährenden Leistungen der →Krankenkasse. Die K. umfaßt alle Arten von Leistungen, die die Krankenkassen gewähren müssen oder dürfen; das sind: a) ärztliche und zahnärztliche Behandlung, Versorgung mit Arznei-, Verband-, Heilmitteln und Brillen, Körperersatzstücke, orthopädische und andere Hilfsmittel, Zuschüsse zu den Kosten für Zahnersatz und Zahnkronen, häusliche Krankenpflege, Belastungserprobung und Arbeitstherapie (§ 182 I Nr. 1 RVO); b) Krankengeld (§ 182 I Nr. 2 RVO); c) Krankenhauspflege (§ 184 RVO); d) Hauspflege (§ 185 RVO); e) Haushaltshilfe § 185 b RVO); f) Zuschüsse zu den Kosten für Kuren und andere Maßnahmen (187 Nr. 1 und 2 RVO); g) Sonstige Hilfen (§§ 200 e, 200 f, 200 g RVO). – Auf diese Leistungen haben die Versicherten einen *Rechtsanspruch*, soweit diese gesetzlich vorgeschrieben oder satzungsgemäß vorgesehen sind. – 2. *Sozialhilfe* (§ 37 BSHG): Ärztliche und zahnärztliche Behandlung, Versorgung mit Arzneimitteln, Verbandsmitteln und Zahnersatz, Krankenhausbehandlung sowie sonstige zur Genesung, Besserung oder Linderung der Krankheitsfolgen erforderliche Leistungen und Hilfe bei Schwangerschaft oder bei Sterilisation. – Auf die Gewährung dieser Hilfe hat der Kranke einen *Rechtsanspruch*.

**Krankenkassen,** Versicherungsträger auf dem Gebiet der sozialen Krankenversicherung. K. sind aus den unzähligen Selbsthilfeorganisationen, die der Gesetzgeber bei der Schaffung der Krankenversicherung vorgefunden hat, hervorgegangen. Sie sind Körperschaften des öffentlichen Rechts mit Selbstverwaltung. – Die *Zahl* der K. wurde – insbes. durch Heraufsetzung der Zahl der Mindestmitglieder – ständig verringert. – Die *Gliederung* der K. ist nicht einheitlich. Es gibt regional gegliederte K. und solche, deren Arbeitsgebiet das gesamte Bundesgebiet umfaßt; es gibt K., deren Versicherte allen Berufsgruppen und -zweigen angehören können, und andere, die nur Angehörige bestimmter Berufszweige oder Betriebe aufnehmen. – *Kassenarten:* →Ersatzkassen, →Innungskrankenkassen, →Betriebskrankenkassen, →Ortskrankenkassen, Bundesknappschaft (→Knappschaft), Seekrankenkasse (→Seekasse), →landwirtschaftliche Krankenkassen.

**Krankenkassenbeiträge des Arbeitgebers zur Sozialversicherung der Arbeitnehmer,** →Arbeitgeberanteil.

**Krankenpflege,** für alle →Krankenkassen zwingend vorgeschriebene wichtigste Sachleistung der gesetzlichen →Krankenversicherung, auf die die Versicherten für sich und ihre Angehörigen zeitlich unbegrenzten Rechtsanspruch haben. – K. *umfaßt* ärztliche und

zahnärztliche Behandlung, Versorgung mit Arznei-, Heil- und Hilfsmitteln sowie Belastungserprobung und Arbeitstherapie, häusliche Krankenpflege, Zuschüsse zu den Kosten für zahntechnische Leistungen (§ 182 RVO). – Die K. muß ausreichend und zweckmäßig sein und darf das Maß des Notwendigen nicht überschreiten (§ 182 II RVO).

**Krankenschein,** Begriff der gesetzlichen →Krankenversicherung. K. ist ein Ausweis über die Mitgliedschaft des Versicherten bei der betreffenden Krankenkasse und dient dem Arzt gegenüber als Nachweis für die Berechtigung der Inanspruchnahme kassenärztlicher Behandlung. Der Versicherte hat bei Beginn der Behandlung den K. dem Arzt auszuhändigen; in dringenden Fällen kann er nachgereicht werden (§ 188 RVO). Ohne Vorlage des K. gilt der Versicherte als Privatpatient; die Krankenkasse ist dann zur Übernahme der Kosten nicht verpflichtet. – Der K. wird von den →Krankenkassen ausgestellt oder vom Arbeitgeber, wenn die Krankenkasse diesem das Recht dazu übertragen hat. Die Ausstellung ist gebührenfrei. – Der K. *gilt* jeweils für die Dauer eines Kalendervierteljahrs. Bei Überweisung an einen Facharzt wird ein *Überweisungsschein* vom behandelnden Arzt ausgestellt. Bei zusätzlicher ärztlicher Behandlung wird ein *zweiter K.* ausgestellt. Z. T. gehen die Krankenkassen im Weg der Verwaltungsvereinfachung dazu über, *Krankenscheinhefte* für ein ganzes Jahr auszuhändigen. – Berechtigte und Leistungsempfänger nach dem →Bundesversorgungsgesetz erhalten einen dem K. im wesentlichen entsprechenden *Bundesbehandlungsschein* (§ 186 BVG).

**Krankentagegeldversicherung,** →Krankenversicherung II 1 b).

**Krankenvergütung,** →Lohnfortzahlung.

**Krankenversicherung.** I. Gesetzliche oder soziale K.: Der älteste Zweig der deutschen →Sozialversicherung, wird durchgeführt von den →Krankenkassen. Die K. soll es dem Versicherten und seinen Familienangehörigen bei →Krankheit und Unfall ermöglichen, ausreichende Hilfe durch Ärzte, Zahnärzte, Krankenhäuser sowie Arzneien, Heil- und Hilfsmittel in Anspruch zu nehmen. – Vgl. auch →Krankenversicherung der Landwirte. – 1. *Gesetzliche Grundlagen:* Vgl. →Reichsversicherungsordnung und →Sozialgesetzbuch. – 2. *Versicherungsbereich:* a) *Pflichtmitglieder* (Mitglieder kraft Gesetzes): (1) Arbeiter und in arbeiterähnlicher Stellung Beschäftigte ohne Rücksicht auf die Höhe ihres Entgelts; (2) Angestellte, deren *Jahresarbeitsverdienst* die in § 165 RVO festgesetzte Grenze übersteigt (für Angestellte auf Seefahrzeugen und in knappschaftlichen Betrieben gelten Sondervorschriften), Nebenbeschäftigungen sind weitgehend ausgenommen (§ 168 RVO); (3) Lehrlinge und Auszubildende auch bei

Beschäftigung ohne Entgelt; (4) Bestimmte Selbständige (z. B. Hausgewerbetreibende, Lehrer, Hebammen); (5) Rentner aus der Arbeiterrenten- und Angestelltenversicherung, wenn bestimmte versicherungsrechtliche Voraussetzungen erfüllt sind; (6) Bezieher von Arbeitslosengeld, Arbeitslosenhilfe und Unterhaltsgeld; (7) Studenten während der Dauer des Studiums an einer staatlichen oder staatlich anerkannten Hochschule; (8) Wehrpflichtige, die im – Zeitpunkt der Einberufung krankenversicherungspflichtig waren; (9) Personen, die wegen berufsfördernder Maßnahmen zur Rehabilitation Übergangsgeld beziehen; (10) Behinderte, die in Behindertenwerkstätten beschäftigt werden. – b) *Freiwillige Mitglieder:* Personen, die aus der Pflichtversicherung ausgeschieden sind, können sich innerhalb von einem Monat nach dem Ausscheiden freiwillig weiterversichern. Das Recht, der K. freiwillig beizutreten, haben unter der Voraussetzung, daß ihr Gesamteinkommen die in § 176 RVO festgelegte Höhe nicht übersteigt: (1) krankenversicherungsfreie Beschäftigte (z. B. geringfügig Beschäftigte, Beamte, Werkstudenten); (2) Familienangehörige des Arbeitgebers, die ohne eigentliches Arbeitsverhältnis und ohne Entgelt bei ihm beschäftigt sind; (3) Gewerbetreibende und andere Betriebsunternehmer; (4) Personen, die berufsbildende Schulen oder sonstige Bildungseinrichtungen, Abendgymnasien oder Kollegs besuchen; (5) Personen, die sich bei der Zentralstelle für die Vergabe von Studienplätzen um einen Studienplatz beworben haben; (6) Personen, die eine Rente aus der Rentenversicherung der Arbeiter und Angestellten beziehen; (7) Schwerbehinderte i. S. des § 1 des Schwerbehindertengesetzes; (8) überlebende oder geschiedene Ehegatten eines Versicherten innerhalb eines Monats nach dem Tode des Versicherten oder der Rechtskraft des Scheidungsurteils; (9) Personen, für die der Anspruch auf →Familienhilfe erlischt, Antragsfrist ein Monat; (10) Angestellte, die erstmals eine Beschäftigung aufnehmen und wegen Überschreitens der Jahresarbeitsverdienstgrenze nicht versicherungspflichtig sind, ohne Rücksicht auf die Höhe des Einkommens innerhalb drei Monate nach Aufnahme der Beschäftigung (§ 176a RVO). – 3. *Versicherungsleistungen:* Gewährt bei →Krankheit, Schwangerschaft, →Entbindung und Tod des Mitglieds oder seiner anspruchsberechtigten Familienangehörigen (→Krankenhilfe, →Mutterschaftshilfe, →Familienhilfe). – Zu *unterscheiden:* a) Regelleistungen (gesetzlich vorgeschriebene Mindestleistungen); b) Mehrleistungen (in der Satzung der einzelnen Krankenkassen festgesetzte besondere Leistungen); c) Kannleistungen (in das Ermessen der Krankenkasse gestellt). – 4. *Beiträge:* Nach dem →Umlageverfahren berechnet, richten sich nach Höhe des →Arbeitsentgelts. Die Höhe des Beitragssatzes ist in der Satzung der

einzelnen Krankenkasse festgelegt, Pflichtbeiträge sind zur Hälfte vom →Arbeitnehmer und vom →Arbeitgeber zu tragen; die Abführungspflicht obliegt – mit Ausnahme der Beiträge an →Ersatzkassen – dem Arbeitgeber.

II. P r i v a t e  K r a n k e n v e r s i c h e r u n g : 1. *Leistungsumfang:* a) Erstattung von Kosten *(Krankheitskostenversicherung)* aus der Heilbehandlung von Krankheiten und Unfällen. Vor allem für Personen, die nicht in der →Sozialversicherung (gesetzliche Krankenversicherung) versichert sind. Pflichtversicherte können durch private K. ihren Versicherungsschutz aufstocken; so z. B. Abdeckung eines höheren Pflegesatzes bei stationärer Krankenhausbehandlung, Leistungen für Zahnersatz, Zuschüsse zu Heil- und Hilfsmitteln. – b) Abdeckung des Verdienstausfalles durch *Krankentagegeldversicherung.* – c) *Pflegekrankenversicherung.* – 2. *Leistungen:* a) *Arten:* (1) Kostenersatz im Rahmen des Tarifs für ambulante Arztbehandlung, stationäre Krankenhausbehandlung, Arzneien, Operationen; (2) Kostenbeteiligung im Rahmen des Tarifs bei Heil- und Hilfsmitteln, Zahnbehandlung und -ersatz, Geburtshilfe. Sterbegeld kann ebenfalls vorgesehen sein. – b) *Höhe der Leistungen:* Bemißt sich nach dem vereinbarten Tarif; sie kann begrenzt sein (1) durch prozentuale Erstattung der Kosten (z. B. Arzneien), (2) durch einen festen Höchstbetrag (z. B. Einzelleistungen oder jährliche Gesamtleistung aus dem Tarif, (3) durch Steigerungssatz bezogen auf Leistungsverzeichnis (z. B. Operationen). Bei Krankentagegeldtarifen kann die Leistung auf eine Zeitdauer je Versicherungsfall begrenzt sein. – c) *Wartezeiten:* Die allgemeine Wartezeit beträgt drei Monate nach Versicherungsbeginn; besondere Wartezeiten werden lt. Tarif vereinbart, z. B. für Zahnersatz, Geburtshilfe usw. Die Wartezeiten entfallen bei tariflich genannten Infektionskrankheiten und Unfällen. Beim Übergang von der gesetzlichen K. zur privaten wird die Zeit der Vorversicherung bei der Sozialversicherung auf die Wartezeiten angerechnet. – 3. *Prämie:* Richtet sich nach dem Tarif (Leistungshöhe) und dem Risiko des Antragstellers (Alter, Geschlecht, Vorerkrankungen). – 4. *Kündigung:* Versicherungsnehmer hat ein ordentliches Kündigungsrecht mit einer Frist von drei Monaten zum Ende der Versicherungsperiode. Die Versicherungsgesellschaft verzichtet bei der Krankheitskostenversicherung auf das ordentliche Kündigungsrecht. Bei der Krankentagegeldversicherung gilt auch für sie die Frist von drei Monaten vor dem Ende der Versicherungsperiode.

**Krankenversicherung der Landwirte.** 1. *Berufsständische Versicherung* der Landwirte, eingeführt durch Gesetz zur Weiterentwicklung des Rechts der gesetzlichen Krankenversicherung (Gesetz über die Krankenversicherung der Landwirte – KVLG) vom 10. 8. 1972 (BGBl I 1433), in Kraft getreten am 1. 10. 1972 mit späteren Änderungen. – 2. *Versicherungspflicht:* Selbständige Landwirte, d. h. Unternehmer der Land- und Forstwirtschaft einschl. Wein-, Obst-, Gemüse- und Gartenbau, Teichwirtschaft und Fischzucht; mitarbeitende Familienangehörige; Personen, die Altersgeld oder Landabgaberente erhalten. – *Befreiung* von der Versicherungspflicht unter bestimmten Voraussetzungen (§ 4 KVLG). →Freiwillige Versicherung und Weiterversicherung ähnlich wie bei der allgemeinen →Krankenversicherung möglich. – 3. *Leistungen:* a) Maßnahmen zur Früherkennung und Verhütung von Krankheiten, b) →Krankenhilfe, c) →Mutterschaftshilfe, d) Familienhilfe, e) →Betriebshilfe, f) →Haushaltshilfe, g) →Sterbegeld. Art, Inhalt und Umfang dieser Leistungen im wesentlichen wie bei der allgemeinen →Krankenversicherung. – 4. *Beiträge:* Nach Beitragsklassen festgesetzt, bei denen für landwirtschaftliche Unternehmer der Einheitswert, der Arbeitsbedarf oder ein anderer angemessener Maßstab gilt. Näheres regelt die Satzung der einzelnen landwirtschaftlichen Krankenkassen, die bei jeder landwirtschaftlichen →Berufsgenossenschaft errichtet wurden.

**Krankenversicherung der Rentner,** →Rentnerkrankenversicherung.

**Krankenzuschüsse,** gem. Gesetz zur Verbesserung der wirtschaftlichen Sicherung der Arbeiter im Krankheitsfall (ArbKrankhG) vom 26. 6. 1957 vom Arbeitgeber zu zahlender Zuschuß (→Arbeitgeberzuschuß) zu dem von der Sozialversicherung gewährten Krankengeld an den Arbeitnehmer. Diese Regelung wurde abgelöst durch das Gesetz über die Fortzahlung des Arbeitsentgelts im Krankheitsfall (Lohnfortzahlungsgesetz) vom 27.7.1969; →Lohnfortzahlung.

**Krankheit.** I. S o z i a l v e r s i c h e r u n g : Nicht gesetzlich definierter, sondern von der Rechtsprechung herausgearbeiteter Begriff des Sozialversicherungsrechts. K. in einem Sinn ist ein regelwidriger Körper- oder Geisteszustand, der ärztliche Behandlung erforderlich macht und/oder Arbeitsunfähigkeit hervorruft. Die Erwartung eines Heilerfolgs durch ärztliche Behandlung wird nicht gefordert; es genügt, wenn eine Aussicht auf Besserung oder Linderung des Zustandes oder auf Erleichterung im Befinden des Patienten besteht. – In der *gesetzlichen →Krankenversicherung* löst die K. oder die dadurch entstandene Arbeitsunfähigkeit den Versicherungsfall und damit die Leistungspflicht der Krankenkasse aus. Geht die K. in einen Dauerzustand über, der keiner Behandlung mehr bedarf oder durch Behandlung nicht mehr beeinflußt werden kann (z. B. Pflegefall), endet die Zuständigkeit der Krankenversicherung.

II. A r b e i t s r e c h t : 1. *Allgemeine arbeitsrechtliche Folgen:* Vgl. →Lohnfortzahlung, →Arbeitsverhinderung. Der Anspruch auf Fortzahlung des Arbeitsentgelts wird nicht davon berührt, daß der Arbeitgeber das Arbeitsverhältnis aus Anlaß der Arbeitsunfähigkeit kündigt (§ 6 LohnfortzG). – 2. *Ordentliche Kündigung:* K. kann den unmittelbaren Kündigungsgrund nach § 1 II KSchG bilden, (→personenbedingte Kündigung). Bei der krankheitsbedingten Kündigung kommt es darauf an, ob – im Zeitpunkt der Kündigung – die Interessen des Betriebs angesichts der Dauer der Erkrankung eine Neubesetzung des Arbeitsplatzes fordern. – a) *Langanhaltende K.:* Kündigung darf nur das letzte Mittel sein, um mit den dadurch verursachten betrieblichen Schwierigkeiten zurechtzukommen. Nach der Rechtsprechung des Bundesarbeitsgerichts muß der Arbeitgeber zunächst Überbrückungsmaßnahmen ergreifen (Einstellung von Aushilfskräften, personelle oder betriebstechnische Umorganisation, Durchführung von Überstunden). Erst wenn diese Maßnahmen nicht mehr zumutbar sind, darf gekündigt werden. – b) *Häufige Kurzerkrankungen:* Es gelten regelmäßig dieselben Grundsätze. Ist im Zeitpunkt der Kündigung mit weiteren Erkrankungen zu rechnen, die zu einer unzumutbaren Beeinträchtigung der betrieblichen Belange führen, kann die Kündigung sozial gerechtfertigt (§ 1 KSchG) sein. Unzumutbar kann die Belastung für den Betrieb sein, weil häufige Kurzerkrankungen sich oft nicht durch die Einstellung von Aushilfskräften überbrücken lassen. Auch die Lohnfortzahlungskosten können ausnahmsweise eine unzumutbare Belastung sein. Je länger ein Arbeitsverhältnis ungestört bestanden hat, desto mehr Rücksichtnahme ist vom Arbeitgeber zu erwarten. – c) Hat ein *Arbeitsverhältnis schon lange bestanden* oder geht die *Behinderung des Arbeitnehmers auf die Tätigkeit im Betrieb* zurück, kann der Arbeitgeber einen Leistungsabfall nicht einfach zum Anlaß einer Kündigung nehmen. Der Arbeitgeber muß diesem Arbeitnehmer dann einen Arbeitsplatz zuweisen, der seinem Gesundheitszustand angemessen ist.

**Krankheitskosten,** durch →Krankheit verursachte besondere Aufwendungen. – *Steuerliche Behandlung:* K. sind nach Einkommensteuerrecht als →Kosten der Lebensführung grundsätzlich nicht abzugsfähig, außer bei typischen →Berufskrankheiten. Bei Überschreitung der →zumutbaren Belastung können K. als →außergewöhnliche Belastung berücksichtigt werden.

**Krankheitskostenversicherung,** →Krankenversicherung II 1 a).

**Krankmeldung,** unverzügliche Mitteilung des Arbeitnehmers an den Arbeitgeber im Falle einer Erkrankung. – 1. *K. der Arbeiter:* Verpflichtung aufgrund § 3 LohnfortzG; Arbeiter haben dem Arbeitgeber die →Arbeitsunfähigkeit und deren voraussichtliche Dauer unverzüglich anzuzeigen und vor Ablauf des dritten Kalendertages nach Beginn der Arbeitsunfähigkeit eine ärztliche Bescheinigung über die Arbeitsunfähigkeit sowie deren voraussichtliche Dauer (Arbeitsunfähigkeitsbescheinigung) nachzureichen. – 2. *K. der Angestellten:* Analoge Anwendung geboten; zumeist bestehen aber kollektiv- oder einzelvertragliche Regelungen. – 3. *Folgen von Mitteilungsverstößen:* Ein einmaliger Verstoß der Überschreitung der Meldefrist genügt nicht für eine →ordentliche Kündigung oder →außerordentliche Kündigung. Die Nichtvorlage einer Arbeitsunfähigkeitsbescheinigung kann i. d. R. nur dann eine Kündigung rechtfertigen, wenn hierdurch betriebliche Interessen verletzt werden (im einzelnen umstritten). – Solange der Arbeiter sich nicht krankmeldet oder eine Krankheit nicht nachweist, ist der Arbeitnehmer zur Verweigerung der →Lohnfortzahlung berechtigt (§ 5 LohnfortzG).

**Kreativitätstechniken,** *Ideenfindungsmethoden.* **1.** *Charakerisierung:* Suchregeln oder Heuristiken (→Heuristik), die individuelle Gedankengänge oder gruppenorientierte Suchprozesse stimulieren (Simulation eines kreativen Prozesses), insbes. bei Problemstellungen, die kreative Lösungen erfordern (z. B. bei der Suche nach →Innovationen), anzuwenden. Durch den Einsatz von K. wird die Findewahrscheinlichkeit von (vielen) Ideen bei innovativen Problemstellungen erhöht; ein Findeerfolg ist jedoch nicht garantiert. – **2.** *Kategorien:* a) *systematisch-analytische K.:* u. a. Morphologischer Kasten, sequentielle Morphologie, modifizierte Morphologie (attribute listing), progressive Abstraktion, morphologische Matrix (→Cross-Impact-Analyse), TILMAG usw.; b) *kreativ-intuitive K. (K. i. e. S.):* u. a. →Brainstorming-Methoden (klassisches Brainstorming, Schwachstellen-Brainstorming, →Brainstorming), Brainwriting-Methoden (Methode 635, Kartenumlauftechnik, Galerie-Methode, →Delphi-Technik, Ideen-Notizbuch-Austausch) und Methoden der intuitiven Konfrontation (Reizwortanalyse, Exkursionssynektik, Synektik, visuelle Konfrontation in der Gruppe, semantische Intuition, Bildmappen-Brainwriting). – **3.** *Aspekte/Probleme:* a) *Ansatzpunkte,* um kreatives Verhalten bei Personen und Gruppen zu stimulieren: Je nach kreativitätstheoretischem Ansatz wird die Problemvorgabe (die kreative Prozesse beim Individuum oder Gruppe herausfordern sollen), die kreative Persönlichkeit, der kreative Prozeß, das kreative Produkt und die kreative Umwelt favorisiert. – b) *Beschreibung des kreativen Prozesses als solchen:* Der prozeßorientierten Perspektive zufolge liegt das entscheidende Kriterium im psychologischen

Bezugsrahmen des Denkens, innerhalb dessen der individuelle Schöpfungsprozeß möglichst effektiv verläuft, d. h. die kreative Problemlösung bzw. das kreative Produkt wird nicht als plötzlich auftretendes Ereignis betrachtet, sondern als ein Vorgang, der längere Zeit dauert. Es sind Merkmale zu finden, die allen kreativen Prozessen gemeinsam sind. – c) „*Übersetzung*" bzw. „Übertragung" des kreativen Prozesses bzw. der notwendigen Heuristiken in eine entsprechende K., um kreatives Verhalten von Personen oder Gruppen zu forcieren, z. B. mittels der Synektik-Methode. – d) *Beschreibung des situativen Kontextes,* um Kreativitätsblockaden bei Individuen (Auffassungssperren, emotionale Sperren, intellektuelle Sperren, Ausdruckssperren, Phantasiesperren und kulturelle Sperren), Gruppen (Konformitätsdruck, Autoritätsfurcht, interpersonale Konflikte), Organisationsabläufen und -strukturen usw. (z. B. auch durch restriktive Personalpolitik oder hierarchische Organisationsstruktur) zu eruieren, um diese einzuschränken oder zu vermeiden und um den Kreativitätsprozeß, sowie den effektiven Einsatz von Kreativitätstechniken nicht zu gefährden. – **4.** *Anwendung:* a) Als konkrete Methoden zur *Förderung der Kreativität:* Bei unstrukturierten/-komplexen bzw. innovativen Problemen werden K. eingesetzt, um durch sie Personen und/oder Gruppen zu stimulieren, d. h. den Ideenfindungsprozeß bei diesen zu forcieren und eine höhere Anzahl von kreativen Ideen zu erzielen, z. B. bei der Suche nach neuen Produktideen. – b) Als konkrete Methoden zur *Erzielung qualitativer Prognosen,* z. B. bei der Voraussage des technischen Fortschritts: Einen Bezugsrahmen hierzu kann eine wissenschaftliche Theorie liefern, deren Funktion darin besteht, die Vorgänge eines bestimmten Objektbereichs (hier technische Entwicklung bzw. technischer Fortschritt) zu erklären und vorauszusagen; die Strukturierung der technologischen Voraussage kann durch bedarfs- und potentialorientierte Voraussage erfolgen. – Vgl. auch →technologische Voraussage, →Technologiefolgenabschätzung.

**Kreativ-Strategie,** →Copy-Strategie.

**Kredit. I. Buchhaltung:** Rechte Seite eines Kontos, andere Bezeichnung für →Haben. – *Gegensatz:* →Debet.

**II. Bankwesen: 1.** *Begriff:* Allgemein die Überlassung von Geld- und Sachwerten gegen Entgelt in Form von →Zinsen verstanden. – **2.** *Volkswirtschaftliche Funktion:* a) Der Wirtschaft wird kurzfristiges Geldkapital zur Finanzierung des Güterumlaufs zugeführt. b) Mittel- und langfristige Geldkapitalien werden von Stellen, wo sie nicht oder wenig wirkungsvoll eingesetzt sind, abgezogen und dahin geleitet, wo sie zur Erweiterung der Produktion verwandt werden können. Diese erhalten zusätzliche →Kaufkraft durch Verfügung über fremde Mittel. – 3. *Konsumentenkredit-Arten* a) Nach dem *Verwendungszweck:* (1) Darlehen zur Ermöglichung eines Verbrauchs, für den die Kaufkraft erst später gespart werden soll; (2) *Produktivkredit:* Fremdkapital für Betriebe von Handel, Industrie und Handwerk, das die Ausstattung mit produktiven Anlagen (→Anlagekredit) oder mit Betriebsstoffen (→Betriebskredit) finanzieren soll. Es kann sich auch um Saisonkredite oder Zwischenkredite, Einzelabschluß-, Not- oder Überbrückungskredite handeln. – b) Nach der *Sicherheit:* (1) *Personalkredit* (nur aufgrund persönlicher →Kreditwürdigkeit), oft in der Form des Kontokorrentkredits; (2) *Realkredit* (durch Hypotheken, Grundschulden gesicherter, also gedeckter K.; i. w. S. auch durch Forderungsabtretung, Sicherungsübereignung, Bürgschaften, verpfändete Wertpapiere, Spareinlagen, Lebensversicherungen gedeckter K). – c) Nach den *Kreditnehmern* bzw. *-gebern:* private und öffentliche Kredite, Inlands- und Auslandskredite, landwirtschaftlicher Kredit, Industriekredit, Mittelstandskredit, Baukredit usw. – d) Nach der *Laufzeit:* kurzfristige, mittelfristige, langfristige K. – 4. *Gewährung von K.* ist abhängig zu machen: a) von Zahlungsfähigkeit (Sicherheit) und -bereitschaft für Zinsen und Tilgung, b) von der Dauer der vermuteten Inanspruchnahme, c) von der erwarteten →Rentabilität der zu finanzierenden Unternehmung.

III. S t r a f r e c h t : Gelddarlehen aller Art, Akzeptkredite, der entgeltliche Erwerb und die Stundung von Geldforderungen, die Diskontierung von Wechseln und Schecks und die Übernahme von Bürgschaften, Garantien und sonstigen Gewährleistungen (§ 265 b III StGB).

**Kreditakzept,** →Bankakzept 1.

**Kreditanstalt für Wiederaufbau (KfW, KW),** *Wiederaufbaubank,* Sitz in Frankfurt a. M., Körperschaft des öffentlichen Rechts. 1948 gegründet mit Grundkapital von 1 Mrd. DM, woran der Bund mit 800 Mill. DM und die Länder mit 200 Mill. DM beteiligt sind. Eingezahlt 150 Mill. DM. – 1. *Rechtsgrundlage:* Gesetz über die KfW in der Fassung von 23. 6. 1969 (BGBl I 573). – 2. *Aufgaben:* Gewährung von mittel- und langfristigen Darlehen oder Bürgschaften für Vorhaben, die dem Wiederaufbau oder der Förderung der deutschen Wirtschaft dienen, oder an inländische Unternehmen bei Ausfuhrgeschäften. Ferner Darlehensgewährung im Rahmen der →Entwicklungshilfe, auch zur Umschuldung ausländischer Schuldner gegenüber inländischen Gläubigern. Im Zusammenhang mit diesen Aufgaben darf sie auch Forderungen und Wertpapiere an- und verkaufen und sich wechselmäßig verpflichten. Bei der Darlehensgewährung sind Kreditinstitute einzuschalten.

Die Darlehen müssen durch dingliche Sicherheiten, Gewährleistung des Bundes oder eines Landes oder durch Schuldverschreibungen eines Kreditinstituts gesichert werden. Das Einlagen- und Kontokorrentgeschäft sowie der Effektenhandel für fremde Rechnung sind der KfW nicht gestattet. – 3. *Mittelbeschaffung* erfolgt durch Ausgabe von Schuldverschreibungen auf den Inhaber, Darlehen beim Bund, bei Sondervermögen des Bundes, bei der Deutschen Bundesbank und im Ausland. Kurzfristige Verbindlichkeiten düfen 10% der mittel- und langfristigen nicht übersteigen. – 4. *Gewinn* wird nicht ausgeschüttet. Der jährliche Reingewinn ist einer gesetzlichen Rücklage zuzuweisen bis zu 150 Mill. DM. Der weitere Reingewinn wird einer Sonderrücklage zugewiesen, die betragsmäßig nicht begrenzt ist und zum Ausgleich von Ausfällen bei Entwicklungskrediten dienen soll. – 5. In bezug auf *Besteuerung,* Errichtung von Banken, Unterbringung und Miete von Gebäuden steht die KfW der →Deutschen Bundesbank gleich.

**Kreditaufsicht,** →Grundsätze über das Eigenkapital und die Liquidität der Kreditinstitute, →Kreditwesengesetz.

**Kreditauftrag,** formfreier Auftrag an einen anderen, einem Dritten im eigenen Namen und auf eigene Rechnung →Kredit zu gewähren (§ 778 BGB). Der Auftraggeber haftet für die aus der Kreditgewährung entstandene Forderung wie ein Bürge (→Bürgschaft). Im übrigen sind zwischen Auftraggeber und Beauftragten die Vorschriften über den Auftrag (§§ 662 ff. BGB) maßgebend: Solange Kredit nicht gewährt oder fest zugesagt ist, kann der Auftraggeber widerrufen. Beauftragter kann keinen Vorschuß verlangen. Der Beauftragte muß Auftrag sorgfältig ausführen; bei Verletzung Schadenersatz.

**Kreditausfallrisiko,** →Kreditrisiko.

**Kreditauskunft,** Urteil über geschäftliche Moral und finanzielle Leistungsfähigkeit einer Einzelperson oder eines Unternehmens. Schutz des Beurteilten gegen →Kreditgefährdung durch § 824 BGB. Zusätzlicher Schutz durch § 14 UWG (→üble Nachrede 2) und § 15 UWG (→Verleumdung).

**Kreditausweitung,** Erweiterung des volkswirtschaftlichen Kreditvolumens durch die Notenbank und in deren Gefolge durch die Geschäftsbanken zur Belebung und Anregung der Wirtschaft bei →Deflation oder Stagnation. Währungspolitische Mittel der Zentralnotenbank zur K. sind: →Offenmarktpolitik, Herabsetzung der →Mindestreservesätze und Herabsetzung des →Diskonts. – Vgl. auch →Kreditschöpfung.

**Kreditbanken,** nach Klassifikation der Deutschen Bundesbank Universalbanken, die nicht dem Sparkassen- und Genossenschaftsbankensektor angehören. Im einzelnen handelt es sich um Großbanken, Regionalbanken, Zweigstellen ausländischer Banken und Privatbanken.

**Kreditbetrug.** 1. *Begriff:* a) In verschiedenen Formen auftretender →Betrug, z. B. als Firmenmißbrauch, Täuschung der Auskunfteien, Vorschub unpfändbarer Personen als Besteller, Nachnahmeschwindel, Schiebungsverträge, mehrfache Sicherungsübereignung; b) Vorlage falscher Unterlagen oder unrichtige oder unvollständige Angaben im Zusammenhang mit einem Antrag auf Gewährung, Belassung oder Veränderung der Bedingungen eines Kredites zwischen Betrieben oder Unternehmen, die nach Art und Umfang einen in kaufmännischer Weise eingerichteten Geschäftsbetrieb erfordern. Auf Seiten des Kreditnehmers genügt es, wenn der Betrieb (oder das Unternehmen) oder der vorausgesetzte Umfang des Betriebs nur vorgetäuscht wird (§ 265 b StGB). – 2. *Strafe:* Freiheitsstrafe bis zu drei Jahren oder Geldstrafe. – 3. *Schutzmaßnahmen:* Einholung einer →Kreditauskunft bei Bank oder Auskunftei, bzw. von Referenzen bei Geschäftsfreunden, Einsicht in die Schwarze Liste beim Amtsgericht (→Schuldnerverzeichnis), Güterrechts- und Handelsregister sowie ins Grundbuch.

**Kreditbilanz,** →Status IV.

**Kreditbrief,** Anweisung an eine oder mehrere Banken, dem Begünstigten Beträge bis zu der im K. bezeichneten Höchstsumme auszuzahlen (→Akkreditiv). Wer aufgrund eines K. Zahlung verlangt, muß sich als sein rechtmäßiger Inhaber legitimieren. – Der →*Reisekreditbrief* ist eine Sonderform.

**Kreditbürgschaften,** vertragsmäßiges Einstehen eines Bürgen für den von der Bank zu gewährenden einmaligen oder laufenden Kredit bis zu einem bestimmten Betrag, oder für alle Forderungen der Bank gegen den Schuldner. – Vgl. auch →Bürgschaft, →Kreditauftrag.

**Krediteröffnungsvertrag,** formfreier Vertrag, durch den sich i. d. R. ein Kreditinstitut verpflichtet, einem anderen →Kredit zu geben: a) in Form eines →Darlehens, b) durch Annahme eines Wechsels (→Akzeptkredit), c) durch Übernahme einer Bürgschaft (→Avalkredit) usw. K. ist im Gesetz nicht geregelt. Für die Verpflichtungen der Parteien sind i. d. R. die Allgemeinen Geschäftsbedingungen des betreffenden Kreditinstituts maßgebend.

**Kreditfähigkeit,** Fähigkeit, rechtswirksame Kreditverträge abzuschließen. Kreditfähig sind geschäftsfähige natürliche Personen, juristische Personen des privaten und öffentlichen Rechts sowie Personenhandelsgesellschaften, die unter ihrer Firma Rechte und Pflichten erwerben können (OHG, KG).

**Kreditfazilität,** Gesamtheit der Kreditmöglichkeiten, die einem Kunden - unbeschadet ihrer Inanspruchnahme - zur Deckung eines Kreditbedarfs bei Banken zur Verfügung stehen. – *Sonderform:* →swingline facility.

**Kreditfinanzierung,** Form der →Fremdfinanzierung, bei der für die Kapitalbeschaffung einer Unternehmung durch Aufnahme von →Krediten erfolgt. – *I. w. S.:* Beschaffung jeder Art von Fremdkapital (langfristig in Form von →Anleihen, →Wandelschuldverschreibungen, →Hypothekarkredit, →Darlehen; kurzfristig in Form von →Bankkredit, →Lieferantenkredit, →Akzepten, →Kundenkredit). – 2. *I. e. S.:* Beschaffung von (meist kurzfristigem) Bankkredit.

**Kreditfinanzierungsplan,** Teil des →Haushaltsplan. Darstellung der Einnahmen aus Krediten und der Tilgungsausgaben. Gemäß der →Haushaltssystematik der Bundeshaushaltsordnung ist der K. dem Haushaltsplan beizufügen.

**Kreditfinanzierungsquote,** Größe, die den Anteil der →Nettokreditaufnahme an den →öffentlichen Ausgaben bzw. dem Bruttosozialprodukt (→Sozialprodukt) mißt.

**Kreditgarantiegemeinschaften,** seit 1953 in der Bundesrep. D. von Handwerk und vom Handel (mit Mitwirkung von mittelständischen Banken, Sparkassen und Kreditgenossenschaften) in der Rechtsform der GmbH errichtete Vereinigungen zum Zweck, für diese mittelständischen Wirtschaftskreise die wegen fehlender Sicherheiten oftmals schwierige Kreditbeschaffung zu erleichtern, insbes. zur Durchführung von Werkstatt- oder Ladenerweiterungen und zur technischen Rationalisierung. Die K. gibt eine höchstens 80prozentige Bürgschaft, davon sind ⁴/₅ durch Bürgschaft des Bundes bzw. des Landes gedeckt, so daß die Haftung der K. unmittelbar nur 16% beträgt. Vom Kreditnehmer sind mindestens 20% bankübliche Sicherheiten zu stellen. – *Bedeutung für den Handel:* Wegen der geringen Anlageintensität und damit mangelnder Sicherheiten in Handelsbetrieben sind K. zur Finanzierung von Betriebsgründungen, Betriebverlegungen, Ladenerweiterungen oder -erneuerungen von hoher Wichtigkeit. Die großen →kooperativen Gruppen haben bei ihren Banken eigene K. für ihre Mitglieder angegliedert.

**Kreditgefährdung,** Gefährdung des →Kredits eines anderen durch Verbreitung wahrheitswidriger Behauptungen. K. verpflichtet als →unerlaubte Handlung nach § 824 BGB zum Schadenersatz, wenn Täter die Unwahrheit der Behauptung kannte oder aus Fahrlässigkeit nicht kannte. Bei Wahrnehmung berechtigter Interessen besteht Schadenersatzpflicht nur, wenn er Unwahrheit kannte. Schadenersatzpflicht umfaßt auch

Pflicht zum Widerruf der kreditschädigenden Behauptung (→Widerrufsanspruch).

**Kreditgeld,** das im Wege eines Kreditaktes entstehende Geld, das ein Forderungsrecht gegen die geldausgebende Stelle enthält: a) Als nicht einlösbare Banknote, die als *definitives* Geld die wichtigste Art des K. darstellt. b) →Giralgeld als *provisorisches* Geld, das jederzeit in definitives Geld eingetauscht werden kann. – Vgl. auch →Kreditschöpfung, →monetäre Theorie und Politik II.

**Kreditgenossenschaft.**    *Genossenschaftsbank.* 1. *Begriff:* Kreditinstitut in der Rechtsform der →Genossenschaft. – 2. *Entwicklung:* Die ersten K. wurden um die Mitte des 19. Jahrhunderts als Selbsthilfeeinrichtungen der Handwerker und Bauern gegründet. Als unbeschränkt haftende Solidargemeinschaften konnten sie Mittel mobilisieren, um ihre Mitglieder mit zinsgünstigen (insbes. Betriebsmittel-)Krediten zu versorgen. Nach dem Zweiten Weltkrieg Entwicklung zu Universalbanken mit beschränkter Haftpflicht. – Ursprünglich nach ländlicher (→Raiffeisenbanken) oder gewerblicher Orientierung (→Volksbanken) in zwei getrennten Spitzenverbänden organisiert, heute im Gefolge der Verbandsfusion 1972 im →Bundesverband der Deutschen Volksbanken und Raiffeisenbanken e. V. (BVR) zusammengeschlossen. – 3. *Aufgaben:* Geschäftspolitische Zielsetzung der K. ist die Förderung ihrer Mitglieder i. S. von bestmöglicher Bedienung mit Kapital (genossenschaftlicher →Förderungsauftrag, →Nichtmitgliedergeschäfte) unter Verzicht auf Gewinnmaximierung. Ein Teil der K. betreibt nebenher das ländliche Warengeschäft (→ländliche Kreditgenossenschaften mit Warenverkehr). K. haben über 10 Mill. Mitglieder und bilden das dichteste Bankstellennetz Europas. Sie arbeiten i. d. R. als Universalbanken und werden durch den →genossenschaftlichen Verbund unterstützt. – 4. *Rechtliche Besonderheiten:* Sondervorschriften für die Berechnung des haftenden Eigenkapitals, da bei K. die →Nachschußpflicht der Mitglieder im Konkursfall z. Zt. noch über einen →Haftsummenzuschlag auf das haftende Eigenkapital angerechnet wird. Vgl. auch →Genossenschaftswesen I. – 5. *Steuerliche Bedeutung:* Vgl. →Genossenschaft V.

**Kreditgeschäft,** Gewährung von Gelddarlehen und Akzeptkrediten; Bankgeschäft i. S. des § 1 KWG. Der Betrieb des K. ist verboten, wenn es durch Vereinbarung oder geschäftliche Gepflogenheit ausgeschlossen oder erheblich erschwert ist, über den Kreditbetrag durch Barabhebung zu verfügen (§ 3 KWG).

**Kreditgewinnabgabe,**    →Lastenausgleich IV 3.

**Kredit in laufender Rechnung,** →Kontokorrentkredit.

**Kreditinstitute,** →Banken.

**Kreditinstitute mit Sonderaufgaben,** →Banken mit Sonderaufgaben.

**Kreditinstitutsgruppe.** 1. *Nach § 10a KWG* Gesamtheit aller bei der Berechnung des haftenden Eigenkapitals einzubeziehenden Kreditinstitute. K. entstehen nach Maßgabe des § 10a KWG dann, wenn ein übergeordnetes Kreditinstitut bei anderen (untergeordneten) Kreditinstituten mindestens 40% der Kapitalanteile unmittelbar oder mittelbar hält *(erhebliche Beteiligung)* oder unmittelbar oder mittelbar beherrschenden Einfluß ausüben kann. – 2. *Nach § 13a KWG* ist die Berechnung von Großkreditgrenzen (→Großkredit) einzubeziehender bankbetrieblicher Unternehmerverbund. K. entstehen nach Maßgabe des § 13a KWG dann, wenn ein übergeordnetes Kreditinstitut bei nachgeordneten Kreditinstituten mindestens 50% der Kapitalanteile unmittelbar oder mittelbar hält *(maßgebliche Beteiligung)* oder unmittelbar oder mittelbar beherrschenden Einfluß ausüben kann.

**Kreditkarte,** Form des →bargeldlosen Zahlungsverkehrs. K. ist eine Ausweiskarte, die den Inhaber berechtigt, bei einem bestimmten K.-System angeschlossenen Vertragsunternehmen Rechnungen ohne Bargeld zu begleichen. Dem Karteninhaber wird eine Jahresgebühr, den angeschlossenen Vertragsunternehmen eine Umsatzprovision in Höhe von 3–8% berechnet. Geboten wird i. d. R. ein umfangreicher Reiseservice und andere Dienstleistungen (z. B. Versicherungsschutz, Bargeldbeschaffungsmöglichkeiten). – Zu *unterscheiden:* Travel & Entertainment-Karte und Bankkreditkarte. – *Bedeutung:* V. a. in den USA als Zahlungsmittel weit verbreitet; auch in der Bundesrep. D. von zunehmender Bedeutung.

**Kreditkauf,** Kauf von Wirtschaftsgütern, bei dem die Leistung des Käufers (Bezahlung) zu einem späteren Zeitpunkt erfolgt, der Verkäufer bis zu diesem Zeitpunkt die Gegenleistung kreditiert. – 1. K. von *Kaufleuten* im Rahmen der vereinbarten Lieferungs- und Zahlungsbedingungen (→Zielkauf). – 2. K. von *Konsumenten* als Teilzahlungsbzw. Abzahlungsgeschäft (→Teilzahlungskredit).

**Kreditkontrolle.** I. K. bei Kreditinstituten: 1. *Interne K. (K. i. e. S.):* a) Kontrolle der Kreditsachbearbeitung vor Auszahlung der Darlehen und vor Bereitstellung der Kredite (→Kreditprüfung); b) nach Kreditvergabe sich turnusgemäß wiederholende Prüfung des Kreditengagements (→Kreditüberwachung). – 2. *Gesetzliche K. (K. i. w. S.):* Gesamtheit der währungspolitischen und bankaufsichtlichen Maßnahmen zur Steuerung der Kreditvergabe durch den Geschäftsbankensektor. – Vgl. auch →Währungspolitik, →Bankenaufsicht.

II. K. bei Unternehmungen: Zweck der K.: 1. Rechtzeitige Verhinderung von Debitorenverlusten durch geordnetes Mahnwesen. – 2. Schaffung von Unterlagen für die Aufstellung von Finanzstatuts. – 3. Grundlage für Errichtung von →Finanzplänen aufgrund zu erwartender Entwicklung des Zahlungseingangs, ermittelt durch Auswertung folgender Unterlagen: a) Bestand an Außenständen; b) Gliederung der Außenstände nach Groß- und Kleinabnehmern; c) Gliederung der Kunden nach guten und schlechten Zahlern unter Berücksichtigung der Zahlungsgewohnheiten im Rahmen der branchenüblichen Zahlungsbedingungen; d) durchschnittlicher Anteil der Zahlungen durch Kundenwechsel am Zahlungseingang und durchschnittlicher Anteil der Zahlungen mit diskontierfähigen Wechseln am Wechseleingang; e) Übersicht über die Marktlage der abnehmenden Branchen (Saison- und Konjunkturschwankungen) und der sich daraus ergebenden →Liquidität der Abnehmer; f) eingeholte Informationen über den Stand von Kreditanbahnungs- und -abwicklungsverhandlungen.

**Kreditkosten,** gesamte Kosten eines →Kredits, bestehend aus →Zins, →Provisionen und →Nebenkosten. Die K. hängen stark von Art und Größe des Kredits ab. Seit Aufhebung der Zinsverordnung zum 1.4.1967 können die Kreditinstitute die Bedingungen, zu denen sie Kredit gewähren, frei vereinbaren.

I. Kontokorrentkredit: 1. *Sollzinsen:* Höhe schwankend; als Orientierungshilfen wird der →Diskontsatz der Deutschen Bundesbank angesehen sowie Kosten, die den Kreditinstituten aus dem Passivgeschäft erwachsen. – 2. *Kreditprovision:* Früher als Zinszuschlag (in % des in Anspruch genommenen Kredits) oder als Bereitstellungsprovision (in % des nicht in Anspruch genommenen Kredits) erhoben; heute meist im Sollzins enthalten (Nettozinssatz). – 3. *Überziehungsprovision:* Wird berechnet, wenn ein Kunde ohne Vereinbarung betragsmäßig oder über den vereinbarten Zeitraum hinaus sein Konto überzieht. Der übliche Satz beträgt 1½% p.a. – 4. *Umsatzprovision:* Entgelt für die mit der Kontoführung verbundenen Grundleistungen sowie für die zur Verfügungstellung der banktechnischen Einrichtungen. Der Provisionssatz beträgt i.d.R. zwischen ⅛ und 1‰ des reinen Umsatzes auf der umsatzhöheren Kontoseite. – 5. *Nebenkosten:* Vorauslagen und Kosten für zusätzliche Bankleistungen werden in ihrer tatsächlichen Höhe gesondert in Rechnung gestellt.

II. Diskontkredit: I.d.R. nur Zinsen als K. Der Zinssatz richtet sich nach dem Diskontsatz der Deutschen Bundesbank, der Höhe der Wechselbeträge, der Qualität der Wechsel und der Bedeutung des Kreditnehmers für das Kreditinstitut; bei nicht-bundesbankfähigen Wechseln wird ein erhöhter Zinssatz erhoben.

III. Akzeptkredit: Bei einem reinen Akzeptkredit verbleibt der Bank nur die Akzeptprovision (i.d.R. ca. ¼%).

IV. Avalkredit: Keine Zinsen, da normalerweise kein Bargeld zur Verfügung gestellt wird. Gefordert wird eine Avalprovision, deren Höhe von Wagnis, Laufzeit und Höhe der Bürgschaften und Garantien abhängig ist.

V. Realkredit: Zinssatz ist abhängig vom jeweiligen Kapitalmarktpreis und den eventuell angebotenen Sicherheiten. Provisionen werden i.d.R. als →Disagio berücksichtigt. Eventuell anfallende Nebenkosten (Auskunftseinholung usw.) werden entweder pauschal abgegolten oder in tatsächlicher Höhe bezahlt.

VI. Teilzahlungskredit: Unterschiedlich, je nach Kreditart (z.B. Teilzahlungskredit, Anschaffungsdarlehen, Kleinkredit).

**Kreditleihe.** 1. *Begriff:* Kreditgeschäft, bei dem die Bank dem Kunden ihre eigene Kreditwürdigkeit zur Verfügung stellt. Durch die K. werden die Mittel der Bank nur beansprucht, wenn der Kunde seinen Verpflichtungen nicht nachkommt. – *Gegensatz:* →Geldleihe. – 2. *Arten:* →Bürgschaftskredit, →Aval-Kredit, →Akzeptkredit, Rembourskredit (→Remboursgeschäft).

**Kreditlimit,** jedem Kunden aufgrund seiner →Kreditwürdigkeit eingeräumter Höchstbetrag für die Gewährung eines →Kundenkredits. – *Bankenverkehr und Außenhandel:* Vgl. →Kreditlinie.

**Kreditlinie.** 1. *Bank-Kreditgeschäft:* Einem Kreditnehmer entsprechend der Kreditzusage eingeräumte Kreditbeträge. – *Offene K.* entstehen, wenn die Höchstbeträge nicht beansprucht werden. – *Ähnlich:* →Kreditplafond. – 2. *Außenhandel:* Beträge, bis zu denen a) bei bilateralen Verrechnungsabkommen ein Land vom Partnerland Kredit erhalten darf (→Swing); b) bei multilateralen Verrechnungsabkommenm ein Land (Mitglied) Kredit gewähren muß und/oder Kredite von der multilateralen Verrechnungsstelle erhalten kann.

**Kreditliste,** →schwarze Liste 2.

**Kreditmarkt.** 1. *Begriff:* Bezeichnung für den weder örtlich noch zeitlich begrenzten Markt, auf dem Geldkapital (Angebot) und Kapitalrechte (Nachfrage) gehandelt werden. – 2. Der K. wird *unterteilt* in →Geldmarkt und →Kapitalmarkt. – 3. *Funktion der Kreditinstitute:* a) Kreditinstitute sind auf dem K. als *Kreditnehmer* tätig, indem sie Einlagen sammeln und Gelder aufnehmen. b) Sie sind *Kreditgeber*, indem sie aufgenommene Gelder ausleihen. c) Sie sind *Kreditvermittler*, indem sie Anbieter und Nachfrager zusammenführen.

**Kreditoren.** 1. *Begriff:* a) *I.e.S.:* Gläubiger einer Unternehmung aus den auf Kredit bezogenen Waren (→Gläubiger). – b) *I.w.S.:* Gläubiger aller Art, z.B. auch Bank- und Darlehensgläubiger, Maschinenlieferanten. – 2. *Buchung:* Die Konten der K. werden in den Büchern des Unternehmens beim Warenbezug erkannt (Gutschrift ins Haben) und bei Begleichung der Rechnung belastet (Lastschrift ins Soll); häufig in Form des →Kontokorrents.

**Kreditplafond,** einem öffentlichen Schuldner (meist gesetzlich) eingeräumte →Kreditlinie.

**Kreditplafondierung,** Verfahren der Kreditrationierung (→Kreditrestriktion), bei dem die Zentralbank oder die Regierung den Kreditgebern (Banken) Vorschriften über die maximale Höhe der zusätzlicher Kredite macht, die diese vergeben dürfen. Es ist zu unterscheiden danach, ob die K. bei der Brutto- oder bei der Nettokreditgewährung ansetzt. – In der *Bundesrep. D.* ist eine K. im Zusammenhang mit der Diskussion um das →Stabilitätsgesetz erörtert, aus ordnungs-, prozeß- und wettbewerbspolitischen sowie praktischen Gründen aber nicht beschlossen worden.

**Kreditpolitik.** 1. *Charakterisierung:* Gesamtheit aller Maßnahmen einer zentralen →Notenbank zur Regulierung des volkswirtschaftlichen Kreditvolumens. Scharfe Trennung von *Geldpolitik* und K. ist nicht möglich, da der überwiegende Teil des Geldes durch Kreditgewährung (Kreditgeld) entsteht. – *Ziel* ist letztlich die Beeinflussung der Ausgabentätigkeit der Wirtschaftssubjekte, um damit auf Beschäftigung, Wachstum und Preisentwicklung einzuwirken. – 2. *Ansätze/Instrumente:* Die K. der Deutschen Bundesbank setzt an zwei wesentlichen Bestimmungsfaktoren der Ausgabentätigkeit an: Kreditkosten und Kreditverfügbarkeit. Damit sollen insbes. die kreditabhängigen Investitionen beeinflußt werden. Durch zinspolitische Maßnahmen und Eingriffe in die Bankenliquidität versucht die Bundesbank, die Kreditgewährung an den Nichtbankenbereich nach Preis und Menge zu steuern. Dazu setzt die Zentralbank die ihr zur Verfügung stehenden Instrumente Mindestreservepolitik, Offenmarktpolitik, Diskont- und Lombardpolitik, Einlage-/Schuldenpolitik oder Swappolitik (vgl. näher →monetäre Theorie und Politik) ein. – 3. *Beurteilung:* Die K. ist nicht immer sehr erfolgreich, zum einen aufgrund der nicht hinreichenden bzw. mit einem hohen Lag verbundenen Zinsempfindlichkeit der Investitionen, zum anderen aufgrund der mangelnden Steuerbarkeit des Kreditpotentials der Banken. – Vgl. auch →potentialorientierte Kreditpolitik.

**Kreditprolongation,** →Prolongation 1.

**Kreditprovision,** *Bereitstellungsprovision*, von den Kreditinstituten berechnete →Provision für zugesagte →Kredite, soweit sie *nicht* in Anspruch genommen sind. K. beträgt i.d.R. 3% auf den zugesagten Kredit. – Für in Anspruch genommene Kredite: Vgl. Sollzinsen (→Aktivzinsen), →Kreditkosten.

**Kreditprüfung,** *Kreditrevision,* planmäßige kritische Untersuchung der Kreditgeschäftsführung, -sachbearbeitung und -überwachung bei Banken. K. erfordern i.d.R. Einbeziehung eines größeren, zumindest aber eines bestimmten Teils der Einzelkredite sowie Beurteilung der gesamten Kreditstruktur und kreditgeschäftlichen Organisation. – Eine K. kann unvermutet oder nach vorheriger Ankündigung entweder durch kreditabteilungsfremde Bankstellen (→interne Revision) oder extern durch Wirtschafts- oder Verbandsprüfer vorgenommen werden. Über die Ergebnisse der K. ist in einem →Prüfungsbericht Rechenschaft abzulegen.

**Kreditrationierungsthese,** These über die Reaktion an Kreditgebern auf steigendes Ausfallrisiko durch erhöhten Verschuldungsumfang des Kreditnehmers: Der Kreditgeber schränkt den Kreditumfang ein. – *Anders:* →Risikoabgeltungsthese.

**Kreditreserve,** Teil einer Unternehmung zur Verfügung stehenden oder ggfs. realisierbaren Kreditsumme (z.B. offene →Kreditlinie), der nicht zur Abdeckung von laufenden Verbindlichkeiten verwandt werden darf, weil er für den Fall zurückbehalten werden muß, daß unerwartet und nicht vorhersehbar Kapitalbedarf eintritt. – Vgl. auch →Liquiditätspolitik, →Liquiditätsreserve.

**Kreditrestriktion,** währungspolitische Maßnahme zur Einschränkung des volkswirtschaftlichen Kreditvolumens in Zeiten besonderer wirtschaftlicher Anspannung. Eine Einschränkung der Kreditgewährung wird seitens der Zentralnotenbank in der Weise vorgenommen, daß der Kredit direkt beschränkt wird. – *Zu unterscheiden:* 1. *Allgemeine Kreditsperre:* Grobe generelle Maßnahme, die nur in Zeiten außergewöhnlicher Notlage zur Anwendung kommt. – 2. *Selektive Kreditkontrolle:* Kreditpolitik der Notenbank über die Kreditinstitute, die aus gesamtwirtschaftspolitischen Zielen bestimmte Wirtschaftsbereiche durch Bindung der Kreditnachfrage kreditmäßig bevorzugt oder benachteiligt (Gafafer). – 3. →*Kreditplafondierung.* – Vgl. auch →Kreditpolitik.

**Kreditrevision,** →Kreditprüfung.

**Kreditrisiko,** spezifisches Wagnis der Geschäftsbanken bei Gewährung von Krediten. – *Arten:* 1. *Aktives K.:* Drückt sich durch die Wahrscheinlichkeit des totalen oder partiellen Verlusts des Kreditkapitals sowie der vertraglich vereinbarten Zinsen aus. a) *Normales Risiko*, durch entsprechende Prämie in den Zinsen abgegolten; b) *besonderes Risiko*, durch zusätzliche Sicherungen abzuwehren. – 2. *Passives K.*: Das der Bank aus der Inanspruchnahme von Kredit erwachsende Risiko, etwa aus unvorhergesehenen Änderungen der Geldmarktlage, der Zinssätze u. a. – Eine *bankaufsichtliche Begrenzung des K.* erfolgt durch §§ 10 und 10 a KWG in Verbindung mit einem in Grundsatz I (→Grundsätze über das Eigenkapital und die Liquidität der Kreditinstitute) fixierten System eigenkapitalbindender Risikoklassen. Weitere aufsichtsrechtliche Normen zur Begrenzung des aktiven K. sind die Kreditstreuungsvorschriften der §§ 13 III und IV, 13 a I KWG. – Weitere Ansatzpunkte zur Steuerung und Begrenzung des aktiven K. im Rahmen des →*Bilanzstrukturmanagements* ergeben sich a) auf der *Gesamtvermögensebene* als quantitative Risikobegrenzung, indem die ausfallbedrohten Aktiva in Relation zu einer weiteren Bilanzgröße gesetzt werden, und b) auf der *Einzelvermögensebene* als qualitative Risikobegrenzung, indem die ausfallsbedrohten Einzelaktiva so diversifiziert werden, daß durch die damit erzielte Risikostreuung des gesamten Kreditvolumens eine das K. begrenzende Wirkung eintritt.

**Kreditschöpfung,** →Geldschöpfung der Banken durch Kreditgewährung. Scharfe Trennung von Geldschöpfung und K. ist nicht möglich, da der überwiegende Teil des Geldes durch Kreditgewährung entsteht. – Vgl. auch →monetäre Theorie und Politik II 2 b).

**Kreditschutz.** 1. *Organisation* (besonders für den kreditgebenden Einzelhandel) zur Sicherung gegen →Kreditbetrug durch die Kunden. Auf gemeinnütziger Grundlage tätige Vertrauensorganisation, die ihren Mitgliedern schnell Auskünfte über die Belastung von Abzahlungskunden gibt. Die Mitglieder machen laufend Meldung über von ihnen gewährte Kredite und ihre Erfahrungen bezüglich der →Kreditwürdigkeit einzelner Kunden. – 2. *Besondere Kreditschutzvereine* für die Sicherung von wirtschaftlichen Unternehmungen gegen neueröffnete Scheingesellschaften oder schlechte Schuldner. Die K.-Vereine sind Auskunfteien ähnlich; zusätzlich ziehen sie Forderungen ein und ermöglichen gemeinsames Vorgehen bei Konkursen.

**Kreditsicherheiten.** I. C h a r a k t e r i s i e - r u n g : Durch die Vereinbarung von K. in einem →Kreditvertrag erhält der Kreditgeber einen Anspruch auf die Verwertung von Sachen bzw. Rechten *(→Sachsicherheit)* oder gegen dritte Personen *(→Personensicherheit)* für den Fall, daß der Kreditnehmer seine Zahlungen aus dem Kreditvertrag nicht vertragskonform leistet. Die Forderung des Kreditgebers wird in diesem Fall durch den

Erlös für das Sicherungsgut bei Ausübung des Verwertungsrechts im Falle der Real- oder Sachsicherheit bzw. durch die Leistung eines Dritten im Falle der Personensicherheiten gedeckt.

II. A r t e n : 1. Nach dem Grad der *gesetzlichen Regelung:* – a) *gesetzliche K.*, z. B. Pfandrecht eines Vermieters; b) *rechtsgeschäftliche, gesetzlich geregelte K.*, z. B. →Grundschuld, →Hypothek, →Bürgschaft, →Pfandrecht; c) *rechtsgeschäftliche, nicht gesetzlich geregelte K.*, z. B. →Eigentumsvorbehalt, →Sicherungsübereignung, →Forderungsabtretung. – 2. Nach der *Art der Sicherung:* a) *Personensicherheiten,* z. B. Bürgschaft, Garantie; b) *Sachsicherheiten:* (1) an beweglichen Sachen (Mobiliarsicherheiten), z. B. Eigentumsvorbehalt, Sicherungsübereignung, (2) an unbeweglichen Sachen, z. B. Grundschuld, Hypothek und (3) an Rechten, z. B. Pfandrecht, Forderungszession. – 3. Nach der *Abhängigkeit der Sicherheit von der Forderung:* →akzessorische Sicherheiten, →nichtakzessorische Sicherheiten. – Vgl. auch →Kreditsicherung.

III. Z w e c k : Durch den Verwertungsanspruch bzw. den Anspruch gegen Dritte soll die Gefahr von Kreditausfällen für den Kreditgeber verhindert bzw. vermieden werden. Vor Vereinbarung des Kreditvertrags senkt die Vereinbarung von K. die Informationskosten des Kreditgebers, die Vereinbarung den Aufwand bei der →Kreditwürdigkeitsprüfung vermindert. Während der Laufzeit des Kredits vermindern K. die Kontrollkosten des Kreditgebers.

IV. B e d e u t u n g : In der Bundesrep. D. haben die K. große Bedeutung. Nahezu bei allen Bankkrediten werden Sicherheiten vereinbart, →Personalkredite ohne K. werden sehr selten an Personen bzw. Unternehmen erster Bonität vergeben. Sämtliche →Lieferantenkredite sind durch Eigentumsvorbehalte, meist in verlängerter oder erweiterter Form, gesichert.

**Kreditsicherung,** Hingabe von Vermögenswerten oder Rechten daran als Sicherung des Gläubigers vor Verlusten aus gewährten Krediten. *Möglichkeiten der K.:* a) Belastung von Grundstücken durch Eintragung von →Hypothek oder →Grundschulden in das Grundbuch; b) →Sicherungsübereignung von Mobilien, insbesondere des Warenlagers; c) Verpfändung bzw. Beleihung von sonstigen Vermögenswerten, z. B. Lombardierung von Wertpapieren; d) Bürgschaftsübernahme durch Dritte (→Bürgschaft); e) →Eigentumsvorbehalt bei Lieferung von Waren auf Ziel. – Vgl. auch →Kreditsicherheiten.

**Kreditstatistik,** die im Rahmen der →bankstatistischen Gesamtrechnung von sämtlichen Kreditinstituten monatlich gemeldeten und von der Deutschen Bundesbank aufbereiteten

Zahlen über kurz-, mittel- und langfristige Bankkredite, einschl. der Hypothekarkredite; unterteilt a) nach Kreditnehmern: Wirtschaftsunternehmen und Private sowie öffentlich-rechtliche Körperschaften; b) nach Kreditkarten; c) nach Bankengruppen. Ergänzt durch eine vierteljährliche Erhebung der Kredite nach Kreditnehmergruppen (Wirtschaftsgruppen u. ä.) und nach dem Verwendungszweck.

**Kreditstatus,** →Status IV.

**Kredittäuschungsvertrag,** Vertrag, bei dem die Parteien bezwecken oder bewußt in Kauf nehmen, Außenstehende über die →Kreditwürdigkeit des einen Partners zu täuschen. – *Beispiel:* Geheimgehaltene Sicherungsübereignung des gesamten Warenlagers kann, sofern es sich praktisch um den einzigen Vermögensgegenstand des Schuldners handelt, gegen die guten Sitten verstoßen und gem. § 138 BGB als K. nichtig sein.

**Kredittheorie,** →monetäre Theorie und Politik.

**Kreditüberwachung,** turnusmäßige Prüfung bestehender Kreditengagements durch die kreditgewährende Bank zur Feststellung der Sicherheit des jeweiligen Kredits und der Liquidität des Kreditnehmers. Insbes. a) Prüfung der →Kreditwürdigkeit in regelmäßigen Zeitabständen, b) Überwachung von Wert und Höhe der gestellten Sicherheiten, c) Kontrolle über die Einhaltung der Vertragsbedingungen, d) Überwachung der Umsatzentwicklung auf den Konten, e) Überwachung der laufenden Geschäftsentwicklung nach Bilanzauswertung. – Vgl. auch →Kreditkontrolle.

**Kreditversicherung,** Schutz des Versicherten (Gläubigers) vor Risiken und Gefahren, die dem Kreditgeber entstehen können. Versicherungsnehmer kann auch der Schuldner sein. – *Anwendungsgebiete:* (1) →Warenkreditversicherung, (2) Finanz-K., (z. B. Hypotheken-K.), (3) Kredit- und Warenversicherung bei Abzahlungsgeschäften (z. B. Wechsel-K.), (4) Ausfuhr- (Export-)K. (→Ausfuhrgarantien und -bürgschaften), (5) →Kautionsversicherung, (6) →Personengarantieversicherung, (7) →Personenkautionsversicherung.

**Kreditvertrag,** Vertrag zwischen Kreditnehmer und -geber. Ein förmlicher K. wird im Bankgeschäft i. d. R. nicht abgeschlossen. Durch das Kreditbewilligungsschreiben der Bank, das genaue Angaben über Kredithöhe, Kreditkosten, Sicherheiten, Zahlungs- und Rückzahlungsbedingungen enthalten muß, und das Bestätigungsschreiben des Kunden wird der K. als abgeschlossen angesehen. Dem K. werden i. d. R. die Allgemeinen Geschäftsbedingungen zugrunde gelegt. – Vgl. auch →Krediteröffnungsvertrag.

**Kreditwesengesetz (KWG),** ursprünglich Reichsgesetz über das Kreditwesen vom 5. 12. 1934, aufgrund der Ergebnisse der Bankenquete von 1933/1934 erlassen; jetzt Gesetz über das Kreditwesen i. d. F. vom 19. 12. 1985 (BGBl I 2355). – *Hauptzweck:* Sicherung und Erhaltung der Funktionsfähigkeit des Kreditapparates; es soll die Grundlagen des Kreditwesens festigen durch Regelung des Wettbewerbs, der Publizität und der Bankenaufsicht, durch Vorschriften über Kreditgeschäft und Liquidität. – *Vorschriften im einzelnen:* Das KWG unterstellt sämtliche Kreditinstitute und Kreditinstitutsgruppen einer staatlichen →Bankenaufsicht und führt ein vollständiges Konzessionssystem ein (→Erlaubnis I). Der Sicherheit der Einlagen dienen insbes. die Vorschriften über eine Anzeigepflicht für →Großkredite, gewisse →Organkredite und Schaffung einer →Evidenzzentrale, die die beteiligten Kreditinstitute über →Millionenkredite eines Kreditnehmers unterrichtet; einschränkende Vorschriften über die →Liquidität. Weitere Bestimmungen über →Spareinlagen, Schutz der Bezeichnungen Bank und Sparkasse. Eine regelmäßige →Depotprüfung ist angeordnet (§ 30). Das K. enthält auch eine Reihe *Straf- und Bußgeldvorschriften* (§§ 54–60). – In der Form des Privatbankiers (Einzelkaufmann) dürfen erlaubnispflichtige Kreditinstitute nicht betrieben werden.

**Kreditwirtschaft,** →Geldwirtschaft.

**Kreditwürdigkeit,** Maßstab für die Beurteilung der Fähigkeit eines potentiellen privaten oder institutionellen Kreditnehmers, einen zur Verfügung gestellten Kredit vereinbarungsgemäß verzinsen und tilgen zu können. Die K. ist abhängig von den persönlichen Verhältnissen sowie von den gegenwärtigen und zu erwartenden zukünftigen Einkommens- und Vermögensverhältnissen eines Kreditnehmers. Diese werden im Rahmen der →Kreditwürdigkeitsprüfung vor der Kreditvergabe überprüft.

**Kreditwürdigkeitsanalyse,** →Kreditwürdigkeitsprüfung.

**Kreditwürdigkeitsprüfung,** *Kreditwürdigkeitsanalyse.* I. Begriff: Analyse der persönlichen und wirtschaftlichen Verhältnisse eines potentiellen Kreditnehmers zur Abschätzung des mit einer Kreditvergabe verbundenen Risikos. Das Ergebnis der K. dient als Entscheidungsgrundlage für die Gewährung beauftragter bzw. die Belassung eingeräumter Kredite.

II. Gegenstand: 1. *Allgemeine Faktoren,* die sich in Vertrauenswürdigkeit, rechtliche Verhältnisse und allgemeine wirtschaftliche Verhältnisse einteilen lassen. – a) Die *Vertrauenswürdigkeit* hat einen persönlichen und fachlichen Aspekt: Anhaltspunkte sind neben dem bisherigen Zahlungsverhalten der fachlichen Qualifikation und den beruflichen Leistungen auch Lebensgewohnheiten und persönliche Zuverlässigkeit. – b) Die Analyse der *rechtlichen Verhältnisse* bezweckt neben der Feststellung der →Kreditfähigkeit die Untersuchung rechtsform- und gesellschaftervertragsabhängiger Determinanten der K. – c) Die Analyse der *allgemeinen wirtschaftlichen Verhältnisse* setzt sich zusammen aus einer Analyse der Lage des Kreditnachfragers sowie der ihn beeinflussenden gesamt- und branchenwirtschaftlichen Einflußgrößen. – 2. *Spezielle Faktoren,* hierbei insbes. Vermögenslage, Erfolgslage und finanzielle Lage (Liquidität) des Kreditnachfragers. – a) Die *Vermögenslage* ist im Rahmen der K. zu untersuchen im Hinblick auf den mit dem Vermögen nachhaltig erzielbaren Erfolg, auf die Liquidierbarkeit der Vermögensgegenstände, sowie auf den Anteil freier und somit noch als potentielle Kreditsicherheit zur Verfügung stehender Vermögensteile: (1) Vermögensaufstellung und Bewertung jeweils zu Buch-, Zeit- und Liquidationswerten; (2) Aufdeckung stiller Reserven; (3) Kapitalstruktur (Verhältnis von Eigen- zu Fremdkapital) und deren Entwicklung; (4) →betriebsnotwendiges Vermögen; (5) Entnahme bei Einzelfirmen und Personengesellschaften mit Blick auf die üblicherweise nicht passivierten Steuerschulden; (6) fremde Rechte und Haftungsverhältnisse, die aus der Bilanz nicht ersichtlich sind (z. B. Eigentumsvorbehalt, Sicherungsübereignungen, Bürgschaften); (7) Eventualverbindlichkeiten aus schwebenden Kontrakten. – b) Die *Erfolgslage* wird unter dem Gesichtspunkt untersucht, daß die Fähigkeit einer terminegerechten Kreditverzinsung und -tilgung vom erzielten Betriebserfolg abhängt: (1) Ergebnisse der letzten drei bis fünf Jahre unter Abspaltung von aperiodischen und außerordentlichen Aufwendungen und Erträgen; (2) Umsatzentwicklung und Beschäftigtenzahl; (3) Beobachtung des Einflusses von Konjunktur- und Preisschwankungen; (4) Ermittlung der Kostenstruktur und Abschätzung ihrer Veränderung unter dem Einfluß des beantragten Kredits; (5) Ermittlung der Gewinne der durch die geplante Investition bevorzugten Kostenträgergruppe durch die →Kostenträgerrechnung; (6) Schätzung der zukünftigen Ertragsentwicklung. – c) Die Analyse der *finanziellen Lage* soll Aufschluß darüber geben, ob die erwartete künftige Zahlungsfähigkeit (Liquidität) des Kreditnachfragers termingerechte Zins- und Tilgungszahlungen aus ordentlichen Einnahmen zuläßt: (1) Ermittlung der Einflüsse von Saisonschwankungen; (2) Aufstellung der Verbindlichkeiten (geordnet nach Fälligkeitsterminen) und Gegenüberstellung der Umlaufwerte (geordnet nach →Liquiditätsgraden).

III. Instrumente: 1. *Einholung von Auskünften* bei Lieferanten und Auskunfteien:

Dadurch soll das bisherige Zahlungsverhalten des Kreditnehmers ermittelt werden. Da die Entstehung der Information vom Kreditgeber nicht kontrolliert werden kann, erfordert dieses Instrument eine vorsichtige Handhabung. – 2. *Gegenüberstellung von Verbindlichkeiten und Vermögen im Kreditstatus* (→Status IV): Dient der Aufdeckung von stillen Reserven. Der Kreditstatus enthält auch Informationen über Vermögensgegenstände, die bereits mit Sicherheiten belegt sind (z. B. Sicherungsübereignung). – 3. *Analyse des →Jahresabschlusses:* Durch die Ermittlung von →Kennzahlen und der Analyse ihrer Entwicklung aus mehreren Jahresabschlüssen werden Aussagen über Erfolgs-, Vermögens- und Liquiditätslage des Kreditnehmers abgeleitet. – Vgl. auch →Bilanzanalyse. – 4. *Analyse von Finanzplänen:* Gibt Einblick in die Liquiditätsentwicklung des Kreditnehmers. Dabei ist vom Kreditgeber bei der Beurteilung die relativ leichte Manipulierbarkeit dieser Pläne zu berücksichtigen. – *Mathematisch-statistisches Verfahren:* →Credit-scoring-Verfahren.

IV. Weiterentwicklung der K.: Aufbauend auf den traditionellen Methoden der Bonitätsprüfung wurde speziell für den Sparkassensektor ein System zur Früherkennung latenter →Kreditrisiken entwickelt. Dieses Verfahren verbindet ein Bilanzanalysesystem (→Statistische Bilanzanalyse), ein System zur Kontodatenanalyse sowie ein System zur Beurteilung der Unternehmensleitung; im Rahmen der Kreditbearbeitung sind diese Systeme im Interesse einer sicheren Engagementbeurteilung im Verbund einzusetzen.

**Kreisdiagramm,** graphische Darstellung in Kreisform der Aufteilung einer →Gesamtheit in →Häufigkeiten, die auf die Kategorien (→Klassen) eines →Untersuchungsmerkmals entfallen. Dabei repräsentiert die Kreisfläche den Umfang der Gesamtheit, entsprechend bemessene Segmente stellen die Häufigkeiten dar (vgl. Sp. 3065). – *Beispiel:* Beschäftigte in der Bundesrep. D. nach Stellung im Beruf (in Tausend).

| | | | |
|---|---|---|---|
| Selbständige | 2 360 | (9,4%) = | 34° |
| Mithelf. Fam. | 869 | (3,5%) = | 12° |
| Beamte | 2 389 | (9,5%) = | 34° |
| Angestellte | 9 573 | (38,0%) = | 137° |
| Arbeiter | 9 982 | (39,7%) = | 143° |
| | 25 173 | (100%) = | 360° |

**Kreisen des Simplexalgorithmus,** im Rahmen des →primalen Simplexalgorithmus das Ausführen einer Folge von primalen Simplexschritten, von denen keiner zu einer besseren Basislösung führt und nach denen man schließlich zu einer kanonischen Form des betrachteten Optimierungssystems gelangt, die bereits schon einmal in einem früheren Stadium des Verfahrens vorlag. Ein K. d. S. ist

### Kreisdiagramm (Beispiel)

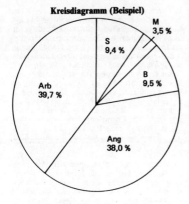

theoretisch allenfalls beim Auftreten einer →primalen Entartung möglich, aber keinesfalls zwangsläufig. In kommerziellen Softwarepaketen für lineare Optimierungsprobleme ist dieser Fall durch einfache Zusatzvorschriften ausgeschlossen.

**Kreishandwerkerschaft,** überfachlicher Zusammenschluß aller oder mehrerer →Handwerksinnungen eines Bezirks (i. d. R. für einen Stadt- oder Landkreis) als Gesamtinteressenvertretung in Form einer Körperschaft des öffentlichen Rechts. – *Zugehörigkeit* zur K. kraft Gesetz. – *Aufgaben:* a) örtliche zwischenberufliche Vertretung des Handwerks und handwerksähnlichen Gewerbes gegenüber den örtlichen Stellen der Gemeinden, des Staates und der anderen Berufsstände; b) Bindeglied zwischen Handwerkskammer, Innungen und den einzelnen Handwerkern und handwerksähnlichen Berufen.

**Kreislauf,** →Wirtschaftskreislauf.

**Kreislauftheorie,** Analyse der volkswirtschaftlichen Geld- und Güterströme, ihres Zusammenhangs und der zwischen ihnen bestehenden Abhängigkeiten (Interdependenzen). Erst noch unvollkommene Formulierung durch Quesnay (→tableau économique, 1758); später wurden K. aufgestellt durch Marx und v. Böhm-Bawerk. Seit den 30er Jahren verstärkte kreislauftheoretische Forschung: Keynes, Leontief, die Stockholmer Schule. – Vgl. auch →Wirtschaftskreislauf, →Makroökonomik, →Neue klassische Makroökonomik.

**Kreislauftheorie der Verteilung,** →Verteilungstheorie III 6.

**Kreispreiselastizität,** →Elastizität II 3.

**Krelle-Modell,** auch als Gleichgewichtsgebiet-Lösung im →Oligopol bezeichnet. Die entscheidende Prämisse ist die des Normalver-

haltens. Sie besagt, daß ein Dyopolist auf eine Preisänderung eines Konkurrenten nicht reagiert, wenn die ihm nicht schadet. Ist hingegen die Maßnahme mit einer Gewinneinbuße verbunden, so versucht er, seine alte Gewinnposition wiederherzustellen oder dieser möglichst nahe zu kommen. Als Lösung des Modells ergibt sich ein Gleichgewichtsgebiet, das fast sämtliche traditionellen Oligopollösungen enthält. – Vgl. auch →Oligopoltheorie.

**Kreuzklassifikationsmodelle,** im Rahmen der →Verkehrsplanung v. a. als →Verkehrserzeugungsmodelle und →Verkehrsteilungsmodelle verwendet. Die K. beruhen auf einer Tabulierungstechnik, bei der die aktuellen Werte der Verkehrserzeugung bzw. der Verkehrsteilung der einzelnen →Verkehrszellen ermitteln und die Verkehrsszellen vorgegebenen Kreuzklassen relevanter Einflußgrößen (z. B. Autobesitz- und Einkommensklassen) zugeordnet werden. Für jede Kreuzklasse werden die durchschnittlichen Werte der Verkehrserzeugung bzw. Verkehrsteilung über alle in diese Kreuzklasse fallenden Verkehrszellen errechnet. Sodann werden die Einflußfaktoren der Kreuzklassen für jede Verkehrszelle prognostiziert. Aus einer veränderten Einordnung der einzelnen Verkehrszellen in das System der Kreuzklassen ergibt sich im Vergleich der Werte der Verkehrserzeugung bzw. Verkehrsteilung von alten und neuen Kreuzklassen die Verkehrsprognose. – Vgl. auch →Verkehrsmodelle, →Vier-Stufen-Algorithmus.

**Kreuzkurs,** →cross rate.

**Kreuzpreiselastizität** (der Nachfrage), *Preiskreuzelastizität* (der Nachfrage), *indirekte Preiselastizität,* Meßziffer für die Wirkung der Preisveränderung eines Gutes auf die Nachfragemenge eines anderen Gutes. – 1. *Verbal:* K. ist gleich dem Quotienten aus der relativen Mengenänderung eines Gutes und der sie verursachenden Preisänderung eines anderen Gutes. Bei →Substitutionsgütern ist die K. positiv, bei →Komplementärgütern ist sie negativ. – 2. *Formal:* Sei $x_2 = x(p_1, p_2, Y)$ die →Nachfragefunktion nach Gut 2 in Abhängigkeit von den Güterpreisen $p_1$, $p_2$ und dem Einkommen Y, dann gilt für die K. $\varepsilon$ von Gut 2:

$$\varepsilon = (\delta x / \delta p_1)\,(p_1 / x).$$

**Kreuztabellierung,** statistisches Verfahren zur Häufigkeitsanalyse. I. d. R. Ermittlung von Zusammenhängen zwischen zwei Variablen (generell sind auch n Variable zulässig), da bei mehrdimensionalen K. die Tabellen auseinandergebrochen werden müssen, was eine gleichzeitige Inspektion mehrerer Merkmale schwierig werden läßt. Bei zwei Variablen mit n bzw. m Ausprägungen ergeben sich n · m Kombinationen (Zellen), für die absolute und relative Häufigkeiten berechnet werden. So ergeben sich z. B. bei den Variablen „Einkommen" (fünf Kategorien) und „Geschlecht" zehn Kombinationen. Die Häufigkeit wird dann z. B. für die Kombination Frauen mit einem Einkommen größer als 2000 DM berechnet. Zur Feststellung der statistischen Unabhängigkeit der Variablen kann der →Chi-Quadrat-Test herangezogen werden. Zur Messung der →Kontingenz existieren Kennzahlen.

**Kriegsbeschädigte,** →Kriegsopfer.

**Kriegsbeschädigtenrente,** →Beschädigtenrente.

**Kriegsbeschädigung,** gesundheitliche Schädigung, die Personen u. a. durch militärische oder militärähnliche Dienstverrichtungen oder durch Kriegseinwirkung erlitten haben. – K. löst *Leistungen* nach dem Bundesversorgungsgesetz aus. – Vgl. auch →Kriegsopfer.

**Kriegsfolgengesetz,** Gesetz zur allgemeinen Regelung durch den Krieg und den Zusammenbruch des Deutschen Reichs entstandener Schäden (AKG) vom 5. 11. 1957 (BGBl I 747) mit späteren Änderungen; regelt das Erlöschen und die Erfüllung von Reichsverbindlichkeiten. Erfüllt werden v. a. gewisse Verbindlichkeiten, die den nach 1945 tätig gewordenen neuen Behörden zuzurechnen sind, bestimmte Versorgungs- und Schadenersatzansprüche und dingliche Ansprüche. Sondervorschriften für Grundstücksangelegenheiten. Die Inhaber bestimmter Kapitalanlagepapiere erhalten an Stelle der erloschenen Forderungen gegen das Reich neue Forderungen gegen den Bund (→Ablösungsanleihen). – Durch das *Rechtsträger-Abwicklungsgesetz* vom 6. 9. 1965 (BGBl I 1065) und DVO vom 12. 5. 1967 (BGBl I 538) ist die Auflösung und Abwicklung früherer Körperschaften, Anstalten und Stiftungen des öffentlichen Rechts geregelt; das Gesetz vom 17. 3. 1965 (BGBl I 79) regelt die Verbindlichkeiten von NS-Einrichtungen.

**Kriegshinterbliebene,** →Kriegsopfer.

**Kriegsopfer,** Personen, die eine →Kriegsbeschädigung erlitten haben *(Kriegsbeschädigte),* sowie Hinterbliebene von Personen, die an den Folgen einer solchen Schädigung gestorben sind *(Kriegshinterbliebene).* Vgl. auch →Schwerbehinderte. – 1. *Anspruch* auf Leistungen nach dem →Bundesversorgungsgesetz entsteht bei gesundheitlicher Schädigung. – 2. *Umfang:* a) →Heilbehandlung, Krankenbehandlung und Versehrtenleibesübungen (§§ 10–24a BVG); b) Leistungen der Kriegsopferfürsorge (§§ 25–27f BVG); c) →Beschädigtenrente, Berufsschadensausgleich und Schwerstbeschädigtenzulage (§§ 30–34 BVG) sowie →Pflegezulage (§ 35 BVG); d) →Sterbegeld (§ 37 BVG); e) →Hinterbliebenenrente und →Schadensausgleich für Witwen (§§ 38–52 BVG); f) →Bestattungsgeld

beim Tod von Hinterbliebenen (§ 53 BVG). – 3. *Antrag* ist materiell-rechtliche Voraussetzung des Anspruchs, muß schriftlich oder mündlich unter Aufnahme einer Niederschrift gestellt werden, und zwar bei den Versorgungsämtern oder einer anderen amtlichen Stelle der Bundesrep. D., im Ausland bei einem deutschen Konsulat oder einem Träger der Sozialversicherung. Der Antrag soll die begehrten Leistungen bezeichnen sowie die zur Begründung erforderlichen Tatsachen und Beweismittel angeben und unterzeichnet sein. – 4. Über das *Verfahren* vgl. Gesetz über das Verwaltungsverfahren der Kriegsopferversorgung i. d. F. vom 6. 5. 1976 (BGBl I 1169) und Sozialgesetzbuch 10.

**Kriegsopferfürsorge,** Leistung an →Kriegsopfer (Beschädigte und Hinterbliebene) zur Ergänzung der übrigen Leistungen nach §§ 25 ff. BVG. – 1. *Aufgabe* ist es, sich der Beschädigten und ihrer Familienmitglieder sowie der Hinterbliebenen in allen Lebenslagen anzunehmen, um die Folgen der Schädigung oder des Verlustes von nahen Angehörigen angemessen auszugleichen oder zu mildern (vgl. § 25 II BVG). – 2. *Leistungen* werden gewährt, wenn und soweit die Beschädigte infolge der Schädigung und die Hinterbliebenen nicht in der Lage sind, den Bedarf für den Lebensunterhalt bzw. eine angemessene Lebensstellung aus den übrigen Leistungen nach dem BVG und dem sonstigen Einkommen und Vermögen zu decken. Sie umfassen Hilfen zur beruflichen Rehabilitation, Erziehungsbeihilfe, ergänzende Hilfe (Kriegsopferfürsorge) zum Lebensunterhalt, Erholungshilfe, Wohnungshilfe und Hilfen in besonderen Lebenslagen wie Blindenhilfe, Hilfe zur Pflege, Hilfe zur Weiterführung des Haushalts, Altenhilfe usw. – 3. *Träger* sind die örtlichen Fürsorgestellen für Kriegsbeschädigte und Kriegshinterbliebene bei den Sozialämtern der Kreise und Gemeinden. – 4. Für *Streitigkeiten* (§§ 25–27e BVG) ist der Rechtsweg zu den allgemeinen Verwaltungsgerichten gegeben (§ 51 II SGG).

**Kriegsopferversorgung,** Leistungen an →Kriegsopfer (vgl. im einzelnen dort) nach dem BVG.

**Kriegsrisiko.** 1. *Allgemein:* Gefahren des Krieges und der dem Krieg ähnlichen Gewaltzustände (Bürgerkrieg, revolutionäre Erhebungen, Aufruhr) gehören zu den von der privaten Versicherungswirtschaft i. a. nicht versicherbaren Katastrophenrisiken und werden deshalb in den →Allgemeinen Versicherungsbedingungen i. d. R. ausdrücklich ausgeschlossen (Kriegsklausel). In einzelnen Versicherungszweigen ist der Wiedereinschluß möglich. – 2. *Lebensversicherung:* Die meisten Versicherungsgesellschaften schließen z. Z. den Tod des Versicherten im Zusammenhang mit kriegerischen Ereignissen gänzlich aus und sehen für diesen Fall lediglich Auszahlung der →Deckungsrückstellung vor. In den Versicherungsbedingungen ist aber zugleich festgelegt, daß sich die Deckung der Kriegssterbefälle im Bedarfsfall nach den dann von der Aufsichtsbehörde zu erlassenden allgemein gültigen Vorschriften richten wird. – 3. *Transportversicherung:* Bei See- und Lufttransporten können bestimmte Kriegs- und damit zusammenhängende Gefahren (z. B. „Minenrisiko") aufgrund besonderer Kriegseinschlußklauseln (z. B. DTV-Kriegsklauseln) gegen Prämienzuschlag übernommen werden. Die Prämien orientieren sich am englischen Markt (→Lloyd's).

**Kriegswaffen,** alle zur Kriegsführung bestimmten Waffen (Gegenstände, Stoffe und Organismen), die in der Kriegswaffenliste (BGBl 1973 I 1053) enthalten sind. Eingehende Regelung der Herstellung, Überlassung und Beförderung im Gesetz über die Kontrolle von K. (Kriegswaffenkontrollgesetz-KWKG) vom 20.4.1961 (BGBl I 444) mit späteren Änderungen.

**Kriegswaffenkontrollgesetz**     **(KWKG),** Gesetz vom 20.4.1961 (BGBl I 444) mit späteren Änderungen, basiert auf den einschlägigen Regelungen des Außenwirtschaftsgesetzes (AWG). Es beinhaltet genaue Vorschriften in bezug auf Genehmigungs-, Kriegswaffenbuchführungs- und Bestandsmeldepflichten für Kriegswaffenhersteller und -besitzer. Die Kontrolle erfolgt durch das Bundesamt für Wirtschaft (BAW) anhand der von den jeweils zuständigen Bundesministerien erteilten Genehmigungen und nach den halbjährlichen Bestandsmeldungen. Darüber hinaus nimmt das BAW auch Betriebsprüfungen vor.

**Kriegswirtschaft,** Wirtschaftsordnung, in der für militärische Zwecke bei formaler Gewährleistung der individuellen Gewerbefreiheit und des Privateigentums an den Produktionsmitteln der Markt-Preis-Mechanismus bei ausgedehntem staatlichem →Dirigismus größtenteils außer Kraft gesetzt wird und durch ein administrativ-bürokratisches Allokations- und Verteilungssystem auf der Basis von Ge- und Verboten ersetzt wird. Wegen der faktischen Dominanz der staatlichen Planung handelt es sich bei der K. um eine →Zentralverwaltungswirtschaft. – *Beispiel:* Wirtschaftsordnung Deutschlands während der beiden Weltkriege.

**Krise,** →Krisentheorie, →Krisenmanagement, →Unternehmungskrise.

**Krisengeschichte.** 1. *Anfänge:* Krisen im Sinne von Katastrophen gab es aufgrund der mit maßloser Spekulation verbundenen Gewinnsucht im Zusammenhang mit einzelnen Ereignissen von einmaliger, besonderer Heftigkeit, v.a. Kriegen, Mißernten, Seuchen,

Geldentwertung; z. B. Tulpenspekulation in Holland (1634–1637), Überspekulation um die Mississippi-Gesellschaft in Frankreich (1717–1719), Südsee-Gesellschaft in England (1719–1720), Nordeuropäische Kreditkrise (1763), durch Kontinentalsperre ausgelöste Warenhandelskrise in England (1810), Mißernten 1845/46 in Deutschland. – 2. *Weltweite Krise:* Erstmalig 1859, ausgehend von den USA. Sie löste eine bis dahin beispiellos lange Aufstiegsphase ab und beruhte auf Kapitalmangelerscheinungen bei gleichzeitiger Überproduktion. – 3. Von da an ist K. im eigentlichen Sinne →*Konjunkturgeschichte*, da sich die Gesetzmäßigkeit des rhythmischen Auf und Ab der kapitalistischen Wirtschaft immer deutlicher offenbarte und die Krise nicht länger als isolierte Erscheinung bewertet wurde. Die auf die Rückschläge nach dem Milliardensegen der französischen Kriegsentschädigung zurückgehende „Gründungskrise" (1883), genährt vor allem durch eine neue, freiheitliche Aktiengesetzgebung sowie die Weltwirtschaftskrise (1930) keine Krisen i. S. von Katastrophen, sondern abrupt abbrechende Übersteigerung wirtschaftlicher Expansionsjahre mit allen Folgeerscheinungen, die sich – wenn auch gemildert – bei Beginn und im Verlaufe einer jeden degressiven Anpassungsphase einstellen.

**Krisenmanagement. I.** B e g r i f f / B e d e u t u n g : K. ist als einprägsames Schlagwort aus dem *allgemeinen Sprachgebrauch* in Verbindung mit unterschiedlichsten Krisen vertraut. Begründet wurde der Begriff K. im politischen Bereich, wobei dessen erstmalige Verwendung dort umstritten ist und sowohl G. Washington, wie auch – allerdings mehrheitlich – J. F. Kennedy im Zusammenhang mit der Kuba-Krise 1962 zugeschrieben wird. – 2. In der *Betriebswirtschaftslehre* findet der Begriff K. erst seit den 70er Jahren Verwendung, wenn auch anfangs mit sehr unterschiedlichem Bedeutungsinhalt. Durchgesetzt hat sich eine Begriffsbestimmung etwa folgenden Inhalts: K. ist eine besondere Form der Führung von höchster Priorität, deren Aufgabe es ist, alle jene Prozesse in der Unternehmung zu vermeiden (Krisenvermeidung) oder zu bewältigen (Krisenbewältigung), die ansonsten in der Lage wären, ihren Fortbestand substantiell zu gefährden oder sogar unmöglich zu machen (→Unternehmungskrise). a) *Krisenvermeidung* bedeutet, überlebenskritische Prozesse nicht erst bis in akute Stadien anwachsen zu lassen, sondern sie auf Basis geeigneter Prognose- und Früherkennungsmethoden vorbeugend zu bekämpfen. b) *Krisenbewältigung* dagegen betrifft alle Formen der Reaktionen des K. auf manifeste, bereits eingetretene und in ihren (destruktiven) Wirkungen für die Unternehmung sichtbar gewordene Krisenerscheinungen. Sie schließt eine zielorientierte und planvolle Liquidation nicht mehr sanierungsfähiger/-würdiger Unternehmungen ebenso ein wie die Sanierung/Reorganisation krisenbefallener Unternehmungen. – 3. *Bedeutung:* Angesichts national und international zunehmender Krisenerscheinungen, einer stark gestiegenen Wirtschaftsdynamik und stärker werdender Diskontinuitäten innerhalb und außerhalb der Einflußsphäre der Unternehmung kommt einem umfassenden K. stärker werdende Bedeutung zu, zumal die Anzahl der Insolvenzen in den westlichen Industrienationen stark gestiegen ist (vgl. →Konkurs).

II. K. als Prozeß: K. als (Führungs-) Prozeß durchläuft (idealtypisch) charakteristische Phasen und ist mit deren Hilfe darstellbar: *Identifikation von Unternehmungskrisen:* Der Prozeß beginnt in der Praxis nicht bereits zu dem Zeitpunkt, in dem das Problem (die Unternehmungskrise) objektiv entsteht, sondern erst dann, wenn es also solches wahrgenommen wird. Bei nicht rechtzeitiger Identifikation von Unternehmungskrisen – verengt sich der Handlungsspielraum eines wirksamen K. wegen der Vernichtung von Alternativen durch Zeitablauf kontinuierlich. Der Früherkennung (→strategische Frühaufklärung, →operative Frühaufklärung) überlebenskritischer Prozesse kommt daher im Rahmen eines umfassenden K. größte Bedeutung zu. – 2. *Planung:* Planung ist ein Zentrum des K. schlechthin. Es geht dabei um die Planung von Zielen, die mit der jeweiligen Krisenvermeidung oder -bewältigung verfolgt werden und insbes. um die Planung von Strategien und Maßnahmen, mit deren Hilfe die zukunftsorientierten Wertziele (z. B. Mindestgewinn, Mindestliquidität), Sachziele (z. B. zukunftserfolgsträchtige Produkte) und Humanziele (z. B. Sicherung von Arbeitsplätzen, Verhaltensweisen gegenüber Dritten) erreicht werden sollen. (Vgl. auch →Unternehmensplanung, →Unternehmungsziele). – Die Gesamtheit aller Zielerreichungsplanungen strategischen Charakters (Strategien) und operativen Charakters (Maßnahmen) ergibt das *Krisenprogramm*, das als eine auf die Sicherung überlebensrelevanter Ziele ausgerichtete Gesamtheit von Teilplänen bezeichnet wird. – 3. *Steuerung:* Die Realisation der in jeweiligen Krisenprogrammen festgelegten Planungsinhalte erfolgt zumeist in Form von →Projekten. Steuerungstätigkeiten im Rahmen eines umfassenden K. beziehen sich dabei schwerpunktmäßig auf die Leitung/Steuerung eines Krisen-Projektes, die Koordination zwischen allen notwendigen Krisen-Projekten sowie die Koordination zwischen der Gesamtheit aller Krisen-Projekte und sonstigen (regulären) Aktionen der Unternehmung. Die Steuerung speziell in akuten Krisenphasen wirft besondere Probleme des anzuwendenden Führungsstils (der Führungsform) auf (→Führungsstil). – 4. *Kontrolle:* Kontrolle als notwendige

Ergänzung zur Planung folgt der Realisation, begleitet diese oder eilt ihr in Form von Hochrechnungen voraus (vgl. auch →Kontrolle). Zentrale Bedeutung haben für das K. begleitende und vorauseilende Kontrollen. Gegenstand von Kontrollen müssen auch Wirkungen krisenorientierter Aktionsfolgen auf übrige (reguläre) Tätigkeiten der Unternehmung sein.

III. K. als Institution: K. als Institution meint alle diejenigen Führungspersonen (Krisenaktoren), die verantwortlich bei der Identifikation, Planung, Realisation und Kontrolle von Zielen, Strategien und Maßnahmen zur Krisenvermeidung und/oder -bewältigung einzeln oder in Gruppen mitwirken. Zu ihnen zählen: (1) die (reguläre) Führung der Unternehmung, (2) die Aufsichtsgremien der Unternehmung, (3) externe Berater sowie im Insolvenzfall und (4) Vergleichs- oder Konkursverwalter. – Bei der *Krisenvermeidung* dominiert die (reguläre) Führung als Krisenfaktor, zumeist in Verbindung mit den Aufsichtsgremien der Unternehmung (z. B. Aufsichtsrat) und nicht selten unterstützt durch externe Berater. – Die *Krisenbewältigung* ist zwar ebenfalls dominante Aufgabe der (regulären) Führung, hier wird jedoch in der Praxis ein verstärkter Bedarf an Mitwirkung externer Berater (Krisenmanager auf Zeit) spürbar. Haben dagegen Unternehmungskrisen ein Stadium erreicht, in dem ein Insolvenzverfahren (Vergleichs- oder Konkursverfahren) angemeldet werden mußte, so wird das K. als Institution um den Vergleichs- oder Konkursverwalter erweitert oder durch ihn ersetzt. Im Fall des Konkurses geht die oberste Führung faktisch völlig auf den Konkursverwalter über. – In der Praxis findet sich (je nach Krisenphase) i. d. R. eine Kombination der vorgenannten Personen/-gruppen als Träger eines umfassenden K.

IV. K. als System: K. als System meint die unterschiedlichen Aktionsfelder (Elemente) der Krisenvermeidung oder -bewältigung, die einem umfassenden K. in Koppelung an die jeweiligen Phasen (Aggregatzustände) von Unternehmungskrisen zugänglich sind (vgl. Abbildung Sp. 3073/74). Insgesamt lassen sich vier solcher *Krisen-Phasen* kennzeichnen (vgl. im einzelnen →Unternehmungskrisen): (1) potentielle Unternehmungskrise, (2) latente Unternehmungskrise, (3) akut/beherrschbare Unternehmungskrise und (4) akut/nicht beherrschbare Unternehmungskrise.

In der Literatur wird überwiegend von einer grundsätzlichen Zweiteilung des K. als System in ein aktives und reaktives K. ausgegangen, wenn auch mit sprachlichen Unterschieden im Detail. – Diese nur grobe Unterteilung des K. erscheint vor dem Hintergrund des vorgestellten Phasenschemas von Unternehmungskrisen unzureichend, d. h. eine weitergehende

Differenzierung in vier Formen eines umfassenden K. erscheint sinnvoll. – a) *Aktives K.:* (1) *Antizipatives K.:* Bezugspunkt dieser ersten (und äußersten) Form des aktiven K. sind potentielle Unternehmungskrisen im zuvor definierten Sinne, deren Wirkungen die Unternehmung – wenn überhaupt – erst in zukünftigen Perioden treffen. Zentrale Aufgabe des antizipativen K. ist die gedankliche Vorwegnahme möglicher Unternehmungskrisen mit Hilfe spezifischer Prognosen/Szenarien sowie eine darauf aufbauende Ableitung von →Alternativplänen (→Alternativplanungen), um so Zeitgewinn für den Fall des überraschenden Eintritts von Krisensituationen zu realisieren. – (2) *Präventives K.:* Bezugspunkt dieser zweiten Form des aktiven K. sind latente Unternehmungskrisen. Zentrale Aufgabe des präventiven K. ist die Früherkennung verdeckt bereits vorhandener Unternehmungskrisen mit Hilfe von Frühwarnsystemen (→strategische Frühaufklärung) sowie die Planung, Realisation und Kontrolle präventiver Strategien/Maßnahmen zur Vermeidung des Ausbruchs akuter Unternehmungskrisen. – b) *Reaktives K.:* (1) *Repulsives K.:* Bezugspunkt der ersten Form des reaktiven K. sind akute, d. h. bereits eingetretene Unternehmungskrisen, die aus der Sicht der Krisenaktoren auf Basis von Analysen und Prognosen als beherrschbar im Sinne einer unternehmungserhaltenden Krisenbewältigung angesehen werden. Es wird hierbei also eine erfolgreiche Zurückschlagung (Repulsion) der einge-

**Zusammenhang zwischen Krisenphasen und Formen eines umfassenden Krisenmanagements**

*Quelle:* Krystek, U., Krisenbewältigungs-Management und Unternehmensplanung. Wiesbaden 1981, S. 64.

tretenen Unternehmungskrise angenommen. Bei Betrachtung des betriebswirtschaftlich relevanten Begriffs K. in einem sehr engen Sinne ist dies die zentrale Form des Managements überlebenskritischer Prozesse. Sie ist zugleich die aus Berichterstattungen bekannteste Form des K., die sich allerdings auf rein reaktive Maßnahmen und damit auf Formen der Zurückschlagung bereits eingetretener Unternehmungskrisen beschränken muß. Damit ist ihre zentrale Aufgabenstellung gekennzeichnet, die sich auf die Planung, Realisation und Kontrolle von Repulsivmaßnahmen im Sinne von Sanierungsstrategien/-maßnahmen konzentriert. Repulsives K. bezieht sich nicht nur auf die Bewältigung von Unternehmungskrisen außerhalb gerichtlicher Ordnungsverfahren (Vergleich, Konkurs), sondern bezieht auch Formen der unternehmungserhaltenden Krisenbewältigung im Rahmen von gerichtlichen Vergleichsverfahren (Fortsetzungsvergleich) mit ein. – (2) *Liquidatives K.:* Bezugspunkt des liquidativen K. sind

akute Unternehmungskrisen, die für die Unternehmung keine Überlebenschancen mehr bieten, also aus Sicht der Krisenaktoren als unbeherrschbar gelten. Dies weil aufgrund erstellter Analysen und Prognosen mittel- bis langfristig keine Übelrebenschance für die krisenbefallene Unternehmung besteht und/oder weil kurzfristig eine erfolgreiche Zurückschlagung nicht möglich erscheint. Dementsprechend ist es zentrale Aufgabe des liquidativen K., einen „geordneten Rückzug" im Sinne einer planvollen Liquidation der Unternehmung anzutreten, der Anteilseigner, Mitarbeiter, Fremdkapitalgeber, Kunden, Lieferanten sowie sonstige an der Unternehmung unmittelbar oder mittelbar beteiligte Gruppen vor (noch) größeren Verlusten schützen kann und zugleich die letzte Möglichkeit einer – wenn auch stark eingeschränkten – Zielerreichung der beteiligten Personen/Personengruppen darstellt. Dies wird ermöglicht durch eine zielorientierte Planung, Realisation und Kontrolle von Liquidativmaßnahmen.

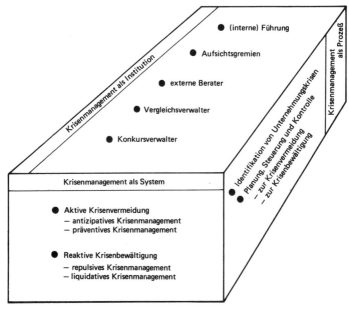

**Krisenmanagement in 3-dimensionaler Sichtweise**

Krisenmanagement als Institution

● (interne) Führung

● Aufsichtsgremien

● externe Berater

● Vergleichsverwalter

● Konkursverwalter

Krisenmanagement als System

● Aktive Krisenvermeidung
  – antizipatives Krisenmanagement
  – präventives Krisenmanagement

● Reaktive Krisenbewältigung
  – repulsives Krisenmanagement
  – liquidatives Krisenmanagement

Krisenmanagement als Prozeß

Identifikation von Unternehmungskrisen
Planung, Steuerung und Kontrolle
– zur Krisenvermeidung
– zur Krisenbewältigung

Literatur: Becker, H., Unternehmenskrise und Krisenmanagement, in: ZfB 1978, S. 672 ff; Bratschitsch, R./Schnellinger, W., Hrsg., Unternehmenskrisen – Ursachen, Frühwarnung, Bewältigung, Stuttgart 1981; Britt, A., Krisenmanagement zur Sicherung der Unternehmung, in: IO 1973, S. 437 ff.; Gabele, E., Ansatzpunkte für ein betriebswirtschaftliches Krisenmanagement, in: ZfO 1981, S. 150 ff.; Haberland, G.; Checklist für das Krisenmanagement, 2. Aufl., München 1975; Hahn, D., Frühwarnsysteme, Krisenmanagement und Unternehmungsplanung, in: Albach H./Hahn, D./Mertens, P. (Hrsg.), Frühwarnsysteme, ZfB Ergänzungsheft 2/79, S. 25 ff.; Hahn, D./Krystek, U., Krisenmanagement, internationales, in: Macharzina K./Welge M. (Hrsg.), Handwörterbuch Export und Internationale Unternehmung, Stuttgart 1987; Höhn, R., Das Unternehmen in der Krise. Krisenmanagement und Krisenstab, Bad Harzburg 1974; Holzmüller, H./Schwarzer, S., Krise und Krisenbewältigung, Sozial- und wirtschaftswissenschaftliche Beiträge zur Krisenforschung, Wien 1985; Kaiser, J. H., Crisis Management, in: Coing H./Kaiser J. H. (Hrsg.), Planung V, Baden-Baden 1971, S. 347 ff.; Krummenacher, A., Krisenmanagement, Leitfaden zum Verhindern und Bewältigen von Unternehmungskrisen, Zürich 1981; Krystek, U., Organisatorische Möglichkeiten des Krisen-Managements, in: ZfO 1980, S. 63 ff.; ders., Krisenbewältigungs-Management und Unternehmungsplanung, Wiesbaden 1981; ders.: Unternehmungskrisen. Beschreibung, Vermeidung und Bewältigung überlebenskritischer Prozesse in Unternehmungen, Wiesbaden 1987; v. Löhneysen, G., Die rechtzeitige Erkennung von Unternehmungskrisen mit Hilfe von Frühwarnsystemen als Voraussetzung für ein wirksames Krisenmanagement, Diss., Göttingen 1982; Luneburg, W., V., The Role of Management in an Atomosphere of Crisis, in: MSU Business Topics 4/1870, S. 7 ff.; Müller, R., Krisenmanagement in der Unternehmung, Frankfurt, Bern 1982; Noack, P., Begriff und Grenzen des Krisen-Managements, in: Zeitschrift für Politik 1969, S. 293 ff.; Oechsler, W. A., Unternehmungskrisen und strategisches Krisenmanagement, in: Blum R./Steiner M. (Hrsg.), Aktuelle Probleme der Marktwirtschaft in gesamt- und einzelwirtschaftlicher Sicht, Berlin 1984, S. 345 ff.; Plaut, H. – G., Krisen-Management, in: Management-Enzyklopädie, 3. Bd., München 1970, S. 1211 ff.; Röthig, P., Organisation und Krisen-Management. Zur organisatorischen Gestaltung der Unternehmung unter den Bedingungen eines Krisen-Management, in: ZfO 1976, S. 13 ff.; Schimke, E./Töpfer, A. (Hrsg.), Krisenmanagement und Sanierungsstrategien, Landsberg/L. 1985; Weber, Ph., Krisenmanagement. Organisation, Ablauf und Hilfsmittel der Führung in Krisenlagen, Frankfurt / Las Vegas 1980; Wirz, H., Krisenmanagement. Führung in außergewöhnlichen Situationen, in: Der Organisator, Juli 1972, S. 83 ff.

Prof. Dr. Ulrich Krystek

**Krisenprogramm,** →Krisenmanagement II.

**Krisentheorie.** I. Konjunkturtheorie: Der Begriff *Krise* beschreibt die Phase des konjunkturellen Niedergangs (auch *Depression*); vgl. im einzelnen →Konjunkturphasen, →Konjunkturtheorie.

II. Marxismus: Die K. soll beweisen, daß die wirtschaftliche Entwicklung des →Kapitalismus notwendigerweise durch immer heftigere Konjunkturkrisen und Disproportionen gekennzeichnet ist. Als generelle Ursache hierfür wird der durch den →technischen Fortschritt und durch anwachsende →Akkumulation bedingte →tendenzielle Fall der Profitrate angesehen. – Darauf aufbauend werden von Marx zwei unterschiedliche *Krisenerklärungen* formuliert: 1. Da die Unternehmer dem Profitratenfall durch verstärkte Akkumulation und damit Produktion entgegenzuwirken versuchten, um die geringere Kapitalrentabilität durch vergrößerten Mehrwert (→Mehrwerttheorie) zu kompensieren, steige der gesamtwirtschaftliche Produktionsumfang zwangsläufig an. Gleichzeitig bewirkten jedoch →Ausbeutung und →Verelendung der

Arbeiter sowie die Vergrößerung der →industriellen Reservearmee, daß die kaufkräftige Nachfrage hinter dem wachsenden Güterangebot zurückbleibe. Dies führe zu periodisch wiederkehrenden konjunkturellen Absatzkrisen, die hier als *Mischung aus Überproduktions- und Unterkonsumtionskrise* erklärt werden. Betriebsstillegungen, Unterauslastung des vorhandenen Kapitalstocks, verstärkte Sonderabschreibungen u. a. entwerteten den vorhandenen Kapitalstock zwar, doch bewirke dies nur einen vorübergehenden Wiederanstieg der Kapitalrentabilität. Mittelfristig falle sie durch den technischen Fortschritt und die fortgesetzte Akkumulation immer weiter. So rufe neuerliche Überproduktions- und Unterkonsumtionskrisen hervor. Durch die sich häufenden Konkurse komme es zu einer fortgesetzten →Zentralisation des Kapitals. – *Kritisiert* wird dieser Ansatz kreislauftheoretisch, weil ungeklärt bleibt, warum die Gewinne bei zunehmender Akkumulation nicht ebenfalls nachfragewirksam werden (Investitionsgüterbedarf) und die Unternehmer keine Konsumgüternachfrage entfalten. – 2. Nach Marx sind unter den Bedingungen der freien Konkurrenz fortgesetzte gesamtwirtschaftliche Disproportionen bzw. Ungleichgewichte zwangsläufig. In einem gesamtwirtschaftlichen Kreislaufmodell unterscheidet er zwischen dem Industriesektor, der Investitionsgüter herstellt (Abteilung I) und demjenigen, der Konsumgüter produziert (Abteilung II). Marx leitet für eine stationäre wie für eine wachsende Wirtschaft eine Reihe von *Gleichgewichtsbedingungen* ab, unter denen der Güteraustausch zwischen diesen Sektoren und die Aufteilung des nachfragewirksamen Mehrwerts zwischen ihnen zur allseitigen Markträumung führen. Eine Wirtschaftskrise läßt sich dann dadurch erklären, daß diese Bedingungen *nicht* oder *nur teilweise* erfüllt sind und so *strukturelle Disproportionen* auftreten. Bei freier Konkurrenz verhielten sich die Unternehmer höchstens zufällig so, daß diese Gleichgewichtsbedingungen erfüllt wären; um so unwahrscheinlicher werde dies, je heftiger die Konkurrenz zwischen ihnen bei immer weiter fallender Profitrate sei. Auch die permanenten *Kapitalbewegungen* zwischen den Branchen und Sektoren zur Erzielung möglichst hoher Profitraten führe zu gesamtwirtschaftlichen Disproportionen. Ein gleichgewichtiges und störungsfreies Wirtschaftswachstum sei daher alleine bei gesamtgesellschaftlicher Planung des Wirtschaftsprozesses möglich. Diese marxistische Krisenerklärung ist derjenigen Gruppe von Theorien zuzurechnen, die eine *prinzipielle Instabilität des privatwirtschaftlichen Sektors* unterstellen. Entgegengesetzter Auffassung sind z. B. die Vertreter des →Monetarismus, die annehmen, daß der Wettbewerbsprozeß unter entsprechenden ordnungspolitischen Rahmenbedingung genügend Selbstheilungstendenzen hervorbringe, um einen störungsfreien Wirtschaftsablauf zu gewährleisten.

**kritische Region,** *Ablehnungsbereich,* bei →statistischen Testverfahren die Teilmenge der Menge möglicher Stichprobenresultate $(x_1, ..., x_n)$, deren Elemente zur Ablehnung der →Nullhypothese führen. Eine k. R. wird meist mit Hilfe einer →Prüfvariablen angegeben, etwa mit Hilfe des Stichprobendurchschnittes $\bar{x}$; z. B. hat die k. R. bei der Prüfung einer Mindesthypothese (→einseitige Fragestellung) über den Erwartungswert in einer →Grundgesamtheit die Struktur

$$\{x_1, ..., x_n) \mid \bar{x} \le c\},$$

wobei die Konstante c als →kritischer Wert geeignet festgelegt werden muß.

**Kritischer Rationalismus.** 1. *Herkunft:* Philosophisch-erkenntnistheoretisches Programm, von Karl R. Popper begründet. Ging aus Beschäftigung mit dem logischen →Positivismus des Wiener Kreises (R. Carnap u. a.) hervor. Formulierung der grundlegenden Ideen erst in Poppers „Logik der Forschung" (Wien 1935). Hauptvertreter in Deutschland: Hans Albert. – 2. *Merkmale:* a) Die Idee von der prinzipiellen Fehlbarkeit der menschlichen Erkenntnis bzw. allen Problemlösungsverhaltens wird als *konsequenter* →*Fallibilismus* bezeichnet. – b) In methodischer Hinsicht: Bisherige Problemlösungen werden als vorläufig betrachtet und kritischen Prüfungen unterzogen *(methodischer Rationalismus),* innerhalb der →Realwissenschaften kommt dabei neben den Erfahrungstatsachen (→Falsifikation) der Konfrontation mit Alternativtheorien zentrale Bedeutung zu (→Pluralismus). – c) *Kritischer Realismus,* dessen Ziel in der Erfassung der vom erkennenden Subjekt unabhängigen Wirklichkeit besteht und berücksichtigt, daß Beobachtungen oder Sinneswahrnehmungen ggf. unzuverlässige Bilder von der Realität vermitteln; in einer spezifischen Vorstellung von Erkenntnisfortschritt in der Wissenschaft sichtbar.

**kritischer Vorgang,** in der Netzplantechnik ein →Vorgang, dessen gesamte Pufferzeit (→Vorgangspuffer 2a) gleich Null ist, d. h. ein verspäteter Beginn bzw. eine zeitliche Verzögerung des betreffenden Vorgangs führt zu einer entsprechenden Verlängerung der gesamten Projektdauer. – Vgl. auch →Netzplantechnik II 1.

**kritischer Weg,** Begriff der Netzplantechnik. In einem Vorgangspfeil- oder Ereignisknotennetzplan (→Netzplan) jeder Weg von der Quelle zur Senke des betreffenden Netzplans, dessen Pfeile ausschließlich →kritische Ereignisse repräsentieren. Die Länge eines k. W. ist mit der minimalen Projektdauer identisch. – Vgl. auch →Netzplantechnik II 2 und 3.

**kritischer Wert.** I. Investitionsrechnung: Wert, mit Hilfe dessen versucht wird, bei Investitionsentscheidungen, die immer auf unsicheren Erwartungen beruhen, besonders unsichere Größen der Rechnung einzugrenzen und abzusichern, da eine generelle Lösungsmöglichkeit des Problems der Unsicherheit nicht vorhanden ist. Die als unsicher angesehene Größe (Absatzmenge, Preis, Nutzungsdauer usw.) wird als variabel, alle anderen Größen als gegeben aufgefaßt (Ceteris-paribus-Bedingung). Es wird der Wert der Variablen errechnet, bei dem der →Kapitalwert des Investitionsobjekts Null wird. Der k. W. gibt die untere Grenze der als variabel erachteten Größe an, die nicht unterschritten werden darf, ohne daß das Investitionsobjekt unwirtschaftlich wird.

II. Statistik: Bei →statistischen Testverfahren Wert der →Prüfgröße, der die →kritische Region und den Nichtablehnungsbereich trennt. Bei →einseitigen Fragestellungen gibt es einen, bei →zweiseitigen Fragestellungen einen unteren und einen oberen k. W.

**kritisches Ereignis,** Begriff der Netzplantechnik: In einem Ereignisknotennetzplan (→Netzplan) jedes Ereignis, das nicht verspätet eintreten kann, wenn der geplante bzw. frühestmögliche Endtermin des →Projekts nicht gefährdet werden soll. – Vgl. auch →kritischer Weg, →Netzplantechnik II 1, →Ereignispuffer.

**KR-Sprachen,** *Knowledge-representation-Sprachen,* →Programmiersprachen für die →Wissensrepräsentation. *Beispiele:* Krl, Frl, Klone.

**KSDS,** Abk. für *kompatible Systemdatei-Schnittstelle,* →kompatible Schnittstellen 3a).

**KSZE,** Abk. für →Konferenz über Sicherheit und Zusammenarbeit in Europa.

**Kuba,** *Cuba,* sozialistische Republik, größte Insel der Großen Antillen im Karibischen Meer. – *Fläche:* 114 524 km². – Auf K. befindet sich als Pachtgebiet der US-Marinestützpunkt Guantanamo (11,9 km²), der von der kubanischen Regierung seit langem zurückgefordert wird. – *Einwohner* (E): (1986, geschätzt) 10,19 Mill. (89 E/km²); 70% der Bevölkerung leben in Städten. – *Hauptstadt:* La Habana (Havanna; Agglomeration 1,9 Mill E); weitere wichtige Städte, Santiago de Cuba (563 455 E), Santa Clara (525 402 E), Camaguey (480 620 E), Holguin (456 695 E). – Sozialistische Republik mit Verfassung von 1976. K. besteht *aus* 14 Provinzen, die in 168 Municipios (Gemeinden) unterteilt sind, sowie dem Sondermunicipio Isla de la Juventud. – *Amtssprache:* Spanisch.

**Wirtschaft:** Landwirtschaft: Die vorteilhaften Böden und das günstige Klima ermöglichen bei einer Reihe von Anbauprodukten mehrere Ernten pro Jahr. K. ist nach der UdSSR und Brasilien der drittgrößte Produzent von Rohzucker (1985: 8.1 Mill. t). Die frühere Monokultur wird zugunsten ausgeglichener Agrarwirtschaft eingeschränkt (vermehrter Anbau von Baumwolle, Reis, Hirse, Soja, Tabak, Zitrusfrüchte). Vermehrte Viehzucht. Edelhölzer. 23% der Erwerbstätigen in der Landwirtschaft, bei einem Anteil von 70% am BSP (1984). – *Bergbau und Industrie:* Reiche Bodenschätze wie Eisenerze, Kupfer, Chrom, Mangan. – Planmäßiger Aufbau einer eigenen Industrie auf heimischer Rohstoffbasis (Zucker, Tabak, Erze). – *BSP:* (1983, geschätzt) 8000 Mill, US-\$ (800 US-\$ je E). – *Infaltionsrate:* (1982) 15%. – *Export:* (1985) 8567 Mill. US-\$, v.a. Zucker (75%–80%), Tabak, Alkohol, Zitrusfrüchte, Nickelerze, Edelhölzer. – *Import:* (1985) 8593 Mill. US-\$, v.a. Konsumgüter, chemische Produkte, Brennstoffe. – *Handelspartner:* UdSSR u.a. RGW-Staaten (80%), EG-Länder.

**Verkehr:** Länge des *Schienennetzes* 18 115 km, davon 5200 km für den Personenverkehr, der Rest sind Zubringerlinien für die Zuckerfabriken. – Staatliche *Fluggesellschaft* CUBANO DE AVIA-CION; internationale *Flughäfen* in La Habana, Santiago de Cuba und Camaguey. – Über 30 *Seehäfen;* wichtigster Hochseehafen mit 70% des Importes und 30% des Exportes ist La Habana.

**Mitgliedschaften:** UNO, RGW, SELA, UNCTAD u.a.

**Währung:** 1 Kubanischer Peso (kub\$) = 100 Centavos.

**Kubikdezimeter (dm³),** Volumen eines Würfels mit einer Kantenlänge von 1 dm. 1 dm³ = 1000 dm³ = 1 l.

**Kubikmeter (m³),** Volumen eines Würfels mit einer Kantenlänge von 1 m. 1 m³ = 1000 l.

**Kubikmillimeter (mm³),** Volumen eines Würfels mit einer Kantenlänge von 1 mm.

**Kubikzentimenter (cm³),** Volumen eines Würfels mit einer Kantenlänge von 1 cm. 1 cm³ = 1000 mm³.

**Kugelkopf,** auswechselbarer Typenträger in Form einer Metallkugel, die nach Positionierung 96 verschiedene Zeichen gegen Papier und Farbband anschlagen kann. – *Anders:* →Typenkopf, →Typenrad.

**Kugelkopfdrucker,** mechanischer Zeilendrucker (→Drucker), bei dem sich der druckbare Zeichensatz (bis zu 80 Zeichen) auf einem drehbaren Kugelkopf befindet. – *Vorteile:* günstiger Preis, sehr gute Druckqualität und einfache Austauschbarkeit des Zeichensatzes durch Auswechseln des Kugelkopfs; *Nach-*

*teile:* niedrigere Druckgeschwindigkeit (ca. 15 cps), sehr hohe Geräuschentwicklung beim Drucken.

**Kühlgut,** Güter, deren Qualität von produktspezifisch geregelten Temperaturen während der Transporte und Lagerungen abhängt; neben einigen industriellen Materialien und Produkten v.a. viele Nahrungsmittel. K. werden in Kühlketten (→Transportkette) mit speziell ausgerüsteten Fahrzeugen, Lagern und Ladeeinheiten befördert. Um die Abwicklung des europäischen K.-Verkehrs bemühen sich die *Transfrigoroute International* im Straßenverkehr und die *Interfrigo* im Schienenverkehr.

**Kühlgüterversicherung,** Versicherung gegen Schäden an Kühlgütern während des An- und Abtransportes und des Aufenthaltes im Kühlhaus.

**Kühlkette,** →Kühlgut.

**Kuhn-Tucker-Bedingungen,** Verallgemeinerung der →LAGRANGE-Bedingungen in bezug auf nichtlineare Optimierungsprobleme der Form:

$$(1) \qquad x_0 = f_0(x_1, x_2, \ldots, x_m)$$

$$(2) \quad f_i(x_1, x_2, \ldots, x_n) \leqq 0, \quad i = 1, 2, \ldots, m$$

$$(3) \qquad x_1, x_2, \ldots, x_n \geqq 0$$

$$(4) \qquad x_0 = \longrightarrow \text{Min!}$$

Hat nämlich die Zielfunktion (1) bezüglich des Systems ((2), (3)) ein lokales Minimum $x^0 = (x_1^0, x_2^0, \ldots, x_n^0)$, so existiert ein Vektor $\lambda^0 = (\lambda_1^0, \lambda_2^0, \ldots, \lambda_m^0)$ von (nichtnegativen) Lagrange-Multiplikatoren $\lambda_1^0, \lambda_2^0, \ldots, \lambda_m^0$ dergestalt, daß gilt:

$$(5) \qquad \frac{\partial L(x_1^0, x_2^0, \ldots, x_n^0, \lambda_1^0, \lambda_2^0, \ldots, \lambda_m^0)}{\partial x_j}$$
$$\geq 0, j = 1, 2, \ldots, n;$$

$$(6) \qquad \frac{\partial L(x_1^0, x_2^0, \ldots, x_n^0, \lambda_1^0, \lambda_2^0, \ldots, \lambda_m^0)}{\partial x_j},$$
$$x_j^0 = 0, j = 1, 2, \ldots, n;$$

$$(7) \qquad x_j^0 \geq 0, \quad j = 1, 2, \ldots, n;$$

$$(8) \qquad \frac{\partial L(x_1^0, x_2^0, \ldots, x_n^0, \lambda_1^0, \lambda_2^0, \ldots, \lambda_m^0)}{\partial \lambda_i}$$
$$\leq 0, i = 1, 2, \ldots, m;$$

$$(9) \qquad \frac{\partial L(x_1^0, x_2^0, \ldots, x_n^0, \lambda_1^0, \lambda_2^0, \ldots, \lambda_m^0)}{\partial \lambda_i}.$$
$$\lambda_i^0 = 0, i = 1, 2, \ldots, m;$$

$$(10) \qquad \lambda_i^0 \geqq 0, \quad i = 1, 2, \ldots, m.$$

Dabei ist mit $\frac{\partial L}{\partial x_j}$ bzw. $\frac{\partial L}{\partial \lambda_i}$ die partielle Ableitung der betreffenden Lagrange-Funktion nach $x_i$ bzw. $\lambda_i$ bezeichnet.

**Kulanz,** Gefälligkeit bzw. Entgegenkommen im Geschäftsverkehr. – *Gegensatz:* →Inkulanz.

**Kulanzgewährleistungen,** →Rückstellungen.

**Kulisse.** 1. *Ursprünglich:* Bezeichnung für den freien Markt an der Pariser Börse. – 2. *Heute:* Bezeichnung für den nichtamtlichen Börsenmarkt oder für die Gesamtheit der für eigene Rechnung am Börsenverkehr Teilnehmenden. Die die K. bildenden freien Makler und Banken tragen durch das kurzfristige Ausnutzen von Kursschwankungen und die Verbreitung des Marktes zur Stabilisierung der Kursbildung bei. – *Gegensatz:* →Parkett.

**Kulturstatistik,** zusammenfassender Begriff für die Statistiken des Bildungswesens (allgemeines und berufliches Schulwesen, Studienseminare, Studien- und Berufswünsche, Ausbildungsförderung, Berufsbildung, Hochschulen), die →Pressestatistik, die Statistik der Filmwirtschaft, Statistiken über Angebot und Ausnutzung der Theater, Bibliotheken, Museen, Hörfunk- und Fernsehstatistiken, Buchproduktion, Statistiken über Vereinsmitglieder u. a.

**Kulturwirtschaft,** die wirtschaftlichen Erscheinungsformen des kulturellen Lebens, seine materielle Grundlage und Ordnung, insbes. Struktur und Tätigkeit der dem kulturellen Leben dienenden Einrichtungen.

**Kulturwissenschaft,** im neutralen Sinn Sammelbegriff für Gruppe von Wissenschaften, die sich mit den Ergebnissen menschlichen Handelns bzw. den Schöpfungen des menschlichen Geistes befassen (daher gelegentlich auch: *Geisteswissenschaften*). – Häufig verbindet sich mit K. zusätzlich eine bestimmte *methodische Vorstellung:* Anstelle der in naturwissenschaftlichen Bereichen bewährten Suche nach allgemeinen Gesetzmäßigkeiten (→Gesetzesaussage) wird die →verstehende Methode angewendet; Vorstellung von einem methodischen Dualismus zwischen Natur- und Kulturwissenschaften (→Hermeneutik).

**Kumulation,** in der Wirtschaftstheorie gebrauchter Ausdruck für einen sich selbst verstärkenden Wirtschaftsprozeß, z. B. Inflation, Deflation.

**kumulativ bedingte Gemeinkosten (-ausgaben, -einnahmen, -erlöse, -verbrauch).** 1. *Begriff:* →Gemeinkosten, die durch das räumlich-zeitliche Zusammenfassen oder -treffen von Produkten oder Prozessen, die sich gegenseitig beeinträchtigen, ausgelöst werden. – *Gegensatz:* →alternativ bedingte Gemeinkosten (-ausgaben, -einnahmen, -erlöse, -verbrauch). – 2. *Beispiele:* (1) Kosten für Rüsten und Sortenwechsel bei wechselnd-sukzessiver

Produktion; (2) Kosten für Weichen, Überhol- und Parallelgleise wenn eine Strecke gleichzeitig durch den Gegenverkehr oder Züge unterschiedlicher Geschwindigkeit benutzt werden soll. Die K. fielen weg (1. Bsp.) oder entstünden nicht (2. Bsp.), wenn nur eine Leistungsart erbracht würde. – 3. Auch für die *Verknüpfung unterschiedlicher Prozesse* können derartige Kosten entstehen: Können z. B. fertigungstechnisch verwandte Produkte wahlweise gleichzeitig nebeneinander oder nacheinander auf funktional gleichartigen, aber kostenverschiedenen Produktionsanlagen oder aus kostenverschiedenen Werkstoffen hergestellt werden, kann die einzelne Produktart nicht mehr zu den für sie günstigsten Kosten hergestellt werden, sobald die Ausdehnung anderer Produkte gewisse Grenzen überschreitet. Bei dieser „verbundenen Produktion ohne Kopplung" sowie durch Überstunden, Nacht- oder Feiertagschichten oder Intensitätserhöhungen treten die entstehenden Mehrkosten oft bei anderen Produkten als den eigentlichen Veranlassern in Erscheinung. – 4. *Zurechnung:* Durch eine Berücksichtigung der Entscheidungsabfolge oder der dabei festgelegten Rangordnung lassen sich die k. b. G. oft einer Produktart oder Teilmenge oder sonstigen Aktivität nach dem →Identitätsprinzip zurechnen.

**kumulative Dividende,** →Vorzugsaktie II 1 c).

**kumulative Kontraktion,** Begriff für eine sich selbstverstärkende Abschwungphase. Nach Keynes besteht die Gefahr von k. K. wegen möglicher Starrheiten und der Unsicherheit in jedem Abschwung. Um solche kumulativen Prozesse mit der Gefahr tiefer Depressionen zu vermeiden, empfiehlt Keynes, die Wirtschaft stets im *Quasiboom* zu halten (Vollbeschäftigungspolitik).

**kumulative Schuldübernahme,** →Schuldmitübernahme.

**kumulative Verursachung,** →Konter-Effekt.

**Kumulativknappheit,** →ökologische Knappheit.

**Kumulativwirkung,** Steuerwirkung, die auf demselben Kalkulationsmechanismus wie bei der →Kaskadenwirkung beruht. Die K. darf aber mit dieser nicht gleichgesetzt werden, da sie allein die neuerliche Besteuerung der auf jeder Handelsstufe entstandenen Wertschöpfung ohne Steuern betrifft.

**Kumulierung,** sukzessive Summierung, etwa K. von →Häufigkeiten oder →Wahrscheinlichkeiten zur Gewinnung einer →Summenfunktion oder →Verteilungsfunktion, oder K. von Zugangsmengen bzw. Abgangsmengen über die Zeit zur Ermittlung einer zeitlich kumulierten →Zugangsfunktion bzw. →Abgangsfunktion.

**Kumulierungsverbot,** steuerlicher Begriff, wonach eine kumulative Inanspruchnahme steuerlicher Vergünstigungen nicht gestattet ist. – 1. K. für →*erhöhte Absetzungen und* →*Sonderabschreibungen:* Liegen die Voraussetzungen für die Inanspruchnahme in beiden Fällen vor, so dürfen erhöhte Absetzungen oder Sonderabschreibungen nur auf Grund einer dieser Vorschriften in Anspruch genommen werden (§ 7 a V EStG). – 2. *Bausparbeiträge* können nicht als →Sonderausgaben geltend gemacht werden, wenn der Steuerpflichtige eine Prämie nach dem Spar- oder dem Wohnungsbau-Prämiengesetz beantragt hat (§ 10 V EStG). – 3. K. für →*vermögenswirksame Leistungen:* Ein Sonderausgabenabzug ist ausgeschlossen, sofern hierfür eine →Arbeitnehmer-Sparzulage gewährt wird (§ 10 II Nr. 4 EStG).

**Kundenanzahlungen,** Vorauszahlungen der Kunden auf erteilte Aufträge. K. sind gesondert zu buchen und in der →Bilanz auf der Passivseite gesondert unter den Verbindlichkeiten als „Erhaltene Anzahlungen auf Bestellungen" auszuweisen (§ 266 III HGB). – Vgl. auch →Kundenkredit.

**Kundenauftrag,** durch einen Kunden ausgelöste Aufforderung, eine spezifische Leistung bzw. ein spezifisches Gut (Produkt oder Produktbündel) zu erstellen, was nur durch bestimmte Aktionen (Arbeiten, Operationen, Tätigkeiten) von Aktionsträgern (Potentialelementen) möglich ist. – Vgl. auch →Innenauftrag, →Auftrag.

**Kundendienst,** freiwillige Dienste eines Herstellers oder Händlers, die er seinen Abnehmern vor, während und nach erfolgtem Kauf leistet. *Zweck* ist die K. ist die Gewinnung von Dauerkunden. – *Zu unterscheiden:* a) nicht warengebundener K. wie z. B. Kindergärten in Warenhäusern, Besorgung von Theaterkarten durch den Hotelportier u. ä.; b) warengebundener K. wie z. B. Abhol- und Auslieferdienst, Geräteüberwachung, Belehrung über Gebrauch und Bedienung einer Maschine, Werkstätten- u. Pflegedienst u. a.

**Kundenfang,** nach UWG im geschäftlichen Verkehr verbotene Handlung, die die freie Willensentscheidung der Kunden beeinträchtigt oder ausschließt (→unlauterer Wettbewerb). – *Beispiele:* Belästigung durch →Anreißen; Verlockung durch besondere Vorteile; Ausnutzung von Gefühlen.

**Kundengeschäft.** 1. *Bankwesen:* Bankgeschäft für fremde Rechnung. – *Gegensatz:* →Eigenhandel (Eigengeschäft). – 2. *Börsenumsatzsteuerrecht:* Anschaffungsgeschäft, bei dem nur ein Vertragsteil inländischer →Händler ist (§ 20 KVStG).

**Kundengliederung.** 1. *Begriff:* Im Rahmen der Organisation die →Segmentierung eines Handlungskomplexes nach Kundenmerkma-

len; Unterfall der Anwendung des →Objektprinzips. – 2. *Folge:* Die K. führt je nach der betroffenen Hierarchieebene und je nach dem Aggregationsgrad des betrachteten Handlungskomplexes zu unterschiedlich breiter →Kompetenz der organisatorischen Einheiten. So kann eine K. der zweiten Hierarchieebene →organisatorische Teilbereiche etwa für die unterschiedlichen Kundengruppen der Unternehmung ergeben; diese Bereiche lassen sich selbst wiederum kundenorientiert (z. B. in →Stellen) untergliedern, die auf einzelne (Groß-)Kunden ausgerichtet sind. – Vgl. auch →Marktgliederung.

**Kundenkalkulation,** Ermittlung des Erfolgsbeitrags sämtlicher Geschäfte mit einem Kunden innerhalb einer Rechnungsperiode (i. d. R. ein Jahr). Problematik der Zurechnung von →Gemeinkosten auf die einzelnen Kundenbeziehungen. Die Kundenkalkulation hat sich insbes. vor dem Hintergrund eines gewachsenen Cross-selling-Denkens (→cross-selling) zu einem wesentlichen Controllinginstrument entwickelt.

**Kundenkartei,** Erfassung der Kunden eines Unternehmens in einer →Kartei, meist in alphabetischer Ordnung. – 1. Das *Kontokorrent* der Kunden. – 2. Hilfsmittel der *Werbung:* Verzeichnis von Größe und Häufigkeit der Bestellungen, Zahlungseingänge, evtl. Kredithöhe und sonstige Einzelheiten, die im Verkehr mit dem Kunden wichtig sein. Spezial-K. sind z. B. Besuchskartei, Dekorationskartei.

**Kundenkredit.** 1. *Einem Kunden gewährter Kredit:* Art der →Aktivfinanzierung zur Absatzsicherung bei Käufermarkt oder zur Einflußnahme auf die Geschäftsführung des Kunden. – 2. *Von dem Lieferanten bei einem Kunden in Anspruch genommener Kredit:* Art der →Passivfinanzierung, dient zur Vorfinanzierung von und als Sicherheit für in Auftrag gegebene hochwertige Spezialobjekte oder zur Sicherung des Warenbezugs bei Verkäufermarkt (vgl. auch →Kundenanzahlungen).

**Kundenmanagementorganisation.** 1. *Begriff:* Konzept einer →mehrdimensionalen Organisationsstruktur, bei dem eine gegebene Grundstruktur durch die organisatorische Verankerung von →Kompetenz für die aus den einzelnen Kunden(-gruppen) einer Unternehmung resultierenden speziellen Aufgaben ergänzt wird. – 2. *Formen:* a) Die Institutionalisierung des Kundenmanagements kann auf einen →organisatorischen Teilbereich beschränkt oder teilbereichsübergreifend sein; b) die Institutionalisierung kann in Form von →Stäben (*Stabs-Kundenmanagement*) oder →Entscheidungseinheiten (*Matrix-Kundenmanagement*) erfolgen. – 3. Bei der *Auswahl* einer der sich hieraus ergebenden Gestaltungsalternativen sind die angestrebte Reichweite für die Berücksichtigung der Kundenmanagement-Perspektive im arbeitsteiligen Entscheidungsprozeß der Unternehmung sowie die spezifischen Vor- und Nachteile der →Stab-Linienorganisation und der →Matrixorganisation abzuwägen.

**Kundenproduktion,** →unmittelbar kundenorientierte Produktion.

**Kundenschutz,** ausdrückliche Zuweisung eines bestimmten Kundenkreises an den →Handelsvertreter. Ist dem Handelsvertreter ein bestimmter Kundenkreis zugewiesen, so hat er Anspruch auf Provision auch für Geschäfte, die ohne seine Mitwirkung mit seinem Kundenkreis während des Vertragsverhältnisses abgeschlossen werden (§ 87 II HGB). – Der gesetzliche Schutz gilt nicht für *Versicherungsvertreter* (§ 92 III 2 HGB).

**Kundenskonto,** →Skonto.

**Kundenstrukturanalyse,** Erhebung von Einkaufsgewohnheiten, des Mediaverhaltens, des Einzugsgebietes und der demographischen Struktur des Kundenstammes sowie Analyse der Kundendatei. Die Ergebnisse dienen als Grundlage für die →Mediaplanung, die →Sortimentspolitik und des Servicenetzes. Traditionell gute Informationen über ihre Kunden haben die Versandunternehmen. – Vgl. auch →Marktforschung, →Marktsegmentierung.

**Kundenumsatz,** →Lieferung und sonstige Leistungen an fremde Wirtschaftseinheiten. Zusammen mit dem →Eigenumsatz bildet K. den →Gesamtumsatz.

**Kündigung.** I. Allgemein: Ein empfangsbedürftiges →einseitiges Rechtsgeschäft, durch das die Beendigung eines Rechtsverhältnisses, meist nach Ablauf – einer Frist, herbeigeführt werden soll. Dem Gegner muß eine entsprechende Erklärung zugehen. – Die i. d. R. nur aus wichtigem Grund zulässige →außerordentliche Kündigung löst das Rechtsverhältnis sofort auf.

II. Gesellschaftsrecht: 1. *Gesellschaftvertrag:* a) *Offene Handelsgesellschaft:* Die K. eines Gesellschafters oder eines →Privatgläubigers bringt eine OHG zur →Auflösung, welcher ggf. die →Abwicklung folgt. Die Auflösung kann aber durch Gesellschaftsvertrag gemäß § 138 HGB ausgeschlossen sein. so daß mit Wirksamkeit der K. lediglich der kündigende Gesellschafter ausscheidet. – (1) Für den *Gesellschafter* besteht ein Recht zur K. nur, wenn die Gesellschaft für unbestimmte Zeit eingegangen ist (§ 132 HGB), an die Stelle der sonst allg. zulässigen K. aus wichtigem Grund tritt die →Auflösungs- oder Ausschließungsklage. Als für „unbestimmte Zeit" eingegangen gilt auch eine Gesellschaft, die für die Lebenszeit eines Gesellschafters eingegangen ist oder nach Ablauf der festgesetzten Zeit stillschweigend

fortgesetzt wird. (a) Die Kündigungsfrist beträgt sechs Monate zum Schluß des Geschäftsjahres. (b) Die Form der K. ist gesetzlich nicht vorgeschrieben. (c) Rücknahme – der K. ist nur mit Zustimmung aller übrigen Gesellschafter und vor der Auflösung möglich. Nach der Auflösung kann die Fortsetzung der Gesellschaft durch Beschluß der Gesellschafter vereinbart werden, wobei auch der Kündigende zustimmen muß, selbst dann, wenn er ausscheiden soll. – (2) K. durch den *Privatgläubiger* (§ 135 HGB) soll diesem nach fruchtlosem Verlauf der von ihm in das bewegliche Vermögen eines Gesellschafters betriebenen →Zwangsvollstreckung ermöglichen, sich aus dessen →Auseinandersetzungsguthaben zu befriedigen. (a) Über die Voraussetzungen: →Privatgläubiger. (b) Frist der K. gleichfalls sechs Monate vor Ende des Geschäftsjahres, wobei es jedoch nicht darauf ankommt, ob die Gesellschaft für bestimmte oder unbestimmte Zeit abgeschlossen ist. (c) Die Erklärung der K. muß auch hier allen Gesellschaftern gegenüber abgegeben werden. Die Vorlage des Schuldtitels, des Pfändungs- und Überweisungsbeschlusses über das Auseinandersetzungsguthaben und eine Bescheinigung über die fruchtlose Zwangsvollstreckung kann von den Gesellschaftern gefordert werden. (d) Die Rücknahme der K. ist nur mit Zustimmung aller Gesellschafter, auch des Schuldners, möglich (vgl. oben 1 a [3}. – b) *Kommanditgesellschaft:* Es gilt gem. § 161 HGB Entsprechendes. Der Tod des →Kommanditisten hat jedoch eine Auflösung der Gesellschaft nicht zur Folge (§ 177 HGB).

2. *Handelsvertretervertrag:* Die gesetzliche Frist zur K. beträgt bei einem Vertragsverhältnis auf unbestimmte Zeit und einer Dauer bis zu drei Jahren sechs Wochen, jeweils zum Schluß eines Kalendervierteljahres. Diese Frist kann vertraglich bis zu einem Monat verkürzt werden, wobei der Zeitpunkt der Beendigung der Arbeit nur auf den Schluß eines Kalendermonats bestimmt werden darf. Dauert das Vertragsverhältnis länger als drei Jahre, ist die Frist zur K. auf drei Monate zum Schluß des Kalendervierteljahres gesetzlich festgesetzt, wobei vertragliche Verkürzungen der Kündigungsfrist vom Gesetz nicht zugelassen sind (§ 89 HGB).

III. Arbeitsrecht: 1. K. muß eindeutig und ohne Bedingung sein und sich auf den Arbeitsvertrag im ganzen beziehen. Vorsorgliche K. und →Änderungskündigung sind echte K. – Zu unterscheiden: a) →ordentliche Kündigung (Einhaltung bestimmter →Kündigungsfristen); b) →außerordentliche Kündigung. – Vgl. auch →Druckkündigung. – 2. Gesetzlich ist die *Angabe eines Kündigungsgrundes* durch den Arbeitgeber nicht vorgeschrieben (Ausnahme: § 15 III BBiG), aber üblich, damit der Arbeitnehmer die Erfolgsaussicht einer Feststellungsklage auf Unwirksamkeit der K. (→Kündigungsschutz) beurteilen kann. Anspruch auf Bekanntgabe aber bei außerordentlicher K. (§ 626 II BGB); bei ordentlicher →betriebsbedingter Kündigung hinsichtlich der Gründe für die soziale Auswahl (§ 1 III KSchG). – 3. *Formvorschrift:* Besteht nicht (Ausnahme: § 15 III BBiG). Der Kündigungswille ist so klar zum Ausdruck zu bringen, daß er für den Gekündigten ohne weiteres erkennbar ist. Ist für die K. vertraglich die Schriftform vorgesehen, so ist eine mündliche K. grundsätzlich rechtsunwirksam, es sei denn, der Gekündigte sähe die K. trotz Nichtbeachtung der Schriftform als berechtigt an. – 4. *Zugang der K.* ist Voraussetzung ihrer Wirksamkeit: K. muß (als empfangsbedürftige Willenserklärung) dergestalt in den Bereich des Empfängers gelangen, daß er sie unter normalen Umständen zur Kenntnis nehmen kann, z. B. durch Einwurf des Kündigungsschreibens in den Briefkasten der Wohnung vor üblicher Leerungszeit. Weiß der Arbeitgeber von der Urlaubs- oder Krankheitsabwesenheit des Arbeitnehmers, soll nach umstrittener Ansicht der Zugang i. a. nicht vor der Rückkehr des Arbeitnehmers vollzogen sein. – 5. *Einhaltung von Fristen:* Vgl. →Kündigungsfristen. – 6. *K. und Mitwirkung des Betriebsrats:* Das Kündigungsrecht auf Arbeitgeberseite steht dem Arbeitgeber selbst zu. In Betrieben, die dem Betriebsverfassungsgesetz unterliegen, muß er gem. § 102 I BetrVG vor Ausspruch jeder K. den Betriebsrat anhören (→Anhörung des Betriebsrats). Die Unterlassung vorheriger Anhörung macht die K. unwirksam. – Der Arbeitgeber kann mittelbar durch den Betriebsrat zur K. betriebsstörender Arbeitnehmer gezwungen werden (§ 104 BetrVG). – 7. *Nachschieben von Kündigungsgründen:* Der kündigende Teil kann die K. auch später noch durch zusätzliche, dem Gekündigten nicht mitgeteilte Gründe untermauern. Die K. läßt sich aber nicht auf Gründe stützen, die erst nach Ausspruch der K. entstanden sind. Solche Gründe können eine neue K. tragen. – 8. Grundsätzlich ausgeschlossen ist eine →*Teilkündigung.*

IV. Berufsbildungsgesetz: Das Berufsausbildungsverhältnis ist nach Ablauf der →Probezeit nur aus →wichtigem Grund kündbar; während der Probezeit kann es ohne Einhaltung einer Frist von beiden Teilen gekündigt werden. Will der →Auszubildende die Berufsausbildung aufgeben oder eine andere Ausbildung aufnehmen, kann er mit einer Frist von vier Wochen kündigen (§ 15 BBiG).

V. Versicherungsvertragsgesetz: Das Recht zur K. haben: 1. Der *Versicherungsnehmer:* a) zum Ablauf der Versicherung, b) in den meisten Versicherungszweigen nach Eintritt eines Schadens (Fristen und sonstige Einzelheiten je nach Versicherungs-

zweig verschieden). – 2. *Der Erwerber der versicherten Sache* bei Besitzwechsel. – 3. Die *Versicherungsgesellschaft:* a) zum Ablauf der Versicherung, b) bei Verletzung der vorvertraglichen →Anzeigepflicht, c) bei bestimmten →Gefahrerhöhungen, d) bei Nichtzahlung von →Folgeprämien, e) dem Erwerber gegenüber bei Besitzwechsel der versicherten Sache, f) in den meisten Versicherungszweigen – nach Eintritt eines Schadens (Fristen und sonstige Einzelheiten je nach Versicherungszweig verschieden). – Bei K. einer →Lebensversicherung (ausgenommen Risiko- und bestimmte Arten der Rentenversicherung) und einer Unfallversicherung mit Prämienrückgabegewähr wird unter bestimmten Voraussetzungen der Rückkaufswert ausgezahlt. – Vgl. auch →Rückkauf von Versicherungen.

**Kündigungsfristen.** I. Arbeitsverhältnisse (bei ordentlicher Kündigung): Gesetzlich für einzelne Arbeitnehmergruppen verschieden geregelt. – 1. *Arbeiter:* K. beträgt zwei Wochen (§ 622 II BGB). Kürzere K. können in →Tarifvertrag vereinbart werden; im Geltungsbereich des Tarifvertrages ist entsprechende Vereinbarung auch zwischen nicht tarifgebundenem Arbeitgeber und Arbeitnehmer möglich (§ 622 III BGB). Besondere K. für →ältere Arbeiter. – 2. *Angestellte:* Grundsätzlich sechs Wochen zum Quartalsschluß (§ 622 I 1 BGB); kürzere K. können tariflich vereinbart werden, jedoch müssen sie mindestens ein Monat zum Monatsschluß betragen (§ 622 I 2 BGB). Darüber hinaus können kürzere K. tarifvertraglich vereinbart werden. Im Geltungsbereich des Tarifvertrages ist dann auch einzelvertragliche Vereinbarung ohne →Tarifgebundenheit möglich (§ 622 III BGB). Besondere K. für →ältere Angestellte. – 3. Eine *Verlängerung der K.* ist sowohl durch Einzelarbeitsvertrag (→Arbeitsvertrag) als auch durch Tarifvertrag möglich. Für die Kündigung durch den Arbeitnehmer darf jedoch einzelvertraglich keine längere Frist vorgesehen werden als für die Kündigung durch den Arbeitgeber (§ 622 V BGB). – 4. Ist ein *Arbeitsverhältnis auf eine längere Zeit als fünf Jahre oder auf Lebenszeit* eingegangen, so kann der Arbeitnehmer das Arbeitsverhältnis nach Ablauf von fünf Jahren mit sechsmonatiger Frist kündigen (§ 624 BGB). – 5. Bei *Konkurs* des Arbeitgebers kürzen sich vertraglich verlängerte Kündigungsfristen auf die gesetzlichen Fristen ab (§ 22 I KO). – 6. *Auszubildende:* Der Berufsausbildungsvertrag kann während der →Probezeit jederzeit gelöst werden. Danach nur aus →wichtigem Grund oder mit einer K. von vier Wochen, wenn der Auszubildende die Berufsausbildung aufgeben oder sich für eine andere Berufstätigkeit ausbilden lassen will (§ 15 BBiG). – 7. Für *bestimmte Arbeitnehmergruppen* (z. B. Schwerbehinderte, Betriebsratsmitglieder, werdende Mütter und Wöchnerinnen) besteht ein besonderer →Kündigungsschutz mit z. T. längeren K.

II. Dienstverhältnisse (→Dienstvertrag): Sind diese keine Arbeitsverhältnisse i. S. des § 622 BGB, richten sich die K. nach der zeitlichen Zahlung der Vergütung: a) bei Vergütung nach Tagen an jedem Tag für den Ablauf des folgenden Tages; b) bei Vergütung nach Wochen spätestens am ersten Werktag einer Woche für den Ablauf des folgenden Sonnabends; c) bei Vergütung nach Monaten spätestens am fünfzehnten eines Monats für den Schluß des Monats; d) bei Vergütung nach Vierteljahren oder längeren Zeitabschnitten sechs Wochen zum Quartalsschluß; e) wenn die Vergütung nicht nach Zeitabschnitten bemessen ist, jederzeit, wird jedoch die Erwerbstätigkeit des Verpflichteten vollständig oder hauptsächlich in Anspruch genommen, ist eine K. von zwei Wochen einzuhalten (§ 621 BGB).

III. Andere Rechtsverhältnisse: Vgl. unter den jeweiligen Begriffen.

**Kündigungsgelder.** 1. *Begriff:* Einlagen, über die erst nach Kündigung und Ablauf der Kündigungsfrist verfügt werden kann. Sie gehören zu den →Termineinlagen. – 2. *Einteilung* der K.: K. mit Kündigungsfrist von a) einem Monat und weniger als drei Monaten; b) drei Monate und weniger als sechs Monate; c) sechs Monate und weniger als zwölf Monate; d) zwölf Monate und darüber. Entsprechend sind die Zinssätze gestaffelt.

**Kündigungsgründe im Arbeitsrecht.** 1. Für eine *ordentliche Kündigung* durch den Arbeitgeber im Anwendungsbereich des KSchG: Vgl. →betriebsbedingte Kündigung , →personenbedingte Kündigung, →verhaltensbedingte Kündigung. – 2. Für eine *außerordentliche Kündigung* durch den Arbeitgeber: Vgl. →wichtiger Grund.

**Kündigungsgrundschuld,** eine erst nach Kündigung fällige →Grundschuld. Mangels abweichender Vereinbarung ist die Grundschuld stets K. Kündigungsfrist für Eigentümer oder Gläubiger sechs Monate (§ 1193 I BGB). – *Gegensatz:* →Tilgungsgrundschuld.

**Kündigungshypothek,** →Hypothek, die nach fristgerechter Kündigung rückzahlbar ist (§ 1141 BGB). – *Gegensatz:* →Tilgungshypothek.

**Kündigungsschutz.** I. Arbeitsrecht: 1. *Allgemeiner K.:* a) *Begriff:* K., der für alle Arbeitnehmer besteht, die gewisse betriebliche und persönliche Voraussetzungen erfüllen. Auf →ordentliche Kündigung beschränkt (vgl. ggf. →außerordentliche Kündigung). – b) *Rechtsgrundlage:* Kündigungsschutzgesetz (KSchG) i. d. F. vom 25. 8. 1969 (BGBl I 1317) mit späteren Änderungen. – c) *Geltungsbereich:* (1) *Sachlich:* Betriebe und Verwaltun-

gen des privaten und öffentlichen Rechts, mit Ausnahme derjenigen, die i. d. R. fünf oder weniger Arbeitnehmer ausschließlich des Auszubildenden beschäftigen (§ 23 KSchG). – (2) *Persönlich:* Arbeitnehmer i. S. des Arbeitsrechts, deren Beschäftigung ohne Unterbrechung länger als sechs Monate in demselben Betrieb oder Unternehmen bestand; Mitglieder der Organe der juristischen Personen und der berufenen Vertreter in Betrieben einer Personengesamtheit ausgenommen. Leitende Angestellte fallen im Grundsatz unter den K. (§ 14 KSchG). – d) *Inhalt* (§ 1 KSchG): Eine sozial ungerechtfertigte Kündigung ist rechtsunwirksam; diese liegt vor, wenn sie nicht durch Gründe, die in der Person (→personenbedingte Kündigung) oder im Verhalten (→verhaltensbedingte Kündigung) des Arbeitnehmers liegen oder durch dringende betriebliche Bedürfnisse (→betriebsbedingte Kündigung), die einer Weiterbeschäftigung des Arbeitnehmers in dem Betrieb entgegenstehen, bedingt ist. Als sozial ungerechtfertigt gilt betriebsbedingte Kündigung, wenn der Arbeitgeber bei der Auswahl des Arbeitnehmers soziale Gesichtspunkte (z. B. Alter, gesetzliche Unterhaltsverpflichtungen, Dauer der Betriebszugehörigkeit) nicht oder nicht ausreichend berücksichtigt hat, es sei denn, betriebstechnische, wirtschaftliche oder sonstige berechtigte betriebliche Erfordernisse für die Weiterbeschäftigung eines oder mehrerer bestimmter Arbeitnehmer stünden der Auswahl das Gekündigten nach sozialen Gesichtspunkten entgegen; auf Verlangen sind die Gründe der sozialen Auswahl durch den Arbeitgeber anzugeben. – e) *Beweispflicht:* (1) Arbeitgeber für die die Kündigung bedingenden Tatsachen; (2) Arbeitnehmer für die Behauptung, daß bei der Auswahl im Falle der betriebsbedingten Kündigung soziale Gesichtspunkte nicht berücksichtigt wurden. Gelingt dieser Beweis, kann der Arbeitgeber den Gegenbeweis führen.

2. *Besonderer K.:* a) *Begriff:* K. für bestimmte Gruppen von Arbeitnehmern, bei denen aufgrund besonderer persönlicher Verhältnisse (ältere Angestellte bzw. Arbeiter, Schwangere, Behinderte; vgl. im einzelnen dort) oder besonderer Funktionen in Betriebsverfassungsorganen (Betriebsratsmitglieder) oder im Allgemeininteresse liegender Tätigkeiten (Wehr- und Zivildienst) *eine erhöhte Schutzbedürftigkeit* besteht. – b) *Rechtsgrundlagen:* (1) Kündigungsschutzgesetz, (2) Mutterschutzgesetz, (3) Schwerbehindertenschutzgesetz, (4) Arbeitsplatzschutzgesetz, (5) Art. 48 II GG (K. bei Abgeordnetentätigkeit) u. a.

3. *K. bei Änderungskündigung:* Vgl. →Änderungskündigung.

4. *Kündigungsschutzverfahren:* a) Der Gekündigte muß die Unwirksamkeit der Kündigung als sozial ungerechtfertigt vor Ablauf der

Ausschlußfrist (drei Wochen) durch *Feststellungsklage* beim Arbeitsgericht geltend machen, andernfalls ist die Kündigung wirksam (§§ 4,7 KSchG). Nachträgliche Zulassung der Klage bei unverschuldeter Fristversäumnis möglich (§ 5 KSchG). – b) *Funktion des Betriebsrates:* Mitwirkung des Betriebsrates ist nicht zwingend (zur Mitwirkung bei Kündigung vgl. →Anhörung des Betriebsrats). Der Arbeitnehmer kann beim Betriebsrat binnen einer Woche nach der Kündigung Einspruch einlegen; der Betriebsrat unternimmt einen Verständigungsversuch, wenn er den Einspruch für gerechtfertigt hält (§ 3 KSchG). Billigung der Kündigung durch den Betriebsrat schließt Zulässigkeit der Klage nicht aus. – c) *Urteil:* Hält das Gericht die Klage für begründet, stellt es durch Urteil fest, daß durch die Kündigung das Arbeitsverhältnis nicht aufgelöst ist. Ist dem Arbeitnehmer die *Fortsetzung des Arbeitsverhältnisses nicht zuzumuten* (z. B. wegen Ehrverletzung durch den Arbeitgeber), erfolgt Auflösung durch das Gericht und Verurteilung des Arbeitgebers zur Zahlung einer →Abfindung. Entsprechende Entscheidung auf Antrag des Arbeitgebers, wenn eine den Betriebszwecken dienliche weitere Zusammenarbeit zwischen den Vertragsparteien nicht zu erwarten ist. – d) *Anspruch auf Weiterbeschäftigung während des Kündigungsschutzverfahrens:* Vgl. →Beschäftigungspflicht.

II. M i e t r e c h t : Vgl. →soziales Mietrecht.

**Kündigungsschutzgesetz (KSchG),** →Kündigungsschutz I.

**Kunstgegenstände,** Steuerobjekt gem. BewG. K. werden insbes. beim →sonstigen Vermögen berücksichtigt, wenn ihr →gemeiner Wert 20 000 DM übersteigt. – K. gehören uneingeschränkt *nicht* zum sonstigen Vermögen, wenn sie von Künstlern geschaffen wurden, die zum Anschaffungszeitpunkt noch leben (§ 110 I Nr. 12 BewG). – →Grundbesitz und K., deren Erhaltung im öffentlichen Interesse liegt, sind bei der Ermittlung des →Gesamtvermögens bzw. →Inlandsvermögens nur *mit 40%* des Wertes (unter erhöhten Anforderungen: überhaupt nicht) anzusetzen, sofern (nach spezieller Ermittlung) die jährlichen Kosten die Einnahmen übersteigen (§ 115 BewG).

**Kunstlehre,** Charakterisierung der →Betriebswirtschaftslehre als technologisch orientierte Disziplin durch Schmalenbach im ersten →Methodenstreit. Sch. wandte sich (1912) gegen Bestrebungen, das Fach als („philosophisch" ausgerichtete) Wissenschaft zu konzipieren; Ziel sollte die Vermittlung praktisch verwertbaren Wissens sein. Die damals durchaus verständliche Unterscheidung kann heute als nicht mehr erforderlich gelten.

**Künstlersozialabgabe,** Umlage zur Finanzierung der →Künstlersozialversicherung; vergleichbar mit dem Arbeitgeberanteil der Beiträge zur Sozialversicherung. – 1. *Rechtsgrundlage:* §§ 23–27 KSVG. – 2. *Abgabepflichtig:* Wer eines oder mehrere der folgenden Unternehmen betreibt: (1) Buch-, Presse- und sonstige Verlage, Presseagenturen (einschl. Bilderdienst); (2) Theater- und Konzertdirektionen, sofern nicht ausschl. vermittelnde Tätigkeit; (3) Herstellung von bespielten Bild- und Tonträgern (ausschließlich alleiniger Vervielfältigungen); (4) Galerien, Kunsthandel; (5) Werbung (einschl. Öffentlichkeitsarbeit) für Dritte; (6) Varieté- und Zirkusunternehmen; (7) Rundfunkanstalten; (8) Unternehmer und juristische Personen des öffentlichen Rechts, die Theater (ausgenommen Filmtheater), Orchester, Musikschulen oder Museen betreiben. – 3. *Höhe:* Richtet sich nach einem Vomhundertsatz der gezahlten Entgelte; für die Jahre 1986 und 1987: 5% (§ 57 III KSVG i. d. F. des Gesetzes vom 20. 12. 1985 – BGBl I 2474).

**Künstlersozialkasse,** rechtsfähige bundesunmittelbare Anstalt des öffentlichen Rechts, Sitz Wilhelmshaven; errichtet für Zwecke der →Künstlersozialversicherung. – *Rechtsgrundlage:* §§ 37–48 KSVG. – *Aufgaben:* Feststellung von Beginn und Ende der Versicherungspflicht bzw. der Versicherungsfreiheit nach dem KSVG. Die K. erhebt die Beiträge und führt diese an die zuständigen Versicherungsträger ab.

**Künstlersozialversicherung,** Zweig der →Sozialversicherung, eingeführt am 1. 1. 1983 durch das Gesetz über die Sozialversicherung der selbständigen Künstler und Publizisten (Künstlersozialversicherungsgesetz – KSVG) v. 27. 7. 1981 (BGBl I 705), mit dem Künstler und Publizisten in das System der sozialen Sicherheit einbezogen worden sind. Die Einbeziehung erfolgt nur in die gesetzliche →Krankenversicherung und zum →Rentenversicherung, nicht aber in die gesetzliche →Unfallversicherung. – 1. *Versicherungspflicht:* Für alle Künstler und Publizisten, die nicht nur vorübergehend selbständig erwerbstätig Musik, darstellende oder bildende Kunst schaffen, ausüben oder lehren oder als Schriftsteller, Journalist oder in anderer Weise publizistisch tätig sind (§ 1 KSVG). Als Künstler oder Publizist gilt nicht, wer einen künstlerisch oder publizistisch tätigen Arbeitnehmer ständig beschäftigt oder als Handwerker in die Handwerksrolle eingetragen ist. – 2. *Versicherungsfrei in der Kranken- und Rentenversicherung* ist, wer nur eine geringfügig künstlerische Tätigkeit ausübt. Abweichend von den Regelungen über →geringfügige Beschäftigung oder Tätigkeit nach §§ 8 SGB 4, liegt i. S. des KSVG *geringfügige Tätigkeit* vor, wenn das aus der selbständigen künstlerischen oder publizistischen Tätigkeit voraussichtlich erzielte Arbeitseinkommen $1/6$ der →Bezugsgröße (1987 jährlich 36 120 DM; $1/6 = 6020$ DM) bzw. des Gesamteinkommens (§ 16 SGB 4) nicht übersteigt (§ 3 I KSVG). – 3. *Versicherungsfrei in der Rentenversicherung* ist außerdem: Wer aufgrund einer Beschäftigung oder einer nicht unter das KSVG fallenden Tätigkeit in der gesetzlichen Rentenversicherung versicherungsfrei oder von Versicherungspflicht befreit ist; wer aus einer anderweitigen Beschäftigung oder Tätigkeit Arbeitseinkommen bezieht, das mindestens die Hälfte der für das jeweilige Jahr geltenden Beitragsbemessungsgrenze (1987 = 68 400 DM) erreicht; wer ein →Altersruhegeld aus der gesetzlichen Rentenversicherung bezieht, landwirtschaftlicher Unternehmer, ordentlicher Studierender ist oder als Wehr- oder Zivildienstleistender rentenversichert ist (§ 4 KSVG). – 4. *Versicherungsfrei in der Krankenversicherung* sind zudem bereits pflichtversicherte Arbeitnehmer, Landwirte, Empfänger von Arbeitslosengeld bzw. -hilfe oder Unterhaltsgeld nach § 155 AFG und andere Personen, die entweder versicherungsfrei oder von der Versicherungspflicht befreit sind (vgl. § 5 KSVG). Bei höheren Einkommen ist auf Antrag Befreiung von der Krankenversicherungspflicht möglich, jedoch frühestens nach fünf Jahren. Die Krankenversicherung nach dem KSVG ist auch möglich bei einem (privaten) Krankenversicherungsunternehmen, muß aber dann die gleichen Leistungen für den Versicherten und seine Angehörigen vorsehen, wie sie der Art nach den Leistungen der →Krankenhilfe der gesetzlichen Krankenkassen entsprechen. – 5. Die *Mittel* werden zur Hälfte durch Beitragsanteile der Versicherten, zur Hälfte durch die →Künstlersozialabgabe und durch einen Bundeszuschuß aufgebracht. – 6. *Höhe der Beiträge* des Versicherten: Entsprechend dem Arbeitseinkommen aus den nach dem KSVG versicherten Tätigkeiten. Der Beitragssatz zur Rentenversicherung beträgt die Hälfte des allgemeinen Beitragssatzes zur gesetzlichen *Rentenversicherung* (1987: Hälfte von 18,7% = 9,35%). Der Beitragssatz zur *Krankenversicherung* beträgt die Hälfte des durchschnittlichen Beitragssatzes der gesetzlichen Krankenkassen und wird jährlich jeweils zum 1.7. vom Bundesminister für Arbeit und Sozialordnung festgestellt (für 1987 = 6,1% des Grundlohns). – 7. Die *Leistungen* der K. entsprechen denen der gesetzlichen Kranken- und Rentenversicherung. →Krankengeld beginnt jedoch erst mit dem Beginn der 7. Woche der Arbeitsunfähigkeit. – 8. Für die *Durchführung* wurde die →Künstlersozialkasse errichtet.

**künstliche Intelligenz (KI).** I. B e g r i f f u n d G e g e n s t a n d : Mit KI wird der englische Begriff „Artificial Intelligence" übersetzt. Er bezeichnet ein Forschungsgebiet mit ausgeprägt interdisziplinärem Chrakter, das aber

i. d. R. als Teilgebiet der →Informatik eingestuft wird. – *Gegenstand* der KI ist die Erforschung „intelligenter" Problemlösungsverhaltens sowie die Erstellung „intelligenter" →Computersysteme. Nach M. Minsky beschäftigt sich die KI in diesem Sinne mit Methoden, die es einem Computer ermöglichen, solche Aufgaben zu lösen, die, wenn sie vom Menschen gelöst werden, Intelligenz erfordern. Unklarheiten und Mißverständnisse über den Begriff der Intelligenz riefen Bestrebungen hervor, dem Forschungsgebiet einen neuen Namen zu geben (z. B. Cognology oder Intellektik); sie verhinderten bisher eine allgemein anerkannte Definition. Deshalb wird KI i. a. nicht exakt definiert, sondern durch Angabe der wichtigsten *Methoden* und *Anwendungsgebiete* beschrieben.

II. E n t s t e h u n g : 1. *Geschichte:* Die Wurzeln der KI reichen in die 40er und 50er Jahre zurück. Aufgrund von Ergebnissen der mathematischen Logik sowie Ideen von *A. M. Turing,* der mit Hilfe abstrakter mathematischer Modelle zu Aussagen über die grundsätzlichen Möglichkeiten von Computern kam. rückte man von der eingeschränkten Sichtweise ab, nach der der Computer hauptsächlich als Rechenmaschine, geeignet zur Verarbeitung von Zahlen, betrachtet wurde. Computer konnten nunmehr allgemeiner als Maschinen zur *Symbolverarbeitung* (vgl. →symbolische Programmierung) aufgefaßt werden, mit deren Hilfe sich grundsätzlich jedes Problem bearbeiten läßt. A. M. Turing, der auch als Vater der KI bezeichnet wird, stellte aufgrund dieser allgemeineren Sicht die Hypothese auf, daß zukünftige Computer in der Lage sein würden, ein als intelligent zu bezeichnendes Verhalten zu zeigen. – Als eigentliche Geburtsstunde der KI gilt die *Dartmouth Konferenz* (Dartmouth Summer Project) im Jahre 1956, auf der namhafte Wissenschaftler (M. Minsky, J. McCarthy, A. Newell, H. A. Simon u. a.) ihre Forschungsaktivitäten in diesem Bereich zu koordinieren versuchten. Im Verlauf der Konferenz wurde auch der Begriff *Artificial Intelligence* geprägt. – 2. *Erste Ansätze:* Die Beschäftigung mit intelligentem Problemlösungsverhalten bestand anfangs hauptsächlich darin, daß Programme für *Spiele* wie Schach, Dame o. a. entwickelt wurden; ihre Qualität beurteilte man am Maßstab eines menschlichen Spielers. – In den 60er Jahren versuchten dann KI-Forscher, *generelle Methoden zur Problemlösung* zu finden und darauf aufbauend Computerprogramme zu entwickeln, die als allgemein verwendbare Problemlöser genutzt werden sollten (vgl. auch →general problem solver). Es zeigte sich jedoch, daß allgemeine Problemlösungsstrategien für die Lösung *spezieller* Probleme i. d. R. nicht ausreichen. Je mehr Problemklassen ein solches Programm behandeln konnte, desto schlechter waren die Lösungen der spezifischen Einzelprobleme. – 3. *Entwicklungslinien:* Die Erfahrung bezüglich der Bedeutung von *Spezialwissen* machte eine Umorientierung notwendig: für die Entwicklung intelligenter Computersysteme mußte der zentralen Rolle des *Wissens* Rechnung getragen werden. Vor diesem Hintergrund wurde die Erforschung und Realisierung problemadäquater → *Wissensrepräsentation* zu einer zentralen Aufgabe der KI. → *wissensbasierte Systeme* entwickelten sich neben der → Robotik, → Copmputervision und der Verarbeitung natürlicher Sprache (→ Spracherkennung, → natürlichsprachliche Systeme) zu einem klassischen Teilgebiet der KI. – *Andere Teildisziplinen* werden manchmal als weniger wichtig empfunden, da die unmittelbare kommerzielle Verwertbarkeit nicht gegeben ist. Jedoch wurden auch dort Ergebnisse erzielt, die Bedeutung für die gesamte KI haben. Z. B. stammen aus dem Bereich der → Deduktionssysteme grundlegende Methoden, die wesentlich zum Erfolg der klassischen Disziplinen in wissenschaftlicher und kommerzieller Hinsicht beitrugen.

III. Teilgebiete: Die Abb. Sp. 3099/3100 zeigt eine mögliche Gliederung der KI. Dabei wird zwischen Methoden und Anwendungen der KI unterschieden; wichtige interdisziplinäre Verbindungen sind durch gestrichelte Linien hervorgehoben. – 1. Die bedeutendsten Methodenbereiche der KI sind die *Wissensrepräsentation* sowie das *Schließen und Folgern* zur Nutzung des repräsentierten Wissens. In beide Gebiete fließen Ergebnisse der mathematischen Logik ein; z. B. stellen → Horn-Klauseln eine wichtige Form der Wissensrepräsentation dar. Für das Anwendungsfeld, das sich mit der Konstruktion → *wissensbasierter Systeme* beschäftigt, sind die Möglichkeiten der Repräsentation von Wissen von entscheidender Bedeutung (vgl., auch → knowledge engineering). – 2. Besondere Anforderungen an die sprachlichen Ausdrucksmittel bei der Erstellung von KI-Programmen, v. a. die Notwendigkeit der Symbolverarbeitung (vgl. II 1), machen spezielle → *KI-Programmiersprachen* erforderlich. Diese stellen u. a. bestimmte Wissensrepräsentationsformen zur Verfügung und bieten Möglichkeiten zur Auswertung des Wissen, z. B. durch eingebaute Methoden des Schließens. Ein bekanntes Beispiel ist die Programmiersprache → *Prolog* (vgl. auch → logische Programmierung); dort kann das Wissen in Form von Horn-Klauseln repräsentiert und mit Hilfe der eingebauten Schlußfolgerungsmethode → *Resolution* ausgewertet werden. Ein Prolog-Programm läßt sich auch als einfaches *Deduktionssystem* auffassen, weil auf der Grundlage einer Menge von Klauseln (Horn-Klauseln) ein bestimmter Beweisprozeß (Resolution) durchgeführt wird. – 3. Mit der Entwicklung solcher „automatischer

Beweiser" für mathematische Theoreme beschäftigt sich das Anwendungsgebiet *Deduktionssysteme.* Darüberhinaus werden Deduktionssysteme auch mit dem Ziel entwickelt, die Abfragemöglichkeiten bei → Datenbanksystemen, die auf dem → Relationenmodell basieren, zu erweitern, z. B. um rekursive → Datenbankabfragen. – 4. Eng verbunden mit Deduktionssystemen ist der Bereich der *automatischen Programmierung.* Auf der Grundlage einer → formalen Spezifikation kann die → *Programmverifikation* mit Hilfe eines Deduktionssystems automatisch durchgeführt werden. Daneben gehören zur automatischen Programmierung auch die automatische Erstellung von ablauffähigen Programmen aus formalen Spezifikationen sowie Korrektheitsbeweise für Hardwarekomponenten (z. B. integrierte Schaltkreise, Hardware). – 5. Bei den Methoden zum Verstehen *natürlicher Sprache* und ihrer Anwendung im Rahmen der *Sprachverarbeitung* – etwa bei der Konstruktion → natürlichsprachlicher Systeme – wird auf Ergebnisse der Linguistik zurückgegriffen, z. B. aus der Syntaxtheorie. Für die Erstellung solcher Systeme haben sich wissensbasierte Systeme bewährt (vgl. → Hearsay II). Die → Spracherkennung stellt neben der Sprachanalyse eine wichtige Aufgabe innerhalb dieses Anwendungsgebiets dar. – 6. → Computervision und → Robotik beschäftigen sich u. a. mit der Interpretation von Daten der realen physischen Umwelt und haben deshalb einen direkten Bezug zur Physiologie. – a) *Computervision* behandelt die Bereiche Bildverstehen (Grauwertanalyse u. a.), Szenenanalyse (z. B. Erkennen geometrischer Objekte aus Linienzeichnungen) und Gestaltwahrnehmung (Beschreibung der inhaltlichen Bedeutung einer Szene, z. B. durch Aufbau eines → semantischen Netzes). – b) Für die Objekterkennung wird auf Computervision in der *Robotik* zurückgegriffen. In diesem klassischen Anwendungsgebiet spielt die Planung und Kontrolle von Roboteraktionen eine wesentliche Rolle. Ergebnisse aus dem Methodengebiet *Problemlösen und Planen* werden hier genutzt; z. T. wurden spezielle Methoden auch in direktem Zusammenhang mit der Robotik-Forschung entwickelt. – 7. Im Mittelpunkt der Methodenbereiche → Learning und *Kognitionsmodelle* stehen Besonderheiten menschlicher Intelligenz. Daher ist eine enge Kopplung mit der → cognitive science gegeben. – a) Ein wichtiges Ziel des Bereichs *Kognitionsmodelle* ist die Erstellung von Computerprogrammen, die menschliches Problemlösungsverhalten simulieren. Ein Beispiel für ein solches Programm ist der der → general problem solver. – b) Gegenstand des *Learning* sind Methoden, die Computerprogramme in die Lage versetzen sollen, nicht nur auf der Basis des bereits vorhandenen, repräsentierten Wissens zu agieren, sondern durch Auswertung von bekannten Problemen und

## Übersicht: Künstliche Intelligenz – Teilgebiete

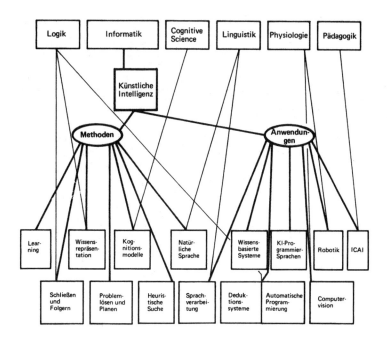

ihren Lösungen das Wissen selbsttätig zu erweitern. So kann es z. B. sinnvoll sein, eine Problemlösungsstrategie anhand „guter" neuer Lösungen zu verändern oder – falls keine adäquate Lösung bekannt ist – eine neue Strategie zu entwickeln. – 8. Während beim *Learning* menschliche Lernfähigkeit auf den Computer übertragen werden soll, wird im Rahmen des Anwendungsgebiets *ICAI* (*i*ntelligent *c*omputer *a*ided *i*nstruction; vgl. →CAI) versucht, Menschen bei dem Prozeß des Lernens zu unterstützen. Dabei wird auf Erkenntnisse der Pädagogik zurückgegriffen. – 9. *Heuristische Suche* ist ein Methodengebiet aus den ersten Anfängen der KI. Ein Problem bei der Entwicklung von Spielprogrammen ist die Suche nach „guten" Spielzügen; wegen der kombinatorischen Vielfalt explodiert die Anzahl möglicher Züge sehr schnell. Mit Hilfe von →Heuristiken werden die Suchräume eingegrenzt, so daß Spielsituationen schneller und besser analysiert werden können.

IV. KI-Hardware: Für die besonderen Erfordernisse der Symbolverarbeitung (vgl. II 1) werden *neue Hardwarearchitekturen* entwickelt. Beispiele sind die sog. *Lisp-Maschinen*. In diesem Zusammenhang ist das japanische →*fifth generation computer project*, in dem u. a. eine neue Generation von Arbeitsplatzrechnern („Personal *inference* machines") für die Verarbeitung von Wissen entwickelt werden soll, von außerordentlicher Bedeutung. Dort wird versucht, logische Schlüsse, die in konventionellen Computern durch eine Vielzahl von Einzelinstruktionen realisiert werden müssen, direkt vom →Prozessor ausführen zu lassen. Die Performance solcher Maschinen wird deshalb auch in →LIPS gemessen (im Unterschied zu →MFLOPS oder →MIPS bei konventionellen Hardwarearchitekturen).

V. Markt für KI: Sowohl auf der Anbieterals auch auf der Nachfragerseite erlebt der Markt für KI-Produkte einen außerordentlichen *Boom.* Während das Umsatzvolumen 1985 bei 300 Mill. Dollar lag, wird bis 1987 mit einer Verdoppelung, für 1990 mit 5–10 Mrd. Dollar und für das Jahr 2000 mit 50–100 Mrd. gerechnet. In den USA waren 1986 ca. 300 Unternehmen ausschließlich mit der kommerziellen Nutzung von KI beschäftigt. Die meisten sind jünger als 5 Jahre und beschäftigen zwischen 10 und 50 Mitarbeitern. – Die *Hauptaktivitäten* liegen in den Bereichen wissensbasierte Systeme bzw. →Expertensysteme, natürlichsprachliche Systeme, Spracherkennung, Computervision sowie KI-Programmiersprachen und KI-Hardware. Hinzu kommen vielfältige Aktivitäten von Großunternehmen der Computerbranche (z. B. Digital Equipment, Rank Xerox, Texas Instruments) sowie von speziellen Abteilungen der Anwenderfirmen, die sich mit KI-Einsatz beschäftigen (z. B. bei General Electric, General Motors).

Literatur: Andriole, S. J. (Hrsg.), Applications in Artificial Intelligence, Princeton, NJ, 1985; Barr, A., Feigenbaum E. A. (Hrsg.), The Handbook of Artificial Intelligence, 3 Bände, Los Altos, Ca., 1981; Bibel, W. Siekmann, J. H. (Hrsg.), Künstliche Intelligenz (Informatik Fachberichte 59), Berlin, Heidelberg, New York, 1982; Davis, R., Expert Systems: Where Are We? And Where Do We Go From Here, The AI Magazine, Menlo Park, Ca., Spring 1982, S. 3–23; Gevarter, W., Artificial Intelligence, Expert Systems, Computer Vision and Natural Language Processing, Park Ridge, NJ, 1984; Harmon, P./King K., Expertensysteme – Künstliche Intelligenz in der Wirtschaft, München, 1986; Mertens, P./Allgeyer, K./Däs, H., Betriebliche Expertensysteme in deutschsprachigen Ländern – Versuch einer Bestandsaufnahme, ZfB 56, 1986, H. 9, S. 905–941; Miller, R. K., Artificial Intelligence Applications for Business Management, Madison, Ga., 1984; Hennings, R. D./Munter, H., Expertensysteme (Artificial Intelligence 1), Berlin, 1985; Raphael, B., The Thinking Computer, Freeman, 1976; Retti, J., u. a., Artificial Intelligence – Eine Einführung, Stuttgart, 1984; Rich, E., Artificial Intelligence, New York, 1983; Minsky, M., Semantic Information Processing, Cambridge MA, 1968; Minsky, M., The Society of Mind, ... wird in Kürze erscheinen; Nilsson, N., Principles of Artificial Intelligence, Palo Alto, Ca., 1980; Pau, L. F., Artificial Intelligence in Economics and Management, Amsterdam, 1986; Reitman, W., Artficial Intelligence Applications for Business, Ablex, NJ, 1984; Savory, S., Künstliche Intelligenz und Expertensysteme, München, 1984; Schank, R./Childers P., The Cognitive Computer, Reading, Ma., 1984; Simon, H. A., The Sciences of the Artificial, Cambridge, Ma., 1981; Turing, A. M., Computing Machinery and Intelligence, in: Feigenbaum, E. A./Feldman, J., Computers and Thought, New York, 1963; Waterman, D. A., A Guide to Expert Systems, 2. Aufl., Reading, Ma., 1986; Waterman, D. A./Hayes-Roth, F., Pattern-Directed Inference Systems, 1978; Winston, P. H., The Psychology of Computer Vision, New York, 1975; Winston, P. H., Artificial Intelligence, 2. Aufl., Reading, Ma., 1984; Winston, P. H./Prendergast, K. A. (Hrsg.), The AI Business: Commercial Uses of Artificial Intelligence, 3. Aufl., Cambridge MA, London, 1985.

Prof. Dr. Karl Kurbel

**künstliche komparative Vorteile,** *willkürliche komparative Vorteile,* Bezeichnung für: a) nicht kostenmäßig bedingte, durch Unternehmensstrategien erzielte Vorteile; b) Wettbewerbsvorteile, die Unternehmen durch die staatliche Wirtschaftspolitik bzw. staatliche Aktivitäten erlangen.

**künstlicher Zielwert,** →künstliches Optimierungssystem II.

**künstliches Optimierungssystem.** I. Charakterisierung: Jedes →mathematische Optimierungssystem der Form

(1)    $y_0 = y_1 + y_2 + \ldots + y_m$

(2) $\begin{cases} a_{11}x_1 + a_{12}x_2 + \ldots + a_{1n}x_n + y_1 \\ \qquad\qquad\qquad\qquad\qquad = b_1 > 0 \\ a_{21}x_1 + a_{22}x_2 + \ldots + a_{2n}x_n + y_2 \\ \qquad\qquad\qquad\qquad\qquad = b_2 > 0 \\ \vdots \\ a_{m1}x_1 + a_{m2}x_2 + \ldots + a_{mn}x_n \\ \qquad\qquad\qquad\qquad + y_m = b_m > 0 \end{cases}$

(3)    $x_1, x_2, \ldots x_n, y_1, y_2, \ldots, y_m \geqq 0$

(4)    $y_0 \longrightarrow \text{Min!}$,

das als Hilfssystem dazu dient, zu einem →NN-Gleichungssystem

(2') $\begin{cases} a_{11}x_1 + a_{12}x_2 + \ldots + a_{1n}x_n = b_1 \geqq 0 \\ a_{21}x_1 + a_{22}x_2 + \ldots + a_{2n}x_n = b_2 \geqq 0 \\ \vdots \\ a_{m1}x_1 + a_{m2}x_2 + \ldots + a_{mn}x_n = b_m \geqq 0 \end{cases}$

(3')    $x_1, x_2, \ldots x_n \geqq 0$

eine →zulässige kanonische Form und damit eine zulässige Basislösung für dieses System $((2'),(3'))$ zu ermitteln bzw. nachzuweisen, daß eine derartige Lösung nicht existiert.

II. Bezeichnungsweisen: Die Variablen $y_1, y_2, \ldots, y_n$ werden als *künstliche Variablen*, $y_0$ als *künstliche Zielvariable*, die Funktion (1) als *künstliche Zielfunktion* und die Zahl $y_0^*$, die jedem Vektor $(x_1^*, x_2^*, \ldots, x_n^*, y_1^*, y_2^*, \ldots, y_n^*)$ von Zahlen $x_1^*, x_2^*, \ldots, x_n^*, y_1^*, y_2^*, \ldots, y_n^*$, insbes. auch jeder →Lösung von $((2), (3))$ durch die Funktion (1) zugeordnet ist, als *künstlicher Zielwert* bezeichnet.

III. Optimale Lösungen: 1. Auf das System $((1),(2),(3),(4))$ läßt sich nach Umformung von (1) in eine Zielgleichung und Eliminierung der künstlichen Variablen $y_1$, $y_2, \ldots, y_m$ daraus (indem man (1) durch die Summe von (1) und des (-1)-fachen sämtlicher Gleichungen von (2) ersetzt) sofort der →primale Simplexalgorithmus zur Bestimmung einer optimalen Lösung anwenden. – 2. Das System $((1),(2),(3),(4))$ hat immer eine optimale Lösung. – 3. Ist der (künstliche) Zielwert dieser Lösung größer als Null, so hat das ursprüngliche System $((2'),(3'))$ überhaupt keine →zulässige Lösung. – 4. Ist der künstliche Zielwert dagegen gleich Null, so liegt i.d.R. eine kanonische Form des Optimierungssystems $((1),(2),(3),(4))$ vor, bei der sämtliche künstlichen Variablen $y_1, y_2, \ldots, y_n$ Nichtbasisvariable (und damit gleich Null) sind, bzw. eine derartige Form läßt sich dann stets durch eine Folge primaler Simplexschritte erzeugen. Man streicht daraus die (umgeformte) künstliche Zielgleichung, die Zielvorschrift (4) sowie aus den umgeformten Gleichungen von (2) und aus (3) die künstlichen Variablen. Das verbleibende NN-Gleichungssystem weist zugleich eine kanonische Form von $((2'),(3'))$ auf, entsprechend ist die ausgewiesene Basislösung eine (zulässige) Basislösung von $((2'),(3'))$.

IV. Ökonomische Bedeutung: K.O. dienen z.B. im Rahmen der →Zwei-Phasen-Simplexmethode oder der →M-Methode zur Erzeugung einer ersten zulässigen kanonischen Form für ein gewisses betrachtetes lineares Optimierungssystem (→kanonisches lineares Optimierungssystem) bzw. für dessen Restriktionssystem (→kanonisches lineares Gleichungssystem). Kommerzielle Softwarepakete für lineare Optimierungsprobleme verwenden dagegen andere Techniken, so daß die Behandlung von k.O. in der Literatur zur linearen Optimierung – hauptsächlich aus didaktischen Gründen erfolgt.

**künstliche Variable,** →künstliches Optimierungssystem II.

**künstliche Zielfunktion,** →künstliches Optimierungssystem II.

**künstliche Zielvariable,** →künstliches Optimierungssystem II.

**Kunststoffwaren,** Herstellung von, Teil des →Verbrauchsgüter produzierenden Gewerbes, mit im wesentlichen folgenden Produktionsprogramm: Herstellung von Halbzeug aus Kunststoff wie Folien, Kunstleder, Tafeln, Platten, Boden- und Wandbeläge, Rohre, Schläuche, Bänder, Seife, Profile u.a.; Herstellung von Einzelteilen für verschiedene Wirtschaftszweige wie Verpackungsmittel, Lager- und Transportbehälter- und tanks, Bekleidung, Schuhe, Kurzwaren, Haushalts-, Wirtschafts- und Gebrauchsartikel, Laborbedarf u.a.; Herstellung und Montage von Fertigbauten aus Kunststoff im Hochbau.

**Kunststoffwaren, Herstellung**

| Jahr | Beschäftigte in 1000 | Lohn- und Gehaltssumme | darunter Gehälter | Umsatz gesamt | darunter Auslandsumsatz | Nettoproduktionsindex 1980 =100 |
|------|------|------|------|------|------|------|
| | | in Mill. DM | | | | |
| 1970 | 164 | 2 058 | 632 | 8 679 | 1 082 | – |
| 1971 | 170 | 2 386 | 769 | 9 993 | 1 275 | – |
| 1972 | 177 | 2 725 | 883 | 11 434 | 1 512 | – |
| 1973 | 189 | 3 265 | 1 063 | 13 439 | 2 000 | – |
| 1974 | 190 | 3 633 | 1 226 | 15 640 | 2 663 | – |
| 1975 | 174 | 3 581 | 1 288 | 14 438 | 2 265 | – |
| 1976 | 184 | 4 221 | 1 480 | 17 896 | 2 952 | 81,5 |
| 1977 | 188 | 4 585 | 1 573 | 19 369 | 3 243 | 87,2 |
| 1978 | 194 | 5 054 | 1 759 | 20 521 | 3 462 | 92,0 |
| 1979 | 207 | 5 749 | 2 044 | 24 564 | 4 240 | 99,8 |
| 1980 | 207 | 6 057 | 2 111 | 26 030 | 4 417 | 100 |
| 1981 | 201 | 6 239 | 2 248 | 26 005 | 4 858 | 97,3 |
| 1982 | 197 | 6 388 | 2 338 | 26 903 | 5 359 | 97,1 |
| 1983 | 194 | 6 576 | 2 396 | 29 109 | 5 840 | 104,3 |
| 1984 | 202 | 7 088 | 2 555 | 32 406 | 7 071 | 111,2 |
| 1985 | 209 | 7 572 | 2 722 | 34 365 | 7 974 | 117,0 |
| 1986 | 219 | 8 221 | 2 929 | 36 482 | 8 452 | 123,0 |

**Kupon,** *Coupon,* festverzinslichen Wertpapieren oder Aktien beigefügte →Zinsscheine oder →Dividendenscheine; wird auch als Synonym für Zins- und Dividendenschein verwendet. Zusammengestellt in einem K.-Bogen, von dem jeweils die einzelnen K. abgetrennt werden; Berechtigung zum Bezug eines neuen Bogens aufgrund des →Erneuerungsscheins. Gegen Einreichung des K. am Zinstermin wird der fällige Zinsbetrag gezahlt (meist 2.1. und 1.7. bzw. 1.4. und 1.10.). – Die Vorlegungsfrist beträgt mangels anderer Bestimmungen vier Jahre, bei Vorlegung Verjährung binnen zwei Jahren seit Ende der Vorlegungsfrist (§ 801 BGB); Kraftloserklärung für K. findet nicht statt. *K. ausländischer Wertpapiere* werden – falls nicht Devisenzwangswirtschaft besteht – nach Fälligkeit an der Börse gehandelt (K.markt).

**Kuponkurs,** Kurs fälliger →Kupons ausländischer Wertpapiere.

**Kuponsteuer,** →Kapitalertragsteuer.

**Kuppelprodukte,** *Kuppelprodukte, primär verbundene Produkte, Spaltprodukte, Zwangsanfallsprodukte, joint products.*

I. Charakterisierung: 1. *Begriff:* Produkte, die bei (technologisch) verbundener Produktion (Kuppelproduktion) simultan in einem Produktionsprozeß entstehen, d.h. aus naturgesetzlichen oder technischen Gründen zwangsläufig anfallende Produkte unterschiedlicher Art und Güte (→technologisch verbundene Produktion). – 2. Häufig wird zwischen *Nebenprodukten* und *Abfällen* einerseits und dem *Hauptprodukt* andererseits unterschieden (z.B. Gichtgas, Schlacke, Abwärme neben Roheisen im Hochofenprozeß; Sägemehl und Schwarten neben Brettern im Sägewerk). Als Leitprodukt wird das K. bezeichnet, das die Ausrichtung der Produktion primär bestimmt (kann je nach Marktlage wechseln), als Koprodukte (z.B. Erdölraffination) gleichrängige K. Wird ein Teil der K. in denselben Prozeß oder eine Vorstufe zurückgeführt (→Recycling), wird von *Kreislaufprodukten* gesprochen. – 3. K. sind Ergebnis eines Trenn-, Zerlegungs-, Umgruppierungs- oder Sortierprozesses. Die Gleichzeitigkeit des Anfalls kann vordergründig als zeitliches Nacheinander erscheinen (Eierproduktion vor Anfall der Schlachthenne). Die Zwangsverhältnisse wirken sich auch nach dem Spaltpunkt (split-off-point) auf die Weiterverarbeitungsprodukte *(mittelbare K.)* bei der Produktions- und Absatzplanung aus. – 4. *Mengenrelationen:* Die Zusammensetzung des K.bündels nach Art und Mengenverhältnis ist nur in Extremfällen absolut konstant (chemische Zerlegung einfacher Verbindungen, z.B. H$_2$O). Schwankende Rohstoffqualität und mangelnde Beherrschung führen zu stochastischen Schwankungen der Arten-, Güte- und Mengenverhältnisse. Die Lenkbarkeit der Mengenverhältnisse reicht von engen, naturgesetzlich oder verfahrenstechnisch vorgegebenen Bahnen bis zu relativ großen Spielräumen (z.B. im Sägewerk). Eine Verschiebung der Mengenrelationen oder Ausweitung der Spielräume ist oft durch den Übergang auf eine andere Technik oder Züchtung möglich.

II. Produktions- und Absatzproblem: Je inflexibler die Mengenrelationen, desto größer sind die Spannungen zwischen Produktions- und Absatzverhältnissen, insbes. wenn ein Teil der K. kaum Verwertungsmöglichkeiten bietet und der Speicher-, Transportier- oder Vernichtbarkeit erschwert ist; eine Einschränkung der Produktion der eigentlich gewollten K. kann u.U. die Folge sein. – Charakteristisch sind starke Preisschwankungen bei nachrangigen K., deren Preisuntergrenze im Negativen, bei den alternativ entstehenden Vernichtungskosten, liegen kann. Abhilfe wird durch Kombination von Prozessen mit unterschiedlicher Produktstruktur, Kartelle, Angliederung von Weiterverarbeitungsbetrieben, Entwicklung neuer Verwendungsmöglichkeiten und eine differenzierte Absatzorganisation gesucht.

III. Kalkulation: 1. Die für den Kuppelproduktionsprozeß anfallenden Kosten sind →variable Gemeinkosten, die sich nicht nach dem →Identitätsprinzip und dem →Verursachungsprinzip auf die einzelnen Spaltprodukte aufteilen lassen. Erst die Weiterverarbeitungskosten sind kostenträgerbezogen separat erfaßbar. – 2. *Kalkulationsverfahren/-verfahrensgruppen:* a) *Rest(kosten)wertrechnung* (z.T. auch *Subtraktionsmethode*): Die Weiterverarbeitungsüberschüsse der Nebenprodukte (Nettoerlöse abzügl. Weiterverarbeitungskosten) werden von den Gesamtkosten des Kuppelproduktionsprozesses abgezogen. Der verbleibende Restwert muß vom Hauptprodukt abgedeckt werden; sie liefert Informationen für die Preisfestlegung des Hauptprodukts. Anwendbar, wenn die K. sich in ein Haupt- und ein bzw. mehrere Nebenprodukte einteilen lassen, bei mehreren Hauptprodukten nur in Kombination mit Verteilungsverfahren. Vgl. auch →Rest(kosten)wert. – b) *Verteilungsverfahren:* Zur Kostenverteilung werden bestimmte Merkmale der K. herangezogen z.B. Heizwerte, Molekulargewichte oder Marktpreise, methodisch wird entsprechend der Äquivalenzziffernrechnung (→Divisionskalkulation II 3) vorgegangen. – c) *Päckchenrechnung:* Auf eine Aufschlüsselung der K.kosten wird zugunsten der Kalkulation einzelner, gesondert disponierbarer →Kuppelprodukt-Päckchen verzichtet. – Vgl. auch →Päckchen-Deckungsbeitrag.

**Kuppelproduktion,** →technologisch verbundene Produktion.

**Kuppelprodukt-Päckchen,** Bündel von →Kuppelprodukten (eines Produktionsprozesses), werden zum Zweck der Kalkulation gebildet (Päckchenrechnung, →Kuppelprodukt III 2c)).

**Kurantgeld,** *Währungsgeld,* zum →gesetzlichen Zahlungsmittel erklärte Geldzeichen, die in voller Höhe in Zahlung genommen werden müssen (obligatorisches Geld) im Gegensatz zu →Scheidemünzen.

**Kuratorium,** eine vom Staat zur Pflege der Verbindung zwischen den Ministerien und den Selbstverwaltungskörperschaften (insbes. Universitäten und anderen Hochschulen) sowie den Stiftungen und Anstalten geschaffene kollegiale Aufsichtsbehörde und Betreuungsstelle. Der Ausschuß wird aus Vertrauensleuten gebildet.

**Kuratorium der deutschen Wirtschaft für Berufsbildung,** nicht rechtsfähiger Verein; Sitz in Bonn. Gegründet 1970. – *Aufgaben:* Unterstützung und Koordination der Arbeit der Mitglieder im Bereich der →beruflichen Bildung einschl. →beruflichen Weiterbildung; Zusammenarbeit mit wissenschaftlichen Instituten der Wirtschaft; Stellungnahmen zu grundsätzlichen Problemen der Berufsbildungspolitik. – *Mitglieder:* Bundesverband der Deutschen Industrie, Bundesvereinigung der Deutschen Arbeitgeberverbände, Deutscher Industrie- und Handelstag, Hauptgemeinschaft des Deutschen Einzelhandels, Zentralverband des Deutschen Handwerks, Bundesverband des Deutschen Groß- und Außenhandels; als außerordentliche Mitglieder Bundesverband der freien Berufe und Deutscher Bauernverband. – *Arbeitskreise:* Arbeitskreis Ausbildungsgrundlagen, Arbeitskreis Weiterbildung und Koordinationsausschuß der deutschen Wirtschaft für die Techniker- und Ingenieurausbildung; *Arbeitsgemeinschaften:* Arbeitsgemeinschaft der kaufmännischen Ausbildungsleiter, Arbeitsgemeinschaft der gewerblich-technischen Ausbildungsleiter.

**Kurierdienst,** →Kleingut.

**Kurs. 1.** *Begriff:* Der an der Börse amtlich durch einen Kursmakler festgestellte Marktpreis für fungible →Wertpapiere, →Devisen (→Wechselkurs) oder Waren. Bei Wertpapieren ist zwischen der Kursnotierung (in Prozent des Nominalbetrags) und der Stücknotierung zu unterscheiden. Vgl. auch →Notierungen an der Börse, →Kursfeststellung. – **2.** *Arten:* a) *Kassakurs:* für im →Kassamarkt abgeschlossene Geschäfte; zu unterscheiden: (1) *Einheitskurs (Kassakurs i. e. S.):* vom Kursmakler für jedes Papier täglich festgesetzter, offizieller K. aller zum amtlichen Handel zugelassenen Papiere; der Börsenmakler hat diesen so festzusetzen, daß die Umsätze maximiert werden; (2) *variabler K. (fortlaufender K., Schwankungs-K.):* für bestimmte Papiere fortlaufend notierter K.; die Geschäfte werden individuell zu unterschiedlichen Preisen ermittelt. – b) *Terminkurs:* (variabler) K. für erst später zu erfüllende Geschäfte (→Termingeschäfte). – **3.** *Kursbildung:* Die Höhe des K. ist abhängig von den Vorgängen auf Geld- und Kapitalmarkt, Veränderung von Angebot und Nachfrage des betreffenden Papiers oder einer Wertpapiergattung, sowie von politischen Ereignissen und psychologischen Faktoren. – **4.** *Kursfeststellung:* Vgl. →Kursfeststellung.

**Kursabschlag,** →Deport.

**Kursbericht,** →Kurszettel.

**Kursblatt,** →Kurszettel.

**Kursbriefe,** früher: *Bahnhofsbriefe,* regelmäßige Briefe, die mit einer bestimmten Postverbindung befördert werden und vom Empfänger unmittelbar nach Ankunft in Empfang genommen werden können. – *Kennzeichnung:* Roter Rand auf Umhüllung, Vermerk „Kursbrief" und Postverbindung (z. B. „D 81").

**Kursfeststellung. 1.** *Begriff:* Feststellung der →Kurse als amtlich notierte Preise an einer Börse entsprechend der Geschäftslage. – **2.** *Hauptmethoden:* a) *Variabler Kurs (fortlaufender Kurs, Schwankungskurs):* Für alle zustande gekommenen Abschlüsse mit einem Mindestbetrag von 3000 DM oder 50 Stück

werden die tatsächlichen Kurse fortlaufend notiert. – b) *Einheitskurs:* Kursmakler setzen täglich für jedes Papier des Einheitsmarkts (amtlicher Handel) durch Berechnung einen Kurs fest, zu dem alle Umsätze des betreffenden Papiers tatsächlich abgerechnet werden (kein Durchschnittskurs). Amtliche K. erfolgt durch den Börsenvorstand gemeinsam mit den Maklern oder durch Kursmakler unter Aufsicht der Maklerkammer auf Grund vorliegender Kauf- und Verkaufs-Orders, wobei als Einheitskurs derjenige Kurs festgesetzt wird, zu dem der maximale Umsatz abgewickelt werden kann. – c) *Auktionsverfahren* (public call): Makler ruft einzelne Papiere auf, Interessenten geben Gebot ab und Abschluß erfolgt durch Zuruf (zu verschiedenen Kursen), oder man einigt sich durch Abstimmung von Angebot und Nachfrage auf einen Einheitskurs; ohne Einigung erfolgt keine →Notierung an der Börse. – Vgl. auch →holländisches Verfahren, →Tender-Verfahren.

**Kursgewinn,** Unterschied zwischen Ankaufs- und höherem Verkaufskurs eines Wertpapiers unter Berücksichtigung aller Spesen bei unverändertem Geldwert.

**Kurs-Gewinn-Verhältnis. 1.** *Begriff:* Kennziffer, die besagt, das Wievielfache des Reingewinns je Aktie den Kurs einer Aktie ausmacht. Der Reingewinn wird aus Jahresabschlußdaten geschätzt. K.-G.-V. werden regelmäßig in den Kurszetteln für die einzelnen Gesellschaften ermittelt; unterscheiden sich von Branche zu Branche sehr stark. – **2.** *Beispiel:* Kurs einer Aktie = 216 DM, Gewinnanteil je Aktie = 18 DM; K.-G.-V. = 12. – **3.** *Bedeutung:* Das K.-G.-V. ist in der →Aktienanalyse ein Maß für die Preiswürdigkeit einer Aktie.

**Kurshinweise,** →Kurszusätze und -hinweise.

**Kursindex,** Börsenindex. **1.** *Begriff:* Index der jeweiligen Börsenkurse, der die Kursentwicklung zeigen soll. – *Beispiele:* F.A.Z.-Aktienindex, der Commerzbankindex, BHF-Bank-Rentenmarktindex, Dow Jones Industrial (USA) oder Stanpoor (USA). – **2.** *Berechnungsmethoden:* a) Aus sämtlichen Kursen oder einer repräsentativen Anzahl von Kursen für jede Gruppe (Aktien, Anleihen usw.) oder für alle an der Börse notierten Werte wird der Durchschnitt errechnet, häufig unter Berücksichtigung der marktmäßigen Bedeutung des einzelnen Papiers durch Multiplikation des Kurses mit dem zugelassenen Kapital (gewogener Index). – b) Das arithmetische Mittel der Kurse einiger maßgeblicher Werte wird berechnet; die so errechnete Zahl wird für ein bestimmtes Datum gleich 100 gesetzt, die folgenden Daten in Prozenten der ersteren ausgedrückt (→Aktien-Index). – **3.** *Bedeutung:* K. sind Konjunkturbarometer; für Aktien werden deshalb auch Branchenindizes gebildet. Da festverzinsliche Wertpapiere um 100% schwanken, begnügt man sich hierbei vielfach mit der Errechnung von Kursdurchschnitten.

**Kursintervention,** Eingreifen an der Börse von interessierter Seite, meist von Banken, wenn unerwünschte Kursveränderungen (insbes. Kursabschwächungen) für ein Wertpapier einzutreten drohen; an den Devisenmärkten häufig von Zentralbanken, um eine Währung zu stützen (vgl. auch →Interventionspunkte). Mittel der K. →Kursstützung.

**Kursklausel,** *Zahlungsklausel,* Klausel zur Vermeidung von Kursverlusten bei auf das Ausland ausgestellten Wechseln. Durch die K. („zahlbar in Landeswährung zum Bankziehungskurs für Sichtwechel auf ...") wird das Risiko etwaiger Kursschwankungen auf den Bezogenen überwälzt.

**Kursmakler,** an der Börse kraft amtlichen Auftrags in der Vermittlung der Geschäfte zwischen Käufer und Verkäufer tätige Person, der i. d. R. auch die Vorbereitung oder die Feststellung der Kurse obliegt. Vertretung durch die →Kursmaklerkammer. Z. T. besitzen im Ausland die K. das alleinige Recht der Vermittlung. An den deutschen Börsen werden die K. von der Landesregierung angestellt und vereidigt. – Die K. dürfen keine anderen Handelsgeschäfte betreiben, Eigengeschäfte sind ihnen nur in sehr geringem Umfang gestattet. – Für ihre Tätigkeit erhalten die K. eine Vermittlungsgebühr, die →Courtage. – Die öffentliche Ermächtigung nach §§ 373, 376 HGB ändert nichts an der rechtlichen Stellung des K. als →Handelsmakler. – K. sind zur Führung des →Maklerbuchs nach § 33 BörsG verpflichtet mit der Sondervorschrift, daß dieses vor dem Gebrauch dem Börsenvorstand zur Beglaubigung der Zahl der Blätter oder Stellen vorzulegen ist.

**Kursmaklerkammer,** Vertretung der →Kursmakler, bei jeder Börse zu bilden, an der mindestens acht Kursmakler bestellt sind. – *Aufgaben:* Anhörung bei der Bestellung von Kursmaklern sowie bei der Verteilung der Geschäfte unter den einzelnen Kursmaklern (§ 30 BörsG); Aufsicht über Kursmakler, Verteilung der Geschäfte unter sie, Mitwirkung bei der amtlichen Kursaufstellung, Schlichtung von Streitigkeiten zwischen Kursmakler und seinen Auftraggebern, z. T. auch →Kursfestsetzung und Veröffentlichung des Kurszettels.

**Kursparität,** →Parität 3.

**Kurspflege,** →Kursstützung.

**kurspflegende Stellen,** Marktteilnehmer, die durch planmäßige Käufe bestimmter Wertpapiere oder Devisen deren Kurse stützen (→Kursstützung). K.St. sind i. d. R. Emittent eines Wertpapiers oder Konsortium der Emissionsbanken (Kurspflegekonsortium). Im Bereich der öffentlichen Anleihen und am

Devisenmarkt handelt es sich v. a. um die Deutsche Bundesbank.

**Kursrechnung.** 1. *Begriff:* Berechnung des Kapitalwerts (Barwerts) einer →Anleihe. – 2. *Berechnung:* Bei festverzinslichen Wertpapieren wird die Zahlungsreihe des Wertpapiers mit dem marktüblichen Zinssatz für die entsprechende (Rest-)Laufzeit abdiskontiert. Bei der Neuemission einer Anleihe kann durch Zu- oder Abschläge (Begebungsgeld, Emissionsdisagio) eine Feinanpassung der →Effektivverzinsung an den Marktzins vorgenommen werden, die sonst nur durch krumme und unbequeme Nominalzinsfüße zu erreichen wären.

**Kursregulierung,** Einflußnahme der Emissionsbank auf die Kursbildung eines Papiers durch Kauf- oder Verkauforder, um überhaupt eine Notierung zustande zu bringen oder größere Kursschwankungen zu verhindern. – *Planmäßige K.* wird als →Kursstützung bezeichnet.

**Kursrisiko,** Verlustmöglichkeit bei ungünstiger Entwicklung des Kurses von Wertpapieren und Währungen (→Wechselkurs). Zur Absicherung gegen K. können →Hedging-Geschäfte) oder →Kurssicherung durchgeführt werden.

**Kurssicherung,** im Außenwirtschaftsverkehr getroffene Maßnahmen zur Ausschaltung bzw. Begrenzung von möglichen Verlusten durch Wechselkursveränderungen. z. B. Devisentermingeschäfte (→Termingeschäft), →Kursklauseln in Handelsverträgen. Besondere K. *entfällt* bei der Bundesrep. D. (1) bei DM-Fakturierung, (2) nach Abschluß eines Devisentermin- oder Kurssicherungsgeschäfts, (3) nach Diskontierung einer →Exporttratte und (4) nach Diskontierung eines →Auslandsakzepts. – *Anders:* →Hedging.

**Kursstreichung,** erfolgt, wenn keine Kauf- und Verkaufsaufträge für ein Börsenpapier vorliegen oder wenn außergewöhnliche Kursveränderungen erwartet werden. – Vgl. auch →Notierungen an der Börse.

**Kursstützung,** *Kurspflege,* planmäßige Käufe von interessierten Stellen, um den Kurs von Wertpapieren oder einer Währung vor einem starken Kursrückgang zu schützen. Für umfassende K. wird meist ein →Konsortium gebildet. – 1. *K. bei Aktien* wird z. B. im Zusammenhang mit der Ausgabe von Bezugsrechten durchgeführt, um den Aktienkurs nicht unter den Bezugspreis der jungen Aktien absinken zu lassen. – 2. *K. im Währungsbereich* erfolgt durch →kurspflegende Stellen wie Notenbanken, um z. B. das Absinken einer Währung unter →Interventionspunkte zu verhindern. – 3. *K. im Zinsbereich:* Vgl. →Offenmarktpolitik.

**Kursverlustversicherung,** Versicherung des Risikos, daß aufgrund staatlicher Devisen- oder Währungsmaßnahmen des Schuldnerlandes der Richtungsausgleich nicht in der vereinbarten, sondern in einer anderen Richtung erfolgt und dadurch dem Exporteur bei der Umwandlung in die Inlandswährung Kursverluste entstehen.

**Kursverwässerung,** Maßnahmen mit kurssenkender Wirkung bei der Finanzierung der AG durch Ausgabe von →Gratisaktien oder zusätzlicher →junger Aktien unter dem Kurswert (jedoch nicht unter-pari) der alten Aktien. K. als Mittel der Finanzierungspolitik soll einen infolge Ansammlung hoher Rücklagen (meist durch →Selbstfinanzierung entstandene offene und stille Reserven) hervorgerufenen überhöhten Kurs abschwächen, der u.a. trotz angemessener Dividende nur noch unzureichende Rendite der Aktien ermöglicht.

**Kurswert,** der aufgrund des Börsenkurses sich ergebende Wert eines Wertpapieres. Bei Notierung je Stück sind →Kurs und K. identisch; bei Notierung in Prozenten des Nominalbetrages ist der K.: (Nominalbetrag × Kurs)/100. – *Steuerlich* besonders zu beachten der nach BewG zur Bestimmung des →gemeinen Werts festgelegte →Steuerkurswert. – *Anders:* →Effektivwert, →Nennwert.

**Kurszettel,** *Kursbericht, Kursblatt,* regelmäßig, meist börsentäglich erscheinende Liste der an der jeweiligen Börse notierte Wertpapiere, unterteilt in amtliche Börsenkurse und Freiverkehrsnotierungen. In Börsen- und Tageszeitungen werden häufig die amtlichen K. (ganz oder im Auszug) sowie die Kurse im Freiverkehr veröffentlicht. Banken geben oft K. von nicht an der Börse gehandelten Wertpapieren heraus. – Vgl. auch →Notierungen an der Börse.

**Kurszusätze und -hinweise,** Erläuterungen der →Notierungen an der Börse im amtlichen Kurszettel:

**b, bz** oder **bez** = bezahlt: zu dem notierten Kurs waren Angebot und Nachfrage ausgeglichen, ausgeführt alle unlimitierten, alle zum notierten Kurs erteilten Aufträge sowie alle höher limitierten Kauf- und alle niedriger limitierten Verkaufsaufträge.

**bB** oder **bezB** = bezahlt und Brief: ausgeführt wurde alle unlimitierten, alle zum notierten Kurs (Einheitskurs) oder höher limitierten, also sämtliche Kaufaufträge; alle unlimitierten und alle niedriger als der notierte Kurs limitierten, jedoch nur ein Teil der gerade zum notierten Kurs limitierten Verkaufsaufträge. (So lautet die N: in obigem Beispiel: 132 bzw B.)

**bG** oder **bezG** = bezahlt und Geld: ausgeführt wurden alle unlimitierten und alle zum notierten Kurs (Einheitskurs) oder niedriger limitierten, also sämtliche Verkaufsaufträge; alle unlimitierten und alle höher als der notierte Kurs limitierten, jedoch nur ein Teil der gerade zum notierten Kurs limitierten Kaufaufträge.

**etw bB** = etwas bezahlt und Brief; wie bB, doch wurden nur wenige zum Einheitskurs limitierte Verkaufsaufträge ausgeführt.

**etw bG** = etwas bezahlt und Geld; wie bG, doch wurden nur wenige zum Einheitskurs limitierte Kaufaufträge ausgeführt.

**x bG, bB rep** oder **rbB** = bezahlt Brief repartiert: Ausgeführt wurden alle unlimitierten, zum Einheitskurs und höher limitierten Kaufaufträge, jedoch die unlimitierten, zum Einheitskurs und niedriger limitierten Verkaufsaufträge alle nur zum Teil. Der Kurs wurde von der Börsenaufsicht festgesetzt.

**x bG, bG rep** oder **rbG** = bezahlt Geld repartiert: Ausgeführt wurden alle unlimitierten und zum Kurs oder niedriger limitierten Verkaufsaufträge, die unlimitierten, zum Kurs oder höher limitierten Kaufaufträge jedoch alle nur zum Teil. Der Kurs wurde von der Börsenaufsicht festgesetzt.

**B (ohne Zusatz)** = Brief, Angebot: dem Angebot stand keine oder nur ganz geringfügige Nachfrage zu einem vertretbaren Kurs gegenüber.

**G (ohne Zusatz)** = Geld, Nachfrage: der Nachfrage stand kein oder nur ganz geringfügiges Angebot zu einem vertretbaren Kurs gegenüber.

– **G** = gestrichen Geld: Kurs wurde gestrichen, da nur Nachfragen vorlagen (keine Umsätze).

– **B** = gestrichen Brief: Kurs wurde gestrichen, da nur Angebote vorlagen (keine Umsätze).

– = Kurs gestrichen: es lagen weder Kauf- noch Verkaufsaufträge zu einem vertretbaren Kurs vor; der Kurs kann jedoch auch auf Anordnung der Aufsichtsbehörde, des Börsenvorstandes oder der Zulassungsstelle gestrichen werden, wenn ein wichtiger Grund vorliegt (Zurücknahme der Zulassung, unzureichende Publizität des Emittenten u.dgl.).

**T** = Taxkurs: geschätzter Kurs, es lagen keine Umsätze vor.

**exD, exDiv.** = ausschl. Dividende: Kurszusatz am Tage des Dividendenabschlags (meist am 2. Börsentag nach der Hauptversammlung).

**exBA** = ausschl. Berichtigungsaktien: Zusatz falls Berichtigungsabschlag vorgenommen wurde.

**exB, exBR.** = ausschl. Bezugsrecht: Kurszusatz am Tage des Bezugsrechtsabschlages (meist der vorletzte Börsentag vor Ablauf der Bezugsfrist).

**exZiehung** oder **exZ** = Kurszusatz am Auslosungstage bei verlosbaren Schuldverschreibungen.

– **Z** = gestrichen Ziehung: An den beiden dem Auslosungstag vorangehenden Börsentagen ist Notierung des festverzinslichen Papiers ausgesetzt.

**Kl bz** = Kleinigkeiten bezahlt (Kurszusatz in Bremen, Hamburg, Hannover).

**o.D.** = ohne Dividendenschein.

**o.Db.** = ohne Dividendenbogen.

**m.T.** = mit Talon: Lieferfähige Stücke müssen mit Talon (→Erneuerungsschein) versehen sein.

**o.U.** = ohne Umsatz (Kurszusatz in Berlin).

**P** = Papier (= Brief), nur in München.

**rep.** = repartiert: Aufträge wurden nur teilweise ausgeführt (Zuteilung).

*Abkürzungen und Zeichen, die gewissen unterschiedliche Bedeutungen der Kursnotizen selbst betreffen:*

**\*** = kleine Stücke fehlen bzw. blieben ohne Umsatz (Düsseldorf).

**∅** = Kurs in % von DM-Nennwert, mit Stückzinsberechnung, lieferbar mit laufenden sowie den nach dem 30. September 1945 fällig gewordenen, unbezahlt gebliebenen Kupons (Börsenzeitung).

**% Not.** = Notiz in Prozenten des DM-Nennwertes.

**○** = reine Courtage (Kursnotiz in Prozenten vom RM-Nennbetrag, keine Stückzinsberechnung, lieferbar mit allen nach dem 30.9.1945 fällig gewordenen, unbezahlt gebliebenen Kupons) (Hamburg, Frankfurt a.M.).

**■** = der Kurs wurde berichtigt.

**F** = zur fortlaufenden Notierung zugelassen (Berlin, Frankfurt a.M.).

**V** = Variable Notierung (Börsenzeitung).

**kK** = keine Kursnotiz, da Börse geschlossen (Börsenzeitung).

**LB** = Kurse von Reichsmark-Werten mit Lieferbarkeitsbescheinigung (Berlin).

**NG** oder **NGS** = Anteile am Neugirosammeldepot; Kurse in DM % des RM-Nennwertes.

**(ohne Zeichen [festverzinsliche Wertpapiere])** = Kurs in % vom DM-Nennwert, mit Stückzinsenberechnung, lieferbar mit laufenden Kupons.

*Abkürzungen und Zeichen, die die Lieferbarkeit der Stücke, den Zinsendienst und sonstiges klarstellen:*

**n** = nur bestimmte Nummern oder Serien lieferbar, bei auf DM umgestellten Aktien.

**∧** = Gesellschaft hat Vorzugsaktien, die an der Börse amtlich nicht gehandelt werden.

**G** = Wertpapiere, bei denen bereits eine Gutschrift aus der Wertpapierbereinigung erfolgt ist.
**J** = Jungscheine.
**E** (beim Akt.-Kap.) = Kapitalentwertungs- oder Kapitalverlustkonto gebildet.
**N** = Neue Aktien sind ausgegeben, aber noch nicht lieferbar.
**V** = Verlosung.
**●** = zum Optionshandel zugelassen.

**Kurzuschlag,** →Report.

**Kurtage,** →Courtage.

**Kurtaxe,** durch Gemeinden, die als Heilstätten oder Erholungsplätze dienen, von ihren Kurgästen erhobene und auf die Aufenthaltszeit berechnete →Abgabe zur Deckung der im Interesse der Fremden getätigten erhöhten Haushaltsausgaben.

**Kurve,** →Graph.

**Kurvendiagramm,** – graphische Darstellung der Werte einer →Zeitreihe in chronologischer Anordnung. Als Abzissenwert wird der Zeitpunkt oder Zeitraum, als Ordinate der zugehörige Zeitreihenwert eingesetzt. Die entstehenden Punkte werden gradlinig verbunden; die Verbindungslinien haben indessen nur bei Bestandsgrößen eine interpretatorische Bedeutung.

**Kurvenschreiber,** →Plotter.

**Kurventarif,** Steuertariform (→Tarifformen), bei der der Steuertarif veränderliche Steigerungsquoten aufweist. Die Steuerbetragsfunktion verläuft stetig.

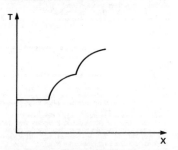

*Arten:* 1. *Teilmengenstaffelung ( Anstoßtarif):* Zuordnung eines bestimmten Steuersatzes jeweils nur zu einer bestimmten Stufe und nur auf die Steuerbemessungsgrundlage dieser Stufe (nicht auf die Gesamtbemessungsgrundlage, wie beim →Stufentarif). Steuerschuld ist die Summe der Steuerbeträge in den einzelnen Stufen. Merkmal: Kein sprunghafter Anstieg des Steuerbetrags bei Überschreiten einer Teilmengengrenze; innerhalb eines bestimmten Bereichs bleibt der Steuersatz konstant, bei großen Steuerstufen ein Mangel. – Von 1934 bis 1955 für die Einkommensteuer in Deutschland geltend; 1955 mit der Neugestaltung des Einkommensteuertarifs durch den Formelta-

rif ersetzt. – 2. *Spitzentarif:* Vereinfachung der Teilmengenstaffelung, indem jeweils die numerierten Teilbeträge vorheriger Stufen im Tarif angegeben werden, so daß nur noch von der letzten Stufe der „Spitzenbetrag" ermittelt werden muß. – 3. *(Steuerlicher) Formeltarif:* Ermittlung der Steuerschuld mittels mathematischer Gleichungen; technische Verwirklichung der Kombination des →progressiven Steuertarifs und des →proportionalen Steuertarifs (Teilbereiche). Der Steuerbetrag wird mit Hilfe einer mathematischen Formel ermittelt, wodurch sich ein stetiger Verlauf der Steuerbetragskurve ergibt; keine sprunghaften Veränderungen der Steuerschuld; innerhalb eines progressiven Besteuerungsbereichs erhöhen sich die Grenzsteuersätze (Spitzensteuersätze) mit jedem kleinsten Zuwachs der Bemessungsgrundlage kontinuierlich. – In der Bundesrep. D. gilt der Formeltarif für die Einkommensteuer.

**Kurzarbeit,** Herabsetzung der betrieblichen →Arbeitszeit bei entsprechender Kürzung des →Arbeitsentgelts zum Zwecke der vorübergehenden Arbeitsstreckung, insbes. bei Auftragsmangel. – 1. Für tarifgebundene Arbeitnehmer kann die Möglichkeit der *Einführung von K.* im →Tarifvertrag vorgesehen werden. Die tariflichen Regelungen sind meist durch die in allen Betrieben übliche Bezugnahme auf den Tarifvertrag anwendbar. Das →Direktionsrecht des Arbeitgebers ermächtigt nicht zu der mit K. verbundenen Lohnminderung. – 2. K. kann nur mit *Zustimmung des Betriebsrats* eingeführt werden (§ 87 I Nr. 3 BetrVG). Das Mitbestimmungsrecht des Betriebsrats nach § 87 I Nr. 3 BetrVG hat auch zum Inhalt, daß der Betriebsrat zur Vermeidung von →Kündigungen die Einführung von K. verlangen und ggf. über einen Spruch der →Einigungsstelle erzwingen kann (BAG vom 4. 3. 1986 – 1 ABR 15/84). – 3. Ist bei →*Massenentlassungen* der Arbeitgeber nicht in der Lage, die Arbeitnehmer während der Sperrfrist zu beschäftigen, so kann das Landesarbeitsamt den Arbeitgeber ermächtigen, für die Zwischenzeit K. einzuführen. Dabei bleiben tarifvertragliche Bestimmungen unberührt, die Einführung, Ausmaß und Bezahlung der K. regeln (§ 19 KSchG). – 4. Während einer Kurzarbeitsperiode haben die betroffenen Arbeitnehmer unter bestimmten Voraussetzungen für die ausgefallenen Arbeitsstunden Anspruch auf →*Kurzarbeitergeld* (§§ 63 ff. AFG).

**Kurzarbeitergeld.** 1. *Leistung* der →Arbeitslosenversicherung an Arbeitnehmer, die noch in beitragspflichtiger Beschäftigung stehen, deren Arbeitszeit aber infolge eines auf wirtschaftlichen Ursachen beruhenden unvermeidbaren Arbeitsausfalles um mehr als 10% bei mindestens einem Drittel der Arbeitnehmer in einem Zeitraum von vier Wochen gekürzt ist (→Kurzarbeit). K. auch bei einem zur Stillegung führenden unabwendbaren Ereignis, wenn der Arbeitsausfall durch behördliche oder behördlich anerkannte Maßnahmen verursacht ist, die der Arbeitgeber nicht zu vertreten hat. K. soll die bestehenden Arbeitsverhältnisse in dem Betrieb während der Zeit des Ausfalls aufrechterhalten. – 2. *Höhe:* Richtet sich i.d.R. nach dem ohne Arbeitsausfall zu erzielenden Arbeitsentgelt. K. beträgt für Arbeitnehmer mit mindestens einem Kind 68% und für alle anderen 63% des um die gesetzlichen Abzüge verminderten Arbeitseinkommens für die Dauer der K., höchstens für sechs Monate. Verlängerung möglich durch VO des Bundesministers für Arbeit und Sozialordnung bis zur Dauer von 24 Monaten (Sonderregelung von 1987 bis 1989 für Betriebe der Stahlindustrie: Verlängerung auf 36 Monate). Die Leistungssätze werden (ähnlich wie beim →Arbeitslosengeld) durch Rechtsverordnung zum AFG jeweils für ein Kalenderjahr festgesetzt.

**kurzfristige Beschäftigung. 1.** *Zur lohnsteuerlichen Behandlung:* Vgl. →Teilzeitbeschäftigung. – **2.** *Zur Sozialversicherungspflicht:* Vgl. →geringfügige Beschäftigung.

**kurzfristige Erfolgsrechnung,** zu Zeiten nur jährlichen Abschlusses der →Finanzbuchhaltung bzw. nur jährlicher Durchführung der →Betriebsabrechnung geprägter Begriff für unterjährige →Erfolgsrechnungen, z.B. monatliche Erfolgsrechnung. Besitzt angesichts der durch die EDV-Führung möglichen hohen Aktualität des Rechnungswesens (→Kostenrechnungssoftware) konzeptionell keine Bedeutung mehr.

**kurzfristige Planung,** →Fristigkeit, →Unternehmensplanung.

**kurzfristige Preiserhöhung,** nach dem AGB-Gesetz eine Preiserhöhung innerhalb von vier Monaten nach Vertragsabschluß. Eine Bestimmung über k.P. in Allgemeinen Geschäftsbedingungen ist unwirksam, es sei denn, es handelt sich um ein Dauerschuldverhältnis oder um Leistungen der Bundespost, Bundesbahn oder öffentlicher Verkehrsträger.

**kurzfristige Versicherung,** Versicherung mit geringerer als Jahresdauer. Soweit k.V. möglich ist, erfolgt Berechnung der Prämie nach besonderer Staffel; für eine k.V. von dreimonatiger Dauer, z.B. 30–50% der Jahresprämie.

**Kurz-Indossament,** →Blanko-Indossament.

**Kurzperiodenanalyse,** auf Marshall zurückgehende Betrachtungsweise in der betrieblichen Planung und Kostenlehre, die kurze Perioden von langen Perioden im Gegensatz zur →Kalenderzeitanalyse nicht durch rein kalenderzeitabhängige Kriterien abgrenzt, sondern über Konstanzbedingungen für bestimmte →Produktionsfaktoren und/oder

Entscheidungstatbestände. – Vgl. auch →Fristigkeit.

**Kürzungen,** Begriff des GewStG bei Ermittlung des →Gewerbeertrags (§9 GewStG) und des →Gewerbekapitals (§12 III GewStG).

**kurzzeitige Beschäftigung. 1.** *Zur lohnsteuerlichen Behandlung:* Vgl. →Teilzeitbeschäftigung. – **2.** *Zur Sozialversicherungspflicht:* Vgl. →geringfügige Beschäftigung.

**Küstengebiet,** im Sinne des Zollrechts genau begrenztes Gebiet vor der deutschen Küste. Begrenzung des K. vgl. Anlage 2 AZO.

**Küstengewässer,** Gebiet bis zu drei Seemeilen Entfernung in der Niedrigwassergrenze entlang der Küste und der davorliegenden Inseln und Bänke. K. gehören noch zum Hoheitsgebiet des anliegenden Staates. In letzter Zeit haben einzelne Länder entgegen den völkerrechtlich anerkannten Regeln ihren Hoheitsbereich über die Dreimeilenzone hinaus ausgedehnt.

**Küstenschiffahrt,** Schiffahrt im Bereich der →Küstengewässer bzw. innerhalb des Seegebietes nationaler Souveränitätszonen. Von der K. zu unterscheiden ist der →Seeschiffahrt; die Trennung fällt allerdings häufig schwer und ist daher nicht für alle Fälle einheitlich. I.d.R. bestehen in der K. keine eigenen Niederlassungen an Land, da der Unternehmer meist gleichzeitig Kapitän ist und die Ladungen vorwiegend von Maklern vermittelt werden.

**Kuwait** *Staat Kuwait,* Scheichtum am Nordwestende des Persischen Golfs, vorwiegend Wüste. – *Fläche:* 17818 km². – *Einwohner* (E): (1986, geschätzt) 1,79 Mill. (100,5 E/km²), davon ca. 1,01 Mill. Ausländer. – *Hauptstadt:* Kuwait-City (Agglomeration 182000 E); weitere wichtige Städte: Hawalli (152400 E), As-Salimija (146000 E). – *Unabhängig* seit 1961; konstitutionelle Erbmonarchie; Verfassung von 1962 z.T. suspendiert; Nationalversammlung mit 50 gewählten Abgeordneten, keine politischen Parteien, jedoch Gruppierungen; kein Frauenstimmrecht. – *Verwaltungsgliederung:* 4 Provinzen (governorates), 10 Verwaltungsbezirke (districts). – *Amtssprache:* Arabisch.

Wirtschaft: K. unternimmt größte Anstrengungen zum Ausbau der Landwirtschaft. Die pflanzliche Produktion beschränkt sich v.a. auf den Anbau von Gemüse. Tradition hat sei jeher Viehhaltung und Fischerei. Das Land verdankt seine Bedeutung dem Erdöl. Die sicheren Reserven werden auf ca. 12,36 Mrd. t geschätzt, das sind 13% aller Erdölreserven der Erde. Neben den Erdölraffinerien finden sich Unternehmen der Baustoffindustrie, chemischen Industrie (einschl. Düngemittel und Kunststoffe), Nahrungs-, Genußmittel und Getränkeherstellung, Textilbranche und des Druck- und Verlagsgewerbes. Die industrielle Produktion soll auf der

Grundlage der natürlichen Rohstoffe (Erdöl, Erdgas) diversifiziert werden. – *BSP:* (1985, geschätzt) 24 760 Mill. US-$ (14 270 US-$ je E). – *Inflationsrate:* (Durchschnitt 1973–84) 9,2%. – *Export:* (1984) 10 751 Mill. US-$, v. a. Rohöl und Raffinerieprodukte. – *Import:* (1984) 7699 Mill US-$, v. a. Konsum- und Investitionsgüter. – *Handelspartner:* Japan, EG-Länder, USA, Irak.

V e r k e h r : 1712 km *Straßen,* davon 433 km Autobahn (1982). – Keine *Eisenbahn.* – Die *Handelsflotte* verfügt über 250 Schiffe mit einer Gesamttonnage von 2,55 Mill. BRT. *Häfen* für den Güterverkehr: Schuwaich, Schuaiba, Terminals für Öltanker in Mina al-Ahmadi, Mina Abdallah, Schuaiba, Mina Saud. – Erdölleitungen. – Der internationale *Flughafen* von Kuwait wird von internationalen Fluggesellschaften angeflogen. Die staatliche *Fluggesellschaft* „Kuwait Airways Corporation" verfügt über einen modernen Flugzeugpark.

M i t g l i e d s c h a f t e n : UNO, OAPEC, OPEC, OIC, UNCTAD u. a. Arabische Liga.

W ä h r u n g : 1 Kuwait-Dinar (K.D.) = 1000 Fils.

**Kux.** 1. *Begriff:* Anteil des Gesellschafters (Gewerken) an der →bergrechtlichen Gewerkschaft. a) Die sog. *bergrechtliche Gewerkschaft älteren Rechts* ist eine Bruchteilsgemeinschaft (→Gemeinschaft); die K. gelten als ideeller Anteil am Bergwerk, werden auf den Namen ihres Eigentümers im Grundbuch eingetragen und können nach den für Grundstücke geltenden Vorschriften (→Grundstücksverkehr) belastet und veräußert werden. – b) Die sog. *bergrechtliche Gewerkschaft des neueren Rechts* ist →juristische Person; der K. wird im Gewerkenbuch eingetragen. Übertragung des K. durch Abtretung und Umschreibung im Gewerkenbuch. Die zu einem von der Gewerkschaft festgelegten Stichtag eingetragene Person ist auch berechtigt die Gewinnausschüttung (Ausbeute) zu erhalten. Auf Antrag wird über den K. ein *Kuxschein,* ein →Rektapapier, ausgestellt. Die Höhe der ersten *Einzahlung* richtet sich nach den Betriebsverhältnissen; bei zusätzlichem →Kapitalbedarf besteht Nachschußpflicht der Gewerken (→Zubuße). Der Kuxenbesitzer kann sich von der Nachschußpflicht befreien, indem er die K. kostenlos an die Gewerkschaft zurückgibt (→Abandon). – 2. K. als *Mittel der Finanzierung* gelten als nachteilig, weil sie an der Börse unbeweglich sind oder weil die Unternehmensleitung für etwaige Kapitalerhöhung nicht den →Kapitalmarkt, sondern nur die Gewerken in Anspruch nehmen kann. – 3. *Bewertung* von K. *im Steuerrecht:* Mit dem →Kurswert oder dem →gemeinen Wert, wie Aktien.

**Kuxenbörse,** Wertpapierbörse für den Handel mit →Kuxen, seit 1970 keine Kuxnotierungen.

**KVAE, Konferenz über Vertrauens- und Sicherheitsbildende Maßnahmen und Abrüstung in Europa,** →Konferenz über Sicherheit und Zusammenarbeit in Europa (KSZE).

**KVO,** Abk. für →Kraftverkehrsordnung.

**KVO-Versicherung,** gem. Güterkraftverkehrsgesetz und Kraftverkehrsordnung vorgeschriebene Versicherung für Güterfern- oder Güternahverkehr. Die konzessionierten Unternehmer haben den Nachweis über eine gem. ihrer öffentlich-rechtlichen Verpflichtung abgeschlossene Versicherung über das beförderten Güter zu erbringen. § 38 KVO begründet eine zivilrechtliche Versicherungspflicht des Unternehmers gegenüber seinem Kontrahenten, für den Beförderungsvertrag eine Güterschaden-Haftpflichtversicherung im Rahmen des in der KVO festgelegten Haftungsumfanges abzuschließen.

**KW,** Abk. für →Kreditanstalt für Wiederaufbau.

**Kwandebele,** →Südafrika.

**KWG,** Abk. für →Kreditwesengesetz.

**KWKG,** →Kriegswaffenkontrollgesetz.

**Kybernetik,** →Wirtschafts- und Sozialkybernetik.